COL·LECCIÓ HOMENATGES

19

VOLUM I

Professor

JOAQUIM MOLAS

–

MEMÒRIA, ESCRIPTURA, HISTÒRIA

Professor
Joaquim Molas

–

Memòria, escriptura, història

Publicacions

UNIVERSITAT DE BARCELONA

BIBLIOTECA DE LA UNIVERSITAT DE BARCELONA. Dades catalogràfiques

---

Professor Joaquim Molas: memòria, escriptura, història.– (Homenatges ; 19)

Notes. Bibliografia. Índex
ISBN 84-475-2657-7 (o.c.)
ISBN 84-475-2654-2 (vol.1)
ISBN 84-475-2656-9 (vol.2)

I. Molas, Joaquim, 1930- II. Col·lecció: Homenatges (Universitat de Barcelona) ; 19
1. Molas, Joaquim, 1930- 2. Bibliografia 3.Literatura catalana 4. Homenatges

---

Adolf Florensa, s/n; 08028 Barcelona;
Tel. 934 035 442; Fax 934 035 446;
sipu-sec@org.ub.es; http://www.ub.es/spub/sipub.htm

Disseny de la coberta: Cesca Simón

Fotografia de la coberta: Pilar Aymerich

Impressió: Gráficas Rey, S.L.

Dipòsit legal: B-8675-2003

ISBN: 84-475-2654-2 (volum I)
84-475-2656-9 (volum II)
84-475-2657-7 (obra completa)

Imprès a Espanya/Printed en Spain

Ha tingut cura de la preparació d'aquest volum la Comissió Organitzadora de l'Homenatge a Joaquim Molas, composta per Rosa Cabré, Glòria Casals, Josep M. Domingo, Pere Farrés, Marina Gustà, Josep Murgades, Ramon Pla i Antònia Tayadella. Aquesta Comissió ha comptat amb la valuosa col·laboració de Jaume Gomila i Maria Àngels Verdaguer.

ÍNDEX

PRESENTACIÓ

La venerable tradició de publicar volums en homenatge a un mestre amb motiu de la seva jubilació ens dóna ara l'oportunitat d'oferir-lo a Joaquim Molas. No voldríem, però, que aquest gest quedés diluït en la retòrica acadèmica: el mestratge de Joaquim Molas ha estat excepcional i ho és, també, la nostra gratitud com a professionals de la docència i la recerca en literatura catalana. Perquè sense allò que Joaquim Molas ha aportat, com a professor i com a investigador, a la universitat catalana, la nostra feina –la nostra i la de molts– seria molt més difícil, molt més erràtica, i menys útil, per tant també, als nostres estudiants i al país.

Devem a Joaquim Molas un panorama ordenat i transitable de la literatura catalana contemporània: cànon, períodes, conceptes. Molas ha ajustat la descripció de la nostra literatura amb les de les coetànies europees i ha aportat documentació i orientació a fenòmens literaris (el modernisme, l'avantguarda, la literatura popular, Verdaguer) que es resolien entre inèrcies, valuoses intuïcions i errors lamentables. La seva feina a la universitat queda en la seva obra escrita i en la influència decisiva que ha tingut sobre molts estudis i sobre molta docència que ell ha fet possibles.

Però Joaquim Molas ha fet dues coses més importants encara: ha convertit la feina acadèmica sobre la literatura catalana en indissociable d'una exigència de rigor tan severa com especialment ineludible en la nostra circumstància nacional, i ha generat dotzenes de deixebles que hi hem après l'honestedat del plantejament, la disciplina del mètode, la precisió documental i la claredat de l'estil.

Li n'estem agraïts. I, a més, com a companys seus en la secció de Literatura del Departament de Filologia Catalana de la Universitat de Barcelona, que hem treballat amb ell durant molts anys, ens l'estimem.

TRADICIÓ I INNOVACIÓ LITERÀRIA EN LA *DISPUTA DE L'ASE* DE TURMEDA/ABDAL·LÀ

Rafael Alemany Ferrer

Universitat d'Alacant

El 1418 s'escriu a Tunis la *Disputa de l'ase*,[1] l'obra catalana de major relleu del franciscà mallorquí islamitzat Anselm Turmeda / Abdal·là (Ciutat de Mallorca, *ca.* 1352 - Tunis, *ca.* 1424/32), una personalitat suggerent i enigmàtica.[2] Aquesta obra planteja un debat sobre la superioritat de l'espècie humana sobre els animals, que protagonitzen el mateix fra Anselm i un ase, defensors, respectivament, d'una i d'altra tesi. El debat conclou amb la victòria de fra Anselm, el qual, tot esgrimint que Déu es va voler encarnar en un home i no pas en un animal, aconsegueix que l'ase, que en més d'un moment del debat ha estat a punt d'esdevenir-ne el guanyador, es done finalment per vençut.

Turmeda parteix en aquesta obra d'uns models i d'unes fonts ben medievals i tradicionals. La font principal n'és un apòleg àrab[3] que figura com a apèndix d'un tractat de zoologia, corresponent a la part número XXI de l'enciclopèdia de l'escola filosoficopolítica dels «Germans de la Puresa» o «Germans Sincers» de Basora

1. Tenim notícia d'una edició catalana publicada a Barcelona el 1509, de la qual no se'ns ha conservat ningun exemplar, potser a causa de la seua inclusió en l'índex de llibres prohibits de Madrid des de 1583. També hi ha notícia, però no testimonis textuals, d'una traducció castellana anterior a 1583. L'obra se'ns ha conservat només en una versió francesa (Lió, 1544) publicada al s. XX per R. FOULCHÉ DELBOSC (1911) i, més recentment, per A. LLINARÈS (1984). N'hi ha, encara, altres tres antigues edicions franceses (Lió, s. d. [s. XVI]; Lió, 1548; i París, 1606) i una d'alemanya, feta a partir del text francès (Mümpelgardt, 1606). Lluís Destany [=Lluís Faraudo de Saint Germain] (1922) va fer un assaig de restauració de l'antic text català; sis anys després es va publicar una altra versió catalana de l'obra (OLIVAR, 1928), la qual ha estat objecte de nombroses reimpressions i d'una reproducció divulgativa (EPALZA, 1987). Ara com ara, el text de referència més solvent de la *Disputa* és l'edició crítica de la versió francesa (LLINARÈS, 1984).

2. Per a la biografia de Turmeda, a més de les dades poc segures que ell mateix ens subministra en el relat autobiogràfic de la *Tuhfa* (EPALZA, 1994 [1971] i EPALZA/RIERA, 1978), veg. MIRET I SANS, 1911; POU Y MARTÍ, 1913-14 i 1996 [1930]; CALVET, 1914; RIQUER, 1964 i EPALZA, 1965 i 1983. A partir de tot plegat sabem que va nàixer al si d'una família benestant, a Ciutat de Mallorca, lloc on va cursar els seus primers estudis i on es va fer franciscà i sacerdot; després va viure a Catalunya i a Bolonya i, finalment, als trenta-cinc anys, es va traslladar a Tunis, on es va convertir a l'islamisme, es va casar i va arribar a assolir una bona posició social i econòmica. A Tunis va romandre fins a la seua mort, malgrat les reiterades peticions de retorn a la terra d'origen que li van fer les més altes jerarquies civils i eclesiàstiques.

3. Sense perjudici d'altres de procedència occidental (MARTÍN, 1995; GARCÍA/MARTÍN, 1996).

(Asín, 1914). Aquest apòleg (Tornero, 1984) narra el plet plantejat pels animals contra els homes, davant del tribunal dels genis, per a resoldre l'acusació d'aquells segons la qual els humans els havien sotmès a l'esclavatge amb el pretext de la seua hipotètica superioritat. Es produeix el debat entre els representants d'un i d'altre bàndol, el qual es desenvolupa a través de deu proves amb les respectives refutacions, i acaba amb el veredicte del rei dels genis a favor de la superioritat de l'home. Tot això es desenrotlla sempre en un to absolutament seriós i dins d'una línia didacticodoctrinal no exempta d'un cert alè místic.

Per altra banda la *Disputa* remet al gènere del *conflictus* o *altercatio* (Schmidt, 1993), model dialògic de filiació escolàstica àmpliament difós en la literatura medieval europea, tant en llatí com en llengües vulgars. Aquest es caracteritza pel debat entre dos personatges –normalment dues persones o dos conceptes abstractes personificats– al voltant d'un assumpte sobre el qual els contendents mantenen opinions irreconciliables. Els protagonistes del debat exposen els seus arguments en forma de tesi i de rèplica, i la discussió pot acabar en forma oberta, sense vencedors ni vençuts, amb el manteniment ferm dels punts de vista respectius, o, per contra, amb la victòria d'una de les parts. En aquest cas sol intervenir a la fi un tercer personatge amb autoritat que assumeix la funció d'àrbitre i resol definitivament la qüestió.

Però Turmeda, a partir de la font principal concreta i del model dialògic genèric, realitza una sèrie d'operacions de manipulació, interpolació, alteració i, al capdavall, de reescriptura i resemantització, que li permeten d'obtenir un producte amb molts ingredients nous que, al meu parer, es poden sintetitzar en els següents: la naturalesa del motiu temàtic central, la presència de contendents secundaris, la formulació d'un *modus dialogandi* més complex que l'habitual en el gènere, la inserció de matèria narrativa al fil del debat, les notes d'autobiografisme empíric, el realisme de les referències històriques i geogràfiques i el recurs sovintejat a la ironia i la paròdia.

1. El motiu temàtic central

Ja hem vist que l'apòleg àrab que constitueix la font principal de la *Disputa* té com a tema el debat al voltant de la superioritat de l'home sobre els animals. És clar, doncs, que l'assumpte de l'obra de Turmeda depèn directament del seu model. El que, tanmateix, convé advertir és que un tema d'aquesta naturalesa no es troba en cap dels nombrosíssims exponents del *conflictus* que ens han pervingut en llatí o en vulgar. Certament, la preocupació per la naturalesa de l'home s'allunya tant de la temàtica trivial d'alguns debats tals com el *De rosa liliique certamine*, de Sedulius Scottus, o de l'anònim *Conflictus aquae et vini, vini et cerevisiae*, com de la d'altres de major densitat conceptual com el *Rixa animis et corporis* o l'*Altercatio fortunae et philosophiae*, per citar només exemples llatins (Hélin, 1972, 84-85). Si pensem en textos romànics, en traurem la mateixa conclusió: ni el castellà *Debate de Elena y*

María, ni la catalana *Disputació d'en Buc e son cavall*, per posar només dos exemples, tenen res a veure, des d'una perspectiva temàtica, amb la *Disputa* turmediana. El motiu temàtic central d'aquesta, en canvi, sí que presenta una certa relació amb altres textos dialògics europeus més tardans com ara *El diálogo de la dignidad del hombre* (Alcalá, 1546) de l'humanista Fernán Pérez de Oliva (*ca.* 1494-1531) (Cerrón, 1982), obra en la qual, també a través d'un debat amb jutge i tot inclòs, se'ns ofereix una visió optimista de l'home, tot subratllant-ne més les qualitats que les limitacions, a la manera que ho fa a la segona meitat del segle XV l'italià Pico della Mirandola en la seua *Oració sobre la dignitat de l'home*. No afirmaré, ni de bon tros, una identificació total i absoluta del discurs turmedià amb el d'aquests il·lustres humanistes, però sí una analogia simptomàtica que, sense dubte, revela un nou tombant, una nova orientació superadora de l'escolasticisme estricte. Reforça aquesta idea el passatge de la *Disputa* (raó 14a) dedicat al tema de la concepció de l'home com un petit món, noció d'arrel aristotèlica especialment desenvolupada, tot i que no de forma exclusiva, pel pensament postescolàstic (Rico, 1970).

2. La intervenció de contendents secundaris

Si bé el debat de la *Disputa de l'ase* gravita fonamentalment sobre dos únics contendents, d'acord amb les pautes generals de l'*altercatio* o *conflictus*, no ens pot passar desapercebut que, just en arribar a la raó 12a a favor de la superioritat de l'home, es produeix una notable excepció. Fra Anselm esgrimeix que els humans són superiors perquè mengen carn d'animals, argument que l'ase refuta dient que, si bé això és cert, al cap i a la fi l'home acaba sent devorat pels corbs i els llops. És just en aquest punt que una mosca demana la paraula i enceta tota una sèrie d'intervencions d'altres insectes (la xinxa, el poll, la puça, la lladella i la càries), tots els quals exposen, així mateix, arguments en defensa de les tesis de l'ase. Aquesta «polifonia» és excepcional en la nostra obra, per tal com les intervencions esmentades no són més que un parèntesi, situat quasi a la meitat del debat, que després torna a deixar pas, i ja sense solució de continuïtat, al restabliment del diàleg entre els dos protagonistes principals. La presència dels contendents secundaris esmentats no es troba a la font àrab emprada per Turmeda. Es tracta, doncs, d'un element original del nostre autor, que no sols separa la *Disputa* de l'apòleg en què es basa, sinó que, a més, bé que tímidament i jocosament, anticipa en certa mesura la pluralitat de veus típica dels diàlegs oberts de caire renaixentista[4] i això, evi-

4. Tinguem en compte que el debat escolàstic se superarà per la via de la recuperació de la retòrica, és a dir, per la imitació del diàleg ciceronià, que, mancat d'una vertadera dialèctica –o bé reduint-la a bastament–, es desenvolupa mitjançant un intercanvi de discursos eloqüents que donen lloc a una conversa oberta. Aquest nou model dialògic és, precisament, el que, de la mà dels quatrecentistes italians Leonardo Bruni i Coluccio Salutati, primer, i de Poggio, Valla, Alberti i Pontano, després, marcarà la pauta dels gèneres dialogats del Renaixement (MARSH, 1980, 1-23).

dentment, sense oblidar que la tradició universitària escolàstica atesta també l'existència de *disputationes generales*, on un *respondens* preeminent se sotmetia a les objeccions d'*opponentes* diversos (Glorieux, 1969, 108-136).

3. La novetat del «modus dialogandi»

A diferència del que sol ser habitual en els exponents canònics del *conflictus*, on els dos contendents defensen punts de vista absolutament enfrontats i antagònics sense fer-se la menor concessió l'un a l'altre, a la *Disputa* de Turmeda és possible trobar algunes escletxes subtils en l'enfrontament bipolar que sostenen fra Anselm i l'ase, les quals, d'una manera o altra, impliquen un cert grau d'impregnació recíproca de les tesis de l'adversari (Alemany, 1989, 51-52). Així doncs, en determinats moments de l'obra, fra Anselm se sent virtualment perdut i poc menys que vençut davant l'eficàcia dels arguments del seu adversari, fins al punt d'haver de reconèixer que, certament, l'ase té tota la raó. N'és un bon exemple la situació que es crea quan, després d'haver intervingut els insectes que s'han introduït en el debat per reforçar les tesis de l'ase, fra Anselm, en el silenci d'una meditació íntima, fa una reflexió altament interessant que se situa en les antípodes d'allò que ell mateix ha sostingut fins llavors en les seues argumentacions explícites per refutar l'ase:

> «Après que j'euz ouy les parolles desdictz sept animaulx, je fuz fort troublé et à demy hors d'entendement, voyant clairement leurs proves estre vrayes. Et n'ayant que dire contra icelles, je dy en moy-mesme:
> –J'ay bien esté avisé, et encore moins sage, que je ne me suis donné pour vaincu à l'Asne, plus tost que maintenant manifestament me faille donner et tenir vaincu de si malostruz, malheureux et mescahns animaulx, comme sont les sept dessusdictz» (Llinarès, 1984, 87).

Paradoxalment i irònicament, serà el mateix contrincant, l'ase, qui l'alliberarà d'un tràngol tan espinós en dir-li que les regles del joc només l'obliguen a respondre-li a ell i no als altres animals.

Fins i tot, aquest procés d'impregnació de les tesis de l'ase per part de fra Anselm arriba a tenir alguna explicitació concreta per boca del frare, tal com s'esdevé després que l'ase ha acabat de recitar una «profecia», amb la qual pretén demostrar la saviesa dels animals en les ciències prospectives de l'esdevenidor; fra Anselm no s'està de reconèixer al seu contrincant, amb sorprenent sinceritat i franquesa, aquesta qualitat endevinatòria:

> «Seigneur Asne, en vostre prophétie n'ha que redire, et est fort subtilment posée et ordonnée, parlant fort obscurément, ainsi comme est la coustume des astrologues [...]» (Llinarès, 1984, 137).

Així mateix, a la recíproca, també l'ase és capaç d'acceptar els arguments de fra Anselm i, fins i tot, de proporcionar-li'n de complementaris a favor de la superioritat de l'home. Així se'ns revela a la fi de l'obra, si bé després d'haver-se donat per vençut davant la 19a i definitiva raó del seu interlocutor:

> «Car je vous jure en vérité, que toutes les fois que vous me disiez que vous aviez aultre raison pour prover vostre opinion estre vraye, je me mouroys quasi de crainte que ne disiez ceste raison que à présent avez dicte et assignée, car je la sçavoye bien au propos que nulles de celles que vous ayez dites» (Turmeda, 1984, 138).

4. La inserció de matèria narrativa

Un dels elements constitutius de la *Disputa* que més l'allunya dels seus models i fonts és l'extensa seqüència de matèria narrativa que l'autor insereix en arribar a la raó 15a (Llinarès, 1984, 92-117). És en aquest punt de l'obra on, per tal de refutar l'argument de fra Anselm segons el qual els humans són superiors als animals perquè, a diferència d'aquests, tenen religiosos i monges, l'ase replica amb el relat de sis deliciosos contes anticlericals, farcits d'humor i d'ironia, i d'evident regust boccaccià, amb els quals pretén demostrar que la gent d'hàbit comet els set pecats capitals, amb la minva d'honor que se'n deriva per a l'espècie humana. Aquestes historietes suposen la introducció d'ingredients aliens al marc purament dialògic amb el qual, tanmateix, s'imbriquen de forma ben hàbil: és el mateix fra Anselm qui, seduït per la gràcia dels contes amb els quals el refuta el seu adversari, li demana que seguesca amb nous relats, oblidant que, amb això, contribueix a reforçar les tesis de l'ase.

Per altra banda, cal assenyalar que aquesta matèria narrativa no té res a veure amb l'*exemplum* canònic de la literatura didacticodoctrinal, a la manera dels que, entre altres autors, insereix Francesc Eiximenis (1925) en els seus tractats o sant Vicent Ferrer en la seua prolixa predicació (Almazán, 1967): els contes de Turmeda no se supediten a una finalitat moral superior, sinó que, fonamentalment, són bona literatura d'humor i entreteniment; la sàtira anticlerical que contenen, malgrat que càustica, mai no arriba a ser severa, sinó que, ben al contrari, està impregnada d'una intel·ligentíssima i generosa comprensió.

5. Els motius autobiogràfics

La presència i els ressons de l'experiència biogràfica empírica de l'autor –sense la més mínima subordinació a una funció exemplar o propagandística, a diferència, per exemple, de Llull o Muntaner– són una constant en el conjunt de la producció turmediana, en contra del que és habitual en la literatura de l'edat mitjana, en general, i del gènere dialògic del *conflictus*, en particular (Alemany, 1994). La *Disputa* no en podia ser una excepció i, per això, inclou al·lusions al fet central de la vida de l'autor, la conversió a l'islam, o a alguna de les circumstàncies relacionables amb aquesta.

Així doncs, als preliminars de l'obra (Llinarès, 1984, 48-49), quan els animals, reunits en assemblea, es disposen a elegir un nou rei, un conill s'adona de la presència pròxima de fra Anselm –ara personatge de la ficció literària–, que es troba plàcidament endormiscat sota un arbre. Curiosament l'animal se'ns revela com un excel·lent coneixedor de Turmeda, i això perquè, com li fa saber al rei, ell va ser un dels vint-i-quatre conills amb què el governador de Càller va obsequiar el nostre autor per agrair-li les atencions rebudes de la seua part, quan, de camí cap a la península Ibèrica per assistir a la coronació de Ferran d'Antequera, el vaixell en què viatjava, sorprès per una tempesta, es va haver de refugiar a Tunis, on el governador rebé tota mena d'atencions per part del frare renegat. Aquesta anècdota enginyosa corrobora, si més no, que Turmeda vivia a Tunis i que, a més, hi gaudia d'una considerable capacitat de maniobra.

Al seu torn, a la fi de la *Disputa*, quan el debat entre fra Anselm i l'ase ja s'ha resolt en termes favorables al primer, l'ase, paradoxalment, recrimina al seu interlocutor que no haja estat capaç d'adduir més arguments escripturístics –com els que ell mateix coneix– a favor de la tesi guanyadora, tot i que se'n fa càrrec, li diu, perquè «tant il y a de temps que n'avez rien veu ne leu aulcuns livres de saincte Escripture» (Llinarès, 1984, 138), en clara al·lusió a l'allunyament de Turmeda del cristianisme i de les seues fonts llibresques d'ençà de la seua apostasia.

La referencialitat biogràfica explícita patent a la *Disputa de l'ase* no es limita només al fet de la conversió, sinó que afecta també altres aspectes de la trajectòria vital de l'autor, com ara el naixement a Ciutat de Mallorca (Llinarès, 1984, 125-126), alguna anècdota personal,[5] però, sobretot, l'experiència com a sacerdot cristià i com a frare franciscà (Llinarès, 1984, 107). Amb aquest propòsit és il·lustratiu el conte de la *Disputa* amb el qual l'ase intenta demostrar al seu interlocutor que els religiosos cometen el pecat d'ira, on trobem un dels testimonis més inequívocs de la imbricació textual del jo empíric de l'autor. Aquesta narració inclou l'episodi del frare Aimeric, un franciscà francès conventual a Mallorca, que compra una mona per obsequiar-la a un parent noble, cosa que no pot dur finalment a terme per causa de la mort sobtada de l'animal. Al voltant d'aquest fet, una colla de frares jocosos del convent compon un plany burlesc que dediquen al seu company francès. Aquesta

5. Com aquella tan extraordinàriament ocurrent que relata com el verm de la càries argumenta a favor de la seua superioritat sobre l'home, tot recordant a fra Anselm «combien de travaux et molestes nous vous avons donné l'an passé, tellement que nous avons laissé bien peu de dents dedans la bouche» (Llinarès, 1984, 85-86).

broma provoca les ires d'aquest i una baralla espectacular que conclou amb la mort d'Aimeric a mans dels seus germans d'hàbit i amb les consegüents sancions disciplinàries. L'ase, narrador de la història, rememora a fra Anselm una part de la cançoneta desencadenant del succés, alhora que li demana si no en recorda la resta. Un plantejament com aquest evidencia una clara intenció verista –ressò, si no testimoni fidel, d'una experiència real–, que es confirma encara més en la resposta que el nostre frare dóna al seu ben informat i càustic interlocutor:

> «Et me souvient de ce faict, et estoys fort jeune lors que cela fut faict; et me souvient que deux des religieux s'en fuyrent, et l'aultre, c'est à savoir frère Matthieu Ponce, fit prins, justicié et condamné à prison perpétuelle, et eurent tousjours depuis beaucoup de maulx» (Llinarès, 1984, 113).

6. La referencialitat històrica i geogràfica

Les sovintejades al·lusions als afers polítics de l'època, ja específics de la corona d'Aragó, ja europeus en general, són un altre element que contribueix a atorgar una notable singularitat a la *Disputa* turmediana en el context genèric del *conflictus* dins el qual s'insereix. Les primeres pàgines de l'obra, que, simptomàticament, no tenen correlat en l'apòleg àrab dels Germans de la Puresa en què es basa, poden contenir una al·lusió molt explícita al Compromís de Casp (1412), que, com és sabut, va acabar –amb els oficis de sant Vicent Ferrer i d'altres compromissaris– amb la proclamació de Ferran de Trastàmara com a successor del rei Martí, mort sense descendència directa. Em sembla força adient proposar una lectura al·legòrica d'aquestes línies inicials de la *Disputa*,[6] d'acord amb la qual hauríem d'entendre l'elogi del rei dels animals ja difunt que hi apareix com una transposició de l'adhesió de Turmeda al rei Martí l'Humà, ja explicitada, per cert, en les *Cobles de la divisió del regne de Mallorca* del nostre autor (Olivar, 1927, 128). Reproduïm, amb aquest propòsit, les reveladores paraules de la *Disputa*:

> «La cause et occasion de l'assemblée de tant d'animaulx estoit pource que leur roy n'aguères estoit mort; lequel avoit esté ung noble lyon, fort sage, de grant justice, et très vaillant et hardy de sa personne. Et pour les susdictes bontez et vertus qui estoient en luy, lesdictz animaulx tous en général, et chascun d'eulx en espécial, avoient esté tant contents de son règne, et luy vouloient tant de bien [...]. Et encore avoient plus grand desplaisir et mélancolie [...] qu'il n'avoit laissé filz ne fille. Et pour la grande et souveraine amytié qu'ilz avoient porté audict roy, s'estoient tous assemblez pour eslire à roy aulcun de ses parents, et ce per consentement de tous lesdictz animaulx» (Llinarès, 1984, 47).

6. I això sense perjudici dels ressons merament literaris que s'hi endevinen i que remeten al model del *Llibre de les bèsties* de Ramon Llull.

A més de l'elogi del rei difunt, les al·lusions al fet que aquest no havia deixat fills ni filles i a la reunió on s'havia de consensuar l'elecció del nou monarca no deixen lloc al dubte. Però encara hi ha més. Un cavall que té la virtut de parlar «haultement avec belle éloquence» (Llinarès, 1984, 47), a qui els reunits han conferit la potestat de triar el successor reial, decideix, en termes resolutius, nomenar rei el «lyon roux à la longue queue, filz du cosin germain dudict feu roy nostre sire» (Llinarès, 1984, 48), solució que és subscrita automàticament per tothom amb goig i satisfacció. No som davant d'una clara al·lusió a la figura de sant Vicent Ferrer? La referència a Casp em sembla, siga com siga, inequívoca.

Les referències a una geografia real esdevenen també un altre element nou de la *Disputa* que l'allunya del *conflictus* o *altercatio* medieval. Cinc dels sis relats anticlericals que es posen en boca de l'ase situen l'acció en llocs molt concrets que Turmeda va poder conèixer o, fins i tot, on va poder arribar a viure: el primer s'esdevé a Tarragona, el tercer i quart a Mallorca, i el cinquè i el sisè a Cambrils i a Falset, respectivament, totes dues poblacions del Camp de Tarragona. Tinguem en compte que, segons el relat autobiogràfic de la *Tuhfa* (Epalza/Riera, 1978, 105), Turmeda va estudiar a Lleida i, per tant, devia conèixer bé Catalunya i els seus ambients monàstics. Per altra banda, els antropònims i les referències a alguns usos i costums quotidians de la societat catalana, presents als contes de la *Disputa*, constitueixen també un reflex verista de la realitat més pròxima a l'autor. Fixem-nos, si no, en el repertori onomàstic dels clergues que protagonitzen els relats (Juliot, Joan Oset, Francesc Caravall, Mateu Ponç, Joan Companyó, Pere Taverner...) o en les al·lusions a la fira de Tarragona (Llinarès, 1984, 54) i al costum de les dones catalanes d'entretenir-se en amigable tertúlia «quand elles rencontren aucuns de leur cognoissance en la rue venant des pardons» (Llinarès, 1984, 64).

7. La ironia i la paròdia

Des del començament a la fi la *Disputa* turmediana palesa un elevadíssim grau de distanciament irònic, tècnica que li atorga una nota innovadora singularíssima, ja que ni la literatura de l'edat mitjana, en general, ni els models i fonts turmedians, en particular, no solen fer ús de la ironia ni com a recurs estructural ni conjuntural. Vegem-ne alguns exemples il·lustratius:

a) El moment més crític del debat per a fra Anselm s'esdevé just després de les intervencions dels insectes: els animals més insignificants i innobles de la creació són capaços, amb els seus arguments, de vèncer dialècticament el savi i presumptuós interlocutor de l'ase. Per altra banda resulta rotundament irònic que siga el mateix fra Anselm qui impulsa l'ase a continuar el relat de contes anticlericals, en contra del que haurien de ser els seus interessos.

b) Un humor corrosiu impregna els contes satírics anticlericals, on Turmeda, des del distanciament literari que li proporciona parlar per boca de l'ase –mai millor dit!–, recrea situacions i comportaments força versemblants, dels quals és ben segur que havia de ser un bon coneixedor donada la seua antiga condició de religiós cristià.

c) El triomf final de la tesi de la superioritat de l'home és pírric, perquè el nostre fra Anselm ha patit dificultats més d'una vegada al llarg del debat, a causa de la lògica implacable dels arguments del seu contrincant, l'ase. A la fi el lector es pregunta si realment l'home és tan superior com sembla o, si, per contra, tot és més relatiu i es redueix a una qüestió de perspectives.

d) Que l'argument amb el qual fra Anselm aconsegueix la victòria siga que Déu va voler encarnar-se en un home i no en un animal, no deixa de ser una broma si tenim en compte que a la *Tuhfa*, obra datada el 1420-21 –és a dir, dos o tres anys després de la *Disputa*, redactada el 1418– es nega la divinitat de Jesucrist, al qual, d'acord amb la tradició islàmica, només se li reconeix la condició de profeta.

e) El fet que a la fi de l'obra, quan ja s'ha produït la victòria dialèctica de fra Anselm, l'ase confesse a aquest que, des del començament del debat, ell ja sabia la irrefutabilitat de l'argument últim, implica un reconeixement implícit de la superioritat de l'home per part de l'animal previ a l'explicitació del *conflictus*, la qual cosa redueix tota la *Disputa* a un pur exercici sofístic, conceptualment inútil, que ens condueix a una clara intencionalitat paròdica i ridiculitzadora de les disputes d'encuny escolàstic.

Comptat i debatut, l'examen de la *Disputa* d'Anselm Turmeda evidencia que ens trobem molt lluny de la seriositat i el rigor de la font àrab i dels models dialògics en què s'inspira, els quals són sotmesos ací a una clara operació de *contrafactum* articulada en clau de paròdia. És així, doncs, com, a partir d'uns punts de partida inequívocament tradicionals, que no tenen res a veure amb els nous models literaris impulsats sobretot des d'Itàlia, Turmeda aconsegueix un producte considerablement innovador, que, en alguns aspectes, salvant les distàncies degudes, presenta punts de contacte amb l'obra de Bernat Metge (*ca.* 1343-1413). Tant el nostre frare renegat com l'il·lustre prosista barceloní instauren una mena d'immanentisme de l'experiència personal empírica, exempt d'altres finalitats ancil·lars, com a eix cardinal dels seus discursos literaris;[7] per altra banda, tant l'un com l'altre introdueixen en els seus

7. En això es diferencien radicalment d'altres grans personalitats intel·lectuals més o menys coetànies de la corona d'Aragó com ara el gironí establert a València Francesc Eiximenis (1330/35-1409) o els valencians Vicent Ferrer (1350-1419) i Antoni Canals (*ca.* 1352-1415/19). En tots tres, lluny del «particular individual» omnipresent en la literatura de Turmeda i de Metge, predominen finalitats didacticodoctrinals o catequètiques: Eiximenis vol instruir els sectors dirigents de la burgesia incipient; Ferrer pretén la persuasió immediata d'un auditori ampli i heterogeni a través d'un discurs homilètic directe i oposat a qualsevol mena de «frivolitat» paganitzant dels nous temps; Canals, més subtil, tot i que *grosso modo* parteix dels mateixos pressupòsits dels altres dos autors, es disposa a combatre les possibles heterodòxies amb les mateixes armes dels qui les practiquen, mitjançant una habilíssima reescriptura d'alguns textos clàssics.

textos la ironia i la paròdia com a recursos sovintejats. Tanmateix Turmeda opera encara totalment al marge dels postulats estètics classicitzants pels quals Metge aposta decididament en els fruits més madurs de la seua carrera literària. Això no ens impedeix afirmar que la producció turmediana, en general, i la *Disputa de l'ase*, en particular, contenen clars elements innovadors que impliquen una indiscutible inflexió en el que, fins llavors, havien donat de si les lletres catalanes.

Referències bibliogràfiques

ALEMANY, Rafael (1989), «Turmeda/Abdal·là o el 'perspectivisme' com a pràctica vital i/o literària», dins Antoni Ferrando i Albert G. Hauf (ed.), *Miscel·lània Joan Fuster. Estudis de llengua i literatura*, I, València/Barcelona, Departament de Filologia Catalana de la Universitat de València / Publicacions de l'Abadia de Montserrat, pàg. 37-57.

— (1994), «Presències i ecos d'un jo individuat en l'obra d'Anselm Turmeda», *Estudis de Llengua i Literatura Catalanes*, XXIX (=*Miscel·lània Germà Colón*, 2), Barcelona, Publicacions de l'Abadia de Montserrat, pàg. 5-24.

ALMAZAN, Vincent (1967), «L'*exemplum* chez Vincent Ferrer», *Romanische Forschungen*, LXXIX, pàg. 288-332.

ASÍN PALACIOS, Miguel (1914), «El original árabe de la *Disputa del asno contra fray Anselmo Turmeda*», *Revista de Filología Española*, I, pàg. 1-5.

CALVET, Agustí (1914), *Fray Anselmo Turmeda, heterodoxo español*, Barcelona, Estudio.

CERRÓN, María L. (ed.) (1982), Fernán Pérez de Oliva, *Diálogo de la dignidad del hombre*, Madrid, Editora Nacional.

DESTANY, Lluís (ed.) (1922), Anselm Turmeda, *Llibre de disputació de l'ase*, Barcelona.

EPALZA, Míkel de (1965), «Nuevas aportaciones a la biografía de fray Anselmo Turmeda», *Analecta Sacra Tarraconensia*, XXXVIII, pàg. 87-158.

— (1983), *Anselm Turmeda*, Palma de Mallorca, Ajuntament.

— (ed.) (1987), Anselm Turmeda, *La disputa de l'ase*, Palma de Mallorca, Moll.

— (ed.) (1994 [1971]), *Fray Anselmo Turmeda (Abdallah al-Taryuman) y su polémica islamo-cristiana. Edición, traducción y estudio de la «Tuhfa»*, Madrid, Hiperión.

— / IGNASI RIERA (ed.) (1978), *Autobiografia i atac als partidaris de la Creu*, Barcelona, Curial.

FOULCHÉ-DELBOSC, Raymond (1911), «Anselm Turmeda: *Disputation de l'Asne*», *Revue Hispanique*, XXIV, pàg. 358-479.

GARCÍA, Marinela / LLUCÍA Martín (1996), «Algunes fonts occidentals de l'obra d'Anselm Turmeda *Disputa de l'ase*», *Revista de Filología Románica*, 13, pàg. 181-214.

GLORIEUX, Palemon (1969), «L'enseignement au moyen âge. Techniques et méthodes en usage a la Faculté de Thèologie de Paris, au XIIIe siècle», *Archives d'histoire doctrinale et littéraire du Moyen Age*, XXXV, pàg. 65-180.

HÉLIN, Maurice (1972), *La littérature latine au Moyen Age*, París, Presses Universitaires de France.

LLINARÈS, Armand (ed.) (1984), Anselme Turmeda, *Dispute de l'ane*, París, Librairie Philosophique J. Vrin.

MARSH, David (1980), *The Quattrocento Dialogue. Classical Tradition and Humanism Innovation*, Cambridge MA, Harvard University Press.

MARTÍN, Llúcía (1995), «La *Disputa de l'ase* d'Anselm Turmeda i la tradició enciclopèdica medieval», dins Juan Paredes (ed.), *Medioevo y literatura. Actas del V Congreso de la Asociación Hispánica de Literatura Medieval (Granada, 1993)*, III, Granada, Universidad de Granada, pàg. 213-227.

MIRET I SANS, Joaquim (1911), «Vida de fray Anselmo Turmeda», *Revue Hispanique*, XXIV, pàg. 261-296.

OLIVAR, Marçal (ed.) (1925), Francesc Eiximenis, *Contes i faules*, Barcelona, Barcino.

OLIVAR, Marçal (ed.) (1927), Bernat Metge / Anselm Turmeda, *Obres menors*, Barcelona, Barcino

OLIVAR, Marçal (ed.) (1928), Anselm Turmeda, *La disputa de l'ase*, Barcelona, Barcino.

POU Y MARTÍ, JOSÉ M. (1913-14), «Sobre fray Anselmo Turmeda», *Boletín de la Real Academia de Buenas Letras de Barcelona*, VII, pàg. 465-472.

— (1996 [1930]), *Visionarios, beguinos y fraticelos catalanes (siglos XIII-XIV)*, estudi preliminar d'Albert Hauf i Valls, Alacant, Instituto de Cultura Juan Gil-Albert.

RICO, Francisco (1970), *El pequeño mundo del hombre. Varia fortuna de una idea en las letras españolas*, Madrid, Castalia, pàg. 90-96.

RIQUER, Martí de (1964), *Història de la literatura catalana: part antiga*, II, Barcelona, Ariel, pàg. 265-308.

SCHMIDT, P. G. (1993), *«Conflictus»*, dins G. Cavallo, C. Leonardi i E. Menestò (ed.), *Lo spazio Letterario dels Medioevo, 1. Il Medioevo latino*, vol. I, tom II, Roma, Salerno Editrice, pàg. 157-169.

TORNERO POVEDA, Emilio (1984), *La disputa de los animales contra el hombre (traducción del original árabe de la «Disputa dels asno contra Fray Anselmo Turmeda»*, Madrid, Universidad Complutense.

REFLEXIONS ENTORN DE LA POESIA DE DONES AL PAÍS VALENCIÀ

Lluís Alpera

Universitat d'Alacant

"A l'atzar agraeixo tres dons: haver nascut dona,
de classe baixa i nació oprimida"
Maria Mercè Marçal

1. Justificació

L'estudi i avaluació global de la literatura de dones al País Valencià és un dels temes que reclamen una urgència que els crítics i professionals de la literatura van ajornant *sine die*. Per ignorància, per menyspreu o per peresa. O potser perquè els homes deixen que aquest col·lectiu siga estudiat per alguna representant de les mateixes escriptores –creadores o crítiques literàries–, com és pràctica generalitzada en qualsevol literatura.

En primer lloc, pot ser un tema bastant desconegut dins la literatura catalana, no sols contemporània sinó de totes les èpoques. No caldrà recordar l'il·lustre precedent amb què comptem els valencians amb la figura de sor Isabel de Villena, pel que es refereix a la prosa a l'Edat Mitjana, o la sòlida trajectòria narrativa de l'alcoiana Isabel Clara Simó pel que es refereix a la novel·lística actual, hereva d'una tradició que compta amb noms, en aquest gènere, com ara Maria Ibars, Beatriu Civera, Maria Beneyto, Carmelina Sánchez Cutillas o, més recentment, Carme Miquel o Maite Coves, entre altres, al País Valencià. Era i és, per tant, un tema bastant diluït dins un atomisme divulgador i allunyat dels interessos habituals dels estudiosos. Sobretot des de la perspectiva d'un col·lectiu o una literatura de gènere. Potser a causa d'una perspectiva sectorial de la creació literària: sembla que la creació, i per tant la crítica, era cosa d'homes. D'aquí el nostre repte de presentar-lo com una reivindicació d'un sector de la creació literària, el de les dones valencianes, com un col·lectiu i una poesia de gènere, car el gruix total de la seua obra poètica, en quantitat i sobretot en qualitat, mereixien ja una primera aproximació en l'estudi i des d'una perspectiva de conjunt.

En segon lloc, l'estudi ens ha confirmat una vegada més el punt de vista sobre la marginació perifèrica com un dels elements clau en el conjunt de forces que hi actuen a l'hora de la creació literària. Pel que fa a la catalana, hem parlat des de fa algun temps –i ho hem constatat en l'obra d'alguns escriptors *perifèrics*– que una ubicació allunyada dels centres de poder quant a la decisió cultural i política sempre comporta unes càrregues de marginació, d'oblit, d'indiferència o de menyspreu per part d'aquells que controlen –o que viuen al seu entorn– el «poder» de dir qui és bo i qui s'ha de promocionar. És el que hem pogut observar respecte de poetes com l'alcoià Joan Valls, el mallorquí Josep M. Llompart o l'alacantí Emili Rodríguez Bernabeu, els quals, amb una obra ben valuosa, han hagut de patir, alguns més que altres, el que hem anomenat la doble marginació –la de Barcelona i la de València.

Doncs bé, en el cas que ara ens ocupa, creiem que ha passat alguna cosa semblant pel que fa a les diferents marginacions que les poetes valencianes han patit i pateixen dins la societat en general. Però, a més, les poetes valencianes pateixen, paradoxalment, la indiferència o la marginació de les poetes del Principat quan s'han decidit a constituir un col·lectiu. Les poetes valencianes, fins on hem pogut comprovar, tampoc no han rebut cap suport de cantautores com ara Marina Rossell, Maria del Mar Bonet o Teresa Rebull, que han musicat versos de poetes d'altres indrets. I, sobretot, les poetes valencianes, tot i figurar sistemàticament com a col·laboradores de la major part d'antologies publicades al País Valencià, tan sols en un parell d'ocasions s'han aplegat dins un col·lectiu de dones: *Les veus de la medusa* (La Forest d'Arana, València, 1991) i *Homenatge a la paraula: recital en memòria de Maria Mercè Marçal* (CEIC Alfons el Vell, Gandia, 1998).

En tercer lloc, potser era un repte personal, com a escriptor/crític. Crec que també en la nostra visió, des de l'angle d'*outsider*, podem atansar-nos a l'anàlisi i l'avaluació del col·lectiu des de la sensibilitat com a creador i l'ofici de crític literari. L'interès concret envers la poesia de dones arrenca des de fa molts anys, quan confegíem l'antologia *Poetes universitaris valencians 1962* i l'*Antologia de la poesia realista valenciana* (1966), en què vam demanar la col·laboració de diverses escriptores: Isabel Clara Simó, Maria Beneyto i Carmelina Sánchez Cutillas. Interès que s'ha concretat recentment en l'estudi i la publicació de les obres poètiques completes de dues de les veus líriques més significatives de la generació valenciana dels anys cinquanta: de Maria Beneyto (*Poesia*, 1997) i de Carmelina Sánchez Cutillas (*Obra poètica*, 1997), i d'una tercera, Matilde Llòria, de la qual ja hem avançat unes notes entorn de la seua lírica dins *Des de l'Aitana al Canigó. Papers crítics* (PAM, 1998). Totes tres poetes, al costat de Maria Ibars i d'Anna Rebeca Mezquita, formaran la que podríem anomenar primera generació o primera fornada d'escriptores de postguerra al País Valencià.

2. La problemàtica del seu estudi

Som conscients de no poder disposar encara de suficients monografies ni de bibliografia crítica entorn de les poetes valencianes com per arribar ja a una avaluació de conjunt. Tanmateix, hem mirat de compensar aquest dèficit amb les nostres incursions directes i amb un suport teòric i metodològic aplicat a altres literatures amb trajectòries força consolidades. Així mateix, ens trobem disposats en un futur a realitzar anàlisis contrastives amb les poetes valencianes d'una segona generació: Teresa Pasqual, Anna Montero, Maria Fullana, Sílvia Marina Aresté i Marisol González, car hem confegit un qüestionari d'onze punts entorn de la creació i les condicions de la dona com a escriptora i l'hem passat a les poetes d'aqueixa generació. Un primer resultat ens ha reforçat alguns punts de vista en l'anàlisi dels condicionaments que la dona té avui dia a l'hora d'escriure, i ens ha mostrat algunes semblances i diferències en relació amb les poetes de la primera generació de postguerra.

La veritat és que podríem considerar que fins fa alguns anys la presència d'escriptores era bastant reduïda per l'escassetat d'obres publicades al nostre país. Amb tot, mestres de la crítica literària al País Valencià, com ara Manuel Sanchis Guarner, Joan Fuster o Josep Iborra miraven de subratllar els esforços en la creació per part de les dones, tant en la narrativa com en la poesia. I fins i tot, encoratjaven personalment aquestes autores en la seua tasca creativa i, més d'una vegada, les ajudaven a trobar una editorial on publicar les seues obres de creació. Tant el context sociopolític de la postguerra valenciana com el paper de la dona en temps del franquisme marquen necessàriament la creació poètica de les autores estudiades.

El contrast amb altres literatures ja consolidades ens ha de servir sobretot com a suport teòric i històric de trajectòries d'escriptores que han sabut superar les diverses vicissituds i problemàtiques socials i literàries amb què havien d'enfrontar –potser, encaixar– l'obra creativa o la crítica així com l'espai intel·lectual que elles mateixes mereixien dins el marc de la societat i de la cultura. Em referesc sobretot a la literatura nord-americana, veritable líder en la reivindicació teòrica i en la praxi literària al llarg de més de cent cinquanta anys.

3. Alguns supòsits teòrics

Avui dia qualsevol estudi sobre l'escriptura de dones haurà de partir de l'existència d'una història de la crítica literària feminista i d'una història de la literatura escrita per dones. Esdeveniments polítics i canvis socials reclamen un replantejament d'algunes de les qüestions que la teoria literària i la psicologia feminista havien afrontat anteriorment. Bona part del debat actual gira entorn de les transformacions que han tingut lloc en les dues últimes dècades i les diferències entre generacions de feministes. I obliga a reformular-se les preguntes que les primeres feministes es van plantejar; com entenem la posició de la dona actualment i les limitacions derivades de les diferències de gènere home/dona, i de quina manera aquesta nova o canviant situació modifica la interpretació i les expectatives de la literatura de dones i de la crítica feminista ara.

En primer lloc, no és possible –o almenys no d'una manera plenament satisfactòria– intentar discutir la literatura de dones com una categoria aïllada, tal com ho van fer, amb resultats importants, els estudis publicats a meitat dels anys setanta en algunes literatures. És evident que no es pot parlar de literatura de la dona com un bloc monolític. *La qüestió de la dona* s'enllaça amb qüestions de raça, classe, ètnia, sexualitat i context històric, i en l'escriptura, amb diferents formes i contextos de producció literària, diferents convencionalismes i funcions. Tots aquests factors s'han de considerar.

Pensar en les dones o en la seua escriptura com un grup homogeni, únic, és tan impossible –si més no podria conduir a errors– i culturalment inacceptable com parlar de l'existència d'un cànon de la «gran literatura». En aquest sentit, algunes de les primeres feministes han estat criticades per assumir que els valors de la dona blanca de classe mitjana i heterosexual representaven un consens i un paradigma interpretatiu. En l'intent d'establir les característiques pròpies i peculiars d'una tradició de dones escriptores, resultava potser massa fàcil donar una imatge que reflectia un *establishment eurocèntric* –uns models centrals en esquemes de la cultura occidental.

Marylin Butler («Feminist Literary Criticism, late-80s style», *Times Literary Suplement*, 11-17 març 1988) ha opinat que la crítica feminista hauria de fer una tasca «descentralitzadora»: analitzar les qüestions de la literatura de dones en relació amb altres factors com la raça i la classe pot ser una manera d'evitar la temptació de crear un cànon alternatiu de grans escriptores.

Per la nostra banda compartim aquesta òptica «descentralitzadora» i iniciem l'estudi d'un col·lectiu que potser més endavant haurà de corregir o completar la crítica feminista. Així mateix, considerem que la literatura de dones ha de ser considerada de manera plural i diversa. Abordar la qüestió és una manera d'analitzar el caràcter interactiu de les diferents tendències que la formen. Avui dia som conscients de la importància que té el gènere literari, no com un conjunt de regles que s'han de seguir sinó com una estructura, un esquema de referència. Tots els textos són interdependents, d'una manera o una altra; tots són variacions de models anteriors.

La utilització de l'acte d'escriure com a eina potencial de transformació i de canvi radical ha estat sempre present en la literatura escrita per dones i en la ideologia feminista. Haurem de tenir present que una bona part de la crítica literària feminista ha estudiat les formes com les dones escriptores poden arribar a reutilitzar o subvertir els gèneres, de manera conscient o inconscient, imaginant noves possibilitats, noves interpretacions o significats, obtenint diferents resultats.

4. La dona i la creació poètica

Abans del *feminism criticism*, la crítica predominant havia estat misògina i afirmava la incapacitat de la dona per a la invenció poètica o la inferioritat de la dona quant a l'experiència, l'educació, la intel·ligència i la imaginació. Fins i tot la «poetessa», fóra *blue stocking* («literata», «sabudeta») o una *sentimentalist*, havia estat el blanc satíric dels textos poètics masculins. La crítica postromàntica i victoriana va concedir un lloc a les poetes en la lírica, car hom la conceptuava com una forma femenina –privada, emocional i breu. Les «poetesses» es trobaven sovint estereotipades com un cant d'ocell gentil i sentimental, mentre que els llargs poemes filosòfics o polítics eren reservats per a homes importants i seriosos. Tanmateix, la crítica darrerament ha començat a demostrar la classe, l'originalitat i el poder de poetes del s. XIX com Elizabeth Barret Browning, Christina Rossetti i Emily Dickinson, o Rosalia de Castro, dins un context més pròxim.

Des del període romàntic, un nombre de dones poetes i crítiques com ara M. de Staël, E. B. Browning i V. Woolf es qüestionaven quina mena de contribució femenina s'havia fet a la tradició poètica i comentaven les dificultats d'una carrera poètica per a les dones. Calgué, doncs, esperar fins al moviment d'alliberament de les dones per a produir un sistema crític de la història literària i de la seua teoria des d'una perspectiva feminista. D'aquí que la poètica feminista incorpore a l'estudi de la poesia teories de diferència sexual i del domini cultural de l'home sobre les bases del marxisme, de la psicoanàlisi i de l'antropologia cultural, així com un compromís a la igualtat de la dona en el terreny polític i cultural i una convicció en la importància del gènere (del sexe) com una variable fonamental en la creació i en la interpretació de la literatura de dones com d'homes.

Des de finals dels seixanta, la poesia de dones, sobretot en la literatura anglesa i nord-americana, ha arribat a una explosió de creativitat, la praxi de la qual obre el tema entre creativitat i sexe. L'estudi comparatiu de la poesia de dones revela que hi ha moltes semblances pel que fa al pensament, als temes, a les metàfores i la dicció. D'altra banda la noció d'una tradició poètica femenina és objecte de controvèrsia, atès que *les* poetes no poden aïllar-se de la tradició literària masculina i, per tant, sempre escriuen un discurs amb una doble veu. D'aquí que les dones poetes han d'imitar o revisar els trops de la tradició masculina. D'acord amb dues anomenades crítiques nord-americanes, Sandra Gilbert i Susan Gubar, autores de coneguts estudis i antologies sobre el tema, han arribat a afirmar (*La loca del desván*, Madrid, 1999) que «les dones poetes –no totes, afirmaríem per la nostra banda– han participat o s'han allunyat de les convencions literàries i els gèneres establerts per a elles pels seus mascles contemporanis».

D'altra banda, aquestes crítiques han analitzat la metàfora de la ploma com a penis en la literatura en llengua anglesa, mentre que altres feministes han situat la metàfora de la creativitat en la infància. Per la seua part, Harold Bloom (*The Anxiety of Influence*, Nova York, 1973) descriu la creació poètica en termes freudians com la lluita contra el pare o el fort precursor poètic, mentre que la musa del poeta sempre és una figura femenina, *the mother-harlot*, que s'ha prostituït amb molts altres abans d'ell.

Ara bé, com podria la influència poètica i la relació amb la tradició ser diferent si el poeta és una dona? Tenen les dones una musa pròpia? Una teoria és que per a les poetes postromàntiques, el pare-precursor i la musa tenen la mateixa poderosa figura masculina. Una altra teoria manté que la dona poeta té també una musa femenina, configurada entorn de mare-filla, com podem veure en la poesia de Maria Beneyto. Siga com siga, la relació de les poetes amb la tradició femenina pot ser menys competitiva que la relació dels homes amb els seus precursors, atès que les dones desitgen els models que reïxen a partir de la creativitat femenina.

La poesia feminista ha obert qüestions sobre el gènere i el sexe o la relació entre identitat sexual i forma poètica. Segons Gilbert i Gubar, «diversos gèneres han estat sempre més masculins que els de ficció». Així mateix, mentre l'èpica abraça codis de valor masculí, d'heroisme i de conquesta, les dones poetes han revisat i transformat gèneres masculins com el sonet, la lírica i l'ègloga.

Hi ha o no hi ha una llengua comuna? Potser una llengua «mare»? Poden les dones escriure en una llengua diferent de la tradició poètica «patriarcal»? Pot la llengua ignorar les propietats figuratives per a crear experiència?

Julia Kristeva (*Semiótica*, Barcelona, 1978) va marcar una revolució de la llengua poètica que comporta una metafísica *utterance* «femenina» en el text a través del ritme, la prosòdia, el joc de paraules i la manca de sentit. Des d'aquesta perspectiva, allò femení no és exclusiu de *les* poetes, però representa una ruptura lingüística en una escriptura d'avantguarda com pot ser l'obra de Mallarmé. Serà tot just la crítica feminista qui analitzarà els efectes subversius d'aqueixes tècniques. Per la nostra banda, creiem que diferències internes entre dones de llengua, classe i raça impedirà una única poètica de dones.

5. El punt de vista de la diferència

El debat sobre l'existència o no d'una literatura femenina, o d'un llenguatge femení, pot ser un tema controvertit. Amb tot, sembla haver-hi un cert consens sobre l'existència, si més no, d'un conjunt de peculiaritats estilístiques, de temàtiques recurrents, possiblement més específiques en la narrativa, que poden constituir un punt de vista marcat per la «diferència». «Diferència» que marcaria una relativa autonomia de la literatura feta per dones, un enfocament femení que se sosté en l'afirmació que si bé la llengua potser és neutra, el seu ús no és neutral.

A casa nostra, la primera generació de novel·listes catalanes esbossarà el que seran els dos grans corrents del moviment feminista: el que dóna prioritat a la reivindicació de les dones independentment de la classe social a la qual pertanyen, i el que dóna prioritat a la lluita de classes. Al costat de les divergències fonamentals i de les diferències en la percepció dels problemes femenins lligats a les històries particulars de les novel·listes, hi ha un element comú: veuen la situació de la dona essencialment en relació amb l'home i el matrimoni, encara que només siga per criticar-la.

De les transformacions referents a la condició de les dones en la societat espanyola i els nous drets –de vot en particular–, gairebé no se'n parla en les obres de les escriptores catalanes escrites abans de la Guerra d'Espanya (1936-1939). No hi ha cap al·lusió al dret de vot, cap personatge femení que participe en la vida política –ni tan sols com a candidata–; la quasi totalitat dels personatges femenins no s'interessa en absolut pels moviments polítics, i quan hi assisteixen, només són testimonis passius que no comprenen el que passa. El compromís de les novel·listes d'abans de la guerra era d'ordre cultural. De totes les lleis de la república espanyola, la que més inspirarà les novel·listes serà la llei del divorci, car els problemes sentimentals i les relacions amb els homes continuen sent els temes principals de les seues obres. Insensibles a les lleis, als nous desigs de les dones, els homes continuen sent el que eren en les obres de les novel·listes de la primera generació.

L'actitud dels homes de lletres catalanes d'aquella època va reaccionar en general «amb una agressivitat que voreja la histèria –ens diu textualment la crítica Anne Charlon (*La condició de la dona en la narrativa femenina catalana (1900-1983),* Barcelona, 1990, pàg. 94)–, com si la possibilitat de veure que les dones que accedeixen a la literatura, a la creació i a la llibertat representés una amenaça a llur poder i a llur tranquil·litat». Així, els escriptors reprendran algunes imatges tradicionals de la dona, alguns estereotips que oscil·laran entre la mare (verge pura, santa sacrificada o dona reprimida i repressora) i la puta («cupletista», mig mundana, lasciva i pertorbadora, eterna encarnació d'Eva i del pecat). Davant d'un món masculí tan hostil, les novel·listes catalanes desenvoluparen una prosa narrativa específica, mirant d'aprofundir en l'anàlisi psicològica, sense dubtar a manipular l'humor i la ironia per tal de configurar una tendència característica de la novel·la femenina: la novel·la del món interior, la de les ànimes i la de les cases.

La guerra civil no fou un període propici per a la creació literària: la producció va disminuir i sovint es limitava a obres de propaganda. Per als catalans, la victòria franquista significà la pèrdua de tot el que s'havia aconseguit i el retorn a una legislació anterior a la República. Per a les dones, el retorn a una legislació arcaica i també la pèrdua de tot el que s'havia aconseguit. I talment com va expressar Montserrat Roig en una entrevista: «la gran derrotada de la guerra va ser la dona».

6. L'escriptora catalana durant el franquisme

Les noves condicions imposades pel franquisme –entre les quals figuraran: *la mujer es la custodia de la raza*, la cultura *patriarcal* i el *sentimiento nacionalista*–

tindran un paper negatiu per a la generació de novel·listes d'abans de la guerra, però, en canvi, van afavorir la creació literària femenina de la generació següent fins al punt que per a Anne Charlon «l'aportació femenina –Beatriu Civera, Maria Ibars, Maria Beneyto, Carmelina Sánchez Cutillas i Isabel-Clara Simó– a la Renaixença valenciana, encara que modesta, és indiscutible» (1990, pàg. 112-113). Una cosa semblant podríem dir del conjunt de les poetes valencianes que estudiem, algunes de les quals ja han estat esmentades per la seua doble condició de narradores i de poetes.

La dona «ideal», en la ideologia franquista, era esposa i mare. També calia que fos cristiana, casta i pura. Per a les dones catalanes de l'època franquista les reivindicacions feministes i lingüístiques estaran profundament lligades; pateixen una doble opressió, en tant que dones i en tant que catalanes. Curiosament les dones havien adquirit un cert nivell d'instrucció, en veure que se'ls tancaven carreres professionals satisfactòries i com que no s'identificaven en res amb la dona «ideal» del franquisme, opten per la creació literària com una activitat secundària típicament femenina. Trobaran en la creació literària una manera de desfogar el seu malestar i el sentiment de disconformitat. A més, la influència d'una banda de Sartre i el seu concepte de literatura *engagé* –o de compromís amb la realitat social– i de l'altra *El segon sexe* de Simone de Beauvoir, on demostra que l'alienació femenina no és biològica sinó cultural, empenyen les escriptores a solidaritzar-se amb els homes i tots plegats coincidiran a culpar el règim franquista de l'opressió que les impedeix de realitzar-se com a individus.

La repressió lingüística i cultural dels primers anys del franquisme –censura, limitacions estrictes a la publicació de textos en català, a la seua difusió, etc.– produeix un tall profund en el desenvolupament d'una cultura nacional en impedir de forma gairebé absoluta la connexió dels escriptors amb la pròpia tradició. Així mateix, el trencament del flux de comunicació, dins l'àrea lingüística i cultural, força l'aïllament dels escriptors valencians respecte d'allò que es feia al Principat o a les Illes, i molt més encara del moviment cultural que es desenvolupava a l'exili. Un aïllament que es completava amb la pràctica impossibilitat de connectar amb l'evolució literària de fora de les fronteres de l'Estat, i especialment amb allò que es desenvolupava a Europa.

7. El bilingüisme literari al País Valencià

No caldrà recordar que la situació excepcional que va viure l'escriptor català durant el llarg període de la postguerra el va dur, entre altres coses, a la «fugida» d'alguns cap al castellà, car la pròpia llengua era feroçment perseguida i el fet mateix de publicar en català era una tasca extraordinàriament complicada, tant per les traves de la censura com per la inexistència de lectors. Sense escola, sense mitjans de comunicació, amb les seqüeles de la repressió, la pròpia cultura estava abocada a viure dins el tancat de la llengua minoritzada, amb les funcions ben limitades.

Tres de les poetes valencianes de la primera generació de postguerra –Maria Ibars, Matilde Llòria i Maria Beneyto– seran escriptores bilingües, talment com ho fou el gran poeta alcoià de la mateixa generació Joan Valls i Jordà. Fins i tot, en el cas de M. Llòria, per vicissituds de la seua vida personal, arribarà a esdevenir una poeta trilingüe: castellà, català i gallec, cosa que no deixa tenir el seu mèrit (veg. «Un cas insòlit en la lírica contemporània: Matilde Llòria, poeta valenciana trilingüe» dins *Des de l'Aitana al Canigó. Papers crítics*, Barcelona, 1988, pàg. 121-132).

Ja hem presentat en algun treball previ algunes precisions entorn a la pràctica bilingüe en alguns escriptors valencians («El bilingüisme literari de Maria Beneyto» dins *Essays in honor of Josep M. Solà-Solé: Linguistic and Literature Relations of Catalan and Castilian*, Nova York, 1996, pàg. 41-49). Les especials condicions del País Valencià ens van dur a diferenciar unes pràctiques bilingües d'altres. Així és el cas de M. Beneyto, com també podria ser el de M. Llòria, les quals, des d'un punt de partida castellanoparlant (família, escola i formació autodidacta en castellà), per decisió personal, posen en pràctica dins la creació literària un bilingüisme *coordinat* són essencialment ben diferents del bilingüisme que practicaran poetes catalanoparlants com ara l'alcoià Joan Valls o l'escriptora de la Marina Alta Maria Ibars, els quals, per diversos condicionaments de la postguerra, decideixen de publicar en castellà i en català.

Malgrat el recel que l'escriptor català pogués tenir davant una pràctica bilingüe, caldrà reconèixer, en tot cas, l'esforç d'escriptores com Beneyto i Llòria en l'aprenentatge i la formació autodidacta en català, posant en marxa dos sistemes verbals independents –que en el cas de M. Llòria serien tres– que els han funcionat perfectament a l'hora de la praxi literària. La veritat és que totes dues escriptores van traspassar la barrera de la primera llengua, el castellà, per motius de forta convicció en el país en què havien nascut (o s'havien criat) i han mostrat tant en la seua obra en català com en la seua vida un apassionat amor per la terra, per la gent i pel llegat cultural que els valencians hem rebut. Aquesta actitud positiva d'integració i l'enorme capacitat lingüística en la pràctica literària en català –i fins i tot en el gallec– han fet possible la consolidació d'unes escriptores bilingües o trilingües al nostre país de tan forta personalitat com Maria Beneyto o Matilde Llòria.

Com ja vam exposar no es tracta tant de discutir la viabilitat o no del bilingüisme literari, fenomen vell i complex que hem patit el País Valencià i Catalunya al llarg de la història. Rubió i Balaguer, en parlar de la llarga decadència literària, afirmava que en tornar-se Catalunya bilingüe en literatura, s'assecava la creació pura. Per la seua banda, Badia i Margarit afirma que la simultaneïtat del servei a dues cultures no es fa sense perills com ara el calc lingüístic, el calc «estilístic» i el calc «espiritual». Aquests perills assenyalats per Badia creiem que no afecten el cas dels escriptors bilingües valencians de postguerra, car tots ells faran un gran esforç autodidacte d'aprenentatge i de praxi literària, per les especials condicions de l'època, en totes dues llengües, amb escasses interferències, si n'hi ha alguna.

8. Les poetes valencianes de postguerra

El col·lectiu de dones poetes en la postguerra valenciana podria estar format *lato sensu* per Anna Rebeca Mezquita (Onda, 1890 - Teide, 1970), Maria Ibars (Benissa, 1892 - València, 1965), Matilde Llòria (Almansa, 1912), Maria Beneyto (València, 1925) i Carmelina Sánchez Cutillas (Madrid, 1927). Davant unes diferències d'edat tan considerables no podrem parlar de grup generacional pròpiament dit. Ara bé, per l'aparició de llurs publicacions, totes a partir de l'any 1949, sí que podríem configurar-les dins un col·lectiu anomenat provisionalment com a primera onada de dones poetes valencianes de postguerra. Així mateix, en estudiar alguns dels seus textos poètics hi veurem més d'una vegada coincidències en actituds, en temàtica i en estilística, fets objectivables que vindran a reforçar la hipòtesi d'un col·lectiu.

Una nòmina bastant completa de llurs publicacions poètiques en català fóra la següent:

1949: *Poemes de Penyamar,* de Maria Ibars
1952: *Altra veu,* de Maria Beneyto
1953: *Vidres,* d'Anna Mezquita
1955: *Rou,* d'Anna Mezquita
1956: *Ratlles a l'aire,* de Maria Beneyto
1964: *Octubres,* d'Anna Mezquita
1964: *Un món rebel,* de Carmelina Sánchez Cutillas
1965: *Altíssim regne,* de Matilde Llòria
1969: *Conjugació en primera persona,* de Carmelina S. Cutillas
1976: *Lloc per a l'esperança,* de Matilde Llòria
1976: *Els jeroglífics i la pedra de Rosetta,* de Carmelina S. Cutillas
1977: *Vidre ferit de sang,* de Maria Beneyto
1980: *Llibre d'amic e amada,* de Carmelina S. Cutillas
1993: *Després de soterrada la tendresa,* de Maria Beneyto
1997: *Elegies de pedra trencadissa,* de Maria Beneyto
2001 (?): *Espill d'un temps,* de Matilde Llòria.

Un total de setze poemaris esdevé, si fa o no fa, una xifra ben important per a la vindicació de les dones des d'un punt de vista social i ben interessant per a la història de la literatura al País Valencià, en assegurar-nos que una bona part mostren una excel·lent factura literària. Així mateix, bastant dels continguts van lligats a les reivindicacions d'ordre lingüístic, ideològic i cultural al llarg dels Països Catalans.

La voluntat implícita com a col·lectiu potser es manté fins a l'any 1980, en què Carmelina Sánchez Cutillas publica el seu quart i darrer poemari *Llibre d'amic e amada*. Potser el silenci personal d'aquesta escriptora, la més jove del col·lectiu que havia obtingut un gran èxit comercial i prestigi en la transició amb la seua novel·la *Matèria de Bretanya* (1976) –amb xifres de 20.000 a 25.000 exemplars de venda–, esdevé el silenci emblemàtic del col·lectiu. Silenci que tan sols trencarà Maria Beneyto amb dos poemaris més als anys noranta.

9. Alguns trets generacionals

Les poetes valencianes de postguerra treballaran amb el potencial expressiu de la llengua col·loquial, viva, on el microcosmos de la intimitat domèstica, del barri o del poble prenen un relleu insospitat fins a conformar una geografia urbana rica i fluida. Fins i tot, nous objectes, a primera vista «antipoètics», conviuran amb els grans temes: l'amor, la mort. Coincidiran de ple –principalment les tres grans poetes Maria Beneyto, Carmelina Sánchez Cutillas i Matilde Llòria– amb els millors guanys de la lírica estellesiana. No debades, Vicent Andrés Estellés és company generacional d'aquest col·lectiu.

Aquestes poetes desenvoluparan uns subjectes lírics femenins que es mouran dins espais oberts, principalment el carrer i en situacions inèdites, alhora que el llenguatge adopta tons peculiars de tipus irònic, íntim o perplex. En definitiva, un major grau de lucidesa amb una major qualitat poètica subratllarà una interessant contribució a la lírica per part de les dones.

Així mateix, la creació d'una segona persona poètica o d'un *alter ego* per tal de suggerir la complexitat del subjecte líric serà un dels recursos que utilitzaran les poetes de postguerra. Recurs que es trobarà lligat a la necessitat de mantenir un diàleg amb les altres veus interiors que lluiten perquè hom les escolte. Potser en algun cas s'aguditzarà l'anomenada *consciència del llenguatge*, sobretot quan les poetes s'adonen que el pensament no existeix fora dels mots i que, per contra, allò que escriuen *és pensat* per elles mateixes, amb la dependència que això suposa d'una època, d'un llenguatge i d'una gramàtica determinades.

10. Una lírica representativa: l'etapa realista de Carmelina Sánchez Cutillas

Carmelina Sánchez Cutillas pot esdevenir la poeta més representativa de la primera fornada de la postguerra al País Valencià, tant pels seus interessos socials i cívics com per l'interès en el tema de la dona. Així mateix, la poesia de Carmelina S. Cutillas dels seus dos primers poemaris té fortes vinculacions temàtiques i expressives amb el millor realisme històric de l'època: Vicent A. Estellés, Josep M. Llompart, Miquel Martí i Pol, sobretot en tractar certs àmbits de la quotidianitat.

Discurs poètic original en el tractament de la dona per part de Sánchez Cutillas: enfront de l'imperi de la soledat contraposa el lirisme de la quotidianitat, amb la utilització d'un vocabulari immediat i d'un lèxic que respon a la cosmovisió de la dona que viu i pateix en la postguerra.

Desenvolupament progressiu del jo líric: des d'uns primers moments d'ocultació de la seua feminitat mitjançant un jo masculí i preocupada sols pels principis socials fins a l'acceptació de la feminitat a través d'un poema inicial a *Conjugació en primera persona* amb una llicència en la realització del sexe corprenedora i bastant insòlita per a l'època. L'acceptació de la feminitat del jo líric de Carmelina Sánchez Cutillas arriba al punt de lliurar-se de qualsevol pretensió d'ornament retòric per a oferir el tema de la maternitat dins una expressió realista i contundent: «Aquesta és la meua confessió». La defensa d'una i l'altra –feminitat i maternitat– aniran lligades a un fort sentiment d'arrels en la natura.

Carmelina Sánchez Cutillas esdevindrà una de les primeres poetes en llengua catalana que sabrà reflectir de la manera més crua i directa la condició de dona lligada a un destí inexorable de mestressa de casa, d'una banda, i la denúncia de tot un món advers on regna la injustícia i la manca de llibertat, de l'altra. Ara bé, la denúncia en la seua lírica mai no arriba a cristal·litzar en un veritable atac contra el poder i domini de l'home en la societat, per una més justa distribució de funcions en la vida civil. Tanmateix, el seu lament líric és ja una veritable revolució quant a la consciència i l'actitud de dona en la dialèctica amb l'home.

Carmelina Sánchez Cutillas mostra, per fi, una gran habilitat quant a la formalització expressiva dels seus versos. Més enllà del realisme social potencia el seu discurs poètic amb una àmplia gamma d'imatge i metàfores i amb recursos formals de tota mena, com ara la fusió amb la natura, tema clàssic per excel·lència. La seua poesia esdevindrà, de fet, una de les mostres més interessants de la fi del realisme.

ELS PROTAGONISTES MASCULINS D'*INCERTA GLÒRIA*

Carme Arnau

Barcelona

«Som fills del sol i ens cal morir de set»
Joan Sales, *Viatge d'un moribund*

Concreció i universalitat

Quan va sortir la traducció d'*Incerta glòria, Gloire incertaine* (1962), més extensa que no pas la primera versió catalana de l'any 1956, premi Joanot Martorell de 1955, la crítica francesa se'n va fer ressò àmpliament, i va valorar molt positivament i de manera unànime la novel·la, tot situant-la al mateix nivell dels autors de la narrativa catòlica, que comptava amb els noms prestigiosos de Georges Bernanos, Graham Greene, François Mauriac... Aquests noms són esmentats per Bernard Lesfargues, traductor i prologuista de *Gloire incertaine*, que escriu que: «La critique littéraire ne manquera pas d'évoquer bien de noms à propos de ce roman: de Baudelaire à Bernanos, de Dostoievsky à Graham Greene, croyons nous, car il nous semble que c'est entre ces pôles que se situe l'univers de Joan Sales.»[1] Semblantment, per al crític del diari *Combat*: «À la pénétration du visionaire, Joan Sales joint le don d'expression qui distingue le véritable écrivain. Et c'est pourquoi, en fin de compte, si *Gloire incertaine* n'a pas la perfection des *Possedés* ou du *Journal d'un curé de campagne*, il en a incontestablement la classe.»[2] I és que, amb *Incerta glòria,* Joan Sales connecta perfectament amb la seva època: un fragment de la novel·la, per esmentar un exemple significatiu, és citat per Jean Lacroix à *L'échec*.[3] Els noms apuntats per la crítica, de fet, Baudelaire, Bernanos i Dostoievski, assenyalen autors importants per a Joan Sales, de manera especial l'escriptor rus, del qual va traduir i va publicar a l'editorial que dirigia, El Club dels Novel·listes, *Els germans Karamazov* (1961), que esdevingué un èxit de vendes, la diada de Sant Jordi. Al pròleg podem llegir:

1. *Gloire incertaine*, París: Gallimard, 1962, pàg. 13.
2. Jacques RICAUMONT, *Combat*, «"Gloire incertaine" de Joan Sales», 13-IX-1962.
3. Jean LACROIX, *L'échec*, París: PUF, 1964; la citació de Sales és l'epígraf de l'obra, de fet. Jean Lacroix, vinculat a la revista *Esprit* i un destacat representant del personalisme. També uns mots de Lacroix són l'epígraf del tercer capítol de la quarta part d'*Incerta glòria* en la versió de 1971.

«La novel·la cristiana actual és un fenomen europeu fill de Dostoievski, d'aquell turmentat Dostoievski que semblava dur "damunt les seves febles espatlles el feix de totes les dolors humanes".»

També en l'entrevista que li va fer José Cruset, Sales destaca que els autors cristians són els que més l'han marcat, ara bé aquells «no del todo ortodoxos. Aquellos que son cristianos por los sentimientos más que por las ideas: Dostoiewski, Bernanos, Unamuno, Baudelaire».[4] Però, deixant de banda aquesta vinculació amb la novel·la catòlica, Joan Sales convertirà en una obra de gran complexitat la pròpia experiència i la dels seus companys, combatents republicans al front d'Aragó, els anys de la guerra, bàsicament, que corresponen a una joventut viscuda de manera particularment intensa. I, també, dramàtica. Aquest és, ben probablement, el punt de partença de l'escriptura; partícip i alhora testimoni d'uns esdeveniments decisius que vol que no s'oblidin, Sales els dóna forma de novel·la i, d'aquesta manera, ret també un homenatge als joves d'una generació que van participar en la guerra i que, sovint, hi van perdre la vida. De fet, Sales dedica *Viatge d'un moribund* (1952), el recull de les seves poesies, «Als soldats morts per la pàtria». En aquest sentit, Ferran de Pol considera *Incerta glòria* «la millor novel·la de la generació sacrificada per la guerra».[5] També Joan Triadú va destacar que: «Aquesta literatura o aquesta "mena de literatura" de la qual és difícil separar "la vida" circula pel fons poc visible de la postguerra, entre la catacumba i l'exili, i també entre el retorn i la mort.»[6] I és que *Incerta glòria* es pot relacionar probablement amb la literatura engatjada que es va interessar per una escriptura de ressons autobiogràfics:

«s'appuyer sur son vécu personnel, c'est à la fois donner des gages de sincérité ou d'autenticité et fonder l'autorité sur l'expérience»

D'aquesta manera, l'autor escriu sobre l'experiència individual i, alhora, sobre la col·lectiva: «Cette dialectique du singulier et de l'universel, de l'individuel et du collectif, est *autour de cette nebuleuese autobiographique qu'a produite l'engagement.*»[7] En aquest sentit, Sales també va destacar que, amb *Incerta glòria*, volia donar testimoni de la veritat i que, per aquest motiu, havia triat un tema que coneixia en profunditat, que li interessava particularment. I així, a *Incerta glòria*, hi haurà un fort component biogràfic, amb lleus retocs només: si la guerra agafà Sales en plena joventut i el marcà de manera indeleble, el mateix s'esdevindrà amb els seus protagonistes: Lluís de Brocà, Juli Soleràs i Cruells; de fet, aquests personatges semblen emmirallar trets de dos companys de Sales de l'Escola de Guerra, Enric

4. José Cruset, «Joan Sales, un humanísimo monólogo espiritual», *La Vanguardia*, 23 d'octubre de 1969.

5. Lluís Ferran de Pol, «En la mort de Joan Sales», *Avui*, 15-XI-1983, on podem llegir: «Com ha dit Triadú, segurament *Incerta glòria* és la millor novel·la de la generació sacrificada per la guerra.»

6. Joan Triadú, *Una cultura sense llibertat*, Barcelona: Proa, 1978, pàg. 76.

7. Denis Benoit, *Littérature et engagement*, París: Seuil, 2000, pàg. 88. La cursiva és meva.

Usall i Cruells –observem que fins i tot porta el mateix cognom–, però, sobretot, d'ell mateix, sense oblidar el seu gran amic, el poeta Màrius Torres. En aquest sentit va contestar a l'entrevista que li va fer Busquets i Grabulosa que: «Jo no sóc cap dels meus personatges perquè els sóc una mica tots.»[8] I és que Sales afirma: «Lo que me interesa más de un libro es lo que me descubre de su autor.»[9] A més, el novel·lista també va destacar que, mentre redactava la novel·la, tenia al davant la correspondència que va enviar des del front a Màrius Torres –que després publicarà amb el títol *Cartes a Màrius Torres* (1976)- i que un autor té tot el dret a plagiar-se. Ara bé, els nombrosos aspectes biogràfics es transcendeixen en la creació d'uns personatges, d'unes figures, en les quals Sales ha sabut reflectir, ha encertat a compondre, una imatge ben representativa de l'home del segle vint, un home turmentat i angoixat, sobretot, una visió concordant amb la donada per d'altres autors europeus del moment. I és que els personatges d'*Incerta glòria* poden representar aquesta «consciència desgraciada», ben característica de la novel·lística del segle XX: la de l'home que, enmig de les guerres, no troba un lloc en aquest món. I, així, partint de la pròpia experiència, s'abraça una indiscutible universalitat, sense oblidar un notable valor literari, que neix del pes de la literatura en la novel·la. De lectures, fetes amb la mateixa passió, amb la mateixa intensitat, amb què es va viure la vida. I, per tant, *Incerta glòria*, com va destacar Joaquim Molas, esdevé «una de les millors novel·les de postguerra».[10]

En efecte, els personatges d'*Incerta glòria* són el component fonamental de la novel·la i, de manera especial, els tres protagonistes masculins, l'autèntica clau de volta; i és que fins i tot són els personatges els qui creen la intriga, els qui expliquen la història en una sèrie de documents en primera persona, una primera persona que n'accentua la versemblança: cartes les dues primeres parts, una mena de memòries les dues següents. Es tracta d'unes formes d'escriptura que la guerra potencià, en imposar separacions –les cartes a Màrius Torres en són un bon exemple–, i, també, reflexions. Però, sobretot, els personatges s'expliquen a si mateixos, donen voltes a temes cabdals de manera incansable, i esdevenen així, «espectadors dels seus abismes», per dir-ho com E. M. Cioran. I és que els personatges semblen més interessats per veure's viure que no pas per viure. D'entrada, hem de destacar que Sales demostra ser un profund coneixedor de l'home i, de manera especial, del seu complex món interior, que li interessa particularment i que sap reflectir de manera ben convincent. I així, si Valéry va descriure els personatges literaris com a «des vivants sans entrailles», els creats per Sales demostren tenir-ne, perquè s'acosten als homes de carn i ossos. De fet, Sales aposta de manera decidida pel realisme, com a autor i alhora com a editor i, per tant, valora, sobretot, els personatges d'una obra que semblin «de veritat». S'entusiasma amb la Colometa, per exemple –de la qual diu literalment haver-se'n enamorat–, però també amb els altres personatges de *La plaça del*

8. Lluís Busquets i Grabulosa, *Plomes catalanes contemporànies*, Barcelona: Caixa d'Estalvis / Grup Promotor, Edicions del Mall, 1980, pàg. 67.

9. José Cruset, entrevista citada.

10. Joaquim Molas, *Obra crítica/1*. Barcelona: Edicions 62, 1995, pàg. 236.

Diamant, perquè, com escriu a Mercè Rodoreda: «...és com si un els hagués coneguts a fons, i això és el propi de les bones novel·les, de les grans novel·les» (10 de juny de 1961); però també que «...la Colometa viurà encara quan ningú ja no es recordi de la Ben Plantada (que no és més que una morta abstracció, mentre la Colometa és la vida mateixa)» (7 de desembre de 1964). I tenint en compte el que l'atreu dels personatges, Sales també aconseguirà crear figures de les mateixes característiques: plenes de vida. I de contradiccions, en el seu cas. En aquest sentit, l'autèntic heroi de la novel·la és Soleràs, amb actuacions inesperades, un parlar enigmàtic i sovint profètic; a ell se li podria aplicar perfectament una frase de Dostoievski, citada a la novel·la: «Ningú no hauria esperat d'ell semblant conducta» (pàg. 117).[11] I és que Dostoievski, creador de figures torturades i de gran riquesa, en permanent mobilitat i amb una agitada vida interior, és un dels models més destacats de la construcció dels personatges d'*Incerta glòria* i, també, de la novel·la. De fet, en l'autor rus:

> «Le rôle jadis rempli par l'auteur passe au personnage qui s'analyse et se décrit sur toutes les faces [...] À cette conscience qui se porte sur toute chose, l'auteur ne peut opposer qu'un monde objectif, celui d'autres consciences d'égale valeur.»[12]

Semblantment a *Incerta glòria* diverses «consciències» dialoguen les unes amb les altres, però sobretot parlen amb si mateixes, en veu alta, perquè la comunicació i el consol que pot néixer de la conversa, de la confessió, sembla inexistent. I, així, viuen permanentment solitaris, amb l'angoixa i els dubtes que els dominen, endinsats en mons laberíntics, en dualitats contradictòries que, de vegades, assoleixen la inconnexió boirosa dels somnis, pels quals Sales sentia una particular atracció. Es tracta, també, de figures que són sovint dobles, una duplicitat que el novel·lista presenta amb l'oposició existent entre l'home adormit i el despert –recordem que Dostoievski és l'autor d'una novel·la ben revolucionària, *El doble* (1846), justament. I és que és l'envitricollat món interior aquell que de manera més poderosa atreu Sales, com a creador, un món no únicament incomprensible per als altres, sinó també per a un mateix: un autèntic trencaclosques. De fet, el novel·lista pensa que «no hi ha cap meravella comparable al misteri de l'ànima humana». A més, considera també que la vida interior ha assolit un gran relleu en l'època contemporània, com destaca a *Cartes a Màrius Torres,* quan escriu al poeta que:

> «I t'has llençat a explorar amb la llanterna sorda de la poesia, els passadissos sinuosos que tots amaguem dins nostre [...] *La curiositat pels secrets dels passadissos més interiors de la nostra ànima és característica del nostre segle.*»[13]

11. Cito de la IV edició d'*Incerta glòria*, Barcelona: Club dels Novel·listes, 1971.
12. Mikhaïl Bakhtine, *La poétique de Dostoïevski*, París: Editions du Seuil, 1970, pàg. 91.
13. Joan Sales, *Cartes a Màrius Torres,* Barcelona: Club Editor, 1976, pàg. 468.

Sales, de fet, valora molt l'obra de Dalí, pel fet d'haver sabut plasmar, de manera tan personal, «aquests passadissos», i pensa que «l'home ho és tot, sense excloure els seus deliris, somnis, al·lucinacions, terrors, angoixes i incoherències. Podem dubtar de l'existència de tot, llevat de la de l'horror que tal dubte ens produeix».[14] I, així, els protagonistes d'*Incerta glòria* són, sobretot, éssers turmentats i angoixats, que viuen uns inferns que només es troben dins d'ells mateixos, però, també, figures que, de manera apassionada i dolorosa, busquen donar un sentit a llurs vides, fugir de la buidor que els angoixa, perquè, com apunta un d'ells, «No hi ha res que pesi tant com el buit». Per tot plegat, Dostoievski és un encertat model, però podem esmentar, també, el nom d'un altre gran creador, profund coneixedor de l'home, Shakespeare; d'un vers seu surt el títol de la novel·la: «The uncertain glory of an april day...» I és que Sales és un admirador de Shakespeare, precisament, per la veritat i complexitat dels personatges que va crear, en proposar-se: «emmirallar la vida, "història explicada per un idiota, soroll i furor sense sentit"».[15] A *Incerta glòria*, hi ha diverses referències a l'autor anglès: «bruit [sic] i furor per res», «molt soroll per res»... Sense oblidar Baudelaire, un poeta decisiu, a qui Sales considera el seu cinquè evangeli, amb una influència ben visible a *Viatge d'un moribund*. Es tracta d'un nom repetidament esmentat i citat a *Incerta glòria,* perquè atreu molt els protagonistes, Cruells, sobretot. I un vers ben significatiu de Baudelaire encapçala el poema de Sales, «Els dos diamants», dedicat a Màrius Torres: «Mon âme est fêlée», que el novel·lista va traduir així: «La meva ànima està esquerdada»; el vers pertany al poema «La cloche fêlée», del recull *Les fleurs du mal*, i expressa ben gràficament l'home vist per Sales. I ell mateix, evidentment.

I és que si els tres protagonistes d'*Incerta glòria* són marcades individualitats, tenen, tanmateix, uns trets comuns, mentre són joves, aquesta interrogació tan persistent i angoixada que els caracteritza, que acostuma a desembocar en la transcendència, perquè la recerca de Déu hi és persistent; a més, Cruells és un sacerdot i, per tant, ha fet ja una tria ben clara. Ara bé, aquesta interrogació neix d'uns sentiments, d'uns mots, que podem considerar, també, ben característics del segle XX: buidor, sobretot, però també absurditat, angoixa, insatisfacció... I així, els personatges representen:

> «cette souffrance particulière de l'homme au XX siècle qui consiste à se sentir vide et creux, insatisfait de soi et d'un monde qui ne parvient pas à le nourir, à l'emplir de certitude et de présence [...] Ainsi naît le sentiment d'un "absurde" qui n'est pas même métaphysique et qui demeurera un thème constant, redécouvert sans cesse.» [16]

Aquesta idea o concepció dels personatges, dolorosament turmentats només pel fet de viure, sense oblidar la guerra en la qual s'han trobat immersos, llançats, gairebé –com els existencialistes en la vida–, es pot relacionar amb el sentit cristià tràgic, que ja havien anunciat en el domini del pensament Kierkegaard, Xestov,

14. *Cartes a Màrius Torres*, obra citada, pàg. 239.
15. Carta adreçada a Mercè Rodoreda, des de Barcelona, el 23 de març de 1973.
16. R. M. ALBERES, *L'aventure intellectuelle du XX siècle*, París: Albin Michel, 1959, pàg. 230.

Unamuno... –recordem el títol d'un cèlebre assaig, *Del sentimiento trágico de la vida*. Es tracta, de fet, d'un cristianisme «dramatique et paradoxal qui a toujous persisté malgré les influences adverses de l'hellenisme, platoniciennes ou aristotéliciennes, et elle reparaît dans le roman chrétien du XX^a siècle».[17] I és que els personatges pecadors, o si més no violents i apassionats, són el centre de la novel·la catòlica, una novel·la en la qual el mal, el pecat, ocupa un lloc destacat. També els personatges d'*Incerta glòria* reflexionen constantment sobre el mal, un dels grans temes de la novel·la: sobre la presència del mal en el món, o sobre l'home dividit entre el bé i el mal. «Si l'home fos àngel o bèstia», va escriure Kierkegaard, «no coneixeria l'angoixa, pel fet de ser-ne una síntesi, n'és capaç.» I és que l'època contemporània és l'època de l'angoixa, mentre que en les èpoques d'estabilitat, «...lorsque les cadres sociaux disciplinent l'individu, l'angoisse sans être inconnue, reste excepcionnelle».[18] De fet, l'originalitat de la novel·la catòlica del segle XX, ha estat, segons Alberès, la de no amagar el mal sota la màscara de la moral, i així el cristianisme troba la seva veritable època romàntica. I romàntica perquè posa l'accent en les passions humanes, en els sentiments. Plenament concordant amb aquesta tendència, Sales escriu al pròleg d'*Incerta glòria* que tots portem a dintre un fons apassionat, particularment intens en la joventut: «*Ma jeunesse ne fut qu'un ténébreux orage*», diu Baudelaire; «potser tota joventut ho ha estat, ho és, ho serà. Una tempesta tenebrosa, travessada de llampecs de glòria –d'incerta glòria–, un dia d'abril...»

I és que, a *Incerta glòria,* li podria correspondre, també, l'etiqueta d'existencialista, un moviment que té la seva perfecta representació en el moment històric evocat a la novel·la, perquè és la manera de veure el món de l'home occidental: absurditat, angoixa, nàusea... –recordem l'emblemàtica obra de Sartre, *La nausée* (1938). A més de ser una novel·la de «situation extrême», per dir-ho com el filòsof francès, perquè la guerra hi té un paper central. De fet, la filosofia que domina en aquesta època és més la de l'existència que no pas la del coneixement, la de la condició humana, per dir-ho amb el títol d'una novel·la molt significativa de Malraux,[19] i d'aquesta manera, «elle engage une notion de l'homme plus que de l'univers»;[20] una bona mostra d'aquest interès, d'aquesta preocupació, és *Incerta glòria*, centrada en l'home, en la vida interior, i d'aquí el gran relleu dels personatges. I és que, segons s'ha destacat, la novel·la existencialista es relaciona amb la catòlica, amb una separació que és només la voluntat de transcendència d'aquesta darrera. A l'interessant pròleg de Carles Cardó –un pensador que, cal tenir present, Sales va editar–, a la poesia de Màrius Torres, podem llegir:

> «D'ençà que la vida se'ns ha posat severa, els esperits reflexius s'han girat cap a dintre en cerca dels seus fonaments eterns, altrament dit religiosos [...] El mateix existencialisme ¿què és sinó un

17. ALBERES, obra citada, pàg. 237-238.
18. Jean LACROIX, *Les sentiments et la vie morale*, París: PUF, 1968, pàg. 29.
19. Es tracta, evidentment, de *La condition humaine* de 1933.
20. Gaëtan PICON, *Panorama de la nouvelle littérature française*, París: Gallimard, 1988, pàg. 284.
21. Prefaci de Carles CARDÓ a Màrius TORRES, *Poesies*, Barcelona: Ariel, 1953, pàg. 37-38.

girar la vista envers els angoixosos problemes metafísics i teleològics davant la manca de sentit de la vida? La bescantada Metafísica torna i amb ella la filosofia de la finalitat. L'asfíxia metafísica ha forçat a l'exploració interior en cerca de l'aire de l'esperit.»[21]

De fet, aquesta manca de sentit de la vida –l'home perdut en el món i encerclat per la mort– crea l'atmosfera torturada i angoixosa que banya l'interior dels tres protagonistes d'*Incerta glòria*. Tota la novel·la, per tant. I diferents imatges pròpies o figures de provada solvència la reflecteixen. O paraules ben significatives, sobretot l'absurditat de la vida humana, ja que, per dir-ho amb mots de la novel·la, aquesta es mou entre l'obscè i el macabre, entre el naixement i la mort. Entre Eros i Tanatos, però vistos d'una manera negativa. Un obscè representat a la novel·la per diverses imatges –com Baudelaire, Sales acostuma a expressar-se en imatges, una manera personal de pensar–, per exemple, per la d'una parella que fa l'amor, vista pels ulls innocents d'un personatge llavors adolescent, mentre que el macabre es concreta en la visió d'un ase mort que es corromp i que put, que es troba a prop. I és ben baudelairià també aquest interès de Sales per descriure interiors putrefactes, en descomposició. Pel que fa a les figures esmentem-ne una de central, la de l'home presentat com un estranger en aquest món, l'exiliat, de llarga tradició literària, que trobem ja en Baudelaire –un poema de *Petits poemes en prosa* es titula així–, abans que Camus li donés una popularitat mundial amb *L'étranger* (1948). Sales també va escriure un poema amb aquest títol, «Estranger», on podem llegir:

«¡tan estrangera sento la meva pròpia vida!
¡Quin buit i quina feredat!»

Una altra figura, repetidament esmentada, és la de l'home assedegat i que, tanmateix, no pot satisfer mai la set, una figura ben present, també, a *Viatge d'un moribund*, i en els poemes de Màrius Torres. «Je meurs de soif / auprès de la fontaine» de François Villon és l'epígraf triat per Sales per a «Una veu entre els brins». A *Incerta glòria* apareix més d'una vegada la figura de Tàntal, que representa l'home permanentment insatisfet, tancat en la seva mirada i desig. I d'aquesta manera, naixeran dos sentiments constants dels personatges: l'angoixa i la tristesa, una tristesa ben baudelairiana que, d'altra banda, els atreu particularment, sobretot a Cruells i Lluís, mena d'*alter ego* de Sales, en més d'un aspecte. Però el sentiment dominant dels personatges i, per tant, de tota la novel·la, és la soledat, la de l'home radicalment solitari en aquest món. Per representar-la de manera ben contundent, Sales ha fet que els tres protagonistes siguin orfes. L'home com a orfe, doncs. D'aquesta manera l'autor exposa també un dels temes centrals d'*Incerta glòria* i de la literatura contemporània: «I tota vida és camí de soledat», ha escrit Torres a «¿No sents, cor meu...».

I és que els personatges joves d'*Incerta glòria* corresponen a la tipologia de l'home turmentat, angoixat i rebel, però compromès i actiu: la guerra dóna sentit a llurs vides, però també l'amor, una glòria incerta, fugaç, però glòria al cap i a la fi. De fet, a la novel·la es crea un mite de la joventut, perquè esdevé l'únic període de la vida que val la pena de viure, per l'empenta i autenticitat que aquesta edat comporta. Ara bé, els personatges demostren la seva versemblança, perquè un cop deixada enrere la joventut, canvien, es transformen i, finalment, no tenen res a veure ni amb el que havien estat ells mateixos ni, evidentment, els uns amb els altres. I així Sales exposa que l'home no és d'una peça, que les circumstàncies de la vida, o únicament el pas del temps, el fa canviar, de vegades de manera ben colpidora. Es tracta d'una idea present, també, en Dostoievski, Proust, i per citar una autora catalana, que Sales va editar, en Mercè Rodoreda. Així, Lluís, turmentat i rebel en la joventut, esdevindrà un burgès convencional en la maduresa, mentre que Cruells, l'home bondadós de la guerra, es convertirà en un home malvat a la postguerra i, posteriorment, en un neuròtic, perquè la situació d'opressió i de manca d'autonomia del país s'allargassa, sense que es vegi una sortida possible. I és que, com destaca Sales, al pròleg de la novel·la, el protagonista de les dues darreres parts és el mateix però: «a vint anys en l'una i a cinquanta en l'altra i això fa –parlo, ai de mi per experiència– que un mateix home sigui dos personatges diferents». Només Soleràs morirà jove i així no trairà mai ni els seus ideals ni la seva joventut, ambdós estretament lligats. I esdevindrà l'autèntic heroi de la novel·la. Serà, a més, un vençut, un fracassat, perquè hi ha a *Incerta glòria* una mena d'èpica del fracàs, la dels combatents que han perdut la guerra i, alhora, la del cristianisme, que encarna sobretot aquest personatge jove i atractiu, assassinat en plena joventut per fugir de la victòria –però també Cruells. Notem que es tracta de tres figures masculines, perquè el dos personatges femenins principals tenen molta més seguretat i, finalment, esdevenen totes dues una mena de mite. I un cop esbossada una tipologia general dels protagonistes masculins, potser val la pena passar a efectuar una ràpida anàlisi individual, perquè es tracta, d'altra banda, de figures ben diferenciades, amb funcions diverses en aquesta novel·la hàbilment construïda, en la qual Sales demostra el seu talent narratiu.

Juli Soleràs o entre Dostoievski i Kierkegaard

Malgrat que aquest personatge no és focalitzat de manera directa –no és l'autor de les cartes ni dels diaris–, és el personatge més important de la novel·la, l'indiscutible protagonista, pel fet d'encarnar amb contundència la passió i la insatisfacció, lligada a la joventut, que hi és mitificada. A més, sembla el personatge més decisiu per a Lluís, que s'hi sent atret i que el busca constantment; per a Cruells, per al qual representa l'amistat –l'únic amic de tota la seva vida–, la qual cosa fa que es converteixi en una obsessió, en una maduresa solitària i marginada. Com a clara oposició a tot el que representa, hi ha a la postguerra un personatge, Lamoneda, que és l'altra cara de la moneda –i d'aquí el seu cognom?–, la perfecta contrafigura de Soleràs: l'home vell i repel·lent, que busca, d'una manera abjecta, ser un triomfador. Sense oblidar el fet que és un traïdor –un Judes–, i que ell, diversament dels tres protagonistes, ha lluitat en el bàndol feixista. Aquesta circumstància, a més, permet a Sales oferir una perspectiva inèdita, un punt de vista innovador en la novel·la.

S'estableix, doncs, una oposició entre dos personatges, però també entre dues èpoques: l'una, esperançada i atractiva; l'altra, desolada i angoixosa. Però Soleràs és, també, l'home més valorat per Trini –la companya de Lluís–, a qui fa costat i de la qual s'enamora. El fet de presentar-lo des de tres punts de vista –al qual s'afegeix el de Lamoneda–, però mai des de dintre, permet que el personatge esdevingui molt complex. Però sempre una incògnita.

Ja he apuntat l'origen autobiogràfic d'aquesta figura: «L'Usall, un xicot estrany, estudiant de dret, m'inspirà el personatge de Juli Soleràs. El vaig conèixer a L'Escola de Guerra i havia de morir al front de Terol», escriu Sales a *Cartes a Màrius Torres*. El fet de tractar-se d'un noi alt, prim i curt de vista, també es reflectirà en la ficció: «Flac, groguenc, curt de vista: el Soleràs de sempre» (pàg. 33). Els viatges a l'estranger, i alhora l'atracció per la filosofia alemanya i, per les tendències més innovadores, seran trets distintius del personatge:

> «La tia deu ser rica, ja que per celebrar l'acabament del batxillerat li va pagar a cos de rei un bon viatge: Alemanya, Rússia, Hongria i Bulgària: els països se'ls va triar ell –res d'Anglaterra, França ni Itàlia. Volia països d'aquests que no hi va mai ningú; amb els llibres feia igual: Schopenhauer, Nietzsche, Kierkegart (no sé si s'escriu així), que fora d'ell, no sé si hi ha hagut mai ningú que hagi tingut la paciència d'empassar-se'ls» (pàg. 27).[22]

I els noms esmentats són importants, sobretot el de Kierkegaard, per a la construcció i sentit del personatge. Però és gràcies a la perspectiva de Cruells, que és una mena de *voyeur*, com veurem, que en tenim una visió de fora estant, concordant amb la impressió de Sales davant de la figura real, pel fet de destacar-ne l'estranyesa i la permanent sorpresa de paraules i d'actituds: «Era un noi estrany, abrupte, repel·lent i atraient a la vegada [...] Podia defensar, segons la lluna, les idees més oposades; de manera que molts el tenien per un incoherent, quan en realitat és la persona més intel·ligent que he conegut en tota la vida [...] ¿era catòlic? En tot cas, cínicament catòlic; en boca d'ell les veritats de la religió prenien les formes més sorprenents, sovint les més irritants» (pàg. 433-434).

I si en el personatge de Soleràs hi ha un component biogràfic –els trets més destacats de l'amic–, n'hi ha, també, un de literari i un altre de personal, en reflectir, en bona part, la visió del món de Sales, que la relació amb Kierkegaard, un dels seus autors preferits, confirma.[23] Pel que fa a la influència literària, cal esmentar una altra-

22. «L'un és un estudiant, l'Enric Usall –crec que ja us en havia parlat–, que ha seguit París, Berlín, Londres, Viena, Budapest, els Balcans, Suïssa, Praga i la Silèsia. És militarista, com jo, però antiesportiu furibund i devorador de novel·les ultramodernes; gasta un humorisme tètric que desconcerta i, com que és curt de vista i no vol dur ulleres, quan fem l'exercici a cavall pren un aire meditatiu d'allò més còmic. Sovint li dóna pels discursos grandiloqüents i escabellats.» Joan SALES, *Cartes a Màrius Torres*, Barcelona: Club Editor, 1976, pàg. 65.

23. L'any 1979, concretament el dia de 1 de juliol, Sales escriu a Mercè Rodoreda i li comenta que li agrada molt que sigui traduïda al danès, perquè «és la llengua d'Andersen i de Kierkegaard, que són els dos escriptors que més estimo». En un proper treball analitzaré aquesta influència més detalladament.

nom, el de Dostoievski, perquè Soleràs és un personatge envoltat d'ombres, d'interrogants, un aspecte ben característic de l'autor rus. Ja Oscar Wilde va notar que un dels mèrits més destacats de Dostoievski, com a creador de personatges era, justament, el fet de no explicar-los del tot. D'aquesta manera, conserven fins al final, l'etern secret de l'existència. Per això, Lluís davant l'actitud sempre sorprenent de Soleràs es pregunta:

> «¿Qui és aquest Soleràs de qui parlen tant? [...] Jo també m'ho pregunto, responguè ell; ¿qui és, en fi, Soleràs? ¿Potser una hipòtesi? ¿Un trencaclosques? Donaria qui sap què per saber-ho» (pàg. 534).

I és que el personatge de Soleràs es caracteritza per la seva indefinició: secret, amb nombrosos aspectes poc clars, pel que fa a la seva psicologia o comportament i, fins i tot, als seus orígens, d'entrada: «Per començar, ¿qui era la seva família? Misteri. Possiblement una tia vella i ningú més; ell evitava sempre el tema» (pàg. 23). I és que el mateix personatge confirma la relació amb l'autor rus: «Jo tenia dotze anys i encara no havia llegit Dostoievski; contra el que afirma la llegenda, no vaig ser tan precoç com això» (pàg. 780). És de Dostoievski, la frase abans citada, que reflecteix la seva actitud davant de la vida i davant dels altres: «Ningú no hauria esperat d'ell semblant conducta» (pàg. 117). I és, que, sempre com una insinuació, s'apunta que potser col·laborava amb els anarquistes, i que s'ha passat al bàndol feixista. Però, també, que, com Baudelaire, prenia drogues, com acostumen a fer-ho els *maudits*. Figura apassionada i insatisfeta, d'ençà de la infantesa, en què ja sentia l'atracció pels abismes, buscava sempre les emocions fortes i irrepetibles –el que més rebutja és la monotonia–, sobretot envoltades de perill; s'esmenta que, com a *Els germans Karamazov,* jugava que un tren li passés pel damunt. Precoç, en acabar el batxillerat, va ser ell a qui va ensinistrar Lluís en: «els misteris de l'esperitisme, la teosofia, Freud, l'existencialisme, el sobrerealisme i l'anarquisme» (pàg. 27). Però, sobretot, és Soleràs el qui millor encarna els trets que caracteritzen la imatge de l'home contemporani, present en la novel·la catòlica i alhora en l'existencialista, que van considerar Dostoievski com un precursor.[24]

En efecte, és de Soleràs una de les dites més repetides a la novel·la, per reflectir, justament, l'absurditat de l'existència humana: «l'entrada obscena, la sortida macabra».[25] És Soleràs, també, el qui insisteix més i de manera més colpidora en la maldat de l'home i del món, en l'existència del mal, de fet, un mal que ho governa tot, seguint les petjades de Baudelaire, que s'hi va referir de manera obsessiva. I és que aquest personatge ens parla, també, de «les delícies de l'horror». Ara bé, cal destacar que les meditacions, les reflexions metafísiques, s'expressen sempre a *Incerta glòria*, amb un estil profundament col·loquial, planer i quotidià –amb sentit de

24. Apuntem les diferents lectures de Dostoievski, que demostren la importància i complexitat d'aquest autor; si per a Sales és un precursor de la novel·la catòlica, per a Gide és el creador de la novel·la moderna, pels abismes que caracteritzen els seus personatges. Uns abismes que explora.

25. SALES l'empra, també, a *Cartes a Màrius Torres...* com a revolta, «Contra tot un món que, de cop i volta, quan deixem de ser nens, descobrim lleig i mal fet, obscè i macabre...» (pàg. 124).

l'humor i ironia, ben sovint– perquè aquesta és la idea de Sales pel que fa a l'escriptura d'una novel·la:

> «Podem negar l'existència del Cel, fins ens en podem riure com d'una funció de teatre dominical fet per filles de Maria aficionades; el que és de l'infern no hi ha qui el pugui posar en dubte. Ens segueix pertot arreu com merda enganxada a les sabates» (pàg. 175).

Però Soleràs és, també, la més pura encarnació de l'home que no pot arrelar-se enlloc, de l'estranger en aquesta terra: «I és que tots, tots ens pensem que els estrangers són els altres. Estrangers ho som tots, ¡quin fàstic! Anem vivint amb la il·lusió que només ho són els altres, quan un és sempre ell mateix el més perdudament estranger de tots» (pàg. 437). D'altra banda, la funció de Soleràs a la novel·la és, a més de la de ser un provocador, la de convertir-se en una mena de profeta, gràcies a la seva lucidesa; i és que ell, que ha viatjat per l'estranger, pensa que la Guerra Civil semblarà poca al costat d'un horror que esdevindrà insuportable: camps de concentració, forns crematoris... «El que vindrà després serà la nàusea, ¿o potser no n'has sentit a parlar? ¿Decididament no et sona el nom?» (pàg. 81), anuncia aquest personatge. Però Soleràs també profetitza que, un cop acabada la guerra, ningú no voldrà saber res d'aquells que hi van participar –una idea constant en Sales–, perquè les trinxeres marquen de manera inesborrable. Ara bé, Soleràs és l'home tot passió i angoixa –i d'aquí la relació amb Kierkegaard–, que pateix d'una manera particularment intensa pels abismes que l'envolten, per l'absurditat de la vida, un sentiment que, segons ell, és el primer pas cap a la religió. I és que si la novel·la juga hàbilment amb els punts de vista, Soleràs és per als seus dos amics una figura incomprensible, però de poderós atractiu, mentre que, per a Trini, és l'home bondadós que li fa costat i que l'ajuda en la seva conversió a la religió catòlica; es tracta d'una conversió que és un dels temes principals de la novel·la catòlica, però que parteix d'un fet biogràfic, en aquest cas. Així el personatge demostra tenir una gran complexitat.

I és que, des de la perspectiva de Trini, sorgeix un altre Soleràs, l'home generós i atent, que fins i tot roba perquè el seu fill pugui menjar. També, és des del punt de vista d'aquest personatge que ens assabentem que Soleràs és catòlic o que, si més no, se sent atret per aquesta religió; de fet, ha regalat a Trini uns evangelis, on ha subratllat només la resposta de Simó a Jesús, quan tots els altres deixebles l'havien abandonat: «Si no et segueixo a Tu, ¿a qui seguiré?» (pàg. 265), mentre que a la pàgina de guarda ha escrit, «La Creu o l'absurd». Per a Soleràs, doncs, únicament la religió catòlica és susceptible de donar un sentit a la vida, d'esborrar-ne la buidor –semblantment al que pensava Sales. Ara bé, això no significa cap mena de port d'arribada per al personatge, ni repòs ni pau, sinó que continuarà vivint angoixat, turmentat, escindit, perquè creu que: «El menys que puguem dir és que tot és inexistent fora del no-res» (pàg. 443). I novament és pertinent una relació amb Kierkegaard, permanentment angoixat –que només tenia la certitud de l'angoixa– i que va rebutjar l'amor i el matrimoni, com Soleràs. Per a Kierkegaard, de fet, esdevenir cristià volia dir acceptar viure sotragat per totes les tempestes. Però, des d'aquesta perspectiva d'home bondadós, d'home cristià, entenem que Soleràs senti una particular atracció pels infants, com ho palesa la frase lapidària que pronuncia: «Tot l'univers no val la vida d'una criatura!» (pàg. 619). Per aquest motiu, també, matarà un soldat, Ibrahim, en assabentar-se que ha abusat i matat una noieta, i ho farà com un estricte acte de justícia que com a tal no li provoca cap mena de neguit, cap sentit de culpa. Cal destacar que hi ha en tots els personatges una voluntat de rectitud, de respecte i d'ètica en la guerra. També és des de la perspectiva de Trini, que n'és la confident, que ens assabentem de la realitat més profunda del personatge, que els seus amics ignoren, com per exemple, que se sent particularment atret pels somnis –també com Sales–, i que li agradaria que la nit esdevingués polar, «per poder somniar un galimaties sense fi» (pàg. 334).

Però si he destacat que la imatge de l'assedegat és la més constant de Sales per reflectir la condició humana, és Soleràs el qui l'encarna amb més contundència. I és Cruells, bon coneixedor de l'ànima humana, el qui s'adona de la seva realitat més profunda:

> «N'hi ha (d'homes), i en Soleràs n'era un, que estimen tant aquesta set que arriben a morir de set abans que agenollar-se humilment als peus de la font i beure... ¡Fugen de la felicitat com si els fes horror! *No són homes d'amor sinó de passió; el que busquen no és l'aigua sinó la set*» (pàg. 807). [26]

I aquesta insatisfacció permanent, aquesta passió per l'acció i la contradicció, el portarà a la mort: a punt d'esdevenir un vencedor ho rebutjarà decididament; ell no vol ni pot ser-ne un, va contra el més profund de si mateix. I és que Soleràs representa l'essència mateixa del cristianisme, el fracàs, una nova imatge de Crist crucificat pels homes, una imatge omnipresent a la novel·la. En aquest sentit, Jean Lacroix va destacar que:

> «Ainsi pour le christianisme le sens de l'échec est si profond que Dieu lui-même a dû l'assumer: pour triompher de la mort, il n'a fallu rien de moins que la mort de Dieu [...] Car ce n'est jamais qu'en acceptant et assumant la nuit, l'échec et la mort qu'il peut espérer en triompher.»[27]

Però, a més, amb aquesta mort jove –tot home és una esfera ens diu Sales–, Soleràs esdevé la representació mateixa de la joventut, activa i ardent, i que, sobretot, no se sotmet a la Mentida –en majúscula en el text– que, segons s'expressa a la novel·la, regna al món. Queda, doncs, com un paradigma de vida activa i compromesa, la de l'home lúcid que s'allunya de l'intel·lectual tancat en els llibres, pel qual Sales sent una particular animadversió. Obert a la vida, que vol dir a l'acció. I a la contradicció.

26. La cursiva és meva.
27. Jean LACROIX, *L'échec*, París: PUF, 1964, pàg. 111.

Lluís de Brocà o la traïció

Lluís permet a Joan Sales demostrar, o únicament evidenciar, les inesperades evolucions, les transformacions, de l'home, només amb el pas del temps. Perquè el burgès madur, típic i tòpic, té poc a veure amb la figura jove, que concordava amb la tipologia general de la joventut, com he apuntat. I, en aquest sentit, s'oposa del tot a Soleràs i, també, a Cruells. Pel que fa a Lluís, cal destacar que manté moltes afinitats amb el seu creador, tant en l'aspecte biogràfic, com en més d'un tret de caràcter. Com Joan Sales, Lluís és l'oficial jove que lluita al front i té una companya i un fill a Barcelona –filla en la vida real–, en els quals no sembla pensar gaire en la ficció. Com Sales, també, Lluís era advocat «però feia altres coses» (pàg. 42). Diferents experiències personals de la vida al front, que Sales explica a *Cartes a Màrius Torres*, s'esmenten també a la ficció: la descoberta d'unes mòmies que els anarquistes han desenterrat en un convent, la presència d'uns pastorets que s'hi aixopluguen, l'anada de la muller i la filla per passar el Nadal en un «front mort», la seva bona sort que li permetrà esdevenir un supervivent... Pel que fa als trets de caràcter de Lluís jove, apuntem un temperament apassionat i rebel, la tendència a la introversió i al silenci, l'atracció pels *capaltards* i la tardor, la devoció per Baudelaire, la voluntat de desfogar-se amb l'escriptura... Pel que fa a la rebel·lia, esmentem que Sales, procedent d'un ambient marcadament catòlic, va viure una adolescència irregular i turmentada, i es va afiliar al Partit Comunista Català, on esdevingué secretari general de les Joventuts; allà conegué Núria Folch i Pi, que tenia quinze anys –ell disset–, es van enamorar i l'any 1933 van tenir una filla. Aquesta edat tan precoç es respectarà a la ficció a l'hora de crear la parella de Lluís-Trini. Ara bé de comunistes passaran a ser anarquistes, però fins i tot el fet que repartissin un diari pels carrers –*L'Hora,* en realitat–, *La Barrinada*, a la ficció, també s'esmentarà. De fet, Lluís és el nebot d'un pròsper fabricant de pastes de sopa, que s'aparta del seu oncle i de la riquesa d'aquest parent per afiliar-se a l'anarquisme i viure una unió lliure amb Trini. Semblantment, es destacarà que la parella va participar amb un gran entusiasme en la proclamació de la República –com Sales-Folch–, un entusiasme que s'anirà refredant de manera progressiva, i desembocarà en una sensació de desànim i, sobretot, de desconcert, davant del desenvolupament de la guerra.

Pel que fa a la construcció de la novel·la, ens assabentem de la manera de ser de Lluís directament, a través de les cartes –diari que no envia al seu germà Ramon, sacerdot de Sant Joan de Déu –primera part de la novel·la–, però també pels comentaris del seu amic Cruells i per les cartes de Trini, adreçades a Soleràs –segona part. Així, si la visió de Soleràs arribava al lector a través dels seus monòlegs, i de fora estant, bàsicament, la de Lluís neix de l'escriptura: de la visió des de dins. A més, cal remarcar que Sales era un hàbil i prolífic autor de cartes, que escrivia amb una gran facilitat, seguretat i, també, amenitat, la qual cosa degué influir en la tria d'aquest vehicle narratiu. I un exemple excel·lent és l'esmentat epistolari amb Màrius Torres, o la correspondència inèdita amb Mercè Rodoreda.

En efecte, les cartes de Lluís són la manera que té d'esplaiar-se, més que no pas de buscar un diàleg amb el seu interlocutor: «Escrivint-te m'esbravo, encara que les meves cartes no t'hagin d'arribar mai» (pàg. 21). I és que, per justificar la soledat dels personatges, Lluís s'adona que l'home vol ser comprès, però que no té cap desig de comprendre ningú. Una de les funcions d'aquest personatge és, sobretot, la d'exposar, la de compartir, l'experiència dramàtica de la guerra, amb la crueltat de la batalla, que representa la dura descoberta del món. Un cara a cara amb la mort. Però també la dels més baixos instints de l'home que en la guerra esdevenen colpidorament visibles. Per això, Lluís s'adreça a Déu retòricament per preguntar-li: «Déu altíssim, ¿per què vas deixar sobreviure la llavor de Caín en aquesta terra?» (pàg. 190). El contacte assidu i directe amb la mort fa que Lluís, jove i amb molt temps lliure per endavant, es pregunti constantment sobre el sentit de la vida humana –sobre la seva manca de sentit, més aviat–, i de manera especial sobre la finitud. Però, també, sobre l'eternitat. S'esmenta, de manera significativa, una frase de Leibniz que sembla apostar-hi: «Sento i experimento que sóc etern»; tanmateix, en oposició a aquesta seguretat, hi ha els dubtes permanents de Lluís, les constants interrogacions del personatge que, de vegades, expressa de manera ben poètica i visual. Així, per exemple, la visió d'una roca i d'un núvol reflecteix el contrast entre l'eternitat i la fugacitat, encarnat en el que sembla més perdurable i en allò més efímer:

> «Al fons, unes muntanyes de roca pelada tanquen el terme. De vegades tenen un núvol al damunt: la roca i el núvol, la permanència i l'evanescència. El núvol passa, però que esplèndid en el seu aspecte canviant a l'hora de la posta; la roca és sempre igual ¿Què és la roca i què és el núvol en la nostra vida; què val més dels dos? [...] ¿O és que som íntegrament fantasmes, núvols sense més esperança que conèixer un moment gloriós, un sol moment i esvair-nos?» (pàg. 44).

En aquest sentit esmentem l'encert de Sales en la descripció del paisatge, en l'evocació de la despullada bellesa de les terres d'Aragó, de les quals s'acostumen a destacar les olors, que infonen sensualitat i versemblança als panorames evocats. Però són sobretot les imatges de les mòmies i la d'una *bruitera* les que potencien una meditació sobre la mort que s'imposa al personatge, pel fet de representar de manera clara i contundent el tema barroc del *memento mori*: «Impossible imaginar que nosaltres serem algun dia això: un objecte. Un objecte que es pot dur d'aquí, d'allà, rígid i buit; ¿buit de què? D'ànima diràs tu; però i això ¿què és?» (pàg. 63). I és que Lluís sembla viure escindit entre la vida i la mort que el temps triat per la novel·la aguditza, entre «l'obscè i el macabre, també, dos abismes que maregen; és com si el macabre m'hagués parat una emboscada en aquest poble: la *bruitera* d'una banda, el monestir de l'altra» (pàg. 64). Ara bé, de manera ben diferent de Soleràs, aquest personatge sembla sentir-se igualment atret per la vida. I, així, l'opció de Lluís és la de viure, la de decantar-se per gaudir intensament del present, el clàssic *carpe diem*, la qual cosa ens explica, potser, l'evolució del personatge –l'abandó posterior de la seva inquietud juvenil–, perquè el món és bell i cobejable, i és únicament l'home el qui s'entesta a fabricar-se: «sòrdids inferns». La seva tria, doncs, sembla la de: «viure abans d'anar a parar a la immobilitat total» (pàg. 64). Però, des de la perspectiva en primera persona de Lluís, també ens assabentem de la importància del cos en la seva existència, del cos que es relaciona estretament amb els neguits metafísics de l'home, perquè si hi ha el problema concret de la set durant la batalla, hi ha, també, el de l'angoixa que queda dintre en forma de malestar concret, un cop ja tot ha passat. Per això, Cruells, el més baudelairià de tots, li explica que el que sent és, justament, «L'urpa de Déu. ¡Quin gran poeta, Baudelaire!» (pàg. 200).

D'altra banda, malgrat ser molt joves, els protagonistes d'*Incerta glòria*, i Lluís de manera especial, tenen una vida molt intensa darrere d'ells, la qual cosa els fa experimentar la sensació de ser prematurament vells; a aquest fet se suma que els anys de la guerra compten el doble que els altres, segons Sales apunta en la correspondència a Torres. I els seus personatges en són un clar exponent, perquè és la joventut, els anys que la conformen, de fet, els que semblen tenir únicament interès. I potser els comentaris de Sales a unes observacions de Mercè Rodoreda sobre el pas del temps ens poden donar la clau de la construcció d'una novel·la, on, diversament de la joventut, la maduresa i el temps històric que l'acompanya sembla tenir escassa importància. Mercè Rodoreda, des de Ginebra, escriu a Sales i li comenta que:

> «El mal de quan et fas vell és aquesta sensació d'efímer de moltes coses que abans si duraven un dia et semblava que no s'acabaven mai. Abans vull dir quan vivies d'il·lusions i tenies vint anys» (16 de juliol de 1963).

La resposta de Sales és aquesta: «D'acord amb això que dieu de la "sensació d'efímer". Per mi, és la més gran diferència que trobo ara que tinc 50 anys, i quan en tenia 20. Tot és tan fugaç... començant per nosaltres mateixos! De vegades aquesta sensació de fugacitat m'agafa tan fort, que m'entra com una desgana de seguir bregant» (21 de juliol de 1963). I és que, tant Lluís com els restants personatges encarnen aquesta concepció: «Un any de guerra, un any sense saber el que és una dona, *¡i d'anys se'n donen tan pocs!*» (pàg. 46).[28] I és que, en la joventut, Lluís és, com Soleràs, un personatge apassionat que viu intensament el present; ara bé ell és més introvertit, més discret i relativitza aquests sentiments, que expressava amb una mena de paroxisme obsessiu el seu company. D'aquesta manera de ser insatisfeta, també ens en assabentem gràcies a les cartes de Trini, que considera que Lluís potser demana més a la vida del que aquesta pot donar-li, i d'aquí arrenca el seu permanent neguit. La insatisfacció que el rosega. Ara bé, quan Trini l'observa de fora estant, perdut enmig d'una multitud indiferent –una imatge ben baudelairiana–, s'adona de la seva indefensió:

> «En la seva cara immòbil els ulls semblaven molt grans; era la buidor que els engrandia, ¡quina mirada sense cap esperança! Jo no li havia vist mai una mirada així i hauria volgut baixar del

28. La cursiva és meva.

tramvia, que en aquell moment estava parat per córrer cap a ell i plorar junts, per ajudar-lo a portar aquell pes que semblava que l'esclafés i que jo no sabia què era» (pàg. 266).

Tanmateix, el Lluís jove té poc a veure amb el Lluís madur, amb aquest satisfet i pròsper fabricant de pastes de sopa. Però, pel fet de no tenir cap explicació ni d'ell mateix –ni tampoc de Trini–, no sabem a què pot obeir la transformació. Així es produeix un buit ben modern en la novel·la. I aquest és un altre encert d'*Incerta glòria*, que Mercè Rodoreda, admiradora de l'obra –que va llegir en la traducció francesa–, valorava particularment: «I com a personatge de gran classe: el temps. No havia llegit res feia temps de tan punyent com la tornada de Lluís. Aquests vint anys que han passat i que han passat "en sec", vull dir que no s'explica res del que en Lluís i la Trini han fet, o molt vagament, fan veure més el que aquests personatges han viscut que no pas que si ho haguéssiu explicat en deu capítols» (6 de gener de 1963). De fet, és únicament des de la perspectiva crítica de Cruells que ens assabentem que Lluís ha esdevingut un ésser sense substància ni profunditat, però, també, sense moral: enganya Trini, amb una total i tranquil·la impunitat, i només es preocupa de les coses materials. El món ha guanyat Lluís i l'ha convertit en un dels seus.

«Sota aquest to d'home que ja tornava de tot traspuava la seva satisfacció fonamental, la seva adhesió a aquesta mamarratxada que anomenem el món [...] S'endevinava que s'havia deixat guanyar per aquella filosofia tan pobra del cinisme mundà, que fa perdre quasi totalment el sentit del sobrenatural i fins del natural» (pàg. 802).

Cruells o la solitud del cristianisme

Pel que fa a aquest personatge, s'ha respectat el cognom d'un company de l'Escola de Guerra de Joan Sales, com he apuntat, un cognom relacionable amb la creu, omnipresent a la novel·la. Un símbol, de fet, de clares i reconegudes connotacions cristianes. A més, per confirmar-ho, Cruells és inicialment seminarista i, en la postguerra, un capellà. Amb aquest personatge es relaciona, també, un objecte ben significatiu: una ullera de llarga vista, amb la qual contempla el Cel, un cel on hi ha els estels que representen l'eternitat, en contrast amb la finitud de l'home. El punt de partença biogràfic es reflecteix en el fet de ser un personatge bondadós i introvertit –com pel que fa a la figura real–, que s'oposa a Soleràs, que representa tot el contrari; i d'aquest contrast arrenca l'atracció que Cruells sent per ell. Nascut l'any 1917, el de la Revolució Russa, Cruells representa, de fet, un segle marcat per les guerres i les revoltes, un segle que Sales no es cansa mai de qualificar de desventurat. Més que no pas un personatge actiu, la funció de Cruells és la de narrador tradicional, una funció ben útil en una obra que n'ha prescindit; i és que aquest personatge és una mena de *voyeur*, com he apuntat, un observador atent de la vida dels altres. Gràcies a ell, de fet, tenim una descripció de fora estant de Trini, de Soleràs, de Lluís...; i és que, com ell mateix confia:

> «Jo, que no sóc sensual, són tafaner; com si l'atracció que els altres senten per la carn jo la sentís per la vida d'elles, cosa que és igualment vergonyosa o més encara» (pàg. 481).

De fet, com a capellà que és, s'ha separat de la vida convencional de manera voluntària, malgrat sentir una forta atracció per Trini i per l'amor, que considera que és l'únic que pot donar sentit a la vida. Sales remarca, precisament, que Cruells és un home fet per a la vida de família, de la qual, tanmateix, no podrà mai gaudir –de manera semblant al cas de Màrius Torres. D'altra banda, hi ha diversos trets d'aquest personatge que l'acosten al seu creador: l'exili de dos anys a les Antilles, la devoció que sent per Baudelaire –a qui cita repetidament–, l'atracció per les estrelles, amb un paper destacat en l'obra poètica de Sales –i en la seva pròpia vida–...; i és que aquest personatge, a més de no separar-se mai d'una ullera de llarga vista, té un telescopi a la seva torre. A més, Cruells no és només un home que té malsons, sinó que és un somnàmbul, una figura que no pot deixar de recordar-nos l'obra de Hermann Broch, *Els somnàmbuls*, en la qual representa l'home modern, «marchant au bord d'un gouffre en proie à des rèves qu'il ignore».[29] Però el personatge de Cruells també permet a Sales de reflectir, de demostrar l'evolució de l'home amb el pas del temps. I, alhora, d'oferir-nos una visió desolada de la postguerra, una postguerra vista com un túnel inacabable.

En efecte, si les dues primeres parts d'*Incerta glòria* són cartes, les dues darreres són una mena de memòries d'un mateix personatge, amb una perspectiva de passat. Cruells, a més, encarna la condició essencial de l'home, segons Sales: la soledat. I sobretot la de l'home cristià, segons Kierkegaard. Serà, per tant, permanentment aquest ésser solitari, una soledat que no fa més que intensificar-se amb el pas del temps. I és que com ell mateix s'adona: «La solitud és el nostre pa de cada dia; i no és un pa tendre» (pàg. 418). És únicament durant la guerra, i gràcies sobretot a Soleràs, que ha pogut fugir-ne, perquè la guerra representa, sobretot, la fraternitat entre els combatents, semblantment al que va destacar André Malraux a *L'espoir* (1937). Inicialment Cruells és un home tímid i trist, amb el plor fàcil, amb escrúpols de consciència, un home torturat, en definitiva, com ho semblen tots els protagonistes en la joventut. Encarna, també, aquesta duplicitat tan remarcada a la novel·la, la de l'home escindit entre el cel i la terra, entre el bé i el mal: «D'una banda és l'aire lliure i la llum que ens criden, d'altra el fang de la terra» (pàg. 583). Té un concepte negatiu de la vida, que veu com un exili i de la mateixa existència humana, buida per la manca d'amor. Observador atent dels altres i de si mateix, és conscient que l'interior humà és tan inextricable que resulta impossible de conèixer: «només Déu pot saber quin galimaties de contradiccions pot ser cada un de nosaltres» (pàg. 598). I és que es tracta d'un home de pietat que s'adona que: «¡Tots som dignes de llàstima! Precisament perquè a casi ningú no li agrada de fer llàstima, és raríssim que algú deixi veure el fons

29. R. M. Alberes, obra citada, pàg. 229.

de la seva ànima» (pàg. 573). Però és, també, l'home tendre, l'home ple d'amor en la seva joventut, que pensa només en la felicitat dels altres. I és que, pel fet d'abraçar els seus escrits una perspectiva de passat, Cruells s'adona que l'únic moment de la seva existència que ha tingut sentit i importància ha estat la joventut, indissociablement lligada a la guerra, a l'amistat i a l'amor, a aquesta incerta glòria, de la qual es parla repetidament a la novel·la: «És amb vergonya que confesso no haver-me curat mai ni de la meva joventut ni de la meva guerra. ¡Les duc, les duré sempre a la sang com una infecció!» (pàg. 653).

Perquè si a la novel·la hi ha una mitificació de la joventut, és Cruells el qui contribueix de manera més eficaç a crear-la. De fet, és gràcies al record i alhora al contrast amb un present desencisat, que es construeix aquesta mena de mite, d'una edat i de tot el que representa de positiu, perquè no hi ha més paradisos que aquells perduts: «¡Aquella alegre i despreocupada curiositat amb què marxàvem el 1936 cap a la guerra! Tot és aventura, tot és alegria als ulls dels joves; ¡si un pogués encetar el darrer pa de la vida amb la mateixa gana que els primers!» (pàg. 732). Encara hi ha una petita parcel·la en l'home que pot bategar amb força, ens diu Cruells, però va lligada només al record, al passat i, concretament, a la dona que llavors va estimar. I és que la importància del record és repetidament esmentada a la novel·la. Per aquest motiu, Cruells enveja i alhora se sent atret permanentment per Soleràs: jove només. D'altra banda, si la novel·la posa de relleu l'evolució dels personatges, Cruells n'és un clar exemple també, perquè el noi bondadós d'abans de la guerra esdevé, a la postguerra, un ésser incapaç d'amor. I és que perd la fe, viu un període carregat d'angoixa amb una prostituta –quan realment se sent més sol que mai–, i fins i tot es rabeja en la seva situació. S'adona llavors que la pitjor postguerra és, justament, la que ell porta dintre seu, en aquest interior humà que tant de relleu assoleix en aquesta novel·la. I és que Cruells esdevé un pecador que se sent abjecte, un personatge ben característic de la novel·la catòlica. Es tracta d'aquests grans pecadors que poden, però, aixecar-se després de les desfetes, per als quals, de fet, aquestes desfetes esdevenen la salvació. I aquí entrem en el tema del sofriment com a pas previ i necessari a la redempció: «Par les tenèbres vers la lumière», per dir-ho com Van Goghn, o, «Durch Leiden. Freude!», segons Beethoven.[30] I és que, abans de superar aquest estat de prostració moral, Cruells s'adona que: «Hi ha veritablement dins meu un criminal, un assassí ben dissimulat» (pàg. 333). Però, en la postguerra, Cruells també experimenta un sentiment profund d'haver-se convertit en un fantasma, en un supervivent, en un autèntic somnàmbul ara, en un home per al qual l'únic consol que li queda és el de ser «un vençut entre els vençuts», seguint amb aquesta èpica del fracàs ben present a la novel·la. Ara bé, Cruells és, també, l'home de fe, l'home que, a la fi, ha retrobat Déu –significativament ha retrobat la seva inseparable ullera de llarga vista–, un Déu que és el del patiment, el crucificat pels homes –una figura central en Kierkegaard–, aquesta creu que plana damunt de la novel·la, on representa,

30. Els mots del pintor encapçalen «Spes», el primer poema de *Viatge d'un moribund*, mentre que els del compositor obren el poema de Torres, «Joia d'amor».

alhora, la vida humana, en general, i la del soldat, en particular, vista com un calvari i abocada a la mort. Ara bé, la creu és també el símbol de l'amor diví, l'únic sentiment que pot fer la vida suportable i, fins i tot, cobejable, segons la novel·la:

> «L'amor és la claror que ens ve de dalt; aquest món no seria més que un mal somni sense aquesta claror, l'única, que ens ve de dalt de la muntanya "on la creu més alta va ser plantada".»

I és que en el darrer poema de *Viatge d'un moribund*, en el dedicat als soldats morts per la pàtria, a «l'adolescent en creu», podem llegir: «Alquímia de la Creu, Tu, Vençut que has vençut / de l'aigua del dolor fas un vi de salut.»

Si, com destacava Sales, el que més li interessava en una novel·la era descobrir-hi el seu creador, nosaltres el trobem desdoblat en els tres protagonistes d'*Incerta glòria*: en el jove apassionat i rebel que viu la guerra i l'amor amb intensitat i que, alhora, busca donar un sentit a la vida (Soleràs i Lluís). I, també en l'home madur, desencisat i neuròtic –per la situació que travessa el país– però acompanyat de la fe, d'aquesta creu que és el símbol de la novel·la, on representa la figura de Crist i alhora la vida humana (Cruells). Ara bé, els tres personatges, perfectes individualitats, convincents creacions, encarnen, alhora, aquesta «consciència desgraciada», ja anunciada per Kierkegaard, ben característica del segle que acabem tot just de deixar enrere. I, per tant, assoleixen una indiscutible universalitat, com la novel·la que presideixen, una obra rica i de gran complexitat.

NOTES (I MÉS NOTES) PER A UN ESTUDI SOBRE LA RECEPCIÓ DE *POESIA CATALANA DEL SEGLE XX* (1963) DE JOSEP M. CASTELLET I JOAQUIM MOLAS

Jaume Aulet

Universitat Autònoma de Barcelona

> «Diguem que el fet de pensar que l'art pot transformar el món no significa que hagi de ser pamfletari. Aquí sí que es va confondre en un moment determinat l'art amb el pamflet, però era un problema de manca de capacitat creadora per un cantó, i de manca de teoria, per l'altre. Confesso que sempre he intentat de no caure en el parany.»
>
> JOAQUIM MOLAS (1989)

No hi ha dubte que *Poesia catalana del segle XX*, llibre que Joaquim Molas i Josep M. Castellet van publicar a finals de l'any 1963, s'ha acabat convertint en un punt de referència ineludible per als estudis de literatura catalana contemporània. No és pas exagerat d'afirmar que l'antologia –tant la selecció de poemes com l'extens assaig d'interpretació històrica que la precedeix– és un dels textos crítics en català més emblemàtics del segle que acabem d'acomiadar. És prou sabut també que, durant molt de temps, tant el llibre com els seus dos autors han quedat situats al bell mig de la polèmica provocada per les mateixes tesis del llibre i la metodologia emprada. Es tracta d'una discussió complexa, extensa (tant en l'espai com en el temps) i que en alguns moments denota graus elevats de bel·ligerància. Per delimitar bé l'anàlisi caldria distingir, com a mínim, tres moments diferents del debat. En primer lloc, la reacció immediata que provoca la recepció del volum en el moment de la seva aparició i la necessària presa de posició que es deriva d'aquesta reacció. En segon lloc, les múltiples implicacions que aquestes reaccions han anat tenint durant els anys posteriors, a la vista de la mateixa evolució dels protagonistes o del sorgiment de noves propostes en contextos diferents. Hi hauria encara, en tercer lloc, els intents –diguem-ne més acadèmics– d'analitzar la proposta des d'una perspectiva més objectiva i de saber-la situar en el context adequat. Al llarg dels anys, hi ha hagut reaccions, comentaris, lectures i interpretacions per a tots els gustos. Joaquim Molas mateix ho constata –i fins i tot se'n queixa– en un text relativament recent:

> «Per a mi, el llibre, d'alt risc com qualsevol aposta que es faci sobre la literatura en viu, admet diverses lectures, que cal posar en el seu context no sols domèstic, sinó també europeu (i americà): la metodològica. La històrica. O erudita. La pròpiament literària. I la ideològica. O programàtica. Tanmateix, pel que sé, les que s'han proposat fins ara, tant en els moments de passió més dolça,

com, després, en els de passió més negra, han estat personals. Programàtiques. O ideològiques. I rarament han estat històriques. O erudites. Metodològiques. O literàries. I potser valdria la pena d'intentar-les totes. (Algun dia, si em vaga, posaré per escrit la crítica, sovint dura, que n'he fet de viva veu i que abraça tots els camps. I, si tinc humor, fins provaré de contestar el caramull de tòpics que, en un sentit o en l'altre, han circulat i circulen, per aquests mons de Déu).»[1]

És obvi que, a la vista d'una proclama com aquesta, seria enormement inoportú proposar ara una nova lectura de l'obra o, encara més, intentar desenvolupar la línia d'interpretació que s'insinua en la citació. Per força, doncs, la intenció d'un article com el que ara ens ocupa ha de ser modesta. De fet, es limita només al repàs de la recepció de l'obra i, encara, cenyint-se únicament al primer dels tres camps de treball anteriorment enumerats: l'estudi de la rebuda de *Poesia catalana del segle XX* en el moment de la seva aparició. És clar que, ben mirat, el propòsit tampoc no és banal. És ben cert –i s'ha repetit fins a la sacietat– que l'antologia de Josep M. Castellet i Joaquim Molas ha de ser considerada com una peça clau en l'estratègia per a la definició del realisme històric com a moviment literari.[2] El famós terme que dóna nom a la proposta es consolida precisament a partir de la utilització que se'n fa en el pròleg de l'antologia, malgrat que, en detriment del que sovint s'ha afirmat, no és aquí on s'empra per primera vegada.[3] En qualsevol cas, i al marge de qüestions terminològi-

1. Joaquim MOLAS, «Una suma de quaranta anys», dins DIVERSOS AUTORS, *Homenatge a J. M. Castellet*, Barcelona, Edicions 62, 1996 pàg. 141-149 (la citació és a la pàg. 144). Reproduït a Joaquim MOLAS, «Una suma de quaranta anys. Homenatge a Josep M. Castellet», dins *Fragments de memòria*, Lleida, Pagès editors, 1997, pàg. 81-91. Hi ha altres moments en els quals Molas ha deixat escrita la seva valoració d'aspectes concrets relacionats amb l'antologia del 1963. Pel que fa a l'opinió que li mereix la recepció rebuda vegeu sobretot la participació a Rosa CABRÉ (ed.), «Taula rodona sobre Joan Perucho i la seva obra», dins *Joan Perucho o la mirada darrere del mirall*, Barcelona/Vic, Departament de Filologia Catalana de la Universitat de Barcelona / Eumo Editorial, 1998, pàg. 89-116, especialment pàg. 111-114; i l'entrevista de Manuel LLANAS, Josep M. MUÑOZ, «Joaquim Molas o la construcció d'una nova tradició literària», *L'Avenç*, núm. 250 (setembre 2000), pàg. 56-66, especialment pàg. 61 on l'entrevistat, a propòsit de l'antologia, afirma que «d'entrada crec que s'han repetit tòpics, i per part de gent que ni tan sols se l'ha mirada detingudament. Aquell llibre obeeix a dos fets: primer, la voluntat de sortir de la defensa i de la resistència, i d'intentar incidir en el món d'avui. Sembla mentida, però s'ha oblidat completament –suposo que intencionadament– que allò és el que es feia en aquell moment a Europa [...]. Nosaltres el que fem és agafar aquestes experiències i aplicar-les aquí.»

2. Vegeu, per exemple, Joan-Lluís MARFANY, «El realisme històric», dins Joaquim MOLAS (dir.), *Història de la literatura catalana. Part moderna. Volum XI*, Barcelona, Ariel, 1988, pàg. 221-283; Enric BALAGUER, «Estudi introductori», dins *Dinou poetes dels seixanta*, València, Tres i Quatre, 1987, pàg. 7-41; Enric BALAGUER, «Poesia i "realisme històric"», *Caplletra*, núm. 28 (primavera 2000), pàg. 19-32; Àlex BROCH, «Estudi introductori», dins *Poesia catalana. Antologia 1939-1968*, Barcelona, Edicions 62, 1985, pàg. 5-34, especialment pàg. 24-34; Àlex BROCH, «Anàlisi i evolució de l'obra crítica de J. M. Castellet», *Taula de Canvi*, núm. 11 (maig-agost 1978), pàg. 93-116; Enric BOU, Ramon PLA (ed.), *Creació i crítica en la literatura catalana*, Barcelona, Universitat de Barcelona, 1993; i, amb major prudència, Núria PERPINYÀ (ed.), *Lectures al quadrat. Les arts crítiques de J. Molas, J. M. Castellet, J. Triadú i J. Fuster*, Lleida, Universitat de Lleida / Pagès editors, 1995.

3. Castellet mateix l'havia utilitzat l'any 1960 a les pàgines del primer número d'*Horitzons*, abans que la revista adoptés el nom definitiu. Vegeu Just ARÉVALO, «La revista *Nous Horitzons* i la poesia catalana dels anys seixanta», *Els Marges*, núm. 57 (desembre 1996), pàg. 96-104, especialment pàg. 97-98.

ques, val la pena tenir present que el text apareix en un moment en què els propòsits de l'hipotètic moviment estan ja en marxa i tant Josep M. Castellet com Joaquim Molas exerceixen d'ideòlegs d'un programa de modernització que es desplega en àmbits d'actuació molt diversos i que aspira a ser hegemònic.[4] Per això no és estrany que les propostes dels dos ideòlegs obliguin a prendre posicions a tothom, des dels fervents partidaris fins als més acèrrims detractors. I, en aquest context, un llibre com *Poesia catalana del segle XX*, que té afany volgudament programàtic, que és signat conjuntament per part dels dos principals teòrics i que apareix en el moment encara àlgid del desplegament –potser el més àlgid–,[5] per força havia de convertir-se, ja en veure la llum, en un punt de referència ineludible a l'hora de marcar terreny i delimitar posicions.[6] En aquest sentit, doncs, l'anàlisi de la recepció del volum en l'instant de la seva publicació –aquest breu període que els teòrics del tema anomenen el «tall sincrònic»– pot funcionar com a paradigma per a reconstruir i interpretar l'ampli ventall d'actituds i reaccions per part dels diversos sectors en actiu del món literari del moment.[7]

Un inventari

Els dos autors han explicat més d'una vegada que el projecte d'una antologia de la poesia catalana contemporània neix de Max Cahner, el qual, en plena arrencada d'Edicions 62 com a projecte editorial, encarrega a Josep M. Castellet

4. Sobre la trajectòria de Castellet i Molas anterior a l'aparició de l'antologia vegeu especialment Àlex BROCH, «Josep M. Castellet i Joaquim Molas: el fonament del realisme històric», dins F. CARBO, D. JIMÉNEZ, E. REAL, R. X. ROSSELLO (ed.), *Les literatures catalana i francesa: postguerra i «engagement»*, Barcelona, Publicacions de l'Abadia de Montserrat, 2000, pàg. 85-94. Sobre la concreció en poesia de les diverses vies de difusió del moviment i el paper central dels ideòlegs remetem a Jaume AULET, «La poesia catalana dels anys seixanta i els diversos usos del realisme», *Caplletra*, núm. 28 (primavera 2000), pàg. 33-50 i a la bibliografia que s'hi cita.

5. Sobre el procés intern d'evolució del realisme històric al llarg dels anys seixanta, i la progressiva desprogramació del projecte a partir del 1964 –almenys en poesia–, remetem a Jaume AULET, «El realisme històric i la seva evolució: un cop d'ull a la situació de la poesia catalana dels anys seixanta», dins *Actes del desè Col·loqui Internacional de Llengua i Literatura Catalanes* (volum I), Barcelona, Publicacions de l'Abadia de Montserrat, 1995, pàg. 215-223.

6. Fins i tot hi ha qui se serveix del material recopilat per a la confecció d'altres antologies, senyal que la selecció de Castellet i Molas arriba a convertir-se en un autèntic corpus de referència. És el cas de la selecció de poesia catalana a cura d'Adele Faccio apareguda a la revista *Uomo e Immagini*, Milà, núm. 18-19 (1967). Les notes biobibliogràfiques també estan extretes directament de *Poesia catalana del segle XX*.

7. Hi ha altres aspectes concrets relacionats amb la poesia catalana dels anys seixanta que són prou importants per ells mateixos i que també podrien funcionar com a exemples representatius a l'hora de delimitar la mateixa presa de posicions i interpretar el ventall de les diferents postures. Seria el cas, si més no, de la recepció de *La pell de brau* de Salvador Espriu i *Vacances pagades* de Pere Quart a l'hora d'entendre la creació de models; o de la interpretació des d'òptiques ben diverses de la poesia de Joan Salvat-Papasseit com a exemple de tradició útil. Sobre aquest segon aspecte remetem a Jaume AULET, «La recepció de Joan Salvat-Papasseit durant la dècada dels seixanta», *Els Marges*, núm. 44 (setembre 1991), pàg. 88-104. Les conclusions que s'hi apunten poden servir ara d'hipòtesis de treball.

una selecció en català comparable a *Veinte años de poesía española* (1960), la recopilació que ell mateix havia publicat poc abans. Castellet decideix compartir el projecte amb Joaquim Molas i tots dos «des del primer moment ens vam plantejar de fer, no una simple obra d'encàrrec, sinó una obra de combat que, d'alguna manera, continués, ni que fos modestament, la línia de revisió que, cada un amb els seus estris i segons el seu temps, havien realitzat Alexandre Plana, Joaquim Folguera i Joan Triadú. I que alhora posés en joc les troballes metodològiques (i filosòfiques) dels llibres que constituïen les nostres lectures habituals: Edmund Wilson, Christopher Caudwell, Raymond Williams, Antonio Gramsci, Cesare Pavese, György Lukács, Lucien Goldmann, Sartre i *tutti quanti*».[8] A més de deixar clares les intencions i establir la connexió amb la tradició, Molas explica també el procediment de treball: la discussió conjunta –tant literària com metodològica– sempre a partir de la tria d'autors i de textos, la manera com va creixent l'extensió i els propòsits de l'estudi introductori o la dificultat per destriar en el producte final la feina individual de cadascú.[9] Aquest procés d'elaboració explica que en alguns dels textos que els dos autors publiquen de manera individual durant els mesos anteriors a l'aparició del volum, puguem detectar-hi, no només les idees de fons, sinó fins i tot algunes citacions literals extretes de l'«Assaig d'interpretació històrica» que precedeix la tria. En aquest sentit, és ben significatiu que Castellet reprodueixi, amb la seva pròpia mà –ja el març de 1962–, cinc dels set punts de la famosa declaració de principis incorporada en l'apartat de l'antologia dedicat a «La nova poesia».[10]

L'antologia apareix finalment a les darreries de setembre o principis d'octubre de 1963, després d'un cert retard, el qual es posa de manifest ja només pel fet que la justificació inicial dels autors vagi datada a 29 de maig. Pere Calders, en una carta a Agustí Bartra del 28 d'octubre, li fa saber que el llibre ja és al carrer i que està causant un fort impacte, tot i que ell –val a dir-ho– s'ha de limitar a fullejar-lo a la llibreria perquè ha d'estalviar les dues-centes pessetes que costa:

8. MOLAS, «Una suma de quaranta anys», *op. cit.*, pàg. 143. La versió de Castellet –menys detallada– la podem llegir a l'entrevista de Marta NADAL, «Josep M. Castellet, des de la pluralitat cultural», *Serra d'Or*, núm. 436 (abril 1996), pàg. 71-74.

9. Tot i que reconeix que Castellet posa més èmfasi en la postguerra i ell en els anys anteriors (MOLAS, «Una suma de quaranta anys», *op. cit.*, pàg. 144). Aquest procediment de treball queda ja apuntat en l'entrevista de Josep M. Espinàs amb els coautors a *Destino* en el moment de la publicació del volum: Josep M. ESPINÀS, «Poesia catalana del segle XX», *Destino*, núm. 1380 (18-I-1964), pàg. 32.

10. A[lbert] M[ANENT] (ed.), «Enquesta: la poesia social», *Serra d'Or*, IV, núm. 3 (març 1962), pàg. 34-37. Detectem altres paral·lelismes –no tan literals– en textos de Joaquim Molas d'aquests moments: la seva intervenció en la mateixa enquesta; la participació, també el 1962, en la taula rodona sobre la situació de la crítica literària (J[oan] T[RIADÚ], ed., «Taula rodona sobre problemes de la crítica», *Serra d'Or*, IV, núm. 12, desembre 1962, pàg. 40-43) o l'«Esquema de la nova poesia catalana» que publica a la miscel·lània *El llibre de tothom*, Barcelona, Alcides, 1963, pàg. 75-79.

«Fa poques hores he tingut a les mans *Poesia catalana del segle* XX; és un llibre extraordinari i ha fet sensació. I la que farà! No és una antologia sinó un intent d'establir el pes de cada poeta en la nostra història, no tan sols literària. [...]
He tingut el llibre a les mans uns moments, els justos per a fullejar-lo i anotar els paràgrafs que et transcric. És un llibre ben presentat, voluminós i car: dues-centes pessetes. Encara hauré d'esperar una mica a adquirir-lo. [...] En aquests moments, en els cenacles literaris de Barcelona no es parla de res més, perquè la ferida dels exclosos i dels maltractats respira pertot arreu. Creu que Joaquim Molas i J. M. Castellet han fet una veritable estossinada d'«ídols fets» i en proposen d'altres amb un admirable coratge jovenívol.»

Les paraules de Calders a propòsit de la polèmica que està generant el llibre són ben explícites. No es pot negar que els mateixos autors hi contribueixen amb les seves declaracions a la premsa. Així, a les pàgines de *Destino*, quan se'ls demana que valorin l'actitud que intueixen que tindrà la crítica, afirmen: «Lo ignoramos. Tal vez no aparezca de momento ninguna crítica suficientemente elaborada y profunda de nuestro esfuerzo.»[11] És cert, si més no, que, ja amb tres mesos a les llibreries, el fort impacte que il·lustra el testimoni de Pere Calders no s'havia traslluït en els comentaris de la crítica. Fins a finals de l'any 1963, els comentaris queden reduïts a tres notes de premsa no gaire rellevants aparegudes respectivament a *La Vanguardia*, *El Español* i el diari *ABC*.[12] En canvi, durant la primera meitat de 1964 el ritme de la recepció escrita augmenta considerablement. D'una banda se'n fan ressò altres diaris i setmanaris barcelonins, tots durant el mes de gener: Josep Faulí a *Diario de Barcelona*, Francesc de B. Moll a *El Correo Catalán* i Joan Fuster a *Destino*.[13] També en dóna notícia la premsa espanyola de caràcter més especialitzat o més preocupada per mantenir els lligams amb la cultura catalana. És el cas d'*Ínsula* i *Cuadernos para el Diálogo*, amb ressenyes que, aquest cop, encarreguen a crítics catalans molt directament introduïts en la polèmica com són Sergi Beser i Joan Teixidor, respectivament.[14]

Fins i tot a l'hora de la simple enumeració descriptiva del material, mereixen especial atenció, ni que sigui per motius diferents, les dues principals revistes catalanes que, en la data que ens ocupa, més es dedicaven a la difusió de la literatura catalana i en especial de la poesia. Ens referim a *Serra d'Or* i *Poemes*. Els complexos equilibris ideològics en el consell de redacció d'una publicació com *Serra d'Or* faran

11. ESPINÀS, *op. cit.* «No lo dicen con soberbia sino con cierto desánimo», matisa l'entrevistador.

12. «Los libros del día», *La Vanguardia Española* (30-X-1963), pàg. 13; Rafael MANZANO, «Cuando la poesía se convierte en política», *El Español* (2-IX-1963); i Albert MANENT, «Poesía del siglo XX. Una polémica reciente», *ABC* (9-XII-1963). Agraeixo a José Ramón López que m'hagi facilitat l'accés a alguna d'aquestes ressenyes.

13. J. FAULÍ, «Siglo XX, poético», *Diario de Barcelona* (4-I-1964); F. de B. MOLL, «Otra antología polemígena», *El Correo Catalán* (10-I-1964); Joan FUSTER, «Poesía e historia», *Destino*, núm. 1380 (18-I-1964), pàg. 28.

14. Sergi BESER, «Un estudio crítico de la poesía catalana del siglo XX», *Ínsula*, núm. 211 (juny 1964), pàg. 12; Joan TEIXIDOR, «Una visión de medio siglo de poesía catalana», *Cuadernos para el Diálogo*, núm. 5-6 (febrer-març 1964), pàg. 42-43.

que la recepció de l'antologia a les pàgines de la revista posi de manifest una sèrie de trets prou curiosos. Sabem, per una banda, que la redacció atura una ressenya preparada per Joan Triadú perquè considera que la duresa dels seus arguments és inadequada[15] i, en canvi, l'encarrega a Arthur Terry, una personalitat en aquell moment ja prou prestigiosa i, sobretot, allunyada de picabaralles internes. L'encàrrec ja s'havia fet efectiu, com a mínim, en el moment de tancar el número de febrer-març,[16] i la delicada ressenya veurà la llum en el número del mes de maig.[17] Mentrestant, però, el ressò de *Poesia catalana del segle XX* no passa desapercebut a les pàgines de la publicació. És ben significatiu, per exemple, que dos dels responsables d'altres seccions dediquin una de les seves col·laboracions d'aquests primers mesos de l'any a parlar del llibre i prescindeixin excepcionalment de la temàtica que els ocupa regularment. Ho observem en els casos de Jordi Carbonell, que en aquell moment exerceix de crític teatral, i d'Alexandre Cirici, responsable de la secció «Arts plàstiques». És com si, a la vista de la polèmica interna, es veiessin obligats a intervenir en el debat.[18] Però no només ells: el mateix Joan Triadú, tot i que la seva ressenya no arribés a bon port, no s'està de mostrar l'opinió personal a partir de qualsevol pretext. Ho fa almenys dues vegades durant l'any 1964, la primera a propòsit de Carles Riba i la segona a partir d'una referència a *Inquietud Artística*, la revista vigatana.[19] Tot plegat és un bon exemple de l'existència real del debat i de la necessitat de prendre partit.

Per altra banda, la revista *Poemes* havia preparat un número que en bona part girava a l'entorn de l'antologia de Josep M. Castellet i Joaquim Molas. Havia de ser el número 9, amb data d'hivern de 1964, però la censura no va autoritzar-ne la sortida i la revista deixà definitivament de publicar-se. Sortosament, però, es conserva tot el material que s'hi havia d'incloure, perfectament confegit i a punt per a la impremta.[20] Per això sabem que la secció «Crítica de llibres» estava ocupada íntegrament per tres ressenyes de *Poesia catalana del segle XX* encarregades a Joan Fuster, Joan Triadú i Joan-

15. Albert Manent explica l'anècdota, sense entrar però en detalls, a Albert MANENT, «*Serra d'Or*: trenta anys de continuïtat cultural genuïna», *Revista de Catalunya*, núm. 34 (octubre 1989), pàg. 121-131, especialment pàg. 126; i a Albert MANENT, «Josep Maria Castellet, la mà sobre l'horitzó», dins *Semblances contra l'oblit. Retrats d'escriptors i de polítics*, Barcelona, Destino, 1990, pàg. 61-75, especialment pàg. 70.

16. Així es desprèn de l'anotació del mateix Triadú en la seva secció «Comentari mensual», *Serra d'Or*, VI, núm. 2-3 (febrer-març 1964), pàg. 75.

17. Arthur TERRY, «*Poesia catalana del segle XX*, per J. M. Castellet i Joaquim Molas», *Serra d'Or*, VI, núm. 5 (maig 1964), pàg. 60-62.

18. Jordi CARBONELL, «Al marge de l'escena. Un nou progrés de la nostra crítica», *Serra d'Or*, VI, núm. 2-3 (febrer-març 1964), pàg. 65-66, dins de la secció «El teatre»; Alexandre CIRICI, «Una excel·lent aportació a la ciència crítica», *Serra d'Or*, VI, núm. 5 (maig 1964), pàg. 31-32.

19. Joan TRIADÚ, «Carles Riba i l'intent d'interpretació històrica de Castellet-Molas», dins «Comentari mensual», *Serra d'Or*, VI, núm. 2-3 (febrer-març 1964), pàg. 75; i J[oan] T[RIADÚ], «*Inquietud Artística* de Vic i *Poesia catalana del segle XX*», *Serra d'Or*, VI, núm. 10 (octubre 1964), pàg. 48.

20. Agraeixo a Joan Colomines, director de la publicació, que m'hagi facilitat l'accés al material. Ell mateix explica la història d'aquest darrer número inèdit a Joan COLOMINES, «Joaquim Molas i la revista *Poemes*. La censura franquista», dins El *compromís de viure. Apunts de memòria*, Barcelona, Columna, 1999, pàg. 273-279.

Lluís Marfany.[21] La tria dels tres noms torna a ser una clara qüestió d'equilibri. *Poemes* es caracteritza per donar cabuda a totes les tendències poètiques del moment –tot i que certament s'hi percep l'hegemonia del realisme– i a la vista del debat generat per l'antologia decideix oferir tres opinions ben contrastades. El que sí que és evident, al marge ara de l'anàlisi intrínseca dels textos, és la importància que es concedeix al llibre i a la seva recepció, fins al punt que unes pàgines més enllà, en la secció «Noticiari», no s'estan de dir que l'antologia «justifica aquest número». És clar que, immediatament després, la suma d'equilibris obliga el cronista a parlar de *Nova antologia de la poesia catalana* de Joan Triadú «a la qual dedicarem, així mateix, un número proper».[22]

Com és lògic, a partir de la segona meitat de l'any 1964 i a mesura que el llibre de Castellet i Molas deixa de ser una novetat, la intensitat de la polèmica escrita decreix de manera substancial. Hi ha encara, però, dues ressenyes a la premsa catalana que són molt significatives, per motius diferents: la de Segimon Serrallonga a les pàgines d'*Inquietud Artística* de Vic, una lectura minuciosa i atenta del llibre;[23] i la que Emili Vilaseca edita amb pseudònim a les pàgines de *Nous Horitzons*, la revista clandestina del PSUC.[24] A propòsit d'aquest interès pel tema des de la premsa oficial del partit, encara uns anys després i a la mateixa publicació, amb el pretext del comentari d'una conferència de Josep M. Castellet a Terrassa sobre poesia catalana actual, Feliu Formosa publica –també amb pseudònim– un comentari que, a tots els efectes, pot ser considerat una altra ressenya del llibre. Cal, doncs, comptabilitzar-la.[25] Com també cal tenir present el text que Joaquim Marco incorpora el 1968 al seu llibre *Sobre literatura catalana i altres assaigs* sense indicar-ne la procedència, tot i que és evident que fa la funció d'una ressenya.[26]

21. «Tres opinions sobre *Poesia catalana del segle XX*, de Josep M. Castellet i Joaquim Molas», *Poemes*, núm. 9 (hivern 1964), pàg. IV-VI, [no publicat], amb col·laboracions de Joan Fuster (pàg. IV-V), Joan Triadú (pàg. V-VI) i Joan-Lluís Marfany (pàg. VI). Pel seu valor documental, reproduïm les tres ressenyes en l'apèndix. No tenim prou dades com per afirmar que la ressenya de Triadú sigui la mateixa que no va arribar a publicar-se a *Serra d'Or*, però, en qualsevol cas, la línia d'interpretació no podia ser pas gaire diferent. Per completar l'anàlisi de la posició de Triadú en aquest moment s'ha de tenir en compte també el pròleg a la seva *Nova antologia de la poesia catalana* (1965). Tot i que es repeteixen alguns arguments, la ressenya de Joan Fuster en aquest número de *Poemes* té ben poc a veure amb l'escrit, molt més convencional, que ell mateix havia publicat uns mesos abans a *Destino*.

22. «Noticiari», *Poemes*, núm. 9 (hivern 1964), pàg. XII [no publicat]. L'editorial d'aquest mateix número, de ben segur redactat per Joan Colomines, també fa referència a l'antologia de Castellet i Molas, amb la intenció de situar-la en la tradició que arrenca amb Alexandre Plana i passa per Joan Triadú (*Poemes*, núm. 9, hivern 1964, pàg. I-II [no publicat]).

23. Segimon SERRALLONGA, «Poesia catalana del segle XX», *Inquietud Artística*, núm. 30 (juliol 1964), pàg. 1-3. És la ressenya sobre la qual centra Joan Triadú el seu comentari de la revista vigatana a TRIADU, «*Inquietud Artística* de Vic i *Poesia catalana del segle XX*», *op. cit.*

24. «J. MUNTANER» [Emili VILASECA], «*Poesia catalana del segle XX*, per Josep M. Castellet i Joaquim Molas», *Nous Horitzons*, núm. 4 (quart trimestre 1964), pàg. 38-39.

25. «Lleó VALLÈS» [Feliu FORMOSA], «Castellet-Molas i la poesia catalana actual», *Nous Horitzons*, núm. 16 (1r trimestre 1969), pàg. 40-43.

26. Joaquim MARCO, «Josep Maria Castellet i Joaquim Molas, *Poesia catalana del segle XX*», dins *Sobre literatura catalana i altres assaigs*, Barcelona, Llibres de Sinera, 1968, pàg. 86-90. De totes les

També hi ha revistes, ara ja totes de fora de Catalunya, que durant l'any 1965 encara dediquen atenció al llibre. La majoria són, però, comentaris molt descriptius i poc interessants, amb funcions merament informatives. És el cas de Geoffrey J. Walker a *Bulletin of Hispanic Studies* i de Domingos Carvalho da Silva a *O Estudio de Sao Paolo*.[27] L'excepció seria la d'Antonio Tovar a les pàgines de *Revista de Occidente*, la ressenya del qual sobrepassa l'àmbit merament informatiu per deixar constància de com s'ha de veure des de l'Espanya profunda «una poesía esencialmente llena de sentido local, regional», amb noms tan significats i llorejats com els de Carlos Riba, Mariano Manent o Bartolomé Rosselló-Pòrcel.[28]

Un assaig d'interpretació

Amb aquest cúmul de dades i documents a la mà, sembla prou evident que *Poesia catalana del segle* XX de Josep M. Castellet i Joaquim Molas va ser rebut en el seu moment amb interès i atenció. Probablement un buidatge més exhaustiu –especialment a la premsa mallorquina– permetria augmentar el nombre de referències. Malgrat tot, entre notes, ressenyes i comentaris han quedat catalogats una trentena de textos de l'època, els quals, a primera vista, sembla que hagin de ser material suficient per a un intent d'interpretació amb prou garanties. El títol de la ressenya de Francesc de B. Moll a *El Correo Catalán* és en aquest sentit ben simptomàtic. Ell titula concretament «Otra antología polemígena» i, com a bon lingüista, se serveix d'un neologisme que sintetitza perfectament l'estat de la qüestió. En efecte, a l'hora d'analitzar la recepció de l'obra cal partir de la base que el llibre és fonamentalment «generador de polèmica», que és el sentit inequívoc del mot. El que cal veure, doncs, és en quins termes es genera el debat, com cal interpretar-lo en funció del panorama del moment i –encara més– fins a quin punt ens ofereix elements per a acabar de definir millor el context.

Ja advertíem que, a finals de 1963, un volum de les característiques del que ens ocupa i signat per les persones que el signen, obliga necessàriament a prendre partit. Per això no és estrany que la major part de les ressenyes posin en evidència

col·laboracions recollides en el llibre, aquesta és l'única de la qual l'autor no indica la procedència. Sembla una ressenya pensada per a alguna publicació periòdica especialitzada, però no hem pogut comprovar si va arribar a publicar-se o no.

27. Geoffrey J. Walker, «Josep M. Castellet and Joaquim Molas, *Poesia catalana del segle XX*», *Bulletin of Hispanic Studies*, núm. XLII (1965), pàg. 60-62; Domingo Carvalho da Silva, «Poetas catalanes numa antologia», *O Estudio de Sao Paulo* (3-VII-1965). En aquesta mateixa línia es pot esmentar també la nota –ja posterior– apareguda a *Gazzeta Ticinese* de Lugano: Ubaldo Bardi, «Una antologia che é la storia della Catalogna», *Gazzeta Ticinese* (11-III-1967). Agraeixo la informació sobre aquestes tres ressenyes a José Ramón López.

28. Antonio Tovar, «Joaquim Molas y Josep M. Castellet: *Poesía* [sic] *catalana del segle* XX», *Revista de Occidente*, núm. 25 (abril 1965), pàg. 105-109.

aquesta necessitat. «Cal que hom prengui clarament posició», diu Marfany.[29] També és veritat que, immediatament després, ell mateix es queixa «que la majoria dels nostres crítics no han gosat fer-ho d'una manera oberta i declarada». És cert que la pràctica totalitat de ressenyadors no s'expressen amb la contundència i rotunditat amb què Marfany acostuma a explicitar les seves opinions i potser per això és molt difícil trobar algun comentari que subscrigui incondicionalment la proposta de Castellet-Molas o que propugni una esmena a la totalitat.[30] Això no vol dir que no es prengui partit, però. Només Joan Fuster –més escèptic– dubta que el país estigui preparat per a un debat d'aquest gruix. La seva reticència, però, s'ha d'entendre més aviat com una provocació:

> «En qualsevol altre moment, la visió de Castellet i Molas hauria aixecat una vasta polseguera polèmica. Llàstima que ara això no sigui possible! En aquest país necessitem discutir una mica, discutir molt, i clarament, ni que sigui sobre poesia...»[31]

La presa de posició es produeix a l'entorn de tres aspectes centrals: el mètode emprat, l'afany programàtic (especialment a l'hora de parlar del present i de la prospectiva de futur) i la selecció d'autors i textos. La qüestió metodològica és l'aspecte central del debat i probablement també el més interessant. Bona part dels ressenyadors fan referència al mètode emprat (especialment pel que fa a una perspectiva d'anàlisi basada en l'estreta connexió entre el fenomen literari i el context social i, conseqüentment, al contrast existent entre simbolisme i realisme), constaten el canvi que suposa l'adopció d'aquesta nova perspectiva en el camp dels estudis de literatura catalana i reconeixen obertament el rigor a l'hora de l'aplicació de les premisses teòriques. No és l'aplicació de la metodologia, doncs, allò que genera debat, sinó el fet intrínsec d'optar precisament per aquest mètode i la concepció de la literatura que implica l'opció escollida. Per això Josep Faulí, per exemple, acaba fent una lloança sense fissures del llibre. I no perquè hàgim d'entendre que el seu és un elogi incondicional, sinó simplement perquè es limita a reconèixer el «carácter eminentemente

29. MARFANY, «Tres opinions...», *Poemes*, *op. cit.*, pàg. VI. «Hay quien se ha irritado sobremanera», afirma Moll (*op. cit.*).

30. De crítiques a la globalitat també n'hi haurà, però no en el moment de l'aparició del llibre sinó quan els receptors –i especialment els poetes que se senten marginats o exclosos– ja són més conscients de la repercussió. Felip Cid, per exemple, en un text del 1969 caracteritza la proposta amb una sola frase i ja en té ben bé prou: «és la negació d'allò que ha d'ésser una antologia» (Felip CID, «Introducció a l'obra poètica de J. M. López-Picó», dins *Antología de la obra poética de J. M. López-Picó*, edició bilingüe, Barcelona, Ediciones Polígrafa, 1969, pàg. 18). Vegeu també Felip CID, *Memòries inútils*, Catarroja / Barcelona, Afers, 2000, especialment pàg. 139-141. En tenim un altre exemple en la valoració de Josep Romeu, el qual, fins i tot en un context tan poc apropiat com l'acte de recepció pública de Joaquim Molas a la Reial Acadèmia de Bones Lletres de Barcelona, no s'està d'esmentar l'antologia del 1963 i reduir-la a mostra d'«una estètica i una crítica marxistes els resultats de les quals avui ens resulten decebedors» (Josep ROMEU, «Discurs de contestació», dins Joaquim MOLAS, *El retrat d'un poeta adolescent. Notes per a una lectura de* Gertrudis, *de J. V. Foix*, Barcelona, Reial Acadèmia de Bones Lletres de Barcelona, 1993, pàg. 41).

31. FUSTER, «Tres opinions...», *Poemes*, *op. cit.*, p. IV.

científico» d'una proposta en la qual «no hay concesiones de ningún tipo sino fidelidad absoluta a unos propósitos iniciales».[32] I Joan Fuster, tot i discrepar d'algunes de les tesis dels antòlegs, afirma, també sense reserves, que «el mètode emprat per Castellet i Molas em sembla correcte i, de més a més, imprescindible».[33]

Des d'aquest punt de vista, no és estrany que, des de les respectives seccions de crítica teatral i artística a *Serra d'Or*, Jordi Carbonell i Alexandre Cirici es dediquin a parlar de *Poesia catalana del segle* XX i no de la temàtica que els correspondria d'ofici. Tant l'un com l'altre centren la seva atenció, és clar, en els procediments emprats per Castellet i Molas, en la connexió amb teòrics com Raymond Williams o Arnold Hauser, i en l'aplicació que es pot fer de tot plegat a altres disciplines artístiques. Per a Jordi Carbonell, per exemple, estem davant d'un llibre d'«extraordinària qualitat» precisament perquè «té el mèrit d'aplicar a l'estudi crític un mètode sociològic, que analitza l'obra en el seu context històric, és a dir, en relació amb la societat d'on ha eixit», per la qual cosa «la incorporació oberta del mètode a la literatura catalana suposa un enriquiment important, només pel qual *Poesia catalana del segle* XX ja marca una nova etapa en la nostra crítica».[34] Alexandre Cirici va una mica més enllà i apunta dos elements essencials a l'hora d'entendre l'autèntica connexió entre les intencions dels autors i la recepció del llibre. En primer lloc, l'esforç per no caure en la trampa d'associar la qualitat artística a la intencionalitat moral (o social): «No cauen –diu Cirici– en la ingenuïtat de creure que es fa necessàriament bon art amb bones intencions, ni art dolent amb intencions equivocades.» I en segon lloc, el canvi de model a l'hora d'analitzar i interpretar la realitat i la modernització que aquest canvi comporta, especialment gràcies a l'aplicació de criteris que volen ser rigorosos i científics. Cirici ho resumeix de manera admirable i és perfectament conscient que, en aquest sentit, la proposta va més enllà del que pròpiament són els estudis literaris:

> «Per a tots aquells qui es preocupen de la crítica i de la necessitat de substituir els vells mètodes de la interpretació personal intuïtiva per una metodologia científica, per a tots aquells que vulguin trobar el grau necessari d'objectivitat, en el sentit de realisme, sense que això vulgui dir desinteressament [sic] ni manca de participació, l'obra de Castellet i Molas és un excel·lent exemple.»[35]

32. FAULÍ, *op. cit.* De totes les ressenyes catalogades, la de Josep Faulí és l'única que no fa cap mena d'objecció als autors del llibre. La interpretació d'aquest aparent suport manifest, però, s'ha d'entendre en el marc de la voluntària limitació de la seva perspectiva d'anàlisi. També és cert que Faulí s'adona perfectament que el llibre que té entre mans acabarà essent un punt de referència indefugible de cara al futur: «Creo que este libro es, de los publicados el año pasado, el que va a dejar una mayor estela, y aquel al que siempre más habrá que acudir –para criticarlo o para aplaudirlo, que de todo habrá– siempre que se inventarie nuestra cultura en el presente siglo.»

33. El que després qüestiona és si les conclusions a les quals condueix l'aplicació del mètode són o no prou acceptables (FUSTER, «Tres opinions...», *Poemes*, *op. cit.*, p. IV).

34. CARBONELL, *op. cit.*, pàg. 65.

35. CIRICI, *op. cit.*, pàg. 31.

A propòsit del mètode, hi ha altres defenses encara més concloents. Corresponen, com és d'esperar, als sectors ideològicament més afins. Joan-Lluís Marfany, per exemple, que inicia la seva ressenya amb una lliçó d'anàlisi marxista pràcticament impol·luta per tal de fer veure la importància de l'estructura econòmica sobre les superestructures ideològiques i culturals, acaba amb una autèntica declaració de fidelitat: «Per la meva part declaro la meva conformitat gairebé absoluta amb les actituds adoptades per Molas i Castellet.» I els dos aspectes que destaca són tots dos de caràcter metodològic: «D'una banda l'afirmació i la il·lustració d'uns mètodes; de l'altra, la interpretació del nostre passat cultural més immediat a la llum d'aquest mètode.»[36] Encara és més clar en el cas d'Emili Vilaseca a *Nous Horitzons*, quan parla de «metodologia rigorosa, moderna, historiogràficament irreprotxable» i centra bona part del seu comentari en el lligam entre aquesta metodologia i la ideologia que n'emana. Per això –afegeix– «a mi em sembla que el gran mèrit de Castellet i Molas és precisament aquest: haver sabut aplicar els esquemes metodològics més vigorosos a l'explicació de la nostra poesia moderna, a la seva humanització, tot situant-la històricament».[37] En aquesta mateixa línia, des de les pàgines d'*Ínsula*, Sergi Beser parla en termes semblants de «notable originalidad» i d'«extraordinaria importancia», al mateix temps que –també ell– situa el plantejament metodològic al centre mateix del debat («el libro resulta una obra polémica, más por el método crítico que por las afirmaciones de los autores», diu), per la qual cosa dedica bona part de l'espai del seu escrit a fer-ne la defensa.

Fixem-nos que aquests tres al·legats apologètics (els de Marfany, Vilaseca i Beser) plantegen la lloança en termes de rigor metodològic i pretensió científica, però al mateix temps tots tres remarquen el component ideològic. Beser, sense anar més lluny, parla exactament d'«interpretación desde una determinada actitud ideológica, hecha con apasionamiento y sinceridad, pero también con gran rigor científico».[38] En canvi hi ha un altre sector, d'ideari menys afí, que pot arribar a admetre el rigor dels plantejaments, però que discrepa a l'hora de les valoracions ideològiques. Albert Manent, per exemple, també elogia la innovació en els propòsits («por primera vez plantea la evolución de la poesía y la actitud de los poetas desde un ángulo inédito: realzando sus implicaciones sociopolíticas»), però al mateix temps afirma, molt subtilment, que «la novedad de sus planteamientos no puede dejarnos indiferentes». És d'aquesta manca d'indiferència d'on es dedueix la discrepància, la qual no es fa volgudament explícita. Això no obstant, el comentarista insinua un altre dels grans eixos del debat, que no és altre que la visió restrictiva que s'ofereix de la poesia catalana: «Confieso que el resultado es fascinante, aún reconociendo ciertas contradicciones y que a veces restringen el campo de nuestra poesía.»[39] La posició

36. Marfany, «Tres opinions...», *Poemes*, *op. cit.*, pàg. VI.

37. «J. Muntaner» [Vilaseca], *op. cit.*, pàg. 39.

38. Beser, *op. cit.*

39. Manent, «Poesía del siglo xx...», *op. cit.* No oblidem que la ressenya apareix al diari *ABC*. Manent sembla perfectament conscient que no és en el marc de la premsa espanyola on cal plantejar el debat a fons.

de Joan Teixidor és perfectament comparable, però molt més aguda a l'hora de les subtileses. També ara hi ha «admiración por el gran rigor metódico con que han sido colocadas todas las piezas del juego» i no s'està d'afegir que «esto ha sido hecho con una inteligencia agudísima» des del moment que «crítica y selección se orientan desde un determinado punto de vista, y un lector sin prejuicios debe rendirse a la evidente coherencia de los argumentos».[40] Tant és així que l'exercici de ponderació retòrica acaba amb una referència literal al «valor inapreciable en el momento actual»[41] que cal atorgar a un llibre d'aquestes característiques. El joc amb el doble sentit de l'expressió fa ben palès que Teixidor no ho és pas, un lector sense prejudicis. I no s'està d'advertir, és clar, que les discrepàncies –les quals «nos llevarían a conceptos que rebasan plenamente la esfera de lo literario»– són fonamentalment ideològiques.

En el cas de Joan Triadú també podríem parlar, és clar, de discrepància ideològica. L'anàlisi dels seus arguments ens permeten, però, anar més enllà i entrar en l'autèntic dilema: el de les diferències entre el model cultural –i no només literari– gestat en plena postguerra i el que Castellet i Molas proposen des de la perspectiva d'un nou context i d'acord amb uns altres models de referència.[42] Per això, per a Triadú, el punt central del seu plantejament ja no és estrictament metodològic, sinó que afegeix un nou component, eminentment ètic: la idea de la necessària integració, d'una construcció col·lectiva que les circumstàncies obliguen a plantejar encara des del resistencialisme i la suma d'esforços. En aquest sentit, la conclusió del seu text és ben clara:

> «Crec que el procés que cal obrir cada dia és el de les possibilitats presents de la nostra empresa històrica i la suma d'elements que li calen per tal d'obrir-se a l'esdevenidor. No és qüestió, doncs, de realisme merament "històric", o "crític", o bé "social": és un assumpte de realisme immediat: de vida o mort.»[43]

Triadú entén tota la poesia catalana del segle XX des d'aquesta perspectiva de permanent esforç integrador, cosa que se li fa evident fins i tot en la selecció de textos que proposen els dos antòlegs, encara que hagi estat volgudament restrictiva. Un cop més, doncs, el problema no ve per la tria sinó per les tesis que l'han motivada. Així, el ressenyador vol constatar bàsicament el que per a ell és una contradicció entre la interpretació que Castellet i Molas fan de l'evolució de la poesia catalana («la injustícia històrica» a què condueix «una tesi desintegradora») i les evidències que, segons ell, posen de manifest els textos que els antòlegs seleccionen per il·lustrar la seva lectura. No és estrany que, des d'aquest punt de vista, hi hagi un contrast evident entre aquest plantejament de Triadú i el canvi de model que Sergi Beser o Joan-

40. TEIXIDOR, *op. cit.*, pàg. 42.
41. *Ibid.*, pàg. 43.
42. Uns models que, si filem prim, tampoc no deixen de ser característics dels anys de la postguerra, però de l'europea, si més no.
43. TRIADÚ, «Tres opinions...», *Poemes*, *op. cit.*, pàg. VI.

Lluís Marfany propugnen com a aportació central de Castellet i Molas. Així, mentre Triadú no pot admetre el paper que s'atorga a la figura de Carles Riba a l'hora de justificar un hipotètic canvi de la seva influència en el moment de la mort –precisament perquè Riba seria l'autèntic pal de paller d'aquesta tradició integradora–,[44] per a Beser aquest canvi és ni més ni menys que «el fenómeno literario más importante ocurrido en los últimos años dentro de la cultura catalana» i fins i tot «es posible que se trate del cambio dinámico más profundo de toda su historia».[45] I Marfany, sense caure en la hipèrbole, relaciona aquesta nova perspectiva amb «l'atac que representa contra una determinada mentalitat, encara vigent entre els intel·lectuals del país» i l'associa a una idea de modernitat que implica un canvi generacional, amb nous models, altres mecanismes d'anàlisi i fins i tot diferències de llenguatge:

> «Els lectors, sobretot els joves, se senten en certa manera alliberats en trobar-se amb un lèxic que ha perdut aquell dring provincià, aquell aire massa casolà. [...] Arran dels anys seixanta ha accedit a la nostra vida cultural una nova generació que no ha estat marcada pel traumatisme de la guerra. Castellet i Molas, homes afectats directament pel conflicte civil i, sobretot, per les seves conseqüències immediates, s'adapten, plenament, amb *Poesia catalana del segle* XX, a la mentalitat d'aquesta generació: un altre mèrit per a ells.»[46]

Ben mirat, si llegim detingudament els arguments de Triadú també descobrirem discrepàncies de caràcter més estrictament literari. És lògic que sigui així si tenim en compte que Triadú situa la figura de Riba en l'eix central de la seva interpretació. I és perfectament comprensible, per tant, que el ressenyador tingui una percepció diferent respecte a la importància que cal concedir a la tradició simbolista en la poesia catalana del segle XX i, en conseqüència, recrimini als antòlegs una excessiva supeditació del fenomen literari al context social que el genera. «La poesia els fuig dels dits», afirma en un determinat moment.[47] Des d'aquest punt de vista, no és estrany que en els seus comentaris Triadú citi explícitament les ressenyes d'Arthur Terry a *Serra d'Or* i de Segimon Serrallonga a *Inquietud Artística*.[48] De fet, tant Terry com Serrallonga són els dos ressenyadors que entren més a fons a l'hora de plantejar una anàlisi més pròpiament literària de la proposta de Castellet i Molas. I ho fan des de la perspectiva del context internacional, que és bàsicament des d'on els dos antòlegs legitimen el seu canemàs teòric. Terry centra els seus

44. Vegeu Triadú, «Carles Riba i l'intent d'interpretació històrica de Castellet-Molas», *op. cit.*

45. Beser, *op. cit.*

46. Marfany, «Tres opinions...», *Poemes*, *op. cit.*, pàg. VI.

47. Triadú, «Tres opinions...», *Poemes*, *op. cit.*, pàg. VI. O en un altre moment: «És llàstima, en fi, que una crítica literària tan aguda i tan documentada s'hagi sotmès a un assaig teòric d'interpretació històrica –ben discutible per cert, però això ja és una altra cosa– enlloc d'utilitzar les dades històriques i sociològiques, i de tota mena, com tot crític que s'estimi, per tal d'explicar-se completament l'existència plena de l'obra literària» (Triadú, «Carles Riba i l'intent d'interpretació històrica de Castellet-Molas», *op. cit.*).

48. És Triadú –recordem-ho– qui anuncia a *Serra d'Or* la propera publicació de la ressenya de Terry *(ibid.)* i qui publica poc després el comentari sobre la revista vigatana (Triadú, «*Inquietud Artística* de Vic i *Poesia catalana del segle* XX», *op. cit.*).

esforços en l'error de perspectiva que, segons ell, representa el fet d'interpretar el simbolisme com una simple evasió de la realitat. I argumenta des de criteris estrictament literaris:

«Podem demanar-nos si el mateix simbolisme, tal com es manifesta en els millors poemes de Baudelaire o d'un Eliot, no és massa ric de sentiment humà per a ésser considerat una "evasió". Aquí la dificultat consisteix en el fet que la teoria simbolista sol ésser més estreta que no la poesia que pretén justificar. A més, si el simbolisme dóna tanta d'importància a la forma poètica, això no perjudica necessàriament la comunicabilitat, sinó que es tracta d'una conquesta tècnica que ultrapassa de molt la poesia estrictament simbolista i que els poetes futurs de cap manera no haurien de negligir.»[49]

Terry també considera que, des d'aquesta perspectiva més pròpiament estètica, caldria matisar el concepte de *realisme* i més concretament el de *realisme històric*:

«La qüestió del "realisme" aplicada a la poesia sempre ha d'ésser molt relativa, si no hem de perdre la noció de la poesia com una ordenació de l'experiència, una ordenació, és a dir, en què un tema racionalment concebut és presentat amb l'emoció que li correspon. A més, si és cert que la poesia té un deure envers la història, que és de comprendre-la com a experiència humana, també sembla arriscat d'emprar mots com "històric" i "ahistòric" en sentit valoratiu. La realitat i el realisme, no cal dir-ho, són dues coses molt diferents.»[50]

Amb objectius similars, tot i que amb major contundència, Segimon Serrallonga també centra la part més interessant de la seva rèplica en el concepte de *realisme*. D'una banda fa esment dels postulats teòrics i, al mateix temps que demostra tenir-ne coneixement directe, s'atreveix a afirmar que «la descripció del món literari feta per Castellet-Molas pateix adesiara de febleses teòriques», per la qual cosa no és difícil caure en «simplificacions injustes» i «matisacions arbitràries».[51] Per altra banda, s'endinsa en la possible aplicació pràctica dels postulats teòrics del realisme per tal de fer veure els perills d'una interrelació perillosa entre el condicionament històric i el valor estètic. Per això, per a ell –i ho diu a propòsit precisament de Pere Quart i dels poetes de l'anomenada "nova poesia"–, «la situació social determina, és cert, la *possibilitat* de la realització de certes valors estètiques però no les valors estètiques per elles mateixes».[52] Serrallonga no oblida tampoc les discrepàncies pel que fa a la connexió amb el simbolisme, però en aquesta qüestió no va gaire més enllà de la reivindicació del mestratge ribià en termes comparables als de Triadú.

49. Terry, *op. cit.*, pàg. 61-62.

50. *Ibid.*, pàg. 62.

51. Serrallonga, *op. cit.*, pàg. 2. Sobre la crítica a la utilització que el realisme històric fa dels postulats teòrics del realisme vegeu també Marià Manent, «Poesia i realisme històric», *Serra d'Or*, VII, núm. 1 (gener 1965), pàg. 57-58. L'article no és una ressenya ni una rèplica directa a *Poesia catalana del segle XX*, tot i que en un moment determinat fa referència a «una important antologia publicada l'any 1963» (*ibid.*, pàg. 57).

52. *Ibid.*, pàg. 3. Joaquim Marco també incideix en aquesta qüestió i el que acaba demanant és que es concreti millor, en termes literaris, la idea de *realisme*: «No ens hem posat d'acord en la manera

Si ens hi fixem bé, en el fons les discrepàncies de Terry i de Serrallonga també són metodològiques. Però ni l'un ni l'altre no es limiten a comentar el mètode emprat per Castellet i Molas, sinó que apunten les línies mestres del que podria ser una anàlisi diferent, plantejada des del mateix rigor que els autors de l'antologia i també d'acord amb els cànons de la poesia europea contemporània, però des d'un altre fonament teòric. Per aquest motiu, en el fons, el model cultural i els plantejaments dels dos ressenyadors s'acosten més a la idea de modernitat de *Poesia catalana del segle XX* que no pas les tesis integradores de Triadú.

Ja en la «Justificació» del llibre, els dos autors de *Poesia catalana del segle XX* avancen que el panorama acabarà amb un *happy end*, cosa que després es concreta en els coneguts punts programàtics, en la selecció d'autors i textos de l'apartat «La nova poesia» i en una clara aposta de futur. La voluntat de fer una antologia de combat explica aquest canvi d'orientació que acaba adoptant un «assaig d'interpretació històrica» que fins llavors era concebut des de la perspectiva i que al final acaba convertint-se en un text programàtic gestat més aviat des de la prospectiva. Amb la seva genial capacitat per a fulminar horitzons d'expectatives, Joan Fuster torna a reblar el clau, aquest cop a propòsit d'afanys programàtics i hipotètics dogmatismes. La seva és una posició molt particular, mitjançant la qual, des del distanciament irònic, celebra l'oportunitat d'una proposta de caràcter programàtic en el context d'aquell moment –fins i tot accepta de ser considerat company de viatge–, però és escèptic a l'hora de calibrar-ne els possibles resultats:

> «A l'"intent d'interpretació històrica" s'afegeix, per part dels autors, la diàfana propugnació d'un tipus de poesia determinat, que ells preconitzen com a desitjable i fins i tot ineluctable de cara al futur. No hi tinc res a dir: cadascú és molt lliure de passar l'estona com més li agradi. Crec que la poesia és un negoci a liquidar –i demano perdó per expressar-me així en un paper de poetes–, i no em veig amb cor de perdre el temps fent càbales respecte a com serà o com hauria d'ésser la problemàtica poesia del demà. Però Castellet i Molas són gent de bona fe i d'un candor literari que els envejo: admiro la il·lusió que posen en les perspectives de la manufactura de versos. [...] Castellet i Molas, que creuen en moltes coses, creuen en la poesia: "tot just ha començat...", és clar! Feliços ells! I la part que dediquen a "suposar" com serà la poesia que s'acosta, és una formulació de principis tan premeditada com eficaç.»[53]

A més de Fuster, la major part dels ressenyadors deixen constància del canvi de plantejament en la part final del pròleg. Les nombroses referències permeten deduir diverses idees, però n'hi ha dues d'especialment significatives, les quals a primera vista podrien semblar lleugerament sorprenents. Observem, en primer lloc, que

---

d'expressar la càrrega ideològica, en la manera de revestir-la i en la manera de qualificar-la.» Segons Marco, aquest és un tema complex, que cal resoldre des d'una perspectiva teòrica i sense afany doctrinari. Reconeix, això sí, que els passos de Castellet i Molas van en la bona direcció. Sobre aquesta qüestió vegeu també «Lleó VALLÈS», [FORMOSA], *op. cit.*, que s'ho mira ja amb uns quants anys de perspectiva.

53. FUSTER, «Tres opinions...», *Poemes*, *op. cit.*, pàg. IV. La ressenya del mateix Fuster a *Destino* prescindeix de la ironia i deixa més en evidència la coincidència entre el ressenyador i els autors: «Tampoco yo en este punto discrepo de los autores: su "previsión", a mi entender, es aceptable», diu, a propòsit del capítol final (FUSTER, «Poesia e historia», *op. cit.*).

alguns dels crítics ideològicament més afins són precisament els més reticents a la proposta. Així, per exemple, Alexandre Cirici considera que el plantejament és una mica massa restrictiu i –precisament amb una citació directa de Marx com a font d'autoritat– el critica obertament:

> «Creiem necessari de refusar, en canvi, la limitació d'algunes de les condicions definides per Castellet i Molas. No creiem obligatori el sistema d'expressió històrico-narratiu, ni que el llenguatge hagi d'empobrir les seves possibilitats limitant-se a les significacions immediates. ¿Per què fixar normes per a la manera d'expressar-se i per a l'ús de les formes expressives? Marx deia: "Vosaltres admireu la riquesa inexhaurible de la natura. No exigiu que la rosa tingui el perfum de la violeta; però allò que existeix de més ric, l'esperit, ¿ha de tenir la facultat d'expressar-se d'una sola manera?"»[54]

També Marfany acaba la seva ressenya amb una referència ben explícita a la darrera part del llibre, la qual, per a ell, «és, sense cap mena de dubte, la més fluixa» i «no representa cap autèntica aportació».[55] I fins i tot Emili Vilaseca s'atreveix a afirmar que en la secció sobre la nova poesia «el recull em sembla parcial i no prou representatiu», perquè «s'han deixat al marge noms i poemes indispensables per a saber el valor i l'orientació reals de la nova poesia».[56] Feliu Formosa, per la seva banda, està d'acord amb l'afany programàtic, però no amb les característiques concretes que s'inclouen en el programa, per la qual cosa considera que caldria matisar-les. Ell és qui aprofundeix més en l'anàlisi de l'apartat final de l'estudi i qui qüestiona –sense abandonar l'òptica de fonament marxista– si els punts programàtics de Castellet i Molas són autènticament innovadors o en realitat remeten a una tradició de poesia compromesa que parteix de Villon i que, en el fons, no és estrictament contemporània ni queda del tot contraposada a algunes de les propostes de Riba.[57]

Advertim, en segon lloc, que els sectors aparentment més contraris, no són especialment crítics a l'hora de retreure un hipotètic afany dogmàtic o pamfletari. Arthur Terry, en aquest sentit, és ben explícit:

54. CIRICI, *op. cit.*, pàg. 32.

55. MARFANY, «Tres opinions...», *Poemes*, *op. cit.*, pàg. VI. Francesc Vallverdú, un dels poetes que surt més ben parat en aquest apartat de l'antologia, en una de les composicions del seu llibre *Festival amb espills de Ramon Roig* (1989) –concretament a «Espill 66», dedicat precisament a Josep M. Castellet– ironitza sobre el tema: «I mentrestant / anem tirant. / Tu i en Joaquim / pugeu al cim, / beseu la glòria / per una història / que us inventeu / i que doneu / com a segura. / "Llibre d'altura, / l'antologia / de poesia / és un pretext / fora de text / de fer política", / en diu la crítica. / (I és que en el fons / aquests cabrons / ho han encertat!)» (vg. 253-271).

56. «J. MUNTANER», [VILASECA], *op. cit.*, pàg. 35. Joaquim Marco considera també que «a la darrera part és evident un excés d'esquematisme i de doctrinarisme» (MARCO, *op. cit.*, pàg. 88).

57. El fet que la «ressenya» de Formosa sigui ja de l'any 1969 obliga a entendre els seus plantejaments des d'una altra perspectiva. El text, en aquest sentit, és molt interessant per analitzar la vigència de les formulacions de Castellet i Molas, però adaptades no només a la visió personal del ressenyador sinó també a un context que certament és diferent, però no tant com podria semblar.

«És veritat que Castellet i Molas –i s'hi honren molt– s'abstenen de proposar el "realisme històric" com un programa dogmàtic. Per a ells el mèrit d'un tal realisme consisteix en el grau de llibertat que deixa a l'escriptor, i costa molt de trobar uns senyals de conformisme en els poemes que publiquen al final de l'antologia.»[58]

També en aquest punt, l'opinió de Segimon Serrallonga és propera a la de Terry. La frase final de la seva ressenya és prou aclaridora:

«No és, encara que a vegades ho sembli, ni un manual ni un pamflet d'envergadura, sinó una obra important, per la intel·ligència, la sensibilitat i gairebé arreu per l'escriptura, de la literatura catalana moderna.»[59]

I encara podríem afegir, com a complement anecdòtic però enormement il·lustrador de l'estat de moltes coses, l'opinió d'Antonio Tovar, el qual no només no critica el component hipotèticament dogmàtic d'aquest apartat final sinó que en valora favorablement l'oportunitat i el risc. És clar que el seu argument real queda perfectament formulat entre línies: els estudis de literatura catalana es poden permetre el luxe de prioritzar el component històric o ideològic, perquè treballen amb un corpus reduït i amb poc valor intrínsec, cosa que, al seu entendre, no passa amb la literatura castellana. El seu torna a ser, doncs, un elogi enverinat.

Aquest hipotètic canvi de papers –ara ja al marge d'anècdotes– en la valoració del que l'antologia pugui tenir de pamfletària permet entendre, com a mínim, que, amb la seva proposta, Castellet i Molas no se situen a la banda més dogmàtica del realisme històric: ni pel que fa al programa –una anàlisi més detallada dels set punts programàtics permetria de corroborar-ho–, ni a propòsit d'un hipotètic lideratge al capdavant d'una ortodòxia que calgui assumir disciplinadament. I no només això. Pel que fa a la selecció d'autors i de textos, torna a ser significatiu que els principals arguments provinguin també de sectors ideològicament afins. Ja hem vist, d'una banda, com Triadú acaba salvant la part antològica precisament perquè li sembla que ofereix la imatge integradora que ell reclama també a l'assaig introductori, mentre que, per altra banda i des de fonaments marxistes ortodoxos, Emili Vilaseca considera exageradament restrictiva la manera com Castellet i Molas exemplifiquen les característiques d'una «nova poesia». I tinguem ben present que és justament des d'aquest sector des d'on es reclama una major obertura a l'avantguarda i concretament a la figura de Joan Brossa, un dels exclosos. Vilaseca i Cirici coincideixen en la petició.[60] En canvi les posicions d'Arthur Terry i Segimon Serrallonga sobre aquesta mateixa qüestió són divergents, concretament a propòsit

58. TERRY, *op. cit.*, pàg. 62.

59. SERRALLONGA, *op. cit.*, pàg. 3.

60. Per a Cirici aquest és l'únic retret que es pot fer al llibre: «Un sol retret de fons creiem necessari de fer a aquesta obra tan útil: una antipatia manifesta per tot allò que ha significat una recerca en els medis de l'art. [...] Possiblement aquesta mateixa posició ha impedit l'estudi d'una personalitat com la de Joan

de Foix. Així, mentre per a Terry «cal destacar, també llur tractament de J. V. Foix, per a mi un dels grans encerts del comentari», Serrallonga intenta demostrar a partir de citacions literals que aquest mateix tractament és un exemple de les contradiccions de l'estudi.[61] Succeeix una cosa semblant amb Josep Palau i Fabre, la lectura del qual és elogiada per Josep Faulí mentre que Joan Fuster considera que l'espai que se li concedeix és «desconcertant».[62]

La selecció queda reduïda a trenta poetes «representatius», un terme que citen els dos antòlegs en la justificació inicial i que acaba fent fortuna entre els receptors. La discussió sobre la problemàtica relació entre els criteris de representativitat i qualitat és, certament, un dels elements importants del debat. La suposada preferència pel primer dels dos criteris és un dels arguments centrals de les rèpliques de Joan Triadú, Arthur Terry i Segimon Serrallonga. Al darrere del tema, però, el que es discuteix torna a ser la metodologia emprada més que no pas la selecció específica. I és que, en el fons, sembla clar que la tria de noms i de textos no és un aspecte central del debat, cosa que a primera vista podria estranyar, sobretot si tenim en compte que estem parlant d'una «antologia». No deu ser pas casualitat que el mot no aparegui en el títol del llibre, a diferència del que succeeix amb *l'Antologia de poetes catalans moderns* (1914) d'Alexandre Plana o *l'Antologia de la poesia catalana 1900-1950* (1951) de Joan Triadú, els dos reculls que s'acostumen a citar com a precedents i com a via de connexió amb la tradició. Potser és simplement que, en el nou intent, la interpretació passa per davant de la recopilació. Si realment és així vol dir que, també en aquest aspecte, el llibre és una autèntica innovació en la concepció del que ha de ser una antologia.

* * *

Després d'haver llegit *Poesia catalana del segle* XX, Joan-Lluís Marfany es congratulava de la nova orientació dels estudis literaris catalans i s'atrevia fins i tot a justificar alguna de les insuficiències del llibre:

> «L'innegable mecanicisme observable en alguns fragments de l'estudi de Molas i Castellet és degut, no pas al dogmatisme i a les deduccions simplistes dels autors, ans a la manca de la més elemental bibliografia de base. Cal remarcar que *Poesia catalana del segle* XX, que vol ésser un assaig d'interpretació, és de fet un llibre de consulta en els moments actuals. No és possible de primfilar massa quan manquen no solament monografies de crítica literària, sinó àdhuc un estudi

---

Brossa, un dels poetes més extensos i intensos en la presa de consciència històrica» (CIRICI, *op. cit.*, pàg. 32). Queda clar, doncs, quin és l'origen de la demanda d'incorporació de Brossa, perquè aquest ha acabat essent, en els anys posteriors, un dels cavalls de batalla dels detractors del projecte. Molas mateix, tot recordant un cop més la intenció real de l'antologia en el seu moment, ha justificat l'absència (vegeu Rosa CABRÉ, ed., «Taula rodona sobre Joan Perucho i la seva obra», *op. cit.*, pàg. 112-113).

61. TERRY, *op. cit.*, pàg. 62; SERRALLONGA, *op. cit.*, pàg. 3.

62. FAULÍ, *op. cit.*; FUSTER, «Tres opinions...», *Poemes*, *op. cit.*, pàg. V. Quant a la selecció de noms, Fuster, des de la seva òptica particular, és l'únic ressenyador capaç d'argumentar que una aplicació estricta de controls de qualitat hauria obligat a una major restricció de noms: «En tot cas els autors podrien ésser acusats de condescendents: encara hi han inclòs més poetes i més poemes que no calia» (*ibid.*, pàg. IV). Per això no pot entendre, per exemple, la inclusió de Maria Antònia Salvà.

una mica complet i aprofundit de l'època històrica corresponent. Castellet i Molas han hagut d'omplir les llacunes d'una manera provisòria i, per força, superficial.
Crec, doncs, que cal considerar *Poesia catalana del segle* XX com el que és: un precedent, una primera pedra, un encetament d'uns nous camins crítics.»[63]

Quasi quaranta anys més tard, és evident que moltes de les mancances apuntades per Marfany s'han anat corregint i avui dia els estudis de literatura catalana contemporània tenen ja una base sòlida indiscutible. Josep M. Castellet com a crític i editor i, principalment, Joaquim Molas com a professor universitari hi han contribuït d'una manera decisiva. No voler-ho reconèixer seria en el fons negar l'obvietat. És difícil assegurar si, a hores d'ara, *Poesia catalana del segle* XX és un assaig d'interpretació o continua essent un llibre de consulta, tot i que probablement té molt de les dues coses, de la mateixa manera que –ja en la seva mateixa concepció– el volum volia ser un estudi però també una operació estratègica. Del que no hi ha dubte és que el llibre, en el seu moment, va revolucionar els estudis de literatura catalana contemporània i es va convertir en un punt de referència. Des de llavors, i cada cop més al marge d'estratègies circumstancials, no ha deixat de ser-ho. Esperem que aquest repàs a la recepció del volum en el moment de la seva publicació ajudi a fer-ho entendre i, al mateix temps, serveixi de just homenatge als dos autors que, des d'aquella conjuntura, van fer l'esforç d'acostar-nos a la normalitat i situar-nos més a prop de la modernitat.

Apèndix

Tres opinions sobre *Poesia catalana del segle XX,* de Josep M. Castellet i Joaquim Molas

I

«Explicar històricament els grans processos de la poesia catalana del nostre temps», propòsit del llibre *Poesia catalana del segle* XX, era, em sembla, una temptativa pràcticament inèdita. Hi havia molts i molt estimables estudis «crítics» sobre aquesta fabulosa zona de la literatura autòctona: glosses d'exegeta, anàlisis més o menys aprofundides, conats de caracterització, confessions personals. Però Castellet i Molas han intentat de referir-nos-en el desplegament circumstanciat, al llarg del

63. Marfany, «Tres opinions...», *Poemes*, *op. cit.*, pàg. VI. El tema d'un hipotètic mecanicisme o de l'esquematisme de determinats plantejaments apareix també en l'argumentació d'altres comentaristes. Aquest és, per exemple, l'únic greuge que el ressenyador de *Bulletin of Hispanic Studies* fa constar en la seva valoració. Concretament fa referència a allò que per ell constitueix «a rather artificial classification of groups of poets and poems» (Walker, *op. cit.*, pàg. 60).

temps, gairebé pas a pas, i en funció de factors literaris i no literaris. Sens dubte, per a la majoria dels lectors l'aspecte més suggestiu de l'obra deu ésser la insistència dels autors a destacar la importància –precisament– dels factors *no literaris*: polítics i socials –socials, en definitiva. En qualsevol altre moment, la visió de Castellet i Molas hauria aixecat una vasta polseguera polèmica. Llàstima que ara això no sigui possible! En aquest país necessitem discutir una mica, discutir molt, i clarament, ni que sigui sobre poesia... El mètode emprat per Castellet i Molas em sembla correcte i, de més a més, imprescindible. Vull dir que, sense un enquadrament «històric» com el que ells esbossen, totes les divagacions «crítiques» a què ens puguem dedicar pecaran, no pas de falses –potser no: no ho sé–, però sí d'incompletes, d'insuficients, de temeràries. Ara: en l'aplicació del mètode, ¿són sempre acceptables les conclusions de Castellet i Molas? Personalment no vacil·laria a subscriure'n un percentatge ben elevat. I no dic «totes», perquè trobo que en l'assaig de Castellet i Molas queden una mica minusvalorats els fenòmens d'índole estrictament «culturalista», internacionals, que, amb una *relativa* independència dels condicionaments «històrics» locals, han afaiçonat determinades etapes de l'evolució de la nostra poesia. Allò que se'n diu «poesia pura», per exemple, no fou –crec jo– «la conseqüència del forçat immobilisme mental de la Dictadura», tot i que aquesta afirmació vingui oportunament compensada amb l'al·lusió a una «coincidència» amb els corrents que propugnava aleshores la cultura burgesa occidental. Allà on no hi havia dictadura ni immobilisme, la cultura burgesa occidental –França, sense anar més lluny– també feia prevaler la seva «poesia pura». De fet, aquesta mena de postulacions, una mica dràstiques, que apareixen en *Poesia catalana del segle XX*, són més inexactes en la formulació verbal que no pas en el fons. D'altra banda, sempre convé d'exagerar. En un cas com aquest, Castellet i Molas han fet ben fet, en la mesura que exageren: calia, cal, corregir l'exageració de sentit contrari, que convertida en inèrcia, ens dissimula o enterboleix moltes realitats òbvies.

Però l'obra de Castellet i Molas és més que això. A l'«intent d'interpretació històrica» s'afegeix, per part dels autors, la diàfana propugnació d'un tipus de poesia determinat, que ells preconitzen com a desitjable i fins i tot ineluctable de cara al futur. No hi tinc res a dir: cadascú és molt lliure de passar l'estona com més li agradi. Crec que la poesia és un negoci a liquidar –i demano perdó per expressar-me així en un paper de poetes–, i no em veig amb cor de perdre el temps fent càbales respecte a com serà o com hauria d'ésser la problemàtica poesia del demà. Però Castellet i Molas són gent de bona fe i d'un candor literari que els envejo: admiro la il·lusió que posen en les perspectives de la manufactura de versos. Precisament un dels «defectes» del llibre –sociològicament parlant– és que no diuen ni una paraula sobre els tiratges de les edicions poètiques, ni sobre els càlculs, almenys hipotètics, que caldria fer per a apreciar el volum de lectors que té la poesia en cada moment. I demà? Castellet i Molas, que creuen en moltes coses, creuen en la poesia: «tot just ha començat...», és clar! Feliços ells! I la part que dediquen a «suposar» com serà la poesia que s'acosta, és una formulació de principis tan premeditada com eficaç. Em sorprèn bastant que Castellet i Molas tinguin escrúpols a donar-la com a «programàtica», i que s'estimin més d'induir-nos a creure que «profetitzen». Sense eixir del territori de la ironia, en què ells es posen en aquest punt, jo em limitaria a recordar que l'últim «arúspex» que ha circulat pel país va ésser don Eugeni d'Ors, i no feia sinó això: «profetitzar» allò mateix de què era «apòstol». El profeta, més que endevinar, provoca (i em cito a mi mateix). Sigui com sigui, no veig per què els meus estimats i insignes autors de *Poesia catalana del segle XX* han d'avergonyir-se d'ésser «programàtics». Jo em passo la vida exercint de «programàtic» –i sobre coses molt més delicades que els versos encara no escrits–, i no en sento cap remordiment. D'altra banda, la «poesia realista» que Castellet i Molas ens «auguren» és una expectativa important: valdria la pena d'ésser-ne «apòstol»...

La tria de poemes que il·lustra el text de *Poesia catalana del segle XX* té la pretensió d'ésser, només, una mena de suport documental de la «interpretació». Des d'aquest punt de vista és justa i ponderada. En tot cas, els autors poden ésser acusats de condescendents: encara hi han inclòs més poetes i més poemes que no calia. La presència de Maria Antònia Salvà em deixa perplex: és una objecció de part meva. Amb tots els respectes per la poetessa de Llucmajor, que jo admiro molt. L'espai concedit a Josep Palau i Fabre encara em sembla més desconcertant –i faig noves protestes de respecte, ara a l'obra lírica d'en Palau. En canvi, autors citats –de grat o per força– en l'estudi, com Ventura Gassol, el senyor Valldeperes o C. A. Jordana, no apareixen en el recull antològic. I de Pere Quart, que indicada hauria estat l'«Epístola d'alta mar» (en la seva primera versió, però, i que l'Oliver em perdoni aquesta preferència!), extraordinàriament representativa del tema «del retorn»!... Però tot això són reprotxes insignificants. La selecció de textos és coherent: Castellet i Molas no ens havien promès sinó coherència. Qui vulgui llegir les «cent millors poesies de la llengua catalana» –contemporànies, s'entén–, haurà de buscar un altre llibre: no és això el que li anunciaven els autors de *Poesia catalana del segle XX*. Castellet i Molas anaven, van, per un altre camí. I, amb les meves petites discrepàncies ja consignades, els hi acompanyo.

JOAN FUSTER

i II

Valors positius: integració de fet

Una vegada més, allò que anomenaré *la nostra empresa històrica* suma elements. ¿Quina força misteriosament viva, de cristal·lització ens protegeix? Tothom sap que la dita empresa passa en aquests anys per una època adversa. Fóra il·lusori de negar que en aquell moment històric que culminà un quart de segle enrera alguna cosa va caure, pel cantó de l'esfondrada violenta d'un règim i d'unes institucions. Cal distingir, però, ben bé, l'esfondrament material i l'espiritual, i encara més: cal separar com el gra de la palla, allò que se n'anà aigua avall definitivament per un imperatiu històric irreversible, i allò altre, tant si es tracta d'institucions com de persones, com d'ideals, que fou arrossegat en el cataclisme per una circumstància de fet però no per una condició de fons.

Les lletres catalanes sofriren els efectes de la darrera d'aquestes situacions. Però àdhuc l'etapa següent ha estat fructífera per a la nostra empresa històrica. Les lletres catalanes han estat capaces de demostrar una vegada més llur integració total –aquella voluntat que passa per tota una línia que va de la Renaixença a Maragall, de Riba a Espriu– en cada moment històric. Dic tot això perquè crec que l'«antologia» de Josep M. Castellet i Joaquim Molas és ella mateixa un exemple de cristal·lització i d'integració. Malgrat la tesi central de l'assaig preliminar, acabat, però, amb aquestes paraules: «...Calia fer-ho per demostrar que la poesia catalana no solament continua viva, sinó que és actual i variada.» A aquesta conclusió, tan senzilla, de vegades costa molt d'arribar-hi. Sobretot si hom parteix, com en aquest cas, d'una tesi equívoca.

Però, a més, ells també han escollit, és a dir, han seleccionat «els poetes i els poemes que han cregut estrictament necessaris». Cap luxe, doncs, cap despesa baldera. Tot i tenir en compte els poetes de tots els Països Catalans, afegeixen, «han seleccionat aquells que [...] podien inscriure's a llur criteri en els plantejaments històrics de la poesia europea contemporània». Hi ha una trentena de poetes, ben diversos, per cert, llevat, potser dels de la darrera part, on la tria, com és natural, és més rotunda i més «demostrativa». Entre aquests trenta poetes el lector, diuen els autors, «no hi trobarà alguns noms que potser hauria volgut trobarhi, i, cal admetre-ho, potser n'hi trobarà algun que fins i tot el sorprendrà. Ara: els autors creuen honestament que els que hi figuren són els que, per un motiu o altre, són els més representatius». Els antologistes han trobat, doncs, poetes de talent, de qualitat, que els serveixen d'exemple –d'una manera més o menys idònia, més o menys insigne– en cada moment històric. Així, doncs, les nostres lletres, representades en aquest cas per la poesia, han cooperat a l'empresa històrica col·lectiva.

Però si tenim en compte que la tesi central del llibre sembla negar l'existència d'aquesta empresa nostra com alguna cosa de col·lectiu i d'integrador, és d'un valor doblement positiu el fet que hi apareguin tants de poetes «representatius». Encara més: amb la sola presència del llibre, els autors se sumen, amb una reacció típica, històrica, al moviment integrador.

Tesi desintegradora

De fet, aquest llibre munta un procés a la poesia catalana i, per ella i en ella, a les nostres lletres i a tota la nostra empresa històrica. En aquest sentit és una obra que cal comentar alhora des del punt de vista d'assaig d'interpretació històrica d'un fet polític, i d'assaig d'interpretació política d'un fet cultural. Tots dos intents arriben a una sola conclusió: que ací hi ha hagut un gran error, reflectit per la poesia més representativa en totes les èpoques, durant més de mig segle, fins a arribar, exactament, a l'any 1959. En aquest any, no pas massa llunyà, certament, comença, segons els autors, una nova època: és l'any de la mort de Carles Riba.

L'error històric consistiria, sembla, en el fet d'haver cregut –algú, alguns, molts–, i en un moment determinat (quan fou votat l'Estatut) la immensa majoria, en una Catalunya estructurada en desacord «amb els patrons peninsulars vigents». Però la poesia s'associà, amb aclaparadora unanimitat, segons que sembla llegint la tria de poemes i de poetes de *Poesia catalana del segle* XX, a aquella idea. No hi ha «revoltes», moviments d'avantguarda, esteticismes ni evasions que hi valguin. Pràcticament tothom marca el pas. Segons els autors, que ho manifesten així en un moviment ondulatori en un bon nombre de moments escollits de l'«assaig d'interpretació històrica», aquesta reacció dels poetes fou equivocada. Només a un d'ells reconeixen el mèrit d'haver-se inserit des del principi en la línia del «realisme històric». Aquest poeta és Pere Quart. L'acompanyen sis o set poetes relativament joves, actuals. Però és evident que els nostres autors no podien fer una antologia de mig segle de poesia catalana *només* amb aquests poetes, i que no podien ignorar ni negar la qualitat dels altres. Han muntat un procés i no han gosat, no han volgut o no han pogut condemnar: aquesta és la feblesa del llibre. Altrament dit: han fet el motlle, i no l'han omplert. La realitat de la poesia catalana, la realitat històrica, ha estat tota diferent, i l'antologia ho reflecteix prou bé. En aquest sentit la tria de poetes és, tenint en compte les característiques de l'obra, perfectament *tradicional.*

Resta en peu, ja sense poetes i sense poemes, el procés de la nostra empresa històrica, anomenada sovint «Catalunya ideal». La poesia catalana, és clar, evoluciona –bé que això no sigui prou dit en el llibre–, com tota la poesia europea. Potser amb un cert retard i amb explicables limitacions. Però la societat catalana i la «idea» catalana havien d'anar més a poc a poc. La tesi Castellet-Molas és que tot anà malament des d'un principi. És una tesi aplicada a la poesia, i ja hem vist com la poesia els fuig dels dits. És una tesi, en definitiva, desintegradora. I això ja, per al llibre, és més que una feblesa: és una injustícia històrica.

Però no vull fer ara el procés d'una obra que és en ella mateixa un exemple d'integració. No dubto tampoc de la notable preparació dels autors, que coexisteix, però, amb llur programatisme. Per això crec que el procés que cal obrir cada dia és el de les possibilitats presents de la nostra empresa històrica i la suma d'elements que li calen per tal d'obrir-se a l'esdevenidor. No és una qüestió, doncs, de realisme merament «històric», o bé «crític», o bé «social»: és una assumpte de realisme immediat: de vida o mort.

JOAN TRIADÚ

i III

Poesia catalana del segle XX és el primer llibre en llengua catalana que emprèn l'estudi dels fets literaris a la llum de la història i de la sociologia. Cal, doncs, atribuir-li el mèrit de representar la introducció definitiva al país d'uns mètodes d'investigació literària basats en la convicció de la influència decisiva de les estructures socioeconòmiques sobre les supraestructures ideològiques i culturals coetànies. Em sembla que la crítica, llevat un article de Jordi Carbonell aparegut a

Serra d'Or, no ha remarcat prou aquest fet i el caràcter de novetat que confereix al llibre. No ve ara al cas de fer la defensa o la crítica d'aquest mètode, però crec, en canvi, necessari d'insistir en el fet que un mètode sòlid i ben fixat, com és l'emprat per Molas i Castellet, no pot néixer del pur empirisme, ans deriva d'uns postulats filosòfics molt concrets. Tota crítica honesta, doncs, ha de començar per la formulació explícita de l'adhesió o el rebuig d'aquests postulats i, per consegüent, dels principis metodològics que en resulten. Perquè *Poesia catalana del segle* XX presenta dos aspectes diferents: d'una banda l'afirmació i la il·lustració d'uns mètodes; de l'altra, la interpretació del nostre passat cultural més immediat a la llum d'aquest mètode. Les observacions, favorables o contràries, que el crític pugui fer a aquest segon aspecte només assoleixen un sentit clar i complet quan el qui les formula defineix la seva posició enfront del primer, és a dir, respecte als criteris metodològics i, en definitiva, les posicions filosòfiques dels autors. Per la meva part, declaro la meva conformitat gairebé absoluta amb les actituds adoptades per Molas i Castellet. Però si he dit tot això ha estat, de fet, perquè crec que, davant una obra que trenca radicalment amb les tècniques i els procediments de la darrera millor tradició crítica catalana, cal que hom prengui clarament posició. I perquè crec, justament, que la majoria dels nostres crítics no han gosat fer-ho d'una manera oberta i declarada.

El retret més immediat i més fàcil de fer a *Poesia catalana del segle* XX és el d'un mecani[cis]me excessiu en alguns punts de la interpretació, amb la qual cosa, de retop, hom rebutja tàcitament el mètode. El retret és injust, però, perquè és massa fàcil. L'innegable mecanicisme observable en alguns fragments de l'estudi de Molas i Castellet és degut, no pas al dogmatisme i a les deduccions simplistes dels autors, ans a la manca de la més elemental bibliografia de base. Cal remarcar que *Poesia catalana del segle* XX, que vol ésser un assaig d'interpretació, és de fet un llibre de consulta en els moments actuals. No és possible de primfilar massa quan manquen no solament monografies de crítica literària, sinó àdhuc un estudi una mica complet i aprofundit de l'època històrica corresponent. Castellet i Molas han hagut d'omplir les llacunes d'una manera provisòria i, per força, superficial.

Crec, doncs, que cal considerar *Poesia catalana del segle* XX com el que és: un precedent, una primera pedra, un encetament d'uns nous camins crítics, que hauria d'incitar els nostres estudiosos a encarar-se amb valentia i rigor amb l'anàlisi de la història cultural catalana del darrer mig segle. Perquè, a més dels mèrits que ja hem citat, l'obra de Castellet i Molas en té un altre de molt més important i d'un abast més gran. És un llibre desmitificador, que intenta enderrocar unes prevencions, inconscients o no, que han impedit fins ara a molts dels nostres crítics i historiadors d'abordar sense reticències els darrers períodes de la nostra història. Quan els anys imposaran un reajust en la visió històrica del mig segle estudiat per Castellet i Molas, molts dels judicis de valor formulats pels autors semblaran probablement excessius en un sentit o en l'altre. Però actualment cal arriscar-se. *Poesia catalana del segle* XX és una anàlisi de la nostra història cultural –i en definitiva de la nostra història– més immediata feta sense complexos d'inferioritat: una altra novetat en el camp de la nostra crítica, sempre tan tímida i tan excessivament prudent amb els valors una mica consagrats. La terminologia també tradueix aquesta nova actitud.

Els lectors, sobretot els joves, se senten en certa manera alliberats en trobar-se amb un lèxic que ha perdut aquell dring provincià, aquell aire massa casolà. Esbandint complexos comprensibles, però, com tots els complexos, absurds, Castellet i Molas han intentat, fins allà on han pogut, de veure la nostra cultura del darrer mig segle des d'una perspectiva si més no europea. I cal dir que homes com Josep Carner o com, sobretot, Carles Riba, mereixen una crítica a l'altura de llur magnífic esforç d'europeïtzació de la cultura catalana. D'altra banda, el llibre de Castellet i Molas és molt més prudent que no sembla i no té, en principi, una intenció polèmica evident. Si l'ha provocada, la polèmica, ha estat no tant pel que l'obra diu com per l'atac que representa contra una determinada mentalitat, encara vigent entre els intel·lectuals del país, atac no intencionat, ans inevitable. Arran dels anys seixantes ha accedit a la nostra vida cultural una nova generació que no ha estat marcada pel traumatisme de la guerra. Castellet i Molas, homes afectats directament pel conflicte civil i, sobretot, per les seves conseqüències immediates, s'adapten plenament, amb *Poesia catalana del segle* XX, a la mentalitat d'aquesta generació: un altre mèrit per a ells.

Un últim mot sobre la darrera part de l'estudi i de l'antologia, que és, sense cap mena de dubte, la més fluixa. Aquesta darrera part, volgudament programàtica, no representa cap autèntica aportació, però en rigor, té un valor com a puntualització. A més, la part antològica corresponent no respon en general a l'ideal poètic preconitzat pels autors, i, des d'un punt de vista històric, tampoc no és representativa. Aquest és, certament, el defecte més greu de *Poesia catalana del segle* XX.

JOAN-LLUÍS MARFANY

(*Poemes*, Barcelona, núm. 9, hivern 1964, pàg. IV-VI.)
El número no es va arribar a publicar.

DE L'AMOR QUE EDUCA A LA PASSIÓ CULPABLE: JORDI DE SANT JORDI, XI *VERSUS* AUSIÀS MARCH, IV

Lola Badia

Universitat de Barcelona

Tot reivindicant el gènere lliçó
per a Joaquim Molas, que n'ha fet tantes,
i tan profitoses.

1. Amor possible i amor impossible

Jordi de Sant Jordi i Ausiàs March són coetanis i freqüenten els mateixos ambients, és a dir, la primera cort d'Alfons el Magnànim, a propòsit de la qual és eloqüent recordar l'expedició de conquesta en terres italianes iniciada el 1420, on tots dos van coincidir, juntament amb d'altres escriptors.[1] D'aquesta empresa a Còrsega, Sardenya i el sud de la península en queda un record literari en el famós poema XIV de Sant Jordi, «Desert d'amics de béns e de senyor», lligat a l'atac per sorpresa del *condottiere* Muzio Attendolo Sforza a les tropes aragoneses establertes a Nàpols. El jove cambrer del Magnànim, vençut sense cap possibilitat de defensa, exhibeix amb destresa i enginy el poder de la millor retòrica al servei d'una qüestió

1. Pel que fa a March, cal actualitzar les dades de la *Història de la literatura catalana* de MARTÍ DE RIQUER, Barcelona, Ariel, 1964, II, 471-567, amb Jaume J. CHINER GIMENO, *Ausiàs March i la València del segle XV (1400-1459)*, València, Generalitat Valenciana, 1997 (integreu-hi les esmenes recollides per l'autor a *Llengua & Literatura*, 10, 1999, pàg. 361-384) i Ferran GARCIA OLIVER, *En la vida d'Ausiàs March*, Barcelona, Edicions 62, 1998. Pel que fa a Sant Jordi, més ençà de *Les poesies de Jordi de Sant Jordi*, eds. MARTI DE RIQUER i Lola BADIA, València, Tres i Quatre, 1983, han aparegut algunes noves dades: Ramon i Josep BALDAQUI, «A l'entorn de la biografia de Jordi de Sant Jordi. Un document inèdit», *Actes del Novè Col·loqui Internacional de Llengua i Literatura Catalanes (Alacant, 1991)*, I, Barcelona, Publicacions de l'Abadia de Montserrrat, 1993, pàg. 257-272; Jaume CHINER GIMENO, "Noves dades arxivístiques sobre la mort de Jordi de Sant Jordi", *Actes del VII Congrès de l'Associació Hispànica de Literatura Medieval*. S. FORTUÑO i T. MARTINEZ, eds., Castelló de la Plana, Universitat Jaume I, vol. II, 1999, pàgs. 67-70; Agustín RUBIO VELA, *Epistolari de la València medieval*, II, València-Barcelona, Institut Interuniversitari de Filologia Valenciana - Publicacions de l'Abadia de Montserrat, 1998, pàg. 333-334 (document 130); Ferran GARCIA-OLIVER i Víctor G. LABRADO, «L'entorn familiar de Jordi de Sant Jordi», *Afers*, 35, 2000, 219-229. Hi ha una bibliografia marquiana, a cura de Joan SANTANACH i Vicent MARTINES, a les pàg. 531-593 de la reedició de les *Poesies* d'A. March de Pere Bohigas, a cura d'AMADEU-J. SOBERANAS i Noemí ESPINÀS, Barcelona, Editorial Barcino, 2000, «Els Nostres Clàssics, B, 19».

d'honor militar. Jordi de Sant Jordi mor el 1424 (consta documentalment, vegeu la nota 1) i March no sembla que hagués iniciat la seva obra abans del 1427 (el seu poema XIII esmenta «lo rei xipré presoner d'un heretge», és a dir Janus de Lusignan, captiu al Caire en aquesta data).[2] I, tanmateix, basten aquests pocs anys, March mor el 1459, perquè puguem parlar de dues èpoques diferents de la poesia (el famós «abans i després de March» de la història literària), o per ser més exactes, de dues maneres diferents d'afrontar en vers l'experiència amorosa.

Per a Sant Jordi l'assalt imparable de la passió és una fatalitat dolorosa i bella: l'enamorat derrotat es proclama orgullós d'haver sucumbit davant d'una força invencible. Com a la guerra en sentit literal, el cavaller Sant Jordi es ret sense vergonya davant d'un enemic formidable, dotat d'un poder superior. D'acord amb l'antiga tradició cortesa, l'experiència de l'amor vertader millora espiritualment l'enamorat, perquè és l'escola on aquest aprèn amb sofriment i martiri les virtuts de la fidelitat i l'obediència; malgrat el dolor, malgrat la pèrdua de la llibertat de qui esdevé presoner de la passió. Com s'havia fet almenys des dels temps de Bernat de Ventadorn, el poeta aïlla, del contingut psicofísic del fenomen amorós, l'aspecte sentimental, el qual és vist com un instrument educatiu. L'amor és una experiència positiva i socialment acceptada, que cal exaltar, evocar, somniar, «daurar», com deien els antics. Era factible trobar un públic addicte a aquesta visió de la jugada, la fina amor dels trobadors, en tots els ambients aristocràtics i en totes les corts europees de les acaballes del segle XIV i els inicis del XV: era una marca de classe. El discurs clerical que denuncia des de sempre la idealització abusiva d'una tal visió de l'amor, d'altra banda, no genera tradicionalment cap sentiment de culpa. De fet, hom recorre als advertiments –profusíssims– de l'Església contra l'amor, només quan l'empresa fracassa: el cap de turc pot ser la dona, reduïda implacablement a l'Eva inductora del pecat, o la dimensió morbosa de la submissió de l'amant; des dels temps de Marcabrú.

El mateix amor que és «possible», en el sentit que és moralment acceptable, en les poesies de Jordi de Sant Jordi esdevé «impossible» en la major part de les de March, precisament perquè March s'esmerça a denunciar, des de la posició del poeta que s'hi hauria de sotmetre, l'antiga convenció cortesa que presenta l'amor com un exercici de millora espiritual de l'individu en la pràctica de determinades virtuts. Aquesta denúncia, és a dir la recerca de la «veritat de l'amor», en la terminologia del

2. Per a l'anotació de Sant Jordi segueixo l'edició esmentada a la nota anterior; a propòsit del poema XIV, cal recordar els comentaris de Josep ROMEU a *Anàlisis i comentaris de textos literaris catalans*, I, ed. Narcís Garolera, Barcelona, Curial, 1982, pàg. 105-112. Per a March cal integrar l'edició de Pere BOHIGAS (1952-1959), reeditada amb intervencions el 2000 –vegeu la nota anterior– amb la de Robert ARCHER, 2 vol., Barcelona, Barcanova, 1997. Les edicions curades per FERRATÉ a Quaderns Crema (1979, amb reedicions) i a Edicions 62 (1979, amb reedicions) prescindeixen de tot comentari. Diverses de les antologies que circulen contenen notes de valor: la de Costanzo DI GIROLAMO, Milà, Luni, 1999 (que no escull el poema IV), o la de Josep PUJOL i Francesc GÓMEZ, Barcelona, Biblioteca Hermes, 1998 (que duu a terme un notable esforç didàctic). Cal remetre a Joan FERRATÉ, *Llegir Ausiàs March*, Barcelona, Quaderns Crema, 1992, pel que fa als primers dotze textos de la seqüència canònica establerta per Pagès.

poeta, com és ben sabut, comporta hibridar el discurs líric (trobadoresc, amb empelts de la tradició clàssica, llegiu Ovidi) dels instruments d'anàlisi de la passió propis de la ciència universitària del moment: psicologia, moral i medicina.[3]

Davant dels sabers homologats per l'anomenada ciència escolàstica, l'oficial de les Universitats dels segles XIII al XV, no hi pot haver res de positiu ni d'exaltant en la renúncia de la voluntat del subjecte humà, que es proclama víctima de l'amor, a exercir un autocontrol responsable. Al contrari, plegar-se a la servitud de l'amor és alhora una malaltia psicofísica, caracteritzada per antics poetes i metges de l'escola de Montpeller, i una mancança moral: cap enamorat no pot sentir-se orgullós del seu estat d'home pertorbat.[4] L'intel·lecte es rebel·la contra la tirania de la seducció, fins i tot quan la voluntat no té la força de fer-li costat. March, que es complau presentant-se com el «pus extrem amador» i també com el més informat dels teòrics de la matèria, s'escarrassa sense èxit en la construcció programàtica d'un amor net de culpa; lliure, si més no, de l'enutjosa dimensió de la carn i de la sang. Talment com si el desig amorós humà es pogués expressar en els termes d'una aspiració pura al bé. Aquesta «fal·làcia platònica», àmpliament cultivada pels poetes toscans del Doscents i del Trescents, de l'estilnovisme a Petrarca, insisteix en la dimensió espiritual de la dona (bellesa exterior i bellesa interior) i en la mortificació de la concupiscència masculina («herbes no es fan males en mon ribatge», LXVIII,18).[5] Val a dir que March no segueix cap de les solucions teòriques que ofereix la tradició lírica italiana en aquest punt, des de la transformació de Beatriu en ànima salvada, al penediment de la segona part del *Canzoniere*.

3. Per als empelts culturals classicitzants de March, vegeu el meu *Tradició i modernitat als segles XIV i XV. Estudis de cultura literària i lectures d'Ausiàs March*, Barcelona-València, Institut Interuniversitari de Filologia Valenciana - Publicacions de l'Abadia de Montserrat, 1993, pàg. 195-219, i Jaume TURRÓ, «Ausiàs March no va viure en temps d'Ovidi», *Estudis de Filologia Catalana. Dotze anys de l'Institut de Llengua i Cultura Catalanes. Secció Francesc Eiximenis*, ed. August Rafanell i Pep Valsalobre, Barcelona, Publicacions de l'Abadia de Montserrat, 1999, pàg. 176-199.

4. Ho explico a *Tradició i modernitat als segles XIV i XV*, citat a la nota anterior, pàg. 143-150.

5. L'únic lloc on March pot expressar amb plenitud i sense recança un plantejament com aquest (la dama és un «àngel» o un «miracle»; el galant, un ésser tot esperit i contemplació) és el subgènere de l'elogi cortesà, on el jo que parla no és víctima de la passió, no està sotmès a la «torbació». És clarament el cas del poema XXIII, «Lleixant a part l'estil dels trobadors»: només cal que acceptem la proposta de Lluís Cabré sobre la identitat de dona Teresa: es tractaria de Teresa d'Íxer, la mare de Pedro d'Urrea, ausiasmarquista conspicu (vegeu la nota 12), i que pertanyia a una alta noblesa de València, situada socialment força per sobre dels March i dels Martorell. Lluís CABRÉ, «Dos lectors antics del mestre Ausiàs March i un context», *Ausiàs March: Textos i contextos, ed. Rafael Alemany*, Barcelona-València, Institut Interuniversitari de Filologia Valenciana - Publicacions de l'Abadia de Montserrat, 1997, pàg. 68; cal contrastar el suggeriment d'aquesta pàgina amb els llibres: Jesús VILLALMANZO i Jaume J. CHINER GIMENO, *La pluma y la espada. Estudio documental sobre Joanot Martorell y su familia (1373-1483)*, Ajuntament de València, 1992, pàg. 54-56, i Jaume J. CHINER GIMENO, *Ausiàs March i la València del segle XV (1400-1459)*, València, Generalitat Valenciana, 1997, pàg. 347-349. S'hi aclareix la mediació que va exercir Teresa d'Íxer en el matrimoni del poeta amb Isabel Martorell.

Que el poeta sigui alhora part i jutge de l'amor comporta contrastos violents. Heus ací el més exagerat: l'enamorat, doblat d'analista, descriu amb cura el triomf de l'intel·lecte sobre el cos (per exemple al poema XVIII, «Fantasiant, amor a mi descobre»), amb la pretensió inútil de salvar l'insalvable, ja que la passió de l'enamorat per l'esperit de l'amada, és certament menys grossera i culpable de la de qui busca tan sols la satisfacció fugissera de la carn; però, en essència, no és altra cosa que l'adoració d'una criatura que ocupa tendencialment el lloc de bé suprem, de forma òbviament il·lícita. A la baixa edat mitjana el triomf universitari, consolidat des del segle XIII, de la física i dels tractats naturals d'Aristòtil havia imposat entre la gent cultivada, d'una banda, la identificació de l'amor humà amb la reproducció de l'espècie, i, de l'altra, l'alarma preceptiva davant de la «fal·làcia platònica» suara esmentada, que malda per reconèixer un únic gènere al darrere de l'«amor terrenal» o sensual i del «celestial» o espiritual. March, com Petrarca, que insisteix en el seu «giovanile errore», coneix molt bé els camins de les anàlisis que desarticulen la «unitat de l'amor», i sap que l'exacerbació del vessant misticitzant i contemplatiu de la passió limita amb el pecat d'idolatria. No costa gens de detectar-lo llegint literalment metàfores hipèrboliques, perfectament homologades a la lírica del XV, del tipus: «vós, dona, sou mon déu i mon delit» LIII, 25, o «car nostra carn no coneix altre déu» LXXV, 22.

2. Una lectura contrastada

Proposo la lectura contrastada d'una poesia de Sant Jordi i d'una de March que presenten un motiu literari semblant, molt estimat dels trobadors i dels poetes italians i francesos de la baixa edat mitjana: la personificació retòrica dels agents psicofísics de l'amor, els quals, dotats de paraula, debaten sobre les capacitats i mèrits respectius en l'esclat de la passió. Es tracta de la composició "Un cors gentil m'ha tant enamorat", XI del corpus de Sant Jordi, i de la que comença "Així com cell que desitja vianda", IV de les poesies d'Ausiàs. La comparació té com a finalitat valorar les actituds ideològiques dels poetes, a través del quadre de valors que defensen; no pretén, en canvi, avaluar els mèrits lírics i estètics dels dos textos, perquè és força probable que en aquesta tria tan mediata sigui fàcil argumentar a favor de Sant Jordi i en contra de March. Seria força injust atacar per l'esquena el poeta més notable del Quatrecents català; en canvi, resulta instructiu observar que l'origen d'algunes de les obscuritats més inquietants i enutjoses del seu discurs poètic –el seu to abrupte, el no posar el lector en antecedents– neixen d'una poderosa necessitat de polemitzar amb determinats llocs comuns de la tradició.

Sant Jordi escenifica un debat entre tres interlocutors, els ulls, el cor i el pensament de l'enamorat, disposats a demostrar que cada un d'ells és el progatonista absolut dels fets. El poeta ofereix un cer avantatge al pensament d'amor, que parla en tercer lloc i evoca les virtuts del servei a la dona, més enllà dels mèrits del sofriment del cor o de l'èxtasi de la visió dels ulls. En qualsevol cas, el pretext temàtic de la composició no és altre que sol·licitar la pietat o mercè de Na Isabel, la qual, en expressar la seva preferència per un dels tres agents de la passió, no farà més que satisfer el desig extrem d'un enamorat que es presenta com un subjecte devastat per l'opressió de l'amor, al límit de les seves forces: que se sent venir la mort.

March no pot acceptar aquest plantejament: la superioritat del pensament sobre els sentits (ulls) i les emocions (cor), és a dir sobre el cos, insinuada discretament per Sant Jordi d'acord amb la tradició, adquireix per a ell un estatut científic pròpiament dit, més enllà dels usos cortesos y de les velles convencions dels trobadors. El pensament d'amor és per a March, doncs, una noció ben precisa: l'intel·lecte reacional superior humà, de què solen parlar els filòsofs. Un intel·lecte ben informat a propòsit de les seves capacitats de tria entre el bé i el mal, i sobre la funció que la moral escolàstica li atribuïa de guia de la voluntat, que ha de portar l'home a la seva salvació personal.[6]

Cal extreure de cada cobla els continguts que he anunciat.

Pel que fa al poema XI de Sant Jordi:

1. La discussió entre els ulls, el cor i el pensament es presenta en el context dels efectes deleteris de la passió: no hi ha remei ni refugi, el cos del poeta cedeix, no pot sostenir el debat encès dels tres interlocutors, que representen la torbació produïda per l'amor. La solució implícita del conflicte és l'arribada de la mercè, la comprensió amorosa que recompon l'equilibri perdut.

2. Les raons dels ulls evoquen l'anàlisi mèdica del fenomen amorós, que situa en la percepció visual el primer estímul de l'error de la imaginació (o de la facultat estimativa, en determinats autors), que és l'origen de l'amor: la confusió entre una criatura i l'ens absolut. La facultat que s'erra, la imaginació o l'estimativa, se situava en el cervell, segons Galé i els metges, o en el cor, segons Aristòtil i els filòsofos. La preeminència de la visió, en canvi, no la discutia ningú. Les llàgrimes que mullen el roste de l'enamorat quan es desperta de nits pertanyen al motiu líric universal de l'insomni d'amor.

3. Pel que fa al cor, Sant Jordi parla el llenguatge dels poetes de la tradició romànica, que identifiquen, com la filosofia antiga, però de forma difusa i imprecisa, aquest òrgan amb l'indret on opera la passió. Com deia a la cort siciliana de Frederic II Staufen Iacopo da Lentini, un dels primers poetes intel·lectuals de la lírica europea: "Amor è uno disio che ven da core / per abondanza di gran piacimento; / e li occhi in prima general l'amore / e le core li dà nutricamento... che li occhi rapresentan a lo core / d'onni cosa che veden bono e rio, / com'è formata naturalemente; / e lo

6. Per a l'abast de la cultura escolàstica que manejava el cavaller Ausiàs, vegeu Lluís CABRÉ, «Aristotle for the Layman: Sense Percepion in the Poetry of Ausiàs March», *Journal of the Warburg and Courtauld Institutes*, 56, 1996, 48-60.

cor, che di zo è concepitore, / emagina, e li piace quel desio..."[7]. El cor, doncs, consuma l'esclat de la passió, perquè, colpit per la mirada, absorbeix la flama, l'excés d'estímul de l'objecte bell contemplat pels ulls, i es desborda; entra en l'error. No hi ha cap plaer que pugui amorosir el dolor del cor enamorat: en absència de la mercè els ulls bé poden gaudir de la visió; el cor, no. La preeminència indiscutida del cor és la del sofriment.

4. Com s'ha dit, el pensament pot pretendre de superar els ulls i el cor perquè ofereix l'actitud virtuosa del servei: la submissió total, la fidelitat absoluta a l'estimada. La seva funció precisa en el desenvolupament de la passió és la de retenir obsessivament la imatge de l'estimada: recordar-se sempre d'ella, despert o dormint, què fa, quina capacitat d'estimar té.

5. El poeta conclou reprenent la cobla 1, on suggeria una fase bastant avançada de la devastació psicofísica produïda per l'amor. Els ulls amarats de llàgrimes, el pensament tossudament fixat en ella, el cor que crema més enllà de les seves capacitats. La solució ha de venir de l'origen mateix del mal, de «lei qui'ls ha tals adobats»: la dama.

6. Aquesta tornada invita la dama a exercir la pietat resolent l'enigma de la preeminència entre els ulls, el cor i el pensament; retòricament tanca el poema sol·licitant una comprensió amorosa reclamada des del començament.

7. La segona tornada insisteix en el mateix, amb l'èmfasi en el perill mortal que amenaça l'amant, com ja s'ha avançat a les cobles 1 («mon las cors no ho porà suportar») i 5 («'l cor angoixós, que's perdrà»).

L'equilibri, l'elegància i l'harmonia d'aquest poema depenen de l'arquitectura del discurs: una cobla introductiva, una cobla per a cada agent de l'amor, una cobla conclusiva, unes tornades que presenten la súplica preceptiva, i una eloqüent amenaça, la mort. Però també depenen de les convencions corteses: anàlisis psicològiques transformades en debat entre diverses personificacions, tria d'opcions teòriques que amaga una petició de mercè o ajuda de la dama, commoció i pietat pel sofriment de l'enamorat, idealització del servei amorós com si es tractés d'una virtut homologada. També pertany a l'àmbit de les convencions corteses el fet de posar entre parèntesi el parer de la moral cristiana a propòsit de la passió d'amor, un parer ferotgement advers, des de temps més remots als més recents, que per a March ocupa, en canvi, un punt de vista central i ineludible.

March assumeix al poema IV una actitud arriscada perquè construeix el seu discurs a contrapèl de les receptes bàsiques de la tradició lírica a partir de la qual s'havia expressat Jordi de Sant Jordi al seu poema XI: no hi ha ni una engruna de comprensió ni de commoció davant de la passió d'amor, si abans no s'hi opera una reduc-

7. *Poeti del Duecento*, ed. Gianfranco Contini, Milà-Nàpols, Ricciardi, 1957, pàg. 90. "Capitoli per una storia del cuore. Saggi sulla lirica romanza", a cura di Francesco Bruni, Palermo, Sellerio, 1988.

ció purificadora, que preventivament netegi el terreny de tota sospita sensual. És un problema que Jordi de Sant Jordi ignora, com és habitual en la seva tradició. L'exclusió d'aquest problema fa que la seva composició resulti amable, precisament gràcies a l'ambigüitat dels termes que expressen la seva experiència: els ulls, el cor i el pensament veuen, senten i pensen la figura carnal de la dama, però és implícita la presència de la seva dimensió espiritual, imprescindible per a la magnificació de la passió mateixa. March se sent en l'obligació d'especificar i de precisar: aprenem molt aviat que en qüestions d'amor hi ha uns «grossers» i uns «subtils», i que el jo que ens parla ha sostingut una dolorosa lluita amb ell mateix per aconseguir d'aliniar-se decididament amb els segons. La part més suggestiva del poema és sens dubte la que evoca aquest enfrontament a les dues primeres cobles. Després el parlament de l'intel·lecte aniquila en quatre dures cobles (4, 5, 6, 7) les miserables raons del cos, a qui tan sols es concedeix una unitat mètrica (3) per expressar-se. En comparació amb la dòcil estructura de Sant Jordi, March, com si ja sabéssim àmpliament de què ens està parlant, suprimeix la introducció i la conclusió; el seu poema passa violentament de les poderoses raons de l'intel·lecte a una tornada, on «Plena de seny» ha de sentir-se dir que és objecte de la passió desmesurada d'algú que no pot trobar satisfacció fora d'ella, d'algú que concentra tota la seva força d'estimar en ella. Extraordinària passió aquesta, que convergeix tota cap a l'interior de l'estimada: «Tot és dins vós lo que'm fa desijar.»

La tornada sol·licita, doncs, implícitament la mercè per a una passió sorprenentment governada per l'intel·lecte: la «vida d'amor», que tria el poeta a la primera cobla, i l'«amar dretament vós», que es proclama a la segona, garanteixen a «Plena de seny» que se les heu amb un enamorat diferent, subtil, que parla directament en termes de filosofia pura i dura. Al text de Sant Jordi no hi ha rastres de lèxic tècnic d'aquest sector científic: la imatge de l'enamorada, la funció de la imaginació i de l'estimativa, imprescindibles per a descodificar el poema, els ha posat el comentarista, que necessita fer explícits al segle XXI uns mecanismes psicològics àmpliament presents per al selecte públic del segle XV.

Cal ara repassar els continguts del poema IV de March.

1. La peça s'obre amb un exemple que conserva intacte el sabor de les escoles, manllevat oportunament per tal d'expressar les dificultats de la tria entre el vessant carnal i l'espiritual de l'amor. També Dante en un passatge del *Paradiso* descriu en vers la situació de qui és sol·licitat amb força igual per dos estímuls idèntics, de tal manera que no pot prendre lliurement la seva decisió. «Intra due cibi, distanti e moventi / d'un modo, prima si morria di fame, / che liber uomo l'un recasse ai denti; / sì si starebbe un agno intra due brame / di fieri lupi, igualmente temendo; / sì starebbe un cane intra due dame.»[8] L'exemple se sol atribuir al mestre parisenc Joan

8. Par., IV, v. 1-8. Traducció d'Andreu FEBRER, *Divina Comèdia*, V, ed. Annamaria Gallina, Barcelona, Barcino «Els Nostres Clàssics», 1983, pàg. 46: «Entre mengars dos, distants e movents / d'un modo, ans de gran fam se morria / que un franch hom la hun prengués ab dents; / tal un anyell posat quet estaria / entre dos lops fers, tement esgualmén; / axí un ca mig dos daynes faria.»

Buridà (1295/1300-1358), encara que no es pugui llegir en cap de les seves obres conservades. El lliure albir és la facultat intel·lectual que pren les decisions fonamentals en la vida moral de l'home. Segons Tomàs d'Aquino aquest lliure albir resideix en l'intel·lecte, l'encarregat de presentar a la voluntat les finalitats últimes, per tal que aquesta operi la tria; Tomàs també posa un exemple: «si hi ha dues coses completament iguals, l'home no és mogut més cap a l'una que cap a l'altra; com un famolenc, que si té un menjar igualment atractiu en diversos llocs, i disposat a una distància igual, no és mogut més cap a l'un que cap a l'altre».[9] Joan Buridà segueix aquesta mateixa via.[10] March trasllada l'exemple del context psicològic i moral a l'amorós: els dos fruits idèntics que atreuen igualment l'atenció són dues dames, en realitat dues possibilitats d'estimar una dama. La «vida d'amor» designa l'amor de l'ànima (que perdura), i suposa «una mort d'amor», que correspondria a l'amor del cos (que decau amb la satisfacció del desig). La tria de March implica la intervenció de l'intel·lecte en els termes de la doctrina tomista.

2. La segona cobla evoca el contrast entre dos vents contraris, molt car a March. Les tempestes embelleixen descripcions de situacions d'amor impossible, o, a través del naufragi que les sol concloure, il·lustren les conseqüències fatals de la passió. Aquí es tracta solament de mostrar que és necessari que un vent s'imposi sobre l'altre per obtenir alguna mena de desenllaç. És el «voler» que decreta la solució. Un «voler» que més endavant veurem fins a quin punt està condicionat per l'intel·lecte. La solució de l'«amar dretament vós» confirma el significat de la «vida d'amor» que tanca de forma anàloga la cobla anterior.

3. A la tercera cobla el poeta parla amb l'amor carnal vençut dues vegades: el cos que no estima la castedat queda doblement frustrat perquè perd l'ocasió d'un plaer fàcil. Les raons del cos són les dels ulls i del cor de Sant Jordi: l'amor neix precisament de la mirada i de la flama que aquesta encén. El cos argumenta, sense èxit, que complaure la carn pot satisfer tots els anhels de l'enamorat.

4. L'intel·lecte introdueix ara dos termes tècnics: la *complexió elemental* del cos, és a dir la seva constitució material (els quatre humors), implica que, en la seva dimensió animal (compartida amb el llop i la guineu), l'home funciona empès per l'instint, l'*apetit sensible* dels *bruts* (l'horitzó dels animals irracionals i de la reproducció de les espècies). Un amant que crema a causa d'aquest amor no mereix cap mena de consideració.

9. Tomàs, *Summa theologiae*, I, II, 13, 6: «si aliqua duo sunt penitus aequalia, non magis movetur homo ad unum quam ad aliud; sicut famelicus si habet cibum aequaliter appetibilem in diversis partibus, et secundum aequalem distantiam, non magis movetur ad unum quam ad alterum».

10. L'exemple de l'ase que té set i fam, i no pot escollir entre l'abeurador i la menjadora es podia fer servir a l'aula per rebatre els deterministes (l'ase moriria de gana, segons aquesta posició) o contra els defensors del lliure albir (l'ase està dotat de l'anomenada llibertat d'indiferència). Vegeu *The Cambridge History of Later Medieval Philosophy*, ed. Norman Kretzmann et al., Cambridge University Press, 1982, pàg. 635.

5. El discurs indirecte continua sostenint el poder de l'intel·lecte amb altres termes tècnics: l'intel·lecte venç la *sensualitat*, és a dir l'activitat de l'ànima sensitiva dels bruts, la que es mou gràcies a l'*apetit brutal*. El *primer moviment* pertany al cos perquè, segons el llenguatge de les escoles, designa la resposta immediata a l'estímul sensible: pel que fa a l'amor, és l'apetit que neix de la visió de l'objecte estimat. La responsabilitat moral pertany, però, a l'intel·lecte, que té la capacitat d'imposar-se als sentits perquè jutja moralment. La voluntat segueix la tria de l'intel·lecte, com assenyala Tomàs d'Aquino quan descriu el lliure albir. La rebel·lió de la voluntat contra l'intel·lecte no pot triomfar, perquè ell és qui governa la raó i el seny.

6. Ara l'intel·lecte parla fins al quart vers de la cobla 7. El cos consumeix ràpidament el seu desig, que s'apaga amb la satisfacció del plaer. L'enuig posterior a la unió carnal, el desinterès posterior a la baixada de la tensió del desig mostren la vanitat dels actes del cos. Un amor grosser dura poc. Els actes bons els dicta la voluntat, la qual obeeix l'intel·lecte, tal com ja s'ha dit. Es dóna per fet que March identifica l'amor amb un bé que es vol assemblar al bé suprem (si és que no s'instal·la abusivament en el seu lloc), per això l'intel·lecte es presenta com l'única via vàlida per a l'amor, perquè tan sols a través de l'intel·lecte es pot arribar al bé suprem. Imaginar alguna altra mena de desenllaç satisfactori és cosa de bojos, d'estúpids o de grossers.

7. Conclusió: cal tenir un intel·lecte clar i il·luminat, dotat d'un servidor («pillard»), que és la subtilesa: tots dos estan en estreta correlació amb l'autèntica delectació amorosa. Les menges delicades («fins pasts»), que enllacen amb la «vianda» de la primera cobla, remeten sens dubte a la «vida d'amor».

3. Epíleg

March ha jugat fort i ha escrit un text difícil que, parafrasejant Joan Fuster, amb prou feines es reconeix com un cant d'amor; de fet s'acosta manifestament a l'estil del tractat, atesos els tecnicismes i la densitat conceptual.[11] Potser l'hermetisme de la terminologia filosòfica i dels corresponents conceptes psicològics i morals és massa intensa, potser la seqüència lògica de la composició a estones s'esvaeix i planteja massa dubtes en una lectura superficial o poc analítica del text. En qualsevol cas, March ens ha parlat de la seva experiència d'enamorat des d'un punt de vista matisadament diferent del dels poetes que el van precedir immediatament, dels trobadors, al seu pare Pere, al seu oncle Jaume, al seu company d'armes Jordi de Sant Jordi, de tots els quals podia ben dir que «per escalf traspassen veritat» (XXIII, 1).

11. Joan FUSTER, *Misògins i enamorats*, ed. Albert Hauf, Alzira, Bromera, 1995, pàg. 121.

Aquesta versió personalíssima d'Ausiàs del gir intel·lectualista de la lírica europea tardomedieval va ser elevada a norma de gust cortesà a la Corona d'Aragó dels Trastàmara a mitjan XV: l'*ausiasmarquisme* de la lírica de la segona meitat d'aquest segle comença tot just a merèixer l'atenció de la crítica. I no es tracta pas d'un assumpte secundari, ja que en depèn, entre altres coses, la compilació dels cançoners més autoritzats per a la transmissió del text de March.[12]

4. Textos

Segueixen els textos presos de les edicions esmentades a les notes 1 i 2, amb retocs de grafia i de puntuació. Els tecnicismes de March els he assenyalat en cursiva.

Jordi de Sant Jordi, XI

I Un cors gentil m'ha tan enamorat
lo cor e'ls ulls e mon fin pensament,
que nit e jorn n'estan en gran debat
qui l'amarà d'ells tres primerament;
e veig tan fort a cascun d'ells encès
que no m'hi val saber a remeiar.
E vets com m'ha en quin joc ella mes,
que mon las cors no ho porà suportar!

II Dien los ulls que no hi cal debat ges,
que ells foren cert primers en lo triar
e que, son alt, la vòlgron més que res,
car manta nit los cové despertar
al llit plorant, per desir que'ls ne ve

12. Parlar de l'ausiasmarquisme com un fenomen local paral·lel al (i imitador del) petrarquisme pot ser un exercici interpretatiu més o menys innocu en treballs com el de MARTÍ DE RIQUER i qui signa, «Les poesies de Ramon Boter i l'herència d'Ausiàs March», *Estudis de literatura catalana en honor de Josep Romeu i Figueras*, ed. Lola Badia, 2, Barcelona, Publicacions de l'Abadia de Montserrat, 1986 pàg. 253-293, i fins i tot a la introducció i les notes de l'edició de l'obra de Romeu Llull, a cura de Jaume Turró, Barcelona, Barcino «Els Nostres Clàssics», 1996. La recepció immediata comença a ser un instrument irrenunciable d'anàlisi a partir de Lluís Cabré i Jaume Turró, «Perché alcun ordine gli habbia ad esser necessario: la poesia 1 d'Ausiàs March i la tradició petrarquista», *Cultura Neolatina*, 55, 1/2, 1995, 117-137, i Lluís Cabré, «From Ausiàs March to Petrarch: Torroella, Urrea, and other Ausiasmarquides», *The Medieval Mind. Hispanic Studies in Honour of Alan Deyermond*», ed. Ian Macpherson i Ralph Penny, Londres, Tamesis, 1997, pàg. 57-73. Vegeu també, més amunt, la nota 5. Cal esperar que es divulguin aviat les troballes documentals recents de Jaume Turró i, especialment, que arribi a port la tesi que dirigeix a Girona sobre la vida i l'obra de Pere Torroella, un ausiasmarquista ultrat i molt actiu, de Francisco Javier Rodríguez Risquete.

d'ella veer, que'ls fa viure i morir;
e per açò han gran raó per què
null hom del món no'ls pot res contradir.

III Diu lo cor: cert que'ls ulls saben molt bé
que en lo començ lo venc primer ferir
un dolç esguard; d'aquell sol, las, sosté
lo foc d'amor, qui'l fa tots temps llanguir,
sens que remei no sent d'alguna part,
qu'ell ha l'afan i'ls ulls han lo plaer;
per què és raó que ell n'haja mellor part
de sobre tots, si dret li volen fer.

IV Lo pensament diu que, si Déu lo guard,
que'ls ulls ne'l cor no poran sostener
nengun bon dret, que jorn, matí ne tard,
incessantment jamés no's pot mover
d'ella pensar, en durment ne vetlant,
què fa, on és, ne si'l desamarà;
e que ell de tots sofer lo més afan,
per què tot sol, sens pus, la servirà.

V E vets ací en quin treball tan gran
visc cascun jorn, que bella dona fa;
veig d'una part los ulls que estan plorant,
e d'autra'l cor angoixós, que's perdrà,
i'l pensament en pensar ocupats.
Tant que no sai qui m'ajut en est cas,
si donques lei qui'ls ha tals adobats
no'm vol aidar a l'afan que jo pas.

VI Na Isabel, si mon bé desirats,
molt vos suplic declarets en tot cas
qual de tots tres deu ser de vós amats,
pus que'ls havets així trets de compàs.

VII Que en bona fe tant me só malmenats
des que no us vi, que'ls tres m'han dit tot ras
que, si doncs vós açò no declarats,
que en breu de temps me faran dur al vas.

Ausiàs March, IV

I Així com cell qui desitja vianda
per apagar sa perillosa fam
e veu dos poms de fruit en un bell ram
e son desig egualment los demanda,
no'l complirà fins part haja elegida
sí que'l desig vers l'un fruit se decant,

així m'ha pres, dues dones amant,
mas elegesc per haver d'amor vida.

II Si com la mar se plany greument e crida
com dos forts vents la baten egualment,
u de llevant e altre de ponent,
e dura tant fins l'un vent ha jaquida
sa força gran per lo més poderós,
dos grans desigs han combatut ma pensa,
mas lo valor vers u seguir dispensa.
Jo'l vos public: amar dretament vós.

III E no cuideu que tan ignoscent fos
que no veés vostre avantange gran:
mon cors no cast estava congoixant
de perdre lloc qui l'era delitós.
Una raó fon ab ell de sa part,
dient que en ell se pren aquesta amor,
sentint lo mal o lo delit major
sí que, ell content, cascú pot ésser fart.

IV L'enteniment a parlar no venc tard
e planament desféu esta raó
dient que'l cos, ab sa *complexió*,
ha tal amor com un llop o renard,
que llur poder d'amar és limitat,
car no és pus que *apetit brutal*,
e, si l'amant veeu dins la fornal,
no serà plant e molt menys defensat.

V Ell és qui venç la *sensualitat*.
Si bé no és en ell *prim moviment*,
en ell està tot lo *jutjament*:
cert guiador és de la *voluntat*.
Qui és aquell qui en contra d'ell reny?
Que *voluntat*, per qui*'l fet s'executa*,
l'atorg senyor e, si ab ell disputa,
a la perfí se guia per son seny.

VI Diu més avant al cos, ab gran endeny:
«Vanament *vols* e vans són tos desigs,
car dins en un punt tos *delits* són fastigs,
romans-ne llas, tots jorns ne prens enseny.
Ab tu mateix *delit* no pots haver:
tant est *grosser* que amor no n'és servit.
Volenterós acte de bé és dit,
e d'aquest *bé* tu no saps lo carrer.

VII Si *bé complit* lo món pot retener,
per mi és l'hom en tan *sobiran bé*,

e qui sens mi esperança'l reté
és foll o pec o terrible *grosser*».
Aitant com és l'enteniment pus clar,
és gran delit lo que per ell se pren,
e son pillard és *subtil* pensament,
qui de fins pasts no'l jaqueix endurar.

VIII Plena de seny, no pot Déu a mi dar,
fora de vós, que descontent no camp.
Tots mos desigs sobre vós los escamp:
tot és dins vós lo que'm fa desijar.

PERCEPCIÓ DEL TEMPS I AVANTGUARDES

Enric Balaguer

Universitat d'Alacant

1. Les senyoretes del carrer d'Avinyó

Quan Leo Stein, davant de Picasso, va veure el quadre *Les senyoretes del carrer d'Avinyó* va exclamar: «Has volgut pintar la quarta dimensió, que divertit!».[1]

Fig.1

1. PALAU I FABRE, *Picasso cubisme,* Barcelona, Polígrafa, 1990, Apèndix, 1, pàg. 487.

En efecte, una idea nuclear que pul·lula en l'ambient artístic i intel·lectual de l'època gira al voltant d'una nova noció del temps i de com plasmar-la en la creació, siga plàstica, literària o musical. La reflexió sobre el temps, que ocupa des de les opcions filosòfiques d'un Henry Bergson a les teories d'Einstein –a les quals ens referirem en l'apartat següent–, resta com una inquietud del moment que pretén materialitzar-se en les obres artístiques. Aquesta inquietud és, sens dubte, deutora de l'ambient de transformacions viscudes durant el període, ja que assistim, en pocs anys, a l'invent del telèfon, de la telegrafia sense fils, del gramòfon, de la ràdio, del submarí, de l'avió... A finals del segle XIX s'havia inventat el cinema, que aportarà múltiples transformacions relacionades amb una nova percepció –dinàmica i en moviment– de la realitat. El conjunt de transformacions es tradueixen, precisament, en això: en canvis de percepció sobre la realitat i, ben especialment, sobre la realitat espaciotemporal.

Però tornem a *Les senyoretes...*, es tracta, sens dubte, d'un quadre que inicia un nou llenguatge i expressa de forma contundent, fins i tot convulsa, la noció de temps: «un dels problemes essencials, si no l'essencial –comenta Josep Palau i Fabre– que es planteja en *Les senyoretes...*, és el de la lluita espai i temps».[2] Fet i fet, Picasso intenta plasmar els moviments de les dones de la banda dreta amb un intent de donar compte de totes les visions possibles. Incorpora el temps per tal com el desplaçament en l'espai requereix una seqüència temporal. Però potser no es tracta tant de representar com d'expressar. El quadre mostra l'opacitat –o la insuficiència– de la perspectiva tradicional i pretén revelar l'autèntica naturalesa de les coses: la pluridimensionalitat que aquestes presenten.

Per a expressar la nova concepció del temps, el pintor fa servir un nou llenguatge: el cubisme (amb l'abstracció geomètrica, angles, reduccions). A més, aquest llenguatge incorporava noves aspiracions estètiques: la indiferència davant de la complaença de l'obra artística ja que, fins i tot, fa servir una clara ostentació de la lletgesa (sembla que Braque després de veure el quadre va exclamar: «És com si ens fessin beure benzina mentre mengem sopa inflamada!»). Podem fixar-nos en la sintaxi del nou llenguatge. Palau i Fabre l'anomena l'*abreujat*.[3] De fet, es pot interpretar com el correlat de les descobertes i de les innovacions de l'època que infonen una sensació de dinamisme; l'*abreujat* evoca aquesta velocitat ambiental que comença a materialitzar-se en molts ordres de la vida quotidiana. El pintor no dóna compte només del dinamisme o de la mobilitat dels personatges, sinó que, com ha observat Palau i Fabre, hi ha tres temps diferents en el quadre: les dues senyoretes d'enmig, estàtiques; les de l'esquerra que entren i es mouen i les dues de la dreta, en ple moviment. Però «s'estan movent –anota l'estudiós– a causa nostra» amb la qual cosa fa que «siguem engolits per l'escena que estem veient i que ens incorpora a l'acció del quadre».[4]

2. PALAU I FABRE, «Les senyoretes» en *Quaderns de vella i nova alquímia*, Lleida, Pagès editor, 1996, pàg. 107.
3. *Picasso cubisme,* pàg. 12-13.
4. PALAU I FABRE, «Les senyoretes» en *Quaderns de vella i nova alquímia*, pàg. 108.

La voluntat d'expressar la nova percepció del temps –sobretot, la sensació d'acceleració i de rapidesa– esdevindrà un objectiu compartit per corrents com ara el cubisme i el futurisme, i en camps com la pintura i la literatura. Gertrude Stein –l'escriptora cubista com ella mateixa s'autoanomenava– explica així la situació de la pintura d'aquell temps: «Després de Cézanne tothom qui pinta vol tenir una sensació de moviment dintre de la pintura, no la pintura d'alguna cosa que es mou, sinó l'objecte pintat portant en si l'existència de moviment».[5]

La plasmació del temps –del nou concepte del temps– és una idea motriu, un vertader equador de les propostes esteticoideològiques de l'època. De la mateixa manera que el romanticisme es caracteritza per la voluntat d'expressar sensacions que s'acosten al tast del sublim, la creació artística, a primeries de segle, sembla encaminada a donar compte de la nova visió del temps. Un temps que no solament es percep (en mostrar-nos el ritme de les coses) dinàmic i canviant, mai no estàtic, sinó també múltiple o simultani. Per això una de les paraules clau del període és la de *simultaneïtat*.[6] Es tracta d'una idea transversal dels diversos ismes dels primers lustres del segle (fonamentalment cubisme i futurisme) i, com a terme, deu tenir un origen poligenètic. De fet, hi hagué una polèmica, el 1913, per reclamar-ne l'autoria entre cubistes i futuristes i, després, el 1914, entre els seguidors francesos de la idea.[7]

Amb el rètol de simultaneïtat/simultaneisme trobem múltiples iniciatives en el panorama creatiu de llavors: hi hagué des de les propostes de Barzum (i els seus poemes dramatitzats i simultanis), fins al poliplanisme (anomenat per Guillermo de

5. Apud, Esther Boix, *La raó i el somni. Del cubisme al surrealisme*, Barcelona, Polígrafa, 1989, pàg. 40.

6. Sobre aquest tema cal consultar A. Lara. Totino «Futurismo e simultaneità poetica» i «L'Orphéide, epopea della simultaneità» M. Decaudin «Petitts clartés pour unes sombre querelle», dins de *simultaneisme/simultanità*, Quaderni del Novecento Francese, ed. Roma Bulzoni, Nizet París, Roma, 1987, pàg. 7-60.

Són força interessants, així mateix, els comentaris que realitza Guillermo Carnero en «Primitivismo, sensacionismo y abstracción como actitudes de ruptura cultural en la literatura y el arte de vanguardia», dins de *Las armas abisinias. Ensayos sobre literatura y arte del siglo* XX, Barcelona, Anthropos, 1989, pàg. 86 i seg.

7. Un resum interessant el trobareu en Pascal Rousseau (*La aventura simultánea. Sonia y Robert Delaunay en Barcelona,* Barcelona, Publicacions Universitat de Barcelona, 1995, pàg. 28-29). En faig cinc cèntims: primer hi hagué una disputa entre Boccioni i Delaunay, el primer del qual acusava el segon d'haver-se apropiat el concepte i el terme dels futuristes. Boccioni, entre altres coses, al·ludia un article d'Apollinaire, que en efecte, reconeixia com l'interès de Delaunay era de filiació futurista. El pintor francès, però, argumentà amb aportacions de textos anteriors on intentava deixar clar que no era com ho volia el pintor italià.

La segona polèmica, més literària que plàstica, es produeix el 1914 en marxar de París els Delaunay. En aquest debat concorreren Apollinaire, Barzum i Cendras. Els Delaunay i Cendras havien projectat un llibre sobre el simultaneisme.

Sobre aquest tema cal consultar M. Decaudin, «Petitts clartés pour unes sombre querelle», dins de *simultaneisme/simultanità*, Quaderni del Novecento Francese, ed. Roma Bulzoni, Nizet París, Roma, 1987, pàg. 17-26.

Torre) passant per les formulacions de Robert i Sònia Delaunay, que el 1918 realitzen a Barcelona l'exposició «simultaneista».[8]

Tot i que podríem buscar les diferències a l'hora de donar compte de la dimensió temporal, en pintura i en literatura, resta ben clar que l'impuls esdevé el mateix: es tracta d'amarar l'obra artística de l'expressió del temps en la seua multiplicitat de manifestacions simultànies. A Viena, en els mateixos anys que Picasso i Braque *feien* cubisme, Schönberg treballava en música dodecafònica: «sóc conscient –deia– d'haver trencat tots els lligams amb una estètica caduca».[9] Aquest impuls rupturista compta d'igual manera en l'actitud dels creadors del moment: es tracta de buscar unes *noves formes de fer art*, unes noves formes de creació que, de vegades, no solament són diferents a les anteriors, sinó que se situen en clara antítesi.

2. Relativitat: nova dimensió del temps

Paral·lel als desplegaments artístics, cal anotar una sèrie de descobriments i de noves teories, en el terreny científic, que ben bé canvien (si no capgiren) les nocions relacionades amb l'espai i el temps, amb la matèria i amb el món, en general durant aquesta època. El 1896, el físic francès Antoine Henri Becquerel descobria la radioactivitat, un fet que sacsejà el panorama científic. Aquesta passa va significar per al pintor Wassily Kandinsky una novetat impactant, «en el meu esperit –deia l'iniciador de la pintura abstracta– equiparava la desintegració de l'àtom amb la del món sencer. De sobte varen caure els murs més ferms; tot semblava insegur, vacil·lant i dèbil. No m'hauria estranyat si davant dels meus ulls una pedra s'hagués dissolt en l'aire tot esdevenint invisible».[10]

El 1905, Albert Einstein dóna a conèixer la teoria de la relativitat, segons la qual l'espai no és tridimensional i el temps una entitat separada,[11] sinó que ambdós, espai i temps, formen un conjunt. Segons la teoria de la relativitat, no podem parlar d'espai sense parlar de temps i a l'inrevés. «Cal concebre –escrivia Einstein– l'espai i el temps, objectivament indissolubles, com un continu quadridimensional».[12] A diferència del model mecanicista newtonià, les nocions d'espai i de temps perden el seu significat absolut i esdevenen relatives: diferents observadors, a diferents veloci-

8. Vegeu sobre aquests darrers Pascal ROUSSEAU, *La aventura simultánea...*

9. Vegeu BOIX, op. cit. pàg.16

10. En Hajo DÜCHTING, *Kandinsky*, Benedikt Taschen Verlag GmbH, Bonn, 1995 (traducció castellana, 1996), pàg.10. Sempre que no indique el contrari, la traducció al català d'obres en castellà és nostra.

11. Vegeu per a una informació més completa, Albert EINSTEIN, *Sobre la relatividad especial y general,* Madrid, Alianza editorial, 1984.

12. *Op. cit.* pàg.132.

tats, ordenaran els esdeveniments de forma, també diferent, en el temps. La noció d'*espai* com una cosa que existeix objectivament, amb independència de les coses, és precientífica; des de la teoria de la relativitat, en canvi, s'observa el món físic com format «per un nombre infinit d'espais en constant moviment».[13]

Per això té molta lògica pensar, com diu Lluís Racionero, que «el cubisme és una expressió visual i plàstica correlativa a la visió del món que Einstein expressa científicament en la teoria de la relativitat».[14] Ho sabien els escriptors i els artistes de l'època? N'estaven al corrent? Sembla, per la intensa presència que hi ha en totes les manifestacions que formava part de l'aire d'aquells moments. Segons conta l'escultor Manolo (en l'inoblidable llibre de Josep Pla: *Vida de Manolo*), quan Picasso tot just iniciava el cubisme «parlava molt de la quarta dimensió i tenia a les mans els llibres de matemàtiques d'Henry Poincaré».[15]

Les teories d'Einstein deixen darrere no solament la visió mecanicista de Newton sinó també el cartesianisme i seqüeles com la divisió entre l'observador i la matèria observada. Comenta el físic Fitjot Capra: «En la física moderna, l'univers s'experimenta com un conjunt dinàmic, inseparable, que sempre inclou d'una manera especial l'observador».[16] I ara podem preguntar-nos: és això l'experiència que ens proposa Picasso en el quadre de *Les senyoretes del carrer d'Avinyó*?

La teoria de la relativitat demostrà, així mateix, com cal veure el món de forma dinàmica i no estàtica. Però no com una simple percepció del moviment dels éssers vius, sinó també de la matèria en general, perquè més que una substància, la massa és una energia associada a activitat i a processos.[17] La percepció que naix de la relativitat fa veure el món com una immensa teranyina d'interrelacions entre els diversos integrants que viuen en perpetu canvi, en moviment.

Tenim, doncs, la idea de temps, unida a la d'espai i lligada, així mateix, a la noció de les coses de l'univers en perpètua mutació. És lícit preguntar-nos: congenia, simplement, amb l'horitzó artístic del moment o n'és una conseqüència?

3. Simultaneïtat

La simultaneïtat és l'expressió de dos o més esdeveniments que es produeixen alhora. L'exemple més reeixit de simultaneïtat, dins del camp artístic, el dóna la

13. *Op. cit. 122.*
14. *Art i ciència*, Laia, Barcelona, 1987, pàg. 116.
15. *Vida de Manolo*, Barcelona, Destino, 1995, [1955], pàg. 137.
16. Fritjof Capra, *El tao de la física*, Luis Cárcamo editor, Madrid, 1992, pàg. 99 (1a edició *The Tao of Physics,* 1975).
17. Ibid. 93.

polifonia musical. Però encara hi ha un element, lligat a l'experiència quotidiana i més pròxim a la gent, en general, com és la màquina, perquè la màquina –amb les seues peces que funcionen de forma sincrònica– n'és un exemple viu. Vist des d'aquest angle, no sorprèn gens l'interès per la màquina –per l'artefacte, per l'aparell– dels artistes (incloent-hi els escriptors) durant aquestes primeres dècades del segle. El tema de la màquina, en la vida artística, és una veritable obsessió i, a banda de relacionar-se metonímicament amb el moment històric, amb l'època, cal veure-la també com l'expressió d'aquesta idea matriu de la *simultaneïtat*. A ulls clucs, es veu (bonica paradoxa!) que la simultaneïtat esdevé un tema central en els quadres més emblemàtics del període. Certament a diferència de la pintura, en la literatura la passió per la màquina és força menor. Mentre que en el primer camp trobem figures com Fernand Léger, l'obra del qual s'amara d'un interès –quasi una devoció– per la màquina o el moviment mecànic, no trobem cap escriptor l'obra del qual en puga ser analògicament un paral·lel.

L'escriptura s'organitza de forma successiva, imposa una linealitat quasi intrínseca a diferència de l'espai pictòric, que permet una major sintonia amb el món mecànic. Els cal·ligrames d'Apollinaire són, però, un intent de demostrar com, fins i tot, es pot bandejar aquest principi «intrínsec» de l'escriptura. Apollinaire es proposa construir un text on diversos missatges es convoquen alhora: el text voldria ser com una partitura musical. En llegim una part, però percebem, visualment, el conjunt. A la informació que prové de les paraules cal afegir-hi la informació icònica, que discorre, de vegades, de forma paral·lela o parcial del conjunt o, fins i tot, contradictòria. Igualment, la «tavole parolibere» futurista tendria aquesta caràcter i també la poesia clàssica oriental, xinesa i japonesa, molt en voga durant els primers anys del segle a tot Europa, i que fa de la pintura i de la poesia un art conjunt. Es tracta, tot multiplicant les capacitats expressives, de fer coexistir les dues substàncies en un mateix suport. Perquè, a diferència del que ocorre en les il·lustracions de llibres, no és que la imatge se subordina al text, sinó que totes dues participen amb igual força en l'elaboració del missatge.

Un dels promotors de l'invent, Apollinaire, a banda dels cal·ligrames, intentà dur la dèria simultaneista a textos poètics sense l'ajut del suport plàstic. Es tracta de poemes, com ara «Le musicien de Saint-Merry», on una construcció de fragments inconnexos evoca diverses realitats, allunyades en l'espai però que es produeixen al mateix temps.[18] Apollinaire, en aquest i en d'altres poemes, suprimeix els signes de puntuació en un afany d'emular la multiperspectiva a què dóna pas la pintura. El poema, que fa servir el mite d'Orfeu, ens relata fets que es produeixen en un barri de París, ens parla de fragments del passat i d'esdeveniments del present, de coses que passen en un lloc determinat i en altres barris. A parer d'Octavio Paz, qui glossa el

18. Cfr. Arrigo Lora-Totino «L'Orphéide, epopea della simultaneità» en *Simultanéisme/simultaneità*, Roma, Bulzoni, 1987, pàg. 26-72. L'autor hi defensa (pàg. 31) com el poema no aplica la idea de simultaneïtat atès que exposa moments successius amb indicacions temporals com «en aquest moment», «en un altre barri», «mentre que», etc.

poema de forma admirable en un text de *Puertas al campo*, l'escomesa del poeta es queda en simple intent:

> «El simultaneismo de Apollinaire no es algo que vemos, como en la pintura, sino algo que convocamos. La pipa, el periódico y la guitarra de Picasso están ahí, quietos en el cuadro; las casas, las chimeneas y las mujeres de Apollinaire pasan en el poema, unas detrás de otras. Un cuadro cubista es un sistema plástico, la configuración de las relaciones visuales entre un objeto y otro o entre las diversas partes de un objeto. Una composición que es, simultáneamente, la composición y la recomposición del objeto. En el poema, el centro de atracción no son las relaciones entre objetos sobre una tela inmóvil sino en un texto en movimiento. El texto es temporal...»[19]

Com deia Jorge Luis Borges: «lo que vieron mis ojos –cite de memòria – fue simultáneo, lo que ahora escribo sucesivo». Però el poema d'Apollinaire, encara que no materialitza la simultaneïtat, té al seu favor el fet d'evocar-la, d'indicar-la, de fer-la sentir. Quasi és un poema surrealista i amb un objectiu ben revolucionari per a l'època.

La idea de simultaneïtat presidí la producció de l'escriptor francès Barzun, imbuït en la idea d'expressar la simultaneïtat a través de la inserció de diversos plànols en el text, primer en el que anomenà *poema dramàtic* –però també fou coneguda com *poesia simultània*, *poesia panrítmica*, *poesia vocal*, *poesia òrfica* o *poesia harmònica polimelòdica*– on diverses veus recitaven de forma simultània el text o parts del text.[20] S'hi podien afegir també, el que Guillermo de Torre anomena *el planisme*, o poema escrit en diversos plànols, molt sovint emprant una estructura de claus sinòptiques.[21]

El simultaneisme –que Apollinaire batejà com *orfisme*– fou el nom que reclamaren per al seu projecte pictòric Robert i Sonia Delaunay. L'assumpte estigué acompanyat de polèmiques, com hem comentat (vegeu la nota 7). El projecte pictòric dels Delaunay passava, en una pintura que s'acostava a l'abstracte, per estructurar uns espais de colors que s'interconnectaven en la superfície del quadre. Tots dos prepararen una exposició «simultaneista» en les galeries Dalmau de Barcelona que finalment se celebrà el 1918.[22] En un article aparegut amb aquest motiu, enquadraven el seu propòsit en la recerca: «une plastique nouvelle et rayonnante ouvrant naturellement, par un métier nouveau, transformable», l'objectiu de la qual apuntava «la necessité de *représenter d'Ensemble des choses de la vie* qui font notre universalité».[23]

19. «El músico de Saint-Merry» en *Puertas al campo*, Barcelona, Seix Barral, 1989, pàg. 35-36.

20. Vegeu sobre l'obra de Barzum i el seu desenvolupament Arrigo Lora-Totino «L'Orphéide, epopea della simultaneità», *art. cit.*

21. Com trobem en la Digació onzena de S. Sánchez Juan, Barcelona, la revista 1929, reproduïda en J. Salvat-Papasseit, J. M. Junoy, S. Sánchez, *Poesia*, Barcelona, Ed. 62 i Orbis, 1985, pàg. 62.

22. Sobre aquesta vegeu Pascal Rousseau, *La aventura simultánea. Sonia y Robert Delaunay en Barcelona...*

23. Carta de Delaunay apareguda el 15 de desembre de 1917 en la revista *Vell i Nou*, pàg. 674, reproduïda en Pascal Rousseau, s/pàg.

Si bé la noció de simultaneïtat la tracta d'expressar, com he dit, amb la construcció d'obres amb colors simultanis, trobem també exemples en quadres anteriors com ara la sèrie sobre la torre Eiffel (figura 2), on el pintor ens mostra bocins de carrers, fragments de la torre emblemàtica (per la seua modernitat), multiplicitat de plànols de l'entorn. El conjunt, un aiguabarreig de fragments, trasllada l'ambient atrotinat (sorolls, sensacions vertiginoses) de la vida urbana. En aquest quadre, el pintor tracta d'exposar no solament allò que hi veu, sinó allò que ha vist abans i allò

Robert Delaunay, Torre Eiffel, 1910

Fig. 2

que veurà després, el que sap que envolta la torre, l'atmosfera i el ritme de la ciutat: una suma de realitats o de moments que es manifesten a l'unísson en el quadre. En definitiva, el denominador comú de bona part de les iniciatives artístiques pretén representar un món segons allò que «se sap», no tant allò que «es veu».

4. Vibracionisme

El reflex d'aquestes inquietuds tingueren diverses plasmacions en la cultura catalana. Els pintors Torres-Garcia i Rafael Barradas, el primer després de 1917, emprenien una línia de pintura que anomenaven el vibracionisme,[24] un reflex de les propostes cubofuturistes amb ingredients personals. Els dos pintors, col·laboradors de les iniciatives que capitanejava Salvat-Papasseit en *Un enemic del poble* o *Art Voltaic*, són els exponents de les noves inquietuds estètiques. Torres-Garcia hi tingué un paper capital per tal com no solament fou un pintor destacat sinó que ostentà, també, el rol de teòric i vertader líder de la renovació artística del moment. «Jo puc dir-li el meu mestre», li escrivia Salvat-Papasseit, en to d'homenatge, en una carta al pintor el 19 de juliol del 1919.[25] El pensament del pintor uruguaiocatalà el trobem expressat en articles escampats en revistes com *Arc Voltaic*, *Un enemic del poble*, en l'article «Hechos» (en la línia d'altres textos importants des del punt de vista teòric com ara «Art-evolució»[26] i «Plasticisme»[27]) escrivia:

> «Veo con los ojos, pero también miro a un punto que no puedo localizar. Allí soy uno con todo; con algo que es; y nada más. –No hay grande ni pequeño. Las cosas son detalles de un inmenso objeto único. Lo uno y lo múltiple, a la vez. Lo demás poca cosa es: cosa pesable, contable, medible, seleccionable, analizable, descomponible, relativa.»[28]

Les teories de Torres afermen el valor de la intuïció per damunt de la visió reduïda de l'intel·lecte. La captació del món des de la seua unitat i des del seu bategar uniforme i continuat. Des del punt de vista de les concepcions globals del pintor potser el text més interessant, per ric i explicatiu del seu posicionament, siga «L'art en relació amb l'home etern i l'home que passa» (publicat el 1919 en les pàgines d'*El eco de Sitges*).[29] Per al pintor, l'artista hauria de ser «quelcom de mòbil», «viure

24. Vegeu per a una panoràmica adient del tema Elisée TRENC BALLESTER, «L'avant-garde plastiques a Barcelone, Le Vibracionisme, Barradas et Torres-Garcia (1916-1920)» en Serge SALAÜN et Elisée TRENC *Les avant-Gardes en Catalogne*, París, Presses de la Sorbonne Nouvelle, 1995, pàg. 90-113.

25. Pilar GARCIA-SEDAS, *Joaquim Torres-Garcia, epistolari català*, Barcelona, Curial edicions catalanes i PAM, 1997, pàg. 39.

26. *Un enemic del poble,* núm. 8, novembre de 1917.

27. *Un enemic del poble*, num. 13, maig de 1918

28. «Hechos», *Un enemic del poble,* núm. 17, març de 1919, 1 pàgina.

29. Recollit per Francesc FONTBONA en *Joaquim Torres-Garcia, Escrits sobre art*, Barcelona, Ed. 62 i «La Caixa», 1980, pàg. 206-223.

la vida múltiple», «sentir la vida universal».[30] El pintor subratlla la idea de *multiplicitat* perquè les coses són una matèria en canvi constant, tot i formar part d'una realitat indivisible. «(La realitat) és una –escriu el pintor– (dins de la multiplicitat aparent) que va movent-se, com la tela en el teler, creant nou brodat, noves i inesperades formes i figures.»[31] El vertader artista ho és quan, transcendint el món material i tangible, és capaç de sentir la *vibració* de les emanacions de la terra. Dins de l'harmonia, però, hi trobem una multiplicitat de formes que van «fonent-se [...] barrejant-se, desapareixent, completant-se les unes amb les altres [...] component-se i descomponent-se, per a compondre's en altra forma, *vibrant*, apagant-se, en moviment incessant. I aqueixes formes seran son únic tema, la seva expressió. Engrandida, desmesurada, enorme, centuplicada. Dins una *vibració* general.»[32]

Aquesta idea de captació dinàmica de les coses del món està en clara consonància amb l'univers nascut de la teoria de la relativitat. La idea d'interdependència resta també unida, segons el pintor, amb la noció de moviment: «Dins del moviment –escriu en el mateix article– ja no existeixen formes aïllades; unes existeixen per a les altres. És allavores que apareix lo vivent. La forma, sotmesa a detingut examen, perd tota la seua vida i la seva expressió. Hi ha que pendre les coses movent-se, actuant, o almenys conservant, per a la seva disposició, vestigis de moviment. Hem de pintar sols l'*emoció viventa.*»[33]

El número 3 de la revista *Un enemic del poble* (juny de 1917) presenta un dibuix en ploma de Torres-Garcia (figura 3) on trobem un avanç del que serà la seua fase posterior, designada com a l'*universalisme constructiu*. El pintor, a través de la distribució de petites finestres dintre del quadre, representa múltiples aspectes del món urbà: des del ferrocarril, passant per les fàbriques i indústries amb xemeneia, rodes, transports, carrers cablejats, rellotges. El dibuix és un conjunt d'estampes de la vida moderna que es mostren de forma simultània. De fet, el dibuix il·lustra un text «D'altra òrbita» que s'enceta amb «Què farem d'anar depressa? Tinguem consciència de que descansem. De que estem immòbils, mentre tot sempiternament roda...». Aquesta mena d'instal·lació paradoxal entre allò mòbil i allò immòbil, entre allò fugaç i allò etern, entre allò concret i allò abstracte, és un punt on sovint se situa el pintor.

En les composicions *constructives*, Torres-Garcia dividia la superfície del quadre en quadrats i rectangles; amb posterioritat, omplia aquest espai amb imatges figuratives elementals (en alguns quadres s'acostava a l'abstracte) que expressaven de manera simbòlica el seu món de pensaments i vivències. De fet, *l'universalisme constructiu* fa pensar en el neoplasticisme de Piet Mondrian, però també en l'art pre-

30. *Ibid.* pàg. 220.
31. *Ibidem.*
32. *Ibid.* 221. Les cursives són nostres.
33. *Ibid.* 222.

Torres García, "Dessin à la plume". Un enemic del poble n°3, juin 1917

Fig. 3

colombí, i esdevé un paral·lel al *collage* cubista, o si es vol, una forma de donar compte de la diversitat simultània que convoca cada moment de vida.

La idea de simultaneïtat l'expressa, en altres quadres, a través de la superposició d'imatges com és ara el cas de la composició «vibracionista» (1918)[34] o de les il·lustracions de l'autor per a *Poemes en ondes hertzianes* de Joan Salvat-Papasseit. En aquests darrers (figura 4 i 5), trobem, en la figura 4, la superposició d'una línia de cables, la capçalera d'un periòdic, un full de calendari, una brúixola sobre un fons on es perfila el mapa d'Europa. O bé, com en la figura 5, una superposició de mapa d'Itàlia, amb l'estació de tren, cases, mitjans de transport, rellotges, etc. Tots dos dibuixos ens mostren una visió de la diversitat de nivells de la realitat que operen a l'uníson. El poemari, com ja s'ha comentat diverses vegades, és un text poeticopictòric (fet que les actuals edicions bandegen incomprensiblement) realitzat conjuntament per un pintor, J. Torres-Garcia, i per un poeta com és Joan Salvat-Papasseit. I potser és l'obra que, des d'un punt de vista literari, millor recull la noció de simultaneïtat en la literatura catalana juntament amb algunes composicions cal·ligramàtiques de Josep Maria Junoy.

De Junoy caldria destacar la composició (figura 6) apareguda el setembre de 1917 en el primer número de la revista *Troços*, dedicada al ballarí Nijinski.[35] El text fa servir la tipografia amb diferents mides de lletres, la disposició de les quals esta-

34. Vegeu Enric Jardí, *Torres García*, Barcelona, Polígrafa, 1973, pàg. 110.
35. J. M. Junoy, *Obra poètica*, a cura de Jaume Vallcorba, Barcelona, Quaderns Crema, 1984, pàg. 41.

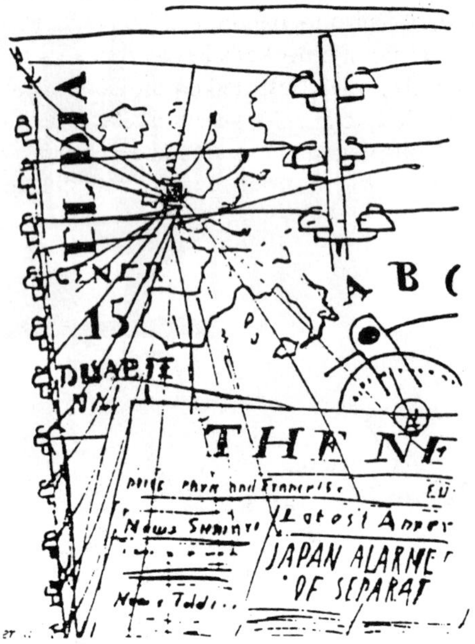

Fig. 4

Fig. 5

bleixen diversos moviments (diagonals, diagonal formant angles paral·lels, espiral) que evoquen una actuació de ballet. A banda dels itineraris «físics», insinuats per la tipografia i la topografia del poema, trobem les paraules («fang diví», «deltoides», «sacarina i mentol en espiral») que construeixen altres missatges que cal seguir per tal de completar la informació que ens dóna l'autor. Per una banda, la composició la podem interpretar com el desplegament de les accions que successivament fa un ballarí, o bé, com el resultat de l'actuació d'un grup de ballet que es perfila, simultà-

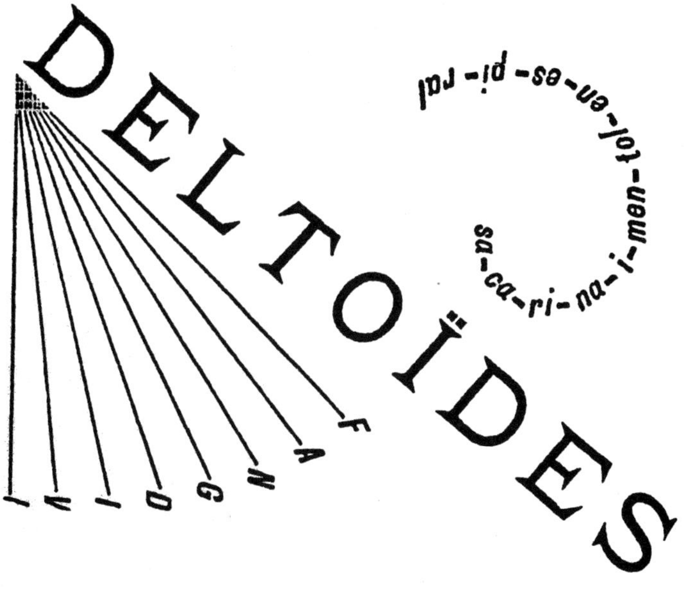

Fi. 6

niament, tot ell damunt l'escenari. De Junoy que, per una altra banda, empra el terme *radioactivitat* en un text poètic on parla del pintor futurista «Boccioni»,[36] des del punt de vista de la idea de simultaneïtat, caldria destacar el cal·ligrama «Eufòria»[37] (figura 7) on trasllada de forma *sintètica* el que són les diverses manifestacions, o els diversos components, de l'eufòria: pel que fa als sentits (color, gust, tacte) a més d'evocar l'actitud de la ment i les rialles. El resultat és un fresc molt directe i precís sobre la sensació. La disposició topogràfica dels diversos integrants del text, en forma estelada, suggereixen una sèrie de gestos que podem identificar, sens dubte, amb la sensació.

36. *Ibid*, pàg. 38
37. *Ibid*. pàg. 53

En el número 1 –i únic– de la revista *Art Voltaic* (febrer de 1918), Rafael Barradas s'encarrega de l'única il·lustració que hi ha, un dibuix «vibracionista». El dibuix (figura 8) conforma una visió que recorda la forma de compondre alguns dels quadres «simultaneistes» de Delaunay, ja que es tracta d'una estampa on semblen convocar-se fragments d'una diversitat d'aspectes. El dibuix fa servir també lletres i paraules la disposició tipogràfica de les quals insinua èmfasi en algunes síl·labes. En opinió d'Eliseu Trenc «la composicition centrifuge du text» i «les formes diver-

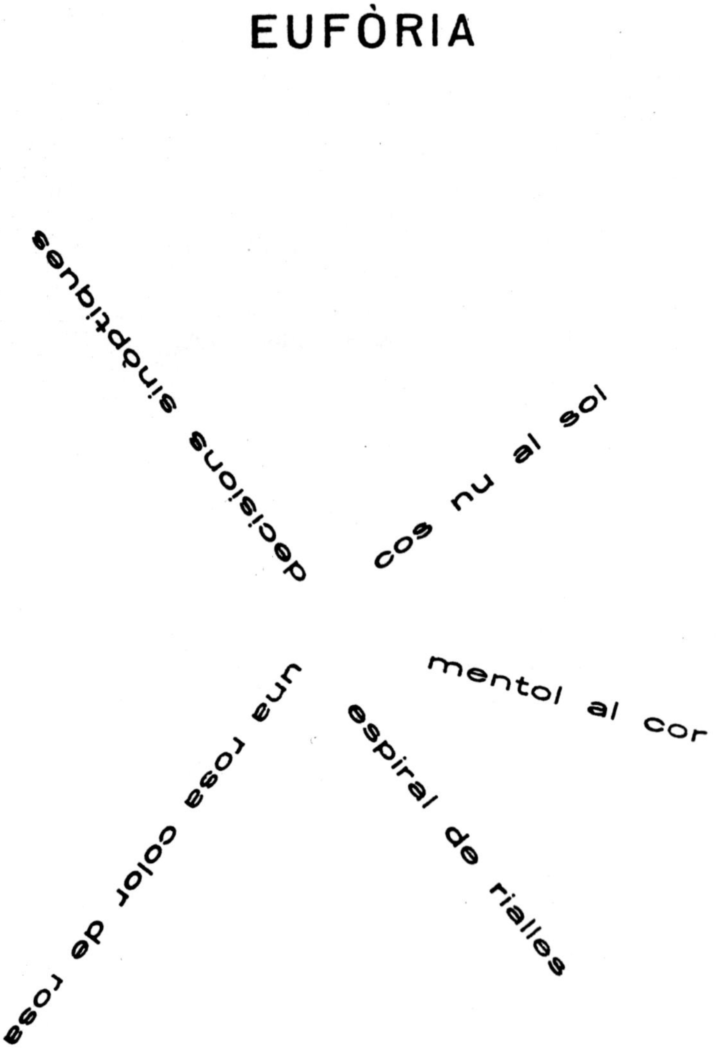

Fig. 7

gents» fan per crear una impressió estrident i cacofònica.[38] En el dibuix, sembla materialitzar-se el soroll i també hi destaca la presència de la llum d'un fanal que contrasta amb la foscúria dels angles superior i inferior. En el dibuix els diversos elements se superposen com insinuant una fusió de temps: l'instant present però també els moments anteriors i els posteriors.

Barradas, "Dibuix vibracionista", Arc-Voltaic nº1, féuvrier 1918, p.5.

Fig. 8

Pel que fa al poemari de Salvat-Papasseit, caldria potser recordar textos com ara el poema «54045»,[39] que evoca un recorregut en el tramvia de la ciutat. El poema ple de reiteracions intenta reconstruir-nos –a l'estil sensacionalisme dels futuristes– les sensacions del soroll monòton del tramvia «Trolley, trolley, trolley» o «ran de nas, ran de nas, ran de nas». Tot el poema dibuixa el perfil d'un vagó de tramvia i, en aquest sentit, estableix la simultaneïtat entre el text que ens relata la peripècia de viatge urbà i la mateixa imatge que el dibuixa.

38. *Op. cit.*, pàg. 105.
39. Joan SALVAT-PAPASSEIT, *Poesia*, Barcelona, Clàssics Ariel, 1985 (5a edició), pàg. 22.

Però potser el poema, com vaig insinuar en un altre text,[40] on Salvat s'acosta a les idees de simultaneisme és en el poema «Vora el mercat»[41] de *La gesta als estels*, un text que s'acosta als anomenats *poemes conversa* d'Apollinaire, on pretén traslladar la realitat a una escriptura transparent i sense filtres. En el poema, Salvat es fa ressò de les converses de diversa gent en el mercat, en un intent de captar, altrament, allò que Guillermo de Torre anomenava *lirismo atmosférico*.[42]

5. Un món sense absoluts

Com tantes vegades s'ha dit, l'arribada del cubisme suposà l'abandó de la perspectiva renaixentista en pintura. Fonamentalment, no es tracta tant d'un impuls marcat per un simple afany innovador –per un gest gratuït de ruptura– com per l'aparició de noves teories, resultat d'investigacions que mostren aspectes desconeguts de la realitat i que permeten observar unes perspectives, així mateix, diferents. Tot i que no hem d'oblidar les múltiples conseqüències literàries del poliperspectivisme que s'ha desenvolupat en obres literàries al llarg del segle,[43] no hem de perdre de vista que el seu punt de partida no és altre que una nova forma d'entendre la realitat física, especialment la de l'espai i la del temps.

En la seua gestació s'hi combinen els nous coneixements científics i les noves realitats de la vida urbana, marcades pel maquinisme, per l'agitació rítmica dels carrers, per la velocitat. El món començava a valorar-se i a ésser percebut amb un altre ritme i, sobretot, amb uns altres ulls. Restava ben clar, en el nou paradigma científic, que tot moviment és relatiu i, per tant, és impossible trobar un sistema de referències absolut.

En l'esquema newtonià, el món és simple i predictible; preval, per exemple, l'esquema causa-efecte; la naturalesa és lineal i regular; el canvi és continu i uniforme. En el nou esquema, derivat de les teories de la relativitat, la regularitat, la continuïtat i la proporció en la naturalesa, més que una regla són una excepció. Les coses de la vida són també (i sobretot) discontínues, turbulentes, com les figures del quadre de *Les senyoretes del carrer d'Avinyó.* Per això la pintura és un bon preàmbul del segle.

40. «La poesia de Guillaume Apollinaire i la de Salvat-Papasseit» en *Les literatures catalana i francesa al llarg del segle XX*, *Primer Congrés Internacional de Literatura Comparada*, Barcelona, 1997, PAM, pàg. 28-44, especialment, pel que fa al que ara comente, pàg. 36 i 37.

41. *Ibid.* pàg. 97-98. Per a Joaquim MOLAS es tracta d'"un dels més bells" poemes, on descriu "a la manière d'APOLLINAIRE o de Max JACOB una bigarrada estampa de barri". (Pròleg XXXV)

42. *Historia de las literaturas de vanguardia*, vol. I, Madrid, Guadarrama, 1974 (3a edició), pàg. 260.

43. Com ho fa Guillermo de Torre (ibid. 251) des de l'ús que André Malraux farà en les seues novel·les (*Les conquerants* o *La conditions humaine)* fins a les tècniques de desdoblament de plànols de John Dos Passos en la trilogia *U.S.A.*, a la simultaneïtat espaciotemporal que practica Sartre en *Le sursis.*

— VISIONS I RELACIONS LITERÀRIOCULTURALS — ENTRE CASTELLA I CATALUNYA (ENTRE MADRID I BARCELONA): BREUS TASTOS 1898-1998

Carles Bastons

Barcelona

En el marc de la literatura comparada, tan en voga en els ambients universitaris, i, en unes coordenades més àmplies, en el marc de les relacions literarioculturals entre Castella i Catalunya –el professor Joaquim Molas empra tot sovint «entre Madrid i Barcelona» pel que simbolitzen aquestes capitals–, hom podria parlar de molts projectes, de moltes realitats frustrades, de trobades[1] sense continuïtat; fins i tot, de bones paraules en el pitjor –o millor dels casos– perquè mai han estat contemplades de forma sistemàtica, objectiva, rigorosa, a banda de les habituals excepcions bibliogràfiques[2] que confirmen la regla, i sempre la política –o els polítics– les han adulterades. Sí, és cert, repeteixo, que hi ha hagut trobades d'escriptors, d'intel·lectuals a Segòvia, a Sitges, trobades culturals institucionals[3], cicle de xerrades en seminaris[4], activitats universitàries[5], veus autoritzades[6], manifestos[7], però mai res no ha

1. Foren importants en el seu moment les de Segòvia, Sitges, etc. Per a les primeres, vegeu: *Relaciones de las culturas castellana y catalana (Encuentro de intelectuales).* Departament de la Presidència, Barcelona, 1983. Vegeu, a més, la nota 67.

2. G. DÍAZ-PLAJA, «Cataluña vista desde Castilla» i «Castilla vista desde Cataluña» dins *Figuras con un paisaje al fondo.* Austral, Madrid, 1981, pàg. 195-217 i 222-239. H. HINA, *Castilla y Cataluña en el debate cultural 1714-1939.* Península, Barcelona, 1986; J. M. PUIGJANER, *Catalunya-Espanya: ficció i realitat.* Llar del Llibre, Barcelona 1983; J. VENTALLÓ, *Los intelectuales castellanos y Cataluña.* Galba, Barcelona, 1976.

3. Per exemple, les organitzades pel Departament de Cultura de la Generalitat, l'any 1987, intitulades «Pont Aeri. Trobades culturals». En el tríptic de presentació, en un escrit signat per l'aleshores conseller de Cultura de la Generalitat de Catalunya, Joaquim Ferrer, es recull una idea de P. Bosch i Gimpera que encaixa perfectament amb el sentit de pont de diàleg i amb la filosofia de moltes de les meves recerques i publicacions. Així, l'esmentat escrit comença: «Gairebé fa cinquanta anys, un gran historiador com fou Bosch i Gimpera recordava des de la saviesa de la seva posició de científic exigent i honest que la Península Ibèrica és poblada des de fa segles per comunitats amb cultures diferents, però que aquesta diversitat congènita s'havia intentat ofegar durant determinades èpoques amb superestructures uniformitzadores i que el que calia era deixar que creixessin en llibertat i que fruit d'aquesta sortirien els punts de trobada i d'intercanvi.»

4. Seminari organitzat per la Fundació Trias Fargas, l'any 1997, els treballs del qual foren recollits a l'obra *Catalunya Espanya,* coordinat per J. COLOMINAS. Columna, Barcelona, 1998.

5. No fa gaire celebrà un cicle de xerrades entorn del món urbà on es parlava de Barcelona i de Madrid.

6. Pels anys seixanta fou interessant l'encreuament de llibres entre Julián Marías i Maurici Serrahima. Darrerament la premsa diària n'ha parlat amb articles signats per Ernest Lluch, Albert Manent, Josep Maria Puigjaner, etc.

assolit els fruits desitjats: aconseguir, de forma decisiva i definitiva, el diàleg cultural entre les dues comunitats, entre les dues cultures, entre els dos mons intel·lectuals basat en una admiració i un respecte mutus, sense recels ni reticències de cap mena.

Tanmateix, en aquests paràmetres vull situar aquest treball, que és la meva contribució d'amistat, reconeixement i gratitud al molt merescut homenatge, en forma de volum miscel·lània, al professor Joaquim Molas i Batllori, exalumne de l'institut d'educació secundària Jaume Balmes de Barcelona –d'on jo sóc catedràtic i cap del Departament de Llengua Castellana i Literatura–, director de la meva tesi doctoral, i lector, docent i investigador molt interessat, preocupat i estudiós d'aquests temes segons em consta perquè els hem comentat més d'una vegada ambdós en distesa tertúlia, qüestions, per altra banda, que ultrapassen els valors estrictament literaris per les seves connotacions ideològiques, polítiques i sociològiques.

Es tracta d'apuntar de manera sintètica, suggeridora i suggestiva alguns tastos de les relacions i visions literarioculturals entre Castella i Catalunya –entre Madrid i Barcelona– a través d'alguns dels seus respectius escriptors, i/o dels seus intel·lectuals més representatius, emmarcades pràcticament en el segle XX.

Per tant, pretenc estudiar de forma concreta com han vist Catalunya –en alguns dels seus senyals d'identitat, sobretot en la seva dimensió humana de persona a persona– els escriptors de parla castellana i com han vist Castella –també en el seu caràcter polièdric– els escriptors de parla catalana, moltes vegades com a conseqüència d'unes relacions personals, d'uns contactes epistolars, d'una col·laboració a la premsa, etc. Davant la impossibilitat d'abastar-ho (quantes tesis doctorals podrien generar totes i cada una d'aquestes qüestions tractades des de múltiples focalitzacions: la perspectiva política, la cultural, la ideològica, la sociològica, l'estrictament literària!, etc.) tot i tots, selecciono, potser una mica a l'atzar, cal reconèixer-ho, uns autors, uns períodes i uns temes, que justificaré en cada moment.

* * *

En aquestes aportacions selectives, voldria aturar-me en primer lloc, com a punt d'arrencada un pèl anterior a l'any fixat en el títol, en l'escriptor granadí Ángel Ganivet, la commemoració del centenari de la mort del qual –dit sigui de passada– va tenir molt poc ressò[8], i ho faig perquè fins ara ha estat la seva relació amb Catalunya poc coneguda, o, si més no, secundària dintre del panorama dels intel·lectuals de les darreries del segle XIX («Azorín», Baroja, R. Darío, A. Machado, Unamuno, Valle-Inclán). Pel que ens interessa ara i ací, cal remuntar-se a l'any 1896 per situar l'inici de l'amistat de l'assagista andalús amb Santiago Rusiñol, gran

7. Cal recordar el «Manifiesto de los escritores castellanos en defensa de la lengua catalana» de l'any 1924. Es pot llegir al llibre de J. VENTALLÓ esmentat a la nota 2.

8. A banda d'un número d'*Ínsula* i de diverses publicacions de la Diputació de Granada (per exemple, *Granada la bella*), poca cosa més.

admirador dels jardins d'Aranjuez, de l'Alhambra i del Generalife, i autor, no s'oblidi, d'*Un català de la Manxa*. En efecte, l'escriptor català viatja a Granada l'any 1896 i estableix contacte amb l'autor de *l'Idearium español*. Uns anys més tard, és a dir, el 1897, en el mes d'agost, es produeix un retrobament d'ambdós, en aquesta ocasió a Sitges. I com afirma l'hispanista R. A. Cardwell:

> «No es de dudar, sin embargo, la actitud positiva que manifestó Ganivet frente a la persona y a la obra de Rusiñol y la del grupo del Cau Ferrat.» (9)

I afegeix unes línies més avall:

> «Queda claro que Ganivet ve el ejemplo de Rusiñol como una fuerza motriz idónea para la regeneración que desea, que quería ser como su amigo poeta-pintor.»[10]

Són importants totes aquestes consideracions perquè permeten afirmar i confirmar que el modernisme català, amb en Rusiñol com un dels seus promotors i capdavanters, irradia una força atractiva, jo diria centrípeta i centrífuga alhora, que sedueix Rubén Darío, Miguel de Unamuno –ho veurem tot seguit– i molts més intel·lectuals castellans de l'època de fi de segle («Azorín», Pío Baroja, Ramiro de Maeztu, entre els més importants). Tanmateix, en aquest primer moment triat, no és solament Rusiñol i la seva obra que interessa a Ángel Ganivet, sinó que també Joan Maragall actua com a lligam entre el món cultural castellà i el món cultural català mitjançant els seus nombrosos i coneguts escrits sobre la qüestió de l'iberisme i sobretot a través de la seva relació personal i amistosa amb Unamuno i amb Azorín.

El cas d'Unamuno és molt interessant i sortosament un dels més estudiats[11]. La seva relació amb Catalunya, com hom sap, arrenca de la darrera dècada del segle XIX, període complex, d'efervescència politiconacionalista i cultural-modernista[12] al Principat i de certa atonia literariocultural i gran preocupació colonial a Castella, a la «Villa y Corte», i es tanca, almenys en vida de l'autor, el 31 de desembre de l'any 1936, dia del seu traspàs a Salamanca, malgrat que alguns diaris de Barcelona per raons només justificables per les circumstàncies bèl·liques del moment, donen notícies del fet relacionades amb Àvila. Així hom llegeix a *La Vanguardia* del 3-I-1937:

> «Se ha confirmado la muerte de Miguel de Unamuno, en la ciudad de Ávila, su retiro al abandonar Salamanca donde se encontraba al estallar la rebelión militar...»

9. «Ganivet y el Cau Ferrat: Misticismo y decadencia en el Fin de Siglo». *Ínsula*, núm. 615, març 1998, pàg. 7.

10. *Ibidem*, pàg. 7.

11. Treballs dels professors de la Universitat de Barcelona, Buenaventura Delgado i Adolfo Sotelo; de Laureano Robles, professor de la Universitat de Salamanca; tesi doctoral de Carles Bastons.

12. És obligat esmentar els magnífics treballs del malaurat professor V. Cacho Viu i més en concret la seva antologia intitulada *Els modernistes i el nacionalisme cultural*. La Magrana, Barcelona, 1984.

i *El Brusi*, també del 3 de gener en una notícia datada a París el dia 2, diu:

> «Telegrafien d'Àvila que ahir s'ha efectuat a Salamanca l'enterrament de Miguel de Unamuno.»

Per altra banda, en aquest llarg període de quasi mig segle, l'etapa més fecunda i suggestiva correspon a la dècada 1896-1906. Unamuno simpatitza fins a cert punt amb els anarquistes catalans, es fascina pel modernisme català, creu en la joventut catalana, segons dues encertades afirmacions de H. Hina[13], inicia l'amistat literària i personal amb en Joan Maragall[14], col·labora en la premsa de Catalunya[15] i rep mil i una invitació per a dictar xerrades i conferències arreu del país, segons hom sap per la correspondència epistolar, conservada a la Casa Museo Miguel de Unamuno de Salamanca. Visita Catalunya –Barcelona, Terrassa– l'octubre de l'any 1906 i alguns dels seus poemes s'inspiren en la realitat catalana. Cal destacar el poema «La catedral de Barcelona»[16] dedicat a Joan Maragall –no oblidem aquest fet–; envia un article periodístic a *La Nación* de Buenos Aires, on afirma, entre altres coses, que Barcelona «es una ciudad que da mucho que hablar, mucho que pensar y algo que sentir en España», opinió que contrasta amb allò que diu a Ll. de Zulueta en una carta del 24-XII-1906[17] en afirmar que la ciutat l'ha decebut. Altrament, si hom aplica alguns dels paràmetres de la teoria de la recepció –un altre corrent de la teoria de la literatura avui també molt de moda– al cas unamunià, hom podria dir que en general és ben acollit a les terres catalanes i que el descobriment de la seva vàlua intel·lectual neix a Catalunya a propòsit d'un article de Josep Miquel i Soler pubicat a *La Vanguardia* en la seva edició del 14-III-1896, prou conegut i difós[18]. I si això encara fos poc, cal afegir que, entre 1896 i 1936, rep més de dues mil cartes procedents totes elles de Catalunya, avui conservades, com ja s'ha dit, a la Casa Museo Miguel de Unamuno, moltes encara inèdites malgrat que, a poc a poc, gràcies als esforços de comptats professsors (Carles Bastons, Laureano Robles, Adolfo Sotelo Vázquez) o investigadors (Albert Manent), van sortint a la llum.

Encara sense moure'ns de les darreries de segle i respecte a Rubén Darío comptem amb els magnífics articles publicats amb el títol de *España contemporánea*[19],

13. *Op. cit.* pàg. 289.

14. Vegeu: C. BASTONS, *Maragall-Unamuno: els lligams d'una amistat.* Editorial Claret - Fundació Joan Maragall, Barcelona, 1998.

15. Vegeu: A. SOTELO VÁZQUEZ, *Miguel de Unamuno: Artículos en «Las Noticias» de Barcelona (1899-1902).* Lumen, Barcelona, 1993.

16. *Poesías completas,* Alianza, Madrid, 1987, pàg. 83-84.

17. *Cartas 1903-1933. Miguel de Unamuno. Luis de Zulueta.* Aguilar, Madrid, 1972, pàg. 190.

18. Diu entre altres coses:

«¿Quién es Unamuno? Un joven y un fuerte, un espíritu brioso y conmovedor que hinca en las realidades con notable potencia adivinadora, con una especie de facultad reconstructiva de ideas y conceptos hechos al contraste de la propia impresión y experiencia que le dan un singular valor de singularidad.»

19. Edició d'Antoni Vilanova. Lumen, 1987.

on coincideix plenament amb l'opinió d'Ángel Ganivet. Heus ací uns breus paràgrafs sobre la seva visió particular de Barcelona i el seu punt de vista sobre Catalunya.

> «Y riente, alegre, bulliciosa, moderna, quizá un tanto afrancesada y por lo tanto graciosa, llena de elegancia, Barcelona sostiene lo que dice, y dice que habría hecho mucho más de lo que hoy nos asombra y nos encanta, si se lo hubiese permitido la tutela gubernativa, pues no puede abrir una plaza si no va la licencia de la Corte. [...] Que habría hecho Cataluña autónoma, esta gran Cataluña...» [20]

I des de la perspectiva catalana és obligada en aquest període la referència, ja insinuada, a Joan Maragall (1860-1911), el gran amic d'Unamuno i bon amic també d'Azorín, tal com ja va plantejar fa temps el mateix professor Joaquim Molas en un article publicat a una revista de Puerto Rico[21]. És útil, per introduir el tema, recordar que el poeta català va publicar un article intitulat «La joven escuela castellana»[22], treball que la crítica[23] reconeix que fou redactat per una de les primeres veus autoritzades en intuir la importància i transcendència d'aquest grup d'intel·lectuals lletraferits que irrompien amb força en el pobre panorama literari castellà –i per extensió, espanyol– en les darreries del segle XIX. I en aquesta mateixa direcció –fruit de la teoria maragalliana de l'iberisme– cal esmentar el seu poema «Oda a España» que comença amb els versos tan coneguts:

> «Escolta, Espanya- la veu d'un fill que et parla en llengua no castellana-»

i l'«Himne Ibèric», que acaba també en uns versos també prou sabuts:

> «Ibèria, Ibèria! Et ve dels mars la vida Ibèria! Ibèria! Dona als mars l'amor»

sense oblidar els seus treballs en prosa entorn de la mateixa temàtica, la de les relacions entre Castella i Catalunya[24]. On s'observa, però, amb més detall, passió i sinceritat la seva concepció i visió d'Espanya, és en la correspondència encreuada amb l'escriptor basc, publicada fa temps[25], a la qual remeto. Moltes i moltes cartes regalimen aquesta voluntat i desig de concebre una Ibèria globalitzadora, agermanada i germanívola. Potser per diferenciar la idea d'un de la de l'altre és bo reproduir unes línies d'un article periodístic[26] de Jordi Maragall i Noble, fill del poeta, que alhora es

20. *Ibidem,* pàg. 36-37.

21. XVI, 1968, pàg. 217-239.

22. Publicat primer l'any 1901 a *El Brusi* del dia 28-XI. Posteriorment a *OC,* II, pàg. 149-150.

23. El mateix Joaquim Molas publicà a *Serra d'Or* (núm. 11-12), l'any 1961, un interessant article intitulat «Joan Maragall i la jove generació d'escriptors castellans».

24. Per exemple: «El alma castellana», *Diario de Barcelona*, 31-VII-1900, *El ideal ibérico* dins *Obres Completes.* II, pàg. 723-726; *Visca Espanya* dins *Obres Completes*, I, pàg. 766-768, etc.

25. *Epistolario y escritos complementarios.* Seminarios y Ediciones. Madrid, 1971.

26. «Don Miguel y el nacionalismo». *El País*, 23-IX-1984.

fa ressò d'unes precisions de Dionisio Ridruejo a propòsit d'aquesta temàtica, avui sortosament feta realitat, encara, però, amb certes reserves o, si més no, de forma parcial. Et text diu així:

> «También es Dionisio Ridruejo quien señala con precisión las coincidencias y discrepancias entre Unamuno y Maragall respecto al nacionalismo. Unamuno pretendía *fundir* las identidades de todos los pueblos de España para influir en Europa desde una identidad única. Maragall pretendía ahondar en las identidades diversas para *sumar* (él no empleó este término) sus pueblos y luego incorporar así España a Europa.
> La coincidencia está en el europeísmo. Las discrepancias en las diversas nociones de lo que debía ser España: *fundida* para Unamuno, *unidad en la diversidad* para Maragall.»

I sense sortir d'Unamuno ni d'aquesta època és obligat fer esment, encara que sigui només a tall d'apunt, de la relació bilateral «Josep Aladern» - Unamuno. L'escriptor d'Alcover, capdavanter del modernisme a Reus, és l'únic que tradueix articles de l'autor de *Niebla* i els publica a la premsa comarcal, més concretament a *Lo Somatent* de Reus[27].

En aquestes primeries de segle i sense deixar els intel·lectuals «de fin de siècle» fóra bo pensar en la figura de Josep Carner. Hom disposa de treballs[28] que recullen els intercanvis epistolars i l'encreuament de judicis entre el poeta català i Unamuno. Tanmateix, no és tan coneguda la relació amb Antonio Machado. Com a mostra, heus ací un article escrit en castellà que, pels atzars de tota recerca, he localitzat casualment en un número de *La Cataluña*[29] i que es titula «La poesía de Antonio Machado» i on es pot llegir, entre altres coses, el següent paràgraf final:

> «Machado une toda la grave nobleza del decir español a la gentileza refinada de la moderna poesía francesa. Pero ni del uno ha consentido la rigidez, ni se ha contagiado de la impertinencia de la otra. Y como premio debido a su buen gusto, su verbo y su cadencia resultan completamente personales, y equilibradísimos con el interno adorable sentir. Antonio Machado es un poeta selecto por naturaleza.
> Yo lo creo, además, un gran poeta.»

Com a contrapunt d'aquesta visió positiva, gairebé encomiàstica, cal recordar ací sense entrar en detalls, encara que sigui coneguda, l'actitud hostil del poeta andalús davant l'Estatut de Núria[30] i el concepte pejoratiu que deixa anar sobre els catalans[31].

27. Els articles foren «Sobre l'ús de la llengua catalana» (*A mon amich «Clarín» lo crític més suggestiu d'Espanya*), publicat a *Lo Somatent* del 12-I-1897 i «Morí Don Quíxot», aparegut a *Lo Somatent* del dia 28-VI-1898.

28. Treballs de Carles Bastons, Albert Manent.

29. Núm. 10, 7-XII-1907, pàg. 4-5.

30. *La guerra. Escritos 1936-1939,* Ediciones Escolar, Madrid, 1983, pàg. 114.

31. Carta 33 (amb data 2-VI-1932) de Machado a Pilar Valderrama. *Cartas a Pilar,* Muchnik, Madrid, 1994, pàg. 260.

«De aquellos que se dicen ser gallegos, catalanes, vascos,extremeños, castellanos, etcétera antes que españoles, desconfiad siempre. Suelen ser españoles incompletos, insuficientes, de quienes nada grande puede esperarse.»

* * *

Amb un salt en el temps interessa marcar una altra fita en aquesta relació literariocultural entre el món intel·lectual castellà i el món intel·lectual català. Trio com a representants del primer Federico García Lorca (1898-1936) i Max Aub (1903-1970) –ambdós perifèrics, nascuts a cavall del segle XIX i XX (1898 i 1903, respectivament), víctimes del franquisme per assassinat i exili, respectivament, i usuaris del castellà com a llengua literària, malgrat la vinculació del segon a terres valencianes– i per part catalana Josep Maria de Sagarra (1894-1961) i Agustí Calvet, «Gaziel» (1887-1964), fill de Sant Feliu de Guíxols, població amb la qual està molt lligat el doctor Joaquim Molas, sobretot en determinades èpoques de l'any.

De Max Aub, escriptor polifacètic, un xic apàtrida i per tant força cosmopolita, patidor d'un llarg exili a Mèxic, cal dir, en referència amb el tema que ens ocupa que en la seva abundosa producció literària hi sovintegen les al·lusions a Catalunya i en especial a Barcelona. Davant la impossibilitat de recollir tot el que va escriure sobre Catalunya i d'estudiar a fons les seves relacions amb poetes de l'escola poètica de Barcelona dels anys cinquanta[32] (els germans Juan, Luis i José Agustín Goytisolo, Carles Barral, Jaime Gil de Biedma), reprodueixo només com a mostra representativa la descripció que fa de Barcelona en *Campo cerrado* i ho faig per la plasticitat anatòmica i pel caràcter al·legòric que ofereix el text:

«Ya por entonces conocía Barcelona: el movimiento circulatorio de las Rondas, la cruz de sus túneles; teníala en la mano como cosa viva: su esternón el Paseo de Gracia; sus costillas, de Diputación a Córcega; sus húmeros Diagonal y Cortes; sus radios, el Paseo de San Juan y el Paralelo cruzados, unidos por sus manos de mar; sosteniéndose el corazón y las tripas: las Ramblas, sus arterias y sus venas; acuchilladas por la Vía Layetana, apuñaladas atrozmente por el Portal del Ángel; desangrándose en el mar; su coxis, el puerto; sus piernas y su andar, el viento y las olas. Barcelona herida de sangre y lisiada, alegrísima de de sol y abundancia, ciudad anclada y siempre dispuesta al viaje, piojosa y desnuda; libre con oscuras rémoras; trabada la lengua. Y agilísima de deseos.»[33]

Per altra banda, molt es va dir i molt es va escriure, l'any 1998, a Castella, a Catalunya i arreu el món, sobre Federico García Lorca amb motiu del centenari del

32. Apareixen nombroses al·lusions a l'obra *La gallina ciega;* s'han recollit algunes postals i cartes de catalans a *Epistolario del exilio.* Bancaja, Segorbe, 1992; a tall de curiositat L. FREIXAS a *Retratos literarios* (Espasa-Calpe, 1998) inclou la visió que C. Barral tenia de Max Aub: «Max Aub era un personaje muy singular. Estaba en todo, lo había escrito todo, lo estaba publicando todo, pero principalmente lo sabía todo [...] Se sabía injustamente inapreciado en las nóminas de la literatura española, pero yo creo que no le importaba en absoluto...», pàg. 219.
33. Alfaguara, Madrid, 1977, pàg. 55-56.

seu naixement. I sortosament s'han aportat informacions sobre aspectes de la seva persona (homosexualitat, assassinat) que fins no fa gaire temps eren de rigorós tabú. I potser també una d'aquestes qüestions ocultes, encobertes, ara recuperades és la profunda amistat amb Salvador Dalí, amb qui es va conèixer a la Residencia de Estudiantes de Madrid. Albert Manent fou un dels primers a assenyalar la relació de l'autor de *Yerma* amb Catalunya[34], i després l'estudiosa granadina Antonina Rodrigo ha estat una de les persones que més ha investigat el tema[35], d'ençà del moment en què ambdues personalitats coincidiren a Madrid cap als anys vint. Cal dir que García Lorca visità Figueres, anà a Cadaqués i aquesta estada en terres empordaneses inspirà a Lorca una magnífica oda intitulada «Oda a Salvador Dalí», alguns versos de la qual vull transcriure per la seva qualitat poètica i el seu elevat grau d'emoció:

> «Cadaqués, en el fiel del agua y la colina,
> eleva escalinatas y ocultas caracolas
> [...]
> ¡Oh Salvador Dalí, de voz aceitunada!
> No elogio tu imperfecto pincel adolescente
> Ni tu color que ronda la color de tu tiempo,
> Pero alabo tus ansias de eterno limitado
> [...]
> Canto tu bello esfuerzo de luces catalanas
> tu amor a lo que tiene explicación posible.»[36]

De «Gaziel» cal destacar la seva obra *Castella endins*[37], sense menysprear en absolut les seves memòries intitulades *Tots els camins duen a Roma*[38] i la seva obra *Meditacions en el desert (1946-1953),* recentment recuperada[39], ambdues amb abundosa i interessant informació sobre Madrid i els intel·lectuals castellans, ultra dedicar en aquesta darrera unes pàgines molt sucoses al mite de «D. Juan Tenorio». *Castella endins* està estructurada en dotze capítols en què en cada un d'ells se'ns fa una visió molt peculiar dels diferents llocs i paisatges d'allò que avui constitueixen les Comunitats Autònomes de Castella i Lleó, Madrid i Castella-la Manxa. Així per les

34. «Federico García Lorca i Catalunya (1925-1936)», *Els Marges*, núm. 2, 1974, pàg. 98-104. Entre altres coses, hom llegeix: «Federico García Lorca, en l'apogeu de la seva glòria, és a Catalunya una figura indiscutida.» Quin tema més bonic per a una tesi doctoral!: «La recepció de Federico García Lorca a Catalunya», tot aplicant paràmetres de literatura comparada i de teoria de la recepció tan en voga en els ambients universitaris i que ja ha donat fruits: *La recepción de Ibsen y y Hauptmann en el modernismo catalán* (PPU, Barcelona, 1990) de Marisa Siguan; *La recepció de Gabriele d'Annunzio a Catalunya de Assumpta Camps,* (Curial - Abadia de Montserrat, Barcelona, 1996) sense oblidar que en el XIIè Col·loqui de l'Associació Intenacional de Llengua i Literatura Catalanes celebrat a París, el mateix Joaquim Molas parlà de la recepció de Baudelaire en terres catalanes (1884-1938).

35. Vegeu, *García Lorca, el amigo de Cataluña.* Edhasa, Barcelona, 1984.

36. Publicada inicialment a la *Revista de Occidente*, abril 1926.

37. Selecta, Barcelona, 1959.

38. Edicions 62 - La Caixa, MOLC, Barcelona, 1981, 2 vol.

39. La Magrana, Barcelona, 1999.

pàgines del llibre sovintegen magnífiques descripcions d'El Escorial, de les serralades del Guadarrama i Gredos; proliferen les línies dedicades a Àvila, Salamanca, Valladolid, Palència i Zamora, sense excloure connotacions literàries com les al·lusions a Fray Luis de León i a Santa Teresa.

Per la seva banda Josep Maria de Sagarra passà una llarga temporada a Madrid i això ho recull a les seves *Memòries literàries*[40]. Hi ha abundoses referències als seus contactes personals –sobretot a l'Ateneu de Madrid– amb Unamuno, Baroja, Antonio Machado, Ortega y Gasset, Valle-Inclán i plasma tot sovint les seves impressions sobre aquesta institució emblemàtica madrilenya, especialment de la «cacharrería», espai «amb fama de caverna fàustica i anòmala», segons diu ell mateix. No en va, doncs, els seus dos anys (1916-1918) d'estada a la capital de l'Estat li deixaren empremta. De tots els escriptors esmentats potser de qui dóna una semblança més completa i ajustada és de Valle-Inclán, l'escriptor ja dels esperpents i de *La pipa de Kif.*

> «Valle-Inclán era magnífic explicant butllofes amb el seu parlar papissot i sincopat, que en el moment oportú es produïa amb un gall que s'esquerdava líricament, o es deprimia amb una veu lúgubre de caputxí que passa gana [...] Ha estat una figura colossal, i en els seus escrits hi ha molt d'or autèntic, a desgrat d'un llautó que no deixa de ser forjat amb murrieria i fins amb ànima, en la seva persona de carn i ossos i en la seva paperina al·lucinant de la seva imaginació va existir un dels espanyols més rics en matèria fàustica...»[41]

* * *

I, finalment, en el tercer tast cronològic –el tercer moment en què desitjo aturar-me una mica més– és la dels anys seixanta-vuitanta, que corresponen històricament al final del franquisme i a la transició democràtica. Per part castellana he triat la figura de Dionisio Ridruejo (1912-1975)[42], un escriptor controvertit, però no exempt de qualitat literària, en l'obra del qual, *Cuaderno Catalán,* publicada l'any 1965[43], diferents indrets de Catalunya esdevenen matèria primera dels seus poemes. O dit de manera més concreta, Barcelona, Sitges, Montserrat, Cadaqués inspiren moltes de les poesies que integren el llibre. Val la pena esmentar, almenys, aquelles

40. La primera edició és de 1954. Pot consultar-se la d'Edicions 62 - La Caixa, MOLC, Barcelona, 1981, 2 vol. És molt interessant, sobretot, la cinquena part (II volum) de les memòries intitulada «Dos anys a Madrid».

41. Esmento per I. CÒNSUL, «El 98 en la literatura catalana». *Serra d'Or*, núm. 454, febrer 1998, pàg. 24.

42. Tres dades avalen, crec, aquesta elecció: 1. Dionisio Ridruejo glossa la correspondència Maragall-Unamuno en un treball que porta per títol *Esta correspondencia,* inclòs en l'obra esmentada a la nota 25. 2. Fa pocs anys ha sortit a la llum un estudi objectiu i rigorós sobre la seva figura: el d'Antonio Machín, *Dionisio Ridruejo. Trayectoria humana y poética.* Diputació Provincial de Soria, 1996. 3. A la pàgina 111 hom llegeix: «sabido es que Dionisio Ridruejo estuvo muy vinculado a Cataluña –tierra para él, de parte de su destierro y de sus amigos.»

43. *Revista de Occidente*, Madrid, 1965.

composicions que porten per títol el nom de pintors famosos, com Ramon Casas, Santiago Rusiñol i Isidre Nonell. Com a mostra dono la referència a les Rambles en els quatre primers versos del poema així intitulat:

«En las ramblas se sombrean
los colorines de fuego
que crudos y desfogados
incendian el Paralelo...»[44]

Per part catalana he triat –era obligat per la seva categoria humana i poètica– Salvador Espriu (1913-1985) i el seu llibre *La pell de brau* [45], col·lecció de cinquanta-quatre poemes on es dóna una àmplia visió de la problemàtica històrica, moral, política i, fins i tot, lingüística de «Sepharad». Heus ací alguns dels versos més representatius:

«Ets estesa pell de brau,
vella Sepharad.
El sol no pot assecar,
pell de brau,
la sang que tots hem vessat,
la que vessarem demà,
pell de brau.
Si esguardo damunt la mar,
si em perdo lluny en el cant,
si m'endinso somni enllà,
sempre que goso mirar
el meu cor i el seu esglai,
veig l'estesa pell de brau,
vella Sepharad.»[46]

Tot arribant al punt i final d'aquests primers tastos, cal dir una vegada més que he escollit una mica a l'atzar i que òbviament molt i molts noms s'han quedat al tinter. Hom podria seguir cercant paral·lelismes, visions i relacions. Només apunto algunes més, ja sense un criteri cronològic fix; més aviat, però, tenint en compte altres factors, com ara la política, l'abast del concepte *escriptor català*, la distinció entre *català escriptor* i *escriptor català*, etc. Heus ací, per tant, algunes de molt breus, només suggerides.

Potser per la talla literària i pel prestigi d'ambdós, cal recordar –en una altre tast que exigiria molta més dedicació– encara Camilo José Cela (1916) i Josep Pla

44. *Ibidem,* pàg. 82.
45. *Cuadernos para el Diálogo*, Madrid, 1968.
46. Poema II, *ibidem*, pàg. 31.

(1897-1981), dos escriptors emblemàtics de llarga i fecunda trajectòria literària de cada una de les dues cultures, la producció literària dels quals pren fama a partir dels anys seixanta. El Premi Nobel de Literatura és autor de dues obres, *Viaje al Pirineo de Lérida*[47] i *Barcelona*[48], que són molt riques en informacions sobre la manera de veure –potser no tant d'entendre– coses de Catalunya. En el primer descriu paisatge, pobles i costums i, fins i tot, al·ludeix a l'escudella:

> «La escudella –plato al que, por el país, llaman vianda– es una olla podrida en la que se cuece, se conoce que para que no se pudra, lo más granado, elemental y sabroso que al hombre brindan los dos reinos vivos de la naturaleza, el vegetal y el animal: la artesana patata, la judía pedorra, la descarada col, el peleón garbanzo, el arroz obediente; y, aparte, la costilla en adobo y el hueso de jamón y el tocino sensato del benéfico puerco (jamás bastante celebrado), los menudillos de pollo presumido, la pechuga de la puta gallina, la falda del manso buey.»[49]

En el segon tracta amb segell personal nombrosos aspectes emblemàtics de la cultura catalana (Sant Jordi, la sardana, el Palau de la Generalitat, etc.). Heus ací el seu comentari entorn de «La Pedrera».

> «La Pedrera es la joya del paseo de Gracia y semeja un monstruo fósil, poético y bellísimo; en la Pedrera hasta las chimeneas y los tubos ventiladores son pieza de arte al servicio de un conjunto artístico y de movimiento, y el ritmo horizontal del edificio parece como navegar en una nube dúctil y cambiante [...] Gaudí, al fundir el arte con la naturaleza y el hacer naturaleza del arte, dio razón y madurez al pensamiento de Kant: el genio es la facultad que permite a la naturaleza dar reglas al arte...»[50]

L'escriptor empordanès, tant per les seves obres primerenques –*Madrid, 1921 (Un dietari)* de 1929[51] i *Madrid (l'adveniment de la República)* de 1933[52]– com per les darreres –*Darrers escrits* de 1984[53], on apareixen articles intitulats «Els anys de Madrid», «Don Manuel Aznar» i la «Redacció d'*El Sol*– en les quals rememora vivències de l'Ateneu de Madrid i traça perfils interessants entorn de les figures, entre altres, d'Unamuno, Ramiro de Maeztu, Ortega y Gasset, Primo de Rivera, sense oblidar el retrat que ens dóna del mateix Cela a *El passat imperfecte:*

> «No conec personalment Camilo José Cela. Ignoro com és, el que fa, el que diu, com es mou i el que pensa. Sospito que és un home que s'ha passat un nombre ingent d'hores davant dels

47. Noguer, Barcelona, 1983.
48. Caja de Ahorros y Monte Piedad de Barcelona, 1976.
49. *Op. cit.*, pàg. 65.
50. *Op. cit.*, pàg. 36.
51. Després recollit a *Primera volada, OC*, vol. 3.
52. Publicat l'any 1933, no ha estat reeditat, però a partir d'aquest transformarà coses a altres llibres com, per exemple, *Notes per a Sílvia. Itàlia i el Mediterrani. Obra Completa. Edició 10è aniversari OC,* vol. 10. Destino, Barcelona, 1992.
53. Després recollit a *Darrers escrits, OC,* vol. XLIV.

papers... Quants milers i milers de cigarrets no es deu haver fumat tractant d'encertar la diana del qualificatiu exacte [...] No m'explico clarament la seva capacitat fenomenal per veure i escodrinyar en el carpeto-vetoisme, sobretot vivint a Madrid, que és la ciutat d'Europa on hi ha més tòpics i més llocs comuns per metre quadrat. Suposo que Cela és un home molt estrangeritzat i que per això la seva observació davant del pedruscall és excepcionalment sagaç i viva [...] Sigui com sigui, sàpiga vostè, senyor Cela, que jo li tinc viva viva admiració i un positiu respecte.»[54]

i les múltiples al·lusions, disperses a tort i a dret per la seva obra prolífica, a ciutats castellanes, entre elles Àvila, que prenc com a mostra, de la qual diu amb el seu habitual estil sorneguer:

«Vaig baixar a la fonda i després vaig passejar una estona pelscarrers de la petita població a l'atzar. Vaig veure les muralles –que vaig resseguir una estona en la llum irreal del crepuscle llarg. Poca gent pels carrers. Els capellans. Les beates. Un cert moviment a les portes de les esglésies. Els pobres [...] És en aquests ambients tan primfilats que és possible de comprendre les delícies de la cuina de bisbat. Les llepolies exquisides. Una cuixeta de monja, crema de convent i un pa de pessic fistonejat amb traus morats. La cuixa de monja potser és bona, qui sap...
Vaig poder sopar un xic –poc– a la fonda, però la sensació que a Àvila no hi ha res més que puresa, no l'he acabada de perdre mai. És una població neta i pelada, blanca com una calavera, dibuixada amb un bec de corb, de color de marfil sec i envellit, una mena de carcassa calcinada de vida medieval fregada amb terra d'escudelles, passada amb paper de vidre i posada al cim d'un erm esventat, cru i mineral...»[55]

* * *

Un bloc important –un altre tast– ja més unidireccional, però del qual cal encetar un dia o altre la investigació, és aquell format per escriptors catalans que descobriren, conegueren i/o estigueren en terres castellanes en circumstàncies difícils durant la guerra civil, millor dita incivil. La nòmina és nombrosa i els textos abundosos. Només cal pensar, entre altres, en Josep Maria Ballarín, el qual evoca el Duero, Zamora i la Manxa a *Més d'un dia de mil anys*[56], Manuel Ibáñez Escofet, que al·ludeix a Aranda de Duero en *La memòria és un gran cementeri*[57], o Jaume Miravitlles, que parla del Madrid republicà a *Impresiones de viaje. Catalanes a Madrid*[58].

* * *

Una altra qüestió –un tast més– és la inversa: es tractaria de recollir les visions de Catalunya per part dels escriptors castellans de postguerra i ací el tema

54. *Primera volada, OC, 3,* pàg. 353-354.
55. *El passat imperfecte, OC, 33,* pàg. 281-285.
56. Publicacions Abadia de Montserrat, Barcelona, 1989.
57. Edicions 62, Barcelona, 1990.
58. Es tracta d'una col·lecció d'articles publicats a la premsa de Barcelona i després recollits en forma de llibre. La Forja, Barcelona, 1938.

s'obre molt amb les aportacions de Rafael Alberti, Pedro Laín Entralgo, Julián i Javier Marías, José María Pemán i tantes més altres, algunes de les quals estan recollides en el llibre intitulat *Catalunya en la literatura castellana,* els autors del qual són Carles Bastons i Joan Estruch i Tobella[59].

I encara des del punt col·lectiu dos tastos més, que ofereixen aspectes polèmics i controvertits i que em limito a posar sobre la taula, de forma quasi telegràfica, sense entrar en anàlisis ni en valoracions.

Un: la qüestió dels escriptors nascuts a Catalunya però que empren el castellà com a llengua vehicular literària. Són els anomenats eufemísticament per molta gent *escriptors catalans de llengua castellana* i que, més concretament, Narcís Comadira bateja amb l'expressió «catalanes escritores pero no escritores catalanes»[60]: són des dels germans Eduardo i Rafael Marquina fins als germans Juan, Luis i José Agustín Goytisolo, passant pels Luis Carandell, Manuel Vázquez Montalbán, el grup poètic dels anys cinquanta, ja esmentat, Juan Marsé, Eduardo Mendoza, Fernando Díaz-Plaja[61], etc. Molts d'ells tenen curioses interpretacions i visions de Madrid, Castella –avui seria millor dir de les dues Castelles per allò de les Comunitats Autònomes– i de la seva gent. Només cal recordar, entre altres, la visió del Madrid franquista per part de Vázquez Montalbán a *Crónica sentimental de España*[62]; els llargs comentaris de *Cántico* de Jorge Guillén per part de Jaime Gil de Biedma a *El pie de la letra. Ensayos 1955-1979*[63] o el *Vivir en Madrid*[64] i *Los españoles*[65] de Luis Carandell, on a les primeres planes d'aquest darrer llibre descriu la ciutat de Toledo.

Heus ací, per exemple, el que ens diu Vázquez Montalbán entorn de la seva visió de Madrid:

> «Madrid, capital de la resistencia...», según la épica republicana se había convertido en la capital del nuevo régimen y en la capital de España. El madrileñismo se convierte pronto en la mitificación del centralismo. En diez o quince años, la capital conoce una transformación urbana increíble, no se escatiman presupuestos para embellecerla, no se escatiman medidas de protección de su hegemonía sobre las restantes ciudades españolas. Según la vox populi, este proteccionismo se hace extensivo hasta el cómputo de la matriculación de coches [...] Por todos los símbolos posibles era necesario que Madrid se convirtiera en el eje de las Españas y era necesario que la población se sintiera implicada y satisfecha en esa hegemonía...»[66]

59. EADOP, Generalitat de Catalunya, Barcelona, 1997.

60. Esmento per V. ALEXANDRE, *Jo no sóc espanyol.* Proa, Barcelona, 1999, pàg. 306-307.

61. A cavall de les lletres castellanes i catalanes es poden situar, com a escriptors pont (almenys en aquesta qüestió) i amb permís dels intel·lectuals més crítics, Eugeni Nadal, autor d'un interessant llibre *Ciudades en España* (Argos, Barcelona, 1962) i, sobretot, Guillermo Díaz-Plaja, que fou professor del Dr. Molas a l'institut Jaume Balmes i que l'any 1981 publicava *Figuras con un paisaje al fondo* (col. Austral) i abans havia dedicat comentaris a Cervantes, a Jorge Guillén, a «Azorín», etc.

62. Lumen, Barcelona, 1971.

63. Crítica, Barcelona, 1980.

64. Kayrós, Barcelona, 1967.

65. Estela, Barcelona, 1968.

66. *Op. cit.*, pàg. 142-143.

Dos: la qüestió dels escriptors no nascuts al Principat però que empren el català com a llengua vehicular literària. Escriptors de la categoria intel·lectual dels mallorquins Gabriel Alomar, Miquel dels Sants Oliver, Josep Maria Llompart, Carme Riera, Maria Pau Janer, o dels valencians Vicent Andrés Estellés, Joan Fuster, etc. També molts d'ells han dit la seva sobre el món castellà en nombroses ocasions i han de comptar a tots els efectes, sense cap mena de dubte, com a escriptors catalans en qualsevol recerca seriosa o de qualsevol estudi rigorós sobre la qüestió que ens ocupa. Com a mostra, un llarg poema de V. Andrés Estellés, de fort contingut polític i de molta càrrega evocadora, el tema del qual lligaria amb el tast en el qual he relacionat autors catalans amb la guerra incivil i fratricida:

> [...] ...has seguit el camí
> que feia el tren, greixós, creuant tota la Manxa
> —en Chinchilla pujaven els presos amb les mans
> lligades amb cordells; era a la mitja nit;
> duien, sobre la roba, la barba de tants dies,
> la grogor de la fam, i també la grogor,
> expectant de la por, una olor de la guerra,
> de camió i trinxera, d'aquell ranxo precari
> de cigrons i aigua bruta; i al palmell de la mà
> encara se'ls podria veure una pols de pólvora,
> com si en lloc del penal aquells homes sortissen
> de la trinxera o d'un refugi improvisat,
> sense comprendre res, interrogant a penes
> –amb les boles dels ulls eixint-se'n de les òrbites,
> aquells ulls de la por, la febre o la tristesa–
> el jove que deixava de llegir el seu llibre
> –«Valencia» d'Azorín: ho recordes ben bé–
> i tractava d'entendre, de comprendre, i tenia
> aquell os a la gola, i es passaria tota
> la vida interrogant, tocant a moltes portes,
> fent amistat amb un en un bar qualsevol
> —«Yo estuve en Badajoz y qué voy a decirle...»
> «Allò de l'Ebre...», «Fou una barbaridat»
> «Em gitava amb la filla d'un forner d'Alcalà
> i ens sorprengué la mare y es féu un lloc al llit
> on érem jo i la filla passablement idíl·lics
> un hueco en la cama donde los dos estábamos».
> 'Que no güerva a ocurrí'... », «Sols recordo la por»,
> «Em vaig passar la guerra llegint, en una andana
> per tal que no em matassen els bèsties del poble»)
> «El Criterio» de Balmes una i altra vegada...
> Jo tenia deu anys...» «Molta fam, molta por...»–:
> A les boles dels ulls d'aquells homes hi havia
> Una fe, encara intacta, alguna cosa tèrbola;
> [...]
> aquella pobra roba que els penjava dels muscles
> desvalguts, aquells ossos de llistons, el cordell
> que els lligava les mans, en aquell tren greixós

que creuava la Manxa –Alcázar de San Juan,
un enrenou de ferros, un brut Olimp de fum,
els comuns de les mosques que dessuquen els morts,
la llarga pixarrada de les locomotores,
aquelles truites tristes com soles d'espardenya,
l'amplària del Tajo i Aranjuez d'un verd màgic–»
[...][67]

* * *

I bé, ja per acabar, tot reprenent allò apuntat al principi, un altre front –el darrer tast, ja quasi esquemàtic, molt succint, per a aquesta ocasió– que queda obert: estudiar a fons les diverses trobades d'intel·lectuals castellans i catalans, a les quals he fet esment en iniciar aquest treball –i impulsar-ne de noves des de les institucions polítiques i/o acadèmiques[68].

Per tant i ja a manera de conclusió, tots els exemples esmentats, suggerits i d'altres obviats, conscientment o inconscientment, han de servir com a mostra fefaent i ferma d'allò que el mateix Espriu anomenà *ponts de diàleg*[69] o l'hispanista i catalanòfil alemany Horts Hina batejà amb el nom de «comunicación interhispánica» [70] o, fins i tot, parafrasejant Joan Maragall hom podria també parlar de «comunicació panibèrica», avui tan necessària en un estat que pretén ser i ha d'arribar a ser plurinacional, plurilingüe i pluricultural, u i divers, tot pensant en el títol d'un excel·lent llibre de literatura comparada *–Entre lo uno y lo diverso–*[71] d'un altre no menys excel·lent i emblemàtic mestre universitari: el professor Claudio Guillén.

67. *Manual de conformitats* dins *Obres Completes 3*. Eliseu Climent, València, 1977, pàg. 206-207.

68. Recordem-ho: visita a Catalunya d'intel·lectuals castellans (1930) (vegeu el llibre de J. Ventalló esmentat a la nota 2; congressos de poetes castellans i catalans a a Segòvia (1952); a Salamanca (1953) (vegeu ressenya a *Destino* de l'11-VII-1953) i a Santiago de Compostel·la (1954); trobada d'intel·lectuals a Sitges (1981) (vegeu *Relaciones de las culturas castellana y catalana*, Generalitat de Catalunya, Barcelona, 1983); Pont aeri. Trobades culturals Barcelona-Madrid (1987); Seminari Catalunya-Espanya: les relacions històriques, culturals i polítiques, Barcelona, 1997 (vegeu J. Colominas, coord. *Ponències del seminari Catalunya-Espanya.* Columna, Fundació Trias Fargas, Barcelona, 1998.

69. Fóra bo iniciatives des del Govern central i autonòmic; des dels partits polítics; des de les universitats; des dels respectius ateneus; des de qualsevol institució o organisme públic o privat.

70. En aquest sentit sigui ben rebut el nou llibre *La Institución Libre de Enseñanza en Catalunya* (Ariel, Barcelona, 2000) del professor Buenaventura Delgado; jo mateix, amb el professor doctor Lluís Busquets, també catedràtic d'institut, tinc en premsa dues obres que fins a cert punt complementen *Cataluña en la literatura castellana* vegeu nota 57: (a) *Castilla en la literatura castellana* de propera publicació a càrrec de la Generalitat de Catalunya (en coedició amb la Junta de Castella-Lleó, la Junta de Madrid i la Junta de Castella-La Manxa) i b) *Castilla y Catalunya frente a frente* d'imminent aparició a Ediciones B del "Grupo Z".

71. HINA, H., *Cataluña en la Generación del 98* dins *Actas II Congreso Argentino de Hispanistas,* Mendoza, maig, 1998, pàg. 43-51.

72. Crítica, Barcelona, 1986.

EL PAPER DELS DIALECTES AL *ROMANCERILLO CATALÁN* (1882) DE MANUEL MILÀ I FONTANALS

Francesc Bernat i Baltrons

Universitat de Barcelona

L'aportació de Manuel Milà i Fontanals (1818-1884) al coneixement científic dels parlars catalans és àmpliament coneguda. Així, treballs com *De los trovadores en España* (1861), en què Milà classificava per primera vegada les varietats del català, i *Estudios de lengua catalana* (1875), la primera descripció científica d'un parlar català feta amb la intenció de presentar «lo que es y lo que ha sido, no lo que debiera ser»,[1] constitueixen obres de referència obligada en qualsevol manual d'història de la dialectologia al nostre país. Tanmateix, els estudis o reflexions de Milà a l'entorn dels parlars catalans s'han reduït sovint a les dues obres citades i no es tenen prou en compte altres treballs, d'extensió diversa, que són igualment valuosos per conèixer les seves aportacions a la dialectologia catalana.[2] Al nostre entendre, l'estudi dels últims escrits de Milà demostraria clarament que les qüestions dialectals havien ocupat un paper destacable en la seva obra de maduresa.[3] A més, cal saber que Milà va deixar inèdites un bon nombre de notes sobre els dialectes catalans, força ordenades i sistematitzades, que havien de ser la base d'un projecte inacabat de descripció del català parlat a la seva època i del qual únicament la primera part, la descripció del barceloní efectuada als *Estudios de lengua catalana*, pogué ser publicada i coneguda.[4]

1. Milà (1875: 509).

2. Citarem, entre els més significatius, *Quatre mots sobre ortografia catalana* (1874), la participació de Milà a *I parlari italiani in Certaldo alla festa del V centenario di Messer Giovanni Bocaccio* (1875), *Phonétique catalane* (1876), *Límites de las lenguas románicas* (1877), *Mélanges de langue catalane* (1877) i el *Romancerillo catalán. Canciones tradicionales* (1882), a banda dels ja esmentats.

3. Entenem per etapa de maduresa de Milà els anys inclosos entre 1854 i 1884. En aquest punt seguim les èpoques proposades per Rubió i Ors (citades, al seu torn, per Jorba [1989: 5]), a fi de dividir la trajectòria professional de Milà.

4. Milà ja advertia al pròleg dels *Estudios* (1875: 509) que «damos ahora tan sólo un primer ensayo y muy anticipada muestra». Tanmateix, la millor font d'informació sobre aquest projecte ens la dóna una carta que Milà adreçà a Morel-Fatio el 8-IX-1875 (vegeu *Epistolari, II* (1932: 55-56)): «Conozco las ventajas que éste [el mètode històric] tendría y las desventajas del que sigo, que se verán todavía más en los artículos siguientes; pero pensando que lo mejor es enemigo de lo bueno y que *tengo muchas notas sobre el catalán hablado* y menos (por otra parte mas fáciles de reunir) sobre el antiguo, me he decidido a presentar lo que ahora hay. Si Diós me da vida empezaré después por el principio hasta llegar a nuestros días,

Sens dubte, l'interès de Milà pels parlars catalans era el resultat de la maduració de dues de les grans línies de recerca de la seva obra.[5] Per una banda, l'interès per la literatura medieval, especialment la poesia trobadoresca, dugué Milà a interessar-se per la filologia romànica,[6] primerament, i la naixent dialectologia romànica,[7] després. Per altra banda, l'estudi de la poesia popular, tant catalana com castellana, va permetre a Milà tenir un coneixement de primera mà de la variació geogràfica, particularment del català. Així doncs, tot i que Milà fou essencialment un estudiós de la literatura popular i medieval, la metodologia que emprava en els seus estudis literaris[8] duia aparellada la necessitat d'esbrinar i aprofundir en totes aquelles qüestions lingüístiques que ajudessin a entendre i contextualitzar millor les obres que analitzava. Per aquest motiu, les reflexions i les anàlisis sobre la llengua emprada en els textos que estudiava anà ocupant progressivament un paper destacat en la seva obra, especialment en la de maduresa, tant en quantitat com en qualitat.

En aquest article ens proposem donar un exemple significatiu del paper que havien pres les qüestions dialectològiques en els treballs de maduresa de Milà tot analitzant la seva última gran obra: el *Romancerillo catalán. Canciones tradicionales* del 1882. Remarquem, d'entrada, que aquesta obra constitueix la culminació de bona part de les recerques de Milà sobre la poesia popular catalana[9] i que encara

y entonces *no dejará de ilustrar muchos puntos dudosos de la historia el conocimiento de la fonética viva del catalán*» (la cursiva és nostra). Com podem llegir, la descripció dels parlars catalans que Milà s'havia proposat dur a terme era el treball previ d'un altre projecte més ambiciós: la redacció d'una gramàtica històrica del català. Les notes citades es conserven actualment al Fons Milà de la Biblioteca Menéndez y Pelayo de Santander i són la base de la tesi doctoral que defensarem suara.

5. Molas (1985: 16) en destaca tres: la poesia trobadoresca, la poesia heroica castellana i la poesia popular catalana.

6. Milà dedicà diversos estudis a l'origen i formació de les llengües romàniques, *Estudios sobre los orígenes y formación de las lenguas romances y especialmente de la provenzal* (1853) i *Orígenes de las lenguas neolatinas* (1857) (que amplià i refongué en el capítol I de *De los trovadores en España* [1861]) i altres temes afins com, per exemple, *Límites de las lenguas románicas* (1877). L'interès de Milà per la romanística era una conseqüència dels seus estudis sobre la poesia trobadoresca i, conseqüentment, de la necessitat de situar adequadament l'occità entre les llengües romàniques. Milà, així mateix, tingué una abundant relació epistolar amb prestigiosos romanistes d'arreu d'Europa com Alfred Morel-Fatio, Giuseppe Pitrè, Paul Meyer i Gaston Paris, entre altres, i fou un dels membres fundadors de la Societé pour l'étude des langues romanes.

7. Milà, per exemple, fou un dels membres del jurat que premià l'estudi de G. I. Ascoli sobre els parlars francoprovençals a la festa científica que la Societé pour l'étude des langues romanes va organitzar el 1875 a Montpeller.

8. Molas (1985: 15) defineix així el mètode de treball de Milà: «Com a investigador, treballà, no amb els mètodes d'un Balaguer, historiador dels trobadors, ni fins d'un Aguiló, editor i col·lector de romanços populars, sinó amb l'asèpsia documentalista de la Il·lustració, l'historicisme filosòfic dels germans Schlegel i la rigidesa positivista de la filologia romànica.»

9. El *Romancerillo* del 1882 era, de fet, l'ampliació i revisió de les *Observaciones sobre la poesía popular, con muestras de romances catalanes inéditos* de 1853 (vegeu *O. C.* VI). Aquesta obra, al seu torn, formava part d'un projecte més ampli de Milà que consistia en l'edició de tots els seus estudis i troballes sobre la poesia popular aplegats en quatre volums. El primer seria la reedició de *De la poesía heroico-popular castellana* (1874); el segon, el *Romancerillo catalán. Canciones tradicionales,* que

avui és una referència obligada per als nostres estudiosos de la cultura popular, tal com ha destacat Massot (1962).[10] Tot i que la intenció principal de Milà a l'obra esmentada sigui la publicació d'un corpus significatiu de poesia popular catalana, l'anàlisi del *Romancerillo* és, com ja hem avançat, una bona mostra del paper que havien pres les reflexions a l'entorn dels parlars catalans en els seus estudis de maduresa.

En efecte, una de les principals preocupacions de Milà al Romancerillo fou plasmar amb la major fidelitat possible la versió oral de les cançons populars que recollí amb la qual cosa els dialectes catalans apareixeran, inevitablement, en el text definitiu de les composicions poètiques:

> «En la transcripción de las canciones he procurado la mayor fidelidad, separándome del sistema un tanto ecléctico seguido en la primera edición. [...] He procurado tambien cuanta fidelidad ha sido posible en las formas del lenguaje y en la escritura» (Milà [1882: XIV]).

Així, determinats trets dialectals de la zona originària dels poemes, que Milà enumera breument en el pròleg del treball, van ser representats gràficament en el corpus textual del llibre. Amb tot, Milà també reconeixia al pròleg del *Romancerillo* que no havia plasmat molts altres fenòmens dialectals per una raó: evitar bastir un «sistema rigurosamente fonético» que pogués ser utilitzat per algunes persones com a base d'un sistema literari.[11] Tanmateix, Milà també va esmentar succintament els trets que havia decidit no reflectir en el text però que apareixien en la versió oral original. Aquests últims fenòmens, a diferència dels primers, són agrupats segons la varietat dialectal a què pertanyen. Així doncs, i com a conseqüència de la voluntat de Milà de respectar amb la màxima fidelitat possible la forma originària de les composicions populars, el *Romancerillo catalán* de Milà –especialment el pròleg– constitueix, a la pràctica, una petita miscel·lània de dialectologia catalana al segle XIX,

comentarem; el tercer i quart volums, *Romancerillo catalán. Observaciones, apéndices y notas* i *Estudios varios*, respectivament, restaren inèdits o inacabats. MENÉNDEZ Y PELAYO publicà uns *Preliminares* del *Romancerillo catalán* (inclosos dins l'*O. C.* VI, pàg. 171-202) en què Milà treballava abans de morir i que, segons JORBA (1989: 291), havien de ser inclosos en el tercer volum. Més tard, Francesc PUJOL i Josep PUNTI (1926) publicaren les observacions, apèndixs i notes que Milà havia fet damunt d'un exemplar del *Romancerillo* i que, amb tota probabilitat, també havien de formar part del tercer llibre esmentat. Per a més informació, vegeu MILÀ (1882: IX) i JORBA (1989: 287-298).

10. A pesar que Milà utilitzà un sistema força complicat de presentació i classificació de les cançons i que censurà fragments que considerava «inmorales y no aptos para todas las personas» (a banda de les nombroses errates amb què el llibre fou publicat), MASSOT (1962: 418) considera necessari editar novament el que qualifica com a «mejor corpus [de poesia popular] entre los publicados en Cataluña».

11. «Ocioso es advertir que no he tratado de dar ejemplos de un sistema gráfico literario, sobre el qual expuse en otro lugar mis opiniones» (MILÀ [1882: XV, nota 1]). Malgrat que Milà no diu on va exposar les seves idees sobre la llengua literària, és segur que es refereix a «Quatre mots sobre ortografia catalana» (1874), un article en què va fer l'original proposta d'admetre dues llengües literàries: una de general a tot el domini, basada en la tradició escrita antiga, i una altra *particular y variable,* basada en les parles populars, que es destinaria a la representació de determinats gèneres menors.

tant pel que fa als trets que queden reflectits en el text de les cançons populars com als que no, ja que ambdós tipus de trets són descrits breument per Milà.

Una altra font d'informació dialectal del *Romancerillo*, que no estudiarem aquí per manca d'espai, seria l'anàlisi lingüística de les composicions poètiques recollides a l'obra, no tant pel que fa a trets dialectals foneticofonològics que, com veurem, estan molt mediatitzats, sinó als morfosintàctics i lèxics, que Milà va respectar més fidelment. Aquest estudi, de ben segur, podria aportar segurament dades significatives sobre l'estat dels dialectes catalans a la passada centúria.[12]

Un altre punt d'interès dialectològic del *Romancerillo* és la classificació dialectal que Milà segueix a l'hora d'agrupar els trets no representats en les cançons, ja que, com veurem, no coincideix amb la seva proposta de divisió dialectal del 1861.[13] Tindrem també, doncs, l'oportunitat de saber l'evolució de les idees de Milà a l'entorn de la classificació dialectal del català en la seva obra de maduresa.

Si prenem com a punt de partida les característiques dialectals respectades per Milà, una de les primeres informacions que llegim al pròleg, després de la descripció dels llocs d'origen de les cançons[14] i de les fonts d'informació que utilitzà,[15] és l'avís que les composicions provinents de la Catalunya occidental es podran identificar a través de la grafia dels plurals nominals femenins i desinències verbals en *e*, a diferència de les que provinguin de la part oriental del Principat que seran representades en *a*. Milà, fins i tot, informa que es podran distingir perfectament les cançons orientals que provenen de la província de Girona per la presència de la terminació verbal *-uch* de la primera persona del singular del present d'indicatiu.[16]

12. A més, les cançons del *Romancerillo* són una interessant mostra del tipus de llengua que s'emprava en la literatura popular del XIX.

13. Com és sabut, MILÀ va classificar els dialectes catalans en orientals i occidentals a *De los trovadores en España* (1861).

14. Vegeu MILÀ (1882: XI). La majoria de les cançons provenen de Catalunya, especialment de la zona oriental. Les segueixen, de major a menor nombre, les originàries de la Catalunya Nord, Illes Balears (la majoria de Mallorca), País Valencià i l'Alguer. Milà només diu al *Romancerillo* el lloc de procedència de les cançons quan són de fora del Principat, amb l'excepció de les que provenen de la zona occidental (s'esmenten les localitats de Menargues, Bellpuig, Agramunt i l'Espluga de Francolí). També adverteix que la majoria de les orientals han estat recollides a les províncies de Barcelona i Girona i molt poques a la de Tarragona. Tanmateix, es pot saber aproximadament les localitats concretes de procedència d'aquestes últimes a PUJOL I PUNTÍ (1926: 27-34).

15. Vegeu Milà (1882: X). En resum, una part van ser recollides directament per Milà, ja sigui al lloc d'origen o a Barcelona (comprades o a través de criades), i una altra part li van ser proporcionades per tot un seguit de col·laboradors, entre els quals agraeix i destaca l'aportació de Josep Giró (Vic), Mateu Obrador i Manuel Guasp (Illes Balears), Josep de Tortadès (les Guilleries), Celestí Pujol (comarques de Girona) i Josep Frank (l'Alguer). Per a més informació, vegeu també PUJOL I PUNTÍ (1926: 35-37).

16. Vegeu MILÀ (1882: XI). Cal dir que la terminació esmentada no és pròpia de tota la província de Girona però sí d'una bona part. Vegeu-ne l'extensió geogràfica a *Mapes per a l'estudi de la llengua catalana* (*COM*, n. 6, p. 16).

Més endavant explicita les altres característiques dialectals que ha decidit plasmar per escrit:

> «Así 1º He escrito las letras adicionales usadas en nuestra pronunciación popular y que son las siguientes: *a* en principio de dicción v. g. en *a-rendi*; y al principio de verso ó hemistiquio (práctica de uso general en el canto) v. g. en *Y-el general* (num. 15); y *n* entre vocales v. g. en *á n-el*, incluso el caso muy anómalo pero á mi parecer indudable de *á n-á*. 2º He suprimido la *r* final de los verbos y nombres v. g. *cantá*, *fló* ó *flós*, excepto en los casos en que la he oido pronunciar ó he juzgado que la oyeron los autores de las copias. 3º He usado según la diferente pronunciación ó según las copias *ja* ó *ya*, *jo* ó *yo*, *ab*, *am* ó *amb*. 4º He escrito *y* por *ll* en algunos casos v. g. *cabey* por *cabell* y aun en otros de todo punto excepcionales *n* por *m* v. g. *an* por *am* y *no'n* por *no'm* y *ait* por *aig* v. g. *vait* por *vaig*. 5º He reproducido las diferentes formas de una dicción v. g. *dafetá* y *tafetá*, *diumenge* y *domenge* como también las ménos castizas y las ménos propias del lenguaje de las canciones, como *princesa* y no *primcesa*, *bosch* y no *boy*. 6º He conservado las formas y palabras francesas y castellanas»* (Milà [1882: XV]).

Pel que fa al punt n. 6, cal tenir en compte, a més, l'afegit d'una interessant nota a peu de pàgina que ens informa indirectament d'algunes adaptacions de castellanismes al català popular del XIX, avui ja totalment desaparegudes:

> (*). «Sin embargo para templar el mal efecto que en los no acostumbrados pudiera producir el lenguaje híbrido de algunas canciones he puesto *rie*, *bien*, *pino*, *hijo*, *decía*, *moro*, *noche*, *verde*, y no *risa*, *ben*, *piño*, *hico*, *disía*, *muero*, *nueche*, *vierde*» (Milà [1882: XV]).

Com podem comprovar, alguna de les característiques plasmades per escrit no són directament qüestions dialectals, com és el cas de la grafia de la desinència de plural femení i de les terminacions verbals en *a* (cançons orientals) o *e* (cançons occidentals) o de les pròtesis *a-* i *y-* a principi de vers. Tot i així, cal tenir present les idees de Milà a fi d'entendre la inclusió d'aquests fenòmens, especialment del primer. Pel que fa a la grafia de les desinències esmentades, cal saber que Milà considerava la vocal neutra àtona del català oriental com una simple variant contextual del fonema */a/*. Seguint aquesta idea, Milà arribava a la conclusió que la representació gràfica més fidel a la pronunciació de les terminacions citades en les cançons orientals havia de ser necessàriament amb la lletra *a*[17] Pel que fa a les pròtesis, és indubtable que aquest tipus de fenòmens, no sempre estudiats per la dialectologia, pertanyen als recursos expressius i literaris del llenguatge popular, cosa que justificaria la seva inclusió entre els trets que Milà decidí plasmar per escrit.

17. Milà, però, utilitzava sempre la grafia en *-es*/*-en* en els seus últims escrits, ja que tenia molt present la distinció entre llengua literària i llengua popular. Tampoc no es pot excloure la possibilitat que la doble representació gràfica d'aquestes formes fos una manera d'acontentar tant els partidaris com els detractors de les grafies en *-as* o *-es*. Per a la postura de Milà a l'entorn de la grafia de les desinències esmentades i la seva concepció fonètica sobre la vocal neutra, vegeu especialment SEGARRA (1985: 65-66) i ROSSICH (1995: 160-161).

Malgrat que no comentarem els fenòmens dialectals respectats per Milà,[18] val la pena destacar la referència a la terminació *-ait* per *-aig* (*vait* per *vaig*), tret del qual no tenim notícies que encara sigui viu al Principat, però que possiblement pot explicar, per reducció, l'aparició d'algunes formes com *vai* o *fai*, que encara hi són força usuals, l'origen de les quals ha estat poc estudiat. Destaquem, igualment, les referències a la iodització, fenomen que era molt més habitual en els parlars rurals del Principat al segle XIX que no en l'actualitat.[19]

Després de presentar els trets que acabem de comentar, Milà es veu obligat a advertir que els fenòmens dialectals representats en el text de les composicions populars no pressuposen en absolut que hagi pretès bastir una ortografia fonetitzant («un sistema rigurosamente fonético») de la llengua catalana, sinó que es tracta d'una manera de ser fidel a la versió original. Malgrat que no esmenta les raons que l'han dut a classificar els trets dialectals en dos grups, és possible que rere la discriminació entre fenòmens representats i no representats en el text del *Romancerillo* hi hagi una distinció entre aquelles característiques que Milà considerava com a pròpies o habituals de les cançons populars i les que concebia com a inusuals o poc apropiades per a aquest tipus de llenguatge. En aquest sentit, no podem descartar que la selecció esmentada tingui alguna relació amb la proposta d'acceptar dues menes de llenguatges literaris (el *literari-general*, basat en el català escrit tradicional des del segle XVI, i el *particular-variable*, destinat a representar «lo modo de parlar de cada encontrada») que Milà havia proposat el 1874 a *Quatre mots sobre ortografia catalana*. Tot i així, alguna de les característiques que Milà proposava representar en el llenguatge *particular-variable*, com és el cas de la pronunciació del primer element del dígraf *-ix-*, figuren entre els trets obviats al *Romancerillo* mentre que d'altres trets d'aquest últim tipus de llengua literària, com la representació dels plurals femenins en *a* o *e* i la pèrdua de la *-r* final, en canvi, s'inclouen entre els fenòmens respectats. Malgrat tot, considerem que és necessari plantejar aquesta qüestió, que deixem oberta, ja que és molt probable que la discriminació de trets dialectals efectuada al *Romancerillo* sigui el resultat de l'evolució de les idees de Milà exposades el 1874 a *Quatre mots sobre ortografia catalana*,[20] un punt sobre el qual valdria la pena investigar.

A continuació dels trets dialectals que acabem de comentar, Milà passa a enumerar, dialecte per dialecte, les característiques que va decidir no plasmar en el *Romancerillo*. Malgrat que la majoria de fenòmens apareixen agrupats, algun tret o

18. Vegeu-ne un comentari detallat, per exemple, a VENY (1983).

19. La gran novetat de la referència a la iodització que llegim al *Romancerillo* és el fet que Milà reconeix, per primera vegada, que no es tracta d'una substitució indiscriminada de qualsevol *ll* en *y*, tal com havia mantingut a *Estudios de lengua catalana* (1875: 525, nota 3), sinó d'un fenomen que només afecta una part del sistema palatal de la nostra llengua.

20. En aquest sentit, considerem especialment significatiu que Milà ja advertís en aquesta obra que en la llengua literària destinada a les parles populars no era convenient representar-hi qualsevol fenomen dialectal: «Un altre llengua particular y variable [...] ahont sense portar les coses massa enllá se representás lo modo de parlar de cada encontrada.» Vegeu MILÀ (1874: 168).

reflexió d'una varietat pot aparèixer isolada o escolar-se entre la descripció particular d'un altre dialecte.[21] Les primeres característiques que llegim són les del català oriental continental, seguides de les del català occidental (on s'inclou el valencià, que n'és considerat una subvarietat[22]), i, finalment, les mallorquines. Vegem en primer lloc els trets del català oriental obviats a les cançons:

> «No he pensado siquiera en sustituir *a* y *u* a las *e* y *o* átonas del catalán oriental; he conservado la *t* final, que no suena por lo común más que en el baleárico,[23] la forma *ix*, aunque en pocos lugares se oye bien distinta la *i*, la *p* puramente etimológica (*camps*, *temps*), la *ig* final que ahora suena *tx*, etc. Además he usado poco de la elisión á que en gran manera propende el catalán hablado, tanto para evitar la oscuridad, como por difícil que era notar exactamente su empleo y sus excepciones. Finalmente he sustituido la forma del auxiliar *he* á la *ha* en los poquísimos casos en que se ha presentado la última [...] y prescindido de ciertos raros y casi imperceptibles accidentes de pronunciación, com *el* por *els*, *seyós* por *senyós*» (Milà [1882: XV-XVI]).

Com s'haurà pogut llegir, l'enumeració dels trets que Milà va decidir no plasmar és molt més interessant, des del punt de vista dialectal, que els reflectits en el text de les cançons perquè s'hi consignen bona part dels fenòmens essencials del català oriental continental. En destaquem, especialment, el primer: «sustituir *a* y *u* á las *e* y *o* átonas». Cal tenir present que, com ja hem avançat, Milà no partia del concepte de neutralització tal com és concebut modernament, sinó d'una consideració més primària i, fins a cert punt, popular del fenomen esmentat. En síntesi, Milà considerava que en català oriental les úniques vocals que es transformaven (Milà preferia usar el terme *sustitución*) eren la *e* i la *o* àtones, que esdevenien *a* i *u* respectivament, però no les *a* i *u* àtones que restaven sense modificar i pràcticament idèntiques als seus correlats tònics.[24] Aquest és el sentit exacte amb què cal entendre «sustituir *a* y *u* á las *e* y *o* átonas».[25] Milà, doncs, mai va parlar de l'existència d'un so àton diferent dels que existeixen en posició tònica,[26] ja que sempre considerà la vocal neutra

21. Hi ha una referència indirecta al baleàric (la pronunciació de la *-t* final) entre els trets del català oriental i una altra al català oriental (les formes dels pronoms *us* i *ho*) entre els dels català occidental, respectivament.

22. Tot comentant les cançons del *Romancerillo* provinents de València, Llucena i la Jana, MILÀ (1882: XI) afirma que «pertenecen á la subvariedad meridional ó valenciana del catalán occidental». Milà ja havia catalogat el valencià com a subvarietat del català occidental el 1861 a *De los trovadores en España* i aquesta consideració no varià al llarg de la seva obra.

23. Aquesta és la referència indirecta al baleàric dins la descripció dels trets del català oriental obviats per Milà que esmentàvem suara.

24. L'única diferència entre *aa* tòniques i àtones en català oriental, segons Milà, seria el fet que les últimes «suenan más impuras que la tónica, recibiendo, sin perder su sonido fundamental, un tinte de *e* y nasalidad». Vegeu MILÀ (1875: 514). Com a conseqüència, cal entendre que el vocalisme àton del català oriental continental estava format, segons Milà, pels mateixos elements que trobem en alguerès: *a*, *i* i *u*.

25. Sobre el sentit exacte del verb *sustituir* en Milà, ROSSICH (1995: 160-161) també ha arribat a les mateixes conclusions: «Si volem entendre el fragment [de Milà], hem d'interpretar el concepte de substitució a l'antiga, quan *substituir* significava –justament a l'inrevés que avui– "ésser substituït per".»

26. Milà tampoc creia que la neutra tònica de part del baleàric fos un fonema independent sinó que el concebia com un «diftong simultani» o «vocal mixta». Sobre aquesta qüestió, vegeu, per exemple, MILÀ (1876).

àtona com una simple variant contextual en posició àtona de /*a*/. Aquesta concepció, però, no és present només al *Romancerillo*, ja que Milà va ser coherent amb aquesta idea al llarg de la seva obra.[27] Una de les mostres més evidents d'aquest fet és la defensa que llegim a *De los trovadores en España* sobre el caràcter idèntic entre les *a* i *u* tòniques i àtones, respectivament, en uns termes similars als que llegim en el *Romancerillo*:

> «Tal vez se nos niegue que la sustituida es una verdadera *a* o una verdadera *u*. En tal caso preguntamos: ¿en la pronunciación de la palabra *sogra*, quien adivina si se trata de "suegro" (*sogre*) o "suegra" (*sogra*); de la palabra *para*, si significa "padre" (*pare*) o "para" (*para*, del verbo *parar*); de la *cuqueta* (por *coqueta* o *cuqueta*) si se trata del diminutivo de "torta" (*coca*) o de "gusano" (*cuca*)?» (Milà [1861: 435])

La resta de característiques orientals esmentades per Milà, excepte la desnasalització de *ny* («*seyós* por *senyós*»), són fenòmens sobre els quals Milà ja havia parlat a una part de la seva obra. Alguns, com l'absència de [j] fònica davant la palatal representada per *x* o l'abast de les elisions, fins i tot, amb notable prolixitat.[28] Pel que fa als comentaris sobre el dígraf *-ig*, que segons Milà «ahora suena *tx*», cal saber que Milà estava convençut que el so de la terminació esmentada devia haver estat molt diferent antigament en català.[29] A més, aquesta evolució havia ocasionat, al seu parer, que la grafia s'hagués allunyat excessivament del so originari. Així ho exposava a *Estudios de lengua catalana*:

> «Este respetable uso ortográfico es muy antifonético. Ciertas palabras correspondientes á algunas terminaciones como *bòja* de *bòig*; *púja* y *pujòl* de *púig* (otro diminutivo más recientemente for-

27. Val la pena llegir també els comentaris de Milà sobre la *a* i la *e* àtones del barceloní a *Estudios de lengua catalana* (1875). Així mateix, recordem que en la versió al català oriental que Milà va assajar per a l'homenatge que els romanistes europeus van retre a Bocaccio el 1875 (*I parlari italiani in Certaldo alla festa del V centenario de Messer Giovanni Bocaccio,* editat per Giovanni Papanti) les *e* i *o* àtones eren transcrites sistemàticament com a *a* i *u*, respectivament. Vegeu-ne una mostra: «Al réy qua fins allabòns habia sigut daxat y parasós, com si's daspartés d'un sòmit, cumanssan par l'injuria féta a aquélla dòna, qua va banjá duramén, as va turná parssaguidó savarissim da cuanssavol qua, d'allí andavan, cumatés algun acta còntra l'hunór da la séba curóna» (Papanti [1875: 320]). Sobre aquesta versió, vegeu també Bernat (en premsa).

28. Pel que fa a *(i)x* destaquem els comentaris de Milà fets a *De los trovadores en España* (1861), *Estudios de lengua catalana* (1875) i *Mélanges de langue catalane* (1877). En totes aquestes obres Milà deixa ben clar que la semivocal esmentada és muda a la major part del català i que la seva grafia es justifica únicament per raons històriques. Pel que fa a les elisions, destaquem els comentaris de Milà a *Estudios de lengua catalana*, que constitueixen el primer intent de sistematització d'aquest fenomen en català oriental, i *Quatre mots sobre ortografia catalana* (1874), on va exposar la seva postura contrària a abusar de les elisions en l'ortografia.

29. Milà, de fet, no anava desencertat quan mantenia aquesta postura car és sabut que les consonants finals sonores del català preliterari mantingueren la seva sonoritat fins ben entrat el segle xii, cosa que justifica les correspondències del tipus *boig-boja* esmentades per l'autor. Tot i així, la insistència de Milà en aquest aspecte ens fa sospitar que devia creure, erròniament, que es tractava d'un canvi no gaire llunyà a la seva època.

mado, *putxèt*, lo escriben á la cast. *Puchet*) dan sospechas de que antiguamente el sonido escrito *ig* era más dulce» (Milà [1875: 525]).

Un altre fenomen interessant de comentar és la desnasalització exemplificada a través de l'exemple «*seyós* por *senyós*», ja que es tracta d'un canvi sobre el qual avui no tenim notícies, però que devia ser viu a la passada centúria. Segons les notícies que tenim, J. B. Alart ha estat l'únic autor que, a més de Milà, ha parlat sobre aquesta desnasalització.[30] En aquest sentit, destaquem una carta que Milà adreçà a Alart el 1875 en què l'informava de la zona concreta del Principat on havia detectat el fenomen esmentat, amb la qual cosa es demostra que els dos autors estaven al corrent de les respectives descobertes dialectals:

> «En quant a l'altre qüestió de la *y* = *ny*, no he reparat en los Pirineos aquesta sustitució del llenguatje parlat: és asunto que vós debeu saber millor que ningú: però crech haverus dit que lo he observat per la part de Olot, ahont las donas diuhen *miyona* per *minyona*, ab una forta nasalitat.»[31]

A continuació dels trets orientals, Milà enumera els fenòmens del català occidental que tampoc ha decidit representar gràficament:

> «Al examinar mis copias de las canciones de lenguaje occidental he observado que en los femeninos singulares y en las terminaciones verbales había escrito á veces *a*, y á veces *e*: irregularidad que debía corregirse. Después de acudir, no sólo á mis recuerdos, sino á los buenso oficios del no ménos condescendiente que benemérito escritor leridano D. Luis Roca y Florejachs (1) he adoptado el sistema de escribir con *a* los singulares femeninos y con *e* los plurales (con respecto á los cuales no cabe ninguna duda) y las terminaciones verbales, excepto en la primera persona del singular. Se han conservado, no obstante, sujuntivos en *a* [...], en *o* [...] y en *i* [...] y aún en algun indicativo de esta última terminación (*porti*, *balli*). Tambien han ofrecido alguna dificultad los monosílabos *ho* y *os* que se transforman en *hu* y *us* (á menudo *aus* y aún *eus*) no solo en el catalán oriental,[32] conforme á la regla, sino tambien en muchos lugares del occidental; pero como no siempre sucede así, se ha conservado aquella escritura» (3) (Milà [1882: XVI]).

A banda d'aquest fragment, Milà aportava més precisions sobre el català occidental en dues notes a peu de pàgina (les n. 1 i 3 de la pàgina XVI) vinculades amb el text que acabem de citar. Vegem-les:

> «*Nota 1, p. XVI*: Después de un detenido estudio de la pronunciación de Lérida y de personas de Soses, Térmens, Ivars de Urgell, etc., el sr. Roca nos ha contestado: 1° que no ha notado (en

30. ALART hi dedicà un article, «Le son catalan "ny"», a la *Revue des langues romanes* (1875, volum VII, pàg. 275).

31. Vegeu la carta n. 223 de l'*Epistolari, II* (1932: 28).

32. Cal incloure aquesta referència entre les característiques del català oriental continental esmentades per Milà. Aquest fenomen, conjuntament amb la referència a la *-t* final del baleàric, són els dos únics trets dialectals que Milà no classifica en el grup pertinent.

estos lugares) singulares femeninos en *e*; 2º que las terminaciones verbales son constantemente en *e* excepto en la primera persona del singular. –Nota tambien la ausencia de *r* en los infinitivos y las formas *diven* (dien), *feven* (feyen) en poblaciones rayanas de Aragón.
Nota 3, p. XVI: El sr. Roca ha observado la pronunciación *ho, os* en San Martí de Maldá; y en otros puntos de Cataluña y Valencia pudiera observarse.»

Com hem pogut llegir, la principal preocupació de Milà a l'hora de representar les cançons provinents de terres occidentals era la qüestió de la grafia i la naturalesa fònica de les desinències nominals i verbals de singular i plural, aspecte que aclarí a través de l'ajuda del metge i escriptor lleidatà Lluís Roca i Florejachs (1830-1882), un intel·lectual que ja havia proporcionat anteriorment a Milà mostres del català parlat a Lleida.[33] Conservem a l'*Epistolari, III* (1995: 50), un fragment d'una carta datada el 1881 en què Roca aportava a Milà el resultat de les seves observacions sobre la qüestió que ens ocupa a la ciutat de Lleida i localitats properes.[34] Val la pena reproduir-ne el següent paràgraf perquè la pràctica totalitat de les característiques occidentals reproduïdes per Milà al *Romancerillo* es basen en aquesta carta:

«Puedo decir a V. que, de conformidad con lo que ya tenía presunto, en toda esta comarca, así como todos los plurales femeninos en *-a* tienen pronunciación de *-e*, como *casa, cases, porta, portes, cadira, cadires*, etc., nunca tienen tal pronunciación en el singular, de suerte que se diga *case, taule, cadire*, como tampoco los singulares en *-e* reciben (a semejanza de lo observado en esa) tendencia al sonido de *-a*, como *mara* en vez de *mare*, etc., etc. Respecto a pronunciarse *o* o bien *u* lo que se escribe *ho, os*, v. gr. *Jo ho vaig dir, No os ho diré*, se verifica lo segundo en esta ciudad y casi todos los pueblos de su territorio, diciéndose, por lo tanto, *Ja HU vaig di* (suprimida siempre la *-r* terminal de los verbos), *No HU US diré*, cual lo he notado principalmente en gente de Soses, Térmens, Ivars d'Urgell y otros puntos; pero en alguno, por ejemplo San Martí de Maldá, marcan la *o*, como *No HO pensaba, Ja HO sabia*. Y, en cuanto a la terminación verbal, cúmpleme advertir de paso que, si bien en la primera persona del singular se pronuncia claramente la *a* conforme va escrito en los ejemplos precedentes, suena simpre como *e* en los demás, v. gr.: *No u pensabEs ni sabiEs, Prou s'u creyE, Bé u contàvEm, U negàbEU y ells u dihEn*; pareciéndome asimismo del caso advertir, a propósito de las terminaciones verbales, que en ciertas localidades, principalmente las rayantes con el Aragón, campea a veces una *V* central entre dos vocales, por ejemplo *No mos ho diven y mentrestant hu feven*.»

Com podem comprovar, la informació dialectal aportada per Roca va ser aprofitada per Milà per a la regularització de les grafies *a* i *e* en les desinències nominals i verbals citades de les cançons provinents de l'àrea occidental. A banda de la pronunciació de les terminacions esmentades, Milà també va respectar la diversitat de desinències del present de subjuntiu (en *-e*, *-o*, *-i*) que va localitzar en el català

33. Com a prova d'aquesta col·laboració, destaquem aquest fragment d'una carta que Roca adreçà a Milà el 1873: «No olvido el cargo que gustoso contraje con V. de remitirle por copia algunas muestras del catalán de esta ciudad en varias épocas de su historia. Tengo ya varios fragmentos recogidos, y me complaceré en enviárselos así que los crea suficientemente completados.» Vegeu *Epistolari, I* (1922: 217).

34. L'àrea esmentada per Roca abasta, a grans trets, les comarques del Segrià, Urgell, Pla d'Urgell i la Noguera.

occidental. Els comentaris sobre la variació en la pronunciació dels pronoms *ho* i *us* i el segment *-v-* dels imperfets d'indicatiu, en canvi, només va ser tinguts en consideració com a informació dialectal suplementària –per això es troben a peu de pàgina–, ja que Milà va decidir no plasmar aquests fenòmens en el text de les cançons.

Rere la discriminació de trets dialectals provinents del català occidental es fa palès que Milà va decidir respectar aquells trets la representació dels quals era més polèmica al segle passat (els plurals femenins i les desinències verbals acabades en vocal més consonant), tot basant-se en el fet que la pronunciació de les àtones en les terminacions citades era ben clara i viva a la zona d'origen de les cançons. Milà, però, va regularitzar la representació gràfica dels altres fenòmens (la variació fonètica en els pronoms *ho/us* i les desinències locals d'imperfet) perquè, segons el seu parer, eren difícilment sistematitzables i no comptaven amb una sòlida tradició d'escriptura.

Un dels aspectes que més ens ha cridat l'atenció són les referències a la manca de tancament en [ɛ] de la *-a* àtona final absoluta dels substantius (*casa, taula, cadira*) a l'àrea geogràfica estudiada per Roca, ja que actualment la vocal esmentada hi esdevé sistemàticament una *e* oberta (*case, taule, cadire*).[35] Si la informació de Roca és encertada –i no tenim motius per dubtar-ho–, estaríem davant d'una dada que ens permetria conèixer amb força exactitud el procés d'extensió del tancament de la *-a* àtona final dels noms a la regió de Lleida. Tenint en compte que les dades dialectals de Roca van ser recollides a principis de la dècada del 1880, és clar que el canvi [-a] > [-ɛ] va tenir lloc en una època posterior (segurament ja a principis del segle XX) en la zona esmentada. Això no negaria que el tancament de la vocal ja fos incipient a finals del XIX o que fos habitual en altres localitats nord-occidentals[36] que Roca no assenyalà. Tanmateix, sembla clar que es un fenomen relativament recent a les zones estudiades per Roca, i citades per Milà al *Romancerillo*.

Una última observació dialectal relacionada amb els parlars occidentals que llegim al *Romancerillo* ens la proporciona una nota (la n. 4) de la pàgina XV del pròleg. L'interès d'aquesta nota és el fet que fa referència a una localitat occidental de l'àrea de transició a l'oriental, l'Espluga de Francolí, en què ja comencen a donar-se alguns trets específics d'aquest últim dialecte:

35. Vegeu la zona on es dóna actualment aquest fenomen a *Mapes per a l'estudi de la llengua catalana* (*COM*, n. 6, pàg. 7). L'única localitat en què, probablement, encara no té lloc el tancament és Sant Martí de Maldà, la població més allunyada de Lleida citada per Roca. El tancament en *-e* de la desinència de tercera persona del singular en aquesta àrea, en canvi, és molt antic i se'n tenen testimonis des de l'edat mitjana.

36. Les referències de Milà (1889:XVI) a les irregularitats que va observar inicialment en les seves còpies de les cançons de l'àrea occidental podria ser un indici que el fenomen comentat començava a generalitzar-se en algunes poblacions de la zona. Amb tot, és clar que aquesta última dada no és prou fiable –pot tractar-se de simples distraccions o oblits de Milà– i que valdria la pena estudiar amb deteniment el procés d'extensió del tancament de la *-a* àtona final nominal a Lleida i la seva zona d'influència.

«En alguna canción de La Espluga, lugar rayano á esta variedad (oriental), he observado alguna vez el cambio de *o* en *u*, [...], donde se pronuncia *hustalé*, *gubernadó*, etc.»

A continuació del català occidental, i separadament del català oriental, Milà fa una breu referència a les característiques de les cançons mallorquines. L'aspecte assenyalat és, una vegada més, la representació i la naturalesa de les *e* i *a* àtones, sobretot en les síl·labes finals:

«En las copias que de las canciones mallorquinas me han sido comunicadas he observado falta de uniformidad en la *e* ó *a* de la sílaba átona final, no menos que en algunas interiores. Sin prejuzgar la naturaleza del sonido, me he decidido por la escritura *a*, como la que ha sido más usada, á lo menos hasta los últimos tiempos» (Milà [1882: XVI]).

Tot i que a primera vista Milà sembla tenir alguns problemes amb la representació gràfica de les *a* i *e* àtones (és a dir, les vocals neutres àtones) del mallorquí, la menció a la «naturaleza del sonido» fa sospitar que rere aquest paràgraf hi ha alguna qüestió relacionada amb fenòmens del català insular. En efecte, si tenim present la concepció milaniana de la naturalesa de les *a* i *e* àtones en català oriental que ja hem exposat, la referència de Milà a les vocals àtones esmentades del mallorquí fa palès que no les considerava idèntiques a les orientals, ja que, si hagués cregut que eren similars, no se li hauria plantejat cap problema de representació gràfica ni hauria d'haver fet cap esment a la «naturaleza del sonido» en mallorquí.

En aquest sentit, les notes inèdites sobre els dialectes catalans de Milà[37] –una part considerable de les quals estan dedicades al mallorquí– ens donaran la clau per entendre exactament la concepció fonètica subjacent del paràgraf citat. Així, els papers inèdits citats palesen que Milà havia arribat a la conclusió que la *a* àtona mallorquina (i la *e* àtona que s'hi ha assimilat) no era exactament idèntica a l'oriental, ja que «participa mas de *e* o es más mezclada de *e* que entre nosotros».[38] Així mateix, Milà havia detectat algunes excepcions a la regla de transformació (o *sustitución*) de la *e* àtona en *a* i havia cregut descobrir diversos elements fonètics particulars del vocalisme àton mallorquí,[39] que cal entendre a partir de la seva peculiar concepció del funcionament de les vocals àtones del català, i que no va poder o voler sistematitzar.

Tot aquest seguit de deduccions de Milà sobre la naturalesa de la *a* àtona mallorquina, algunes encertades i d'altres no, expliquen al nostre entendre la succin-

37. Vegeu la nota n. 4.

38. Vegeu BERNAT (en premsa).

39. En síntesi, es tractava de certs casos de [e] àtona en mallorquí com *pégar* o *musique*, d'una vocal que Milà representava a través de *ea* o *ia* (per exemple, *toqueador*, *peguian*) i que correspon a una *e* o *a* àtona que han assimilat la palatalitat de la consonant precedent, i alguns casos de vocals àtones que qualificava de *casi a* o *casi e*. Per a més informació, vegeu BERNAT (*op. cit.*).

ta menció a les característiques o «naturaleza» de la *a* i *e* àtones del mallorquí i la decisió de regularitzar tots aquests casos amb una sola grafia, ja que Milà, en decidir ser tan fidel com fos possible al llenguatge de les cançons, no tenia clar quina era la millor manera de representar aquestes vocals àtones del mallorquí.

Així mateix, cal destacar el tractament diferenciat de les característiques del mallorquí de les del català oriental continental, decisió que és molt significativa i coherent amb l'estructuració de la realitat dialectal del català que Milà va mantenir en els seus últims estudis lingüístics. En efecte, cal tenir present que Milà va modificar la seva concepció a l'entorn de la divisió dialectal del català a partir de la publicació de *Estudios de lengua catalana* (1875), en què proposava classificar els parlars catalans en tres varietats: *oriental*, *occidental* i *baleàric*.[40] Això vol dir, en conseqüència, que Milà va abandonar a partir de l'obra esmentada la seva proposta anterior, publicada a *De los trovadores en España* (1861), en què les varietats del català eren agrupades només en dos blocs, l'*oriental* i *l'occidental-meridional* (o *occidental*).[41] Paradoxalment, Milà no va justificar la gran novetat de la classificació ternària del 1875 –la consideració del baleàric com a grup dialectal autònom– per la qual cosa els estudiosos posteriors només han tingut en consideració la proposta binària del 1861, l'única que està clarament justificada.

Tot i que no és la nostra intenció esbrinar aquí les raons que expliquen la divisió ternària de Milà,[42] és un fet innegable que a partir de 1875 el nostre autor sempre va ser coherent amb aquesta última proposta. En aquest sentit, la relectura de diversos articles i estudis milanians posteriors als *Estudios* del 1875, a banda del *Romancerillo*, mostren clarament que el filòleg vilafranquí diferencià el baleàric del dialectes orientals a partir de la data esmentada. Destaquem, entre els més significatius, la participació de Milà a *I parlari italiani in Certaldo alla festa del V centenario di Messer Giovanni Bocaccio* (1875), un homenatge dels romanistes europeus a

40. «El catalán contemporáneo o hablado és uno, pero ofrece modificaciones secundarias que constituyen tres principales variedades:

1ª Catalán oriental (E.: gran parte de Cataluña, Rosellón y Alguer);

2ª Catalán occidental (S.O. y O.: Valencia y una parte de Cataluña);

3ª Catalán baleárico.

– El oriental, al cual pertenece la subvariedad de Barcelona, se distingue del occidental en que la *e* y la *o* átonas se confunden respectivamente con la *a* y la *u*.» Vegeu Milà (1875: 511).

41. Entre las muchas diferencias locales de pronunciación en diversos puntos de Cataluña [...] se distinguen dos grandes divisiones: la parte occidental-meridional, en que se pronuncia el catalán con más limpieza y en general como se escribe, y la parte oriental, en que se altera la pronunciación, en que las vocales son menos limpias y en que hay sustitución de vocales. Esta sustitución es la de la *a* a la *e* y la de la *u* a la *o* en todas las sílabas no acentuadas.» Milà (1861: 432-433).

42. Per a aquesta qüestió, vegeu Bernat (*op. cit.*). Sumàriament, hi mantenim que les particularitats que Milà havia cregut detectar en el vocalisme àton mallorquí (la manca de neutralització de [o] àtona i les excepcions que hem citat en la nota n. 39), en particular, i baleàric, en general, és la raó fonètica que justifica la seva proposta de divisió ternària dels dialectes catalans del 1875. Al nostre entendre, Milà devia arribar a la conclusió que aquest tipus d'especificitats apartaven el baleàric de la regla que explica la transformació sistemàtica de les *e* i *o* àtones en *a* i *u* en el català oriental continental.

l'escriptor italià en què el nostre autor va tornar a insistir en la divisió tripartida i l'única obra on va especificar esquemàticament les característiques del baleàric que havien pesat en la seva decisió;[43] *Phonétique catalane: oe* (1876), un estudi dedicat al vocalisme palatal de *la varieté baléarique de la langue catalane*; *Límites de las lenguas románicas* (1877), on podem llegir que «el territorio continental de la lengua catalana [...] con respecto a la vocalización se divide en dos grandes regiones: la del S. y la del O. [...] y la del NE»; i *Mélanges de langue catalane* (1877), un article dedicat a diversos temes de lingüística històrica i dialectologia catalanes, en què diferencià, per una banda, el català continental (format pel català oriental i l'occidental) i el català baleàric, per altra part, a l'hora de descriure la pronunciació de la -*r* final dels infinitius.[44]

Per finalitzar, ens agradaria cridar l'atenció sobre la necessitat d'endegar un estudi lingüístic exhaustiu del conjunt de la poesia popular catalana recollida per Milà al llarg de la seva obra. Estem segurs que si es prenen les precaucions i els mètodes adequats, la informació dialectològica que hem destacat aquí, fruit només de l'anàlisi del pròleg del *Romancerillo*, podria ampliar-se considerablement.

Bibliografia citada

BERNAT, F. (en premsa), *Els orígens de la dialectologia catalana al segle XIX: la tasca de Manuel Milà i Fontanals*, comunicació llegida al XIIè Col·loqui Internacional de Llengua i Literatura Catalanes celebrat el setembre del 2000 a París.

Epistolari = NICOLAU D'OLWER, L. (1932 i 1995), *Epistolari d'En M. Milà i Fontanals*, III volums, Institut d'Estudis Catalans, Barcelona.

JORBA, M. (1989), *L'obra crítica i erudita de Manuel Milà i Fontanals,* Curial i Publicacions de l'Abadia de Montserrat, Barcelona.

43. La participació de MILÀ en aquest homenatge consistí en dues versions, al *Catalano letterario* i al *Catalano Orientale (varietà di Barcellona)* respectivament, d'un conte del Decameró. Abans de presentar l'ultima versió esmentada, Milà feia aquesta breu presentació de la realitat dialectal del català: «Fino álla metà del cinquecento, o al cominciar del seicento, la lingua letteraria era uniforme, o poco meno, in tutte le provincie: in apresso incominciarono a mostrarsi anche nello scritto segni caratteristici dei varj (sic) dialetti. Essi possono dirsi: 1.º OCCIDENTALE (Valenza, S.O. di Catalogna), ch'è più fedele all'etimologia e alla scrittura nel pronunciare le vocali. -2.º ORIENTALE (Est. di Catalogna, Rossiglione e la sarda Alghero), che confonde la *e* e la *o* atone o inacccentuate con la *a* e con la *u*. -3.º BALEARICO, che a una fonetica speciale, serba l'articolo *es* e antiche flessioni verbali». Vegeu PAPANTI (1875).

44 «La prononciation [de la -*r* final dels infinitius] du catalan continental offré de varietés. Une partie du catalan occidental prononce comme on écrivait anciennement. Une autre partie et le catalan oriental suppriment les *r* finales, mais conservent l'antérieure a *e*. [...]. Le catalan baléarique conserve seulement l'*r* dans *riu-re* [...].» Vegeu MILÀ (1877: 227).

MASSOT, J. (1962), Sobre la poesía popular catalana, *Revista de Dialectología y Tradiciones populares,* Volum XVIII, CSIC, Madrid.

MILÀ, M. (1861), *De los trovadores en España* dins *Obras Completas de Manuel Milá y Fontanals*, Volum II, Librería de Álvaro Verdaguer, Barcelona.

MILÀ, M. (1874), *Quatre mots sobre ortografia catalana* dins *Obres catalanes d'En Manuel Milà y Fontanals*, (1908), Gustau Gili editor, Barcelona.

MILÀ, M. (1875), *Estudios de lengua catalana* dins *Obras Completas de Manuel Milá y Fontanals,* Volum III, Librería de Álvaro Verdaguer, Barcelona.

MILÀ, M. (1876), Phonétique Catalane: OE, *Revue de Langues Romanes*, Volum X, Montpellier.

MILÀ, M. (1877), Mélanges de langue catalane, *Revue des Langues Romanes*, Volum XI, Montpellier.

MILÀ, M. (1877), *Límites de las lenguas románicas* dins *Obras Completas de Manuel Milá y Fontanals,* Volum VI, Librería de Álvaro Verdaguer, Barcelona.

MILÀ, M. (1882), *Romancerillo catalán. Canciones tradicionales*, reeditat per Altafulla, Barcelona, 1999.

MOLAS, J. (1985), *Milà i la Renaixença* dins *Celebració del centenari de Manuel Milà i Fontanals (1881-1884),* Universitat de Barcelona, Barcelona.

PAPANTI, G. (ed.) (1875), *I parlari italiani in Certaldo alla festa del V centenario di Messer Giovanni Bocaccio*, reeditat per Forni Editori, Bolonya, 1972.

PUJOL, F. i PUNTÍ, J. (1926), *Observacions, apèndixs i notes al «Romancerillo catalán» de Manuel Milà i Fontanals*, Obra del Cançoner Popular de Catalunya, Volum I, Fascicle I, Barcelona.

ROSSICH, A. (1995), *Una qüestió d'història de la llengua a l'Edat Moderna: el reconeixement de la vocal neutra* dins *La llengua catalana al segle XVIII,* Quaderns Crema, Barcelona.

SEGARRA, M. (1985), *Història de la normativa catalana,* Enciclopèdia catalana, Barcelona.

VENY, J. (1983), *Els parlars catalans,* Raixa, Palma de Mallorca.

ESPRIU, CELAN: LES IMATGES D'*ULL*

Sebastià Bonet

Universitat de Barcelona

«Dos farem poesia:
ara és així. L'el·lipsi
d'uns freds ulls ens demana
el glaç d'amor d'uns altres.»
[S. E., *OC*/1: 123][1]

I. Sant Agustí retreia als filòsofs la *concupiscentia oculorum* que els portava a identificar el pensament amb una «visió» capaç de penetrar en la mateixa essència de les coses. I és per aquesta dèria d'arrelar el concepte en una imatge directament responsable del seu escindir-se en un subjecte-ull i un objecte-davant-els ulls que, si hem de creure Heidegger, tota la metafísica occidental hauria «oblidat» l'Ésser. Tanmateix, per errònia que pugui ser, la creença filosòfica que pensar és, en essència, veure-hi, segurament s'ha d'entendre com un resultat inevitable de la tendència intrínseca del pensament a fugir endavant dels límits que li imposa la seva condició lingüística. En la mesura, si més no, que seria el mateix desig d'atènyer un impossible significat en estat pur allò que, «des de sempre», l'hauria conduït a fer ús, per significar un tal significat, dels significants diguem-ne més naturalment o intuïtivament suggeridors d'un coneixement immediat, que no són altres –com ara els de la claredat i la distinció cartesianes, posem per cas– que els pertanyents al camp semàntic de la visió.

Una *concupiscentia oculorum* emparentable amb la dels filòsofs, però «a primera vista» ben diferent d'aquesta pel seu caràcter espectacular, és la que es manifesta en l'obsessiva insistència amb què en les respectives obres poètiques de Salvador Espriu i Paul Celan hi feien sentit els significants de la visió, i molt particularment els directament relacionats amb el lexema *ull*. Diem que es tractava d'una *concupiscentia* emparentable pel fet que, sense deixar de ser emprats en designació natural, com ho serien en la parla corrent, els significants d'*ull* espriuans i celanians sovint també ho eren, com repetidament han indicat els exegetes de Celan i no és gens difícil de «veure» en el cas d'Espriu, per designar retòricament –a

1. Com aquesta, però sense que hi figuri «S. E.», les citacions d'ESPRIU aniran referides, només, al volum i la pàgina de les *Obres completes* d'Edicions 62. Més precisions podran aparèixer, no d'una forma sistemàtica, dins el text.

manera de símbol o d'imatge, fos metafòrica o metonímica, no cal entrar en precisions– la consciència. La consciència, s'entén, del mateix poeta –del jo poètic–, però també la consciència d'altri –del tu i d'algun ell poètics– o encara, *last but not least*, la consciència de l'Altre, la d'un innominat Altre amb majúscula, volem dir.

Que, altrament, es tractava d'una *concupiscentia* ben diferent, tot i ser força obvi, convindria precisar-ho. Tenint en compte que tant Espriu com Celan estaven perfectament imbuïts del seu paper de poeta-pensador i que tots dos, per tant, havien meditat a fons la gran qüestió de la poesia com a possible font de coneixement –una qüestió que, no pas per casualitat, també preocupava un Heidegger que l'un i l'altre havien llegit condignament–, caldria que ens preguntéssim, si més no, com és que, de cara a representar l'experimentador d'aquest coneixement, van optar per subratllar emfàticament, expressivament, reiteradament, convertint-la en un element obsessiu dels seus textos, una possibilitat que en origen els oferia la modesta *concupiscentia oculorum* d'antuvi incorporada a la llengua –i a la llengua poètica en particular: al cap i a la fi el mot *ull* i companyia no deixen de pertànyer, com ha dit algú,[2] al més tradicional «museu universal de la poesia». Salvant tots els detalls que calgui, la resposta, en línies generals, és «clara»: la seva opció suposava una representació de la consciència que, justament per la insistència, l'omnipresència, l'exageració amb què apareixien els significants d'*ull*, se situava a les antípodes de la visió serena i «objectiva» que en principi correspondria a un ull filosòfic. Si a això hi afegim que els ulls de tots dos poetes sovint anaven descrits com a ulls de mort o de cec, o presentats com a ferits, defectuosos o separats d'una anatomia natural, és obligat concloure que de tot plegat en resultava una imatgeria prou angoixant de la consciència en crisi. O una denúncia, no pas per defecte de l'ull, sinó per excés d'ulls, de l'oblit de l'Ésser...

II. És en el subjecte de l'oració desplegada en els versos inicials del poema IV de *Cementiri de Sinera* que dins el corpus de la poesia espriuana hi apareixia per primera vegada[3] la paraula *ulls*. Es tractava d'introduir, amb la mena de literalitat que serà objecte de l'atenció del nostre treball, el punt de «vista» de l'autor:

Els meus ulls ja no saben | sinó contemplar dies | i sols perduts. [*OC*/1: 176]

Eren uns ulls, aquests, ben poc metafòrics, als quals tanmateix anava assignat, com accepta correntment la llengua, el do d'un saber que era, alhora, esguard present i record mitificador. La llarguíssima processó d'ulls de lletra que encapçalaven mai no havia d'allunyar-se del tot, en els reculls xifrats[4] que

2. Jean-Pierre Lefebvre, traductor al francès de Celan. Vegeu CELAN (1998: 19).

3. Si entenem que, per a una lectura «canònica», *Cementiri de Sinera* hauria de considerar-se, i no només per raons cronològiques, com el recull vertaderament inicial de la poesia espriuana.

4. Xifrats perquè s'hi «controlava» el nombre de poemes. És conegut el caire simètric de la seqüència 30/44/40/44/30 a què se sotmetien *Cementiri de Sinera / Les hores / Mrs. Death / El caminant i el mur / Final del laberint*. Altrament, els 54 de *La pell de brau* responien, ben segur, a la combinació 40 + 44 -

constitueixen el corpus «acabat» de la poesia d'Espriu, d'aquesta dimensió primordial determinada per l'ample ventall d'accepcions que el camp lingüístic de la visió cobreix d'una manera natural. Un camp arrelat en la pura contemplació visual –hi havia sovint, en Espriu, una mirada de pintor:

... darrera | bellesa d'unes flors dintre els meus ulls [*OC*/1: 239]
Tan sols plata | d'oliveres | s'endinsa | pels ulls. [*OC*/2: 151]
... els ulls captius d'aquests colors [*OC*/2: 250]

que podia assolir una absoluta concentració receptiva:

No hi ha paraula màgica que trenqui [*OC*/1: 229]
aquest costum de l'ull.
Oh bellesa que tanco al lentíssim esguard, [*OC*/1: 240]
com empresono als ulls tota la llum mirada!

dins el qual la contemplació es transmutava sense esforç, literalment, en coneixement:

Encara miren a les velles proes [*OC*/1: 242]
els ulls que saben els camins del mar
Els ulls sabien | tot el repòs i l'ordre | d'una petita pàtria [*OC*/1: 197]
arreu del món que miren i comprenen els ulls. [*OC*/2: 68]
quan els ulls han sabut descobrir | molt endintre del torb [*OC*/2: 84]
la gran calma | secreta del mar.

Però aquest coneixement dels ulls podia ser, també, memòria –serena memòria visual o, més sovint, adolorit motiu d'enyorança:

Una a una, | en els meus ulls ordeno | les vides conegudes [*OC*/1: 326]
Passen les guardes | de dolços ulls que vetllen | el record de Sinera [*OC*/1: 188]
Si retornava als ulls l'or enyorat dels dies... [*OC*/1: 307]
I jo vaig cloure els ulls i els mirava un a un, ja en la pau, [*OC*/2: 84]
els meus morts.

i com a tal corria el risc d'extingir-se, amb recança o bé amb acceptació:

30, i no cal justificar, ens sembla, els 100 de *Les cançons d'Ariadna*. Per fi, si els 40 del *Llibre de Sinera* i de *Setmana Santa* reprenien la xifra de *Mrs. Death*, els «difícils» 56 de *Per a la bona gent* no feien sinó respondre, com era d'esperar, a la combinació 100 - 44. En els 478 poemes del corpus, el nombre d'incidències del mot *ull*, o *ulls*, era de 153, fet que suposa, molt aproximadament, una aparició cada tres poemes (un 32 %, per ser més exactes). Com que, encara que pocs, hi havia poemes amb més d'una incidència, convé precisar que els «poemes d'ull» eren 139 (de l'ordre d'un 29 %).

Ja el cor i els ulls no saben | qui fores tu. [*OC*/1: 219]
Aquests ulls tan cansats | del qui arriba a la calma [*OC*/1: 324]
han mirat, han comprès, | oblidaven.

I podia, encara, projectar-se en el futur:

Potser demà vindran | encara lentes hores | [*OC*/1: 328]
de claror per als ulls | d'aquest esguard tan àvid.

i ser, com deia el poeta i diu la llengua mateix, somni d'ulls oberts:

Et rius de nosaltres, d'aquells que sempre somnien amb els ulls oberts. [*OC*/2: 57]
Febregen llums de somnis | en els ulls a l'aguait. [*OC*/1: 119]
En els ulls, raons fosques | aprenen somnis clars. [*OC*/2: 21]

III. La primera incidència del mot *ulls* (*Augen*) en la poesia de Celan també es trobava ben a prop de l'inici del seu corpus canònic: concretament, dins el segon poema de la part I, intitulada *Der Sand aus den Urnen* («La sorra de les urnes»),[5] del que cal considerar com el primer recull «definitiu» de l'autor, *Mohn und Gedächtnis* («Rosella i memòria»):[6]

i [jo] indecís, com blavegen els teus ulls | en la ronda de les hores [G. I: 12][7]

I també es donava el cas que, com en el dels d'Espriu, aquests primers ulls celanians es podien prendre com a signe de la dimensió fonamental en què havia d'inscriure's l'extens seguici que encapçalaven, un seguici certament no pas menys llarg que l'altre i d'una densitat, o intensitat, perfectament comparables.[8] Es tractava, però, d'una dimensió ben diversa: si en els poemes d'Espriu els ulls objecte de designació natural, no simbòlica, eren molt sovint els seus, uns ulls de primera persona, els ulls

5. Títol idèntic al d'un recull publicat l'any 1948 que Celan aviat va desautoritzar.

6. Aquest títol també corresponia, altrament, al d'una de les parts del recull de 1948.

7. Assumim el risc de traduir les citacions de Celan, tanmateix referint-les a volum i pàgina de l'edició Suhrkamp de les *Gedichte*. El text original, en cada cas, el donarem en nota. El que correspon a aquesta és: *und ungewiß, wie deine Augen blaun | im Stundenrund.*

8. Els vuit reculls del que es considera cànon de la poesia de CELAN (*Mohn und Gedächtnis* [1952], *Von Schwelle zu Schwelle* [1955], *Sprachgitter* [1959], *Die Niemandsrose* [1963], *Atemwende* [1967], *Fadensonnen* [1968], *Lichtzwang* [1970], *Schneepart* [1971]) sumen 523 poemes. Dins d'aquests, el nombre d'incidències de mots que contenien la rel *aug* (*Auge, Augen,* però també *Aug, Augs* i un conjunt considerable de derivats i compostos) era de 180, fet que suposa un percentatge del 34 %, lleugerament superior al 32 % espriuà. Altrament, com que en el cas de Celan, força més que en el d'Espriu, sovintejaven els poemes amb més d'una incidència, cal precisar que els «poemes d'ull» del seu corpus eren 131 (és a dir, de l'ordre d'un 25 % del total, clarament per sota del 29 % espriuà).

semblantment designats d'una manera natural en els textos de Celan eren, sobretot, els d'altri, ben segur, en segona persona. Si l'Espriu diguem-ne bàsic insistia a veure-hi, a mirar, tot indica que al Celan profund el complaïa ser vist, que el miressin. Però com que tal cosa s'esdevé, en condicions normals, dins el marc d'una relació recíproca, al voltant dels *deine Augen* celanians s'hi podia trobar, més o menys directament dit, o només suggerit, tot l'entrellat convivencial. Sovint, sobretot en els primers reculls, la relació era d'amor, i s'expressava a través d'una figuració força transparent, que en ocasions ens podria semblar, fins i tot, tradicional:

Amb el blau dels teus ulls I pares la taula del nostre amor	[*G.* I: 32][9]
En la front dels teus ulls I manté el mar la seva promesa	[*G.* I: 33][10]
De nit, [...] el teu ull blau de tempesta I estén a la terra el cel	[*G.* I: 57][11]
Vaig seguir el llamp dels teus ulls, i la llengua ens balbucejava dolceses.	[*G.* I: 75][12]
només vaig recollir del terra aquella engruna que té del teu ull forma i noblesa	[*G.* I: 85][13]
quan el cel et brollava dels ulls	[*G.* I: 100][14]
Amb els teus ulls en braços	[*G.* I: 123][15]

Altres vegades l'autor es referia, en un registre narratiu, a una situació viscuda, diàleg d'ulls i de paraules:

Jo cercava el teu ull quan el vas obrir i ningú no et mirava	[*G.* I: 78][16]
Ara tanco –així vaig dir– el meu: Pren aquest mot - el meu ull el diu al teu! Pren-lo, repeteix-me'l, I repeteix-me'l, digue'l a poc a poc, I a poc a poc, i l'ull –mantén-lo, mentre, sempre obert!	[*G.* I: 96][17]
El teu ull em va mirar, va deixar de mirar-me, la teva boca va donar a l'ull la paraula, jo escoltava:	[*G.* I: 214][18]

Notem que en els versos que acabem de citar hi apareixia repetit un tret, potser explicable en el seu cas com a motivat per una certa experiència psicològica, que en el conjunt de la poesia de Celan es pot dir que constituïa una veritable figura d'estil:

9. *Mit dem Blau deiner Augen* I *deckst du den Tisch unsrer Liebe.*
10. *Im Quell deiner Augen* I *hält das Meer sein Versprechen.*
11. *Nachts,* [...] *dein gewitterhaft blaues* I *Aug reicht der Erde den Himmel.*
12. *Ich folgte dem Strahl deiner Augen,* I *und die Zunge lallte uns Süße.*
13. *ich las nur vom Boden auf jene Krume,* I *die deines Auges Gestalt hat und Adel.*
14. *als der Himmel dir quoll aus den Augen.*
15. *Deine Augen im Arm.*
16. *Ich suchte dein Aug, als du's aufschlugst und niemand dich ansah.*
17. *Nun schließ ich, so sprach ich, das meine –:* I *Nimm dieses Wort– mein Auge redet's dem deinen!* I *Nimm es, sprich es mir nach,* I *sprich es mir nach, sprich es langsam, zögr es hinaus,* I *und dein Aug –halt es offen so lang noch!*
18. *Dein Aug sah mir zu, sah hinweg,* I *dein Mind* I *sprach sich dem Aug zu, ich hörte:*

el de la reducció dels dos ulls humans a un de sol, separat, sense lligam anatòmic, segurament per això mateix més intens i més susceptible, en definitiva, de traducció simbòlica. Sense moure'ns dels casos en què tanmateix la figura es mantenia compatible amb el que hem anomenat una designació natural, podem fer esment aquí d'alguns versos més, en què un ull singular de la segona persona convivia amb un de no menys singular de la primera:

Sense mirada I guarda ara silenci el teu ull en el meu ull [G. I: 70][19]
Ull en ull [mirant-nos als ulls], a la fresca, [*G*. I: 95][20]
comencem també alguna cosa així:
Flor –una paraula de cec. [*G*. I: 164][21]
El teu ull i el meu ull: I tenen cura I de l'aigua.

IV. Enllà d'una visió que era, alhora, coneixement, saber, descobriment quotidià dels ulls, els versos d'Espriu podien designar, també, posant en joc una imatgeria en què el protagonisme dels ulls passava a inscriure's decididament en un marc simbòlic, la mena de visió que, d'una manera o una altra, és assignable al pensament especulatiu portat al límit. Al límit, ben segur, d'una autodissolució que la poesia mateix, possiblement amb més eficàcia que les formulacions mitològiques, teològiques o dialèctiques del rerefons cultural, estaria cridada a representar. Espriu jugava a fons el joc d'unes imatges-símbol prestigiades, saturades de reminiscències, però semblava fer-ho només per explorar-ne la pura capacitat de suggestió, de suggeriment del que, per definició, no eren capaces de dir, sense comprometre's realment amb cap interpretació específica, amb cap al·legoria discursivament consistent. Era qüestió, doncs, de relacionar els ulls del pensament amb el camí, o els camins, del no-res –qualsevol de les «vies» teològicament negatives que el savi lector, o no tan savi, es pogués imaginar:

el nu subtil dels jocs que van pensant els ulls: [*OC*/1: 60]
davallada presó per camins del no-res.
i m'endinso pel camí dels ulls, I pel buit esglai on sento, [*OC*/1: 340]
enllà, el meu Déu, I sempre enllà, més enllà de falsos
profetes i de rares culpes.

o de relacionar-los, també, amb el foc, un foc que, altrament, podia adquirir forma d'«agitades mans», o de «llengües», i de sotmetre's a elements contraris –aigua, glaç– a manera de quintaessenciada contradicció:

encalmats I glaços de por al llarg del tan despert [*OC*/2: 249]
camí dels ulls del foc del pensament.
Concedida als meus ulls l'estranya força [*OC*/2: 121]
de penetrar tot aquest gruix del mur, contemplo

19. *Blicklos I schweigt nun dein Aug in mein Aug sich.*
20. *Aug in Aug, in der Kühle, I laß uns auch solches beginnen:*
21. *Blume –ein Blinden wort. I Dein Aug und mein Aug: I sie sorgen I für Wasser.*

els closos, silenciosos, solitaris
conceptes que van creant i enlairen
per a ningú les agitades mans del foc.
Llengües de foc cercaran als teus ulls [*OC*/1: 349]
l'ofrena de l'aigua per a la boca del sol.

I era qüestió, encara, d'associar els ulls amb estranyes barques de difícil arribada –mitologia egípcia–, amb palaus de llum immensos –teosofia jueva–, etc.:

Demano avui, amb els ulls que miren [*OC*/1: 32]
l'abisme i la llum [...]
que algun dia guanyi la barca la riba del cim.
els ulls que porten dintre l'immens palau [*OC*/2: 30]
de la claror pensada.

V. Si la condició dels ulls espriuans d'estar en general referits a la primera persona s'acordava amb una representació dels solitaris camins del pensament, el caràcter substancialment dialògic dels ulls celanians sintonitzava, per la seva banda, amb una figuració basada en identificacions diverses de l'ull amb la paraula. D'entrada, eren considerats comparables, per exemple, per la magnitud:

la mà de germà, saludant amb [*G*. I: 270][22]
la bena dreta dels ulls grans
com la paraula
Del dur, minúscul munt de paraules, de [*G*. I: 289][23]
l'ull inerme...

De vegades les paraules feien coses d'ulls i els ulls, més sovint, coses de paraula. Eren imatges de mena tradicional, però Celan sabia evitar els tòpics:

aquesta és una paraula que es fa sentir [*G*. I: 92][24]
per amor de geleres,
una paraula que ullava vers la neu
Càntics: [*G*. I: 169][25]
veus d'ulls, a cor,
llegeixen fins a lacerar-se
rere el teu ull | que balbuceja el meu nom [*G*. II: 64][26]
encara ribeteja, quan miro, [*G*. II: 179][27]

22. *die Bruderhand, winkend mit der | von den wortgroßen Augen | genommenen Binde.*
23. *Vom harten, | winzigen Worthaufen, vom | unbewaffneten Auge.*
24. *dies ist ein Wort, das sich regt | Firnen zulieb, | ein Wort, das schneewärts geäugt.*
25. *Gesänge: | Augenstimmen, im Chor, | lesen sich wund.*
26. *hinter dein meinen Namen | stammelndes Aug.*
27. *noch säumt, wenn ich hinseh, | um des darunter | vielleicht noch zu leistenden | Augenschwurs willen.*

el jurament d'ulls
que potser calgui encara prestar

No era nova, tampoc, la figura dels ulls com a receptacle, més o menys literal, de paraules... escrites i, doncs, llegibles. Celan, tanmateix, en treia un partit ben original; per exemple, per emmarcar tot un poema amb un vers inicial, separat, com aquest:

En els ulls desorientats - llegeix-hi: [*G*. I: 274][28]
o en variacions sobre el tema com:
Posa-li aquest mot a les parpelles: [*G*. I: 130][29]
potser
entrarà en el seu ull, encara blau,
un segon blau més llunyà

I encara per al·ludir, segurament amb sarcasme, a Heidegger:

saps, el que es va escriure en el teu ull [*G*. I: 212][30]
ens profunditza en el profund

Altrament, que la paraula pogués fer de receptacle d'ulls en un sentit material, sí que devia ser cosa inoïda. Celan la deia, a través d'un extraordinari joc de mans de paraules, en uns versos que deuen ser dels més citats dels seus:

Una paraula - ja ho saps: [*G*. I: 125-6][31]
un cadàver.
Rentem-lo,
pentinem-lo,
dirigim el seu ull
vers el cel.

VI. La paraula-cadàver i el seu ull: una imatge que ens podria introduir en el dir la mort, en la mort dita, dels dos poetes. Als ulls de la primera persona espriuana la mort seria sempre pròxima, imminent:

28. *In den verfahrenen Augen –lies da:*

29. *Leg ihm dies Wort auf die Lider: | vielleicht | tritt in sein Aug, das noch blau ist, | eine zweite, fremdere Bläue.*

30. *weißt du, was sich in dein Aug schrieb, vertieft uns die Tiefe.* El primer vers del poema referit, que serveix de títol, fa: DAS WORT VOM ZUR-TIEFE-GEHN [«La paraula d'anar-a-allò-profund»].

31. *Ein Wort –du weißt: | eine Leiche. | Laß uns sie waschen, | laß uns sie kämmen, | laß uns ihr Aug | himmelwärts wenden.* Notem que *eine Leiche*, «un cadàver», també vol dir, en llenguatge tipogràfic, un mot mancant.

davant la mort alçada | al llindar dels meus ulls [*OC*/1: 32]
He de pagar el meu vell preu, la mort, [*OC*/1: 354]
i avui els ulls se'm cansen de la llum
s'emplenaran de sobte | aquests meus ulls de mort [*OC*/2: 89]

Aquests ulls la veien insistentment en els ulls d'altri, ben poc abans o tot just després del seu triomf:

Miren amb fred esguard | uns ulls que van a cloure's [*OC*/1: 45]
Als cabells, blancor de neu. | Als ulls, la lenta [*OC*/1: 91]
arribada d'una nit | buida d'estrelles.
Però la mort prenia uns vells ulls i s'atansa [*OC*/1: 263]
em salvarien | d'aquests ulls, ara fixos | en l'última mirada [*OC*/1: 266]
Per sempre | uns ulls es dormen. [*OC*/1: 81]
però els ulls del mort no reben més el somni [*OC*/2: 210]
dels vells arbres serens

Dels ulls dels morts als ulls de la mateixa mort, personificada: pel poeta de Sinera, cap solució de continuïtat. Es tractava, segons la figuració mitològica, d'ulls buidats o absents, però també, més sovint, d'ulls cecs, una mena d'opacitat translúcida a través de la qual ens ullaria, o ullaríem, l'innominable anomenadíssim no-res:

Mira com et volta el triomf dels asfòdels, [*OC*/1: 231]
mira com avança la dama | sense ulls, la barca | del vell solitari.
Ara la mort em priva | dels meus ulls, per mirar-te. [*OC*/1: 263]
Clamo, perdut, i capto. | M'ha fet orb. Com t'esguarda!
Aprofundim rars pous | als orbs ulls de la mort. [*OC*/2: 221]
Com esguardàvem | la llum dels cims als fixos ulls que la mort entela! [*OC*/2: 29]

Semblantment omnipresents, els ulls dels morts celanians encara eren més a prop del poeta que no hi trobaríem els ulls dels morts espriuans. Perquè essent Celan, en sentit estricte, un supervivent, en el seu veure's en els ulls dels morts no hi havia ni un bri d'acceptació fatalista, cap indici de resignació, cap repòs: els invocava compulsivament, s'hi sentia cridat:

Ulls, cecs al món, a les gorges de la mort: ja vinc [*G*. I: 168][32]
[...] Ulls cecs al món, ulls a les gorges de la mort, ulls ulls.

Eren ulls dolorosament estimats; ulls de mare, de germana, de fill:

32. *Augen, weltblind, im Sterbegeklüft: Ich komm* | [...] *Augen weltblind, Augen im Sterbegeklüft, Augen Augen.*
33. *ein giftleeres Grün wie des Augs, das sie aufschlug im Tode.*
34. *fliegt ihm das Aschenlid zu, darunter das Auge der Schwester* | *Schnee zu Gedanken verspann* -

un verd sense verí com el de l'ull que ella va obrir en la mort. [G. I: 20][33]
vola fins a ell la parpella de cendra, sota la qual l'ull de la germana [G. I: 73][34]
va filar neu en pensament -
Alçà el punyal de la felicitat sobre nosaltres amb ulls apagats [G. I: 34][35]

Eren els ulls de les víctimes, dels exterminats, els ulls ametllats dels jueus –ulls d'ametlla del no-res, ulls del no-res-ametlla:

l'hora recorda l'ull ametllat del mort [*G.* I: 121][36]
filla del teu ser morta. || [*G.* I: 110][37]
Esvelta de figura, una fina ombra d'ulls d'ametlla
A l'ametlla –què s'hi troba, a l'ametlla? [*G.* I: 244][38]
El no-res [...] ||
I el teu ull –vers què s'està, el teu ull?
El teu ull és de cara a l'ametlla.
El teu ull, és al no-res que fa cara.

«Ametlla buida, blau reial»,[39] deia també el poeta de Czernowitz. Cap compromís, cap mediació possible (salvant la llengua) entre els ulls innombrables dels morts víctimes i l'ull singular del rei botxí, de la Mort amb majúscula, com demana l'alemany. El vers següent és, possiblement, el més repetit de Celan:

la Mort és un Mestre d'Alemanya el seu ull és blau [*G.* I: 42][40]

VII. De vegades directament associada amb la mort, la imatge dels ulls cecs podia tenir, en tots dos poetes, significacions diverses. Espriu, d'entrada, en treia partit com a element característic del vessant més truculent de la mitologia sinerenca, el de la representació feroç dels cecs captaires, de les baralles de cecs, així com en diverses figuracions de signe semblant, d'origen bíblic o inspirades en quadres de Brueghel:

Un inútil fanal | il·luminava | aquell odi brutal [*OC*/1: 23]
de mans i plagues | blanquinoses dels ulls | sense mirada.
Pujaven els ulls | dels cecs, ran de timba | escales de fum. [*OC*/2: 59]

35. *Es zückte das Messer des Glücks über uns mit erloschenen Augen.*

36. *die Stunde besinnt | auf das Mandelauge des Toten.*

37. *deines | Totseins Tochter. || Schlauk von Gestalt, | ein schmaler, mandeläugiger Schatten.*

38. *In der Mandel –was steht in der Mandel? | Das Nichts.* [...] || *Und dein Aug –wohin steht dein Auge? | Dein Aug steht der Mandel entgegen. | Dein Aug, dem Nichts stehts entgegen.* Són versos del poema intitulat *Mandorla*. Sobre aquest poema i, més generalment, la figura de l'ametller i l'ametlla en el recull *Die Niemandsrose* [«La rosa de ningú»], vegeu Broda (1968a: 15-22).

39. *Leere Mandel, königsblau* [*G.* I: 244]. Darrer vers de *Mandorla.*

40. *der Tod ist ein Meister aus Deutschland sein Auge ist blau.* El vers és de *Todesfuge* [«Fuga de mort»], extraordinari poema que, com Espriu l'*Assaig de càntic en el temple*, i per raons afins, Celan va acabar avorrint.

Ulls de molts cecs esguarden | com són fetes les balles [*OC*/1: 351]
per dansadors que calça | d'esclops la riallera | comare mort
sempre | desperta, clamant, em buidaven [*OC*/1: 31]
de llum els ulls, i endevino | només aquesta pluja

De la corrua dels cecs captaires en sorgia, doblement mitificat, el personatge del cec vident, o del cec oracle –tanmateix, un oracle passiu, del tot silenciós, mer receptacle de preguntes sense resposta:

Però encara quedava, sempre ressagat, el vell cec [*OC*/2: 87]
que s'ho mirava tot des de les plagues dels ulls,
àvides, xopes de sang, calentes, | obertes sense cap resposta
a les preguntes del nostre esglai.
Al vell orb preguntava l'esglai | si el meu poble tindria demà [*OC*/2: 88]
[...] Els ulls blancs ja no eren davant | la temença que havia parlat.

L'opacitat fonamental d'aquests ulls del cec vident podia ser traspassada en la mesura que el poeta els feia seus, els interioritzava. Els ulls cecs, aleshores, es relacionaven amb una visió estrictament mental, tot i simbolitzant, en un marc al·legòric, diverses fites dels camins especulatius:

Del fons d'uns ulls de cec he vist com surt el gos [*OC*/1: 244]
maligne de la nit i corre pels camins
amplíssims de la por, lladrant la meva mort.
Estrany malalt, | passo l'opac | blanc d'ou dels ulls | [OC/1: 58]
del cec vident | i faig camí, | perill endins, | per noms captius |
a closos dits, | fins al llindar | de l'esplendor | d'aquella neu.

En un grau molt més alt de sublimació simbòlica, els ulls cecs deixaven de referir-se a la primera persona i entraven a formar part d'una objectivada al·legoria de signe místic:

Ja des d'ençà, blancs rostres | orbats d'ulls i de boca [*OC*/1: 40]
atansen fugitives | petites ales fràgils | fins al glaç on espera
parada fam d'aranya.

Altrament, en un registre menys inquietant i d'un simbolisme més immediat, Espriu s'identificava amb els cecs com a representants de la condició humana, i en aquest registre podia apropiar-se també, d'una manera explícita o només suggerida, dels seus ulls:

El sol no pot estendre, | per als ulls cecs, [*OC*/1: 178]
domassos de les festes | damunt el gel.
Blancs orbs ulls solitaris [*OC*/1: 133]
miraven d'estimar, des d'una desolada lucidesa...

Desperta amb mi, guia'm la por | de caminant, aquest dolor [*OC*/1: 318]
d'uns ulls de cec dintre la nit.

Des d'una altra perspectiva, els cecs li oferien, encara, la imatge serena d'una sensibilitat superior, afinada, precisament, gràcies a la seva manca. Aquesta mena de lucidesa, però, eren les mans, i no pas els ulls, les encarregades de representar-la:

els nostres ulls aprenen | dels més sensibles dits | de cec [*OC*/2: 73]
a mirar i saber, | a comprendre | amb lent amor.

Sempre de difícil, si no impossible, interpretació específica, les referències celanianes als ulls cecs suggerien sovint una acceptació dramàtica de la ceguesa, segurament no pas en la línia d'una representació paradoxal d'una vidència d'ordre superior, però sí com a reivindicació simbolitzada del caràcter finit de l'activitat humana conscient, i de l'activitat pròpia del poeta en particular:

Per a la ceguesa con- | vençuts ulls. [*G*. I: 226][41]

Per impuls del somni en òrbita, [...] [*G*. II: 303][42]
pols de planetes en els ulls | buidats,
cecs a la nit, cecs al dia, | cecs al món,
la càpsula de rosella en tu | aterra en algun lloc.

Orba't ara mateix: | també l'eternitat és plena d'ulls - [*G*. II: 45][43]
allí | s'hi ofega allò que ajudà les imatges
a passar el camí pel qual van venir

Figura d'una finitud conscient, la ceguesa era repetidament associada per Celan amb imatges pètries, potser perquè res com la pedra pot simbolitzar una perennitat terrenal allunyada de tota pretensió de transcendència. Els fragments que donem a continuació il·lustren diverses possibilitats d'assignació de la relació ulls cecs/pedra a les diferents persones gramaticals –des de la del jo poètic fins a la d'un nosaltres possiblement convivencial, passant per la d'un tu que els exegetes reconeixen com a filial i per la d'una segona persona literalment petrificada, car es tractava, de fet, d'un menhir:

Així m'estic jo, com una pedra, per a [*G*. I: 158][44]
l'allunyament a què et vaig guiar: ||
Per l'arena en vol | rentades les dues

41. *Zur Blindheit über- | redete Augen.*

42. *Mit Traumantrieb auf der Kreisbahn,* [...], *Planetenstaub in den gehöhlten | Augen, || nachtblind, tagblind, | weltblind, || die Mohnkapsel in dir | geht irgendwo nieder.*

43. *Erblinde schon heut: | auch die Ewigkeit steht voller Augen - | darin | ertrinkt, was den Bildern hinweghalf | über den Weg, den sie kamen.*

44. *So steh ich, steinern, zur | Ferne, in die ich dich führte: || Von Flugsand | ausgewaschen die beiden | Höhlen am untern Stirnsaum. | Eräugtes | Dunkel darin.*

cavitats en la vora inferior del front.
Obscuritat d'ulls | a dins.
La pedra. | La pedra a l'aire, que vaig seguir. [*G.* I: 164][45]
El teu ull, tan cec com la pedra.
Creixent | gris de pedra. || [*G.* I: 260][46]
Silueta grisa, tu que no tens ulls, mirada de pedra.
Nosaltres esfondrats, arreplegats | en la congelació. | [*G.* II: 411][47]
Cada vall suspesa solca una pestanya | fins a l'empremta dels ulls |
i del seu nucli de pedra.

Celan apropava la ceguesa simbòlica a la ceguesa del destinatari en un bell poema d'homenatge que es cloïa amb la imatge benèvola d'una sensibilíssima mà de cec:

Pel gran | mancat d'ulls | pouat dels teus ulls: || [...] || [*G.* II: 35][48]
Una mà de cec, també ella dura com estrella
de tant recórrer noms, | reposa sobre ell, | com sobre teu, | Esther.

Una al·lusió emparentable a l'afinada intel·ligència tàctil dels cecs es trobava en la següent identificació de la feina del poeta amb el cavar a les fosques d'un talp, obscur camí de la llum aspirada:

els nostres noms | que jo, un ull | semblant al teu en cada dit, | palpo [*G.* II: 12][49]

En certa ocasió els ulls dels cecs celanians apareixien conjuntats amb els dels vidents per designar, amb metonímica suma de contraris, la humanitat sencera. De tal manera que la totalitat d'ulls feia alhora de contingut i d'objecte de consum del *deus ex machina* d'unes inquietants gerres dedicades a autobeure's, o a buidar-los, fossin cecs o no, en les allongades taules de la taverna del temps:

En les llargues taules del temps | trinquen les gerres de Déu. [*G.* I: 56][50]
Deixen buits els ulls dels vidents i els ulls dels cecs.

45. *Der Stein. | Der Stein in der Luft, dem ich folgte. | Dein Aug, so blind wie der Stein.*

46. *Wachsendes | Steingrau. || Graugestalt, augen - | loser du, Steinblick.*

47. *Wir Übertieften, geeinsamt | in der Gefrornis. | Jedes Hängetal Karrt eine Wimper | an den Augenabdruck | und seinen Steinkern | heran.*

48. *Vom grossen | Augen - | losen | aus deinen Augen geschöpft: || [...] || Eine Blindenhand, sternhart auch sie | vom Namen-Durchwandern, | ruth auf ihm, so | lang wie auf dir, | Esther.* El poema, sense títol, anava dedicat a Margarete Susman.

49. *unsre Namen | die ich, ein deinem | gleichendes | Aug an jedem Finger, | abtaste.*

50. *An den langen Tischen der Zeit | zechen die Krüge Gottes. | Sie trinken die Augen der Sehenden leer und die Augen der Blinden.*

VIII. Si no eren ulls de mort o de cec, susceptibles d'identificar-s'hi, Espriu no parava gaire atenció, com ja hem apuntat, als ulls d'altri. Això no treu que de vegades es referís a uns benèvols ulls personals, que tanmateix mai no eren de segona persona. Ulls fidels, vigilants, amorosos:

però sempre I els ulls fidels, antigues I veus d'amor que retornen amb el senzill bon dia.	[*OC*/1: 269]
Fidels ulls vigilen, I han endevinat: I cap als blaus asfòdels no vulguis anar.	[*OC*/1: 61]
amb els seus ulls tan clars I ens mirava, callada, des de la saviesa	[*OC*/2: 101]
Miren ulls I vigilants I de pastor I son enllà I del ramat I ben guardat.	[*OC*/1: 62]
en pau m'acolliran I savis ulls de centaures.	[*OC*/1: 385]
Al recer, uns lents ulls I amb amor els esguarden.	[*OC*/1: 252]
Potser creieu I gens de fiar I uns ulls que tant I han estimat?	[*OC*/2: 173]
Medusa, I ulls maternals.	[*OC*/1: 206]

Com també es podia referir a ulls malèvols, humans o animals, indefectiblement descrits com a glaçats:

Urpes rogenques I buiden de cel glaçats ulls de senyors	[*OC*/1: 73]
Velles malignes d'ulls glaçats	[*OC*/1: 167]
Endins del glaç d'uns ulls d'ocell I aguait de forques	[*OC*/2: 129]

Altrament, l'univers espriuà estava ben poblat d'ulls assignats a ens naturals no humans, una forma de personificació de signe tradicional. Cal que ens referim, d'entrada, a la imatge de l'ull solar, amb ressonàncies de mites grecs i egipcis:[51]

Reposa del camí. Sota l'ull d'or, I el regne és infinit. [*OC*/1: 235]

però sobretot a un bon nombre de representacions mitològiques relacionables amb el tipus d'intuïció que consisteix a sentir o entendre el veure-hi del propi ull reflectit en un mirall com a formant part d'un veure-hi estrany, més potent. Per una banda hi havia els ulls de l'aigua:

Sabia I com l'aigua pot mirar-nos I des d'un fons d'ulls immòbils [*OC*/1: 127]

o, més precisament, d'aigües diverses; els del mar eren ulls savis, generosos, serenament emmiralladors:

Al fons dels ulls tranquils del mar I he vist el somni [*OC*/1: 241]
caigut, romput, del temple I d'un déu antic I [...] i m'emmirallen

51. Vegeu DELOR (1993: 417-8).

invitant-me a partir, enllà d'un sereníssim
camí profund, els ulls tranquils del mar.
Perquè es miri en clars | ulls que l'emmirallin | quan es negui a mar. [*OC*/2: 109]

per contra, els ulls de superfícies d'aigua limitades o closes –llacs, pous, cisternes– i assimilables –com els trobats en el fons d'un mirall pròpiament dit– eren sempre inquietants i de vegades decididament malignes:

Als ulls profunds del llac, | branques ja despullades. | [...] | [*OC*/1: 372]
Em moro en solitud | d'alt tronc vora de l'aigua.
Diré dels meus ulls i de l'aigua. | Si tot ho mira el llac, [*OC*/1: 377]
jo tinc les nines blanques.
Aprofundia el pou | del vident que m'esguarda. [*OC*/1: 374]
No dormen mai els ulls | fixos al fons de l'aigua.
Ens miren fixos | ulls glaçats dintre closes [*OC*/1: 132]
cisternes d'aigua | sense cap deu.
ara refuso | d'esguardar | els fixos ulls [*OC*/2: 171]
sentits al fons | de les respostes | del mirall.

Per una altra banda, hi havia els ulls de la nit, les estrelles, en identificació clàssica de la visió amb l'element del seu medi, la llum, particularment quan aquesta contrasta amb la foscor de fons imperant. També aquests ulls de la nit podien ser de mena benèvola, uns ulls amorosos i, fins i tot, festius:

Sagrades | mans de pastors s'alçaven | damunt tot l'infortuni [*OC*/1: 293]
dels llums antics i encenen | petits ulls de capvespre, | les estrelles
Em dreça al cant | [...] | al pastor que posava | molt lenta i dolça son [*OC*/1: 361]
en els ulls de la nit.
Com els ulls de la nit | m'acollien, em saben! [*OC*/1: 365]
Més enlaire, | una a una, les estrelles, [*OC*/1: 383]
els ulls que amorten avui l'antiga por
Amb els primers grills | juguen a cucorna | els ulls de la nit [*OC*/2: 93]

o aparèixer, contràriament, en contextos amenaçadors, amb coincidències de fixesa i de fredor amb els ulls d'aigües closes, fins al punt que, sota el nom indeterminat d'ulls del fred, de fred o des del fred, podien confondre-s'hi:

Ara fosc, alçat ull de la nit: | al clos del buit, mai cap sentit. [*OC*/2: 158]
Alta fredor d'estrella | en l'últim glaç [*OC*/1: 366]
d'uns ulls que ja no veuen | es va mirar
i et dúiem | [...] | a l'estança | on ulls de fred et guarden [*OC*/1: 130]
Ulls des del fred esguarden amb fixesa [*OC*/1: 358]
Recordat molt endins, | en estances tancades | per sempre més, | [*OC*/1: 149]
vetllat pels ulls del fred.

A Espriu hi trobaríem, encara, la mirada de tot un paisatge, o del món sencer, no cal dir que amb inversió manifesta de la relació natural:

El fons dels ulls et miren | boscos i camps. [*OC*/2: 255]
Et sents despullat home | dintre l'esguard.
Sé com el món estrany m'ha contemplat, [*OC*/1: 74]
al buit, endins, amb fixos ulls de gat.

IX. Característic dels ulls celanians era de protagonitzar escenes de violència, de lluita, en què apareixien rodejats o ferits per tota mena d'armes blanques. Immediatament suggeridors d'una visió bloquejada, confusa o distorsionada, aquests combats d'ulls representaven diversos estats de consciència dolorosos del poeta, situables entre els límits del pur oblit i de l'experiència directa, en l'àmbit laberíntic de la memòria, d'una memòria, com diu Del Caro,[52] impedida o entrebancada:

Mitjanit. Amb els punyals del somni enxampada en ulls espurnejants [*G*. I: 17][53]
[...] ja arriba la ballarina.
Dits filats d'escuma de mar ens enfonsa als ulls.
Sense vel a les portes del somni | lluita un ull solitari. [*G*. I: 26][54]
[...] en la finestra oriental | se li presenta quan es fa de nit l'afilada
figura ambulant del sentiment. ||
En l'humit del seu ull hi enfonses l'espasa.
Oh ulls lluents entre ganivets: | hem capturat el peix d'ombra, mireu! [*G*. I: 93][55]

Afins a aquests ulls punxats o acoltellats, però en un registre menys dramatitzat, de més fredor, hi havia els ulls ratllats o amb estries, xacrosos o esguerrats, imatges d'una visió impura i, de fet, símbols d'una consciència malaltissa, si no de mala consciència:

Cap | *veu* - un soroll de la fi, estrany a les hores, ofert [*G*. I: 149][56]
als teus pensaments, aquí, per fi | despert aquí mateix: un
pistil, gros com un ull, amb una ratlla | profunda;
destil·la resina, no vol | cicatritzar.
Estries a l'ull: | per les mirades a mig [*G*. I: 159][57]

52. Vegeu Del Caro (1997: 44).

53. *Halbe Nacht. Mit den Dolchen des Traumes geheftet in sprőhende Augen.* | [...] *die Tänzerin kommt nun.* | *Aus Meerschaum gesponnene Finger taucht sie ins Aug uns.*

54. *Unverhüllt an den Toren des Traumes* | *streitet ein einsames Aug.* | [...] *am östlichen Fenster* | *erscheint ihm zur Nachtzeit die schmale* | *Wandergestalt des Gefühls.* || *Ins Naß ihres Auges tauchst du das Schwert.*

55. *O messerumfunkelte Augen:* | *wir fingen den Schattenfisch, seht!*

56. Keine | Stimme - *ein* | *Spätgeräusch, stundenfremd, deinen* | *Gedanken geschenkt, hier, endlich* | *herbeigewacht: ein* | *Fruchtblatt, augengroß, tief* | *geritzt; es* | *harzt, willnicht* | *vernaben.*

57. *Schliere im Aug:* | *von den Blicken auf halbem* | *Weg erschautes Verloren.* [...] *Schliere im Aug:* | *daß bewarhrt sei* | *ein durchs Dunkel getragenes Zeichen.*

camí divisat allò que es va perdre
[...] Estries a l'ull: | que sigui guardat | un signe portat per l'obscur.

Imatges d'ulls seccionats o esberlats, pel fet de trobar-se rere barrots o literalment tallats a tires, es poden comptar entre les més potents, i diversament interpretades, de Celan. Limitem-nos a apuntar que la visió suggerida d'un ull que escruta a través d'escletxes o de reixes segurament s'hauria de prendre com a símbol del caràcter limitat, laboriós, mediat pel llenguatge, del coneixement humà:

Rodona de l'ull entre els barrots. || L'animal vibràtil parpella [*G.* I: 167][58]
boga cap amunt, | deixa anar una mirada.
Un ull, tallat a tires, | fa justícia a tot això. [*G.* II: 19][59]

Però altres ulls tallats o dislocats podien aparèixer en contextos marcadament grotescos, esperpèntics, des dels quals el poeta assenyalava amb sarcasme deliris o falsedats:

Cara de pal, | de boca tremolosa, | bufó sobre la roda de pedal: || [*G.* II: 355][60]
en el lòbul de l'orella | et penja l'ull | i es gronxa verdós.
Un ull, tallat | al ronyó del metge, | llegeix en lloc d'Hipòcrates [*G.* II: 214][61]
el jurament fals - make up.

Una imatge en aparença emparentable amb les anteriors però d'un sentit ben específic, si no contrari, era la de l'ull receptacle d'un eixart, gràcies a la qual Celan suggeria la possibilitat d'una ampliació de la visió del poeta o, si voleu, d'atènyer una consciència superior, més alta que la de la mateixa divinitat –el poema, de fet, era blasfem:

En l'ull empeltat [*G.* I: 106][62]
hi tens el branquilló que indicava als boscos el camí:
agermanat a les mirades, | fa borronar allò negre, | la gemma.

X. L'espaordidora circumstància de veure's contemplat per ulls d'aigua, o pels ulls de la nit o del fred, de fet podia ser considerada, en Espriu, com un aspecte

58. *Augenrund zwischen den Stäben. || Flimmertier Lid | rudert nach oben, | gibt einen Blick frei.* Són versos del poema intitulat *Sprachgitter* [«Reixa de paraula»], com el recull en què figura. Sobre el poema i la diversitat de lectures que se n'ha fet, vegeu Jean Bollack, «Paul Celan sur la langue. Le poème *Sprachgitter* et ses interprétations», dins BRODA (1986b: 86-115).

59. *Ein Aug, in Streifen geschnitten, | wird all dem gerecht.* Són els darrers versos del poema *Weissgrau* [«Gris blanquinós»]. Vegeu el comentari que en fa GADAMER (1999: 58-60).

60. *Holzgesichtiger, | schlackermäuliger | Narr übern Tretrad: || am Ohr | appen hängt | dir das Aug | und hüpft | begrünt.*

d'una condició més general per la qual existir consistiria, des de l'origen fins a l'acabament i en tota l'amplària de l'espai, a ser vist. Expressada com a tal, aquesta condició general podia anar referida tant al jo poètic com a *tutti quanti*:

Dies, basarda | sense nom ni refugi. | Per cantonades | [*OC*/2: 142]
d'oblit sento com sotgen | fixos ulls els meus passos.

Pelegrí a la corda | de l'arc damunt l'abisme, | [*OC*/1: 274]
vaig portar vasos d'aigua, | sense vessar-los, des de |
l'anguniós origen | dels ulls fins on acaba | tot desig de paisatge.

davallades cisternes del temps, | [*OC*/1: 36]
esglaons del meu fred fins als ulls del no-res

I passem, sols units pel pont | del fred esglai d'aquest esguard, | [*OC*/2: 25]
per la buidor d'uns fixos ulls, | tots a rengleres del no-res.

Imatges comparables, a Celan, d'un ull del temps distant, indiferent, però alhora presidint un quadre apocalíptic:

Aquest és l'ull del temps: | mira de biaix | sota la cella de set colors. | [*G.* I: 127][63]
La seva parpella la renten focs, | la seva llàgrima és vapor.

i de l'ull estrany, o estranger, que ho veia tot –o que no veia res, si tot ho veia blanc– i dins el qual jeia el (del) poeta:

Neu. I encara més blancor. || Tu, tu mateix: | ajaçat en l'ull | [*G.* I: 128]64
estrany, que abraça tot això | d'una mirada.

Al costat d'aquests impersonals ulls singulars, o en singular, l'ull singular del poeta també podia atènyer, a Celan, un presència obsessiva:

Sempre l'ull. | Sempre l'ull, la parpella del qual | [*G.* I: 120][65]
alces al reflex | del seu germà caigut. | Sempre aquest ull. ||
Sempre aquest ull, la mirada del qual | embolcalla aquell àlber mateix.

61. *Ein Auge, dem Arzt | aus der Niere geschnitten, | liest an Hippokrates Statt | das Meineid - make up.*

62. *Aufs Auge gepfropft | ist dir das Reis, das den Wäldern den Weg wies: | verschwistert den Blicken, | treibt es die schwarze, | die Knospe.*

63. *Dies ist das Auge der Zeit: | es blickt scheel | unter siebenfarbener Brave. | Sein Lid wird von Feuern gewaschen, | seine Träne ist Dampf.*

64. *Schnee. Und mehr noch des Weißen. || Du, du selbst: | in das fremde | Auge gebettet, das dies | überblickt.*

65. *Immer das Aug. | Immer das Aug, dessen Lid | du aufschlägst beim Schein | seines gesenkten Geschwisters. | Immer dies Aug. || Immer dies Aug, dessen Blick | die eine, die Pappel umspinnt.*

I aquest ull de la primera persona de vegades es veia envoltat per una munió d'ulls, per tots els altres ulls:

> I ulls, que et cerquen. | I el meu ull enmig [G. I: 119][66]
> pots esperar fins que enmig de tots els ulls un gra de sorra s'arroenti per tu. [*G.* I: 91][67]

Sens dubte la inquietant condició de ser vist per un ull o uns ulls fixos o estranys, del màxim abast o d'una absoluta buidor, que expressaven moltes de les imatges anteriors, podia associar-se amb la figura llargament tradicional d'una subjecció al Gran Controlador. De fet, aquesta figura paranoica, de rels eticoreligioses però també d'una forta projecció historicopolítica, no deixava d'encarnar-se, en tots dos poetes, en representacions més específiques. Les ben clàssiques del diable i el bon Déu, per exemple, a Espriu, és clar que tractades amb un punt d'ironia:

> Ulls de damnat, de relapse, | [*OC*/1: 163]
> vigilen el secret fil
> d'aquest meu destí, tan vil.
> I anem morint [...] mentre vigilen, [*OC*/1: 72]
> cauts, paternals, ben desvetllats, fredíssims,
> uns ulls d'amo content tot el nostre mal sonmi.

O una de més moderna, a Celan, d'acord amb la qual l'ull de profunditat més gran absorbia l'ull altrament profund del poeta, en al·lusió sagnant a les conseqüències darreres de la cultura occidental cristiana:

> Conec la més vespertina de totes les cases: un [*G.* I: 60][68]
> ull molt més profund que el teu allí hi vigila.
> [...] I aquell ull més profund beu el teu ull profund.

La representació espriuana de la figura s'oferia amb la màxima intensitat en «El sotjador», un text de 1937 incorporat a la primera edició, de 1949, de *Les cançons d'Ariadna*. En el poema, d'una truculència romàntica molt buscada, amb prou feines pal·liada per l'efecte distanciador d'una introducció en prosa que el posava en boca de l'Holandès Errant en persona, s'hi condensaven els trets més marcats de la figuració de l'Altre amb què l'autor havia de jugar al llarg de tota la seva obra. Com, entre moltes altres coses, ha indicat Delor,[69] la imatge central de l'ull únic, innúmer i desparpellat, bé podia procedir del *Zohar*, el gran llibre de la mística jueva:

66. *Und Augen, die dich suchen. | Und mein Aug darunter.*
67. *du kannst warten, | bis unter allen den Augen ein Sandkorn dir aufglimmt.*
68. *Ich weiß das abendlichste aller Häuser: ein | viel tiefres Aug als deines hält dort Ausschau.* | [...] *Und jenes tiefre Aug, es trinkt dein tiefes Auge.*
69. A Delor (1993: 414-431) es poden llegir pàgines definitives sobre el poema.

–Només un rostre en la tenebra. [...] [*OC*/1: 78-9]
Un ull sense parpella | sotjant-me en nit dintre tenebra. ||
Esguard de glaç [...]
Quan faràs orb, al fons de la tenebra, | el sotjador immòbil? [...]
[...] quan sempre sotja | el rostre d'ull innúmer, | únic, immens, parat, sense parpella!
Un rostre etern, un ull, només un rostre | en nit dintre tenebra.

Admetent que ens costaria ben poc considerar aquest ull innúmer d'Espriu com una mena de germà gran –si no el germà gran en sentit estricte– dels innombrables ulls singulars, desparellats, de Celan, potser també és el cas que no ens estem, per concloure, de qualificar els *Augen* celanians del poema de *Möhn und Gedächtnis* que tot seguit reproduïm com els protagonistes de la representació més radical del poder omnímode dels ulls d'una nissaga, en últim terme, ben espriuana:

ULLS: [*G.* I: 67][70]
brillants per la pluja a barrals,
quan Déu em va manar de beure.

Ulls:
or que la nit em comptà a les mans,
quan recollia ortigues
i roturava les ombres dels proverbis.

Ulls:
vespre que s'arroentava sobre meu quan vaig obrir la porta de cop
i, hivernat pel gel dels meus polsos,
galopava pels veïnats de l'eternitat.

Bibliografia

BRODA, Martine (1986a): *Dans la main de personne. Essai sur Paul Celan.* París, les Éditions du Cerf.

BRODA, Martine [ed.] (1996b): *Contre-jour. Études sur Paul Celan.* Colloque de Cerisy édité par M. B. París, les Éditions du Cerf.

CELAN, Paul (1975a): *Gedichte* I. Bibliothek Suhrkamp, Band 412. Frankfurt am Main, Suhrkamp Verlag. [Citat com a *G.* I].

70. *AUGEN: | schimmernd vom Regen, der strömte, | als Gott mir zu trinken befahl. || Augen: | Gold, das die Nacht in die Hände mir zählt', | als ich Nesseln pflückt' | und die Schatten der Sprüche reutet'. || Augen: | Abend, der über mir aufglomm, als ich aufriß das Tor | und durchwintert vom Eis meiner Schläfen | durch die Weiler der Ewigkeit sprengt'.*

CELAN, Paul (1975b): *Gedichte* II. Bibliothek Suhrkamp, Band 413. Frankfurt am Main, Suhrkamp Verlag. [Citat com a *G.* II].

CELAN, Paul (1990): *Hebras de sol*. Traducció d'Ela María Fernández-Palacios i Jaime Siles. Madrid, Visor.

CELAN, Paul (1994): *De umbral en umbral*. Traducció i notes de Jesús Munárriz. 2a edició, revisada i novament composta. Madrid, Hiperión.

CELAN, Paul (1996): *Amapola y memoria*. Traducció i notes de Jesús Munárriz. 3a edició, revisada. Madrid, Hiperión.

CELAN, Paul (1998): *Choix de poèmes*. Traducció i presentació de Jean-Pierre Lefebvre. París, Gallimard.

CELAN, Paul (1999): *Obras completas*. Pròleg de Carlos Ortega. Traducció de José Luis Reina Palazón. Madrid, Trotta.

CELAN, Paul (2000): *Poemes*. Traducció de Karen Müller i Andreu Vidal. Barcelona. Edicions 62 - Empúries.

DEL CARO, Adrian (1997): *The Early Poetry of Paul Celan*. Baton Rouge and London, Lousiana State University Press.

DELOR I MUNS, Rosa M. (1993): *Salvador Espriu, Els anys d'aprenentatge (1929-1943)*. Barcelona, Edicions 62.

DERRIDA, Jacques (1986): *Schibboleth pour Paul Celan*. París, Galilée.

ESPRIU, Salvador (1985): *Obres completes I. Poesia, 1*. Edició a cura de Francesc Vallverdú. Barcelona, Edicions 62. [Citat com a *OC*/1].

ESPRIU, Salvador (1987): *Obres completes II. Poesia, 2*. Edició a cura de Francesc Vallverdú. Barcelona, Edicions 62. [Citat com a *OC*/2].

FELSTINER, John (1995): *Paul Celan: Poet, Survivor, Jew*. New Haven and London, Yale University Press.

GADAMER, Hans-Georg (1999): *¿Quién soy yo y quién eres tú? Comentario a «Cristal de aliento» de Paul Celan*. Traducció d'Adan Kovacsics. Barcelona, Herder.

Reduccions. Revista de poesia. Número 65/66. Març-juny de 1996. Vic, Eumo Editorial. [Conté traduccions d'Antoni Pous, de Jordi Ibáñez i d'Andreu Vidal i Karen Andrea Müller de diversos poemes de Celan].

Rosa Cúbica. Revista de poesía. Núm. 15 i 16. Hivern 1995-96. «Paul Celan: rosa de nadie». Barcelona.

VALENTE, José Ángel (1995): *Lectura de Paul Celan: Fragmentos*. Barcelona, Ediciones de la Rosa Cúbica.

WOLOSKY, Shira (1995): *Language Mysticism. The Negative Way of Language in Eliot, Beckett and Celan*. Stanford, Califòrnia, Stanford University Press.

LA PROSA, EL GÈNERE DESCONEGUT DE JOAN BROSSA

Glòria Bordons

Universitat de Barcelona

És conegut de tothom que Brossa practicà gairebé tots els gèneres sota un concepte molt ampli de l'ofici de poeta. Per necessitats d'ordre pràctic s'ha acostumat a dividir la seva producció entre poesia literària, poesia escènica i poesia visual o objectual. I a la primera s'hi ha inclòs el que tradicionalment entenem per poesia. Però Brossa escriví també prosa (sense que es pugui classificar en cap gènere concret), tot i que ni ell mateix li donà gaire importància i, com en altres ocasions, la seva publicació fou dispersa i parcial. Entre els reculls que podríem considerar gairebé estrictament de prosa, hi figuren *Vivàrium,*[1] *Anafil,*[2] *Añafil 2*[3] i *Alfabet desbaratat,*[4] i resten encara inèdits alguns textos posteriors a 1993 sota el títol d'*Anafil 3.* A part de la distància en el temps de publicació i del fet estrany que un dels reculls sigui en castellà sense haver-ho estat abans (ni després) en català, el contingut d'aquests llibres és ben divers. En línies generals podríem dir que contenen proses curtes narratives, proses poètiques, presentacions de llibres, estrenes o exposicions, homenatges, pròlegs, entrevistes, oracles, cartes, guions de cinema (com *Foc al càntir* i *Gart* de 1948) i, fins i tot, autèntics poemes (com l'«Oda a Louis Armstrong», «Tríptic hegelià a Antoni Tàpies», «Oda a Francesc Macià», «Oda a Lluís Companys», «Tríptic londinenc», «Elegia a Xile des de Catalunya ocupada», «Oda a Lluís M. Xirinacs» o diversos sonets o poemes, no publicats en el seu moment a causa de la censura o apareguts en revistes d'escassa difusió). Com el subtítol de *Vivàrium* i *Anafil* indica, es tracta de textos esparsos que, inèdits o publicats en llocs ben diversos de forma circumstancial, no formaven part de cap llibre unitari. Això explicaria l'existència d'un llibre de proses al marge: *U no és ningú* de 1950.[5] D'altra banda el recull *Alfabet desbaratat* és l'únic que apareix amb el subtítol de «proses inèdites» i tenia

1. Publicat per Ed. 62 (col. Cara i creu, 17) l'any 1972; comprèn textos des de 1944 a 1971.

2. Publicat a Edicions 62 (col. L'alzina, 16), l'any 1987; comprèn textos des de 1971 a 1986.

3. Publicat en traducció castellana de Carlos Vitale per Huerga&Fierro l'any 1995; comprèn textos des de 1986 a 1993.

4. Publicat per ed. Empúries l'any 1998; conté textos esparsos de l'època de *Dau al Set* i dos de 1966 i 1979, respectivament.

5. Publicat amb la col·laboració de Tàpies a La Polígrafa l'any 1979 i inclòs posteriorment al recull *Ball de sang*, Barcelona: Editorial Crítica, 1982.

la voluntat de recollir el material dispers en prosa no publicat anteriorment i que pertanyia a l'època de *Dau al Set*. No obstant això, el poeta no deixà perdre l'oportunitat de publicar dues proses molt posteriors (1966 i 1979), que romanien inèdites.

En general, la producció brossiana en aquest camp és, indiscutiblement, molt inferior en nombre a l'estrictament poètica, a l'escènica o a la visual. Però l'escassedat de títols no justifica l'abandonament editorial o crític. Brossa havia afirmat en més d'una ocasió el seu rebuig general a la prosa, sota la consideració que tot és poesia. Un poema com el que porta per títol «No és prosa» de *Cent per tant* de 1967 és ben significatiu:

«Trobareu el got al lloc de sempre.»

Per tant, no és la utilització d'un tipus determinat de llenguatge el que estableix diferències de gènere, sinó, bàsicament, la distribució gràfica espacial, que, segons el diccionari, és la característica distintiva bàsica entre prosa i poesia. A més, en el cas d'algunes proses, s'hi afegiria la introducció d'acció i personatges, fet que l'acostaria a l'altre gran gènere practicat per Brossa: el teatre.

Però aquesta narrativitat només es troba en les proses que podríem anomenar creatives, perquè d'altres més circumstancials se n'aparten, per homenatjar metafòricament artistes diversos o per exposar opinions sobre la poesia, el comportament humà, la política, etc.

A fi de poder analitzar en el seu conjunt la prosa brossiana, procedirem primer a una anàlisi dels textos creatius anteriors i posteriors als cinquanta, per després tractar exclusivament dels textos circumstancials i d'opinió, els quals ens donen el marc per a una autèntica poètica brossiana.

Les proses creatives del període *Dau al Set*

Cal tenir en compte que la majoria d'obres en prosa de Brossa es produeixen entre 1949 i 1950, anys en què la seva poesia encara era força hermètica i no havia donat el pas cap a la quotidianitat i prosaisme que experimentà a partir d'*Em va fer Joan Brossa*. Es podria dir que, d'alguna manera, en les proses de l'època de Dau al Set, Brossa havia avançat la incorporació de la realitat a la literatura, tot barrejant-hi elements imaginatius. És ben simptomàtic que el mateix any 1950 el poeta acabi dos llibres força iguals en sentit, però diferents només en l'ús de la poesia o la prosa en l'expressió: *Em va fer Joan Brossa* i *U no és ningú*.

D'altra banda, les proses d'aquest període són ben útils per entendre l'època i el Brossa d'aquell moment. Hem de recordar que el poeta havia entrat en el món de les lletres de la mà de J. V. Foix, a qui havia demanat assessorament després de les seves primeres temptatives d'escriptura. Molt poc temps després, conegué Joan Miró i Joan Prats. Els consells i la bibliografia proporcionats per aquests homes ajudaren Brossa, i després els companys pintors de *Dau al Set*, a enllaçar d'una manera natural (com si no s'hagués esdevingut la guerra civil) amb l'avantguarda dels anys trenta, aquella que apareixia fantàsticament sintetitzada en el número de desembre de 1934 del *D'ací d'allà*. Un text simptomàtic que evidencia aquesta connexió és «Evocació de 1925», en què Foix, Dalí, Sindreu, Carbonell, Prats i Miró són els protagonistes d'una prosa onírica que evidencia l'opinió de Brossa: Dalí està ben mort, Foix s'autocontempla, Sindreu i Carbonell dormiten, mentre Prats viu alegre i Miró és inalterable al pas del temps:

> «A la cambra següent, J. V. Foix, de tornada d'un gran viatge, posava el capell i les ulleres al bust que recentment s'havia fet modelar i constatava somrient: *Així encara m'hi assemblo més*. Dalí s'havia quedat a París i va morir, després de Foix, a Nova York. Ajaçats en un banc de pedra, Sindreu i Carbonell, juntament amb pintors i poetes, el nom dels quals he oblidat, dormitaven prop del bust. *L'escultor que me l'ha fet* –digué Foix tot posant-se novament les ulleres i penjant el capell en una perxa noucentista– *posseeix una bella col·lecció de premis honorífics i ens dóna expressions a tots*. Gertrudis assentí. De sobte, una ratxada d'aire fresc. El bust trontolla, cau i es parteix en mil bocins. Jo, no sé per què, vaig evocar els jardins penjants de Babilònia. Tots es van aixecar el coll de l'americana i petaven de dents. Joan Prats, caraalegre, es dugué la pipa a la boca. Un intrús acabava de saltar per la finestra, i ara, al mig de la cambra, davant l'admiració de tots, es treia la mascareta de seda i posava fi a la cabriola amb un airós: *Ale hop!* Era Miró, inalterable a través dels anys, per la famosa vitalitat del qual, encara avui, no compten els antics mètodes de conversió.

Aquesta connexió es pot veure també en dues proses, que són narracions oníriques camuflades sota la forma d'entrevista: «Deu minuts de conversa amb Carles Sindreu» i «Interviu a Josep Carbonell», així com en els textos en què també intervé J. V. Foix o Joan Miró, especialment «Joan Miró dels ventalls».

El moviment internacional que més l'impressionà i l'influí en aquells moments, per similituds amb el que ell intuïtivament escrivia, fou el surrealisme. És per això que podem denominar aquesta primera etapa de l'obra de Brossa, la que va des dels seus començaments literaris fins a 1950, com a surrealista o neosurrealista, com ell preferia de dir.

Entre les principals característiques neosurrealistes que contenen les proses, podríem trobar: les imatges oníriques, les transformacions, l'associació de realitats allunyades, els diàlegs absurds i els elements màgics. Al seu costat, s'observen d'altres trets, que també podem trobar als poemes d'*Em va fer Joan Brossa* o a les proses d'*U no és ningú* de l'any 1950. Especialment això es manifesta en les proses curtes, aparegudes a *Dau al Set* i els primers textos de *Proses de Carnaval*, de 1949. La desconnexió entre fragments és un procediment habitual, al costat de la definició (concretament, la definició del que és un paraigua a la prosa «Kamir» o la simple definició del sol com «allò que roda» a «El sol és allò que roda...»), l'enumeració («A un mix» és un seguit de noms d'ocells, molt semblant a un poema d'*Em va fer* i a un altre text aparegut a *Dau al Set*; al final de «Tres poemes», publicats a *Algol*, hi ha una enumeració de productes pirotècnics extrets d'un catàleg comercial; o bé dintre de la prosa «Dinosaure» s'hi insereix una enumeració de noms de carrers), les instruccions al lector («Zèfir» és la descripció d'un truc de màgia amb cartes, «Das Verfinsterne Blumenbukett» també dóna instruccions a l'espectador, com les posteriors accions espectacle escrites per l'autor; i moltes proses acaben amb un imperatiu que invoca a la participació: «Poseu als prestatges aquests objectes d'argent»,) o les frases desconnectades, totalment sintètiques («Fa un temps calent i sec. L'atmosfera és carregada d'electricitat. Hi ha una mà sota la taula que aguanta l'herba. Una figura fosca amb els ulls flamejants em desapareix a través del cos. Ho he constatat tres vegades [...]»), les quals portaran, en alguns casos, a una barreja total dels components de la frase. És curiós d'assenyalar que aquesta darrera tècnica, la qual evidencia un grau extrem d'experimentació i alhora desconfiança sobre el llenguatge, Brossa la practica també en llibres poètics de l'any 1952, com *El tràngol*, *Mercurial* i *Viltinença*.[6] Es tracta de forçar gairebé esquizofrènicament el llenguatge, a manera de *collage*, i d'experimentar al mateix temps sobre el procés de lectura:

> «[...] quan va caure malalt de mort un malfactor que va confessar, la molta, els seus crims, afecció al ball d'una noia li fa perdre l'estimació, un gat va agafar, del seu galant, un pardal mentre anava, el desig, a picar el pa, deixa records [...].»

Però on Brossa ofereix més innovació és potser en els textos més llargs. Dins de *Vivàrium*, recull on abunden les proses creatives, destacaríem «La carta als reis», i «Diàbolo», de 1945, els tres oracles sobre els tres pintors components de *Dau al Set*, i «Esviagotor i Paradela» de 1950. En el primer cas, hi destaca el caràcter narratiu i l'ús de la primera persona. La frase és llarga i els incisos són freqüents. En general, hi ha un ressò de les proses de *Gertrudis* i *Krtu* de J. V. Foix, per la desolació i empetitiment del protagonista davant uns personatges urbans opressors que manipulen la realitat. Però, a diferència de Foix, el poder transformador i la constatació de la realitat provoquen un optimisme escèptic, molt diferent al poeta de Sarrià:

> «Els tres monarques se'm van abalançar damunt, encesos d'una sufocació que els reis normalment envernissen. Desolat, plorant a llàgrima viva, arrenco a córrer seguit per la munió de públic i dependència que havia presenciat amb indignació aquell fet que encara no m'explico. Em van empaitar per carrers, places, vies triomfals i conjunts fantàstics de monuments. A l'últim vaig amagar-me en un racó de bosc sense quadricular mentre els meus perseguidors s'ocupaven en la feina de degollar unes cabres que botaven i emetien sons estranys a l'entrada d'una gruta.
> *Ahú! Ahú! Ahú!* Com m'hauria complagut de tornar als Magatzems Jorba, palau de joguines! Però la por d'ésser reconegut me'n va fer desistir i, abraçat en una soca, vaig desafogar-me plorant amb tant de sentiment, que em vaig trobar un niu d'ocells a la butxaca.

6. Publicats, *El tràngol* a *Poesia Rasa* (Barcelona: Ariel, 1970 i Barcelona: Edicions 62, 1990) i *Mercurial* i *Viltinença* a *Càntir de càntics* (Barcelona: Edicions 62, 1972).

Com que els homes deixen cada vegada més el camp per la ciutat, a l'alba partia amb les mans al darrera i xiulant una melodia d'estil Harlem, segur que a l'arribada ningú no em faria costat ni a cap reialme celebrarien festes pel meu retorn.»

En el cas de «Diàbolo», sobresurten unes altres característiques, que podríem qualificar de més poètiques: l'ús del present, la invocació constant a una segona persona femenina, les frases més curtes, les interrogacions, etc. al costat d'unes presències màgiques, formulades a partir de les instruccions d'un suposat llibre de Cleopatra («PERQUÈ UNA DONA ESTIGUI CONTENTA DEL SEU AMANT TAL COM ELLA DESITJA. *Agafa una granota verda i talla-li el cap i les potes el primer dia de la lluna nova* [...]»), de la invocació al diable i de la presència d'uns elements misteriosos i simbòlics (rèptils, draps negres, sang, rellotges, etc.). Però la intercalació d'elements sorprenents de la realitat i d'altres registres de llenguatge («La teva ironia molesta els meus amics de manera que sempre t'haig de disculpar dient-los en to natural: *Senyores... Senyors...* i recordant-los que per al truc de la guillotina són necessaris dos caps») converteixen la prosa en una síntesi de gèneres i una divertida proposta absurda, com es demostra en el paràgraf final: «Li he buscat el cor durant anys i anys. Tot ha influït damunt tot. Si els meus dies favorables són dimarts i dissabte; si entre gener i febrer, Taure: què em costa de treure-la a ballar!»

El cas dels oracles és tota una mostra de l'experimentació constant que Brossa va realitzar en tots els gèneres. Escrits el 1949, foren publicats a *Dau al Set* el 1950, 1951 i 1955. Dedicats als tres pintors amics i cofundadors de *Dau al Set*, Antoni Tàpies, Joan Ponç i Modest Cuixart, adopten el to i l'estil dels oracles bíblics, molt en la línia del magicisme de la primera època del grup. Efectivament el començament és el típic del profeta que escolta una veu:

«L'any mil nou-cents quaranta-nou, el mes novè, el tretzè dia del mes, jo, Joan Brossa i Sarganta, em trobava jaient a casa meva i vaig sentir una veu que deia:
Joan Brossa, profetitza sobre Antoni Tàpies, profetitza, Joan Brossa, i diràs a Antoni Tàpies»

Els enllaços són també paradigmàtics: «Això diu l'oracle», «Ha dit l'oracle» i el contingut s'expressa en futur: «En un vedell de tres anys faràs hisenda», «Perquè s'esdevindrà que, a les darreres muntanyes i als darrers continents, el fill de la darreria, en fer la seva tasca, escriurà davant els signes el teu nom i cognoms, com un gall negre caminant damunt tres potes», o en imperatiu, com a forma gairebé amenaçadora: «Això diu l'oracle sobre tu, Joan Ponç: Para de devorar amb ulls superbs el fruit de les teves obres que t'ha estat donat en heretatge, oh fill de les ardències», o bé en passat, quan es relaten les visions que ha sofert el profeta: «Jo continuava veient en visió, i vet aquí que us va venir al damunt una àguila rodona, i l'arbre que creixia va incendiar el cor de les valls afeixades.» D'altra banda, els elements a què fan referència els oracles són totalment simbòlics, amb una forta presència d'animals o altres elements naturals, com també succeïa en els oracles bíblics: «Ben bé recularà la lluna damunt les cendres. I un mal oratge agafaràs amb el teu llaç; perquè el que et dic s'esdevindrà després d'ara. I vet aquí que giraràs el rostre, i tota la gent del voltant d'on no serà invocat llançarà crits de joia, perquè qualsevol que exalci un sol dels teus cabells esdevindrà lleó.» En general, la imitació de l'estil dels oracles és perfecta i, mitjançant aquesta forma, aprofita Brossa per aconsellar els seus amics, dins d'un artifici simbòlic, plenament màgic.

Finalment, «Esviagotor i Paradela», després d'una introducció molt descriptiva a base de frases curtes, que presenten un paisatge còsmic, incorpora el que podria ser un autèntic conte popular. Com en el cas dels oracles, la imitació de l'estil és perfecta: introducció de lloc i família prototípica («Hi havia en un poblet de muntanya, una família...»), un inici de conflicte (el fill que marxa a fer fortuna), una complicació progressiva (els dos fills que fracassen, fins que li toca el torn del petit) i una resolució, que presenta la sorpresa que és també negativa (el fill petit també fracassa i el gegant li talla el cap). Però a continuació hi ha un epíleg del conte, en què un hostaler màgic salva els tres vailets. No obstant la forma de conte, el llenguatge que presenta aquest darrer fragment, així com petites frases incorporades al relat anterior, no pertanyen a l'estil popular, sinó que recorden el dels oracles (la veu que surt de la roca parla en imperatius i en forma desiderativa) i barregen elements absurds amb d'altres meravellosos.

Pel que fa a les proses de la mateixa època contingudes a *Alfabet desbaratat*, destacaríem «El cistell de roba», «El desè hivern», «El jardí de Batafra o el molí de Carnaval» i *Carnaval escampat*. La primera prosa és un bon exemple de desconnexió entre les diferents parts que la integren, alguna de les quals, com la darrera, és de caràcter eminentment teatral. També l'espectador o lector és forçat a intervenir. Però el que més sobta són les constants reflexions sobre la pròpia poesia o art. Frases com «La poesia ha renovat el ritme amb la incorporació de noves imatges al pensament» o «La meva imaginació no resta encadenada i sé desplegar amb el meu art la més profunda ciència» mostren un poeta no només preocupat per l'experimentació formal, sinó també un ésser madur que treu lliçons del propi art i del dels altres. Aquesta faceta de Brossa serà després una constant, que apareixerà tant en els poemes curts, en forma de màximes o aforismes, com enmig d'entrevistes, presentacions o homenatges.

«El desè hivern» presenta un to profètic característic, similar als oracles que abans hem comentat. Com en aquests textos, el poeta, revestit d'una autoritat especial: «Jo, Joan Brossa, home, vella, planta, escarabat, flama de foc, aire i terra [...]» transmet a la humanitat el que li dicta la veu: la visió d'allò que l'envolta i la necessitat de tornar la llum a les tenebres que dominen el món. Aquesta claror, però, a diferència dels textos bíblics, és únicament la raó de l'home, que s'imposarà a qualsevol història d'immortalitat: «Cal que seguim la marxa del temps i desmentim càntics immortals.»

Aquesta imitació, que capgira els llibres profètics de la Bíblia, està molt relacionada amb el caràcter del text de *Proses de Carnaval*: «El jardí de Batafra o el molí de Carnaval». En aquest cas, el que Brossa ens presenta és una religió. Basantse en mitologies antigues del Pròxim Orient, el poeta basteix tota una nova religió.

Una colla de déus, bons i dolents, ens són presentats amb els seus emblemes, les seves accions sobrehumanes i les seves paraules sentencials i simbòliques. Mots enigmàtics i signes incomprensibles acompanyen un devessall narratiu ple d'imatges líriques. Les desconnexions i els efectes sorprenents afegeixen una dosi surrealista a un tipus de narració, la mitològica, que, per la seva pròpia essència, comporta ja molts elements absurds. Però la intenció no és únicament paròdica. Les sentències dels déus ens proposen una creença en la natura més essencial per sobre de cultures i ídols: «Però, bé que el sol no pot avançar, encara que hi hagi neu i boira als flancs de les muntanyes, ell ha d'existir sempre i donar la mà a nous cels.» Un final, desconnectat, teatral i humà, dóna el contrapunt a aquesta prosa insòlita. Insòlita efectivament per dos motius: la naturalesa del mateix tema tractat i la no-continuació de forma i tema en l'obra brossiana. De tota manera, en el context del grup *Dau al Set*, el tema no era tan extraordinari. La indagació en el subconscient havia portat els membres del grup a una certa màgia ancestral, envoltada de foscor i primitivisme, que es pot evidenciar perfectament en els quadres d'aquesta època de Ponç, Tàpies i Cuixart (molts d'ells titulats per Brossa) i en certs textos inclosos a la revista, com uns maleficis i fórmules màgiques medievals d'Enrique de Villena. També les mitologies o cerimonials primitius havien estat tema predilecte dels dadaistes, que en algun dels seus actes havien intentat reproduir el clima creat per la repetició monòtona de frases sense sentit.[7] En el cas de Joan Brossa, cal afegir un interès per qualsevol forma de religió primitiva, que li donés proves, d'una banda, de la falta d'originalitat de la religió catòlica i, de l'altra, de la preeminència de les forces de la naturalesa sobre qualsevol tipus d'invenció mitològica humana.[8]

Sobre el perquè de la manca de continuïtat en textos mitològics d'aquest estil, suposem que la forma devia causar-li un cert cansament, fet que va coincidir amb el canvi d'orientació de la seva poesia, més lligada a la realitat, a partir dels anys cinquanta. No obstant això, textos de característiques semblants apareixerien posteriorment en obres de teatre de finals dels anys cinquanta, com *Or i sal* o *També,* o fins i tot posteriors, com *Calç i rajoles* (1963).

La darrera peça llarga de l'època Dau al Set és *Carnaval escampat o la invasió desfeta.* Aquest text presenta moltes semblances amb *Gart*, el guió de cinema de l'any 1948. Els personatges són els mateixos: Ponç, Tàpies i Cuixart. Les accions que realitzen són també plenes de transformacions, amb l'aparició d'objectes sorprenents i cops d'efecte. Els protagonistes entren i surten en una vertiginosa i continuada acotació. A més, els successius fets tenen un tractament totalment escènic, amb el

7. Especialment conegut és l'acte realitzat per Hugo Ball a Zuric el 1917, segons explica H. Richter a *Historia del dadaismo*, Buenos Aires: Nueva Visión, 1973 (trad. E. Molina).

8. En aquest sentit és ben il·lustratiu un poema del recull *Cau de poemes* de 1960 (publicat a *Poemes de seny i cabell*, Barcelona: Ariel, 1977): «D'acord! ¿però és la commemoració / del naixement de qui? / De Khristna? / De Mitra? / D'Osirapis? / De Bacus? / O d'Agnis?/ O d'Adonis? / Etcètera. / Tots aquests déus dóna la casualitat / que també van néixer pel solstici d'hivern / i van ressuscitar per l'equinocci de primavera.»

requeriment freqüent de la participació de l'espectador o lector. Moltes de les escenes són autèntics números de màgia. La diferència rau únicament en el fet que mentre *Gart* havia de ser filmat i, per tant, dotat de moviment, *Carnaval escampat* és només text escrit. Ara bé, és una prosa que té totes les característiques de les accions espectacle que Brossa començà a realitzar a partir de l'any 1947, però amb més llargària. La lectura d'aquest text requereix un esforç paral·lel d'imaginar-se la posada en escena, ja que tot és acció.

Les proses creatives posteriors a 1950

Si hem establert el tall de 1950 és perquè a partir d'aquesta data minva considerablement la quantitat de proses creatives escrites per Brossa. Entre les compreses a *Vivàrium, Anafil* i *Añafil 2*, podríem sumar-ne una quinzena, a més de les dues més llargues incloses a *Alfabet desbaratat: Tríptic carnavalesc* de 1966 i *Prosa egipciana* de 1979, de caràcter ben diferent. El primer text va ser escrit per a una cantata de Josep M. Mestres Quadreny i consta de tres parts, amb títols amb personatges de la *comedia dell'arte*. La primera, més llarga, és un diàleg entre dos personatges, on es pot intuir una crítica a la vida moderna. La segona i tercera parts són un contrapunt sintètic, enjogassat i inversemblant. En el seu conjunt no difereix gaire de les *Accions musicals*, escrites entre 1962 i 1968,[9] i amb elles s'hauria d'aparellar.

Prosa egipciana és, en canvi, tota una altra cosa. Es presenta amb el subtítol d'«esbós biogràfic que no penso continuar». Efectivament té un caràcter personal i subjectiu, que no es pot trobar en cap altre text brossià. Ara bé, no es tracta d'una autobiografia. És cert que els personatges que intervenen són amics i coneguts del poeta i que els escenaris de les diverses accions són reals, però no hi ha un argument biogràfic cronològic. Es tracta de la suma d'una sèrie d'escenes, ambientades en llocs molt apreciats per Brossa, en els quals unes persones estimades dialoguen sobre aquelles coses que més li agraden. Així can Forés, L'Ingenio, la Fundació Miró, la Galeria Prats, el Rei de la Màgia i casa seva són els indrets on es parla de bombes i estels de paper, de revetlles, de teatre, d'artistes, de la família, etc. Els temes de conversa més habituals de Brossa són els que aquí queden reflectits. Entre anècdotes puntuals, sobresurten, sentencials, les opinions del poeta sobre la vida, l'art, la societat, la premsa, la literatura, etc. Frases que alguna vegada li hem llegit en entrevistes apareixen aquí d'una manera natural i gairebé corprenedora: «Per a viure cal saber obrir i tancar moltes coses(...) El Carnaval i la humanitat són una sola cosa.» Al mateix temps, trobem el contrapunt de l'opinió dels amics: Pep Manyà, Isidre Vallès, Lluís M. Riera, Xavier Fàbregas, Moisès Villèlia, Jordi Coca, la Pepa, etc.,

9. Publicades a Barcelona: Llibres del Mall, 1975 i dins de *Poesia escènica VI*, Barcelona: Edicions 62,1983.

sempre tractats amb un respecte i cordialitat entranyables. Finalment, dues pàgines de comiat, plenes de sentències, que ens ajuden a conèixer el Brossa més íntim, acaben amb una escena d'alegria i esperança en el futur. Un text, doncs, plenament recomanable per conèixer el més autèntic Brossa d'una manera lúdica i cordial.

La quinzena de textos més curts posteriors a 1950, que podríem considerar creatius, es presenten aparellats a alguna circumstància concreta (un record d'un personatge, la presentació d'una exposició, etc.). En realitat només difereixen de les que hem anomenat circumstancials pel fet de contenir més narració o més imatges líriques. Entre elles destacaríem «El sot del vent» (1972), «L'espiral» (1976), «Enric Pladevall-Vila o el rei màgic que fa quatre» (1981), «Fragments d'una pantomima amb paraules» (1986) i «La clau dels mapes» (1988). En general no aporten cap novetat respecte a les anteriors a 1950 o a les dues llargues comentades anteriorment. «El sot del vent» el que més destaca és la poca relació amb el llibre evocat, la desconnexió entre les frases, la descripció enumerativa, el to sentencial i el simbolisme. A «L'espiral», en canvi, sobresurt la presència de molts personatges i la proliferació d'accions absurdes, que incorporen els noms dels principals ídols de Brossa: Frègoli, Méliès, Berkeley i un epíleg autobiogràfic, on s'explica la visita que el poeta i uns amics van realitzar al president Tarradellas encara a l'exili. «Enric Pladevall-Vila o el rei màgic que fa quatre» presenta també forma narrativa en passat, explicant coses meravelloses, com les que podíem veure a «La carta dels reis». «Fragments d'una pantomima amb paraules» és també una narració, però que barreja el passat amb el present i el diàleg, de manera que s'acosta a una acció escènica, a part del fet de tenir com a protagonistes a Pierrot i Colombina i d'interpel·lar l'espectador. D'altra banda, les interrupcions il·lògiques en el discurs i el desdoblament del protagonista lliguen aquesta prosa amb el neosurrealisme més primerenc de Brossa (cal dir, a més, que es tracta d'una prosa començada a escriure l'any 1946 i enllestida el 1986). Finalment «La clau dels mapes» és un text literari que serví de presentació al llibre *Mom*, editat per Miquel Sambró. La seva particularitat consisteix en la juxtaposició de paràgrafs plens de preguntes líriques desconnectades i la descripció detallada del llibre a què dóna pas i un recordatori de per on anirà la col·lecció que s'inicia amb el llibre en concret. El contrast entre lirisme metafòric i realisme fotogràfic és la principal qualitat d'aquesta prosa, exemplificativa dels processos experimentals de barreja de registres que Brossa ha desenvolupat en tots els gèneres.

Els textos circumstancials

Al costat d'aquest vessant més creatiu, la prosa ha servit a Brossa per donar resposta a tota mena de demandes editorials d'amics. Bàsicament han predominat les presentacions a catàlegs d'exposicions, al costat d'homenatges diversos, presentacions d'espectacles i pròlegs de llibres. En aquests textos Brossa lloa i comenta l'obra en qüestió, no des del punt de vista d'un crític, sinó des de l'òptica d'un ull privilegiat que intenta esbrinar l'aportació d'aquell artista a la societat del moment. I això ho fa gairebé sempre amb un llenguatge creatiu i líric, de manera que la divisió entre textos creatius i circumstancials és més pel pes que té ja sigui l'efusió imaginativa o ja sigui l'objecte presentat en el text.

Si resseguim la trajectòria d'aquesta mena de textos, podrem observar l'evolució i augment de la xarxa de relacions de Brossa. La primera constatació és la que ja s'ha dit moltes vegades: que Brossa es va moure més en ambients artístics que no pas literaris. I la segona és el gran augment d'aquest tipus de textos amb els anys. Efectivament a *Vivàrium* només trobem deu textos d'aquest tipus entre 1953 i 1971. Es tracta de prefacis a catàlegs, en molts casos col·lectius, més un homenatge a Domènech i Montaner, un text per als amics de Pitarra i un altre per al programa de l'espectacle de Putxinel·lis Claca.

A *Anafil*, en canvi, hi ha més de vuitanta textos circumstancials, escrits entre 1972 i 1986. La majoria són presentacions de catàlegs, alguns d'ells simptomàtics, ja que el text en ell mateix representa la intervenció creativa del poeta, com el de *Cartipàs* de Moisès Villèlia, o la justificació de la col·laboració amb l'artista, com la cloenda a l'*Oda a Joan Miró*. D'altres ho són, en canvi, per l'adhesió que representa a unes persones amigues o mestres, com és el cas del pròleg al llibre de J. V. Foix sobre el pintor Joan Ponç o la presentació de la primera exposició d'Antoni Tàpies a la Galeria Maeght de Barcelona, amb un text força polèmic. A part caldria afegir aquí els textos que en ells mateixos són homenatges com els dedicats a Carles Riba, J. V. Foix o a la mort de Joan Miró. Finalment, d'altres foren importants, en el seu moment, pel que suposaren de padrinatge d'artistes novells o ja madurs, com Robert Llimós, Jaume Xifra, Amor Pla, Antònia Rosanes (la seva veïna), Jaume León, Benet Rossell, Narcís Serinyà, Antoni Torres i Campà, Manuel Enclusa o Alfons Borrell, entre altres.

Un segon bloc de textos el constitueixen les presentacions de llibres, les quals tenen la seva importància històrica, ja que constitueixen el suport explícit de Brossa cap als poetes del grup del Mall: Ramon Pinyol, Xavier Bru de Sala i Antoni Tàpies-Barba, a part de l'adhesió incondicional que el poeta sempre manifestà a Pere Gimferrer (mitjançant el pròleg a *Foc cec*) i del patrocini de poetes visuals com Josep M. Calleja o Xavier Canals. Així mateix trobem pròlegs a edicions facsímils de llibres de màgia ben curiosos, com *Juegos de manos o sea Arte de hacer diabluras* o *El prestidigitador optimus o magia espectral.*

I per acabar, un altre grup de textos avala espectacles de grups o artistes que després triomfarien a petita o gran escala com Albert Vidal, els Comediants, Lindsay Kemp, Titelles Marduix, Christa Leem, Dimitri, Bufons, Pep Bou, etc., o bé promocionen esdeveniments com la Fira de Teatre de Carrer de Tàrrega o el Festival de Cinema Fantàstic de Sitges.

Añafil 2 inclou uns quaranta-cinc textos circumstancials escrits entre 1986 i 1993. Els tipus de textos que s'hi inclouen són del mateix tipus que els anteriors:

presentacions de catàlegs d'exposicions o llibres d'artistes ben diversos (Eduardo Arroyo, Melba, Fernando Krahn, Núria López, Nahum Sanmartín, Santi Moix, Joan Solé, Evaristo Benítez, al costat de Joan Ponç, Joan Miró o el grup *Dau al Set*), pròlegs de llibres (Andrés Sánchez Robayna, *El món popular de Joan Amades*, un llibre de màgia d'Amor Estadella), patrocini d'espectacles o festivals (Teatre de Carrer de Tàrrega, inauguració Centre Dramàtic, Núria Candela, *stripteases* de butxaca, un congrés de màgia o l'espectacle de la Belle époque) i homenatges a persones estimades per Brossa, algunes vives i d'altres ja traspassades (Pasqual Iranzo, Manuel Viusà, Xavier Fàbregas, Josep Cercós o Rafael Alberti). Però també inclou una altra mena de textos, com els que presenten poemes o instal·lacions visuals del mateix Brossa (Reactivació de Badalona o Col·legi d'Aparelladors), els que evoquen certs moments de la vida de Brossa (els estius a Barcelona, les tertúlies del *Sí, senyor*, la seva relació amb el Rei de la Màgia) o els que realment foren fruit de les circumstàncies (resposta a una enquesta sobre Montserrat Roig, presentació de poemes visuals d'alumnes de centres d'ensenyament, adhesió a la commemoració de la batalla de l'Ebre, etc.). Finalment, també trobem un total de set entrevistes, que, pel seu caràcter, analitzarem conjuntament amb el que hem anomenat els textos d'opinió.

Finalment, els textos inèdits d'*Anafil 3* són en la seva majoria presentacions d'exposicions (Cuca Canals, Fina Oliver, Aurèlia Riera, etc.), inauguracions d'espectacles o textos circumstancials on es pot veure la ideologia brossiana (per carta de solidaritat amb els presos independentistes).

En resum, els textos circumstancials de Brossa formen el gruix més considerable dins de la seva prosa i ens serveixen per conèixer la seva biografia des del punt de vista social i de preferències artisticoliteràries: les seves relacions amb artistes, els seus amics, els seus personatges admirats, les seves adhesions politicosocials, etc. En el seu conjunt, formen un teixit divers, que ens ajuda a entendre millor no solament el personatge sinó també la seva producció.

Els textos d'opinió

Hem deixat per al darrer lloc el que anomenem textos d'opinió, perquè, en el conjunt de l'obra prosística de Brossa són potser minoria, però tenen una gran importància per al coneixement de la poètica brossiana.[10] Constitueixen aquesta

10. Podeu trobar una justificació de la poètica brossiana a partir d'aquests textos i d'alguns dels seus poemes a la introducció a l'antologia de Joan BROSSA, *Poesia i prosa* (Editorial 3 i 4, València, 1995) (a cura de Glòria Bordons). Així mateix l'antologia inclou una selecció de les millors proses d'opinió de Brossa. També la recent antologia A *partir del silenci* (Cercle de lectors i Galàxia Gutenberg 2001) conté moltes d'aquestes proses com a introducció a cadascun dels blocs en què es divideix.

mena de textos els pròlegs a llibres escrits pel mateix Brossa, les presentacions d'estrenes teatrals, les respostes a enquestes o entrevistes, els discursos i algun article escadusser de diari o revista. La seva presència és escassa a *Vivàrium* i a *Añafil 2* i es concentra, en canvi, a *Anafil*, és a dir, als textos escrits entre 1971 i 1986, més concretament a la dècada dels vuitanta.

Els primers textos d'opinió que trobem es refereixen al teatre: a l'obra *El capità* (publicat a *Inquietud* de Vic el 1958), a *La jugada* com a carta oberta a Martí Farreras amb motiu de la seva crítica a la revista *Destino* (1960) i a *Or i Sal*, per la seva estrena el 1961. És especialment interessant la justificació que fa del seu teatre en el primer article, ja que el considera com un teatre poètic integral:

> «En aquesta peça, escrita el 1947, jo entenc el teatre com una activitat retreta dintre regions poètiques. No és, per tant, un terme, sinó un punt de partida. En aquells dies la necessitat d'establir nous lligams amb la poesia em va fer emprendre l'aventura escènica que darrerament he anat portant cap a les últimes conseqüències. Fer teatre poètic no és fer teatre en vers. Aquí, fixeuvos-hi, els personatges van inventant llurs pròpies sensacions; ells creen la realitat fictícia de l'obra, la composició de la qual no obeeix a cap fet real.»

En canvi, en la presentació de l'estrena de *La pregunta perduda o el corral del lleó* de 1985, aclareix el sentit del seu teatre temàtic. El quid està en el diàleg: «Sobre l'esquema d'uns fets planava la força d'un diàleg com a vehicle de poesia. Les obres, les concebia representades amb gran senzillesa: el xoc s'ha de produir en obrir la boca els personatges. Enraonar a partir del silenci.»

Més endavant, en altres estrenes, Brossa atacarà el teatre català en general i defensarà la seva manera particular de fer teatre. La seva intenció quedà ben sintetitzada en una frase de l'estrena de *Cavall al fons* el 1982: «De sempre, la meva lluita ha estat en dos fronts i sota dues dificultats: escriure en català i fer-ho en un llenguatge del meu temps amb voluntat d'investigació.»

També són d'especial interès les primeres presentacions de llibres fets en col·laboració amb artistes com Antoni Tàpies: *Novel·la* (1965), on explica la seva intervenció en el llibre com a necessitat imperiosa de contribuir amb una *presència humana*; i *Nocturn matinal* (1970), on defensa la poesia visual com una llengua universal i un retorn a les constatacions elementals. La mateixa defensa de la poesia visual, la trobem a la cloenda de l'*Oda a Joan Miró* (1972).

Altres presentacions, en canvi, aclareixen les opinions de Brossa sobre altres tipus de poesia com la poesia mal anomenada patriòtica o social, a la presentació de *l'Antologia de poemes de revolta* (1979), els seus poemes essencials a la presentació de *Poemas de Joan Brossa*, antologia bilingüe, traduïda per Andrés Sánchez Robayna i Mireia Mur el 1983 (aquí és on podem trobar l'afirmació categòrica. «Jo crec que una de les aportacions de la poesia literària actual –actual no solament per la cronologia– és la utilització del llenguatge col·loquial segons l'axioma que, en art, *menys és més»*) o les seves instal·lacions urbanes, en la memòria feta per al velòdrom d'Horta el 1984.

I d'altres textos esparsos forneixen les opinions brossianes sobre cinema (presentacions de programes de la Filmoteca o del Festival de Sitges, articles a revistes, etc.), religió (és de destacar el seu article d'opinió publicat a *El País* el Nadal de 1983) o política (resposta a una enquesta sobre la guerra civil a *Serra d'Or* el 1986).

En un altre ordre de coses, les respostes a enquestes o entrevistes ens aporten les principals idees de Brossa sobre multituds d'aspectes relacionats amb l'art, la literatura, la política, la societat o simplement la vida. A *Anafil* i a *Añafil 2* trobem les respostes a les entrevistes més importants realitzades al poeta. Destacaríem bàsicament (ja que després foren idees repetides cent vegades a altres entrevistes, articles de diaris, etc.) les idees incloses a «No sé per què» (enquesta sobre art d'avantguarda de la revista *Saber* de 1980), on trobem aquella cèlebre frase: «No hi ha avançats: hi ha retardats; gent que viu a la seva època i gent que no. No sé per què dels primers, en diuen "avantguardistes"»; el qüestionari de Pepe Espaliu realitzat el 1988; l'entrevista de Glòria Picazo i Josep Miquel M. G. Cortés, feta per al llibre *La cuestión artística como cuestionamiento* de 1990; i la publicada a la revista *Rosa cúbica* el 1990 per Alfonso Alegre, una de les més completes, on destacaríem la definició dels poemes dels *Entra-i-surts* com autèntics videoclips *avant la lettre*.

Finalment, els dos discursos que Brossa pronuncià als Jocs Florals de Barcelona (1982 i 1985) sintetitzen les idees brossianes sobre la literatura catalana contemporània i reivindiquen una poesia totalment lligada als temps actuals, que per a Brossa serien, bàsicament, la poesia visual o experimental, la poesia cibernètica o les instal·lacions públiques.

En general, els textos d'opinió brossians són una oportunitat única per conèixer, d'una manera clara i directa, aquelles idees que, mitjançant formes més creatives, el poeta desplegà a través de tota la seva obra.

En síntesi, la prosa de Brossa, encara que, dispersa i diversa, és un bon mitjà per acostar-nos, d'una banda, a una de les millors èpoques creatives de l'avantguarda catalana del nostre segle (l'anomenada època de *Dau al Set*), i, de l'altra, per entrar a fons en una personalitat incomparable, que ha deixat una gran empremta: Joan Brossa. Com ell va dir en una prosa que evocava la personalitat de Xavier Fàbregas: «Tots en l'univers som un moment de la vida d'una estrella; una lleganya al parpelleig dels estels. Néixer i morir són aspectes d'un procés evolutiu i, fins a cert punt, sembla lògic que les coses passin així [...]. Ara bé: això no treu que en la societat hi ha persones "repetides" i persones que són exemplars únics; les primeres resulten de fàcil substitució; les segones solen deixar un forat terrible.»[11]

11. Ponència per al Simposi d'Antropologia Cultural sobre Xavier Fàbregas, celebrat a l'Ateneu Barcelonès el novembre de 1989, editat a les Publicacions de l'Abadia de Montserrat el 1990 i reproduït en castellà a *Añafil 2*.

LLEGIR LA CIUTAT[1]

Enric Bou

Brown University

«Car la ville est un poème [...] qui déploie le signifiant, et c'est ce déploiement que finalement la sémiologie de la ville devrait essayer de saisir et de faire chanter.»
Roland Barthes

L'encontre entre ciutats i les mirades dels escriptors ha propiciat pàgines notables. I associacions que van més enllà de l'esforç d'un eslògan d'agència de viatges: Dublín i Joyce, París i Baudelaire o Proust, Boston i Henry James, Lisboa i Pessoa. I la Barcelona de Maragall, Carner, Salvat-Papasseit i tants d'altres que, en llengües diverses, n'han fet escenari o motiu privilegiat de les seves composicions literàries. Perquè l'apropiació de la ciutat per part de l'imaginari dels escriptors ha estat una activitat habitual d'ençà de l'ingrés en la Modernitat. Baudelaire, en el pròleg als *Petits poèmes en prose*, es referí a l'addicció a les urbs de la nova poesia, i en definí els paràmetres: la freqüentació de les ciutats enormes, l'encreuament de llurs innombrables relacions:

> «Quel est celui de nous qui n'a pas, dans ses jours d'ambition, rêvé le miracle d'une prose poétique, musicale sans rhythme et sans rime, assez souple et assez heurtée pour s'adapter aux mouvements lyriques de l'âme, aux ondulations de la rêverie, aux soubresauts de la conscience?
> C'est surtout de la fréquentation des villes énormes, c'est du croisement de leurs innombrables rapports que naît cet idéal obsédant.» (22)

Des de llavors literatura i ciutat ha esdevingut una zona prou definida en la literatura de la modernitat. Una zona en la qual el text serveix per expressar una contrada de l'ànima, entre el somieig i els ensurts de la consciència, i capta amb una força fascinant les reaccions dels habitants de les grans urbs.

Un dels fenòmens més característics del model de societat que ha sorgit d'ençà de la revolució industrial ha estat la reinvenció de la vida a ciutat. Això ha suposat la renovació d'unes formes de vida que, des de les antigues civilitzacions, apleguen els habitants del planeta en conglomerats urbans, però que han adquirit al llarg dels segles XIX i XX una condició específica, alterant-ne de forma radical les lleis del joc. De fet, unes autoritats amb credencials prou reconegudes i que no enganyen,

1. Agraeixo a Enric Balaguer, de la Universitat d'Alacant, i a Elide Pittarello de la Università Ca' Foscari di Venezia, l'oportunitat de presentar primeres versions d'aquest treball.

Marx i Engels, ho van afirmar sense embuts al *Manifest comunista*: «La burgesia ha sotmès el camp a la ciutat. Ha creat ciutats enormes; ha fet augmentar de manera prodigiosa la població de les ciutats en detriment de la que viu a pagès, i per això ha arrancat una gran part de la població de l'embrutiment de la vida al camp.» (37)

Segons ha explicat Richard Lehan els estudis històrics sobre la ciutat moderna han dirigit la seva atenció vers tres qüestions. En primer lloc, els orígens. Molts estudiosos s'han fixat en el problema de la desconnexió entre camp i ciutat. D'altres s'han fixat en el que podem anomenar les lleis físiques de la ciutat, la relació amb l'entorn físic, com ara el creixement en cercles concèntrics, o el creixement cap a l'oest. Gaziel va indicar en les seves memòries l'existència d'una llei no escrita, segons la qual totes les ciutats, com les civilitzacions, tendien a créixer de l'est vers l'oest. Això és ben cert en el cas de Barcelona, i en general de Catalunya, en el progrés de la Catalunya vella a la Catalunya nova. La tercera opció ha estat estudiar els efectes que les ciutats tenen en els seus habitants: Max Weber destacà els aspectes econòmics que condicionen la vida a ciutat; o Georg Simmel, en establir una tipologia del comportament de l'home urbà, es fixà en els aspectes psicològics, en els estímuls que rep. Es poden distingir, doncs, a grans trets, tres tipus d'enfocaments: una visió urbanística; una visió històrica i una altra de sociològica. A remolc de les anàlisis històriques i sociològiques, han anat sorgint estudis de caràcter més literari.[2] Aquest paper vol plantejar alguns problemes rellevants entorn de l'impacte que la ciutat moderna ha tingut en la literatura. Per a una visió literària de la ciutat, des d'una visió urbana de la literatura: llegir la ciutat.

La ciutat-llibre

La visió que proposo és de doble direcció: d'una banda m'interessa analitzar com la literatura ha influït en la formació d'una imatge (o imatges) de la ciutat. De

2. Joaquim Molas, per exemple, ha proposat un procés de mitificació urbana que té quatre moviments: 1. l'elegia per la transformació de la ciutat i la pèrdua de les que són substituïdes per la nova: cronistes Emili Vilanova, Joaquim M. de Nadal, Sempronio, Josep M. de Sagarra (*Vida privada*); 2. la programació o el somni d'una ciutat ideal: Eugeni d'Ors, Gaziel, Carles Soldevila, Guerau de Liost, Carner; 3. la descripció simplement documental, a vegades èpica de les que neixen: Odes de Jacint Verdaguer (1883), Joan Maragall (1910), Pere Quart (1936), Santiago Rusiñol, Narcís Oller, Josep Pla, Montserrat Roig; 4. la denúncia de les zones d'ombra, com en el cas de Rafael Nogueras Oller a l'«Oda número 2 a Barcelona»:

«Potser dubteu ciutats de què us van clavegueres
per sobre els empedrats
[...]
Fa temps que et pren un aire que no et toca
[...]
com totes les ciutats, te corca la indecència
i de la sang dels tristos n'has format el teu greix!»

l'altra, vull veure com la ciutat modifica la literatura. Més enllà dels estudis clàssics de Georg Simmel, «La metròpolis i la vida mental»,[3] i de Walter Benjamin, «París, capital del segle XIX»,[4] cal considerar altres estudis més recents els quals obren noves vies d'aproximació.

Roland Barthes a «Sémiologie et urbanisme» féu una proposta molt original que ara m'interessa de reprendre. Comparava la ciutat amb una manifestació literària que podia ser llegida en clau semiòtica:

> «la ville est un poème [...] qui déploie le significant, et c'est ce dèploiement que finalement la sémiologie de la ville devrait essayer de saisir et de faire chanter.» (271)

Unes pàgines abans Barthes s'havia referit a les diverses maneres de dir la ciutat i l'entitat que té com a idioma que ens parla i ens fa parlar:

> «La cité est un discours, et ce discours est véritablement un langage: la ville parle à ses habitants, nous parlons notre ville, la ville où nous nous trouvons, simplement en l'habitant, en la parcourant, en la regardant.» (265)

Per això creia que la revolució semiològica avançaria molt en el terreny de l'urbanisme quan es pogués parlar d'un «llenguatge de la ciutat», no en un sentit metafòric, sinó real. La ciutat té una pluralitat de significats a partir d'un únic significant. De la intervenció de cada usuari/passejant depèn el sentit que li podem donar. Com indicà Barthes:

> «Et nous retrouvons la vieille intuition de Victor Hugo: la ville est une écriture; celui qui se déplace dans la ville, c'est-à-dire l'usager de la ville (ce que nous sommes tous), est une sorte de lecteur qui, selon ses obligations et ses déplacements, prélève des fragments de l'énoncé pour les actualiser en secret.» (268)

Barthes es referia aquí a un capítol de *Nostra Senyora de París* de Victor Hugo, en el qual reflexionava sobre els sentits dels monuments en la ciutat. Victor Hugo, en efecte, en el capítol «Això matarà allò» (147-158) jugava amb una frase del sermó d'un capellà: «Això matarà allò, el llibre matarà l'edifici.» La frase admet dues

3. Simmel destacà l'estimulació molt intensa del viure a ciutat, la qual creava una personalitat sofisticada i indiferent, i també el fet que l'economia urbana, fonamentada en l'intercanvi del diner, originava una actitud de càlcul i regateig, en la qual allò més important eren els hàbits mentals del càlcul precís i la fredor emocional esdevé essencial per al triomf en la competència. Així la hostilitat dissuasiva i defensiva esdevenia necessària per protegir-se de l'explotació per part dels altres ciutadans.

4. Benjamin analitzà els grans temes de la ciutat del segle XIX tot lligant personalitats (artistes i polítics) i grans canvis: «Fourier o els passatges», «Daguerre, o els panorames», «Gradville, o les exposicions universals», «Louis-Philippe, o l'interior», «Baudelaire, o el carrer de París», «Haussman, o les barricades».

lectures. En primer lloc com a frase que és d'un capellà el qual expressa el terror de la religió davant la força de la paraula impresa: el llibre eliminarà el sermó, «la premsa matarà l'església» (147). El segon sentit és que la impremta destronarà l'arquitectura i el llibre de pedra serà substituït pel llibre de paper, és a dir per un objecte més volàtil, difícil de controlar. Estableix, doncs, un símil molt productiu de base gramatical: la lletra és la pedra aïllada, dreta, les paraules surten de la superposició de pedres, el dolmen (els túmuls són noms propis), les frases són l'acumulació de pedres en grans espais. I els temples d'Egipte, o el de Salomó, ja són llibres. Fins a Gutenberg, doncs, l'arquitectura fou l'escriptura universal.[5] Així es pot distingir entre dues menes d'arquitectura des de l'antiguitat fins al segle XV: la teocràtica, que es caracteritza per la immutabilitat, l'horror al progrés, la conservació de les línies tradicionals, la consagració dels tipus primitius i el sotmetiment constant de totes les formes de l'home i de la naturalesa als capritxos incomprensibles del símbol, «són llibres tenebrosos que només els iniciats saben desxifrar» (152). L'altra mena són les construccions populars que es caracteritzen per la varietat, el progrés, l'originalitat, l'opulència i el fet de moure's perpètuament. Són edificis comprensibles per qualsevol ànima. Hugo conclou: «Entre l'arquitectura teocràtica i l'altra hi ha la mateixa diferència d'una llengua sagrada a una llengua vulgar, del jeroglífic a l'art, de Salomó a Fídies» (152).

A partir de la lliçó de Victor Hugo podem concloure, provisionalment, que quan ens enfrontem amb una ciutat es desvetllen dues possibles «lectures». Una ens fa llegir un «sentit literal», més a prop de la lectura dels mapes; la segona ens introdueix en un sentit «simbòlic», en desxifrar el sentit profund d'una ciutat determinada.

De fet, la proposta d'Hugo-Barthes es pot ampliar encara més amb l'aportació de Michel de Certeau. L'antropòleg i historiador francès escriví en un capítol de *L'invention du quotidien* unes agudes reflexions, que són molt útils per al meu propòsit. Situa un observador hipotètic dalt de l'últim pis del World Trade Center de Nova York i compara la visió que pot tenir des d'allà dalt amb la d'un caminant per la jungla d'asfalt que hi ha als seus peus. El primer en fa una lectura global, des de dalt. El segon, des de baix, on no hi ha visibilitat, no pot llegir el text urbà que escriuen els mateixos vianants en caminar per la ciutat. Hi ha unes pràctiques alienes a l'espai geomètric o geogràfic de les construccions visuals panòptiques o teòriques. Aquestes pràctiques de l'espai corresponen a una altra «espaialitat». Com diu de Certeau: «Une ville *transhumante*, ou métaphorique, s'insinue ainsi dans le texte clair de la ville planifié et lisible.»[6] (142)

5. Vegeu, per exemple, el llibre de RUSKIN, *The Stones of Venice*.

6. Certeau importa una terminologia i uns conceptes de la lingüística els quals aplica a l'acte de caminar. Així pot definir *caminar* com un espai de l'enunciació. Ho pot fer perquè assumeix que hi ha un procés d'apropiació de l'espai del sistema topogràfic per part del vianant (de la mateixa manera que el parlant s'apropia i assumeix la llengua). És una realització espacial del lloc (de la mateixa manera que l'acte de parla és una realització sonora de la llengua). I implica relacions entre posicions diferenciades, és a dir *contractes* pragmàtics, sota la forma de moviments (com l'enunciació verbal és una «locució», se situa davant de l'interlocutor i introdueix acords de comunicació).

Certeau distingeix també entre estratègia i tàctica. L'estratègia és el càlcul (o la manipulació) de la correlació de forces que és possible des del moment en el qual un subjecte de voluntat i poder (empresa, exèrcit, ciutat, institució científica) és aïllable. Postula un *lloc* susceptible de ser considerat com un *model* i de ser la base des d'on dirigir les relacions amb el conjunt exterior de les amenaces (59). A l'estratègia correspon la planificació urbana. A la tàctica correspon l'experiència de la ciutat. La tàctica és l'acció calculada que determina l'absència d'un *model*. La tàctica no té un lloc propi, sinó que el seu lloc és el de l'altre:

> «Les tactiques sont des procédures qui valent par la pertinence qu'elles donnent au temps –aux circonstances que l'instant précis d'une intervention transforme en situation favorable, à la rapidité des mouvements qui chagent l'organisation de l'espace, aux relations entre moments succesifs d'un "coup", aux croisements possibles de durées et de rythmes hétérogènes, etc.» (63)

L'estratègia i la tàctica fan diferent ús de la relació espai-temps. Certeau conclou:

> «Les stratégies missent sur la résistance que l'établissement d'un lieu offre à l'usure du temps; les tactiques misent sur une habile utilisation du temps, des occasions qu'il présente et aussi des jeux qu'il introduit dans les fondations d'un pouvoir.» (63)

De vegades les ciutats de la Mediterrània semblen haver estat construïdes des d'una perspectiva de la tàctica i no de l'estratègia.[7]

En conclusió, a partir dels plantejaments d'Hugo, Barthes i Certeau es dibuixen uns paràmetres alternatius per «llegir la ciutat». La ciutat és un llibre que podem llegir, els lectors/autors en són els vianants-habitants i es dibuixa un doble enfocament: des de dalt (i des de fora), des de baix (i des de dins). Proposo, doncs, dues visions, o millor dit, dues possibles «lectures» de la ciutat. Una ens remet a la ciutat vista com a idea, en abstracte, des de dalt. La segona correspon a una visió des de dins de la ciutat, com a experiència de qui la passeja, l'escriu.[8]

La ciutat des de dalt (i des de fora)

Fernando Pessoa escriví al *Libro do dessassossego*: «Un matí al camp existeix, un matí a ciutat promet; el primer fa viure, el segon fa pensar.» Això és exacta-

7. Vegeu Réda Bensmaia, «Villes d'écrivains».
8. Aquesta doble visió reflecteix, a més, la distinció que féu Jurij Lotman a «El simbolismo de San Petersburgo y los problemas de la semiótica de la ciudad». Lotman distingia entre dues esferes fonamentals de la semiòtica ciutadana: la ciutat com a espai i la ciutat com a nom.

ment el que implica la visió des de dalt i des de fora. És la visió de la ciutat com a problema general. Importen els temes lligats a la planificació, la visió global i l'urbanisme. Som en el terreny de la planificació utòpica. Les ciutats han tingut una legió d'utopistes que en moments de canvi han fet propostes de somni. Antoni de Bofarull, per exemple, participà en el concurs organitzat per l'Ajuntament de Barcelona sota el lema «Barcelona: el seu passat, present i esdevenidor» (1877), i proposà la construcció d'un tren directe París-Barcelona, la consolidació del port, i el creixement de la ciutat unint totes els pobles del Pla de Barcelona.

Però el gran utopista que ha tingut la ciutat de Barcelona, qui l'ha «escrit» d'una manera definitiva, ha estat l'urbanista Ildefons Cerdà. Com és sabut, a partir del 1860 es creà un barri nou, l'«Eixample», l'espai barceloní per excel·lència per a la vida urbana moderna. Barcelona era una de les ciutats líders en la revolució industrial a Espanya durant el segle XIX, i aviat sentí com poques l'impacte de l'augment de la densitat urbana. Cerdà era diputat al congrés pel Partido Progresista i estava preocupat per la situació de les classes obreres, com demostra el seu llibre *Teoría general de la urbanización*. L'originalitat del projecte de Cerdà és la divisió de la ciutat en blocs quadrats, o illes. Segons el projecte inicial, a cada bloc només s'havien de construir dues línies d'edificis de pisos, permetent així la creació de grans espais per a serveis públics (com parcs, escoles, etc.) comuns. La necessitat de més edificis de pisos i la força de l'especulació immobiliària modificà radicalment el projecte. El resultat és una àrea hiperpoblada que conserva alguns dels trets del projecte original. I que Eduardo Mendoza s'ha encarregat d'ironitzar i desmitificar (*La ciudad de los prodigios*, 183-191).

La creació de l'Eixample va permetre un exercici notable de nomenar. Inventar els noms dels carrers de la ciutat. L'encarregat de fer-ho fou l'escriptor i historiador Víctor Balaguer. El poeta romàntic batejà l'Eixample, i aquest gest esdevingué una autèntica maniobra política i un exercici de reinvenció o mitificació del passat. Així, els carrers horitzontals van ser nomenats d'acord amb zones geogràfiques i institucions relacionades amb l'antiga corona catalanoaragonesa: Còrsega, Rosselló, Provença, Mallorca, València, Aragó, Consell de Cent, Diputació, Gran Via de les Corts Catalanes. Els carrers verticals corresponen a figures polítiques, militars o literàries: Comte d'Urgell, Villarroel, Casanova, Muntaner, Aribau, Granados, Balmes, Pau Claris, Roger de Llúria. El bateig de l'Eixample és un exemple perfecte de la presència de l'antic en la modernitat.[9] Barcelona esdevingué un llibre d'història de pedra per als seus habitants i visitants.

Michel de Certeau s'ha fixat en el valor simbòlic dels noms de lloc en les ciutats:

> «En ses nouyaux symbolisateurs s'esquissent (et peut-être se fondent) trois fonctionnements distincts (mais conjugués) des relations entre practiques spatiales et practiques signifiantes: le *cro-*

9. Vegeu Jean STAROBISNSKI.

yable, le *mémorable* et le *primitif*. Ils désignent ce qui "autorise" (ou rend possibles ou croyables) les appropriations spatiales, ce qui s'y répète (ou s'y rappelle) d'une mémoire silencieuse et repliée, et ce qui s'y trouve structurée et ne cesse d'être signé par une origine en-fantine (*infans*). Ces trois dispositifs symboliques organisent les *topoi* du discours sur/de la ville (la légende, le souvenir et le rêve) d'une manière qui échappe aussi à la systematicité urbanistique.» (158)

Aquesta afirmació reforça el caràcter de planificació utòpica que té l'Eixample barceloní. No és només l'organització de l'espai. A Barcelona s'han produït altres episodis de planificació utòpica que han tingut un efecte en l'ordenació actual de la ciutat. El barri gòtic pot ser llegit com a projecte nacionalista. Els intel·lectuals de la Renaixença i els modernistes van tenir una ambició medievalitzant. Com a part del projecte de reinvenció nacional, heretat del romanticisme, es plantejà la reivindicació de l'anomenat *barri gòtic* de Barcelona. Les reaccions van ser de diversa magnitud i en molts casos van desvetllar la ironia. Els dibuixos d'Opisso en els quals ironitza sobre la falsedat del barri gòtic són la millor denúncia d'aquest procés d'envelliment programat. Fins i tot Gaudí participà d'aquesta ambició. En la reforma de la plaça del Rei que planificà Josep Puig i Cadafalch l'any 1907, Gaudí contribuí amb la idea d'inscriure les parets del recinte amb frases extretes de la crònica de Jaume I.[10] D'altra banda els topònims religiosos, tan abundants a la ciutat de Barcelona (Tibidabo, Bonanova, Sants, la Vall d'Hebron, etc.) denoten la presència d'una lluita entre atavisme religiós i noves idees, i mostren com el mapa de la ciutat esdevé significatiu.

Joan Maragall, un dels més destacats escriptors de la Barcelona del tombant de segle, plantejà en molts dels seus articles una reflexió sobre el doble caràcter de la ciutat, el qual amplià en algun dels seus poemes més coneguts, com ara l'«Oda nova a Barcelona». En un article, «La ciudad del ensueño» (IV-1908), per exemple, imaginava un futur millor per a la ciutat desagradable del present:

«Hoy puedo decir que he sido ciudadano del ensueño, porque a mi ciudad la he visto entre su pasado y su porvenir. Y tanto he hundido en ellos mis ojos que, al volverlos al presente, estaban tan bañados de ensueño, que el presente mismo lo he visto como ensueño, como lo verán los ojos de los futuros ciudadanos y como lo verían los de los pasados; y ya no ha habido presente, ni pasado, ni futuro, sino que todo se me ha hecho presente en una niebla de eternidad que me ha envuelto y desvanecido. Por esto puedo decir que hoy he sido ciudadano del ensueño.»

Com és habitual en ell, veu la ciutat sota la perspectiva de l'«amor» i defensava el doble sentit, contradictori, de la ciutat de Barcelona:

«¿Y es ésta la ciudad mía? ¿Cómo pudo parecerme alguna vez hermosa y grande? Pero así y todo, como ahora la veo, no puedo sino amarla. La amo como a un sueño, como al del porvenir

10. Sembla que el projecte no es realitzà mai, i que només es van pintar les inscripcions al carrer de la Tapineria (Pabón de Rocafort, 236).

monstruoso en que pudieron verla mis antepasados desde el fondo obscuro de sus callejones; como el sueño de un pasado heroico en que la verán tal vez las futuras generaciones, cuando la contemplen como yo he contemplado hoy sus barrios moribundos.

¡Oh! no maldigas de tu ciudad, ciudadano que ahora estás en mí de cuerpo presente, porque ella es un tránsito como lo eres tú mismo. Tú tienes un amor y una fe: ella también; hela aquí, que es tu obra. En ti se mueve y avanza el ciudadano del porvenir, en ella la ciudad futura; ésta es ciertamente tu ciudad. Ámala.

Mira cómo, entre ese confuso barroquismo tuyo y suyo, florece un espíritu, un estilo nace. He visto hoy un quiosco estrambótico inaugurar su fealdad en medio de las Ramblas, y me he dicho: He aquí una fealdad bien barcelonesa; ese mal gusto, venga su modelo de donde venga, no puede confundirse con el mal gusto de ninguna otra parte del mundo; eso es bien nuestro. ¡Ah! ¿luego hay una cosa nuestra? Pues estamos en lo vivo. ¿Preferirías el buen sentido de una elegancia ajena bien copiada? No. Me alegro de que haya en nosotros algo que nos estorbe el buen gusto. Algo se agita dentro de nosotros; algo se agita dentro de la ciudad, que le da mareos y extravíos del sentido y gustos perversos. Hay un ser vivo dentro. No maldigas los hastíos ni la deformidad de la que ha de ser madre.» (Maragall, 744-746).

Maragall feia de l'espai urbà una penyora de futur, un símbol esperançat des del qual podia emmirallar-se el present. I és justament aquest doble signe allò que sintetitzà de manera excel·lent en l'«Oda nova a Barcelona».

Els noucentistes van fer de l'espai urbà una reinterpretació que anava més enllà de l'atansament mimètic i plantejaren una relectura global en termes simbòlics. Per a ells la ciutat tenia un doble interès: polític i social, a banda dels plantejaments estètics estrictes. La Ciutat –i per reducció, Barcelona– servia per a l'articulació simbòlica del programa d'acció sobre la societat, que fou expressat de manera exuberant a les pàgines del *Glosari* d'Eugeni d'Ors. Aquest interès no és pas un fet aïllat, sinó que respon a una acció de grup que troba un *leitmotiv* efectiu a partir de conceptes –i mots d'ordre– com els de *civiltat*, *civilisme*, *urbanitat* i derivats. Des d'aquesta perspectiva, «Barcelona» els servia per referir-se a un indret ben identificat, però també li atribuïren un valor afegit, mític, gairebé patriòtic, a l'hora de referir-se a la ciutat com a abstracció d'unes aspiracions col·lectives, polítiques, i convertir-la –per mitjà d'una metonímia agosarada– en el substitutiu de conceptes més abstractes: la *pàtria*, Catalunya. O, d'una manera més complexa, les formes de vida, burgeses i reformades, que pretenien per als seus conciutadans (Murgades, 1976). Però, deixant de banda aquesta apropiació ideològica, per necessitats estrictes de programa, és evident que allò més característic de la presència de la ciutat de Barcelona en la literatura noucentista és justament la consideració constant d'aquesta com a paisatge a construir, a modificar. Segurament té molt a veure amb la condició d'escenari «trobat», o imposat per la societat industrial. En oposició al ruralisme vuitcentista s'imposa la idea d'una cultura urbana. És la ciutat concreta que rebutgen –Barcelona–, però també una Ciutat ideal, símbol i resum de les aspiracions polítiques i morals reformistes, la que ocupa l'atenció dels escriptors.

Els noucentistes actuen d'una manera semblant a Cerdà, el qual volia transformar l'espai urbà per tal de modificar les maneres de viure dels ciutadans. Escriví Cerdà a la *Teoría general de la urbanización y aplicación de sus principios y doctrinas a la reforma y ensanche de Barcelona*:

«Este concepto [l'urbanisme] describe el conjunto de medidas destinadas a agrupar los edificios y regular sus funciones, así como el conjunto de principios, doctrinas y reglas que se deben aplicar para que los edificios y sus agrupaciones, en vez de oprimir, debilitar y corromper las capacidades corporales, morales e intelectuales del hombre en sociedad, fomenten su desarrollo así como el bienestar individual y contribuyan a aumentar la felicidad colectiva.» (2)

Per a Xènius, Josep Carner o Guerau de Liost, la ciutat és l'àmbit de situacions que amaguen el seu designi moralitzador i, doncs, renovador de les formes de comportament. Del «campament de pedra» a la ciutat de filiació hel·lenística, no en la forma real, sinó en esperit; més com a desig que no pas com a realitat. Volen reformar aquest espai amb visions idealitzades, perquè així, pensen, modificaran les maneres de viure dels conciutadans. El primer Eugeni d'Ors, a gloses com «Urbanitat», alliçonava els conciutadans amb normes de comportament cívic «noucentista». Per exemplificar un comportament regit segons la llei d'urbanitat proposava un complex escenari en el qual contraposava el viure barroc de la ciutat del present amb una imatge idealitzada d'una urbs europea:

«Detingueu-vos barcelonins, amics meus, detingueu-vos per un moment a imaginar. Tanqueu els ulls a n'aquest viure massa barrocament virolat, massa pintoresc, que us envolta. Figureu-vos una Ciutat –he dit "una Ciutat" i no un campament de pedra– una gran Ciutat plena, activa, *normal*, històrica i constantment renovellada alhora. Imagineu son lloc més cèntric, més vivent... ¿Veieu el quadro? En la gran plaça pública els grans edificis públics –columnates i escalinates– drets i sòlids, severs i augustos, patinats gloriosament per la carícia de les edats. Entre ells, cases particulars, sòlides també, històriques també, opulentes en ròtuls i anuncis. Aquí, desembocant-hi, una gran artèria comercial. Allí, eixint-ne, una gran via aristocràtica. Allà baix, nota alegre, una reixa de gran parc. Estàtues, fonts. D'aquí i d'allí i pel mig, i arreu divergentes, oposades, contraposades, sempre harmòniques– les grans onades de multitud, vivents braços cívics...» (25)

La imaginació desfermada del Pantarca el menava a veure ordre en el caos de la metròpolis contemporània. Però el fragment, amb tot, serveix al propòsit de superposar damunt un «mapa» de la ciutat que li sembla inacceptable, el d'una ciutat modèlica per bé que impossible i utòpica.

En un sentit semblant poden llegir-se els versos inicials de *La ciutat d'ivori* (1913) de Guerau de Liost:

«Bella Ciutat d'Ivori, feta de marbre i or:
tes cúpules s'irisen en la blavor que mor,
i, reflectint-se, netes, en la maror turgent,
serpegen de les ones pel tors adolescent.»

Aquesta ciutat d'aparença florentina o hel·lènica contrastava obertament amb la ciutat de les bombes, famosa arreu d'Europa. Per això necessitava d'un «esguard d'amor» per superar la materialitat insolent.

En un altre ordre, dins d'aquesta sèrie de visions idealitzadores de la ciutat –des de dalt i des de fora– podem llegir poemes que són plànols, reals o no, de la ciutat. Rimbaud escriví en poemes com «Marine» o «Villes» un mapa imaginari d'un ciutat que tenia una cúpula Santa capella de 15.000 peus (= 5000 m) de diàmetre. I Salvat-Papasseit, a «Plànol», imitant els mots en llibertat futuristes, dibuixa un mapa d'una ciutat imaginària, el qual expressa la ràbia del poeta davant les situacions de desigualtat. Els ultraistes espanyols van fer operacions semblants (sense l'èmfasi social): Guillermo de Torre a «Exaltación occidental», i Federico de Iribarne, a «Amanecer desde el tejado».

Es podria establir encara un altre paral·lelisme entre els qui han somiat –i edificat– la ciutat, des de Cerdà a Gaudí fent una petita consideració dels avantguardistes. Josep Lluís Sert, com el seu mestre Le Corbusier, dissenyà un projecte de reordenació de la ciutat de Barcelona que l'esclat de la guerra civil impedí de materialitzar. Un escriptor coetani, J. V. Foix, escriví una ciutat onírica:

> «Aixequeu ben alts els murs del meu carrer. Tan alts que, em ésser nit, no hi entri ni la remor de les fontanes ni el xiscle agònic de les locomotrius. Feu que el meu carrer tingui tot just l'amplada de la meva passa. No feu obertures als murs, i arrieu del cim de les torratxes tantes de banderes i de gallardets. Doneu-me només el goig que, a trenc d'alba, del pas de l'ombra de la meva amada a mitjanit en resti el testimoni d'una flor vermella marcint-se a la penombra, o d'una sabata esberlada flotant damunt un toll.» (Foix, 19).

Som davant d'un espai imaginari que refà, segons el desig de la ment de l'escriptor, l'espai de la ciutat original.

Des de dins. Experiències de la ciutat

Els urbanistes i els arquitectes proporcionen un espai neutre, que és allò que Michel de Certeau ha anomenat la *ciutat funcional*. Als vianants els agrada de mirar, d'endinsar-se en la ciutat, des d'una perspectiva ben diferent no completament planificada, sinó donant marge a la casualitat i l'imprevist. D'aquesta manera creen altres tipus de mapes. Són mapes viscuts de l'espai urbà. Escriptors com Narcís Oller, J. M. de Sagarra, Montserrat Roig, Luis Goytisolo, Eduardo Mendoza, Terenci Moix o Pere Gimferrer han reinventat la ciutat de Barcelona. Aquesta s'integra en la que planificà Cerdà, però, alhora, és molt diferent. Hi ha diverses maneres d'ordenar les experiències resultants. No són pas categories hermètiques, sense relació entre elles.

De fet, hi ha molta contaminació i es produeix un intercanvi constant. En general, allò que les uneix és l'èmfasi en aparellaments de categories: interior/exterior, privat/públic, perifèria/centre. Marc Augé ha reflexionat sobre la ciutat planificada que s'oposa a la ciutat viscuda, la de l'experiència personal:

> «Nos itinéraires d'aujourd'hui croisent ceux d'hier, morceau de vie dont le plan du métro, dans l'agenda que nous portons sur le coeur, ne laisse voir que la tranche, l'aspect simultanément le plus spatial et le plus régulier, mais dont nous savons bien que tout s'y tenait à peu près ou s'y efforçait, nulle cloison étanche ne séparant, parfois pour notre plus grand malaise, l'individu de ceux qui l'entourent, notre vie privée de notre vie publique, notre histoire de celles des autres.» (17)

El vianant construeix una ciutat, un espai pluridimensional i de múltiples significats. El passat se superposa damunt el present, els itineraris físics dibuixen un mapa de sentiments i experiències, la vida privada xoca amb la pública. I aquestes reaccions, els literats les sintetitzen en unes determinades situacions arquetípiques, o en espais de prestigi.

En primer lloc cal considerar els mapes personals de la ciutat. Vicent Andrés Estellés, en alguns dels poemes dedicats a la ciutat de València del *Llibre de meravelles*, fa una geografia de llocs, en clau íntima, els quals dibuixen un mapa sentimental de la seva experiència de la ciutat. En aquest mapa reivindica la seva València, tot lligant noms que li són significatius, des d'una perspectiva personal o col·lectiva. A «Cant de Vicent», per exemple, es produeix un desdoblament entre la veu que ha d'escriure un «cant a València» i una altra més atenta a la petitesa, a l'experiència de la ciutat viscuda:

> «Pense que ha arribat l'hora del teu cant a València.
> Temies el moment. Confessa-t'ho: temies.
> Temies el moment del teu cant a València.
> La volies cantar sense solemnitat,
> sense Mediterrani, sense grecs ni llatins,
> sense picapedrers i sense obra de moro.
> La volies cantar d'una manera humil,
> amb castedat diríem. Veies el cant: creixia.
> Lentament el miraves créixer com un crepuscle.»

Enfront d'aquesta ciutat ideal, de tòpics, albira la que ell ha conegut:

> «Modestament diries el nom d'algun carrer:
> Pelayo, Gil i Morte, ... Amb quina intensitat
> els dius, els anomenes, els escrius! Un poc més
> i ja tindries tota València. Per a tu,
> València és molt poc més. Tan íntima i calenta,
> tan crescuda i dolguda, i estimada també.»

En la conclusió del poema dubta entre les dues perspectives, la col·lectiva o l'íntima:

«Ah, València, València! Podria dir ben bé:
Ah, tu, València meua! Perquè evoque la meua
València. O evoque la València de tots,
de tots els vius i els morts, de tots els valencians?
Deixa-ho anar. No et poses solemne. Deixa l'èmfasi.
L'èmfasi ens ha perdut freqüentment els indígenes.
Més avant escriuràs el teu cant a València.»[11]

Joan Brossa en un poema de *Poemes civils* dibuixa un mapa de Sant Gervasi que correspon a un trajecte possible per al barri:[12]

«Passatge Mulet, Guillem Tell, Plaça
de Mañé i Flaquer, Francolí, Pàdua
fins a Ballester.
Una flor blava
tacada de punts
blancs.»

Aquests poemes presenten una experiència de la ciutat des de dins, i prestigien determinats recorreguts.

En segon lloc, i molt lligat als exemples anteriors, es pot destacar el cas del *flâneur* o badoc. Aquest té un camp d'actuació, el centre de la vila. Roland Barthes concedí una gran importància a la dimensió eròtica (de sociabilitat) de la ciutat, en especial del centre:

«La ville, essentiellement et sémantiquement, est le lieu de rencontre avec l'autre, et c'est pour cette raison que le centre ets le point de rassemblement de toute ville; le centre est institué avant tout par les jeunes et les adolescents. [...]
Au contraire, tout ce qui n'est pas le centre est précisement ce qui n'est pas espace ludique, tout ce qui n'est pas l'alterité: la famille, la résidence, l'identité.» (269)

És al centre de la vila on es produeixen encontres de les forces subversives, les de ruptura, les lúdiques. Josep Carner ho captà amb agudesa en una prosa, «La

11. En un altre poema del mateix recull, «Cant mortal», es dedica únicament a anomenar tot un seguit de carrers del centre de València: «Trinquet dels Cavallers, La Nau, Bailén, Comèdies, / Barques, Transits, En Llop, Mar, Pasqual i Genís, / Sant Vicent, Quart de fora, Moro Zeit, el Mercat...» I acaba amb un vers separat: «I l'Avenida del Doncel Luis Felipe Garcia Sanchiz.»

12. Agraeixo a Glòria Bordons l'ajut per localitzar aquest poema.

ciutat sense ara», en la qual destacava el caràcter unificador en la diferència del centre de la ciutat:

> «A la Plaça de Catalunya van a raure tots els tramvies barcelonins: per allà passen les cubanes que van a Sant Josep de la Muntanya, els alemanys que van a Sarrià, les monges que van a les Corts, les gallinaires que van al Poble Sec, les dolces dames barcelonines que segueixen la via Gràcia-Rambles, les peripatètiques indígenes que van a la Ronda de Sant Antoni, les franceses que van al Lyon d'Or, la gent que ve i va del port i les estacions: gent amb raquetes, gent amb paquets, gent llegint diaris, gent que té tard, gent que té mandra, gent mudada per al teatre; criatures que ploren o s'enfilen, criades, militars, senyors d'anell i de cigar. Tota aquesta gent tomba per la Plaça de Catalunya centre estèril de Barcelona. [...] A la Plaça de Catalunya, la ciutat no hi té cap ara.» (Carner 69-70).

Aquest és el territori del badoc, el *flâneur* baudelairià mitificat per Benjamin. El badoc és el personatge que representa una de les grans paradoxes de la vida a ciutat: la solitud de l'ésser humà entre la massa urbana, tan multicolor i abundant. És l'usuari perfecte de la ciutat. El mateix Carner, atent a les mínimes alteracions del viure quotidià, captà l'essència d'aquest personatge:

> «El badoc ha eixit de casa. Té quaranta anys; és conco. Punts lluminosos de la seva cara afaitada, cada dia corren els seus ulls beatament per les cases en construcció, per les anècdotes de carrer, pels quioscos, pels aparadors, pels autos. El badoc és meravellós: tot ho aprofita. No és *chauvin*, però guaita els soldats; no és clerical però guaita els enterraments. Els seus ulls guaiten i no conquisten. La seva mirada plana per damunt les coses i se n'allunya sense botí. El badoc té unes petites rendes; viu en una pensió. Té l'ofici de passejar i el benefici de guaitar. Sap les passes que hi ha del monument a Colom als Josepets. Coneix els qui enganxen rètols i els qui encenen fanals. A l'hivern entra a les biblioteques per escalfar-se; a l'estiu va a l'imperial per estar fresc. Coneix *waterclosets* gratuïts; sap bandes on es pot llegir els diaris, d'altres on es pot dormir, d'altres on hi ha calidoscòpics o gramòfons. Segueix pacientment, i d'enfora estant, els guanys de les cases de comerç, les peripècies dels enamorats que fan telèfons, la medicació de les arbredes, l'aixafament dels engravats, la decadència i renovació de les dones boniques, l'augment i dispersió de les famílies, i els canvis fisonòmics de la ciutat turmentada.» (Carner, 34).

El badoc efectua un passeig titubejant, pot practicar el flirt visual, seguir una dama pels carrers de la ciutat. O experimenta una por visceral. Són les pors producte de l'aïllament. O també, de vegades, reacciona amb fúria irracional en no entendre determinats símbols del món generat per la revolució industrial i tecnològica. És el tramvia vist com a màquina infernal. Genera també una actitud elegíaca envers un món desaparegut, com fa Josep M. de Sagarra a propòsit de les tartanes. Les llegeix com a símbol d'un món desaparegut, en el qual es vivia sense velocitat «al ritme de les tartanes» (Sagarra, 57).

En combinació amb aquesta possibilitat sorgeix un retrat gairebé costumista, com una mena de radiografia íntima de la ciutat. Correspon a la percepció subjectiva del nou paisatge urbà i és estretament lligat a la visió «impressionista». Són retrats hiperrealistes (i, per tant, deformats), atents a detalls molt ínfims i íntims. Hi ha un èmfasi en els nous espais creats per la modernitat: el tramvia, l'interior burgès. Josep Carner escriví, en prosa i vers, un particular anecdotari urbà i, com una mena de bestiari, retratà tipus característics que –li semblava– enterbolien el viure civil que ell i els seus correligionaris pretenien. Els articles aplegats a *Les planetes del verdum* (1918) o *Les bonhomies* (1924) configuren llibres d'un barcelonisme visceral, a partir del retrat d'aquests tipus o d'aquests escenaris i situacions que, fins i tot en temps de Carner, semblaven provinents d'un altre món. En vers insistí en el plantejament en el volum *Auques i ventalls* (1914). També ho féu Guerau de Liost a *La ciutat d'ivori* (1918). Aquests llibres exemplifiquen un doble ús de la ciutat: com a escenari d'una vida urbana encara massa barroera i provinciana, que cal modificar; i com a escenari de la incertesa. Pretextos, fútils en aparença, provinents de les noves sensacions que inciten al badoqueig (les «institucions per al foment i l'explotació de la innocència», segons expressió feliç de Carner) propicien poemes de gran riquesa formal, petits artefactes d'una gran complexitat tècnica, però que, al mateix temps, són escrits sobre motius molt triats, mai a la babalà. Dibuixen un mapa sensual molt ric, de les dimensions de l'impacte viscut: modificacions del paisatge urbà («L'anunci lluminós»), la promiscuïtat que provoquen els mitjans de transport públic («La bella dama del tramvia», «La noia que ve de la mar» de Carner; o «La dona de l'òmnibus» de Xènius). La ironia carneriana aconsegueix els seus màxims en copsar aquestes situacions de barreja social:

> «Si ran de la parada veieu el "tram" passar
> tot ple de "smarts" o gent de la pescateria,
> sota un gran feix de plomes eternament hi ha
> la bella dama del tramvia.»

Un motiu freqüent és el dels enamoriscaments fugissers, amb dones que passen, sovint camí de l'església, com és el cas de «La noia matinera», del mateix Carner, o la sèrie de poemes que obre *La ciutat d'Ivori* de Guerau de Liost. La ciutat havia esdevingut l'escenari ideal per a l'encontre dels ulls, i aquests poemes mostren l'habilitat per captar les noves situacions psicològiques fomentades per l'urbs de la modernitat, i com una variant de l'expressió angoixada del viure de l'individu aïllat en la multitud. Hi constatem no només la presència d'aquell personatge característic, que Walter Benjamin detectava en la poesia urbana de Baudelaire, el badoc. També una situació d'angoixa còsmica, en la qual la multitud fa de refugi, i el transport urbà de microcosmos altament simbòlic. La ciutat, doncs, propicia dues funcions complementàries: és paisatge i estança. I, a més, símbol col·lectiu, que es resol en l'ús intensiu de la personificació de la ciutat i la invocació.

En molts textos narratius s'aconsegueix de crear un mapa subjectiu de la ciutat. És un mapa en el qual domina l'alternança entre l'àmbit privat i el públic. Així, per exemple, a *La plaça del diamant* de Mercè Rodoreda, s'estableix una ciutat feta a mida del personatge protagonista, Colometa-Natàlia: a banda i banda del Carrer Gran, on els interiors i exteriors tenen un paper ben determinat, el dalt i baix, els parcs i els carrers. És una manera gràfica de dividir les dues vides de la protagonista, fins aconseguir de controlar el seu destí.

La –relativa– immutabilitat del paisatge urbà proporciona un escenari fix que no canvia, el qual permet la superposició del passat i el present. És una experiència alternativa de la història. Això ha donat peu a visions crítiques de la ciutat de Barcelona. Montserrat Roig a *El temps de les cireres* passeja pel barri de Ribera, el dels antics burgesos del temps d'esplendor, el de *L'auca del senyor Esteve* i pot comprovar, a partir d'uns carrers centenaris, les distàncies i diferències entre el temps dels besavis, el seu revolucionari, i el contestatari del nebot Màrius. Els comentaris sobre els carrers per on passen, les diferents reaccions de records i referències culturals que desvetllen en els personatges de Natàlia i Màrius, serveix per constatar la diferència d'edats i la diferència en les lectures que fan de l'espai urbà:

> «Feren la volta per Santa Maria del Mar, no se sentia cap més remor que les gotes que davallaven dels balcons i alguna passa llunyana que feia eco dins del silenci del carrer. Passaren pel davant d'una plaça oberta, com un descampat, que servia d'aparcament de cotxes, "al fossar de les moreres no s'enterra cap traïdor...", digué la Natàlia. Què dius?, féu en Màrius, res, recitava un vers que em llegia el teu avi. Saps qui és en Pitarra?, en Màrius va dir que no. La Natàlia pensà que el barri no havia canviat [...]. És un barri decrèpit i teatral, sembla que les cases siguin decorats a punt d'ésser traslladats a un altre escenari, pensà la Natàlia. [...] Per què hem fet aquesta volta?, preguntà la Natàlia, perquè és un ritus, contestà en Màrius, aquest barri em deixa l'estómac buit, com si hi hagués en una altra època.» (192)

La ciutat també és llegida des d'una perspectiva històrica en la novel·la de Luis Goytisolo *Recuento* (1973), en la qual aconsegueix la superposició de dues ciutats, la del passat –de la burgesia emprenedora– i la del present –de la burgesia limitada, en decadència. Ho fa, en part, en un pastitx dels textos de les guies descriptives del segle XIX, les citades per Walter Benjamin com a mostra del triomf dels panorames. Superposa així una ciutat que el protagonista menysprea i que contrasta amb la utòpica que correspon a la de la ideologia marxista que ostenta Raúl Ferrer Gaminde. Així, per exemple, pot refer els versos de Joan Maragall a l'«Oda nova a Barcelona», com a base d'un discurs crític de la burgesia. O pot refer la Sagrada Família de Gaudí. Ja no ho és, de sagrada, sinó que li sembla «Sagrado aborto» (182, ed. Alianza) o s'inventa noves façanes per a aquesta església: de la «Revolució» o de la «Nueva Sociedad» (184).

La ciutat, hem vist, es pot llegir des de dues perspectives diferents i complementàries. Els escriptors escriuen la ciutat i en recreen unes formes físiques, unes formes de vida, uns projectes del comú. Són aquests components essencials del desplegament del significant que cercava Barthes. En una glosa del 1906, «Perfum barceloní», Xènius evocava la ciutat «nova» en la distància:

> «I després de tantes i tantes suggestions de vida i paisatges de Barcelona [...] encara aquella serena nit d'estiu, contemplada d'una galeria estant, oberta sobre un dels interiors d'una illa de cases, plens de jardins, característics a la nostra ciutat nova, persisteix en la meva imaginació i l'omple

de tot un món de perfums i de vaga música. Ben nostres perfums, música ben nostra. D'ells i d'ella ens és teixit el record quan de la mare ciutat som lluny.» (93-94)

La literatura modifica la ciutat en la mateixa mesura que la ciutat ha transformat la literatura. Els escriptors contribueixen a complementar «*un món de perfums i de vaga música*» amb una visió original que sintetitza les vivències dels habitants de tantes ciutats. Gràcies a ells podem «llegir la ciutat».

Bibliografia

ANDRÉS ESTELLÉS, Vicent. *Llibre de meravelles*. València: Tres i Quatre, 1976.

AUGÉ, Marc. *Un éthnologue dans le métro*. Textes du XXè siècle. París: Hachette, 1986.

BARTHES, Roland. «La nouvelle Citroën.» *Mythologies*. París: Editions du Seuil, 1970, 150-152.

BARTHES, Roland. «Sémiologie et urbanisme (1967).» *L'aventure sémiologique*. París: Seuil, 1985, 261-271.

BAUDELAIRE, Charles. *Petits Poëmes en prosa (Le Spleen de Paris)*. Edició de Robert Kopp. París: Gallimard, 1977.

BENJAMIN, Walter. «On some Motifs in Baudelaire.» *Illuminations. Essays and Reflections*. Nova York: Shocken Books, 1969, 155-200.

BENJAMIN, Walter. «Paris, Capital of the Ninteenth Century.» *Reflections, Essays, Aphorisms, Autobiographical Writings*. Edició i introducció a cura de Peter Demetz. Nova York: Schocken Books, 1986, 146-162.

BENSMAIA, Réda. «Villes d'écrivains.» *La Construction de l'Autre*. Gener/març, 78, 1997, 157-167.

BROSSA, Joan. «Poemes civils (1950)», dins *Poemes de seny i cabell*. Barcelona: Ariel, 1977.

CARNER, Josep. *Les bonhomies i altres proses*. Barcelona: Edicions 62, 1981.

CERDÀ, Ildefons. *Teoría general de la urbanización y aplicación de sus principios y doctrinas a la reforma y ensanche de Barcelona*. Madrid: Instituto Nacional de Administración Pública - Ajuntament de Barcelona, 1991.

CERTEAU, Michel de. *L'invention du quotidien. 1. arts de faire*. Folio essais 146. París: Gallimard, 1990.

FOIX, J. V. *Diari 1918*. Barcelona: Edicions 62, 1981.

GOYTISOLO, Luis. *Recuento*. Barcelona: Seix Barral, 1976.

HUGO, Victor. *Nostra Senyora de París*. Trad. R. Folch i Capdevila. Barcelona: Edicions 62, 1981. (MOLU, 6).

LEHAN, Richard. *The City in Literature. An intellectual and Cultural History*. Berkeley, CA: University of California Press, 1998.

LIOST, Guerau de. *Obra poètica completa*. Edició d'Enric Bou. Barcelona: Selecta, 1983.

LOTMAN, Iuri M. *La semiosfera*. Frónesis. Madrid: Cátedra, 1996.

MARAGALL, Joan. *Obres completes, II (obra castellana)*. Barcelona: Selecta, 1981.

MARX, Karl, i FRIEDRICH Engels. *Manifeste du parti communiste*. París: Éditions Sociales, 1972.

MENDOZA, Eduardo. *La ciudad de los prodigios*. Barcelona: Seix Barral, 1986.

MOLAS, Joaquim. *Sobre la mitologia d'una ciutat (Barcelona, 1883-1975)*. Olot: Miquel Vilà, 1991.

MURGADES, Josep. «Assaig de revisió del noucentisme.» *Els Marges*, 7, 1976, 45-53.

ORS, Eugeni d'. *Glosari*. Edició de Josep Murgades. Barcelona: Edicions 62, 1982.

PABON DE ROCAFORT, ARLEEN. «Els col·laboradors arquitectònics d'Antoni Gaudí.» *Gaudí i el seu temps*. Edició de J. J. Lahuerta. Barcelona: Barcanova, 1990, 216-255.

ROIG, Montserrat. *El temps de les cireres*. Barcelona: Edicions 62, 1996.

SAGARRA, Josep M. de. «Una tartana.» *L'aperitiu*. Barcelona: Vergara, 1964, 56-59.

SIMMEL, Georg. «The Metropolis and Mental Life.» *On Individuality and Social. Selected Writings*. Edició de Donald N. Levine. Chicago: The University of Chicago Press, 1971, 324-339.

STAROBINSKI, Jean. «Les cheminés et les clochers.» *Magazine littéraire*, 280, 1990, 26-27.

LECTURA DE *QUÈ ÉS LA LITERATURA* DE JEAN-PAUL SARTRE

Àlex Broch

Universitat Rovira i Virgili

«Nosaltres vam intentar fer aquí el mateix que es feia fora. Edmund Wilson, Sartre, Goldmann, Lukács, Gramsci, Pavese, tot això és el que es portava, i negar-ho mostra un grau bastant elevat d'ignorància.»
Joaquim Molas

Europa a la postguerra. Un estat d'època

La literatura europea dels anys quaranta, i més concretament la francesa, viu els efectes posteriors a l'acabament de la Segona Guerra Mundial. La guerra i les seves seqüeles transformen el panorama literari i intel·lectual de la societat francesa. Alguns escriptors han mort en combat: Paul Nizan (1940), Jean Prévost (1941), Saint-Exupéry (1944). També Romain Rolland (1944). D'altres, en haver escollit l'exili, perden pes específic i presència dins la literatura del moment. És el cas d'André Breton refugiat a Nova York, Benjamin Péret a Mèxic, Georges Bernanos a Brasil o Saint-John Perse als Estats Units. Sense oblidar que l'actitud que uns o altres han mantingut amb el nazisme o la resistència destruirà o crearà nous prestigis. Drieu La Rochelle se suïcida el 1945. Maurras és empresonat. Céline s'exilia i marxa a Alemanya. André Malraux viu, però, l'èxit de la glòria. René Char, més discret, es retira del primer terme. Aragon i Éluard veuen reconegudes la seva militància ideològica i política. I en tot aquest procés de transformacions, oblits i afirmacions, queden els joves, una nova generació que ha fet i, en part, s'ha fet sota l'ombra dels diaris i les revistes de la resistència i les activitats clandestines. És el cas, principalment, d'Albert Camus i *Combat*. Noves revistes amb nous debats aniran omplint el panorama literari de la postguerra a França: *Esprit, Les Lettres Françaises, Critique* i, sobretot, *Les Temps Modernes*, que sortirà el 1945 de la mà de Jean-Paul Sartre i Maurice Merleau-Ponty. Una nova generació pren el relleu de l'anterior. Si la postguerra del 1918 fou marcada pel surrealisme, la del 1945 ho serà per l'existencialisme. Els nous autors comparteixen noves idees sobre el fet literari i una visió crítica sobre les «velles» maneres.

Però França, a més, estava, literàriament, també sota l'efecte de l'impacte de la novel·la nord-americana. Als anys vint París havia estat, parafrasejant la traducció –d'altra banda de Gabriel Ferrater[1]– del títol de Hemingway, una festa americana. La forta presència i personalitat dels escriptors americans que visqueren i passaren per París: Gertrude Stein, Dos Passos, Scott Fitzgerald, E. Hemingway, Henry Miller, Ezra Pound, Thomas S. Elliot, Archibald MacLeish..., féu conèixer i descobrir a la vella Europa la nova tradició literària nord-americana, especialment la novel·la. Com recorda John L. Brown, durant la dècada dels anys 1920-1930: «Montparnasse fue la capital literaria de los Estados Unidos, y el Dôme y la Rotonde fueron la Meca de la mitología artística nacional.»[2] Inevitablement aquesta presència deixa una marca i una influència que serà de gran transcendència en la història de la novel·la europea de meitat del segle XX: «El directo contacto de los escritores norteamericanos influye en la incorporación de nuevas técnicas, sobre todo el juego del tiempo y el monólogo interior. Pero, en vez del análisis interior, de la introspección, de los resortes psicológicos, la narrativa norteamericana emplea el enfoque behaviorista.»[3]

El concepte *behaviorisme* deriva de 'behavior',[4] que prové de l'escola de psicologia objectiva que dominà les tres primeres dècades d'aquest segle als Estats Units. El behaviorisme, en el pol contrari que la psicoanàlisi, s'oposa a la realitat subjectiva i interior de la persona com a font científica de coneixement psicològic i, com a procés d'anàlisi, defensa tot el contrari. Solament la conducta, el gest, les paraules dites, les respostes als estímuls, és a dir, solament allò que és perceptible i es pot observar objectivament, mereix ser considerat com una dada fiable que cal i es pot tenir en compte per elaborar una teoria psicològica eficient, veritable i segura. La psicologia objectiva es fonamenta, doncs, en l'observació i la descripció més que no pas, com la psicoanàlisi, en la interpretació per a poder establir les seves hipòtesis. El psicòleg objectiu mira, observa, descriu i després interpreta o n'extreu les seves conclusions. Hereus d'aquesta proposta i influïts per aquest mètode d'anàlisi, això és el que farà l'escriptor behaviorista o objectivista: observar i descriure la realitat deixant al lector la funció interpretativa. Els escriptors nord-americans, fills també de la seva època, seran els que recolliran i incorporaran les possibilitats metodològiques de la filosofia i intencionalitat objectivista a la seva tècnica narrativa. En breu síntesi: «Los novelistas norteamericanos, desde Hemingway hasta Caldwell, adoptan el método objetivo "behaviorista". Registran en sus novelas el comportamiento externo de los personajes, con una imparcialidad de cámara fotográfica; abordan, con su enfoque real, las conductas, los hechos de la vida corriente, las cosas, los elementos del paisaje. Hacen hablar a sus personajes sin ninguna preparación; manteniéndoles a una cierta distancia, se limitan a registrar los diálogos, con una sensación de vida propia.»[5]

1. El títol original és *A Moveable Fast*. La traducció fou publicada a la Biblioteca Breve de Seix Barral el 1964.

2. «Europa y la busca de la identidad americana», Atlántico, núm. 29, abril 1964. La citació és recollida per Benito VARELA a *Renovación formal de la novela en el siglo XX*, Barcelona: Destino, 1967, p. 291.

3. *Renovación formal de la novela en el siglo XX*, pàg. 292-293.

4. John B. Watson (1878-1958) és considerat el fundador del conductisme. Els seus principals llibres són: *Behavior* (1914); *Psychology as the behaviorist sees it* (1913) *(La psicologia tal com la veu un conductista); Psychology from the standpoint of a behaviorist* (1919) *(La psicologia des del punt de vista d'un conductista)* i *Behaviorism* (1925).

5. *Renovación formal de la novela en el siglo XX*, pàg. 31-32.

El ressò que obté la novel·la nord-americana a Europa és important, principalment entre els escriptors francesos, els quals o bé elaboren posicions teòriques personals amb molts punts de contacte amb la novel·la nord-americana –Sartre–; o bé transmeten directament les orientacions que els escriptors nord-americans segueixen tot explicant les característiques tècniques que els defineixen –Claude Edmonde Magny. En qualsevol cas, a França, el gènere novel·la i la seva concepció tradicional entren clarament en qüestió, debatent-se tant l'aspecte formal i tècnic com el temàtic. Allò que s'està produint és un canvi d'actitud de l'autor en relació amb l'obra. És l'atac a l'omnisciència de l'autor. En l'aspecte formal aquest atac a l'omnisciència facilita les tècniques objectives i es beneficia el sentit del que es considera una major versemblança en la narració. En l'aspecte temàtic es produeix un fort atac a la novel·la psicològica. Els exemples són nombrosos. El més notori és el de Sartre al seu important *Qu'est-ce que la littérature?,* editat com a llibre el 1948. Però també ho recullen textos com «Le Cinéma et la Nouvelle Psychologie» publicat a *Les Temps Modernes*, el novembre de 1947, per Maurice Merleau-Ponty; o els articles teòrics de Nathalie Sarraute igualment publicats a *Les Temps Modernes*: «De Dostoievski a Kafka» (1947) i «L'ère du soupçon» (1950), on també reflexiona sobre el paper del lector: «Así, el lector se encuentra de pronto en el interior, en el propio lugar del autor, a una profundidad en la que ya han desaparecido por completo esos puntos de mira cómodos con ayuda de los cuales construye sus personajes.»[6] Aquesta actitud antipsicològica es perllongarà als anys cinquanta amb el *noveau roman* i quedarà reflectida en els textos teòrics d'Alain Robbe-Grillet «Un camino para la novela futura» (1956) i «A propósito de unas nociones caducas» (1957), que posteriorment seran recollides en el llibre *Pour un nouveau roman* (1963) del qual hi ha traducció castellana.[7]

6. Els articles han estat recollits a *L'ère du soupçon - Essais sur le Roman* –del qual hi ha traducció castellana, *La era del recelo - Ensayos sobre la novela.* Madrid: Guadarrama, 1967. (Punto Omega, 8.) La traducció és de Gonzalo Torrente Ballester. L'article de «De Dostoievski a Kafka», on reflexiona sobre el canvi que s'ha produït a la novel·la i el trànsit d'un tipus de novel·la psicològica a un altre tipus de narració, comença de la següent manera: «La novela, oímos repetir con frecuencia, se separa ahora en dos géneros netamente diferenciados: la novela psicológica y la novela de situación. Por una parte, los Dostoievski; por otra, los Kafka» (p. 14). A *L'ère du soupçon* –«L'era del recel»– planteja, entre d'altres qüestions i com hem dit, el recel del lector davant les obres de ficció i l'omnisciència de l'autor solament neutralitzada pel nou tipus de novel·la nord-americana. Nathalie Sarraute, recollint les idees dels seus predecessors i teòrics francesos, recorda novament la funció activa del lector. Per la importància que té reproduïm el següent paràgraf: «Ha aprendido (el lector) tanto y tan bien, que ha comenzado a dudar de que el objeto fabricado que le proponen los novelistas pueda acumular las riquezas del objeto real. Y puesto que los autores que practican el método objetivo pretenden que es inútil esforzarse en reproducir la infinita complejidad de la vida, y que es el lector quien debe servirse de sus propias riquezas y de los instrumentos de investigación que le son propios para arrancar su misterio al objeto hermético que ellos le ofrecen, prefiere no fiarse más que de las apariencias y dedicarse a los hechos reales» (p. 54).

7. Barcelona: Seix Barral, 1965. (Biblioteca Breve, 222) Coetàniament a aquests articles d'Alain Robbe-Grillet publicats a França a *L'Express* i *Observateur*, cal esmentar els de Juan Goytisolo a Espanya, també entorn dels anys 1956 i 1957, publicats a Destino, i que després han estat recollits en el llibre *Problemas de la novela*, Barcelona: Seix Barral, 1959. (Biblioteca Breve, 141). També els articles de Goytisolo són importants per comprendre el seguiment de la idees literàries que estem tractant. Quant

Però el fenomen de la influència de la novel·la nord-americana penetra també a Itàlia en la persona i obra de Cesare Pavese[8] i, sobretot, Elio Vittorini. L'interès els porta a ser traductors i introductors de la novel·la nord-americana a Itàlia: «Como Cesare Pavese, Vittorini se interesa en la literatura americana (Poe, Faulkner, Steinbeck) y la traduce con frecuencia: esta literatura refuerza su profundo deseo de insertar vigorosamente sus propias obras en la vida real y en la problemática de su tiempo.»[9] D'altra banda Vittorini, als anys trenta, publica a la revista *Solaria* articles sobre literatura nord-americana, i a la seva millor novel·la, *Conversacions a Sicília*, escrita entre 1935 i 1936 però publicada el 1941, les característiques del objectivisme narratiu ja hi són presents: «Ésta és la única verdad que Vittorini quiere afianzar y para la que concibe una técnica nueva que sólo en "Conversazione" se realiza plenamente por primera vez. No son extrañas a ella las influencias de los americanos, de Faulkner a Hemingway, de Caldwell a Cain...»[10]

a l'antipsicologisme remarquem dos articles, el que dóna títol al llibre –de tots el més important–, i «La nueva psicología». En el primer, de 1956, trobem el següent paràgraf: «Hoy, la palabra psicología es una de aquellas palabras que ningún autor consciente puede pronunciar sin enrojecer. Psicología, psicológico, se han convertido en dos vocablos sospechosos. Sin saber bien por qué, empiezan a parecer antiguos, pasados, decimonónicos», sospitosament semblant a aquest altre de Nathalie Sarraute recollit a «Conversation et sous-conversation», de gener-febrer de 1956: «"Psicología" es una de esas palabras que ningún autor se atreve a escuchar referida a sí mismo sin bajar inmediatamente la vista y ruborizarse. Ha cobrado el significado de algo un poco ridículo, pasado de moda, cerebral, ajado, por no decir que presuntuoso y ridículo» (*La era del recelo*, pàg. 68), la qual cosa denota, una vegada més, la influència que en aquells anys els escriptors francesos i les idees que defensaven exercien sobre els espanyols.

8. L'acció de Pavese com a introductor de la literatura nord-americana a la cultura italiana és força important. Italo Calvino, en el pròleg al llibre de Pavese que aparegué pòstumament: *La letteratura americana e altri saggi*, Torí: Einaudi, 1951 –hi ha traducció castellana, *La literatura norteamericana y otros ensayos*, Barcelona: Ediciones B, 1987 (Narradores de hoy, 2)– del qual ell va ser compilador i curador, confirma aquest programa americanista que Pavese s'autoexigeix ben aviat: «Así, a los veintitrés años, Pavese enunciaba con segura claridad su programa; su programa de "americanista", introductor, traductor y comentarista de textos en Italia –y su programa creativo, primero de poeta y después de narrador» (pàg. 11). Per la seva part María de la Luz Uribe en la seva breu biografia *Pavese* –Barcelona: Barcanova, 1982 (El autor y su obra, 22)– també esmenta aquesta voluntat de seguir un projecte quasi preestablert i l'alta valoració que Pavese atorga a la tasca de traductor: «En 1931 se publicó su primera traducción "Il nostro signor Wrenn" ("Our Mr. Wrenn") de Sinclair Lewis, y a ella siguió una traducción anual, hasta 1947, como en un plan de estudios propuesto conscientemente. A esta cantidad de excelentes traducciones daba Pavese un sentido más vasto que la búsqueda literaria personal; pretendía también vivificar la literatura italiana de su época proponiendo nuevas visiones» (pàg. 58). Que la literatura nord-americana apareixia com un element estimulant i renovador ho referma la mateixa María de la Luz Uribe: «El llamado "americanismo" de Pavese no es más que el encuentro entusiasmado de un joven con una literatura nueva y distinta que abre para el escritor ricas posibilidades» (pàg. 56).

9. *La literatura italiana contemporánea*, A. Ottavi, Mèxic: Fondo de Cultura Econòmica, 1983. (Breviarios, 335).

10. *La novela italiana de posguerra*, G. Pulini, Madrid: Guadarrama, 1969. (Punto Omega, 84), p. 65. També Juan Goytisolo en el seu article «La novela en Italia», recollit al llibre *Problemas de la novela*, esmenta aquesta influència: «La situación existente aquellos años imponía la búsqueda de un método adecuado para conseguir tal objeto. Éste método –el mérito de su introducción se debe a Vittorini– había sido utilizado ya con éxito por los novelistas americanos y los hemos estudiado en otro lugar bajo el nombre de "behaviorismo"» (pàg. 57).

En els anys quaranta s'estava, doncs, operant un canvi. És impossible interpretar, en aquesta etapa, el moviment de les idees literàries a Europa i França sense entendre la transcendència d'aquest fet renovador que influirà en els canvis estètics que s'estan produint, en la defensa de les noves tècniques narratives, en la caiguda dels vells mites i en la creació de nous. En aquest context un llibre important d'aquests anys i que imposa els seus principis teòrics com a principis estètics que influiran sobre la literatura al llarg, almenys de tres dècades, és *Què és la literatura* de Jean-Paul Sartre.

Sobre *Qu'est-ce que la littérature?*

Sartre havia publicat, entre 1938 i 1946, diversos articles a revistes com *Nouvelle Revue Française* i *Cahiers du Sud* que, recollits posteriorment a *Situations I*, prefiguren molts dels trets i les característiques que després desenvoluparà a *Què és la literatura*? En primer lloc l'interès per la literatura nord-americana, principalment per John Dos Passos i Faulkner, fins al punt que Philip Thody, en el seu llibre sobre l'escriptor i pensador francès, diu com aquest, en parlar de Faulkner, obre el camí d'interpretació que després seguirà la crítica europea.[11] L'article sobre Dos Passos, publicat el 1938, «A propos de John Dos Passos et de "1919"», i a qui considera l'escriptor més important del moment: «Je tiens Dos Passos pour le plus grand écrivain de notre temps»,[12] és una reflexió sobre l'estil de l'escriptor nord-americà que participa de l'esperit i les característiques de l'objectivitat: «...il s'agit de nous montrer ce monde-ci, le nôtre. De le "montrer" seulement, sans explications ni commentaires... Et pourtant il n'en est pas de plus lointain ni de plus étrange; Dos Passos n'a inventé qu'une chose: un art de conter. Mais cela suffit pour créer un univers.»[13] Sartre mateix recorda la filiació behaviorista de l'escriptor nord-americà tot fent referència a l'estil, ús i utilització de les paraules: «Dos Passos nous les rapporte dans le style des déclarations à la presse. Du coup, les voilà coupées de la pensée, paroles pures, simples réactions qu'il faut enregistrer comme telles, à la façon de béhaviouristes, dont Dos Passos s'inspire quand il lui plaît.»[14]

11. «Varios críticos norteamericanos han reconocido que la reputación que ahora disfruta William Faulkner en Norteamérica misma es en cierta medida el resultado del "descubrimiento" de sus obras por escritores franceses inmediatamente antes y después de la última guerra. Sartre fue uno de los primeros en saludar a Faulkner como un gran novelista, y gran parte de la crítica francesa ulterior ha consistido sencillamente en una expansión de las ideas adelantadas en su comentario de "El ruido y la furia"», *Jean-Paul Sartre*, Barcelona: Seix Barral, 1966, pàg. 141. (Biblioteca Breve, 231).

12. *Situations I*, París: Gallimard, 1947, pàg. 24.

13. *Situations I*, pàg. 14-15.

14. *Situations I*, pàg. 20. Frederic JAMESON en el seu assaig «Tres métodos en la crítica literaria de Sartre», publicat a *La moderna crítica literaria francesa* (Mèxic: Fondo de Cultura Económica, 1984), recorda la importància que l'anàlisi de l'estil i el temps té en aquests primers articles de Sartre reunits a

Pel tema que tractem, un altre dels articles importants de *Situations I* és el dedicat a Mauriac, «M. François Mauriac et la liberté» –text considerat, ateses les crítiques que fa a l'escriptor, com «extremadament injust» per part de Thody[15]–, on Sartre fa una dura crítica a l'omnisciència de l'autor tot acabant amb la coneguda i concloent frase «Dieu n'est pas un artiste: M. Mauriac non plus».[16] Sartre insisteix en l'antipsicologisme, en l'objectivisme i en la defensa de la llibertat dels personatges –que l'omnisciència limita– com el camí necessari de definició d'una tipologia i afirmació d'un destí: «Voulez-vous que vos personnages vivent? Faites qu'ils soient libres. Il ne s'agit pas de définir, encore moins d'expliquer (dans un roman les meilleures analyses psychologiques sentent la mort), mais seulement de "présenter" des passions et des actes imprévisibles.»[17] Tots aquests trets literaris regits per la filosofia, aparentment antagònica, del compromís i la llibertat seran els eixos sobre els quals s'articularà el conegut i llarg assaig *Qu'est-ce la littérature*?

Què és la literatura? neix com una sèrie de sis articles publicats entre febrer de 1947 i juliol de 1947, als números 17 a 22, de la revista *Les Temps Modernes*. Després, junt amb altres dos textos, el de la «Presentació» al primer número de la revista, de setembre-octubre de 1945, i un altre, «La nacionalització de la literatura», formaran el volum de *Situations II*, publicat el 1948.[18]

En el primer article del llibre, la «Presentació» de *Temps Modernes*, Jean-Paul Sartre planteja tres idees essencials que defineixen la seva proposta estètica i ètica. En primer lloc el compromís de l'escriptor; en segon lloc, la diferència entre un tipus de literatura analítica de base burgesa i un altre tipus de literatura de síntesi i de base progressista, i, en tercer lloc, la defensa i el compromís amb la llibertat.

Sartre parla, doncs, del compromís de l'escriptor. És un compromís amb la seva època, és a dir, amb el present. La seva proposta és la de l'acció intel·lectual, la d'intervenir: «En resumen, nuestra intención es contribuir a que se produzcan ciertos cambios en la sociedad que nos rodea... nos colocamos al lado de quienes quieren

Situations I, sobretot en l'obra de Faulkner: «El mundo de Faulkner, por ejemplo, es un mundo sin futuro; en él, los acontecimientos no suceden, "han sucedido" ya, son ya legendarios, están inmovilizados, congelados» (pàg. 207).

15. *Jean-Paul Sartre*, pàg. 141.

16. *Jean-Paul Sartre*, pàg. 52. Maurice NADEAU a *La novela francesa después de la guerra* (Caracas: Tiempo Nuevo, 1971) ho explica de la següent manera: «Lo que Sartre le critica a Mauriac, en un artículo clamoroso, es actuar con respecto a sus personajes como un Dios creador, omnisciente y todopoderoso, que sabe de antemano las respuestas a las preguntas que plantea mientras que la novela debe ser el terreno sobre el que esas preguntas se resuelvan mediante los personajes y las situaciones» (pàg. 67).

17. *Situations I*, pàg. 34.

18. Com a dada biogràfica de Jean-Paul SARTRE cal dir que *Què és la literatura*? està dedicat a Dolores, a qui va conèixer als Estats Units l'any 1945 quan era, durant sis mesos, corresponsal del diari *Combat*, que dirigia Albert Camus. Dolores va estar a punt de representar una fissura important i una ruptura del tipus de relació que mantenien J-P. Sartre i Simone de Beauvoir. Mauricio WACQUEZ ho explica a la seva biografia: *Sartre*, Barcelona: Barcanova, 1981. (El autor y su obra), pàg. 92.

cambiar a la vez la condición social del hombre y la concepción que el hombre tiene de sí mismo»,[19] tot i que deixa ben clar que la revista mai no servirà a cap partit polític. Aquest compromís s'ha d'identificar amb cert tipus de literatura. En aquest sentit Sartre estableix una diferenciació entre literatura d'ideologia burgesa i d'ideologia progressista. La primera procedeix analíticament, és a dir, per juxtaposició de les parts, sense que es pretengui arribar a la síntesi ideològica dels conflictes o a la realitat que planteja. Opció que sí pren la literatura que s'identifica amb un ideal més progressista: «Así frente al espíritu de análisis recurrimos a una concepción sintética de la realidad cuyo principio es que un todo, sea el que sea, es diferente en naturaleza de la suma de sus partes.»[20] Sartre considera que la literatura d'anàlisi ja no compleix una funció actual i relaciona la literatura de tipus analític amb el tema psicològic, que denuncia com a recurs típicament burgès –Proust–, idea que explica les raons de l'actitud antipsicològica en novel·la que defensa el pensador francès: «Estamos convencidos de que el espíritu de análisis ha cumplido ya su tiempo y que su única misión de hoy es turbar la conciencia revolucionaria y aislar a los hombres en beneficio de las clases privilegiadas. Ya no creemos en la psicología intelectualista de Proust y la consideramos nefasta.»[21]

La confrontació o antinòmia entre les dues maneres de percebre el fet literari, entre els dos tipus de llenguatge narratiu, significa dues maneres de prendre posició davant els fets socials: una d'individual i una altra de solidària: «Los que se atienen por encima de todo a la dignidad de la persona humana, a su libertad, a sus derechos imperceptibles, se inclinan lógicamente a pensar según el espíritu de análisis, que concibe los individuos con independencia de sus condiciones reales de existencia, que los aísla y cierra los ojos delante de la solidaridad. Los que han comprendido bien que el hombre está arraigado en la colectividad y quieren subrayar la importancia de los factores económicos, técnicos e históricos, se inclinan hacia el espíritu de síntesis, que, cerrando los ojos ante las personas, sólo es capaz de ver los grupos.»[22] Sartre apel·la, també, a la llibertat: «Nosotros nos negamos a dejarnos descuartizar entre la tesis y la antítesis. Concebimos sin dificultad que un hombre, aunque su situación esté totalmente condicionada, puede ser un centro de indeterminación irreductible. Ese sector imprevisible que se muestra así en el campo social es lo que llamamos libertad y la persona no es otra cosa que su libertad.»[23] Afirma que *Les Temps Modernes* defensarà l'autonomia i els drets de la persona i que el compromís amb la literatura, una literatura fidel a la contemporaneïtat i al present, no els farà oblidar les exigències a què la mateixa literatura obliga: «Recuerdo, en efecto, que, en la "literatura comprometida", el compromiso no debe, en modo alguno, inducir a que se olvide la "literatura" y que nuestra finalidad debe estribar tanto en servir a la

19. *Què és la literatura?*, 4a edició. Buenos Aires: Losada, 1967, pàg. 12.
20. *Què és la literatura?*, pàg. 17.
21. *Què és la literatura?*, pàg. 16.
22. *Què és la literatura?*, pàg.18 i 19.
23. *Què és la literatura?*, pàg. 20.

literatura infundiéndole una sangre nueva com en servir a la colectividad tratando de darle la literatura que le conviene.»[24]

La «Presentació» de *Les Temps Modernes* és un manifest programa que ampliarà i desenvoluparà a la sèrie d'articles que formaran l'assaig *Què és la literatura*? Justament aquests articles s'escriuen per poder raonar i donar resposta a la pregunta –que constantment li feien– sobre què volia dir literatura «engagée» i de quin tipus de compromís parlava. El llarg assaig, més de dues-centes pàgines, té quatre capítols. En el primer, que respon a la pregunta «Què és escriure?», Sartre fa una distinció entre les possibilitats i competències del llenguatge poètic i el de la prosa. A la poesia no li atorga capacitat de compromís mentre que a la prosa sí, la «prosa és utilitària», amb la qual cosa la paraula és també acció: «El escritor "comprometido" sabe que la palabra es acción; sabe que revelar es cambiar y que no es posible de hacer una pintura imparcial de la sociedad y la condición humana. El hombre es el ser frente al que ningún ser puede mantener la neutralidad... Pero, desde ahora, podemos llegar a la conclusión de que el escritor ha optado por revelar el mundo y especialmente el hombre a los demás hombres, para que éstos, ante el objeto así puesto al desnudo, asuman todas sus responsabilidades.»[25]

El segon capítol, «Per què escriure?», és molt important perquè és aquí on Sartre presenta la seva teoria de la lectura i el lector.[26] La creació per part de l'autor només és el primer acte de la creació literària. L'autor necessita la coresponsabilitat del lector que, amb la seva percepció lectora, completarà l'obra perquè la lectura és una operació de «creació dirigida»: «...El sujeto es esencial también porque es necesario no sólo para revelar el objeto –es decir, para que "haya" un objeto– sino más bien para hacer que este objeto sea absolutamente –es decir, sea producido. En pocas palabras, el lector tiene conciencia de revelar y crear a la vez de revelar creando, de crear por revelación.»[27] La creació, l'escriptura, és un acte de llibertat que apel·la a la llibertat del lector. Aquest percep la crida de l'autor. L'obra participa, doncs, d'un procés dialèctic de creació-percepció sense el qual no existiria com a objecte estètic: «Ya que la creación no puede realizarse sin la lectura, ya que el artista debe confiar a otro el cuidado de terminar lo comenzado, ya que un autor puede percibirse esencial a su obra únicamente a través de la conciencia del lector, toda obra literaria es un llamamiento. Escribir es pedir al lector que haga pasar a la existencia objetiva la revelación que yo he emprendido por medio del lenguaje... Y ya que esta creación dirigida es un comienzo absoluto, ha de ser realizada por la libertad del lector en lo que esta libertad tiene de más duro. Así, el escritor recurre a la libertad del lector para que ella colabore en la producción de la obra.»[28]

24. *Què és la literatura?*, pàg. 23.
25. *Què és la literatura?*, pàg. 53 i 54.
26. Aquesta teoria de la lectura i el lector es desenvolupa des de la pàgina 68 a 84 del llibre.
27. *Què és la literatura?*, pàg. 68 i 69.
28. *Què és la literatura?*, pàg. 70 i 71.

Sartre està contra una actitud passiva del lector, per això està contra el punt de vista omniscient de l'autor que, segons el pensador francès, dóna tancat el procés de percepció al lector i no li deixa cap capacitat de reacció. Altrament el lector actiu, amb la seva acció lectora-creadora, també força l'autor en un procés de creació dialèctica que afecta a tots dos. La lectura també és un acte d'exigència cap a l'autor, és com una crida inversa del lector a l'autor. El que està en joc és la percepció global del món. L'autor a través de la seva obra crea interpretacions imaginàries del món tot cercant una totalitat interpretativa: «Sin embargo, como lo que el autor crea no adquiere realidad objetiva más que a los ojos del espectador, la recuperación queda consagrada por la ceremonia del espectáculo y singularmente de la lectura. Estamos ya en mejores condiciones para contestar a la pregunta que formulábamos momentos antes: el escritor opta por apelar a la libertad de los demás para que, por las implicaciones recíprocas de sus exigencias, puedan entregar de nuevo la totalidad del ser al hombre y volver a cerrar la humanidad sobre el universo.»[29] L'escriptura és una revelació i el lector amb la seva presència activa participa d'aquesta revelació-creació. Però el lector, alhora que participa, es compromet amb l'acte creador. Per això Sartre demana un lector actiu perquè el vol partícip de la proposta crítica que l'autor li facilita amb la seva obra: «Y, si me dan este mundo con sus injusticias, no es para que contemple éstas con frialdad, sino para que las anime con mi indignación y para que las revele y cree con su naturaleza de tales, es decir, de abusos que deben ser suprimidos. De esta manera, el universo del escritor se revelará en toda su profundidad únicamente con el examen, la admiración y la indagación del lector... Aunque la literatura sea una cosa y la moral otra muy distinta, en el fondo del imperativo estético discernimos el imperativo moral.»[30] Aquest imperatiu s'orienta cap a la categoria estètica que orienta la moral sartriana: la defensa de la llibertat. I aquesta llibertat té una formulació explícita en un règim polític com és la democràcia.

El tercer capítol, «Per a qui s'escriu?», planteja la gran contradicció de l'escriptor en el món contemporani perquè el seu lector natural és avui la burgesia, classe contra la qual adreça la seva crítica intel·lectual: «...El escritor proporciona a la "sociedad una conciencia inquieta" y, por ello, está en perpetuo antagonismo con las fuerzas conservadoras que mantienen el equilibrio que él procura romper.»[31]

Aquest tercer és un capítol llarg, menys, però, que el quart i últim, on Sartre farà una anàlisi de quina és la situació literària i social en què es troba la seva mateixa generació en el temps històric en què ha de viure. Mentre que en el primer capítol de *Qué és la literatura?* se centrava en el poder de la paraula i el segon en el lector, el tercer i quart se centren en l'escriptor. Aquest tercer per explicar les contradiccions de classe de l'autor en la societat contemporània i el quart per defensar, malgrat totes aquestes contradiccions, l'actitud que cal emprendre.

29. *Què és la literatura?*, pàg. 79.
30. *Què és la literatura?*, pàg. 82.
31. *Què és la literatura?*, pàg. 96.

En una societat burgesa la creació de l'escriptor és un acte improductiu, inútil. Solament la burgesia pot retribuir un acte d'aquest tipus tot i sabent que sovint s'adreça contra ella. Les classes desprotegides sovint estan lluny de la lectura, la qual cosa genera aquesta gran contradicció interna de l'autor i el perill que la seva acció quedi absorbida per –segons la mateixa terminologia de Sartre– les forces conservadores i així la literatura s'identifiqui amb la ideologia de la classe dirigent. Aquest és el marc social del qual és molt difícil sostreure's. Acceptada la contradicció, però, cal trobar el camí, d'acció: «...El escritor, si bien totalmente asimilado por la clase opresora, no es en modo alguno cómplice de ésta: su obra es indiscutiblemente liberadora, pues tiene por efecto, en el interior de esta clase, liberar al hombre de sí mismo.»[32] L'escriptor, naturalment el tipus d'escriptor compromès que defensa Sartre, està fora de lloc dins de la societat on viu i d'aquesta condició, quasi d'extraterritorialitat, en fa si no virtut almenys bandera: «Además, su conciencia, como su público, está desgarrada. Pero esto no le hace sufrir; por el contrario, fundamenta su orgullo en esta contradicción singular; piensa que no está ligado a nadie, que puede elegir amigos y adversarios y que le basta tomar la pluma para escapar del condicionamiento de los medios, las naciones y las clases. Se cierne, vuela por encima, es idea pura y pura mirada: decide escribir para reivindicar su extrañamiento de clase, un extrañamiento que asume y transforma en soledad.»[33] Aquesta és l'actitud ètica de l'escriptor però la burgesia coneix les debilitats de la seva posició i les contradiccions que arrossega: «Además la burguesía sabe muy bien que el escritor está secretamente con ella: tiene necesidad de ella para justificar su estética de oposición y resentimiento y es ella la que proporciona los bienes que consume. El escritor desea conservar el orden social para sentirse en él un extraño "fijo"; en pocas palabra, es un rebelde, no un revolucionario y la burguesía ya sabe qué hacer con los rebeldes. En cierto sentido, es cómplice de ellos; vale más contener a las fuerzas de la negación en un vano esteticismo, en una rebelión sin efecto; libres, podrían emplearse al servicio de las clases oprimidas.»[34]

Amb tot, les transformacions socials del segle XIX obren alguns camins d'actuació. La mobilitat social i de classe és més possible. L'escriptor pot fer una opció de classe tot i que això no el deslliurarà de moltes de les contradiccions abans esmentades. Però pot participar en el moviment de les idees, i, sense trair la literatura, defensar ideologies obertes. De manera que, tot i estar emplaçat en una possible utopia, res no priva que l'escriptor faci ús de la seva llibertat per expandir aquest sentiment i forma de vida als altres homes: «Pero, si ha de incluir esos dos aspectos complementarios de la libertad, no basta con ceder al escritor la libertad de decirlo todo: hace falta que el escritor escriba para un público que tenga la libertad de cambiarlo todo, lo que significa, además de la supresión de las clases, la abolición de toda dictadura, la perpetua renovación de los cuadros, el derribo continuo del orden, en cuanto tienda a "congelarse". En pocas palabras, la literatura es, por esencia, la

32. *Què és la literatura?*, pàg. 107.
33. *Què és la literatura?*, pàg. 110 i 111.
34. *Què és la literatura?*, pàg. 132 i 133.

subjetividad de una sociedad en revolución permanente.»[35] Com ha de fer front, però, a aquesta proposta? ¿Com pot participar en el present i en la seva contemporaneïtat, la d'un home i un escriptor que escriu el 1947, sense que existeixi cap condició òptima que permeti a l'escriptor donar una clara resposta a totes les exigències que la seva consciència li planteja?

En el darrer capítol, el més llarg de l'assaig, «Situació de l'escriptor el 1947», Sartre fa una anàlisi i descripció de les tres generacions franceses del segle XX, i les seves relacions amb la burgesia i el seu públic lector. La primera és l'anterior a 1914. La segona, la que assoleix la majoria d'edat després de 1918, és la del surrealisme, de qui fa una crítica ferotge i demolidora, tant del moviment literari com dels seus representants, hereus indiscutibles de la burgesia de l'època: «Lo que quieren dilapidar estos hijos de familia no es el patrimonio familiar, sino el mundo... Por muy metafísico que fuera, es manifiesto que el abandono de su clase se ha hecho hacia arriba y que sus preocupaciones prohiben rigurosamente a los superrealistas encontrar un público en la clase obrera.»[36] Malgrat l'apropament posterior del surrealisme al partit comunista, no creu pas que els seus lectors es trobin entre els afiliats al partit sinó entre la burgesia culta. De manera que «las declaraciones revolucionarias de los superrealistas son siempre puramente teóricas».[37] Sartre manifesta, una vegada més, una animadversió i una falta de comprensió, a través del surrealisme, de les avantguardes. Del surrealisme en destaca la seva negativitat que l'allunya i el manté fora de la història: «El acuerdo de principio del surrealismo i del P. C. contra la burguesía no pasa del formalismo; les une la idea formal de la negatividad. En realidad, la negatividad del partido comunista es provisional, es un momento histórico necesario en su gran empresa de reorganización social: la negatividad surrealista se mantiene, digan lo que digan, fuera de la historia: a la vez en el instante y en lo eterno...»[38] En darrer terme aquestes dues generacions han fracassat pel públic que aquests escriptors escolliren i al qual s'adreçaren.

La tercera generació, la de Sartre, és la que comença a escriure abans de l'esclat de la Segona Guerra Mundial. És una generació que literàriament hereta les tècniques narratives que deriven del segle XIX francès. Els nous escriptors viuen una etapa de confusió de gèneres i de desconeixement de les innovacions narratives. També, i com una conseqüència més del surrealisme, el divorci entre literatura i societat. Però el temps històric ha canviat i aquesta generació és testimoni de tota una sèrie de fets que obliguen a replantejar-se la seva funció i el seu paper social: «A partir de 1930 la crisis mundial, el advenimiento del nazismo, los sucesos de China y la guerra de España nos abrieron los ojos; nos pareció que iba a desaparecer el suelo bajo nuestros pies y, de pronto, "también comenzó para nosotros" el gran escamoteo histórico.»[39] La dada és

35. *Què és la literatura?*, pàg. 148 i 149.
36. *Què és la literatura?*, pàg. 166 i 167.
37. *Què és la literatura?*, pàg. 170.
38. *Què és la literatura?*, pàg. 170 i 171.
39. *Què és la literatura?*, pàg. 184.

important perquè Sartre està donant arguments per explicar les raons de la seva defensa de la literatura compromesa. La seva és, doncs, una generació que descobreix la historicitat i el present i aquesta descoberta lliga història amb literatura: «Reintegrados brutalmente a la historia estábamos constreñidos a hacer una literatura de la historicidad.»[40]

Aquest compromís amb la història obliga a prendre una posició davant dels fets que expliquen la nostra època, també davant les ideologies que la interpreten. Jean-Paul Sartre utilitza al llarg de tot el llibre un tipus de llenguatge, anàlisi i reflexió empeltat de marxisme. La consideració sobre les classes socials, sobre l'evolució de la història, sobre el procés de canvi i transformació, sobre el compromís i sobre el futur participen de la teoria marxista. Però en cap moment es declara marxista tot i que el seu concepte de compromís apunta cap a la transformació social i la defensa de les classes oprimides, segons la mateixa terminologia marxista i també sartriana. Aquest fet és un dels que sorprèn més en l'obra de Sartre d'aquests anys. Hi ha un clar compromís amb la història, però aquest compromís no requereix assumir el marxisme. Les relacions de Sartre amb el comunisme van patir al llarg dels anys moments i intensitats diverses, determinats tant per conflictes d'arrel personal –el 1944 amb el diari *Action*; posteriorment amb Garaudy; el 1947 amb *Pravda*– com per conflictes internacionals –Budapest, Praga.[41] L'any 1947 la crítica de Sartre als partits comunistes i, sobretot, al partit comunista francès és total. Les pàgines dedicades a analitzar la situació internacional del comunisme i el paper dels partits comunistes no deixen cap mena de dubte sobre la seva actitud crítica.[42] Sartre sap que busca el seu lector entre la classe obrera i que aquesta gira cap al partit comunista, però Sartre no accepta ser intel·lectual de partit: «Si se me pregunta ahora si el escritor debe, para llegar hasta las masas, ofrecer sus servicios al partido comunista, contestaré que no; la política del comunismo staliniano es incompatible con el ejercicio honrado del oficio literario...»[43] Les contradiccions i els dubtes són grans. Aposta per la utopia socialista i per la llibertat com a opció necessària: «En pocas palabras debemos militar en nuestros escritos en favor de la libertad de la persona y de la revolución socialista. Se ha afirmado muchas veces que son dos cosas inconci-

40. *Què és la literatura?*, pàg. 186. Mauricio WACQUEZ en el seu llibre també incideix en la importància d'aquesta descoberta: «Ahora lo que verdaderamente importa es entender esas nuevas connotaciones de su personalidad surgidas de la experiencia de la guerra: "la historicidad y la solidaridad". El problema en el futuro no será de cómo "ser" sino de cómo "hacer", de cómo insertar el imperativo de un mundo nuevo y mejor en la reflexión teórica» (pàg. 90). També Philip THODY en el seu estudi sobre Sartre fa esment a la influència que aquesta nova actitud davant la història comporta per a la generació de Sartre: «Gide y los surrealistas se entregaron simplemente a la irresponsabilidad del consumo conspicuo, mientras que a los escritores de la propia generación de Sartre se les había impuesto la historicidad y la responsabilidad, y la experiencia de escribir para el movimiento de Resistencia les hizo comprender "lo que puede ser la literatura de universales concretos"» (pàg. 168).

41. Aquesta relació conflictiva amb els comunistes i el comunisme l'explica Mauricio WACQUEZ en la seva biografia sobre Sartre, pàg. 102-106.

42. La reflexió i crítica al comunisme es troba entre les pàgines 211 a 221 de *Què és la literatura?*

43. *Què és la literatura?*, pàg. 213.

liables: nuestra misión es mostrar de modo incansable que se suponen mutuamente... Debemos rechazar en todos los terrenos las soluciones que no se inspiren rigurosamente en los principios socialistas, pero, al mismo tiempo, debemos apartarnos de todas las doctrinas y todos los movimientos que consideren al socialismo como el fin absoluto. A nuestros ojos, el socialismo no debe representar el fin último, sino el fin del comienzo o, si se prefiere, el último medio antes del fin, que es poner a la persona humana en posesión de su libertad.»[44]

El compromís final de Sartre és, doncs, un compromís genèric i teòric que orienta bona part de la vida i obra de l'escriptor. És un compromís amb la llibertat perquè, com hem esmentat abans, amb la llibertat hi ha una elecció que predetermina el present i futur de la persona i la humanitat. Com bé recorda Mauricio Wacquez, parafrasejant Sartre: «La libertad es la "existencia" del hombre, no su "esencia". Por lo cual, la libertad posibilita que el hombre "busque su esencia", que poco a poco reconozca su definición.»[45] La literatura ha d'apel·lar a la consciència del lector –que cal anar a trobar allà on sigui– en allò que ha de ser una literatura de la «praxi», és a dir, de l'actuació, de la intervenció amb una voluntat transformadora orientada cap a un nou tipus de societat, que ha de ser una societat socialista: «Sea como sea y mientras las circunstancias no cambien, las posibilidades de la literatura están ligadas al advenimiento de una Europa socialista, es decir, de un grupo de Estados de estructura democrática y colectivista, cada uno de los cuales, a la espera de algo mejor, se desprendería de parte de su soberanía en beneficio del conjunto. Sólo en esta hipótesis queda una esperanza de evitar la guerra; sólo en esta hipótesis la circulación de las ideas será libre en el continente y la literatura volverá a encontrar un objeto y un público.»[46]

En darrer terme, Sartre sap que aquest és el desig i la utopia però no té la solució ni sap quin és el millor camí per acomplir-la, de manera que, feta l'anàlisi i la proposta, deixa a cadascú la «llibertat» per enfrontar i resoldre el problema: «Y tampoco me agradan los manifiestos de escuela. He tratado solamente de describir una solución, con sus perspectivas, sus amenazas, sus consignas. En la época en que no nos es posible encontrar un público, nace una literatura de la Praxis. Tal es el enunciado y cada cual debe solucionar su problema. Su problema, es decir, su estilo, su técnica, sus temas.»[47]

Tot i aquests dubtes, Sartre havia escrit un llibre-programa, un llibre de gran transcendència i influència teòrica sobre la literatura europea de postguerra i que es troba subjacent en el realisme històric català del qual, tant Josep Maria Castellet com Joaquim Molas, foren els millors teòrics i els que més clarament interpretaren el pensament de l'escriptor francès.

44. *Què és la literatura?*, pàg. 227-229.
45. *Sartre*, pàg. 86.
46. *Què és la literatura?*, pàg. 240-241.
47. *Què és la literatura?*, pàg. 241.

UNA NOVA FONT DE *LO SOMNI* DE BERNAT METGE: HORACI

Júlia Butinyà

Universidad Nacional de Educación a Distancia

«De Virgili, Sènecha, Ovidi, Oraçi, Luchà, Staci, Juvenal, e molts altres poetas te dirie ço que·n han scrit, mas tu has aquells tant familiars, que no seria àls sinó empènyer ab la mà la nau quan ha bon vent», li diu el rei a Bernat Metge en el seu somni.[1]

Podríem retreure potser al rei Joan I de no haver citat Valeri Màxim i sobretot Ciceró, presents tots dos als voltants del passatge i a la mateixa pàgina de l'edició riqueriana (notes 33 i 34). Això vol dir que la llista era restrictiva i hi esmentava només fonts clandestines. De fet, ja havíem confirmat que el rei Joan tenia raó en afirmar la familiaritat de Metge amb els *auctors* llatins i en indicar-ho amb un vocable tan adient i de record petrarquesc; car sigui en detalls o bé com a ombra –més o menys estesa, desdibuixada o perfilada, però sempre amb un ús nou, intel·ligent, artístic, ple de significat i oportunitat– són tots presents a *Lo somni*.[2]

1. Les citacions de *Lo somni* segueixen l'edició del Dr. RIQUER de 1959. Ací: pàg. 206, 22-25.

Convé des d'ara que proposem com a font les paraules que Boccaccio diu de Dante: «Nel quale esercizio familiarissimo divenne di Virgilio, d'Orazio, d'Ovidio, di Stazio e di ciascuno altro poeta famoso; non solamente avendo caro il conoscergli, ma ancora, altamente cantando, s'ingegnò d'imitarli...», *Trattatello in laude di Dante*, pàg. 574. Especialment quan sembla que hi ha més influència d'aquesta obreta al llibre III de *Lo somni* en tractar del valor al·legòric dels clàssics (per exemple: 276, 14-23 enfront de les pàg. 620-621 del *Trattatello* boccaccesc) i en determina el II (vegeu *La proyección de Boccaccio en las letras catalanas de la Edad Media,* a les Actes del Congrés sobre *La recepción de Boccaccio en España*, UCM 2000, en premsa). Quant al record de la famosa "sexta companyia" de la *Divina Comèdia*, vegeu *Unes notes sobre Metges, Llull i Juvenal*, a l'*Homenatge al professor Miquel Batllori,* PAM, en premsa, n. 58.

2. A l'edició que seguim ja s'havien constatat les fonts de Virgili i d'Ovidi (en aquesta darrera he insistit a Butinyà, 1994b, 174-182); per a la de Sèneca, vegeu BADIA, 1991-1992, 26-31; la de Juvenal, resseguida al III llibre (CINGOLANI, 1999, 255-257), l'he reconeguda al començament dels I i II (vegeu "Més fonts de 'Lo somni'" a *Revista de Lenguas y Literaturas Catalana, Gallega y Vasca, VII, en premsa)*; Lucà l'havia proposat en 1989-1990 darrere el *Libre de Fortuna e Prudència*, Estaci el suggereixo a *Annals de l'Institut d'Estudis Gironins*, en premsa, i l'ombra d'Horaci potser es concreta i proposa ara per primera vegada.

No estranya a les noves tècniques literàries introduïdes pels trescentistes el fet de l'omissió de l'autor de les citacions, així com era normal a la literatura filosòfica de l'edat mitjana (UÑA, 1978, pàg. 414).

En la presentació del reflex de la sàtira horaciana II, 5, faré per mostrar això que acabo de comentar quant al sentit i escaiença d'aquest text clàssic –com a influència literària–, del qual *Lo somni* ens ofereix una recreació i una aplicació renovada, fruits d'una manera de llegir que havia estat nota característica petrarquesca, ben palesa a les cartes que l'humanista italià adreça als *auctors* dins les *Familiars*, i d'una valoració molt transcendent dels clàssics, que bé havia entès Boccaccio i que ja havia rellevat Dante.

Convé potser des del començament fer al·lusió a l'epístola que adreça a Ciceró, en què li fa un ferm retret per haver-se dedicat a la vida cívica, oblidant la tasca filosòfica (XXIV, 3; Rico, 1978, 296-297), perquè és un fet medul·lar quant a l'ètica de l'italià, que Metge rebutjarà amb el tarannà oposat, en la línia de Salutati i el seu deixeble Vergerio (Baron, 1993).

Hem de tenir en compte el context en què ens mourem, que és la part moral del diàleg, val a dir els dos darrers llibres, especialment el III. En aquest bloc, de temàtica ètica, se segueix d'una manera subterrània però ferma el III llibre del *Secretum*.[3] Fent-ne un resum, urgent però necessari, cal dir que el diàleg entre Tirèsies i l'autor segueix a grans trets aquella conversa literària-filosòfica, mantinguda respectivament entre sant Agustí i Francesco (és a dir, Petrarca).

Hi ha aspectes puntuals, com ara alguna frase idèntica, que afavoreixen el reconeixement. Així, quan els dos mentors, que estan en possessió de la Veritat, fan caure el seu oponent –i alhora autor– en una trampa dialèctica: aleshores, com reconeix Francesco: «Incautus in laqueum offendi» (Petrarca, 1955, 632), que cal afrontar a l'expressió paral·lela de Tirèsies: «Lo boch jau en lo laç» (*Lo somni*, 282, 5).[4]

Però hi ha sobretot un seguiment de fons, on s'aprecia la semblança de la situació i temàtica, així com alhora s'hi acusa una radical diferenciació quant a la posició que adopten els autors –Metge, d'una banda, i Francesco, de l'altra– respecte al seu interlocutor, havent-se plantejat de primer una mena de repte. Vegem-ho.

Al començament d'aquest III llibre del *Secretum* hi ha una discussió amb cert aire de desafiament, que té lloc perquè Francesco, amb una actitud positiva quant a l'amor humà, manté que, encara que estigui equivocat, vol morir en aquell error. Ara bé, Agustí s'adona que en això s'inspirava en la postura ciceroniana envers la immortalitat, procedent del final del *De senectute*. I davant d'aquesta gosadia, l'alerta que cal marcar ben bé les diferències per tractar-se de temes tan diferents, car

3. Ho va apuntar ja el 1933 el Dr. Riquer i ho vaig desenvolupar a Butinyà, 1994b, 182-200; havent progressat en aquesta línia, ho he reproduït a Butinyà 2001a, 60-67. Encara a 1994a, 195-199, exposava una intertextualitat amb el *De remediis*. Sembla que la crítica rep o s'apropa a aquestes fonts (respectivament, a Cingolani, 1999, 266-268, i Badia, 1999, 230).

4. Aquesta mateixa argúcia es pot veure a II, 7, 23 del *De ordine* de sant Agustí (BAC, 10, 5a ed. 1979, pàg. 657); és típica del joc que hi aprèn Petrarca i hi està plagiant Metge.

l'actitud de Ciceró era virtuosa per si mateixa, al marge que fos certa o no la immortalitat; cosa que no s'esdevé en el seu cas, car estima una dona, que al cap i a la fi l'allunya de Déu.

És sabut que Francesco es deixarà convèncer i rectificarà, car fins i tot el seu súmmum de virtuts femení en algun moment li havia provocat aquell allunyament. Metge, tanmateix, situat al damunt d'aquell passatge, hi mantindrà la mateixa frase amb la seva estimada.[5] Que, per cert, reconegué ja de bon començament com a la seva amant i que, segons li demostrarà Tirèsies, era el *non plus ultra* de vileses.

Val a dir que Metge de fet està homologant la noblesa d'aquella postura en tots dos amors, diví i humà. I així, trobem aquella idea ciceroniana (amb l'actitud d'adhesió a la pròpia opinió, tot afirmant que encara que estigui equivocat, vol morir en aquell error), repetida al llibre I i al IV (*Lo somni*, 214, 5, i 370, 6-7). Per tant, l'aplica a tots dos casos, àdhuc en casos extrems. Afrontem els textos:[6]

Secretum

Ag. I si et sembla una altra cosa, que cadascú segueixi la seva opinió: de fet, com saps, és gran la varietat de les opinions i la llibertat del judici...

Fr. Si estic encès d'amor per una dona infame i viciosa, la passió és dolenta; però si m'atrau algun estrany exemple de virtut i em poso a estimar-lo i a venerar-lo, què dius? No en fas distinció de coses tan diverses? [...]

Em ve al cap la frase de Tul·li: «Si m'equivoco, m'equivoco voluntàriament, i no vull que se'm tregui d'aquest error mentre visqui: "Si in hoc erro, libenter erro, neque hunc errorem auferri micho volo, dum vivo".»

Ag. Tanmateix ell va aplicar aquesta idea al voltant de la immortalitat de l'ànima, la més bella de totes les opinions, i volent il·lustrar que sobre aquesta no en volia cap dubte i no volia ni sentir tesis oposades; tu abuses d'aquesta frase per a una opinió baixíssima i falsíssima.

5. Cal potser aclarir que la seva amant té un valor simbòlic, car si es tractés de defensar l'amor matrimonial, hi advocaria per la seva dona.

6. Reprodueixo aquests passatges del treball *Ciceró i Ovidi a «Lo somni»*, en premsa al Centre d'Estudis Catalans de La Sorbona. Puc dir ací –avançant les pàgines que vénen– que quan vaig donar aquesta conferència parisenca no coneixia encara l'ombra horaciana que presento ací, i que ara, pel seu pes, crec que potser hauríem de parlar d'un triumvirat d'autors clàssics, quant al que hi anomenava com a gentilisme i profetisme; és a dir de gentils que per a Metge tenen valor com a guies profètics, fent una extensió de la doctrina agustiniana del *De civitate Dei*.

Lo Somni

I llibre: –Metge... no és hom en lo món qui de rahó vulla usar axí com deu, qui necessàriament no hage a.torgar, attès tot ço que.havets dit, que les ànimas sien inmortals. E axí «*ho cresech fermament, e ab aquesta oppinió vull morir*».

–¿Com oppinió? –dix ell– ans és sciència certa, car oppinió no és àls sinó rumor o fama o vent popular, e tostemps presuposa cosa dubtosa.

III llibre: no pot haver felicitat, qui pos sa amor en dona. [...]

–¿No en sa muller, almenys? –diguí yo.

–No en sa muller –respòs ell– ni en altre.

IV llibre: –...Disertament e acolorade, a mon juý, has respost a tot ço que yo havia dit de fembras. La veritat, però, no has mudade, car una matexa és. E si volies confessar ço que.n dicta la tua consciència, atorgarias ésser ver tot ço que.t he dit dessús.

–No faria jamay –diguí yo–; ab aquesta oppinió vull morir.

Així doncs, Metge fa la defensa de l'amor humà d'una manera rotunda, amb la solemne frase de Ciceró, igual com aquest l'aplicava a la immortalitat. I n'està tan convençut que ho fa, no ja defensant l'amor honest, sinó una horrorosa amant; és a dir, encara que estigués errat quant a l'objecte d'amor, com era del cert el seu cas (tinguem present que el seu error el garanteix bé la figura de l'endeví infal·lible i que tot ho sap). És a dir, contradiu en rodó l'Agustí petrarquesc afirmant que l'actitud amorosa que defensa és bona per si mateixa.

Per contra, al *Secretum*, Agustí feia claudicar Francesco, qui deixa l'amor humà seguint l'exclusivisme radical que així ho aconsella en honor de l'amor diví, d'una manera ben explícita al final del diàleg; l'humanista italià abandonarà àdhuc els escrits històrics i tot el que no sigui de tall filosòfic o meditació de la mort, la qual és el que el duu a Déu segons l'ha convençut Agustí. La rèplica dels seus darrers consells es reconeix al final de *Lo somni* rere un –lògicament– molt confús missatge humanista i del consegüent desencís metgià.

Si als dos primers llibres Metge es desdoblava molt bé rere Joan I (sovint com un *alter ego*) i a vegades cal filar prim per distingir el Metge-personatge del Metge-Joan I, així com tots dos respecte al Metge-autor, es fa evident que amb Tirèsies no hi ha desdoblament possible: el Metge-personatge i el Metge-autor són un de sol i d'indivisible enfront de l'amarg i irreconciliable endeví. I no només ho deixa veure amb transparència sinó que s'hi manifesta repetidament amb energia per tal de deixar-ho ben clar.

Així les coses, si hi superposem la font d'Horaci, en comptes de complicar-se, resulta que s'aclareixen encara més.[7] Això de bon començament és ben normal a *Lo somni*, on, igual que al *Libre de Fortuna e Prudència*, la col·locació i conjugació dels textos i les fonts és expressiva de la seva funció; cosa per a la qual hi havia precedents a prop, com ara el *Decameró*. Així com en general havien precedit els italians a fer obres artístiques amb ferm suport arquitectònic de forces ponderades.

Mostrarem a continuació quin fonament formal tenim, davant d'aquesta situació, que ja semblaria prou clara en continguts, per afegir-hi la sàtira esmentada, la qual, d'altra banda, hi agregarà significats. Destaco tres punts des de *Lo somni*:

1) El rei Joan ha advertit, al final del llibre II, d'un misteri amagat rere els personatges mitològics Orfeu i Tirèsies (*Lo somni*, 256, 5-11). El primer, de qui ja teníem el clixé del relat ovidià, explícit d'una doctrina d'amor, es completa amb la clau del *Convivio* –font coneguda ja al llibre II–, en què Dante posava l'exemple del relat d'Orfeu per explicar el tipus de lectura al·legòrica que amaga una veritat rere un engany (Butinyà, 1995 a). És gairebé una garantia per a la comprensió metgiana de reconèixer les tradicions aplegades clàssica i tradicional. De Tirèsias comptàvem només amb una rereombra de les *Metamorfosis* i amb la font trescentitsta del *Secretum*.

2) A la primera part del III llibre, hi ha un intencionat context mitològic: la descripció biogràfica d'aquells dos personatges (258-265, 282-285), així com la tan detallada i rica de l'infern (*Lo somni*, 268-281).

Se'ns convida, doncs, a cercar-hi un sentit al·legòric amagat que, aclareixi o es projecti sobre la resta del llibre (*Lo somni*, 284-318, part on s'insereix el conegut plagi de l'antimisogin *Corbaccio*); altrament s'hi fa un contrast en certa manera inexplicat quan se'ns ha avisat que hi ha un sentit ocult.

3) Se'ns condueix a l'infern d'una manera indefectible i ben curiosa, tant per la insistència del Metge-personatge, car hi mostra un molt peculiar interès,[8] com per la riquesa de la seva descripció, que suposa un elaborat teixit d'artesania: a la font principal de l'*Hèrcules furens* senequià (Badia, 1991-1992), hem d'afegir-hi les notes virgilianes, que ja havien assenyalat el Dr. Riquer a l'*Eneida* i Lida de Malkiel a les *Geòrgiques* (respectivament, *Lo somni*, 268-275, n. 13-16, 18-20, i Patch, 1983, 381), així com alguns detalls concrets d'Estaci.[9]

7. No estranyarà de recórrer a Horaci quan una part de la crítica havia ressaltat el vessant epicuri de Metge i una altra –jo mateixa– hi destacava altres vessants: la fórmula horaciana admet tots dos extrems! Recordem que qui havia naturalitzat a la llengua llatina els nobles gèneres grecs –feinada que emularia Metge amb el del diàleg, entre el català i la tradició llatina ciceroniana– era, com ara el nostre autor, enemic de qualsevol excés (vegeu la introducció de François Villeneuve a les *Odes*).

8. Destaquem: 268, 4-7; 274, 31-32, i 276, 1-7; 278, 18; 278, 35, i 280, 1-4.

9. Per exemple:

La Tebaida, III

Hi ha encara referències infernals que probablement queden sense atribuir, que caldria veure sota un panorama de conjunt que és d'esperar que es vagin localitzant amb l'ajuda d'experts de filologia clàssica.[10]

Encara, cal comptar amb Llull, que estava present als altres llibres constitutius de l'essència de *Lo somni*: al I llibre (Butinyà, 1994-1995) i al IV (Butinyà, en *Homenatge al professor Batllori*). Car hi ha idees que, bé que es trobin en altres fonts familiars a Metge –al *Convivio* i a sant Gregori–, al *Libre del gentil e los tres savis* són aplegades i Metge ens les hi ofereix amb conceptes característics, com ara la idea dels contraris (en cursiva a la citació de la n. 11): així, veiem la naturalesa i situació de l'infern, i la imperiosa necessitat de justícia divina.[11] Un cop més, el típic

illic Poenarum exercita Thebis
agmina et anguicomae ducunt uexilla sorores, XII, v. 646-647.

Lo somni, III

ensemps ab les germanes suas que dessús has oÿdes, ab les serpens que·ls pengen per los caps avall a manera de cabells, 272, 5-6.

10. Així, per exemple, n'obtinc, entre moltes, referències a l'*Aureae Latinitatis Bibliotheca* (CD-ROM dei testi della Letteratura Latina, ed. Zanichelli-Olivetti) per a Cerberus, Flegeton i Tesiphone::

Oedipus

Compage rupta sonuit, aut ira furens triceps catenas Cerberus mouit graves, v. II, pàg. 318.

Les Metamorfosis, IV

Tria Cerberus extulit ora et tres latratus semel eddidit, v. II, pàg. 92

Eneida, VI

Cerberus haec ingens latratu regna trifauci personat aduerso recubans immanis in antro

La Tebaida, IV

Fumidus atra uadis Plegeton incendia uoluit

La Tebaida, VII i VIII

It geminum excutiens anguem et bacchatur utrisque Tisiphone castris; fratrem huic, fratrem ingerit illi, aut utrique patrem

Tartareas ulciscere sedes, Tisiphone; si quando nouis asperrime monstris, triste, insuetum, inges, quod nondum uiderit aether, ede nefas, quod mirer ego inuideatque Sorores.

Lo somni

Prop la dita riba hi ha una molt gran caverna, la porta de la qual guarda Cerberus, qui ha tres caps de ca, e ab grans ladraments espanta, turmenta e devora tot ço que devant li ve. 270, 3-6

Un riu fogayant apellat Fflegeton, 272, 1

E ha-hi un molt gran portal, les colones del qual són de diamant, e sobra aquellas sta una torra de ferra molt alta, devant la qual seu Tesiphone, ab vestedura sangonosa; e vetlant contínuament, bat les ànimas cruelment, ib., 1-4.

11. *Libre del gentil e los tres savis*

Mas prec-te que·m digues inffern en qual loc es, ni qual es la pena que sostenen aquells qui son inffernats. [...] los altres dien que es en lo mig loc de la terra; los altres dien que es enffre l'aer ...e los altres dien que inffern es estar lo cors perdurablament en ffoc, e en glas, e en neu, e en soffre, e en aygua bullent, e enffre demonis e colobres e serpents qui aquells turmentaran ses null sesament. II, 8, pàg. 86-87.

L'ome peccador, con ffa peccat, pecca contra eternal justicia, la qual justicia es en Deu, e pecca contra la eternal bonea, granea, poder, saviea, amor, perffecció; e per asó cové·s ab peccador colpa inffinida en duració. E si açó no era enaxí, en Deu auria deffalliment de perffecció en granea inffinida, qui no seria en eternal us de justicia... II, 8, pàg. 84.

sincretisme cultural metgià hi hauria fusionat al seu infern les dues tradicions, la pagana i la cristiana.

I, contemplant-ho ara des de la sàtira esmentada, aquests altres punts fan sospitar-hi l'oculta presència horaciana:

que un protagonista del diàleg sigui Tirèsies, qui actua també com a conseller,
que aquest hi ressalti la seva ascendència com a endeví de cara a l'interlocutor,[12]
que especifiqui que no menteix,[13]
que la conversa horaciana tingui lloc a les portes de l'infern,[14] lloc de l'ultramón de reticent record per part de Metge, les mateixes portes del qual s'han citat al llibre I.[15]

I a sobre de tot això, Horaci era un autor amb qui tenia familiaritat segons el rei i no havíem enxampat encara.

La sàtira horaciana consisteix en el consell que Tirèsies dóna a Ulisses d'aconseguir herències a fi de fer-se ric; amb la qual cosa criticava un vici etern, que alhora constituïa una amenaça per al seu temps.[16] Horaci se situava al damunt d'un passatge molt conegut de l'*Odissea*, en què l'ombra de Tirèsies anunciava a l'heroi

Lo somni

Encare més, si lo foch e lo gel que són en infern són u o molts, car dit has que diversas habitacions e penas hi ha. E perdone'm si hi ajust lo quart, car desig de saber me'n forçe: si infern és sobra o dejús terra. 276, 4-7

Després de respondre a aquestes preguntes materials (278, 19-28):

Més encare: bé saps tu que Déu és subirana bonesa, e los peccadors són axí fets mals per los peccats, que necessari és que sien superlativament remoguts e lunyats de Déu, *axí com de lur contrari.* E tothom creu, e axí és, que Déu està en lo cel, e no és alguna part pus luny del cel que·l centre de la terra. 278, 28-32.

12. *Sermonum*

Diuinare etenim magnus mi hi donat Apollo, v. 60 (el gran Apol·ló m'atorgà el do de profecia, pàg. 60).

Lo somni

Júpiter...donà'm spirit de divinació, 284, 23.

13. *Sermonum*

–o nulli quicquam mentite (v. 5)

(–O tu que mai a ningú mentires, pàg. 58)

Lo somni

Sàpias que si yamay Tirèsies dix veritat de res, tot quant ha dit de aquexa dona que tu ames és ver, que en res no ha mentit, 348, 28-30.

14. «Situa Horaci aquest diàleg en l'entrevista que Ulisses tingué amb l'ombra de Tirèsies (*Odissea*, XI)», *Sàtires i Epístoles*, pàg. 58, n. 1.

15. Amb citació del llibre d'Isaïes: «*Jo he dit: en lo mig dels meus dies iré a les portes de infern; e puys continuant: Tu, emperò, Senyor, has delliurada la mia ànima que no perís*», *Lo somni*, 210, 15-17.

16. «Le nombre croissant des riches célibataires commençait à développer dans le monde romain une industrie déjà dénoncée par Cicéron ... et qui fournira à l'indignation des moralistes un thème inépuisable, je veux dire l'industrie des captateurs des testaments.» Introducció de F. VILLENEUVE a les *Satires*, pàg. 114.

el seu retorn a Ítaca; la contraposició amb la situació original contribueix al to humorístic de la peça llatina, car la tradició còmica representava Ulisses com un aventurer sense escrúpols.

Exposarem uns comentaris crítics fets darrerament al voltant d'aquesta sàtira horaciana, que es considera que és «la censura del dogmatismo y las actitudes extremas, mediante el gesto amable y la risa *ridentem dicere uerum*» (J. B. Gómez, 1996, 113).[17] Comentari que haurem de posar mentalment de costat al nostre diàleg entre Metge i Tirèsies, amb perspicàcia envers un possible paral·lel, car els llibres ètics del diàleg català, al meu entendre, de fet el que fan és condemnar els que condemnen.[18] Però tot i que és al fet moral principalment on s'evidencia la seva semblança, el to de la sàtira i el caràcter dels personatges horacians s'avenen també amb l'obra metgiana.[19]

No cal pretendre pas un paral·lelisme exacte car ja de bon començament la temàtica és diferent i el consell immoral de percaçar testaments no s'adiu amb els del Tirèsies català, persecutor de les dones i del seu amor. Ara bé, la superposició dels dos Tirèsies, el que fa és destacar llur immoralitat.

El punt àlgid de la ironia i la crueltat a l'obra del llatí té lloc quan Tirèsies aconsella a Ulisses que utilitzi Penèlope per guanyar-se els homes vells:

> «ultro Penelopam facilis potiori trade», v. 75-76 («de grat cuita a oferir, a qui és més ric que tu, la teva Penèlope», p. 61).

Amb això, a més a més donava a entendre que absolutament totes les dones són corruptes; fet que així mateix garanteix el Tirèsies català: tant quant al gènere femení («no saps la proprietat e maneres de fembres, car si no ho ignoraves, no series de la oppinió que ést», 286, 14-16) com quant a la seva estimada amant

17. Segueix: «Pensamos que lo directo del ataque es buscado y da la clave de la interpretación de la sátira: se trata de acentuar uno de los objetos de la censura, que ha pasado desapercibido a los críticos: el exceso de rigor en los planteamientos y actitudes. Si la tendencia de Horacio es tratar con ironía a los personajes que defienden una posición moral o filosófica estrecha, resulta verosímil que también aquí el objeto de burla sea la rigidez de los planteamientos didácticos de Tiresias. [...] se trata de una visión maliciosa de las enseñanzas excesivamente limitadoras.»

18. Fem atenció al caràcter no condemnatori i antidogmàtic de Metge, car quan acaba l'exposició d'autoritats sobre la immortalitat i gira cap al tema moral, anunciat a la darrera nota de l'ànima racional en bé i en mal convertible, segueix Cassiodor, qui en darrera instància n'atribueix la causa a la gràcia divina (216, 15-29 i n. 56). Cosa que se lleva la innocència humana, la qual s'assenta alhora al llibre II al damunt del símil de la seva pròpia. Innocència, d'altra banda, característica del pensament modern.

19. «La caracterización del adivino como personaje que no miente le califica especialmente para una exposición rigurosa y estrecha que no deja posibilidad de rechazar sus exigencias, por difíciles de cumplir que resulten o por moralmente negativas que sean», Gomez, 114. Mentre que el caràcter dogmàtic de Tirèsies és inherent a la seva infal·libilitat: «La veritat, però, no has mudade, car una matexa és», 370, 3-4.

(«res de assò que pensas que en ella sia, no·y és, pus sercas que·t desengan», 314, 23-24).[20]

Ulisses, que ja ha entrat a la seva dinàmica, només es demana si Penèlope acceptarà, cosa que evidentment provoca el riure del lector:

> «putasne perduci poterit tam frugi tamque pudica, quam nequiere proci recto depellere cursu?», v. 76-78 («I tu creus que s'hi avindrà, una dona tan plena de seny, tan casta, que tants galants festejadors no pogueren treure del solc?», p. 61).
> «El discurso ha tenido su efecto. La disponibilidad es total, las objeciones se limitan al plano de la acción [...] La facilidad del convencimiento así como –y principalmente– el carácter degradante del consejo muestran un crescendo en la exposición de la *ars* de Tiresias, la rigidez de los planteamientos, que no remite ante nada, alcanza su punto máximo de evidencia», J. B. Gómez, 1996, 116.

El Metge-personatge que és mimètic de l'ingenu Ulisses, per contra –i d'acord amb el rebuig de la línia dràstica del *Secretum*–, revela ara tota la seva valenta actitud de noble discerniment, ja que no ha caigut prostituït, víctima de l'autoritat i infal·libilitat de Tirèsies. Costa de dir-ho: alliberat de caure a l'abís on va caure Francesco, arrossegat per la doctrina agustiniana.[21]

Potser cal dir ara que no és l'única vegada que Metge corregeix un cristià amb un clàssic o gentil; i potser és curiós de ressaltar que ho feia seguint una frase del *De civitate Dei*, val a dir: amb fonament en sant Agustí (Butinyà, 1994b, 1995b). Recordem que al *Trattatello* es tenien els poetes antics per teòlegs i que Dante els aplicava amb sentit moral cristià a la *Comèdia* (Boccaccio, 1965, 630 s.); doncs Metge ho torna a fer amb un to més pujat i a l'altura d'una autèntica reformació. Aquesta actitud la podem observar als dos llibres darrers, on si separem amb una ratlla les fonts segons les seves simpaties ideològiques, mitjançant un senzill dibuix, ens quedarien agrupades unes i altres a cada banda: a la superior els clàssics i a la inferior els trescentistes.[22] Ací ho presentem només per al llibre III i d'una manera molt resumida;[23] sota la línia separadora indiquem els passatges de Metge que són de

20. Quant al dur desengany, vegem igualment el Tirèsies llatí que li diu que ella hauria estat menys esquiva amb galants més generosos: «uenit enim magnum donandi parca iuuentus, nec tantum Veneris, quantum studiosa culinae», v. 79-80 («Eren gasius i estrets els galants que la festejaven, i devots no tant de Venus com de la bona cuina», pàg. 61).

21. Vegeu més endavant la nota 31.

22. Quant a la burla dantesca, els càstigs infernals són proporcionals a les culpes, tret essencial de la *Comèdia*; això li permet fusionar tots dos inferns segons el típic sincretisme metgià: barreja el to grandiós propi del món mitològic i el caràcter esmentat que el fa tan semblant al to dels descriptius i terrorífics sermons tradicionals. Quant al certaldès, apreciaríem la ironia al final del llibre III, un cop s'han acabat les intertextualitats amb el *Corbaccio* i en què s'ultratja d'una manera tant o més cruel la seva amant.

23. Així, per exemple, Riquer ja hi assenyalava ressons ovidians per a la vida de Tirèsies (284-285, n. 25), que ací no apareixen. Val a dir, ho simplifiquem.

la seva confecció, imitant llur estil.[24] Tot això –a part i per sobre de la filigrana literària– palesa que, havent vist llur pes filosòfic al I llibre, també des del punt de vista moral els gentils hi tenien un ferm paper:

LLIBRE III

Orfeu ***l'infern*** ***Tirèsies***

Ovidi: *Metamorfosis*	Sèneca: *Hèrcules furens* Virgili: *Geòrgiques, Eneida* Estaci: *Tebaida*	**Horaci:**	*Sàtires*
	272, 11-274, 25 Dante: *Divina Comèdia*	(280...286...) (Petrarca: *Secretum*)	316, 1-318, 23 Boccaccio: *Corbaccio*

Ara bé, el contrast ideològic que hem exposat ens explica que Metge faci dramàtic, a causa de la seva aplicació –al tema de l'amor humà com a virtut– i a la solució final –als consells propis dels nous homes que representaven aleshores la renovació de l'esperit–, el que a Horaci era còmic i mantenia dins la ironia envers el

24. Així també, simplificant i entre parèntesi, hi indiquem el *Secretum* quan en realitat la rèplica petrarquesca de rebuig es dóna al llibre IV (350, 28-368, 29), on l'atac als vicis dels homes ja s'havia considerat com a mostra «d'una escriptura imitativa tota nova», Badia, 1999, 38. Ací, aquesta escriptura de nova creació seria un veritable atac, adreçat conjuntament a Boccaccio i a Petrarca (autors respectivament del *De casibus virorum illustrium* i *De viris illustribus*), per l'actitud antimisògina del primer i antiamorosa del segon, els quals rebatia ja aplegats des del III.

A tots tres llocs, doncs, reconeixem l'estil del trescentista, caricaturitzat per la ploma metgiana, cosa que deixa entreveure el sentit crític dels continguts. Bé que ens ha donat envers tots tres també petges clares d'admiració, igual com segueix llur *savoir faire* estilístic: fem memòria de les cartes del *Griselda* o de la influència del *Convivio* al llibre II. A més a més, especialment ara, recordem la n. 1 *supra*, que reflecteix el passatge on Boccaccio lloava de Dante el seu estil imitatiu quant als clàssics, perquè ens fa palès que ell ho feia alhora envers els trescentistes; familiarment, en pren unes coses i els retreu altres.

tema testamentari. I si Horaci hi feia una transformació molt aguda de l'*Odissea* (Gómez, 116), la de Metge ho és de la sàtira d'Horaci, qui bé ha entès i qui bé s'ha apropiat. Re-creacions com aquestes van ser el pa i la sal del re-naixement.[25]

Encara, amb aquesta font, la lloa de la reina Maria com una altra Penèlope –que s'hi abala com un fet judicial i ocupa 15 línies (344, 9-21)– es torna satírica: pot estar dient-li que és una qualsevol! I justament comença amb una referència poètica ("Alguns poetas han gran festa de la cordial amor que Penelope hagué a Ulixes, marit seu..."), cosa que és gairebé una remesa.

El final de les obres llatina i catalana és ben igual, tot i que amb matisos: Tirèsies és reclamat sobtadament a l'infern. Cosa que a Horaci, l'adversari de tot extrem, li serveix per a deixar retratat el condicionament servil del prepotent i hieràtic personatge; així com Metge el que fa és deixar-nos amb el dessabor a la boca i accentuar-hi el desconcert, quedant l'obra oberta de manera que els diferents lectors la puguin interpretar sota paràmetres diferents (Butinyà, 1993a). En certa manera, però, també en això precedia Horaci, car «no es un autor que impone su verdad, a su lector corresponde la búsqueda de ésta» (Gómez, 1996, 116).

La connotació horaciana, a més de donar-nos la clau satírica per al to del tema moral i del misoginisme, ens permet de suggerir unes altres reflexions; potser la principal és que ens trobem davant un nou esperit, que es caracteritzava per un renovat sincretisme cultural, el qual es presentava com a aglutinador d'etiquetes definitòries oposades i de corrents que abans es plantejaven com a disjuncions (creient / no creient; estoic/epicuri...[26]); així mateix era de tarannà didàctic i rellevava amb tota noblesa l'ús de la raó i el plaer i (J. Miguel, 1996). Aquest element epicuri, per tant, té ara unes altres connotacions, ben positives, i no arrossega ja forçosament la descreença.

La bellesa, lligada al fet racional, s'ha anat fent norma de vida i per als textos és garantia de pervivència; tot i que no se n'entengui el significat, com bé es deia a la cançó del *Convivio* («Voi che 'ntendendo...») que s'explica al cant del II tractat, el qual influeix en el llibre II de Metge.[27] D'altra banda, el model de diàleg de Metge al llibre

25. Convé també observar que tant en el cas d'Orfeu com ara en el de Tirèsies, la font originària –sigui el mite òrfic o la llegenda homèrica– és d'arrel hel·lènica, de valuosa constatació en el moment del nostre primer humanisme. Cal comptar, doncs, amb aquest component de racionalitat rere els personatges mitològics que amagaven un misteri.

26. Aquest caràcter mixt es reconeixerà així mateix més endavant: «El cortesano de Castiglione no es realmente un cortesano. Es un sabio estoico-epicúreo que no es gobernante sino *educador*», Heller, 1980, 133.

27. «Canzone, io credo che saranno radi
color che tua ragione intendan bene,
tanto la parli faticosa e forte:
onde, se per ventura elli addivene
che tu dinanzi da persone vadi
che non ti paian d'essa bene accorte,

I, el filosòfic ciceronià, també ho entenia així: «Par ses *proemia*, Cicéron veut non seulement intégrer son oeuvre dans sa vie et dans l'histoire de la civilisation, mais aussi donner à son idéal philosophique une expression artistique durable. [...] L'auteur les confie [als lectors] a un "festival" littéraire, les invite à éprouver un royal plaisir de lettrés. Mais qu'on comprenne bien ses intentions... sa tenance ne relève pas de "l'art pour l'art". Cicéron reste toujours conscient de l'utilité de sa recherche esthétique», Ruch, 1958, 436.

I encara, els valors plegats de retòrica i filosofia, Metge els bevia d'Agustí i de Petrarca, dos autors que tenia tothora ben presents. De fet recuperava la bellesa per a l'expressió filosòfica; i com un nou Ciceró l'aportava a la seva llengua.

Tots aquests fets literaris i formals metgians els hauríem d'inserir al seu correcte context ideològic. Perquè *Lo somni* manifesta aquella hibridació amb un tarannà plenament d'acord amb els nous temps classicistes, crític però d'una manera no negativista ans ennoblidora, on el pes estètic està a l'altura dels continguts i on s'ensenya ja d'una altra manera i no a tall de capellà.[28] Car hi haurà altres atacs a l'esperit tradicional medievalitzant del tan anticristià cristianisme, però costarà de trobar –crec– que siguin anteriors, tan bells o de tan profunda càrrega filosòfica com el metgià.

Observem finalment la coincidència en el to humorístic amb el seu model; fins i tot amb accentuació de la nota irònica, igual que ho feia amb les idees i l'estil de les seves altres fonts (fos Agustí, Ovidi o Ciceró; i ací mateix amb el tema de les dones i el *Corbaccio*). D'Horaci s'ha dit que era «un terrible humoriste, qui savait prendre le ton de l'ironie la plus pincée. Deux choses, toutefois, rendent divertissant ce comique qui, sans elles, ne serait qu'amer: d'abord le contraste entre le cadre, avec ses personnages homériques, et la réalité romaine qui fournit le fond; ensuite, une opposition perpétuelle entre l'élégance de bon ton du langage et la vilenie des sentiments exprimés», *Satires*, 1969, 120. Ambdós factors, tenint en compte la font horaciana, es reconeixen bé en Metge: aquell joc de plans –ara cap als personatges llatins– i l'oposició expressada entre els baixos sentiments misògins i el noble llenguatge.[29]

Destaquem-hi que l'humor, bé que no manca al llarg de l'obra, es concentra en aquest parell de llibres finals, on es dóna el plagi del *Corbaccio* boccaccià (III, 286-319) i el jocós atac androgin del IV llibre (350-369), així com els passatges més punyents i divertits, que s'afegirien a fer contrapès envers aquella amarguesa.[30]

---

allor ti priego che ti riconforte,
dicendo lor, diletta mia novella:
"Ponete mente almen com'io son bella"» (ed. cit., pàg. 105-107).

28. Ho veiem igual al Curial, on l'obra sencera és un consell al nou estil humanista (Butinyà, 2001b).

29. Riquer hi ressalta el mèrit artístic en tractar temes banals, 1964, 425-426.

30. Al meu entendre, una de les sortides més còmiques de tot el diàleg és quan Tirèsies, irritat a l'extrem per la pertinàcia de Metge, amenaça d'aplicar-li el poder del seu bastó, que feia canviar de sexe: «alsant lo bastó, ab cara molt irada dix: –Si d'esta matèria parlaràs pus avant, ab aquest bastó, la virtut del qual no ignores, te daré; e sia teu ço que·y gonyaràs» (348, 22-24).

Així les coses, si hom sospitava la significació de la doctrina de Tirèsies com la tradicional (l'Església, l'agustinisme petrarquesc[31]), a què Metge al llibre IV en funció de la seva consciència s'oposa, malgrat que no en tingui veritable certificació (*Lo somni*, 322, 4-7 i 370, 4-5), el fet de traslluir i sobreposar-hi la condemnació de la sàtira clàssica carrega aquella significació d'un caràcter duríssim, alhora que revelador I ens explica, fins i tot per sobre dels fets històrics del procés judicial derivat de la mort de Joan I, que Metge havia d'amagar la seva ideologia; val a dir, l'hermetisme i doble joc de *Lo somni* –aquest sí en secret i forçat, no com ara el *Secretum*– s'entén potser millor trobant al darrere Horaci que amb la trobada dels documents que tan clarament revelaven la situació política compromesa. Els italians havien valorat bé la poesia dels gentils i la feien encaixar amb el cristianisme, mentre que amb els mateixos elements Metge girava la seva doctrina, de fet medievalitzant. Com bé havia dit el rei Joan, havia d'escriure per a l'audiència futura car la declaració del sentit ocult en el seu moment el podria perjudicar de debò.[32] I li encarregava de deixar el somni per escrit: «E si en scrits ho volies metre, ya se'n seguiria major proffit en lo temps esdevenidor a molts, de què hauries gran mèrit», 252, 16-17.

Metge, doncs, se'ns configura com un ferm reformador moral. Si anticipa el Renaixement amb la fusió de classicisme i cristianisme segons les consignes agustinianes, sota aquestes i de la mà d'Ovidi i d'Horaci, escomet contra tota la vella tradició, antimisògina i anticristiana, en una avançada molt reformista.

La font d'Horaci, així, és la que ens il·lumina els aspectes negres que semblaven els més medievalitzants del diàleg: Metge n'exagera les tintes misoginistes boccaccianes, igual que el llatí afilava el nas del Tirèsies homèric a la seva sàtira. L'escola potser quedarà oberta per a obres com ara l'*Espill* i àdhuc alguns aspectes del *Tirant*.

Un punt anecdòtic, però que explica aquest nou món i esperit, així com ens situa en la línia plaent que posarem com a punt final, és el del conegut exemple del llibre V (capítol IV, 7) dels *Dits i fets memorables* de Valeri Màxim. Metge el pren

31. El fet d'aprofundir al Griselda (vegeu "Del 'Griselda' català al castellà", en premsa a la Reial Acadèmia de Bones Lletres de Barcelona) m'ha refermat la ubicació exacta de Metge, que ací s'entreveu: al bell mig de la relació boccacciano-petraquesca; cosa que em fa proposar que, amb la sàtira horaciana, acusa la corrupció del cantor de l'amor decameronià –després, autor del *Corbaccio*– per part del seu mentor. Aquest plantejament es rubricaria amb *La font més amagada i la més externa de "lo somni": un somni* (enviat a *Estudis Romànics*), font quer s'adiu amb la que ací presento i podria subscriure-la. (Vull agrair ací l'interès envers Metge i l'atenció a les meves consultes i comentaris per part de M. Ángeles Navarro Girón, professora de Teologia de la Universitat de Comillas; amb tot, això no implica necessàriament la seva adhesió a les meves opinions.)

32. «Qui són aquests dos hòmens qui·us acompanyen, car gran desig he de saber-ho, e specialment de aquex prohom qui tan gran auctoritat se dóne. [...] Tu –dix ell– te mets en carrer qui no ha exida. Lexa anar la ayga per lo riu, que abans que·ns partiscam, si subtilment hi volràs specular, conexeràs gran part del misteri que·y sta amagat; però no·t faça cura de publicar aquell quant lo sabràs, car risch de gran perill te'n seguirà e de poch proffit a present» (*Lo somni*, 256, 1...9).

de Petrarca, qui al llibre XXI, 8, de *Familiarium rerum* (Riquer, 1959, 333 nota) l'havia pres i retallat de la font llatina:

Factorum et dictorum memorabilium

Sanguinis ingenui mulierem praetor apud tribunal suum capitali crimine damnatam, triumuiro in carcerem necandam tradidit. Quo receptam, is qui custodiae praeerat, misericordia motus, non protinus strangulauit. Aditum quoque ad eam filiae, sed diligenter excussae ne quid cibi inferret, dedit, existimans futurum ut nedia consumeretur. Cum autem plures iam dies intercederent, secum ipse quaerens quidnam esset quod tan diu sustentaretur, curiosius obseruata filia, animaduertit illam, exerto ubere, famem matris lactis sui subsidio lenientem. Quae tan admirabilis spectaculi nouitas ab ipso triumuirum, a triumuiro ad praetorem, a praetore ad consilum iudicum perlata, remissionem poenae mulieri impetrauit (p. 108-109).

Familiarium rerum

Miseram matrem in carcere destinatam ultimo supplicio, sed commiseratione reservatam ut fame consumeretur, exorato custode sepius admissa filia, sed excussa diligentius nequid alimonie subinferret, clam uberibus suis pauit; altera autem patri eodem in statu par obsequium impendit (p. 65).

Petrarca, en posar l'exemple entre les dones excelses, havia resumit el relatiu al fet de l'alletament de la mare per part de la filla, bé que continua l'explicació al següent exemple. Vegem ara com ho reprèn Metge amb tota la dignitat original, rescatant-ne una part ben explícita del seu sentit ètic, naturalista i antimisogin. I vegem-ho afrontat amb Martorell, qui ha begut a fons a *Lo somni* en punts cabdals (Butinyà, 1998) i ha entès bé la seva moral, natural i hedonista, perquè àdhuc n'accentuarà l'efecte revulsiu i provocador per a pobres mentalitats, incidint en la línia metgiana i traient-ne encara més partit. Així, al capítol 309, al discurs del rei Escariano a Tirant, la mare s'ha convertit en home, –posiblement inspirat a l'exemple següent, entre els casos grecs, que també rescata Metge i en què allò esdevenia entre un pare, Cymon, si sa filla– i ara resulta que és la muller qui alleta el marit:

Lo somni

Bé pens que·t recorde de aquella mesquina mara, per crim capital per lo pretor a mort condempnada en lo carçre, e per compassió de son exequdor, per tal que aquí fameyant morís, reservada, com sa filla, la qual algunes vegades la entrava vesitar, jatssia fos ben amonestada e sol·licitada ab gran pena per lo dit exequdor que no li metés dins alguna vianda ne res ab què pugués sa vida alongar, no contrastant lo dit manament, veyent que en altra manera no li podia ajudar, la sostench ab la let de las mamellas per gran temps, entrò que fou sabut per les guardes del dit càrçer, e publicants assò al dit pretor, obtengueren a aquellas per aquesta novitat remissió graciosa (p. 332).

Tirant lo Blanch

E deu-te recordar, ho hauràs ben entés a dir, com Mirilla, cavaller fort e virtuós, matà hun altre dins Sent Johan de Letran, e fon condemnat que morís en lo carçre, de fam. E com pervengués a notícia de la muller, cascun dia ella lo anava a vesitar, jatsia fos ben guardada si portava alguna cosa per sustentació de la humana vida perquè li pogués la vida alargar. E la muller, ab la sua let donant-li a mamar, lo sostingué per gran temps sens que per les guardes jamés fon sabut. Aprés fon publicat lo cars e obtengueren remissió graciosa (p. 654).

I on els petits detalls que connecten Martorell amb Metge podrien ser la introducció per mitjà del record i la darrera remissió graciosa. Són nimieses, sentits ocults, somriures sans i maliciosos junt amb un gran sentit de la dignitat humana. Recordem que ja els havia precedit Boccaccio, qui en una preciosa imatge d'amor maternal, en un relat en què l'exalça (IV, 2), relleva un cas semblant de naturisme. L'escena decameroniana descriu com una dona, havent perdut els seus fills i trobantse sola a l'illa de Ponça, es compadeix de dos cabirols, els quals alimenta amb els seus pits.[33]

Tot plegat, Horaci amb el tema dels testaments havia fet un sermó divertit, útil i bell; plaent, en una paraula, bé que alhora hi condemnava de ferm i manifestava una postura ètica, la qual palesava a través de la seva font. Així com anava fent Metge amb les seves fonts de *Lo somni*, on pica fort però agradablement i bellament, amb elegància. Si ja no són excloents estoïcisme i epicureisme és perquè l'hedonisme i la realitat natural han amarat tots els camps; i els autors valencians, que entengueren bé *Lo somni*, ho van continuar fent així progressivament. Tinguem present que la prioritat de la racionalitat i l'individualisme és el que explica la recuperació del classicisme de l'Antiguitat, segons s'assenyala ja des dels estudis d'Art (Battisti, 1990, 52).

Bo i prolongant la referència artística em plau recordar que a les nostres lletres ens ha esdevingut un fenomen molt singular per tal com gran part de la producció de l'edat mitjana ha estat –i fem una comparació mental amb el cas de Pompeia– durant molts segles soterrada. El fet d'haver-la retrobat pràcticament als inicis del

33. Segons la versió catalana de 1429: «Se n'anà la via de la cova on la cabirola era entrada, on atrobà dos cabirols petits qui forsa aquell mateix dia eren nats, los quals li paregueren la pus dolça cosa del món. E havent gran compassió d'aquells, així com aquella qui abundantment havia let per lo novell part que havia hagut, en lo pits se los posà. E los cabirols no refusant lo servei, així pròpiament la mamaren com si fos la llur pròpria mare; e d'aquella hora avant, de la mare a ella nenguna diferència no feren; per què paria gran consolació a la gentil dona haver trobada aquella companyia, així com aquella qui no havia en si sinó pensament de plors e de dolors: menjant herbes e bevent aigua se treballava», pàg. 61.

segle XX ens ha ofert una oportunitat de valoració i estudi úniques, així com ens ha aportat un conjunt sense alteracions, molt pur.[34]

Per acabar, del munt d'idees comparatives que ens han sorgit al voltant de la confluència entre Horaci i Metge, bo i mirant de no caure a la xarxa estrictament horaciana ni metgiana, observo –malgrat la distància secular– una sensibilitat a la qual és afí Carner. En ell trobo aspectes d'aquell nostre passat –que, bé que el conegués, no podem pensar que l'hagués pogut assimilar–, com, en primer lloc, l'ennobliment d'allò efímer i atemporal; també, la flexibilitat mental o l'aprofitament economicista que condueixen a un sentit aglutinador i antirupturista.

No caldrà pensar en cap mena d'intertextualitat. Però no cal tampoc esforçar-se a mostrar la voluntat artística carneriana ni la fermesa de contingut crític i irònic. Potser sí, però, escau de recordar la presència de la posteritat en una estrofa d'*Els fruits saborosos*, que de tot això que hem parlat en té una mica:

> «Malenconia al fi de la diada
> i cremadissa d'ales dels instants!
> Treni garlandes amb els pàmpols blans
> i rigui dalt dels carros la gentada.
> No em plau corona de tot vent joguina,
> sinó deixar, per a no nats humans,
> un poc de sol de mos amors llunyans,
> clos al celler, colgat en teranyina.»[35]

I encara el rebuig de tot dogmatisme.[36] O bé la seva postura dialogística, des de l'obra que és ella mateixa un col·loqui, *Llunyania*, al diàleg sistemàtic de *Nabí*; o bé l'ordenació racional del fet literari o el *carpe diem*, el real i sobretot el culturalista. Relacions potser no ben bé ortodoxes, però a què ens empenta la necessitat d'anar articulant els estrats que –d'aquell segle XIV cap endavant– són de tan recent descoberta.[37] Car al cap i a la fi són aspectes pels quals, entre d'altres, s'hauria considerat Carner com a humanista.[38]

34. Potser seria més exacte el cas d'Herculano pel grau precís de conservació i pel fet de la prístina retrobada des dels temps de Milà i dels Rubió.

35. *Els raïms immortals*, estrofa V. Edició de J. Coll, pàg. 25.

36. A «Las ideas del "De Trinitate" agustiniano tras un reconocido "epicúreo": Bernat Metge», en premsa, profunditzo sobre aquest fet per part de Metge.

37. Per la meva i petita part, vaig intentar contribuir a aquesta recomposició a les pàg. 9-15 de la *Literatura Catalana, III, Segle XX*, UNED, Madrid 1999.

38. Aquest final no és únicament una cortès concessió a l'especialitat primera del mestre ací homenatjat –les lletres modernes–, sinó també conseqüència d'una reflexió que em feia repetidament preparant una lliçó sobre Josep Carner per a un curs d'estiu, en què participàvem tots dos, sobre «Castelao i el seu temps» (UNED, Pontevedra 2000). La reflexió era que Carner –com Pla, evidentment, i d'altres– recorda molt Horaci, qui estava aleshores llegint per tal com havia trobat darrere Metge la sàtira que ací he presentat.

Referències bibliogràfiques

BADIA, Lola. «Bernat Metge i els "auctores": del material de construcció al producte elaborat». *Boletín de la Real Academia de Buenas Letras de Barcelona* XLIII (1991-92), 25-40.

—. *Lo somni.* Barcelona: Quaderns Crema, 1999.

BARON, H. *En busca del humanismo cívico florentino.* Mèxic: Fondo de Cultura Económica, 1993.

BATTISTI, E. *Renacimiento y barroco.* Madrid: Cátedra, 1990.

BOCCACCIO, G. *Opere in versi. Corbaccio. Trattatello in laude di Dante. Prose latine. Epistole.* A càrrec de P. G. Ricci. Milà-Nàpols: R. Ricciardi, 1965. (La Letteratura Italiana. Storia e testi, 9).

—. *Decameró, II.* Barcelona: Barcino, 1928. (Els nostres clàssics, 17).

BUTINYÀ, J. *Tras los orígenes del humanismo: Bernat Metge.* En preparació.

—. «Las ideas del "De Trinitate" agustiniano tras un reconocido "epicúreo": Bernat Metge», a *Literatura y cristiandad. Homenaje al profesor Jesús Montoya.* Universitat de Granada. En premsa.

—. *Un llibre català, un gentil italià i la cultura europea*, VI Convegno de l'AISC (Nàpols 2000), a les Actes en premsa.

—. *Ciceró i Ovidi a «Lo somni».* Centre d'Estudis Catalans de La Sorbona, París. En premsa.

—. «Al voltant del final del llibre I de "Lo somni" de Bernat Metge i la qüestió de l'ànima dels animals». *Boletín de la Real Academia de Buenas Letras de Barcelona.* En premsa.

—. «600 anys de "Lo somni", el primer diàleg humanístic de la Península». *Revista de Filología Románica*, 17 (2000a), 293-315.

—. «Un altre Metge, si us plau. (Al voltant de la dissortada mort del rei Joan a Foixà, a propòsit d'un parell de noves fonts de "Lo somni" i d'una reconsideració sobre la data)», *Annals de l'Institut d'Estudis Gironins*, XLI (2000b), 27-50.

—. «Al voltant dels conceptes de la gentilitat i el profetisme a "Lo somni" de Bernat Metge i la font del "Secretum"». *Llengua i Literatura. Revista anual de la Societat Catalana de Llengua i Literatura,* 12 (2001a), 47-75.

—. *Tras los orígenes del Humanismo: El «Curial e Güelfa».* 3a ed. Madrid: UNED, 2001b.

—. «Sobre la font d'una font del "Tirant lo Blanch" i la modernitat de la novel·la». A: Actes del Simposi *Creativitat ara: «Tirant lo Blanc». Temes i problemes de recepció i traducció literàries* (Institut Interuniversitari de Filologia Valenciana, L'Alfàs del Pi, 1997), *Caplletra,* 23 (1998), 57-74.

—. «El diálogo de Bernat Metge con Ramon Llull. Dos nuevas fuentes tras "Lo somni"». A: Actes del V Congrés de l'Associació Hispànica de Literatura Medieval, Granada 1995a, 429-444.

—. «Jo començ allà on deig, car Job no fou jueu ans fou ben gentil». A: *Miscel·lània Germà Colón*, IV, Publicacions de l'Abadia de Montserrat, 1995b, 37-54.

—. «Metge, un bon lul·lista i admirador de Sant Agustí». *Revista de Filología Románica* XI-XII (1994-95), 149-170.

—. «Dues esmenes al "De remediis" i dues adhesions al "Somnium Scipionis" en el prehumanisme català. *Revista de L'Alguer*, V (1994a), 195-208.

—. «Cicerón, Ovidio, Agustín y Petrarca tras "Lo somni" de Bernat Metge», *Epos*, X (1994b), 173-201.

—. «Bernat Metge y su terrorífica amante. (Una relectura de "Lo somni")», *Antipodas. Journal of Hispanic Studies*, V (1993a), 129-141.

—. «Una volta per les obres de Metge de la mà de Fortuna i de Prudència». A: *Miscel·lània Jordi Carbonell*, III, Publicacions de l'Abadia de Montserrat, 1993b, 45-70.

—. «De Metge a Petrarca pasando por Boccaccio». *Epos*, IX (1993c), 217-231.

—. «Un nou nom per al vell del "Llibre de Fortuna e Prudència"». *Boletín de la Real Academia de Buenas Letras de Barcelona*, XLII (1989-90), 221-226.

CARNER, J. *Poesia. Text de l'edició de 1957 revisat i establert per Jaume Coll.* A càrrec de Jaume Coll. Barcelona: Quaderns Crema 1992.

CINGOLANI, S. M. «"Lo somni"» de Bernat Metge: prolegòmens per a una nova edició». *Llengua i Literatura. Revista anual de la Societat Catalana de Llengua i Literatura*, 10 (1999), 245-278.

DANTE ALIGHIERI, *Convivio*, a *Opere minori*, t. I, part II. V. Milà-Nàpols: Riccardo Ricciardi, 1988. (La Letteratura Italiana. Storia e testi, 5).

ESTACI, *Thébaïde*, II (llibres IX-XII). París: Les Belles Lettres, 1994.

GÓMEZ, J. B. «El valor del diálogo en la sátira de Horacio: el ejemplo de 2.5». A: Ruiz Castellanos 1996, 113-118.

HELLER, Á. «El hombre del Renacimiento». *Historia, Ciencia, Sociedad,* 164. Barcelona: Península, 1980.

HORACI, *Odes et Épodes*, I. A càrrec de F. Villeneuve. París: Les Belles Lettres, 1970.

—. *Satires*. A càrrec de F. Villeneuve. París: Les Belles Lettres, 1969.

—. *Sàtires i Epístoles*. Barcelona: Fundació Bernat Metge, 1927.

LIDA DE MALKIEL, M. R. «La visión de trasmundo en las literaturas hispánicas». A: PATCH, H. R., 1983.

LLULL, Ramon. *Llibre del gentil e dels tres savis*. A càrrec d'A. Bonner, NEORL, II, Palma de Mallorca, 1993.

MARTORELL, J. *Tirant lo Blanch*, II. Edició a càrrec d'A. Hauf. Generalitat Valenciana 1990. (Clàssics valencians, 8).

MIGUEL, J. «Bernat Metge y "Lo somni": Luces y sombras entre los bastidores del Humanismo». *Revista de Lengua y Literatura Catalana, Gallega y Vasca,* IV (1996), 11-32.

OVIDI, *Les Metamorfosis*, I. A càrrec d'A. M. Trepat i A. M. de Saavedra. Barcelona: Fundació Bernat Metge, 1929.

PATCH, H. R. *El otro mundo en la literatura medieval*. 1a reimpressió. Madrid: Fondo de Cultura Económica, 1983.

PETRARCA, *Obras I. Prosa*. A càrrec de F. Rico. Madrid: Alfaguara, 1978.

—. *La Letteratura italiana. Storia e testi*, 7. A càrrec de G. Martellotti, P. G. Ricci, E. Carrara, E. Bianchi. Milà-Nàpols: 1955.

—. *Le Familiari*, IV. Edició a càrrec de V. Rossi. Florència: Sansoni, 1942.

RIQUER, Martí de. *Història de la Literatura Catalana*, II. Barcelona: Ariel, 1964.

—. *Obras de Bernat Metge*, estudi i edició, Universitat de Barcelona, 1959.

—. «Influències del "Secretum" de Petrarca sobre Bernat Metge», *Criterion* IX (1933a), 243-247.

RUCH, M. *Le préambule dans les oeuvres philosophiques de Cicéron. Essai sur la genèse et l'art du dialogue*. París: Les Belles Lettres, 1958.

RUIZ CASTELLANOS, A.; VÍÑEZ SÁNCHEZ, A. *Diálogo y retórica*. Universitat de Cadis, 1996.

SÈNECA. *Tragèdies*, II. A càrrec de T. Martínez Romero. Barcelona: 1995. (Els nostres clàssics).

UÑA JUÁREZ, A. *La filosofía del siglo XIV. (Contexto cultural de Walter Burley)*, El Escorial, 1978. (La Ciudad de Dios, 26)

VALERI MÀXIM, *Faits et dits mémorables*, II. Edició de R. Combès. París: Les Belles Lettres, 1997.

NOTES PER A LA RECEPCIÓ DE FRIEDRICH SCHILLER EN LA LITERATURA CATALANA DEL SEGLE XIX*

Rosa Cabré i Monné

Universitat de Barcelona

Schiller (1759-1805), poeta, dramaturg i teòric, va ser conegut i admirat per alguns dels poetes i crítics catalans més rellevants del segle XIX, que van tenir un paper destacat en la recepció i difusió de l'obra i el pensament d'aquest escriptor alemany. Alguns van comentar la poca difusió de la seva obra a Catalunya, però des de la perspectiva actual podem afirmar que Schiller va interessar moltes de les personalitats literàries de la Renaixença catalana. Bonaventura C. Aribau el gener de 1824 remarcava «la poca noticia que se tiene en España de las más importantes producciones filosóficas alemanas, especialmente las fundadas en las doctrinas de Kant, nos anima á dar un breve conocimiento de la teoría de aquel gran poeta trágico sobre un punto que ha dado lugar a tantas disputas entre los literatos» i, entre 1835 i 1837, J. A. de Covert-Spring va veure la conveniència d'insistir en la difusió general del pensament literari alemany i va dedicar una sèrie d'articles de caràcter general, plagiats de Heine,[1] a dibuixar un panorama de «La Alemania Literaria» que es van publicar a *El Propagador de la Libertad.*[2] Amb tot, aquests articles contenen dues referències molt elogioses a Schiller. En la primera s'afirma que «los mayores jenios modernos» eren «Lessing, Herder, Schiller, Goëthe, (i) Juan Pablo»[3] i, en la segona s'assenyala que Menzel «pretendió demostrar que Goëthe no tenia jenio, sino talento, elojiando a Schiller por oposición». Però, si es fa cas del testimoni de Joan Mañé i Flaquer, el 1854 les idees d'aquest escriptor encara no havien arrelat gaire entre la intel·lectualitat catalana: «Schiller es poco conocido, hasta entre la gente de letras, por sus obras de crítica, bien que estas sean muy apreciadas entre los que tuvieron ocasión de estudiarlas.»[4] És del tot evident que molts dels lectors cultes més encuriosits per l'obra

* Aquest treball forma part del projecte d'investigació PB98-1181, *Positivisme i modernitat en la literatura catalana (1868-1898).*

1. Hans JURETSCHKE, «Del romanticismo liberal en Cataluña», *Revista de literatura*, t. VI, núm. 11 i 12, juliol/desembre, Madrid, 1954, Instituto Miguel de Cervantes de Filología Hispánica, pàg. 26 i 27.

2. Vegeu de 1835, Cuaderno XI, pàg. 331-335; del 1836, Cuaderno III, IV, i VII, pàg. 82-85, 180-184, i 212-217; i del 1837, Cuaderno IV, pàg. 119-121.

3. Vol. 1836, pàg. 217.

4. J. MAÑÉ I FLAQUER, «La crítica y los críticos. Lo patético, teoría de Schiller», *Diario de Barcelona* (19-III-1854).

d'aquest escriptor alemany n'havien pogut fer un seguiment, des de principis del segle XIX, a través de les representacions en llengua castellana, la premsa i les traduccions franceses[5] i, en especial, dels vuit volums de les *Oeuvres de Schiller*, editades i en bona part traduïdes per A. de Regnier entre el 1859 i el 1862. Aquesta edició conté en el primer volum un pròleg i una «Vida de Schiller», seguit de la traducció en prosa dels seus poemes més destacats; els volums dos, tres i quatre apleguen tot el teatre i materials subsidiaris, fragments inèdits, etc.; els volums cinc i sis contenen les obres històriques; el setè, obres diverses com *Le visionaire* o *Mélanges* i el darrer recull els treballs sobre *Esthétique*.

L'objectiu d'aquest treball és la recepció de Schiller en tots els aspectes de la seva producció intel·lectual en terres de parla catalana al llarg del segle XIX, ja sigui en manifestacions escrites en català o en castellà, publicades dins i fora de les terres de parla catalana. La informació i l'anàlisi que aportan fan referència al teatre, la poesia, la teoria literària, sense descuidar les biografies, els comentaris de la seva obra i fins les referències disperses que en fan els diversos escriptors o crítics. Però no comprèn les versions operístiques que d'alguns *Drames* de Schiller van fer G. Verdi (3), Donizetti (1) o Rossini (1), ni les interpretacions musicals d'alguns poemes, que han mantingut vigent el seu teatre, fins i tot de manera indirecta. En el cas de les traduccions dels poemes aquest treball no té en compte l'anàlisi filològica de les traduccions perquè cal recordar que, com diu Teodor Llorente, «los genios alemanes eran admirados en virtud de la garantía francesa».[6] I per tant la fidelitat al text de Schiller s'hauria de considerar en relació amb l'original alemany i la seva traducció francesa. En aquestes circumstàncies el ritme dels poemes originals no cal buscar-lo per enlloc i d'aquí que en un principi s'optés per la solució d'una traducció en prosa. De tota manera aquesta fóra una feina molt útil en el sentit que ens permetria fer una valoració de les traduccions, però que deixo per a un filòleg amb un domini de l'alemany i el francès, a més del català i castellà. L'estudi de les traduccions de teatre també s'hauria de fer amb el mateix procediment.

Herbert Koch i Gabriele Staubwasser de Mohorn a *Schiller y España*, han tractat el tema referint-se tant a l'empremta d'Espanya en l'obra de Schiller com a la difusió de Schiller en l'àmbit hispànic. El treball és molt útil pel que fa a la informació sobre les traduccions d'aquest romàntic, tot i que no és complet i presenta alguns errors. Hans Juretchke assenyala alguna nova referència i fa algunes correccions en el seu comentari d'aquest treball: "Presupuestos para un examen de germanismo decimonónico en España".[7] El llibre de Koch i Stanbwasser segueix d'aprop les

5. El 1799 es publica a París una traducció feta per Lamartelière en 2 volums del *Théâtre de Schiller* i a partir de 1801 ja es comença a trobar alguna peça dramàtica traduïda al castellà com *El amor y la intriga* de la qual dóna referència Elias de Molins a la pàg. 237, encara que el gruix de les traduccions no comença fins després de 1840.

6. *La Abeja*, 1864, pàg. 24

7. Editat per «Cultura hispànica del Centro Iberoamericano de Cooperación», Madrid, 1978. Vegeu també Hans JURETCHKE, "Presupuestos para un examen del germanismo decimonónico en España a pro-

informacions que dóna sobretot J. Ll. Estelrich en la seva antologia de *Poesías líricas* (1907-1908) de Schiller, però no analitza ni valora gaire aquesta recepció, ni considera els comentaris que en fan els diversos autors i crítics. Tampoc no fa referència a la recepció del seu pensament literari. Aquests darrers aspectes són capitals per veure la relació entre el seu pensament teòric i la pràctica literària dins el marc cultural català.

El moment inicial de la introducció d'aquest poeta romàntic és a principis de segle amb la representació a Barcelona i en castellà d'obres de la seva primera època,[8] *Amor i intriga* i, sobretot, *Els bandits* i, més endavant, d'una de la tercera època, *Maria Stuart*.[9] Després l'interès pel seu teatre no sols es manté, sinó que creix, almenys literàriament, pel que fa a traduccions, mentre que desapareix dels escenaris. Però cada cop més l'interès es decanta per les obres de la tercera època, que defineixen millor la seva teoria literària,[10] escrites els darrers deu anys de la seva vida i acabades després de 1784. No es comença a tenir indicis de la recepció de les idees estètiques fins al 1824, però com que el pensament teòric de Schiller va ser assimilat per Friedrich Schlegel, Schelling, Solger, Hegel, Coleridge, Belinsky, De Sanctis i Taine, la seva vigència, directa o indirecta, es va mantenir tot el temps que va durar la influència d'alguns d'aquests teòrics. Cap a mitjan segle, i sobretot de la mà de Pau Piferrer, creix l'interès per la seva poesia, escrita, en bona part, en la darrera etapa de la seva vida, i en especial a partir de 1794 durant els anys de la intensa amistat i relació poeticoliterària amb Goethe. Precisament, Piferrer va ser un entusiasta de la balada que Schiller i Goethe havien posat en circulació en aquest període, i en moltes de les seves

pósito de un estudio monográfico sobre Schiller y España", *Revista de Archivos, Biblioteca y Museos*, T. LXXX, 1 (gener-març, 1977), pp. 63-98.

8. Escrites sota la influència de la lectura de Shakespeare, les idees estètiques de Lessing i l'afinitat tardana al moviment de l'Sturm und Drang, en un període que va del 1780 quan acaba *Els bandits* (*Die Räuber*), on tracta de la crisi de l'ideal familiar, al 1784, quan estrena *La conjura de Fiesco* (*Die Verschwörung des Fiesco zu genua*), sobre els ideals republicans a favor de la igualtat i la constitució, i *Càbala i amor* (*Kabala und Liebe*), on critica les insídies cortesanes.

9. Caracteritzada per la relació amb Goethe, l'aprofundiment en els estudis sobre el pensament crític de Kant, i l'acostament a la tragèdia històrica. Dins aquest període escriurà algunes de les seves obres més remarcables com la trilogia sobre *Wallenstein*, entre el 1796 i 1799, *Maria Stuart*, el 1799, *Die Braut von Messina*, el 1803, i *Wilhelm Tell*, del 1804. Abans havia escrit, dins una primera època, *Die Räuber*, el 1780-81, *Kabale und Liebe*, el 1783, del *Die Verschwörung Fiesco zu genua*, el 1784, i, dins una segona època, *Don Carlos*, entre 1784 i 1788.

10. Els principals escrits de Schiller que marquen l'evolució del pensament teòric són: *Die Schaubühne als eine moralische Anstalt betrachtet* (1874), (*El teatre considerat com a institució moral*); *Über den Grund des Vergnügens an tragischen Gegenständen* (1792), (*Sobre la causa del placer en los temas trágicos*); *Über den Grund des Vergnügens an tragischen Gegenständen* (1792), (*Sobre la causa del plaer en els temes tràgics*); *Über tragische Kunst* (1792), (*Sobre l'art tràgic*); *Kallias* (1793); *Über das Pathetische* (1793), (*Sobre el patètic*); *Über naive und sentimentalische Dichtung* (1795-1796), (*Sobre la poesia ingènua i sentimental*); *Über die Ästhetische Erziehung des Meschen in einer Rihe von Briefen* (1795), (*Cartes sobre l'educació estètica de l'home*); el pròleg d'*El campament de Wallenstein* (1798), que va ser recitat per un actor amb motiu de l'estrena de l'obra, l'octubre del 1798 en la reobertura del Teatre de Weimar; *Über das Erhabene* (1801), (*Sobre el sublim*); pròleg a *Die Braut von Messina* (1803), («De l'ús del cor en la tragèdia», pròleg a *La núvia de Messina*).

composicions va imitar els dos romàntics alemanys. L'impacte de Schiller, que va iniciar Aribau, s'expandeix a tota la generació romàntica formada per Milà, Cover-Spring, Bergnes de las Casas, etc. i, més tard, a través de Piferrer i Milà irradia directament o indirectament a les generacions següents: Mañé, Llorente, G. Vidal i Valenciano, primer, i Costa, Alcover, Yxart, Maragall o J. Ll. Estelrich, més endavant.

Primeres representacions teatrals

A Barcelona, la recepció de Schiller comença a principis de segle amb la representació de les seves obres dramàtiques de joventut. Així, entre 1800 i 1830[11] es van posar en escena tres drames de Schiller: 1) *El amor y la intriga*[12] (acabada el 1783), els dies 12, 13, 14 i 15 de juny de 1801, i el 21 i 22 de novembre del mateix any; es va tornar a representar el 22 de març de 1818 i el 29 d'octubre de 1823; 2) *Els bandits* (publicada el 1781) de la qual es van fer diverses funcions amb títols diversos. Així, anunciada com a *Roberto, cabeza de bandidos* o *El hombre virtuoso*, l'obra es va poder veure el 16, 17, 25 i 26 de gener de 1806; el 25, 26, 27 i 28 de novembre i el 16 de desembre de 1810; el 30 de setembre i l'1 d'octubre de 1816; i com a *Roberto de Moldar o el bandido honrado*, el 7 i el 8 de setembre de 1818 i el 4 i 5 de setembre de 1819. Fins al 1830 no es posa en escena *María Estuarda* (estrenada el 1800), traduïda en vers per Manuel Bretón de los Herreros,[13] els dies 18, 19 i 23 d'octubre de 1830. Aquesta obra també va formar part del repertori d'algunes companyies dramàtiques estrangeres que van passar per Barcelona. Així, el novembre del 1857 Adelaida Ristori va representar al teatre Circo Barcelonés una versió lliure de la tragèdia de Schiller que, segons Elias de Molins, havia estrenat aquesta actriu aquell mateix any a París. Obra que la companyia de l'actriu Carolina Santoni va tornar a posar en escena al Teatre Principal l'estiu del 1861, i que el 30 d'agost de l'any següent va repetir en el seu debut al Circo Barcelonés. L'actor Ernesto Rossi també la va interpretar al Liceu el 1866, però, després d'ell, Pere Bohigas i Tarragó[14] no torna a donar cap notícia de la representació a Barcelona ni de *Maria Stuart* ni de

11. Teresa Suero, *El teatre representat a Barcelona de 1800 a 1830*, Barcelona, entrades núm. 528, 529, 530, 531, 690, 691, 2207, 2208, 2216, 2217, 3984, 4002, 6117, 6118, 6655, 6824, 6825, 7186, 7187, 8702, 11248, 11253; vol. II, pàg. 46, 58, 200, 201, 317, 318; vol. III, pàg. 21-22, 75, 101, 136-137, 294; vol. IV, pàg. 157, 158. Tesi doctoral, premi «Xavier Fàbregas».

12. Es tracta de la primera traducció impresa d'una obra de Schiller. Dins *Teatro nuevo español*, vol. III, 1800, pàg. 141-298. Vegeu H. Koch i G. Staubwasser de Mohorn, *Schiller y España*, Madrid, 1978, pàg. 117.

13. Aquesta versió, que no es va fer sobre l'original alemany sinó sobre una traducció al francès de Pierre Lebrun publicada a París el 1820, es va estrenar el dia 7 de novembre de 1828. Vegeu *Schiller y España*, *op. cit.*, pàg.120.

14. Per a totes aquestes referències vegeu Pere Bohigas Tarragó: *Las compañias dramáticas extranjeras en Barcelona*, Barcelona, 1946, pàg. 12, 14, 24, 101.

cap altra peça de Schiller fins al 1903, arran de la segona tanda d'actuacions que Italia Vitaliani, cosina d'Eleonora Duse, va oferir a la ciutat. La funció del dia 22 de setembre va revestir una certa solemnitat perquè era la representació número 200 d'aquesta obra de Schiller interpretada per aquesta actriu. Ara les obres dominants en la cartellera eren els drames i les comèdies dels autors realistes francesos, russos, nòrdics i fins i tot d'autors catalans com Guimerà o Rusiñol.

La lectura dels textos teòrics i el comentari de la producció dramàtica

No és fins a les pàgines d'*El Europeo* (1823-24) que trobem cap article dedicat a Schiller en una revista publicada a Catalunya. Aquí n'hi ha dos de signats per Aribau. Un es refereix a l'obra de creació i un altre comenta aspectes de la seva estètica. Manuel de Montoliu ha remarcat l'originalitat d'aquests articles i afirma que tot i que no coneixia l'alemany, «fou Aribau el primer que a Espanya parlà de la novíssima ciència de l'Estètica».[15] De manera fragmentària i de segona mà a través de traduccions franceses, Aribau comença la recepció de la teoria estètica de Schiller. En el primer article comenta l'edició de la traducció al francès de les obres dramàtiques de Schiller, feta a partir de l'alemany per M. de Barante, i qualifica aquest gran dramaturg del «Shakespeare de Alemania» perquè és el «poeta que mejor conoció los resortes del corazón humano». L'interès d'Aribau per Schiller no s'acaba aquí, i en els números 2 i 3 del volum segon (1824) dedica un llarg article en dues parts a comentar la seva *Estética*, «por la importancia de la cuestión, como por la celebridad del autor que la trata». La primera part, «Teoría de Schiller sobre la causa del placer que excitan en nosotros las emociones trágicas»,[16] és més teòrica, i a la segona, «Ejemplos en que Schiller apoya su teoría sobre la causa del placer que excitan en nosotros las emociones trágicas»,[17] analitza exemples literaris concrets que donen suport a les idees exposades. Montoliu relaciona aquesta exposició amb les *Cartes sobre l'educació estètica*, però les idees que s'hi desenvolupen havien estat exposades per Schiller en la conferència de 1784 sobre *El teatre considerat com a institució moral*, on remarca que el teatre ha de ser diversió i ensenyament, ja que és una escola de saviesa i de formació de l'esperit nacional, i en els articles, escrits a partir del 1790, *Sobre el motiu del gust pels temes tràgics* i *Sobre l'art tràgic*,[18] *Sobre el patètic*

15. Vegeu *Aribau i la Catalunya del seu temps*, Barcelona, 1936, pàg. 111.

16. Pàg. 35-41.

17. Pàg. 76-81.

18. Aquests dos textos es van publicar el 1892. El 1792 tractà *Sobre l'art tràgic*, l'any següent *Sobre el patètic*, el 1801 *Sobre el sublim*, i el 1803 *Sobre l'ús del cor a la tragèdia* en el pròleg a *La núvia de Messina*, la seva obra dramàtica més ambiciosa, inspirada en la influència de Grècia, amb adaptacions de temes grecoromans i un doble cor d'homes.

i *Sobre el sublim*,[19] sota la influència de la lectura de Kant,[20] i amb la intenció de formular una teoria de la tragèdia, com a gènere, a cavall entre el món sensible i l'intel·ligible. Aribau, que no coneixia l'alemany i arriba al pensament de Schiller de segona mà, no assenyala en cap moment quina és la font d'on parteix i de quins textos teòrics parla.[21] Però, a Aribau només li interessaven les relacions entre el plaer estètic, el dolor pel sentiment tràgic i la necessitat d'ensenyament moral.[22] El seu objectiu és, com el de Schiller, combatre «la opinión de aquellos que han intentado destruir la opinión general que señala el *placer* como el fin de las artes de imaginación». Un error que prové del fet d'entendre la moral com a «objeto primario y exclusivo» de les arts. Tot i reconèixer la importància de l'educació moral a través de la bellesa, Aribau proposa, observa i analitza la «naturaleza del placer desinteresado que nos dan las artes, y los medios de producirlo» a fi de demostrar que «aquel placer no se gusta sino por facultad moral del hombre, bajo condiciones morales, y por medios morales; así que las artes no logran su verdadero fin, sino por una senda moral». Diferencia entre el mèrit de les belles arts, aliè a tota moral, i la seva perfecció, necessàriament vinculat a ella i dedueix que «las artes tienden a mejorarnos, no solamente porque nos causan placer por medios morales; sino porque este placer sirve para fortalecer nuestra moralidad». De l'anàlisi que fa Aribau es desprèn que en l'art els contraris s'identifiquen. Així, «tanto en lo sublime como en lo patètico hay dos elementos, el placer y la pena: y en ambos el orden está fundado en el desorden. Pero es preciso que el primero venza al segundo, y en esto concurren varias causas». I és que no concep cap ordre superior al moral i «ningún placer es superior al que experimentamos en él», sobretot quan es veu amenaçat i surt victoriós del combat. Aleshores el plaer que neix del dolor és una forma de coneixement superior, necessari en el camí de l'expressió poètica i objecte primordial de la tragèdia. Aribau remarca que potser la majoria dels receptors de l'art només valoren la superioritat del sentiment moral que se'n desprèn, mentre que uns pocs potser destaquen més «la magia del arte que ha debido emplear para su objeto», és a dir, la «destreza y consecuencia de los medios». Per a Aribau, el perfeccionament de la intel·ligència s'ha d'harmonitzar amb l'exaltació del sentiment moral. Això en la poesia i en la tragèdia. En

19. *Sobre el patètic* va ser escrit el 1793 i *Sobre el sublim* va ser començat aquest any i acabat tres anys després.

20. Segons MONTOLIU, Schiller «esmena, rectifica, en sentit realista, molts punts de vista amb l'idealisme de transcendental, característic del gran filòsof alemany. Schiller no està d'acord amb Kant en l'afirmació categòrica sobre la manca de base objectiva en la nostra coneixença de les coses». *Aribau...*, op. cit., pàg. 151.

21. Montoliu suggereix que es refereix a les *Cartes sobre la educació estètica*, *op. cit.*, pàg. 151.

22. «A estas reflexiones responde Schiller, que el dolor nacido de la violación de las leyes morales no es un menor garante de su imperio que el egemplo de la obediencia que encuentran y que la afliccion causada por la existencia de un malvado es en el órden moral como el placer escitado por un caracter virtuoso. Los remordimientos llevados hasta la desesperación pertenecen a lo sublime de la moral: el arrepentimiento nace de la comparacion de la accion criminal con las leyes de la virtud. Entonces se consigue la victoria sobre todos los demas intereses [...] sujeta el alma de aquel hombre al orden moral, y puede ser el origen de un placer del mismo orden.» ARIBAU, «Estetica», *El Europeo*, n. 2, pàg. 38 i 39.

aquesta darrera «la admiración que escitan los caracteres de los personages, los sentimientos generosos, la elocuencia de las pasiones, los pensamientos profundos y luminosos, la belleza de la poesia, el conocimiento de las leyes, costumbres é intereses de las naciones, el arte de combinar los sucesos; y mezclada esta admiración con los sentimientos del terror y la compasión, hace del espectáculo de las tragedias el mayor de los placeres que los hombres hayan inventado». Al cap de trenta anys, Milà, des del *Diario de Barcelona* el 1854 recordarà a «Un párrafo de historia literaria. *El Europeo* de 1823»[23] la importància innovadora de l'article d'Aribau que, per a Milà i per a la seva generació, va suposar la recepció de les idees de Schiller i la introducció, per primer cop a Catalunya, de la paraula *estètica*: «Como sea, por primera vez vemos mencionada en *El Europeo* la palabra Estética y expuestas con inteligencia y con cierta libertad algunas ideas de Schiller, atacadas las unidades dramáticas con armas semejantes a las que empleó Manzoni en su excelente carta literaria y descritas poéticamente y "con amor" escenas de las costumbres caballerescas.»

En el núm. 2 del primer volum (1823) de la mateixa revista,[24] Luigi Monteggia publica un treball sobre «Romanticismo»[25] en relació amb el classicisme on cita Schiller, entre d'altres autors, com un dels exemples de clàssic modern de la literatura universal, i considera *Maria Stuart* el model més adient per tal que els lectors es puguin fer càrrec de l'estil que caracteritza aquest moviment.

El Museo de Familias, que imprimia Bergnes de les Casas, publica en el volum II (1839) pp. 239-241 un article de divulgació sobre la figura i l'obra de "F. Schiller" de qui es remarca la sensibilitat malaltissa i l'esperit melancònic.

Josep M. Quadrado el 28 de març i el 4 d'abril de 1841 va publicar a la revista *La Palma* un estudi sobre «Schiller»,[26] que també va donar a la revista *El Panorama*[27] amb el títol de «Biografía. Schiller», on relaciona l'obra dramàtica d'aquest escriptor amb la seva vida, com a expressió de les seves idees i vivències. Quadrado comença per ressaltar la seva defensa de la llibertat que fa en les primeres obres, com *Els bandits*, però tot i les insuficiències que presenta l'obra, com és ara que «los caracteres carecen de rasgos originales y profundos», es compensa amb el personatge de Carles Moor, que compara amb els de Shakespeare, el luxe d'imatges, el ritme dels diàlegs i la flexibilitat dels tons, que permeten preveure quina mena d'escriptor serà Schiller. En general, al llarg de tot el treball es pot entreveure que allò que més li agrada del

23. Milà, *Obras Completas*, tom IV, Barcelona, 1892, pàg. 251.

24. Pàg. 48-56.

25. Treball reproduït per Guarner, Lluís a *«El Europeo» (Barcelona, 1823-1824)*. Madrid, 1953, pàg. 88-99.

26. Q., «Schiller», *La Palma. Semanario de Historia y Literatura*, 28-III-1841, pàg. 205-208, i 4-IV-1841, pàg. 213-217. Vegeu Josep M. Quadrado, *Assaigs literaris*, a cura d'Antònia Tayadella, Barcelona, 1996, pàg. 57-71.

27. Quadrado, «Biografía. Schiller», *El Panorama*, Madrid, 1841, núm. 137 (13 de març), pàg. 259-262, i núm. 138 (19 de juliol), pàg. 268-271. Cito del llibre *Schiller y España*, op. cit., pàg. 148

teatre de Schiller és que sigui l'expressió d'un concepte de romanticisme, lluny de convencionalismes i exageracions, que s'equilibra per una mirada realista pouada en la formació clàssica: «Sin embargo *La Conjuración de Fiesco*, padre del numeroso repertorio de dramas que han ido a buscar en Italia ese contraste de ruidosos placeres y profundas pasiones ya por desgracia vulgarizado, llevaba impreso el sello de un genio milagrosamente robustecido, rebosaba de vida, de la vida de un gran pueblo el cual ve incesantemente agitarse sobre las tablas, de la vida de una generación gigantesca que viene a asombrar con la energía de su alma y la sombría concesión de su diálogo, de aquella vida y animación que presenta al corazón humano en todos sus matices.»[28] Quadrado busca i troba en el teatre de Schiller l'escriptor idealista que es fonamenta sempre en una adequada versemblança.[29] Una idea que ja apunta a l'article «De los bandos literarios» (1840) quan comenta que «los románticos solo nos ponderan el genio, los clásicos siempre nos hablan de las reglas; y entrambos dicen la verdad, pero la verdad incompleta como la de los partidos» i busca la solució en una tercera via de síntesi del millor de cadascuna de les dues tendències. El que sempre mira de demostrar és «si las reglas y el genio [classicisme i romanticisme] son entre sí incompatibles». La resolució positiva d'aquest dilema faria possible «algo más de inteligencia y exactitud, y algunas injurias y vaciedades de menos».[30] Podríem dir que la seva opció fóra la d'un idealisme expressat dins les proporcions que exigeix la versemblança de la realitat i Schiller n'és el paradigma, com ja argumenta Hegel en la seva *Estética*. En són exemples obres com *Die Räuber* (1780-1781), *Kabale und Liebe* (1783), *Die Verschwörung des Fiesco zu genua* (1784), *D. Carlos* (1787) i, de manera especial, les peces escrites els darrers sis anys de la seva vida, la trilogia sobre *Wallenstein* (1798-99) *Maria Stuart* (1799), *Die Braut von Messina* (1803), *Wilhelm Tell* (1804) amb l'excepció de *La doncella de Orleans*, que veu com a concreció d'un símbol, o d'una al·legoria, ja que «para volver al idealismo y a la poesía una literatura harto propendiente hácia la realidad y el prosaismo, Schiller se propuso darnos en la *Desposada de Mesina* un drama enteramente griego en sus formas y en su fondo, en que el coturno despliega todo su brillo y la tragedia su magestad, y en que el coro por primera vez entre los modernos se vé empleado, no como coro de opera, sino como el personaje único é ideal cuyas funciones describe Horacio en su *Poética*».[31] També destaca en moltes de les obres de Schiller un real interès pel «destino de los pueblos,» que alimenta el seu esperit catalanista. Conseqüència de la intersecció de tots aquests elements, Quadrado hi descobreix la convicció de «la perfectibilidad indefinida del hombre», del progrés indefinit de la moral. Al final del seu article, que remet a Mme. de Staël a propòsit del cinquè acte de *La núvia de Messina*, se n'acomiada com un dels cantors més dolços de la naturalesa i un dels més purs amants de la humanitat. Quadrado, sense moure's de la presentació dels *Drames* de Schiller, fa èmfasi en l'aspecte que més el relaciona amb la filosofia de Kant.

28. *Op. cit.*, pàg. 60.

29. «....el presidente y el secretario son ya malvados más verosímiles y mejor concebidos que el Francisco Moor de *Los ladrones*», op. cit., pàg. 62.

30. QUADRADO, *Assaigs literaris*, op. cit., pàg. 38 i 39.

31. QUADRADO, op. cit., pàg. 69.

Des del pròleg del primer volum de *Recuerdos y bellezas de España* (1839), dedicat a Catalunya, Piferrer invoca Schiller, entre Goethe i Walter Scott i en lletres majúscules, per les seves «tremendas y grandiosas modulaciones». I és que, per a ell, com per a molts altres dels prohoms de la Renaixença, la paraula d'aquests «nuevos sacerdotes del Norte daba principio a una era de verdadero estudio y movimiento intelectual».[32] Cinc anys més tard, el 18 i 25 d'octubre de 1846 i des de *La Lira Española*, Pau Piferrer en la crítica d'«El hombre más feo de Francia» (*Diari de Barcelona*, 3-III-1842) assenyala que Schiller, junt amb Goethe i Walter Scott, va arrodonir la tasca de construcció del «edificio de la nueva escuela romántica»; i en la «Necrología. D. Miguel Ribera, profesor de piano» *La Corona,* 1843, el situa entre els grans mestres del romanticisme alemany perquè «levantándose poco a poco en alas de su casto genio sobre el caos del materialismo, cantó el himno de la humanidad entera, idealizó el carácter del hombre bien como la más sublime maravilla del universo, celebró el triunfo del alma inmortal humana, grande, fuerte, bella y libre». També, en el seu estudi sobre «Miguel de Cervantes y Saavedra» en l'edició de l'antologia *Clásicos españoles* del 1846, compara el poeta i dramaturg alemany amb Richardson, Fielding, Goethe, Walter Scott, i amb Cervantes per la seva capacitat de fondre el món real amb el món poètic; en especial per la manera d'entendre la literatura, i més concretament la poesia, dins les pautes de simplicitat i sentiment, que reclama en els seus textos teòrics, i, alhora, com a síntesi entre «la armonía del elemento popular primitivo con la corrección y la experiencia de la exposición moderna» en la qual «ciframos el porvenir y la esencia del Arte».[33] Els poemes de Piferrer estan impregnats del gust de Schiller per la balada. Manuel Milà i Fontanals, company i amic de Piferrer, amb qui compartia moltes idees literàries i estètiques, al final del pròleg a *Composiciones poéticas de D. Pablo Piferrer, D. Juan Francisco Carbó y D. José Semis y Mensa* (1851),[34] afirma que «Bellini, Walter-Scott y Schiller reinaban casi siempre sin competencia en el imperio de su fantasía».

Milà també es va decantar pel teatre de Shakespeare i Schiller en el seu *Compendio de arte poética* (1844), com ha destacat Manuel Jorba en "Les idees de Manuel Milà i Fontanals sobre teatre" (*Els Marges,* 25, 1982, pp. 23-43). El 5 d'agost de 1854 en un article del Diario de Barcelona comenta «Una oda de Schiller», poema en el qual, amb el subtítol de «Teoría dramática»,[35] el dramaturg alemany fa un veritable manifest en contra de la rigidesa de les idees de Diderot sobre el teatre i, en ell, presentava Schiller, amb la traducció de la seva oda, com l'artífex de la síntesi[36] que va acabar amb la polèmica entre les dues escoles dramàtiques (la «neoclàssica o regular» i la «històrica o moderna»).

32. Pàg. 2.

33. Les estacions són de Pau Piferrer, *Estudios de Crítica. Colección de artículos escogidos*, Barcelona, 1859.

34. *Composiciones poéticas de D. Pablo Piferrer, D. Juan Francisco Carbó y D. José Semis y Mensa*, Barcelona, 1851.

35. Vegeu Milà i Fontanals, *Obra Completa*, IV, Barcelona, 1892, pàg. 312-317. Schiller va dedicar aquesta oda a Goethe, amb motiu de la traducció que aquest va fer de *Mahoma* de Voltaire.

36. «Schiller, ingenio menos variado [que Goethe], pero más puro y más amable, aunque no exento de los errores de su país y de su tiempo, corregido ya los excesos a que se había abandonado en sus primeras composiciones, había adoptado un sistema bastante fijo de composición dramática, formado principal-

El Schiller que interessa a Milà és l'escriptor d'«ingenio menos variado, pero más puro y más amable, aunque no exento de los errores de su país y de su tiempo, corregido ya de los excesos a que se había abandonado en sus primeras composiciones, había adoptado un sistema bastante fijo de composición dramática, formado principalmente por el estudio simultáneo de los griegos y de Shakespeare y en el cual dió un corto número de dramas, si no de todo punto perfectos, riquísimos en belleza y poesía». En la quarta estança d'aquest poema, el seu autor defensa que el teatre ha de ser «fiel imagen de la naturaleza», que cal desterrar l'exageració i el convencionalisme que acostuma a emprar el teatre i que cal tenir present que «el héroe piensa y obra como hombre». Milà en el seu comentari diu: «Habla después el poeta de la verdad introducida en el drama, la cual consiste no en una verosimilitud mezquina, sino en los rasgos directamente tomados de la humana naturaleza.» Amb tot, a l'estrofa cinquena, Schiller marca la distància entre realitat i experiència i entre naturalesa i art. Per això, les representacions dramàtiques només posen dempeus un món ideal (virtual). El teatre no menteix. Cal comptar amb la sinceritat de la veritable Melpomene «pues si sólo nos promete una fábula, sabe enlazar con ella una verdad profunda». Milà en diu «una naturaleza de efecto y no una exacta imitación; la verdad de sentido y de sentimiento y no la verdad material». Schiller acaba el seu poema agraint als francesos, no tant el seu mestratge dramàtic, en el qual «la vida no anima al arte», sinó «el habernos guiado hacia lo mejor»,[37] en el sentit de «purificar la escena tanto tiempo profanada» per l'imperi «exclusivo de la imaginación, trastornando la escena no menos que el mundo; hallábase entonces confundidos lo sublime y lo vulgar». Tres idees destaca de l'obra de Schiller, a més de la seva teoria dramàtica: el rebuig de les traves inútils que són les formes literàries inflexibles, la necessària independència de la composició dramàtica en relació amb totes aquelles formes que no siguin expressió genuïna del dramaturg i en relació amb la tradició cultural a la qual pertany, i, finalment, la necessitat de dotar el drama de veritat, «la cual consiste no en una verosimilitud mezquina, sino en los rasgos directamente tomados de la humana naturaleza».

A tot això cal afegir que en la incorporació que Milà fa en els *Principios de estética* (1847) de l'obra de Víctor Cousin, *Du vrai, du beau, du bien*, hi ha l'empremta de les idees de Kant, Fichte i Shelling, inductor el primer i receptors els dos darrers de la teoria de Schiller.[38] Milà també posa Schiller com a exemple en la seva teoria literària quan tracta de la tragèdia i dels personatges que són models que lluiten a favor del bé: «Modelos trató de representar Schiller en su Estuardo, Juana y

mente por el estudio simultáneo de los griegos y de Shakespeare y en el cual dio un corto número de dramas, si no de todo punto perfectos, riquísimos en belleza y poesía.»

37. Segons Milà, «no puede indicarse con más respetuosas palabras la excesiva pompa, la rigurosa etiqueta, en una palabra, el tono convencional de la tragedia francesa.» OC, pàg. 317.

38. En el seu tractat d'Estètica, afirma que «el arte se alimenta de las bellezas reales, las absorbe, las concentra y las acrisola. Lo ideal, lejos de ser un elemento distinto de la naturaleza, es más bien un modo de concebirla y de representarla. El arte consiste en ver lo ideal en el seno de lo real, en representar lo ideal con formas tomadas de la naturaleza; es una interpretación ideal de lo real; no es más que la realidad idealizada». Milà i Fontanals, «Tratados doctrinales», dins *Obras Completas*, col·leccionades per M. Menéndez y Pelayo, vol. I, Barcelona, 1888, pàg. 113.

Guillermo.»[39] Cal dir, però, que l'admiració de Milà per Schiller queda eclipsada per la devoció que va manifestar pels germans Schlegel.[40]

A més del treball ja esmentat sobre «Un párrafo de historia literaria. *El Europeo* de 1823» (1854?), entre 1854 i 1857 Milà sovint parla de Schiller com a referent de la més alta poesia. Així, a «Del último clasicismo»[41], posa el seu poema «Casandra» com a exemple de composició que es caracteritza per ser de «moral austera y hasta excessivamente dura, pero que deja en el ánimo una impresión sana y profunda»; a «Cultivo de la literatura provincial»[42] esmenta les *Meditacions* de Lamartine o el «Ideal» de Schiller como ejemplos de la alta literatura que vehicula «pensamientos filosóficos, cosmopolitas, universales», i a «Líricos modernos»[43] diu que Körner i Schiller són representants actuals que han pres el relleu de la «torxa de la poesia», afirmació que acompanya d'un extens elogi del poema la «Campana», que considera un «himno del orden social, ditirambo de nueva especie y de forma original y aún algo singular» i demana que es reprodueixi «el espíritu, no las maneras ni giros de nuestro antiguo lírico, y se poseerá la poesía del cantor de la "Campana" y del "Ideal", con algo más firme y más sólido, y sin que sea prohibido ningún suave devaneo, ninguna arrebatadora divagación de la fantasia». També l'esmenta a l'extens treball dedicat a la «Poesía popular»[44] per remarcar que va tractar «con suma nobleza» la balada en el seu poema sobre «El dragó de Rodes» en el qual «dio un tinte moderno a una leyenda piadosa de la Edad media». Finalment, a «La poesía y la industria»[45] quan reflexiona sobre la poesía de la segona meitat del segle XIX, es demana «¿quién, por exemplo, a mediados del pasado siglo hubiera adivinado la época de los Scott, de los Chateaubriand y de los Schiller?»

39. Vegeu MILÀ, *Obres Completes*, vol. I, *op. cit.*, nota 3, pàg. 246.

40. N'hi ha prou de llegir la nota 4 de les «Anotaciones» dins del primer volum de les *Obres Completes* on Milà fa un repàs als teòrics de l'estètica. Hi afirma: «Kant que analizó el juicio de lo bello y profundizó la teoría de lo sublime, y más recientemente, entre otros, el poeta Schiller que ilustró, no sin mezcla de error, algunos puntos, Schelling, que dió en su falso sistema filosófico una exagerada importancia al arte, pero contribuyó al estudio de su teoría, y los hermanos Schlegel, que nos complacemos en citar, aunque no sea ahora de buen tono», pàg. 297. Segons R. Welleck, «el influjo y la resonancia de Schiller no han sido reconocidos aún en toda su amplitud. Se debe ello, en parte, a sus desafortunadas relaciones personales con los hermanos Schlegel. Verdaderamente, dejó inmensa huella en Friedrich Schlegel; la misma distinción de éste entre clásico y romántico no es más que nueva expresión de la teoría schilleriana de lo "ingenuo" y lo sentimental.» *Historia de la crítica moderna (1750-1950)*, «La segunda mitad del siglo XVIII», vol. I, Madrid, 1969, pàg. 292 i 293.

41. *Diario de Barcelona*, 5-VIII-1854. Dins MILÀ, *Obras Completas*, vol. IV, «Opúsculos literarios», Barcelona, 1892, pàg. 318-322. Alguns dels articles esmentats es van publicar, traduïts al català, dins el volum Manuel MILÀ I FONTANALS, *Teoria romàntica*, a cura de Manuel Jorba, Barcelona, 1977, pàg. 39, 106, 117-120 i 123.

42. *Diario de Barcelona*, 24-I-1854. Dins Milà, *Obras Completas*, vol. IV, *op. cit.*, pàg. 170-174.

43. *Diario de Barcelona*, 25-II-1855. Dins Milà, *Obras Completas*, vol. IV, *op. cit.*, pàg. 373- 379.

44. *Diario de Barcelona*, 1855, i dins Milà, *O.C.*, vol. IV, *op. cit.*, pàg. 422.

45. *Diario de Barcelona*, 3-X-1857 i dins Milà, *O.C.*, vol. V, «Opúsculos literarios, segunda serie», Barcelona, 1893, Librería A. Verdaguer, pàg. 28-38.

Joan Mañé i Flaquer heretà del seu mestre Pau Piferrer l'interès per Schiller[46] i en especial per la seva concepció estètica, que aplicà al seu concepte de teatre: la relació entre estètica i moral i els conceptes de patètic i de sublim. Ja el 1852 i des de les pàgines del *Diario de Barcelona* va mantenir una polèmica amb dos contrincants que signaven l'«Escolar de antaño» i el «Caballero de las verdades», respectivament, que se li van dirigir des de les pàgines d'«El Áncora».[47] El mòbil de la polèmica és la defensa que fa Mañer de l'opinió que «El teatro es una necesidad moral: Ya ven pues que, lejos de retirar ni una sola palabra, nos afirmamos más en las que les choca», tal com diu en el primer article «A caballo y lanza en ristre», dels dies 27 i 29 de març del 1852, quan accepta polemitzar amb els dos contrincants tot i que aquests operin encoberts. En el segon article, «Con armas de mala ley no debe combatir un buen caballero», del 29 de març, Mañé explica que «si *L'Áncora* se hubiese comportado como teníamos derecho a esperar, nuestra contestación hubiera sido publicar un magnífico discurso de F. Schiller sobre el teatro considerado como institución moral, que desarrolla este tema: Que refuerzo para la religión y las leyes si las dos se coaligan con el teatro, en donde hay una visión directa, presencia viviente, en donde el crimen, y la virtud, la dicha y la desgracia, la locura y la sabiduría, pasan ante nuestros ojos bajo una forma varia é inteligible; en donde se vé como la Providencia resuelve los enigmas y desarrolla el plan del destino; en donde, en el tormento de las pasiones, el corazón confiesa sus movimientos más secretos; en donde caen todas las máscaras, en donde la verdad tiene su tribunal, inflexible como Radamanto». Però Mañé dubta que, en cas que els seus contrincants puguin «alcanzar con la vista –no lo aseguramos– al inmortal Schiller, nunca llegaría a él con la punta de su lanza». Ell, en canvi, ajudat de «tan poderoso auxiliar» no té cap dificultat de provar les seves idees i afirmar que: «El teatro, UNIDO á la religión y á las leyes, forma el trípode de la moral pública.» Afirmació que no suposa, en cap cas, la igualtat entre aquestes tres coses i que considerar-les iguals fóra la major estupidesa o la més gran calúmnia. De fet, Mañé afegeix que les idees de Schiller li confirmen «una opinión nacida del estudio de la historia del teatro, y que nos despertó por primera vez el "Tratado de las comedias" en el cual se declara si son lícitas y si hablando en todo rigor será pecado mortal el representarlas, el verlas y el consentirlas». L'article s'acaba amb l'anunci que el diari aviat publicarà «varios documentos relativos al teatro, entre ellos el citado de Schiller, con los cuales creemos poder dejar resuelta satisfactoriamente la cuestión bajo el punto de vista religioso, moral y literario».

Però en lloc d'aquests documents Mañé dedicarà els tres articles següents dels dies 4, 6 i 7 d'abril a contestar en forma de carta el Rdo. D. José María Rodríguez, que s'ha introduït en la polèmica, amb el títol general «De la influencia moral del teatro». En el primer, argumenta els conceptes ja exposats en l'article

46. En el treball d'Abraham Mohino Balet, «La crítica teatral de Mañé i Flaquer al *Diario de Barcelona*», dins *El segle romàntic. Actes del Col·loqui sobre Josep Yxart i el seu temps*, Tarragona, 23, 24 i 25 de novembre de 1995, pàg. 342 i 346, hi he trobat una primera referència d'aquests articles.

47. Sembla que es tracti de dues persones diferents, tot i que totes dues coincideixen en una mateixa equivocació, tal com apunta la nota de l'article següent del dia 29 de març de 1852.

anterior i en el segon i tercer busca, d'entrada, el suport del pensament teòric del poeta alemany per ajudar-se a definir la seva posició. «Hoy acudiré al célebre Schiller» o «permítame V. que cite á Schiller en apoyo de mis opiniones», aclareix en un i altre article, respectivament. I en el segon, perfila tot seguit les afinitats i les dissidències respecte a la seva concepció moral del teatre: «Efectivamente, yo envío el teatro a unirse con la religión y las leyes para que las ausilie en beneficio de la moral pública; Schiller parece pretender que la religión y las leyes vayan a buscar el apoyo del teatro: yo quiero que el teatro solicite la alianza de la religión y de las leyes.» Tot i això, pensa que aquesta diferència de matís no impedeix que el crític pensi que per sota de la forma la idea és la mateixa. Per això, «opino que Schiller quería la coaligación de la religión y de las leyes con el teatro, en el sentido, a mi ver, de que se sirvan de él como poderoso ausiliar á sus altos fines, en vez de dejarlo abandonado, esponiéndolo á extravíos que contrarien los esfuerzos de aquellas dos tan grandes instituciones». Finalment, i després de copiar diversos fragments del text teòric de Schiller sobre la moral en el teatre, Mañé repeteix un cop més i a manera de síntesi que «el teatro más que ninguna otra institución humana es una escuela de sabiduría práctica, un guia en la vida social, una llave segura para las puertas más secretas del alma...» En el tercer article cita A. W. Schlegel i de nou Schiller per afirmar que el teatre satisfà la inclinació natural de l'home i «abre una esfera infinita al espíritu ávido de actividad, que alimenta todas las fuerzas del alma sin fatigar ninguna, y que une la más noble diversión a la cultura del entendimiento y del corazón».

Un any més tard, el 29 de maig del 1853 Mañé s'interroga sobre «¿Qué es la tragedia moderna?» i la resposta és que «para nosotros no es un género tan determinado ni tan distinto como la antigua; es una de las gradaciones del drama: entre las obras dramáticas de Goethe y de Schiller, y en nuestras comedias de capa y espada encontramos la tragedia moderna [...] W. Schlegel y Hegel hacen notar la diferencia más esencial; precisamente la que no se tenía en cuenta [...]. En la tragedia moderna [...] el objeto principal es la pasión personal caminando a un fin también personal; aquí el personaje lo es todo, sus aspiraciones, sus lágrimas, sus alegrías son lo que nos interesa». En aquests comentaris Mañé s'acosta al concepte de tragèdia de Schiller i s'allunya del de Voltaire i Diderot.

El març de 1854, es proposa continuar comentant les idees teòriques de Schiller sobre el teatre, atès que considera dos fets de gran importància. El primer és la superioritat intel·lectual i estètica d'aquest poeta-dramaturg: «Pocos son los ejemplos [...] de que un poeta al entrar en el terreno de la crítica se haya conservado á la misma altura que alcanzó en las obras de imaginación. Por el momento solo recordamos el nombre de uno, del inmortal Schiller, que nos admira tanto con sus elucubraciones estéticas como con sus producciones dramáticas. Tal vez esto nos explicaría la causa del mérito creciente de sus obras y las del mérito decreciente de los citados poetas franceses» (al·ludeix a Lamartine, Hugo, o Dumas, esmentats més amunt).[48]

48. Mañé i Flaquer, «La crítica y los críticos. Lo patético, teoria de Schiller», *Diario de Barcelona* (19-III-1854).

El segon fa referència a com és de poc conegut el pensament teòric de Schiller fins i tot entre la gent de lletres i per aquest motiu pensa que divulgar-lo és fer un bon servei als afeccionats a la literatura. Amb aquestes intencions, Mañé escriu tres articles més al *Diario de Barcelona* sota el títol genèric de «La crítica y los críticos», dels quals els dos primers, publicats els dies 19 i 25 de març estan dedicats a «Lo patético, teoría de Schiller», i un tercer, aparegut el 9 d'abril tracta de la «Teoria de lo sublime, por Schiller». En el primer article sobre el patètic, Mañé aprofita per carregar les tintes contra el concepte de tragèdia desenvolupat per Voltaire, per la seva excessiva atenció al detall realista i decantar-se a favor de Schiller per la seva capacitat de sintetitzar una realitat versemblant amb una intenció moral. En aquest sentit, Mañé fa seva la teoria de Schiller: «Opina Schiller que la representación de los padecimientos del hombre considerados simplemente como tales no pueden constituir el fin del arte, bien puede servirle como uno de sus medios importantes. La representación á la cual debe verdaderamente aspirar el arte, se refiere á un elemento más elevado, y la tragedia la alcanza cuando nos presenta al hombre conservando su independencia moral con respecto á las leyes naturales aun en medio del tumulto de las pasiones que le agitan. Fácil es concebir que para que el hombre pueda manifestarse con una fuerza que le haga independiente de la naturaleza es preciso que esta despliegue todo su poder; para que nuestra *existencia racional* ostente su independencia es preciso que nuestra *existencia material* sea presa del dolor, es decir, que exista el *pathos*, el elemento poético.» De la mà de Schiller, un cop més, Mañé posa els fonaments del seu concepte de tragèdia i de la relació entre el patètic i l'existència material, per una banda, i l'existència racional, per una altra. El patètic és el que fa transcendir l'experiència humana a fet poètic, de manera que «la primera condición que se impone al artista trágico, es la reproducción de lo patético; y para alcanzarla debe hacer de manera que su héroe se legitime ante todo como ser sensible á fin de que podamos rendirle homenage como ser racional creyendo en la energía de su alma».[49] El segon article d'aquesta sèrie afegeix algunes idees noves en el pensament de Mañé. Concretament aquelles que fan referència al judici estètic, fonamentals per acostar-nos al concepte de crítica literària que practicava Mañé. I, si d'acord amb Schiller, havia defensat el caràcter educatiu i cívic del teatre, ara, també d'acord amb el seu mestre, desvincula la praxi crítica de tota tendència moralitzant: «El juicio estético atiende más á la fuerza que a su dirección, y tiene más en cuenta la libertad del individuo que el cumplimiento de la ley moral. Por esto, donde quiera que exista una manifestación enérgica de la voluntad humana, encontrará el poeta asuntos para sus representaciones: por esto vemos que el interés poético así se despierta por un héroe que ostenta buen carácter como por otro enteramente opuesto, y esto sucede porque el espíritu no atiende en este último caso más que á la fuerza que exige la perseverancia en el camino del mal.» Després d'un seguit d'exemples de «como Schiller esplica los interesantes fenómenos que se presentan en nuestro espíritu, en vista de las acciones que nos ofrecen ya los personages históricos, ya los imaginarios», Mañé acaba l'article dient que «queda pues consignado que la moralidad en sí no es lo que interesa al juicio estético, sino la libertad; que exigir la

49. *Idem* nota anterior.

concordancia moral de los objetos estéticos equivale a subyugar la imaginación, ó a dar á esta una parte en el imperio de la razón».[50] El darrer article[51] que tracta del sublim és el més curt i no afegeix gran cosa al concepte de teatre de Mañé. En realitat s'insisteix en la idea que el sublim marca la diferència entre l'home físic i l'home moral, ja que al primer li fa notar la seva petitesa i el segon hi descobreix la seva força.

Les traduccions de poesia

El 1859 és l'any del centenari del naixement de Schiller i a França es posa de moda editar-lo. Al principi ja he fet esment de l'edició preparada entre 1859 i 1862 per A. de Regnier, per a la casa Hachette, que amb la nova traducció que publica entre 1860 i 1869 havia de ser la porta d'entrada a la difusió de la seva obra. A Catalunya també arriben ressonàncies d'aquesta efemèride i es dóna un pas endavant en l'interès que Aribau, Piferrer, Milà, Quadrado o Mañé havien demostrat per l'obra teòrica i literària de Schiller. Però, ara, potser el més destacat és que es comencen a publicar traduccions de poemes (balades[52] i poemes filosòfics[53]), un relat i obres de teatre, generalment, en castellà. Un dels traductors més primerencs va ser Jeroni Rosselló que va incloure la traducció de «Fridolín» dins el recull *Hojas y flores*, publicat el 1853. Però en aquest moment la iniciativa es concentra en dues revistes de signe contrari: *La Abeja*, culta, destinada a un lector format en literatura i l'*Eco de Euterpe*, popular i destinada a un lector sense formació literària específica.

La Abeja. Revista Científica y Literaria, editada per Bergnes de las Casas i dedicada a promoure la cultura alemanya a Catalunya, serà la primera gran difusora de la poesia i també, però amb menys intensitat, del teatre i de la teoria dramàtica de Schiller. En el primer volum, dels sis que formen la col·lecció completa de la revista (1862, 1863, 1864, 1865, 1866 i 1870), l'editor Bergnes de las Casas, publica la seva traducció del relat «El criminal por la honra perdida» (1786),[54] i la traducció de Juan Pont y Guitart del text teòric «El teatro considerado como una institución moral». L'any següent, el 1863 es publiquen, en prosa i sense el nom del traductor, els poemes «Al placer», «La campana» i «Las tres palabras de la fe»; el 1864 es publiquen

50. Mañé, *Diario de Barcelona* (25-III-1854).
51. Mañé, *Diario de Barcelona* (9-IV-1854).
52. Es tracta de poemes narratius dramàtics inspirats en fonts clàssiques o medievals.
53. Els poemes de Schiller són tractats filosòfics rimats en la tradició de la poesia didàctica clàssica.
54. Aquest únic relat de Schiller està basat en un fet real, tal com l'autor assenyala en el pròleg. En ell, l'autor està més interessat en els pensaments i l'origen dels pensaments dels personatges que no pas en les accions i les seves conseqüències. És sobretot un estudi psicològic i de crítica sociològica.

el poema «Éxtasis», traduït en vers per Teodor Llorente que inicia la seva dedicació a la poesia romàntica; en el volum de 1866 trobem les següents traduccions: «Canto de Victoria», en prosa, per José Fernández Matheu; «Las palabras de la ilusión», en prosa, per Carlos Medina; «El anillo de Polícrates» i «El guante», en vers per Teodor Llorente; i també «El cazador de los Alpes», «Canción de las montañas», «La fortuna y la prudencia», i «Sentencia de Confuncio», «Esperanza» i «Luz y calor» en vers per José Fernández Matheu.[55] En el darrer volum, el sisè (1870), es van publicar «A Laura», «A Laura. Reminiscencias», així com «El conde de Eberhard de Württemberg» i «El caballero de Toggenburg». Dels dos poemes primers no es diu el nom del traductor, però els dos darrers acompanyen i il·lustren l'estudi de J. Fernández Matheu sobre «Las baladas de Schiller». En aquest article, J. Fernández Matheu afirma que el nord és la pàtria adoptiva de la balada i que entre els poetes que han conreat aquest gènere «Goethe es el más magistral, Schiller el más interesante, pero Burger es el más popular». Pel que fa a la resta són «un completo modelo de poesía descriptiva o sentimental». De primer situa Schiller després de Goethe, però després de valorar els poemes «El guante», «El nadador», «El caballero de Toggenburg», arriba a la conclusió que «las baladas de Schiller tienen más movimiento, más vivacidad, más acción, más variedad. Los héroes de ellas se distinguen por lo generosos, por lo leales, por lo magnánimos. Ello es un gran mérito estético. Además, aquellos héroes, una vez conocidos se graban en la imaginación para jamás desaparecer de ella. Las baladas de Schiller en nada desmerecen puestas en parangon con las de Goethe». Altres textos de Schiller en aquesta revista són: «Homenaje a las artes» (Composición dramática dedicada a la princesa de Weimar), traduïda en prosa per Emili Mata i apareguda en el volum V de 1866 i el drama *Maria Stuart*,[56] segurament la peça que més es va representar a Barcelona durant aquests anys, també dins aquest volum. A més, també en el volum I, i dins la secció «Excerpta» s'editen dos epigrames o *Die Xenien*, de Schiller: «El daño que causan los malvados sin saberlo es muchas veces más cruel que el que querían causar» i «El árbol de la ciencia no es el árbol de la vida». En els volums III i IV, *La Abeja* publica un extens article de F. A. Ruszlein sobre «Filosofía ideal. Estética» on, a partir de les idees de Kant, Fichte i Schelling, es desenvolupa la consideració de «la estética como ciencia de las artes». Doncs bé en el segon dels articles parla de la tragèdia, temes, forma i història d'aquest gènere, i estableix la diferència entre la tragèdia clàssica i la moderna en la qual destaca Shakespeare, Goethe i Schiller, a qui considera veritables genis.

55. J. Fernández Matheu va publicar una sèrie de treballs sobre la poesia alemanya a la *Revista Hispano-americana*, Madrid, 1867: «Estudios de literatura alemana. La poesía lírica en Alemania» (20 de gener, 27 de gener i 3 de febrer); «El teatro alemán en su apogeo, 1750-1820» (28 d'abril i 19 de maig); «Estudios de poetas épicos alemanes» (9 de novembre). Cito del llibre *Schiller y España*, op. cit., pàg. 154. Vegeu números 4 (27-I-1867), 20 (19-V-1867), 21 (26-V-1867) pp. 26-27, 16¡55-156; 162-163. També va publicar «Estudios sobre Goethe y Schiller» *a La América*, Madrid, 186, i «Estudios de literatura alemana. Goethe y Schiller» a *El Museo Universal*, Madrid.

56. Es tracta d'aquesta obra i no de *Don Carlos*, tal com diu Elias de Molins al *Diccionario biográfico y bibliográfico de escritores y artistas catalanes del siglo* XIX (1889-95).

Dins el mapa de la recepció de la poesia romàntica en general i de la de Schiller en particular, cal comptar amb la revista *Eco de Euterpe*,[57] de Josep Anselm Clavé i adreçada a un públic divers i popular. Això és especialment remarcable el 1863 quan Josep Güell i Mercader en va ser el redactor.[58] Entre el maig i l'agost de 1863 la revista va publicar una sèrie de traduccions de poemes de Schiller (15), Lord Byron (17), Heine (3), Goethe (1), Victor Hugo (1) i Lamartine (1). Algunes traduccions de Lord Byron i «Hero y Leandro» de Schiller estan signades per Josep Güell i Mercader, periodista reusenc i impulsor de la recepció de l'obra d'aquests poetes en aquesta publicació catalana, ja que quan deix la publicació s'acaben les traduccions de poetes romàntics alemanys, anglesos o francesos. Sembla que Güell, a més de republicà federal i periodista, era un entusiasta de la poesia romàntica. Pel que fa a Schiller en concret, la revista publica la traducció anònima, en castellà i en prosa, de les següents composicions: «Poesía de la vida», «Hero y Leandro»,[59] «Insomnio», «Amelia», «El filósofo egoísta», «El poder del canto», «La danza», «El rehén», «La muerte de un Natchez», «A la primavera», «El niño», «La armada invencible», «A una joven», «Esperanza», i «El palenque de la vida». A causa de la difusió d'aquesta publicació, podem assegurar que el coneixement de l'obra poètica de Schiller entre la classe mitjana i treballadora barcelonina havia de ser força generalitzat i es va produir en el mateix moment que s'introduïa entre els sectors més cultes de la població. El ressò de l'interès de Güell per la poesia romàntica arriba fins *El Eco del Centro de Lectura* de Reus que en el número 5, corresponent al 14 d'agost del 1870, publica la traducció castellana anònima de «Las tres palabras de la fe», que fins llavors només havia publicat *La Abeja*.

Les traduccions en català no van trigar gaire a publicar-se, la primera va ser «Dignitat del bell sexo» en versió d'Enric Pedemonte, apareguda a *La Gramalla*[60] el 1870; però el pes específic de la incorporació de Schiller durant el XIX serà essencialment en castellà.

La relació de Pau Piferrer amb Marià Aguiló[61] va contribuir a difondre l'interès per la poesia de Schiller, el gust per la balada i l'atenció al cançoner popular entre els escriptors mallorquins i valencians, per als quals Aguiló va ser una

57. Es repartia, de maig a octubre, entre els assistents a «les funcions de la societat coral de Euterpe, sense distinció de classes», en el seu recinte dels Jardins d'Euterpe, entre el 1859 i 1861, i, a partir de 1862 fins 1876, entre els que concorrien a les funcions dels Camps Elisis. La seva funció era la de difondre a la portada els programes dels concerts que oferia la societat coral, però en el seu interior s'hi publicaren poemes catalans i castellans, anècdotes, màximes morals, articles de costums, biografies de músics, treballs científics, etc.

58. Enlloc consta com a director, però en aquest període Güell era l'artífex de la publicació.

59. Aquest poema és l'únic on consta al peu «T. por J. G[üell] i M[ercader]».

60. A. I, núm. 12, 30-VII-1870, pàg. 3.

61. Especialment després que el 1844 es traslladés a Barcelona on va cursar estudis de Dret i ajudà Piferrer en la Biblioteca Provincial de Barcelona, i del 1858 al 1861 va anar a València com a Bibliotecari de la Universitat, on va fer amistat amb Teodor Llorente i Vicent W. Querol. Entre els seus amics mallorquins es comptava J. M. Quadrado.

referència dins el panorama de la literatura catalana de la segona meitat del segle XIX. No es coneix cap traducció d'aquest poeta alemany feta per Marià Aguiló, però es pot constatar que els poetes mallorquins,[62] valencians o catalans que hi van contactar acusen aspectes de la influència de Schiller i molts es compten entre els primers traductors dels seus versos. Entre els mallorquins, Jeroni Rosselló acusa la influència de Schiller en «Ecos del septentrión» (1857) i el 1875 tradueix «El dragón de Rodas», per al *Museo Balear* de Palma. El 1872 Bartolomé Ferrà dóna a conèixer una traducció de «La campana» en el seu llibre *Comedias y poesías*, publicat a Palma de Mallorca i també el poema «El repartiment dels bens» a la *Revista Balear de Literatura, Ciencias y Artes*, el 1886. I Miquel Victorià Amer, publica «L'ideal» a la *Revista Balear de Literatura, Ciencias y Artes*, el 1874, que el 1885 va reproduir dins *Museo Balear*, i el 1880 sortia la traducció de «Lo cavaller de Toggenbourg» a la *Revista Balear de Literatura, Ciencias y Artes*. Cinc anys més tard, el *Museo Balear* li publica «Johana d'Arc».

Teodor Llorente en l'antologia de poesia romàntica europea, *Leyendas de oro* (València, 1875),[63] va incloure les composicions de Schiller: «El triunfo del amor», «El cazador», «Hero y Leandro», «El guante», «El reparto del mundo», «Imágenes de Sais», «El caballero de Togemburgo», «El anillo de Polícrates» i «El combate con el dragón». Aquest recull, molt difós a l'època, va merèixer una tercera edició, ampliada, el 1879,[64] en la qual s'afegeix la traducció d'«El pegaso», de Schiller i dues composicions de Victor Hugo, i diverses de Heine, com assenyala l'autor en el pròleg. Maragall, fent-se ressò de l'impacte que aquest llibret va tenir entre la seva generació, recorda el juny de 1909 i a manera d'elogi a T. Llorente «aquella sensación que en mi primera juventud sus *Leyendas de oro* me dieron, de abrirse las ventanas de mi espíritu a la luz y a los aires de la poesia universal. Goethe, Schiller, Byron, Heine, Hugo, Lamartine, toda la encendida pléyade romántica, el fue el primero en mostrármela, y ya nunca pude apartar los ojos de ella; toda una generación española fue así por este hombre iniciada en la comunión poética del mundo, y la lengua castellana enriquecida con un oro exótico».[65] També el 1882, Llorente va reu-

62. Potser aquesta influència de l'idealisme alemany seria un factor a tenir en compte de cara a esbrinar allò que apunta YXART a *El año pasado,* 1885, pàg. 60-68, i 1889, pàg. 70 i 71, quan es refereix a l'excepcionalitat de la poesia mallorquina i en particular de l'obra d'«Estelrich que acaba de publicar una antología de traducciones de poetas italianos...; ni con Juan Alcover, de no común ilustración, de gusto acendrado, así en sus traducciones como en sus originales; ni con el incomparable Costa y Llobera, así escribiendo en mallorquín como ensayándose en sus magistrales sonetos en castellano, bien superiores a otros conocidos» (pàg. 70-71).

63. *Leyendas de oro, poesías de los principales autores modernos vertidas en rima castellana*. La segona edició, corregida, surt el 1875 amb 188 pàgines, publicada per la Llibreria Pascual Aguilar a València el 1971. El 1879, corregida i augmentada fins a 256 pàgines, va ser editada de nou a València per Teodor Llorente i Cia. el 1879. Hi ha altres edicions fetes per Pascual Aguilar: una, de 256 pàgines, del 1908 i l'altra, de 242 pàgines, del 1909.

64. Conté un pròleg sobre els afegits de la tercera edició, el pròleg de la primera, datat el 7 de gener de 1875 i l'article del crític Manuel CAÑETE sobre aquesta antologia, publicat a la *Revista Europea* el 15 d'agost del 1875.

65. MARAGALL, *Obres Completes* (Obres castellanes), Barcelona, 1961, pàg. 243-244.

nir en un volum d'*Amorosas,*[66] publicat el 1876 a València, altres poemes de Schiller com «Fantasía a Laura», «Éxtasis», «El secreto del recuerdo», «Melancolía», «Las flores», «El secreto», «La cita», «Lamentos de una doncella». Alguna d'aquestes traduccions havien vist la llum a la revista *La Abeja*, tal com ja s'ha esmentat. Molts anys més tard, el 1942, es publicarà la traducció de la *Vida sentimental de Schiller*, en col·laboració amb Carmela Eulate.

Per altra banda, Miquel Costa i Llobera, amic també de Marià Aguiló i deixeble de Milà, va escriure el 1876 la composició «L'arpa» que, segons el seu company d'estudis i gran amic Antoni Rubió, «es una balada catalana digna, a mi sentir de Schiller o de Goëthe, llena de patriótica "saudade", de un notable y profundo sentimiento elegíaco, la joya quizá de esas lamentaciones románticas que desde la famosa "Oda a la Pàtria" de Aribau (1833) ha exhalado tan a menudo la musa catalana...».[67] Joan Alcover, en l'homenatge que l'Ajuntament de Palma li va dedicar arran de la seva mort el 1922, va repetir que hi ha composicions del volum *Poesies* (1885) que recorden les millors de Victor Hugo, Schiller o Manzoni.[68] Josep Carner, a propòsit d'aquest poema de Costa i Llobera abans esmentat va remarcar la relació entre la influència de Schiller i un cert tombant de la poesia catalana, davant l'exhauriment de la poesia jocfloralesca: «Amb la sola força persuasiva de sa excelsa bellesa, "L'Arpa" (1876) volia encaminar serenament el nostre artificiós romanticisme literari vers les clares esferes de Goethe i Schiller. Mes fou inútil, seguí encara prou temps la verbositat, la cridòria, el desequilibri que anomenàvem "grandiositat". Tot això copiat de lo pitjor de Víctor Hugo.»[69] Anys més tard, Costa s'apropà a Schiller amb la «traducción directa» de la composició «El poder del canto», que va incloure en l'edició de les *Líricas* (1899).[70] En Costa, la influència de Schiller no competeix ni amb la dels clàssics ni amb la de Carducci i, en canvi, l'apropa a Pons i Gallarza, a Marià Aguiló, i en definitiva a la poètica de Milà, pel que té de síntesi entre classicisme i romanticisme. Joan Alcover diu que la publicació de *Poesies* mereix «ésser senyalada amb caràcters de llum en els annals de Mallorca» pel que suposa d'assimilació de la gran poesia europea entre la qual destaca Schiller amb qui compara alguna de les composicions. Amb raó Riba explica que «la poesía de Mn. Costa [...] realitza la expressió d'un clàssic cristià sobre una terra alhora concreta i secreta [...]. Seguint la línia de Marian Aguiló per la consciència de la unitat de la pàtria en

66. *Amorosas, poesías de los principales autores modernos puestos en rima castellana*. 3a edició corregida, València (1909?).

67. Antoni Rubió i Lluch, «Estudio preliminar» a M. Costa i Llobera, *Obres Completes*, Barcelona, 1994, pàg. 14-18.

68. Joan Alcover, «Miquel Costa i Llobera», discurs llegit en la sala de sessions de l'Excm. Ajuntament de Palma el 31 de desembre de 1922. Dins *Obres Completes*, Barcelona, 1951, pàg. 184.

69. Josep Carner, «El darrer mot d'En Costa», *La Veu de Catalunya* (22-III-1906) i dins *El reialme de la poesia*, edició a cura de N. Nardi i I. Pelegrí, Barcelona, 1986, Ed. 62, «L'Alzina», pàg. 39. Aquesta idea es repeteix en «De l'acció dels poetes a Catalunya», publicat a *Empori*, núm. 9, 10 i 12, març, abril i juny de 1908, pàg. 88-91, 122-125, 202-206, respectivament.

70. Costa, *Líricas*, Palma de Mallorca, tipolitografia d'Amengual i Muntaner, pròleg de Restituto del Valle Ruiz O.S.A. redactor de *La ciudad de Dios*. Dins *Obres Completes*, 1947 i 1994, *op. cit.*, pàg. 772-773.

l'espai i en el temps cap al futur, visqué i parlà, com Pons i Gallarza, però més amplament, dins la que podríem dir-ne, en termes antics, la pietas de les coses. Això és, dins el respectuós amor a les coses de la realitat circumdant, que per a l'home són símbols del seu sentiment, testimonis perennes de la seva vida, figures gairebé dels valors tradicionals col·lectius. Tal arbre, tal vall, tal cala: amb llurs caràcters físics, de vegades totes elles en llur sol nom inefable».[71]

Jaume Martí-Miquel, marquès de Benzú, dins *Flores de luz, Poesías de autores extrangeros puestas en rima castellana* publica la traducció d'«A la orilla de un arroyo». Més tard ofereix les versions de «Casandra» i «Las tres palabras de la fe», que, segons testimoni de J. Ll. Estelrich, va ser publicada de forma anònima a *La Abeja,* i recollida pel seu traductor en el llibre *Granos de oro* (1883), que es va reproduir amb el títol de *Poetas extrangeros*, en una edició feta a Barcelona el 1891.

A la Biblioteca Nacional de Madrid es conserva un únic exemplar,[72] propietat de Francesc Pi i Margall, imprès pel seu fill i dedicat a la seva mare Petra Arsuaga de Pi. Es tracta de Schiller, F., *Baladas y poesías*, Madrid, Impremta J. Pi Asuarga, 1877, que conté, entre les balades, «El guante», «El buzo», «El anillo de Polícrates», «El combate del dragón», «El cazador de los Alpes», «Hero y Leandro», «La canción», «El caballero de Togemburgo», «El mensaje de la fragua», «Casandra», «Las guillas de Ibico» y, entre els poemes, «La fiesta de Eleusis», «Colón», «Ulises», «Arquímedes y el discípulo», «A los amigos», «Al empezar el siglo XIX», «Tecla», «Un joven a la orilla de un arroyo», «Poder del canto», «El misterio», «El combate», «Los grandes filósofos», «Esperanza», «La Ilíada».

L'efemèride del centenari del naixement de Schiller el 1859 també va revifar l'interès pel seu teatre. Així, el 1869 es van acabar d'editar cinc drames (*Los bandidos, Luisa Miller, Don Carlos, Maria Stuart* i *Guillermo Tell*) en la col·lecció «Teatro selecto antiguo y moderno, nacional y extrangero», volum VII, que publicava a Barcelona l'editor Salvador Manero.[73] José Fernández Matheu consta com a traductor de totes les obres amb l'única excepció de *Don Carlos*. L'edició, el pròleg i les notes són de Gaietà Vidal i Valenciano.

71. C. RIBA, «Memòria de Mn. Costa i Llobera», dins ...*Més els poemes* (1957) dins *Obres Completes, II, Assaigs Crítics*, Barcelona, 1967, pàg. 508. En aquest mateix sentit Riba s'expressa a «Sur l'action du classicisme dans la Reaissance Littéraire Catalane», a propòsit d'Aribau, Costa, Alcover, Maragall, *op. cit.*, pàg. 664-673.

72. Biblioteca Nacional de Madrid (2-53622). Informació treta del *Diccionario biográfico y bibliográfico de escritores y artistas catalanes del siglo XIX* (1889-95) d'Elias de Molins, pàg. 234.

73. Només he pogut localitzar el volum V de la sèrie a l'Institut del Teatre de Barcelona, prologat, també, per Gaietà Vidal i Valenciano, però no conté cap obra de Schiller.

Entre la idea de poble, la revelació de la natura i el sentit de la realitat. Aportació a la renovació de la dramatúrgia. Interès per la poesia de Schiller

El tombant que Carner i Riba van entreveure en la poesia de Costa i Llobera des del 1876, ja l'assenyalava Josep Yxart en la crítica de *Poesies* (1885). El considera un dels pocs poetes de debò dins l'àmbit peninsular precisament per la seva proximitat al concepte de poesia de Schiller i Heine, quan subratlla els moments més feliços del recull entre «aquellos en que se inspira y traslada la sublime impresión de la naturaleza, de la costa bravía y el mar que contempla (como en "Temporal", en "Marina", en "Demunt l'altura"), o cuando se detiene al pie de un "claper"». Aquesta valoració de la realitat com a matèria poètica, que Mme. de Staël assenyala a *De l'Allemagne* (1813) com una de les qualitats més destacables de la poesia idealista de Schiller,[74] és el que permet detectar una nova actitud en la seva recepció, que, en part, ja forma part de l'ús que de l'idealisme alemany feia Milà en la seva *Estética* (1857-1869) i, a través d'ell, els seus alumnes de la Universitat. Manuel de Montoliu ha exposat amb tota claredat la concepció realista de l'art que tenia Schiller en *Aribau i la Catalunya del seu temps*. «Schiller no està d'acord amb Kant en l'afirmació categòrica sobre la manca de base objectiva en la nostra coneixença de les coses. Ell, com a teoritzador, es col·loca entre el realisme i l'idealisme, i s'esforça per reconciliar-los en una harmonia superior. Schiller admet l'un i l'altre per tal que es completin mútuament i declara que sols l'equilibri entre aquestes dues actituds extremes pot respondre totalment al concepte nacional de l'art humà. Als romàntics concedeix Schiller que l'objecte de l'art és suprasensible; però també acorda als realistes que és amb caràcters sensibles que l'art expressa el suprasensible i que el geni enriqueix la natura sense sortir d'ella. En una carta a Goëthe [...] resum bellament aquesta opinió en la frase: «Dues coses fan el poeta: aixecar-se per damunt de la realitat i restar en els límits del món sensible.» Donar a la humanitat la seva expressió més completa: aquesta és la finalitat que Schiller assigna a la poesia. Un concepte de l'art i de la poesia que al seu entendre «no té res de romàntic», tot i haver viscut «en plena època de la poesia romàntica», sinó que pel «sentit d'humanitat, integral, totalitari que ell atribueix a la missió de l'art i de la poesia, ens inclina a qualificar la seva estètica de clàssica o classicista. Aribau, doncs, en el fet de triar com a tema d'un dels seus assaigs les idees estètiques d'un escriptor que, encara que no és romàntic, visqué en plena època de la poesia romàntica, no féu professió ni directa ni indirecta de romanticisme. Al contrari, gosaríem dir que el que devia atraure'l a l'estètica de Schiller fou, segurament, la ponderació i l'equilibri que la distingeixen tan netament de l'estètica pròpiament romàntica».[75]

74. «Schiller ne présente jamais les réflexions les plus profondes que revêtues de nobles images: il parle à l'homme comme la nature elle-même; car la nature est tout à la fois penseur et poète. [...] la poésie doit être le miroir terrestre de la divinité, et reflechir par les couleurs, lers sons et les rytmes, toutes les beautés de l'univers.» Mme. DE STAËL, *De l'Allemagne*, I, París, 1968, pàg. 232.

75. M. de MONTOLIU, *Aribau i la Catalunya del seu temps*, *op. cit.*, pàg. 151-152.

A les illes, la llavor sembrada per Costa va trobar continuïtat en l'escriptura d'alguns dels seus contemporanis com Joan Alcover.[76] En tots ells la valoració de les imatges acolorides de la natura concreta i concisa de Mallorca es fon amb l'ús de les formes romàntiques en una síntesi que Alcover resumirà en la conferència pronunciada a l'Ateneu Barcelonès el maig de 1910. «Més similar me sembla per a nosaltres la història del floriment intel·lectual de la jove Alemanya, on després del període d'imitació clàssica que succeí a la guerra de trenta anys, els més alts esperits retornaren a la musa popular i a les tradicions indígenes; i si qualcun se n'allunyava, perseguint ideologies abstractes, pagava cara l'ambició mal entesa. Jo no sé alemany, per desgràcia, però em sembla, a través de les tradicions que la producció lírica de Schiller, una gran part, inspirada en certs assumptes d'actualitat europea, en cert filosofisme rousseaunià, en certs temes de liceu, ja no palpita i sols conserven son encís les pàgines ungides amb les emanacions de la vida casolana, és a dir, lo que té de comú amb els altres grans poetes de la renaixença presidida per Goethe, l'immortal restaurador del "lied" i la balada, el model insuperable, el més universal, el més culte i el més humà dels poetes, que begué els alens de la musa popular germànica renovant el mite hel·lènic dels amors del Déu amb la filla de l'home.»[77] Deu anys abans en la conferència sobre Jeroni Rosselló, pronunciada el 23 d'abril del 1900, Alcover ja havia afirmat el decantament del romanticisme per les descripcions de la natura, el paisatge i una certa realitat: el «romanticisme restablí la comunicació entre l'artista i l'home, entre l'home i la terra qui el nodria, entre les fulles i les arrels, entre el poble i la tradició, entre la vida i els horitzons on se movia dins el temps i dins l'espai. Revingueren les fonts naturals i eternes del sentiment, esclataren els auballons de la sinceritat. I darrera la reivindicació de la personalitat individual vingué el despertament de la personalitat col·lectiva com darrera les petites ondulacions vénen les més amples ondulacions concèntriques, quan cau la pedra en l'aigua adormida de l'estany».[78] Una reflexió sobre la poesia i sobre Schiller que Alcover va tenir present a l'hora d'escriure versos, però no massa en el de triar uns poemes de Schiller perquè el seu amic Joan Lluís Estelrich els inclogués en el volum de poemes de Schiller[79] que volia publicar en castellà. Els poemes de Schiller que va traduir Alcover són: «Los caballeros de San Juan», «El saber del hombre», «Al comenzar el siglo XIX» i «La clave». Els temes són la pietat, la possibilitat del coneixement científic i moral, o de trobar en el santuari del cor un refugi per a la llibertat i en la poesia un altre per a la bellesa.

L'estiu del 1876 i al cap d'uns anys d'haver llegit *De l'Allemagne* de Mme. de Staël, Josep Yxart va endinsar-se en la lectura minuciosa dels poemes i les obres

76. Alcover entre 1873 i 1903 va escriure preferentment en castellà, influït per la poètica de Campoamor i la poesia heiniana de Bécquer. El 1904 va publicar les «Cançons de la serra», en la línia de les composicions de Costa, amb qui compartia formació sota el mestratge de Milà i Aguiló, i amistats culturals com Antoni Rubió i Lluch.

77. Dins *Obres Completes*, *op. cit.*, pàg. 237-238.

78. Vegeu J. ALCOVER, *Obres Completes*, *op. cit.*, pàg. 145.

79. A les cartes (27, 34, 36, 38 i 39) adreçades a J. Ll. Estelrich els dies 17-XII-1902, 4-III, 15-IX, 14-XII i 25-IX de 1907, Alcover parla del volum de traduccions de Schiller i de les seves col·laboracions.

dramàtiques de Schiller, induït entre d'altres fets per la sèrie d'articles que José del Perojo,[80] Fastenrath[81] i González Serrano[82] havien dedicat a Goethe i Schiller en les pàgines de la *Revista Contemporánea*, dins el revifat interès d'aquesta publicació pel pensament filosòfic de Kant, de qui Schiller es va reconèixer deixeble. Tot seguit en va escriure un extens comentari inèdit en forma de carta adreçada a Narcís Oller, que va titular *Estudio sobre Schiller*,[83] on a grans trets es mostrava molt d'acord amb el criteri que Madame de Staël havia desenvolupat sobre aquest poeta en el seu llibre *De l'Allemagne*[84] i que ell havia llegit uns anys abans. En aquest llibre la seva autora presenta un Schiller molt proper al Kant que «a porté le respect pour la vérité jusqu'au point de ne pas permettre qu'on la trahit».[85] El Schiller (poeta i dramaturg) que ara interessa a Yxart és també el que escriu sota la influència de Kant[86] en el sentit apuntat per Mme. de Staël i que resumeix així: «Distingue a Schiller como poeta lírico, la característica unión de la abstracción filosófica, con la imagen fresca y sonriente, y el sentimiento intenso y delicado. [...] Inútil es decir que van envueltos en imágenes brillantísimas y se lanzan al espacio, rozando antes con ligeras alas la vivísima pintura de la naturaleza esterior y de las pasiones y sentimientos del hombre.» Lamenta no poder llegir els poemes de Schiller en el vers original que hauria de fer avinent l'emoció de les seves idees amb la «sensación también misteriosa y pura de una versificación armoniosa, del ritmo poético y los giros de un pintoresco lenguaje que no permitan a la razón el análisis de la verdad del concepto, y ahogando la imaginación la impidan recrearse admirando las fugaces galas. Si esto sucede la cuerda del sentimiento no vibra, el canto se convierte en una página de moral o de filosofía y se desvanece la poesía, que no es otra cosa que una momentánea exaltación parecida a la de la música». Destaca la mirada plena de «profundidad y sublimidad» que han aportat Goethe i Schiller en la seva revisió del món clàssic. De fet, Schiller li ensenya que tot i que el poeta neix, la veritable poesia no té res a veure amb l'«espontánea fertilidad» i que la seva creació s'ha d'entendre com la síntesi entre classicisme i romanticisme. Un eclecticisme que ell mateix adoptarà i en el qual anirà fonent les tendències que imposin els successius moments històrics. Després,

80. J. del Perojo, *Goethe y Schiller, Revista Contemporánea* (30-IX -1875).

81. Fastenrath, *Weimar y sus glorias, Revista Contemporánea* (15-II-1876).

82. González Serrano, *Goethe y Schiller, Revista Contemporánea* (30-VII-1876). Aquest crític entre 1877 i 1904 va ser considerat un gran coneixedor de Goethe. Yxart li va encarregar el pròleg a *Mujeres de Goethe* en el qual va resumir les idees principals del seu estudi publicat el 1878.

83. Aquest treball ha romàs inèdit fins avui. El manuscrit original i inèdit que guarda la família Yxart ha estat editat per R. Cabré i es publicarà en proper número de *l'Anuari Verdaguer*.

84. «...en la admirable obra *La Alemania* de Mad[a]me Staël, puedes hallar ampliamente desarrolladas las investigaciones que dejo duchas, para formar cabal concepto de Schiller y su época, acompañándole el retrato moral del inmortal autor de la *Campana*, con tal maestría y tan simpáticos colores diseñado, que ha de enternecerte el hombre con sus virtudes, antes de interesarte el poeta con sus inmortales obras.» Yxart. *Estudio sobre Schiller*, Ms. inèdit. Arxiu Yxart.

85. Mme. de Staël, *De l'Allemagne*, vol. II, París, 1968, pàg. 197.

86. Per a l'estudi de la influència de Kant en Schiller vegeu Jaime Feijoo, «Estudio introductorio» a F. Schiller, *Kallias. Cartas sobre la educación estética del hombre*, Traducció i notes de Jaime Feijoo i Jorge Seca, Madrid-Barcelona, 1990, pàg. XIV a LXVI. I també R. Wellek, «Kant y Schiller», dins *Historia de la crítica moderna (1750-1950)*, Madrid, 1969, pàg. 263-293.

Yxart s'introdueix en el seu teatre com el vessant de la seva obra que el faria més immortal i el presenta com el successor de Shakespeare, ja que «aspiraba a reformar radicalmente el teatro, aplicando los nuevos preceptos que el Inmortal por antonomasia había predicado con el ejemplo». De la seva renovació destaca la reacció contra el teatre neoclàssic francès; l'abandó de les unitats d'espai i temps; la defensa d'una entonació natural; l'exposició, enllaç i desenllaç conseqüents amb el desenvolupament de les accions; donar més protagonisme als personatges secundaris i al poble per engrandir les proporcions de l'escenari del món i de l'espai de manifestació de l'ànima humana, fins encabir tot un poble en obres com *Wallenstein*, *Guillem Tell* o *Joana d'Arc*, o tota una època històrica a *Maria Stuart* o *D. Carlos*; saber donar un ventall d'idees, passions i vicis, matisats i contraposats de tal manera que donin la sensació que siguin «lo que acontece en la vida». Aquestes idees Yxart les mostra en l'anàlisi de cadascun dels drames, juntament amb l'evolució del seu talent creador. Però la gran lliçó que Yxart treu de Schiller en el camp de la dramatúrgia serà diversa. En primer lloc la idea que «todo es convencional en el teatro» que Yxart anirà variant de contingut, però que no abandonarà mai. Ara, però, fidel als ensenyaments de Milà, aquesta idea el porta a afirmar que «es cierto que el arte debe descansar en la firme base de la naturaleza, pero no ciertamente imitándola fielmente en sus formas y superficies, sinó interpretando sus invisibles leyes a la luz de la inspiración y revelándolas por medio del arte». D'aquí que consideri que «el idealismo, sea más *natural*, más basado sobre la alta realidad de las cosas, que la misma imitación de ésta». Per això, Schiller no serà cap destorb, sinó tot al contrari, en la recepció del positivisme idealista de Taine[87] i la seva *Philosophie de l'art* que llegirà immediatament després, la tardor del 1876. En aquest sentit, Yxart va aprendre una darrera lliçó de Schiller, la que deriva del sentit crític que introdueix en els drames a partir de l'ús del cor grec com a manifestació d'un personatge múltiple que, entre d'altres funcions, «templa las pasiones con los axiomas de la ciencia de la vida, o llora con las lágrimas del dolor». I especialment, ho defensa perquè «la vida del corazón interesa de nuevo a la multitud y reaparece bajo formas más sociales y al mismo tiempo ideales del concepto artístico», com si intuís que aquest retorn de l'ús del cor, que proposa Schiller, fos una clau per aproximar el drama romàntic, individualista, a la dimensió social que reclamava el positivisme, que s'havia introduït a Catalunya en aquests anys. La lectura de Schiller provoca un sentiment de complicitat i d'afinitat en Yxart que l'anomena «amigo» i lamenta la seva mort prematura als quaranta-sis anys.

A partir d'aleshores manifesta una gran admiració per aquest poeta alemany i concep la idea de traduir tot el seu teatre amb l'excepció d'*Els bandits,* la seva obra més immadura. Mentrestant, el 1879 l'escriptura de *Lo teatre català* ja tradueix l'impacte de l'assimilació de les idees de Schiller, especialment la seva concepció sociològica del fenomen teatral, exposada en el pròleg de *La promesa de Messina.* «Schiller, que per cert no s'inclinava a veure en les coses son ingrat aspecte positiu, ha dit ab clares y breus paraules lo qu'era realment lo teatre: Lo teatre –diu–, reposa

87. Taine, com a deixeble de Hegel, manté un deute important amb l'estètica de Schiller.

en últim terme en varies necessitats: l'empresari vol fer negoci; l'actor vol lluhirse; lo publich, divertir-se. Aquesta trinitat despòtica fa de tota producció dramàtica, no lo que deuria de ser, sinó lo que la moda, lo capritxo, de vegades lo mercantilisme, volen que siga. Aquesta trinitat despòtica corromp l'autor dramàtic, que a la vegada es converteix en son corruptor. [...] Dominats i dominadors alternativament, autor i públic, acaben per desconeixe's l'un de l'altro.» Heus ací que, de la mà de Schiller, Yxart fa un plantejament social i evolucionista del teatre en harmonia amb les tendències realistes i del tot compatible amb la vigència de la tragèdia, del drama històric o del drama de costums.

Ja a principis de la dècada dels vuitanta es comencen a publicar els *Dramas* de Schiller, traduïts per Yxart, un projecte que ben aviat anà prenent cos després de la lectura feta l'estiu del 1876. Aquests *Dramas*, en tres volums, apareixeran el 1881, 1882 i 1886, respectivament, a la Biblioteca «Arte y Letras», fundada pel seu amic l'editor Enric Domènech i que ell dirigirà a partir de 1883. El 1883 es va fer una reedició del primer volum, quan la casa editora ja havia estat adquirida per Francisco Pérez Aleviraz. Yxart, que no sabia alemany, tradueix d'una edició en francès.[88] La presentació dels volums és esplèndida, tal com s'esdevé normalment en aquesta col·lecció,[89] amb il·lustracions d'A. Liezen Mayer i A. de Werner en el primer volum, de P. Thumann, A. Schmitz, E. Klimsch, H. Lossow i A. Liezen Mayer en el segon, i d'A. Lick i V. Friedrick en el tercer. Però aquesta iniciativa va quedar desdibuixada per l'edició coetània, entre 1881 i 1883, dels tres volums d'*Obras dramáticas* de Schiller, traduïdes directament de l'edició alemanya de Cotta al castellà per Eduardo de Mier y Barbey i publicades a la «Biblioteca clásica». Aquesta edició conté totes les obres dramàtiques de Schiller amb l'excepció de *Guillermo Tell* i, segons A. Palau i Dulcet,[90] va conèixer noves reedicions el 1886, 1904, 1906, 1907, 1909-10, 1913, 1925-28, 1934, 1935, 1964, mentre que de la d'Yxart només es va reeditar el 1909 un volum a la mateixa col·lecció amb *Guillermo Tell*, *María Stuardo* i *La promesa de Messina*.

La traducció d'Yxart incorpora a la llengua castellana tot el teatre original de Schiller amb l'excepció d'*Els bandits*, la peça on l'autor es manifesta «tempestuoso hasta la exageración» i d'una «influencia moral en alto grado perniciosa, y su fin y sus conceptos pugnan con los que más tarde manifestó el poeta, más puros y conformes con una moral nunca severa, pero siempre saludable», pensada més com a reacció contra «el artificio de las sociedades modernas que alejan el hombre de la natura-

88. «Me cuesta, me cuesta decirle a Domènech en castellano lo que me va diciendo Schiller...en francés», comenta a Oller en una carta del 22 de novembre de 1880 (Arxiu Yxart). Potser de les *Oeuvres complètes de Schiller*, traduïdes per A. de Regnier, París, 1859-62, en vuit volums. El primer dedicat a la poesia amb un pròleg sobre la vida d'aquest escriptor; del segon al quart contenen l'obra dramàtica; el cinc i sis, les obres històriques; el setè, *Le visionaire* i *Mélanges*, i el vuitè, l'*Esthétique*.

89. És una mostra de com estaven d'evolucionades les arts aplicades i els oficis en aquests anys, que havien de sorgir amb el modernisme.

90. *Manual del librero hispanoamericano*.

leza» que com el cant deliberat d'«apoteosis del crim»,[91] que va induir molts joves a seguir el seu exemple. Al primer volum, *Guillermo Tell*, *María Estuardo* i *La doncella de Orleans*; al segon, *Don Carlos*, *La conjuración de Fiesco* i *Cábalas y amor*, que Yxart en les cartes a Oller sovint anomena *Luisa Miller*, i al tercer, *La novia de Mesina* i *Wallenstein*. El primer volum és encapçalat per un pròleg del traductor, on s'aprofundeix en l'anàlisi feta en l'estudi-carta del 1876, adreçat a Oller. En aquest pròleg, Yxart comença per reconèixer la dimensió literària del dramaturg: «El insigne Schiller pertenece al número de estos escritores privilegiados; pues como siempre consagró su inspiración elevadísima á enaltecer con los hechizos de la poesía cuanto hay de noble y sublime, y al propio tiempo de esencial é inmutable en la naturaleza humana, nadie que sienta el valor de los más grandes afectos y pasiones dejará de estimarle hondamente, ni se hará fuerza en atribuirle las mismas cualidades que tanto enalteció. ¿Quién ha leído jamás sin enternecimiento y entusiasmo la célebre canción de la *Campana*, quizá la mejor de la lírica moderna? Fúndense y armonizánse en ella profundos conceptos con imágenes vivas y pintorescas y delicados rasgos de esquisita sensibilidad; pero todavía sorprenden más que tan brillantes dotes la aspiración generosa y humana que anima la composición entera, la honda simpatía que siente el poeta por el hombre, y que le mueve á describir y embellecer lo que todos aman, á cantar con melancólico é inspirado acento nuestros destinos, y cuanto es causa de grandeza y bienestar moral.»[92] Darrere aquesta breu i senzilla descripció del sentit del poema com a paradigma de l'obra de Schiller, s'hi entreveu un profund i total coneixement de la teoria literària del romàntic alemany, «moralista y filósofo, tal vez más que poeta, viendo en el teatro una institución social, consideró la misión del autor dramático como sacerdocio artístico».[93] Yxart fa una especial atenció en el Schiller, proper a Kant,[94] de les *Kallias* i de les *Cartes sobre l'educació estètica de l'home*,[95] i que resumeix la idea que la naturalesa és bella si sembla art, però que l'art és bell si sembla naturalesa, i per tant, allunyada de tot convencionalisme. Defensa que els caràcters que dibuixa no són entitats metafísiques sinó caràcters complexos que suposen un «vivo conocimiento de la realidad, y raro vigor y exactitud en la copia», i només lamenta que la traducció en prosa no pugui fer ressaltar l'estil i el ritme de la frase de Schiller. En el tercer volum, Yxart inclou, davant de *La novia de Mesina*, i a

91. *Idem* nota anterior.

92. Anys més tard, Marcelino Menéndez y Pelayo opina que «sería la primera poesía del siglo XIX, si no se hubiese escrito en el penúltimo año del s. XVIII, y no llevase impreso el espíritu de aquella era, aunque en su parte más ideal y noble. Toda la poesía de la vida humana está condensada en aquellos versos de tan metálico son, de ritmo tan prodigioso y tan flexible. El que quiera saber lo que vale la poesía como obra civilizadora, lea "La campana", de Schiller, *Historia de las ideas estéticas en España*, t. IV, vol. I, Madrid, 1887, pàg. 71.

93. YXART, «Cuatro palabras del traductor», dins Schiller, *Dramas*, vol. I, Barcelona, 1881, pàg. II i III.

94. Per a l'estudi de la influència de Kant en Schiller vegeu Jaime Feijoo, «Estudio introductorio» a F. Schiller, *Kallias. Cartas sobre la educación estética del hombre*, traducció i notes de Jaime Feijoo i Jorge Seca, Madrid-Barcelona, 1990, pàg. XIV a LXVI. I també, R. Welleck, «Kant y Schiller», dins *Historia de la crítica moderna (1750-1950)*, Madrid, 1969, pàg. 263-293.

95. Només conec una traducció en català: *Cartes sobre l'educació estètica de l'home*. Traducció, introducció i edició a cura de Jordi LLOVET. Barcelona, 1983.

manera d'introducció del volum, el text teòric «Del uso del coro en la tragedia», que l'autor va escriure a manera de pròleg per a aquesta obra. Aquí, Schiller remarca que «esta realidad, esta objetividad, términos del verdadero arte, son cabalmente los que le impiden contentarse con la apariencia de la verdad y le conducen á fundar el edificio ideal sobre la verdad misma, sobre los cimientos firmes y profundos de la naturaleza. [...] Ser ideal y al propio tiempo real, en la más amplia acepción de la palabra, abandonar el terreno de lo positivo sin cesar de vivir en perfecto acuerdo con la naturaleza: esto es lo que pocos comprenden, y lo que falsea el juicio de toda obra poética ó plástica, puesto que según el común sentir ambas condiciones se excluyen mutuamente [...] Todo en teatro es tan sólo símbolo de la verdad.» Així, quan Yxart reivindica, d'acord amb R. Picó i Campanar, la vigència del drama històric que conjugui la grandiositat i amplada del drama líric, amb la psicologia i la veritat de l'obra dramàtica sense cant ni orquestra», la «tentativa schilleresca, com *La promesa de Messina*», amb la introducció del «*chor antic*, lo poble, lo personatge etern, u i invisible, lo poble català que comenta l'acció, que impreca als seus tirans, que plora ab la derrota dels seus cabdills, que alça el crit i el plany cada vegada que veu, en les resolucions accidentals dels héroes, com se dóna un pas més cap a la catàstrofe... Però no el *chor* en les taules com un de tants personatges del drama, amb molts caps, no: lo verdader *chor*, aislat, separat de l'acció, mirant-la des de fora»[96], li permet conjugar la tradició amb el seu decidit suport a tot el que sigui modern.

El tercer volum s'acaba amb la trilogia sobre Wallenstein,[97] però Yxart la introdueix amb el text que Schiller va escriure per a l'estrena d'*El campament de Wallenstein* amb motiu de la reobertura del teatre de Weimar el 1798 i que va ser llegit per un actor. En ell, el dramaturg alemany insisteix en les idees abans exposades i, segurament per aquest motiu, Yxart va tenir interès de publicar-lo. Ni en l'*Estudio sobre Schiller* ni en el pròleg dels *Dramas* ni en l'organització dels volums, Yxart no perfila amb precisió les tres etapes[98] que estudiosos més recents han donat a l'obra d'aquest dramaturg. Distingeix unes primeres obres d'una darrera etapa d'influència clàssica, dins la qual situa el text que més li interessa: «Del uso del coro en la tragedia», que ja esmentava en el seu treball del 1876 i en *Lo teatre català* (1879), pel que té de dimensió social del teatre i perquè li permet de ser innovador i al mateix temps fidel a allò que creu que és el pensament fonamental de la seva obra, quan al final d'aquest escrit afirma: «que el arte es esencialmente idealista, buscando con renovado anhelo la fusión del elemento ideal con el real, que así aleje del naturalismo pseudoclásico, como de un idealismo fantástico y absurdo».[99] En els seus comentaris sobre Schiller, Yxart no anomena cap altre escrit teòric, però si es llegeixen detingudament

96. J. YXART. «Ramon Picó i Campamar. Carta oberta a D. Joaquim Cabot», dins *Obra Catalana*, Barcelona, 1895, pàg. 145-152.

97. El tema de la trilogia *Wallenstein* Schiller l'havia desenvolupat a la seva *Història de la guerra dels trenta anys* (1791-1793). Tracta de la seducció del poder a partir de l'exemple d'un cas històric.

98. Potser el primer que ho fa sigui C. Riba en el seu treball, "Frederich Schiller" *Quaderns d'Estudi* núm. 2 (1916) pp. 114-121 i dins *Obres Completes* vol. II, Barcelona, p. 769.

99. YXART. *Estudio sobre Schiller*, op. cit. nota anterior.

els seus treballs sobre aquest poeta i dramaturg es fa evident que coneixia les seves principals idees literàries que Schiller havia formulat al llarg de la seva obra teòrica. Considerava les idees de Schiller sobre el teatre i la seva obra *La promesa de Messina* una veritable font de renovació de la tragèdia i del drama, i en el retrat de Ramon Picó i Campanar, reclama que el teatre català prengui aquesta obra com a model i faci el salt des del que fins ara s'havia entès a Catalunya per drama històric, completament caducat, a una «temptativa schilleresca, com *La promesa de Messina*: l'introducció del *cor antic*, lo poble, lo personatge etern, u y indivisible, lo poble català que comenta l'acció...»[100] amb influències sobre Wagner i Verdi,[101] i amb conseqüències que tindran un impacte definitiu en la concepció de l'art escènic, en general, i de la tragèdia moderna[102] i el drama romàntic, en particular, la seva comprensió va decantar Yxart a l'interès i l'estudi del teatre del segle XIX.

El 1883 Josep Yxart, com a editor de la col·lecció «Arte y Letras», va recollir en l'edició de *Tres poesías* (1883), la traducció «clásica en España», com diu Yxart en el pròleg, de «La campana» de Schiller, que Hartzenbusch havia fet directament de l'alemany el 1843, junt amb els poemes «El ángel de la muerte» de J. O. Wallin, que tradueix ell, i «Epístola moral a Fabio» de F. de Andrada. L'edició s'acompanya d'il·lustracions de C. Larsson per a «El ángel de la muerte», d'A. Liezen Mayer - R. Seitz per a «La campana», i Alejandro de Riquer, per a l'«Epístola moral».

Joan Maragall, amic d'Yxart,[103] i deixeble, en part, de Mañé, era un bon lector de Schiller. A la seva biblioteca hi havia una edició dels *Dramas*,[104] feta per Yxart, i traduccions posteriors en català de *Guillem Tell*[105] i *Wallenstein,*[106] així com l'edició

100. Josep YXART, *Entorn de la literatura catalana de la Restauració*, Barcelona, núm. 42, pàg. 132.

101. Vegeu Gilbert HIGHET, *La tradición clásica*, vol II, pàg. 132.

102. Precisament, entre 1871 i 1874, des de les pàgines de *La Renaixensa*, Riera i Bertran, S. Prats i J. Roca i Roca feien plantejaments teòrics generals sobre el teatre a Catalunya i, en particular, sobre la viabilitat de la tragèdia, caldria veure quina filiació tenen i si hi pot haver Schiller darrere de les seves propostes. Vegeu C. DURAN, *Índexs de «La Renaixensa»*. Barcelona, 1998, Ed. Barcino, pàg. 39-41. Fins a quin punt aquests articles, o ja més directament van influir Víctor Balaguer en l'escriptura de les seves *Tragèdies* (1876 i 1879). (Vegeu P. FARRÉS. «Una lectura de les tragèdies de Víctor Balaguer», *Els Marges*, núm. 59, desembre de 1997) o a Guimerà en la seva decisió d'escriure *Gala Placidia (*1879), la primera d'una sèrie de peces que es consideraven tragèdies (Rosa CABRÉ, «Entre l'ideal i la realitat. Aspectes de la relació d'Yxart amb Guimerà», dins *Actes del Col·loqui Àngel Guimerà*, celebrat al Vendrell el 1995). I encara, en quina mesura tot plegat va dur Yxart a defensar el 1879 la tragèdia com a gènere dins el seu assaig *Lo Teatre Català*, premiat als Jocs Florals d'aquell any.

103. Vegeu M. de MONTOLIU, «La amistad de José Yxart y Juan Maragall», *Diario de Barcelona*, 12-VI-1955. Dins M. de MONTOLIU, *José Yxart. El gran crítico del renacimiento literario catalán*, Tarragona, 1956, pàg. 58-62.

104. A la biblioteca de Maragall, actualment, només hi ha els dos primers volums i, encara, el primer és en la segona edició de 1883. Informació que m'ha facilitat Glòria Casals.

105. *Guillem Tell*, traducció directa de l'alemany per Joan PERPINYÀ. Barcelona, 1907.

106. *Guillem Tell*, traducció directa de l'alemany per Joan PERPINYÀ. Barcelona, Impremta de «La Renaixensa», 1907. *Wallenstein,* primera part de la trilogia. Traducció directa de Joan PERPINYÀ, Barcelona, 1911. Informació facilitada per Glòria Casals.

francesa de fragments de la *Correspondance Schiller et Goethe.*[107] Montoliu assenyala les coincidències entre el concepte de poesia d'Yxart i el de Maragall, possiblement per la seva vinculació a l'idealisme de Goethe, Schiller i Heine, que Lluís Quintana ha mirat d'esbrinar en el seu treball sobre la poètica de Maragall. L'interès de Maragall per Schiller és com a dramaturg, com a teòric i com a poeta. Va traduir, segurament a partir del volum de poesies *Gedichte*[108] que tenia a la seva biblioteca, l'«Himne dels artistes» i el «Cant de joia», «recitat per a la IX de Beethoven»,[109] és a dir fet, segurament, per encàrrec per tal de ser interpretat per una massa coral. No sabem la data de la seva traducció, però per una carta del 29 d'agost de 1887, adreçada a Lloret,[110] tenim constància que cada tarda, havent dinat, traduïa fins a les quatre i que a partir de 1884 començava a poder llegir l'alemany. Possiblement, era cap al 1886 quan es dedicava infatigablement a aquesta tasca. El Schiller que li interessa és el nacionalista[111] en qui ja endevina actituds que jutja properes al seu vitalisme nietzschià. Maragall és el primer que tradueix Schiller directament de l'alemany al català. En el pròleg d'aquest volum, Francesc Pujols escriu que «en Maragall, com tots els nacionalistes, era un admirador de l'Alemanya renaixent il·luminada pels dos lluminars Goethe i Schiller, com els dos ciris de l'altar davant dels altres ciris encesos després, als quals el nostre poeta va traduir amb tota l'emoció de què era capaç, perquè aquí on tots només coneixen llengües neollatines, ell sabia l'alemany, que els dos grans poetes germànics van reprendre de Luter i del poble, després dels anys d'influència francesa patrocinada per Frederic el Gran. En Maragall, com tots els nacionalistes tipus Prat de la Riba, tenien els ulls fits en aquella terra creadora a grans dosis de l'ideal nacionalista, emprat després per les petites nacionalitats i ara per les més grans, i tots els genis que hi naixien i hi resplendien l'atreien més que els de les altres terres. Novalis, Nietszche, Wagner i tots els que mantenien, poetes i músics, la flama del nacionalisme germànic, inflamada de tots els nacionalismes, li tenien el cor robat i l'ànima encisada». Potser per això li interessà especialment el teatre

107. *Extraits traduits en Français par B. Levy*, París, Lib. Hachette, 1886. Hachette ja havia publicat una edició d'aquesta correspondència el 1877, per bé que l'edició francesa definitiva serà la de Plon el 1923.

108. *Gedichte*, Halle, Otto Hendel.

109. Aquest poema de Schiller va ser musicat per Bethoven en la seva simfonia IX. RIBA a l'article *L'«oda a la joia» de Schiller*, escrit a propòsit de la traducció que Maragall va fer d'aquest poema, escriu: «I més per ventura nosaltres, catalans, a qui Schiller ha cantat amb paraules d'En Joan Maragall, més concretes, més arran dels sentits i del cor de l'home de cada dia. [...] Hem escoltat Schiller sense aquella angoixa, secreta en tota la seva obra, de l'optimisme sense ironia.» *Escolis i altres articles*, Barcelona, 1921. Aquests treballs, escrits entre 1918 i 1920, van aparèixer, majoritàriament, a *La Veu de Catalunya*. Dins *Obres Completes*, II, Barcelona, 1967, *op. cit.*, pàg. 56-57.

110. Dins *Obres Completes de Joan Maragall*, vol. XXI, Barcelona, 1935, pàg. 77 i 78.

111. Francesc PUJOLS ho corrobora en el pròleg al volum XXI de les *Obres Completes* de Maragall: «En Maragall, com tots els nacionalistes, era un admirador de l'Alemanya renaixent il·luminada pels dos lluminars Goethe i Schiller, com els dos ciris de l'altar davant dels altres ciris encesos després, als quals el nostre poeta va traduir amb tota l'emoció de qué era capaç, perque aquí on tots només coneixem llengües neollatines, ell sabia l'alemany, que els dos grans poetes germànics van reprendre de Luter i del poble, després dels anys d'influència francesa patrocinada per Frederic el Gran.» Francesc PUJOLS, Pròleg a Maragall, *Obres Completes*, volum XXI, Barcelona, 1935, pàg. IV.

de Schiller,[112] encara que en l'elaboració de la seva teoria poètica també tindrà un paper important. Schiller, com Goethe, era una lectura freqüent en l'entorn de Maragall,[113] i ell mateix disposava d'una edició de la *Correspondance entre Goethe et Schiller* (París, 1886), traduïda per B. Lévy. En aquest sentit la carta adreçada a Anton Roura del 4 de maig de 1890, on descriu una vetllada compartida pels dos amics, resulta un testimoni inequívoc: «També penso amb tu, Antonet, com si ara et tingués al davant; verament certes expansions dolcíssimes, les més tendres, les més exquisites, les més íntimes, sols tu les mereixes, sols tu no tens cantells ni aspereses, amb tu, Antonet, he passat los moments més plàcids de ma vida, los de més suau abandono. Nostra última excursió a Montserrat en mig de la boira, en l'aire entre roques augustes, en aquell medi monástic on sempre sembla ressonar la "Salve" i l'orgue, aquell quartet emblanquinat de frare, on tu, a la llum de magra espelma llegies a Schiller mentres jo dormia, tot allò fou solemne, pur i nostra amistat quedà resellada, com anguniosa de la llarga separació que avan'ava obrint la gola de temps i peripècies qual fons no es podia obirar.»[114] Maragall, com altres companys de generació, s'introduí en la lectura de Schiller a través de la traducció de la seva obra poètica i en concret de les traduccions de Teodor Llorente que, amb les seves *Leyendas de oro*, li va obrir «las ventanas de mi espíritu a la luz y a los aires de la poesía universal». I segueix: «Goethe, Schiller, Byron, Heine, Hugo, Lamartine, toda la encendida pléyade romántica, él fue el primero en mostrármela, y ya nunca pude apartar los ojos de ella; toda una generación española fue así por este hombre iniciada en la comunión poética del mundo, y la lengua castellana enriquecida con un oro exótico», tal com diu en l'article que li dedica el juny de 1909.[115] Lluís Quintana assenyala que arran de la lectura del «llibre de Heinrich von Stein *Goethe und Schiller*»,[116] Maragall escriu en el seu dietari del 1907 una nota on compara aquests dos escriptors: «Goethe cercava lo necessari en la Natura; y Schiller cercava lo mateix en l'esperit humá ó sia en la superior categoria de la Natura, y com que l'home reuneix llavors l'esser objecte del art y creador del art, per axó Schiller no diu simplement als poetes: Poseu lo noble y lo ideal com objecte de la vostra poesia; sinó també: Penetreu com poetes dins vosaltres mateixos pera expressar l'ideal que hajeu conquistat.»[117] També aquest estudiós ha destacat la relació entre Maragall i Schiller pel que fa a la teoria poètica i

112. Lluís Quintana diu que «Maragall sol interessar-se més pel Schiller dramaturg que no pas pel teòric, que coneixia sobretot a través de la seva correspondència. Però en un moment determinat, sembla trobar en el segon una alternativa per a aquells aspectes que l'irritaven més de Goethe; com, per exemple, el desdeny que aquest mostra, en determinats moments, pel ser humà com a objecte i no només com a subjecte de contemplació». *La veu misteriosa*, 1996, pàg. 121. El teatre de Schiller, Maragall el coneixia sense anar més lluny per les traduccions d'Yxart.

113. Recordem l'estima que li tenien Mañé i Yxart, tots dos molt propers a Maragall.

114. MARAGALL. *Epistolari*, volum primer, *Obres Completes*, Barcelona, 1930, pàg. 65 i 66.

115. MARAGALL, Teodoro LLORENTE. *Obres Completes*, Obres Castellanes, Barcelona, 1961, pàg. 243-244.

116. A l'arxiu Maragall hi ha un exemplar del llibre de H. VON STEIN, *Goethe und Schiller. Beiträge zur Äesthetik der deutschen Klassiker*. Leipzig: s.a. Del 1886 és la *Correspondance entre Schiller et Goethe: extraits traduïts en français par B. Lévy*. París.

117. Lluís QUINTANA. *La veu misteriosa*, op. cit., pàg. 301.

en relació, sobretot, amb el seu assaig «Sobre la poesia ingènua i sentimental» pel que fa a la idea de poble, a la captació de la realitat[118] i a «superar la identificació entre el món rural, que el poeta català admira, i el "ruralisme", que rebutja. Per a Schiller, l'ègloga, fórmula típica de la poesia ingènua, no és una enyorança d'un món perdut, sinó una fórmula possible per mostrar l'aspiració a un món millor».[119]

La Ilustración, Revista Hispano-americana de Barcelona, dirigida por Lluís Tasso, publica el 4 de XII de 1887 la traducció en prosa del poema "Grandeza del universo" en la que no hi consta el traductor, i el 12 de febrer del 1888 el poema "La partición de la tierra", en traducció d'Isaías E. Muñoz, El primer poema nega que ni amb la imaginació es pugui anar més enllà dels límits de la creació i el segon remarca la soledat del poeta que no participa del repartiment del món i que, a canvi, Déu el fa partícep del cel, per la qual cosa s'anticipa a la tensió artista societat que caracteritzarà la fi de segle.

És possible que la mirada vitalista i nacionalista de Maragall sobre Schiller fos la mateixa que orientés J. M. Valls a escollir la traducció de *Juana de Arco*, que es va publicar a Barcelona el 1897 i també la que portà Joan Perpinyà a publicar a «La Renaixença» la traducció al català directament de l'alemany de *Guillermo Tell* el 1907 i de *Wallenstein* (primera part) el 1911, ja que es tracta d'obres de fort sentiment nacional.

Al Salonet Beethoven de Ciutat de Mallorca, el dia de Reis de 1899 la societat artística que dirigia Lluís Estelrich i que estava domiciliada a l'entresòl on s'editava *Última Hora* es va fer una audició de la *Novena simfonia* de Beethoven, inspirada en el poema «A l'alegria» de Schiller, segons informació de Miquel dels Sants Oliver a *La literatura en Mallorca.* En aquest acte també es van llegir traduccions d'altres poemes d'aquest autor, fetes per A. Noguera, que coneixia la llengua ja que la seva muller era alemanya. Precisament, Estelrich s'interessava cada cop més per la poesia de Schiller. El 1894 publica a Madrid la traducció en vers de la balada *Los dos amigos* i el 1895 publica «Ditirambo» i «La joven extrangera», dins *Revista Contemporánea* de Madrid i el 1900 dins el recull *Poesías*, editat per la Casa José Tous de Palma de Mallorca, J. Ll. Estelrich publica la traducció dels poemes de Schiller: «El Elíseo», «La fianza», «La fuente de la juventud» i «El reparto de la tierra». Aquestes traduccions seran el nucli inicial d'un projecte més ambiciós en el qual farà participar el seu amic Joan Alcover i d'altres traductors, de cara a incorporar l'obra poètica de Schiller a l'Estat espanyol. Al seu extens treball de 1898 sobre les «Poesías líricas de Schiller» repassa les diverses revistes que han publicat traduccions d'aquest poeta alemany i fa constar que les balades ja han estat totes

118. Vegeu Ll. QUINTANA, *op. cit.*, pàg. 315 i 316.

119. Vegeu Ll. QUINTANA, *op. cit.*, pàg. 305. Amb tot, continua, Maragall no compartirà l'acceptació de la poesia sentimental que Schiller encara considera legítima. Op. cit., pàg. 306. Altres referències són: pàg. 315 pel que fa a la relació entre idea i ritme, i pàg. 361, en la distinció entre «inteligencia rutinaria» i «genio».

traduïdes al castellà. Descriu el camí que l'ha dut a Goethe i Schiller, però distingeix que «entre las baladas de Goethe y Schiller no cabe confusión posible para el lector perspicaz, porque las del primero están hechas siempre a base popular y las del segundo sobre elementos artísticos, dramatizados en su desarrollo por su propia fantasía. Confieso que al emprender el estudio de Schiller fue con el intento de prepararme el camino para llegar a Goethe, a quien siempre consideré más grande; pero sea que el trato engendra cariño, que propendo yo más a lo artístico que a lo popular o que el valor de las baladas de Schiller es absoluto, hoy no cedo las de éste por las de aquél, y las tengo por piezas de novedad que el poeta trajo a la producción lírica de Alemania y de todo el mundo. Sin embargo, Goethe y Schiller no pueden separar-se, y unidos viven y están aún en la representación de la estatuaria alemana».[120]

La recepció de la poesia de Schiller durant el segle XIX es resumeix i es tanca amb l'edició en dos volums de les *Poesías líricas* de Schiller (Madrid, 1907-1908), «coleccionadas y en gran parte traducidas por Luís Estelrich», que van ser editades per la Biblioteca Clásica, CVIII i CXII, amb un pròleg de Juan Fastenrath, que havia contribuït a difondre l'obra d'aquest autor i d'altres del romanticisme alemany des de *La Revista Contemporánea.*[121] Aquest recull, iniciat abans del 1902[122] i acabat el 1907,[123] s'encapçala amb una "Vida de Schiller" i s'organitza d'acord amb el número que les composicions tenen en l'edició original de l'edició francesa d'A. de Regnier ja que Schiller publicava els seus poemes a la revista *Die Horem* («Les Hores») i no els va reunir mai en volum. Possiblement es tracti de l'homenatge particular d'Estelrich a Schiller amb motiu del centenari de la seva mort el 1804. És un treball importantíssim, tant per la quantitat de poemes de Schiller que conté com pel fet de consignar amb detall les principals fonts de recepció de les traduccions dels poemes i narracions de Schiller, en català i en castellà, fins aquella data a Espanya. L'autor va fer una selecció dels poemes que ja s'havien traduït a tot l'Estat en castellà i d'alguna manera, les composicions aplegades en aquest recull serien aquelles que el seu autor considerava les millors. En aquest sentit es pot dir que l'antologia ofereix una valoració de les traduccions de poesia de Schiller durant el segle XIX i en castellà.

Estelrich tradueix fins a 128 poemes que o no tenien traducció o, si n'hi havia alguna, no satisfeia prou la seva exigència. S'hi esmenten els fins llavors tra-

120. Cito de *Schiller y España*, op. cit., pàg. 176. El 17 de desembre de 1902 Joan Alcover escriu a Estelrich per referir-se a aquest projecte: «Recuerdo me preguntaste si tenía tu volumen de traducciones de Schiller. Te dije que no. Pues bien, me equivoqué. Lo he encontrado un día de estos, y aquí lo tengo a tu disposición.» No sabem si aquest volum és el de *Poesías* de 1900 o el projecte del que es publicarà entre 1907 i 1908. Joan ALCOVER, *Obres Completes*, Barcelona, 1951, pàg. 686.

121. El 1876 hi va publicar l'article «Weimar y sus glorias», vol. II (1876).

122. Segons carta de Joan Alcover a J. Ll. Estelrich datada a Palma el 17 de desembre del 1902, vegeu cita anterior dins ALCOVER, O. C., pàg. 686.

123. «La colección de Estelrich es la primera grande y significativa antología de poesías de Schiller en español», KOCH i STAUBWASSER, *Schiller y España*, *op. cit.*, pàg. 177.

ductors castellans[124] i catalans en llengua castellana i catalana i dóna un estat de la qüestió molt completa pel que fa a la traducció de la poesia de Schiller. Estelrich recull moltes de les traduccions ja fetes o publicades anteriorment i n'encarrega de noves per a la present edició, com les de Joan Alcover, a qui converteix en traductor dels poemes «Los caballeros de San Juan»,[125] «El saber del hombre» i «Al comenzar el siglo XIX». En canvi, de Miquel Costa i Llobera va agafar «Poder del canto», tret del seu llibre *Líricas*, tot i que aquest poema també havia estat traduït per Jaume Martí-Miquel, marquès de Benzú, dins *Flores de luz, Poesías de autores extrangeros puestas en rima castellana*.[126] D'aquest darrer va recollir només tres traduccions: la versió d'«A la orilla de un arroyo», del llibre *Granos de oro*,[127] «Las tres palabras de la fe» a partir de la versió anònima publicada a *La Abeja*, i que l'autor de l'antologia li atribueix, en lloc de la que hi ha al recull *Granos de oro*, reproduït amb el títol de *Poetas extrangeros* (1891), i «Casandra». De les traduccions de José Fernández Matheu, aparegudes a *La Abeja*, n'agafa un total de cinc: «La fortuna de la prudencia», «El conde Eberhardo de Wurtemberg», «Canción de las montañas», «Sentencia de Confuncio», «Luz y calor». De Tomàs Forteza i Cortés només recull «Despedida de Héctor», poema procedent de l'acte segon, escena tercera, del drama *Los bandidos*, que va ser traduït a posta per a aquest recull, tot i que Estelrich apunta que després es va publicar al periòdic *Última Hora* de Palma. De Teodor Llorente agafa catorze composicions: «Fantasía, a Laura» que va treure del llibre *Amorosas*, on es va publicar després d'aparèixer a *La Abeja*, «Éxtasis», dins d'*Amorosas* i abans a *La Abeja*; «El secreto del recuerdo» dins *Amorosas* i com a anònim a *La Abeja*; «Melancolía», dins *Amorosas*; i «Las flores», també d'*Amorosas*. A més, Estelrich va reproduir algunes composicions més d'aquest recull com «El secreto», «La cita», «Lamentos de una doncella», i també de les *Leyendas de oro*, com és el cas d'«El triunfo del amor», «El cazador», «El anillo de Polícrates», «Hero y Leandro», «El caballero de Togemburgo» i «El guante», també publicada prèviament a *La Abeja*, i del qual Amós Escalante en va fer una versió en «Un cuento viejo», dins el llibre *En la playa (Acuarelas)*, Madrid, 1873; d'Emili Mata hi figura «Homenaje a las artes», en prosa, publicada prèviament a *La Abeja*. De Jeroni Rosselló de Son Forteza, hi ha onze traduccions: «El dragón de Rodas», aparegut a el *Museo Balear* (1875) i «Fridolín» del llibre *Hojas y flores*, Palma (1853), i va aconseguir que fes la traducció inèdita per al volum que preparava dels poemes següents: «El fugitivo», «Resignación», «A una muchacha», «El ideal», «El buzo», «El conde de Habsburgo», «La imagen de Sais», «El paseo» i «Esperanza», poema del qual Estelrich coneixia una traducció anònima que supo-

124. Va recollir una traducció d'Agustín Aguilar y Tejera, una de José Almirante, una de Bonet de los Herreros, una de Mariano Carreras González, una de Antonio Chocomeli Codina, una de Francisco Fernández Matheu, dues de Ramón García, dues d'Eugenio Hartzenbusch, una de Jacinto Labaila, dues d'Angel Lasso de la Vega, una d'Enrique Lorenzo de Vedia i una d'anònima. Per a les narracions dels apèndixs: Pedro Bonet de los Herreros.

125. Aquesta referència és la del poema dins el recull de J. Ll. Estelrich.

126. València, s. d., Pasqual Aguilar editor.

127. Madrid, 1883.

sa que és d'Antonio Frates, publicada a la *Revista Balear*, a més de la versió de Fernández Matheu per a *La Abeja*. Alguns d'aquests poemes van ser traduïts per altres autors. Així, Estelrich en nota explica que Bartomeu Ferrà va traduir el poema «El fugitivo» per a la revista *Mitjorn* de Palma en el número del març de 1907, que «El ideal» va conèixer una versió en català de Miquel Victorià Amer en la *Revista Balear de Literatura, Ciencias y Artes* que, corregida, va tornar a imprimir-se a la pàgina 234 del *Museo Balear* de Palma, del 1885. Pel que fa a l'apèndix de narracions s'hi publica «El criminal de la honra perdida», en traducció d'Antoni Bergnes de las Casas i publicada a *La Abeja*; ell hi aporta la d'«El paseo bajo los tilos», i «Una acción magnánima de la historia moderna», que completa amb altres dues traduïdes per Bonet de los Herreros. En aquesta edició, fa una tasca filològica molt minuciosa i ben feta de recopilador de les traduccions dels poemes de Schiller durant el segle XIX.

Aquesta antologia ens ofereix una valoració dels millors traductors i dels poemes més reeixits literàriament. No és de cap manera una edició completa de l'obra poètica de Schiller ni tan sols de la traduïda en castellà, ja que, sense anar més lluny, alguns poemes publicats a *La Abeja* o a l'*Eco de Euterpe* no es troben a l'antologia d'Estelrich, però n'és una versió molt àmplia. Amb tot, és interessant de remarcar que, des del panorama de conjunt que ofereix aquesta edició, podem dir que entre els poemes de Schiller més traduïts cal assenyalar les balades «El caballero de Toggenburgo» («El cavaller de Toggemburg»), «Hero y Leandro», «El anillo de Polícrates», i entre els poemes lírics de caire filosòfic, «El ideal», «El reparto del mundo» («El reparto de la tierra», «El repartiment de béns»), «Esperanza», «Las tres palabras de la fe».

La recepció de Schiller al llarg del segle XIX, d'acord amb la hipòtesi apuntada al començament varia segons els interessos de cada moment històric, però, en general, es tracta d'un escriptor valorat entre els intel·lectuals i literats més destacats del panorama literari català, valencià i balear i s'ha d'associar tant a la incorporació de les seves propostes teòriques, com de la seva obra literària, dramàtica i poètica. Al costat d'altres figures del romanticisme europeu, l'assimilació de l'obra schilleriana no és aliena al procés d'evolució i modernització de la literatura, i la fascinació que exerceix entre els escriptors de l'àmbit lingüístic català aviat es desvia dels maximalismes revolucionaris de les obres de joventut, que havien interessat les dues primeres dècades del segle, i es projecta més cap a aquelles obres dramàtiques o poemes, de marcat accent didàctic, que tradueixen un determinat equilibri entre romanticisme i classicisme, i les balades que expressen la concepció nacionalista heretada de Herder. En el terreny de l'estètica i la teoria literària, és gràcies a Schiller que Catalunya descobreix aquesta disciplina de manera molt primerenca, i per ell la innovació de veure el teatre com un fenomen social, tal com es va acceptar de manera generalitzada, sobretot, en la segona meitat del segle XIX.

Apèndix

Nota bibliogràfica dels comentaris, traduccions i representacions de Schiller

Representacions

Entre 1800 i 1830 es van representar tres drames de Schiller: 1) *El amor y la intriga*, els dies 12, 13, 14 i 15 de juny de 1801, i el 21 i 22 de novembre del mateix any. Aquesta obra es va tornar a representar el 22 de març de 1818 i el 29 d'octubre de 1823. 2) *Els bandits* representada amb els títols: *Roberto, cabeza de bandidos* o *El hombre virtuoso*, el 16, 17, 25 i 26 de gener de 1806; el 25, 26, 27 i 28 de novembre i el 16 de desembre de 1810; el 30 de setembre i l'1 d'octubre de 1816; i *Roberto de Moldar o el bandido honrado*, el 7 i el 8 de setembre de 1818 i el 4 i 5 de setembre de 1819. I 3) *María Estuarda*, en versió en vers de Manuel Bretón de los Herreros, els dies 18, 19 i 23 d'octubre de 1830. Adelaida Ristori la va representar el novembre del 1857 al teatre Circo Barcelonés; Carolina Santoni al Teatre Principal l'estiu del 1861 i el 30 d'agost del 1862 al Circo Barcelonés, Ernesto Rossi al Liceu el 1866 i el 1903, i no es va tornar a representar fins amb Itàlia Vitaliani, almenys el dia 22 de setembre de 1903.

Comentaris crítics

Sobre estètica

1824: Bonaventura C. Aribau, «Estética»: 1) «Teoría de Schiller sobre la causa del placer que excitan en nosotros las emociones trágicas», i 2) «Ejemplos en que Schiller apoya su teoría sobre la causa del placer que excitan en nosotros las emociones trágicas». *El Europeo*, 1824, núm. 2 i 3, vol. II.

1854: Manuel Milà i Fontanals, «Una oda de Schiller», *Diario de Barcelona* (5-VIII-1854).

1852: Joan Mañé i Flaquer, «De la influencia moral en el teatro», *Diario de Barcelona* (4, 6 i 7-IV-1852). «¿Qué es la tragedia moderna?», *Diario de Barcelona* (29-III-1853); «Lo patético. Teoría de Schiller», *Diario de Barcelona* (19 i 25-III-1854); «Teoría de lo sublime, por Schiller», *Diario de Barcelona* (9-IV-1854).

Sobre l'obra literària

1839: s.a. "Schiller", *Museo de Familias,* vol. II (1939), p

1841: Josep M. Quadrado, «Schiller», *La Palma* (28-III i 4-IV-1841); també a *El Panorama*, núm. 137 i 138 (13-III i 19-VII-1841).

1869: Gaietà Vidal i Valenciano, edició, pròleg i notes a Schiller, *Los bandidos*, *Luisa Miller*, *Don Carlos*, *Maria Stuart* i *Guillermo Tell*, traducció de José Fernández Matheu (excepte *Don Carlos*, que és anònim). Barcelona, 1869, Col·lecció «Teatro selecto antiguo y moderno, nacional y extrangero», vol. VII, editor Salvador Manero.

1870: José Fenández Matheu, «Las baladas de Schiller», *La Abeja*, volum VI, 1870, pàg. 117-121.

1876: Josep Yxart, *Estudio sobre Schiller*, manuscrit inèdit.

1881: José Yxart, pròleg a Schiller, *Dramas*, Barcelona, 1881.

1908: Joan Lluís Estelrich, "Vida de Schiller", dins Schiller, *Poesías Líricas*, Madrid, 1908, pp. 1-32

Traduccions

Narracions

1862: *El criminal por la honra perdida*, traducció de Bergnes de las Casas, *La Abeja*, 1862, volum I, pàg. 28 a 35.

Textos teòrics

1862: «El teatro considerado como una institución moral», traducció de Juan Pont y Guitart, *La Abeja*, Barcelona, 1(1862).

Drames

1866: *Homenaje a las artes* (composició dramàtica dedicada a la princesa de Weimar, traduïda en prosa per Emili Mata), *La Abeja*, 1866, volum V, pàg. 458.

Maria Stuart, *La Abeja*, 1866, volum V, pàg. 19, 49, 89, 130 i 165.

1869: Schiller, *Los bandidos*, *Luisa Miller*, *Don Carlos*, *Maria Stuart* i *Guillermo Tell*, José Fernández Matheu és el traductor de totes les obres amb l'única excepció de *Don Carlos*. Col·lecció «Teatro selecto antiguo y moderno, nacional y extrangero, coleccionado e illustrado con una introducción, notas, observaciones críticas y biografías de los principales autores, por Don Cayetano Vidal i Valenciano», vol. VII, Barcelona, 1869, editor Salvador Manero.

1881-1886: *Dramas* de Schiller, traducció de J. Yxart, edició en tres volums, Barcelona, 1881, 1882 i 1886, Biblioteca «Arte y Letras», il·lustracions d'A. Liezen Mayer i A. de Werner en el primer volum, de P. Thumann, A. Schmitz, E. Klimsch, H. Lossow i A. Liezen Mayer en el segon, i d'A. Lick i V. Friedrick en el tercer. Conté totes les obres dramàtiques de Schiller amb l'excepció d'*Els bandits* i, a més el pròleg a *La núvia de Messina* i el text escrit amb motiu de la reobertura del teatre de Weimar l'octubre del 1798 i en ocasió de l'estrena de *Wallenstein*. Segons Palau i Dulcet, el 1909 es va reeditar en un volum de la mateixa col·lecció la traducció de *Guillermo Tell*, *María Estuardo* i *La promesa de Messina*.

1897: *Juana de Arco*, traducció de J. M. Valls, Barcelona, 1897.

1907: *Guillermo Tell,* traducció de Joan Perpinyà, Barcelona, 1907, Impremta de «La Renaixença», traducció al català directament de l'alemany.

Pensaments

1862: Dins la secció «Excerpta»: dos pensaments de Schiller: «El daño que causan los malvados sin saberlo es muchas veces más cruel que el que querían causar» i «El árbol de la ciencia no es el árbol de la vida». *La Abeja*, 1862, volum I, pàg. 280.

Poemes

1853: Jeroni Rosselló inclou la seva traducció de «Fridolín» de Schiller dins el recull *Hojas y flores*, Palma, 1853.

1863: A l'*Eco de Euterpe* entre maig i agost del 1863 i essent Josep Güell i Mercader redactor es van publicar 15 poemes de Schiller en versió castellana i de traductor anònim, excepte «Hero y Leandro», que consta traduïda per Josep Güell i Mercader: «Poesía de la vida» (núm. 183, diumenge, 17 de maig), «Hero y Leandro» (núm. 184, 24 de maig), «Insomnio» i «Amelia» (núm. 185, 25 de maig), «El filósofo egoísta» (núm. 186, 31 de maig), «El poder del canto» (núm. 187, 4 de juny), «La danza» (núm. 192, 24 de juny), «El rehén» (núm. 193, 28 de juny), «La muerte de un Natchez» (núm. 195, 2 de juliol), «A la primavera» (núm. 196, 5 de juliol), «El niño» (núm. 197, 9 de juliol), «La armada invencible» (núm. 199, 16 de juliol), «A una joven» (núm. 200,

23 de juliol), «Esperanza» (núm. 201, 25 de juliol), «El palenque de la vida» (núm. 203, 2 d'agost).

«Al placer», «La campana» i «Las tres palabras de la fe», traduccions anònimes en prosa, *La Abeja, Revista Científica y Literaria,* 1863, volum II, pàg. 30, 148, i 467, respectivament.

1864: «Éxtasis», traduït en vers per Teodor Llorente, *La Abeja*, 1864, volum III, pàg. 435.

1866: «Las palabras de la ilusión», traducció en prosa de Carlos Medina, *La Abeja*, 1866, volum V, pàg. 112.

«Canto de Victoria», en prosa, pàg. 297, i «El cazador de los Alpes», «Canción de las montañas», «La fortuna i la prudencia», «Sentencia de Confuncio», «Esperanza» i «Luz i calor», en vers, traduïdes per José Fernández Matheu, *La Abeja*, 1866, volum V, pàg. 312, 431, 432 i 471.

«El anillo de Polícrates» i «El guante», traduïdes en vers per Teodor Llorente, *La Abeja*, 1866, volum V, pàg. 72 i 152.

1870: «A Laura» i «A Laura. Reminiscencias», traducció anònima, *La Abeja*, 1870, volum VI, pàg. 270 i 271. «El conde de Eberhard de Würtemberg» i «El caballero de Toggenburgo», traduïts en vers per J. Fernández Matheu, *La Abeja*, 1870, volum VI, pàg. 121 (il·lustració de l'article «Las baladas de Schiller», pàg. 117-121).

«Las tres palabras de la fe» dins *El Eco del Centro de Lectura*, Reus, A. I, núm. 5 (14-VIII-1870).

«Dignitat del bell sexo» en versió d'Enric Pedemonte, *La Gramalla* del 12-30 de juliol de 1870, primera traducció catalana publicada.

Jaume Martí-Miquel, marquès de Benzú, «A la orilla de un arroyo» dins *Flores de luz, Poesías de autores extrangeros puestas en rima castellana* (1870).

1872: «La campana», traducció de Bartolomé Ferrà, dins *Comedias i poesías*, Palma de Mallorca, 1872.

1874: «L'ideal», traducció de Victorià Amer, *Revista Balear de Literatura, Ciencias y Artes*, t. III, 1874. Reproduïda dins *Museo Balear*, 1885.

1875: Teodor Llorente inclou «El triunfo del amor», «El cazador», «Hero y Leandro», «El guante», «El reparto del mundo», «El pegaso», «Imágenes de Sais», «El caballero de Togemburgo», «El anillo de Polícrates» i «El combate con el dragón» dins *Leyendas de oro,* València, 1875, Biblioteca Selecta. Tercera edició, ampliada, el 1879.

Jeroni Rosselló tradueix «El dragón de Rodas», *Museo Balear*, 1875, pàg. 53.

«A Emma», traducció de J. Ll. Estelrich, *Revista Contemporánea*, Madrid, 1, 1975, pàg. 150.

1877: Schiller, F., *Baladas y poesías*, Madrid, Impremta J. Pi Asuarga,1877. Conté les balades: «El guante», «El buzo», «El anillo de Polícrates», «El combate del dragón», «El cazador de los Alpes», «Hero y Leandro», La canción, «El caballero de Togemburgo», «El mensaje de la fragua», «Casandra», «Las guillas de Ibico» i els poemes, «La fiesta de Eleusis», «Colón», «Ulises», «Arquímedes y el discípulo», «A los amigos», «Al empezar el siglo XIX», «Tecla», «Un joven a la orilla de un arroyo», «Poder del canto», «El misterio», «El combate», «Los grandes filósofos», «Esperanza», «La Ilíada». Biblioteca Nacional de Madrid, únic exemplar, propietat de Francesc Pi i Margall, imprès pel seu fill i dedicat a la seva mare Petra Arsuaga de Pi.

1882: Teodoro Llorente, «Fantasía a Laura», «Éxtasis», «El secreto del recuerdo», «Melancolía. A Laura», «Las flores», «El secreto del recuerdo. A Laura», «La cita», «Lamentos de una doncella», dins *Amorosas*, València, 2a edició 1882, Biblioteca Selecta, Algunes composicions s'havien publicat a *La Abeja.*

1883: Jaume Martí-Miquel, marquès de Benzú, publica la traducció de «Casandra» i «Las tres palabras de la fe», en la versió anònima publicada a *La Abeja*, i a més «A la orilla de un arroyo» i «Colón», dins el llibre *Granos de oro, poesías de los principales autores extranjeros puestas en rima castellana*, Madrid, 1883, reproduït amb el títol de *Poetas extrangeros*, al núm. 18 de la «Biblioteca del siglo XIX», publicada a Barcelona el 1891.

La campana de Schiller (traducció d'Hartzenbusch del 1843) editada per Josep Yxart dins *Tres poesías* (pàg. 49-107) entre *El ángel de la muerte* de J. O. Wallin i l'*Epístola moral a Fabio* de F. de Andrada. Dibuixos de Carlos Larsson, A. Liezen-Mayer, Roberto Seitz y Alejandro Riquer, Barcelona, 1883, Biblioteca «Arte y Letras».

1884-86: *Himne dels artistes* i *Cant de joia*, traducció de Joan Maragall, directament de l'alemany al català.

1886: «El repartiment dels bens, imitació de Schiller», de Bartomeu Ferrà, *Revista Balear de Literatura, Ciencias y Artes*, III, pàg. 86.

1887: "Grandeza del universo", traducció en prosa, *La Ilustración. Revista Hispano-americana,* Barcelona, (4-XII-1887) núm. 370, p. 810.

1888: «El reparto del mundo», traducció d'Isaías E. Muñoz, *La Ilustración*, *Revista Hispano-americana*, Barcelona, 12-II-1888.

1894: *Los dos amigos* traducció en vers de J. Ll. Esltelrich, Madrid 1894.

1895: «Ditirambo» i «La joven extrangera», traducció de J. Ll. Estelrich, dins *Revista Contemporánea*, Madrid, 98, 1895, pàg. 77 i 98, respectivament.

1900: Dins el recull *Poesías*, Palma de Mallorca, 1900, J. Ll. Estelrich publica la traducció dels poemes de Schiller: «El Elíseo», «La fianza», «La fuente de la juventud» i «El reparto de la tierra».

1907-1908: *Poesías líricas* de Schiller (Madrid, 1907-1908), «coleccionadas y en gran parte traducidas por Luís Estelrich», que van ser editades per la Biblioteca Clásica, CVIII i CXII, amb un pròleg de Juan Fastenrath. Estelrich tradueix un total de 128 poemes: «Una fantasía fúnebre», «Laura en el clavicornio», «Grandeza del mundo», «Elegía en la muerte de un joven», «La batalla», «Rousseau», «La amistad», «Grupo del Tártaro», «Eliseo», «A Guillermina», «Dignidad del hombre», «A un moralista», «A la alegría», «La armada invencible», «El combate», «Los dioses de Grecia», «La mujer célebre», «En octubre de 1788», «Los artistas», «El encuentro», «A Emma», «La tarde», «Aspiración», «El peregrino», «El favor del momento», «Ditirambo», «Las cuatro edades del mundo», «El ponche», «A los amigos», «Canción del ponche», «Canción del jinete», «Elegía de los Natches», «La fiesta de la Victoria», «Lamento de Ceres», «La fiesta de Eleusis», «La fianza», «El reparto de la tierra», «La joven extrangera», «El ideal y la vida», «Parábolas y enigmas», «La musa alemana», «El agricultor», «El comerciante», «Ulises», «Cartago», «Fidelidad alemana», «Pompeya y Herculano», «Ilíada», «Zeus a Hércules», «La antigüedad del viajero del Norte», «Los poetas del antiguo tiempo», «Tecla», «La doncella de Orleans», «Nenia», «Juegos infantiles», «Los sexos», «Poder de las mujeres», «La danza», «La dicha», «El genio», «El filósofo egoísta», «Las palabras de la ilusión», «Extensión y profundidad», «Los guías de la vida», «Arquímedes y el alumno», «Los dos caminos de la virtud», «Las dignidades», «Zenit y Nadir», «La libertad ideal», «El niño en la cuna», «Lo inmutable», «Teofanía», «Lo sumo», «Inmortalidad», «Ex-votos», «La mejor constitución», «A los legisladores», «Lo respetable», «Falsa propensión al estudio», «La fuente de la juventud», «El círculo de la Naturaleza», «El genio de la antorcha al revés», «Virtud de la mujer», «La aparición más hermosa», «Foro de la mujer», «Sentencia femenil», «El ideal femenino», «Espera y satisfacción», «El destino común», «Obrar humano», «El padre», «Amor y apetito», «Bondad y grandeza», «El móvil», «Naturalistas y filósofos transcendentales», «Genio alemán», «Bagatelas», «Alemania y sus príncipes», «A los hacedores de prosélitos», «El medio de enlace», «El momento», «Comedia alemana», «Anuncio de librero», «Consecuencia peligrosa», «Helenismo», «Los nacidos de pies», «Los filósofos», «G. G»., «Los homéridas», «El poeta moral», «La materia sublime», «La obra de arte» «Jeremiada», «Kant y sus editores», «La sombra de Shakespeare», «Los ríos», «El metafísico», «Los filósofos», «A un joven amigo, cuando se consagró a la Filosofía», «Poesía de la vida», «A Goethe», «A la señorita Slevoigt», «El genio griego»,

«En el álbum de un amigo», «En el álbum de un amigo del Arte», «El regalo», «Guillermo Tell», «Al príncipe heredero de Weimar» i la narració «El paseo bajo los tilos». Estelrich selecciona entre les traduccions existents d'altres autors les que creu de més mèrit literari o n'encarrega de noves a traductors de la seva confiança per a la present edició. Així, de Joan Alcover publica «Los caballeros de San Juan», inèdita per a aquesta col·lecció (núm. 86, t. II, pàg. 8), «El saber del hombre», inèdita (núm. 112, t. II, pàg. 53), i «Al comenzar el siglo XIX», inèdita, (núm. 179, t. II, pàg. 144); de Miquel Costa i Llobera, «Poder del canto» (núm. 78, t. I, pàg. 360), tret de *Líricas*, Palma, 1899, pàg. 135, poema traduït també per Jaume Martí-Miquel, marquès de Benzú, dins *Flores de luz, Poesías de autores extrangeros puestas en rima castellana*, de qui Estelrich va recollir tres traduccions: la versió d'«A la orilla de un arroyo» (núm. 46, t. I, pàg. 190), del llibre *Granos de oro* (1883), «Casandra» (núm. 63, t. I, pàg. 256) i «Las tres palabras de la fe» en la versió anònima publicada a *La Abeja*, (t. II, 1863, pàg. 467) i que l'autor de l'antologia li atribueix, en lloc de recollir la versió del llibre *Granos de oro*, reproduït amb el títol de *Poetas extrangeros*, al núm. 18 de la «Biblioteca del siglo XIX», publicada a Barcelona el 1891. De les traduccions de José Fernández Matheu, aparegudes a *La Abeja*, n'agafa un total de cinc: «La fortuna de la prudencia» (núm. 22), «El conde Eberhardo de Wurtemberg» (núm. 25), «Canción de las montañas» (núm. 48), «Sentencia de Confuncio», «Luz y calor» (núm. 108, t. II, pàg. 48). De Tomàs Forteza i Cortés només recull «Despedida de Héctor», poema procedent de l'acte segon, escena tercera, del drama *Los bandidos*, que va ser traduït per a aquest recull (núm. 1, t. I, pàg. 33), tot i que Estelrich apunta que després es va publicar al periòdic *Última Hora* de Palma. De Teodor Llorente publica catorze composicions «Fantasía, a Laura» (núm. 4, t. 1, pàg. 40) que va treure del llibre *Amorosas*, on es va publicar després d'aparèixer a *La Abeja*, tal com ja s'ha esmentat abans, «Éxtasis» (núm. 6, t. I, pàg. 45), dins d'*Amorosas* i abans a *La Abeja*; «El secreto del recuerdo» (núm. 7, t. I, pàg. 47) dins *Amorosas* i com a anònim a *La Abeja*; «Melancolía» (núm. 8, t. I, pàg. 50), dins *Amorosas*; «Las flores» (núm. 18, t. I, pàg. 81), també d'*Amorosas*. A més, Estelrich va reproduir algunes composicions més d'*Amorosas* com «El secreto» (núm. 39, t. I, pàg. 171), «La cita» (núm. 40, t. I, pàg. 173), «Lamentos de una doncella» (núm. 45, t. 1, pàg. 188), i també de les *Leyendas de oro* abans esmentades, com és el cas d'«El triunfo del amor» (núm. 21, t. I, 87), «El cazador» (núm. 49, t. I, pàg. 197), «El anillo de Polícrates» (núm. 60, t. I, pàg. 236), «Hero y Leandro» (núm. 62, t. I, pàg. 248), «El caballero de Togemburgo» (núm. 66, t. I, pàg. 276) i «El guante» (núm. 70, t. I, pàg. 310), també publicada prèviament a *La Abeja*, poema que va donar peu a una versió d'Amós Escalante dins «Un cuento viejo» inclosa en el llibre *En la playa (Acuarelas)*, Madrid, 1873, pàg. 101; d'Emili Mata hi figura «Homenaje a las artes» (s. n., t. II, pàg. 170), en prosa, publicada prè viament a *La Abeja*, T. V, pàg. 458. De Jeroni Rosselló de Son Forteza, Estelrich va elegir 11 traduccions: «El dragón de Rodas» (núm. 67, t. I, pàg. 280) aparegut al *Museo Balear* (1875, pàg. 53) i «Fridolín» (núm. 68, t. I, pàg. 293) del llibre *Hojas y flores*, Palma (1853, pàg. 472), i va aconseguir que fes la traduccció inèdita per al volum que preparava dels poemes següents: «El fugitivo» (núm. 17, t. I, pàg. 78), «Resignación» (núm. 29, t. I, pàg.117), «A una muchacha» (núm. 32, t. I, pàg. 138), «El ideal» (núm. 44, t. I, pàg. 182), «El buzo» (núm. 65, t. I, pàg. 268), «El conde de Habsburgo» (núm. 69, t. I, pàg. 302), «La imagen de Sais» (núm. 71, t. I, pàg. 313), «El paseo» (núm. 76, t. I, pàg. 330), i «Esperanza» (núm. 80, t. I, pàg. 366), poema del qual Estelrich coneixia una traducció anònima que suposa que és d'Antonio Frates, publicada a la *Revista Balear* (t. I, pàg. 265), a més de la versió de Fernández Matheu per a *La Abeja*, (t. IV). Alguns d'aquests poemes van ser traduïts per altres autors. Així, Estelrich en nota explica que Bartomeu Ferrà va traduir el poema «El fugitivo» per a la revista *Mitjorn* de Palma en el número del març de 1907, que «El ideal» va conèixer una versió en català de M. Victorià Amer en la *Revista Balear de Literatura, Ciencias y Artes* (t. III, 1874, pàg. 39) que, corregida, va tornar a imprimir-se a la pàgina 234 del *Museo Balear* de Palma, el 1885. Pel que fa a l'apèndix de narracions s'hi publica «El criminal de la honra perdida», en traducció d'Antoni Bergnes de las Casas i publicada a *La Abeja*, i ell hi aporta la d'«El paseo bajo los tilos» i «Una acción magnánima de la historia moderna», i dues narracions més traduïdes per Bonet de los Herreros.

Història

Història de la revolta dels Països Baixos, traducció de J. Pous i Pagès, Barcelona, 1910

PER A UNA HISTÒRIA DE LA TRADUCCIÓ DE LA NARRATIVA DEL S. XIX EN EL MÓN HISPÀNIC

Assumpta Camps

Universitat de Barcelona

El present estudi forma part d'una recerca més extensa duta a terme durant els darrers anys i adreçada a analitzar les traduccions produïdes en les diverses llengües en l'àmbit de l'Estat espanyol. En aquesta ocasió, i per limitacions d'espai, fonamentalment, ens centrarem en les traduccions publicades en català i castellà d'un dels grans escriptors del s. XIX: Gustave Flaubert.

Les primeres traduccions de Flaubert que ens consten en volum són en castellà i es remunten al 1875. Es tracta de *Madame Bovary*, i parlem, en concret, de la traducció lliure a cura d'Amancio Paratoner, publicada a Barcelona i en castellà aquell any sota un títol ben significatiu, que a més de vint anys de distància de la primera edició francesa de la novel·la –a la *Revue de Paris*, l'octubre de 1856– es feia ressò de l'innegable escàndol que aquesta obra va provocar a França aleshores.[1] Altres traduccions de la mateixa novel·la la succeïren, publicades ja sigui a Barcelona o a Madrid, entre 1873 i 1923, però sempre en castellà, i en general amb el mateix caràcter moralista –fins al punt d'incloure en l'edició la transcripció del judici a Flaubert, per exemple[2]–, sovint amb notables variacions respecte al títol original. Així, a més de l'edició de Peratoner de 1875, ens consten dues edicions més de data imprecisa, una a Madrid,[3] que no oculta potser, sota la traducció del títol original, un cert regust costumista, i una a Barcelona, dins la «Colección Diana»,[4] així com una tercera, també en castellà a la mateixa ciutat, de l'editorial Alejandro Martínez l'any 1901, a cura de Miguel Ángel Orts-Ramos,[5] en competència amb la de la casa Maucci de Barcelona, sense esment de l'any ni del traductor –fet malaura-

1. FLAUBERT, G. *¡Adúltera! (Madame Bovary)*. Traducció lliure al castellà per Amancio Peratoner, Barcelona, 1875.

2. FLAUBERT, G. *La señora Bovary...* Versió castellana de T. de V., Imp. de Vda. de Luis Tasso, Arco del Teatro, 21 i 23, Barcelona (1912). A partir de la pàgina 305 inclou: «Acusación, defensa y juicio recaído en el proceso intentado contra el autor ante el tribunal correccional de París».

3. FLAUBERT, G. *Madame Bovary, costumbres de provincia*. Versió castellana, Madrid (s. d.).

4. FLAUBERT, G. *Madame Bovary*. Colección Diana, Barcelona (s. d.).

5. FLAUBERT, G. *Madame Bovary*. Traduïda del francès per Miguel Ángel Orts-Ramos. Editorial Alejandro Martínez, Barcelona, 1901.

dament força habitual en aquestes edicions, a l'època, publicades sovint en dos volums i en octau. Caldria un estudi en profunditat del text traduït per aclarir si aquesta edició de la casa Maucci coincideix amb la publicada, també sense data, per l'editorial Cooper, sota el títol *La mujer adúltera. Adaptación de la famosa novela «La señora Bovary»*... Sigui com sigui, el fet és que són totes dues traduccions castellanes publicades a Barcelona. A Madrid, pels volts dels anys vint circulaven dues traduccions més d'aquesta obra, naturalment en castellà, l'una a cura de José Pablo Rivas,[6] i l'altra de Pedro Vances Cuevas,[7] el mateix traductor que poc abans havia presentat, també dins la famosa «Colección Universal» d'Espasa-Calpe, la seva versió de *La educación sentimental*.[8]

Certament *Madame Bovary* ja fou en aquella època l'obra de Flaubert que més atenció va merèixer, ajudada en gran mesura per l'escàndol, tal com apuntàvem, però no cal dir que amb mèrits propis suficients. Tanmateix, altres títols flaubertians s'obriran camí en el panorama de les lletres hispàniques a les darreries del s. XIX. Per exemple, la mateixa novel·la *L'éducation sentimentale*, en traducció d'Hermenegildo Giner de los Ríos,[9] el 1891 –recordem que la primera edició francesa és de 1869–, la primera que ens consta en tot l'Estat. Però també hem de fer esment de *Salammbô*, presentada a França el 1862, que serà el segon títol més traduït de l'escriptor francès entre nosaltres.

En efecte, *Salammbô* va suscitar molt d'interès a partir de les darreries dels anys vuitanta, quan es comença a presentar en traducció castellana, en ple apogeu del simbolisme i decadentisme, un fet sens dubte motivat en gran mesura per la seva temàtica. Ja el 1889 ens en consta una traducció editada a Madrid, en octau, sense esment del traductor, però, tot i que podria tractar-se del mateix Hermenegildo Giner de los Ríos, la traducció del qual apareixerà publicada, a més d'un segle de distància, en concret el 1995, per Lipari Ediciones, com veurem. Uns anys més tard d'aquella edició del 1889, surt publicada a París una nova versió castellana d'aquesta obra, a cura de María Lauder de Dutemblay,[10] probablement el precedent de l'edició de Garnier, també de París.[11] La casa Maucci de Barcelona a principis del s. XX –ignorem si en la mateixa època de la seva edició de *Madame Bovary*, però sembla altament probable que així fos– presentarà una traducció castellana d'aquesta obra a cura d'August Riera, la qual serà posteriorment reeditada el

6. FLAUBERT, G. *La señora Bovary*. Traduïda del francès por D. José Pablo Rivas, Imp. de la Vda. de H. Sanz Calleja, Madrid (s. d.); posteriorment reeditada per la mateixa editorial el 1924.

7. FLAUBERT, G. *La señora Bovary*. Traducció de Pedro Vances Cuevas, Espasa-Calpe, Madrid, 1923, 2 vol.

8. FLAUBERT, G. *La educación sentimental. Historia de un joven*. Traduïda per D. Pedro Vances Cuevas, Espasa-Calpe, Madrid, 1921, 2 vol.

9. FLAUBERT, G. *La educación sentimental. Historia de un joven*. Traduïda por D. Hermenegildo Giner de los Ríos, editorial J. Jorro, Madrid, 1891, 2 vol.

10. FLAUBERT, G. *Salammbô*. Versió castellana de l'última edició francesa amb advertència i notes aclaridores de María Lauder de Dutemblay, París, 1896.

11. FLAUBERT, G. *Salammbô*, Garnier, París (s. d.).

1928 i el 1947.[12] Aquesta versió, en la seva reedició de 1928, circularà en competència amb dues altres traduccions castellanes de la mateixa obra aparegudes als anys vint: la de Cyro Bayo, publicada a Madrid dins les «Ediciones Selectas»,[13] amb un retrat de l'autor i en setzè, i la de Vicente Díez de Tejada, a Barcelona, una edició en tela, que incloïa un pròleg de Vicente Clavel.[14]

Els primers anys del s. XX marquen en gran mesura un moment àlgid en aquesta recepció, si més no pel que fa a la història de les traduccions de les obres de Flaubert. Així, a més dels que ja hem esmentat, altres títols apareguts en aquell moment són *Herodías,* editat conjuntament amb *Un corazón sencillo*, en traducció castellana conjunta de Ramón Sempau i Enrique Díaz-Reig, publicada a Barcelona el 1901,[15] i *Las tentaciones de san Antonio,* del mateix any, en versió d'un traductor sens dubte prolífic a l'època, com és Orts-Ramos.[16] Aquesta traducció fou publicada al mateix temps i per la mateixa editorial que la traducció de *Madame Bovary* que hem esmentat més amunt, i molt probablement és obra del mateix traductor, força conegut a l'època, tot i que la de *Madame Bovary* consta com de Miguel Ángel Orts-Ramos. No cal dir que *La tentation...* va conèixer altres edicions entre nosaltres. En concret, una a València, per la coneguda editorial Prometeo (malauradament sense data), i una altra a Madrid, per l'editorial Antonio López (igualment sense data). La comparació entre els tres textos ens podrà dir en el futur si ens trobem davant de la mateixa versió d'Orts-Ramos, presentada en successives reedicions. L'any 1904, per altra banda, apareix publicada a València la traducció castellana d'una obra que podríem considerar de literatura de viatges, presentada pòstumament el 1885 sota el títol *Par les champs et par les grèves.*[17]

En canvi, pel que fa a les últimes obres de l'autor, cal recordar que d'*Un coeur simple* –que hem trobat editat conjuntament amb *Herodías* ja a l'inici del s. XX a Barcelona– ja n'existia una traducció, sota el títol complet de *Tres cuentos: Un corazón simple, La leyenda de san Juan Hospitalario, Herodías,* edició publicada per La España Moderna a Madrid el 1890. Els tres contes –apareguts en versió conjunta el 1877– van ser presentats en la traducció de Luis Bello a Madrid el 1919,[18] en

12. FLAUBERT, G. *Salammbô.* Traducció d'Augusto Riera. Imp. i Editorial Maucci, Barcelona, 1901. Reeditada el 1928 i el 1947.

13. FLAUBERT, G. *Salammbô.* Traducció de Cyro Bayo. Libreros Sucesores de Rivadeneyra, Madrid, 1922.

14. FLAUBERT, G. *Salammbô.* Traducció de Vicente Díez Tejada. Pròleg de Vicente Clavel. Editorial Cervantes (Imp. L. Cortina), Barcelona, 1928.

15. FLAUBERT, G. *Herodías. Un corazón sencillo.* Traduïda por Ramón Sempau i Enrique Díaz-Reig, Manent (Tip. Costa), Barcelona, 1901.

16. FLAUBERT, G. *Las tentaciones de san Antonio.* Traduïda del francès per Ramón Orts-Ramos, editorial Alejandro Martínez (Imp. Tarascó y Cuesta), Barcelona, 1901.

17. FLAUBERT, G. *Por los campos y las playas*, València, 1904.

18. FLAUBERT, G. *Tres cuentos: Un corazón sencillo, La leyenda de san Julián el hospitalario, Herodías.* Traducció de Luis Bello, Editorial Espasa-Calpe (Tip. Renovación), Madrid, 1919.

una traducció que encara circula actualment en el mercat,[19] i anys més tard en traducció de Montserrat Casamada, dins la «Colección Aldebarán», a Barcelona.[20] En català, però, només ens consta el volum publicat a Barcelona en dos toms el 1937, dins els «Quaderns literaris».[21] L'últim dels contes, *Herodías*, es va incloure en traducció castellana dins la «Colección Oro fino» de la Sociedad General de Publicaciones el 1910,[22] i anys més tard, a començaments dels quaranta, va ser presentat, aquesta vegada sense esment del traductor, per les Ediciones Grano de Arena.[23] En canvi, el primer d'ells cronològicament parlant –ja que la seva composició és força anterior i cal situar-la pels volts de 1835–, és a dir, *La légende de Saint Julien l'Hospitalier*, en traducció a cura d'Isabel Dusay, es publicà també en solitari a Barcelona el 1924, en castellà i en setzè.[24] L'altre conte va aparèixer individualment com «Un corazón sencillo» dins *Revista Literaria. Novelas y Cuentos* el 1930.[25] Per la seva banda, la novel·la inacabada *Bouvard et Pécuchet*, publicada pòstumament el 1881, no coneixerà cap traducció fins una època molt més propera a nosaltres.

Com podem veure, inicialment la història de la traducció de les obres de Flaubert s'escriu quasi completament en castellà, tot i que els llocs d'edició varien força, entre Barcelona, Madrid, València i fins i tot París (si no tenim en compte les edicions argentines de Buenos Aires, o bé les de Mèxic D. F., que no hem esmentat aquí). Tanmateix, l'interès per la seva narrativa sembla haver estat considerable entre nosaltres, però el món editorial hispànic ha apostat indefectiblement per la traducció en castellà quan es tractava de narrativa d'una certa extensió, d'una manera constant fins a èpoques recents. Aquest és un tret recurrent a l'època, d'explicació socioliterària –tal com hem analitzat en altres estudis i amb més deteniment–, i molt característic de les relacions sistèmiques que es donen entre l'edició en llengua castellana i catalana, extensible a altres llengües de l'Estat. Aquesta anàlisi valdria també per a la producció literària, en gran mesura, però en el cas de la traducció, que és el que aquí ens interessa, resulta determinant fins força avançat el segle XX. La recepció de Flaubert no és una excepció en aquest sentit, si no és perquè el primer volum que ens consta publicat en traducció catalana resulta força tardà i de caràcter miscel·lani, essent com és un recull de contes de diversos autors, entre els quals

19. En efecte, es tracta de les edicions següents: FLAUBERT, G.: *La leyenda de san Julián el Hospitalario.* Traducció de Luis Bello, Roger Editor, Sant Sebastià, 1998; represa a FLAUBERT, G. *Tres cuentos. Un corazón sencillo, La leyenda de san Julián el Hospitalario, Herodías.* Traducció de Luis Bello, Espasa-Calpe, Madrid, 1999.

20. FLAUBERT, G. *Herodías. Un corazón sencillo. La leyenda de san Julián el Hospitalario.* Traducció de Montserrat Casamada Faus, M. Arimany, Barcelona, 1945.

21. FLAUBERT, G. *Tres contes*, La Rosa dels Vents, Barcelona, 1937, 2 vol.

22. FLAUBERT, G. *Herodías*, Sociedad General de Publicaciones, Barcelona (1910).

23. FLAUBERT, G. *Herodías*, Ediciones Grano de Arena, Barcelona, 1941.

24. FLAUBERT, G. *La leyenda de san Julián.* Traducció d'Isabel Dusay, Editorial Cervantes (Imp. Núñez y Cia.), Barcelona, 1924.

25. FLAUBERT, G. «Un corazón sencillo», *Revista Literaria. Novelas y Cuentos.* Tom III, 25, Madrid (1930).

Flaubert, a cura de Ramon Miquel i Planes.[26] Als anys trenta es publica, per una banda, l'edició dels *Tres contes* de La Rosa dels Vents, que ja hem comentat. L'altre volum és encara més rar, sens dubte de ben difícil distribució. Es tracta d'una edició especial de tan sols sis exemplars, en lletra gòtica, de *La llegenda de sant Julià l'hospitalari*, en traducció de J. Carbonell i il·lustracions a mà de M. Farrell, que porta la data de 1935. En tots els casos, com podem comprovar, ens troben davant de narrativa breu. Els títols majors, tant de Flaubert com d'altres autors, hauran d'esperar un context socioliterari i de mercat força més propici.

En canvi, les traduccions de l'obra de Flaubert se succeiran en una època més recent, i és fins i tot habitual, en els darrers temps, trobar diverses traduccions d'un mateix original, que competeixen per obrir-se un espai en el minso mercat del llibre en català, enfront del castellà, igualment abundant pel que fa a aquest autor a partir dels anys setanta. Aquest fet resultaria sorprenent, i fins i tot insòlit, ateses la història de la traducció de Flaubert en català –quasi inexistent fins als nostres dies, com hem vist– i les circumstàncies sociològiques que presideixen en gran mesura la primera part del segle XX, i bona part de la segona, val a dir, tot i que per altres motius. Així, a partir dels anys vuitanta, el lector en català ha pogut triar i disposar de diverses edicions o reedicions de *L'educació sentimental* (1982 i 1991),[27] *Tres contes*[28] i *Un cor senzill*[29] (1995), *Les temptacions de sant Antoni*[30] i *Salammbô*[31] (1995 ambdues), o diverses edicions de *Madame Bovary* (1992, 1994, 1996, 1997 i 1999)[32] o de *Bouvard i Pécuchet* (1990)[33]. Tal com podem veure, els anys noranta estan marcats per les successives reedicions de la seva obra, de manera especial pel que fa a *Madame Bovary*, en diferents versions catalanes pràcticament coincidents en el temps, un fet sens dubte insòlit i potser fins i tot poc justificable.

Tot és poc, tanmateix, si ho comparàvem amb l'abundant panorama de la traducció en llengua castellana de l'obra de l'escriptor francès, la qual, no cal oblidar-ho,

26. MIQUEL I PLANES, R. (ed.): *Contes de bibliòfil*, Institut Català de les Arts del Llibre, Barcelona, 1924. (Conté contes de Flaubert, Daudet, Casellas i d'altres.)

27. FLAUBERT, G. *L'educació sentimental*. Traducció de Miquel Martí i Pol i Pere Gimferrer, Edicions 62 (MOLU), 1982, reeditada el 1991.

28. FLAUBERT, G. *Tres contes*. Traducció de Ramon Esquerra, revisada per Albert Mestres, Bruguera, Barcelona, 1984; i *Tres contes*, Destino, Barcelona, 1996.

29. FLAUBERT, G. *Un cor senzill*. Traducció de M. Rosa Vallribera i Fius, Edicions 1984, Barcelona, 1995.

30. FLAUBERT, G. *Les temptacions de sant Antoni*. Traducció de J. Llovet, pròleg de Paul Valéry, Edicions Proa, Barcelona, 1995. («A tot vent», 329).

31. FLAUBERT, G. *Salammbô*. Traducció de J. Llovet, Edicions Proa, Barcelona 1995. («A tot vent», 330).

32. FLAUBERT, G. *Madame Bovary*. Traducció de Lluís M. Todó, Columna Edicions & Llibres i Comunicació, SA, Barcelona 1992; reeditada per Columna, 1996, i també per UPF & Destino, Barcelona, 1996 («Grans èxits universals», 1). *Madame Bovary*. Traducció de Ramon Xuriguera, Enciclopèdia Catalana, Barcelona, 1994 («A tot vent», 247), reeditada per Edicions Proa, Barcelona 1997, i reeditada el 1999.

33. FLAUBERT, G. *Bouvard i Pécuchet*. Traducció de J. Llovet, Enciclopèdia Catalana, Barcelona, 1990.

també circula i fins i tot es produeix en àmbit català. Abundant tant pel nombre d'edicions i reedicions que podem trobar en la segona meitat del s. XX, com també per la quantitat dels títols publicats, notablement superior als títols traduïts al català. Pel que fa a la traducció en castellà, val a dir que la dècada dels anys setanta, fins i tot abans de la mort de Franco, anticipa ja amb algunes edicions el que serà la tònica general de les dues dècades següents. Parlem, en concret, de *Salammbô* (1973),[34] *Tres cuentos* (1972), editats junt amb el *Diccionario de lugares comunes*[35] (1972), que coneixerà altres títols més tard, així com, sorprenentment, de la novel·la inacabada *Bouvard y Pécuchet* (1978).[36] Però això no és més que l'inici. Successives edicions de *Madame Bovary* (1980,[37] 1982,[38] 1984,[39] 1986 i 1987,[40] 1990,[41] 1992,[42] 1993, 1994,[43] 1995,[44] 1996,[45] 1997,[46] 1998,[47] 1999, 2000[48]), de *Tres cuentos* (1980,[49] 1986,[50] 1998,[51] 2000[52]) o

34. FLAUBERT, G. *Salambó*. Traducció d'Aníbal Froufe, Edaf, SA, Madrid, 1973.

35. FLAUBERT, G. *Tres cuentos. Diccionario de lugares comunes*, Salvat Editores, Barcelona, 1972. També per Seix Barral, Barcelona, 1973.

36. FLAUBERT, G. *Bouvard y Pécuchet*. Traducció de Juan Carlos Silvi, Bruguera, Barcelona, 1978.

37. FLAUBERT, G. *Madame Bovary*, Edaf, SA, Madrid, 1980.

38. *Ibídem*, Ramón Sopena, Barcelona 1982.

39. *Ibídem*, fascicles Planeta, Terrassa 1984. També per Grupo Axel Springer, SL, Madrid 1984, com el tom 7 de l'obra completa.

40. *Ibídem*. Traducció de Carmen Martín Gaite, Bruguera, Barcelona, 1986; la mateixa publicada per Tusquets de Barcelona el 1993 –reeditada el 1996–, i a Bilbao per La Papelera Española, SA, el 1987. Aquesta traducció ha estat reeditada deu anys més tard per Edicions Orbis, SA, Barcelona 1997. Una altra traducció, a cura de Luisa Salomone, per Ediciones Alba, SA, Madrid 1987.

41. *Ibídem*. Traducció de Joan Sales, Planeta, Barcelona 1995; reeditada per Planeta - De Agostini, Barcelona, 1996 com a *Madame Bovary: costumbres provincianas*. Coincideix amb la publicada per Editorial Origen, SA, Barcelona 1992, i també amb la RBA Coleccionables, SA, Barcelona 1994.

42. *Ibídem*, Onix de Comunicaciones, SA, Barcelona 1992; i com a *Madame Bovary: costumbres de provincias*. Traducció de Consuelo Bergés i pròleg de Mario Vargas Llosa, Círculo de Lectores, SA, Barcelona 1992, reeditada el 1996.

43. *Ibídem*. Traducció de Germán Palacios, Ediciones Altaya, SA, Barcelona 1994; que és reedició de la de Cátedra, SA, Madrid 1986. Una altra en traducció de Jorge Carrier Vélez, Edicomunicación, SA, Barcelona 1994, reeditada el 1996 i el 2000.

44. *Ibídem*, Salvat Editores, Barcelona, 1995.

45. *Ibídem*, Alba Libros, SL, Madrid, 1996.

46. *Ibídem*. Traduïda per Editorial Óptima & Sopena, Barcelona, 1997; també per Océano Grupo Editorial, SA, en traducció de Juan Paredes, Barcelona 1997 (t. 6 de l'obra completa); en traducció de Consuelo Bergés, Alianza Editorial, Madrid 1997, reeditada el 1999, i dins del Club Internacional de Libro. División Coleccionables, SA, de Madrid, en edició per a l'Argentina, també el 1997 i el 1999 (sense esment del traductor).

47. *Ibídem*, en traducció de Juan Bravo Castillo, Espasa-Calpe, SA, Madrid, 1998 (dins de l'obra completa); també en traducció de Pedro Vauces, Espasa-Calpe, Madrid, 1999, com una part de l'obra completa. Una altra edició, en la traducció de María Cóndor Orduña, Alba, Alcobendas, 1998.

48. *Ibídem*, Ediciones Páramo, SA, Madrid 2000 (vol. 12 de l'obra completa).

49. FLAUBERT, G. *Tres cuentos*. Traducció de Consuelo Bergés, Bruguera, Barcelona 1980; reeditada el 1981.

50. *Ibídem*. Traducció de Francisco Ferrer Lerin, Salvat Editores, SA, Barcelona 1986.

51. *Ibídem*. Traducció de Mauro Armiño, Alianza Editorial, SA, Madrid 1998.

52. *Ibídem*. Traducció de Luis Bello, Espasa-Calpe, Madrid 2000 (vol. 16 de l'obra completa).

bé, per separat, de *Salammbô* (1984,[53] 1995,[54] 1996[55]), *Un corazón sencillo* (1992,[56] 1998,[57] 1999[58]) i *La leyenda de san Julián el Hospitalario* (1992,[59] 1998,[60] 1985 dins d'una col·lecció de llibre infantil[61]), junt amb *La educación sentimental* (1984,[62] 1990,[63] sota el títol de *La primera educación sentimental* en l'edició de Destino d'aquell any,[64] 1995[65]) i *Las tentaciones de san Antonio* (1989,[66] 1996 i 1998[67]) ompliran el mercat amb una periodicitat en alguns casos no tan sols anual sinó múltiple, i on el lloc d'honor correspon, naturalment, a la novel·la que ja encetava la recepció flaubertiana al món hispànic, tal com hem vist. Al costat d'aquest ampli ventall, no hi falten, però, títols més rars, com *Bouvard et Pécuchet*, que des de l'edició de Bruguera de 1978 compta amb diverses edicions castellanes, totes elles diferents (Montesinos el 1993,[68] i Cátedra i Tusquets el 1999[69]), a més de la catalana de Proa del 1990, que ja hem comentat més amunt. O fins i tot títols menors, com ara algun que podem incloure dins l'epígraf de literatura de viatges: *Cartas del viaje a Oriente* (1987 i 1993)[70] o *Viaje a los Pirineos y Córcega. Viaje a Bretaña* (1994).[71] O bé d'altres de producció epistolar: *Cartas a Louise Colet* (1989),[72] també conegudes com *Correspondencia íntima* en

53. FLAUBERT, G. *Salambó.* Traducció de Mauricio Wacquez, Montesinos Editor, SA, Barcelona, 1984; reeditada el 1997 per Literatura y Ciencia, SL, Barcelona.

54. *Ibídem.* Traducció d'Hermenegildo Giner de los Ríos, Lipari Ediciones, Pozuelo de Alarcón, 1995, represa d'una edició antiga.

55. FLAUBERT, G. *Salambó: la princesa de Cartago.* Traducció d'Aníbal Froufe, Edhasa, Barcelona, 1996, represa de l'edició de 1973.

56. FLAUBERT, G. *Un corazón sencillo* Traducció de Mauro Armiño, Compañía Europea de Comunicación e Información, Madrid, 1992.

57. FLAUBERT, G. *Un alma de Dios.* Traducció de Consuelo Bergés, Plaza & Janés, Barcelona, 1998.

58. *Ibídem*, en el vol. I de l'obra completa, per Planeta - De Agostini, Barcelona 1999.

59. FLAUBERT, G. *La leyenda de san Julián el Hospitalario.* Traducció de Mauro Armiño, Compañía de Comunicación e Información, Madrid, 1992.

60. *Ibídem*, en l'antiga traducció de Luis Bello, Roger Editor, SL, Sant Sebastià, 1998.

61. FLAUBERT, G. *La leyenda de san Julián*, Ediciones SM, Madrid, 1985.

62. FLAUBERT, G. *La educación sentimental*, fascicles Planeta, Terrassa, 1984.

63. *Ibídem.* Traducció de Germán Palacios, Cátedra, Madrid, 1990.

64. FLAUBERT, G. *La primera educación sentimental.* Traducció de Javier Albiñana, Destino, Barcelona, 1990.

65. FLAUBERT, G. *La educación sentimental.* Traducció de Miguel Salabert, Alianza Editorial, Madrid, 1995, reeditada el 1998.

66. FLAUBERT, G. *La tentación de san Antonio.* Traducció d'Elena del Amo, Siruela, Madrid, 1989.

67. *Ibídem.* Traducció de Beatriz Vitar, M. E. Editores, SL, Madrid, 1996, reeditada el 1998 per Edimat Libros, SA, Madrid.

68. FLAUBERT, G. *Bouvard y Pécuchet.* Traducció de Mónica Maragall, Montesinos Editor, SA, Barcelona, 1993.

69. *Ibídem.* Traducció i edició de Germán Palacios, Cátedra, Madrid 1999 («Letras universales», 275); i ibídem, traducció d'Aurora Bernárdez, Tusquets Editores, Barcelona, 1999.

70 FLAUBERT, G. *Cartas del viaje a Oriente.* Traducció de Ricardo Cano Gaviria, Laertes, SA, Barcelona, 1987. Una altra edició amb el títol *Viaje a Oriente.* Traducció i edició de Menene Gras, Cátedra, Madrid, 1993.

71. FLAUBERT, G. *Viaje a los Pirineos y Córcega; Viaje a Bretaña.* Traducció de María Badiola Dorrousoro, Valdemar, Madrid, 1994.

72. FLAUBERT, G. *Cartas a Louise Colet.* Traducció d'Ignacio Malaxecheverría, Siruela, Madrid, 1989.

l'edició de 1988.[73] De manera semblant, recordarem les *Memorias de un loco* (1991),[74] els *Cuentos negros y románticos* (1993),[75] i els volums *Noviembre* (1987)[76] o *Razones y osadía* (1997).[77]

Per tot això, si els anys del tombant de segle hem vist que constituïen un moment àlgid en aquesta història de les traduccions de Flaubert en àmbit hispà, hem de considerar que els darrers vint anys marquen una inflexió molt considerable cap a l'alça, particularment pel que fa a la traducció en llengua castellana, però amb una influència innegable en el sistema català. En aquest procés, destaquen particularment alguns moments, com ara l'any 1984, el 1993 i el 1998, any de la reedició de l'obra completa de l'autor per Espasa-Calpe de Madrid –que es perllongarà també durant el 1999 i el 2000–, immediatament després de l'edició d'Océano Grupo Editorial de Barcelona. I sobretot, destaquen algunes traduccions, com per exemple la de *Madame Bovary* a cura de Carmen Martín Gaite o les de Joan Sales, en castellà. I, en català, la de *L'educació sentimental* de M. Martí i Pol i P. Gimferrer, i la *Madame Bovary* de Lluís M. Todó.

73. Inicialment van ser presentades dins la col·lecció «Sine die», com a FLAUBERT, G., *Correspondencia íntima*. Traducció d'Emma Calatayud, Ediciones B, Barcelona, 1988.

74. FLAUBERT, G. *Memorias de un loco*. Traducció de Christiane Scheurer *et al.*, Compañía Europea de Comunicación e Información, Madrid, 1991.

75. FLAUBERT, G. *Cuentos negros y románticos*. Traducció de María Badiola, Valdemar, Madrid, 1993.

76. FLAUBERT, G. *Noviembre*. Traducció de Ricardo Cano Gaviria, Muchnik Editores, SA, Barcelona, 1986, reeditada el 1994.

77. FLAUBERT, G. *Razones y osadías*. Traducció de J. Llovet, Edhasa, Barcelona, 1997.

LA FORTUNA D'IBSEN A LA CATALUNYA DELS ANYS VINT

Margarida Casacuberta

Universitat de Girona

«El país que recorda els fets importants i els homes d'una certa alçària espiritual, ve a ésser com aquell que ha guaitat la vellesa i sap reviure en una calma intel·ligent els moments més lluminosos de la vida pròpia.»
Josep M. de Sagarra[1]

Quan, a finals de 1927, en plena dictadura primoriverista, Adrià Gual va reprendre les sessions del ja gairebé mític Teatre Íntim amb l'estrena d'una de les darreres obres d'Henrik Ibsen, *Solness, el constructor* (1892),[2] no només es va quedar amb un discret i descoratjador *succès d'estime*, sinó que es va haver d'escoltar que el dramaturg noruec havia passat de moda, que la seva obra era ja del tot obsoleta i que havia quedat ben lluny d'assolir la tan cobejada condició de clàssic.[3] A tot estirar, els crítics que se'n van fer ressò li concedien que Ibsen havia estat una peça important en la construcció de la cultura catalana moderna durant els anys crucials del tombant de segle, i es veien obligats a reconèixer –ni que fos amb un cert to commiseratiu– els esforços de l'incombustible Gual a fer arqueologia dramàtica per tal de desenterrar, amb el record del teatre d'Ibsen, les restes d'una època passada i susceptible de ser revisada, a una distància de vint-i-cinc anys, tant per aquells que hi havien representat algun paper rellevant, com per les noves generacions d'intel·lectuals sorgides després de la liquidació del noucentisme i disposades a fer *tabula rasa* del passat immediat.

Joves i vells coincidien, doncs, davant *Solness, el constructor*, a traslladar al terreny del teatre la polèmica sobre models i estratègies culturals que, a l'entorn de 1925, centrava l'interès de la intel·lectualitat catalana. I es pot dir que la majoria dels

1. Josep M. de SAGARRA, «Ibsen, Peer Gynt, Solveig i altres notes», *L'Opinió*, núm. 9, 14-IV-1928, pàg. 8.

2. Traduïda per primera vegada el 1910 per A. Calderer Morales, Gual va encarregar tanmateix la traducció de *Solness, el constructor* a M. Alcàntara Gusart i J. Jaumandreu. Sobre les raons de l'elecció de l'obra, vegeu Adrià GUAL, *Mitja vida de teatre. Memòries*, Barcelona, Aedos, 1957, pàg. 321-422, i EL REPORTER, «Con el estreno de "Solness, el constructor", de Ibsen, el "Teatre Íntim" inauguró brillantemente las sesiones del presente curso», *La Noche*, 10-XII-1927.

3. Qüestionar la categoria de clàssic que sens dubte mereix l'obra d'Ibsen no ha estat patrimoni exclusiu de la cultura catalana. Sobre aquest tema, vegeu l'article de Vigdis YSTAD, «Henrik Ibsen est-il un classique?», *Europe*, núm. 840, abril 1999, pàg. 24-37.

crítics del moment gairebé no va parar atenció en la qualitat intrínseca del drama que inicia la darrera etapa de l'obra ibseniana i que ha estat considerada com una mena d'epíleg perquè presenta subtils però significatives diferències en relació amb la producció anterior, de la qual es converteix en una mena de comentari i de revisió tant pel que fa a procediments dramàtics com pel que fa als temes. La selecció dràstica de la tradició immediata, la reflexió a l'entorn de la relació entre l'art i la moral, el temor davant dels estigmes que l'individualisme anarquista havia deixat sobre l'obra d'Ibsen en el tombant de segle, fan que, en general, crítics i comentaristes passin per ull no només la modernitat de les darreres peces d'Ibsen, sinó l'oportunitat d'incorporar a la cultura catalana la riquesa conceptual i formal de *Solness, el constructor*.

Solness, el constructor: el testament literari d'Ibsen

Solness, el constructor és un drama en tres actes que posa sobre les taules escèniques vint-i-quatre hores de la vida de Halvard Solness, un constructor d'èxit reconegut, un home aparentment fort i madur, una d'aquelles «persones escollides, dotades de la gràcia, el poder i la capacitat de desitjar, d'anhelar i de voler alguna cosa... tan intensament i tan inexorablement... que finalment ho han d'aconseguir» (acte segon) i que, malgrat tot, és profundament infeliç: no té fe en la seva obra ni confiança en ell mateix i, com que ha sacrificat tota la seva vida personal i la de la seva família a un ideal fals, malviu amb un constant sentiment de culpa i de deute en relació amb la seva dona, Aline, i amb una obsessiva desconfiança –per no dir terror– cap a la joventut, la qual, diu Solness, vol barrar-li el camí i acabarà per ferlo desaparèixer, per anul·lar-lo –se suposa– com a artista. Quan se'n lamenta davant del Dr. Herdel i diu, de forma enigmàtica, que «un dia la joventut trucarà a la meva porta», apareix Hilde Wangel, una jove de vint-i-dos anys, representant de la joventut no pas en el sentit que tem Solness, sinó com a projecció de l'anhel inconfessat que el constructor té de la vida, de la llibertat i de la felicitat. És a dir, aquella felicitat que no té res a veure amb «la felicitat de què es parla tant» (acte segon) –una imatge falsa creada per la convenció social–, sinó amb la capacitat o la gosadia de ser un mateix, de «construir castells a l'aire», d'assolir un ideal veritable que s'acosta molt a l'amor: «d'ara endavant em limitaré a construir la cosa més meravellosa del món... [...] la construiré conjuntament amb una princesa que estimo...» (acte tercer).

Hilde, un personatge que posa davant de Halvard Solness el mirall de la pròpia infelicitat, l'empeny cap a «l'impossible», cap a la consciència i l'acceptació d'ell mateix i del món, cap a la pèrdua de la por i, en darrer terme, cap a la vida plena. L'ascensió a la bastida que envolta la nova construcció de Solness simbolitza aquesta recerca de l'ideal. Arribar al cim suposa un nou naixement de la persona, fet, aquesta vegada, no pas des d'un estadi de preconsciència, sinó des de l'esforç, la voluntat i la consciència, i significa assolir la plenitud humana i, per tant, el dret d'equiparar-se a la divinitat. Despertar-se d'entre els morts:[4] això és el que aconsegueix el constructor Solness empès per Hilde i això és el que dóna sentit a la seva vida, encara que aquesta vida s'estronqui just en el moment en què es produeix l'epifania.[5] La joventut, finalment, a través del personatge enigmàtic que és Hilde, haurà fet desaparèixer el constructor de les esglésies i de les cases més altes de Noruega, edificis bastits sobre l'ambició, sobre l'afany de poder i sobre una idea de felicitat mal entesa. Els «castells a l'aire», la recerca de l'«impossible» que mena Solness a la mort són la seva gran i, ara sí, veritable obra d'art.

Solness, el constructor, com *El petit Ejolf* (1894), *John Gabriel Borkman* (1896) i *Quan ens despertarem d'entre els morts* (1899), és la culminació d'una recerca incessant d'Henrik Ibsen sobre la pròpia identitat, una reflexió sobre les relacions entre l'art i la vida, una interrogació existencial que l'espectador o el lector es fa indefectiblement seva, ni que sigui al cap de més de cent anys de la creació d'aquestes quatre obres, que es mantenen perfectament vives. Perquè al final del seu viatge personal, un Ibsen a qui l'experiència de la vida i la dedicació a l'art han anat fent cada vegada més savi, passa balanç de la seva trajectòria vital i professional i es pregunta on l'han portat la seva dedicació a l'art i el sacrifici de la seva felicitat personal per un èxit incert, fugisser i sempre relatiu, i fins a quin punt és possible la felicitat en l'existència de l'individu modern.

No és gens estrany, doncs, que aquestes quatre últimes peces d'Ibsen tinguin totes com a protagonista un home que, tot just arribat al llindar de la vellesa, després d'haver-ho sacrificat tot a un ideal –tres dels personatges tenen alguna cosa a veure amb el món de l'art i un, John Gabriel Borkman, amb el de les finances, però tot es redueix al tema de la creació i de l'aspiració de l'individu a esdevenir Déu[6]–, caigui en una crisi existencial que li fa replantejar tota la seva vida i adonar-se –en tres de les obres, just abans de morir– que ha viscut com un mort en vida i ha arrossegat els éssers més propers a la mateixa sort després d'haver comès el «gran pecat misteriós de què parla l'Escriptura, que no té remissió» (*John Gabriel Borkman*): matar la il·lusió, encara que sigui en nom de l'art, de la posteritat o del benestar general, els grans ideals i els elevats principis que sostenen tantes existències sobre uns fonaments d'allò més febles, per no dir, ras i curt, sobre una fatal equivocació. Per això, tampoc no ha de sorprendre en absolut que el cineasta Jacques Rivette, director de *La Belle Noiseuse*, un film edificat sobre la lectura de *Le chef d'oeuvre inconnu*, de Balzac, incorpori, al

4. *Quan ens despertarem d'entre els morts* (1899) és el títol de l'últim drama d'Henrik Ibsen, el qual, d'alguna manera, es pot considerar com el seu testament literari. Existeix una traducció al català, d'Emili Tintorer, publicada el 1901 per les Publicacions de la revista *Joventut*.

5. Aquest terme, manllevat de James Joyce, és a la base de la lectura que vaig fer de *Solness, el constructor* a Margarida CASACUBERTA, «*Solness, el constructor*, la confessió d'un poeta», dins Henrik IBSEN, *Solness, el constructor*, Barcelona, Teatre Nacional de Catalunya, 2000.

6. Per a una anàlisi conjunta d'aquestes quatre darreres obres, Inga-Stina EWBANK, «The last plays», dins James MCFARLANE ed., *Ibsen*, Cambridge, University Press, 1998, pàg. 126-154, i Marc AUCHET, «Réquisitoire ou plaidoyer? Les dernières pièces d'Ibsen», *Europe*, núm. 840, abril 1999, pàg. 132-150.

cap d'un segle, en una pel·lícula que gira al voltant del tema de la creació artística i del sacrifici de la vida i de l'amor per l'art com a única via per arribar a l'absolut, unes significatives, velades i potser fins i tot iròniques referències a la història de dos personatges, Rubek i Irene, escultor i model, que són els protagonistes de *Quan ens despertarem d'entre els morts* –la darrera mirada del dramaturg noruec– i els encarregats de donar forma al testament literari i personal d'Ibsen: l'amor entre les persones, ni que sigui entre dos éssers fracassats, devastats pel pas del temps i per les inclemències del viatge, als quals només els queda la possibilitat d'unir els seus pobres parracs.

Queden ben lluny els drames que Georges Steiner anomena del *període progressista* d'Ibsen.[7] *Els pilars de la societat* (1877), *Casa de nines* (1879), *Espectres* (1881) o *Un enemic del poble* (1881) parteixen de la base que existeixen remeis específics per a les catàstrofes que assolen els herois i heroïnes que els protagonitzen, perquè Ibsen sembla haver-se proposat mostrar, a través d'aquests drames, que hi ha maneres de superar les hipocresies i les opressions amagades sota la màscara de la distinció burgesa, o els interessos i les relacions de poder que arriben a determinar el curs d'una vida o fins i tot els límits de l'honestedat intel·lectual. Les grans paraules i els grans ideals són posats en dubte de forma progressiva però implacable a les obres immediatament posteriors. Sobretot determinades formes de l'idealisme, entès com la màscara de la hipocresia i de la il·lusió voluntària amb què el gènere humà intenta defensar-se de la realitat de la vida social i personal. Aquest idealisme, Ibsen el va perfilant com un dels pitjors mals de la societat moderna, una societat que existeix al marge de Déu i mancada de les creences que abans li retornaven una imatge més o menys ordenada del món. Si Déu s'ha retirat dels afers humans, doncs, les inevitables lluites a què es lliura l'individu tenen com a escenari les interioritats més recòndites del jo.

La psicologia humana, escindida i vulnerable, és el que Ibsen intentarà d'explicar a través de la construcció d'un sistema de símbols que li serveix per crear una nova mitologia i, sobretot, un llenguatge nou que determinarà l'evolució del teatre modern. Una mitologia i un llenguatge que, per altra banda, Ibsen no s'estarà de portar fins a les últimes conseqüències en les seves darreres obres, en tensar la relació entre el sentit literal i el sentit figurat del llenguatge fins al punt de posar sobre la corda fluixa el pacte de versemblança. És el que ocorre, per exemple, amb l'aparició del personatge de Hilde en escena a *Solness, el constructor*, amb la inquietant matadora de rates d'*El petit Ejolf*, la neu que crea l'ambient espectral que emmarca la mort del protagonista de *John Gabriel Borkman* o amb l'allau que sepulta Rubek i Irene a *Quan ens despertarem d'entre els morts*. De fet, aquestes quatre obres se situen en una mena de paisatge sepulcral on els personatges són veritables morts en vida condemnats a purgar els seus pecats –fonamentalment la renúncia a l'amor i a la vida en nom d'ideals falsos– abans d'accedir a l'estadi de consciència, de llum, a l'epifania que redimeix i allibera els protagonistes dels darrers drames ibsenians.

7. Vegeu George Steiner, *La mort de la tragédie*, París, Gallimard, 1993, pàg. 286.

Aquesta epifania, la llum amb què finalitzen, com a mínim, *Solness, el constructor* i *Quan ens despertarem d'entre els morts*, impedeix, segons la tesi que sosté Steiner a propòsit de la mort de la tragèdia com a gènere a l'era moderna, qualsevol temptació de qualificar els drames d'Ibsen de tragèdies, per bé que sigui impossible d'obviar l'element tràgic que suposa la inevitabilitat de l'elecció individual que relega els personatges a la condició de morts en vida i que probablement és la raó última de la tristesa infinita que destil·len aquestes obres. Tant se val. En qualsevol cas, el que queda clar és que la tragèdia de l'home modern, segons es desprèn del darrer teatre d'Ibsen, té molt a veure amb les construccions mentals de cada individu, que són les que determinen que la tendència a la inhumanitat i a la destrucció sigui inherent a la condició humana malgrat el pes de la història i les múltiples capes de cultura que el ser humà ha estat capaç d'anar-se posant al damunt per tal d'escapar dels embats de la bèstia. No és gens estrany, doncs, que Freud utilitzés les obres d'Ibsen, al costat de les de Shakespeare, Sòfocles i Eurípides, per construir el seu discurs sobre l'inconscient i el subconscient:[8] l'exploració de les interioritats més ocultes de l'ésser humà és a la mateixa base del drama ibsenià. La manera simbòlica de representar-les, aquestes interioritats, és creant una nova mitologia, una epopeia de la vida interior que es va confegint d'acord amb les lleis internes d'una prosa cadenciosa, equilibrada, continguda, treballada amb el mateix rigor que exigeix el vers, fent especial atenció al mot i al poder taumatúrgic del mot en una línia que recollirà, sobretot, el cinema nòrdic, de Dreyer a Bergman i al recentíssim Lars von Trier.

«...amb la mitja rialla de qui es mira uns pantalons passats de moda»[9]

I, tanmateix, la Catalunya de final dels anys vint es manté, en general i malgrat l'aspiració a la modernitat de determinats sectors de la intel·lectualitat catalana, perfectament indiferent al teatre d'Ibsen. O, encara més, refractària. En realitat, la commemoració del centenari del naixement del dramaturg noruec, que Europa va celebrar amb gran parafernàlia, va passar sense pena ni glòria a Barcelona. Tret de l'estrena de *Solness, el constructor*, uns mesos abans de l'efemèride,[10] de la celebració d'una vetllada literària pel Teatre dels Poetes,[11] amb participació d'Adrià Gual i de Pere Coromines, i de l'estrena de *La dama del mar*, per la companyia de Lola Membrives[12] i en castellà, el 20 de març de 1928, no es va organitzar cap més acte davant l'estranyesa de determinats crítics, que van aprofitar la seva columna perio-

8. Patrick AVANE, «Freud-Ibsen, jalons d'une rencontre», *Europe*, núm. 840, abril 1999, pàg. 186-190.

9. La frase pertany a Adrià GUAL, «Ibsen i la seva obra», *L'Esquella de la Torratxa*, núm. 2544, 23-III-1928, pàg. 200.

10. Vegeu el programa de mà de la primera sessió del *Teatre Íntim. Director Adrià Gual. Curs 1927-1928. Teatre Català (Romea)*, celebrada el 9 de desembre de 1927.

11. Vegeu «Teatre dels poetes. Sessió d'homenatge a Enric Ibsen», *La Veu de Catalunya*, 28-III-1928, i «Teatres. El teatre dels poetes i el centenari d'Ibsen», *La Nau*, 28-III-1928.

12. M. RODRIGUEZ CODOLÁ, «En Eldorado. Conmemoración de un centenario. *La dama del mar*», *La Vanguardia*, 29-III-1928, i PÀG. B., «Eldorado. *La dama del mar*, drama en tres actes d'Enric Ibsen, versió castellana de Cristòfol de Castro», *La Veu de Catalunya*, 29-III-1928.

dística per tal de fer un diagnòstic del problema que deixava intuir una tan gran fredor; i davant l'alleujament d'aquells que identificaven Ibsen amb la utilització que dels seus drames havia fet l'anarquisme durant els anys del tombant de segle, quan el modernisme era un moviment cultural i intel·lectual d'elevat contingut revolucionari obert a tot allò que era modern pel sol fet de ser modern i amb la intenció de marcar la diferència de Catalunya amb l'Espanya morta, negra, de Jaume Brossa i Joan Maragall:[13] més valia passar full.

Els primers, sempre respectuosos amb la producció ibseniana, entenen que Ibsen és un clàssic i que, com ocorre per definició amb els clàssics, la seva obra posseeix la capacitat de mantenir l'interès i fins i tot l'actualitat malgrat el pas del temps. El repte, doncs, de programar una peça com *Solness, el constructor* a final de 1927, ho és només en tant que el panorama teatral català és molt lluny d'haver assolit la normalitat que permetria revisitar Ibsen sense convertir aquesta visita a un clàssic indiscutible en un problema de cultura. Però el teatre, com la novel·la, s'havia convertit, després de l'ensulsiada del noucentisme, en un dels principals cavalls de batalla de la discussió sobre les responsabilitats que haurien d'assumir els intel·lectuals noucentistes davant la crisi que afecta una cultura establerta sobre un projecte cultural molt restrictiu i molt selectiu que s'ha demostrat inoperant, entre altres motius, pel fet d'haver obviat les relacions amb el públic a favor de la construcció d'una màscara que, en caure –a diferència del que ocorre amb el protagonista de *L'hipòcrita santificat*, de Max Beerbhom–, havia deixat a la intempèrie un edifici tot just apuntalat. Programar o no programar Ibsen, doncs, implicava prendre partit en el marc d'una reflexió més general sobre l'estat de la cultura catalana. I prendre partit, davant d'una obra com la d'Ibsen, no era gens fàcil perquè si, per una banda, el contingut eminentment poètic del teatre del dramaturg noruec era un valor estimable per aquells sectors de la intel·lectualitat catalana que advocaven per la creació d'un teatre d'art que sostragués l'escena catalana del poder del monstre popular, per l'altra, la càrrega ideològica que històricament arrossegava aquest teatre els coartava qualsevol jugada forta a favor d'Ibsen. La contradicció estava servida, perquè els segons, els intel·lectuals que segurament havien respirat davant la manca de ressò del centenari de l'autor de *Casa de nines*, eren els que, per la seva actitud programàticament culturalista, per lògica haurien d'haver fet mans i mànigues per incorporar, actualitzada, l'obra del creador del teatre modern a una cultura que es disposava a emprendre la gran i fructífera aventura dels anys trenta sense haver sabut renunciar a uns prejudicis de base que, en el fons, en coartaven i minimitzaven l'abast.

Per això, és significatiu que un personatge com Prudenci Bertrana, un dels principals representants del modernisme, narrador i dramaturg que s'ha de guanyar la vida fent de periodista i, en aquests moments, de crític de teatre de *La Veu de Catalunya*, sigui incapaç, davant de *Solness, el constructor*, d'anar més enllà del tòpic de l'obscuritat i de l'intel·lectualisme de l'últim teatre d'Ibsen, i utilitzi l'estre-

13. Sobre les relacions entre Ibsen i Catalunya en època del modernisme, Marisa SIGUAN, *La recepción de Ibsen i Hauptmann en el modernismo catalán*, Barcelona, PPU, 1990.

na com a pretext per reivindicar un teatre «escrit amb sang», amb uns personatges «de carn i ossos» que puguin emocionar el públic: «De les obres d'Ibsen, l'escollida pel senyor Gual és una de les menys conegudes, però també de les menys humanes. Diguin el que vulguin els entusiastes d'Ibsen, quan ell escriu amb mires declaradament simbòliques és quan ens interessa d'una manera relativa, car els personatges esdevenen abstraccions, i les vicissituds que els turmenten –sempre són vicissituds i molt poques vegades alegries el que l'autor d'*Espectres* regala als seus personatges– per fortes que siguin no arriben a emocionar-nos. I sense emoció el teatre dramàtic perd el seu encís característic. Ibsen ha triomfat perquè no sempre en crear simbolismes ha esmerçat ninots filosòfics fets a mida, sinó que ha sabut servir-se de persones vives el tarannà de les quals encaixava perfectament amb el joc simbòlic que els feia jugar.»[14]

El rebuig de la «fredor», l'«encarcarament» i, en darrer terme, del «cientifisme» d'una peça com *Solness, el constructor* probablement té molt més a veure amb la reivindicació del propi teatre i de la pròpia literatura, arraconats fatalment pel sistema –sigui quin sigui aquest sistema–, segons un Bertrana sempre disposat a presentar-se com a màrtir de l'art i rebel irreductible, que no pas amb una valoració crítica i matisada de l'obra d'Ibsen. Ara bé, com que la posició de Bertrana abona l'actitud anticulturalista d'un sector important de la intel·lectualitat catalana que identifica automàticament la contenció, el rigor i el plaer intel·lectual de les obres d'Ibsen amb el caràcter restrictiu del ja periclitat projecte noucentista, no és gens estrany que les seves opinions siguin immediatament contestades per aquells que advoquen per la dignificació de l'escena catalana i continuen defensant, la necessitat de potenciar un teatre d'art que es desmarqui del teatre de consum, estrictament comercial.

El curiós del cas és que aquestes veus crítiques provinguin no pas dels intel·lectuals que en el seu moment havien jugat fort a favor del noucentisme, els quals intenten establir una divisió dràstica entre un teatre dirigit al gran públic i un teatre selecte,[15] sinó d'aquells intel·lectuals d'esquerres que, durant els anys vint, posen les bases d'un projecte cultural destinat a regenerar la societat catalana a través de l'educació i sobre uns terrenys prèviament fressats pel primer modernisme, el dels àngels exterminadors de *L'Avenç*,[16] Jaume Brossa i companyia, que cercaven la regeneració de la societat catalana a través de la regeneració de l'ànima col·lectiva i eren conscients que l'única possibilitat de regeneració de l'ànima col·lectiva passava per la cultura.

En uns moments, doncs, en què es tendeix a revisar els valors del Vuit-cents, em sembla especialment rellevant que Jaume Aguadé i Miró remarqui que ha arribat

14. B., «Teatre Íntim. Primera sessió», *La Veu de Catalunya*, 11-XII-1927.

15. MILLÀS-RAURELL, «Temes teatrals», *La Revista*, any XIV, gener-juny 1928, pàg. 24-30.

16. Joan-Lluís MARFANY, *Cultura i societat: els inicis del modernisme a Catalunya*, Tesi doctoral inèdita, Universitat de Barcelona, 1982.

«l'hora de la cultura» i que ho faci apel·lant a la recuperació de determinats valors del segle XIX: «Avui estem en un moment de gran densitat espiritual, d'un desig, d'una necessitat de saber de la nostra gent. Aprofitin-ho els elements intel·lectuals; és una hora propícia, és la seva hora. Nosaltres hem vist malaurar aquella Extensió Universitària de trenta anys enrere; fracassà arreu d'Europa, fou un moviment intel·lectualista que no tenia arrels en el poble i prengué tot seguit un caient burocràtic i insincer. Potser només entre nosaltres deixà una obra viva: l'Ateneu Enciclopèdic Popular. Ara no és com llavors; la bravada puja de baix i troba en el moment la màxima ocasió. Apurem-la abans no s'esgoti; en aprofitar-la, en abusar-ne i tot, li donem nova força.»[17] Tan rellevant com que les veus més contràries a donar peixet al públic siguin les que parlen des de les publicacions que, històricament, s'han fet portaveus d'una tradició cultural i política republicana, catalanista i urbana. Ramon Vinyes, per exemple, es troba en el cas d'haver de recordar a Bertrana que «els personatges d'una obra tenen vida quan passions o intel·ligència els fan ésser un doble mirall que els reflexa a ells i reflexa els altres; quan deixen d'ésser qui són, la seva carnassa, carn i ossos precisament, per a mostrar-nos un moment d'humanitat que arriba fins a nosaltres per la veritat humana que conté, per la veritat de tots, per la veritat humana de conjunt, sigui en conflicte de passions, sigui en conflicte d'idees; en topada de principis, o en lluita de sentiments».[18] La seva posició –que comparteix la redacció de *L'Esquella de la Torratxa*[19]– és ferma pel que fa al paper importantíssim que representa la crítica en la construcció d'una cultura sòlida: «És un bon xic trista la nostra crítica, feta a motllo, i amb el criteri de què l'obra de teatre ha d'anar de cara al públic. A casa nostra, l'autor –ajudat pel crític– no pot intentar portar el públic cap a ell. Ha de fer personatges de carn i ossos, que gairebé sempre careixen d'ossos i de carn, de sentit comú i de veritat de vida, veritat de vida que s'aconsegueix fent parlar els ninots com vulguin i rodejant-los d'anècdotes familiars... L'autor nostre, avui, tal com s'han posat les coses, ha de moure titelles, que facin riure amb mots de retruc o facin plorar amb sensibleries de beceroles. Llavors farà obra de teatre; llavors no pecarà del pecat d'anar contra la corrent...»

Anar contra corrent, en aquest context, sembla que vol dir investigar, revisar, actualitzar la tradició,[20] però també retornar a un tema que, a final dels anys vint, sembla, com a mínim, inquietant, sinó directament perillós: l'esfondrament de l'ideal. Ho denuncia, amb totes les lletres, el redactor de *L'Esquella*: «Halvard

17. J. AGUADÉ I MIRÓ, «L'hora de la cultura», *La Nau*, 1-III-1928.

18. Ramon VINYES, «La gent de carn i ossos», *L'Esquella de la Torratxa*, núm. 2531, 23-XII-1927, pàg. 842.

19. Vegeu «Teló enlaire. Romea», *L'Esquella de la Torratxa*, núm. 2530, 16-XII-1927, pàg. 830. El redactor de la crítica de *Solness, el constructor* afirma, literalment, que «l'espectador o el crític que no sent néixer un sentiment de respecte davant d'aquesta dignitat de l'obra total d'Ibsen és que és un cretí». Per altra banda, *L'Esquella* va ser la revista on Adrià Gual va explicar les raons de la tria de *Solness, el constructor* per encetar la temporada del Teatre Íntim amb motiu de la celebració del centenari: Adrià GUAL, «Ibsen i la seva obra», pàg. 200.

20. Adrià GUAL, «Ibsen i la seva obra», pàg. 200.

Solness, com totes les figures centrals d'Ibsen, és un aturmentat. Un aturmentat per l'ideal. Per això, en els nostres temps raquítics i mesquins, es fa difícil i borrosa la seva figura nobilíssima. *Solness* ha d'ésser incomprensible a un públic abarragassat i encanallat pel baix, per l'abjecte, pel ximple del teatre que, d'uns quants anys a aquesta part –i salvant alguna que altra excepció– es conrea a Catalunya.»[21] Però qui es fa ressò del temor o de la inquietud que provoca el tema de la pèrdua de l'ideal que havia servit de motor a la cultura del tombant de segle és, sense cap mena de dubte, Josep Pla. Ni que sigui en negatiu. Perquè, què és sinó un rebuig declarat del culte a l'ideal que va caracteritzar la cultura del tombant de segle l'estirabot que dedica, en bloc, a la producció ibseniana des de les pàgines de *L'Opinió*[22] amb motiu de la celebració del centenari del dramaturg? Escriu Pla:

> «Ibsen ha envellit enormement, potser més que Nietzsche; la majoria dels problemes del seu teatre no són tals problemes, no són més que fets diversos tractats per un home que tenia la mania contrària a la de tots els escriptors que hi ha hagut i haurà al món, que tenia la mania d'escriure fosc –d'escriure fosc no pas per excés de contracció i d'acumulació de substància, pel gust de rabejar-se en la verbositat més vaga i més extravagant. L'alcoholisme, l'herència, allò que en deien els romàntics viure la vida, en general els problemes de l'individualisme anàrquic, no són altra cosa que exageracions pedants i infantils de dramaturg que no ha vist el món per un forat. Ibsen no s'encara mai ni amb un sol sentiment humà essencial i normal. La seva exploració psicològica és extravagant, inventada de dalt a baix, d'una puerilitat desconcertant. Recordo haver assistit a París a una representació de Peer Gynt. La gent, davant dels sospirs de Solveig, no podia aguantar-se les rialles. La gent reia perquè el drama és tan poc consistent que es veia a contrallum. La gent pensava que aquella nit s'haurien pogut estalviar de sortir, si Solveig hagués fet el que solen fer les dones posades en la situació de la protagonista: això és, agafar un petit amant. En general, es pot dir que si els personatges d'Ibsen fessin, en les situacions en què es troben, el que sol fer tothom que és enraonat posat en una situació semblant, serien els personatges més insignificants del món.
> I del simbolisme d'Ibsen, què no se'n podria dir? Un home que tenint les persones i les coses de carn i ossos a la mà, les deixa de banda per dedicar-se als símbols, demostra que el que li interessa és de seguir el camí més fàcil, més incontrolable, més faltat de garanties. L'antirealisme d'Ibsen és una veritable traïció a Occident, i el que ha soterrat tota la seva obra en un oblit creixent i aclaparador. A Catalunya, la gran popularitat d'Ibsen coincidí amb una època que la gent recorda avui com un mal somni: època d'un gust horrorós, d'un anarquisme pedant, d'una gran confusió. Hi ha més gràcia, més vida, més humanitat en una plana d'En Vilanova dels envelats que en tot Ibsen.»

No cal dir que el que rebutja Josep Pla, que en aquests moments és a punt de fer una entrada de cavall sicilià en el món de la *La Veu de Catalunya*, és la tradició a

21. «Teló enlaire. Romea», pàg. 830.Vegeu també, entre altres, BERNAT I DURÁN, «Teatre Íntim: *Solness, el constructor*, de Enrique Ibsen», *El Noticiero Universal*, 10-XII-1927; Emilio TINTORER, «Los Teatros. Romea. Primera sesión del "Teatre Íntim". *Solness, el constructor*, drama en tres actos, de Enrique Ibsen», *Las Noticias*, 10-XII-1927; i GAZIEL, «En el centenario de Ibsen: la transfiguración», *La Vanguardia*, 23-III-1928.

22. Josep PLA, «Resum de la setmana», *L'Opinió*, núm. 6, 24-III-1928, pàg. 3-4

la qual apel·len els fins ara coreligionaris seus. D'esquerra, vull dir. De fet, aquesta és la qüestió que aborda Marc Saturn des de *La Campana de Gràcia.*[23] Interessat a demostrar que Ibsen no ha passat en absolut de moda, l'articulista rebat els arguments de Pla i confessa el seu estupor davant el que ha llegit a *L'Opinió*. De fet, no pot entendre com pot ser que un intel·lectual que s'autodefineix d'esquerra i que publica en un periòdic d'esquerra pugui afirmar impunement que «els problemes de l'individualisme anàrquic» tractats pel teatre d'Ibsen són «exageracions pedants i infantils de dramaturg que no ha vist el món per un forat», perquè aquesta actitud és del tot contrària al programa cultural que les esquerres defensen a final dels anys vint a Catalunya: «Sembla ben estrany que aquestes paraules siguin dites per un intel·lectual i, sobretot, que sigui d'esquerra. Pla, per poc observador que fos, hauria notat que tot individu, amb esperit independent i inquiet, sempre està amb desacord complet amb el mig social en què es desenrotlla, perquè sempre aquest mig és quiet i tradicional amb comparació amb l'individu, i d'aquí neix un antagonisme més o menys profund, i, forçosament, d'aquest antagonisme en sorgeix la lluita, perquè el grup social no pot tolerar, com a tradicionalista que és, cap innovació, mentre que l'individu, impulsat per la seva energia i potència, té necessitat de manifestar-se i afirmar-se, i ja sap que en tota lluita el fort és vencedor i després opressor, doncs la societat, com més forta, venç la inquietud de l'individu i l'oprimeix i, com que un ésser d'una potència extraordinària no s'acomoda a sotmetre's amb tranquil·litat, ha de revoltar-se contra la dita opressió.» Segons l'articulista, que advoca el model d'intel·lectual que representen Romain Rolland i Hans Ryner, rebel, individualista i *outsider*, el conflicte entre l'individu i la multitud és «un fet que sembla haver-se experimentat en tots els temps, i, avui, qui no en sofreix les conseqüències és perquè no és més que un adaptat, que pot catalogar-se al pilot de la resta dels homes, a la multitud», de la qual cosa se'n pot perfectament derivar que Marc Saturn detecta i mostra l'evolució de Josep Pla cap a posicions substancialment diferents a les de l'intel·lectual que planteja la seva funció i el seu sentit socials en relació amb la regeneració de la societat que li ha tocat viure.[24]

És per aquesta raó que Marc Saturn reivindica l'actualitat d'Ibsen: per una pura qüestió ideològica. Així, escriu, «és totalment equivocat dir que és inactual, perquè tots els prejudicis que es gran dramaturg combat en el seu teatre persisteixen essent reals i vivents, no n'ha desaparegut cap». D'aquí a plantejar que la modernitat és una qüestió de contingut i a defensar una mena de modernisme/futurisme en el sentit més regeneracionista dels termes –que en realitat signifiquen el mateix– només hi ha un pas, que porta Marc Saturn a situar-se enfront dels nous corrents avantguardistes, als quals acusa de manca de contingut revolucionari real: «És una llàstima que avui, amb l'aspecte que ofereix el camp intel·lectual català, encara es vulgui combatre un home d'un mèrit positiu. Avui que sembla que sols puguin florir tendències i escoles dites avantguardistes, però que sols ho són de nom, la forta idea-

23. Marc SATURN, «Ibsen passat de moda?», *La Campana de Gràcia*, núm. 3069, 14-IV-1928, pàg. 2.

24. En la mateixa línia de l'article de Jaume Aguadé, «El centenari d'Ibsen. Un poble que pensa», *La Campana de Gràcia*, núm. 3066, 24-III-1928, pàg. 2.

litat ibseniana s'hauria d'aixecar com estendard, perquè ens sembla que el ver avantguardisme no deu ésser-ho de nom ni de forma, sinó de fons; un fons profund i ple d'idees expressades bellament i poèticament és el que precisa i no nimietats dites amb estrèpit.» La reivindicació, doncs, d'Ibsen al costat de Nietzsche, Dostoiesvki, Tolstoi, Andreiev, Ryner i Rolland, entre d'altres, implica una defensa de la literatura i del teatre d'idees que enriqueixi el camp del pensament, un terreny que «és prou gran per a cabre-hi diverses tendències» i que el que necessita són idees, «idees profundes i lliures de tota influència, encara que aquesta sigui ibseniana».

Contra l'ideòleg, l'artista i el poeta

Aquestes idees, precisament, són les que rebutja Lluís Montanyà en l'article que dedica a Ibsen a *L'Amic de les Arts*,[25] un text que representa, d'alguna manera, la posició de l'avantguardisme davant la tradició. Montanyà, que promet una segona part de l'article, s'entesta a demostrar la importància de la figura d'Ibsen com a home i a minimitzar el valor de la seva obra dramàtica: «Però en Ibsen la malsana influència pedant predominà, i el seu teatre en porta el segell que el farà morir. Quan l'element VIDA intervé (l'element vivent o la seva transposició –evasió– lírica) en les seves obres, profundament humanes i emotives, són d'una elevadíssima poesia. Tota la part que en els seus drames té pretensions de sociologia, de renovació, de revolució, d'abrandament, de trencament de normes, d'implantació d'una nova ideologia llibertadora, resulta –confessem-ho– insípid i buit. El temps l'ha depassat i ha quedat demostrada la seva manca de verdadera base humana. [...] Per totes aquestes raons, en Ibsen, l'home val més que l'obra. Considerablement més. I hem de doldre'ns que influències alienes el privessin de fer el seu camí lliurement, de donar al cervell ço que pertanyia al cervell, i al cor ço que pertanyia al cor...» Aquesta defensa de la «VIDA» –en majúscules– per part d'un dels signants del *Manifest groc*, publicat gairebé simultàniament a la celebració del centenari d'Ibsen, el març de 1928, s'hauria d'entendre com una forma de ruptura amb la tradició culturalista o intel·lectualista a favor de la «pura sensibilitat» que esdevé una de les bases del surrealisme, tal com explica Sebastià Gasch a *La Nova Revista*.[26] Montanyà mostra un interès especial a salvar, d'un Ibsen en darrer terme inqüestionable, el component d'humanitat de la seva obra. Això no obstant, sobta admetre que no posi en joc, davant la recentment estrenada *Solness, el constructor*, els elements «super-reals» sobre els quals Freud havia edificat algunes de les seves obres més emblemàtiques, *La interpretació dels somnis* (1900) i *Consideracions sobre un cas de neurosi obses-*

25. Lluís MONTANYÀ, «La literatura. Panorama. Notes entorn d'Ibsen», *L'Amic de les Arts*, III, núm. 24, 30-IV-1928, pàg. 183-184.
26. Sebastià GASCH, «Del Cubisme al Superrealisme», *La Nova Revista*, vol. II, núm. 7, juliol 1927, pàg. 234-241.

sionant (L'home de les rates) (1909), que són alhora punts de referència del novíssim moviment avantguardista, cosa que, en canvi, sí que veu i assenyala Emili Tintorer. Crític de teatre del diari *Las Noticias*, Tintorer havia estat, vint-i-cinc anys enrere, un dels protagonistes de l'aventura modernista de *Joventut* (1900-1906) i un dels més lúcids defensors de l'obra d'Henrik Ibsen a Catalunya.[27] De la crítica que va dedicar a *Solness, el constructor*, destaquen aquestes paraules, que fan de colofó a una lectura que parteix del reconeixement absolut de la condició de «clàssic» d'Ibsen i que remarca, per tant, la atemporalitat dels drames ibsenians, sobretot els que constitueixen l'epíleg de la seva obra: «Cautiva y emociona y demuestra (como se dice acertadamente en los programas de la función) que Ibsen puede considerarse el maestro y el precursor de los flamantes dramaturgos que se llaman super-realistas o de vanguardia.»[28]

No sé si Montanyà hauria abordat aquesta qüestió a la segona part del seu article, que mai no va arribar a aparèixer a les pàgines de *L'Amic de les Arts*. El cas és que l'espai i l'esforç que dedica a rebutjar en bloc el component ideològic, sociològic i revolucionari del drama ibsenià mostra fins a quin punt determinants aspectes del teatre d'Ibsen havien arrelat en la cultura catalana del tombant de segle i, per tant, en la tradició sobre la qual o contra la qual la intel·lectualitat catalana d'aquests anys admetia, tàcitament o explícitament, que calia bastir qualsevol projecte de futur. Una tradició que calia esporgar de qualsevol agent de dissolució. I Ibsen n'era un, i important, per incontrolable, inclassificable i impossible de neutralitzar per més que, de la seva obra, s'intenti salvar allò que, al voltant de 1928, es converteix en un veritable *leitmotiv*: l'art i la poesia del teatre ibsenià. Coincideixen, en aquesta brigada de salvament, a més d'un Montanyà que supedita el discurs de la modernitat a una defensa tàcita de l'ordre i del culturalisme, Carme Montoriol, en una conferència sobre la vida i l'obra del dramaturg que ha romàs inèdita;[29] Josep Maria de Sagarra, en un article publicat a *L'Opinió,*[30] en què reivindica el component poètic del teatre d'Ibsen contra les idees que aquest vehicula, i en què lloa, per damunt de tot, l'excel·lència de Solveig, la protagonista femenina de Peer Gynt: «Solveig és per a mi el moment de gràcia del teatre d'Ibsen, l'home que ha dut a les taules aquest personatge femení té tots els pecats perdonats»; la redacció de *La Revista*, que se suma a l'homenatge a Ibsen amb la promesa d'una traducció, realitzada per Tomàs Garcés, de *Peer Gynt,* «que, cada dia més, emergeix entre l'obra vasta i dogmàtica del gran dramaturg amb claror autèntica», i amb la publicació d'un fragment significatiu de l'obra, referit justament a Solveig, «figura pastada amb el

27. A banda les crítiques dels drames ibsenians que va publicar a *Joventut* i a d'altres periòdics de l'època, és absolutament indispensable la lectura del pròleg –un estudi global de l'obra d'Henrik Ibsen– a *Quan ens despertarem d'entre els morts*, Barcelona, Publicació Joventut, 1901, pàg. viii-xxxix.

28. Emilio Tintorer, «Los Teatros. Romea. Primera sesión del "Teatre Íntim". *Solness, el constructor*, drama en tres actos, de Enrique Ibsen», esmentat anteriorment.

29. Carme Montoriol, «Enric Ibsen», manuscrit que es conserva a la Biblioteca Popular de Figueres. Agraeixo a Enric Gallén la consulta d'aquests papers.

30. Josep M. de Sagarra, «Ibsen, Peer Gynt, Solveig i altres notes», *L'Opinió*, núm. 9, 14-IV-1928, pàg. 8.

llevat humà més pur»;[31] Carles Soldevila, en un article en què la voluntat d'equiparar Ibsen i Nietzsche i relegar-los tots dos al cul-de-sac de les ideologies periclitades fa que la lectura del teatre ibsenià quedi totalment distorsionada;[32] i Joan Estelrich i Josep Farran i Mayoral, des de *La Veu de Catalunya,*[33] en un intent gairebé desesperat de separar allò que és immortal de l'obra d'Ibsen, és a dir –segons ells– «els elements humans, els elements naturals: el vigor de la seva fantasia, el seu geni creador, l'esperit autòcton»,[34] dels gèrmens nocius que el temps i una «crítica elevada i serena», escriu Farran, comencen a neutralitzar:

> «I aquí es posa el problema del sanejament, de la immunització contra la polarització terrible que exerceix el geni al seu entorn i en les seves suggestions i les ressonàncies llunyanes, qui mantenen i cultiven i prolonguen les seves inquietuds, les seves concepcions morboses, a través de les generacions. Enorme problema de profilaxi, de cultura dels esperits, per tal de minvar les malèfiques tendències que irradien de certs genis, tot i ensenyant d'admirar-los i estimar-los en allò que, justament dins llurs esperits i llurs veritables obres, és veritable font d'alliberament, l'art i la poesia.»

I també Ambrosi Carrion, des de *La Nau*[35], disposat a llançar una càrrega de profunditat contra l'individualisme ibsenià i, sobretot, contra la càrrega de pessimisme i d'escepticisme que traslllueix la seva obra. Així, escriu Carrion després d'haver posat una esmena a la totalitat del pensament d'Ibsen, «si avui es pot i fins es deu discutir el pensador, és inútil el negar-se a reconèixer l'obra del gran artista. Ell per damunt de tot es considerava poeta, afirmant que tota la seva obra era poesia i que si encara no ho era, arribaria a ser-ho. Les idees polítiques de Shakespeare, no les admetria cap home d'avui, però això no priva pas de reconèixer l'alta valor artística del geni anglès. Així mateix passa en Ibsen. I és perquè per damunt de totes les preocupacions i influències del moment en què les obres han estat produïdes, hi viu el sentiment profund d'Humanitat que les fa regalants d'emoció». I continua: «Aquest caliu poètic i humà salva i salvarà de l'oblit les seves obres. Avui mateix és molt més fàcil de comprendre i sentir que quan anys enrere s'anava a escoltar-lo amb el

31. «Ibsen, 1928», *La Revista*, any XIV, gener-juny 1928, pàg. 139-143.

32. Carles SOLDEVILA, «Un centenari: L'obra d'Enric Ibsen», *D'Ací d'Allà*, núm. 124, abril 1928, pàg. 111. Escriu: «Les trajectòries de l'alemany polonès i de l'ós escandinau són d'un paral·lelisme colpidor. Tots dos ardents enamorats de la veritat, arriben a sacrificar-la a la Vida... Ibsen, no menys que Nietzsche, arriba a admetre l'existència d'"il·lusions vitals", és a dir, de mentides útils, necessàries i plausibles. L'un i l'altre podrien ésser invocats –l'autor d'*Així parlà Zarathustra* ja ho és prou– com a precursors de la doctrina que sota el nom de *pragmatisme* ha envaït de dalt a baix la societat contemporània.»

33. J. FARRAN I MAYORAL, «El nostre Ibsen» i Joan ESTELRICH, «La influència de Kierkegaard», *La Veu de Catalunya*, 20-III-1928.

34. Utilitzo, com a síntesi, l'editorial «Comentaris del dia. El centenari d'avui», *La Veu de Catalunya*, 20-III-1928.

35. Ambrosi CARRION, «De les idees i l'art d'Enric Ibsen», *La Nau*, 20-III-1928. Vegeu també Ambrosi CARRION, «Teatre Romea. Teatre Íntim. Curs 1927-1928. Primera sessió. Estrena del drama en tres actes d'Enric Ibsen, *Solness, el constructor*, versió catalana de M. Alcàntara i Gusart i J. Jaumandreu», *La Nau*, 10-XII-1927: «Ara ja és un clàssic», hi afirma Carrion.

cap ple de preocupacions transcendentals. Encara que hagi plantejat una colla de problemes de la consciència humana no ho ha fet mai com un casuista, sinó com un productor d'art. I el teatre ultra modern amb les seves preocupacions d'anàlisi psicològica i de problemes del subconscient, no podrà mai, encara que vulgui, renunciar a la paternitat ibseniana. Moltes escoles, moltes tendències hem de veure enrunar-se i desaparèixer sense deixar rastre i encara subsistirà el geni d'Ibsen, i serà menester girar-hi els ulls en cerca d'orientació. I és perquè hi ha en art unes lleis fonamentals capaces de resistir totes les innovacions i enderrocar-les si no les tenen com a element fonamental. La de la poesia, l'emoció i la veritat. I aquestes són com la sal que fa incorruptible l'obra ibseniana i la fa prevaler a través del temps i de les escoles més diverses.»

L'artista i el poeta per damunt de l'ideòleg: heus aquí la constant dels comentaris que va generar la celebració del centenari del naixement d'Ibsen a Catalunya. Un artista i un poeta que, paradoxalment, veia barrada qualsevol possibilitat d'accedir al públic català de l'època perquè, senzillament, les seves obres havien desaparegut, ja feia molts anys, del repertori teatral en català. I no semblava que ningú, tret d'Adrià Gual, estigués disposat a trencar cap llança a favor del dramaturg. Així, sense traduccions disponibles i amb un Ibsen que, com es pot comprovar amb els comentaris de l'època, fonamentalment creava inquietud i desconfiança, el teatre ibsenià, amb tots els seus matisos i amb tota la potencialitat interpretativa d'una obra polièdrica, difícilment podia arribar a formar part de la tradició cultural catalana. Com va ocórrer amb Émile Zola[36] –ho recordava Jordi Castellanos no fa gaire–, Ibsen, l'any 1928, és elegantment escombrat de la tradició dramàtica catalana. I per motius, com sempre, ideològics. La revisió dels valors del segle XIX que es fa coincidint amb els vint-i-cinc anys del nou segle és, a Catalunya, dràstica i, sobretot, selectiva: Ibsen, doncs, amb l'etiqueta d'artista i de poeta –de clàssic, en definitiva–, és relegat a l'habitació dels mals endreços de la cultura catalana. Per caduc i passat de moda? No: per perillós i dissolvent. Per això, per la por, la revisió de valors que, l'any 1928, aprofitant el centenari, podia haver portat a la recuperació d'un autor com Ibsen en nom de la modernitat, es va convertir en una altra oportunitat perduda. I és que la modernitat, a Catalunya, és un nom que, des del segle XIX i m'atreviria a dir fins als nostres dies, porta l'estigma del políticament correcte, per emprar un terme actual. Per això, també, un dels únics moviments que ha plantejat el problema sense gaires subterfugis s'anomena modernisme, tendència a la modernitat i voluntat d'assumir-la amb totes les conseqüències. Domènec Guansé va posar el dit a la llaga quan va atribuir la indiferència de la intel·lectualitat catalana envers l'obra d'Ibsen a un problema de tradició: «Som un país ben poc conseqüent amb els nostres afectes i devocions literàries i artístiques. Potser és perquè ens manca una tradició.» I continua:

> «Era ben comprensible aquella devoció dels nostres escriptors per Ibsen. Hi veien una cosa així com el geni mític d'un poble, universalitzant-se. Duia totes les inquietuds noves, totes les angoixes de l'home en topar contra l'ambient. Duia també tots els gèrmens de la poesia d'un poble,

36. Jordi Castellanos, «Rellegir Zola des del decadentisme», *Avui*, 18-XII-2000.

amb les seves ombres i amb els seus misteris. I per això aleshores la màxima ambició d'un escriptor, la màxima audàcia, era de voler ésser el nostre Ibsen.
Tot això passà. Ara no fa molt, en una sessió de Teatre Íntim, Ibsen es representava entre la fredor dels espectadors. Un públic que vol ésser selecte, se'n somreia o s'hi adormia. L'endemà, llevat dels cronistes que ho feien per obligació, gairebé cap en parlava...
Ara, el dia vint, és el centenari de la naixença d'Ibsen. A Oslo, ja han començat a celebrar-lo. La premsa de tot arreu en parla. ¿Passarà desapercebut entre nosaltres?... Els escriptors ja madurs no sentiran el desig de desvetllar, amb Ibsen, els entusiasmes de la seva jovenesa? ¿I els joves més o menys avantguardistes, als quals els símbols d'Ibsen, plens de vaga poesia, tornen a suggestionar, no sentiran la inquietud de donar-nos-en la seva interpretació ibseniana?»[37]

I si Guansé va fer un bon diagnòstic del problema –tanmateix sense pretendre atacar-lo d'arrel–, va ser Gaziel qui va cantar les absoltes a Ibsen i a la seva obra. Amb tot el dolor de qui ha perdut un ideal de joventut i amb tot el fel que és capaç de destil·lar qui se sent marginat, recorda que, en vida, Ibsen va ser el dramaturg més atacat i incomprès de tots els temps i constata que, des de fa molts anys, «la producción ibseniana ha desaparecido casi por completo de las grandes escenas europeas» i que «las nuevas generaciones literarias desconocen a Ibsen. Los más enterados entre la juventud lo reputan de antigualla. Al público en general le tiene sin cuidado. Esta es la pura verdad. ¡Ah, la portentosa transfiguración! ¿El solitario, el individualista más feroz que jamás haya existido, el enemigo irreductible de la hipocresía social y de todas sus componendas, trocado en un santo, en un adorno o figura decorativa del calendario de hombres ilustres para 1928!»

La pregunta que segueix és evident i la resposta no pot ser més clara: «¿Qué ha ocurrido? Hay que atreverse a decirlo: ha ocurrido que, tanto Enrique Ibsen como su obra, han muerto. Han muerto completamente para la generalidad. Por esto se ha hecho ya posible que la generalidad los acepte, como ella acepta siempre, sin examen ni parecer propio alguno.»[38] La més dolça i alhora més definitiva de les morts. Sens dubte.

37. Domènec Guansé, «Ibsen», *La Nau*, 17-III-1928. Aquestes qüestions ja les havia començat a plantejar amb motiu de l'estrena de *Solness, el constructor*: Domènec Guansé, «Teatre Íntim. *Solness, el constructor*, d'Henrik Ibsen», *La Publicitat*, 11-XII-1927. Tot i que es declara afí a les observacions de Guansé, A. Rovira i Virgili, «El diàleg dels amics. El meu Ibsen», *La Nau*, 19-III-1928, demostra que també es malfia de l'obra d'Ibsen, perquè, escriu, moltes de les seves idees poden ser «aprofitades i explotades pels dretistes, els conservadors, els reaccionaris i altra gent per l'estil. D'altra banda, en l'aspecte polític, que és un dels aspectes més limitats del gran noruec, Ibsen valia poca cosa.»
38. Gaziel, «En el centenario de Ibsen: la transfiguración», *La Vanguardia*, 23-III-1928.

LA *PASTORAL* DE MARAGALL

Glòria Casals

Universitat de Barcelona

«Sa main est celle d'un peintre, mais il
a une âme de poète»
Léon Bazalgette

Entre 1986 i 1989 vaig freqüentar l'Arxiu Maragall i cada dia que hi anava, quan entrava al despatx on treballava, em rebien dos magnífics quadres penjats a la paret: *Pastoral*, situat al damunt del moble que Clara, un cop mort Maragall, va fer per anar arxivant el material que anava recollint sobre el poeta, i l'esplèndid *Erik Satie dans son atelier à Montmartre*, penjat damunt la llar de foc. En una ocasió, Helena, la primera filla de Maragall, em va demanar que l'ajudés a despenjar de la paret aquells quadres per tenir-los a punt quan arribés la gent de la casa d'assegurances encarregada de la seva custòdia durant el viatge i l'estada que les teles havien de fer, si no m'equivoco, al Japó. Helena, tot i ser ja molt gran, dirigia l'operació amb extraordinària eficàcia mentre que Clara i Anna, les bessones, armades de drap i «plumero», comentaven amb emoció gens continguda com van ser d'importants aquelles pintures per al papà i, amoïnades, feien càbales sobre com podrien dissimular les marques que quedaven a les parets. Helena, professional, els deia amb contundència que allà no s'hi posava res; que d'aquella manera els «trobaríem més a faltar».

Si, en aquell moment, el fet d'haver «tocat» aquells quadres, de poder-los mirar tan de prop, en aquell espai on Maragall s'havia assegut a escriure en el cas del de Sunyer, on potser havia compartit amb el mateix Rusiñol conversa, tabac i poesia, el vaig veure i viure gairebé com una profanació, ara, tants anys després, quan les coses es veuen i es viuen de manera tan diferent, l'anècdota voldria que servís de punt d'arrencada per a unes notes a propòsit de la impressió que l'exposició Sunyer inaugurada al Faianç Català l'11 d'abril de 1911 va produir en Maragall. Abans, però, dos breus apunts. L'*Erik Satie* de Rusiñol (oli sobre tela, 85x67) és de l'any 1891 i va ser presentat a la Novena Exposició Extraordinària de Can Parés (Casas, Rusiñol, Clarasó), inaugurada el 17 d'octubre de 1891. La tradició familiar diu que Rusiñol va regalar el quadre a Maragall, tot i que no n'he sabut trobar cap dada fiable. La *Pastoral* (oli sobre tela, 152x106) Sunyer la va pintar entre 1910 i començament de 1911, i va formar part de la Col·lecció Cambó abans de ser adquirida per Joan Anton Maragall (primeries dels seixanta també segons tradició familiar). Des d'aleshores es troba a l'Arxiu Maragall. (És *vox populi* que el gendre de Cambó se'n va desprendre per no haver de donar explicacions als nens sobre què feia una senyora despullada al mig d'aquell camp.)

Maragall i la pintura: voler i doldre

Maragall no va amagar mai la seva incomoditat davant la pintura; de fet, gairebé mai no en va parlar i en les poques ocasions que ho va fer –per encàrrecs indefugibles–, el testimoni inicial de les seves limitacions sol anar molt més enllà del que és preceptiu en una *captatio* i pren aires de confessió íntima, un si és no és desesperada, de la seva incapacitat. Dels pintors antics –dels «clàssics»– «sols em penetren els moments de *primitiu* que a voltes es transparenten meravellosament al través de la composició i la tècnica (miri's bé aquella *Visitació de la Verge a Sta. Isabel* de Rafael, l'*Anunciació* i alguna de les *Concepcions* de Murillo)», dirà en una carta a Francesc Pujols.[1] De Velázquez, que descobreix el 1903 a Madrid, n'arribarà a dir que és «el pintor més gran pintor del món», tot i que sempre surt «de l'admiració decantat als italians»[2] (potser d'aquí les referències, escassíssimes, a Fra Angelico,[3] o a Tizià, l'*Enterrament de Jesús* del qual considerarà «que es la pintura más consoladora que he visto en mi vida»).[4] Atent com va estar sempre a l'actualitat no deixa de ser sorprenent que els noms dels grans pintors europeus de l'època siguin absents del repertori temàtic i conceptual maragallià (fins i tot del sempre pràctic, per bé que ni complet ni fiable del tot, repertori onomàstic de les obres completes), i que aquestes absències siguin encara més notòries atesa la renovació indiscutida que aquella pintura va suposar. La mirada nova amb què impressionistes, fauvistes i expressionistes miren el món, el redescobriment que fan de la pintura, no passa a formar part dels interessos de Maragall, almenys no d'una manera immediata i explícita; sembla més aviat com si aquella mirada nova anés quedant arxivada i en estat de letargia en un racó de la memòria. En repòs. Potser les raons d'aquesta actitud caldria buscar-les d'una banda, en l'honestedat professional que el va acompanyar sempre (d'imaginació escassa, a Maragall no li agradava parlar del que no coneixia de prop); d'una altra, en un cert sentiment d'inferioritat o d'indefensió per no haver pogut veure mai aquelles pintures. Potser si Maragall hagués pogut anar a París la seva relació amb la pintura hauria estat una altra. No és gens difícil d'observar, quan es rastreja la correspondència de Maragall, no ressentiment però sí una certa nostàlgia per no haver pogut tornar a París de jove o ja de més gran (hi havia anat amb els pares i les germanes un parell d'anys abans d'entrar a la universitat el 1879).[5] I no només París; Londres,

1. Carta de 2 de gener de 1907, Joan Maragall, *Obres Completes*, vol. I [OCI], Barcelona: Selecta, 1960, pàg. 1065. La cursiva és meva.

2. Carta a Pijoan del 6 de setembre de 1903, Anna Maria Blasco, *Joan Maragall i Josep Pijoan. Edició i estudi de l'epistolari*, Barcelona: Publicacions de l'Abadia de Montserrat, 1992, pàg. 199.

3. Pijoan, des de Roma, enviava a Maragall fotografies o postals de pintures; en les cartes de resposta Maragall els hi comentava, vegeu, per exemple, la del 26 de novembre de 1903, Anna Maria Blasco, *Joan Maragall i Josep Pijoan*..., pàg. 231. Fra Angelico li serveix també per comparar-lo amb alguns versos de *La Verge de Jericó*, de Verdaguer, «Flors de Maria», *Diario de Barcelona* (15 de maig de 1902), Joan Maragall, *Obres Completes*, vol. II [OCII], Barcelona: Selecta, 1961, pàg. 185-186.

4. «*El Greco* de Cossío», *La Lectura*, Madrid (XII-1907), OCII, pàg. 239.

5. El 31 de juliol de 1895 escrivia a Lloret: «Ets un calandrana de primera forsa. ¡Un mes y mitj a París! ab bon company de viatje y bon *cicerone*. ¡Ja t'asseguro...! Te tinch grossa enveja y al mateix

Roma, Venècia, Berlín o Viena van ser sempre espais pendents (buits, per tant) en el seu particular excelsior.[6] El viatge de nuvis a la Riviera i a Florència (però ja se sap que en aquests casos s'està per altres coses), i dues estades a Madrid (la primera l'octubre de 1900, després de la mort del seu pare i acompanyat per Roura i Josep Lleonart; la segona el 1903 amb el sogre, de retorn de Cauterets i fent marrada per Bilbao, Sant Sebastià i la Corunya) van ser els únics viatges no estrictament terapèutics que Maragall va fer fora dels escenaris habituals dels estiueigs burgesos (Olot, Puigcerdà, Camprodon, Cauterets, Caldetes, etc.). Fins i tot en el projecte de la primera estada a Madrid la tria de la destinació té com a rerefons aquell París on les obligacions contretes no el deixaven anar. El bon Roura es quedava així sense anar a París: «Voldria que et distraguessis d'anar a París. M'havia passat pel cap que per l'octubre, en què penso tenir bastantes coses arreglades, podríem passar una temporadeta a Madrid. Jo no ho conec ni mai n'havia tingut ganes, i ara no sé què m'ha pegat, una espècie d'inspiració d'anar-me'n a donar un quant temps de bona vida a Madrid, a conèixer personalment gent que en cartes demostren estimar-me, i veure un xic què és tot allò per dins, i rumiar-ho passejant pel Prado i el Retiro, en companyia teva, tu que ja ho coneixes. *¡El Prado! ¡El Retiro! ¡El Museo! ¡El Real! ¡Paco Silvela!* Quina delícia! Bé, vaja, ja en parlarem, encara; no t'espantis.»[7]

Els pintors catalans coetanis, amb qui col·laborava normalment i amb qui coincidia en activitats culturals i socials i hi tenia amistat, no són excepció a aquesta actitud. Nonell, Mir, Casas, Rusiñol, Utrillo, Pichot formaven part del seu cercle de relacions i de ben segur que parlaven de pintura quan es trobaven i que Maragall anava a les exposicions dels seus amics, però no n'ha quedat (almenys que jo sàpiga) testimoni escrit.

temps t'en dono la enhorabona», carta de 31 de juliol de 1895 (dipositada a l'Arxiu Maragall, sobre 22c/32), apareixerà publicada al volum *Cartes de Maragall a Lloret* que estic preparant. Abans de Marsella i París, tota la família Maragall Gorina havia viatjat a València, Granada, Còrdova, Madrid i Saragossa. Tot i les circumstàncies, Maragall parla dels dos viatges com «a vertaders oasis de goig», com a «dos respirs», vegeu *Notes autobiogràfiques*, dins Gabriel MARAGALL, *Joan Maragall: esbós biogràfic*, Barcelona: Edicions 62, 1988, pàg. 30.

6. Les cartes a Pijoan quan aquest, des de Roma o a Londres el convida a visitar-lo i a viatjar plegats, són les que d'una manera més clara reflecteixen el xoc entre el desig de veure coses noves i l'obligada renúncia per les responsabilitats familiars i cíviques adquirides: «[...] potser cap daquestas cosas per si seria prou obstacle, potser cad'una tindria el seu remey..., però totas juntas són una veritable montanya. Y cuan penso lo que hi ha a l'altra banda, els goigs purs, l'aixamplament de l'esperit..., no's pensi que'm conformi axís com axís. Tórnan a venir-me aquells pensaments de jove, aquells impulsos ibsenians –"l'home més poderós és el qu'està més sol"–, però després el "va soli!", y que veig que lo que'm lliga és vida amorosa entorn meu..., en fi, una veritable tempestat de vents encontrats», carta de 3 de març de 1904, Anna Maria BLASCO, *Joan Maragall i Josep Pijoan...*, pàg. 264. En la resposta a la primera carta que Pijoan li escriu des de Londres, Maragall diu: «La seva carta me féu molta alegria, de veure'l axís corre'món y rebre a cada punt sensacions noves y sentirse lliure de començar una vida nova. Cregui qu'és una situació que fa enveja, sobretot a un com jo, que may ha sabut el gust d'aquesta llibertat exterior y que perxò la imagina infinitament gustosa», carta de 21 de juny de 1910, ibíd., pàg. 411.

7. Carta a Roura de 5 de juliol de 1900, OCI, pàg. 1133-1134.

Els dibuixos, tot al contrari, li agradava mirar-los i parlava sovint dels dibuixants de l'època amb judicis prou raonables. El gener de 1895 podia comentar a Roura que a l'exemplar de l'*Echo de Paris* que li enviava hi trobaria «un dibuix de Forain, que crec és el dibuixant més fondo de nostra època».[8] O recomanar-li que anés a veure «l'exposició de dibuixos d'en Casas a can Parés».[9] O podia felicitar el seu també amic Josep Maria Lloret a propòsit d'uns dibuixos que aquest li havia regalat «per la manera com vas afinant y donant vida als teus ninots dels que m'en envias tres mostras que t'agraheixo moltíssim. ¡Noy! aquella *petite parisienne* és molt bufona, y aquell parisien em recorda els de Steinlen; però la que m'ha agradat estraordinàriament és aquella *conversa* gironina. Allò és debò, [*sic*] però de debò».[10] Encara molts anys després, el 1910, amb prou feines refet del desafortunat episodi de la il·lustració de *Tria*,[11] no va «saber dir no» a Pere Torné Esquius, quan aquest li va demanar una presentació per al seu llibre *Els dolços indrets de Catalunya*.[12] Quan de joveneta, la seva filla gran, Helena, va demostrar interès pel gravat al boix, Maragall no va dubtar gens ni mica a l'hora d'encarregar els dibuixos: «He fet dibuixar uns boixos per l'Elias y en Riquer, y la Helena els graba per fer-ne postals.»[13]

8. Carta de 31 de gener de 1895, OCI, pàg. 1117.

9. Carta de 23 d'octubre de 1899. Durant els mesos d'octubre i novembre de 1899, Casas exposà a Can Parés vint-i-set olis i cent noranta-tres dibuixos, dels quals cent trenta-dos eren els esplèndids retrats al carbó, «la más espantosa derrota de la fotografía como reproducción de la realidad», com escrivia Alfred Opisso a *La Vanguardia* del dia 31 d'octubre d'aquell mateix any.

10. Carta a Lloret referenciada a la nota 5.

11. Els dibuixos de Joaquim Renart van fer saltar més d'un de la cadira. En la glosa «La setmana dels poetes. Maragall» (*La Veu de Catalunya*, 29 de maig de 1909), Ors parlà del llibre com a «l'horrible edició!» I afegí: «Jo no conec res més lleig, més antipedagògic, més "immoral"... –Sí: "immoral" és aquella il·lustració infame, interpretació calumniosa de cada pàgina del text. Em faltarien mots per a dir la seva grolleria, l'estulta baixesa amb què són traduïts cada un dels símbols maragallencs», cito per Eugeni d'Ors, *Obra catalana completa. Glosari 1906-1910*, Barcelona: Selecta, 1950, pàg. 1049. Immediatament Maragall va escriure una carta a Ors (ara com ara perduda) i aquest li'n va tornar resposta. Si primer s'excusa «d'aquella glosa desgarbada, acabada d'esguerrar per errades d'impremta i per correccions de corrector d'impremta, encara pitjors», més endavant insisteix en la valoració primera: «Una altra cosa que no puc admetre és que l'editor d'aquest llibre ha fet lo que ha pogut, artísticament; coses senzilles sempre es poden fer, i també podia deixar l'elecció del dibuixant al gust de V., etc. En fi, deixem-ho, això. Déu ens perdoni a tots», carta d'Eugeni d'Ors a Maragall (1 de juny de 1909), dins Vicente Cacho Viu, *Revisión de Eugenio d'Ors (1902-1930), seguida de un epistolario inédito*, Barcelona: Quaderns Crema / Publicaciones de la Residencia de Estudiantes, 1997, pàg. 191-196.

12. «Presentació» a Pere Torné Esquius, *Els dolços indrets de Catalunya*, Vilanova i la Geltrú: Oliva impressor, 1910. El llibre, una col·lecció de trenta-nou dibuixos, porta també una «Historia d'aquest llibre», a càrrec de Francesc Sitjà. Cito per Joan Maragall, OCI, pàg. 830-831. Vegeu també la carta enviada al dibuixant el 25 de juny de 1906 (OCI, pàg. 1154-1155). Per a Francesc Miralles, el llibre va ser «un dels volums de dibuixos de major ressò del Noucentisme. [...] Torné Esquius donava aquell lirisme tendre, casolà, que no va donar ningú més, durant aquests anys, a la plàstica noucentista», Francesc Fontbona i Francesc Miralles, *Història de l'art català*, vol. VII, *Del Modernisme al Noucentisme 1888-1917*, Barcelona: Edicions 62, 1985, pàg. 231- 232.

13. Carta a Pijoan de 7 d'abril de 1911, Anna Maria Blasco, *Joan Maragall i Josep Pijoan...*, pàg. 432. A l'Arxiu Maragall hi ha diverses mostres dels boixos gravats per Helena, entre d'altres, els destinats a una edició d'*El comte Arnau*.

També gairebé sempre, probablement amb una voluntat compensatòria, Maragall expressarà aquella mancança en contrast amb una major comprensió i interès per l'escultura perquè, com dirà a Pijoan a propòsit de l'estada que aquest feia a Roma, «és aquesta l'art plàstica que jo més fondament sento, la que més em sembla la vida mateixa».[14] I, evidentment i encara més sovint, en contrast amb la comprensió i interès per la poesia. Així, quan l'abril de 1900 fa la ressenya d'*El jardí abandonat* per al *Diario de Barcelona*, dol i vol entre parlar només del llibre o fer-ho en relació amb els *Jardines de España*. Si primer diu que «no son cosas distintas en el fondo; son la creación personal y una del pintor-poeta» i immediatament afegeix, però, que «no hemos de hablar más que de *El jardí abandonat*», al final de l'article torna a recuperar els dos fils: si per a Maragall el poema és «la condensación literaria de la distinción, del refinamiento y del vago y triste idealismo de Rusiñol», els quadres, «en cuyas dilatadas perspectivas hay como un alejamiento hacia el pasado y en cuya maravillosa transparencia de luz hay toda la delicadeza de una visión que adivina algo más allá de la realidad finita, son la condensación plástica de aquellas mismas cualidades, esencia de la personalidad del artista».[15] L'any 1909 farà una operació semblant, tot i que els resultats finals seran diferents, amb *La muntanya d'ametistes* que Bofill i Mates li havia fet arribar. Llevat d'alguns poemes breus que li han agradat «per la seva puresa i la seva intensitat verament poètiques», o d'algunes composicions «que s'aguanten totes soles per ses belles proporcions», Maragall valorarà el *Poema* (penúltima part del llibre) com a «un bell exemple de [?][16] (en el sentit de lo fugitiu de tota moda artística)». Sembla –afegirà– «una al·legoria decorativa de Brangwain amb figures de Böcklin (i amb això d'haver de transportar la comparació a una altra art està dit que ho tinc per un art de decadència, però magnífic)». El comentari deixa entreveure, per la contundència amb què l'expressa i més enllà de la coneixença i la consideració que li poguessin merèixer aquells artistes, la seva opinió sobre el llibre de Bofill: «potser és massa gros per obra de joventut...», tot i que «de tots modos anuncia un brillant esdevenir de poeta i amb ell una austera revisió».[17]

14. Carta de 26 de novembre de 1903, Anna Maria Blasco, *Joan Maragall i Josep Pijoan...*, pàg. 233. Mostra d'aquella actitud podria ser el poema *Nuvial* (1892) que recull l'experiència del viatge de nuvis a Itàlia, en el qual hi ha moltes referències escultòriques, arquitectòniques i literàries però cap de pictòrica. I en trobem confirmació en una carta a Víctor Català del 10 de febrer de 1904: «Jo d'Itàlia no he vist més que Gènova, Pisa i Florència al pic de l'hivern... i en viatge de nuvis; aixís és que me n'ha restat una visió molt especial, molt complexa, una visió barrejada de massa i de poc, una visió de clapes brillants, no sé com dir-l'hi. Per exemple, de tot un museu recordo un sol quadro, però que se'm va aparèixer meravellós; dels voltants de Firenze recordo una aparició pàl·lida, dolcíssima del sol, enmig de dies seguits de pluja; de Pisa, un Sant de marbre (en tota la Catedral!) i un vol de *ciceroni* en la Plaça com corbs afamats, etc.; i tot aixís», Joan Maragall, OC I, pàg. 948.

15. «La obra de Santiago Rusiñol» (20-IV-1900). Cito per Joan Maragall, OC II, pàg. 130-131.

16. Carta de 9 de gener de 1909, OCI, pàg. 929-930. Paraula inintel·ligible a l'original manuscrit conservat a «Correspondència», dins *Catàleg de l'arxiu particular de Jaume Bofill i Mates*, Barcelona: Fundació Jaume Bofill, pàg. 145.

17. *Ibid.* Arnold Böcklin (1827-1901) va publicar gravats a *La Ilustración Ibérica* de Barcelona i va ser present a l'exposició de cartells d'artistes estrangers que es va fer a Can Parés el 1896, al costat de Mucha, Grasset, Forain, Steilen i Toulouse-Lautrec. Frank Brangwyn (1867-1956) va presentar trentadues teles a la V Exposición Internacional de Bellas Artes e Industrias Artísticas que es va celebrar a

En un hàbil i ingenu, però a la llarga efectiu procés metonímic, Maragall anirà reduint progressivament el seu camp d'observació i d'acció que el conduirà a substituir la teoria o el concepte per la pràctica; la pintura per uns pintors concrets; els pintors per unes teles determinades; les teles per unes figures o uns paisatges; les figures i els paisatges per les línies. La pintura per la crítica de la pintura. I aquesta, en algun cas, mediatitzada encara per la traducció. Ho va fer, per exemple, en els dos articles sobre Ruskin l'origen dels quals és la traducció fragmentada que de *The Modern Painters* n'havia fet Cebrià de Montoliu a *Natura*.[18]

D'El Greco a Sunyer. Per la forma a l'ànima

El desembre de 1907, Maragall ressenyarà el llibre de Manuel Cossío, *El Greco*,[19] per a *La Lectura*, de Madrid. El text, que en un primer moment pot ser vist com un compromís de Maragall amb Cossío, a qui havia conegut a Madrid l'any 1900 i amb qui havia mantingut correspondència des d'aleshores, va molt més enllà del caràcter informatiu i valoratiu de la novetat editorial i permet ser llegit com un recorregut personal –com una mena de radiografia– sobre les seves relacions amb la pintura a través de la figura del Greco i d'algunes de les seves obres. Sembla talment com si el llibre de Cossío fos per a Maragall una excusa per explicar i explicar-se la percepció que del Greco ha arribat a tenir amb el pas del temps. O dit d'una altra manera: el «drama» del Greco –que no era altre que la seva

Barcelona l'any 1907. Probablement Maragall coneixia, doncs, de primera mà les obres de tots dos. Tampoc no ens hauria d'estranyar que la referència a Böcklin tingués alguna cosa a veure amb la il·lustració frontal de *La muntanya d'ametistes,* obra d'Esteve Monegal. Ors, per exemple, autor del pròleg del llibre, s'hi referia com a «desditxadíssim dibuix frontal». I afegia, en carta a Bofill i Mates de 22 de desembre de 1908: «Res no pot donar idees més llunyanes a la mena de la vostra poesia que aquell bastaix amb varices que, entre les gliptolites ganyotejantes i guenyapantes, porta la seva incongruència fins al punt d'oblidar la seva pretesa natura pètrea, deixant simular gràficament son buf...», «Correspondència d'Eugeni d'Ors a Jaume Bofill i Mates (Guerau de Liost)», a cura d'Enric Bou i Josep Murgades, *Els Marges*, núm. 56 (octubre 1996), pàg. 104. A Ors, Böcklin tampoc no li feia gaire peça: no només troba «una lamentable penúria artística» en algunes de les seves obres més conegudes (*Joc de les ones*), sinó que la seva ment estableix sense «voler-ho» una «relació subtil i estranya» entre Boecklin «i l'inventor de la gimnàstica rítmica, M. Jacques Dalcroze», «Boecklin», *La Veu de Catalunya* (12-X-1910), cito per Eugeni d'Ors, *Obra Catalana Completa. Glosari 1906-1910*, Barcelona: Selecta, 1950, pàg. 1473-1474. Vegeu també les gloses de 8-IX-1914 i de 19-IV-1917. Anys més tard, Francesc Fontbona lligarà la figura de Monegal a la de Böcklin quan diu que la il·lustració per al llibre de Bofill és «mostra d'un classicisme engolat, amb ressonàncies nietzschianes, que palesa una influència certa de l'estètica germano-llatina d'un Arnold Böcklin», «Esteve Monegal, artista noucentista (1888-1970)», *D'Art*, núm. 1 (abril de 1972), pàg. 89.

18. «Ruskin en catalán», *Diario de Barcelona* (26-III / 2-IV 1903), OCII, pàg. 213-217. *Natura*, Barcelona: Impremta de L'Avenç, 1903.

19. Manuel B. Cossío, *El Greco,* Madrid: Victoriano Suárez, 1907.

inquietud («¿Había dos Grecos? [...] En fin, el Greco era un genio inquieto«)[20]– igualat amb la seva personal recerca constant de l'excelsior. L'article comença amb el record del poc entusiasme que li va ocasionar la processó cívica en homenatge al Greco que es va celebrar a Sitges el novembre de 1894 dins dels actes de la Tercera festa modernista: «Recuerdo aquella fiesta, que ahora veo de un *snobismo* un poco pueril, cuando entramos procesionalmente en Sitges, una mañana de sol; aquellos cuadros del Greco tan extraños, en los cuales muy pocos creían en verdad. Pero, en fin, todos creíamos en el modernismo, y aquello era un acto. Enhorabuena. Lo hermoso para todos era el sol, y el cielo azul, y el mar brillante y el aire de fiesta de la población tan linda. En medio de todo esto las *Lágrimas de San Pedro* eran poca cosa para mí, lo confieso, y quizás para tantos. En aquella pintura extraña, cruda, contorsionada, sentí, sin embargo, una fuerza repulsiva y procuré olvidarla; y la olvidé, en efecto, en el aire mediterráneo que envolvía la fiesta por mucho tiempo.»[21] No va ser gaire diferent la seva primera reacció quan en el viatge a Madrid del 1900, al Museu del Prado, «me encontré delante un muro todo cubierto de Grecos. Fue un espanto». L'espant concentrat, sobretot, en un quadre, un Calvari: «Sentí en él, y lo siento todavía, el tormento del artista que quiere sacar la divinidad de la humanidad y no puede. Tira de las figuras humanas que ve con portentosa realidad, con excesiva realidad para su pretensión, las oprime y exprime con rabia, estira los rasgos, exaspera su expresión, exacerba su dolor humano para que salga el divino; y el divino no sale. Y allí están la mujer y el hombre y el mozo y la joven y los niños padeciendo horriblemente y sin poder perder su vulgaridad, sobre el banco de tortura en que les tiende la mano férrea del artista desesperado, que no les puede arrancar su confesión de Dios.» Però de seguida, al costat d'aquests «terremotos de líneas y colores que atraen y espantan», l'equilibri, la serenitat i la pau d'alguns retrats (*El caballero de la mano al pecho*). Entre la categòrica «fuerza repulsiva» de 1894 i l'expressió del dubte, el 1900, de si hi havia dos Grecos, ja hi ha un camí recorregut: el que el portarà a l'*Elogi de la paraula*. Però «como no me era un genio simpático, no traté de comprenderle, ni volví a pensar en su obra más que cuando su fuerza se imponía violentamente a mi memoria». El desembre de 1907, quan publica la ressenya del llibre, la redacció de *La Lectura* ja tenia l'original de la *Confesión de poesía* que apareixeria en els números 85, 86 i 87 de la revista, corresponents als mesos de gener, febrer i març de 1908.[22] I Maragall podia encapçalar l'últim paràgraf de la ressenya dient que: «Éste es el drama del Greco, éste es el libro de Cossío, y ésta la huella de vida que en mí ha dejado. Este drama, este libro y esta huella no los comprenderán bien sino aquellos que alguna vez hayan batallado por el ideal a través del cuerpo de la reali-

20. «*El Greco* de Cossío», *La Lectura*, Madrid (desembre 1907), OCII, pàg. 238-241. La citació és a la pàg. 239.

21. Maragall participà activament en la festa amb la lectura de les *Estrofes decadents* amb què aconseguí el premi de «Lírica decadent».

22. Vegeu Lluís QUINTANA, *La veu misteriosa. La teoria literària de Joan Maragall*, Barcelona, Publicacions de l'Abadia de Montserrat, 1996, especialment «L'elaboració del text de l'*Elogi de la Poesia*», pàg. 222-229.

dad; sólo aquellos que hayan visto centellear alguna vez la luz eterna en la materia de las cosas y, como Prometeo, hayan querido robar el fuego de los dioses para llevarlo a los hombres sus hermanos.» Talment com una avançada del que escriurà uns anys més tard, el 1911, a propòsit de l'Exposició Sunyer al Faianç Català, on Maragall es permetrà de fer novament la translació de la seva experiència poètica a l'experiència pictòrica de Sunyer i d'explicar «lo que yo sentía en toda la obra de aquel artista; él no veía cada cosa por sí, sino el ritmo de la creación en todas ellas; para él, un cuerpo humano, un árbol, una montaña, el mar, eran, en el fondo, una misma cosa: la materia, en hervor de creación, hacía sentir la unidad de ésta.»[23] No som tampoc gaire lluny, és clar, del *Cant espiritual*. Allò que no és igual, i d'aquí el més gran mèrit i interès del text, és el marc cultural de referència i el paper que Maragall hi té reservat.

Louis Vauxcelles, crític d'art de la prestigiosa revista *Gil Blas*, va saludar la primera exposició individual que Joaquim Sunyer feia a París el desembre de 1910, a la galeria del seu marxant Henry Barbazanges, amb aquestes paraules: «No havíem vist pintures de Sunyer des de feia cinc o sis anys. Aquest jove artista, que havia cridat l'atenció amb obres que relataven escenes dels carrers parisencs [...] va desaparèixer bruscament. Sunyer, desitjós de tornar a beure en les fonts vives, es va retirar al seu país, al sud de Barcelona, i allí va treballar durament, en plena naturalesa i en plena soledat. Avui ens mostra els resultats dels seus esforços. Es tracta de grans paisatges establerts sintèticament, en els quals les garroferes d'un verd resplendent es destaquen sobre el blau cru del cel. L'art de Sunyer s'ha depurat, ha abandonat l'amenitat de les minúcies episòdiques; apunta molt alt, i aspira a traduir l'ànima d'un paisatge més que no pas el paisatge mateix. És innegable que pensa en Gauguin, però la seva personalitat és evident, i el seu èxit serà molt legítim.»[24] Gauguin, indiscutible, però potser també cal afegir-hi Matisse, tant per la composició (masses cromàtiques molt grans i molt nítides, agrupades i equilibrades per la seva juxtaposició), com per la figura positiva i exuberant en la seva sexualitat de la dona complaguda en la seva nuesa, exhibicionista i narcisista alhora. Especialment, el Matisse de *Le bonheur de vivre*.[25]

El 10 d'abril de 1911 Sunyer inaugurava la segona exposició individual a la sala del Faianç Català, a la Gran Via. Seixanta obres. Més que no pas un repte l'exposició era un risc: en la memòria dels crítics i del públic era molt fresc l'èxit (el primer) de l'exposició que Nonell hi havia fet quinze mesos abans; més present era encara la seva mort esdevinguda el 21 de febrer de 1911. A Sunyer tampoc no li eren favorables ni els seus paisatges sense horitzó, sense cel, ni aquelles dones «fecondes i fermes, més aviat filles d'Afrodite que de misteriosos simbols pecaminosos», com s'esforçava a qualificar-les Miquel Utrillo en el catàleg de

23. «Impresión de la exposición Sunyer. A un amigo», *Museum*, núm. 7 (juliol de 1911), pàg. 251-259.

24. Louis Vauxcelles, «L'exposició Joaquim Sunyer», *Gil Blas*, núm. xx (1910).

25. La tela, coneguda indistintament com a *Le bonheur de vivre* o *La joie de vivre*, 241x175, Matisse la va pintar entre 1905 i 1906 i la va exposar per primera vegada l'any 1907.

l'exposició.[26] La Barcelona d'aquell moment no semblava gaire preparada per a una exposició com aquella. *El Poble Català* no s'estava de comentar que «...En Sunyer ha vingut a agitar les nostres tranquil.litats. L'Utrillo ja diu que hi faltava vinagre».[27] Entre la crítica «favorable» (Romà Jori)[28] hi va haver més condescendència que no pas valoració; l'estat major del noucentisme quan no el va criticar amb duresa (Joaquim Folch i Torres,[29] Joan Sacs),[30] el va, senzillament, ignorar (Eugeni d'Ors). I fins i tot hi hagué l'esquinçament d'una tela, la *Maternitat*. Junoy, una de les escasses excepcions a aquell estat d'opinió generalitzat, parlaria de l'harmonia entre la idea i la composició sunyerianes: «La manifiesta preocupación geométrica que distingue sus más recientes composiciones es lógica y necesaria consecuencia de la par-

A L'EXPOSICIÓ

—I si adquirissim un Sunyer per a la torre?
—Per a la torre un *sunyer?*... Que no dormim prou bé amb màrfega?

26. Catàleg de l'*Exposició de les obres den Joaquim Sunyer*, Galeries del Fayans Català, abril 1911. Molts anys després, Gaziel, amic i company d'exili a París després de la guerra civil, afirmava: «Sunyer ens dóna aquí [en els nus femenins] –sense voler-ho– la gran lliçó que la naturalesa és anterior al pecat, i la moral una preceptiva de circumstàncies (variable segons l'espai i el temps), que els homes han hagut d'inventar, no pas perquè calgués a l'ordre universal, sinó perque la necessitaven la petitesa i la misèria humanes. Moral és menudalla històrica, minsa relativitat, i aquests nus de Sunyer pertanyen a un ordre fora de tota contingència», Gaziel, «El secret d'una migració misteriosa», dins *Quina mena de gent som. Quatre assaigs sobre Catalunya i els catalans,* dins *Obres Completes. Obra catalana*, Barcelona: Selecta, 1970. Cito per *Quina mena de gent som*, Barcelona: La Magrana, 1997, pàg. 171-172.

27. Joan SACS, «Les pintures d'en Sunyer», *El Poble Català* (18-IV-1911).

28. Romà JORI, «Beatusille», *La Publicitat* (9-IV-1911).

29. Joaquim FOLCH I TORRES, «Les pintures d'en Sunyer», pàgina artística núm. 69, *La Veu de Catalunya* (14-IV-1911).

30. Joan SACS, «Les pintures d'en Sunyer», art. cit.

ticular evolución de su arte. La abstracta especulación no hace por eso olvidar al artista *son grand amour ingénu de la vie, des êtres et des choses pour eux-mêmes, source de tout art.*– La rosa guarda, al través de la geométrica estructura, su natural perfume.»[31] L'acudit gràfic del *Papitu*[32] ens dóna la mesura exacta de la situació:

Entre les seixanta obres exposades, la *Pastoral*, segons Pla «el primer tros de pintura realment personal de Sunyer».[33] Un tros, certament, considerable: 152x106, començat a pintar el 1910 i acabat el mateix 1911.

Utrillo, impulsor de l'exposició, juntament amb l'amo de les galeries, Santiago Segura, i amic personal de Sunyer, a la vista del que li anava caient al damunt, no va dubtar a intentar de frenar aquella pedregada.[34] I ho va fer contra tot pronòstic, però amb una habilitat envejable, demanant a Maragall que hi intervingués. La carta és escrita en paper que duu la capçalera de «Marycel» i és datada a Sitges el 13 d'abril de 1911. Diu així:

> «Molt estimat y admirat amig: sé qu'habeu tingut la bondat d'acullir al pobre Sunyer, no sols com teniu per costum de rebrer á tothom, sino fentli la mercé de demostrarli que la seva obra vos ha fet vibrar una de les moltes cordes dels vostres sentits i potser fins les del vostre cor. Aquet xicot, qu'ha conservat la calma en mitx de les contrarietats y que verdaderament ha portat entre nosaltres un modo de veurer aplicat á la nostra naturalesa meridional, necessita consol.
> Vos, si volguessiu, si ho sentiu així, podrieu fer un gran bé, fent ressonar la veu de la vostra honradesa artística y del vostre esprit obert á tot lo que *remogui* la bellesa, escribint cualsevulga cosa, que sent vostra, en lloch podrie anar millor, qu'en la revista *Museum*, dels amics Thomas fills.
> Ho voleu fer? vos que sou essencialment jove, es á dir: vos qu'incansablement sentiu, ho podeu fer sense els prejudicis dels qu'estém massa amarats de colors y de coses dels pintors. Vos ho prega excusantse de tant gran llibertat, el que sabeu es incondicionalment amich sincer y motivadament admirador.
> Vos escrich desd'aquí, á Sitges, aont per dos dies, estaré en la pau dels pobles petits.
> Vostre,
> M. Utrillo»[35]

Semblava que Maragall ho estigués esperant. Quatre dies després, el 17 d'abril, li torna resposta juntament amb l'article:

31. José JUNOY, «Joaquín Sunyer», dins *Arte y artistas*, Barcelona: *L'Avenç*, 1912, pàg. 7-11. Les paraules en cursiva corresponen, com indica el mateix Junoy, a Léon Bazalgette, autor de l'altre text introductori del catàleg de l'exposició.

32. «L'exposició», *Papitu* (14-IV-1911).

33. Josep PLA, «Joaquim Sunyer, pintor (1875-1956)», dins *Homenots. Tercera sèrie. Obra completa*, vol. 21, Barcelona: Destino, 1972, pàg. 281.

34. Cf. Vinyet PANYELLA, *Joaquim Sunyer*, Barcelona: Columna, 1997, pàg. 47-50.

35. Carta manuscrita de Miquel Utrillo a Maragall conservada a l'Arxiu Maragall, calaix 4, sobre 121, carta 6.

«Estimat Utrillo:
¡En què m'ha ficat! Pero jo á vostè no li sé negar res que puga fer, ó al menys que puga intentar. Aquí té doncs l'intent, sols li demano en cambi que jutgi ab absoluta franquesa si es aprofitable. Perque no sé si era una cosa d'aquesta mena lo que desitjavan de mí, vostè, en Sunyer, que se'm féu desseguida tan estimable, ni *Museum* que tant amablement me visita desde que surt.
Y com que jo no m'he proposat sino complaurels á tots, vostè ja'm farà el favor de reservarse l'original com una expansió íntima, en cas de que li sembli que no pot complaure á tots. Li demano per favor. Sols axís creuré ben corresposta, francament corresposta, la amistat que sab li porta
J. Maragall»[36]

El mes de juliol sortia el número 7 de *Museum*; l'article de Maragall, «Impresión de la exposición Sunyer. A un amigo», anava acompanyat d'unes esplèndides il·lustracions (algunes ocupant pàgines senceres) en blanc i negre, amb l'excepció de la *Maternitat* que era en color.[37] Tot i el pas dels anys, l'article continua sent un punt de referència obligat per als crítics i historiadors de l'art coetanis, des de Gabriel Ferrater a Rafael i Jordi Benet, Francesc Fontbona o Francesc Miralles.

Mirar amb el tacte. Cap a una teoria del coneixement

En el text, Maragall fa una inequívoca i eficaç translació de la seva poètica literària a una de pictòrica, utilitzant no només uns mateixos motius (el balbuceig, l'obra inacabada, el ritme, l'obra artística com a resultat de l'esforç diví), sinó uns recursos estilístics i retòrics semblants als que ja havia utilitzat uns anys abans a l'*Oda infinita* (1888), l'*Elogi de la paraula* (1903) i, sobretot, a l'*Elogi de la poesia* (1909): veu autorial en primera persona, formes dialogades, pròpies dels textos confessionals, programàtics i/o didàctics. En la tria de la modalitat de la «carta oberta» podien concórrer diferents factors: el primer, que aquesta era també la forma del text de Léon Bazalgette al catàleg; el segon, que aquella forma era pel mateix fet de ser «oberta», la menys compromesa des d'un punt de vista crític (és a dir, científic o tècnic) i, alhora, la més ingènua però operativa quan del que es tractava era no només de resituar Sunyer al lloc que li corresponia, sinó també (i potser, sobretot) de denunciar i desmuntar la reacció hipòcrita de la crítica i el públic. Com qui no vol la cosa, Maragall va captant la complicitat del públic (lector) no solament mitjançant un ús gens gratuït del plural (primera o segona persona segons el grau d'identificació que pretén), sinó gràcies també a un habilíssim joc de veus narratives organitzades

36. Carta manuscrita de Maragall a Utrillo conservada a l'Arxiu Maragall, calaix 6, sobre 76a, carta 1.
37. *Museum. Revista mensual de arte español antiguo y moderno y de la vida artística contemporanea*, núm. 7, 1er. año 1911. Grabado y estampado por Thomas. Barcelona, pàg. 251-259.

entorn de la seva formulació més didàctica: imprecacions, preguntes i respostes entre ell (Maragall) i les formes, figures i paisatges de les pintures exposades que apareixen, d'aquesta manera, personificades. Però, sobretot, el que farà Maragall serà fer «mirar» les teles de Sunyer –especialment els nus de dones– no amb els ulls, sinó amb el tacte ben despert, sense vergonya, utilitzant per a això un lèxic altament connotat de formes i de volums i de sensacions tàctils sense cap ni una –insisteixo, cap ni una– referència cromàtica:

> «Tenía el artista una visión de hombre primitivo, unos ojos fascinados por la corporeidad (*dejadme* decirlo así) de las cosas, por las líneas con que la masa de ellas recortaba el aire, y por las convexidades y concavidades interiores de su bulto, y fascinado por esto, adivinando que en el juego de aquellas líneas estaba el divino secreto de las cosas, estaba manifiesto el ritmo de la creación, esencia de ellas, se esforzaba en *darnos* lo esencial, desdeñando todo lo demás. Parecía *decirnos*: –¿*Veis* lo que es la vida? ¿*Veis* el esfuerzo creador fatigándose y reposándose en altos y bajos, en bultos y huecos, en una ondulación infinita, desde la más fácil del mar líquido a la del peso enorme de las montañas, pasando por la suavemente ponderada de los árboles y las plantas, y toda ella reunida en la más espiritual animación del cuerpo humano, y en su cúspide de espiritualidad, que es el rostro humano? Si lo *veis*, ¿qué me importa lo demás?»

El segon exemple, referit precisament a la *Pastoral* permet apreciar no només el procés d'acostament al públic fins a la fusió (de la primera persona del singular de les ratlles inicials i finals, a la primera del plural de les ratlles més carregades d'intenció), sinó també l'operació de desemmascarar –i de fer-ho a més en els termes ideològicament assumibles– la recepció que la carrinclona burgesia barcelonina del moment va fer de l'exposició. I permet també, i potser sobretot, apreciar la reducció que Maragall fa de la complexitat dels sentits: de la vista (el sentit més complex) al tacte (el més primari), en un esforç màxim de coneixement a través de la interiorització de la forma pel tacte. La seqüència tindrà tres temps: joc sinestèsic (mirar amb el tacte), paradoxa (coneixement a partir, precisament, de la desintel·lectualització) i, finalment, sublimació o mitificació (per la forma a l'ànima).

> «Así llegué delante de aquella *Pastoral*, donde me pareció ver resumida, aclarada y sublimada toda la obra del artista. Me pareció encontrarme en una encrucijada de *nuestras montañas*, de estos montículos tan característicos de *nuestra tierra catalana* áspera y suave al mismo tiempo, simplemente *enjuta como nuestra alma*. Y que el aire estaba tan limpio que el paisaje parecía sin atmósfera, sin distancias y que por tanto todo parecía tocarse: el sentido del tacto parecía transferido a los ojos: ver las montañas era tocarlas, el relieve del suelo se nos metía en el alma, y nos sentíamos dentro de la caricia de sus líneas, la morbidez de su masa y hasta el vaho del terruño. Y como sucede siempre que *tenemos* una sensación así fuerte de un paisaje, que *sentimos* en seguida la misteriosa afinidad de *nuestra naturaleza* con la de la tierra y *empezamos* a amarla con voluntad creadora, y *quisiéramos* que se hiciera cuerpo de mujer, y ya *nos lo parece*, para crear en ella, he aquí que de pronto la mujer aparece en *nuestra imaginación*, y, si *somos* artistas, aparece en la realidad de *nuestra obra*. He aquí la mujer en la *Pastoral*, de Sunyer: es la carne del Paisaje: es el paisaje que, animándose, se ha hecho carne. Aquella mujer, allí, no es una arbitrariedad, es una fatalidad: es toda la historia de la Creación; el esfuerzo creador que produjo las curvas de las montañas no puede detenerse hasta producir las curvas del cuerpo humano. La mujer y el paisaje son grados de una misma cosa; y el artista, fascinado por las líneas del paisaje,

verá brotar de su pincel, sin quererlo, las líneas del cuerpo de la mujer. Éste me parece a mí el sentido esencial de la *Pastoral* y de toda la obra de Sunyer.»

Queden pròxims els ressons de l'*Elogi de la poesia* i els del *Cant espiritual*. Però Maragall anava, encara, més lluny. Als ciutadans i artífexs d'aquella ciutat ideal que s'anava construint a cops de glosa i d'ortodòxia, Maragall els mostra les seves insuficiències i les seves misèries. Els seus pecats que són, alhora, les seves virtuts. Si el maig de 1910, ja ho havia fet en els versos de la segona part de l'*Oda nova a Barcelona*,[38] ara recupera aquell discurs prenent la pintura de Sunyer com a excusa: «Yo no sabía por qué sentía aquel arte tan próximo a mí, tan catalán. Y ahora veo que era porque todo lo que reconocía en él como cualidad o defecto era cualidad o defecto del alma catalana. Porque ¿no es esta alma nuestra también enjuta como nuestra tierra? ¿No es asimismo violentamente expresiva, mostrando crudos contornos de las cosas sin atmósfera que los suavice? ¿no es ésa la famosa claridad del *clar i català*? ¿Y no es esa necesidad de claridad en los términos de las cosas, y aquel impulso de violencia, lo que nos lleva a recargar sus líneas hasta romper el lápiz, y nos hace tan propensos a la caricatura, a la parodia... y a la blasfemia? ¿Y no es, como conjunto de todo esto, nuestro vicio capital la falta del sentido de la armonía, desde la intimidad religiosa hasta la superficialidad social y política? ¿Y no se revela en todo ello el sentido catalán como un sentido fuerte pero incompleto de la vida?»

Però tornem a la pintura. Jo no sé si Maragall havia llegit les «Notes d'un Peintre» que Matisse havia publicat a *La Grande Revue* el 25 de desembre de 1908 i que traduïa en termes teòrics el que s'havia pogut veure el 1907 quan va exposar *Le bonheur de vivre*. En l'article, Matisse s'expressava a favor d'una pintura més decorativa i lineal, de cromatisme abstracte, en aquests termes: «Per a mi, tot està en la composició. Cal tenir, des del començament, una visió neta del conjunt... Si en el quadre hi ha molt ordre, molta claredat, és perquè, des del començament, aquest ordre i aquesta claredat existien en l'esperit del pintor... El que m'interessa més, no és ni la natura morta ni el paisatge, sinó la figura. És el que millor em permet expressar el sentiment per dir-ho d'alguna manera religiós que tinc de la vida... Els mitjans més senzills són els que millor permeten expressar-se al pintor...»

L'equació entre el sentiment religiós de la vida i el primitivisme és fàcil d'establir. Aquell mateix primitivisme que Maragall trobava en la composició i la tècnica d'algunes teles de Rafael o de Murillo i que li costava tant de trobar en les del Greco. Tocar, olorar, escoltar, tastar *versus* mirar. O la poètica de Maragall i de Sunyer.

38. *La Veu de Catalunya* (2 de maig de 1910), pàg. 3. El poema va ser inclòs a *Seqüències*, 1911.

LA NOVEL·LA ANTIMODERNISTA: LES PROPOSTES DE *LA RENAIXENSA*

Jordi Castellanos

Universitat Autònoma de Barcelona

Un mercat real

Quan s'ha parlat de novel·la modernista, s'ha tendit a mirar quins models, quines referències de la novel·la contemporània europea tenien els autors. Però s'ha deixat de banda contra qui escrivien, o, si es vol, en el marc de quina tradició se situaven, quins eren els seus contemporanis que escrivien sense mirar cap a Europa o mirant cap a una Europa que no s'identificava amb la modernitat que ells pretenien instaurar. Hem tendit, també, a referir-nos a la dècada dels noranta com a un període narrativament pobre. Són els anys de la crisi del naturalisme, de l'afluixament de l'Oller, que s'afanya a acabar *La febre d'or* i triga una colla d'anys a treure *La bogeria*, i de problemes per part dels modernistes per a instaurar els seus models. Però, si ens oblidem dels corrents estètics, si ens oblidem de les valoracions, i analitzem només quantitativament la producció de novel·les d'aquesta dècada, ens enduem una sorpresa: la pretesa i tan cantada crisi de producció no apareix per enlloc. No trobem, és cert, cap novel·la signada per un «modernista», és a dir, per un autor que se senti integrat en les files dels defensors de modernisme. Però això no té gaire transcendència: la xarxa de publicacions que s'ha anat creant d'ençà dels anys vuitanta a l'ombra del catalanisme actua de manera efectiva i serveix de suport a un ampli sector de narradors. O potser a l'inrevés: troba el seu suport en ells.

És un mercat precari, però és un mercat real. L'accés als lectors es realitza a través del fulletó o de la col·laboració a la premsa amb articles literaris, és a dir, narracions o quadres de costums, i només escadusserament a través del llibre. El mercat, doncs, pateix una certa esbiaixada en relació amb les formes modernes, habituals en els països més avançats. Però, amb tot, té una considerable vitalitat, fins al punt que arriba a propiciar l'aparició d'algun narrador que podríem qualificar d'«especialista», ja que no de «professional» atès que no viu dels seus escrits. Seria el cas de Joan Pons i Massaveu, ben present a gairebé totes les publicacions catalanes de l'època, des de *La Renaixensa* a *La Ilustració Catalana*, des de *Lo Catalanista* a *L'Avenç i La Veu de Catalunya*. Pons i Massaveu és un claríssim exponent d'aquesta desviació del mercat, de manera que moltes de les seves novel·les, o narracions, ni tan sols arriben a convertir-se en llibre. I és que l'escàs paper que aquest té dins aquest petit mercat literari propicia que la novel·la llarga, unitària, ocupi un lloc secundari i que fins i tot el fulletó, sovint, en lloc d'allargar els productes, els redueixi per tal de facilitar la diversificació i, doncs, l'accés al lector. De les publicacions que he esmentat, *La Renaixensa*, a través de la seva revista literària enquadernable i, sobretot, del seu fulletó, que porta el títol de «Novel·les catalanes i estrangeres», resulta indubtablement la més representativa. Darrere d'ella, *La Ilustració Catalana*, de Francesc Matheu, tot i que a partir del 1894, quan s'ha deixat de publicar la revista, l'activitat editorial resta estroncada. Aquests són, també, en el mercat del llibre, els peus d'impremta més habituals, tot i que en la majoria dels casos (sobretot en el cas de *La Renaixensa*) la intervenció de l'editorial en la producció del llibre es limiti a proporcionar impremta i distribució, perquè l'autèntic editor és l'autor, en alguns casos amb l'ajut –suposen-ho– de la societat «Protecció Literària». La intervenció directa i intencionada en el mercat editorial que fa *L'Avenç* a partir del 1891 no varia inicialment el panorama, simplement perquè la revista (el grup central de la redacció) s'interessa més per la reforma lingüística que per la modernització literària. Cerquen l'adhesió de noms ja reconeguts, que no són gaires i ben poc «moderns»: Bosch de la Trinxeria i Pons i Massaveu. Cal precisar que, fora de *L'Avenç*, els dos continuaran editant en l'ortografia tradicional.

I és que el mercat d'aquestes editorials estava ben fixat i els era fidel. Ben lluny de les novetats tipogràfiques del modernisme, oferien uns productes de format reconegut, diguem-ne que sòlids. A més, tenen al costat un seguit d'intents, efímers, per crear, amb mentalitat vuitcentista i pocs mitjans, col·leccions populars, a bon preu, que admeten la publicació de novel·les, però no de forma exclusiva. Com la «Biblioteca Popular Catalana», que apareix el 1893 i porta el subtítol «Col·lecció dels millors autors catalans»: va començar, com obligaven els cànons populistes, amb Serafí Pitarra (*Poesies*) i va seguir amb reculls de narracions d'Emili Vilanova (*Col·lecció de quadros*), Pons i Massaveu (*Caps i Treves*), Robert Robert (*Col·lecció de treballs literaris*), Antoni Careta i Vidal (*Rajolins*), per acabar altre cop amb poemes de Manuel Rocamora (*Joguines*), amb presentació de Conrad Roure, que potser n'era el responsable. L'anunci d'uns *Cuentos* de Francisco de S. Maspons i Labrós i de les *Obres* de Narcís Oller ja no arriben a concretar-se. Un altre intent, també fracassat ben aviat, va ser la «Col·lecció Selecta Catalana», que dirigia Manuel Marinel·lo i que publica Emili Vilanova, Feliu i Codina i anuncia, també, una obra de Narcís Oller, entre d'altres.[1] Aquestes dues col·leccions, al costat de la política novel·lística que porta a terme *La Renaixensa*, em semblen simptomàtiques: volen guanyar un públic catalanista al qual ofereixen els «millors autors» o una tria «selec-

1. Amb Manuel Marinel·lo com a director i B. Bauzà com a administrador, la col·lecció anuncia que publicarà un volum mensual de 128 pàgines, amb una bona presentació i agermanant, diuen, el millor que s'ha escrit amb obres inèdites. Afirmen que compten amb cinquanta «tomos» per publicar. Els que han publicat són *Quadros*, d'Emili VILANOVA, *La dida* de Josep FELIU I CODINA (en dos volums) i *Poesies premiades*, de Frederic SOLER. Anuncien per al volum cinquè una obra d'Oller, a la qual havien de seguir Francesc Ubach i Vinyeta, Pons i Massaveu, Cortils i Vieta, etc. La col·lecció, per les obres que anuncien a la contraportada, s'hauria de datar el 1897. L'adreça que donen és la de la Impremta de Mariano Galve, del carrer d'Avinyó, 18.

ta catalana». Això marca, també, els seus límits. Podríem afegir-hi, encara, la «Biblioteca Catalana Ilustrada», que publicava la revista *Lo Teatro Regional*, que acull els noms de Feliu i Codina (*Vers i prosa*), Pons i Massaveu (*Menudalla, poesies* i la novel·la *La dama negra*), Pere Cuyàs (*Un mes als Estats Units*), Francesc Pelagi Briz (*Idil·lis*, poemes) i Conrad Colomer (*Arsenal*).

«Novel·les catalanes i estrangeres»

La peça cèntrica de la novel·la catalana en els anys noranta és el fulletó de *La Renaixensa*, que va posar a l'abast dels lectors una sèrie de novel·listes i de novel·les «catalanes i estrangeres» força remarcables. Deixem, per a més endavant, l'anàlisi de les traduccions. En relació amb la novel·la catalana, la col·lecció es va convertir en una mena d'antologia de la producció novel·lística publicada fins al moment. Hi trobem obres de Francesc Pelai i Briz (*El coronel d'Anjou*, el 1892), de Martí Genís i Aguilar (*Julita*, el 1892; *La Mercè de Bellamata*, el 1894; *Sota un tarot*, el 1895; *Quadros del cor*, el 1896; *Records d'una nit*, el 1896; i *La reyneta del Cadí*, el 1898), de Josep Martí Folguera (*Lo caragirat*, el 1892), de Joan Pons i Massaveu (*En Quicu dels llibres*, el 1893; *L'auca de la Pepa*, el 1895; i *A matadegolla*, el 1899), de Josep M. del Bosch i Gelabert (*Guideta. Novela de costums*, el 1893, i *Lo segador*, el 1896), Lluís B. Nadal (*Los milions del farinayre*, el 1893), de Maria de Bell-lloch (*Vigatans i botiflers*, el 1893), d'Emili Vilanova (*Tristeta*, el 1895, i *Lo Bernat de la Cristina*, el 1897), de Bonaventura Bassegoda (*La bona gent*, el 1896), de Josep Berga i Boix (*Un retrato esborrat*, el 1897), de Francisco de P. Maspons i Anglasell (*Miquel Grau*, el 1897), de Carles Bosch de la Trinxeria (*L'hereu Noradell*, el 1898, i *Lena*, el 1899); de Joaquim Riera i Bertran (*Los comediants del segon pis*, el 1902), de Gaietà Vidal i Valenciano (*La pubilla del mas de Dalt* i *Confiança en Déu*, el 1902), de Josep Feliu i Codina (*Lo Bruc*, el 1900), d'Antoni de Bofarull (*Costums que es perden i records que fugen*, el 1900) i de Dolors Monserdà de Macià (*La Montserrat*, el 1899), per assenyalar només les reedicions més significatives, d'entre les quals podríem distingir-ne algunes que, per dir-ho així, eren ja un punt de referència en la història del gènere a Catalunya (*Lo coronel d'Anjou*, *Julita*, *Vigatans i botiflers*, per exemple), mentre que altres són èxits recents que el fulletó reedita (com *L'hereu Noradell*, *L'auca de la Pepa* o *Miquel Grau*).

Aquest esforç de compilació comprèn també algunes novel·les d'autor, tema i ambient catalans que havien aparegut en castellà i que ara són traduïdes al català, restituïdes a la seva «versió original»: seria el cas de Víctor Balaguer, de qui recullen un seguit de novel·letes històriques (*La damisela del castell*, 1894; *Història d'un mocador*, 1895; *L'espasa del mort*, 1896, i *Los almogàvers a l'Orient*, 1898); de Joan Cortada, que hi apareix exclusivament amb una de les seves novel·les morals (*Na Rosina*, 1899); i, sobretot, Francisco de P. Capella, que aprofitarà la col·laboració per incorporar al català part de la seva obra novel·lística.[2] D'aquest conjunt, no resulta difícil extreure'n conclusions entorn de la línia que pugui propugnar *La Renaixensa* per a la novel·la catalana: apropiar-se de la tradició, donar-ne una imatge totalitzadora i proposar-ne la continuació pels camins de l'idealisme i del costumisme romàntics. En bona part, contra el modernisme, un moviment que per a ells representa la desnaturalització del país. Però també contra el naturalisme: significativament, dins aquesta selecció de models no s'inclouen els dos noms que havien aportat alguna inquietud renovadora a la novel·la dels anys vuitanta: Narcís Oller i Pin i Soler. Aquestes absències, és clar, es podrien interpretar estrictament amb raons de mercat: els seus llibres (alguns sortits de les mateixes premses del diari) eren recents i no tenia sentit reeditar-los en fulletó. Però altres llibres recents hi són incorporats. En tot cas, ni Pin ni Oller representen el futur dins aquest conjunt i sí que el representen, com a mínim pel fet de ser-hi incorporats, altres noms lligats inequívocament al cercle de *La Renaixensa*, i, per tant, que publiquen també a la revista o al diari. I aquest fet, en els anys noranta, quan ja han sorgit amb força les propostes modernistes, no és un fet banal.

I és que els noms que s'incorporen no representen cap via de renovació. Són Jacint M. Capella (amb *Lo nebot de D. Pere*, 1894, *Cartas que no lligan*, 1895, i *Lo gorch de las Ànimas*, 1898), General Ginestà Punset (amb *La pubilleta del Molins*, 1896), Ferran Girbal Jaume (amb *La Dolors*, 1897, *L'hereu del molí*, 1897, i *Pel maig*, 1898), Josep M. Aguirre (amb *Idili trist*, 1897); Josep Soler y Palet (amb *De fora y de dins*, 1897, i *Erenia*, 1898); Eduard Bertran i Rubio (*De la platja al seminari*, 1900, i *Sebastià*, 1902), Josep Berga y Boada (*Platrabé,* 1902) i Pere Joan Girona (*La plassa de Secanell*, 1902). Bona part d'aquestes obres les podríem qualificar de novel·la rural o novel·la costumista rural. O idealista, o sentimental. Tot i que no hi hagi una actitud programàtica precisa, la tendència de fons s'associa als noms de Genís i Aguilar, Bosch de la Trinxeria, Berga i Boix, Lluís B. Nadal, entre d'altres. Per tant, amb el grup d'Olot, que compta amb el patronatge de Carles Bosch de la Trinxeria amb José M. Pereda com a punt de referència. És aquest el nom que utilitzen quan parlen de determinats models de novel·la «muntanyesa» o «rural». I aquesta serà, certament, tota una via temàtica: el camp, gresol de bons costums i bons sentiments, enfront de les ciutats modernes, despersonalitzadores i descristianitzadores. Bosch, entre d'altres, molt atent a la crítica i preocupat per fer una literatura que estigui més al dia, prendrà com a model la literatura de consum i antinaturalista francesa, mentre, però, intenta justificar-se adduint la tradició balzaquiana i traduint Maupassant, concretament *Lo Horlà*, en el que podríem interpretar, també, per la seva banda, com una jugada de prestigi cultural. Ací, dins «Novel·les catalanes i estrangeres», i pel que fa a la línia que sembla que es defensa per a la novel·la catalana, més que Balzac i Pereda, apareix un nom, de gran prestigi en la darrera dècada del segle: el pare Luis Coloma, que hi té, per ser un autor accessible en castellà per als lectors, una presència més que distingida.[3] No ens ha d'estranyar, doncs, que al

2. És l'autor més assidu: *La senyora Elena*, 1892; *Lo senyor Lluch*, 1893; *Judit de Welp*, 1894; *La cuadra de Vilarnau*, 1895; *Catalina* (publicada ja anteriorment en versió catalana de Pere d'Alcàntara Penya al *Semanario Católico* de Palma), 1896; *L'hereu de la casa cremada*, 1897; *Lo baró de Santa Júlia*, 1899; *La tertúlia de la senyora Pepa*, 1899; i *Una dona com no n'hi ha gaires,* 1900.

3. En efecte, a partir de l'èxit de *Pequeñeces*, el pare Lluís Coloma passa a convertir-se en model per als escriptors idealistes, moralistes i didàctics. El fulletó de *La Renaixensa* li tradueix *La murmuració* i *La Pardala*, el 1895, i *En Renoch*, el 1902.

costat dels esmentats i d'altres que esporàdicament conreen la narrativa,[4] es recuperin els noms de Gaietà Vidal i Valenciano, de Joan Cortada i, sobretot, de dos moralistes catòlics, com Josep Valls i Vicens (conegut panegirista religiós que signa les seves novel·les com a «Josep M. del Bosch Gelabert») i Francisco de P. Capella. De fet, tots els autors s'emmarquen entre la tradició rural i l'idealisme sentimental i moralista, es tracti d'un il·lustre vigatà com Francisco de Febrer (*Roseta Gurniol. Quadro de costums montanyeses*, 1893), una mestressa de casa il·lustrada com Agustina Mauricio de Xuclà (*L'endemà de la festa major*, 1895), un metge prestigiós com Eduard Bertran i Rubio (*De la platja al seminari*, 1900)[5] o un jove militant catalanista com General Ginestà (amb una novel·leta tòpica: *La pubilleta del Molins*, 1896).[6] A destacar, bé que no pas per les seves qualitats literàries, *Vora la mar* (1895), de J. Portals i Presas, una narració que se situa a Arenys de Mar i que podria considerar-se una de les peces de la cadena que ha anat creant el mite arenyenc: recull molts dels elements que en formaran part, com les colles dels nois, els jocs al carrer i a la platja, el cementiri (ben lluny, encara, de la imatge que se n'ha creat modernament), la mestrança, els indianos, l'escola nàutica, etc. L'obra, però, no troba mai l'equilibri entre el costumisme, la narració fulletonesca i les digressions de l'autor.

El nom més repetit a la col·lecció és el de Francisco de P. Capella. Tampoc ens ha d'estranyar: és, en aquells moments, el màxim representant de la literatura per a les famílies, didàctica, moralitzadora. S'ha fet un nom escrivint en castellà, com a col·laborador i fulletonista d'*El Correo Catalán* i de *La Hormiga de Oro*, entre d'altres publicacions catòliques i ha anat evolucionant des del predomini inicial de la novel·la històrica cap al costumisme.[7] La seva col·laboració a *La Renaixensa* respon a un matrimoni de conveniència: per als editors, la incorporació d'un nom que arrossega un públic; per a ell, el complement que cercava. Així ho explica: s'havia ofert trenta anys enrere a Lluís M. Llauder, el director *d'El Correo Catalán*, mogut per «la idea de moralisar recreant»; amb això, «l'ideal religiós per mi estava complert, però hi mancava una altra cosa i era l'ideal patriòtic. *La Renaixença* em prestà ses planes i allí he fet lo que he pogut».[8] Així, amb un peu en el carlisme (tot i que mai

4. Per exemple, el vigatà Francisco de FEBRER (*Roseta Gurniol. Quadro de costums montanyesas*, 1893) o la mestressa de casa il·lustrada Agustina MAURICIO DE XUCLÀ (*L'endemà de la festa major*, 1895), dues obres en perfecte consonància amb aquesta mena de literatura (amb un cert tombant cap a la novel·la criminal, per part de la darrera).

5. Es tracta d'una obreta «exemplar», diria, que comença amb forma de diàleg entre el narrador i el lector, amb un bon domini del llenguatge i una considerable capacitat per oferir la sensació de veracitat. Així que l'obreta va avançant, però, els tòpics i el didactisme acaben dominant.

6. Aquesta és una de les poques novel·les d'aquesta sèrie que obté els honors d'una ressenya, o per raons de catalanisme o de parentiu: A. BUSQUETS PUNSET, «*La pubilleta del Molins*. Noveleta montanyesa de General GINESTÀ PUNSET. La Renaixensa, 1896», *L'Atlàntida* I, núm. 15 (15-XII-1896). La filiació que Busquets i Punset dóna a Ginestà, com a ell mateix, és Lluís B. Nadal.

7. No hi ha cap estudi sobre el personatge. Vegeu la presentació que se li fa a Francisco de P. CAPELLA, *Narracions*, «Lectura Popular», XIV, núm. 241 (s. d.), pàg. 417-418. També Maurici SERRAHIMA. Maria Teresa BOADA, *La novel·la històrica en la literatura catalana*, Barcelona, P.A.M., 1996, pàg. 122-124.

8. Així ho explica en abandonar la vida activa com a escriptor: Francisco de Paula CAPELLA, «Adeussiau», *La Renaxensa*, 31-XII-1897.

no va manifestar-se com a carlí) i l'altra en el catalanisme, tota la seva obra novel·lística, deixant de banda algunes novel·les històriques,[9] va girar entorn d'uns temes, uns personatges, uns conflictes, que aparentment se situaven en la quotidianitat, al marge de tota preocupació estètica o intel·lectual. Les constants manifestacions que allò que s'explica, els personatges, els conflictes, són reals, viscuts i coneguts, més que una aproximació al real, representen una forma d'empatia, de captació del públic.[10] Com les manifestacions d'humilitat del narrador, que vénen acompanyades sempre d'unes opinions inequívoques que no deixen ni un cap per lligar: és una literatura quadrada, sense escletxes, conservadora. Que té el nucli ideològic en el cercle familiar, en les virtuts cristianes en què s'ha de fonamentar la seva preservació. Un ordre que cal assentar en l'educació cristiana: heus ací l'objectiu de les obres.

L'altre Capella, Jacint M., fill de Francisco, també publica narracions a la revista i al fulletó a partir del 1893, i ni ideològicament ni literàriament se'n desvia gaire. Potser, a *Lo nebot de D. Pere*, una típica novel·la fulletonesca, amb fill de pares desconeguts i amors que sempre voregen o acaben en decandiments mortals, s'aproxima a la literatura mundana, edulcorada, idealista, dels Onhet, Feuillet o Chebuillez, els autors que també admirava Bosch de la Trinxeria. L'exhibició supèrflua i superficial de cosmopolitisme (en els lemes en llengua original amb què encapçala cada capítol, en els ambients internacionals de Niça i Montecarlo) i de cultura (amb comentaris sobre escriptors, sobre fets històrics, etc.) no pot amagar la càrrega conservadora i moralista de l'obra. Un episodi, per exemple, com la crisi borsària dels anys vuitanta, que Oller havia novel·lat amb molt bon criteri a *La febre d'or*, és anecdotitzat i frivolitzat tot i les manifestacions de realisme que l'autor hi deixa anar.[11] I, com a tret definitori, perquè és recurrent, cal destacar l'antisemitisme de què fa gala, exponent d'un clima generalitzat a Europa quan està a punt d'esclatar l'afer Dreyfus a França.[12] Poques coses de nou ens aporten les seves altres obres: *Cartes que no lliguen* és, directament, un pamflet narratiu contra la fe en el tarot, i *El gorg de les ànimes*, amb un rerefons llegendari, se situa en l'exaltació de la vida rural. Sense més.

9. Com, per exemple, *Judit de Welp* (1882), incorporada a «Novel·les catalanes i estrangeres» el 1994.

10. Vegeu, per exemple, les declaracions amb què comença *La senyora Elena* o el petit pròleg a *Lo senyor Lluch*, en el qual arriba a afirmar, fins i tot, que, dels personatges que ha conegut al llarg de la seva vida, «he volgut retratar els que presentaven tipus més adequats per a fer agradable i moral una obra».

11. L'autor adverteix en nota que ha introduït expressions i locucions característiques del món de la borsa per tal de donar a l'obra «més color local». Res, però, més allunyat del realisme que aquestes descripcions.

12. Així, sota la citació d'uns mots de Shylock, d'*El mercader de Venècia*, s'introdueix un capítol absolutament gratuït en què es castiga la usura. Capella fa gala de la seva erudició en la matèria: «Ell, com lo celebrat autor de *France Juive* i d'altres no menys valents contra els descendents d'Israel, com l'heroic Ed. Drumont, lo director de la *Libre Parole* sabia la manera de tractar als jueus.»

Els perills del modernisme

Tot i això, la «modernitat» –diguem-ho així– no és del tot absent de la col·lecció. Josep Soler i Palet, després de publicar una novel·leta costumista, prou digna pel que fa a la llengua tot i l'explicitació argumental i un tancament moralista, amb el títol *De fora i de dins* (1897), va fer un considerable esforç d'actualització amb una novel·leta, *Erenia*, publicada el 1898, bé que datada el febrer del 1896. Es tracta d'un intent, siguin quins siguin els resultats i el punt de vista, de penetrar en una situació de crisi social i política: la crisi social té com a referent el decadentisme; la política, la guerra de Cuba. La protagonista és una jove cubana, orfe de mare i repatriada amb el seu pare. Se'ns presenta en una cambra *fin-de-siècle*, servida per un negre, un criat que havia estat company d'infantesa i que és l'únic element nadiu que el pare li ha permès de conservar, perquè Erenia ha estat reeducada i catalanitzada. La noia manté, però, una posició favorable als insurrectes (de fet, l'obra comença amb les notícies, que la neguitegen, sobre l'encerclament de Maceo) enfront de l'equívoc del seu pare (que fluctua entre l'espanyolisme i el catalanisme) i del seu promès, en Ramon, absent fins aleshores, que es manifestarà com un ardent patriota espanyol (tot i que l'autor ens fa saber que respon a actituds acomodatícies i que, a l'hora de la veritat, no arriscaria absolutament res). Erenia, doncs, té una personalitat prou marcada: la trobem inicialment llegint Tolstoi i Bourget, comentarà Wagner, tocarà al piano i cantarà una «serenata»; té opinions pròpies i és capaç de defensarles, com a exponent que és d'una sensibilitat nova, «neuròtica», que li obre l'esperit a tota mena de supersticions i pressentiments. És així com «sent», a la manera de *La intrusa*, de Maeterlinck, que alguna cosa terrorífica és a l'aire, en les alenades fredes que només ella percep. I és que s'està vivint una època «en què la neurosis fa verdaders estragos, en què existeix un general desequilibri en l'organisme humà com en la societat nostra; un període de temps prou llarg i d'un fi tan fosc com llunyà, en què en la nostra treballada naturalesa, en lo funcionament de las màquines humanes d'aquesta generació excitada i descontenta, los nervis dominen al cervell malaltís i sense fòsfor. La conseqüència d'aquest estat impropi es la inquietud, lo recel, l'afany sense esperança d'èxit, lo dubte i el desengany i l'enervament al fi, contrari sempre a la vida, que és la força, la virilitat, la creació».

L'estat d'excitació d'Erenia li fa aparèixer tota mena d'imatges oníriques, que freguen l'expressionisme. Fins que, a la nit, «com si estigués desperta, se li apareix de manera clara i esfereïdora la figura d'en Ramon volent atravessar un estany pantanós quina aigua llotosa amagava gran munió de plantes en ell viables, com certa mena de sers racionals que creixen i sobresurten en mig de certs caus socials ben bruts e infectes». L'assassinat pressentit, és, al capdavall, real. En desvetllar-se al matí, l'ambient ja ho deixa entreveure («L'atmosfera és pesada: no es respira pas bé en lo quarto de la Erenia, quina es troba esvasit de fetors de cremallots de cera, d'essències d'apotecari, de flors mig passades»). Sorprenentment, però, la intriga es resol amb l'explicació del narrador, atès que Erenia, tot i els pressentiments i haver superat la crisi «vencent la jove naturalesa», «jamai encertà la infeliç lo verdader origen del seu infortuni». Això és el que explica el narrador, malgrat que, diu, «la història exacta d'aquell drama passional, tan sols lo negre la sabia»: per gelosia, aquest havia matat en Ramon i havia marxat a Cuba, on morirà lluitant per la independència. El fet que, després de l'assassinat, algú hagués robat la cartera de la víctima, havia encobert el crim convertint-lo en un simple fet divers.

En realitat, doncs, no hi ha cap connexió entre l'acció (un drama passional) i la protagonista, amb els seus estats anímics i els seus pressentiments. Els intents de penetració en la ment del personatge (tot i que arriba a aproximar-se, en iniciar-se l'obra, al monòleg interior, bé que amb la clàssica barroeria d'utilitzar el personatge per introduir tot un seguit d'informacions per al lector) i de captació d'espais eteris en la sensibilitat i la suggestió fracassen perquè no van acompanyats d'un canvi real de mentalitat i, doncs, de concepció novel·lística (que és, al capdavall, la concepció de la realitat). La veu del narrador, discreta i dissimulada inicialment, acaba vencent. I també el conservadorisme ideològic, perquè, la crisi, al cap i a la fi, té solució en la raó natural, el sentit comú i, potser reflectint el Bourget que la noia llegia, en la religió, «la fe en la relligió de Crist, en tots temps triomfant».

És el límit de l'aproximació als nous corrents per part d'aquests sectors ultraconservadors, que recorden força allò que va representar el Cercle Artístic de Sant Lluc: l'intent d'acollir, del modernisme, els aspectes formals més superficials per a encobrir actituds antimodernitzadores. A la manera d'aquell premi que Josep Berga i Boada, que apareix també en la nòmina de narradors de *La Renaixensa*, oferia en el Certamen Científic-Literari organitzat per la revista *L'Atlàntida* el 1897: «al mellor ensaig per una comèdia en un acte, de tendències modernistes i de bona llei.»[13] És, ni més ni menys, el missatge que es desprèn de la primera novel·la que Ferran Girbal Jaume publica dins la sèrie: *La Dolors. Quadro de costums* (1897), que havia estat premiada dos anys abans, significativament, als Jocs Florals d'Olot. Hom podria pensar que l'autor s'aproxima a l'impressionisme, als nous corrents compositius: a la presentació, intenta justificar que la novel·la no passi de ser «lo plan, la idea esbossada, indicada només». No cal pensar-ho: ho desmenteix ell mateix en atribuir-ho a la manca de temps i ho desmenteix l'obra, tan esquemàtica, superficial i falsa com les altres de la sèrie. El seu objectiu, amb l'esquema de novel·la sentimental, és ideològic: combatre l'associació de l'artista amb la bohèmia i el sensualisme i, per tant, proposar l'amor pur (és a dir, matrimonial) com a única deu creativa: «a l'artista li convé casar-se, i li convé molt més que a cap altre home». Així, superada la temptació parisenca, l'artista torna al si de les muntanyes, per regenerar-se, per casar-se, just a temps, perquè la seva estimada estava ja a punt de morir-se.

El mateix any, 1897, Girbal Jaume publica *L'hereu de molí. Croquis per a una novel·la de costums*, que sembla com si apuntés *avant la lettre* alguns aspectes del tractament que la novel·la simbòlica modernista va donar més tard a la ruralia, àdhuc en algunes expressions que podrien apuntar cap al que serà la «llengua mascle»: la descripció de dos pobles situats al marge de la civilització, amb els seus

13. «Suplement al Cartell del Certamen Literari», *L'Atlàntida* II, núm. 32 (1-IX-1897), pàg. 4.

habitants abocats al vici i al crim; la comparació dels pagesos amb bèsties; l'èmfasi de l'adjectivació; i fins i tot l'ús de referents concrets, com la campana.[14] Però les interferències del narrador, la seva actitud moralitzadora i l'oblit d'aquest llenguatge i de les implicacions d'aquestes primeres descripcions al llarg de l'obra, ens en treuen tota la modernitat: no passa de ser una típica novel·la fulletonesca, amb crims, odis, venjances i amors desgraciats, sense que, pròpiament, es pugui ni tan sols parlar de costumisme.

Més pretensions de modernitat té una altra novel·leta seva, també curta: *Pel maig. Novel·la-idil·li.* Hi tornem a trobar un escrit inicial, també per parlar de problemes de composició i explicar les seves intencions, unes intencions que podríem situar dins una línia que té en Adrià Gual el seu autor més representatiu: la recerca d'una senzillesa extrema, com la de determinats productes de la poesia popular, a través de la qual suggerir estats d'ànim profundament significatius. «M'havia proposat –afirma– escriure una novel·la innocent fins a lo infantil, però que no fos un cuento de nois. Jo hauria volgut que aquesta història fos d'una senzillès tal que toqués a càndid, que entrés de ple a l'idil·li, que tingués molt de *rêverie* amb totes les nebulositats de l'ensomniament, amb tota la incoherència d'una fantasia, amb tota la candidesa del primer amor, amb la impalpable diafanitat de la visió, amb la delicadesa de tintes d'una matinada de maig... jo hauria volgut escriure un idil·li perfecte». Coherent amb aquesta intenció, posa com a lema uns mots d'una cançó popular alemanya: «*Komm lieber mai...Torna, volgut mes de maig...*» El pròleg, tanmateix, sorprèn perquè acaba amb una excusa: el resultat «no és ni sisquera un reflexe trist de lo que jo imaginava». Tan explícit és, que resulta clar que no es tracta de falsa modèstia sinó d'una constatació clara d'una impossibilitat: fer art nou amb instruments antics. De fet, *Pel maig* no passa de ser una novel·leta sentimental, amb tots els trucs característics del gènere, en la qual apareixen algunes imatges pròximes al simbolisme, bé que, utilitzades tal com fa l'autor, no arriben a adquirir altra significació que l'externament anecdòtica: imatges de foscor i mort, la qualificació d'idealista aplicada al protagonista, algun referent a la noia com a «damisel·la santa» (ho dic gairebé forçant el text), algun joc amb colors i la presència del somni en el desvariejament final (per cert, partint d'una citació de *Le Rêve*, de Zola, que encapçala el capítol). Allò que importa és, estrictament, la història sentimental, construïda a través d'un recurs típicament fulletonesc: l'acumulació de desgràcies i de casualitats. El narrador (en la millor, o pitjor, tradició fulletonesca) hi és sempre present. L'objectiu és conmoure un públic majoritàriament femení, al qual es dirigeix. L'obra, doncs, no passa de ser una novel·la rosa, amb personatges blancs, inconsistents, i sense cap problema real, perquè ni la mort, ara de l'un, ara de l'altre, arriba a fer-se creïble. Què devia entendre Girbal Jaume per «rêverie»?

14. Per exemple: «mengen lo que treuen d'algun bocinot de terra que conreuen o lo que els permet lo mesquí jornal que guanyen» (pàg. 460); o bé: «Lo Saltant és lo únic hermós que es veu en aquella naturalesa trista i ennegrida, i encara espanta. Aquell paisatge accidentat i pedregós no dilata l'esperit amb set de llibertat i afany de volar, aplana l'ànima i oprimeix lo cor amb lo misteri estrany de ses pragositats y soletat immensa» (pàg. 461-462).

Ja he assenyalat que aquest conjunt de novel·les, que des d'un punt de vista actual no ens estaríem de qualificar com un conjunt de despropòsits, obeïa a un programa més o menys organitzat per servir literatura amena a un públic determinat i, alhora, apartar-lo d'aquell modernisme de «mala llei», sigui'm permesa l'expressió, que s'anava imposant. Els models, els esquemes sobre els quals s'han construït aquestes narracions, són resultat d'una tradició formal creada al marge de la modernitat. I és que els autors no només no participen del mite de la modernitat sinó que s'hi mostren del tot refractaris i escriuen, en part, per defensar-se'n. I és ben segur que el públic receptor no s'hi sentia pas incòmode.

Les novel·les estrangeres

Mentre molts dels productes autòctons de la col·lecció «Novel·les catalanes i estrangeres» de *La Renaixensa* adverteixen sobre els perills del modernisme i de l'estrangerització, el bloc de les traduccions ens ofereix algunes obres que se situen en els punts més interessants de la novel·la de fi de segle, representatius fins i tot de la modernitat. La col·lecció introdueix la novel·la russa i cal recordar que justament la mitificació de la novel·la russa era un dels fenòmens més significatius del tombant de segle europeu i entre nosaltres servia per caracteritzar els modernistes. Tot sembla indicar, però, que també en aquest cas el mitjà predomina sobre els continguts. No és el mateix llegir Melchior de Vogüe amb ulls de modernista que amb ulls conservadors. Ell mateix, catòlic i ultramundà, feia bandera de la novel·la russa en contra dels camins seguits per la novel·la francesa. Cap referència a Vogüe no trobem a la col·lecció, però és més que probable que la *Revue des Deux Mondes*, on ell escrivia, fos la font més important des de la qual s'incorporaven els models literaris del diari. Podem suposar, per tant, que els editors, els traductors i els lectors «llegien» Puixkin, Tolstoi, Gogol, Dostoievski i Korolenko en termes no només no contradictoris amb allò que ells estaven produint sinó, fins i tot, com a models a seguir.[15] Un bon exemple d'aquesta actitud és la del notari olotí Josep M. Aguirre, que dedica un seguit d'articles a la crisi del naturalisme i explica les vies alternatives que s'han obert: el psicologisme de Paul Bourget, Henri Desjardins o Edmond Haraucourt; el simbolisme o decadentisme de Paul Verlaine, Maurice Barrès i Charles Morice; i la literatura russa, amb els noms de Tolstoi, Dostoievski, Turguènev i, també dins el mateix sac, el d'Ibsen. Com que allò que valora és l'idealisme i la claredat (i, doncs, el didactisme), l'opció decadentista és descartada mentre Tolstoi (el qual, no ho obli-

15. No estic, doncs, del tot d'acord amb Maurici Serrahima quan afirma que en aquesta col·lecció, malgrat que no hi trobem Balzac, Flaubert o Zola, en traduir Tolstoi, Maupassant, Dickens, Dostoievski, Korolenko, Jókai, Gogol i Björnson, «ens fan comprendre que els escriptors de l'època es veien en el cas de posar-se al dia, i oblidaven, per antiquats, els esforços de llurs predecessors» (M. Serrahima - M. T. Boada, *La novel·la històrica en la literatura catalana*, op. cit., p. 125).

dem, ha publicat *Què és l'art?*, un al·legat contra la literatura de fi de segle) és posat, justament per aquests valors, en un primer pla.[16] Al capdavall, la dimensió moralitzadora, l'entorn rural, els elements fulletonescos, no manquen en cap de les obres que tradueixen i hauria calgut percebre'ls des d'una altra perspectiva per adonar-se de la càrrega corrosiva que podia tenir una novel·leta aparentment d'humor lleuger i un pèl absurd com és *Lo nas*, de Gogol; mentre que *Un vell amant*, de Dostoievski, es podia llegir com una obreta mig costumista, mig fulletonesca, mig de misteri, prescindint de la novetat que l'obra podia oferir, per exemple, en la construcció dels personatges.

El punt de compromís entre productes conservadors bàsicament de consum i algunes peces modernes es produeix, diria, en el tombant de segle, entre el 1900 i el 1902. Entre el 1896 i el 1999, potser de resultes del retrocés ideològic que va comportar l'activitat anarquista, les traduccions pràcticament desapareixen fins que, de forma sobtada, el 1900 desbancaran gairebé del tot la producció original.[17] El motiu és, sens dubte, l'esforç de modernització que ha de fer el diari per tal de competir amb *La Veu de Catalunya.* A les seves pàgines s'hi incorporen tot un seguit de signatures que tradueixen D'Annunzio, J. K. Huysmans i Maurice Barrès, per esmentar només alguns noms que tenen a veure amb la novel·la.[18] Doncs bé: el fulletó també reflecteix aquest canvi, amb la combinació de peces clàssiques de prestigi reconegut[19] i traduccions de literatura de consum[20] amb noms que se situen dins l'òrbita de la modernitat, ni que sigui en el vessant catòlic i conservador. Em refereixo, sobretot, a Paul Bourget, Louis Couperus, August Strindberg i, més pel nom que per la narració que li publiquen (*Vida de dues gates*), Pierre Loti. D'aquest conjunt, no hi ha cap mena de dubte que Bourget, en traduccions de Lluís Bartrina, hi és introduït de forma militant, amb peces relativament curtes però d'una considerable importància pels camins que obren, l'anàlisi de la dimensió moral (afegim-hi, si es vol, «cristiana») dels sentiments i actituds, amb un ja remarcable gir cap a la tesi. A *David*, per exemple, contraposa l'ideal (l'obra artística) i la realitat (el fill deforme), no pas per donar-ne el contrast sinó la convivència: l'art és el consol davant la realitat humana, però només amb la compassió, ve a dir, es pot sobreviure; *Lo venciment* vol

16. Vegeu, sobre aquestes posicions, Antònia TAYADELLA, *«La punyalada» de Marià Vayreda*, tesi doctoral presentada a la Universitat de Barcelona el 1988, vol. I, pàg. 64-66.

17. Tradueixen, el 1896, *Un somni*, de Korolenko, i *Escenes i aventures de viatges*, d'A. Vulliet; el 1897, *La sota d'espases*, de Puixkin, i *Sota la bandera vermella*, de Braddon; cap traducció el 1898 i només *En Renoch*, del Pare Coloma, el 1899.

18. A destacar, d'aquestes traduccions, un capítol de *La catedral*, de J. K. HUYSMANS (*La Renaixensa*, 24-II-1899) i un fragment de *La novel·la de l'energia nacional*, de Maurice BARRÈS (*La Renaixensa*, 6-V-1899), aquesta darrera presentada com «una obra plena d'esperances per les reivindicacions nacionalistes».

19. En efecte, tradueixen *Les meves presons*, de Silvio Pellico; *L'idil·li interromput*, de la polonesa Elisa Orzesko (tot i que aquesta frega la literatura sentimental); *Faust*, d'Ivan Turguenev; *La senyoreta de Scudery*, de E. T. A. Hoffmann, i *Coloma*, de Pròsper Mérimée.

20. Hi podem incloure des d'obres d'E. C. Moreau, Pere de Brandes, R. de Pont Just, Elie Berthet, Enrich Greville o Matilde Serao.

ser, tot i que l'anècdota es menja la categoria, un retrat d'una generació partida pel sentit extrem de la responsabilitat i els errors d'interpretació nascuts del determinisme positivista, un tema ja tractat a la seva obra més important, *Le disciple*; *Un sant*, finalment, se situaria, després de repassar un seguit de temes característics del tombant de segle (especialment la valoració prerafaelita de la pintura medieval italiana) en la línia que apunta de dret cap a la novel·la catòlica futura: la presència de la gràcia divina en la simplicitat i en la humilitat humanes.

El fet que trobem Louis Couperus i Strindberg (el text de Loti no té la mateixa transcendencia) al fulletó de *La Renaixensa* reafirma la importància d'aquesta plataforma i, alhora, les mancances d'infraestructures culturals dels cercles més renovadors. Perquè Couperus era un dels autors que havia estat proposat com a model per la revista *Catalònia*, a les pàgines de la qual n'havia aparegut un fragment (amb la presentació i versió de Pérez-Jorba, un dels seus ideòlegs) de la novel·la que ara apareix completa: *Majestat*, a la qual seguirà la seva continuació, *Pau universal*. L'obra representava un encarament als grans problemes socials i polítics del món contemporani, el xoc del vell ordre (en aquest cas d'un imaginari imperi europeu que ve a sintetitzar aspectes septentrionals i meridionals del continent) davant de la revolució social. Tot i que el protagonisme recau en un personatge positiu, que hereta la corona imperial, i es tanca amb un final clarament contemporitzador, Couperus no deixava de representar un model de novel·la convencional (que combina acció, personatges ben caracteritzats, intriga i un llenguatge força eficaç) més o menys renovada. Tampoc la traducció de Lluís Bartrina demostra cap preocupació per renovar el llenguatge. És, dins els models de llengua narrativa del XIX, fluida i eficaç.

I, tanmateix, destaquem aquest traductor: Lluís Bartrina. Quan es fa possible comparar les seves traduccions amb altres de posteriors, hom s'adona de fins a quin punt és eficaç, tot i moure's dins els models de la llengua literària del XIX. La seva versió de *La gent d'Hemsoe*, d'August Strindberg,[21] és molt superior, a parer meu, a la que va fer-ne el 1930 Jaume Bofill i Ferro.[22] És una traducció humil, que serveix el text sense pretensions però amb eficàcia. Una cosa que fa pensar que Strindberg arriba a la col·lecció sense que al darrere hi hagi cap tria intencionada, probablement perquè formava part del fons francès del qual es fornia el fulletó del diari. I, tanmateix, la novel·la és d'una qualitat literària incontestable i podria haver-se convertit en un model per a la modernització de la novel·la rural. Però la novel·la modernista neix d'unes premisses que no són les d'aquesta obra i tendeix més a potenciar el

21. Aquesta, pel que sembla, és la primera traducció de Strindberg a l'Estat espanyol. Jaume Bofill i Ferro, al pròleg a la traducció que en va fer de nou el 1930 per a l'editorial Proa, probablement des d'una versió alemanya, no l'esmenta. Les dues, la de Bartrina i la de Bofill, són ignorades per Guillem DIAZ-PLAJA, «Strindberg en España», *Estudios Escénicos*, núm. 9 (1963), pàg. 103-112, que considera que la primera traducció de Strinberg és *L'inspector Axel Borg*, Barcelona: Publicació Joventut, 1902.

22. August STRINDBERG, *La gent de Hemsö*, traducció de Jaume Bofill i Ferro, Badalona, Edicions Proa, 1930 («Biblioteca A Tot Vent», 27). Sembla evident que les dues versions són indirectes i que les versions interposades (francesa la de Bartrina i alemanya la de Bofill) condicionen considerablement els resultats.

caient simbòlic dels personatges que no pas la complexitat de les relacions entre ells. Com a mínim, en mans de Casellas. Menys, en la narrativa de Víctor Català, l'obra de la qual potser sí que podria tenir alguna afinitat amb les tensions psicològiques entre personatges que presenta Strindberg. Seria aventurat, tanmateix, suposar que hi va haver influència directa.

Quan les «Novel·les catalanes i estrangeres» van acabar el 1902, amb les fluctuacions del diari i després d'uns mesos, el 1903 el fulletó va reprendre amb força amb el mateix format però amb un nom nou: «Biblioteca La Renaixensa», que va publicar segons les meves dades cinc volums, amb un total de vuit obres, ara totes traduïdes (i la majoria precedides d'una succinta presentació) per Casimir Brugués, probablement a través de l'alemany. Hi trobem *Vendetta*, del danès Carit Etlar; *Un rapte misteriós*, d'A. Green; *Una dona heroica*, del polonès J. J. Kraszewsky; *Ciutadans de bon humor* i *Los pares de la ciutat* del noruec Elias Kraemmer; *La dama dels ulls de mar*, de l'hongarès Maurici Jókai, *Onze mentides*, de Ferdinand Gross i *La llegenda de la casa núm. 15*, de l'escriptora croata Ida Fürst. No hi ha, doncs, cap modernització de la narrativa, la presència dels autors russos en els anys anteriors ha passat en va i les presentacions del traductor ho acaben de confirmar. Ni tan sols les coincidències amb *La Veu de Catalunya* (en el nom d'Etlar, per exemple) resulten significatives i menys encara la presència d'un humorista com Kraemmer o d'un autor enginyós i intencionat, que toca la ciència-ficció, com Gross.

Per tant, hem de suposar que els sectors joves i renovadors no bevien d'aquesta font, tot i la importància que indubtablement té, en el seu conjunt, l'activitat novel·lística de *La Renaixensa*, sigui en l'ordenació de la tradició vuitcentista, sigui, sobretot, com a divulgadors de la novel·la europea. El fet que les traduccions, en general, apareguin signades és un indici de responsabilitat cultural i, sens dubte, d'intencionalitat literària. Potser, per començar, caldria esmentar la importància de les obres de Tolstoi, Puixkin, Gogol i Dostoievski que arriben al lector català d'aquells anys. Hom es pot sorprendre de pensar que, amb el títol de *Lo vell amant* (que caldria atribuir, més que al traductor, a la versió interposada), el lector tenia accés a *La dispesera*, una obra de joventut que ja conté tota la càrrega psicològica, el misteri i la indefinició dels personatges, que indubtablement havien d'atreure els joves modernistes que estaven descobrint tot un nou espai per a la literatura (allò que Casellas definia: «*acá y allá novelas de Tolstoy... socialismo alemán, misticismo ruso, simbolismo noruego...*»). És clar que no era el mateix que *L'Avenç* parlés i traduís Tolstoi, o Ibsen, o Björnson, que no que ho fes *La Renaixensa* des d'actituds literàries conservadores. I que aquests autors apareguessin dins l'espai del fulletó, que no era el més propici per a extreure'n lliçons de renovació del gènere. Potser per això ni l'humor corrosiu de *Lo nas*, de Gogol (l'immediat precedent d'*El capot*), ni la dimensió èpica del *Dubrovski*, de Puixkin, ni, lògicament, Dostoievski es convertiran en referents actius per a la renovació del gènere. Com a mínim en els anys noranta, en què pesaran més, en els cercles renovadors, els models francesos o belgues sorgits de la crisi del naturalisme que no pas els russos. Aquests, certament, comencen a fer-se presents: ja Joan Sardà i Josep Yxart n'havien parlat i cal considerar-los com una de les peces importants que ens expliquen l'evolució de Narcís Oller després de *La febre d'or*, però no serà fins que l'editorial Maucci, seguint la moda francesa que tenia Melchor de Vogüe com a mentor, en descobreix les possibilitats comercials, que no es tradueixen sistemàticament. Un dels primers autors catalans que els anomenarà com a referent serà Víctor Català, que probablement els va llegir en el fulletó de *La Renaixensa*, tot i que potser, al costat de les traduccions franceses que li arribaven, tenia accés a les traduccions castellanes de la Maucci. Aquesta degué ésser la font de Puig i Ferreter, que va prendre Gorki com un punt de referència en la seva vagabunderia per França. Potser. Com no és descartable que els russos es trobessin, al costat d'Ibsen, en la «moda» de la literatura social que es fa ben present en el teatre i que, d'esquitllentes i sota l'impacte de l'encíclica *De rerum novarum* de Lleó XIII, incideix també en algunes novel·les, com *Miquel Grau*, de Francesc Maspons i Anglassell.

VERDAGUER SENTINT UN ROSSINYOL: EL PARADÍS PERDUT, EL CEL, EL CANT IMPOSSIBLE

Francesc Codina

Universitat de Vic

En el marc d'una penetrant lectura d'*Aires del Montseny,* Joaquim Molas ha analitzat la significació i la interrelació dels poemes «Sentint un rossinyol» i «Què és la poesia», que Jacint Verdaguer va incloure en aquest llibre miscel·lani publicat l'any 1901.[1] El poeta hi exposa «una mateixa doctrina» que es podria enunciar, molt sintèticament, així: per a la humanitat que pateix l'exili terrenal, la veritable poesia té la virtut d'expressar l'enyor de l'Edèn perdut i de provocar el somni del futur Paradís celestial.[2] D'altra banda, en tots dos textos l'autor fa «servir uns mateixos símbols», entre els quals destaca la figura del rossinyol, que arriba a ser identificat, pel seu cant excels, amb la poesia mateixa. Tal com remarca Joaquim Molas, l'ús d'aquesta imatge se situa «dins una tradició singularment productiva de les lletres europees, que, com a mínim, va dels trobadors a Shakespeare, Keats o Marià Manent».[3]

El fet és que, des de l'antiguitat fins als temps presents, el rossinyol refila per tota la literatura universal i es pot dir, amb mots de Josep. M. de Sagarra, que «no hi ha vers ni cançó, ni història ni comèdia d'amor, on no surti aquest cant del rossinyol».[4] Dins el corpus verdaguerià és un motiu que apareix amb profusió constant. Quantitativament, constitueix una referència notable, com pot constatar qualsevol lector assidu del poeta. Qualitativament, es tracta d'una imatge clau, a la qual

1. Joaquim MOLAS, «Jacint Verdaguer: un poeta en crisi. Notes per a una primera lectura dels "Aires del Montseny"», dins *Anuari Verdaguer 1995-1996* (Vic: Eumo Editorial, 1999), pàg. 11-26.

2. Verdaguer ja havia esbossat aquesta concepció de la poesia en el «Discurs llegit en lo certamen catalanista de Sant Martí de Provençals lo dia onze de novembre de 1886»: «La poesia és una blanca i hermosa filla del cel que, compadida dels pobres fills d'Adam, baixa de tant en tant d'aquelles serenes altures a ajudar-nos en nostres afers, a encoratjar-nos en nostres empreses: a consolar-nos en nostres tribulacions, deixant-nos ses mateixes ales per volar, sobre totes les misèries humanes, cap allà dalt; a on volen les flaires de totes les flors, los sospirs dels malalts i presos, les llàgrimes del pobre, les almoines del ric i les oracions de tots los qui creuen, amen i esperen.» Cito de Jacint VERDAGUER, *Discursos, articles, pròlegs* (Barcelona: Ilustració Catalana, sense data), pàg. 44-45.

3. Joaquim MOLAS, *op. cit.*, pàg. 23.

4. Josep M. de SAGARRA, *Els ocells amics*, dins *Obres completes. Prosa* (Barcelona: Editorial Selecta, 1967), pàg. 719.

Verdaguer va recórrer en diversos moments de la seva trajectòria vital i literària per representar la poesia o el poeta ideals. És el cas dels dos poemes abans esmentats, el primer dels quals, «Sentint un rossinyol», datat el 1885, pertany a l'etapa de plenitud, i el segon, «Què és la poesia?», datat el 1896, a la darreria.

Una prosa germinal

Les passades del rossinyol, però, també ressonen en molts dels textos juvenils de l'autor, i en alguns ja ho fan amb una inusitada força simbòlica. En aquest sentit resulta especialment significativa una prosa redactada devers 1868 que, en un temps no gaire posterior, en tot cas no pas més enllà de 1871, fou reelaborada i aprofitada com a introducció d'un escrit més ampli.[5] Aquesta darrera versió del text consta de tres paràgrafs. El primer, el més breu, té un caràcter narratiu i introductori. L'autor hi explica, en primera persona, que ha estat despertat a punta de dia per «lo melancolich rossinyol», el qual l'ha acompanyat amb «sas dolsas refiladas» mentre resava, i no ha «plegat sa musica» fins que el poeta s'ha acostat «a sas bardissas floridas, ahont venia a asseure m pera sentirlo mes d aprop».

El paràgraf central, el més extens, arrenca amb una interrogació retòrica que l'autor adreça directament al rossinyol. Tot invocant-lo amb el qualificatiu de «musich del paradis», li demana per què ha parat de cantar tan aviat. Allò que segueix a aquesta pregunta, però, no és pròpiament una resposta, sinó una atapeïda reflexió sobre l'origen de l'altíssima càrrega emotiva que el poeta percep en el cant de l'ocell. Un origen que s'explicarà en el marc de la gènesi de l'univers narrada al *Gènesi*, el relat bíblic de la creació divina del món i de la humanitat. Així, el text de Verdaguer ens trasllada de sobte al paradís terrenal, on el poeta imagina el rossinyol regalant «las orellas dels nostres primers pares», Adam i Eva, amb un cant que aleshores «debia ser alegre com lo dels serafins que baixavan a l hombra del arbre de la vida a festejarlos». Posteriorment, de resultes de l'expulsió del paradís, conseqüència del pecat original, el cant del rossinyol sofrí una transformació, en barrejar-se amb els «sospirs» dels fills d'Adam i Eva «en mala hora nats en lo desterro». Per això les seves melodies ara «son tristas com lo pensament d un desterrat». Tanmateix, encara avui, traspuen «aquella enamoradora dolsor» que emmena «l anima al segle d or de sa perduda ignocencia». Veritablement, doncs, la música

5. Ambdós textos figuren a *Escrits inèdits de Jacint Verdaguer*. Transcripció i estudi per J. M. de Casacuberta (Barcelona: Barcino, 1958), vol. I, pàg. 251-7 i 297-307, respectivament. El curador titula l'esborrany d'aquesta prosa «El rossinyol»; la versió final constitueix la part introductòria del text que publica en apèndix sota la rúbrica de «Nou parlament per a una reunió literària a can Tona i a la Font del desmai». Pel que fa a l'envitricollada qüestió de la datació i la relació d'aquests dos textos entre si i amb un tercer, vegeu el que en diu Casacuberta a *op. cit.*, pàg. 239-243, 251-253 i 297.

del rossinyol, ensems dolça i malenconiosa, és la sola «cosa» –o sigui, l'únic objecte sensible– que ens resta «del paradis tancat pera sempre a nostras miradas».

Després d'aquesta conclusió, el poeta recupera el fil narratiu mitjançant una nova pregunta retòrica, amb què lamenta la gasiveria de l'ocell, que ha cessat de cantar just en el moment que ell s'hi atansava. Tot seguit li retreu un record del passat que contrasta amb la seva present esquerperia: quan era un noi «ajogassat» que s'hi acostava per escorcollar-ne niu, el rossinyol a penes fugia «de mos passos». Per què, doncs, ara l'esquiva, si tan sols vol sadollar-se de la seva música? Només hi ha una explicació: el rossinyol troba a faltar en el seu admirador «l ignocencia d allavors», és a dir, la innocència de la infantesa. Amb l'oportuna inclusió d'aquesta anècdota personal, el discurs vincula el rossinyol a l'enyorança, ja no d'un, sinó de dos paradisos perduts que s'interrelacionen estretament. L'un, el paradís edènic, és el producte d'una tradició cultural, mítica i religiosa, que pretén explicar narrativament la causa de les desventures de la humanitat, condemnada a la sofrença i a la mort. L'altre, el paradís de la infantesa, és el producte psicològic de la vivència personal, certament, però també pot ser interpretat com una ressonància, en cadascun dels humans, de l'origen de la tragèdia de l'espècie. Un origen que rau en la pèrdua de la innocència, que és com dir en el guany de la consciència. De la consciència del mal i de la mort, i del pecat i del càstig.

Finalment, en el tercer i últim paràgraf, el text manifesta l'agermanament del poeta amb el rossinyol. Tots dos han nascut en una terra salvatge, «lluny de la ciutat», i han crescut envoltats d'«arbres, torrents y penyalars», en una mena d'indret paradisíac. Tots dos reaccionen anímicament d'una manera semblant als canvis naturals que comporta el pas de les estacions: «com a tu m fa aixamplar las alas del cor la primavera, y me las fa arronsar l ale del desembre». I, sobretot, tots dos viuen «de llibertat y d amoretas». El context aclareix que, per «llibertat», s'ha d'entendre aquí la llibertat de la natura, oposada a la coerció de la *civitas*: la llibertat que ofereixen els «boscos silenciosos» del lloc paradisíac que els ha vistos néixer i créixer. Uns boscos silenciosos on el poeta s'endinsa «de mati y vespre» per sentir-hi el rossinyol i «sospirar» amb el seu cant, i lluny dels quals es veuria condemnat a morir, com el mateix ocell, «baldament sia una gabia de bergas d or mon nou estatge».[6] El context també ens guia força a l'hora d'interpretar el terme «amoretas», que penso que cal llegir aquí en l'accepció d'expressió amorosa, a la qual s'ha d'atribuir a més el sentit metafòric de cant amorós a la divinitat.[7] Un cant que el rossinyol posseeix activa-

6. Potser no fóra pas desencertat veure en aquest fragment l'expressió de l'estat d'ànim del poeta en uns moments en què, a punt d'acabar els estudis al seminari de Vic i de ser ordenat sacerdot, és conscient que es disposa a iniciar una nova etapa biogràfica, que probablement el portarà lluny de Folgueroles i de la masia de Can Tona, a un nou «estatge» –a una nova residència i fins i tot a un nou estat– que és vist com una «gàbia», baldament sigui de vergues d'or, que el separarà definitivament de la innocència de la infantesa i la joventut viscudes en un indret paradisíac.

7. En una altra prosa juvenil, redactada pels volts de Nadal de l'any 1868, a la qual Josep M. de Casacuberta posà com a títol «Anhel de paradís», Verdaguer utilitza el terme amb una significació semblant, quan adreçant-se a les «animas [...], angelets y verges del paradis», es demana retòricament:

ment, per do diví, però que el «cel», per contra, «nega» al poeta. Un cant que, a més, és «impossible d apendre» i conseqüentment de produir. Un cant, al capdavall, en què el poeta sols participa de forma passiva o, més ben dit, receptiva, quan s'endinsa als «boscos silenciosos» per tal de copsar-lo. La identificació del poeta amb el rossinyol topa, doncs, amb un límit infranquejable: la impossibilitat d'emular-lo, i fins d'imitar-lo musicalment, és a dir, poèticament.

El rossinyol en altres textos juvenils

M'he entretingut a comentar amb un cert detallisme aquest escrit juvenil perquè em sembla que posa els fonaments de la construcció simbòlica que Verdaguer bastí sobre la figura del rossinyol, la qual culminà en els dos poemes esmentats a l'inici d'aquest treball i també en el romancet «A un rossinyol de Vallvidrera», datat el 1897.[8] Sense abandonar, però, l'etapa juvenil, es podria citar una quantitat considerable de textos en què apareixen referències a aquest ocell, i que insisteixen en algunes de les idees expressades en la prosa que acabo de comentar. Em limitaré a posar-ne alguns exemples, els que m'han semblat més singulars o interessants.

En una altra prosa de finals de 1868 el poeta, afligit per l'exili terrenal i anhelós del paradís, es demana: «¿Quant será que no hauré de cercar en los viaranys espinosos del desterro la mel endolsehida de mos cantichs, sinó que, arrencat al mon y convertit en rosinyol del paradis, poré regalarli, al aymador diví, una cansó de vida eterna, ab lo sistre d or del querubí amoros?»[9] En aquest fragment, és reveladora l'oposició que s'estableix entre «la mel endolsehida» –dels càntics que el poeta compon en el «desterro»– i la «cansó de vida eterna» a la divinitat que sols podrà produir

«¿Ahont trova delicia, ahont cerca amoretas lo mon, lluny de las vostras?» Cf. *Escrits inèdits de Jacint Verdaguer...*, vol. I, pàg. 271-275.

8. Publicat per primer cop a la revista *L'Atlàntida* (núm. 25, 15-V-1897), després de morir Verdaguer, fou inclòs a *La Mellor Corona* (1902) i més tard al llibre titulat *Barcelonines* (1925), volum XXVIII de les obres completes publicades per la Ilustració Catalana. En aquest text el poeta és identificat amb el rossinyol, i la poesia, amb els cants purs d'aquest ocell. Uns cants que són l'expressió de l'«amor a Déu» i l'«enyorament de la pàtria». Una pàtria, però, que s'ha d'entendre com el paradís o la pàtria celestial de la qual el poeta, desterrat en aquest món, se sent enyorívol. D'altra banda, en els versos finals, els «cims» deshabitats on viu i canta el rossinyol són contraposats a «los vergers de la plana» i a la «ciutat», on «viu una gent molt ingrata». La poesia acaba amb aquest terrible consell que el poeta adreça al rossinyol: «no hi vingues a la ciutat», perquè la gent ingrata que hi viu afalaga els ocells que canten més bé, però al final «los posa dintre la gàbia». Per situar el text, s'ha de tenir en compte que l'any 1897 Verdaguer encara era víctima del greu conflicte que va sacsejar la seva vida a partir de 1893 i que durant cinc anys el va tenir enfrontat amb la jerarquia eclesiàstica i amb la societat benpensant de l'època.

9. *Escrits inèdits...*, vol. I, pàg. 274. Pel que fa a la datació, vegeu el que en diu l'editor Casacuberta a la introducció que precedeix el text.

quan esdevingui un «rosinyol del paradis». D'altra banda, la figura del rossinyol també apareix en diverses poesies juvenils. Així, en un poema sense títol, escrit entre 1865 i 1867, el poeta es presenta ell mateix com un «rossinyolet dels boscos» que vol dedicar el seu primer càntic a plorar l'enyorat «cel de l ignocencia» d'on el «tragué enganyosa | la serp», en una doble al·lusió a la infantesa i al paradís perdut.[10]

En una altra composició força anterior, datada vers 1862-63,[11] titulada «Lo rossinyol i la nina», aquest ocell ja apareixia com un mitjancer entre el cel i la terra, capaç de reorientar místicament, elevant-la vers la divinitat, l'ànsia amorosa d'una adolescent que de primer s'havia embadalit amb els atractius físics d'un hipotètic amant terrenal: «–Rossinyolet, que ploras | solet com jo, | ¿no haurias vist hont nia | [mon] aymador? | –Si q[ue] l he vist, nineta, | son nieró, | son niero blaníssim, | brosseta d or, | q[ue] té a damunt dels astres | del cel hermos.»[12] Ressons d'aquesta composició són detectables en una altra poesia sense títol, que comença amb una estrofa que fa: «Rossinyolet que ploras, | ten tinch compassio; | aquell Amor que anyoras | tambe l anyoro jo.»[13]

La figura del rossinyol és també un element essencial de la poesia autobiogràfica «A la mort de la meva mare», datada el 31 de gener de 1871,[14] en què la tristesa del poeta i els familiars arran de la mort de la seva mare troba un contrapunt en les passades de l'ocell i les rialles de la «neboda de pocs mesos». Tanmateix, lluny d'accentuar la tristesa del moment, el refilet del rossinyol i l'esclat joiós de l'infant retornen el poeta a l'esperança i a la fe. Per això són invocats en aquests termes: «Mes, consol d'aquest desterro, | cantau rossinyols i nins: | en aquesta vall de llàgrimes | recordau-me el paradís...»

10. Ricard Torrents ha demostrat que aquesta composició serví de base a Verdaguer per a redactar l'any 1896 la III part del poema titulat «La Pomerola» o «La Primavera». Cf. Ricard TORRENTS, «Jacint Verdaguer: "La Pomerola". Primera edició i estudi», dins *Verdaguer. Estudis i aproximacions* (Vic: Eumo 1995), pàg. 373-450, i especialment les pàg. 438-447, en què publica i comenta en apèndix aquesta poesia juvenil. Posteriorment, el text també ha aparegut publicat a *Poesies juvenils inèdites de Jacint Verdaguer*. Transcrites i anotades per Narcís GAROLERA (Vic: Patronat d'Estudis Osonencs, 1996), pàg. 54-57.

11. Segons Josep M. de Casacuberta, que es refereix a aquesta poesia «com la primera manifestació que conec del misticisme verdaguerià». Aquest mateix estudiós dóna notícia d'una primera versió del text, titulada «Amor d'angel». Cf. Josep M. de CASACUBERTA, *Escrits inèdits...*, vol. I, pàg. 251-252 i, del mateix autor, «La poesia religiosa en els esplets jovenívols de Verdaguer», dins *Estudis sobre Verdaguer* (Vic: Eumo Editorial, Barcino, Institut d'Estudis Catalans, 1986), pàg. 88, nota 4 (aquest darrer treball fou publicat per primera vegada dins «La Gleva (Portavoz del Santuario)», núm. 4, setembre de 1951).

12. Cito de *Poesies juvenils inèdites de Jacint Verdaguer*. Transcrites i anotades per Narcís GAROLERA (Vic: Patronat d'Estudis Osonencs, 1996), pàg. 84-87.

13. *Idem*, pàg.158-159. Cal dir que aquesta mateixa estrofa, amb alguna variant, es retroba a l'inici de la poesia titulada «A la mort de D. Josep Coll i Vehí», inclosa al llibre *Idil·lis i cants místics*, publicat el 1879: «Rossinyolet que plores, | tindràs consolació; | mes ai! l'Amor que enyores | també l'enyoro jo.»

14. Posteriorment Verdaguer inclogué el poema al llibre *Aires del Montseny* (1901).

Les tradicions

Com es pot comprovar a partir d'aquests exemples, el simbolisme del rossinyol i el seu cant –evocadors del paradís perdut i alhora representants del poeta i la poesia ideals– és un dels trets característics de l'imaginari poètic verdaguerià, ja en l'etapa juvenil. Josep M. de Casacuberta va assajar d'aclarir la gènesi d'aquesta imatgeria: «Verdaguer s'adonà ben d'hora del seu tarannà enyoradís i melangiós. Per explicar-se'n la qualitat i l'origen cerca paral·lels en el món exterior; cap de tan colpidor com el que li ofereix el rossinyol, en les refilades del qual, així com en la pròpia actitud malenconiosa, veu reflectida l'enyorança del Paradís perdut.»[15] És ben cert que l'impacte directe del cant del rossinyol a l'orella i a la sensibilitat del jove poeta va ser un dels factors determinants que en precipità aquesta precoç i ferma adopció com un dels referents simbòlics fonamentals de la seva poesia. Ara bé, també hi degué influir la tradició o, més ben dit, les tradicions literàries amb què va connectar l'escriptor novell, en les quals la figura del rossinyol té una presència destacada.

Per començar, hi degué contribuir el cançoner tradicional de transmissió oral, que Verdaguer coneixia prou bé.[16] En algunes d'aquestes cançons, com ara la tan coneguda que comença «Rossinyol que vas a França...» o la titulada «L'estudiant de Vic»,[17] el rossinyol, per mitjà del seu cant melangiós, actua com un detonant de l'enyorança –ja sigui de la mare en el cas de la noia mal casada, o bé de l'exestudiant en el cas de la viuda enamorada–, i alhora, atès el seu caràcter d'au migradora, hi és invocat o utilitzat pels protagonistes com un missatger alat per comunicar-se amb les persones estimades i absents. Dues funcions, la de cantor enyoradís i la de missatger alat, que es retroben en els rossinyols de Verdaguer, amb la diferència, però, que aquests han ascendit de l'esfera de l'amor profà a la de l'amor sagrat: el seu cant adquireix en el nostre poeta la virtut de desvetllar en els pobres humans exiliats l'enyorança del paradís perdut, o d'un més enllà ultraterrenal, i també, d'alguna manera, de posar-los en comunicació amb la divinitat.[18]

15. *Escrits inèdits...*, vol. I, pàg. 251.

16. Com és sabut, Verdaguer fou, des de ben jove, un gran recol·lector de cançons populars i contribuí de manera important als aplecs que en feren Manuel Milà i Fontanals i Marià Aguiló. Sobre aquesta qüestió, vegeu els estudis de Josep M. de CASACUBERTA, «Jacint Verdaguer, col·lector de cançons populars», dins *Estudis sobre Verdaguer* (Vic: Eumo Editorial, Barcino, Institut d'Estudis Catalans, 1986), pàg. 29-71 (treball publicat per primer cop a la *Revista Valenciana de Filologia*, I, 1951), i de Josep MASSOT I MUNTANER, «Jacint Verdaguer i la poesia popular», dins *Anuari Verdaguer 1995-1996* (Vic: Eumo Editorial, 1999), pàg. 157-188.

17. Consta que Verdaguer va recollir una versió d'aquesta cançó, que facilità a Milà i Fontanals. Cf. Josep M. de CASACUBERTA, op. cit. a la nota anterior, pàg. 65.

18. Cal tenir en compte, tanmateix, que en l'obra juvenil de Verdaguer també s'hi troba alguna mostra esparsa d'ús podríem dir-ne profà i burlesc de la figura del rossinyol, com en la poesia titulada «Viudesa», inclosa a *Jovenívoles*, protagonitzada per un rossinyol enamorat a qui s'ha estroncat el cant perquè el «bordegàs de la masia» ha capturat amb un llaç la seva «femella». En aquest cas concret, Verdaguer connecta amb un altre ús popular de la figura del rossinyol, de caire més aviat jocós, present tant en el cançoner tradicional com en alguns mimologismes (terme usat pel folklorista Joan Amades) que volen donar

Pel que fa a la literatura culta, la presència del rossinyol –que de vegades pren el nom de Filomela o Filomena[19]– hi és tan constant i abundosa que, per això mateix, més enllà d'un impacte genèric, es fa difícil detectar influències concretes sobre Verdaguer. Amb les mostres que donaré tot seguit, no pretenc altra cosa que il·lustrar-ne el pas ininterromput per la nostra tradició literària.

En primer lloc, cal fer esment del relleu que pren el rossinyol en la poesia trobadoresca i en la poesia medieval en general.[20] Molt sovint és presentat pels trobadors com el cantor de la joia de l'amor i el nunci del «temps novell», és a dir, de la primavera, la qual cosa en facilita la identificació amb el mateix trobador, tal com s'esdevé en aquests versos de Peire Vidal de Tolosa: «La lauzet'e·l rossinhol | am mais que nulh autr'auzelh, | que pel joi del temps novell | comenson premier lur chan: | et ieu ad aquel semblan, | quan li autre trobador | estan mut, ieu chant d'amor...»[21] O en aquests altres de Bernart de Ventadorn, en què actua com un estimulant i alhora com un èmul del poeta: «Lo rossinhols s'esbaudeya | josta la flor el verjan, | e pren m'en tan grans enveya | qu'eu no posc mudar, no chan...»[22] Entre els trobadors catalans, cal esmentar Cerverí de Girona, autor de la «Faula del rossinyol», a l'inici de la qual se serveix d'aquest ocell per representar la innocència enfront de la maldat encarnada per l'esparver, que acabarà devorant-li les cries amb l'excusa que no canta prou bé: «E·l rossinyol fes lays | al mils que poc e mays; |

una traducció humana del cant de l'ocell, com el que el mateix poeta, ja en els darrers anys, recollí en el treball *Què diuen los aucells* (inclòs en el volum pòstum *Folklore*, publicat per *L'Avenç* el 1907), que fa així: «La criada del Mas Nou | s'ha begut un plat de vi | bo, bo, bo, bo. | Jo l'he vist.» Sobre aquest mimologisme, Verdaguer no es pogué estar de fer el següent comentari: «Al més inspirat dels cantadors li ha tocat la interpretació més pobra. Jo no vull pas creure que el rei dels aucells cantadors no sàpiga cantar cançons més boniques.» Joan AMADES, a *Folklore de Catalunya. Cançoner* (Barcelona: Selecta, 1979, primera edició de 1951), pàg. 73, en recull una versió força procaç: «Les minyones de Bellvís tenen el cul tou, tou, tou... Jo els hi he vist.»

19. A causa de la tràgica història de la princesa atenenca Filomela, que acabà convertida en un rossinyol que plora la mort del seu fill Itis. Aquesta llegenda, que donà matèria a diversos autors grecollatins, entre ells Ovidi (*Les metamorfosis*, llibre VI), es troba recollida de forma succinta en un passatge de la novel·la *Curial e Güelfa* (Barcelona: Barcino, 1933), volum III, pàg. 136-137, que no em sé estar de reproduir sencer: «Semblantment Prognes, filla de Pandíon, matà Ítim son fill, e·l féu menjar a Tereu son marit, per un sol despit, ço és, perquè a força jagué, e despuys tallà la lengua a Filomena, germana de la dita Prognes, de què lo dit Tereu fonch per los deus convertit en upega [puput], Filomena en rossinyol e Prognes en oronella [oreneta].» Cal tenir en compte que, en la tradició grega, Procne era convertida en rossinyol, i la seva germana Filomela en oreneta; en la tradició llatina, però, s'intercanviaren els papers; Filomela esdevingué aleshores un sinònim culte de rossinyol.

20. Un relleu que ja prové de la poesia llatina medieval, i que segons Curtius s'explica en part per la influència de diversos manuals retòrics adaptats de la tradició grecollatina que recomanaven de realitzar exercicis poètics sobre temes com l'oreneta i el rossinyol, dels quals exercicis posa com a exemples poemes de Sant Eugeni de Toledo, Alcuí i altres autors medievals en llengua llatina. Cf. Ernst Robert CURTIUS, *Literatura europea y Edad Media latina* (Mèxic: Fondo de Cultura Económica, 1981), vol. I, pàg. 230. El títol original de l'obra és *Europäische Literatur und lateinisches Mittelalter* (Berna: A. Francke AG Verlag, 1948). La primera edició de la traducció és de 1955.

21. Cito de MARTÍ DE RIQUER, *Los trovadores* (Barcelona: Planeta, 1975), vol. II, pàg. 870.

22. *Ibidem*, vol. I, pàg. 406.

però, sitot cantava, | dins e·l cor sospirava | e regardava adés | sos fills, qui l'éron prés.»[23] En les poesies d'Ausiàs March –autor que corona, tot superant-la, la tradició trobadoresca–, el rossinyol hi fa una única aparició, a la composició LXIV, en què, com el mateix poeta, «s'entrenyora» en constatar que «lo seu cant s·anamorada spanta», en contrast amb l'èxit amorós que aconsegueixen amb son «fér bram» el cérvol i «lo grosser».[24]

No ha pas de sorprendre'ns la proximitat d'aquest tractament medieval amb la identificació metafòrica del poeta amb el rossinyol –i de tots dos amb la innocència original– que hem vist en alguns dels textos juvenils de Verdaguer. De fet, la coincidència s'explica, en part, perquè existeix una cadena de transmissió de tòpics literaris ininterrompuda al llarg dels segles, amb múltiples baules. En la tradició poètica catalana que va del renaixement al neoclassicisme, passant pel barroc, trobem usos similars del rossinyol en força autors. Per exemple, en Pere Serafí, que, en la poesia titulada «De un desesperat amor», se serveix del cant d'un rossinyol per subratllar la pena d'un enamorat no correspost: «Un rossinyol de cima prop d'ell s'és assentat. | Sobre d'un ram d'oliva son cant ha començat; | ab veu molt dolorosa i so trist, lamentat, | fa ressonar la selva: tant és harmonisat.»[25] O en el romanç atribuït a Francesc Vicent Garcia que du per títol «Desenganyat de les vanitats mundanas, lo autor se retira a la soledat»,[26] en la primera estrofa de la qual el poeta es compara amb un rossinyol: «Puix, Soledat apacible, | estic fet un rossinyol, | me regosijo en tos brassos, | te vull cantar mil amors.»[27] També en l'obra de Francesc Fontanella ressalten dues meritòries composicions en què el rossinyol és el protagonista. L'una, la que alguns manuscrits titulen «Madrigal a un russinyol», comença amb els versos: «Amorós russinyol que ab ta armonia | celebras, com augmentas, la alegria | a ta selva frondosa...» L'altra és un romanç sense títol que engega amb aquesta bella entrada: «Dols esperit de la selva, | indivisible vivent, | que a nostres sentits no dónas | altre objecte que la veu...»[28] El tòpic de considerar el rossinyol com l'ocell cantor per antonomàsia era tan estès, que el menorquí Joan Ramis, en una recreació del famós poema en què Catul lamenta la mort d'un ocell cantaire que alegrava la seva estimada Lèsbia, va optar per substituir el *passer* o pardal de l'original llatí pel ros-

23. CERVERÍ DE GIRONA, *Narrativa*. A cura de Joan COROMINES (Barcelona: Curial, 1985), pàg. 105.

24. Ausiàs MARCH, *Poesies*. A cura de Pere BOHIGAS. Edició revisada per Amadeu-J. SOBERANAS i Noemí ESPINÀS (Barcelona: Barcino, 2000), pàg. 213.

25. Cito de Pere Serafí, *Antologia poètica*. A cura d'August BOVER I FONT (Barcelona: Edicions 62, 1987), pàg. 75. El text també ha estat editat per Josep ROMEU I FIGUERAS, *Corpus d'antiga poesia popular* (Barcelona: Barcino, 2000), pàg. 312-316. Aquest darrer estudiós veu en els versos del poema en què té lloc la intervenció del rossinyol un ressò de l'«Égloga I» de Garcilaso de la Vega.

26. L'atribució és falsa, segons que assegura Albert Rossich a la «Introducció» a *La Armonia del Parnàs de Francesc Vicent Garcia, Rector de Vallfogona (Barcelona, 1703)*. Edició facsímil amb una introducció d'Albert ROSSICH (Barcelona: Edicions de la Universitat de Barcelona / Publicacions de la Universitat de València, 2000), pàg. 12.

27. Cito de *La Armonia del Parnàs de Francesc Vicent Garcia...*, pàg. 170-172.

28. Cito de *La poesia de Francesc Fontanella*. A cura de Maria-Mercè MIRÓ (Barcelona: Curial, 1995), pàg. 241 i 278, respectivament.

sinyol: «De ma estimada Lèsbia | el rossinyol hermós, | el que ella tant amava | és mort, oh que dolor!»[29] Repeteixo que, adduint aquestes mostres de l'ús del rossinyol al llarg de la tradició poètica catalana –també en trobaríem de semblants en altres tradicions pròximes, com la castellana–,[30] no pretenc pas insinuar influències directes en Verdaguer, sinó simplement mostrar la continuïtat d'un motiu literari que va arribar fins al nostre poeta carretejat pel flux d'una llarga tradició prerenaixencista en què sabem que s'havia abeurat a bastament. En tot cas, aquesta corrua d'exemples pot servir per a fer-nos present un cop més l'obvietat que, en mots d'Albert Rossich, «Verdaguer no sortia pas del buit».[31]

Una influència: Joaquim Rubió i Ors

La figura del rossinyol va continuar essent un motiu recurrent entre els primers autors romàntics i renaixencistes. Així, per exemple, entre les poesies de Jaume Balmes, publicades pòstumament el 1849, en trobem una de titulada precisament «El ruiseñor», en què el motiu tradicional s'impregna de la nova sensibilitat romàntica: «Avecilla misteriosa | que dentro el ramaje cantas, | no sé si cantas tu dicha | o si tus penas amargas.»[32] També fa algunes passades per les poesies galants de Víctor Balaguer, com ara la número LXXXIX del *Llibre de l'amor*, en què és definit com «lo trovador dels boscos, | lo dels melosos cants».[33] Tanmateix, tot i tenir-hi una presència més aviat escassa, és en l'obra de Joaquim Rubió i Ors on pren un cert relleu simbòlic, de caire poètic i religiós, que en alguns aspectes resulta força afí al tractament verdaguerià. És obligat de consignar-ne aquí la poesia titulada «La rosa y lo rossinyol», datada el setembre del 1840, consistent en un diàleg entre la flor i l'ocell, en el trans-

29. Cito d'*Antologia de poetes catalans*. Vol. II, *Del segle XVI a Verdaguer*. A cura de Giuseppe GRILLI. Barcelona: Galàxia Gutenberg / Cercle de lectors, 1998, pàg. 327.

30. Per exemple, el rossinyol apareix a la penúltima estrofa del *Cántico* de San Juan de la Cruz: «El aspirar de el ayre, | el canto de la dulce filomena, | el soto y su donayre | en la noche serena, | con llama que consume y no da pena.» Domingo YNDURAIN, a la introducció a San JUAN DE LA CRUZ, *Poesía* (Madrid: Cátedra, 1997), pàg. 188-191, detecta en aquesta estrofa ressons de «la "Philomena de San Bonaventura" traducida por López de Úbeda», de la qual reprodueix, entre d'altres, el passatge següent: «Ven a mí si me deseas | consolar, o ruyseñor | daras mensages de amor | a mi amado.»

31. Cf. Albert ROSSICH, «Les arrels literàries de Verdaguer», dins *Ausa*, XVII, núm. 136 (1996), pàg. 39-60. Sobre els models literaris que influïren el primer Verdaguer, vegeu també Ricard TORRENTS, «Les opcions estètiques del primer Verdaguer», dins *Anuari Verdaguer 1990* (Vic: Eumo / Ajuntament de Barcelona, 1991), pàg. 19-66, recollit posteriorment dins *Verdaguer. Estudis i aproximacions* (Vic: Eumo, 1995), pàg. 37-98.

32. Cito de Jaime BALMES, *Poesías*, dins *Obras completas del Dr. D. Jaime Balmes, Pbro.* Primera edición crítica ordenada y anotada por el P. Ignacio CASANOVAS (Barcelona: Biblioteca Balmes, 1925), vol. III, pàg. 220-223.

33. Cito de Víctor BALAGUER, *Poesías*. Quinta edición corregida y aumentada. (Madrid: Imprenta y Fundición de Manuel Tello, 1882), pàg. 133.

curs del qual aquest és comparat amb «lo modest trobador» que «en la nit humida» fa volar el seu «himne á Deu | que l'home dormint olvida».[34] Com es veu, es tracta d'un ús que frega el que trobem en alguns textos verdaguerians, i fa pensar –ara sí– en una influència directa, ben possible si tenim en compte que, segons confessió pròpia, Verdaguer va llegir i apreciar des de ben jove l'obra de Lo Gaiter del Llobregat.[35]

D'aquest mateix autor, cal esmentar encara la composició titulada «A la poesia», datada l'agost de 1840, la qual, tot i que no conté cap referència explícita al rossinyol, exposa una concepció romàntica del fet poètic per mitjà d'una simbologia basada en els éssers alats i cantors. En aquest text la veritable poesia és representada per una mena d'àngel-ocell que, d'una banda, vessa sobre la humanitat «lo bàlsam del consol» i, de l'altra, «olvidat d'eix mon que olvida», s'envola vers el cel, a la «morada» de Déu.[36] Els quatre versos finals presenten el poeta –i la poesia mateixa– com un «geni» marginat del món terrenal, que s'acull a «l'abric» de la divinitat: «Que'l geni á qui'l mon olvida | dret te lo mon á olvidarne, | i al abrich de Deu cantarne | com lo aucell al de las flors.»[37] És ben probable que el contingut i algunes de les imatges d'aquests dos textos del Gaiter activessin la inspiració poètica tant del Verdaguer jove que redactà la prosa sobre el rossinyol com del Verdaguer madur que compongué «Sentint un rossinyol» i «Què és la poesia?» En aquest sentit, crida l'atenció que el primer d'aquestes dos poemes estigui dedicat al Gaiter del Llobregat, amb motiu de la seva mort,[38] com també el fet que el segon, a més d'una vaga afinitat global, presenti alguna coincidència gairebé literal amb l'oda «A la poesia», com ara en l'expressió «gota de consol» –la que la poesia vessa sobre els humans–, on es detecta el rastre de «lo bàlsam del consol» de Rubió.[39]

34. Cito de *Lo Gayter del Llobregat | Poesias de D. Joaquim Rubió y Ors* (Barcelona: Librería de Joseph Rubió, 1858), pàg. 237-239.

35. Les poesies de Joaquim Rubió i Ors van ser publicades per primer cop en volum l'any 1841. Verdaguer ja les havia llegides abans de 1866, tal com explicà ell mateix en el discurs «Record necrològic de l'Excel·lentíssim senyor D. Joaquim Rubió i Ors...», dins *Discursos, articles, pròlegs* (Barcelona: Ilustració Catalana, sense data), pàg. 96.

36. Apunto de passada que fóra interessant d'analitzar les afinitats i els contrastos que aquest poema de Rubió presenta respecte de l'oda de Victor Hugo titulada «Le poète», els versos 49-54 de la qual, per exemple, es refereixen al poeta en aquests termes: «Sa veille redoutable, en ses visions saintes, | voit les soleils naissants et les sphères éteintes | passer en foule au fond du ciel; | et suivant dans l'espace un chœur brûlant d'archanges, | cherche, aux mondes lointains, quelles formes étranges | y revêt l'Etre universel.» L'esmentada oda de Victor Hugo aparegué per primer cop dins el recull *Nouvelles odes* (1824), els textos del qual foren posteriorment incorporats al llibre *Odes et ballades* (primera edició de 1826; edició definitiva de 1828). La citació procedeix de Victor HUGO, *Odes et ballades. Les orientales* (París: Garnier-Flammarion, 1968), pàg. 145-147.

37. Cito de *Lo Gayter del Llobregat...*, pàg. 227-229.

38. Abans d'aparèixer el 1901 dins el llibre *Aires del Montseny*, aquesta composició, datada el 1885, ja havia estat publicada núm. 5 del setmanari *La Creu del Montseny* del 16 d'abril de 1899, acompanyada d'una dedicatòria a Joaquim Rubió i Ors, que havia mort el dia 1 del mateix mes.

39. La primera estrofa de «Què és la poesia?», de Verdaguer, fa: «La poesia és un aucell del cel | que fa sovint volades a la terra, | per vessar una gota de consol | en lo cor trist dels desterrats fills d'Eva.» Mentre que la primera estrofa de l'oda «A la poesia», de Joaquim Rubió i Ors, comença així: «Verge dels cants, divina poesía, Ángel de llum que á nostras penas portas | lo bàlsam del consol...»

Una afinitat: Llull

Prescindint de la cronologia, he deixat per al final d'aquest repàs de les afinitats i de les influències, dos autors cabdals de la tradició cristiana, l'un català de Mallorca, l'altre anglès de Londres, amb els quals Verdaguer presenta algunes coincidències colpidores en l'ús de la imatge del rossinyol. El primer és Ramon Llull, el qual, en el capítol del *Libre de contemplació* dedicat a glossar el simbolisme religiós de les diverses aus, posa el rossinyol com a exemple de joiosa perseverança en la glorificació de Déu per als qui pateixen les tribulacions d'aquest món però confien accedir al paradís celestial. Heus aquí el versicle sencer:

> ¡Oh vós, sènyer Déus qui sóts començament de tots començaments e acabament de tots acabaments! Vós, Sènyer, siats loat e beneit, car nosaltres veem que·l rossinyol, jassia que sia encarcerat e pres en la gàbia, per tot açò no·s leixa de cantar e d'alegrar al mills que ell pot. On, tot açò és exempli a nosaltres que·ns alegrem e·ns deportem e·ns assolacem, jassia ço que siam preses e encarcerats en les tribulacions e en los treballs d'aquest món, e que esperem venir a la glòria e a la benedicció dels sants de paraís.[40]

És força improbable que, en els anys 1868-1871, quan va redactar la prosa sobre el rossinyol, Verdaguer conegués aquest passatge del *Libre de contemplació*, una obra molt voluminosa que aleshores sols estava disponible en la versió llatina.[41] D'altra banda, cal tenir en compte que Rosalia Guilleumas opina que el poeta no es familiaritzà amb l'obra del beat fins l'any 1876, quan, després d'haver deixat de navegar en els vaixells de la Transatlàntica i d'haver-se fet càrrec de la capellania de la casa López, començà a acudir amb assiduïtat a la Biblioteca de Sant Joan, el director de la qual era Marià Aguiló, que fou qui l'introduí i el guià en la coneixença de l'obra lul·liana.[42] Em conformo, doncs, a considerar l'alt grau de coincidència que, tant en els termes com en les idees, presenten la prosa de Verdaguer i el versicle

40. Cito de Ramon LLULL, *Libre de contemplació* (CIX, 19), dins *Obres essencials II* (Barcelona: Selecta, 1960), vol. II, pàg. 333.

41. La versió catalana de *Libre de contemplació* fou publicada per primer cop a Palma, en set volums, del 1906 al 1911, a cura de Mateu Obrador, Miquel Ferrà i Salvador Galmés, dins l'edició d'*Obres originals de Ramon Llull*, vol. II-VIII (Ciutat de Mallorca, 1906-1914). La primera edició llatina, incompleta, s'havia imprès a París l'any 1505. El 1740 i el 1742 van aparèixer a Magúncia els dos darrers volums publicats de les *Raimundi Lullii Opera Omnia*, constituïts per la traducció llatina del *Libre de contemplació.* Aquesta mateixa versió llatina del llibre fou reimpresa poc després a Mallorca, entre els anys 1746 i 1749. Cf. Antoni SANCHO i Miquel ARBONA, «Introducció» al *Libre de contemplació*, dins Ramon Llull, *Obres essencials II* (Barcelona: Selecta, 1960), pàg. 85-96. He constatat que cap d'aquestes edicions no es trobava a la Biblioteca Episcopal de Vic en els anys d'estudiant de Verdaguer. Tot i que no he pogut esbrinar-ho, és força improbable que cap d'elles es trobés a la Biblioteca del Seminari de Vic.

42. Tanmateix, aquesta estudiosa no descarta pas del tot que Verdaguer s'iniciés en la coneixença de l'obra de Llull en una data força anterior, cap a finals de la dècada dels seixanta, tal com ell mateix deixa entendre en el pròleg del llibre pòstum *Perles del Llibre d'Amic i Amat.* Cf. Rosalia GUILLEUMAS, *Ramon Llull en l'obra de Jacint Verdaguer / Deu anys de publicacions verdaguerianes (1945-1954)* (Barcelona: Barcino, 1988), pàg. 25 i s. La primera edició del treball és de 1953.

de Llull com una manifestació de la fonda afinitat que en certs aspectes agermana aquests dos autors, nodrits per una mateixa saba lingüística, cultural i religiosa.[43]

Una font: Milton

Les coincidències de Verdaguer amb John Milton –l'anglès de Londres a qui he al·ludit abans– ja no poden ser atribuïdes solament als efectes de l'afinitat, sinó que sembla que són el resultat d'una apropiació conscient del nostre poeta. En el llibre IV del poema *El paradís perdut,* la descripció de l'Edèn culmina amb l'arribada del vespre, que dóna pas a la foscor clivellada d'estels, enmig d'un silenci i una quietud imponents, només trencats pel cant del rossinyol, que acompanya la conversa i els amors encara innocents d'Adam i Eva:

Now came still evening on, and twilight grey
Had in her sober livery all things clad;
Silence accompanied, for beast and bird,
They to their grassy couch, these to their nests
Were slunk, all but the wakeful nightingale;
She all night long her amorous descant sung;
Silence was pleased; now glowed the firmament
With living sapphires...[44]

En el mateix llibre IV, un dels més apreciats del gran poema, encara hi ha tres al·lusions més al rossinyol, dues de les quals són posades en boca d'Eva, en el trans-

43. El fruit més esplèndid d'aquesta afinitat fou la recreació versificada que Verdaguer féu de les proses del *Libre d'Amic e Amat* de Llull que, amb el títol de *Perles del «Llibre d'Amic e d'Amat» d'en Ramon Llull,* va aparèixer publicada pòstumament per L'Avenç, el 1908. Verdaguer l'havia començada el 1894 i l'havia acabada el 1896. Sobre el caràcter i els procediments d'aquesta recreació, vegeu Jordi MALÉ I PEGUEROLES, «Les *Perles* a la llum del *Llibre d'Amic e Amat*: anàlisi dels recursos de poetització», dins *Anuari Verdaguer 1995-1996* (Vic: Eumo Editorial, 1999), pàg. 329-342. Vegeu també Rosalia GUILLEUMAS, *op. cit.,* pàg. 103-148.

44. Cito de John MILTON, *Paradise Lost.* Edited by Alastair Fowler (Longman Group UK Limited, 1989), IV, v. 598-605, pàg. 230. En la versió catalana de Josep Maria Boix i Selva, John MILTON, *El paradís perdut.* Traducció i notes per Josep Maria BOIX I SELVA (Barcelona: Alpha, 1953), pàg. 145, el fragment fa així: «Llanguí la dolça Tarda, i el Capvespre I grisenc anà vestint totes les coses I amb sòbries draperies; el silenci I l'acompanyava; car ocells i bèsties I eren ja a llurs recers, als nius i als jaços I fets d'herba; el rossinyol, però, vetllava; I anà cantant complantes amoroses I tota la nit: se n'agradà el silenci. I Llavors el cel brillà amb safirs molt vívids...» Faig notar que aquest passatge de Milton, en què el rossinyol vetlla els amors encara innocents d'Adam i Eva al Paradís, recorda un famós i suggestiu passatge de *Romeo i Julieta* de Shakespeare (a l'inici de l'escena V de l'acte III), en què durant la trobada nocturna dels dos amants el rossinyol, cantor noctàmbul de l'amor, s'oposa a l'alosa, cantora de l'alba, el cant de la qual marca el moment de la separació dels dos joves, tot salvant-los provisionalment dels efectes destructors de llur passió amorosa, esperonada pel cant del rossinyol.

curs del diàleg amorós que manté amb Adam just a continuació de la descripció crepuscular del paradís feta en el fragment que s'acaba de citar. En la seva intervenció, la primera dona –«with perfect beauty adorned»[45]– enumera les belleses i les delícies del paradís, entre les quals esmenta dues vegades la «silent night, | with her solemn bird»[46] («la Nit silenciosa, | i el seu solemne ocell»,[47] és a dir, el rossinyol[48]), i conclou el seu parlament assegurant que sense la companyia d'Adam no sabria assaborir la dolçor de cap d'aquestes belleses i delícies.[49] Després de la rèplica d'Adam, que posa fi a la bellíssima conversa, els dos esposos es retiren a descansar a llur recer natural, enmig de la boscúria, on s'ajeuen nus, sense haver-se de treure les «troublesome diguises which we wear»[50] («les incòmodes disfresses | que nosaltres portem»[51]), i on no defugen pas, ni l'home ni la dona, «the rites | mysterious of connubial love»[52] («els ritus | de l'amor conjugal, misteriosos»[53]), mal que això pesi als hipòcrites que ara parlen de puresa i innocència tot «difaming as impure what God declares | pure, and commands to some, leaves free to all»[54] («difamant com a impur el que declara | Déu com a pur, i ho mana a alguns, i és lliure | per a tothom»[55]). Després d'aquesta magnífica i contundent reivindicació de la carnalitat en la relació conjugal,[56] segueix una abrandada lloança de la institució del matrimoni, que és la «true source | of human offspring»[57] («font veritable | de la progènie»[58]) i la base d'una sòlida i estable felicitat domèstica, que Milton contraposa a la «casual fruition»[59] (als «gaudis fugissers»[60]) que procuren la prostitució, les orgies i les relacions frívoles. Conclòs l'encomi de l'amor conjugal,[61] el discurs torna a centrar-se en els dos primers esposos, que ara descansen nus, l'un als braços de l'altre, amanyagats pel cant dels rossinyols, mentre els plou al damunt un devessall de roses. En els bells

45. John MILTON, *op. cit.*, IV, v. 634, pàg. 231.

46. *Ibidem*, IV, v. 647-8 i 654-5, pàg. 232-233.

47. En la bella i literal traducció que fa d'aquest fragment Josep Maria BOIX I SELVA, *op. cit.*, IV, pàg. 147.

48. Sobre la identificació d'aquest «solemn bird» amb el rossinyol, evident pel context, vegeu el que es diu a la nota 62.

49. Cf. John MILTON, *op. cit.*, IV, v. 656, pàg. 233, o BOIX I SELVA, *op. cit.*, IV, pàg. 147.

50. John MILTON, *op. cit.*, IV, v. 740, pàg. 239.

51. Josep Maria BOIX I SELVA, *op. cit.*, IV, pàg. 150.

52. John MILTON, *op. cit.*, IV, v. 742-3, pàg. 239.

53. Josep Maria BOIX I SELVA, *op. cit.*, IV, pàg. 150.

54. John MILTON, *op. cit.*, IV, v. 746-7, pàg. 239.

55. Josep Maria BOIX I SELVA, *op. cit.*, IV, pàg. 150.

56. Sobre la controvèrsia entre els qui, com Milton, sostenien que Adam i Eva havien tingut relacions sexuals no concupiscents abans del pecat original, i els qui pensaven que les relacions sexuals no s'havien produït fins després de la caiguda, vegeu el que diu l'editor de John MILTON, *op. cit.*, a les notes a IV 743 i a IV 744-9, pàg. 239.

57. John MILTON, *op. cit.*, IV, v. 751, pàg. 240.

58. Josep Maria BOIX I SELVA, *op. cit.*, IV, pàg. 150.

59 John MILTON, *op. cit.*, IV, v. 767, pàg. 241.

60. Josep Maria BOIX I SELVA, *op. cit.*, IV, pàg. 151.

61. El panegíric del matrimoni, en oposició a l'ideal catòlic del celibat, és freqüent dins la literatura protestant. Vegeu el que en diu l'editor de John MILTON, *op. cit.*, a la nota referent als versos 750-765, del llibre IV, pàg. 239.

versos que descriuen aquesta escena, s'hi troba, doncs, la quarta i darrera referència al rossinyol que conté el llibre IV d'*El paradís perdut*:[62]

These lulled by nightingales embracing slept,
And on their naked limbs the flowery roof
Showered roses, which the moon repaired. Sleep on
Blest pair; and O yet happiest if ye seek
No happier state, and know to know no more.[63]

Em sembla que el rossinyol verdaguerià, aquell que a la prosa juvenil era qualificat de «musich del paradis», on regalava «las orellas de nostres primers pares», aquell mateix que anys enllà, en el poema «Sentint un rossinyol», cantava «l'albada | a nostra mare gentil», aquest insistent rossinyol edènic de Verdaguer prové de la bardissa miltoniana. A on, sinó en Milton, a quin lloc més propici que al llibre IV d'*El paradís perdut*, podia haver trobat el nostre poeta el «cantor del paradís»,[64] el «trobador»[65] del paradís? És clar que, per confirmar aquesta hipòtesi, s'ha de provar que Verdaguer hauria d'haver pogut llegir Milton, com a mínim, cap a 1868, any en què redactà l'esborrany de la prosa sobre el rossinyol.

Abans, però, de recolzar la hipòtesi en elements documentals, vull aportar un altre indici literari, que em sembla que delata que el Verdaguer jove coneixia prou bé els passatges d'*El paradís perdut* que s'han comentat. En la poesia «La nina del cingle», inclosa al recull pòstum *Joveniívoles*, la data de composició de la qual desconec, el protagonista masculí de la tràgica història –que acaba en un doble suïcidi– proclama que la noia estimada es mereix «un cor», el d'ell, és clar, «que sia verge, | un cor que en brolle | l'amor dolç i puríssim | del primer home». Un cor adàmic, en definitiva. Però, per si això encara fos poc, la vol atreure al seu «niu de roses» amb la perspectiva d'una escena paradisíaca, en què no manquen ni refilets de rossinyols ni carícies de roses: «lo bon matí et darien, | lo sol en nàixer, | rossinyolets gronxant-

62. En tot *El paradís perdut* només hi ha una altra aparició del rossinyol, que és la que permet d'identificar amb seguretat el «solemn bird» dels versos 648 i 655 del cant IV amb el rossinyol, ja que en aquesta última ocasió és anomenat «the solemn nightingale». Aquesta expressió surt al llibre VII, *op. cit.*, v. 433-436, pàg. 383, enmig del relat de la creació de l'univers, contat a Adam per l'arcàngel Rafael, el qual, quan explica la creació dels ocells, diu: «From branch to branch the smaller birds with song | solaced the woods, and spread their painted wings | till even; nor then the solemn nightingale | ceased warbling, but all night tuned her soft lays.» Aquests versos, en la versió de Josep M. Boix i Selva, *op. cit.*, VII, pàg. 257, prenen aquesta forma: «...Amb llurs càntics, | ocells petits alegren les boscúries | saltant d'un branc a un altre branc, i obren | fins al capvespre llurs pintades ales; | i, tanmateix, el rossinyol solemne | llavors no cessa de cantar i sospira | tota la nit les seves dolces queixes.»

63. John Milton, *op. cit.*, IV, v. 771-5, pàg. 241-242. La versió de Josep Maria Boix i Selva, *op. cit.*, IV, pàg. 151, resol així l'escena: «Al cant dels rossinyols, Adam i Eva | dormien abraçats, i el sostre flòrid | escampà roses (n'hi tornà l'aurora) | damunt de la nuesa de llurs cossos.»

64. Aquesta expressió apareix en l'esborrany de la prosa juvenil sobre el rossinyol. Cf. Josep M. de Casacuberta, *Escrits inèdits...*, vol. I, pàg. 254.

65. Aquesta expressió és utilitzada per Verdaguer a la setena estrofa del poema «Sentint un rossinyol».

se | per aquells sàlzers; | roses que hi riuen | tot sovint rosarien | ton front de vidre». I al final el noi encara rebla el clau amb un «que és un edem ma selva | si tu ets un àngel».[66] Un «edem», és a dir, un Edèn en minúscula.[67]

Posats ja en el terreny de les proves documentals, cal dir d'entrada que Verdaguer hauria pogut llegir el poema de Milton, com a mínim, en una de les dues traduccions castellanes –l'una en vers, de l'eclesiàstic castellà Juan de Escoiquiz,[68] i l'altra en prosa, del naturalista i escriptor català Santiago Àngel Saura i Mascaró[69]– que aleshores circulaven i que probablement estaven disponibles a les biblioteques institucionals de Vic o, si més no, en alguna de particular.[70] O bé en la nova traducció en prosa que fou publicada, justament, el 1868, signada per Dionisio Sanjuan.[71] D'altra

66. Cito, tot regularitzant-ne l'ortografia, de *Joveniívoles* (Barcelona: Ilustració Catalana, sense data), pàg. 85-90

67. Ve a tomb, en aquest punt, fer constar que, entre les poesies de Jaume Balmes publicades pòstumament el 1849, s'hi troba la titulada «Una escena de Edén», d'aire vagament miltonià, que descriu amb cautela els amors, abans de la caiguda, entre un Adam galant i una Eva esplendorosa. Cal tenir en compte que Balmes situava Milton entre els «genios prodigiosos como Tasso, Milton y Chateaubriand», tal com diu en la «La Transición social», títol de la VI de les *Cartas a un escéptico en materia de religión*, publicada a «La Sociedad» del 18 de juliol de 1843. Cito de les *Obras completas del Dr. D. Jaime Balmes, Pbro.* Primera edición crítica ordenada y anotada por el P. Ignacio Casanovas (Barcelona: Biblioteca Balmes, 1925), vol. X, pàg. 140.

68. *Paraiso perdido, poema de Milton, traducido en verso castellano por D. J. de Escoiquiz...* Madrid: Imprenta y casa de la Union Comercial, 1844. Consta de tres volums. (La primera edició va aparèixer l'any 1812, a Bourges, en el temps que el traductor estava exiliat per raons polítiques.)

69. *El paraíso perdido, poema escrito en inglés por J. Milton, traducido al castellano por D. Santiago Àngel Saura Mascaró.* Barcelona: Librería de F. Pujal, 1849. Aquesta versió en prosa consta de dos volums. (En el pròleg, el traductor esmenta la traducció d'Escoiquiz, que censura pel fet que segons ell tan aviat esporga com amplia l'original; també dóna notícia d'una altra versió en vers a càrrec de «P. Benito Ramon de Hermida, dada á luz por su hija la marquesa de Santa Coloma», que no he localitzat.)

70. Antoni PLADEVALL I ARUMÍ, a «Les biblioteques de Vic en l'època de Verdaguer estudiant», dins *Anuari Verdaguer 1986* (Vic: Eumo Editorial / Ajuntament de Barcelona, 1987), pàg. 71-105, documenta en els catàlegs respectius un exemplar de la traducció d'Escoiquiz, a la Biblioteca del Seminari de Vic, i d'un de la de Saura Mascaró, a la Biblioteca Episcopal de la mateixa ciutat, si bé adverteix en nota que, tant en un cas com en l'altre, «no és segur que hi fossin en el moment que estudiem» (1855-1870), pel fet que es desconeix la data en què «materialitzà la deixa», provinent d'una biblioteca particular. Això no obstant, tal com diu el mateix Pladevall a l'estudi citat, cal tenir en compte que Verdaguer, a l'hora de buscar un llibre, remenava tota mena de prestatges, fossin públics o privats, tal com explica en una carta a Marià Aguiló, del 12 de desembre de 1867: «...no faig mes que regirar i cercar llibres que parlin d'America y en especial de las islas de Santo Domingo y Sant Salvador. He seguit la biblioteca del Senyor Bisbe y algunas de las millors llibrerias particulars, pero no n'he quedat gayre satisfet.» Vegeu *Epistolari de Jacint Verdaguer.* Transcripció i notes per J. M. de CASACUBERTA, volum I (1865-1877) (Barcelona: Barcino, 1959), pàg. 64-65.

71. *El paraíso perdido, poema escrito en inglés por John Milton, con notas de Addisson, Saint-Maur y otros, traducida al castellano por D. Dionisio Sanjuan.* Barcelona: Casa Editorial La Ilustracion, calle de Mendizábal, número 4, 1868. L'exemplar d'aquesta obra que es conserva a la Biblioteca Pública Joan Triadú procedeix del fons del Círcol Literari de Vic. Tanmateix, no m'ha estat possible d'esbrinar l'any en què el llibre ingressà a la biblioteca d'aquesta institució, la qual havia iniciat les seves activitats cap a finals de 1860. Vegeu Miquel S. SALARICH TORRENTS, *Història del Círcol Literari de Vich.* Vic: Patronat d'Estudis Ausonencs, 1962.

banda, també n'hauria pogut tenir un coneixement força detallat a través d'una llarga ressenya que es va anar descabdellant, en 27 capítols, entre l'abril i el novembre de 1868, al setmanari *El seminarista español*.[72] Es tracta d'una ressenya entusiasta –que comença reproduint alguns dels elogis que Chateaubriand féu del poema– i alhora força generosa, que no estalvia pas les citacions extenses.[73] A tall d'exemple, observi's la forma que hi pren el passatge corresponent als versos 598 i següents del llibre IV, citats *supra*: «Entre tanto la noche avanzaba; el crepúsculo vespertino comunicaba su luz dudosa á todos los objetos; las aves y los cuadrúpedos se habían retirado á sus nidos y á dormir sobre la yerba: únicamente el ruiseñor velaba, é interrumpia con sus trinos el imponente y poético silencio general de la naturaleza.»[74] El lector pot compa-

72. El setmanari *El seminarista español* (elaborat i imprès a Vic, però adreçat als professors i als estudiants dels seminaris conciliars de tot l'Estat espanyol) fou fundat per Francesc d'Assís Aguilar i Serrat (1826-1899), autor del poema «Plants de la llengua catalana» (1861) i professor del Seminari conciliar de Vic, que exercí de director de la publicació durant la seva primera etapa (1863-1864), fins que la carrera eclesiàstica el dugué fora d'Osona i de Catalunya. Ara per ara es desconeix qui va dirigir el setmanari durant la seva segona època (1866-1868), i fins i tot quines persones en redactaven els articles, que no apareixen mai signats. Durant aquest segon període, a la secció titulada «Monumentos literarios», van anar apareixent, en capítols setmanals, extenses ressenyes de la *Bíblia* (del 1-VII-1866 al 16-IX-1866), de l'*Alcorà* (del 3-III-1867 al 29-IX-1867), de la *Jerusalem alliberada* de Tasso (del 6-X-1867 al 23-II-1868), d'*El paradís perdut* de Milton (del 12-IV-1868 al 1-XI-1868) i finalment de l'*Eneida* de Virgili (del 8-XI-1868 al 27-XII-1868, data que correspon al darrer número de la revista, tot i que en diverses publicacions sobre la premsa del segle passat es repeteixi l'error de donar com a últim número un de corresponent a una data anterior). Sobre el seminari de Vic i la personalitat de Francesc d'A. Aguilar i altres professors d'aquesta institució, alguns dels quals podrien haver col·laborat a *El seminarista español*, vegeu Ignasi Roviró i Alemany, *Diccionari de filòsofs, teòlegs i mestres del seminari de Vic (1749-1968)*, precedit de l'estudi de Ramon Rial i Carbonell, *Aproximació a la història del Seminari Conciliar de Vic*. Vic: Patronat d'Estudis Osonencs, 2000. Sobre *El seminarista español* i la premsa vigatana vuitcentista, vegeu Concepció Miralpeix i Ballús, *La premsa de la ciutat de Vic al segle XIX*. Barcelona: Departament de Cultura i Mitjans de Comunicació de la Generalitat de Catalunya, 1981. Pel que fa als continguts literaris d'*El seminarista español*, vegeu també Pere Farrés i Arderiu, «La Renaixença a Vic», dins *Actes del Col·loqui Internacional sobre la Renaixença I*. Barcelona: Curial Edicions Catalanes, 1992.

73. En el primer capítol de la ressenya, *El paradís perdut* és qualificat de «grandiosa epopeya del más ilustre poeta inglés»; a més, per tal de neutralitzar les crítiques d'aquells que els retreuen el fet d'interessar-se per un poeta anglicà o protestant, els anònims redactors invoquen l'autoritat de l'«insigne Chateaubriand», que havia traduït l'obra al francès el 1836. Cf. *El seminarista español*, núm. 111, 12-IV-1868, any III, pàg. 104.

74. *El seminarista español*, núm. 123, 5-VII-1868, any III, pàg. 226. El text no segueix cap de les traduccions castellanes esmentades, ni tampoc la francesa de Chateaubriand, tot i que potser és la que s'hi assembla més. Per cert, l'exemplar d'aquesta darrera traducció, que he consultat a la Biblioteca de Catalunya, *Le Paradis Perdu suivi de Essai sur la littérature anglaise par Chateaubriand, nouvelle édition revue avec soin sur les éditions originelles* (París: Garnier Frères, Editeurs, sense data), que inclou el text original anglès del poema, havia format part de la biblioteca de Verdaguer, tal com indica l'anotació topogràfica de la fitxa bibliogràfica corresponent. Es tracta d'un dels volums de la «Colecció completa dels mes celebrats poemes antichs i moderns» que constituïen el premi especial amb què la Diputació Provincial de Barcelona guardonà Verdaguer per *L'Atlàntida* en els Jocs Florals de 1877. Cf. *Jochs Florals de Barcelona* MDCCCLXXVII (Barcelona: Estampa de la Renaxensa, 1877), pàg. 23. La primera pàgina d'aquest exemplar conté una dedicatòria manuscrita de Joaquim Riera i Bertran, secretari dels Jocs d'aquell any, al costat dels segells del Consistori dels Jocs Florals i de la Diputació de Barcelona.

rar aquest fragment amb el que s'ha dit del tercer paràgraf de la prosa juvenil de Verdaguer, en què el rossinyol sospira amoretes dins els boscos silenciosos, i treure'n les pròpies conclusions.

Tot fa pensar, doncs, que Verdaguer va redactar aquesta prosa germinal sobre el rossinyol sota l'impacte de la lectura del gran poema de Milton, a la qual potser fou induït per la llarga ressenya apareguda al setmanari *El seminarista español*.[75] Ja hem vist que la lectura de Milton va tenir efectes en altres textos juvenils, com ara «La nina del cingle». Diguem de passada que també deixà petja en *L'Atlàntida*, tal com el 1881 ja va posar de manifest Josep Tolrà de Bordas, que s'adonà de l'analogia entre el passatge del cant VI en què Hesperis entona l'adéu definitiu a un món que s'enfonsa, i les lamentacions que Milton posa en boca d'Eva quan ha d'abandonar l'Edèn, al llibre XI d'*El paradís perdut*.[76]

Conclusió

Sigui com sigui, fossin quines fossin les tradicions, les fonts i les influències que contribuïren a donar idees i recursos expressius als textos juvenils que s'han comentat al principi d'aquest treball, el fet important és que Verdaguer va iniciar amb ells un procés personal de construcció simbòlica entorn del rossinyol. Un procés paral·lel al que unes desenes d'anys abans, el 1819, potser més bruscament, havia portat John Keats a compondre la genial *Ode to a Nightingale*, en la qual havia rescatat un motiu fossilitzat per la tradició i l'havia regenerat tot carregant-lo d'una nova emotivitat. El cant del rossinyol també desvetllava en aquest poeta un desig de fugir de les penalitats d'aquest món: «Lluny esvair-me, fondre'm i del tot oblidar | el que mai no has sabut entre les fulles: | el cansament, la febre i l'enuig d'on els homes | l'un a l'altre se senten gemegar...»[77] Des de la seva singularitat, Verdaguer

75. La prova per a la datació de l'esborrany del text aportada per Josep Maria de Casacuberta a *Escrits inèdits...*, vol. I, pàg. 253, sembla avalar encara més aquesta hipòtesi, ja que Verdaguer –aleshores avesat a aprofitar tota mena de paper com a suport dels seus textos– l'escriví als reversos del full i del sobre d'una carta vella datada el 18 de gener de 1868. Recordem que la publicació de la ressenya d'*El paradís perdut* dins *El Seminarista español* s'havia iniciat en el número 111, corresponent al 12 d'abril de 1868.

76. Cf. Joseph Tolra de Bordas, *Essai sur L'Atlantide* (Montpeller: Imprimerie centrale du Midi-Hamelin Frères, 1881), pàg. 79, nota 1. Publicat en edició facsímil, amb un estudi introductori i notes de Pere Farrés i Ramon Pinyol i Torrens, a «L'Essai sur L'Atlantide" de Josep Tolrà de Bordas, i altres crítiques coetànies», dins *Anuari Verdaguer 1989* (Vic: Eumo Editorial / Ajuntament de Barcelona, 1990), pàg. 45-223.

77. Cito de la versió catalana de Marià Manent, a *Poemes de John Keats* (Barcelona: Empúries, 1985), pàg. 58-63. Òbviament, el *tu* implícit del segon vers de la citació es refereix al rossinyol amagat entre les fulles.

féu una operació semblant, més dilatada en el temps, que va culminar al meu entendre en la poesia «Sentint un rossinyol», datada el 10 de juny del 1885, a Torrentbò,[78] i inclosa, com s'ha dit, a *Aires del Montseny* (1901). En aquesta bella composició[79] el poeta encara va més enllà, molt més enllà d'on havia arribat en els escrits juvenils: la música del rossinyol, tan sublim, no pot tenir uns orígens «terrenals» –és a dir, no pot ser un mer vestigi de la pura sensualitat innocent del paradís perdut d'Adam i Eva, que al capdavall era d'aquest món–, sinó que ha hagut de brollar per força de més lluny, i de més amunt, de «les arpes celestials», dels «concerts de l'infinit», de la divinitat, en suma. Es podria dir, doncs, que el rossinyol verdaguerià s'ha enlairat definitivament del paradís terrenal, o miltonià, al paradís celestial, o dantesc.

A partir d'aquí, el cant del rossinyol acabarà esdevenint per al Verdaguer madur i per al Verdaguer darrer l'ingredient simbòlic més representatiu de «La parla del Cel» –títol d'un poema del recull pòstum *Al Cel*.[80] Una parla feta de «cants i música d'àngel i sospirs de rossinyol», que s'oposa als «llenguatges del desterro», als «llenguatges d'aquest món», fets de «dring de cadenes» i de «lladrucs de blasfèmia». Tanmateix, es tracta d'una parla, d'una música, d'un cant, que, com ja havia dit el Verdaguer jove, és del tot «impossible d'aprendre». El poeta, humà i vivent, no hi pot accedir, com tampoc no pot accedir al Cel, malgrat tota la força del seu desig. Perquè, manllevant la frase amb què Segimon Serrallonga defineix el sentit del llibre *Al Cel*, el vol que prova de fer en vida l'home i el poeta Verdaguer cap al diví absolut i cap al cant absolut és un vol «que té per límit, encara infranquejable, la mort alliberadora».[81] Per a profit nostre, però, l'escriptor –tot i que l'home va triar de viure entre els turments d'aquesta quimera d'encelar-se, o potser precisament per això– no va desistir mai de treballar amb un dels humils llenguatges de la terra, la llengua catalana, la qual va fer pujar en alguna de les seves creacions al cim de l'expressivitat i la bellesa.

78. Joan Antoni de GÜELL I LÓPEZ, nebot de Claudio López Bru, a *El poeta Verdaguer por el Conde de Güell, Marqués de Comillas* (Barcelona: sense data), pàg. 15, ha deixat un testimoni, relacionat amb aquest poema, de l'emoció que experimentava el poeta quan sentia cantar els rossinyols: «Todavía lo recuerdo, como si lo estuviera viendo, en un paseo por la riera de Torrembó, separándose un poco de nosotros, junto a unos álamos, en que se oía cantar un ruiseñor, recitarnos improvisadamente, a media voz aquellas bellísimas estrofas: "Rossinyol de la boscuria | jo com tu só enyoradís..."»

79. Per gaudir-ne encara més la bellesa, escolteu la música i les veus que hi han posat Rafael SUBIRACHS, Gisela Bellsolà i l'Orfeó de Manresa en l'enregistrament en disc compacte *Verdaguer 2000. Cançó de la terra.* Barcelona: Edicions Albert Moraleda, 2000.

80. Sobre la redacció i el contingut d'*Al Cel*, obra pòstuma publicada a la revista *Pèl & Ploma*, núm. 92 i núm. 93, d'abril i maig, respectivament, de 1903, vegeu Pere TIÓ I PUNTÍ, «De la poesia religiosa de Verdaguer (la Gleva) al retrobament amb el poeta (Vallcarca). A propòsit d'*Al Cel*», dins *Anuari Verdaguer 1995/1996* (Vic: Eumo Editorial, 1999), pàg. 289-303.

81. Segimon SERRALLONGA, «El càntic dels càntics de Verdaguer», dins *Anuari Verdaguer 1995/1996* (Vic: Eumo Editorial, 1999), pàg. 111, nota 56.

UNA CARTA DES DE L'EXILI (JOSEP M. BATISTA I ROCA, MARIÀ MANENT I EL CENTRE CATALÀ DEL PEN)

Isidor Cònsul

Barcelona

Nota de situació històrica

A grans trets, en la història del Centre Català del PEN és fàcil distingir-hi una etapa inicial que va de 1922 a 1939[1] i dos períodes posteriors falcats pels diferents cops de vent en la història a l'Estat espanyol. El dia 19 d'abril de 1922 va néixer el PEN Català en el decurs d'un sopar fundacional a l'Hotel Ritz de Barcelona. La data de 1939 va de dret a l'ensulsiada i la fi del somni amb l'acabament de la Guerra Civil espanyola i el triomf de l'exèrcit rebel del general Franco. Entre els dos punts de la cronologia roden els disset anys d'estrena d'una entitat essencialment dinàmica des d'una doble perspectiva catalana i internacional.

Catharine Amy Dawson Scott fundà el PEN Club Internacional el mateix 1922[2] i els escriptors catalans foren dels primers a respondre a la crida de construir una xarxa de diàleg, un marc de bones relacions i uns objectius d'entesa entre tots els escriptors del món. Penyora d'un temps amb vocació i voluntat romàntiques, sobre aquell primerenc PEN Club planava l'ideal d'una bella utopia: la que feia pensar que, si tots els homes de lletres es posaven d'acord, la suma dels valors de la

1. Per a una visió de síntesi de la història del PEN Català, vegeu l'obra de Josep S. Cid, *El Centre Català del PEN. Setanta anys d'història.* Ajuntament de Barcelona i Centre Català del PEN. Barcelona, 1992. També diferents articles de divulgació com ara «El PEN, molt més que un club», de Josep S. Cid i Isidor Cònsul (*El Món*, n. 314, 18-II-1988), «PEN Club Internacional», d'Isidor Cònsul (*Catalònia*, novembre de 1989), «El PEN Club en el diàleg universal», de Joan Rendé (*Cultura*, n. 11, abril de 1990) i «El Centre Català del PEN, passat, present i perspectives de futur», d'Isidor Cònsul (*Cultura*, n. 33, abril de 1992). Les activitats dels darrers anys del Centre Català del PEN es poden seguir en els dos butlletins que s'editen anualment.

2. La idea del PEN Club neix de l'escriptora anglesa Catharine Amy Dawson Scott (1865-1934) i de la seva iniciativa de crear uns clubs que, arreu del món, acollissin fraternalment poetes, dramaturgs, assagistes, editors i novel·listes. Era una dona de braó encomanadís, a qui revoltava la hipocresia de la moral victoriana, i absolutament convençuda, d'altra banda, que el diàleg i la ploma tenien una força superior a la dels canons i les espases. Mercès al seu entusiasme, el PEN Club anglès celebrà la seva primera reunió el 5 d'octubre de 1921, i el 26 de febrer de 1922 es constituí el Comitè Internacional de l'entitat.

intel·ligència i de la cultura farien inviable la repetició d'una monstruositat com la de la Primera Guerra Mundial. Un somni idealista que, ben aviat, el temps va encarregar-se d'esfondrar, primer amb la Guerra Civil espanyola i, a continuació, amb l'esclat de la Segona Guerra Mundial. De tota manera, hi ha un parell de mostres que evidencien el dinamisme i prestigi del PEN Català en aquests primers disset anys: la celebració a Barcelona, l'any 1935, del 13è Congrés Internacional del PEN, i el fet que Marià Manent assolís una de les vicepresidències internacionals de l'entitat.

El segon moment de la història del PEN Català, presidit per les catacumbes i l'exili, s'allarga des de 1939 fins a 1973. Com tantes altres entitats relacionades amb el món de la cultura, el Centre Català del PEN hagué de plegar veles un cop acabada la guerra per passar a una vida de resistència i de clandestinitat. Per sort, el PEN català era una branca viva d'un arbre més universal, el PEN Club Internacional, i l'entitat, fora de Catalunya, va poder organitzar-se com un Centre PEN a l'exili. És en aquests anys de resistència quan s'insereix de manera més directa la vinculació de Josep M. Batista i Roca amb el PEN català. L'any 1939, Batista i Roca s'havia exiliat a Anglaterra i exercí de professor d'història al Trinity College de Cambrigde. Des d'aquest refugi universitari es convertí en el testimoni d'una cultura a l'exili i, per una trentena d'anys, esdevingué la veu catalana a les trobades i congressos del PEN arreu del món. Segons que demostren nombrosos testimonis, ho va saber aprofitar per exercir-hi una denúncia constant contra el règim franquista i testimoniar-hi, al mateix temps, la persecució de què era objecte Catalunya així com l'intent sistemàtic d'anihilar la llengua i la cultura pròpies.[3]

El tercer moment de la història del Centre Català del PEN és el retorn de l'entitat a casa, pocs anys abans de la mort del dictador, quan el règim franquista començàva a diluir-se i s'acceleraven els treballs de preparar la transició cap a la democràcia. A començaments de 1971, Avel·lí Artís-Gener, «Tísner», en representació d'un grup d'escriptors catalans, i Josep M. Batista Roca s'entrevistaren a Londres per pactar el retorn del Centre Català del PEN, poder-ne aconseguir la legalització, fer-lo rodar com una empresa dinàmica i convertir-la en una eina al servei de la literatura catalana.[4] D'ençà de l'Assemblea de Reorganització del 4 de febrer

3. Vegeu l'article de Josep-Sebastià Cid, «Batista i Roca i el PEN Català», a *Butlletí del Centre Català del PEN* (II època, n. 8, novembre de 1995).

4. Les circumstàncies dels diferents viatges a Anglaterra d'Avel·lí Artís-Gener per pactar el retorn del Centre Català del PEN a Catalunya han estat explicades pel mateix «Tísner» al quart volum de les seves memòries, *Viure i veure*: «Calia anar a Londres i parlar amb els dirigents del PEN Internacional. [...] Vaig anar a la xiroia casa de Glebe Place, la Glebe House, i vaig tenir el lleure de parlar amb les tres persones que acabo d'esmentar. [És refereix a David Carver, president internacional, Peter Elstob, secretari internacional, i Elizabeth Paterson, secretària administrativa.] Em vaig assabentar de diverses coses commovedores, entre d'altres, que el nostre Centre Català era un nen aviciat, però ja havia començat a caure en desgràcia. Devia una muntanya impressionant de diners en quotes i hom havia posat el Centre Català del PEN a frec de la cancel·lació definitiva.»

«El nostre centre tenia un secretari intocable, veneradíssim, i me'n vaig adonar des del primer moment. La figura del doctor Josep Maria Batista i Roca era incommovible. Carver i Elstob van convenir amb mi

de 1973[5] el vigor i la vitalitat del Centre Català del PEN és un fet tan evident com ho demostra que Barcelona hagi estat seu de la Conferència Mundial del PEN, l'any 1978, del 57è Congrés Internacional del PEN, l'any 1992, i de la Conferència Mundial sobre Drets Lingüístics de l'any 1996.

La carta que presento de Josep Maria Batista i Roca a Marià Manent crec que és un document de cabdal importància per a conèixer detalls de la història del PEN Català en els anys difícils de l'exili. En el seu conjunt es tracta d'un procés històric complex i no prou ben conegut, encara, i per aquesta raó, la informació de documents com el que ara presento em penso que poden facilitar l'encaix amb altres peces del trencaclosques.

D'altra banda, es tracta d'una carta llarga, minuciosa, que al marge de repassar aspectes de la història, la vida i les activitats del PEN Club, esdevé en ella mateixa un model d'estratègia política i de plantejament cultural de la clandestinitat. Crec que s'hi han de remarcar tres detalls importants. El primer fa referència a les relacions no gaire fluides entre Batista i Roca i sectors emergents de la literatura catalana, com el que representava la COMES i el grup poc o molt afí a Josep Maria Castellet. Un altre punt posa l'accent sobre els paranys de la diplomàcia franquista i els seus esforços per mirar de silenciar –o si més no posar bastons a les rodes–

que, per prescripció legal, el PEN preferia els organismes que treballaven a l'interior dels països per damunt d'aquells altres que ho feien en condició d'exiliats. Mai ningú no els havia parlat de cap Centre Català del PEN que treballés a l'interior i, en canvi, tenien molt bona informació respecte de les activitats encapçalades pel doctor Batista i Roca, el qual, en mant d'actes, congressos i conferències, hi assistia acompanyat d'elements que havien sortit silenciosament de l'interior, feien la feina sense escarafalls, i retornaven a Catalunya i procuraven no desvetllar cap sospita [...] No em quedava cap altre recurs que retornar a Catalunya i explicar fil per randa la situació als companys. Ho vaig fer: ens vam reunir en petits grups, i tothora vaig repetir una mateixa situació, servint-me fins i tot de mots idèntics. El criteri unànime era d'anar directament a Cambridge i acarar la duresa del pinyol.

Vaig tornar a Anglaterra i aquesta vegada vaig anar a la universitària ciutat a les vores del camp amb el primer tren que sortia de Victoria Station. Vaig arribar a casa del doctor Batista i Roca [...] L'home era absolutament irreductible [...] Creia a ulls clucs, rotundament, que tots els que vivíem a la Catalunya subjugada per Franco ho fèiem gràcies a la nostra condició de franquistes. Cap dels arguments que jo trobava a mà, com eren la guerra, l'exili, la tornada i la subsegüent incorporació a la lluita clandestina, no modificaven ni feien enllà un mil·límetre del seu tancat criteri. [...] Cap al vespre, quan ja arribava l'hora d'anar a l'estació i fer el viatge amb el darrer tren Cambridge-Londres, el doctor ja havia començat a donar-se per la pell [...] –Molt bé, noi, heu guanyat vosaltres! Ves-te'n demà a la Globe House, els expliques la nostra conversa i els dius que renuncio al secretariat del Centre Català del PEN a l'exterior i que en prenguin bona nota. [...]» Vegeu Avel·lí ARTÍS-GENER, «Tísner», *Viure i veure/4*. Editorial Pòrtic. Barcelona, 1996 (pàg. 102-107).

5. Fou una assemblea encara clandestina, dalt d'un autobús i fent camí entre Barcelona i l'Espluga de Francolí. La junta directiva que en sortí era presidida per Joan Oliver, Maurici Serrahima n'era vicepresident, «Tísner», el secretari, Joan Fuster i Josep M. Llompart els delegats, respectivament, a València i a les Illes, i la resta de la junta era formada pels vocals Josep M. Benet i Jornet, Jordi Carbonell, Alexandre Cirici Pellicer, Guillem-Jordi Graells, Jaume Melendres, Víctor Mora, Maria Antònia Oliver, Montserrat Roig i Francesc Vallverdú. Els detalls també els explica Avel·lí ARTÍS-GENER («Tísner»), al quart volum de *Viure i veure/4* (op. cit., pàg. 107-117).

l'existència del PEN Català que, en la persona de Batista i Roca, era present a gairebé tots els congressos del PEN Internacional d'aquells anys difícils. Cal remarcar, finalment, la claredat d'objectius que s'hi expressen, la nítida consciència històrica pel que fa a la realitat del PEN Català i la lúcida estratègia de futur que planteja.

A l'hora de fer pública aquesta carta, em cal agrair la col·laboració d'Albert Manent, que m'ha ajudat a localitzar-la; la de Víctor Castells, biògraf de Josep M. Batista i Roca, i de Josep Sebastià Cid, historiador del Centre Català del PEN, que me n'han facilitada una còpia. Finalment, a Joan Triadú per la confirmació d'aspectes puntuals que s'hi exposen.

Quant a l'edició del text, transcric la carta amb fidelitat, hi esmeno només petits detalls d'ortografia i hi normalitzo abreviacions del tipus «p. ex» (per exemple) i de la partícula «que», escrita sempre per Batista i Roca de manera abreujada («q.»), fins i tot en la variant del tipus «q.'ns» (que ens). Per fidelitat a l'original de la carta, mantinc en majúscula el nom dels centres PEN que hi surten (PEN Català, PEN Francès...), així com el dels càrrecs personals (Secretari Internacional, President...).

El text de la carta

Oslo, 2.VII.64[6]

Car amic Manent:[7]

Hem tingut ací el Congrés del PEN. Hi he representat com de costum els escriptors catalans. Alguns aspectes tractats en sessió oficial o en converses particulars ens interessen directament, i per això us escric.

La primera cosa de totes és acabar de tornar a posar en marxa el PEN Català, encallat després de la mort d'en Riba,[8] en la branca o secció de l'interior. A fora, en Carner és el president i jo el secretari i més o menys la cosa marxa.

6. La carta és datada a Oslo, capital de Noruega, en el marc del Congrés Internacional del PEN. La data figura a la dreta de la part superior del paper. A l'esquerra, també escrita a mà i a la mateixa alçada de la data, hi ha l'adreça de Josep M. Batista i Roca, a Cambridge: *5 Lyndewode Rd. Cambridge.* La carta és manuscrita i ocupa cinc fulls mida quartilla (18x22 cm) escrits per totes dues cares.

7. El poeta i traductor Marià Manent i Cisa (1898-1988) esdevé una referència molt present i activa des dels inicis en la història del Centre Català del PEN. Ha estat, d'altra banda, l'escriptor català potser de més relleu en l'organigrama del PEN Club Internacional, ja que n'esdevingué vicepresident l'any 1935.

8. La mort un punt sobtada de Carles Riba, l'any 1959, estroncà una de les possibilitats que havia dissenyat Josep M. Batista i Roca per a l'organització del PEN a l'interior. Per a fer-ho possible comptava amb el prestigi i l'autoritat moral de Carles Riba que ja havia presidit l'entitat abans de la Guerra Civil espanyola, i amb el dinamisme d'un nom jove llavors, Joan Triadú (1921), per al càrrec de secretari. Vegeu nota 15.

Potser, en vista de les gestions que en Cano[9] (que ha assistit al Congrés) fa a Madrid per a constituir un PEN Espanyol, cal començar per a recordar la història del PEN Català. Fou un dels primers centres fundats en organitzar-se el PEN.[10] Té, doncs, més de 40 anys d'existència. Si no recordo malament en López Picó i en Millàs Raurell[11] foren els primers President i Secretari. Assistiren a diversos Congressos Internacionals representant el PEN Català.[12] En 1935 aquest organitzà el Congrés Internacional a Barcelona sota la presidència de Pompeu Fabra.[13]

En 1939 en Joan Gili[14] i jo restablírem el contacte amb el PEN Internacional. Quatre o cinc catalans residents a Londres assistírem a la memorable Conferència Internacional celebrada sota les bombes nazis. Des de llavors el PEN Català ha estat sempre representat en el Comitè Executiu Internacional i en els Congressos Internacionals.

Sempre he insistit tant com he pogut per a que els nostres escriptors mantinguessin el PEN a Catalunya. Així en Triadú[15] acceptà d'ésser-ne el Secretari i Carles Riba el President. Jo he actuat com a representant del PEN Català a l'exterior i representant, tant com ha estat possible, els escriptors de l'interior. Per aquesta raó he refusat sempre d'afiliar el PEN Català i jo mateix al Centre PEN d'Escriptors Exiliats.

9. José Luis Cano (1912), poeta i crític literari vinculat a la revista *Ínsula* i considerat un dels epígons de la Generació del 27. Fou un dels escriptors que mirà d'endegar, sense gaire èxit, la secció espanyola del PEN Club Internacional.

10. És tradicional admetre que el Centre Català del PEN fou el segon o el tercer dels centres PEN que van ser creats com a secció del PEN Club Internacional. Els primers a adherir-se a la proposta i a la crida del PEN Club Internacional foren, és clar, els escriptors anglesos. Després, però, el Centre Català disputa l'honor del segon o el tercer lloc amb el PEN Francès.

11. El poeta Josep M. López-Picó (1886-1959) fou, efectivament, el primer president del Centre Català del PEN, entre 1922 i 1927. Per la seva banda, el dramaturg i novel·lista Josep M. Millàs-Raurell (1896-1971) esdevingué el primer secretari de l'entitat i es mantingué en el càrrec fins al 1939.

12. Per les notícies que en tenim els representants catalans als diferents congressos internacionals del PEN foren, de 1923 a 1934: Pompeu Fabra i Millàs Raurell (I Congrés Internacional del PEN, Londres, maig de 1923), Nicolau d'Olwer (III Congrés Internacional del PEN, París, maig de 1925), Joan Crexells (IV Congrés Internacional del PEN, Berlín, juny de 1926), Ventura Gassol (V Congrés Internacional del PEN, Brussel·les, 1927), Josep Obiols, Carles Riba i Millàs Raurell (VI Congrés Internacional del PEN, Oslo, juny, 1928), Josep V. Foix (XI Congrés Internacional del PEN, Dubrovnik, maig de 1933), Marià Manent i Millàs-Raurell (XIII Congrés Internacional del PEN, Edimburg, juny de 1934).

13. El congrés de 1935 se celebrà entre els dies 20 i 25 de maig. Hi van participar 165 representants de 26 centres PEN d'arreu del món. El PEN Internacional era presidit per H. G. Wells. Entre els escriptors de renom presents a Barcelona durant el congrés hi havia F. T. Marinetti, Benjamin Crémieux, M. Ernest Toller i Klauss Mann, fill de Thomas Mann.

14. L'editor i bibliòfil Joan Gili i Serra (1907-1999) havia emigrat a Londres l'any 1934 i hi fundà l'editorial The Dolphin Book Company, que transferí a Oxford el 1940. Fou membre fundador de l'Anglo-Catalan Society, entitat de la qual fou president.

15. Joan Triadú m'ha confirmat aquesta dada i la proposta que va rebre d'esdevenir secretari del Centre Català del PEN a l'interior, mentre Batista i Roca ho era a l'exterior. L'acord es va prendre la primera quinzena de setembre de 1955 en una trobada, a Montpeller, entre Batista i Roca i una delegació catalana arribada de l'interior. La delegació era formada per Carles Riba, Clementina Arderiu, Esteve Albert, Josep M. de Casacuberta i Joan Triadú. D'aquesta anada a Montpeller hi ha dos testimonis gràfics publicats per Carles-Jordi GUARDIOLA a *Carles & Clementina* (La Magrana, Barcelona, 1993). Un és una fotografia de Riba visitant la tomba de Mistral (datada l'11 de setembre de 1955), i l'altre una altra fotografia del grup davant les muralles d'Aigües Mortes i datada el dia anterior.

Mort en Riba, la presidència ha passat a en Carner.[16]

Afegim que el PEN Català està al corrent de les cotitzacions al PEN Internacional.[17]

No obstant, temo que en la pràctica el PEN a Catalunya no ha donat molts senyals de vida. M'han dit que diversos escriptors catalans preferien afiliar-se a la COMES.[18] Això és sorprenent, puix tothom sap que COMES és un muntatge comunista sota una coberta italiana. Els mateixos escriptors comunistes no s'han amagat de dir-ho, i de dir-m'ho, i això ha provocat topades amb el PEN.[19] També sorprèn que els catalans, o alguns d'ells, hagin preferit afiliar-se a la COMES, és a dir a la Secció Catalana de la COMES espanyola, essent així que el PEN Català representa netament la literatura catalana, amb personalitat pròpia independent de la literatura castellana. Amb tot, les darreres informacions que tinc són que en Castellet,[20] secretari de la COMES espanyola no ha fet gran cosa, i que la seva organització està en «coma».[21]

Ara tenim un episodi nou. Fa anys que en Cano intenta organitzar un PEN espanyol a Madrid, i també en fa molts que David Carver, el Secretari General, amb molta amabilitat, em consulta sovint sobre aquest afer. El meu punt de vista és clar i net, cal ajudar (tant la Secretaria General

16 El paper de Josep Carner (1884-1970) com a president del Centre Català del PEN no devia passar d'una simple acceptació honorífica del càrrec. Ja era un home gran i sembla difícil que, atès el dinamisme i l'activitat del secretari Josep M. Batista i Roca, tingués gaires oportunitats d'exercir com a president. En tot cas, tampoc no devia fer-li cap nosa presidir el PEN Català en aquells anys –a partir de 1962– que el seu nom era promogut amb insistència per al Premi Nobel de literatura.

17. Aquest testimoni pot semblar que es contradigui amb el d'Avel·lí Artís-Gener. Com a testimoni personal, afirmo que Tísner m'explicà diverses vegades que, en negociar el trasllat del PEN Català de l'exili a l'interior, l'any 1971, es va haver d'abonar al PEN Internacional una quantitat considerable perquè feia molts anys que ningú no cotitzava. Podria passar que, atès que la quota que es paga al PEN Internacional és en funció del nombre de socis de cada centre, la quantitat abonada respongués a l'increment d'escriptors del PEN Català. Mentre el centre era, fonamentalment, una entitat precària i a l'exili, la quota que es devia cotitzar era mínima i per un nombre molt reduït de socis.

18. La COMES (Comunitat Europea d'Escriptors) es va plantejar com una associació d'escriptors europeus molt més oberta i progressista, i en certa manera oposada al PEN Club Internacional que era considerat més conservador. L'any 1962 hi va haver, a Florència, una reunió de la COMES, a la qual va assistir una nodrida representació catalana. Hi ha un testimoni gràfic d'aquesta anada a Florència (vegeu *Serra d'Or*, març de 1987, pàg. 21), on s'identifiquen J. V. Foix, Alexandre Cirici Pellicer, Joan Triadú, Jordi Sarsanedas i Francesc Vallverdú.

Sembla que sí, que hi havia un substrat d'ideologia comunista darrere la COMES, però en tot cas no era tan evident com ho apunta Josep M. Batista i Roca. Va assajar de ser una alternativa al PEN Club pel costat progressista però no reeixí a fer-ho. Entre altres raons, i a banda d'una possible direcció indirecta des de l'URSS, perquè la seva organització tendia a ser estatal i no reconeixia, tan clarament com ho feia el PEN, els drets de les llengües i les literatures sense estat.

19. Des dels anys de la Guerra Freda, i ben bé fins a la caiguda dels règims comunistes i el desmembrament de l'URSS, ha estat evident la distància ideològica del PEN Club Internacional i els escriptors de l'àrea comunista. Fet i fet, no ha estat fins a finals dels vuitanta que s'ha produït l'entrada dins del PEN Internacional dels col·lectius d'escriptors vinculats a l'antic bloc comunista.

20. Josep M. Castellet (Barcelona, 1926) és un reconegut editor, assagista i crític literari, considerat com un dels portaveus fonamentals de les opcions del «realisme històric» a la literatura catalana. Des d'aquesta perspectiva és cabdal l'antologia *Poesia catalana del segle XX* (1963) que publicà conjuntament amb Joaquim Molas. A més d'aquesta secretaria a la COMES, Josep M. Castellet ha estat el primer president de l'Associació d'Escriptors en Llengua Catalana, entre 1978 i 1983.

21. El joc de paraules entre l'anagrama de COMES i la situació d'estar en «coma» per manca de treball dels seus dirigents té, sens dubte, la seva gràcia i un sentit prou punyent envers Josep M. Castellet.

com el PEN Català) a que els escriptors espanyols organitzin llur PEN.[22] Amb tot, he senyalat sempre dos perills: que els franquistes s'infiltrin dins el PEN Espanyol i desnaturalitzin el seu caràcter, i que les autoritats permetin un PEN, més o menys controlat, a Madrid i el presentin com una prova de la «liberalització» del règim.

N'hem parlat ara amb en Cano. Ell compta amb 20 escriptors, entre ells 5 de l'Acadèmia de la Llengua Espanyola, per a fundar el PEN Espanyol. Arribarà sense dificultat als 24 requerits reglamentàriament. No sé, però, què passarà quan presenti una petició oficial al Govern Civil de Madrid per a fundar el PEN espanyol.

Hi ha hagut ací un petit incident sense transcendència. El Secretari Internacional va advertir-me que el Conseller de l'Ambaixada Espanyola a Oslo, un tal Sr. de los Casares, «is very angry with you», perquè apareixia jo com a representant de Catalunya en la llista de delegats oficials al Congrés. Segons ell, Catalunya no existeix, tan sols existeix Espanya, i tampoc «no és veritat que hi hagi cap persecució contra la llengua i la cultura catalanes». Afegí que el PEN Català només podia existir com a «Centre d'escriptors exiliats» i que així hauria de dir-se en els congressos futurs. Finalment, va dir a David Carver que em citava per a que jo em presentés a l'Ambaixada. Naturalment, jo no n'he fet cap cas, puix que jo puc discutir del PEN Català amb els escriptors catalans, i amb el President i el Secretari internacionals, però no amb l'Ambaixador de Franco a Oslo que no té cap jurisdicció sobre el PEN.

En Cano, però, anà a l'ambaixada i tornà dient que hauríem d'ésser un centre d'escriptors exiliats o una secció del Centre Espanyol.[23] En parlàrem amistosament i jo li vaig fer veure que no podíem ésser ni una cosa ni l'altra, puix que el PEN Català representa la literatura catalana de tots els nostres Països, sense excloure els exiliats, porta 40 anys d'existència amb personalitat pròpia, i representa una llengua i una literatura deslligada de l'espanyola.

I, sobretot, el PEN Espanyol encara no existeix i ja volen disposar de com ha d'ésser el PEN Català!

Per tal d'encarrilar les coses vaig prendre la iniciativa de celebrar una conversa conjunta del Secretari Internacional amb en Cano i jo. El resultat fou: que ells facin totes les gestions que calgui per a demanar oficialment la constitució del PEN Espanyol, i ja veurem les incidències i els resultats que hi hagi. El PEN Català continua la seva vida pròpia i la seva personalitat pròpia, independentment i separadament del PEN espanyol. No cal, doncs, que a Barcelona se sol·liciti la creació d'un PEN Català puix aquest fa 40 anys que no ha deixat d'existir. Que ells comencin a marxar, i nosaltres ja veurem que fem, és a dir que procedim pas a pas i sense adquirir cap compromís nosaltres. Que l'existència de dos centres separats i independents no exclou les relacions entre ells, i que hi poden haver reunions conjuntes per a totes aquelles coses d'interès professional dels escriptors, per exemple, drets d'autor, drets de traductor, defensa comú davant la censura, etc. i sessions conjuntes sobre temes literaris.

22. La tenacitat a voler organitzar un Centre PEN Espanyol ha esdevingut un tema recurrent dins del PEN Club Internacional, si més no durant els més de trenta anys que van des dels primers seixanta fins ara mateix. Un dels darrers intents, també amb pressions amables de qui fou molts anys secretari internacional de l'entitat, Alexandre Blokh, i la bona disposició a col·laborar-hi del Centre Català del PEN, es produí durant el 57è Congrés Internacional celebrat a Barcelona l'any 1992. Fou, però, debades. A darrera hora, l'esforç i les converses prèvies no varen saber tirar endavant els compromisos assolits de paraula.

També aquesta vegada, a Oslo, José Luis Cano hi era present per mirar d'organitzar un Centre PEN Espanyol.

23. Aquesta idea d'un Centre Català del PEN com a secció vinculada a un hipotètic PEN espanyol també ha esdevingut recurrent. Durant la dècada dels setanta tornà a aflorar amb una certa empenta al Congrés de Sidney, l'any 1977, en un moment que Mario Vargas Llosa ocupava la Presidència Internacional de l'entitat.

Fins ací antecedents, ara pla d'acció per al futur. La primera cosa és que organitzeu bé el PEN Català a Catalunya, València i Balears. Això és important, i urgent a causa del que us diré seguidament. Reuniu-vos els escriptors, o els més possibles, o almenys un grup representatiu, i nomeneu un President i un Secretari. Sobre les vostres activitats, públiques o no, vosaltres decidiu. Internacionalment en Carner i jo continuarem representant-vos i cobrint-vos tant com calgui.[24]
A més dels exiliats, jo procuraré de formar centres del PEN Català al Rosselló i a L'Alguer. El PEN pot ésser la primera organització que agermani tots els escriptors de llengua catalana.
La presència de centres al Rosselló i a L'Alguer, ultra els exiliats, pot ajudar a escapar-nos d'intents madrilenys.
David Carver fa temps que té el projecte de fer una visita a Barcelona i a Madrid. Jo l'empenyaré a que faci el viatge aviat i cal que vosaltres esteu organitzats per a rebre'l. Caldria preparar una reunió, o diverses reunions, d'ell amb escriptors catalans per a que ell us parlés del PEN i vosaltres l'informéssiu de la situació actual dels escriptors catalans i de llurs publicacions. A part d'un programa de visites, aniria bé un banquet. Ja us tindré al corrent. Miraré de fer-lo venir per santa Llúcia.[25]
Una altra visita important és la d'Yves Gandon, president del PEN Francès i molt influent en la direcció del PEN Internacional. Està invitat a fer unes conferències a Barcelona i a Madrid pel pròxim gener. Tinc bones relacions amb ell i l'haig de veure en passar per París el pròxim agost per a parlar d'un altre afer que ens interessa molt.
El PEN Francès té el projecte d'ajudar tant com pugui el PEN Occità a celebrar una Taula Rodona internacional en alguna ciutat occitana. Les Taules Rodones són petits congressos per a discutir un tema literari durant dos o tres dies, al marge d'una sessió del Comitè Executiu Internacional.
He parlat amb Gandon i amb André Chamson[26] de la intervenció del PEN Català en aquesta Taula i ambdós l'han acceptada obertament i amb plena simpatia. Seguidament he escrit al Dr. Max Roqueta,[27] de Montpeller, President del PEN Occità i a en Robert Lafont, l'ànima i motor del moviment occità.[28]

24. Josep S. Cid, a *El Centre Català del PEN 70 anys d'història*, comenta que en el procés de reorganització del PEN a Catalunya ocupa un lloc destacat la penya del Terminus. «Al Terminus, un local de l'Eixample barceloní, s'hi reunien els dissabtes a la tarda, entre altres, Albert Manent, Joan Colomines, Josep M. Poblet, Xavier Regàs i Rafael Tasis. Tasis, que havia tornat de l'exili l'any 1948, feia en bona mesura un important paper de pont entre els intel·lectuals que treballaven al país i els catalans de la diàspora [...]» Op. cit., pàg. 31. Vegeu també Joan Colomines, *El compromís de viure. Apunts de memòria.* Columna. Barcelona, 2000 (pàg. 203-204).

25. Desconec si es tracta de la mateixa jugada, però, al sopar de la Nit de Santa Llúcia de 1965 hi assistiren sis delegats del PEN, dos del PEN Occità, dos del PEN Francès i dos del PEN Anglès. Aquesta vinguda es relacionava amb una Conferència Internacional del PEN que s'acabava de celebrar a Avinyó, l'octubre de 1965, i a la qual varen assistir Josep M. Batista i Roca i Joan Colomines. Aquest darrer havia esdevingut secretari del Centre Català del PEN després de la mort de Rafel Tasis. Durant un temps, la feina del secretariat va ser exercida de manera doble des de l'exterior (Batista i Roca) i des de l'interior. Vegeu Joan Colomines, *El compromís de viure* (op. cit., pàg. 209).

26. Així com Yves Gandon, president del PEN Francès fou, com a escriptor, un literat de segon ordre, André Chamson, nascut a Nimes l'any 1900, fou un novel·lista de cert relleu en la literatura francesa de la primera meitat del segle xx. Autor de tranc regionalista i d'obres arrelades a la terra com ara *Les crim des justes* (1928), *Les quatre éléments* (1935) i *Adeline Venician* (1956).

27. L'escriptor Max Roqueta (Argeliers, Llenguadoc, 1908) és una de les figures més conegudes de la poesia occitana del segle xx. És autor, entre altres obres, de *Somni dau matin* (1937), *Somnis de la nuòch* (1942) i *Lo mancòr de l'unicòrn* (1988).

28. L'escriptor, filòleg i historiador Robert Lafont (Nimes, 1923) és encara ara una de les ànimes del moviment occitanista. Teòric de la «revolució regionalista», entre les seves darreres publicacions cal esmentar *Nosaltres, el poble europeu* (1991) i *Temps tres. Petitas passejadas istoricas pels escambarlats de la frontiera* (1991).

Probablement serà per la tardor del 1966, puix aquestes reunions internacionals cal preparar-les amb molt de temps. No hi ha lloc fixat: Nimes, Avinyó, Ais de Provença...
Els escriptors nostres haurien de procurar assistir en bon nombre. Aquests contactes internacionals són molt necessaris i ajudarien a trencar tants anys de claustrofòbia. He parlat també d'una exposició de llibres literaris catalans i occitans, i d'una participació catalana en els actes de relació social entre els assistents i una recepció dels catalans a honor dels escriptors estrangers o una sessió de ballets catalans com la que ací ens han ofert de ballets populars noruegs... Es a dir, ja que la muntanya no pot venir a nosaltres, nosaltres anem a la muntanya. Es preferible no esmentar per ara aquest projecte als espanyols. Ja arribarà l'hora.
Bé, amic Manent, perdoneu l'extensió desmesurada d'aquesta lletra. En Cano va mostrar-me la lletra que vós li havíeu escrit, i per això he cregut necessari informar-vos de les coses en detall per si ell us tornés a escriure.
Però, més encara, per a que poseu fil a l'agulla com més aviat millor per a reorganitzar el PEN dels Països Catalans. Mireu si jo us puc ajudar en res. Sobretot m'agradaria em mantinguéssiu informat i us agraïria em contestessiu aviat aquesta lletra per a les gestions a fer amb el Secretari General. Vam quedar amb ell que l'aniria a veure en ésser a Anglaterra per a parlar de tot l'afer del PEN Català i de l'Espanyol. Ell té molt d'interès en què el PEN Espanyol s'organitzi, però comprèn bé el nostre punt de vista.
Jo seré a Cambridge fins a mitjans d'agost, on podeu escriure'm. Crec que amb una conversa avançaríem molt. Del 25 d'agost al 5 de setembre seré al Curs de Cultura Occitana a La Sala. Des del 14 de setembre seré a Perpinyà, Hôtel Royal Roussillon, per al Curs de Llengua i Literatura Catalanes (del 14 al 20) i els Jocs Florals el 27.
Adjunto un programa del Curs Occità. Caldria que hi vinguessin catalans. Tot el moviment occità està orientat de cara a Catalunya, i molts dels dirigents parlen i escriuen el català i estan al corrent de la nostra literatura. Es per això que convindria que escriptors i joves catalans hi assistissin. Procureu de fer-hi venir algú.
Amb els millors records i una cordial abraçada.

J. M. Batista i Roca

SER POETA. SOBRE EL *ROUDOR DE LLOBREGAT* DE JOAQUIM RUBIÓ I ORS

Josep M. Domingo

Universitat de Lleida

Introducció

1. El poeta Hölderlin, acabat d'inaugurar el segle XIX, escrivia que «allò que els poetes mediten / o canten, val quasi sempre pels àngels o déu»:[1] a fe que si per aquest valor cal entendre alguna forma d'ascendent social adquirit, aquest no sembla haver estat el cas del *Roudor de Llobregat* de Rubió i Ors –que, doncs, caldria considerar atès per aquell «quasi» precautori. El *Roudor*, en efecte, en contrast amb l'aparent, i espectacular, significació a què estava cridat, va acabar passant ben aviat a una situació vicària tant respecte de la literatura catalana del seu moment com del conjunt de l'activitat literària, la poètica inclosa, de Rubió i Ors. Rubió i Ors mateix[2] sembla abonar la idea del caràcter bàsicament circumstancial que en aquest llarg poema semblen veure-hi tota mena de comentaristes: Tubino, Rubió i Lluch, Montoliu,[3] Miquel i Vergés. Doncs bé: ¿és de debò que el *Roudor* resulta, de tan circumstancial, tan literàriament negligible?; ¿que les relacions significatives del *Roudor* s'exhaureixen en l'esmussada convenció d'un text forçat pel compromís acadèmic, opac respecte d'aquella «xarxa organitzada d'obsessions» (Barthes) que creiem que és l'obra literària?

Sobre la història del text

2. Com que els «détails exacts» de la circumstància externa del *Roudor* són coneguts,[4] potser per començar només calgui recordar, a l'engròs, del poema, 1) que

1. F. HÖLDERLIN, *L'arxipèlag. Elegies*, trad. J. Llovet, B., 1999, pàg. 97.

2. J. RUBIÓ Y ORS, *Breve reseña del actual renacimiento de la lengua y literatura catalanas* [...], Barcelona, 1877, pàg. 32-33.

3. Montoliu en el fascicle corresponent d'«Els Nostres Poetes» (Barcelona, 1935), pàg. 14-20.

4. F. M. TUBINO, *Historia del renacimiento literario, contemporáneo en Cataluña, Baleares y Valencia*, Madrid, 1880, cap. VII; A. RUBIÓ Y LLUCH, *Prólech*, dins J. RUBIÓ Y ORS, *Lo Gaiter del*

va ser premiat en una convocatòria de l'Acadèmia de Bones Lletres barcelonina projectada com el primer de

> «sucesivos certámenes que abrirá la Academia deseosa de renovar la memoria de nuestros gloriosos progenitores con el restablecimiento de los *juegos florales* que, anunciados por ella y adoptados ya por el Liceo de Madrid, al que sin duda seguirán otros Cuerpos literarios, harán revivir en nuestra España la emulacion y el saber»;[5]

i 2) que l'Acadèmia va tenir un interès especial que Rubió i Ors, des de febrer de 1839 el «Gaiter del Llobregat», hi fos premiat. «Avuy se pot dir sense embuts», escrivia Rubió i Lluch el 1901, «qu'aquell certámen se va fer a posta pera mon pare, á qui's desitjava premiar per sos versos ab una cadira acadèmica».[6] Rubió i Lluch tenia a la vista, quan escrivia això, una autobiografia, encara ara inèdita, del seu pare que es referia amb un cert detall a l'episodi del certamen de l'Acadèmia. Hi diu:

> «Pocos días antes de que se diese a la estampa aquel programa[7] estuvo a verme D. Joaquín Roca y Cornet para decirme, en nombre de varios de sus compañeros y en el suyo propio, éstas o parecidas palabras: "La Academia ha acordado en una de sus últimas sesiones celebrar un certamen, en el cual habrá dos asuntos y dos premios, uno para prosa y otro para poesía. Alguno de mis compañeros y yo habíamos pensado proponer a V. para académico, con destino a la sección de poesía; por lo tanto puede V. ingresar en nuestra corporación cuando V. quiera. No obstante, todos nosotros preferiríamos que entrase V. en ella después de tomar parte en el certamen, y que escribiese V. su poema en catalán"».

I acaba puntualitzant Rubió i Ors:

> «Escusado es decir que me decidí sin vacilar por este último partido, como más honroso, por más que halagase mi amor propio el ingresar en tan respetable cuerpo desde luego y cuando no había cumplido aún los veinte y tres años».[8]

Llobregat. Poesías, IV, Barcelona, 1902, pàg. XLI-XLII (en endavant citaré els volums de l'«edició políglota» de les poesies de Rubió i Ors amb la sigla *LGL*); J. AMADE, *Origines et premières manifestations de la renaissance littéraire en Catalogne au XIXe siècle*, Toulouse / Paris, 1924, pàg. 474-475 i 483-484; J. MIRACLE, *La restauració dels Jocs Florals*, Barcelona, 1960, cap. IV. És particularment interessant la inèdita autobiografia de Rubió i Ors a què em referiré tot seguit, ms. (Arxiu Rubió, Barcelona; en endavant AR), fs. 11-12. Ara disposem d'una documentació excepcional d'aquesta història externa (trufada de substancioses informacions «internes»): les cartes intercanviades per Rubió i Ors i el seu contrincant, en el certamen de l'Acadèmia, Tomàs Aguiló: T. AGUILÓ I FORTEZA, J. RUBIÓ I ORS, *Correspondència*, I (1841-1844), a cura de J. Mas i Vives amb la col·laboració d'A.-Ll. Ferrer, Palma de Mallorca, 1999.

5. *Estracto de la sesion pública de adjudicación de premios celebrada por la Academia en el dia 2 de julio de 1842*, dins *Academia de Buenas Letras de Barcelona. Sesión pública del dia 2 de julio de 1842* [...], Barcelona, 1842, pàg. 4.

6. A. RUBIÓ Y LLUCH, *Prólech*, *LGL*, IV, citat, pàg. XLI.

7. La convocatòria del certamen era datada a 20-II-1841. El *Diario de Barcelona* la publicà al dia següent.

8. J. RUBIÓ I ORS, autobiografia, ms. (AR), f. 11-11 v.

El *Roudor de Llobregat* en l'activitat de l'Acadèmia

3. La decisió de convocar el 1841 el certamen que l'any següent va acabar premiant el *Roudor* de Rubió i Ors és coherent amb una dinàmica característica de l'Acadèmia barcelonina d'aleshores, compromesa a satisfer dos ordres d'imperatius: aquells que la identitat de la institució implicava estatutàriament i per inèrcia, a imitació dels certàmens de la Real Acadèmia Española, posem, i uns altres, moguts per la «inquietud» i eficàcia d'aquella Academia «reinstal·lada» després dels trasbalsos liberal i absolutista (la de Pròsper de Bofarull, Muns i Serinyà, Cortada o Roca i Cornet),[9] que procuraven d'incidir visiblement en la societat literària catalana.

M'afanyo a ser reduccionista: això al capdavall volia dir que la institució barcelonina no deixava de reconèixer-se en la querella entre «clàssics» i «romàntics». Era, en efecte, tasca de l'Acadèmia, considerava el secretari Ramon Muns,

> «la inmensa y agitada cuestion de las literaturas clásica y romántica, sus respectivos méritos y defectos, y el modo de aprovechar lo bueno de cada una para formar un todo que plazca igualmente á la razon y a la imaginacion».[10]

4. Ho recordaré amb mots d'Eckermann: «tot el que és gran és formatiu, tan bon punt ens adonem de la seva qualitat de tal». L'estatus acadèmic naturalitzava unes pràctiques institucionals, els certàmens poètics, en què els ideals de magnitud i exemplaritat pedagògica promovien el manteniment de valors literaris «clàssics», o convencionalitzats com a «clàssics»: l'èpica, no cal dir, la poesia èpica, que les retòriques més recents seguien ponderant –per exemple la de Hugh Blair, tan difosa i autoritzada durant tants anys entre els catalans, i que, naturalment, figura en la llista de la biblioteca particular de Rubió i Ors.[11]

Institucions en què sens dubte l'Acadèmia de Bones Lletres de Barcelona s'emmirallava, o si més no a les activitats de les quals sens dubte estava atenta, van exhibir, a propòsit de la poesia èpica, una significativa activitat: antecedents divuitescos a banda,[12] el 1831 la Real Academia Española convoca un concurs (que es falla el 1833) sobre el tema «el cerco de Zamora por el Rey Sancho II»; a la mateixa Real Academia Española es llegeix, el 1836, «un razonado y erudito discurso» que mirava de «probar que la epopeya española [era] poco cultivada y poco discutida», i

9. M. de Riquer, «Breve historia de la Real Academia de Buenas Letras de Barcelona», *Boletín de la Real Academia de Buenas Letras de Barcelona*, xxv (1953), pàg. 293-295.

10. R. Muns, [memòria], dins *Academia de Buenas Letras de Barcelona. Sesión pública del dia 2 de julio de 1842* [...], Barcelona, 1842, pàg. 14.

11. [J. Rubió i Ors], *Inventario de las obras que existen en mi librería en agosto del año 1844*, ms. (AR).

12. M. J. Rodríguez Sánchez de León, «Los premios de la Academia Española en el siglo xviii y la estética de la época», *Boletín de la Real Academia Española*, lxvii (1987), pàg. 395-425.

que «no había sido todavía ni alterada por las nuevas doctrinas ni discutida por su lenguaje», i on es feia «una reseña crítica y completa de los poemas épicos españoles» i s'examinava «en qué consiste el romanticismo aplicado á ellos»;[13] o en 1839 l'Ateneo de Madrid es preocupa també de fixar unes «reglas indispensables para el poema épico que debiera escribirse en nuestra edad»[14] (segons sembla, regles com ara la veritat històrica, l'exactitud descriptiva, la regularitat mètrica, la formalitat lingüística, l'altesa estilística).

5. La decisió dels acadèmics barcelonins de convocar el seu certamen de 1841-1842 neix, doncs, en un context de concurrència de neoclassicisme i romanticisme que, quant al poema èpic, significa o bé els intents de renovació del gènere, alguns en el si de l'àmbit romàntic, com ara el *Pelayo* d'Espronceda (inacabat, començat el 1825), o *El moro expósito* del Duc de Rivas (començat en 1828-1829, publicat el 1834); o bé la convicció del seu definitiu exhauriment –només destorbat, apunta Ribot i Fontseré en l'*Emancipación literaria. Didáctica* (1837) per l'interès mercenari o la inexperiència juvenil:[15] quina temptació de reconèixer-hi el *Roudor*!

Tornem als acadèmics barcelonins: ¿per què han de voler premiar el 1841 «una composición del género épico [...] relativa a la famosa *Expedición de los catalanes y aragoneses contra los turcos y griegos*»?[16] El motiu de «les hassanyes dels antics catalans en Grècia» (per dir-ho amb expressió del baró de Maldà)[17] havia ingressat en el repertori temàtic de les ficcions de l'historicisme espanyol* i alhora constituïa un tòpic del «provincialisme», sobretot a través de la narració de Francesc de Montcada, «nuestro célebre Moncada», diu la convocatòria de l'Acadèmia, que en l'àmbit literari ja havia «donat», en català, a finals del XVIII o començament del XIX, un poema èpic d'onze octaves –segons Max Cahner atribuïble a Ignasi Plana.[18]

Hi havia, doncs, la motivació, o la naturalització, «provincialista». I, d'altra banda, afegint-s'hi (o en el mateix marc del provincialisme), hi havia una deliberada

13. M. ROCA DE TOGORES, Marqués de Molins, *Noticia biográfica del Excmo. Sr. Don Joaquín Ignacio Mencos* [...], Madrid, 1882, pàg. 19 (*apud* F. GONZÁLEZ OLLÉ, «Del neoclasicismo al romanticismo: la evolución de la poesía épica», dins *Estudios de literatura española de los siglos XIX y XX. Homenaje a Juan María Díez Taboada*, Madrid, 1998, pàg. 258-259).

14. F. GONZÁLEZ OLLÉ, *Del neoclasicismo al romanticismo...*, citat, pàg. 254.

15. *Apud* M. JORBA, *Introducció a l'èpica catalana del segle XIX*, *Anuari Verdaguer 1986*, Vic / Barcelona, 1987, pàg. 12.

16. J. MIRACLE, *La restauració dels J. F.*, citat, pàg. 284.

17. M. CAHNER, *Literatura de la revolució i la contrarevolució (1789-1849). Notes d'història de la llengua i de la literatura catalanes*, I, Barcelona, 1998, pàg. 351.

* A recordar el poema *Roger de Flor* d'Alberto Lista (1825) o, en qualitat de possible àpex, l'*Entrada de Roger de Flor en Constantinopla* de José Moreno Carbonero (1888), oli de gran format, encàrrec del Senat espanyol (Madrid, palau del Senat). Sobre el poema de Lista, D. MARTÍNEZ TORRÓN. *El alba del romanticismo español. Con inéditos recopilados de Lista, Quintana y Gallego,* Sevilla, 1993.

18. F. M[ATHEU] y F., «Antigualles», *La Renaxensa*, any II, núm. 11 (1-VII-1872), pàg. 126-127. J. MIRACLE, *La restauració dels J. F.*, citat, pàg. 50-51. M. CAHNER, *Literatura*, citat, I, pàg. 350-369; sobre el poema, pàg. 365-369.

operació estratègica per a la definició del camp literari. El comunicat de convocatòria de l'Acadèmia obria el certamen «a los inquietos españoles, de fuera de su seno» amb l'interès

> «de renovar la memoria de nuestros ilustres progenitores que bajo el glorioso dominio de los Reyes de Aragón crearon en esta capital una academia del *gai saber* o de la *gaya ciencia*, a imitación de la establecida en Tolosa de Francia, donde se celebran todavía a primeros de mayo y con solemne pompa los *juegos* llamados *florales*, repartiéndose los premios a los sobresalientes poetas que concurren a aquel campo de honor para disputarse la gloria del triunfo literario»;[19]

i en el discurs de clausura de l'acte de lliurament de premis, el president en funcions de l'Acadèmia, Albert Pujol, animava

> «á la brillante juventud á [...] concurrir á los sucesivos certámenes que abrirá la Academia deseosa de renovar la memoria de nuestros gloriosos progenitores con el restablecimiento de los *juegos florales* que, anunciados por ella y adoptados ya por el Liceo de Madrid, al que sin duda seguirán otros Cuerpos literarios, harán revivir en nuestra España la emulacion y el saber».[20]

Era, en efecte, com he dit, una operació per a la definició del camp literari: una afirmació de la seva autonomia i autosuficiència respecte del caràcter convencionalment institucional, acadèmic, és a dir subaltern, de la literatura culta: un intent de donar suport, a propòsit d'aquell projecte de jocs florals, a una dinàmica inèdita de producció i consum –i d'institucionalització alternativa. I era una explícita sanció d'una poètica romàntica: la del discurs medievalitzant, historicista, ossiànic, trobadorista.

El poeta Rubió i Ors: el Gaiter del Llobregat

6. És per a aquesta tota deliberada operació que el febrer de 1841[21] l'Acadèmia va anar a buscar Joaquim Rubió i Ors, que des del 16 de febrer de 1839 era el Gaiter del Llobregat.[22]

Rubió i Ors va oferir diverses evocacions de la seva joventut literària:[23] insisteix en la descripció d'uns antecedents romàntics, a través dels quals descobreix el

19. J. Miracle, *La restauració dels J. F.*, citat, pàg. 285-286.
20. *Estracto de la sesion pública...*, citat, pàg. 4.
21. Cf. *supra* § 2.
22. A. Rubió y Lluch, *Prólech*, LGL, IV, pàg. XXIX.
23. P. e. en la necrològica que dedica a Roca i Cornet.

romanticisme, vull dir (Roca i Cornet, *El Vapor*, López Soler, Cortada), i després dels quals ell i la gent de la seva generació, reconeixent-s'hi arravatadament, romàntics, tenen ocasió d'exercir-ne com a moda ja socialitzada. I tal moda incloïa el trobadorisme (o més que incloure'l s'hi realitzava): és a dir, un nodrit hipertext en què hi figurava Ossian, Walter Scott, García Gutiérrez, el *Lorenzo* de Cortada, el Piferrer d'*El castillo de Montsoliu* o els jocs del Liceo de Madrid. Abans del *Roudor*, i també després, Rubió i Ors era algú que havia perfet les seves ambicions de poeta sota aquesta suggestió (que en el cèlebre *Pròlech* de 1841 lamentava haver conegut «molt tard»):[24] fantasiava exercir ell mateix de trobador: emulava el passat trobadoresc en exercicis resolts amb figuracions ruïnistes i medievalitzants tutelades per lemes trobadorescos –era el Gaiter del Llobregat, ni més ni menys.

Però sobretot caracteritzava Rubió aquella extrema tensió vindicativa i programàtica que se substancia en el cèlebre *Pròlech* de 1841[25] (que, va dir Rubió i Lluch, en frase famosa, «en la història del nostre Renaixement» «Ve a ser una cosa semblant [...] a lo que aquell fogós prefaci del *Cromwell* de Victor Hugo»):[26] l'apel·lació a un marc de lleialtat al «geni» de Catalunya, la vocació de genuïnitat, el lliurament a un repertori temàtic (la història i l'amor). És, per exemple, no cal dir, el Rubió de «Mos cantars». Les poesies d'aquest primer moment, diu Rubió i Lluch, «totes duen manifest lo propòsit de fer poesia catalanista».[27]

Amb tot plegat, Rubió i Ors (són mots del seu fill)

> «tot seguit prengué'l posat de restaurador, y convensut de sa missió y de lo transcendental d'ella, no l'abandonà sinó quan los esplets de conreuadors més sortats deixaren enrera los seus primers assaigs».[28]

7. Tot això (el propòsit de fer «poesia catalanista», aquell convenciment en el «posat de restaurador») no vol dir que la corda èpica hi quedés necessàriament implicada, en la vindicació i en el programa. És cert que a «Mos cantars» el Gaiter anuncia ocupar-se de les «grandeses» de Laletània (*LGL*, I, pàg. 16), però es tracta d'episodis històrics medievals l'oblit dels quals, en contrast amb la seva magnitud, no fa sinó justificar un discurs personal de dol i melangia: perquè d'altra banda no és sinó una arpa, «l'arpa dels trobadors» (succedani de la lira ossiànica), allò de què disposa el Gaiter («Mos cantars», *LGL*, I, pàg. 16). (En efecte, dit en mots del professor Jorba, «Rubió i Ors proposava, el 1841, de despenjar les "arpes dels trobadors", no la "trompa èpica"».)[29] I, així, allò que per antonomàsia és la feina del

24. *Lo Gayté del Llobregat. Poesias*, Barcelona, 1841, pàg. VIII-IX.

25. El volum *Lo Gaiter del Llobregat. Poesies* va ser al carrer l'abril de 1841 (A. RUBIÓ Y LLUCH, *Prólech*, *LGL*, IV, pàg. XXXII).

26. A. RUBIÓ Y LLUCH, *Prólech*, *LGL*, IV, pàg. XXXIII.

27. A. RUBIÓ Y LLUCH, *Prólech*, *LGL*, IV, pàg. XXXI.

28. A. RUBIÓ Y LLUCH, *Prólech*, *LGL*, IV, pàg. XXVIII.

29. M. JORBA, *Introducció a l'èpica catalana del s. XIX*, citat, pàg. 18.

Gaiter (feta de «lais d'amor», de «cants populars de les muntanyes» amb què es proposa «entendrir» les «entranyes» dels oients, de rememoració de «cavallers» i «trobadors»),[30] una poesia només excepcionalment projectada sobre l'actualitat,[31] és un obstinat discurs líric regit per un genèric *ubi sunt*.

Roudor de Llobregat

A) Sobre la gènesi

8. A aquest poeta líric, malgrat tot sentimental i adolorit, aviat se li va tornar carregosa la responsabilitat contreta amb l'Acadèmia de Bones Lletres de redactar un poema èpic que fos a l'alçada de l'esdeveniment que pretenia la institució. Acabat de publicar el *Roudor*, Rubió sintetitzava les dificultats que havia hagut de salvar en un passatge a manera d'*excusatio* d'una carta tramesa a Tomàs Aguiló:

> «juzgo inútil recordarte q^e lo mires con indulgencia, pues sabes tan bien como yo lo dificil q^e era hacer caber un asunto tan grande y falto de unidad en el estrecho molde de un poema épico q^e debía ser concebido y creado en pocos meses, y q^e debia ser juzgado por hombres de diferente escuela, entusiastas de principios que caducaron, difíciles de desimpresionarse de sus ideas rancias, y q^e dieron una idea asaz clara de lo poco que comprendían lo q^e es un poema escogiendo un asunto q^e solo cabe en la novela cual la han entendido los alemanes y cual la ha perfeccionado Walter Scott y sus imitadores».[32]

I ho recordava bé en l'autobiografia, d'altra banda:

> «Apenas la hube contraído,[33] consideré la promesa con que acababa de obligarme superior a mis fuerzas; y si bien no pensé ni un momento en retirarla, ni en escusarme de cumplirla, pues tenía empeñada en ella mi honra, iba difiriendo de día en día su cumplimiento; como quien siente haberse metido en un mal paso y va aplazando día por día el ensayar en él sus fuerzas, temeroso de salir mal de él. Gracias a que mi padre me estaba recordando de continuo que se acercaba el término del plazo señalado para la presentación de las obras que aspirasen a los premios ofrecidos, me puse a borronear las primeras octavas de mi poema pocas semanas antes de llegar aquel».[34]

30. «A la mort del jove artista D. Vicenç Cuyàs» (*LGL*, I, Barcelona, 1888, pàg. 60).
31. «A la mort...» (*LGL*, I, pàg. 62).
32. Carta de Rubió i Ors a Tomàs Aguiló de 25-IX-1842 (T. AGUILÓ, J. RUBIÓ I O., *Correspondència*, I, citat, pàg. 50).
33. Se suposa que en moment de rebre aquella visita de Roca i Cornet el febrer de 1841 (veg. *supra*, § 2).
34. J. RUBIÓ I ORS, autobiografia, ms., f. 11 v. (AR).

I tot seguit confessa (en un sorprenent rapte de franquesa inconvenient, diria):

> «Además de la poca facilidad que por punto general he tenido siempre para versificar, acrecentaba la dificultad que tenía, sobre todo al principio de mi trabajo, la ley que me impuse, y que considero como de observancia precisa en las octavas reales, de que no hubiese en las mías ningún final agudo; lo cual es dificilísimo de evitar [...] siempre en catalán, donde tanto abundan».[35]

La feina del *Roudor* va ocupar Rubió, segons consta en el colofó d'un dels manuscrits, del 13 d'agost al 28 de setembre de 1841.[36] Un any més tard ja el devia tenir imprès.[37]

Cal suposar que no és aliè a tot aquell esforç creatiu i (goso dir) de sobreactuació, ni a les inquietuds a què les dilacions de «la apática y calmosa Academia» (segons la queixa de Rubió)[38] sotmetien els aspirants, que després vingués una «segona època del *Gaiter*», diu Rubió i Lluch, en què «A la producció frisosa succehí una calma ensopidora».[39]

B) L'èpica com a problema

9. Forçat, doncs, i ben esforçadament, Rubió i Ors va organitzar de manera canònica, com calia, un poema llarg en tres cants precedits d'una introducció i tancats per una conclusió. Fa, tot plegat, un total de 153 octaves reials.[40]

No sembla rellevant per a l'exercici de Rubió, ni quant a incidència ni pel que fa a la intencionalitat, la producció èpica anterior en llengua catalana. Sí, en

35. J. Rubió i Ors, autobiografia, ms., fs. 11 v.-12 (AR).

36. [J. Rubió i Ors], *Roudor de Llobregat*, ms. A, f. 21: «Fou començat lo poema que antecedeix en lo 13 de Agost, antevigília de Nostra Senyora, y acabat en lo 28 de Setembre de l'any de gràcia MDCCCXLI» (AR). Reprodueix la pàgina J. Miracle, *La restauració dels J. F.*, citat, il·lustració VI.

37. «Tengo la satisfacción de anunciarte q[e] estoy imprimiendo mi *poemito* [*sic*]», escriu Rubió a Tomàs Aguiló el 13-VIII-1842; l'hi tramet finalment el 25-IX-1842 (T. Aguiló i F., J. Rubió i O., *Correspondència*, I, citat, pàg. 47 i 49. N'hi hagué doble edició: una de «familiar» (Estampa de Joseph Rubió) i una altra d'«institucional» (dins *Academia de Buenas Letras de Barcelona. Sesión pública del dia 2 de julio de 1842* [...], citat, pàg. 33-76). Veg., sobre les edicions, «Bibliografia de les obres de D. Joaquím Rubió y Ors (1837-1898)», dins *Real Academia de Buenas Letras de Barcelona. Sesión Pública Inaugural celebrada el dia 12 de enero de 1902*, Barcelona, 1902, pàg. 36; cf. T. Aguiló i F., J. Rubió i O., *Correspondència*, I, citat, pàg. 47 n. 1 i 50 n. 2. Quatre anys després Magí Pers publicava una traducció del *Roudor* a l'espanyol amb abundant anotació històrica: J. Rubio y Ors, *Roudor del Llobregat ó sea los catalanes en Grecia, poema épico en tres cantos*, traducido i [*sic*] anotado por Majin Pers i Ramona, Barcelona, 1846.

38. Carta de Rubió i Ors a Tomàs Aguiló de 25-VI-1842 (T. Aguiló i F., J. Rubió i O., *Correspondència*, I, citat, pàg. 41).

39. A. Rubió y Lluch, *Prólech*, *LGL*, IV, pàg. XLII.

40. La Introducció comprèn 7 octaves, el cant I, 41; el II, 52; el III, 47 i la Conclusió 6.

canvi, el recer sol·licitat a l'autoritat d'Ariosto (em refereixo al lema del *Roudor*: «Pugnai, ma senza speme»): el professor Manuel Jorba exhumava fa uns anys un article a *El Constitucional* del 1837 que afirmava «la superioritat poètica d'Ariosto, "romàntic i cavalleresc", autor d'una obra que ha[via] de ser una mena de llibre de capçalera dels romàntics actuals».[41]

En aquest sentit, la convencionalitat de la disposició del poema, deguda al compromís acadèmic, no ha d'enganyar sobre el fet que és justament la possibilitat de la poesia èpica allò que acaba essent problematitzat en el *Roudor*. Malgrat les aparences, el del *Roudor* és, de fet, un discurs sobre la impropietat de l'èpica (en alineació amb els de Mme de Staël,[42] o de Leopardi),[43] i un testimoni curiós de la dissolució del poema èpic en poesia lírica.

Això no obsta perquè sigui identificable com el primer (en termes cronològics) poema èpic renaixentista –vull dir efectivament inserit en una voluntat programàtica.

C) Sobre la narració

10. Què narra el *Roudor*? En quins termes?

Un narrador, que en la introducció s'identifica com «Paladí i trobador» («Intr.», 2) «Fill de Provença» que, diu, «històries peregrines / Aprenguí de ma pàtria en les muntanyes» («Intr.», 4) i declara haver cantat prop dels reis combats, ruïnes / I amors entorn del foc en les cabanyes» («Intr.», 4), i saber-se «de cor les glòries / Dels crusats» perquè ha «pres part en llurs victòries» («Intr.», 4), exposa la història del guerrer Roudor, «famós» «Tant pel valor com per sa sort impia» (I, 4). Roudor està enrolat en l'esquadra de Roger de Flor armada contra els turcs (en defensa dels grecs, cal notar), viatja en la mateixa galera «Del gran Roger» («Intr.», 5), és a dir, no és un qualsevol, i participa heroicament en les batalles, fins a ser ferit («Intr.», 23-41). Però totes aquestes glòries militars representa que no són res, o queden molt a segon terme, perquè Roudor pateix una contumaç adversitat amorosa –un amor que li és a tothora una font de laments. De fet, els afers bèl·lics no deixen de destorbar els enamorats Roudor i Elena. Fins al punt que és d'amagat que s'han de casar, enmig de la campanya militar –com sempre, els detalls són importants: en un passatge (III, 18 i seg.) que és un ben patent ressò de l'*Atala* de Chateaubriand,[44] els

41. M. Jorba, *Introducció a l'èpica catalana del s. XIX*, citat, pàg. 12.

42. M. de Staël, *De la littérature considerée dans ses rapports avec les institutions sociales*, 1, IX; *id., De l'Allemagne*, 2, IX i XI.

43. Leopardi, *Discorso di un Italiano intorno alla poesia romantica* (1818).

44. Ja va advertir-ne J. Amade (*Origines*, citat, pàg. 483 núm. 2). En efecte, els enamorats Roudor i Elena en la nit del desert són rèplica dels enamorats Chactas i Atala en la nit del bosc, com la irrupció del vell anacoreta de *Roudor* n'és del vell missioner d'*Atala*; semblantment la sort dels enamorats. En l'*Inventario de las obras que existen en mi librería en agosto del año 1844* (ms., AR) Rubió hi assenta una edició de *Les Natchez* («Chateaubriand, les Natchez, 8º frances, 2 t.»).

casa un vell anacoreta (III, 33) en una nit il·luminada per la lluna (III, 30). Poc després del matrimoni secret, Elena mor d'un «colp que al cor anava del atleta», és a dir de Roudor, però que «Caigué [...] sobre el pit de la nineta» (III, 45). (Més detalls: ara vull recordar l'increment truculent: Elena mor quan anava a confessar a l'«ingrat pare» [III, 44] el seu matrimoni: en el punt precís que anava a pronunciar «lo dolç nom d'"espòs"» [III, 45].) Després ve la fúria de la venjança («Concl.», 1), al llarg de «quatre anys llargs« («Concl.», 4), «Anys en hassanyes rics, pobres en glòria» («Concl.», 4), en què Roudor busca la mort «en les batalles, / Mes sols blassons i glòries trobà en elles» («Concl.», 5). Finalment, no pot deixar de lliurar el seu viure a «amargs records» («Concl.», 5). I ell i la seva aventura, el seu mal fat, de què ja havia advertit el narrador («Intr.», 4), són coberts pel vel de l'oblit.

11. Passo per alt allò que ara podem tenir com a evidents inconvenients d'aquesta narració (algunes solucions lingüístiques, una certa malaptesa narradora –per exemple, em sembla que hi ha un risc objectiu d'hilaritat en el fragment, que hauria de ser intensament dramàtic, del rapte d'Elena pel «vil esclau de Jordi» (Jordi és el pare d'Elena), el qual, per a fer-ho més ignominiós, resulta que és un esclau negre i que potser com a negre que és «en impúdic foc cremava» per la noia i per això se l'enduia, per «folgar amb ella a Armènia» (III, 25).

Passo per alt tot això, dic, i tracto de substanciar la història. De fet, ja se n'encarrega el narrador: és, segons ell, la història d'algú, Roudor, que «Si bé bastard, amb ales se sentia / Per pujar, i en los astres lluminosos / Son nom escriure amb sa espasa un dia: / Mes son fat no ho volgué, i sa escassa gloria / S'alçà, brillà, mes se perdé en la història» (I, 4). La bastardia de Roudor és, sembla, un exponent de la dimensió del seu voluntarisme en l'afany de glòria (de glòria militar). Acaba essent una glòria «escassa» en el sentit que no aconsegueix la mort heroica en combat. Però, a més, la «sort impia» (I, 4) de Roudor obstaculitza la satisfacció d'una alternativa privada als seus defraudats interessos públics: no resulta possible la satisfacció sentimental –no és possible la «joia del món» que facilitaria l'amor («tota», segons sembla),[45] una mena de succedani socorredor, sembla entendre's (II, 10). Es veu, doncs, Roudor, condemnat a una existència dolent (però que en el fons no és sinó una existència comuna), lliurat a una devastadora melangia («Concl.», 5) que, a les seves velleses, «La mà sobre un bastó, l'arpa en darrera», tornat «del Llobregat a la ribera», converteix en cançons adolorides («Concl.», 6). I Roudor, que volia «en los astres lluminosos son nom inscriure» (I, 4), és, finalment, esborrat de tota memòria («Concl.», 6).

D) Sobre la tematització

12. Es tracta d'una història que, bàsicament, trava dos constituents temàtics d'inequívoc signe romàntic. Un, el tema de l'oposició entre glòria i amor, ser soldat

45. «Tot lo joy del mon es nostre, / Domna, s'amduy nos amam»: lema, extret del Comte de Poitiers, en «Lo Gaiter del Llobregat» (*LGL*, I, pàg. 2).

o ser joglar, o, dit en altres termes, la disjuntiva entre ser a la palestra de la història o constituir un espai íntim –i retirar-s'hi. L'altre és el tema metaliterari, o metapoètic: la qüestió de la identitat, o les condicions, de la poesia i del poeta.

Un i altre són característics de la poesia de Rubió i Ors, i al *Roudor* Rubió n'articula un sentit global i el projecta sobre ell mateix, sobre la seva trajectòria de poeta, i sobre l'actualitat de la societat literària catalana, inclòs el certamen acadèmic al qual s'havia avingut de concórrer amb el *Roudor*. Rubió advertia a Tomàs Aguiló que calia considerar el *Roudor* «como un apéndice» a les seves poesies de «gaiter»:[46] diria que Rubió, que acabaria identificant la «trompa èpica» amb els compromisos laborals,[47] avisava de la connexió del seu *Roudor* amb la resta de la seva obra de poeta –avisava del valor metaliterari, justificatiu, del *Roudor*.

13. (Història *vs.* espai íntim.) En el *Pròleg* de 1841 el Gaiter precisament tenia cura de referir-se a l'aparent contradicció entre l'espectacle de l'agitació històrica i els seus afers de poeta.[48] Doncs bé: aquest mateix Gaiter és convidat a cantar les «hassanyes» dels catalans a Grècia. Cito Eckermann: «de què servirien els poetes si només haguessin de repetir el que diuen els historiadors?».[49]

Roudor és, en efecte, ubicat en l'escenari adequat per a la «glòria» que pretén: un moment històric estel·lar. Però en realitat constata, «Las d'una vida [la vida militar] en què amb una sageta [no pas militar, sinó la sageta de l'amor] / cada minut que passa son cor llaga» (III, 16), constata (dic) que el trasbals de la història és fet de crueltats, de deslleialtats, d'injustícies: d'un excés d'humanitat: per a ell personalment una condemna de què no es pot evadir. Definitivament, un teló de fons obscur, fantasmagòric, sobre el qual les ambicions mundanes destaquen com a mera *vanitas*. Perquè el riu de l'oblit flueix impertorbable:[50] n'és metonímia aquest Llobregat a la riba del qual es retira Roudor –i a la riba del qual apareixerà un Gaiter.

(Em permeto una postil·la a propòsit d'aquest discurs tan desdenyós sobre la història, és a dir sobre l'atenció a l'actualitat. El mateix Rubió i Ors facilita sobre aquesta qüestió un perfecte exemple que permet de notar que una cosa és un discurs

46. Carta de Rubió a Aguiló de 25-IX-1842 (T. AGUILÓ i F., J. RUBIÓ I O., *Correspondència*, I, pàg. 50).

47. Escriu a Tomàs Aguiló, amb motiu d'una visita a Barcelona d'Isabel II: «Otra vez he empuñado la trompa épica y me tienes convertido en una máquina de hacer octavas» (carta de 25-V-1844; T. AGUILÓ I F., J. RUBIÓ I O., *Correspondència*, I, citat, pàg. 119).

48. *Lo Gayté del Llobregat. Poesias*, citat, pàg. III-IV. El *Pròleg* és datat a «Abril de 1841» (pàg. XII).

49. J. P. ECKERMANN, *Converses amb Goethe* [...], trad. J. Bofill i Ferro, Barcelona, 1994, pàg. 222 (anotació de 31-I-1827).

50. «Al Llobregat» (*LGL*, I, pàg. 22-28). Reitera el *topos* en carta a Tomàs Aguiló de 14-VIII-1844: «Mañana [...] voy a Martorell: mañana me sentaré por segunda vez al pie de un puente por el cual han pasado veinte siglos casi sin deteriorarlo y a la orilla de un río que me ha inspirado algunos centenares de versos que se perderán como los murmullos de sus aguas, o como los recuerdos que envueltos en ellas hace tantos y tantos siglos que van a sumergirse en el vecino mar» (T. AGUILÓ i F., J. RUBIÓ I O., *Correspondència*, I, citat, pàg. 126).

literari convencionalitzat i una altra els valors socials vigents, projectables en un altre discurs literari no pas menys convencionalitzat: en un poema en castellà que dedica «A S. M. la Reina Madre» aconsella a uns estudiants de belles arts exactament el contari: «Lanzaos á la senda de la gloria / [...] / Trabajad por vivir en la alta historia».)[51]

14. En aquests termes, el *Roudor de Llobregat* adquireix un caràcter d'història, o de discurs fundacional, que l'escenari mediterrani (encara més: mediterrani oriental), l'escenari d'una «natura antiga» de gran rendiment evocador, no fa sinó emfasitzar.

Una història fundacional característicament occidental: la guerra, el perill, l'adversitat són inevitables, però és a través seu que la vida humana adquireix un sentit abastable.[52] La diferència és que la història de Roudor és sota el signe de la renúncia: en denunciar la frivolitat d'un lliurament a la joia vital de l'aventura (i a les fantasies que comporta), es converteix en una lliçó d'austera discreció. (De sobrietat ascètica, anava a dir.)

15. (La identitat de la poesia.) Roudor renuncia a l'aventura i es lliura «A sos somnis d'amant i de poeta» (III, 22). Una cosa va amb l'altra. Pot afirmar, com Chateaubriand, «haver posat la mà» en el seu segle, però mantenir el pensament «en el desert»[53] (és a dir, asèticament alliberat de les noses del món). Renuncia al poder i la riquesa de «los reis», a aquesta «nit obscura» de vanitat, i tria el «dolç paradís» en què pugui prostrar-se «als peus de sa bellesa, / Sens los perills que als grans del món amaguen» (II, 12, 13).[54] Tria el sentir (del qual l'amor és exponent metonímic) en detriment de qualsevol acció deliberada: afirma la primacia del sentir. I és en la mesura que el sentir és frustrat (o que l'atzar destorba la felicitat) que es projecta literàriament, i es fa poesia: Roudor torna a la riba del Llobregat «on, com cisne, morí sos dols cantant» («Concl.», 6). La poesia es fa vehicle del sentir adolorit.

16. El lema d'Ariosto, l'apel·lació a Ariosto (el clàssic més romàntic, en afers d'èpica: *cf. supra* § 9), que obre el *Roudor*, sembla significar tota aquesta operació explicativa, vull dir justificativa. (Inclosa la significació de la dissensió, o de la fractura personal, o de la sentida incomoditat, del Gaiter respecte de l'actualitat històrica.) «Pugnai, ma senza speme», diu el lema.[55] Desentès del món Roudor esdevé, en

51. J. Rubió y Ors, *A S. M. la Reyna Madre Doña Maria Cristina de Borbon con motivo de la solemne reparticion de premios á los alumnos de las escuelas de nobles artes* [...] *en el salon de la Casa Lonja de esta ciudad* [...], Barcelona: Imp. de José Rubió, 1844, estrofa xxii.

52. R. Argullol, *Territorio del nómada*, Barcelona, 1993, pàg. 180.

53. Chateaubriand, *Mémoires d'outre-tombe*, 44, 8: «Pauvre et riche, puissant et faible, hereux et misérable, homme d'action, homme de pensée, j'ai mis ma main dans le siècle, mon intelligence au désert» (ed. M. Levaillant i G. Moulinier, Pléiade, ii, París, 1969, pàg. 934-935).

54. Cf. *LGL*, i, pàg. 6: per al Gaiter no hi ha cap cosa més preuada («fins d'ésser rei deixaria») que «ses trobes amoroses / I ses muntanyes frondoses».

55. Rubió i Ors s'hi refereix fugaçment en l'autobiografia inèdita (AR): «No para hacer un [...] alarde de fingida modestia puse por lema de mi poema el de *Pugnai, ma senza speme*» (f. 11 v.)

efecte, un guerrer «sense esperança», que n'ha vist de tots colors, però que ara només vol una vida retirada, íntima, simple, modesta, tranquil·la, lliure, allunyada de vel·leïtats i aventures, i resolta en la poesia. «Piú si va addentro a scoprire il vero nel cuore dell'uomo, piú si trova poesia vera», escrivia Manzoni.[56]

Conclusió

17. A manera de conclusió, voldria recordar i puntualitzar el següent:

a) El 1841, l'Acadèmia de Bones Lletres de Barcelona, en un moment particularment actiu i ambiciós de la seva història, va engegar una iniciativa amb què pretenia projectar-se socialment i incidir en la literatura viva del moment: va convocar un certamen literari en què s'havia de premiar un poema èpic sobre el tema dels catalans a Grècia. L'Acadèmia preveia que l'acte públic de lliurament de premis contribuís decisivament al vell projecte de restabliment dels jocs florals.[57] La mateixa institució, que oficialment deixava «al gusto del autor la elección del metro y del idioma castellano o catalan en que quisiese [el poema] escribirlo»,[58] va promoure la participació del jove Joaquim Rubió i Ors, que des de 1839 feia campanya com a «Gaiter del Llobregat», i va demanar-li privadament (segons conta Rubió i Ors en la seva autobiografia) que escrivís el seu poema en català. Rubió i Ors va endur-se el premi. Voler premiar Rubió, i finalment premiar-lo, eren intencions i fets carregats de significació literària i ideològica, que va aguditzar-se pel fet de guardonar-lo després d'haver publicat el volum de poesies, el 1841 mateix (poc després de la convocatòria del certamen), amb el cèlebre *Pròleg*.

b) Rubió i Ors va ser guardonat públicament, en un acte tot teatralitzat que va causar sensació. En un determinat ordre de coses, el de menys va ser la literalitat del *Roudor* (la lectura del qual era constreta per unes expectatives limitades per les moltes servituds que havia de retre el poema: acadèmiques, provincialistes, genèriques) i el de més, de més definitivament rellevant, la litúrgia institucionalitzadora amb què la corporació va voler acompanyar el lliurament de premis.

c) Rubió i Ors va respondre a les sol·licitacions acadèmiques amb un poema efectivament «èpic» (ho declarava així el subtítol), curós amb les formes (tenia cants, octaves reials, invocació èpica, un estricte rigor), trufat d'al·lusions a peces

56. A. MANZONI, *Materiali Estetici*, VII, [I] (*ID.*, *Tutte le opere*, a cura di A. Chiari e F. Ghisalberti, V, III, Milano, 1991, pàg. 49).

57. *Estracto de la sesion pública...*, citat, pàg. 4.

58. R. MUNS, [memòria], dins *Academia de B. L. de B. Sesión pública. del dia 2 de julio de 1842* [...], citat, pàg. 30.

canòniques del gènere (Ariosto). Però en realitat es tractava d'un «apèndix» explicatiu de la seva identitat literària en què eren activats textos, temes i motius estel·lars de l'univers romàntic: els trobadors, Ossian, Chateaubriand, l'exili, l'amor impossible. Allò que en realitat Rubió tematitzava en el *Roudor* eren els motius de la seva condició de «Gaiter», és a dir, de poeta ossiànic –mitjançant una història també ossiànica, val a dir: Roudor és guerrer i poeta; és una veu personal melancòlica; és, al final dels seus dies, un vell bard que dóna veu a un món liquidat. Rubió i Ors s'hi justificava: justificava la seva mena de romanticisme i desacreditava (les maneres guardades) qualsevol altre possible literari, inclòs, paradoxalment, el patrocinat per l'Acadèmia, a què ell figurava que contribuïa.

d) Hi justificava, he dit, la seva mena de romanticisme. Per a un català de 1818, com era Rubió, que tenia Mme de Staël a la seva biblioteca era un fet d'obvietat palmària que així com l'ordre antic (vull dir l'antic règim) «havia produït» el classicisme, els trasbalsos revolucionaris «havien produït» el romanticisme. I que, doncs, reclamant-se ell mateix romàntic li calia una llei de romanticisme que, de tals trasbalsos, dels trasbalsos de la història, en fes abstracció.

e) Calia, doncs, com a mesura bàsica, denunciar la tirania de la història (calia «destruir el món», en termes de Jean Paul Richter). Enfront de la idea, per exemple manzoniana, que la història és la font primordial de la poesia,[59] el *Roudor* insisteix en el seu (de la història) caràcter de nosa. Diu Goethe: «Amb els homes, totes les possibilitats han quedat esgotades. Amb Aquil·les i Ulisses, el més valent i el més prudent, Homer ens ho ha arrabassat tot».[60] Les gestes dels homes les engoleix l'oblit (i d'altra banda en tenim paradigmes suficients), mentre que, cal concloure, l'esperit perdura.

f) El *Roudor* resulta ser una reivindicació de l'espai personal (de l'íntim, del subjectiu) i de la veu lírica que l'expressa. Proposa de substituir l'apel·lació èpica a l'admiració per la possibilitat de la sintonia personal. Com el Chateaubriand de les *Mémoires d'outre-tombe*,[61] el guerrer Roudor pot exhibir un espectacular currículum de viatges, aventures i batalles: ha fet història i en podria escriure, però tria i reivindica una solitud indigent en la qual es basteix com a subjecte.

g) Roudor canta els seus dols acompanyat d'una arpa («Concl.», 6): la clausura de la ficció dóna una imatge (ben previsible, no cal dir) al paradigma alternatiu a l'«home de lletres il·lustrat», al literat curiós i erudit: és l'hora postrevolucionària, contrarevolucionària, de l'escriptor (de la «consagració» de l'escriptor, diu el títol de Paul Bénichou[62] que estudia algunes de les fonts de què bevia Rubió i Ors) amb una missió espiritual a acomplir.

59. A. MANZONI, *Lettre à Monsieur Chauvet sur l'unité de temps et de lieu dans la tragedie* (1820).

60. J. P. ECKERMANN, *Converses...*, citat, pàg. 243.

61. 44, 8 (ed. citada, II, pàg. 935-936).

62. P. BÉNICHOU, *Le sacre de l'écrivain. 1750-1850. Essai sur l'avènement d'un pouvoir spirituel laïque dans la France moderne*, París, 1973.

UN COL·LOQUI SATÍRIC VALENCIÀ DE JOAN BAPTISTA ANYÉS (1543)

Eulàlia Duran

Universitat de Barcelona

L'autor

Joan B. Anyés nasqué a València el 1480 i hi morí el 1553. Era d'una família originària de Gènova, per part de pare (de cognom Agnesi). Es formà a la recent fundada Universitat de València on estudià humanitats i es doctorà en teologia. Acabats els estudis, el comte d'Oliva Serafí de Centelles, poeta i mecenes i una de les figures més prestigioses de la noblesa valenciana,[1] li encarregà l'educació del seu nebot i hereu Francesc Gilabert de Centelles.[2] Passà a residir al Palau Comtal d'Oliva i des d'aleshores estigué vinculat estretament als Centelles. El seu deixeble Francesc mantingué amb Anyés una relació molt estreta, que continuà i s'accentuà quan esdevingué duc el 1536 a la mort del seu oncle. Durant la Guerra de les Germanies (1519-23) es trobà dividit entre la seva fidelitat a la noblesa i la comprensió per la causa agermanada; era parent d'alguns dels dirigents revolucionaris. El 1538, per manament del nou comte d'Oliva Francesc Gilabert de Centelles[3] emprengué la catequització dels moriscs de la vall d'Aiora, vassalls del comte. L'any següent obtingué, gràcies a aquest, un benefici a la Seu de València. Es retirà a viure al camí de Morvedre, als afores de València, prop del monestir de monges agustines. Allí escriví bona part de les seves obres, algunes publicades a València, a compte del seu fidel deixeble.

No va pertànyer, per tant, al món universitari valencià d'una manera professional, però sí que mantingué un contacte estret amb professors universitaris. Havia

* Versió ampliada de la inclosa a la Introducció al llibre *Joan Baptista Anyés, Obra profana. Apologies, València 1545*. Introducció d'Eulàlia Duran i Grau. Edició del text llatí i traducció catalana de Martí Duran i Mateu, Barcelona, 2001.

1. Serafí de Centelles, segon comte d'Oliva havia pres part a les campanyes de Ferran II a Nàpols i tingué una actuació destacada durant les Germanies.

2. Francesc Gilabert de Centelles era fill de Querubí de Centelles, germà de Serafí.

3. Francesc Gilabert de Centelles havia heretat el títol dos anys, abans arran de la mort del seu oncle Serafí de Centelles.

estat possiblement condeixeble –tenien la mateixa edat– del poeta i professor Joan Àngel i Gonsales (1480-1548) que entrà a la Universitat com a professor de retòrica el 1516. Connectà també als anys vint amb una famosa deixebla d'aquest, Àngela Mercader-Sabata, senyora d'Argeleta, que aglutinava entorn de la biblioteca de casa seva a la ciutat de València un cenacle literari format per professors i poetes llatinistes.[4] La sintonia entre Anyés i Joan Àngel queda també palesa amb els respectius poemes que figuren entre els preliminars de la gramàtica grega del també professor Jeroni Lledesma,[5] publicada a València el 1545 i dedicada a l'aleshores duquessa de Calàbria Mencía de Mendoza. Aquest degué ser l'ambient propi d'Anyés, l'universitari centrat en els problemes de l'educació de la joventut en el sentit humanístic del terme dins la línia de Joan Lluís Vives, sempre present, a través de la seva obra, a la seva València natal i lloat per Anyés com a «immortal patró de les bones lletres».

En canvi, l'ambient literari cortesà i més mundà preocupat pels problemes de l'amor que imperava al palau de Serafí de Centelles deixà Anyés més aviat indiferent. Serafí era, a més de comte, poeta, i es rodejà de nobles i cortesans que crearen al seu entorn un refinat ambient literari.[6] Poemes en castellà del mateix comte i d'alguns dels seus assidus contertulis figuren al *Cancionero General* d'Hernando del Castillo, en l'edició del qual, el 1511, el comte havia intervingut. Possiblement, però, aquesta cort nobiliària el posà en contacte amb diversos membres de l'alta noblesa valenciana i el portà a identificar-se amb els problemes de fidelitat que aquesta tingué arran de la seva conducta durant les Germanies. Per això, perquè com a bon humanista estava al servei dels interessos de la noblesa, dedicà poemes a alguns dels que destacaren en la lluita contra els agermanats, en especial el duc de Gandia Joan de Borja (nét del papa Alexandre VI i pare de sant Francesc de Borja), els ducs de Sogorb, l'infant Enric d'Aragó (1445-1522) i el seu fill i hereu Alfons d'Aragó (1480-1563), el marquès de Cenete Rodrigo de Mendoza i en especial el duc de Calàbria, Ferran d'Aragó sobretot quan vidu de Germana de Foix es casà el 1540 amb Mencía de Mendoza, filla del Marquès.[7]

4. Àngela Mercader-Sabata i Boïl, senyora d'Argeleta (a l'Alt Millars, zona de parla castellana) filla i hereva del senyor d'Argeleta Pere Mercader i Sabata i de Lucrècia Boïl. Segons G. Escolano (llibre VIII, pàg. 719), estudià llatí, filosofia i teologia i els mestres de la Universitat la consultaven. Estava casada amb Jeroni Escrivà de Romaní (mort el 1563). Lluís Vives en féu un calorós elogi al seu *De institutione feminae christianae* (1523), com a exemple de dona que sabia compaginar la intel·ligència i l'enginy amb l'honestedat i el seny, i la compara amb les filles del seu amic Thomas More. La biblioteca de casa seva, a València, aglutinava un cercle literari del qual parla Lluís Vives al diàleg 22 del seu *Linguae exercitatio* (1538).

5. Jeroni LLEDESMA, *Graecarum institutionum*. València, Mei, 1545.

6. Reflectit en l'obra del anomenat batxiller XIMÉNEZ, *Purgatorio de amor* publicada al *Cancionero General*.

7. Mencía Mendoza i de Fonseca (1508-1554), filla gran i hereva del marquès Rodrigo de Mendoza. A la mort d'aquest el 1523 es casà amb el comte Enric de Nassau. Vídua el 1538, es casà el 1540 amb el també vidu Ferran de Calàbria i passà a residir a València. Sobre la seva educació refinada i amistat amb erasmistes, vegeu M. BATAILLON, *Erasmo y España*, Madrid, 1983, p. 487.

Com a sacerdot es mantingué al servei dels arquebisbes de València, Jordi d'Àustria i Tomás de Villanueva, als quals dedicà alguns poemes i defensà la utilització de mètodes pacífics per resoldre el problema de l'assimilació i conversió dels moriscs creat pels agermanats.

La seva extensa obra és escrita majoritàriament en llatí, tant la religiosa com la profana, llevat de dues obretes de to més popular escrites en català.[8]

Tingué ja en vida fama de virtuós (ha estat conegut amb el nom de «venerable Agnés») i fou tradició que santa Agnés, considerada per la família com a avantpassada seva, es desposà místicament amb ell; a causa de la seva veneració per la santa, firmà els seus escrits catalans amb el cognom *Agnés* i els llatins amb el d'*Agnesius*.

El col·loqui

El *Col·loqui de Pasquí i Gonari* fou inclòs (folis 54-54 v.) a l'edició valenciana de 1543 de les *Apologiae* d'Anyés, a càrrec del comte Francesc Gilabert de Centelles i dedicada al duc de Calàbria Ferran d'Aragó. Les *Apologies*, en vers i en prosa, són unes lloances èpiques i poètiques de l'actuació de la noblesa valenciana durant la Guerra de les Germanies escrites en un artificiós llatí humanístic. Les contínues glosses erudites als poemes constitueixen una de les primeres cròniques de les Germanies. L'edició inclogué al final una sèrie de poemes circumstancials entre els quals, el nostre col·loqui. El context ens indica, per tant, que el tema pot estar més o menys relacionat amb les Germanies, com ho està pràcticament tot el volum.

El col·loqui, de tema miscel·lani, consta de setanta-vuit dístics llatins podria ser el priemr col·loqui català publicat en llatí i s'insereix plenament en el gènere col·loquiat tan prolífer durant el Renaixement llevat dels primers catorze primers versos que constitueixen una narració introductòria. Es tracta d'un col·loqui jocós, àgil, irònic i a vegades satíric però que conté també un cert caire moralitzant, escolar, gènere insòlit en l'autor però no a l'època. Els dos interlocutors que dialoguen no són persones sinó estàtues o busts de pedra, una de romana, Pasquí, esdevinguda famosa per les seves incisives pasquinades, primer jocoses però més tard satíriques. Pasquí era el nom donat a un tors, potser de gladiador, fet erigir de nou pel cardenal Oliviero Carafa el 1501 en una cantonada del palau Brasqui. Cada any, el 25 d'abril

8. Joan Baptista Anyés, *Obra catalana*, a cura de Max CAHNER, Barcelona: Curial, 1987, on consta la bibliografia; J. A. ASENJO, «Optimates laetificare: la Égloga in Nativitate Christi de Joan Baptista Anyés o Agnesio», *Criticón*, 66-67, 1996. J. B. ANYÉS, *Obra profana. Les Apologies*, Introducció d'E. Duran i edició i versió catalana de M. DURAN, Barcelona: RABLLB, en premsa.

la gent li enganxava composicions jocoses o satíriques que després eren recopilades i editades. Pasquí era disfressat de déus diversos en sentit al·legòric a una personalitat del moment. L'altre interlocutor era Gonari, també un bust que es trobava en un cantó de la Llotja de l'Oli a València, al qual Anyés atorgà un paper similar al romà. Rebia popularment el nom d'Engonari, i tenia, fins i tot un carrer dedicat a ell però no consta que exercís un paper popular similar al de Pasquí a Roma. Es tractava d'una estàtua d'Atlas o d'un atlant que aguantava un edifici, la llotgeta de l'Oli. Era un gegant ajupit o mig doblegat pel pes esclafador de la Terra.[9] El fet que s'establís un diàleg entre dues estàtues no era una novetat: a Roma també Pasquí dialogava amb una altra estàtua pròxima Marphorius (Mart al fòrum romà).[10] Existien altres estàtues dialogants com el Facchino de Via Lata de Roma o el Gobbo del Rialto venecià. Que les edicions de pasquinades arribaven arreu, en tenim prova en la carta que el clergue mallorquí Pere Joan Freixe, datada a Roma el 20 de gener de 1537 i dirigida al seu germà Bartomeu a Ciutat de Mallorca dient-li que li enviava «còpia estampada del que ha dit aquest any lo nostre ciutadí romà mestre Pasquino».[11] L'èxit d'aquest tipus de literatura devia ser gran fins al punt que el canonge de Morvedre Bernardí Gómez Miedes va escriure contra les pasquinades, segons ell pernicioses i indignes, perquè qüestionaven el principi d'autoritat (1572).[12]

El nostre col·loqui pretén seguir la línia dels pasquins romans i queda, per tant, al marge del gènere dels col·loquis clàssics hereus de Ciceró o de Lucià, entre altres raons perquè és escrit en vers,[13] però, queda lluny de l'agressivitat dels pasquins romans que atacaven o posaven en evidència personalitats concretes de la política o de l'església, fet que li donaven un caire de libel (és el cas de Pietro Aretino); Anyés més aviat apunta les seves sagetes, de manera genèrica, contra la manca de justícia, la depravació moral de la ciutat, però dedica, en canvi, la part central a una lloança de la ciutat de València i en especial de l'alta noblesa; acaba amb unes disquisicions sobre la saviesa i la demència. Els jocs de paraules i la ironia fa que calgui vigilar-ne la interpretació perquè sovint afirma el contrari de la realitat, fet que devia provocar el

9. Joan COROMINES, *Diccionari,* s. v.

10. Un *Dialogus de donatione laureae Barabelles. Interlocutores Pasquillus et Marphorius* apareix a continuació de l'ègloga nadalenca de J. B. Anyés en el volum factici publicat a València el 1527 (ex. de la BNM, R.-27032). Julio Alonso ASENJO, «Optimates laetificare: la *Egloga in Nativitate Christi* de Joan Baptista Anyés o Agnesio», *Criticon*, 66-67, 1996, pàg. 320. En un manuscrit de pasquinades del segle XVIII, titulat *Discorsi politici e pasquinate fatte nella sede vacante d'Innocvencio* XI (BNM, ms. 1388) figuren alguns d'aquests diàlegs satírics sobre l'elecció del nou pontífex i un llarg (ff. 257a - 284b) «Dialogo fra Diogene e Pasquino», J. SOLERVICENS, *Cristòfor Despuig i el Col·loqui durant el Renaixement*, vol. I, pàg. 98-99, II, pàg. 490 (tesi doctoral inèdita presentada el 1992 a la Universitat de Barcelona).

11. *Epistolari del Renaixement*, a cura de Max CAHNER, València: Clàssics Albatros, 1978, vol. I, pàg. 194.

12. Bernardino Gómez Miedes, *Commentar de Sale*, libr. III, c. LXXX, València: Pedro de Huete, 1572, pàg. 247 i seg., citat per Julio Alonso Asenjo, *op. cit*., pàg. 320.

13. Josep SOLERVICENS, *El diàleg renaixentista*, Barcelona: PAM, 1997, cap. I, «El renaixement del diàleg: vers una caracterització del gènere», pàg. 9-34.

riure al lector d'aleshores i que ara se'ns pot escapar. Estableix continus paral·lelismes entre els déus i les personalitats valencianes destacades, de les quals, irònicament en fa un panegíric el mateix Pasquí que inverteix així el seu paper satíric. No ataca cap personalitat, ni civil ni eclesiàstica, i en tot cas és Gonari que matisa els elogis de la ciutat: ciutat sense justícia, lliurada als crims, malgastadora, donada a la mol·lície i als plaers.

La situació de la ciutat i del regne de València s'havia radicalitzat. D'una banda, feia relativament poc que la Germania havia estat sufocada per la noblesa i l'exèrcit reial; els oficis havien estat inculpats solidàriament i, després d'algunes sentències a mort, la repressió derivava cap a penes pecuniàries que deixaven en situació difícil la recuperació de l'abans florent indústria valenciana.[14] La revolta és ben present al col·loqui. D'altra banda, era patent l'ostentació de la triomfant noblesa valenciana que vivia en un món de luxe i d'alegria. Des del 1526 els moments de les festes, saraus, justes, farses, representacions de tota mena, els jocs enginyosos, l'engalanament dels carrers i de les cases sovintejaven i eren recordats pels escriptors: la vida cortesana brillant que des del Real envaïa tota la ciutat que ignorava el dolor i la misèria dels derrotats.[15] La ciutat de Roma, per la seva banda, havia passat, també, per moments difícils arran del saqueig de la ciutat i del Vaticà per les tropes imperials el 1527. El fet havia estat un trauma, vist amb alegria per uns –els erasmistes– que hi veien un senyal de la desaparició del patrimoni terrenal de l'Església, però també com una desgràcia per la violència, les morts i la destrucció que comportà.[16]

La curta introducció narrativa prepara l'acció. Pasquí arriba a València i es troba amb el mateix autor, que s'estava davant de casa seva al camí de Sagunt a qui pregunta pel seu compare Gonari; després d'un joc de paraules amb els verbs «sosté» i «manté» l'autor li aclareix que es tracta d'una pedra. Pasquí entra a la ciutat i troba Gonari amb qui inicia el col·loqui pròpiament dit. Després de les presentacions de rigor inicien la conversa comparant les dues ciutats Roma i València, basant-se en el fet que no feia gaire que s'havia difòs la teoria que el nom antic de València era precisament Roma i que l'havia canviat arran de la fundació de la Roma romana.[17] Les dues ciutats tenien en comú, segons ells, l'excessiva llibertat propícia als vicis i a la mollera, però hi ha una diferència. Segons Gonari, a Roma tothom roman sense càstig, afirmació a la qual replica Pasquí amb l'argument que Roma no deixa impunes els malvats, amb una possible al·lusió al saqueig de Roma de 1527. València, en

14. E. DURAN, *Les Germanies als Països Catalans*. Barcelona: Curial, 1982.

15. Sobre les festes religioses i pel jurament dels furs vegeu *El libre de antiguitats de la Seu de València*, pàg.121-135

16. André CHASTEL, *Le sac de Rome*, 1527, París, 1984 (ed. francesa; 1a edició en versió anglesa el 1977).

17. Antonio DE PROAZA, *Oratio luculenta de laudibus Valentiae*. València: 1505. Discurs llegit a la Universitat de València en presència dels jurats de la ciutat. L'autor hi insereix un romanç en castellà (foli 19a) «Valentia, cibdad antigua / Roma primero nombrada». (F. J. NORTON, *A descriptive catalogue of printing in Spain and Portugal 1501. 1520*, Cambridge: Cambridge University Press, 1978, pàg. 450).

canvi, corona els malvats (els agermanats) i els acull. Gonari ataca la crueltat dels juristes i en general la depravació de la ciutat.

Deixen aleshores la crítica i passen a les lloances. Pasquí fa les de València tot adaptant-se als tòpics de les *laus civitatis* medievals: l'emplaçament, el clima, la nombrosa població, molta de forana, la florida de les lletres, de les muses, les arts sagrades, oradors, poetes, metges, la noblesa (el duc de Sogorb Alfons d'Aragó, el duc de Gandia Joan de Borja, el comte d'Oliva Serafí de Centelles) que la feien adequada a esdevenir la capital d'Espanya. Dedica aleshores uns elogis més elaborats a tres personalitats rellevants en la vida valenciana: el duc de Calàbria, el príncep de Salern i Mencía de Mendoza, nova duquessa de Calàbria.

A continuació Gonari insisteix en l'aspecte negatiu de la societat valenciana, la ruïna, la pobresa, els deutes, la fam. I acaba amb una discussió sobre la prolixitat de l'ús de les màscares més lasciu a València que no a Roma i que afecta fins els sacerdots «seguidors de Venus» seguint una vegada més el tòpic divulgat per Bandello referint-se a València: «In tutta Catalogna non é piú lasciva ed amorosa città».[18] Deriva aleshores la conversa sobre l'amor i el seus efectes i si els seus seguidors són o no folls o dements i acaba amb una lloança de l'amor diví com a màxima follia o saviesa. Finalment, Pasquí reconeix que València i Roma són iguals en tot, però que València supera Roma en les lletres.

El col·loqui trasllueix algunes influències. La teoria que el nom antic de València era Roma fou una invenció d'Annio de Viterbo en la seva obra *Commentaria super opera auctorum diversorum de antiquitatibus loquentium* publicada a Roma el 1498, en la qual dedica una part a relatar els mítics vint-i-quatre reis hispànics. El xxè rei, Romo, hauria fundat València i li hauria donat el nom de Roma. Quan els romans fundaren la Roma del Laci, la Roma hispànica canvià el nom per València, que en arameu equivalia a Roma en llatí. Annio no s'està d'elogiar la ciutat tan lligada als papes Borja; ell era familiar d'Alexandre XVI.[19]

Les lloances a la ciutat podrien inspirar-se en les aportades pel lul·lista Antonio de Proaza en la seva *Oratio* llegida i publicada el 1505 que acaba precisament amb una contraposició entre València i Roma.[20] Aquest tipus de panegíric seguia uns cànons ben establerts des de la tardana antiguitat i que esdevingueren populars en la poesia romana, en les *laudes Romae*. Anyés els segueix puntualment sense oblidar el conreu de les arts i de la ciència i sense connotacions religioses que s'havien anat introduint a l'època medieval.[21] La pugna entre les dues ciutats de

18. Citat per Joan Fuster, *Nosaltres els valencians*, Barcelona, 1962, pàg. 48.

19. El capítol dedicat als reis hispànics és intitulat *De primis temporibus et quatuor ac viginti regibus Hispaniae et eius antiquitate.*

20. *Oratio luculenta de laudibus Valentiae*, València, L. Hutz, 1505. Cf. Mcpheeters, *El humanista español Alonso de Proaza*. Madrid: Castalia, 1961.

21. E. R. Curtius, *Literatura europea y Edad Media Latina*, Fondo de cultura económica, 1955 (1a ed. original 1948), i, pàg. 228-229.

Roma i València la trobem ja en el col·loqui del catedràtic de València i amic d'Anyés Joan Àngel i Gonsales que publicà el 1527, dedicà al duc de Calàbria Ferran d'Aragó i fou recitat davant dels ducs.[22] En aquest col·loqui escolar tributari dels *Col·loquis* d'Erasme, els dos interlocutors són estudiants; Ascani, format a València però resident a Roma, i Camil, format i resident a València, reflexionen sobre política recent com el saqueig de Roma per les tropes imperials i sobre el nivell cultural de Roma i de València. L'actitud favorable al saqueig de Roma segons l'òptica erasmiana ja indica que l'autor estava en sintonia amb la política imperial. L'elogi dels estudis escolars a València també és represès per Anyés i arribà a ser un tòpic ja que el 1548 Francesc Dassió tornà a fer una afirmació similar.[23]

Algunes particularitats podrien recordar Erasme. En primer lloc, la curta introducció en la qual apareix el mateix autor com a personatge, recurs que trobem també en l'*Elogi de la Follia* (1511).[24] També Thomas More apareix ell mateix com a personatge a la seva *Utopia* (1516). Les dues obres tenen una finalitat didàctica, moralitzant, com també el col·loqui d'Anyés. El passatge sobre l'amor i la follia podria derivar de la Bíblia o de sant Pau però el to amb què és tractat fa pensar igualment en l'esmentada obra erasmiana que juga amb l'ambigüitat del concepte de saviesa: el que és tingut per follia o demència en el món en realitat és la veritable saviesa. Pasquí diu, per exemple «és un do la demència del qui ame» però Gonari aclareix: «enfollir per Crist és la suprema saviesa». Els jocs de paraules lingüístics reforcen aquest paral·lelisme: Erasme escriu l'*Elogi* perquè el nom de Moria (follia, estultícia) li recorda el cognom del seu amic More. Anyés juga amb la similitud del nom Mencía que li recorda «ment» d'on passa a la dea Mnemòssine o a Psique. Un altre punt podria ser la citació de proverbis o sentències. Anyés juga amb la idea «amans, amens», és a dir els qui amen no tenen ment, són dements i tracta de donar-hi una equivalència valenciana no gaire aconseguida: «els qui amen són folls atrapats en un ham»: *amen*, *en* un *ham*. Aquesta inclinació pel joc lingüístic, per fer afirmacions al revés, per les bromes, la ironia s'adeia, doncs, plenament amb el corrent faceciós i satíric dels humanistes del moment i potenciava la pròpia tradició valenciana. La influència erasmista de l'*Elogi de la Follia* (1511) sembla present, per tant, en l'obra i aquest és un punt important que desconeixíem perquè així com altres obres d'Erasme foren traduïdes i publicades a València cap als anys vint, no precisament aquesta. Potser aquesta influència no li venia de manera directa. Podria no ser-hi aliè

22. *Joannis Angeli Gonsales perlepidum Colloquium in agendam Publii Terentii Latinissimam Eunuchum publice recitatum et Serenissimo Calabriae Duci D. Ferdinando ab Aragonia dicatum feliciter legite*, citat per J. Alcina, *op. cit.* Fou recitat com a preàmbul a la representació de l'*Eunuc* de Terenci.

23. J. Alcina Rovira, *Juan Ángel González y la Sylva de laudibus poeseeos (1525)*, UAB, 1978. J. Solervicens, *El diàleg renaixentista: Joan Lluís Vives, Cristòfor Despuig, Lluís del Milà, Antoni Agustí*, Barcelona: PAM, 1997, pàg. 74-75.

24. Per exemple, quan la Follia decideix no utilitzar més els adagis d'Erasme perquè semblaria que plagés el seu bon amic. «Però no vull dir més proverbis perquè encara algú em podria acusar d'haver saquejat els Adagis del meu amic Erasme». Erasme de Rotterdam, *Elogi de la Follia*, Edicions 62, 1982, pàg.119. J. A. Hurtley, «Erasmo, Moro y la "locura"», dins *Erasme i l'erasmisme*, Tarragona, 1986, pàg. 84.

un opuscle precisament publicat a València el 1521 sota el títol *Triumfos de la Locura*, poema moral d'Hernán López de Yaguas que adapta i tradueix prolíficament l'*Elogi de la Follia* erasmiana.[25]

En resum, el col·loqui d'Anyés és una obra plena d'ambigüitats. Per començar, no és pròpiament un col·loqui clàssic sinó un diàleg humorístic a l'estil del pasquins italians. Però no és satíric, ni mordaç, sinó jocós i finalment acaba sent un panegíric clàssic de la ciutat i dels ducs de Calàbria. Com ho és, de fet, tot el volum de les *Apologiae*. Recordem breument la situació dels tres personatges destacats per Anyés.

La cort dels ducs de Calàbria

La cort dels ducs passà per diverses etapes i d'aquestes, la que fou recordada com a més festiva i tolerant fou la de la reina Germana de Foix, que es casà amb el duc el 1526. Si hem de creure l'ideal del cortesà de Lluís del Milà, aquest havia de tenir sentit de l'humor, saber fer bromes enginyoses, amb una permissivitat molt superior a la de la més estricta cort d'Urbino. Els ducs i virreis de València permetien, per tant, certs jocs i ells mateixos foren objecte de ridiculitzacions i bromes en vida.

El duc de Calàbria Ferran d'Aragó (1488-1550), fill primogènit del darrer rei de Nàpols, no havia tingut una joventut fàcil: abandonà Nàpols als setze anys, el 1504, i passà a la cort de Ferran el Catòlic. Suspecte, fou tancat al castell de Xàtiva on passà deu anys. Sembla que hi fou ben tractat i recompensat per la seva negativa a acceptar la corona de Castella oferta pels comuners i la corona d'Aragó, oferta feta pels agermanats. Fou alliberat el 1525 per Carles V i passà a ser considerat com un dels principals dignataris de la cort. El bisbe d'Oviedo, que el coneixia bé, en féu un calorós elogi: «tuvo un ingenio vivísimo sobre mucho reposo, humano, justo y bien inclinado, muy bien hablado, no motador, ni escarnidor, muy templado en su comer y beber, amigo de verdad y amoroso, y sin presunción ni enlevantamiento; ninguno le trataba que no le desease servir y complacer».[26] En ser alliberat, el rei li atorgà un substanciós passament sobre els cucs de seda de Las Alpujarras. Per la seva banda, el duc donà a l'alcaid del castell de Xàtiva, entre altres coses, les *Décades* de Titus Livi i una crònica d'Alfons el Magnànim.[27] Senyal que llegia. El casament el 1526 amb la reina vídua Germana de Foix, afiançà la seva posició.

25. Marcel Bataillon, «El "Elogio de la locura" en España», dins *Erasmo y el erasmismo*. Crítica, 1983 (2a ed.)

26. Francesillo de Zúñiga, *Crónica burlesca del emperador Carlos V*, edició, introducció i notes de Diane Pamp de Avalle-Arce, Barcelona: Crítica, 1981, pàg. 208.

27. Francesillo de Zúñiga, *Crónica burlesca...*, pàg. 98

Francesillo de Zúñiga no s'està, però, de ridiculitzar la parella, sobretot la greixura de la reina que una nit, en saltar del llit enfonsà dos entresols i matà tres treballadors que dormien.[28] L'ambaixador polonès a la cort Juan Dantisco explica així, el 1527, la vida de la nova parella: «El Ilmo. Sr. duque de Calabria vive en Valencia con aquella mole de carne, la señora reina Germana, y se dice que se dedica a la caza más que a la esposa» i afegeix: «cuentan que él había dicho que se había casado para vivir con ella, no a su lado».[29] Tingué una filla natural, Jerònima d'Aragó que professà al convent dominicà de la Mare de Déu de la Consolació del Portal de València a Xàtiva. El duc encarregà per al convent al pintor aleshores més de moda Joan de Joanes un tríptic sobre l'Encarnació.[30] El cronista Zúñiga especifica irònicament que el duc «murió de harto y la reina su muger de hética»,[31] o d'«apoplexia» segons Pedro Girón.[32] La reina morí el 18 d'octubre de 1538. El 1550 la biblioteca del duc, herència de la dels reis de Nàpols, i que contenia prop de mil volums, la majoria manuscrits ricament il·lustrats i enquadernats, ens informa que no havia estat gaire actualitzada, però hi figuren tanmateix algunes obres significatives: els *Adagis* d'Erasme, els *Epigrames* de Thomas More, els *Asolani* de Bembo, l'*Orlando furioso* d'Ariosto, *Il Cortegiano* de Castiglione, els *Discursos* de Maquiavel, els *Col·loquis* i la *Silva de varia lección* de Pedro Mexía, algunes cròniques (de Nebrija, Carrion, Marineo), el *De institutione feminae christiane*, en versió castellana, de Lluís Vives i més de vint llibres de cavalleries, en castellà, alguns d'ells anatemitzats pel mateix Vives. Hi manca, però, el *Tirant* i també els llibres que li foren dedicats entre els quals els d'Anyés.[33]

El segon personatge lloat en el col·loqui és Mencía de Mendoza, (1508-1554) marquesa de Cenete, filla del governador general de València Rodrigo de Mendoza. Mencía havia quedat òrfena de pare el 1523 quan tenia quinze anys i havia heretat el títol de marquesa. Als disset anys, el 1525 s'havia casat amb el cambrer major de l'emperador i del seu consell privat el comte de Nassau Enric de Nassau-Orange que es trobava en plena aurèola de prestigi.[34] El matrimoni formava part, sovint, del

28. *Ibidem*, pàg. 140.

29. A. Fontán; Jerzy Axer (ed.), *Españoles y polacos en la corte de Carlos V*, Madrid: Alianza Editorial,1994, pàg. 197.

30. Fernando Benito Doménech, *Joan de Joanes. Una nueva visión del artista y de su obra*. Museu de Belles Arts de València, 2000, pàg. 556-57.

31. Francesillo de Zúñiga, *op. cit.*, pàg. 140

32. Pedro Girón, *Crónica del emperador Carlos V*, ed. de Juan Sánchez Montes, Pamplona: CSIC, 1964, pàg. 74.

33. *Inventario de los libros de don Fernando de Aragón duque de Calabria*, a cura de Manuel Ripollés. Madrid, 1875, reproduït en facsímil a París-València, 1996. És còpia, bastant defectuosa, d'un inventari que es troba actualment a l'AHN de Madrid. La biblioteca heretada és formada per manuscrits ricament ornats i amb enquadernacions de luxe, on figuren llibres bíblics, dels sants pares, escolàstics, clàssics i renaixentistes italians. Hi predominen els escrits en llatí, seguits pels italians i castellans.

34. Aquest, el 1523 havia estat nomenat cap de les tropes imperials en la guerra oberta amb França a la frontera flamenca; i membre del recent creat Consejo de Hacienda (Hayward Keniston, *Francisco de Los Cobnos*, pàg. 65-66 i 78).

sèquit de l'Emperador.[35] Fou present el 1530 a la solemne entrada a Bolonya on portava la cua del mantell imperial.[36] Morí el 1538 i el 1539, Mencía decidí tornar a València. Tenia aleshores trenta-un anys, i era ja famosa pel seu talent:[37] havia estudiat a València amb l'humanista valencià Joan Andreu Estrany (que la familiaritzà amb Dant), a Guadalajara amb l'erasmista Juan Maldonado (1534-35) i a Breda amb Lluís Vives (1537-39); el 1524 Joan Àngel ja li havia dedicat un llarg poema en castellà titulat *Tragitriumfo* en lloança del seu pare mort l'any anterior i ara, en tornar li dedica una *Silva*, aquesta vegada en llatí; el 1541, l'humanista Girolamo Britonio li dedicà un poema epitalami *Carmen Nuptiale*, publicat a València.[38] La seva biblioteca, amb prop d'un miler de llibres, adquirits per ella amb l'assessorament de Lluís Vives, demostra que estava compromesa amb els corrents humanistes europeus, especialment els erasmistes.[39] Vivia un alt tren de vida com ho testimonien la seva rica i selecta col·lecció pictòrica, el volum de joies, vestits i complements i la seva capella musical que va mantenir a la mort del duc de Calàbria.[40] Segons el sempre mordaç Francesillo de Zúñiga, era més aviat obesa, morena i bonica, però *engreïda*.[41]

Un darrer personatge ens interessa: Ferran de Sanseverino, príncep de Salern (Nàpols 1507-Avinyó 1568). Duc de Vilafermosa (1513), per la seva mare Maria d'Aragó, i príncep de Salern (1517), per part del seu pare Robert de Sanseverino.[42] Als tretze anys s'havia casat (1520) amb una neboda del virrei de Nàpols Ramon de Cardona, Isabel de Vilamarí i de Cardona, comtessa de Capaccio. Prengué part el 1528 en defensa del regne i sobretot de la ciutat de Nàpols contra la incursió francesa del mariscal Odet de Foix Lautrec i fou fet presoner. El 1530 acompanyà l'emperador en la seva coronació. Participà després en l'expedició a Tunis (1535) i Alger (1542) i fou capità general de la infanteria italiana de Llombardia en les guerres contra França. El 1535-1536 amb motiu de l'estada a Nàpols de l'emperador, el palau

35. Era present a Sevilla al casament de Carles V. Pedro MEXÍA, *Historia del emperador Carlos V*, edició i estudi de Juan DE MATA CARRIAZO. Madrid, 1945, pàg. 425; el 1527 a Valladolid, on Mencía donà a llum un fill el 5 de maig que morí. Era el segon part malaguanyat. A. FONTÁN i Jerzy AXER (ed.), *Españoles y polacos en la Corte de Carlos V. Cartas del embajador Juan Dantisco*, pàg. 197. El 1528 el comte era a les corts de Montsó (P. MEXÍA, *Historia...*, pàg. 509) i el 1529 marxà amb l'emperador a Itàlia des de Barcelona. Hayward KENISTON, *Francisco de los Cobos, secretario de Carlos V*. Madrid: Castalia, 1980 (versió castellana).

36. Haywad KENISTON, *Francisco de los Cobos, secretario de Carlos V*, Editorial Castalia, Madrid, 1980 (versió castellana), ps. 126-127.

37. J. ALCINA, *Juan Ángel Gonsales..*, pàg. 19, on aporta també bibliografia.

38. J. ALCINA, *ibidem*., pàg. 20

39. Josep SOLERVICENS, «La literatura humanística a la selecta biblioteca de Mencía de Mendoza, marquesa de Cenete, duquessa de Calàbria i deixebla de Joan Lluís Vives», comunicació al Congrés (1999) La Universitat de València y el Humanismo: *Studia Humanitatis* y Renovación cultural en Europa y el Nuevo Mundo, Universitat de València (en premsa).

40. Josep SOLERVICENS, *La literatura humanística.*

41. Francesillo DE ZÚÑIGA, *op. cit*., pàg. 193.

42. J. E. MARTÍNEZ FERRANDO, *Privilegios otorgados por el Emperador Carlos V en el Reino de Nápoles,* Barcelona: CSIC, 1943, pàg. 230.

de Ferran Sanseverino fou un centre de representacions teatrals i ho continuà essent fins al 1550.[43] Res no feia preveure que caigués en desgràcia el 1551 i que el 1552 fos declarat rebel i hagués de fugir a França mentre la seva muller restava a Nàpols fins que morí el 1559. Amb la marxa del príncep, tota la societat literària i musical que es refugiava entorn seu es va dispersar. Acabà en la misèria i abraçà la causa calvinista. Morí el 1568.

La data de redacció (v. 1542)

El col·loqui fou publicat el 15 de febrer de 1543. En les epístoles preliminars datades el 1542, l'autor confessa que l'havia escrit en un temps joiós, abans de la Quaresma, és a dir a mitjan febrer d'aquest any, possiblement per Carnaval. L'escriví en cinc dies però tardà a fer-lo arribar al destinatari. Mentrestant, el 4 de març havia mort la germana gran del duc, Júlia, que vivia amb ell; la desgràcia l'obligà a justificar la tramesa d'un poema jocós. El 7 de març n'envià una còpia al comte d'Oliva Francesc de Centelles perquè la fes arribar al duc i una altra a la nova duquessa Mencía de Mendoza amb el mateix prec. La data de 1542 per a la confecció del col·loqui sembla versemblant i respon a la confecció de tot el text de les *Apologies*. I, de fet, el col·loqui és un panegíric als ducs de Calàbria, és a dir, que havia de ser escrit amb posterioritat al 1540, any de les noces del duc amb Mencía de Mendoza. Pel que fa al príncep de Salern, es trobava en els seus moments de glòria i popularitat per la seva lluita a les empreses africanes i el ressò de les festes contínues que se celebraven al seu palau de Nàpols. Res no feia presagiar la seva caiguda en desgràcia i el seu exili a França. Quant a l'autor, Joan Baptista Anyés, el 1542 ja no residia al Palau Comtal d'Oliva. El seu pupil, Francesc Gilabert de Centelles, aleshores (des del 1525) casat amb Maria de Cardona filla del duc Ferran, era ja titular del comtat d'Oliva i li havia ofert una casa al camí de Morvedre, on comença precisament la introducció al col·loqui.[44]

43. B. Croce, *I teatri de Napoli dal Rinascimento alla fine del secolo decimotte*, Bari, 1916, pàg. 18-24.

44. J. A. Asenjo (*Optimates laetificare...*, Criticón, 66-67, pàg. 322) aventura la data de 1526-28 per a la redacció del col·loqui i basa la seva hipòtesi en els temps verbals i en la confluència a València dels tres personatges considerats les tres diademes de la ciutat: el duc de Calàbria, Mencía de Mendoza i el príncep de Salern Ferran de Sanseverino en uns anys de festes i de jocs. Efectivament, foren uns anys alegres: el novembre de 1526 arran de l'entrada a la ciutat del duc i la seva primera muller la reina Germana de Foix (no consta que hi fossin ni el príncep ni Mencía que era Valladolid); el maig de 1527 per les celebracions pel naixement del futur Felip II «feren festes... ab molts balls y farces que feren los officis... lo senyor duch de Calàbria jugà a canyes ab molts cavallés, y ben ataviats, davant la dita reyna sa muller» (però precisament aquest mes Mencía tingué un part desafortunat a Valladolid) i el mes de maig de 1528 en què sí que confluïren a València els tres personatges amb la presència de l'emperador, uns dies de grans celebracions i saraus al Real. Aquest any el príncep de Salern hagué de partir cap a Nàpols per defensar la

L'esperit satíric i burlesc ha estat sovint una característica peculiar dels valencians. Una prova en serien les nombroses obres satíriques escrites des del darrer terç del segle XV al final del segle XVI, en català, en castellà i en llatí. Miquel i Planes no va titular en va diverses d'aquestes obres com a «cançoner satíric valencià». Al segle XVI la tendència es vigoritza amb els nous aires renaixentistes que consideraven que la ironia, la sàtira i la broma, sempre que fos enginyosa, eren inseparables de tot bon cortesà, com demostrava el M. de Castiglione al seu *Cortegiano*, i com ho interpretà el valencià Lluís del Milà en la seva rèplica emmarcada en la cort dels ducs de Calàbria.[45] El col·loqui d'Anyés s'insereix, per tant, en la pròpia tradició valenciana i amb els corrents europeus que la potenciaven.

Col·loqui de Pasquí i Gonari[46]

A l'excel·lentíssima dona Mencía duquessa de Calàbria, Joan Baptista Anyés

La música és inoportuna en el plor, i la narració, fora de lloc. Abans del dejuni de Quaresma, oh excel·lentíssima princesa, havia preparat per al teu sereníssim espòs un col·loqui festiu d'aquell temps festiu entre el romà Pasquí i el valencià Gonari. Quan l'anava a enviar, un missatger cruel n'interrompé el fil, afirmant que la teva dolcíssima Júlia havia acabat feliçment el seu martiri i havia canviat la mort per la vida.[47] Confesso que tota la meva ment es desmoronà immediatament, que llanguí el meu ànim, i que va plorar amargament tot el meu esperit, trencant en un plor flebil, plorant a la vegada la sort hostil del teu Ferran i d'Elisabet,[48] privats d'un consol com aquest. Però poc després, tornant a mi mateix, és a dir, al meu fàcil punxó, vaig cantar, tot i estar malalt i adolorit, una elegia consolatòria per als teus Ferran i Elisabet, i també per a tu, que ara t'envio, oh princesa cultíssima de les Muses, per tal que la poleixis, de manera que si, prudent com ets, la consideraves digna, la lliuris perquè la llegeixi a aquell a qui principalment està destinada. T'envio igualment el mateix col·loqui, tot i no ser oportú en aquest moment, (però no del tot desagradable de llegir, si no m'enganya la meva opinió) per tal que sigui llegit quan s'hagi marcit l'embat del plor desenfrenat, i s'hagi esvaït la boira de la tristor. Cal que els savis afluixin de vegades l'arc de la tristesa. I així t'envio amb tanta més audàcia com amb gran justícia

ciutat de la incursió francesa i deixà a València la seva muller Isabel de Vilamarí, neboda del virrei de Nàpols Ramon de Cardona. Joan Ferràndis d'Herèdia dedicà precisament un poema a aquesta dolorosa separació. La base de tot el raonament és més aviat feble: per què cal que els tres personatges convergeixin a la ciutat? A més, si l'autor l'hagués escrit el 1528 hauria hagut de referir-se a Germana de Foix i no a Mencía de Mendoza, que té precisament un paper important en l'obra. I no hauria parlat de la seva casa al camí de Morvedre a València.

45. Josep SOLERVICENS, *El diàleg renaixentista*, pàg. 169-191.

46. Com que l'edició de tot el volum de les *Apologies*, en l'original llatí i versió catalana, ja s'ha publicat, ací em limitaré a transcriure la versió catalana basada en la de Martí Duran.

47. Júlia d'Aragó, filla de Frederic I de Nàpols i d'Elisabet dels Baus, germana del duc Ferran de Calàbria. Marquesa de Monferrato pel seu marit Joan Jordi. Morí el 4 de març de 1542 (Cf. *Llibre de les antiguitats,* pàg. 163).

48. El duc Ferran i la seva altra germana Elisabet, que també residia a València.

t'admiro, honoro i considero des de la teva edat més primerenca a tu i els teus estudis per moltes raons, l'obreta que és aquest col·loqui, talment una fletxa ja llançada amb l'arc, que no pot tornar, per tal que sigui tancada en el buirac del teu sapientíssim arbitri, o publicada quan i com et plagui. Adéu, conreadíssima patrona de les virtuts i de les muses, des de fa ja temps. A Cullera, set de març de 1542.

A l'il·lustre don Francesc de Centelles, comte d'Oliva

Pots intuir, ínclit comte, quants motius de lleure queden encara, com és de bo riure després de les celebracions sagrades. No són adequades per a qualsevol moment les coses serioses, ni els tètrics i rigorosos Catons, ni el riure, les comèdies, o les bromes. Car cal adaptar cada cosa al seu moment, les alegres amb les alegres, les tristes amb les dramàtiques. En els dies alegres dels jocs, la meva alegre Talia volgué jugar, en uns dies alegres, amb jocs. És per raó d'aquest fat, no pas per un vot, que he contat en un poema rude allò que vaig sentir dir de Pasquí i d'un dels nostres. Al cap de cinc dies ho vaig escriure fluïdament amb un càlam, perdonaràs si no té l'esplendor gorgoni. T'ho envio perquè ho poleixis, perquè, polit, ho enviïs al gran duc de Calàbria; li serà agradable, si és enviat amb el teu nom.

Col·loqui entre el romà Pasquí i el valencià Gonari

A l'excel·lentíssim don Ferran, duc de Calàbria
Fa poc, mentre m'estava, per casualitat, davant de la porta al Camí que en aquesta ciutat anomenen popularment «de Sagunt», un peregrí que passava m'acometé i el foraster preguntà: «¿quina casa manté En Gonari[49] en aquesta ciutat?». Em quedo perplex i, canviant ràpidament d'opinió: «No hi habita», vaig dir, «sinó que només la sosté aguantant-la en tot moment amb l'esquena».

PASQUÍ: Contes coses conegudes, va dir. El savi que governa amb bon comportament, no sosté la seva casa? Demano si coneixes el propietari d'aquesta casa.

BAPTISTA: No és un home, és una pedra.

PASQUÍ: Tal com cal que sigui el que governa: una pedra ferma.

BAPTISTA: Tothom el coneix, és el més conegut de tots, i a la vegada està vençut pel seu profund amor cap a mi.[50]

Així doncs, arribat a la ciutat, quan veié En Gonari, caigué davant dels seus peus. I digué:

PASQUÍ: «O, salut, salut, felicíssim, salut!»

GONARI: I també per a tu, salut tres, quatre i deu vegades. I qui ets tu que em desitges tantes vegades tenir salut? D'on, vinga, has arribat ple de pols fins a nosaltres?

PASQUÍ: Em deus aquesta suor, car m'ha portat des de la meva ciutat fins ací la gran glòria d'aquest lloc i l'honor de la ciutat.

GONARI: La glòria? Quina, la meva? Si sóc totalment desconegut, amb prou feines em coneix una sola persona.[51] Però digues, vinga, el teu nom.

PASQUÍ: Que no ha arribat mai a les teves orelles el nom de Pasquí? M'anomenen i sóc conegut a tota la terra.

49. En Gonari és l'atlant de pedra que rep el nom d'Engonari. Anyés converteix les dues primeres lletres en un article. I per això el personatge-estàtua té el nom de Gonari.

50. Com a personatge, Engonari és una creació d'Anyés.

51. L'autor reitera que el personatge és una invenció seva.

GONARI: En efecte, tot tu escampes amb la teva veu els fets benaurats de la teva pàtria des dels Eures fins als Zèfirs.[52] I quina és, Pasquí, la causa d'una tasca tan gran? Per què fuges, deixant la capital?

PASQUÍ: No és aquesta la nostra creença, que la vostra Roma[53] competeix amb la nostra Roma? Ho conta la fama pública.

GONARI: Roma, el cap del món, la glòria dels regnes, el cap i pare de les muses, l'honor de la religió.[54]

PASQUÍ: No és semblant en tot la vostra Roma a la meva Roma? Treu-ne el màxim concili cardenalici, i és la mateixa.

GONARI: Tal vegada pels vicis i la mollesa? Car la llibertat obre a totes dues les laxes mans dels crims.

PASQUÍ: Deixa't estar d'injúries,[55] car el grau d'indulgència és més elevat entre nosaltres: no flueixen aquestes coses de la nostra font?

GONARI: El nostre mar fluí de la vostra font, amb les seves correnties. Tot està permès entre nosaltres, i tothom roman sense càstig.[56]

PASQUÍ: Però la nostra Roma no deixa impunes els malvats.[57]

GONARI: La nostra els enriqueix, els honora i estima coronant-los.[58]

PASQUÍ: A Roma no hi ha enlloc sortida per als malvats.

GONARI: La nostra els rep en la seva ampla sina, com el mar rep tots els rius.

PASQUÍ: I per què això?

GONARI: Les Astrees[59] es tapen els ulls i les orelles, i la força invicta de les oracions, cega i assedegada, desemboca des d'aquí en una llicència desenfrenada, en tota mena de fets nefastos. Allí on cap llei no atemoreix, tampoc no hi ha cap càstig per als malvats.

PASQUÍ: No sollaràs tots els altres amb el vici de pocs. Els mals estan barrejats amb els béns, els béns estan barrejats amb els mals.

GONARI: Molts juristes són justos.

PASQUÍ: I molts són cruels. Cadascú s'ha de respectar pels seus fets.[60]

GONARI: Així doncs, és la fama dels nostres mals el que t'ha atret? Que no n'hi ha a Roma? Véns per veure els nostres?

PASQUÍ: Més aviat, els vostres béns.

GONARI: Quins? Quins no n'ha enviat Roma? Els nostres són les rapinyes, els plets, les morts, les brutícies, els furts i les astúcies.[61]

52. Dit, és clar, amb ironia, ja que Pasquí era famós per les seves crítiques i no per les seves lloances.

53. Roma hauria estat l'antic nom de València segons l'humanista dominicà Annio de Viterbo, la idea havia estat difosa a València per Alonso de Proaza, en la seva *Oratio luculenta de laudibus Valentiae* que insereix un romanç heroic en castellà: «Valennntia cibdad antigua / Roma primero nombrada», València, 1505. Posteriorment seria esgrimida per Pere Antoni Beuter al pròleg de la seva *Crònica*.

54. Roma com a honor de la religió, és dit presumiblement amb ironia tenint en compte les afinitats erasmistes de l'autor.

55. Irònicament Pasquí reprèn a Gonari que injuriï la ciutat de València.

56. Pot ser una al·lusió irònica a la dura repressió contra els agermanats aleshores en plena vigència.

57. Possiblement cal entendre la idea contrària: no és propi de Pasquí defensar Roma.

58. Al·lusió a les Germanies que aconseguiren durant tres anys el poder municipal a les ciutats reials del Regne de València.

59. Astrea, filla de Zeus i Temis, que difongué entre els homes els sentiments de justícia i virtut i arran del fracàs tornà al cel i es convertí en la constel·lació Virgo.

60. Aquesta idea que no s'ha de condemnar globalment és reiterada en les *Apologies* d'Anyés.

61 Al·lusió a les Germanies.

PASQUÍ: Tanmateix, els picaplets no poden fer frau, ni hi ha mentides enlloc. Entre els jutges no hi ha cap engany ni cap sofisma.[62]
GONARI: Aquestes coses són comunes a tota la terra. Però vinga, digues tot allò que t'ha semblat bé de la nostra ciutat.
PASQUÍ: Deixant de banda moltes coses, la situació, el sòl que verdeja amb una primavera perenne per l'aigua i la bona temperatura. Hom diria amb raó que tot el regne és un prat verd primaveral de l'Elisi, a la vall d'Emònia. Què diré dels horts de la ciutat, de la seva densa població? Aquí han confluït gent de tota classe i de tot el món, cap mare no ha rebut els seus propis fills com aquesta ciutat ha rebut en la seva sina tots els estrangers.
GONARI: Què hi ha d'admirable en això? Conta una fama antiga que, durant els primers anys, els estrangers conrearen aquesta ciutat.
PASQUÍ: Potser per aquest motiu rep amplament i és favorable als nascuts fora d'ací.
GONARI: És una mare per als estrangers, i per això, en gran mesura, una madrastra.
PASQUÍ: Allí on hi ha hàbils menestrals, aptes per a tot, i on més regna la docta Minerva?[63] L'estudi de les muses no és més floreixent enlloc. Enlloc no broten més les arts sagrades que en aquesta ciutat parnàsia. Allí on hi ha mil Arpinats,[64] on hi ha mil Marons?[65] Hom diria amb raó que ha emigrat cap ací la ciutat Cecròpia.[66] Aquí hi ha mil Diascòrides, aquí hi ha mil Galens,[67] i no és nul el nombre de doctors en lleis. I ¿on és més gran l'honor de la milícia, on és més alt l'esplendor de l'honor, on és més freqüent la gernació de pròcers? Quants Fabis,[68] quants Fabricis[69] creus que trobaràs en aquesta ciutat? Quants comtes, fills de Mart, i ducs? A qui no és pública la virtut règia del gran Alfons, sota la qual caigueren les mans agermanades?[70] A qui no és coneguda, Borja, l'ínclita fama i els nobles fets del magnànim duc de Gandia?[71] I és més, l'esperit marcial del comte de la floreixent Oliva, i el llamp invicte del seu esperit resplendeixen fins als astres.[72] D'aquests, si cadascun no és més gran que Temístocles en esperit, cap no és menor que Fabi ni Pèricles. De manera que tu sola, València, podries esdevenir la principal d'Hespèria.[73] Per tenir totes les coses, només te'n faltaven tres: l'ausoni Numa,[74] el bell Adonis d'Idàlia,[75] i l'altiva Mnemòsine, mare de les Castàlides.[76]
GONARI: Trenca la nou, per què envoltes la ment amb boires opaques? Són oracles pítics això que dius? Trenca la nou.[77]

62. Lloança de la repressió antiagermanada?
63. Minerva, deessa romana equivalent a l'Atenea grega, presideix l'activitat intel·lectual, principalment l'escolar.
64. Oradors (a partir de M. T. Ciceró, que nasqué a Arpino).
65. Poetes (a partir de Publi Virgili Maró, màxim poeta èpic llatí).
66. Cecròpia, Atenes.
67. Metges (a partir de Claudi Galè, metge grec, ca. 130-ca. 200 dC).
68. Quint Fabi Màxim, militar romà que lluità contra Hannībal.
69. Fabrici, cònsol romà famós per la seva actitud desinteressada.
70. Alfons d'Aragó, duc de Sogorb (1522-1563).
71. El duc de Gandia Joan de Borja (1511-1543).
72. El comte d'Oliva Serafí de Centelles († 1536).
73. Hispània per als romans. El paràgraf és una lloança als valencians cèlebres en les armes i en les lletres, segons el cànon del moment.
74. Numa Pompili, el segon rei de Roma, contrafigura del duc de Calàbria Ferran d'Aragó.
75. La llegenda d'Adonis, nascut d'un arbre, se situa al mont Idali.
76. Mnemòsine, personificació de la memòria, mare de les muses. Per un joc pseudolingüístic, és la contrafigura de Mencía de Mendoza, arran del nom Mencía, de ment.
77. *Trenca la nou*, parla clar.

PASQUÍ: No t'és una diadema el duc de Calàbria?[78] Salern esdevingué per a tu una flor de bellesa, l'honor més gran.[79]
GONARI: I qui és Mnemòsine?
PASQUÍ: És l'ínclita princesa Mencía (car té nom de ment), resplendor de les Pièrides.[80] Amb aquests tres ¿no és la nostra Roma, sinó la vostra València, més rica que qualsevol altre lloc amb tota mena de béns? Qui enumerarà les vostres riqueses, el vostre culte superb i el refinat i virginal honor de les nimfes?[81]
GONARI: Per aquest motiu molts són obligats a passar necessitat en la seva vellesa, carregada de deutes, i la fam els persegueix per haver dilapidat els seus béns.[82]
PASQUÍ: Per aquest motiu el pare i el fill es dediquen a mals oficis. L'un pensa en el mal, l'altre l'hi atia amb el seu.
GONARI: Així un i altre, per camins diferents, concorren a un únic mal: aquest per manca d'esperit, i aquell, de ment.
PASQUÍ: Per aquest motiu les coses mal concebudes s'esfondren malauradament en un breu instant. És per això que el ric mendica de fam, indigent.
GONARI: És que l'ús de màscares és més abundant a Roma?
PASQUÍ: Pràcticament igual, però entre vosaltres és més laxe i lasciu.[83]
GONARI: No és pas una màscara ni cap espectre el que ha convertit els cavallers o els sacerdots d'aquesta ciutat en seguidors de Venus.
PASQUÍ: Però ací no hi ha gran nombre de Tindàrides,[84] que puguin vèncer Dafne en bellesa, o Penèlope en honestedat.
GONARI: Com et penses que era la divina i formosa bellesa que convertí honestament en presa el seu Filarc?[85]
PASQUÍ: Si parles de Leda, prou que sobresurt. Si et referissis a Herse o a Dànae, una sola guanya, més bella que tres.
GONARI: És Citerea?[86]
PASQUÍ: Encara més, la bellíssima Psique. Car amb la seva bellesa sotmeté el Pafi al seu jou.[87] En enviudar el marit de Procris, el rapta, la qual cosa aconsegueixes, àurea deessa, amb les teves arts.[88]
GONARI: Deslliga els nusos del teu capturat, deessa, deslliga les cadenes, torna'l als seus, torna'l, vinga, a ell mateix.[89]

78. El duc Ferran d'Aragó, fill del darrer rei de Nàpols.
79. Salern. El príncep de Salern Ferran de Sanseverino, duc de Vilafermosa, de sang reial per ascendència materna. Vegeu la introducció.
80. Mencía de Mendoza, marquesa de Cenete, duquessa de Nassau i després duquessa de Calàbria.
81. El virginal honor de les nimfes: és dit amb ironia. Després parlaran de València com a ciutat lasciva.
82. Al·lusió a les conseqüències de viure amb una esplendor excessiva en un país a la postguerra.
83. València, ciutat lasciva era un tòpic.
84. Habitants de les vores del Tanais, en aquest cas al·lusió als valencians que viuen a les vores del Túria.
85. Cap suprem, al·lusió al duc de Calàbria, virrei del regne de València.
86. Venus.
87 Referència a l'amor llegendari de Psique i Eros. Psique podria al·ludir a Mencía per l'analogia del seu nom.
88 El marit de Procris és Cèfal. Podria ser una al·lusió al duc de Calàbria, el cap del Regne de València, i a Germana de Foix (Procris), vistos irònicament com un matrimoni perfecte.
89 Referència a Mencía, recentment casada amb el duc vidu de Germana de Foix, perquè alliberi el seu marit i el retorni a la saviesa. És sabut que Mencía posà fi als costums més aviat llicenciosos del duc.

PASQUÍ: Però temo que no caiguis en captivitat, i que, vencedora, no et sotmetis a aquell que has vençut.
GONARI: Quin tipus de saviesa, aconseguiria, ai!, tasca, ai!, dolor, que uns mateixos lligams fossin la més gran delícia i un càstig alhora?
PASQUÍ: El fet que tots els amants tinguin entelada la vista, a mitja llum, ¿no demostra que els joves i Cupido són folls?
GONARI: Aquesta nostra llengua valenciana diu que els qui amen són folls atrapats a un ham.[90]
PASQUÍ: Això ¿no s'expressa millor en llatí? Aquell que estima, és un dement.[91] És un do la demència dels qui amen.
GONARI: Creuen que els danys són un guany, que la dissort no és dissort.
PASQUÍ: Al contrari, el dement nega que la glòria més gran sigui enfollir amb passió pel dolç amor d'una noia bella.
GONARI: Això ho contes, Pasquí, de manera assenyada?
PASQUÍ: Certament.
GONARI: Ningú, doncs, no és forassenyat, i són assenyats tots els amants. Enfollir per Crist és la suprema saviesa.[92] No és això el resum del teu consell de descendent de Ròmul?
PASQUÍ: El fill de Venus impera per tota la terra. Sotmet al seu peu tots els ceptres i els venç.
GONARI: Car en aquest vici humà, la raó cedeix davant de totes les coses.
PASQUÍ: No hi ha seny ni cap tipus de raonament, allí on regna l'amor.
GONARI: ¿Per què doncs València rep el nom de «casa dels folls»? Perquè tots som dements és a dir sense ment.
PASQUÍ: La vostra València s'ha igualat en això a la nostra Roma. D'aquesta manera s'ha apropiat i afaiçonat totes les nostres coses, de manera que entre totes dues no hi ha cap diferència de costums. Però la vostra Minerva[93] ens avantatja. Adéu.

90. No es tracta de cap proverbi valencià. Anyés l'inventa tractant de traduir una expressió llatina.
91. El llatí juga amb els mots: *id, quod amans, amens*, és a dir sense ment.
92. L'autor juga amb l'ambigüitat dels mots demència i saviesa, vistos segons el món o segons la fe.
93. Minerva, antiga divinitat itàlica, identificada amb la dea grega Atenea que presideix tota l'activitat intel·lectual, principalment escolar.

LA LLAR (1871), EFÍMERA PUBLICACIÓ FEMENINA

Carola Duran Tort

Barcelona

El vuit de febrer de 1871 apareixia el primer número de la revista *La Llar*, amb el subtítol de *Revista dedicada a la instrucció y educació de la dona.*[1] Es preveia una sortida quinzenal, però la publicació només va poder resistir un mes i mig; o sigui, que solament va treure tres números datats el vuit i el vint-i-tres de febrer i el vuit de març. Malgrat la seva curta durada, presenta unes singularitats que tractaré de fer evidents en aquest treball. 1) Com indica el subtítol, és una revista dedicada exclusivament a la dona. 2) És la primera redactada en llengua catalana. 3) No és una revista de modes i labors. 4) No és confessional. 5) És dirigida, finançada i redactada per un home. 6) Presenta col·laboracions de destacades escriptores. 7) Proposa un model femení en sintonia amb les orientacions adreçades a la nova classe mitjana, sorgida de l'estat liberal.

En el desèrtic panorama que presenta la premsa catalana el 1871 –només animat per *La Campana de Gràcia* en el camp humorístic i *La Renaixensa*, que, en substitució de la finada *La Gramalla*, apareix simultàniament a *La Llar* el primer de febrer de 1871–, sorprèn que vegi la llum una revista dedicada, no a la distracció i entreteniment de les famílies, sinó a la il·lustració i educació del sexe femení. El fet que el seu director, propietari i gairebé únic redactor sigui Felip de Saleta,[2] situa la

1. Amb una capçalera tipogràfica, la revista tenia unes mides de 300 x 170 mm i constava de vuit pàgines, tirades a dues columnes. La redacció i administració estaven situades al carrer de la Llibertat, núm. 31, 3r i s'imprimia a l'Estampa Catalana de L. Obradors i P. Sulé, al carrer de Petritxol, núm. 6. La subscripció per tres mesos costava 5 rals i el número solt 6 quartos. Els punts de subscripció i de venda es trobaven a la mateixa impremta del carrer de Petritxol i a la llibreria de López Bernagossi, a la Rambla de Barcelona. A la ciutat de Girona, la Llibreria Dorca era el punt de distribució i subscripció.

2. Felip de Saleta i Cruixent havia nascut a la vila de Calella el 1852, on morí víctima de la tuberculosi el 1877. Era el quart de cinc germans del matrimoni format per Felip de Saleta i Puig i Josefa Cruixent, importants propietaris rurals del Maresme. Un germà més gran, Honorat, fou un militar de gran prestigi, autor de nombroses obres d'història. Felip començà a estudiar la carrera de dret que no va continuar. En aquells temps d'estudiant, va ser un dels fundadors de *La Gramalla* on publicà extensos articles d'opinió, sota el pseudònim d'Albert de Palomeras, i col·laboracions literàries, entre aquestes un romanç inacabat amb el títol de «La morta viva». Fundador i redactor de *La Renaixensa*, la seva obra poètica es recull en els llibres *Guspiras* (1875) i *Fantasias* (1876).

revista en l'òrbita d'un projecte regenerador de la societat catalana, que té en *La Renaixensa* el seu exponent més emblemàtic i durador. Si *La Renaixensa* es proposava la regeneració de la societat coetània, encaminant-la a prendre consciència sobre el fet nacional mitjançant la recuperació dels trets distintius de la nacionalitat: llengua i literatura, història, dret, costums, sota l'òptica del positivisme, la reconversió de la societat no es podia donar per completa si no s'actuava també sobre la meitat femenina del conjunt, o, si més no, sobre la part femenina del segment social a qui s'adreçava l'intent recuperador de la revista, que no era altre que la classe mitjana formada pels petits burgesos, per les professions liberals, pels menestrals, pels artistes i pels petits propietaris rurals. En resum, la nova classe social sorgida al segle XIX i que actuava com a coixí entre la classe alta i l'aristocràcia, i la classe obrera, cada cop més nombrosa. Hi ha encara una altra dada que permet relacionar les dues publicacions. Tant *La Renaixensa* com *La Llar* sortien de la mateixa impremta, amb el mateix format i característiques tipogràfiques idèntiques, i s'alternaven en les aparicions. Així *La Renaixensa* sortia l'u i el quinze de cada mes i *La Llar* el vuit i el vint-i-tres.

Encara que *La Llar* sigui una publicació singular en els seus plantejaments, responia a unes inquietuds que eren presents en la societat coetània. El segle XIX havia abandonat els prejudicis misògins, exacerbats durant el barroc, i, des de la visió dels nous estudis biològics, havia considerat que la dona no venia marcada i condemnada per un anatema diví, sinó que era la naturalesa la que produïa el dimorfisme humà. De totes maneres, es considerava que la dona presentava unes característiques biològiques pròpies, que marcaven la seva naturalesa moral, mental i física i, de retruc, el seu paper en la societat. A partir de 1840, es debat amb més força el seu rol en la naixent classe mitjana i se li construeix un model per imitar. La retòrica utilitzada per bastir aquest ideal utilitza paraules extretes del context religiós i cavalleresc com una reminiscència de les influències de l'edat mitjana sobre el moviment romàntic. Per això, per connotar la dona s'usen freqüentment paraules com ara *santa, sacerdotessa, verge*, etc., que acaben quallant en l'expressió l'*àngel de la llar*[3] definitòria d'aquest nou model femení. La dona és idealment considerada com a més forta que l'home, més resistent a les temptacions i, per tant, com la dipositària de la conducta ètica convenient, de la consciència moral, que ha d'exercir en el camp d'acció que li està destinat: la família i la llar. I la missió, l'ha de portar a terme a través del matrimoni, de la maternitat, de la domesticitat. La destinatària del nou mite femení era, doncs, la dona que no treballava fora de casa, la que romania a la llar tenint cura del marit i dels fills, diferenciada tant de les dones de les classes infe-

3. *El ángel del hogar* és un llibre de Pilar Sinués de Marco, publicat a Madrid el 1859 en dos volums i que va conèixer nombroses reedicions. L'autora, nascuda a Saragossa el 1835, va publicar moltes obres dedicades a la dona, com ara *Hija, esposa y madre: Cartas dedicadas a la mujer acerca de sus deberes para con la familia y la sociedad*, Madrid, 1863, o *Un libro para las damas: Estudios acerca de la educación de la mujer,* Madrid, 1873. El seu marit, José Marco, va publicar una revista amb el mateix títol de *El Ángel del Hogar*, entre 1864 i 1869, de la qual Pilar Sinués va ser la directora. Va morir a Madrid el 1893, i va deixar una nombrosa bibliografia dedicada a la dona.

riors, que, treballant a la fàbrica, descuraven la família, com de les representants de la classe alta, que, deixant en mans del servei les tasques domèstiques, gaudien d'una vida social intensa. Per això, l'*àngel de la llar* és la figura que s'oposa, d'una banda, a la depravació de la classe obrera i, de l'altra, a la frivolitat de les classes altes. Entre les seves qualitats innates destaquen l'afectivitat, la sensibilitat, la subjectivitat, etc., que la fan idònia per convertir-se en la fada bona, en l'ànima familiar. És la persona neta, ordenada, estalviadora, treballadora, al servei primordialment del marit i dels fills, però també dels altres membres familiars i d'entitats assistencials.

L'Església també canvia la seva apreciació del sexe femení. En l'intent d'aconseguir ser present en la societat del segle XIX, quan els nous moviments socials arraconen la presència religiosa dels segles precedents, l'Església també s'apunta al nou model femení i considera la dona com a dipositària i transmissora dels valors religiosos i morals. Ara el sexe femení ja no és l'encarnació del mal, la identificació amb la serp del Gènesi, sinó que, sobretot, se'n valoren els aspectes relacionats amb la maternitat i la família. La figura de la Mare de Déu, en tant que mare i educadora és sobrevalorada. Només cal recordar la proclamació pel papa Lleó XIII dels dogmes de l'Assumpció de Maria (1852) i de la Immaculada Concepció (1854) que estan en aquesta línia de pensament.

Aquest model de dona, proposat tant pels progressistes com pels confessionals, tenia evidentment un domini que li era propi: la llar. I, en general, cap home preveia que la dona necessités exercir qualsevol activitat fora d'aquest reducte, perquè es considerava que la seva actuació pública es produïa indirectament, però insistentment, a través dels membres masculins de la família, marit i, sobretot, els fills que eren la cadena de transmissió dels valors morals, religiosos i socials, ensenyats per la mare. La creença, a partir de Locke, que els nens eren una *tabula rasa* que es podia omplir a voluntat va convertir la dona en una educadora imprescindible, la qual, al seu torn, havia de ser instruïda i educada per raó de la nul·la o deficient educació rebuda.

Per imposar aquest nou model de dona domèstica, però peça fonamental de la societat futura, es van publicar una gran quantitat de revistes, llibres, manuals d'educació, etc.[4] Sense voluntat d'exhaustivitat, es poden enumerar les següents revistes publicades a la capital de l'Estat: *El Tocador* (1844-1845), dirigida per Antoni Ribot i Fontserè; *El Defensor del Bello Sexo* (1845-1846) de José de Souza; *Ellas* que es convertiria en la *Gaceta del Bello Sexo* (1845) i passà després a dir-se *Album de*

4. Per obtenir les dades següents m'han estat especialment útils els treballs: Montserrat DUCH I PLANA, *El feminisme a Catalunya. Premsa, ideologia i pràctica*. Tesi de llicenciatura. Universitat Rovira i Virgili, 1981. Mercedes ROIG CASTELLANOS, *La mujer y la prensa. Desde el siglo XVII a nuestros días*. Madrid: 1977. Isabel SEGURA i Marta SELVA, *Revistes de dones, 1846-1935*. Barcelona: Edhasa, 1984. M. del Carmen SIMÓN PALMER, «Revistas españolas femeninas» dins *Homenaje a Don Agustín Millares Carlo*, Las Palmas: Caja Insular de Ahorros de Gran Canaria, 1983, pàg. 402-405. M. del Carmen SIMÓN PALMER, *Escritoras españolas dels siglo XIX. Manual biobibliográfico*. Madrid: Castalia, 1991.

Señoritas (1852), sota la direcció de l'activa Faustina Sáez de Melgar, a qui trobem posteriorment dirigint *La Violeta* (1862) i que el maig de 1871, amb posterioritat a la sortida de *La Llar,* crea *La Mujer* amb un subtítol semblant al de la revista catalana: *Revista de Instrucción General para el Bello Sexo.*

En un terreny més proper geogràficament, s'ha de fer constar la revista *La Madre de Familia* (1846), dirigida per Narcís Monturiol, encara que no ha estat possible localitzar-ne cap exemplar, així com la secció que Marià Cubí va dedicar al sexe femení a *La Antorcha* (1848). És en la dècada dels seixanta que, a Barcelona, apareixen nombroses revistes femenines, però, o bé són dedicades exclusivament als brodats: *La Bordadora* (1867), *La Abeja* (1867) –que no té res a veure amb l'homònima de Bergnes de las Casas–, o bé, a les modes: *La Elegancia* (1867), o bé, a l'educació religiosa: *Ecos del Amor de Maria* (1867). A part de les revistes, és molt important el nombre de llibres dedicats al nou model de dona. Deixant de banda el text que es considera clàssic: *La mujer. Apuntes para un libro* de Severo Catalina del Amo,[5] trobem també llibres orientats cap a la nova classe social femenina amb peu d'impremta barceloní. Entre d'altres, esmentem *Las mugeres, su condición, su influjo en el orden social en varios pueblos antiguos y modernos por un amante del bello sexo* (Bergnes y Cia., 1831); Martín Aimé, *Educación de la madre de familia o de la civilización del lenguaje humano por medio de las mujeres* (J. Verdaguer, 1842) o A. Coca i Collado, *Influencia de la mujer en la civilización del linaje humano* (Diario de Barcelona, 1863). Per tant, Felip de Saleta podia conèixer de sobres la problemàtica que envoltava la figura femenina. Si hi afegim, a més, les seves simpaties cap al federalisme de Pi i Margall, que ja havia expressat en els articles polítics publicats a *La Gramalla* com ara «Lo nostre penó» o «La centralisació», és molt possible que el referent més immediat del projecte de Felip de Saleta fos el text pimargallià *La misión de la mujer en la sociedad.*[6]

Tal com he dit abans, doncs, el vuit de febrer de 1871 va aparèixer la revista *La Llar*. La distribució del contingut en els escassos números apareguts és la mateixa. Uns primers articles d'opinió –fraccionats en els diferents números, de tal manera que alguns resten inacabats–, unes col·laboracions literàries en forma de narració o poema, una secció titulada «La ciència per la dona» i, finalment, la part informativa amb la revista de teatres, les noves i unes xarades com a entreteniment final. Aquell «furor d'escriure sobre totes les coses y moltes més» que Joan Sardà retreia a Felip de Saleta[7] es fa evident donant un cop d'ull a la revista. A més de les col·labo-

5. Aquest llibre va ser publicat a Madrid l'any 1858, segons consta en el pròleg de Ramon de Campoamor, i va conèixer innombrables reedicions, l'última de les quals apareguda a la Colección Austral, núm. 1239 porta el peu d'impremta de Madrid: Espasa Calpe, 1968.

6. Aquest text recull part de la conferència que Pi i Margall va impartir a la Universidad de Madrid el 23 de maig de 1869, dins d'una sèrie de xerrades que es van publicar amb el títol de *Conferencias dominicales sobre la educación de la mujer.* Madrid: Rivadeneyra, 1869. El text ha estat reproduït per Catherine Jagoe, Alda Blanco i Cristina Enríquez de Salamanca, *La mujer en los discursos de género,* Barcelona: Icaria, 1998, pàg. 81-83.

7. *Obras escullidas. Serie Catalana,* Barcelona: Puig i Alfonso, 1914, pàg. 92.

racions amb el seu nom, la seva personalitat es trasllueix en les firmes següents: Maria de M. (editorial del primer número), Roseta i Tereseta del Camp. Potser també és el Guillem de la Penya de les ressenyes teatrals. Altres firmes conegudes que hi col·laboren són: Dolors Monserdà, Josefa Massanés, Pilar Pascual de Sanjuan, Pere Armengol i Cornet, Francesc Xavier Tobella i Eduard Font i Guitart. La intenció de la publicació és omplir un buit perquè no hi havia cap revista en català destinada a la dona: «endonantnosen de que cap d'esprés n'hi habia per la dona, escepte que fos de modas (que massa ja las sap), nos proposarem plantejar una revista dedicada a la instrucció y educació».[8]

La major part de vegades, el títol d'una revista és suficientment explícit del seu contingut. En aquest cas, és evident que *La Llar* marca el territori on s'ha de desenvolupar la missió de la dona. És, per tant, el domini que li és propi, el terreny privat, mai públic, on ha d'exercir la seva tasca. En el prospecte anunciador de la revista,[9] Felip de Saleta escriu: «Dauli, donchs, [a la dona] medis perquè desde la llar, desde la família, pugui grabar ab lo cor de l'home los debers del ciutadà; perquè pugui complir ab las relacions que'l lligan ab los altres sers, ab Déu, ab l'home, ab la naturalesa. No volem pas, molt lluny està de nosaltres, que la missió de la dona sigui la d'escriurer, la de combatre, la de perorar; no, sa missió és inspirar al poeta, al filosoph, al soldat, al tribuno, al home, en una paraula, perquè si aqueix fa las lleys, la dona fa la costum que engendra las lleys». Aquests mateixos conceptes es repeteixen en l'editorial que amb el títol «Consideracions sobre la dona» i signat per Maria de M. es publica en el primer número i continua, sense acabar, en el tercer.

En aquest editorial és interessant de destacar el significat que Maria de M. (Felip de Saleta) dóna a les paraules que formen el subtítol: instrucció i educació. La instrucció és adreçada únicament al cervell, seguint mètodes positivistes que no prenen en consideració les implicacions morals. Contràriament, l'educació és dirigida al cor i pot portar al fanatisme. Per això, *La Llar* proposa unir l'educació –consells morals– amb la instrucció –coneixements científics– per aconseguir la perfecta harmonia de les facultats femenines. «Allà ahont lo materialisme entri, fiquem'hi la moral; allà ahont entri la superstició, fiquem'hi la rahó. Y la societat se salvarà». I l'únic ésser capaç de portar a terme aquesta regeneració és la dona, un cop que hagi pres consciència del seu poder com a formadora de les generacions futures. En les consideracions de Felip de Saleta, la moral no és pas la catòlica, sinó la moral cívica, una moral impregnada de ressons republicans ja que la missió femenina és la de formar «ciutadans» perquè la dona és «capassa de baratar los principis socials». Propostes que recorden la recomanació de Pi i Margall en el text abans esmentat: «La madre aprovecha esa curiosidad, y si es instruida, si conoce lo que debe conocer, le está ilustrando constantemente, no solo en las ciencias, sino tambien en la ciencia de las ciencias, en la moral, en la justicia.[...] Pero cuando brilla más especialmente la mujer es cuando se dedica a formar la conciencia de ese niño para hacer de él un ciudadano bueno y un hombre probo».

8. «Varietats», *La Llar*, pàg. 15.

De totes maneres, i amb una visió no gaire freqüent en un home, no sembla que Felip de Saleta vulgui recloure la dona exclusivament en el domini privat, perquè en la secció «Novas» publica les notícies de l'estranger que parlen de dones que han obtingut càrrecs en la judicatura americana, o que s'han doctorat en medicina a Zuric, o que ensenyen filosofia a Iowa, o sigusi fèmines que actuen en el terreny públic, aquell que semblava reservat únicament i exclusiva als homes.

Si la visió sobre la dona de Felip de Saleta recull conceptes procedents dels sectors més progressistes, la doctrina de l'Església és present en la narració de Dolors Monserdà, «L'instrucció de la dona», on Déu atribueix al sexe femení, des del moment de la creació, unes característiques pròpies de tendresa, debilitat, compassió, diferents de les del sexe masculí. L'aparent inferioritat femenina en el repartiment de qualitats personals queda sublimada per la funció de la maternitat. D'aquí que la dona s'hagi d'instruir per menar a bon port les seves obligacions matrimonials i maternals com a educadora del gènere masculí que li ha estat confiat.

Una altra de les col·laboracions destinades a l'educació femenina ve firmada per Pilar Pascual de Sanjuan,[10] amb el títol de «La dona», on l'autora considera que la meitat de la humanitat, la corresponent al gènere femení, és desgraciada, no per designi diví, sinó perquè la societat en general no ha adequat la formació de les noies als seus deures futurs: els ha proporcionat, o bé una educació descurada a les de classe baixa, o bé una educació superficial a les de classe alta; en ambdós casos, el primer destret de la vida pot portar-les fàcilment pel camí de la prostitució. I mentre la societat s'acarnissa amb la dona caiguda, ningú critica l'home pervertidor. La suspensió de la revista no ens permet saber quines eren les solucions proposades per l'escriptora.

Interessant pel que té de preocupació per la classe obrera en general, i per la femenina en particular, és la inserció d'una part de la memòria redactada per Pere Armengol i Cornet[11] sobre la creació d'un Patronat Industrial per millorar les condicions dels treballadors. En els apartats que fan referència a les obreres, s'ha de destacar, en el camp que l'autor denomina de «beneficència» i que avui diríem de justícia social, les propostes sobre la necessitat d'evitar l'assetjament sexual de les dones treballadores per part dels elements masculins de rang superior; la creació de sales de lactància i guarderies i la constitució d'associacions per construir habitatges socials dignes. En l'apartat «instrucció», cal remarcar les recomanacions sobre l'obligatorie-

9. Reproduït per J. Givanel i Mas, *Premsa Catalana, I*, pàg. 103-104.

10. Segons la breu biografia que M. del Carmen Simón Palmer insereix a *Escritoras españolas del siglo XIX*, pàg. 506-515, Pilar Pascual Fuentes havia nascut a Cartagena el 1827. Va exercir el magisteri a Catalunya i després va dirigir la Escuela Práctica Agregada a la Normal de Maestras de Barcelona; va morir a la Ciutat Comtal el 1899. La bibliografia recollida en el llibre esmentat presenta més de cent títols diferents d'obres destinades a l'educació femenina, entre les quals destaca *Flora o la educación de una niña*, Barcelona: Paluzié, 1881, que es va estar reeditant fins al 1954 (Barcelona: Elzeviriana).

11. Pere Armengol i Cornet (Barcelona, 1837-1896) era doctor en Dret Civil i Canònic. Es va dedicar sobretot a la reforma del sistema penitenciari, tema sobre el qual va escriure copiosament. Va impulsar la construcció de la presó Model de Barcelona. També va ser director de la revista *El Criterio Católico*.

tat de l'ensenyament primari per a tots dos sexes, l'ensenyança de nocions de confecció de vestits per a ús propi a les treballadores i la creació de biblioteques populars circulants, amb servei de préstec i sala de lectura.

La inserció d'aquests treballs en la revista evidencien les inquietuds de Felip de Saleta cap a la dona coetània, però no solament la de classe mitjana que té la llar com a espai propi, sinó també l'obrera que esmerça la jornada a la fàbrica i que la manca de formació la pot portar fàcilment a la prostitució com a única sortida al seu desvaliment. Si la dona obrera és capaç d'obtenir una independència econòmica, pot evitar caure en la depravació. D'aquí l'interès demostrat per determinats sectors de la societat, influïts pel pensament fourierista, de convertir les obreres en menestrales capaces de dominar un ofici manual –cosidora, modista, brodadora, planxadora, etc.– que les permeti alliberar-se de la dependència del treball a la fàbrica. Exponents contemporanis d'aquesta preocupació són la creació del Patronat d'Obreres de l'Agulla de Dolors Monserdà o dels Tallers de Natzaret del jesuïta banyolí Francesc Butinyà.

Però *La Llar* no buscava solament l'educació de la dona. Com anunciava a l'editorial, es proposava també instruir-la, o sigui donar-li uns mínims coneixements científics sobre fenòmens corrents. La secció titulada «La ciencia per la dona» –encapçalament que recorda «La ciencia al alcans del poble» de Pere Aldavert a *La Gramalla*– és obra de Tereseta del Camp (Felip de Saleta) i de Francesc Xavier Tobella i Argila.[12] S'hi exposen conceptes elementals sobre ciències naturals, com ara la rosada o la cristal·lització del carboni que converteix aquest element en diamant.

La revista també té una part destinada a l'entreteniment amb les col·laboracions literàries en forma de poema o de narració. És important de destacar el poema que apareix al primer número, signat per Josefa Massanés, amb el títol de «Las donas catalanas», que és una altra proposta de comportament femení modèlic, aquest cop redactada en vers. Però altra vegada és Felip de Saleta qui signa la majoria de les aportacions: els poemes «Planys d'una rosa», (signat per Roseta), «En la fira de Sant Pau», «L'amor», i la narració «Angiolina».

Com moltes altres revistes, l'última part de la publicació està destinada a la informació d'actualitat amb la secció de «Novas», «Varietats» i les ressenyes tea-

12. F. X. Tobella era fill de Sant Pol, on havia nascut el 1847. Fill d'importants propietaris rurals, estudià la carrera de perit agrònom a Barcelona. La proximitat de Sant Pol amb Calella, lloc de naixement i residència de Felip de Saleta, i els trasllats a Barcelona per estudis devien facilitar l'amistat dels dos joves, afavorida per les col·laboracions a d'altres publicacions com ara *La Renaixensa* i la pertinença a La Jove Catalunya. Tobella va ser un propagador de la modernització de l'agricultura a través de la revista *L'Art del Pagès* que fundà i dirigí, de la pertinença a l'Institut Agrícola de Sant Isidre i de les nombroses exposicions rurals que presidí. Fou també el fundador d'una de les primeres caixes rurals. Va morir a Barcelona el 1920.

trals, signades per Guillem de la Penya. No deixa de ser interessant que, a primers de 1871, ja es retregui a Frederic Soler la seva excessiva producció que causava repetició de tipus i situacions i portava a la identificació del genuí caràcter català amb un pagès amb barretina i espardenyes. En canvi, des de la revista es proposa un teatre realista que reflecteixi els costums, tant urbans com pagesos. «Cada epoca que passa s'emporta una cosa o altre, cada temps porta sas costums y dintre sas costums pròpias, tant sota manta, com sota xech, com sota levita, hi pot glatir, com veritablement hi glateix, un cor català de veras. [...] Fem, donchs, que'l teatre mirall dels caràcters de la terra, presente varietat de caràcters que'n la nostra terra s'hi distingessen, puig axís y sols axís podem posar en son lloch propi las nostras costums y'l nostre llenguatge». És la mateixa proposta que poc temps després Joaquim Riera i Bertran farà a les pàgines de *La Renaixensa* dins la sèrie de cartes literàries destinades als seus amics.[13] *La Llar*, com altres publicacions de la mateixa època, es tanca amb unes xarades i una real o imaginària correspondència amb els lectors.

Com ja he dit, la publicació va treure solament tres números. La manca d'acceptació per part del públic va obligar Felip de Saleta a finançar ell sol el cost total de la publicació, amb unes despeses que devien ser molt superiors a les seves disponibilitats. L'excusa donada per a la desaparició de la revista no deixa de ser curiosa. En l'últim número, la publicació insereix una carta, signada per Josep Roca i Font, el qual, després de presentar-se com un treballador, felicita el director per la iniciativa de publicar una revista pensada per a l'educació femenina, però reclama que la publicació també es dediqui al món treballador, un altre sector social igualment mancat d'educació. La resposta de la redacció, sense signar, concreta que estava previst treure simultàniament dues revistes: una per a la dona i «l'altre periòdich dedicat esclusivament a l'instrucció de la classe obrera». Com que aquesta darrera previsió no s'ha complert «és fàcil que pera major desarrollo de las dos ideas, las refundim en un sol setmanari» i per això, els subscriptors que no estiguin d'acord amb la nova línia editorial se'ls tornarà els diners. I sense cap continuïtat, acaba l'efímera vida de *La Llar*, que té el mèrit indiscutible d'haver-se avançat al seu temps, ja que no tornem a trobar cap revista adreçada a les dones, escrita en llengua catalana, fins al suplement que amb el títol de «Modas y Labors», publica el *Diari Català* de Valentí Almirall, sota la direcció de Dolors Monserdà (1880-1881).

En aquests deu anys d'interval entre l'aparició de *La Llar* i el suplement del *Diari Català* s'han abandonat els mínims propòsits d'educació i promoció femenina

13. Les cartes literàries de Joaquim Riera i Bertran, en número de cinc, són publicades en els primers números de la revista amb els continguts i destinataris següents: «Carta literaria á mon íntim amich Francesch Ubach», *La Renaixensa* I, (1871), pàg. 2-3, on retreu la manca de gènere epistolar en català; «Carta literaria á mon coral amich Pere Nanot y Renart», pàg. 31-33, en què elogia la sàtira; «Carta literaria á mon benvolgut amich Joseph Roca y Roca», pàg. 87-89, sobre la manca de teatre realista; «Carta literaria á mon car amich Joan Montserrat», pàg. 123-125, on reflexiona sobre el registre lingüístic que demana la poesia i, finalment, «Carta literaria á mon apreciat amich Antoni Aulestia», pàg. 160-161, que tracta de la manca de novel·la en llengua catalana i analitza els factors que intervenen en la seva producció.

i s'ha optat pel model de l'*àngel de la llar*, la qual cosa no deixa de produir certa estranyesa si tenim en compte que el 1880 Valentí Almirall encara estava en l'òrbita de Pi i Margall, suposadament promotor de posicions socials avançades. El fet mateix de titular el suplement «Modas y Labors» ja implica que els interessos femenins coetanis quedaven limitats a allò que s'ha anomenat despectivament «labores propias de su sexo». El 13 de febrer de 1880, en anunciar el nou suplement, el director mateix en justifica el contingut: «Pera'ls homes nos ocupem de política, de comers, etc. etc. pera las senyoras ens ocuparem de literatura, de modas, de labors». I efectivament, en el suplement, que primer constava d'un plec independent, però que aviat quedà reduït a una pàgina dominical, hi ha nombrosos gravats amb models de vestits, patrons, etc., a més de la part literària.

Mirant els repertoris de premsa catalans, es podria creure que pocs anys després la revista *La Llar* reapareix. És cert que l'1 de gener de 1875 surt una nova revista amb el mateix títol de *La Llar*, amb una periodicitat setmanal i sota la direcció de Josep Franquesa i Gomis. Només observant el subtítol ja es fa evident que les intencions dels joves editors –a Franquesa i Gomis, cal afegir-hi Ramon Enric Bassegoda i Jacint Laporta– no tenen res a veure amb la revista de Felip de Saleta. La publicació és subtitulada com a *Periòdich Literari Popular* i cal situar-la, per tant, en la mateixa línia d'entreteniment familiar que la desapareguda *La Rondalla* (1874). La revista va deixar de publicar-se el 21 d'agost de 1875, després de treure al carrer 13 números.

Per tant, cal concedir a Felip de Saleta l'honor i la perspicàcia d'editar la primera revista catalana destinada a la promoció femenina, malgrat que l'intent acabés fracassant tan aviat.

Índex de *la llar* (1871)

ARMENGOL I CORNET, Pere, «Objectes principals del Patronat Industrial que tenen relació ab la dona», pàg. 3-4; 10-11. Article.

CONCEPCIÓ DE N., «Vina allà al bosch», pàg. 22. Poema.

CONSISTORI DELS JOCHS FLORALS DE BARCELONA, [*Cartell de premis*], pàg. 14-15.

FONT, A., «A un cor de gel», pàg. 11. Poema.

FONT I GUITART, Eduard, «Planys del cor», pàg. 24. Poema.

FUSTER, Albert, «La matinada de la primavera», pàg. 23. Poema.

GUILLEM DE LA PENYA [pseud.]. [Res.], «Revista de teatres», pàg. 8; 13-14.

J. P. i P. «Follias», pàg. 15. Poema.

MARIA DE M. [pseud.] Vegeu DE SALETA, Felip, «Consideracions sobre la dona».

MASSANÉS, Josefa. «Las donas catalanas», pàg. 4-5. Poema.

MONCERDÀ DE MACIÀ, Dolors, «L'instrucció en la dona», pàg. 2; 9-10. Article.

NOVAS, pàg. 8.* Salutació a la premsa.* Propera estrena de *La Glòria* al Teatre Català.

NOVAS, pàg. 24.* Devolució de l'import de la subscripció als qui no estiguin d'acord amb la nova orientació prevista per a la publicació.* Estrena al Teatro del Circo de *La masovera* d'E.Vidal i *La festa del barri* de Frederic Soler i Nicolau Manent.* Estrena al Teatre Romea de *Los polítichs de gambeto* de Frederic Soler.

PASCUAL DE SANJUAN, Pilar, «La dona», pàg. 9; 17-18. Article.

ROSETA [pseud.]. Vegeu DE SALETA, Felip, «Planys d'una rosa».

[DE SALETA, Felip], «Consideracions sobre la dona», pàg. 1-2; 18. Article.

DE SALETA, Felip, «En la fira de Sant Pau», pàg. 6-7. Poema.

DE SALETA, Felip, «L'amor», pàg. 13. Poema.

[DE SALETA, Felip], «L'Angiolina», pàg. 19-22. Narració.

[DE SALETA, Felip], «La ciencia per la dona», pàg. 7-8. Article.

[DE SALETA, Felip], «La ciencia per la dona. Historia científica de un brillant», pàg. 11-12. Article.

DE SALETA, Felip, «La font de l'alsina», pàg. 19. Poema.

[DE SALETA, Felip], «Planys d'una rosa», pàg. 5-6. Poema.

TOBELLA, Francesc Xavier, «Previsió de la naturalesa», pàg. 12-13; 22-23. Article.

TERESETA DEL CAMP [pseud.]. Vegeu DE SALETA, Felip, «L'Angiolina» i «La ciencia per la dona».

TROSSOS ESCULLITS, pàg. 24.

VARIETATS, pàg. 16.* Benefici de la senyora Peralta.* Agraïment als diaris per l'acollida a *La Llar.** Sessió necrològica a la Jove Catalunya.* Anunci d'una botiga de robes.* Aparició de *La Renaixensa.** Creació d'una societat femenina als Estats Units.* Anunci d'un mostrari cal·ligràfic.* Informació sobre càrrecs aconseguits per dones als Estats Units.

VARIETATS, pàg. 23.* Carta de Josep Roca i Font sobre la necessitat de crear una revista per a l'educació dels obrers.* Resposta anunciant la refosa de *La Llar* en una revista que tractarà dels dos temes.

UN MANUAL D'ESTIL DEL SEGLE XVIII: EL DE JOSEP BLASI, NATURAL DE VALLMOLL

Joana Escobedo

Biblioteca de Catalunya

Fa un temps, al llarg d'una anàlisi dels plecs solts rimats que es publicaren durant el segle XVIII a Barcelona en català, s'apuntà, entre els localitzats i identificats, el nom d'alguns autors. Un d'ells, el de Josep Blasi –Josep Blasi, natural de Vallmoll.[1] Cap, però, dels repertoris consultats no esmentava ni reconeixia Blasi com a autor de textos que poguessin inscriure's dins d'aquella tipologia editorial[2] ni li n'atribuïa cap, potser perquè desconeixien els plecs –en la seva totalitat o parcialment–, potser perquè no havien tingut la possibilitat, per la raó assenyalada, d'establir-ne interrelacions. Tanmateix, l'obra de Blasi identificada o atribuïda i circumscrita als anys cinquanta del segle XVIII no deixa de ser prou rellevant, tant pel nombre de plecs, els localitzats i conservats per ara, com per les característiques formals i textuals, com pels continguts –els costums socials i certs hàbits vinculats a un nucli urbà–, com per la manera xifrada o anònima amb què es presentava.[3]

La bibliografia esmenta, això sí, un Josep Blasi, natural de Vallmoll,[4] autor d'un manual d'ortografia castellana i d'uns elements de tipografia, *Epítome de la*

1. Amb relació a la bibliografia de Blasi referent als plecs solts, s'ha de dir que només es van considerar els plecs solts rimats catalans amb indicació explícita d'haver estat impresos a Barcelona. Figurava en alguns com a autor; d'altres se li podien atribuir si semblava que hi podien tenir algun lligam, a través d'ell mateix, de la figura del narrador o del lloc en què es projectava l'acció. Potser una anàlisi més exhaustiva permetria d'atribuir-n'hi d'altres que ens han pervingut com a anònims, escrits en castellà o publicats amb peu d'impremta de fora de Barcelona o sense peu d'impremta. Cal observar també que la complexitat manifesta en el món de la tipografia del plec, així com el fet que es compta només amb el testimoniatge dels impresos conservats i/o localitzats, obliga a referir-s'hi en termes de provisionalitat.

2. Tot i que alguns dels textos són ressenyats per Aguiló (núm. 2388-2389, 2392) i per Palau (núm. 60883, 74569-74570), no se n'atorga l'autoria a Blasi, sinó que se'ls dóna com a peces anònimes.

3. Vegeu l'article de Joana Escobedo sobre Josep Blasi citat a la bibliografia.

4. Així l'esmenten també els repertoris. La bibliografia local de Vallmoll, deguda a la ploma de GAVALDÀ I TORRENTS (I, pàg. 163-164), el recull entre els autors d'aquesta localitat tarragonina tot fent-lo autor de les obres també recollides per altres bibliografies més generals. El mateix autor ja se n'havia ocupat a *El llibre de Vallmoll*, pàg. 189. L'esmenta també PUJOL, pàg. 11. També PUJOL –pàg. 23– cita un Josep Blasi ecònom de la Parròquia de Santa Maria de Vallmoll l'any 1767. Fusté reprodueix aquestes informacions –pàg. 162 i 109, respectivament. Dec les notícies, que agraeixo, referents a Vallmoll a la Sra. Marina Blàvia. Vegeu també: GRAS I ELIAS, pàg. 138.

orthographía castellana. Con los elementos de la typographía...,[5] i d'unes cobles pietoses, *Avisos a los mortales*,[6] en els repertoris més en ús.[7] Torres Amat agrega que cursava estudis de teologia en escriure el primer manual, notícia extreta, probablement, del pròleg de l'*Epítome*,[8] i que potser podria ser d'interès a l'hora d'explicar certs aspectes textuals. Pujol esmenta el segon cognom –Coll– i el fa néixer el maig del 1711. La *Biobibliografia de l'Alt Camp* recull les dades esmentades en esbossarne la biografia.

Si l'*Epítome*, que Blasi escrigué per a un deixeble,[9] sol ser ressenyada en repertoris bibliogràfics i en algunes obres de referència com una obra avançada sobre ortografia i tipografia,[10] els *Avisos* tenen també un interès afegit: en la composició de les cobles s'ometé la lletra *A*, alhora que el romanç que clou el text –«Al vicio de la luxuria»– admet la lectura en català, castellà i llatí. Al colofó dels *Avisos*, en un intent de propaganda editorial, s'hi indica que l'autor és el mateix que el de l'*Epítome*.[11] Si l'*Epítome* duu com a data de publicació el 1751, els *Avisos* –almenys en l'edició conservada– duen la de 1762. Tant l'un com l'altre empren, com a llengua de comunicació, el castellà.

L'objectiu d'aquestes notes és donar notícia de l'edició, una edició de l'Epítome barcelonina que ofereix un model tipogràfic i textual,[12] matisat anys a

5. *Epítome de la orthographía castellana. Con los Elementos de la typographía y un modo para enseñar de leer bien. Mui útil para los impressores, correctores de imprenta, maestros de escuelas y para otros qualesquiera escrivanos*. Por Joseph Blasi, natural de Vall-moll. Barcelona: en la Imprenta de Juan Pablo Martí Librero, 1751 (Palau, 30800). Afegeix Palau: «Torres Amat dice que esta obrita se reimprimió en 1755. Quizá se refiere a una edición igual sin fecha que nosotros vendimos [...]».

6. *Avisos a los mortales, en 60 coplas, que el christiano lector podrá leer o cantar en lugar de otras canciones menos útiles (tal vez perniciosas) para excitar en su corazón sentimientos de mucha piedad, muy provechosos para el desengaño. Escritas sin la letra A,* por Joseph Blasi, natural de Vallmoll. Tarragona: Magín Canals, 1762.

7. Ressenyen l'*Epítome,* entre d'altres, Torres Amat, pàg. 110; Viñaza, III, núm. 1708, col. 2115; Pujol, pàg.11; Palau, 30800; *Diccionari biogràfic*, I, pàg. 301; Martínez de Sousa, pàg. 316; *Biobibliografia de l'Alt Camp*, [pàg. 8]; *NUC*, NB 0543394; Fusté, 162; Burgos, II, pàg. 395, i algunes enciclopèdies: *Diccionario enciclopédico Salvat*, pàg. 758, l'*Enciclopedia universal ilustrada,* VIII, pàg. 1125... Ressenyen totes dues obres Aguilar Piñal, I, pàg. 663, núm. 4648-4649, i Gavaldà (ja esmentat).

8. Fol. sign. §[10]r.

9. Fol. sign. §[8]r: «Escriví este librito (amigo lector) para un dicípulo [*sic*] mío, deseoso de que tuviesse una suficiente noticia de la orthographía castellana, que juzgué havía de serle de mucha utilidad según el arte que professar intenta [...]».

10. Torres Amat opina que els elements de la tipografia és el primer tractat escrit sobre la matèria (pàg. 110). Vegeu també, entre d'altres, *Enciclopedia universal*, VIII, pàg. 1125, i *Diccionari biogràfic*, I, pàg. 301.

11. El plec acaba amb la indicació: «Y se advierte, que en Barcelona, en la Imprenta de Mauro Martì, se hallarà el Libro intitulado: *Epitome de la Orthographia Espanyola, con los Elementos de la Typographia, &c.* Compuesto por el mismo Autor».

12. Cal no oblidar les aportacions precedents i les seves implicacions. Remetem a la bibliografia valenciana, per exemple.

venir per gramàtiques per a ús dels impressors, per manuals de composició tipogràfica amb apèndixs gramaticals i, en definitiva, per manuals d'estil. No entra, en canvi, en la seva finalitat historiar l'ortografia, la composició tipogràfica o els mètodes d'ensenyament de la lectura –ni establir-ne criteris comparatius diacrònics o sincrònics–, ni determinar quina fou la incidència del criteri i de la pràctica ortogràfics dels impressors a mitjan segle XVIII.

L'*Epítome* és, per dir-ho d'una manera actual, un manual d'estil. El manual, que s'adreçaria sobretot als impressors, en segon terme als escrivans i en darrer als mestres, pren el títol del primer dels textos que conté, l'epítom de l'ortografia castellana, tot i que en portada se n'esmenta la resta: uns elements de la tipografia, que afegeixen com a cloenda el *Modo que deven tener los maestros de escuelas para enseñar de leer bien a los muchachos.* Els tres textos es publicaren alhora, en un mateix volum i amb signatures correlatives, per bé que tant l'*Epítome* com els *Elementos* tinguessin portada pròpia –la primera inclusiva de la totalitat i la segona dedicada exclusivament a la tipografia– i paginació i índexs independents. La cloenda es considera part dels *Elementos.*

Una descripció bibliogràfica[13] dóna com a paginació la seqüència [24], 78, [8], 34 pàg., i com a signatures §^{12}, A-E,^{12} en un format 12º, de 22 línies de text per pàgina, i reclams. L'estampació és sòbria, amb poca profusió d'ornaments. La pàgina 1 dels dos tractats es decora amb un fris i una caplletra ornada. L'*Epítome* mostra un petit fris al fol. sign. §^{12} v. i una vinyeta tipogràfica a la pàg. 43. Els *Elementos* s'ornen amb vinyetes tipogràfiques a les pàgines 14 i 18, mentre que incorporen a les pàgines 24 i 34 marques tipogràfiques. La de la pàgina 24, que duu les inicials F. D., correspon a l'impressor sevillà Fernando Díaz.[14] La marca amb què clou el volum –pàg. 34–, que duu el lema «In Iovis usque sinum», emprada al taller de Sebastià de Cormellas,[15] havia estat ja emprada el segle XVI per Claudi Bornat.[16] Cal dir que la família Martí fou la continuadora de la impremta de Cormellas.[17]

En totes dues portades es fa constar els destinataris de l'edició. A la de l'*Epítome*, els impressors, correctors d'impremta, mestres d'escola i qualssevol altres escrivans. Als *Elementos de la Typographía*, els principiants en l'art, els

13. L'exemplar consultat, pertanyent a la Biblioteca Bergnes de las Casas i relligat en pergamí, duu, al full de guarda, un segell de goma, ex-libris de la «Biblioteca A. Bulbena T.», amb el lema «Honora lo passat. Proveheix per lo avenidor». També al full de guarda, hi ha un ex-libris manuscrit de Joseph Gras. A portada, gairebé il·legible es veu el segell de l'INLE. Delegación de Barcelona. I, posterior, el de la Biblioteca de Catalunya.

14. Vindel –pàg. 321, núm. 412– la data el 1603: «Probablemente este impresor sevillano, por azares de la fortuna, estaba de oficial en el taller de Cormellas, que en 1603 era de los más importantes de España».

15. Vindel, pàg. 291, núm. 381.

16. Vindel, pàg. 184, núm. 241.

17. Pel que fa a l'activitat impressora de la família Martí, cf. Francisco Javier Burgos (vol. I, pàg. 497-501 i vol. II, pàg. 358-399). Joan Pau Martí, que «compró la imprenta a José Cormellas, descendiente de los impresores Sebastián Cormellas» –I, pàg. 499–, va morir, s'hi diu, el 1722. Pel que fa a l'arbre genealògic de la família, vegeu AG-9 (I, pàg. 456).

correctors d'impremta i tots aquells qui volguessin fer imprimir els seus escrits. Aquesta idea es ratifica en la dedicatòria a «San Juan ante Portam Latinam» que figura a totes dues portades, i al sonet del mateix Blasi incorporat a la dedicatòria amb què s'inicia el volum:[18] «Al Águila de los evangelistas, doctor, virgen y mártir; dicípulo [*sic*] el más amado, apóstol y primo de Christo, San Juan; patrón de los impressores, en su Sagdo. Martyrio ante Portam Latinam».[19] És evident que, al rerefons de l'obra, l'objectiu primordial és el món de la impremta i de la impressió. I aquí rau el nostre interès.

L'*Epítome* dóna, rere la dedicatòria, l'imprimàtur, amb el parer de Salvador Puig,[20] doctor en Sagrada Teologia i catedràtic de Retòrica i Poesia del Seminari Episcopal de Barcelona, que en recomana la publicació, perquè, vist el llibre, «no pude menos que aplaudir el zelo estudioso de quien procura que se trate con limpieza de defectos tan elegante perfecto idioma como el español»,[21] una llengua que «como trae el origen de tan distintos lenguages, según fueron varios los dominios en España, aunque principalmente deriva de la lengua latina, de aí es que siendo el méthodo más seguro recurrir a los orígenes de las voces y examinar sus etymologías, en tanta variedad se hace dificilíssimo o casi impossible un perfecto tratado de essas reglas»,[22] per bé que siguin «sin embargo muchos los tratados que corren de la orthographía castellana [...]».[23] A continuació passa revista a alguns mètodes emprats. Finalment, «siendo pues éste de essa calidad, como no contiene desliz alguno de la orthographía de las buenas costumbres, soi de parecer salga a luz».[24]

A continuació, la «Fe de erratas» ve a ser una professió d'intencions i no una indicació de les errades del text concret. Es podria parlar de reflexió teòrica sobre el fet que inadvertidament s'escolin errors en els impresos, sigui pel desconeixement de llatí dels impressors, sigui pel procés inadequat d'esmena del corrector, sigui pels nous errors generats per esmenes prèvies. Per això creu que «para que el libro salga

18. Fol. sign. §^{2}r.

19. Pel que fa a l'edició dels textos, val a dir que s'ha accentuat, s'ha capitalitzat i s'ha puntuat d'acord amb la llengua actual. No s'accentua la *y* que es correspondria amb la *í*. Al llarg del text, s'ha reduït *s* i *ſ* a la *s* actual, llevat dels casos en què la reproducció de *ſ* era imprescindible.

20. Salvador Puig fou també, anys més tard, l'autor d'uns *Rudimentos de la gramática castellana que por disposición del Ilustrísimo Señor Don Josef Climent, obispo de Barcelona,* [...] *se han de enseñar en su Colegio Episcopal y Tridentino*. Barcelona: Thomás Piferrer, 1770 (Aguilar Piñal, VI, pàg. 500, núm. 3528; Palau, 241419). Rere el nom de l'autor s'hi afegia –citem textualment: «Presbytero, Capellàn Mayor del Palàu, Cathedratico (que fuè) de Rethorica en dicho Colegio Episcopal, Exâminador Synodal de este Obispado, y Academico de la Real Academia de Buenas Letras de la misma ciudad». (Vegeu per a la seva bibliografia, Aguilar Piñal, VI, pàg. 499-500, núm. 3526-3529, i Palau, 241418-20). És obra, força curiosa, en gran part bilingüe, destinada a afavorir el coneixement de la llengua castellana a catalans i valencians, com s'explica als fulls de la dedicatòria al bisbe Climent (19 pàgines sense numerar –fol. sign. ¶^{2}r.-^{8}v. i ¶¶1-^{4}r.).

21. Fol. sign. §^{3}v.

22. Fol. sign. §^{4}v.-^{5}r.

23. Fol. sign. §^{5}r.

24. Fol. sign. §^{6}r.-v. Aquest text és datat a Barcelona, el 3 de maig de 1751.

bien correcto, sería mui del caso que el author leyesse cada primer pliego assí que sale de la prensa, antes no se impriman los demás».[25]

S'arriba al «Prólogo», un pròleg del qual es podrien destacar unes quantes assercions. L'autor va escriure l'ortografia, sense preveure'n l'edició, per a un alumne que es pensava dedicar a l'art de la impressió. La va publicar obligat per pressions alienes[26] i atès «lo mucho que la lengua castellana se halla ya introducida por todas partes de España, en donde apenas se escrive o imprime cosa alguna que no sea en este idioma y la falta grande que hai de su orthographía en algunos impressores, maestros de escuelas y otros muchos escrivanos, que, sin faltar a su obligación, no pueden dexar de saberla; y finalmente lo poco que de esta materia se ha escrito respective de otras ciencias».[27] No ignora l'existència d'altres tractats, però els considera més aviat destinats als doctes o escrits per al lluïment dels seus autors.[28] De manera que, tot i que es reconeix ignorant i tot i saber que vulnera el precepte d'Horaci[29] per no deixar el seu escrit durant nou anys «baxo la férula de la corrección», en decideix la publicació abans d'acabar els estudis de teologia.

L'obra té –encara que es distancia dels ortògrafs[30] i els gramàtics–[31] una voluntat pedagògica i pragmàtica indiscutible, que es manté fins al final.

Desenvolupa l'ortografia, que «no es otra cosa más que *una ciencia que enseña de escrivir bien y correctamente,* esto es, de poner en las dicciones o palabras, las letras necessarias, sin añadir ni quitar alguna, ni poner unas en lugar de otras; y en las cláusulas, las puntuaciones que para su buena y perfecta inteligencia se necessitan»[32], en onze capítols, en què, rere una breu introducció, dóna les regles:

25. Fol. sign. §[7]v.

26. «Víme, pues, obligado a obedecer; pero con todo no fue sin algo de violencia al considerar lo mucho que mi ignorancia havía de quedar conocida» (fol. sign. §[8]v.).

27. Fol. sign. §[8] v.-9r.

28. No és aquest el lloc, com s'ha dit, des d'on fer una anàlisi comparativa ni dels continguts ni de les diverses tipologies d'ortografies –o tractats que hi són relacionats– del moment. Havia aparegut ja l'*Orthographía española* de la Real Academia Española (Madrid: Real Academia Española, 1741), que havia tingut un antecedent en el «Discurso proemial de la orthographía de la lengua castellana» publicat com a preàmbul a les pàgines LXI-LXXXIV del volum primer de la primera edició del *Diccionario de la lengua castellana* de la Real Academia Española (Madrid: en la imprenta de Francisco del Hierro, 1726-1739), 6 vol. La impremta i els signes que li eren propis també hi eren presents. (Cf. especialment, el capítol XI: «De diferentes notas que se suelen usar en lo escrito, y su explicacion» –pàg. 270-280– de l'*Orthographía española*).

29. Fol. sign. §[9]r.-v.

30. Pàg. 23, per exemple.

31. Pàg. 65, punt 1.

32. Pàg. 1-2. Les cursives corresponen a l'original.

I: De la orthographía castellana; de las letras, diphtongos y sylabas.
II: Del uso de las letras mayúsculas.
Reglas para conocer quándo se ha de usar de letra mayúscula.
III: De la duplicación de las letras en las dicciones castellanas.
Reglas para conocer quándo se ha de doblar la C en las dicciones castellanas.
Reglas para conocer quándo se ha de doblar la R.
Reglas para conocer quándo se ha de doblar la S.
IV: De la semejanza que tienen algunas letras en la pronunciación castellana.
Reglas para conocer quándo las dicciones castellanas se han de escrivir con J, X o G.
Reglas para conocer quándo las dicciones castellanas se han de escrivir con C, S o SS.
Reglas para conocer quándo las dicciones castellans se han de escrivir con Z.
Reglas para conocer quándo las dicciones castellanas se han de escrivir con B o con V consonante.
Reglas para conocer quándo las dicciones castellanas se han de escrivir con C o Q.
V: Del uso de la letra H en las dicciones castellanas.
Reglas para conocer quándo las dicciones castellanas se han de escrivir con H.
VI: De la diferencia que hai entre la U vocal y la V consonante, y de la S roscada y ſ larga.
Reglas para conocer quándo se ha de usar de U vocal u de V consonante.
Reglas para conocer quándo se ha de usar de ſ roscada u de la ſ larga.
VII: De las letras conjuntivas y disjuntivas.
Reglas para el uso de las letras conjuntivas y disjuntivas.
VIII: Del uso de las letras griegas en las dicciones castellanas.
Reglas para el uso de las letras griegas en las dicciones castellanas.
IX: De los accentos.
Reglas para conocer quándo se ha de usar de accentos en las dicciones castellanas.
X: De la puntuación.
XI: De las notas numerales romanas.

El seu referent sol ser l'ús que en fan els doctes. L'única referència bibliogràfica esmentada en el camp de l'ortografia coetània, que apareix de bon començament quan omet les lletres castellanes perquè «como esta lengua se halle tan introducida por todas partes de España, ya los maestros de niños bastantemente lo enseñan»,[33] és el *Prontuario orthologico-gráphico trilingüe* del pare Anglès.[34] Altres referències es remunten a autors clàssics, Quintilià, per destacar-ne un.

33. Pàg. 3.

34. Pere Màrtir Anglès, religiós dominicà, nascut a Tarragona i mort a Barcelona el 1754, escrigué aquesta obra, segons que diu el subtítol, per ensenyar «a pronunciar, escribir y letrear correctamente en latín, castellano y catalán: con una Idia-graphía o Arte de escribir en secreto, o con llave idia-gráphica...». Barcelona: Mariano Soldevila, impressor, [s. d., 1743 a la data de taxació]. (Aguilar Piñal, I, pàg. 281, núm. 1809; Palau, 12654). Per a les seves obres, manuscrites o impreses, vegeu també Aguilar Piñal, I, pàg. 281-282, núm. 1806-1810, i Palau, 12654-12655. «Al lector» –fol. sign. §8r.-v.– se li explica que l'obra es divideix en tres parts segons que tracti l'ortologia i l'ortografia del llatí, del castellà o del català. Cada part es divideix en dos llibres, l'un per a la teoria i el segon per a l'ús i la pràctica. Els llibres es divideixen en capítols i aquests en regles. A l'últim capítol –pàg. 424-443–, s'hi parla de la «idiagrafía o arte de escribir en secreto...». La clau de l'escriptura secreta consistia, bàsicament, en un canvi de codi que permetia transcriure en forma alfabètica o numèrica el resultat d'iniciar qualsevol seqüència en lloc altre que en la *A*. Per això reproduïa una «Tabla de las letras por su orden» –pàg. 427– i una «Tabla Idia-Gráphica» –pàg. 430. Amb relació a l'aplicació de regles d'una llengua a una altra, «ni debes estranyar tampoco –diu al fol. sign.

L'ortografia –escrita en un moment de reformes, de regulació– reflecteix alguns dels aspectes que els usuaris de la llengua sentien com a més vacil·lants, que, en part, responien a certes oposicions entre la fidelitat a l'origen d'alguns mots i la simplificació imposada per la fonètica. Determinades oposicions gràfiques no tenien un correlat amb la pronúncia real; per aquesta raó, insìsteix en la duplicació de les consonants, en la supressió d'algun caràcter o en la delimitació d'altres, en el tractament de grups consonàntics d'origen grec...

La grafia, l'escriptura, hi té una incidència especial, com la té també, no cal dir, la pronúncia. L'alineament amb relació al conjunt serveix per diferenciar majúscules i minúscules[35] de la mateixa manera que aquest mateix alineament tindrà un paper destacat a l'hora de triar la *s* roscada o serpentina de la *ſ* llarga,[36] diferents només «materialment»,[37] per figura i alineament, i encara per una altra raó: la *ſ* llarga no té una majúscula que se li correspongui.[38] L'estètica que deriva del seu ús, simple o doblada, limitada per les matrius en ús de la impremta, pot adaptar-se a les peces existents en les caixes o ser transcendida en l'escriptura manuscrita. També es refereix a l'ús de la *U* vocal i la *V* consonant,[39] que presenta sense que plantegi, en realitat, cap problemàtica (deixa enrere, per tant, d'acord amb les pautes del moment, una tradició tipogràfica de llarga durada). L'alineament podrà introduir diferències entre el text imprès i el manuscrit.[40] Al llarg de l'obra, del «librito» com l'anomena, la grafia s'estén a les dues vessants manuscrita i impresa:[41] l'escrivà podrà guiar-se, en general, per la pràctica impressora.

L'autor, tarragoní, no abandona en cap moment la perspectiva de catalanoparlant. És una ortografia a tres mans –la castellana, la llatina i la catalana– amb un recurs concret: el diccionari, apte per suplir el desconeixement del llatí i la manca de regles generals. Apareix el català de bon inici: «[...] para saber escrivir bien la lengua castellana importa mucho la noticia de las lenguas de quienes trae su origen y especialmente de la latina; a los catalanes no les es tan necessaria como a los de otras naciones ni aun como a los mismos castellanos, porque son mui pocas las reglas que pueden sacarse de la lengua latina para escrivir bien la castellana que el catalán no las halle en su proprio idioma».[42]

§[8]v.– que las [reglas] que pertenecen a la *lengua latina* y *catalana* se te propongan en castellano idioma; pues no repugna q[ue] las reglas q[ue] pertenecen a una lengua se propongan en otra lengua». (Les cursives responen a l'original). Pel que fa a la personalitat i a l'obra de l'autor i a les crítiques obtingudes, vegeu Segarra, pàg. 80-86. Tarragoní com Blasi, recorre també a la pronúncia per a la diferenciació gràfica de *b*/*v*.

35. Pàg. 4-6.
36. Pàg. 54-57.
37. Pàg. 52.
38. Pàg. 55, punt 2.
39. Pàg. 52-53.
40. Pàg. 56.
41. A tall d'exemple, vegeu la pàg. 7, i també la pàg. 11 dels *Elementos*.
42. Pàg. 2.

Atès que l'original s'adreçava principalment als impressors, rere les lletres introduïa l'ús de majúscules,[43] pràctica impressora que recomana als escrivans.

Recorre al català en punts diversos: als capítols I-IV, en tractar de la duplicació de consonants, sigui de la *C*,[44] sigui de la *S*,[45] sigui de la grafia *J*, *X* o *G*,[46] sigui de la *S* o *SS*,[47] de la *Z*,[48] de la *B* o *V* (sempre consonant).[49] Als advertiments del capítol IV, en l'ús de *M* davant *B*, *M*, *P* i de *M*, *N* finals,[50] i de *D* i *T* finals,[51] i, considerant la pronúncia per sobre de la grafia, reivindica la pronúncia diferenciada de *B/V*[52] per evitar errors, tot i que reconeix que la identitat fonètica i gràfica és pràctica assumida fins i tot en gent de no poca erudició.[53] Al capítol V, remetrà a la correspondència *H/F* etimològica en les diccions castellanes que han de començar amb *H*.[54] Torna a recórrer al català al capítol IX, en tractar de l'accentuació.[55]

No sempre normativitza. Admet l'imperfet d'indicatiu amb *–BA* i en *–VA*[56] per més que es decanti per una de les formes; i encara que considera que fóra més propi emprar la vocal *I* com a conjunció, no s'oposa al costum d'usar la *Y* (grega) per tal com ha estat acceptada pels homes doctes.[57] També admet, per la mateixa raó, l'ús indiferent de *F/PH*.[58] Deixa també la porta oberta pel que fa a l'ús de l'accent greu o agut, «pues ni en las imprentas se detienen en ello; excluyen sí de qualquier sylaba castellana el accento circunflexo, que los impressores vulgarmente llaman capucha».[59] Només davant l'ús força indiscrimat de *CH* provinent del llatí (*charitas, hierarchia*), propugna l'ús de *C* + *A*, *O*, *U* i de *Qu* + *E*, *I*, ja que en castellà *CH* té un

43. Pàg. 5 i seg.
44. Pàg. 16-17, punt 4.
45. Pàg. 19-21, punts 4-5.
46. Pàg. 26-27, punts 5-7. Esteve s'hi refereix al cap. 15 –«Estudio fónico-grafémico de G (GE, GI), J, X en español»–, pàg. 412.
47. Pàg. 28, punt 4.
48. Pàg. 31-33, punts 2-4.
49. Pàg. 37-38, punts 5-7.
50. Pàg. 45, punt 1.
51. Pàg. 46, punt 2.
52. Pàg. 46, punt 3: «Pido a los señores maestros de escuelas tengan cuidado en que los muchachos sepan distinguir las dos pronunciaciones[...]». Esteve s'hi refereix al cap. 4 –«Valor y uso de las grafías *b* y *v*»–, pàg. 178-180.
53. Pàg. 46-49, punt 3. A la pàg. LXXII, punt 30 del «Discurso proemial...» es llegia: «El uso de la B y de la V causa mucha confusión, nacida de que los españoles, como no hacemos distinción en la pronunciación de estas dos letras, igualmente nos hemos valido ya de la B, ya de la V, sin el menor reparo». El mateix assumia l'*Orthographía española* de la Real Academia Española: «La B confunde nuestra lengua con la V consonante: porque en nuestra infancia no nos enseñaron a articular con distinta pronunciación la V de la B» (pàg. 123 i seg.)
54. Pàg. 50, punt 1.
55. Pàg. 67, punt 4.
56. Pàg. 37-38, punt 7.
57. Pàg. 60, punt 2.
58. Pàg. 61-62, punt 1.
59. Pàg. 68, punt 6.

so prou diferenciat.[60] Exclou també l'ús de *Ç* –«ningún buen orthógrapho usa de esta Ç con virgulilla, sino que en su lugar pone la Z [...]»–[61] i l'ús de doble *Ll* per *L*.[62] Destaca errors ortogràfics importants per tal com poden arribar a induir fins i tot a interpretacions herètiques i els exemplifica en concret amb *B*/*V*[63] i en la puntuació.[64] Hi aboca algun contingut morfosintàctic.[65] L'obra s'acaba amb una invocació de caire religiós i la paraula «fin».

Els *Elementos de la Typographía,* amb portada pròpia –fol. sign. D[4]r. –, s'inicien amb un pròleg de l'autor: després d'haver donat les regles suficients per esdevenir un ortògraf perfecte, va decidir redactar aquest tractat. Reitera els destinataris ja esmentats al subtítol, és a dir, els professionals de la impremta i els ensenyants, perquè, hi diu, els errors tipogràfics no són menors que els ortogràfics. Pretén, amb el seu tractat, i encara que no es reconegui impressor, que surtin de la impremta obres netes d'errors i «con aquel ornato y aliño que piden materias tan elevadas como suelen ser las que se dan a la imprenta».[66] Concreta el malestar produït per errors tipogràfics a través de l'opinió de Francesc Xavier de Garma en el curs de la impressió del volum IV del *Theatro universal de España* (Madrid: [s. n.], 1738-1751).[67] Parlarà no de les premses, sinó de la caixa.

Els *Elementos* són redactats en sis capítols més l'apèndix de què ja s'ha parlat:

I: De los principios.
II: De las letras floridas y de puntos.
III: De los espacios.
IV: De la igualdad y disposición de las páginas.
V: De los géneros de letras que más comúnmente se encuentran en las imprentas.
VI: De las señales que tienen los impressores para la corrección.
Modo que deven tener los maestros de escuelas para enseñar de leer a los muchachos.

La idea de document –o millor, de text– apareix a l'inici del capítol I: «Principios llaman los impressores, no sólo a los que lo son de los libros, sino también a qualquier otro papel suelto, de los que suelen fixarse en esquinas, paredes, puertas, &»,[68] encara que només s'ocupi, al llarg de l'obra, de llibres.

60. Pàg. 62-63, punt 2.
61. Pàg. 34, punt 8.
62. Pàg. 22-23, punt 2.
63. *Deus vivit* vs. *Deus bibit*, entre d'altres (pàg. 47).
64. *Genitus, non sa[n]ctus: Surrexit, non est hic* vs. *Genitus non, sa[n]ctus: Surrexit non, est hic* (pàg. 69).
65. Cap. VII.
66. Fol. sign. D[5]v.
67. Fol. sign. D[5]v. i seg., i pàg. 14.
68. Pàg. 1.

La tipografia de Blasi, prou senzilla, no exclou un sentit estètic, que abasta des de la justificació de pàgina a la portada i al més mínim element tipogràfic. La selecció dels tipus duu implícita una simbologia;[69] els espais i les interlínies responen a les exigències d'ús de determinats caràcters (caplletres ornades i de punts), de la mateixa manera que l'art tipogràfica pot imposar criteris en la divisió de síl·labes.[70] Conscient, com ja havia apuntat a l'*Epítome,* dels errors, reclama, per a la impremta, originals correctes.[71] I s'imposa de nou el pragmatisme: la composició de la pàgina d'inici haurà de ser una mica més ampla i llarga que la resta per tal que els llibreters no arribin a mutilar mai la lletra del cos del llibre;[72] l'obra anirà paginada i durà el títol de l'obra o del capítol a la part superior de la pàgina;[73] el full de mida foli o quart s'escriurà a dues columnes;[74] si sobra espai, s'omplirà amb algun ornament –florons, vinyetes...[75] Afegeix una mostra de caràcters de diferents fonts per tal que els autors puguin triar entre les que hi ha «en esta nuestra imprenta»,[76] i mostra la manera com es corregeixen proves.[77] El mateix caràcter de l'obra exclou qualsevol referència a la il·lustració.

Amb la paraula «fin» els *Elementos* acaben l'epígraf ja assenyalat –*Modo que deven tener los maestros de escuelas...*–, inclòs al cos de l'obra per emplenar un plec que quedava buit i atès que el seu contingut no diferia excessivament del contingut del llibre. Blasi ocupa, doncs, el plec sobrer amb alguns consells per ensenyar a llegir bé i amb rapidesa. Novament el camp s'estén a d'altres tipologies: «Ya que el muchacho sepa leer bien, sería mui del caso que el maestro dedicasse un quarto de hora a lo menos cada semana en hacerle leer algun manuscrito, y escrivir aquello que al mismo maestro se le ocurriesse en otro papel, a más de lo que le hace escrivir en su cartapacio [...].[78] No apruebo tampoco el estylo de algunos maestros que, después que el muchacho sabe ya la cartilla le passan a algun libro latín primero que a otro alguno de su proprio idioma, porque esto, a mi parecer, se opone a aquella regla tan celebrada de los dialécticos: *A facilioribus est incipiendum*».[79] Remeten al text, editar al final de l'article com a apèndix.

Arribats en aquest punt, i al marge de qualsevol valoració extreta de la lectura dels *Avisos a los mortales* o de qualsevol lligam amb la personalitat i l'obra de

69. «El nombre del author con todos sus títulos se pone de letra cursiva o bastardilla». «El nombre del patrón a quien se dedica el libro con todos sus títulos se debe poner de letra redonda, que en esto se le hace cortesía por ser ésta más perfecta que la cursiva o bastardilla» (pàg. 4).

70. Pàg. 11-12.

71. Pàg. 13-14.

72. Pàg. 15-16.

73. Pàg. 16-17.

74. Pàg. 17.

75. Pàg. 17-18.

76. Pàg. 19-20.

77. Pàg. 21-24.

78. Pàg. 31.

79. Pàg. 32.

Carles Ros, ens preguntem, ja per acabar: aquest Josep Blasi, natural de Vallmoll, que escriu una ortografia elemental i esbossa un manual per a tipògrafs, i que alliçona els mestres, que recorre a florilegis per extreure cites llatines,[80] que sent la necessitat d'incloure un text –en part imprevist, en part innecessari– en una obra per emplenar un plec buit... és el mateix que escriu textos per publicar en plecs solts –editats, sembla, amb una certa fidelitat per la casa impressora de la família Martí–, que oculta el nom propi o l'expressa de manera xifrada[81] seguint el mètode exposat per Anglès al *Prontuario*, que pica l'ullet al lector assabentat, pel que sembla, de l'autoria que s'amagava rere la ficció i que al·ludeix a d'altres textos seus,[82] que palesa el coneixement de bon nombre de dites i refranys catalans,[83] que introdueix en els textos de destinació popular referències als llibres de cavalleries,[84] que, en referir-se al català emprat pel públic a les festes de la Bordeta, s'exclama...?

Molts parlàvan alemany,
inglès, francès, llengua turca
y altres idiomas, però
molt mal lo de Catalunya.[85]

La investigació bilbliogràfica i textual tindrà l'última paraula.

80. Fol. sign. §10v., i *Elementos*, pàg. 34.

81. *Conversas ques tingueren en la Bordeta. Conversa primera, en la qual se tractà dels diferents gustos y vàrias inclinacions dels hòmens. Escrita per Lptfqi Cmbtl, obuxsbm ef Xbmmnpmm* (Barcelona: En la estampa de Mauro Martí, [s. d.]) i *Conversa segona que es tingué altra tarda a la Bordeta, en la qual se parlà dels xixisveos. Escrita per 9.13.17.5.14.8-2.10.1.17.9-12.1.18.19.16.1.10-4.5-19.1.10.10.11.13.10.10.* (Barcelona: En la estampa de Mauro Martí Llibreter, 1753). (Aguiló, 2392; Palau, 60883).

82. Mes jo·ls escrich en un llibre
que tinch de gent vagabunda,
[...]

83. *Conversa segona...* (vv. 85-104).

84. «[...] la historia de Pierris y Magalona,... Partinobles, Carlomagno... la Donzella Theodor... Don Pedro de Portugal... Set Savis de Roma... historia de Oliveros de Castilla... Roldán... la de Floripas» a *Disputa que tingueren dos metges de gran fama, anomenats Libori Sumach y Baldiri Galet, la qual consistí en buscar si lo vi és de més profit per lo home quel tabaco. Explícanse las virtuts i proprietats de un y altre, ab lo demés que veurà lo curiós lector* (Barcelona: En la estampa dels Hereus de Maria Martí, administrada per Mauro Martí, [s. d.] (vv. 366-380). (Cf. Aguiló, 2388-2389; cf. Palau, 74569-74570). La manera d'esmentar els títols fa pensar que, tot i haver-hi edicions en català d'algunes de les obres, l'autor les coneixia a través d'edicions en castellà (Rubió, III, 191). Sembla que «al segle XVIII el castellà era llur principal vehicle editorial, atès el que ens diu la bibliografia» (*ibidem*, pàg. 191).

85. *Conversas ques tingueren a la Bordeta. Conversa primera...* (vv. 9-12).

Apèndix

Modo que deven tener los maestros de escuelas para enseñar de leer bien a los muchachos

La experiencia enseña haver muchos hombres que teniendo una cabal noticia de la ciencia que professan, no obstante en el leer son mui torpes; y otros de menor inteligencia, tan veloces en la lección que apenas puede seguirles el oído. Y por la misma experiencia se ve que, según salen los muchachos enseñados de sus escuelas, les queda siempre el leer bien o malamente, de que se sigue que una cosa y otra, por la mayor parte, se puede atribuir a la enseñanza y aplicación de sus maestros. Por lo que, siendo la buena lección a todos tan importante y objeto no mui distinto de todo quanto en este librito se ha tratado, he resuelto ocupar estas páginas que me quedaban en blanco para llenar el pliego con algunos, no preceptos, sino consejos, a mi parecer mui buenos para enseñar a los muchachos de leer bien y con mucha velocidad.

Lo primero, pues, que se ha de procurar, después que el muchacho ya conoce bien todas las letras del alphabeto, es que aprenda bien el deletrear las palabras. Muchos lo enseñan de esta suerte: comienzan a nombrar las letras de la primera sylaba, y luego la pronuncian; passan a nombrar las letras de la segunda sylaba, y, luego de pronunciada, buelven a decirlas todas dos; y assí prosiguen la palabra, nombrando letras y repitiendo sylabas, como, V. G., esta palabra, *poderoso*, que deletrean assí: *p o po, d e de, pode; r o ro, podero; s o so, poderoso.*

Ciertamente que me quadra mui poco esse modo de deletrear, porque a veces la palabra es tan larga, que antes el muchacho no se sale de ella, passa un grande espacio de tiempo, y otras veces estando en las sylabas de en medio, ya no se le acuerdan las de el principio, mas por lo que tiene ya sacado de la palabra, conoce lo que quiere decir, y assí la pronuncia toda, sin más deletrearla, y a poco a poco se va engendrando el mal hábito de leer sólo por lo seguido de las palabras.

Mejor me parece este otro modo, y es que el muchacho vaya deletreando la palabra sin repetir las sylabas, como *p o po, d e de, r o ro, s o so.* Y quando sepa deletrear bien, entonces mandarle que diga las sylabas sin nombrar las letras y veréis que a poco a poco tomará tal corriente en el leer que os parecerá que todo lo que lee lo tenía ya en su memoria, y es la razón porque quanto más breve es la palabra tanto más presto se pronuncia, y como en las sylabas, que para él son como si fuessen palabras, entren mui pocas letras, no será mucho que las pronuncie mui presto, y por consiguiente toda la palabra entera, cuya pronta o tarda pronunciación depende de la prontitud o tardanza en la pronunciación de las sylabas.

Y, si no, haced la experiencia tomando dos muchachos, y que esta palabra, *misericordiosíssimamente,* el uno la deletree del modo dicho arriba y el otro de éste último, y veréis que quando aquél acabe de deletrearla (si es assí que acabe), éste havrá leído ya muchos renglones.

Sólo queda una instancia que hacerme y es que este modo de leer es mui confuso porque el muchacho no declara lo que son sylabas o palabras, pues él hace de cada sylaba una palabra. A que respondo que no menos confuso es el primer modo, pues por la tardanza en la pronunciación de las palabras, no puede formarse un claro concepto de lo que lee. Y, si no, preguntad al muchacho después de haver leído aquellos renglones que le mandásteis qué es lo que ha dicho; y de su misma respuesta veréis lo poco o nada que ha entendido en toda su lección. Porque esto ha de venir por su tiempo, pues a muchos no les permite su poca edad hacer todavía un entero concepto de lo que leen, quanto más manifestarle a sus oyentes; y assí no se ha de querer de ellos por entonces otra cosa más que velocidad y corriente en la lección.

Ya que el muchacho sepa leer bien, seria mui del caso que el maestro dedicasse un quarto de hora a lo menos cada semana en hacerle leer algún manuscrito y escrivir aquello que al mismo maestro se le ocurriesse en otro papel, a más de lo que le hace escrivir en su cartapacio, que sólo mira a la buena formación de las letras, porque con esso aprenderá de poner en las palabras las letras necessarias y se radicará mucho más en su buena lección: porque aquellos disparates tan grandes que cada día leemos en muchas cartas missivas y en otros papeles manuscritos, que hacen soltar la risa al lector más melancólico, ¿qué otra cosa son sino defectos de buena lección en quien los escrivió?

No apruebo tampoco el estylo de algunos maestros que, después que el muchacho sabe ya la cartilla, le passan a algún libro latín primero que a otro alguno de su proprio idioma, porque esto, a mi parecer, se opone a aquella regla tan celebrada de los dialécticos: *A facilioribus est incipiendum.*

También soi de parecer que retarda mucho la buena lección el variar mui a menudo de libros, y assí, quando les passen a otro libro, es menester que sepan bien el que dexan; y no que, para dar gusto a sus padres, quede después el muchacho mal enseñado, ellos engañados y el maestro sin haver cumplido a su obligación.

Concluyo con estas exortaciones a los señores maestros: *Magister sit eruditus, prius discat quam doceat; sit mansuetus, prout opportunum est; rigidus ut lites dissolvat, oblatrantes remordeat, obloquentes reprimat, protervientes castiget. Sit in sermone verax, in judicando justus, in consilio providus, in commisso fidelis, constans in vultu, pius aspectu, virtutibus insignis, bonitate laudabilis. Nulla res discipulo est ita perniciosa quam vita magistri contumeliosa. Miserum est eum esse magistrum qui numquam novit se fuisse discipulum.* Boët. de discip. schol. ap. Lang. in suo Floril. mag. verbo *Magister.*[86]

Bibliografia esmentada

AGUILAR PIÑAL, Francisco. *Bibliografía de autores españoles del siglo XVIII.* Madrid: Consejo Superior de Investigaciones Científicas, 1981– (en curs de publicació).

AGUILÓ I FUSTER, Marià. *Catálogo de obras en lengua catalana impresas desde 1474 hasta 1860 (Madrid 1923).* Barcelona-Sueca: Curial, Documents de cultura-facsímils, 8, 1973.

86. Citació del *De disciplina scholarium* de Boeci a través d'alguna edició del *Florilegii magni, seu Polyantheae floribus novissimis sparsae, libri XXIII* de Joseph Lang, sota la veu *Magister.* Consultada l'edició ressenyada a la bibliografia, es comprovà que, sota aquesta veu i sota l'epígraf «Patrum Sententiæ» –vol. II, col. 1646– s'hi troba el text que Blasi reprodueix lleugerament escurçat. Les cursives del text transcrit responen a l'original.

ANGLÉS, Pere Màrtir. *Prontuario orthologico-gráphico trilingüe.* Barcelona: Mariano Soldevila, (s. d., 1743 a la data de taxació).

Biobibliografia de l'Alt Camp. 1. L'autor i la seva obra (fins el 1936). Catàleg de l'exposició celebrada entre els dies 2 i 18 de desembre de 1983 a l'antic Hospital de Sant Roc. Valls: Institut d'Estudis Vallencs, 1983.

BURGOS RINCÓN, Francisco Javier. *Imprenta y cultura del libro en la Barcelona del setecientos (1680-1808). Tesi doctoral.* Bellaterra: Publicacions de la Universitat Autònoma de Barcelona. Edició microfotogràfica.

Diccionari biogràfic. Barcelona: Albertí Editor, 1966-1970. 4 vol.

Diccionario enciclopédico Salvat. 10ª edició. Barcelona: Salvat Editores, SA, 1962,

Enciclopedia universal ilustrada europeo-americana... Barcelona: José Espasa, [1908] (en curs de publicació).

ESCOBEDO, Joana. «Josep Blasi, natural de Vallmoll. Els plecs solts rimats catalans del s. XVIII» a *Calligraphia et Tipographia. Arithmetica et numerica. Chronologia.* Barcelona: Universitat, Rubrica VII, 1998, pàg. 561-626.

ESTEVE SERRANO, Abraham. *Estudios de teoría ortográfica del español.* Murcia: Universidad. Publicaciones del Departamento de Lingüística general y Crítica literaria, 1982.

FUSTÉ I GAVALDÀ, Antoni. *Recull monogràfic i històric de Vallmoll.* Vallmoll: Ajuntament, 1984.

GAVALDÀ I TORRENTS, Antoni. «Aproximació a una bibliografia vallmollenca, I». *Quaderns de Vilaniu,* 5, 1984, pàg. 157-205, i «Bibliografia vallmollenca, II.» *Quaderns de Vilaniu,* 9, 1986, pàg. [29]-53.

–*El llibre de Vallmoll.* Valls: Institut d'Estudis Vallencs, Estudis Comarcals, 1, 1983.

GRAS I ELIAS, Francesc. *Historia de los lugares, villas y ciudades de la Provincia de Tarragona.* Barcelona: Tipografía de Julián Doria, 1907.

LANG, Joseph. *Florilegii magni seu Polyanteæ floribus novissimis esparsæ libri XXIII.* Lugduni: sumptibus Ioannis Antonii Huguetan & Guillielmi Barbier, 1669.

MARTÍNEZ DE SOUSA, José. *Diccionario de ortografía.* Madrid: Ediciones Generales Anaya, S.A., D.L., 1985.

NUC. The National Union Catalog: pre-1956 imprints. London: Mansell; Chicago: American Library Association, 1960-1981. 754 vol.

PALAU Y DULCET, Antonio. *Manual del librero hispanoamericano.* [2ª ed.]. Barcelona: Palau; Oxford: Dolphin Book, 1948-1977. 28 vol. + 7 vol. d'índex.

PUIG, Salvador. *Rudimentos de la gramática castellana que por disposición del Ilustrísimo Señor Don Josef Climent, obispo de Barcelona,* [...] *se han de enseñar en su Colegio Episcopal y Tridentino.* Barcelona: Thomás Piferrer, 1770.

PUJOL, Amadeu. *Monografia de Vallmoll.* Barcelona: Llibreria Religiosa, 1922.

REAL ACADEMIA ESPAÑOLA. *Diccionario de la lengua castellana.* Madrid: en la imprenta de Francisco del Hierro, 1726-1739, 6 vol.

–*Orthographía española.* Madrid: Real Academia Española, 1741.

RUBIÓ I BALAGUER, Jordi. *Història de la literatura catalana.* Montserrat: Publicacions de l'Abadia; Departament de Cultura de la Generalitat de Catalunya, Obres de Jordi Rubió i Balaguer, 1-3, 1984-1986, 3 vol.

SEGARRA, Mila. *Història de l'ortografia catalana.* Barcelona: Empúries, Les Naus d'Empúries, Timó, 1, 1985.

TORRES AMAT, Félix. *Memorias para ayudar a formar un diccionario crítico de los escritores catalanes (Barcelona, 1836).* Barcelona-Sueca: Curial, Documents de cultura-facsímils, 1, 1973.

VINDEL, Francisco. *Escudos y marcas de impresores y libreros en España durante los siglos XV a XIX (1485-1850).* Barcelona: Orbis, 1942.

VIÑAZA, Cipriano Muñoz y Manzano, conde de la. *Biblioteca histórica de la filología castellana.* Madrid: Atlas, 1978, 3 vol. (Facsímil de l'edició feta a Madrid: Imprenta y fundición de Manuel Tello, 1893, 3 vol.)

LA REVISTA *INQUIETUD* I EL DEBAT SOBRE EL REALISME HISTÒRIC

Pere Farrés

Universitat de Barcelona

La revista *Inquietud* es publicà a Vic entre 1955 i 1966 amb un total de trenta-sis números.[1] A partir del número 15 (juliol 1959), per imposició política, s'anomenà *Inquietud artística*. La llengua de la revista hagué de ser compartida forçosament entre el català i el castellà. Es tracta d'una revista molt interessant per diversos motius: és un exponent de la represa cultural de la postguerra no gens fàcil de tirar endavant en una ciutat com Vic, allunyada del centre motor de la cultura catalana, que és Barcelona, tot i que culturalment viva. D'altra banda, és una revista que aposta decididament per la modernitat i el cosmopolitisme i que defuig, des de bon començament, ser una revista «comarcal». De fet, la revista es feia a Vic però molts dels seus col·laboradors eren persones prou significades de l'avantguarda barcelonina. *Inquietud* no fou la revista d'un grup ideològic cohesionat, en matèria artística, sinó que aplegà en cada moment les persones amb «inquietud» artística que optaven per la modernitat. Ni tan sols pot dir-se que un possible grup de Vic en marqués la línia ideològica –potser exclusió feta dels darrers números– ja que hi participaren artistes i intel·lectuals de diversos llocs de procedència, fins i tot estrangera, i de diversa posició davant el fenomen artístic. Atenta, doncs, als signes de modernitat que observava, *Inquietud* hagué d'obrir-se al debat sobre el realisme i donar cabuda a les expressions dels seus col·laboradors o d'elements externs entorn a aquest fet. Com veurem, hi ha una primera presa de posició favorable al realisme, que, amb l'entrada el 1964, especialment, de Segimon Serrallonga a la redacció i direcció efectiva de la revista es presta a un debat crític extraordinàriament interessant. En aquest estudi em proposo de resseguir aquest debat.

Deixant de banda algunes aportacions mínimes, en forma de poemes, que trobaríem esparses en algun número anterior –per exemple el poema «Cançó després de la pluja», de Miquel Martí i Pol, al número 10 (juliol 1957)–, és al número 11 (desembre 1957) on trobem una primera referència a la novetat del realisme en la història de la literatura contemporània: Joan Triadú hi ressenya *La hora del lector* de Josep M. Castellet i en remarca que, segons l'assagista, l'autor literari «no sols ha

1. Sobre la revista *Inquietud*, vegeu Pere FARRÉS, «*Inquietud*, una revista cultural bàsica de la postguerra» i «Modernitat i universalitat d'*Inquietud*» a *Clot, revista de literatura*, II època, Vic, núm. 1 i 2.

d'evitar l'obscuritat gratuïta, sinó que s'ha de comprometre amb la seva societat i amb el seu temps per responsabilitat civil»; i assenyala, encara, les tres condicions que s'han de donar en la literatura per, sempre segons Castellet, esdevenir moderna: «els nous mètodes narratius (preparació), la llibertat de l'escriptor (responsabilitat i moral positiva) i el sentit social més solidari (consciència del destí humà)». Amb tot, és a partir del número 14 (setembre 1958) quan comença a prendre importància el debat sobre el realisme. En efecte, en aquell número, més enllà d'un article de Wifredo Espina, que condemna la paraula buida i reclama que la de l'escriptor sigui plena d'humanitat i de sinceritat, *Inquietud* publica l'«Inventari de poble» de Miquel Martí i Pol i dos poemes d'autors hongaresos, Gyorgy Nagy i Tibor Trollas, com a exemple de la literatura de la resistència d'aquell país. Al número 16 (octubre 1959) Joaquim Marco presenta sis poetes joves; després de referir-se a Joan Argenté com a l'autor que demostra la transició amb la poesia anterior, inclou un poema de cadascun dels autors següents: Francesc Vallverdú, Jordi Argenté, Joaquim Vilar, Joaquim Horta i Isidre Molas. En el mateix número de la revista s'inclou una presentació de Blas de Otero, «el poeta social por antonomasia», i el seu poema «Palabras reunidas para Antonio Machado». El número 17 (febrer 1960) conté poemes, entre d'altres, de Joaquim Vilar, Guillem Viladot, Manuel de Pedrolo i Núria Albó. I el número 18 (juny 1960) inclou quatre contes, de Jordi Sarsanedas, Manuel de Pedrolo, Núria Albó i Jordi Feliu, presentats per Josep M. Castellet, el qual, després d'afirmar que aquests contes són «prolongación de la tendencia –hoy marcadamente en declive, en la literatura europea–, de raíz existencialista», busca en tots ells el que anomena «fisura existencial», per acabar dient: «Quisiéramos añadir una breve apostilla a estas líneas, desarrollando un inciso del principio de las mismas. Creemos que la temática existencialista, que caracterizó tan justamente una fase de la historia de Europa de entreguerras y que, muy evolucionada, dió sus estertores durante la segunda guerra mundial con las obras de Camus y Sartre, ha perdido hoy su vigencia histórica. Una literatura más realista, dentro de un realismo que se basa fundamentalmente en la evolución histórica, responde mejor hoy a la expresión de nuestro mundo. Nos gustaría poder prologar, dentro de poco tiempo, cuentos de nuestros escritores dentro de esta tendencia.»

Al número 20 (octubre 1960), hi trobem un article sobre Salvatore Quasimodo i tres poemes seus traduïts al català. I, a més, una presentació de set poetes joves d'Osona encapçalada per una introducció d'Armand Quintana, que veu en aquesta nova «generació» «no ya la esperanza, sino la seguridad que se ha sabido evolucionar». Dels set poetes, quatre havien aparegut en públic amb l'antologia *Estudiants de Vic 1951*: Josep Grau, Antoni Pous, Josep Junyent i Segimon Serrallonga; els altres tres són Joan Sunyol, Miquel Martí i Pol i Núria Albó, els dos darrers practicants del nou corrent realista. El número 21 (febrer 1961) inclou poemes de J. Rabasseda i, de nou, de Francesc Vallverdú.

Cal fer una atenció especial al número 22 (agost 1961), perquè des de diverses perspectives aposta pel realisme. Ja a l'editorial, comentant la justificació de Josep M. Castellet a la seva antologia *Veinte años de poesía española*, hom es refereix a «esta apertura hacia nuevos horizontes poéticos que viene realizándose y que tan amplio eco ha hallado en la mayoría de poetas jóvenes de todo el mundo», i veu aquest nou corrent lligat «a lo que Joaquim Molas llama: "les realitats més primàries de l'home dins el seu context històric". Poesía será, pues, comunicación tanto como participación, y el poeta se considerará obligado a intervenir en el curso de la historia de un modo inmediato y casi brutal, arriesgando en su actitud mucho más su integridad de hombre que su condición de artista.» Això porta l'editorialista a parlar de la «flagrante responsabilidad social del poeta», i conclourà que aquesta «rigurosa vinculación del poeta a su medio ambiente» pot suposar que la poesia «pierda algo de excelso, pero, indudablemente, ganará mucho en cuanto a la posible ampliación del ámbito de influencia del poeta, al verse dotada de una densidad humana que se perdió, quizás, por los caminos un tanto oscuros del simbolismo.» Segueix a l'editorial un article de Pere Ramírez Molas sobre la poesia de l'alemanya Hilde Domin, en el qual l'articulista es fa ressò de la llibertat formal de la poetessa per la utilització del vers blanc i per la incorporació al poema de mots considerats per alguns massa corrents o massa moderns. Després de traduir al català alguns poemes de l'alemanya, diu: «si en la realidad de hoy hay "aeroports", "bicicletes", "pots de la llet" que piden entrada en el poema, Hilde Domin cumple su deber con la verdad, evitando al mismo tiempo el posible desatino de enmarcar el aeropuerto dentro de un soneto, o el de romperse la cabeza buscando rimas para la bicicleta y el "pot de la llet".» I acaba l'article amb aquests mots: «Sería deseable que la voz de Hilde Domin sonara pronto de nuevo: su eco es benéfico. Porque resulta que en un momento histórico en que con tan varia fortuna se emprenden toda clase de tentativas líricas, lo más agradable ¿quién lo iba a pensar? es oir la verdad.»

El mateix número 22 conté tres articles sobre la poesia contemporània: «Poesia 1961», de Francesc Vallverdú, «Consideraciones sobre la poesía española actual», d'Armand Quintana, i, el que representa tota una fita per a la revista, un article de Salvatore Quasimodo, tramès expressament per l'autor, Nobel recent (1959), titulat «Poesia contemporània». El text de Quasimodo, més teòric i complex que els altres, tot i no posar èmfasi en el realisme, n'és un indici. Parteix de la premissa que el poeta, a diferència del filòsof, neix sempre en un acte de violència que li impedeix «continuar un ordre preexistent». La poesia pot ser diversa: «El poeta s'expressa a si mateix, un home, l'home (si voleu) parla de la societat en la qual viu, crida si ha de cridar, també: i si un canta el dolor i un altre la fosa que salta de l'alt-forn o la passejada d'un obrer amb una noia, quin dels dos està en la veritat? Parlem de poetes, i per tant tots dos.» Amb tot, les exigències del moment present, «després de dues guerres», imposen una missió al poeta: refer l'home: «Refer l'home: aquest és el problema capital. Per aquells que creuen en la poesia com a joc literari, que consideren encara el poeta un estrany a la vida, un que puja de nit les escaletes de la seva torre per a especular sobre el cosmos, diguem que el temps de les especulacions s'ha acabat. Refer l'home, aquesta és la pretesa.» Per la seva banda, Armand Quintana observa en la poesia espanyola contemporània un «proceso de rehumanización», perquè «el poeta –soñador empedernido– ha despertado a la realidad y se ha dado cuenta de la cantidad de hombre que lleva dentro [...]; renunciando a su papel de olímpico perseguidor de lo inefable, ha decicido "descender" a la por algunos puristas considerada herética condición de poeta-hombre y se ha lanzado impetuoso al buceo de su interior para intentar sacar a flote la esencia misma de su tiempo y de su ser que, al fin y al cabo, es la esencia de toda la colectividad histórica consciente de la cual él mismo es una parte integrante.»

Francesc Vallverdú, en el seu article repassa la producció poètica catalana apareguda al primer mig any i es felicita perquè es consolida el «renovament» que alguns demanaven. Partint de *La pell de brau* d'Espriu, apareguda l'any anterior, considera que *Vacances pagades* de Pere Quart és «el llibre segurament més important de l'any», i relaciona les dues obres d'aquesta manera: «Si en *La pell de brau* trobem la realitat social examinada a grans trets i amb un simplisme colpidor, en *Vacances pagades* ens adonem que, examinant la mateixa realitat social, sorgeix la veu del poeta, molt forta en algunes ocasions, més profundament preocupada per alguns problemes concrets.» Segueix el repàs amb l'aparició d'*Onze Nadals i un Cap d'Any*, obra del «nostre màxim poeta de l'*irrealisme*», J. V. Foix, de la qual, amb tot, assenyala que «aquí els símbols ja no són obscurs perquè tenen la clau d'entrada: la tradició cristiana de la naixença de Jesús.» *Comèdia*, de Blai Bonet, té alguns fragments, «en la meva opinió antològics, i magnífics exemples que demostren que realisme i poesia poden anar plegats.» En el llibre de Josep M. Llompart, *Poemes de Mondragó*, Vallverdú hi veu «moments d'un pregon lirisme amb vius colors realistes.» De *Da nuces pueris* de Gabriel Ferrater diu que «és un llibre que està en la línia de determinats corrents literaris europeus, i aquest fet solament ja és prou important.» Segueix el comentari de *Paraules per a no dormir*, de Joaquim Horta, el qual veu en la línia de *La pell de brau*, i afirma que «Horta és un poeta profundament preocupat pels problemes del nostre país, de la nostra societat, avui, i la seva poesia n'és vivíssim testimoni.» En canvi, desqualifica *El viatge* de Francesc Faus, perquè «es manté en un món poètic caducat.» Li resta la referència a *Poemes civils* de Joan Brossa; reconeixent-li els mèrits, el crític afirma: «desitjaria que la seva poesia fos autènticament *civil* –com Brossa ens ha demostrat que sap fer– i el pur joc prengués el lloc menor que li correspon.» Aquest número 22 es completa amb la inclusió de poemes d'Espriu, Foix, Pere Quart, Francesc Vallverdú, Núria Albó, Sala-Cornadó, Martí i Pol i Núria Sales, al costat de la traducció de dos poemes de Rilke deguda a Josep Junyent, el mateix que tingué cura de la traducció de l'article de Quasimodo.

El número 25 d'*Inquietud* (juny 1962) conté un article d'Àngel Carmona, «Por ti doblan las campanas», d'una claredat i efecte conclusius. Parteix de la seva experiència d'haver intentat acostar el teatre al poble, i afirma: «Hay que salir a la intemperie de las barriadas, las fábricas y las tabernas; hay que dar la cara frente a un público que no conoce las reglas de nuestro moderno "Retablo de las Maravillas". Un público que, si ante sus ojos inocentes resultamos grotescos o pedantes, no tendrá ningún reparo en demostrarlo a las claras. Un público, con todo, necesario como el pan a nuestro empeño de crear en nuestro país, en el campo de la literatura y el arte, algo que tenga humanas y sólidas raíces.» I encara diu: «Para poetas, eruditos, pensadores, juristas, médicos, para todo el que tenga unos conocimientos o un arte que ofrecer, para todo el que tenga una vocación y una obra que no hallen camino para manifestarse, damos esta consigna: id al pueblo. Buscad un lenguaje a través del cual podamos entendernos todos. Enseñad y, al mismo tiempo, aprended. Buscad el reino de la Justicia; la belleza, de ello estamos seguros, se os dará por añadidura. A los dos años de nuestra experiencia teatral en los medios populares, éste es el reto que lanzamos a escritores, artistas e intelectuales en general: haced lo mismo vosotros. Pasaréis, desde luego, algunos malos ratos, pero podemos asegurar que no os ocurrirá nada grave y, seguramente, abriréis una ventana para vuestra legítima ambición de ser hombres entre los hombres de vuestro país.»

El número 26 (setembre 1962) publica una colla de poemes, a guisa d'antologia, en dues parts, l'una recull els de Joaquim Horta, Marc Miló i Martí i Pol, i un de Gottfried Benn traduït per Pere Ramírez; l'altra part acull poemes d'autors més joves, nascuts els anys 1940 i 41. Si els primers és fàcil col·locar-los dins el sac del realisme, ja no es pot fer el mateix amb els segons, almenys amb la majoria. D'altra banda, el mateix número publica un article de Joan Triadú, «El novel·lista català i el poble», que s'inicia amb una afirmació tan rotunda com aquesta: «el problema de tot escriptor no consisteix a esdevenir popular, sinó a *ésser* poble» i concreta aquesta condició amb el fet «que la novel·la no sigui, en cap sentit, *desencarnada*.» Immediatament analitza la causa principal de la temptació de «desencarnació»: la manca de fidelitat a la llengua pròpia i a la del propi poble: «La llengua, doncs, porta directament al poble, i d'ell a tots els elements del món actual.» Per això, bandeja «les novel·les "milionàries" dels Agustí, els Soler, els Gironella, que no desmenten sinó que confirmen els fets.» I conclou: «Les relacions entre literatura catalana i poble, en aquest cas entre novel·la i poble, no fóra honest, ni intel·ligent, de desvirtuar-les *a posteriori* pretenent de fer oblidar o passar per alt llur condicionament històric, polític i social, i aïllant-les de les situacions, de contrast i de paral·lelisme, d'altres literatures.»

El número 28 (setembre 1963) inclou, sota el títol «La poesia de Francesc Vallverdú», una ressenya anònima del volum *Qui ulls ha*. S'hi esmenta que el poeta «ha cedit, amb plena consciència, a un impuls líric de filiació molt estricta» i se'l situa en la línia de *La pell de brau*: «Fins i tot ens sembla que no resultaria poc ni gens exagerat d'establir un paral·lel entre aquestes dues obres tan pregonament semblants, en la intenció i en la forma.»

Hom pot observar, a partir del número 29 i, encara més, del 30 una inflexió en la línia de la revista. A partir del número 30 la direcció efectiva d'*Inquietud* la porten Segimon Serrallonga i Lluís Solà; a partir d'ara i fins al darrer número el tractament de la qüestió del realisme en literatura serà molt més complex. Encara trobarem algun poema d'autor català –de Pere Quart i d'Espriu al número 32 (gener 1965) i de Martí i Pol al número 33 (juliol 1965)– que es mantenen en la línia dels que hem vist fins ara, o algun article, com el de «Nova cançó i poesia», de Martí i Pol, al número 34 (novembre 1965), on, valorant l'aportació del moviment de la nova cançó, constata «la presència d'un nucli poètic d'una considerable tensió, volenterosament lligat a l'actualitat més immediata i amb un molt estimable afany de comunicació», nucli poètic al qual pot aplicar-se el següent: «És així que la poesia –el poeta– conscient de la seva responsabilitat, ha esdevingut reptadora una vegada més; i és així que el pòsit històric ha operat sobre els mots i els ha conferit valors semàntics nous. D'aquesta conjunció n'ha nascut la poesia "realista", la qual, més que iniciar un retorn al poble, se situa en la línia d'una actitud immediata, objectiva i dinàmica, que pot servir d'expressió al poble. La missió del poeta és, avui, tan personal i tan àmplia com ho ha estat sempre. De la seva identificació amb la problemàtica del moment en depèn l'eficàcia de la seva actitud. Ara, la seva experiència no comença a partir de la caducitat més o menys manifesta de tal o tal moviment, sinó que engloba i dinamitza tot un procés històric.» Al costat d'aquestes manifestacions podem posar, amb molta cautela, les dues breus antologies de textos –poemes i proses– que apareixen en els dos darrers números d'*Inquietud*, una de textos diversos d'autors estrangers: Robert Musil, Jaroslaw Iwaszkienwicz, Wladislaw Broniewski, Karl Krolov, Cesare Pavese, Bertolt Brecht i Peter Porter, i l'altra de poesia hongaresa, bona part dels quals poden relacionar-se en certa manera amb el realisme històric.

Això no obstant, al número 33 (juliol 1965) Lluís Solà publica un article sobre el tema de poesia i ciència –tema al qual es dedica el número– on posa de manifest una crisi de la poesia i, més concretament, de la relació entre poeta i poble: «El moment actual ha esdevingut el de la cultura col·lectiva; grans masses de població han pervingut al deteniment passiu o actiu dels òrgans de govern; el progrés, com a visió optimista de l'avenir, s'ha infiltrat arreu, àdhuc dins els reductes més rebecs als canvis; la tècnica maquinista ha fet possible l'expansió a nivell mundial d'una cosmovisió feliç i millorativa. // La poesia –la literatura, per la seva banda, ha oblidat massa sovint aquest estat de coses i s'ha desenvolupat al marge o contra aquestes transformacions. Com a conseqüència, una escissió profunda s'ha obert entre la poesia i la realitat, entre la poesia i el lector: un desfasament més i més absolut entre la literatura i l'orientació de l'activitat humana. [...] Les capes més populars de la societat no han trobat, doncs, en la poesia els signes de llur inquietud i se n'han desentès. El públic més adscrit a la poesia, vull dir els interessats "intel·lectualment" en tota mena de fenòmens, en gran part, també. El desqualificament, l'engrunament i l'esfondrament del llenguatge assenyala el punt culminant d'aquesta crisi.»

No es pot pas dir, doncs, que *Inquietud* sigui un exponent o portaveu del realisme històric. Tot i que hi ha moments (el número 22, per exemple) en què la revista promou aquest corrent, cal considerar que, en general, predomina més l'eclecticisme i la voluntat d'aplegar la diversitat mentre es mantingui el caràcter de modernitat i cosmopolitisme de la revista. Això es veu encara més en els números en què la revista dóna compte de les arts plàstiques o l'urbanisme i l'arquitectura. Tant és així que, també en literatura, es promou l'avantguarda i no es defuig el simbolisme, com ho exemplifica justament el primer article del número 1, «J. V. Foix, poeta surrealista», del qual és autor Josep Junyent, o, al número 6 (agost 1956), l'article de Jacques Mettra, «El enigma de Arthur Rimbaud, poeta surrealista».

Al costat d'incorporar Kathleen Raine (número 14), Rilke (números 22 i 34), Ungaretti (número 25) o T. S. Eliot (número 34) a la revista, amb versions de Marià Manent, Lluís Solà i Josep Junyent, i d'haver publicat un article sobre Hölderlin i un altre sobre Trakl, amb traduccions d'alguns poemes, a càrrec de Pere Ramírez Molas (números 16 i 20), la diversitat es nota, per exemple, amb l'article de M. Dolores Raich Ullán, «El mundo poético de Clementina Arderiu», al número 6, o, amb més intenció, la llarga ressenya que Lluís Solà dedica a l'*Obra poètica* de Tomàs Garcés al número 24 (març de 1962) que, en certa manera anuncia la línia que *Inquietud* prendrà a partir del número 30, quan Solà i Segimon Serrallonga dirigeixin de fet la revista. En aquest darrer article, Lluís Solà es refereix a «l'extrema valoració del somni» en l'obra de Garcés, i apunta: «Amb la vareta màgica del somni trasmuda, talment un infant, les coses, per no defugir-les, sinó perquè li revelin llur essència. I és remuntant els corrents del somni que el poeta, en un procés totalment interior, pervindrà les deus sagrades de la poesia i la vida.» I encara llegim afirmacions com aquestes: «El vers s'immobilitza gairebé i es frega amb els misteris del cosmos», o «Una correntia de sobrerealisme, visible ara i adés, s'esmuny al llarg del llibre. L'experiència del poeta pren gruix i transcendència.»

Sigui com sigui, podem admetre que el període amb una presència més determinant del realisme a *Inquietud* abraça uns sis anys, des de finals de 1957 a finals de 1963, aproximadament els anys d'escriptura de la major part dels poemes que Josep M. Castellet i Joaquim Molas agrupen en els apartats finals de la seva antologia *Poesia catalana del segle XX*, apareguda el setembre de 1963.

És en l'article de Lluís Solà sobre Tomàs Garcés on es fa una menció a Carles Riba. I, atenent a la figura de Riba i al seu paper de lideratge en la poesia catalana, hom es pregunta per la seva presència a *Inquietud*. La resposta ens dirà que, abans del número 29 (maig 1964) –dedicat en la seva major part a Bertolt Brecht– en què Segimon Serrallonga publica un article sobre la versió ribiana de l'*Edip rei*, la presència de Riba es reduí a la inclusió d'un fragment d'*El fill pròdig* al número 6 i a una referència a la seva mort dins la notícia de la convocatòria del concurs de Sant Roc de Cantonigròs de 1959 (número 15). És, sens dubte, Segimon Serrallonga qui incorpora de ple dret, i com a primera figura, Carles Riba en els darrers números d'*Inquietud*. En efecte, l'article sobre l'estrena d'*Edip rei* a càrrec del TEC acaba amb el següent paràgraf: «L'homenatge a C. Riba consistí a *creure* també en ell. Quan diem que la seva versió és genial, ho diem amb convicció total. Ésser fidel a l'esperit de l'obra *per* la fidelitat a la lletra, i quina fidelitat!, prova que el filòleg, l'humanista i el poeta eren un sol home, un home. Un cas únic a Occident.»

Riba ocupa una bona part de la crítica de Segimon Serrallonga a l'antologia de Castellet-Molas *Poesia catalana del segle XX* al número següent (juliol 1964), una crítica que, amb el complement importantíssim de l'article «Sobre el problema fonamental de les tècniques formals i dos exemples: Soló (640?-560 aC) i Shelley (1792-1822)» al número 31 (octubre 1964), permet a Serrallonga desenvolupar la seva teoria sobre el realisme, en clara discrepància amb els antòlegs esmentats.

Serrallonga, que feia poc que havia tornat de Lovaina, on havia viscut des de 1957, no s'està de valorar positivament la tasca de Castellet i Molas, una tasca que consistí a «ordenar segons uns criteris que són gairebé nous en la crítica catalana un material tan vast, i que semblava fins ara refusar-se des de tan endins a qualsevol interpretació "històrica"». El crític acaba el seu article dient que *Poesia catalana del segle* XX és «una obra important, per la intel·ligència, la sensibilitat i gairebé arreu per l'escriptura, de la literatura catalana moderna.» Això no obsta perquè, fet l'elogi, en remarqui les mancances que li sembla veure. Hi parla, doncs, del que considera febleses teòriques, d'haver fet la tria segons «opcions personals, representatives d'un grup», i sobretot denuncia «l'arbitrarietat d'inspirar-se per damunt de tot en la migrada poesia anomenada nova», en la produïda els tres darrers anys –1959-1962, que els antòlegs anomenen la de «la presa de consciència històrica» o «la possible poesia de demà»–, de base sobretot espriuana –tot i que també de Pere Quart–, però massa recent i practicada per poetes massa joves com per permetre als antòlegs de definir el realisme històric. De fet, passant per alt el caràcter militant de la proposta de Castellet i Molas, Serrallonga veu impossible substituir una «imposició» per una altra: «A la Catalunya Ideal no correspondrà mai una Catalunya "realista", puix que mai un equip de poetes no aconseguirà la perfecció en la representació de la realitat total.»

Ara bé, el nucli de la crítica se centra en el paper que Castellet i Molas atribueixen a Carles Riba, a com el circumscriuen, segons el crític, «en les darreres aigüetes de l'Ors»; a com consideren que després d'ell es produeix una «ruptura» en la història recent de la poesia catalana. Serrallonga denuncia «l'antinòmia estudi-antologia creada amb Carles Riba», referint-se al distint paper que l'obra de Riba té assignat en les dues parts de *Poesia catalana del segle* XX. Per Serrallonga, «la puixança de Riba és la del geni, i calia tenir-ho en compte *d'aquesta manera*, i accentuar el caràcter negatiu de l'acció espriuana i satírica. [...] No volem ni de lluny acusar d'hipocresia l'Espriu, ni a ningú en aquest país d'herois, però calia, si era necessari d'anar de pressa a jutjar moralment els nostres escriptors, de fer-ho guardant les proporcions.» Encara més, Serrallonga considera que després dels diversos intents –fallits o almenys «sense èxit complet»– d'imposar un determinat tipus de literatura al país –la de la «Catalunya Ideal» i la de la «Catalunya existencial»– «ens pertocava, després dels exilis (també jo en veig més d'un i de dos), de *treure'n* la lliçó: absorbir i desenrotllar el millor que hagués estat creat abans d'ara.» Per això considera que «és un error molt greu de fer uns esforços tan intel·ligents per tallar el jovent del mestratge ribenc.» Aquest és, al capdavall, el greuge; no podia ser d'altra manera en un personatge com Segimon Serrallonga –o com a qualsevol dels joves poetes que havien publicat l'antologia *Estudiants de Vic 1951*– que ja des dels inicis dels anys cinquanta ha considerat Riba com a mestre. La defensa no només pretén retornar a Riba el seu paper de geni, sinó reconèixer-li la capacitat del mestratge més enllà de la seva mort. Per això el crític bandeja la idea de «ruptura» de què se serveixen els antòlegs en diversos moments, de primer (pàg. 155 de *Poesia catalana del segle* XX) per assenyalar el canvi operat a la immediata postguerra que genera dos camins paral·lels en la poesia: «esgotada l'experiència de la tradició postsimbolista, s'havia d'intentar una nova poesia que esdevindria d'expressió existencial religiosa, per als uns, i d'expressió realista i col·lectiva per als altres», escriuen els antòlegs (pàg. 156); i en segon lloc, per marcar les diferències entre aquests dos corrents quan apareix una fornada de poetes joves: «De fet, per a nosaltres, el primer llibre d'un autor de la nova generació que més significativament trenca amb la tradició anterior immediata és *La Rambla de les Flors*, de Jordi Sarsanedas.» (pàg. 169). Per si quedaven dubtes llegim: «En 1959, la mort de Carles Riba clogué, en molts sentits, tota una etapa de la poesia catalana. [...] Des d'un punt de vista estrictament literari, la mort de Riba significà l'acabament de tota una època, que només una dura postguerra havia aconseguit de prolongar.» (pàg. 183). Més endavant, encara, Castellet i Molas afirmen que *La pell de brau* d'Espriu significa «una ruptura profunda amb la tradició ribiana.» (pàg.187).

Tot amb tot, Serrallonga clou l'article reconeixent que «l'obra –*Poesia catalana del segle* XX– té uns valors absoluts»: «Contradiccions menors, arbitrarietats, sobretot morals, imprecisions, teoremes racionalment indemostrables, l'error fins i tot en el cas de Carles Riba, no aconsegueixen pas destruir les veritats fonamentals d'aquest "assaig d'interpretació històrica".»

Al número següent d'*Inquietud*, el 31 (octubre 1964), Serrallonga publica, com hem dit, un article, «Sobre les tècniques formals i dos exemples: Soló (640?–560 aC) i Shelley (1792-1822)». En el cas de Shelley el que fa Serrallonga és publicar sencer un text de Bertolt Brecht, amb la traducció de fragments del poema de l'anglès «La mascarada de l'Anarquia», que titula «Shelley. Amplitud i diversitat de l'estil realista», del qual Castellet i Molas en transcrivien una part a la seva antologia (pàg. 198-199). Pel que fa a Soló, sota l'epígraf «Soló. Un realisme a Grècia» Serrallonga presenta i tradueix un fragment de l'obra del grec, «Iambes, fr. 24 D». En tots dos casos el que pretén demostrar Serrallonga és que existeix una poesia realista des dels primers temps, amb dos exemples paradigmàtics –un clàssic i un romàntic–, autors d'una «obra realista possiblement ignorada.» Referint-se a la inclusió del poema de Shelley, diu que indica «un camí concret cap a la comprensió realista del fet cultural romàntic», mentre el text de Brecht recorda que «el realisme pot valer-se, en efecte, d'estils no realistes que cal confrontar amb la realitat que hom manipula»; Shelley és, per Brecht, «un escriptor del passat que, tot i escriure com els novel·listes burgesos, tanmateix hem de reconèixer-lo com un gran poeta realista [...]. Encara que el seu estil no correspon al que és habitual a la literatura realista, caldria tenir-lo en compte per tal que aquesta n'esdevingui modificada, més extensa i completa.» El tema dels dos textos escollits planteja situacions d'injustícia –l'esclavitud– o de guerra –la destrucció– fent èmfasi en la denúncia d'aquestes situacions i als esforços humans per anul·lar-les en proclamar l'ideal de llibertat. Es tracta d'entendre, doncs, com diu Serrallonga, que les tècniques formals no són independents del contingut del poema; és més: «I és que no hi ha una supeditació, ans una configuració de les tècniques a la consideració del món. Sembla que els crítics temin no poder arribar a la realitat per l'art, com si calgués donar-hi la volta amb la llanterna de la poesia a la mà i ensopegar-la en la temàtica, quan de fet la temàtica forma part de les tècniques d'expressió en grans sectors de la literatura i presentar-la sense declarar-ne la coherència i l'abast no serveix pas per a marcar cada vegada la ratlla que separa realistes i idealistes, aquests no vivint pas tant als aires del cel com sembla.» La diferenciació entre estils no arriba mai a negar una o altra tècnica; totes tenen el seu valor i cal integrar-lo en el concepte superior de poesia: «La poesia, en concret, és una funció constitutiva de l'home que parteix de la natura en moviment i hi retorna; i el moviment poètic mateix, considerat en un conjunt temporal vast, hi transforma com la vida. Cal, doncs, vetllar-ne aferrissadament l'autenticitat poètica. Que s'encamini, l'home, si anava fora de camí, però abans o a l'ensems, i no de sobrepuig. // És tot aquest guany, esclarit pel simbolisme, que cal integrar en l'estètica realista.» Els dos exemples proposats demostren com, amb pressupòsits formals ben diferents al d'ús dels anys 60, existeix igualment una mateixa actitud de denúncia, és a dir, que no és una qüestió de forma.

Serrallonga es refereix encara a Josep M. Castellet i Joaquim Molas en la seva presentació dels dos textos i, tenint presents els set punts conclusius amb què defineixen el realisme històric, afirma: «Perquè qualsevol poema realista és més il·luminador i fecund que no ho podrien ésser les conclusions, avui per avui forçosament abstretes, en més d'un punt bàsic, d'una estètica general.» Serrallonga, que utilitza les mateixes fonts teòriques que els antologistes, cita Lukács quan critica «els teòrics que destrien els corrents segons criteris formals»; diu: «Els és massa fàcil d'oposar "modern" i "passat". Fent això, enfosqueixen les qüestions essencials sobre la veritable forma, introduint la confusió en la dialèctica interior essencial a les estructures intermediàries. Es pensen que fan referència a una oposició sense equívocs; de fet, i perquè constrenyen a una estricta polarització endureixen les formes de transició i ensems deixen a l'ombra els principis que condicionen les veritables oposicions.» Al capdavall, Serrallonga recupera un argument de la crítica que feia en l'article anterior quan afirma: «Lukács partia d'obres considerables *sobretot*, i no *sobretot* de petites.» I acaba la seva presentació així: «Més concretament, per evitar confusions en la definició de l'autenticitat de les formes, cal que la crítica no oblidi els corrents de la literatura comparada i que el retorn crític als fonaments de la literatura d'Occident que s'imposa com a part de la feina a fer, es faci en una perspectiva històrica real.» I és que Serrallonga no entén el fenomen literari si no és des d'una perspectiva històrica, que fa un recorregut enrere, des del present a les profunditats de la història, en la nostra cultura als grecs, però, com ha demostrat, fins i tot a la literatura anterior, a l'acàdica, l'egípcia i l'hebrea. Entén que hi ha una línia de continuïtat des dels orígens remots de la literatura fins a l'actual, sigui en la llengua que sigui; per això rebutja en general la idea de ruptura en la història literària.

Finalment, en el número 34 (novembre 1965), Segimon Serrallonga publica un llarg article sobre *Menja't una cama* de Gabriel Ferrater, on torna a referir-se, sense esmentar-la, a *Poesia catalana del segle XX*. Serrallonga aposta, en aquest cas, per Ferrater, afirmant que en l'antologia de Castellet i Molas hi esdevé «l'escriptor alhora més verament nou i més verament poeta.» Cal dir que, en l'últim apartat de l'antologia, s'hi inclouen el doble de poemes de Ferrater que de qualsevol dels altres poetes escollits. El següent paràgraf és revelador del pensament de Serrallonga, derivat en bona mesura de la presència de Catul en l'obra de Ferrater: «Quan la crítica inclou Ferrater en els grups més joves sense explicacions, s'arrisca a fer perdre de vista una de les característiques més exemplars de Ferrater, no la matèria cultural que ocasionalment qualsevol pot abastar, sinó la *manera cultural*, que és sempre pròpia, de tractar la tradició. En això es diferencia tant de l'actitud dels simbolistes valerians que preconitzaren la ruptura amb el passat o en permeteren només la resurrecció espectral i caòtica, com es diferencia de la claredat de carrer preconitzada per l'anomenada poesia nova. [...] La manera de tractar la literatura anterior constitueix una manera d'ésser com a poeta, i en definitiva com a home.» I és que «Ferrater és home culte tant com home del nostre temps» i que «la claredat en literatura s'hi lliga per natura i es pot sostenir, davant d'exemples semblants, que la claredat en literatura sempre serà una claredat literària.» Serrallonga es nega a admetre el que alguns creuen veure de Ferrater, que «cultivaria la raresa de concepte, el mimetisme de textos remots, les cites d'autors perduts en el temps i l'espai, i s'embriagaria d'aigua a distància. No s'adonen prou que l'ús d'altres literatures pot fer del poeta un home situat en el temps i en l'espai de la literatura.»

Inquietud, doncs, és una revista que caldrà prendre molt en consideració quan es faci un balanç objectiu del que fou, «històricament», el realisme històric, del seu abast i de la seva posició agosarada en el moment en què es donà. I de veure-la també com a l'eix entorn de la qual girà una certa polèmica.

UNA LECTURA D'*ILLA FLAUBERT* DE MIQUEL ÀNGEL RIERA[1]

Antoni-Lluc Ferrer

Universitat de Provença

1. Introducció

La novel·la *Illa Flaubert*[2] de Miquel Àngel Riera és un llibre apassionant que interpel·la el lector des del seu títol enigmàtic fins al desenllaç de la història contada. Sense cap mena de dubte, és en aquesta obra de maduresa on el novel·lista mallorquí va capbussar el més profund de les seves obsessions literàries, fins i tot dels seus fantasmes personals. Per aquest motiu, com totes les obres d'unes característiques-semblants, accepta diferents lectures. La meva reflexió d'avui parteix de la hipòtesi següent. Un dels temes més importants de la novel·la, per no dir el seu tema major, no seria un conflicte de llenguatge? Un conflicte complex i, com veurem, plural, que ens és descrit a través d'un personatge masculí, el nom del qual no sabrem mai. Al mateix temps, voldria abordar també algunes qüestions, diguem-ne subsidiàries, amb el risc, evidentment, de només sobrevolar-les.

Comencem, doncs, pel títol de la novel·la. Al lector, el sorprèn, d'entrada, l'estranya associació que conté. Com prendre, en efecte, el nom comú que no va pas precedit, segons voldria l'ús, de l'article determinat, cosa que ens és confirmada per *L'illa del Tresor* (Stevenson), *L'illa d'Arturo* (Morante), *L'illa del doctor Moreau* (Wells) o *L'illa misteriosa* (Verne)? Però, al costat d'aquesta primera absència, aviat en sorgeix una altra. Efectivament, en *Illa Flaubert*, com acabem de comprovar, no sols manca l'article. Tampoc no hi ha cap preposició. O sigui, que un nom comú femení apareix seguit, directament, d'un nom propi masculí, el d'un personatge històric, el qual, per definició, és irreemplaçable. Ara bé, en la història de la novel·la occidental, no remet aquest nom propi a un ideal de perfecció en l'expressió escrita i, més concretament, en la creació novel·lesca? La qüestió que acabem de suscitar

1. Una primera versió d'aquest treball, especialment concebuda per al professorat i alumnat de l'*Agrégation*, va ser pronunciada com a conferència en francès a la Universitat de París IV-La Sorbona el 16 de maig de 2000.

2. M. À. Riera, *Illa Flaubert*. Barcelona: Destino, març de 1990. Dos mesos després, i signada per Basilio Losada, va aparèixer la versió castellana *Isla Flaubert*. Barcelona: Destino, 1990.

esdevé ben aviat ineludible si tenim en compte que, al mapa que precedeix la primera pàgina de text, hi descobrim una doble denominació per a una mateixa realitat geogràfica, la d'una petita illa mediterrània.

Ha arribat el moment d'obrir l'edició catalana pel començament. Hi constatem un retorn a la norma lingüística ja que la preposició *de* hi reapareix, tant a l'*Illot dels Àngels* com a l'*Illa dels Canaris*, topònims que esdevenen, respectivament, *Islote de los Ángeles* i *Isla de los Canarios* a la traducció castellana. Però més aviat és cap a la llegenda d'aquest paratext iconogràfic que caldria orientar la mirada. Aleshores descobrim que el topònim *Illa Lleona* va seguit del topònim *Illa Flaubert*. Des d'un punt de vista tipogràfic, les dues paraules femenines apareixen en negreta, mentre que el femení, seguit del masculí, ho fa en unes lletres més fines i entre parèntesis. A l'edició espanyola passa exactament igual. Potser convindria recordar, d'altra banda, que el mapa que ens ocupa va precedit d'una pàgina de dedicatòries. Vegem-la ràpidament perquè hi trobem una de les raríssimes diferències respecte de les dues edicions. Fruit de l'atzar? Manifestació que caldria atribuir al no-conscient? El cert és que la versió original presenta un equilibri que es farà cada cop més rar en la novel·la de Riera i que, d'altra banda, desapareix a la versió castellana.

Efectivament, el llibre *Illa Flaubert* està dedicat a tres representants del sexe masculí (Miquel Àngel, Xavier i Antoni) i a tres personatges del sexe femení (Maria del Mar, Roser i Maria), cosa que no es produeix en *Isla Flaubert*. L'equilibri, com ja he dit, desapareix en la dedicatòria de la traducció castellana perquè aleshores el llibre està dedicat a quatre persones del sexe masculí i a una del sexe femení. El lligam de parentiu entre l'autor i els destinataris de la dedicatòria també hi desapareix, car, com se'ns precisa, tres d'aquestes persones són fills de l'escriptor. En fi, les paraules en cursiva no són tampoc les mateixes: *A tots, gràcies per existir tant,* llegim en català. *A todos, gracias por vuestro noble estilo de ejercer la amistad,* es llegeix en castellà.

Cal assenyalar, per posar un punt final a aquesta sèrie de petits detalls, per no dir gairebé futilitats, l'existència d'una errata fàcil de datar, i que s'ha perpetuat fins avui. En un moment determinat, en efecte, el catàleg de l'ISBN va transformar el títol de la novel·la en *Illa Flubery*, cosa que fins aquí no havia pas cridat l'atenció de ningú. Ara bé, hom hi podria veure una mena d'eco d'una curiosa combinació. El començament del nom de l'escriptor francès s'ha fos amb el final del cognom del personatge femení que protagonitza la cèlebre novel·la. Si recordem aquest segon exemple de no-conscient, del qual l'autor no és en absolut responsable, és per tal de cridar l'atenció del lector sobre una qüestió d'abast molt més general. Quina és la frontera que separa en la novel·la de Riera la part conscient de la part no conscient? Altrament dit, pot venir-nos en ajuda la biografia del novel·lista o hem d'acontentar-nos, necessàriament, amb l'estudi del seu text? Vet aquí una bona qüestió que mereixeria ser abordada juntament amb altres autors de la mateixa època i que permetria, sens dubte, elevar la pregunta a una conceptualització teòrica.

Tornem, però, al mapa topogràfic. Gosaria afirmar que n'hi ha prou de girar la pàgina per arribar a una primera evidència la qual, en realitat, només és aparent: la doble denominació geogràfica continguda en la llegenda del mapa amaga un enigma. Oberta a totes les interpretacions, em sembla que cal relacionar la doble inscripció amb el títol de la novel·la. Sigui el que sigui, el mapa no podia pas passar per alt a un especialista com Vicenç Llorca:

> «La importància de l'espai a *Illa Flaubert* queda perfectament reflectit en el mapa inicial que resumeix la cartografia literària de l'obra. Sens dubte, el més hàbil dels pròlegs possibles a una novel·la en què cada topònim adquireix una dimensió simbòlica extraordinària, –escriu després d'haver afirmat a la pàgina precedent–: el mateix títol explicita ja una interessant fusió entre literatura i insularitat.»[3]

Per definició, un enigma és inesgotable i misteriós. Com acabem de llegir, Llorca s'estima més de veure un pròleg en el mapa d'*Illa Flaubert.* Quant al seu títol, reflecteix, segons ell, «el món novel·lesc de l'autor francès».[4] Em sembla que podem considerar el mapa, i més concretament la seva llegenda, com un epígraf. Si relacionem aleshores la inscripció amb el títol de la novel·la podem arriscar una altra interpretació. En aquest cas, el novel·lista hauria volgut anunciar, des del començament del seu llibre, un procés de transformació, al qual el lector és invitat a assistir. Sense anomenar-lo explícitament, Riera hi suggeriria, en aquesta hipòtesi, que a l'origen del segon topònim de la novel·la hi ha el seu protagonista. Això, però, es pot dir encara d'una altra manera, recorrent, per exemple, a una de les fórmules tradicionals amb què comencen les rondalles. Aleshores podríem traduir el sentit de la llegenda de la manera següent: «Això era una illa que tothom anomenava Illa Lleona i que un bon dia algú va decidir anomenar Illa Flaubert. Vet aquí, lector, el tema de la meva novel·la». Aquesta seria, doncs, en poques paraules, el sentit de la història que podem començar a llegir. Ara bé, encara no ha arribat el lector al final de la primera pàgina i ja sap que:

> «Així, el d'Illa Lleona era el *nom* amb el qual la gent *s'entenia* prou en presentar-se la rara avinentesa *d'esmentar-la*. Ja que no en els mapes, la majoria dels quals no *feien menció* d'aquell roquissar que treia cap part damunt les aigües, era també amb aquest *nom* com figurava a les cartes de navegació...»[5]

Com veiem, aquestes cinc ratlles giren al voltant d'un tema major, delimitat per paraules com *nom* (dues vegades), *esmentar, fer menció, entendre's,* etc. En realitat, expliciten per al lector la mateixa qüestió que ja havia trobat a la llegenda del mapa. Hi havia unanimitat, li descobreix el narrador, quant al topònim utilitzat en la comunicació oral i escrita per referir-se a aquell roquissar. Atès que tant la llegenda del mapa com el títol de la novel·la semblen dir el contrari, el lector no pot evitar

3. V. Llorca, *Salvar-se en la paraula. La novel·lística de M. À. R.*, Barcelona: Edicions 62, 1995, pàg. 101-102.
4. *Salvar-se,* pàg. 86.
5. *Illa*, pàg. 9-10. (*Els subratllats són meus*).

aleshores de plantejar-se una qüestió complementària. Qui, quan, per què va abandonar aquesta unanimitat? Qui és aquest personatge intrús que, en lloc del nom tradicional, prefereix recórrer a un nom nou? Per què, no vol expressar-se més com la gent de la seva comunitat? Vet aquí, en una paraula, com es presenta el conflicte de llenguatge en la nostra novel·la. Sense ell, i això no em sembla pas exagerat, la novel·la no existiria o seria una altra novel·la.

Si el lector d'*Illa Flaubert* té com a llengua la mateixa que l'autor, es veu obligat, a més a més, a preguntar-se aleshores per què un nom estranger ha estat preferit al de «la femella del rei dels depredadors», per citar literalment el narrador. Si, al contrari, és francòfon, haurà de trobar, per la seva banda, una resposta a aquesta preferència inesperada manifestada per un «afrancesat» insular. Tant l'un com l'altre, tanmateix, hauran de continuar la lectura fins al darrer terç de la novel·la per descobrir:

> «[...] en recordar que aquella anècdota del vailet egipci era, en rigor, el que havia acabat per fer possible el document que portava a la butxaca, decidí que, com homenatge a qui havia presenciat el fet i n'havia deixat constància escrita, des d'aquell mateix instant, per al seu ús particular, d'aquell reialme privat passaria a dir-se'n Illa Flaubert.»[6]

A la fi podem identificar el creador del nou topònim amb un lector fervent de Flaubert, el nom del qual manlleva amb una intenció ben precisa! Però ens hauran calgut, així mateix, cent seixanta-tres pàgines d'una novel·la que consta de dues-centes trenta-quatre per descobrir-ho! Podria tractar-se d'un retard involuntari de l'autor? Cal veure-hi, en canvi, una peça clau de la seva estratègia narrativa? De tota evidència, el novel·lista fa durar el suspens per unes raons que caldria elucidar. Vet aquí, un primer punt que bé podria convertir-se en una primera peça d'un trencaclosques. En canvi, allò que podem afirmar des d'ara és que, qui decideix canviar el nom de l'illa en homenatge a Gustave Flaubert, no és pas l'autor sinó, com el lector descobreix de mica en mica, un personatge misteriós, a propòsit del qual podríem invertir la coneguda frase de Gustave Flaubert. En lloc de sentir-se dir «Madame Bovary, c'est moi!», el lector de Miquel Àngel Riera sentiria: «Aquest personatge, lector, és el que tu vulguis!»

Però, a propòsit, qui són els protagonistes d'aquestes dues novel·les? En el cas de Gustave Flaubert, té un nom i un cognom. En el de Miquel Àngel Riera, i no crec pas que tampoc sigui un atzar, havia tingut un nom i uns cognoms però, havent decidit en un tombant de la seva vida no tenir-ne més, s'ha convertit en un personatge anònim. A fi de simplificar les referències, no hi ha com anomenar-lo d'ara endavant el professor, bé que la qüestió mereixeria també d'ésser tractada detingudament. Tot i que Riera no subratlli en especial aquest punt, no hi ha dubte que el seu professor-investigador ja no exerceix. Aquí penetrem en el terreny de la no-autobio-

6. *Illa*, pàg. 163.

grafia. Que jo sàpiga, el ciutadà Miquel Àngel Riera no va ser mai professor. En la vida corrent, pel que sembla, era gestor administratiu i tenia, per ser més precisos, una formació d'advocat. Si això no ens fa avançar gaire sobre la composició dels seus personatges literaris, hem d'admetre, en canvi, que Riera no podia incórrer, al llarg de la seva novel·la, en els defectes característics d'un aprenent, que confongués o ignorés, per exemple, les lleis del seu país.

Vegem, doncs, de més prop el que empeny l'exprofessor a adoptar una decisió que el privarà de la seva professió, i, per conseqüent, de tot sou. La raó invocada, per canviar el nom de l'illa, com descobreix el lector, és l'èxit d'una operació comercial. El professor creu que l'ha aconseguit, ens diu el narrador, gràcies a una anècdota efectivament contada per Flaubert a la seva correspondència. Evidentment, i el lector d'*Illa Flaubert* no ho ignora, l'operació tenia una enorme importància per al protagonista. Es tractava, recordem-ho breument, de posseir l'illa Lleona, de convertir-se en el seu nou propietari. Fins i tot si hagués de resignar-se a ser-ne el llogater vitalici,[7] d'ara endavant podria fer ostentació de la seva nova condició i actuar com ho faria un descobridor. Hi podríem veure, per tant, en aquest acompliment, la concretització d'un somni, d'una obsessió que va més enllà de la simple ocupació d'un terreny concret. L'illa Lleona, amb totes les connotacions de tota mena que aquesta transformació significa per al protagonista, s'ha convertit a la fi en illa Flaubert. Podem pretendre, per tant, que l'enigma del nou topònim estigui totalment elucidat?

No ho crec. Tot descobrint la raó del canvi de nom invocat pel narrador, alguna cosa sorprenent ens crida l'atenció. Aquest primer exemple d'intertextualitat, com bona part del temps, no s'estableix pas amb l'obra novel·lesca de Flaubert sinó amb la seva correspondència. La literatura és així relegada d'alguna manera a un segon pla, en benefici de l'experiència viscuda per un ciutadà francès del segle XIX durant el seu viatge a Egipte. Curiós homenatge, per poc que hi pensem una mica! La preferència per l'aspecte autobiogràfic de l'escriptor francès es combina, d'altra banda, amb una descoberta sorprenent. Es podria dir que per al narrador de Riera, les referències flaubertianes tenen sovint una forta connotació sexual. A penes insinuada a l'exemple del vailet que acabem de veure, l'exemple més flagrant és sense cap dubte el que inspira l'aventura viscuda amb la cortesana egípcia Kuchiuk Hanem. El narrador d'*Illa Flaubert* només reté d'aquesta nova pàgina de la correspondència un adjectiu d'un passatge que mereix de ser recordat:

> «C'est une impériale bougresse, tétonneuse, viandée, avec des narines fendues, des yeux démesurés [...]. Quant aux coups, ils ont été bons. Le troisième surtout a été *féroce*, et le dernier sentimental.»[8]

7. I no pas el seu propietari, com interpreta LLORCA, *Salvar-se,* pàg. 102.

8. L'adjectiu que dono en cursiva és el que aprofita Riera (*Illa*, pàg.144). El text pertany a una carta de G. FLAUBERT, *OC, XIII,* París: Club de l'Honnête Homme, 1974, pàg. 27-28, dirigida al seu amic Louis Bouilhet (13-III-1850).

Naturalment, segueix tractant-se de Flaubert, però si s'hagués limitat a descriure, com ho fa a les ratlles de més amunt, les seves proeses sexuals, hauria passat realment a la història com un dels representants més exigents de la novel·la francesa del segle XIX? Li calia realment recórrer al seu conegut *gueuloir* per escriure les pàgines que se citen a la novel·la de Riera? Des d'aquest punt de vista, l'homenatge a Flaubert, i no costa gaire posar-se d'acord, té els seus límits. Si ens hi fixem bé, més aviat sembla anar destinat a l'home que no pas a l'escriptor, a la seva obra autobiogràfica, que no pas a la seva obra de ficció. És veritat, així i tot, que les dues barques del professor porten els noms d'«Emma» i de «Salammbô». Però el lector que s'esperava una intertextualitat més present, unes relacions textuals més evidents, es queda una mica decebut, encara que caldria disposar d'una anàlisi més aprofundida, de preferència signada per un especialista de Flaubert.

Sigui el que sigui, la nova denominació toponímica –a partir de l'anècdota del vailet egipci l'illa serà esmentada a la novel·la exclusivament sota el nom d'illa Flaubert–[9] ens reserva una nova sorpresa. Només té un valor estrictament personal. Aquest nom literari, per diferenciar-lo del topònim tradicional, quedarà, en efecte, completament confidencial. Fins i tot podem suposar que al contracte de lloguer que el professor s'havia embutxacat a la fi era realment el nom d'illa Lleona el que hi figurava. Això permet d'afirmar que quan, a la fi de la novel·la, el llogater de l'illa desaparegui per sempre s'emportarà amb ell, al mateix temps que el secret del seu nom personal, el del nom que havia donat a la seva illa.

Però si d'aquesta mena de bateig privat el lector torna enrere comprova que, mentrestant, ja havia fet la coneixença d'una altra denominació. En efecte, abans d'arribar al topònim literari, el narrador li ha revelat un altre nom de lloc. Convé que ens hi aturem una mica car això eleva a tres –la xifra màgica que sembla presidir la realització de la novel·la– el nombre de topònims utilitzats per designar una mateixa realitat geogràfica.

> «Quant a assumir un topònim com a cosa pròpia, l'illa havia estat més afortunada que el port. Des de molt antic, el seu perfil de lleona ajaguda, que ningú no discutia, havia estat decisiu a l'hora de donar-li un nom, tot i que els mariners, sempre un món a part, que eren els qui més la veien de prop, mostraven un cert rebuig a validar un nom com aquell que, per allò de pertànyer a una bèstia exòtica, res no tenia del seu món, i, avesats a servir-se d'estris i conceptes pràctics, entre ells, partint de la remor que la mar feia en travessar la barrera dels freus, es referien a l'illa amb el nom de *Saluet*. Però el d'Illa Lleona era el que empraven els de terra endins i, en definitiva, el que, en fer-hi referència, figurava a les cartes de navegació.»[10]

Acabem de veure com el narrador estableix una diferència molt nítida entre la visió de l'illa que tenia la gent segons la seva pertinença geogràfica i la denominació que empraven. Si vivien terra endins, conservaven el nom antic. Els mariners, en canvi, quan s'hi atansaven amb la barca, «partint de la remor que la mar feia en tra-

9. *Illa*, pàg. 185, 199, 206, 229, etc.
10. *Illa*, pàg. 77. (*El subratllat és meu*).

vessar els freus es referien a l'illa amb el nom de Murmuri».[11] Vet aquí, doncs, l'*Illa Lleona* transformada en *Murmuri* si, com ho fa la traducció castellana, adoptem l'etimologia atribuïda pel narrador al topònim *Saluet*.

Arribats a la fi d'aquest recorregut referit a les tres denominacions d'un espai altament simbòlic, tan cobejat pel protagonista com per l'escriptor, el qual n'ha fet el títol de la seva novel·la, què podem concloure'n? Acabem de veure com el lector descobreix a poc a poc que la mateixa realitat concreta, una petita illa mediterrània situada no gaire lluny d'un port, rep tres noms diferents. Lluny de ser gratuïts, cadascun correspon a un món diferent. Però, com s'articulen entre ells?

2. Tres etapes d'una trajectòria vital

Si del pla col·lectiu passem ara al pla individual, creiem llegir en filigrana les tres etapes per les quals es desenvoluparà la trajectòria vital del protagonista de la novel·la. Així, el topònim d'*Illa Lleona* simbolitza el primer període de la seva vida. Comprèn des del naixement fins a la quarantena. Arribat a aquest punt de ruptura, aquest home de l'interior, més concretament de la Ciutat, no respecta més la denominació tradicional. Però, si introduïm la seva activitat de professor-investigador, hem d'admetre que no s'acontenta pas amb això. D'ara endavant no sols es nega a sotmetre's al codi imposat per la societat de la qual ha eixit. Fa molt més. Havent abandonat la seva condició de professor, ja no participa més en la transmissió d'un nom que simbolitza l'educació rebuda, que ell s'encarregava de fer durar a través dels seus alumnes. Es pot caracteritzar, doncs, aquest primer tall de vida com el d'una submissió a les normes d'una societat que el protagonista no havia contestat mai d'una manera global.

Murmuri, si passem a la segona etapa, esdevé, en canvi, el nom que, per definició, ignora el protagonista mentre segueix vivint al món de terra endins. Caldrà que aquest «fill de casa bona», per recórrer a la fórmula del narrador, es decideixi a trencar amb el seu passat i a mudar-se a la pensió del port perquè es familiaritzi amb un nou llenguatge. I, de la mateixa manera que quan vivia entre la «gent civilitzada», era capaç d'interpretar el llenguatge secret del poeta Gervasius, ara s'acostumarà al llenguatge rústec i desmanyotat dels mariners, que comprèn però que no vol parlar. Ara bé, mentre no s'hagi acostat a l'illa per la qual se sent cada vegada més atret, es veurà en la impossibilitat de comprendre el sentit de la denominació emprada pels mariners. Li caldrà tornar-se mariner com ells o accedir als freus.

Havent adquirit a la fi una coneixença cada cop més íntima de l'illa, així com el dret de viure-hi, només li queda trencar amb el món del port, on creia que podria trobar un recer. Convertit, com hem vist, en llogater vitalici de l'illa, el protagonista pot passar, finalment, a la tercera denominació. A diferència dels dos precedents, el d'*Illa Flaubert* ja no és tanmateix un topònim de valor social. Es podria dir, *grosso modo*, que si el primer topònim era el de la gent de terra endins i el segon el dels mariners, la creació de llenguatge no té altre usuari que l'únic habitant d'aquest «reialme privat». A més a més, el topònim no sols serà d'un ús confidencial sinó d'una durada ben efímera. En efecte, a falta d'haver trobat la salvació tan esperada en la possessió de l'illa, el professor acabarà per abandonar-la a fi de suïcidar-se. Aquest recorregut en tres etapes ens descriu alhora un procés d'autoagressió que no ens és pas contat de manera lineal. Sota pretext de buscar la immortalitat, el protagonista –i aquí és on rau sens dubte la força tràgica de la novel·la–, s'encamina irremeiablement cap a la seva pròpia ruïna. En resum, com més creu el professor que s'allunya de la seva Mare, més es precipita cap a la Mar, on acabarà per trobar la Mort.

3. L'etapa de l'Illa Lleona

Ara que hem obtingut tres etapes molt precises no hi ha com caracteritzar-les. Tornem, doncs, a la primera de les seixanta-cinc seqüències de què consta la novel·la.[12] No crec pas que sigui una coincidència si és una de les més llargues. El narrador hi aborda la presentació de tres temes. Primer de tot, com ja hem vist, el nom tradicional de l'illa. Segueix, després, una descripció topogràfica molt detallada d'aquest espai. La seqüència s'acaba, en fi, amb la descripció de l'home que era «rei i súbdit únic del petit territori [...] de l'únic habitant de l'illa,[13] acostumat, dins la solitud de l'illa, a fer un intens ús del pensament i un quasi nul de la paraula».[14]

Altrament dit, la novel·la comença per una etapa ben avançada d'un procés que el lector haurà de reconstruir com si es tractés d'un trencaclosques. Car «la ruptura no havia estat sinó el resultat indefugible de tot un procés»,[15] llegim a la tercera seqüència. Però, quin havia estat, doncs, el punt culminant d'una crisi larvada, es pregunta a continuació el narrador, tot recorrent a preguntes molt precises. El casament amb una entranyable amiga d'infància? L'obtenció d'un diploma que autoritzava el nou professor a dispensar un ensenyament? El naixement d'un fill que només havia viscut tres hores? El trastorn que havia significat la mort de la seva mare? Aquí és on em sembla que l'autor demana al lector que esdevingui el seu còmplice. En lloc d'imposar-li una resposta, s'estima més, en efecte, proposar-li tot al llarg de

11. «[...] partiendo del murmullo que el mar hacía al atravesar la barrera de los escollos, se referían a la isla con el nombre de Murmullo», segons figura en la traducció castellana (*Isla,* pàg. 78).

12. A les seixanta-quatre del llibre cal afegir-hi la que comentem a la nota 30.

13. *Illa,* pàg. 11.

14. *Illa*, pàg. 14.

15. *Illa*, pàg. 18.

la novel·la anècdotes, situacions, i moments dramàtics que giren tanmateix al voltant d'un mateix aspecte: la sexualitat del professor. Podem arriscar-nos a dir, per tant, que la mort de la seva mare, quan ell té una quarantena d'anys, no fa més que posar un punt provisional a un procés que fins aleshores s'havia escapat fins i tot al protagonista i que el narrador no pot o no vol revelar.

Ara bé, el narrador ens forneix així i tot una gran quantitat d'indicis. Sense cap mena de dubte, el més trasbalsador és l'activitat d'investigador a la qual el protagonista s'havia dedicat en el passat. Gairebé sense adonar-nos, ens trobem de nou en ple conflicte de llenguatge. Una persona que és incapaç d'interrogar-se sobre la seva pròpia personalitat pretén haver revelat el misteri d'un Gervasius que no és sinó el pseudònim d'un monsenyor. Qui parla de qui i en quina llengua? Podem imaginar fàcilment tot el partit que el novel·lista hauria pogut treure si l'escriptor estudiat, en lloc de ser el cardenal de la Casa, hagués estat Flaubert. Com descobreix el lector, al capdavall, havia estat a una obra ben decebedora –em refereixo a l'interès merament literari del poeta Gervasius– que el professor havia dedicat els seus esforços. A més a més, hauran estat ben vans ja que les seves recerques no es concretaran en res i quedaran, per tant, en secret. Així i tot, al costat d'aquest fracàs no podem pas oblidar una recerca no declarada pel protagonista però que no li passa per alt al lector. Es tracta d'una mena de pulsió cap a un amor fusional, com deixa entendre l'epitafi que el professor escriu sobre la tomba del que ha decidit que era el cadàver d'Adela, i que manlleva a Gervasius: «Nosaltres dos / anant cap a nosaltres un».[16]

Novel·la, per tant, travessada d'un extrem a l'altre per la sexualitat del protagonista, i més concretament pel tabú de l'incest, les al·lusions a aquesta interdicte no són pas rares. Com no entreveure'n una, per exemple, en l'escena que se situa al lloc de la defecació de l'illa? Ens trobem al començament de la cinquena seqüència i creiem assistir aleshores a una escena molt arcaica, el sentit de la qual se li escapa completament al protagonista. Tot el que ens confiarà el narrador és que «un home ensenyorit com ell, acostumat de sempre a l'altre tipus d'enginy amb aigua corrent i colònies de marca, havia hagut d'acabar acceptant aquell aspecte negatiu de la seva renúncia a tot un món».[17] La renúncia, per citar literalment el narrador, és el preu que el professor ha de pagar per poder expressar-se altrament des d'un punt de vista sexual.

En aquest sentit, la seva primera relació sexual amb una dona és molt significativa. Si el protagonista no arriba a perdre la virginitat amb la prostituta Adela és a causa d'un record que l'obsessiona. No aconsegueix oblidar que la seva mare morta ha començat el seu procés de descomposició. Aleshores «un mur de trenta anys de miraments i de guardar les bones formes s'esbucà en sec».[18] Però, d'aquesta experiència decebedora, allò que cal retenir-ne, sobretot, és l'aspecte homosexual. Va ser després de perdre la virginitat «quan descobrí el plaer intens de sentir-se brut.

16. *Illa*, pàg. 231.
17. *Illa*, pàg. 28.
18. *Illa*, pàg. 34.

També el no menys bell d'anar-hi per dedins».[19] També cal retenir-ne el fet que, després d'aquesta doble experiència sexual, el professor acompleix dos actes molt significatius, relacionats amb el llenguatge. Dirigeix la seva paraula contra algú i diu no també a algú. El conflicte personal que està vivint, sens dubte relacionat amb l'educació religiosa i sexual rebuda, porta el narrador a afirmar:

> «Inaugurant estil, vatuà [=blasfemà] contra tot, fins i tot contra ella [la mare]. Cop en sec, semblà com si dins ell desembussàs una canonada i, sentint-se fluir, veié que el seu nivell d'identitat creixia i creixia fins que, al cim del repudi, se sentí mentalment alliberat.» [20]

Dues paraules terribles acaben de ser pronunciades. Aquesta manifestació d'una propensió inconfessable que empeny el professor a insultar de manera obscena la religió en la qual ha estat educat, a blasfemar fins i tot contra la seva mare, remet clarament a la seva sexualitat. Però, després d'haver efectuat l'acte blasfematori a través de la paraula, creu, ens diu el narrador, veure com la seva identitat es reforça fins a l'extrem d'atènyer «el cim del repudi». Ara bé, si des d'un punt de vista jurídic, repudiar és «rebutjar la seva dona trencant el matrimoni segons les formes legals i per una decisió unilateral», a qui altra que la seva mare pot repudiar ja que encara no ha contret matrimoni amb Elionor? El conflicte de llenguatge ha arribat, com veiem, al seu paroxisme.

4. L'etapa de Murmuri

La segona etapa que ara abordem se situa al port de pescadors. En el pla cronològic, cobreix el període que va de la muda del protagonista a la petita pensió portuària fins a la seva instal·lació definitiva a l'illa. Aquesta renúncia al món que, als ulls del professor representa la civilització, va acompanyada d'una decepció progressiva que el portarà a abandonar el nou ambient. Es tracta d'un món dominat per gent gairebé analfabeta que s'expressa, segons el professor, en un conflicte de llenguatge permanent. Abans d'interessar-nos per la seva reacció davant la nova manera d'expressar-se, vegem un cas límit de la nova violència sexual que el protagonista freqüenta cada vegada més, cosa que no feia pas quan vivia a Ciutat.

No hi ha dubte que l'assassinat de Don Toniet, l'homosexual, per un dels germans Ràtols constitueix un dels exemples més colpidors. Durant una processó, aquest home de terra endins vol comunicar-se amb les seves amigues brodadores, trabuca un peu, i fa esmicolar l'estàtua piadosa que ajudava a transportar. La reacció d'un dels

19. *Illa*, pàg. 39.
20. *Illa*, pàg. 37.

tres germans pescadors davant aquella profanació de la Mare de Déu és immediata. Es llança a la gorja del pobre desgraciat i el mata a l'acte. Vet aquí el comentari que un crim, aparentment banal però en realitat passional, mereix de part del narrador:

> «La gent, els dies següents, només comentava la mania ferotge que els Ràtols tenien contra els marietes. Cosa que demostrava, deia dins la fonda un que era Olor i Fresquet, Cavàs i Jaumí, a parts desiguals, que ben al fons tots tres germans ho eren un poc, confirmada la cosa pel fet que entre tots no haguessin aconseguit posar al món ni un sol Ratolet.»[21]

Així s'explica una reacció primària i desmesurada respecte de l'acte mancat que l'ha provocat i que mena a la mort. Algú que volia cridar l'atenció del públic comet una malaptesa que li costarà la vida. Com no veure-hi un lligam entre l'homosexualitat declarada de la víctima i l'homosexualitat reprimida de l'assassí? Quin valor cal atribuir, en una paraula, a la reacció del germà Ràtols davant aquesta profanació simbòlica de la Mare (en el sentit religiós)? Recordem que el protagonista no assisteix directament a l'escena. Però no pot pas escapar a les conseqüències de la nova situació. El professor mateix no tarda pas gaire a sofrir el clima de violència que regna en el nou escenari. Hi mena una vida sexual amb aspectes masclistes –recordem, a tall d'exemple, la seva reacció davant la intromissió de la dona del selleter– que s'acabarà amb el duel a mort amb el caporal de la guàrdia civil, del qual costa imaginar que no estigui al corrent de les seves aventures galants. Després de la baralla de les amants del protagonista, que esclata públicament a la plaça de l'església, haurà de recórrer de nou a les prostitutes de la ciutat:

> «De forma que ningú no hi entengué res i cadascuna d'elles, en ser a ca seva, donà les explicacions que li convingué. Però a partir d'aquell dia les coses, al professor, ja no li foren tan fàcils, i alguna vegada va haver de fer venir un taxi que el dugués a Ciutat.»[22]

Aquest retorn progressiu de la sexualitat del professor cap a un estadi cada vegada més arcaic s'acompanya d'un nou conflicte de llenguatge. Un dels moments forts, en la petita vida portuària, és el que posa un punt final al funeral del germà Ràtols, durant el qual es produirà, precisament, la baralla entre les amants del professor. Presa de commiseració, la comunitat de pescadors creu que ha arribat l'hora de reconciliar-se amb l'únic germà Ràtols que ha quedat en llibertat. Tothom es troba a l'interior de l'església. El germà Ràtols accepta, aparentment, el condol abans de sortir a la plaça de l'església. Allà, amb aire provocador, pixa en públic i després, amb la seva orina, es renta la mà que havien estret els membres de les famílies enemigues abans de partir tot sol cap al port. Acabem d'obtenir una nova confirmació d'un conflicte de llenguatge, ara gestual. Sense aquesta escena final, l'estreta de mà hauria confirmat una reconciliació que el germà Ràtols no accepta.

21. *Illa*, pàg. 119.
22. *Illa*, pàg. 189.

Però es podrien invocar exemples encara més aclaparadors. Vegem-ne un que oposa, de manera molt clara, allò que hom diu a allò que hom prohibeix de dir. Perquè quan hom pertany al món de *Murmuri* i, d'una manera més general, a la gent analfabeta, dir les coses pel seu nom comporta la mort. Així ens ho suggereix el narrador quan al·ludeix al mal incurable que havia ferit de mort el germà Ràtols:

> «[...] va transcendir la notícia que el major jove dels dos Ràtols estava malalt. Patia, segons asseguraven aquells que ho podien fer, allò que entre ells en deien tenir un mal mal.» [23]

Una vegada més cal traduir el sentit ocult d'una expressió utilitzada per «aquells que ho podien fer». Què és, doncs, aquest *mal mal*? El seu sentit no escapa al diccionari Alcover-Moll, el qual el dóna com a sinònim de *mal dolent, mal lleig* i *mal menjador*. Es tracta de «noms eufèmics amb què vulgarment es designa el càncer; la gent inculta creu que anomenant aquesta malaltia pel seu nom propi, s'adquireix el mal, i per això la designa amb diferents noms adjectivats», s'hi llegeix literalment.

Acabem de veure una nova confirmació del pes que el llenguatge i, més particularment, el conflicte de llenguatge, pot tenir a *Illa Flaubert*. Anomenar les coses pel seu nom pot ocasionar la mort del locutor. Vegem ara la reacció del professor davant d'un d'aquests conflictes als quals assisteix durant la seva estada a la pensió del port.

> «Adesiara, per dins la fonda, sentia refranys, frases fetes, expressions barroeres [...]. Eren mots de vici, apotegmes banals transmesos de boca en boca des d'una avior de gent ignorant [...] en arribar a un cert punt ja no pogué més. Fou quan un d'aquells homes, amb el mateix llenguatge destrossat, va fer una referència que pretenia ser graciosa a algú a qui havien diagnosticat una malaltia mortal. I ell, que ho sentí, s'enfurismà [...] i arreplegant sense adonar-se'n un material que li aflorava des del subconscient, al temps que amb la mà plana pegava un cop violent damunt la taula, li escapà dir, a totagargamella, fent bandera d'un nom que en aquell moment ho significava tot.
> –Flaubert !!!»[24]

5. L'etapa d'Illa Flaubert

Potser no estarà de més recordar que, després de la seqüència que acabem de veure, el professor decideix comprar la seva primera barca. Amb aquesta podrà fugir del món portuari esdevingut insuportable. Decebut, fastiguejat pel llenguatge vulgar al qual es veu confrontat en la vida quotidiana, dóna les passes necessàries per tal d'iniciar la tercera etapa de la seva trajectòria vital. A la barca, per consegüent, hau-

23. *Illa*, pàg. 182.
24. *Illa*, pàg. 146-151.

ríem de dedicar la nostra atenció si no haguessin sorgit dos nous conflictes de llenguatge. Així, de la mateixa manera que ha calgut prescindir de personatges com Beno, Don Vicenç, el vell capellà que se suïcida, o la prodigiosa galeria de personatges femenins que travessen la novel·la, deixem de banda aquesta tercera etapa que, per la seva riquesa i complexitat, mereixeria un tractament a part.

El primer dels dos conflictes als quals ens hem referit semblaria remetre a una confusió entre oralitat i escriptura. Efectivament, no solament molts aspectes de la història sinó també la manera en què ens és contada deixen entreveure unes distorsions que el lector no encerta sempre a explicar-se. Com cal prendre, per exemple, el fet que Flaubert sigui presentat com a model de correcció de la llengua parlada? Com reaccionar davant els nombrosos indicis que apunten cap a un allunyament, de vegades ben considerable, respecte de la llengua literària? Hom té la impressió, en una paraula, que la presència de l'oralitat ha esdevingut cada cop més envaïdora. Fixem-nos en els mots següents:

> «Ben llunyana quedava també –llegim cap a la meitat de la novel·la– la seva antiga forma de construir les frases, cosa en la qual havia estat destre fins al punt de poder presumir amb plena justícia de dir, en obrir la boca, exactament allò que es proposava [...]. Ho feia utilitzant hàbilment els verbs i els adjectius, que incrustava al lloc més oportú d'unes frases bastides amb substantius exactíssims.»[25]

Podria ser aquesta confusió entre la llengua parlada i la llengua escrita allò que el lector té la impressió de freqüentar tot al llarg de la novel·la? Car, per detenir-nos a penes en el passatge citat, hi acabem de llegir un elogi de l'habilitat a la qual havia arribat el professor en la seva expressió oral i no pas escrita. Podria explicar-nos aquesta confusió per què s'invoquen exemples trets de la correspondència de Flaubert i no pas de la seva obra literària? En un altre ordre d'idees, el lector no pot evitar de preguntar-se quin és el model de llengua literària recercat a *Illa Flaubert*. La pregunta no és pas original. Vicenç Llorca, que ja se l'havia plantejada, ens respon detalladament:

> «Fent una hipèrbole, asseguraríem que Riera escriu en l'italià més català del món. I, tanmateix, un dels aspectes més sorprenents en la seva prosa prové d'un domini absolut dels registres lèxics i fraseològics del mallorquí. Tant és així que bé podríem parlar d'un virtuosisme dialectal [...]. Un domini que, d'una altra banda, permet a l'autor de retrobar nombroses fórmules expressives de la llengua catalana que només s'han conservat amb vitalitat a les Illes. Aquest fet singularitza encara més la riquesa expressiva d'una obra que es presta a un examen detallat des de la perspectiva dels estudis de llengua [...]. Al capítol IV de *Morir quan cal*, per exemple, l'oncle Jaume afirma: «Tu no mos deixaries acabar de passar gust! Saps que frisau, ses dones! Netejar allò de rojos no és lo mateix que matar ses xinxes amb una bugada bullenta, vatuadell!» L'equilibri, doncs, entre el català literari i les seves formes dialectals es mostra reeixit, i procura un efecte multiplicador en l'acurada factura de l'estil.»[26]

25. *Illa*, pàg. 105.
26. *Salvar-se*, pàg. 85.

És veritat que, des d'un punt de vista estilístic, *Illa Flaubert* conté nombroses troballes. Com també ho és que la frase rieriana pren sovint un to majestuós. Però es pot afirmar, com fa l'estudiós de més amunt, que «un dels aspectes més sorprenents en la seva prosa prové d'un domini absolut dels registres lèxics i fraseològics del mallorquí?» Limitant-nos a l'exemple de l'última novel·la de Riera, no caldria procedir prèviament a un examen detallat? El dia que hom hagi superat aquesta llacuna, arribarà a l'extrem d'aplicar-li els mots que, parlant d'ell mateix, confiava Gustave Flaubert a Louise Colet?

> «La tête me tourne et la gorge me brûle d'avoir cherché, bûché, creusé, retourné, farfouillé et hurlé, de cent mille façons différentes, une phrase qui vient en fin de se finir. Elle est bonne, j'en réponds; mais ça n'a pas été sans mal!»[27]

Mentre no disposem d'aquesta mena d'estudis, tractem d'orientar l'explicació de les excel·lències, però també del que podríem qualificar límits de la prosa d'*Illa Flaubert*, en una nova evidència. Es tracta d'una novel·la escrita per un poeta que reconeixia de bona gana que «hago narrativa con un planteamiento absolutamente lírico».[28] Una actitud d'aquesta mena porta Riera a forçar la llengua novel·lesca fins a extrems que poden ser qualificats d'inhabituals, fins i tot de perillosos. El seu llibre, evidentment, hi guanya en frescor i espontaneïtat. Però convé no oblidar el preu que l'autor ha de pagar i, més en particular, l'esforç que demana al lector. Vegem-ne un sol exemple, el de la seqüència més curta de tota la novel·la. A fi de subratllar-hi els efectes buscats pel novel·lista, separem tipogràficament les tres frases que la formen:

> «Al port, on el temps es comportava d'una forma implacable, als majors *se'ls cruiava la cara, se'ls esllanguia el mirar, se'ls posava un rovell terrible a la junta dels ossos.*
> Als menors, quan més distrets anaven, els creixia pèl moixí a la cara, se'ls enfosquia el pubis, *se'ls cruiava la cara, se'ls esllanguia el mirar i se'ls començava a posar rovell per la junta dels ossos.*
> A Illa Flaubert, l'home zero seguia essent zero i mirava el món com si el contemplàs amb els binocles girats.»[29]

Un procediment paral·lelístic com el que acabem de constatar, en el qual el discurs avança per la repetició dels mateixos mots, és a dir, de manera anafòrica, és sens dubte, més habitual en poesia que en prosa. La major part del temps, tanmateix, la prosa de Riera, com que no tarda pas a remarcar el lector, es presenta sota la forma de frases llargues, amb vocació clàssica. Podem assimilar-la, per això mateix, a la frase flaubertiana o proustiana, per no anomenar dos escriptors, el nom dels quals és explícitament esmentat? La qüestió és una mica delicada ja que, a falta d'estudis que hauria d'haver inspirat, correm el risc de deixar-nos emportar per la

27. Carta de G. Flaubert, *OC, XIII,* pàg. 477, dirigida a Louise Colet (25-26-III-1854).
28. *Salvar-se,* pàg. 126.
29. *Illa,* pàg. 206. (*Les cursives són meves.*)

passió, fins i tot per l'arbitrari. Així les coses, com a mínim calia plantejar el problema, evidentment amb totes les precaucions de rigor. La novel·la de Riera, com tantes altres novel·les catalanes de la mateixa època, és susceptible de ser sotmesa a una crítica negativa. En aquesta hipòtesi, la feina del crític consistiria a repertoriar els punts contestables, fins i tot incorrectes o imprecisos que pugui contenir.

Perquè, després de llegir-lo detingudament, el lector té, de vegades, la impressió que si *Illa Flaubert* no és pas, pròpiament parlant, un llibre inacabat, va ser publicat, potser per raons comercials, amb una mica de precipitació. O tal vegada, posats a buscar-li una altra explicació, el novel·lista no va poder disposar de l'ajut d'un corrector especialitzat en el domini del mallorquí i es va deixar guiar, més que no pas per la reflexió i la consulta sistemàtica, per la intuïció. És, doncs, amb aquest últim aspecte d'un conflicte de llenguatge, el dels dubtes i els allunyaments incontrolats respecte de la norma literària, que acabaré aquest treball.

Per procedir amb una mica d'ordre, recordem, d'entrada, que algunes errates van escolar-se en la versió original. Tal vegada la més visible sigui l'omissió dels tres espais en blanc en una de les seqüències.[30] Afegim-hi, a continuació, que algunes frases esdevenen obscures o es troben francament al límit de la correcció sintàctica,[31] com ens ho confirma la traducció castellana.[32] En fi, també constatem un petit nombre d'errates que desfiguren alguns mots.[33] Aquest últim aspecte ens porta directament a les paraules que no figuren al diccionari Alcover-Moll i que, per això mateix, tant poden ser preses com a creacions[34] de l'autor, o com a localismes.[35] Esmentem, també, encara que no sigui exclusiu de l'escriptura rieriana, l'ús d'un sistema de derivació,[36] indubtablement molt ric, però a propòsit del qual no sempre resulta fàcil de comprendre el valor que afegiria respecte dels sufixos habituals. En aquestes condicions, interessem-nos per un paràgraf que podria orientar enormement les recerques sobre un tema tan delicat, el d'un model de llengua literària.

30. Això es produeix a dalt de tot de la pàg. 89, error mecànic que no presenta la traducció castellana.

31. Per exemple, la primera frase de la pàg. 188 («Però va ser... a les mans») o la darrera de la pàg. 224 («Era com... eren del tot»).

32. «Ningú tant com ell no ho podia entendre a partir de com ell si coneixia les raons que l'havien empès a confinar-se a l'illa» dóna textualment: «Nadie podía entenderlo tanto como él si tenia buen conocimiento de las razones que la habían impulsado a recluirse en la isla» (*Illa* i *Isla,* pàg. 33).

33. Alguns exemples: *titinejava* per *tintinejava* (pàg. 31); *incidis* per *indicis* (pàg. 82); *matenia* per *mantenia* (pàg. 127); *del temps de la Manca* per *dels temps de la Manca* (pàg. 129); *insubornava* en lloc de *insubordinava* (pàg. 131 i pàg.134); *dinc* per *cinc* (pàg. 176); *delerosa* per *deleroses* (pàg. 187), etc.

34. Bé que entrem en un terreny molt relliscós, Riera usa, per exemple, termes com *vatuar* (pàg. 37, 192 i 202), *revatuador* (pàg. 118) o *horabaixar* (pàg. 180).

35. *Torcebraç,* una de les paraules preferides pel novel·lista (*Illa,* pàg. 21, 58, 62, 75, 153, 232, etc.), no figura al DCVB i sí, com em recorda el professor i vell amic Joan Veny, al DIEC. El traductor castellà recorre a diverses solucions com *envite, desafío, querella* i *porfía* per traduir-la.

36. Una mica a l'atzar, vet aquí alguns exemples, amb la traducció castellana corresponent: *terrasseta* (pàg. 10) *terracita*; *veuarra* (pàg. 60) *vozarrón*; *gotiues* (pàg. 61) *gotas*; *cementerió* pàg. 73, 156) *cementerio*; *capelliua* (pàg. 74) *minúscula capilla*; *casinet* (pàg. 83) *cafetucho*; *bergantella* (pàg. 89) *muchacha*; *doneua* (pàg. 91) *mujeruca*; *casiua* (pàg. 137) *casucha*; *bonasses* (pàg. 169) *buenas*; *finestrella* (pàg. 171)

«La dona, que era menga i seca, malavidosa, pessigadora, de morro prim, i el que necessitava era un home de peus en terra que procuràs tenir més ple el rebost de queviures que el seu cap de cabòries, arribà que ni el podia veure. L'insultava, el feia jeure en terra, no li feia dinar i alguna vegada, quan s'esdevenia, li ablania les costelles amb l'aprimador.»[37]

És ben cert que aquestes ratlles s'allunyen molt del to general de la novel·la per apuntar directament cap a la llengua i al món fantàstic de les *Rondalles Mallorquines*, que l'autor, per la seva edat, encara va poder sentir de viva veu. Si relacionem aquesta branca de la literatura tradicional amb la seva novel·la, hom té la impressió de comprendre'n millor alguns aspectes. Per exemple, l'home que ha de suportar el mal caràcter de la dona descrita més amunt no és altre que en Beno, un personatge que sembla sortit directament de les rondalles, vist i corregit, és clar, segons l'òptica del novel·lista. Pel que fa a la llengua emprada, veiem com l'escriptor sap evitar-hi les concessions a la llengua parlada com l'article salat o el vulgarisme *lo*,[38] criticables segurament als ulls d'un purista. Allò que ens sorprèn, en fi, és que, de cop i volta, creiem trobar-nos ben lluny, per no dir als antípodes, de les fonts cultes que, amb tants d'esforços, buscava Gustave Flaubert.[39] Tot plegat, que n'hi ha prou de comparar el paràgraf amb la seva traducció castellana, per iniciar un seguit de preguntes:

«La mujer, que era minúscula y seca, chinchante, tozuda como un mulo, y lo que necesitaba era un hombre con los pies bien puestos en tierra que procurara llenar más la despensa de comida que su cabeza de pájaros, acabó que no podía ni verle. Le insultaba, le hacía dormir en el suelo, no le hacía la comida y, de tanto en tanto, cuando le apetecía, le medía las costillas con una vara.»[40]

No hi ha com iniciar la nostra reflexió amb alguns punts concrets de la traducció. Ja corresponen, per exemple, els adjectius *menga* i *pessigadora* o el verb *esdevenir-se* a *minúscula*, *chinchante* i *apetecer*? Per què si *ésser de morro prim*, segons el DCVB, equival a «ésser llépol o molt delicat i remirat en el menjar i en altres coses», hom afirma que la dona d'en Beno era «tozuda como un mulo [*sic*]»? En una paraula, no ens trobem en presència d'una traducció que es pren moltes llibertats i que, fins i tot, presenta algunes infidelitats?[41] I, tornant a la qüestió del model de llengua literària, no hi obtenim la confirmació inesperada de la doble filia-

ventana. No sé imaginar-me el tipus de prosa que hauria sortit si el traductor els hagués respectat fidelment al llarg de la novel·la.

37. *Illa*, pàg.137

38. Cosa que no feia a l'exemple de *Morir quan cal* citat a la nota 25.

39. No oblidem que durant la llarga, penosa i laboriosa escriptura d'*Emma Bovary*, el novel·lista no s'està de comentar, en la correspondència mantinguda amb Louise Colet, la seva necessitat de passar-se dies llegint clàssics com Montaigne, Bossuet, Voltaire, etc., a fi de trobar-hi idees per resoldre les frases de la seva novel·la.

40. *Isla*, pàg. 140.

41. En alguns casos, arriba a afirmar fins i tot exactament el contrari del que diu l'original. Compareu, per exemple: «L'escàlem, tot i la seva llargària, no el travessà del tot» (*Illa,* pàg. 177) amb «El escálamo, pese a no ser largo, le atravesó del todo» (*Isla*, pàg. 181).

ció que regiria l'escriptura de Riera? En aquest cas, ja el títol de la seva novel·la condensaria, aleshores, un doble ideal. Per una banda, el femení *illa* apuntaria cap a una llengua més aviat sentida que estudiada. D'altra banda, el masculí *Flaubert*, apuntaria cap a una llengua estudiada, però no necessàriament dominada, i que correspondria a la llengua en què l'escriptor va fer els seus estudis. Sense gosar anomenar-les respectivament la llengua de la Mare (la figura omnipresent a la novel·la) i la llengua del Pare (el gran absent a la novel·la), convindria no oblidar aquest nou aspecte del conflicte entre dues llengües, a hores d'ara cooficials a Mallorca, però que no ho eren en absolut quan l'escriptor va formar-se.

No podem oblidar, d'altra banda, que la cultura literària de Riera, com la de tants d'altres escriptors catalans de la seva època, es va fer necessàriament en espanyol. Per dir-ho d'una manera gràfica, fer durant el batxillerat una redacció en català era per a ells alguna cosa totalment impensable.[42] Va deixar aquest conflicte de llengües alguna traça en la producció literària d'aquests escriptors i, més concretament, en la novel·la *Illa Flaubert*? Encara que m'agradaria més disposar d'elements biogràfics, podria donar-se el cas que el futur escriptor no hagués llegit Flaubert al batxillerat? Ni fins i tot mentre feia els estudis superiors? En la impossibilitat de fornir el manual de literatura universal amb què va estudiar, el lector interessat pot recórrer a l'article dedicat a Flaubert en una font apareguda quan Riera tenia una vintena d'anys.[43]

Ha arribat el moment de tornar als petits detalls del començament d'aquest treball. Si no vaig errat, la tradició vol que la dedicatòria de l'edició original es mantingui en les successives traduccions d'una novel·la. Què volia dir-nos, doncs, Miquel Àngel Riera, en allunyar-se d'aquesta norma i adoptar no solament els noms d'uns altres destinataris sinó fins i tot un altre text per a la dedicatòria de la versió castellana? Em sembla que preguntes com aquesta podrien facilitar l'estudi d'un tema tan complex com és el de la coexistència en un mateix individu, de dues llengües tan diferents, des del punt de vista de la consideració social, com són l'espanyol i el català a l'illa de Mallorca.

Si m'és permès d'arriscar una opinió personal, basada en la lectura d'*Illa Flaubert*, tot fa suposar que la novel·la no va ser pas escrita amb un diccionari a la vora, única manera de distingir amb propietat les deformacions, errors i confusions que necessàriament arriben a les orelles de qualsevol locutor mallorquí. Per dir-ho encara

42. Per exemple, en ple estiu de 1945, un personatge curiós, Gaspar Sabater, que havia de formar diverses generacions de mestres d'escola, escrivia en un diari de Palma: «empeñarse en la tarea de querer contradecir los mismos hechos es perder lastimosamente el tiempo, y eso —esa manía rayana en la locura de unos señores que, titulándose a sí mismos escritores, se entretienen, a falta de otra cosa, en la infecunda tarea de hablarnos en una lengua que será todo lo bella y sonora que se quiera, pero que no sirve para el comercio intelectual [...] es lo que yo llamo "reverso" de las letras mallorquinas», citat per J. MASSOT I MUNTANER, *Cultura i vida a Mallorca entre la guerra i la postguerra (1930-1950)*, Barcelona: PAM, 1978, pàg. 260-261.

43. A. GARMENDIA DE OTAOLA, *Lecturas buenas y malas a la luz del dogma y de la moral*, Bilbao: El Mensajero del Corazón de Jesús, 1949, pàg. 205-206.

d'una altra manera, l'escriptura novel·lesca de Riera dóna sovint la impressió de basar-se més aviat en la intuïció d'un locutor que en la consulta i la reflexió d'uns autors cultes, com hem vist que feia servir Flaubert a l'hora d'escriure *Madame Bovary*. Si això correspongués a la realitat, ens explicaríem, potser, el tipus d'escriptura obtinguda per Riera. El novel·lista hi combinaria, de vegades sense dominar-los del tot, els mots estàndards, al costat de mallorquinismes, mots típics del subdialecte manacorí, creacions de llenguatge, calcs de l'espanyol,[44] etc. I, tot i que la qüestió sigui igualment o més delicada, i hagi de quedar necessàriament oberta, més que no pas la presència de Flaubert o de Proust, el lector creuria descobrir-hi la de Jorge Manrique[45] o de Cervantes.[46]

Tornem ara a la paraula *saluet*, que no és pas exclusiva de la comarca de Manacor però que Riera va poder sentir perfectament dels llavis d'un mariner de la contrada. Fins i tot si aquest no hagués estat el cas, no es va pas equivocar associant-la al llenguatge dels mariners. Des d'aquest punt de vista, gràcies a la seva poderosa intuïció que demostra posseir al llarg de la novel·la, té tota la raó del món quan l'empra com a sinònim de *murmuri*.[47] En canvi, allò que el purista invocat més amunt podria retreure-li, no és pas tant que no sotmetés la frase que el conté a un *gueuloir* sinó que no consultés el mot abans d'incorporar-lo al seu text. Car, si ho hagués fet, s'hauria adonat que l'ús del mot, quan és emprat com a topònim, exigeix que vagi precedit de l'article determinat, poc hi fa que sigui salat o literari. L'ús que en fa, per consegüent el novel·lista de Manacor, no correspon pas a l'ús constatat per les fonts lexicogràfiques i és una mica com si escrivís que «el professor vivia a Port». El lector haurà comprès, per tant, que la traducció castellana de *Saluet* per *Murmullo* no respecta pas la forma que, com ja hem dit, hauria d'haver donat *Es / El Saluet.*

Si disposéssim de més espai i passéssim de la toponímia menor al terreny de la sintaxi segurament que el purista també li retrauria alguns abusos de llenguatge. Sense adoptar aquesta perspectiva, voldria esmentar un sol exemple, el de la conjunció concessiva *enc que*. Fiant-se, potser, de la seva vitalitat en la llengua parlada, Riera la prefereix gairebé sistemàticament a la més habitual *encara que* o a altres formes com *malgrat que, a pesar que, tot i que,* etc. Afortunadament la llengua catalana compta a hores d'ara amb prou doctors entesos en la matèria per definir-se sobre una forma que no he pas sabut trobar al DIEC. Quant a la sentència pronunciada per Coromines, el mínim que es pot dir és que el gran filòleg adopta un to inapel·lable:

44. Per exemple, *criat damunt cotons* (*Illa*, pàg. 32), traduït per *criado entre algodones* (*Isla*, pàg. 32).

45. Es podria veure un eco dels versos *cualquier tiempo pasado / fue mejor* en aquests mots: «mai no passaria de ser algú del [*sic*] temps de la Manca que per actuals eren sempre pitjors» (*Illa*, pàg.129), traduïts per: «jamás pasaría de ser alguien del tiempo de la Manca, que, por actual, siempre sería peor» (*Isla*, pàg.131).

46. La darrera seqüència de la novel·la s'obre així: «Amb el temps, del molt llegir i del poc dormir se li assecaren les ganes d'allargar...» (*Illa*, pàg. 232) manllevats, com és prou sabut, a *Don Quijote*, I, 1.

47. Prescindeixo de l'espinosa qüestió de la seva etimologia abordada per J. COROMINES, DECLC, VII, pàg. 630-633.

«La forma *anque* o *enque*, usada per alguns autors del Principat i de les Illes, modernament, amb el sentit de «encara que» no té absolutament res a veure amb el cat. ant. *anc* «mai» (de sentit incompatible), sinó que prové –per més que alguns hagin usat pedantescament una falsa grafia *anc que*– del cast. vg. *anque*, usat ja per Santa Teresa com a reducció vulgar de *aunque*.»[48]

En unes condicions com les que acabem d'apuntar, crec que valdria la pena que ens acostuméssim a expressar les nostres opinions. Com a simple lector, doncs, crec que la recerca –deixem de banda si és justificada o no– d'un color massa local a *Illa Flaubert* porta Miquel Àngel Riera, si més no en alguns casos, a malbaratar la bellesa del seu text, amb el risc, fins i tot de plantejar alguns problemes de comprensió. D'aquí prové, sens dubte, el sentiment de frustració que de tant en tant pot experimentar el lector, fins i tot si pertany a la mateixa comunitat lingüística. Quant a la traducció castellana, tal com hem anat veient, ben sovint fa pensar més en una reescriptura que no pas en una simple traducció.

Conclusió

Havia qualificat des del començament *Illa Flaubert* de llibre apassionant. Arribats a la fi del present treball, continuo creient-ho i espero que la lectura que n'he proposat hagi fet aparèixer, si més no, alguns aspectes de la seva indubtable riquesa i alhora complexitat.

Novel·la travessada per un conflicte gairebé permanent entre l'oralitat i l'escriptura, el tema major de la qual és el conflicte de llenguatge que viu el seu protagonista, segueix interpel·lant avui el lector a causa del tema abordat, i això a pesar d'algunes crítiques menors que m'he vist obligat a formular amb la intenció d'encetar alguns temes considerats tabús en la nostra tribu literària.

En resum, el tema d'aquesta novel·la, la primera lectura de la qual exigeix al lector més d'un esforç però que esdevé apassionant a partir de la segona, és universal i intemporal. Es tracta, si l'he comprès bé, de la relació que l'home manté amb el llenguatge, siguin les que siguin la llengua, la civilització i l'època a les quals pertany. Car, contràriament al que pensa i viu el protagonista sense nom d'*Illa Flaubert*, fora del llenguatge, Miquel Àngel Riera ens ve a dir, en aquesta mena de testament literari, que no hi ha salvació possible.

48. DCELC, I, pàg. 301. Un cas d'*en què* (*Illa*, pàg. 11) és una falsa correcció, com ho confirma la traducció castellana *aunque fuese atenta* (*Isla*, pàg. 11).

ELS ORÍGENS DE LA HISTORIOGRAFIA DE L'ART CATALANA

Francesc Fontbona

Reial Acadèmia Catalana de Belles Arts de Sant Jordi i Institut d'Estudis Catalans

En l'homenatge a una persona que ha fet de la literatura la seva matèria d'estudi, segur que és oportú aproximar-se per primer cop a un gènere, literari –per què no dir-li també així si s'expressa mitjançant l'art d'escriure?–, al qual no s'ha concedit gaire protagonisme al nostre país, malgrat presentar una densitat cultural innegablement important.

Bona part de la vulnerabilitat de la historiografia de l'art rau en el fet que és un gènere que ha trigat a tipificar-se més que altres, i també que és conreat per uns professionals que no tenen un estatus sòlidament definit, així com que en un passat no gaire remot els seus límits acadèmics eren més vacil·lants que ara.

Avui la historiografia artística al nostre país normalment la practiquen persones formades a la universitat, i formades específicament cap a aquesta especialitat a través d'una llicenciatura *ad hoc*. Això fa que hi hagi un cos de professors d'història de l'art que ja fa anys que no admet, per dir-ho així, intrusos; però fora de l'estricta tasca de la docència universitària, i de l'exigu col·lectiu –no diré cos perquè no està ni tan sols constituït així, almenys els que exerceixen a Catalunya– dels conservadors de museus, la pràctica de la historiografia artística no està regulada.

No és una censura sinó una constatació que cal fer abans de continuar endavant: per defensar un plet davant un tribunal de justícia cal ser advocat, per curar un malalt és il·legal no ser metge, i cap edifici pot aixecar-se sense que de l'obra es responsabilitzi un arquitecte. La societat, en canvi, en cap moment exigeix que un estudi sobre una qüestió cultural –l'art entre elles– l'hagi de fer aquell tipus de professional que s'ha format a la universitat per entendre en aquests afers. Repeteixo que no és una reclamació, sinó simplement subratllar que hi ha carreres que generen uns professionals de pes social fort –que s'articulen en col·legis de llarga trajectòria i gran influència pública– i carreres socialment ornamentals, que a tot estirar només són necessàries en el camp de la docència.

L'historiador de l'art pertany a aquest segon grup de professionals, al de perfil social baix. En això s'assembla als que cultiven la història *–tout court–* o fins i tot la filologia, però amb l'inconvenient per a l'historiador de l'art que la seva matèria d'estudi a Catalunya no té ni el carisma vital que té el coneixement de l'evolució de les circumstàncies polítiques que estudien els historiadors de la societat, ni el carisma patriòtic que dóna la llengua com a tret essencial i específic d'una personalitat nacional, que és el que estudien els filòlegs. Si a tot això hi afegim que la història de l'art va ser llicenciatura universitària molt més tard que ho fossin moltes de les altres matèries culturals –abans el seu lloc natural d'aprendre-la era a les acadèmies de Belles Arts o, com a assignatura col·lateral a les escoles d'arquitectura o als seminaris on es forma el clergat– no és d'estranyar que encara avui no hi hagi una consciència gaire forta del paper, la importància i la mateixa definició d'aquesta matèria al nostre país.

Tot i amb això, professional o amateur, estable o esporàdica, la historiografia artística catalana té ja pel cap baix segle i mig de vida i val la pena acostar-se a la seva història. En aquest treball el que pretenc no és més que plantejar el problema, estudiar els primers erudits que la varen cultivar a Catalunya, endreçar informacions, perquè ja veurem que un objectiu més complex donaria origen, malgrat l'escàs protagonisme que té aquesta especialitat, a un estudi d'extensió i densitat sorprenents.

Abans d'entrar en matèria diré que penso limitar-me aquí a examinar l'activitat pròpiament historicoartística, aquella que estudia l'evolució de l'art al llarg dels temps a partir no sols de les obres sinó també, lògicament, de documentació contrastada. Per això, malgrat que el concepte més ampli de crítica d'art en obres ja clàssiques –com la de Lionello Venturi o, en el marc espanyol, la de Gaya Nuño–[1] englobi també l'activitat que em proposo analitzar, deixaré de banda aquesta denominació perquè l'ús quotidià l'ha circumscrit massa sovint als textos sobre l'art coetani al crític, publicats habitualment en la premsa de caire general.[2]

* * *

Per Catalunya passaren estudiosos de l'art com els valencians Antonio Ponz (1725-1792) i Jaime Villanueva (1763-1824), el castellà Isidoro Bosarte (1747-1807), l'asturià Juan Agustín Ceán Bermúdez (1749-1829) o el francès Alexandre de Laborde (1773-1842), que estudiaren monuments catalans com estudiaven els de molts altres llocs pels quals passaren. Cap d'aquests il·lustres viatgers erudits sembla haver deixat a Catalunya la llavor d'una escola autòctona d'estudiosos de l'art.

1. Que, per cert, al seu utilíssim i normalment ben documentat llibre dedicat a aquesta matèria (Juan Antonio GAYA NUÑO, *Historia de la crítica de arte en España*. Madrid, 1975) no esmenta noms que veurem que són molt importants, com els de Fontanals del Castillo o Puiggarí, mentre que d'altres també molt destacats, com Manjarrés o Miquel i Badia, només en diu brevíssimes generalitats.

2. D'altra banda, jo mateix ja he dedicat un parell de treballs aproximatius a la crítica d'art, als quals remeto al lector interessat: Francesc FONTBONA, «La crítica d'art en el Modernisme (Primera aproximació)», *Daedalus* 1, Barcelona, 1979, pàg. 58-85, i Francesc FONTBONA, «La crítica d'art catalana a l'adveniment de Josep Yxart», a les *Actes del col·loqui sobre Josep Yxart i el seu temps. Tarragona 23, 24 i 25 de novembre de 1995*, Diputació de Tarragona, 2000, pàg. 287-297.

Si deixem de banda l'arqueologia, que és una matèria que durant molt de temps va monopolitzar els estudis centrats en la producció artística, i que té una especificitat cronològica i metodològica pròpies, la historiografia artística a Catalunya no es remunta gaire més enllà d'Antoni de Capmany de Montpalau (1742-1813), estudiós format al col·legi episcopal, que a les seves famoses *Memorias históricas sobre la marina, comercio y artes de Barcelona* (1779) inclogué importants mencions i valoracions de l'arquitectura catalana, fins i tot per a aquells edificis d'estil i cronologia medievals tan bescantats pels neoclàssics. «Por lo general es más sensible la impresión que causa el aspecto de las fábricas góticas que el de las obras modernas», deia sorprenentment Capmany, i hi afegia: «Primeramente sentimos una especie de sorpresa que nace de la elevación de las columnas y bóvedas; de la terminación misma de los arcos punteados; de la ligereza de todos los miembros del cuerpo de la fábrica, remontados y rematados en figura piramidal [...]».[3] D'altra banda, el gòtic, per Capmany, tenia «cierto género de tristeza deliciosa que recoge el ánimo a la contemplación, y así parece la más propia para la seriedad augusta de los templos».[4]

Menéndez y Pelayo comenta aquesta postura progòtica de Capmany, insòlita en un intel·lectual de la seva generació, remarca que és formulada molt abans de l'adveniment de la crítica dels Schlegel, i l'explica dient «que no era arquitecto ni tenía los ojos llenos de la telaraña de las escuelas, donde se juraba por Vignola y Scamozzi».[5]

Però el paper de Campmany en els orígens de la historiografia artística catalana no es limitava a l'expressió d'aquesta postura personal, sinó que també es preocupà de recopilar notícies sobre arquitectura i construcció barcelonines dels segles XIV al XVI, que recollí en un altre volum de la mateixa obra.[6]

La generació romàntica

Romàntics són aquells artistes i intel·lectuals que descobreixen la natura, el país, la seva història, l'edat mitjana; els que comencen a qüestionar l'oportunitat de l'uniformisme neoclàssic i en canvi busquen les fonts del seu pensament i de la seva creació en llocs més pròxims als sentiments que no a la raó. A Europa això ja es

3. Cito segons l'edició moderna de la Cámara Oficial de Comercio y Navegación de Barcelona, 1961, vol. I, pàg. 919-920.

4. *Ibidem.*

5. Marcelino MENÉNDEZ Y PELAYO, *Historia de las ideas estéticas en España*, Santander: Aldus SA, 1947, vol. III, pàg. 569.

6. CAPMANY, *op. cit.*, vol. II, 2a part, pàg. 997-999.

començava a produir encara al segle XVIII, però a Catalunya l'esperit romàntic no qualla fins ben entrat el decenni dels trenta. Intel·lectuals romàntics que practiquin la historiografia artística, més o menys sòlida i més o menys ortodoxa, són uns quants nascuts entre 1810 i 1824: Pau Milà, Manjarrés, Piferrer, Josep Puiggarí, Pi i Margall...

De fet, la formació d'una primera escola catalana d'historiadors de l'art no es produeix precisament fins a la consolidació d'aquell moviment que rep el nom de romanticisme. El seu capdavanter és Pau Milà i Fontanals (1810-1883), que és més un teòric que no pròpiament un historiador. Format a Belles Arts, amplià estudis a Roma durant gairebé set anys, fet que li possibilità tractar-se amb grans artistes puristes alemanys i italians (Overbeck, Minardi) i que li conferí al seu retorn a Catalunya una aurèola de prestigi, de cosmopolitisme i de modernitat.[7]

L'obra escrita de Pau Milà és molt limitada i es redueix a no gaire cosa més que algun article –sobre *Giotto*–, del 1847, repartit entre dues revistes de Madrid –*El Renacimiento* i *Semanario Pintoresco Español*– i als famosos aforismes publicats tardanament amb el títol d'*Estètica infantil*.[8] Evidentment pot ser que aflorin en publicacions periòdiques del seu temps alguns altres escrits seus ara oblidats, però en tot cas l'autor no fou prolífic. Pau Milà fou sobretot un mestre; el primer titular –i alhora acadèmic– de la càtedra de Teoria i Història de les Belles Arts, a l'Escola de la Llotja de Barcelona, des del 1851; i la seva influència sobre els seus deixebles fou molt forta, tot i que també acabà tenint detractors.[9] La seva renúncia a la càtedra per motius anticentralistes el 1856 va fer augmentar la seva autoritat moral, i aquest episodi quedà en la petita mitologia del patriotisme català vuitcentista.

Modernament, i a partir de l'examen de les notes manuscrites que deixà, es té d'ell una imatge més precisa d'introductor i divulgador de certes idees més que no d'un pensador profund i original,[10] i en tot cas la seva tasca historiogràfica, a part de no plasmar-se per escrit, queda sens dubte eclipsada per la seva personalitat de teòric o d'inductor.

Pràcticament a la mateixa generació pertanyia Pau Piferrer (1818-1848), que havia estudiat Lletres a Barcelona, més conegut com a crític, poeta, i que fou un dels

7. Sobre aquesta figura hi ha les monografies Manuel BENACH TORRENTS, *Pablo Milá y Fontanals, gran figura del romanticismo artístico catalán*. Vilafranca del Penedès: Artes Gráficas Vilafranca, 1958, i Antoni SABATÉ MILL, *Pau Milà i Fontanals*. Vilafranca del Penedès: Ajuntament de Vilafranca del Penedès, 1984; així com els treballs Núria RIVERO, «Les notes manuscrites de Pau Milà i Fontanals de l'arxiu Benach de Vilafranca del Penedès», *D'Art*, núm. 10, maig 1984, Barcelona, pàg. 51-60, i Núria RIVERO I MATAS, «Pau Milà i Fontanals i la seva influència», a Francesc FONTBONA i Manuel JORBA (ed.): *El Romanticisme a Catalunya 1820-1874*, Barcelona: Pòrtic, 1999, pàg. 87-89.

8. Tip.-lit. C. Verdaguer, 1878.

9. El pintor Modest Urgell, per exemple, que va haver de ser alumne seu, li tenia jurada, i molt sovint l'al·ludia despectivament en escrits seus.

10. Hi ha llibretes i fulls solts manuscrits de Milà. Vegeu RIVERO, *Les notes...*

principals definidors de l'escola romàntica catalana. Morí jove, però tingué temps de donar molt aviat una de les primeres grans obres del romanticisme hispànic, gràcies que Pau Milà, a qui primer se li havia encarregat, desvià la comanda cap a ell. Em refereixo al text dels primers volums, dedicats a Catalunya (1839-41 i 1844-50) i a Mallorca (1842-44), de l'obra *Recuerdos y bellezas de España*, impulsada pel dibuixant Francesc Xavier Parcerisa, treball que tot dirigint-se a un públic culte però ampli esdevé una fita essencial del canvi de mentalitat que a Catalunya representà l'aportació romàntica. En aquesta obra Piferrer, al costat d'altres consideracions, fa una apassionada reivindicació del patrimoni artístic del país, vist amb una òptica plenament romàntica.[11]

L'obra de Piferrer, tot i que fa algunes incursions a la documentació d'arxiu, és bàsicament la síntesi d'un gran afeccionat a la cultura i l'art, imbuït de sentiments romàntics i amb un criteri clar del valor patrimonial d'allò que historia. Joaquim Rubió i Ors, que analitzà la seva tasca d'estudiós de l'art en un text cordialment elogiós, qualificà de magistral estudi la síntesi apareguda al segon volum de Catalunya de *Recuerdos y bellezas...*, d'allò que Piferrer anomenava *De la arquitectura llamada bizantina*[12] –que de fet és el que més modernament rebé el nom d'arquitectura romànica–; i veritablement enfrontar-se amb aquesta anàlisi aleshores, amb el gran desconeixement que hi havia del tema, era sinònim d'ambició intel·lectual i voluntat clarificadora.

La mort de Piferrer donà pas al fet que la seva tasca com a glossador del patrimoni monumental del país la continués Francesc Pi i Margall (1824-1901), format al Seminari i a la Facultat de Dret. Tot i ser el més jove dels historiadors de l'art catalans de la generació romàntica, Pi va ser un dels primers que va publicar. Ell acabà el segon volum dedicat a Catalunya (1844-50) –iniciat per Piferrer– de l'obra *Recuerdos y bellezas de España*, i també d'ell fou el text del volum d'aquella obra dedicat al *Reino de Granada* (1850-52),[13] i igualment redactà el dedicat a Catalunya d'una altra obra, ambiciosa però truncada, *España. Obra pintoresca...* (1842),[14] l'únic que acabà apareixent d'un llibre que tenia un plantejament molt semblant al de *Recuerdos...*, i que no prosperà no per manca de qualitat sinó, ben segurament, per la inviabilitat econòmica del projecte.

Pi i Margall, que esdevingué molt més conegut com a polític que com a erudit o escriptor –com és ben sabut arribà a la presidència de la República espanyola–, mostra un alè romàntic similar al de Piferrer, però hi afegeix una altra dimensió: a les seves valoracions, per exemple, sol mostrar-se crític amb l'actuació de l'Església

11. A Piferrer l'ha estudiat especialment Ramón CARNICER, *Vida y obra de Pablo Piferrer*. Madrid: CSIC, 1963.

12. Joaquin RUBIÓ Y ORS, *Piferrer considerado desde el punto de vista de intuición artística*. Barcelona: Tip. Jaime Jepús, 1898.

13. Madrid: Imprenta Repullés, 1850.

14. Barcelona: Imp. Juan Rotger, 1842.

Catòlica respecte al patrimoni. Aquesta posició va ser la causant de la interrupció d'una altra obra ambiciosíssima que va emprendre, la *Historia de la Pintura en España*, de la qual només sortí un volum –el 1851– que acaba amb el segle XVII italià.[15] Allà Pi i Margall defineix l'art com a la manifestació de la nostra vida interior mitjançant el símbol i no com a la reproducció ni la imitació de la natura sinó com a pura creació. Declara voler ser historiador imparcial, però fa afirmacions agosarades: sosté per exemple que l'art només ha pogut surar entre els pobles lliures, opinió més filla del seu ideal que de la realitat històrica.

Malgrat el romanticisme que manifesta sovint en la seva obra primerenca, Pi i Margall mostra aquí disgust per l'art anterior al segle XIII: aquelles verges tosques, vulgars i bàrbares, i aquelles miniatures que li semblen horribles caricatures.[16] Comença a salvar coses al segle XIV perquè, al costat d'incorreccions gravíssimes, l'art ja ha començat a estudiar el natural, i la seva gran època serà el XVI perquè, segons ell, hi comença el regnat de la raó i acaba el del sentiment.[17]

El canvi de mentalitat que propiciaren Piferrer i Pi i Margall amb les seves obres i Milà amb les seves classes influí fins i tot en alguns intel·lectuals força més grans, com és el cas d'Avel·lí Pi i Arimon (1793-1851), que publicà alguns articles i sobretot el dens llibre en dos volums *Barcelona antigua y moderna*, aparegut el 1854.[18] Pi i Arimon com a historiador de l'art no era encara cap especialista; format al Seminari, i amb una intensa pràctica arxivera, esdevingué més aviat un erudit tot terreny que en abordar la història de Barcelona tocà també, com un element més del discurs, la història del seu art; i ho va fer amb prou intensitat com perquè calgui esmentar-lo ara aquí.

Pi i Arimon mostra aversió pel barroc i afinitat pel classicisme, tanmateix la profunda contrarietat que demostra per l'enderroc d'importants monuments medievals del país el situa en una postura clarament assimilable a aquell romanticisme que quan ell, ja madur, publicà la seva obra, feia alguns anys que es manifestava.

El medievalisme introduït pels primers historiadors romàntics arrelà en un sector important de gent, que pròpiament no era erudita. Un dels casos més destacats, per la transcendència que la seva postura tingué en el rumb que prengué l'art de creació, va ser el de l'arquitecte Elies Rogent (1821-1897), que pronuncià i publicà un discurs a l'Acadèmia de Belles Arts de Barcelona l'octubre del

15. Madrid: Imprenta Marini Hermanos, 1851.

16. Pàg. 74-75.

17. Pàg. 271. L'interès de la tasca de Pi i Margall en el camp de la teoria de l'art ja va ser ben subratllat per Vicens Maestre, «Idees i pintura a la segona meitat del segle XIX», *L'Avenç,* núm. 7-8, Barcelona, 1978, especialment pàg. 71-73, però més recentment la seva obra ha estat estudiada amb més deteniment per Javier Arnaldo, «Francisco Pi y Margall, historiador del arte» a *VII Jornadas de arte. Historiografía del arte español en los siglos XIX y XX.* Madrid: CSIC / Editorial Alpuerto, 1995, pàg. 299-307.

18. Tomàs Gorchs, Barcelona 1854, 2 vol.

1857,[19] on féu un repàs reivindicatiu de l'arquitectura medieval catalana, que ell vincula directament i explícitament amb les arrels nacionals, al temps que manifesta un profund desacord amb l'estil renaixentista, i tot a fi d'engrescar les acadèmies a impulsar la restauració dels vells monuments aleshores descuidats. Rogent també publicà alguns treballs historicoartístics,[20] però el gruix de la seva activitat fou l'arquitectònic i no l'erudit, si no és que considerem dins aquest camp també la seva important tasca de restaurador de monuments.

El succesor de Milà a la seva càtedra de la Llotja (1857), Josep de Manjarrés i Bofarull (1816-1880), figura principal però molt menys celebrada que aquell, ja fou un historiador de l'art prolífic, i la seva obra omplí més de vint anys –del 1859 al 1880– els estudis d'història de l'art a Catalunya. Manjarrés s'inicià com a advocat, fou un destacat funcionari de la Diputació i alhora tingué una notable dedicació al teatre (fou director artístic del Liceu) i a la pràctica de la poesia castellana, però segurament ell fou el primer que al nostre país es dedicà exclusivament a l'estudi de les arts plàstiques, i que en deixà una considerable obra publicada, sorprenentment poc recordada en revisar els noms dels forjadors de la vida intel·lectual del país, malgrat que no fa gaire ja va ser qualificat d'«un dels principals teòrics del debat art-indústria a Catalunya durant el segon terç del segle XIX».[21]

Manjarrés publicà una obra enciclopèdica, el *Museo europeo de pintura y escultura*, entre el 1859 i el 1862,[22] en catorze volums i més d'un miler de làmines, que era més aviat un digne producte editorial en la línia de la coneguda obra francesa *Gallerie des arts et de l'histoire* (París, 1836), amb gravats de Réveil, tirats ara de nou per al *Museo...*, després d'haver estat reeditats a Itàlia.

Els llibres més difosos de Manjarrés foren els que servien de text a la seva càtedra. *Teoría e historia de las Bellas Artes. Principios fundamentales*, del 1859,[23] és una síntesi general que no passa de l'època del barroc, com era habitual aleshores; encara consideraven massa modern, i per tant poc digne de ser estudiat, el segle XVIII. Va publicar també unes *Nociones de arqueología española* (1864)[24] i unes

19. *Acta de la sesión pública celebrada por la Academia de Bellas Artes* [...]. Barcelona: Lib. Joaquín Verdaguer, 1857, pàg. 9-20. Aquest text, avui molt oblidat, fou subratllat especialment per Manuel Milà i Fontanals al pròleg de l'*Album...* que publicaren els excursionistes científics, com veurem, el 1878.

20. *Monasterio de Sant Llorens del Munt. Memoria descriptiva.* Asociación de Arquitectos de Cataluña, s/d; *Sant Cugat del Vallès. Apuntes histórico-críticos.* Barcelona: Asociación de Arquitectos de Cataluña, 1881; *Santa Maria de Ripoll. Informe sobre las obras realizadas...* Barcelona: Vda. e hijos de Subirana, 1887.

21. Pilar VÉLEZ, «A l'entorn de l'origen dels museus d'arts decoratives, de 1851 fins al Modernisme», a *Arts Decoratives a Barcelona. Col·leccions per a un museu*, Barcelona: Ajuntament de Barcelona, 1994-95, pàg. 23.

22. Barcelona: Librería Joaquín Verdaguer, 1860-62.

23. Editat per Joaquín Verdaguer, a Barcelona.

24. Barcelona: Bastinos editores, 1864, que conegué altres edicions.

Nociones de arqueología cristiana (1867),[25] que era el nom de l'assignatura d'història de l'art religiós impartida als seminaris.

Las Bellas Artes. Historia de la arquitectura, la escultura y la pintura, del 1875,[26] és una altra síntesi, molt més àmplia, en la qual ja supera cronològicament el barroc i arriba al neoclassicisme. La segona edició d'aquesta obra, apareguda després de la mort de l'autor, incloïa una biografia seva que curiosament aleshores era justificada textualment perquè «El autor de este libro es una de las más puras glorias de Cataluña».[27] La tasca de Manjarrés, més tard com hem vist oblidada, gaudí a la seva època de gran consideració com ho prova també el fet que una breu biografia seva, redactada per Antoni Rubió i Lluch, s'inclogués en una edició per a infants poc després de la seva mort.[28]

Nebot i fillol de Pròsper de Bofarull, Manjarrés era un romàntic moderat, defensor de l'idealisme pel damunt del naturalisme, políticament neutral i connectat amb els anhels de la Renaixença inicial, anhels als quals tanmateix no s'adherí de ple a causa de la seva adhesió encara més gran a la cultura en llengua castellana.[29]

També aportà, en forma de memòria a l'Acadèmia de Bones Lletres, de la qual era membre, l'opuscle *El traje bajo la consideración arqueológica*,[30] i en forma de discurs a l'Academia de San Fernando, de Madrid, el dens *Teoría estética de la arquitectura*.[31] Publicà encara un força ampli *El arte en el teatro* (1875)[32] i un sintètic volumet sobre *Las artes suntuarias* (1880).[33]

Potser la gran aportació de Manjarrés –que en canvi és la que menys se subratllà en vida seva– va ser l'organització el 1867 de l'extraordinària Exposició Retrospectiva de l'Acadèmia de Belles Arts de Barcelona –de la qual era membre numerari des de l'any 1852–, i que constituí la primera revisió seriosa del patrimoni artístic conservat a Catalunya, tant de col·leccions públiques com privades. L'àlbum que resultà de l'exposició, *Informe sobre el resultado de la Exposición Retrospectiva celebrada por la Academia de Bellas Artes de Barcelona en 1867*,[34]

25. Pablo Riera, Barcelona, 1867.

26. Barcelona: Bastinos editores, 1875.

27. Barcelona: Bastinos editores, 1881, pàg. IX.

28. Antonio Rubió y Lluch, Vidal de Valenciano i Julián Bastinos, *Biblioteca infantil histórico-biográfica*, Barcelona: Bastinos editores, 1885, pàg. 28-32. De fet, però, el text més formal sobre la seva figura és el de Francisco Miquel y Badia, *Apuntes biográfico-críticos sobre D. José de Manjarrés y de Bofarull*. Barcelona: Imprenta Barcelonesa, 1884, llegit aquell any a l'Acadèmia de Bones Lletres.

29. Així ho diu clarament el biògraf anònim que traça la seva semblança a l'esmentada edició de 1881 de la seva obra *Las Bellas Artes*.

30. Barcelona: Libreria Joaquín Verdaguer, 1858.

31. Madrid: Imprenta Manuel Tello, 1875.

32. Barcelona: Bastinos, 1875.

33. Barcelona: Bastinos, 1880.

34. Barcelona: Imprenta de Celestino Verdaguer, 1868.

amb nombroses reproduccions litogràfiques i un ampli text introductori escrit per ell, com a acadèmic ponent que era de la mostra, és sens dubte pedra fonamental dels estudis sistemàtics sobre la història de l'art català.[35]

Començava aleshores a perfilar-se també un altre tipus d'historiografia artística, la que tenia per base fonts semblants a les que utilitzaven els historiadors polítics, la documentació antiga custodiada als arxius. El pioner d'aquesta tendència fou Josep Puiggarí i Llobet (1821-1903), un home de formació jurídica que fou fiscal de l'audiència i arxiver municipal de Barcelona, en diferents nivells, des 1867.[36]

Puiggarí mostrà sempre una gran dedicació al coneixement de la indumentària antiga. Aplicà els seus coneixements, i la seva traça de dibuixant professional, a il·lustrar algunes obres importants de l'edició romàntica, que reclamaven precisió històrica en les seves imatges, com ara la *Historia de Portugal* de Joan Cortada (1844), les esmentades *España. Obra pintoresca...* (1842) i *Barcelona antigua y moderna* (1854), o *L'orfaneta de Menarguens* d'Antoni de Bofarull (1862).

Respecte als escrits que publicà sobre aspectes artístics, Puiggarí tingué al començament una faceta intensa de divulgador cultural a la revista *El Museo Universal* de Madrid, que dirigida per un català –l'editor Josep Gaspar–, prestava una atenció important als temes del nostre país. Allà Puiggarí escriví pràcticament des del principi de la publicació (1857) diversos articles d'art o d'història, que sovint sorprenen per una erudició que ara semblaria excessiva en una publicació no especialitzada. Allà, per exemple, donà a conèixer per primera vegada, el 1860, en un article ple de referències d'arxiu, el nom d'un dels principals pintors gòtics catalans, Lluís Borrassà, de qui havia reunit notícies des del 1396 al 1410.[37] Ja es caracteritzà aleshores per la seva reivindicació de l'edat mitjana, que s'estava produint des que «hace tiempo que se ha rectificado el concepto de lo que calificaban de bárbaras las producciones aludidas, llamándolas góticas, sin duda para mayor desaire».[38]

Més endavant, ben conscient que a les obres clàssiques de Cean Bermúdez y de Llaguno hi havia encara molts forats, i partint de la base que «cuando tan vaga es aún la historia de la pintura desde la ruina del imperio hasta la época del renacimien-

35. Sobre un aspecte important d'aquesta figura vegeu Vicente MAESTRE, «Arte e Industria. José de Manjarrés: un capítulo de estética industrial en el pensamiento barcelonés del siglo XIX», *Butlletí del Museu Nacional d'Art de Catalunya*, núm. 2, Barcelona, 1994, pàg. 73-92.

36. Concretament començà com a sotsarxiver. Sobre aquest personatge hi ha el discurs de Bonaventura BASSEGODA, *Discursos llegits a la «Real Academia de Buenas Letras de Barcelona»*, Barcelona: Imp. Atlas Geográfico, 1922, pàg. 6-9, i un breu text de Lluís M. PUIGGARÍ I FONT, *Josep Puiggarí i Llobet*, Barcelona: Col·lecció Petritxol, 1960. Modernament, de Puiggarí, no se'n parla gaire, per això val la pena assenyalar l'excepció de Joan PERUCHO, que li dedicà un dels seus creatius i alhora erudits articles de diari, «Arqueologia de la indumentària», *Avui*, Barcelona, 22 de desembre de 1991.

37. J. PUIGGARÍ, «Pintura de retablos en el siglo XIV. Noticia de un desconocido pintor español de aquella época», *El Museo Universal*, Madrid, any IV, núm. 6, 5 de febrer de 1860, pàg. 43-46.

38. *Ibid.*

to, el menor dato fijo tiene un precio incalculable»,[39] anà recopilant, atesa la seva condició d'arxiver, informacions inèdites sobre altres artistes catalans medievals i moderns. Va fer-ne uns apunts que llegí a l'Acadèmia de Bones Lletres el juny del 1871, i que publicà nou anys després a les *Memòries* de l'entitat.[40] Allà documentà episodis concrets de nombrosos artistes, entre els quals Ferrer Bassa, Llorenç Saragossa, Lluís Borrassà, Antoni Claperós, Jacomart, Lluís Dalmau, Antoni Sadurní, els Vergós, i arribà fins a Manuel Tramulles, textos que constitueixen una altra venerable pedra fonamental de la historiografia documental de l'art català.

El seu paper de divulgador continuà, i el 1879 publicà el volumet *Garlanda de joyells. Estudis é impressions de Barcelona monumental*,[41] primer text important d'historiografia artística publicat en llengua catalana, en què se situa en la línia del que havien fet «nostres malhuirats companys en Piferrer y en Parcerisa». Aquest llibre només vol ser un «humil ramellet» de comentaris sobre monuments barcelonins de totes les èpoques, pensant sobretot en un públic interessat però no especialitzat. Aprofita per fer-hi algunes consideracions generals com la de l'existència d'un art espanyol, que sembla no qüestionar, bé que a propòsit del qual diu que «encara que la Península sigui una, sa població consta d'elements heterogenis, producte de mil vicissituts, y may, per més que's diga, ha arribat á formar un ver cos».[42] La *Garlanda* és l'obra més àgil de Puiggarí, perquè és més general que les altres, la recerca no hi ofega la comunicació, i s'hi posen de manifest apassionadament les idees de l'autor: [43] el seu medievalisme, la seva antipatia pel barroc –escola que segons ell havia produït molts «desbarros y contrasentits»–,[44] el seu catalanisme i el seu patrimonialisme («conculcar un monument, es casi delicte de lesa patria»).[45]

Puiggarí va ser l'ànima d'una entitat que va fer molt durant uns anys per la documentació i la divulgació del patrimoni artístic, l'Asociación Artístico-Arqueológica Barcelonesa, que estava sota la protecció –sembla que només modesta– de l'Ajuntament i la Diputació de Barcelona, i que arribà a tenir cent vint socis residents i prop de cent corresponsals; en una i altra categoria hi figuraven moltes personalitats de primer ordre.[46] L'Associació a partir de 1878 publicava anualment

39. *Ibid.*

40. José PUIGGARÍ, «Noticia de algunos artistas catalanes inéditos, de la Edad Media y del Renacimiento», *Memorias de la Academia de Buenas Letras de Barcelona*, vol. III 1880, pàg. 73-103 i 265-306.

41. *La Renaixensa*, Barcelona, 1879.

42. Pàg. 22.

43. Sobre el seu apassionament i el seu proselitisme erudit, vegeu el testimoni de Jaume MASSÓ I TORRENTS, *Cinquanta anys de vida literària 1883-1933*, Barcelona: Tip. Emporium, 1934, pàg. 27-28.

44. Pàg. 35.

45. Pàg. 194.

46. Ferran de Sagarra, Elies Rogent, Lluís Rigalt, Francesc de P. Rius i Taulet, Francesc i Josep Masriera, Frederic Soler, Josep Oriol Mestres, Eusebi Güell, Ignasi Girona, Marià Aguiló i Manuel Duran i Bas figuraven entre els residents, i Joaquim Vayreda, Bartomeu Ferrà, Pedro de Madrazo, Víctor Balaguer i Joaquim Botet i Sisó entre els corresponents.

àlbums fotogràfics o monografies sobre tota mena d'arts (joies, miniatures, esmalts, armes, gravats, dibuixos, indumentària, mobles, ceràmica, vidre, etc.), de vegades relacionats amb exposicions organitzades per ella. Publicà també un butlletí, entre 1891 i 1896, que té un caire més arqueologístic que no historicoartístic, i una revista (1896-1913) una mica més dedicada a l'art, però encara amb força caràcter arqueologista i historicista.

De Puiggarí són algunes de les publicacions mateixes de l'Associació, com la síntesi d'història del gravat publicada al *Álbum de grabados escogidos* [...] *Colección de D. Jerónimo Faraudo* (1887)[47] o la *Monografía histórica e iconográfica del traje* (1886),[48] síntesi concisa i força divulgada. La indumentària era precisament la matèria principal d'estudi de Puiggarí, a la qual dedicà llargues recerques que es plasmaren en els cinc volums de la seva història de la indumentària espanyola, volums dels quals només aparegué el primer, dedicat als segles XIII i XIV, *Estudios de indumentaria española concreta y comparada*[49] (1889), obra densa, eruditíssima, que no trobà un editor adequat i hagué de publicar-se –la part que es publicà– sota els auspicis de l'Associació, amb un excés de modèstia.

Puiggarí publicà també, entre altres opuscles, una monografia del recent construït Palau Güell de Barcelona, d'Antoni Gaudí (1894), en què la valoració artística és inferior a l'aportació documental que hi fa.[50]

Malgrat pertànyer a la generació romàntica i haver col·laborat decisivament, com a dibuixant, en empreses editorials plenament lligades al romanticisme, la tasca d'historiador de l'art de Puiggarí pertany ja a la maduresa de la seva vida, i coincideix en el temps amb la tasca d'uns altres historiadors més joves.

Els postromàntics

Entre els historiadors de l'art catalans de la generació romàntica i els que vingueren darrere d'ells hi ha una diferència generacional de més de quinze anys. Dels nouvinguts hi hagué figures d'envergadura, com Francesc Miquel i Badia (1840-1899) i Joaquim Fontanals del Castillo (1842-1895). El primer, de formació jurídica

47. Barcelona: Asociación Artístico-Arqueológica Barcelonesa, 1887.

48. Barcelona: Bastinos editores, 1886.

49. Barcelona: Imp. Jaime Jepús y Roviralta, 1889 (a la coberta, però hi deia 1890).

50. Josep PUIGGARÍ, «Monografia de la casa palau y museu del Excm. Sr. D. Eusebi Güell y Bacigalupi», *L'Avenç*, Barcelona, 1894; José PUIGGARÍ, *Capilla de S. Cristobal de Regomir*. Barcelona: J. Conill, 1899; José PUIGGARÍ, *Audiencia Territorial de Cataluña. Bosquejo histórico. Breve noticia de la Audiencia, de su capilla y de las curiosidades...*, Barcelona s.a.

però declarat deixeble de Manjarrés i amic d'infantesa del pintor Josep Masriera,[51] va dedicar-se intensament a la crítica d'art a la premsa des dels anys seixanta, i esdevingué molt influent. Ingressà com a membre numerari a l'Acadèmia de Belles Arts de Barcelona el 1868, abans, doncs, d'haver començat a produir una obra consistent, i esdevingué també secretari general de l'Escola de la Llotja, on fou professor de Teoria i Història de les Arts Industrials. No començà a publicar llibres d'art fins que reuní uns articles seus del *Diario de Barcelona* al volumet *La Exposición de París en 1878*.[52]

Bon col·leccionista,[53] Miquel i Badia, que fou també soci de l'Associació Artística-Arqueològica Barcelonesa, dedicà sobretot la seva atenció a les arts sumptuàries o decoratives, sobre les quals publicà tres manualets divulgatius disfressats d'epistolari didàctic (*Cartas a una señorita*): *La Habitación* (1879), *Muebles y tapices* (1879) i *Cerámica, joyas y armas* (1882),[54] que es reeditaren amb una altra presentació.

Després amplià l'horitzó dels seus interessos i, a part de biografiar Manjarrés com abans hem vist, escriví una de les primeres monografies importants sobre Marià Fortuny (1887),[55] de text no gaire extens, que de fet introdueix una trentena llarga d'aiguaforts de Miquel Seguí i Riera basats en obres del gran pintor de Reus. Al mateix temps treballava en un llibre sobre la pintura i l'escultura modernes espanyoles (*El Arte en España*, c 1888),[56] volum de presentació aparatosa, una mena de llibre de regal, de divulgació, ben fet. El seu enfocament és més aviat el d'una història de grans noms, feta amb òptica convencional, però incloent-hi referències d'escoles normalment negligides, com ara els natzarenistes catalans. La novetat d'aquest correcte llibre divulgatiu és la incorporació al discurs històric de l'art més contemporani. Mentre que el que s'estilava aleshores era tancar les històries de l'art amb el neoclassicisme o abans, Miquel i Badia arribava fins als seus coetanis, que d'altra banda són els únics artistes esmentats al llibre que s'hi il·lustren, amb bones fototípies dels tallers gràfics Thomas.

51. Precisament Josep Masriera va fer la memòria necrològica de Miquel, escrit de més caliu humà que professional, a l'*Academia Provincial de Bellas Artes de Barcelona. Acta de la sesión pública celebrada el 18 de Febrero de 1900*, Barcelona: Imprenta Barcelonesa, 1900, pàg. 14-27.

52. Barcelona: Imp. Barcelonesa, 1878. La seva important tasca de crìtic sovint queda infravalorada a causa de la seva postura final hostil al Modernisme.

53. La Associació Artístico-Arqueològica Barcelonesa publicà, amb text de Josep Puiggarí, un *Album de la colección de D. Francisco Miquel y Badia*. Barcelona: Jaime Jepús, 1888.

54. Tots tres editats per Bastinos a Barcelona, que reedità els textos altres cops i els reuní dins el tríptic *Artes suntuarias*, 1888.

55. F. Miquel y Badia: *Fortuny, su vida y obras. Estudio biogràfico-crítico*. Barcelona: Torres y Seguí, 1887.

56. Francisco Miquel y Badia, *El arte en España. Pintura y escultura modernas*. Barcelona: A. Elías y Compañía, [c 1888].

Tot i amb això, Miquel i Badia retornà a les arts decoratives amb el llibre *Industrias artísticas. Alfarería. Terra cotta. Mayólica. Losa. Porcelana. Vidrio* (1892), i publicà les parts de *Historia del mueble. Tejido, bordado y tapiz* (1897), mig volum de la *Historia general del arte* dirigida per Lluís Domènech i Montaner,[57] obra en què curiosament el volum de la indumentària, la gran especialitat de Josep Puiggarí, en lloc de redactar-la aquest, la signà Federico Hottenroth.

Fontanals del Castillo fou més ambiciós que Miquel i Badia. Format a la Llotja, des de molt jove ja aconseguí destacar en l'assignatura d'Història de les Belles Arts, en la qual obtingué medalla de plata –el màxim guardó– el 1859. Fou acadèmic de Bones Lletres des del 1879. Té una obra limitada de títols però en canvi de gran empenta i interès. Preocupat per la conservació del patrimoni cultural, publicà el 1869 el llibre *Algunos recuerdos de dos revoluciones, democráticas francesas o de la conservación de monumentos franceses en 1789 y 1848*,[58] una documentada defensa del patrimoni arquitectònic davant les demolicions propiciades per actuacions polítiques revolucionàries, que qualifica de «actos de vandalismo que bajo un antifaz liberal vienen cometiéndose uno y otro día entre nosotros». Per defensar aquests monuments amenaçats, Fontanals pren com a model les postures de progressistes francesos com el membre de la Convenció *abbé* Grégoire, que volia combatre les demolicions intensificant l'educació pública, l'escriptor Víctor Hugo, que el 1825 declarà «guerra als demolidors!», o el teòric socialista Proudhon, que tractava de «vàndals» aquells que enderrocaven el patrimoni monumental. L'obra de Fontanals, que provenia d'unes conferències a l'Ateneu Català, se centrava en França, però al rerefons tenia sempre present la versió del mateix problema a aquesta banda del Pirineu, on les muralles de Girona acabaven de ser sentenciades per part de la Junta Revolucionària, cosa que feia exclamar Fontanals que «Gerona sin sus murallas nada vale».[59]

La gran aportació de Fontanals del Castillo és, sens dubte, embarcar-se a fer per primer cop a Catalunya una monografia exhaustiva i rigorosa sobre un artista. El 1872 publicà una breu aproximació a la figura d'Antoni Viladomat, amb motiu de ser posat el seu retrat a la Galeria de Catalans Il·lustres.[60] Li fou encarregat aquest opuscle perquè ja aleshores Fontanals tenia molt avançada l'elaboració d'un estudi voluminós sobre aquell pintor, el primer volum del qual aparegué el 1877.[61] L'obra

57. Montaner y Simón, Barcelona 1897, vol. 8. El paper rellevant de les arts decoratives en aquesta història de l'art l'ha destacat Pilar Vélez a «Les arts industrials a Catalunya entorn del 1898», a les actes del congrés *1898: Entre la crisi d'identitat i la modernització*, Barcelona: Publicacions de l'Abadia de Montserrat, vol. II (en curs de publicació), i a *Arts decoratives*, volum XI d'*Art de Catalunya*, Barcelona: L'Isard, 2000, pàg. 198-199.

58. Barcelona: Imp. Heredero de Pablo Riera, 1869.

59. *Id.*, pàg. 127.

60. J. Fontanals del Castillo, *Un recuerdo de Antonio Viladomat, el pintor olvidado y maestro catalán del siglo XVIII*. Barcelona: Narciso Ramírez y cia., 1872.

61. J. Fontanals del Castillo, *Antonio Viladomat, El artista olvidado y maestro de la escuela de pintura catalana del siglo XVIII. Su época, su vida, sus obras y sus discípulos*. Barcelona: Verdaguer, 1877.

gran de Viladomat és un treball molt acurat i rigorós, basat en documentació d'arxiu, bibliografia i un gran coneixement de l'obra del pintor existent tant a llocs públics (esglésies, l'Acadèmia, etc.) com a col·leccions privades. El llibre es complementa amb un catàleg molt detallat que li confereix un valor especial i molt rar en l'època.

Per valorar la importància de la monografia sobre Viladomat de Fontanals del Castillo, cal tenir en compte una circumstància ja apuntada per Alcolea Gil:[62] que un llibre d'aquella complexitat en aquell temps encara no el tenia, per exemple, un pintor de l'envergadura de Diego Velázquez. Per tant, Fontanals dotà molt matinerament la historiografia artística catalana d'un gènere fonamental, el de la gran monografia d'artista, sòlidament documentada i amb catàleg raonat. Un segon volum de l'obra quedà inèdit, i a la llarga incomplet; el text que se'n conservà fou transcrit a l'apèndix documental de la tesi de l'esmentat Alcolea Gil.[63]

El mateix any Fontanals publicà també un breu text sobre un artista contemporani, *Recuerdo del artista Tomás Padró*,[64] prova del seu interès per l'actualitat artística, del qual una altra prova va ser un ambiciós discurs, llegit a l'Ateneu Barcelonès el 1883, *El Arte, el público y la crítica artística en Barcelona*,[65] que més que un text historicoartístic és un escrit teòric que ja he glossat en un altre lloc.[66]

Com a historiador, la seva última i important obra és *Historia de la Pintura y Escultura en todas las épocas y escuelas*, apareguda dins la ja esmentada *Historia general del Arte* dirigida per Lluís Domènech i Montaner, el 1895[67], l'any mateix de la mort de Fontanals. Sens dubte en una història de l'art, la pintura i l'escultura són les matèries més populars i més brillants, i el fet que aquest volum Domènech l'adjudiqués a Fontanals ja és indicatiu de com valorava l'autor. És un densíssim volum gran fol. de prop d'un miler de pàgines, en què continuava la tradició –trencada com hem vist per Miquel i Badia– de no abordar l'art contemporani. És una gran obra de síntesi que demostra els coneixements enciclopèdics que Fontanals del Castillo tenia de l'art universal, i dic universal perquè no es limitava a descriure l'art occidental o el de les civilitzacions que el precediren, sinó també arts de països orientals, com el de l'Índia i Ceilan, o el xinès, que tenen capítols propis a l'obra.

Gent que escrivia d'art, n'hi havia més aleshores, com Josep Pleyan (1841-1891), Emili Morera (1846-1918), Andreu Balaguer i Merino (1848-1883) o Antoni Aulèstia i Pijoan (1849-1908), però cap d'ells s'hi dedicava exclusivament; eren

62. Santiago Alcolea Gil, *Viladomat*, Mataró: Museu Comarcal del Maresme-Museu Arxiu de Santa Maria, 1990, pàg. 47.

63. Santiago Alcolea, «La pintura en Barcelona durante el siglo xviii», *Anales y Boletín de los Museos de Arte de Barcelona*, vol. xiv, 1959-60 (en realitat 1969), pàg. 287-347.

64. Barcelona: Tipo-litografía C. Verdaguer, 1877.

65. Barcelona: Imprenta de los Sucesores de Ramírez y Cia., 1883.

66. Fontbona, *La crítica...*

67. Montaner i Simon, Barcelona 1895, vol. 4.

erudits que aprofitaven qualsevol bri documental per reconstruir un fragment de la història política, social o cultural del país, i sovint aquests brins eren de pintura, escultura, arquitectura o qualsevol de les altres arts plàstiques, sense que els que els exhumaven fossin oficialment historiadors de l'art. Un exemple paradigmàtic d'aquesta manera d'enfocar la recerca cultural el constituïen els excursionistes científics. En aquesta època, precisament, prenen cos les tribunes impreses d'aquest important fenomen de descoberta pluridisciplinar del país que, entre altres interessos, donava entrada a la història de l'art. L'excursionisme generà revistes com *L'Excursionista* (1878-91), òrgan de l'Associació Catalanista d'Excursions Científiques, o el *Butlletí de l'Associació d'Excursions Catalana* (1878-90), refoses des del 1891 al *Butlletí del Centre Excursionista de Catalunya.* En aquelles revistes noms com Ramon Arabia o un joveníssim Santiago Rusiñol feien aportacions concretes al coneixement dels monuments del país. Dels mateixos nuclis sortiren els dos espectaculars volums, extraordinàriament il·lustrats amb heliografies, de l'*Àlbum pintoresch-monumental de Catalunya* (1878),[68] prologat per Manuel Milà i Fontanals, que hi fa gairebé una declaració d'amor a l'art gòtic, i que conté textos erudits d'homes com Josep Fiter, Aulèstia i Pijoan, Ramon Arabia, els dos Balaguer i Merino o Lluís Domènech i Montaner.

Altres historiadors de l'art de la generació de Miquel i Badia o Fontanals del Castillo no els estudiaré ara aquí perquè no publicaren les seves obres principals fins ben entrat el segle XX. Serien els casos de Gaietà Barraquer (1839-1922) i Salvador Sanpere i Miquel (1840-1915). De l'últim, però, sí que esmentaré la seva monografia il·lustrada de Marià Fortuny, apareguda encara en aquesta època,[69] que s'integra en una mena de subgènere, impulsat per la mítica fama pòstuma del pintor biografiat, subgènere al qual pertanyen la monografia ja esmentada de Miquel i Badia –publicada més tard que la de Sanpere– i la que publicà Josep Yxart, *Fortuny. Notícia biogràfica crítica*, encara anterior (1881),[70] de redacció àgil i gairebé sense aparat crític, obres que eren un ressò justificadíssim de l'interès que la figura del gran pintor reusenc mort despertava a tot el món, i que s'havia plasmat en monografies internacionals del baró Davillier (París, 1874) o de Charles Yriarte (París, *post* 1875).

En l'obra dels historiadors de l'art més joves, lògicament tampoc no hi entraré, ja que ens ficaríem de ple en una nova generació, densíssima de noms, la modernista, amb Domènech i Montaner –ja esmentat com a director de la gran història de l'art en què col·laboraren Miquel i Badia i Fontanals del Castillo–, Raimon Casellas, el nord-català Jean Auguste Brutails, Josep Puig i Cadafalch, José Jordán de Urríes, Josep Gudiol i Cunill, i molts altres que compaginaren la teoria o la història de l'art amb altres activitats erudites o fins i tot creatives. Algun dia, tanmateix, caldrà començar a sistematitzar i valorar l'obra ingent de tots aquests puntals massa inadvertits de la cultura catalana.

68. Barcelona: Associació Catalanista d'Excursions Científicas, 1878 i 1879

69. Salvador SAMPERE I MIQUEL: *Mariano Fortuny. Álbum. Colección escogida de cuadros, bocetos y dibujos,* Hdo. Pablo Riera, Barcelona 1880. És un cas semblant a la de Miquel i Badia, una mena d'introducció a una col·lecció d'il·lustracions, en aquest cas més de vuitanta fototípies.

70. Biblioteca "Arte y Letras", Barcelona 1881.

ELEMENTS D'ARREL TRADICIONAL I TROBADORESCA A *EL POEMA DE LA ROSA ALS LLAVIS*

Ferran Gadea i Gambús

Barcelona

La matèria de les cançons és d'amor o de llaor de dones
Tractat poètic de Ripoll

Salvat congènitament líric
J. V. FOIX

L'obra poètica de Joan Salvat-Papasseit descriu una de les trajectòries més riques i denses de la lírica catalana del segle XX. I alhora, de les més originals.

Format en la «bohèmia més negra» (Molas, 1978) i en el món suburbial i marginal del proletariat, Salvat s'adscriu a les avantguardes perquè la seva pràctica esdevé una de les formes, la més prestigiosa, de ser revolucionari. Així, coneix els principis teòrics del cubisme literari i del futurisme italià de Marinetti, i de tot plegat, se'n fa una poètica personal.

Les primeres activitats literàries de Salvat-Papasseit s'orienten en aquesta línia: assimilació de l'esperit revoltat de les avantguardes, projecció i difusió d'aquests corrents mitjançant la direcció de revistes i la redacció de manifests, i publicació d'un llibre, *Poemes en ondes hertzianes* (1919), primer volum de cal·ligrames i paraules en llibertat, imprès a la Península. Tanmateix, un viatge a París, capital de l'avantguarda europea i centre aglutinant d'artistes provinents d'arreu, sembla que és l'inici d'un viratge. Un viratge que el condueix a l'abandonament gradual de les formes rupturistes substituïdes pel conreu de les formes tradicionals. Una trajectòria singular que, com vaig escriure en un altre lloc, podem sintetitzar com el trajecte «del cal·ligama a la cançó».[1]

1. GADEA I GAMBÚS, Ferran, «Del cal·ligrama a la cançó: la trajectòria poètica de Salvat-Papasseit». *Butlletí dels Mestres*, 1994, núm. 237-238. Barcelona: Generalitat de Catalunya. Departament d'Ensenyament. Sobre l'evolució poètica de Salvat, vegeu: MOLAS, Joaquim, «Joan Salvat-Papasseit y el regeneracionismo», *Destino,* 1974. Recollit a MOLAS, Joaquim, *Lectures crítiques.* Barcelona: Edicions 62, Llibres a l'abast, 121, 1975; MOLAS, Joaquim, *La literatura catalana d'Avantguarda. 1916-1938.* Barcelona: Antoni Bosch, editor, 1983. MOLAS, Joaquim, «Els moviments d'Avantguarda: Joan Salvat-Papasseit» dins *Història de la Literatura Catalana.* Barcelona: Ariel, vol. IX, 1987; del mateix autor el pròleg a l'edició, Joan SALVAT-PAPASSEIT, *Poesies,* esmentat més endavant.

Salvat-Papasseit i la cançó

En un viatge realitzat a París pel març de 1920, Salvat s'entusiasma amb la capital francesa. En una lletra adreçada a Josep M. de Sucre, l'autor confessa:

«Amic Sucre:
Això que us envio ja està bé, ja; però el Metro està més bé. Ja ho veieu,
París m'ha tornat encara més **avantgardiste** que mai».[2]

La comparació entre el gravat de la postal «això que us envio» i el metro, i la valoració superior d'aquest, «però el Metro està més bé» demostra la fascinació del poeta pel nou mitjà de transport, del qual la ciutat de *L'irradiador del port i les gavines* encara no disposava.

L'impacte causat per aquesta descoberta el condueix a seleccionar-lo com l'escenari urbà on dibuixa una breu història d'amor, seqüenciada en dos poemes, «Passional al metro» (reflex núm. 1), i «La femme aux oranges», (reflex núm. 2), datats respectivament els dies 1 i 12 de març de 1920. El marc triat per situar la història, un trajecte en metro pel centre de la ciutat, sintonitza perfectament amb la poètica desenvolupada fins aleshores: elements futuristes, concretament, de filiació maquinista. Però altres factors que intervenen en la composició preludien procediments posteriors, sobretot quan la temàtica sigui amorosa.

D'entrada, s'observa un cert retorn a la forma, que si bé encara guarda alguns vincles amb l'escriptura rupturista, s'allunya clarament del cal·ligrama. A la vegada, la història d'amor implica elements de la tradició cultural, en aquest cas, de procedència clàssica: un capítol de l'*Odissea*. I apareix per primera vegada, en un context amorós, l'expressió *rosa als llavis*. L'autor arrenca l'episodi del record d'un dels pretendents més insistents de la fidel Penelòpe:

Antinoüs és en la fosca i una rosa als llavis
que li vol fer vilesa
d'enamorar Penèlope
l'esquerpa

Antinoüs s'ha menjada
lentament

UNA ROSA

–justament en passant sota la serp del Sena direcció Saint-Lazare.[3]

2. SOBERANAS I LLEÓ, Amadeu, *Epistolari de Joan Salvat-Papasseit*, Barcelona: Edicions 62, Antologia Catalana, 100, 1984, pàg. 55. *Avantgardiste* [*sic*]; (*el subratllat és meu*).

3. SALVAT-PAPASSEIT, Joan, *Poesies.* Estudi preliminar, edició i cronologia a cura de Joaquim Molas. Barcelona: Ariel, Clàssics Catalans Ariel, 2, 1978. Totes les citacions de *L'irradiador del port i les gavines* provenen d'aquesta edició.

Les al·lusions al poema homèric i les citacions clàssiques poden sorprendre en un poeta de formació autodidacta, fonamentada sobre lectures adquirides, sense un criteri fix, a fires i mercats de llibre vell. Poc abans, i amb una certa recança, l'autor confessava: «em sé d'una aristocràcia d'esperit, que es pot alçar dels límits de la Universitat que no m'aixoplugava».[4] Però la veritable aula de formació de Joan Salvat fou la secció de llibreria de les Galeries Laietanes.[5] Allí entrà en contacte amb Josep M. López-Picó que el posa en relació amb tot el sistema cultural noucentista. L'any anterior, Carles Riba havia publicat en tres volums la primera versió de l'*Odissea* a la Biblioteca Literària, la col·lecció dirigida per Josep Carner.[6] A més, l'estímul per a la lectura d'Homer podia obeir a altres causes. Marinetti l'havia relacionat, en la seva vessant èpica, a la causa del futurisme, i Joan Salvat, que coneixia perfectament el *Manifesto del Futurismo* (1909), i el *Manifesto tecnico della letteratura futurista* (1912), l'havia incorporat a la seva proclama de 1920, *Contra els poetes en minúscula*: «Homer si va cantar els rems de la victòria fou perquè en el seu temps per la força dels rems s'obtenien victòries... Lliurarem (?) Catalunya per la força dels rems?».[7] El fet és significatiu: el poeta avantguardista, d'influències cubistes i exaltacions futuristes, vincula la seva creació als codis culturals de la tradició europea.

Al plantejament esbossat a «Reflex 1», el poeta li dóna continuïtat en el poema següent, «Reflex 2», resolt en termes tradicionals. La disposició de l'escriptura, les correlacions, l'ús de versos hexasíl·labs...[8] orienten el text vers una altra poètica. Des d'ara la temàtica amorosa s'uneix a l'erotisme, però molt sovint, també a la cançó. L'autor considera el poema «La cançó del metro, que es mulla el ventre al Sena, a la vella Cité» i, enmig d'al·lusions futuristes, inicia el camí vers la recuperació de les formes tradicionals:

> –Avui só perfumat
> per una grassa impresa.
> Porto un braçalet blau,
> un altre de vermell
> i les anques més nues.

4. SALVAT-PAPASSEIT, Joan, «Notes biogràfiques», dins *Mots-propis i altres proses*, Barcelona: Edicions 62, Antologia Catalana, 81, 1975, pàg. 77.

5. SALVAT-PAPASSEIT, Joan, *Salvat-Papasseit avantguardista. Manifestos, cal·ligrames i altres poemes.* Estudi preliminar i antologia de Ferran Gadea i Gambús. Barcelona: Alter Pirene, Joies de paper, 4, 1994.

6. HOMER, *Odissea.* Traducció de Carles Riba. Barcelona: Biblioteca Literària, 1919, vol. I, II, III.

7. SALVAT-PAPASSEIT, Joan, «Contra els poetes amb minúscula», dins, *Salvat-Papasseit avantguardista...*, 1994, pàg. 48. Suposo que per interferència del castellà, empra el mot *lliurarem* amb valor de «lliurament», «entrega», quan, naturalment, el que vol expressar és «alliberament». En aquest sentit cal tenir present la nota de Joan Sales que acompanya la primera edició de SALVAT-PAPASSEIT, Joan, *Poesies.* Barcelona: Ariel, 1962. Joan Sales adverteix sobre l'existència de «formes o construccions violentes, i fins i tot violentíssimes, potser explicables per l'anarquisme, no de la llengua... sinó de l'autor. [...] Altrament a penes serien explicables una sèrie de barbarismes del tot insòlits», pàg. 299.

8. Carles Miralles va assenyalar la presència hegemònica d'hexasíl·labs en l'obra del poeta: «em penso que podem concloure que el nostre poeta tenia una mena de tirant espontani cap a un element mètric hexasíl·lab». Vegeu MIRALLES, Carles, «Per a una lectura de Salvat-Papasseit» dins *Eulàlia. Estudis i notes de literatura catalana,* Barcelona: Edicions del Mall, 1986, pàg. 150.

Un altre poema, inclòs també a *L'irradiador*, prefigura, pels seus constituents arquitectònics i temàtics, *El poema de la rosa als llavis*. A «Vibracions», títol que caldria demanar-se si respon a una influència de Joaquim Torres-Garcia?,[9] el poeta anella, en nombre de catorze, una sèrie de petites estrofes que esbossen de forma insinuada una història d'amor. Una trajectòria amorosa on s'alternen les correspondències entre l'estat de la natura i petits nuclis temàtics de contingut sentimental:

Dins de la nit
alegria en la casa.
Tot és la por.

La pluja rosega el vidre
glaçat...
Quantes molles s'hi deixa!

Cada mot de l'esposa, una rosa
tota balba de flames:
La sardana-cinyell de l'esposa.

Aquesta flor,
del teu pit al meu llavi,
flor en el llibre.

El contrapunt entre la història externa, –vent, pluja, nit, primavera...– i la història d'amor conté molts elements de somni, que posteriorment, quan el somni cedeix el camí a la realitat, l'autor desenvolupa. En aquests versos, que en estat germinal contenen *El poema de la rosa als llavis*, hi apareixen, definits, el perfil dels protagonistes. L'estimada que és jove, donzella i verge, s'associa a la primavera i al color blanc:

Acota el cap endins la porxada de verd,
als **tarongers florits**, la **promesa-donzella**:
Una **alosa** destria la blancor
dins el verd.

Ara el cel és tot blau dins el matí
Només un petit núvol **blanc** –molt **blanc:**
Una **verge** s'ha deixat el coixí.

Mentre l'amant basteix un dels mites més singulars del poeta: el mariner d'amor.

Bru **mariner d'amor**
de peu dret a la proa:
quina noia no el vol!

9. Joaquim Torres-Garcia va exercir una influència notable damunt el poeta. El seu manifest «Art-Evolució» es publicà a *Un enemic del poble,* núm. 8, novembre de 1918. El «vibracionisme» fou impulsat pel pintor Rafael Barradas, gran amic de Torres-Garcia. La revista *Arc Voltaic,* febrer de 1918, dirigida per Joan Salvat-Papasseit, inclou un «dibuix vibracionista» de Rafael Barradas. En els subtitotals el poeta recull l'expressió: «Plasticitat del vertic-Formes en emoció i evolució.-Vibracionisme de idees [*sic*].- Poemes en ondes Hertzianes». Precisament, l'edició dels *Poemes en ondes hertzianes* (1919) va acompanyada de cinc il·lustracions *vibracionistes* de Joaquim Torres-Garcia. El mateix Torres-Garcia defineix el mot: «El vibracionismo es, pues, cierto MOVIMIENTO que se determina fatalmente por el paso de una sensación de color a otra correspondiente, siendo cada uno de estos acordes, diversas notas de armonía, distintas, fundidas entre sí por acordes más sordos, en gradación cada vez más opaca». Citat per GARCIA-SEDAS, Pilar, *Joaquim Torres-Garcia i Rafael Barradas. Un diàleg escrit: 1918-1928*, Barcelona: Publicacions de l'Abadia de Montserrat, 1994. Pròleg de Joaquim Molas, pàg. 47.

Un projecte desviat

Al març de 1922, Salvat-Papasseit puja al sanatori de les Escaldes, a la Cerdanya, per seguir una cura de repòs. Hi arriba amb dos objectius: refer la seva salut malmesa i compondre un llibre de versos. Les cartes inicials expressen un estat vital eufòric, manifestat en la ponderació constant de dos temes: la bellesa del paisatge, «el Pirineu un paradís», «camí de meravelles» repetit en diferents lletres a Xavier Nogués,[10] Lluís Plandiura,[11] Josep M. López-Picó,[12] i la certesa segura de la guarició. A més a més, dóna a conèixer el propòsit de compondre un llibre: «farem un bonic tomo» confessa a López-Picó tot just arribat;[13] «encara no he fet cap vers!» escriu a Lluís Plandiura.[14]

Les lletres dels mesos de març i abril no traspuen cap novetat important, segueixen referint-se als temes esmentats: la bellesa de l'escenari en l'esclat de la primavera, la restauració de la salut. Tanmateix, a partir del mes de maig, algunes al·lusions breus i el·líptiques, reservades sempre als amics més íntims –Apel·les Llargués, Josep Lleonard, Joaquim Sunyer–, deixen entreveure un episodi amorós inesperat. I filtren, també, alguns conflictes interns.

Com ja és prou sabut, l'autor havia conegut una noia jove, «bella i pubilla» amb qui vivia una aventura apassionada, inspiradora d'una *Vita nuova*. Com és habitual en l'autor, aquestes vivències trobaven projecció en l'escriptura. «Sóc d'imaginació escassa; tot ho he vist o viscut», havia escrit deu anys abans, a les *notes biogràfiques*.[15] A les acaballes de l'estiu, en fer balanç de la seva activitat creativa, Salvat confessava a Josep Lleonard:

> «Són certament **dos llibres** el que tinc acabat i arrodonit de veres. ***La gesta dels estels***, que ve per la *Revista*, i encara, tot un poema que conté vint poesies que és: ***La rosa als llavis***, en el qual he posat tot quan podia fer aquest instant de la meva obra».[16]

Efectivament, quan Salvat, a principis de setembre de 1922, agreujat el seu mal,[17] emprèn el viatge de retorn a Barcelona, no és un sinó dos els llibres de creació original que l'acompanyen. Un d'ells, ja previst, *La gesta dels estels,* subtitolat «Mostra de poemes», recull l'inventari temàtic de Salvat: l'amor, els ideals («divi-

10. *Epistolari...*, pàg. 116.
11. *Epistolari...*, pàg. 118-119.
12. *Epistolari...*, pàg. 120.
13. *Epistolari...*, pàg. 133.
14. *Epistolari...*, pàg. 119.
15. *Notes biogràfiques...*, pàg.77.
16. *Epistolari...*, pàg. 177. (*Els subratllats són meus.*)
17. GARCÉS, Tomàs, «Esbós per a una biografia» dins SALVAT-PAPASSEIT, Joan. *Poesies*. Barcelona: Ariel, 1962.

ses»), el vitalisme, les festes... Es tracta dels interessos de sempre, els quals ja havien trobat acollida a *L'irradiador del port i les gavines*. En aquest volum, es consuma l'evolució iniciada a *L'irradiador*: abandonament gradual de l'avantguarda i predomini de la poesia de cançoner. Alguns poemes, dos en concret, van encapçalats pel títol *cançó*;[18] d'altres, en reiteren l'estrofisme i el to.

El segon llibre, imprevist, presenta un to molt més uniforme. El títol, en singular, adverteix de la voluntat unitària de l'autor: *El poema de la rosa als llavis*. Salvat hi reporta un relat que reconstrueix amb delicadesa totes i cadascuna de les fases del procés amorós: des de l'enamorament i el cant triomfal a la presència de l'estimada, fins al comiat, amb la promesa de fidelitat i la separació. Sense oblidar el cant del goig. Ara bé: per donar expressió a tota aquesta vivència i guardar-ne l'oportuna i necessària discreció, el poemari recorre a una poètica que, des dels seus orígens, servava amb rigor la personalitat dels amants; una expressió lírica que identifica els sentiments, no les persones. L'autor, que vivia situacions semblants, adopta una poètica que contempla escenaris similars. Una doctrina amorosa basada en la relació clandestina, el secretisme i la discreció; i tot plegat en una atmosfera presidida per la delicadesa del tracte, i la sinceritat de sentiments. Aquesta poètica remunta a les primeres manifestacions de la lírica amorosa europea i afecta el vessant trobadoresc i el popular. I dels dos corrents, el culte i cal·ligrafiat, el popular i de transmissió oral, Salvat se'n feia una poètica. De nou, Salvat tendia a la síntesi poètica.

De l'anàlisi de l'epistolari es desprèn que *El poema de la rosa als llavis* sorgeix com una desviació del projecte inicial. Tot sembla indicar que els poemes a l'«amiga» arriben a adquirir un gruix tan considerable que el poeta decideix independitzar alguns textos del conjunt de *La gesta,* i articular amb ells, una història autònoma.[19] Es tracta d'un relat ben construït, que no reflecteix el goig d'un moment de privilegi sinó la crònica detallada d'un estat privilegiat d'intimitats i vivències personals. Un breviari amorós amb anotacions.

Abans feia referència al caràcter politemàtic de *La gesta*. Aquesta varietat no es limita a la riquesa de motius sinó també al tractament diversificat del tema de l'amor. No és difícil destriar, entre els poemes d'aquest contingut, dues rutes ben diferenciades. Un grup de poemes, agosarats, canten l'aventura: «Una bandera blanca», «Berenàveu a les roques», «Sota el ressò del teu dring», «L'home bru del port», «Si jo fos pescador...». Refan el mite del «mariner d'amor» i no semblen centrar-se en cap figura femenina sinó, més aviat, en un vague desig de somni:

> Si jo fos pescador pescaria l'aurora,
> si jo fos caçador atraparia el sol;

18. Són els que comencen amb el vers «Sota l'olivera fronda» i «Amarrat està a la cala».

19. Aquest aspecte s'argumenta a Gadea i Gambús, Ferran, «*La gesta dels estels* de Joan Salvat-Papasseit» dins *Lectures de COU 1997-1998*. Barcelona: La Magrana, 1997.

si jo fos lladre d'amor m'obririen les portes,
si fos bandit millor millor
que vindria tot sol:[20]

Un desig d'aventura, de rapte, de transgressió, que no es concreta en cap situació determinada, sinó en el perfil d'una silueta desitjada en la fantasia. Una figura difuminada, que un cop conquerida, esdevé estímul de noves aventures:

jo seria el patró
d'aquell vaixell que es veu a l'horitzó
aniria més lluny que l'horitzó
donaria a les noies el meu cor
i el tornaria a prendre
per donar-lo altre cop
noies de tots els ports

El berenar a les roques

Uns altres poemes prenen una altra direcció. Allò que s'hi reflecteix té un més íntim, personal. Sembla viscut, no pas somiat. La figura de l'estimada no es dispersa en la «noia», es concentra en l'«amiga». La soledat del «patró», del «lladre d'amor», del «bandit» s'acompanya de la complicitat de l'«amiga». El mite del «mariner d'amor» adquireix un to menor, secundari; per contra, emergeixen noves temàtiques. Es dibuixa un univers poètic –promeses, ofrenes, desigs, gratificacions– expressat en un codi de simbologia elaborada: pètals, flor, poncella, rosa... Immers en aquest espai, descriu un joc de cortesies, de complicitats sentimentals i correspondències eròtiques:

Penyora d'amor, penyora–
si tu em besaves, amor,
jo et donaria una rosa.

Un canvi de to, una metamorfosi en la dicció, però també, un canvi de poètica. De l'aventura més o menys futurista, a la delicadesa del codi poètic tradicional, del cançoner popular i trobadoresc. De l'escenari urbà, al marc primaveral:

Sota l'olivera fronda
sota l'olivera està:
la donzella la més jove
que és la més bella del mas.

20. SALVAT-PAPASSEIT, Joan, *La gesta dels estels*. Pròleg i edició a cura de Joaquim Molas que reprodueix, amb alguna variant, el treball de 1978. Barcelona: Clàssics catalans Ariel, 1997. Totes les citacions procedeixen d'aquesta edició.

Un món que remet a *La rosa als llavis*. Les correspondències s'hi accentuen. La noia virginal cantada a *La gesta* reapareix a *El poema*. Ho confirma el to, la coincidència de situacions, la fraseologia mateixa. Si a «Platxèria», de *La gesta*, el poeta convida la noia a perdre la por:

Dolça amigueta, no tinguis por:
ni he d'allunyar-me ni en cap racó
fer-te malícies,

a *El poema,* invoca Cupidell per vèncer-la:

Entremaliat i destre serà Ell qui et prendrà
i si Tu ets temerosa
no et deixarà cridar.

En la redacció de *La gesta dels estels* i d'*El poema de la rosa als llavis,* l'autor opera amb materials comuns. Alguns textos de *La gesta*, sovint els més bells, aquells que glossen una temàtica amorosa, s'haurien pogut integrar, sense forçar gens el discurs, en *El poema*. Per l'estrofisme, per la fraseologia, per la poètica, «Mester d'amor», «Platxèria», «Flor d'ametller»... preludien *El poema de la rosa als llavis*. Gosaria dir que responen al mateix estímul i s'adrecen a la mateixa destinatària.

A manera de manifest

Salvat posseïa una consciència artística molt arrelada que el feia sentir-se orgullós de la seva «professió de poeta». Aquesta inquietud explica el nombre de manifestos i les declaracions programàtiques que encapçalen els seus reculls.

Quan el poeta es considera avantguardista i revolucionari, obre *L'irradiador del port i les gavines* (1921) amb una exaltació al combat: «Canto la lluita»,

só jo l'incendiari de mots d'adolescent
Blasmo els déus a ple vol:

Quan malgrat tot, l'amor triomfa sobre l'avantguarda, el poeta confessa la seva evolució: «Crítica», el text que, rere «Divisa», inaugura *La gesta,* registra el canvi d'interessos. Com ja va assenyalar Joaquim Molas,[21] la noia, «que volia ena-

21. MOLAS, 1978, pròleg..., pàg. XXXI.

morar l'avantguardista», li ofereix tot un ventall d'artilugis, propis del maquinisme que el poeta transforma en elements eròtics:

jo no veia la nitra
però veia ella seus ulls

–destriava la roba   i ensenyava un cosset
de vímets d'alumini

jo veia les cireres del seu pit

Quan la selecció temàtica determina fins i tot un canvi de poètica, l'autor analitza els elements de l'evolució. A «El poema de la rosa als llavis» un text primer, una mica deslligat del conjunt, glossa un viatge i un somni. És al segon poema, però, «Deixaré la ciutat», on l'autor expressa les seves intencions; i, en fer-ho, declara el seus objectius i les seves estratègies.

Obre el poema una afirmació doble estesa entre els versos primer i sisè: «Deixaré la ciutat que em distreu de l'amor... i temptaré la noia que ara arriba...». La proclama proposa una opció doble: l'autor abandona la ciutat industrial, tan present en els llibres anteriors, i justifica la seva elecció: lliurar-se a l'amor. Aquesta declaració estructura el poema en dues àrees temàtiques ben diferenciades: la primera, versos 1-5, recull l'inventari d'elements que defineixen l'antic espai. La segona, versos 6-12, implica un canvi de poètica i centra el tema, que de manera monogràfica, domina el recull.[22]

El rebuig del medi inicial, en aquest cas Barcelona, ve emblematitzat per la relació dels elements que el singularitzen:

la meva barca
el Port
i el voltàmetre encès que porto a la butxaca–
l'autòmnibus brunzent
i el més bonic ocell
que és l'avió

Aquesta enumeració pertany a la imatgeria pròpia del futurisme. Marinetti havia llençat en el *Manifesto* de 1909, el nou esperit: «Un automobile ruggente... è piú bello della Vittoria di Samotracia».[23] El rebuig del món clàssic s'acompanya de l'exaltació de les conseqüències de la revolució industrial. Una selecció temàtica que pren, dins el futurisme, alçada suficient com per esdevenir un capítol temàtic propi: el maquinisme. Salvat l'havia glossat als primers llibres: el transatlàntic, el far, el

22. Vegeu el poema comentat a GADEA I GAMBÚS, Ferran, *Deixaré la ciutat* dins *Sic.*, Barcelona: La Magrana, 2000.
23. DE MARIA, Luciano, «Manifesto del Futurismo», dins *Marinetti e il Futurismo*. Milà: Mondadori, 1973, pàg. 6.

tramvia... Ara n'afegeix un de nou: «l'ocell, el més bonic ocell». La fascinació per l'aviació és fruit del protagonisme aconseguit per aquesta arma en la Guerra del 1914. Diversos poetes vinculats a les primeres avantguardes se'n fan ressò: Josep Maria Junoy, «Oda a Guynèmer», Joaquim Folguera, «En avió», Guillermo de Torre, «Hélices»...[24]

El rebuig del maquinisme ve compensat per una nova temàtica, l'amor, i una nova poètica, el cançoner:

li diré com la copa melangiosa és del vi
–i el seu braç del seu coll–

Convidar a tenir set, a beure, és una crida a la deshinibició, una invitació a deixar-se conduir per la passió i per l'amor. No solament el tema prové de la lírica tradicional; també els recursos. Amb un procediment propi d'aquest tipus de creació, el poeta estableix, encobert per l'ús de l'el·lipsi, un joc de simetries verbals, un paral·lelisme. Un paral·lelisme teixit damunt una sèrie doble de correlacions internes: copa/vi, braç/ coll,

li diré com la **copa** melangiosa és del **vi**
el meu **braç** (*és melangiós*) del seu **coll**.

Aquesta darrera aportació, que introdueix amb la referència al contacte de l'estimada la sensualitat, confirma el rebuig de l'univers inicial:

i veurà que ara llenço la stylo i no la cullo.

on el préstec lingüístic *stylo* evidencia la novetat de l'estri.

La manifestació anterior es perllonga amb l'aparició d'un altre motiu, de presència recurrent en l'autor: el mite de la infantesa:[25]

i em faré el rostre pàl·lid com si fos un minyó
i diré maliciós:
–com un pinyó és la boca que em captiva.

L'autor construeix de nou un joc de simetries verbals sobre una sèrie doble de comparacions, que implica correlacions i, també, la recurrència a dos temes populars. Al motiu de la innocència, l'autor hi connecta un altre mite tradicional: «el captiu d'amor», tema glossat en el poema immediat.

24. El cal·ligrama «En avió» de Joaquim Folguera es publicà a *Un enemic del poble,* el mes de març de 1919.

25. El mite de la infantesa l'ha estudiat Tomàs GARCÉS, «Salvat-Papasseit i el mite de la infantesa» dins *Sobre Salvat-Papasseit i altres escrits.* Barcelona: Biblioteca Selecta, 455, 1972.

Ubicat en el pòrtic del recull, «Deixaré la ciutat» implica una proclamació d'intencions; de fet, una rectificació de mètodes respecte de l'obra anterior. Suposa una declaració de prioritats i, també, una modificació de poètiques. En definitiva, sembla tenir rang i categoria de «manifest».

Conseqüent amb aquesta declaració, Salvat articula una història d'amor sobre els elements propis del cançoner. Damunt formes i motius temàtics propis de la lírica antiga, popular i culta. Una història, fragmentada en capítols, construïda damunt gèneres de la lírica medieval: l'albada per a l'encontre, la cançó per a la plenitud amorosa, el comiat per a la separació.

Una presència: el *locus amoenus*

Perquè has vingut han florit els lilàs
i han dit llur joia
envejosa
a les roses:

mireu la noia que us guanya l'esclat,
bella i pubilla, i és bruna de rostre.

De tant que és jove enamora el seu pas
–qui no la sap quan la veu s'enamora.

Perquè has vingut ara torno a estimar:
diré el teu nom
i el cantarà l'alosa.[26]

L'estructura del text respon a una forma tradicional, amb un tribut lleu, encara, a l'avantguarda: els versos 2 i 8 fragmenten el decasíl·lab i desplacen, de manera ben gràfica, el segon hemistiqui a un nivell inferior, la qual cosa, mitjançant la potenciació d'espais i plànols diferenciats, dóna una sensació de seqüenciació temporal.

Llevat d'aquesta petita concessió, el poema s'inscriu amb tota llei dins l'àmbit de l'escriptura acadèmica propera al formalisme rigorós del neopopularisme. Com tota escriptura vinculada al cançoner, el text opera sobre recursos de repetició. D'entrada, reiteració d'accents a la quarta i a la desena síl·labes, la qual cosa imprimeix una freqüència de ritmes; però la musicalitat prové sobretot, de l'ús de l'al·literació, de líquides /l/ en el vers primer:

26. SALVAT-PAPASSEIT, Joan, *El poema de la rosa als llavis*. Edició a cura de J. Molas. Barcelona: Clàssics catalans Ariel, 1981. Qualsevol citació textual prové de l'edició esmentada.

...han **fl**orit els **l**i**l**às,

de palatals /l/, i bilabials /b/, :

be**ll**a i pubi**ll**a i **b**runa de rostre,

i encara, de /l/ i /a/, i /ə/, al darrer vers:

...i **el** c**a**nt**a**r**à l'al**os**a.**

La repetició d'hemistiquis als versos 1-7 crea una àrea doble de regència temàtica, procediment emprat també en el poema que consideràvem un «manifest». La reiteració dóna lloc al paral·lelisme, recurs característic de la cançó, que estudiarem més endavant.

El paral·lelisme verbal implica un joc de simetries en la disposició dels mots, però determina també, un joc de correspondències en el camp semàntic (paral·lelisme conceptual). Així, la primera àrea temàtica, versos 1-6, s'inaugura amb una salutació, justificada per la presència d'ella:

Perquè has vingut han florit els lilàs
i han dit llur joia
envejosa
a les roses:

La seva arribada, la seva presència provoca l'esclat de la natura, la primavera, a la vegada que obre un diàleg floral entre els elements masculins (els lilàs) i els femenins (les roses). Un diàleg, a través del qual es pondera la bellesa de la noia, que supera l'esplendor floral i motiva –en un joc doble de prosopopeies– l'enveja de les roses:

mireu la noia que us guanya l'esclat,
bella i pubilla, i és bruna de rostre.

Aquesta primera àrea glorifica la presència de la noia, una presència que genera tot un seguit de meravelles: la primavera. Cal destacar l'originalitat de Salvat-Papasseit, que capgira la retòrica i supedita la descripció del *locus amoenus* a la seva presència. Si la poètica[27] dissenya un escenari idíl·lic, on s'integren unes figures idealitzades, aquí s'esdevé just el contrari. És la presència de la «pubilla bella de rostre», que genera l'espai meravellós: «Perquè has vingut han florit...».

De manera paral·lela, es desvetlla un altre escenari en l'espai interior del poeta, que regeix tota una segona àrea: «Perquè has vingut ara torno a estimar...».

El sentiment de felicitat transcendeix la pròpia intimitat, i es difon a l'exterior mitjançant un element nou:

27. Vegeu el text clàssic de CURTIUS, Ernst Robert, «El paisaje ideal», dins *Literatura europea y Edad Media Latina*. Madrid: Fondo de Cultura Económica, 1976, vol. I.

diré el teu nom
i el cantarà l'alosa.

Per projectar la joia interna, el poeta escull un element tradicional: l'alosa. La selecció de l'ocell com a missatger sentimental és recurrent en la lírica universal. A les darreries del segle VI aC, Safo, la poeta de Lesbos, escrivia:

La delitosa veu del rossinyol d'amor és núncia.[28]

Tanmateix, és a la lírica dels trobadors, font segura d'inspiració en Salvat-Papasseit, on el paper de l'ocell com a missatger apareix codificat. L'ocell no és un element decoratiu en el «verger» trobadoresc. Ben al contrari, és un factor dinàmic amb el qual estableix complicitats el trobador. La identificació entre el *trobar* del poeta i el *cant* de l'ocell esdevé un lloc comú entre els primers autors cultes en llengua moderna. Ja el primer trobador occità d'obra conservada, Guilhem de Peitieu, havia expressat com amb l'arribada del *temps novel*, quan la natura reverdeix, els ocells inicien un cant nou:

.....................li auzel
Chanton, chascun en lor latí
Segons lo vers del novel chan:[29]

I a les acaballes del «temps dels trobadors» un autor català de finals del s. XIII, Cerverí de Girona, en ponderar la qualitat del seu vers, confessava:

Dels lays dels auzelós
c'ay auzitz en la prada,
ay ma leng'afilada,[30]

Aquest paper actiu de l'ocell fa que sovint se li confiï la tramitació del missatge. *L'arondeta* de Guillem de Berguedà compleix aquesta missió; és l'enllaç entre el trobador i Bon Esper.[31] Contrafet al diví, Ramon Llull li atorga la mateixa missió:

«Cantava l'auçell en lo verger de l'amat. Vench l'amich, qui dix a l'aucell:
–Si no·ns entenem per lenguatge, entenam-nos per amor, cor en lo teu
teu cant se representa a mos hulls mon amat.»[32]

28. SAFO, *Obra completa* (edició trilingüe). Traducció, pròleg i notes de Manuel Balasch, Barcelona: Edicions 62, L'Escorpí Poesia, 16, pàg. 91.

29. RUIZ-DOMÉNECH, José Enrique, *La identitat de Guilhem de Peitieu,* Barcelona: Columna, La flor inversa, 5, 1999, pàg. 109.

30. Cerverí DE GIRONA, «Lo vers de la lengua», dins *Lírica,* I. A cura de Joan Coromines, Barcelona: Curial, Autors Catalans Antics, 5, 1988, pàg. 244.

31. Vegeu «Arondeta, de ton chantar m'azir», a DE RIQUER, Martí, *Guillem de Berguedà. Estudio histórico, literario y lingüístico*, Tarragona: Abadia de Poblet, 1971, vol. I, pàg. 110-112, i vol. II, pàg. 213-218.

32. LLULL, Ramon, *Llibre d'Amic i Amat.* Edició crítica d'Albert Soler, Barcelona: Barcino. Col. B, 13, 1995, pàg.73.

Tradicionalment, aquest ocell privilegiat s'identifica amb el rossinyol, una veu prestigiosa consagrada per la tradició. El cant del rossinyol és la veu de l'enamorat; de vegades, el mateix enamorat, com es posa de manifest en alguns episodis de metamorfosi propis de la narrativa romànica: *Tristany*, *Lais*, etc. La similitud de situacions eclipsa el paper inicial de missatger per presentar l'ocell com un element d'identificació, segons expressa Juafre Rudel:

Quan lo rossinhols el folhos
dona d'amor e·n quier e·n pren,
e mou son chan jauzent joios
e remira sa par soven,
e·l riu son clar e·l prat son gen,
pel novel deport que·i renha
mi vai grans jois al cor jazer.[33]

Altres vegades, la veu amorosa s'identifica amb l'alosa. Sovint, la seva comesa és una altra: anunciar l'arribada de la llum, del dia, que pot suposar el dolor per la separació dels amants, o bé l'encontre. Als dies finals del Renaixement, W. Shakespeare a *Romeu i Julieta* (acte III, escena V), uneix el cant del rossinyol al de l'alosa, i destria funcions: l'alosa, que canta l'alba, anuncia l'inici del dia, mentre que el rossinyol clou els darrers moments de la nit. Al cèlebre i conegut poema de Bernart de Ventadorn, el poeta expressa el sentiment d'enveja que li provoca la felicitat de l'ocell:

Can vei la lauzeta mover
de joi sas alas contra·l rai,
que s'oblid'e·s laissa chazer
per la doussor c'al cor li vai
ai! tan grans enveya m'en ve...[34]

Salvat uneix la poètica de la «cançó», que descriu el «verger» en la plenitud de l'esclat floral i sovint compta amb la presència del rossinyol, amb l'«albada», vinculada a l'alosa, que descriu l'arribada del nou dia i l'encontre amorós. I confia a l'alosa l'encàrrec de difondre el nom de l'«amiga». De fet, uneix els dos ocells en una mateixa situació. Una amalgama, que segles enrere, Peire Vidal ja havia proposat:

La lauzet'e·l rossinhol
am mais que nulh autr'auzelh,
que pel joi del temps novell
comenson premier lur chan:
et ieu ad aquel semblan,
estan mut, ieu chant d'amor
de ma dona Na Vierna.[35]

33. CIRLOT, Victoria, *Les cançons de l'amor de lluny de Jaufré Rudel*, Barcelona: Columna. La flor inversa, 1, 1996, pàg.72.

34. DE RIQUER, Martí, *Los trovadores*. Historia literaria y textos, Barcelona: Planeta, 1975, vol. I,-III; vol. I, pàg. 384-385.

35. DE RIQUER, Martí, vol. II, pàg. 870.

La presó d'amor

La presència d'ella provoca l'esclat de la primavera, però també la submissió de l'amant. Tot recollint un tema tradicional, el poeta refà el motiu de la «presó d'amor»:

> I el seu esguard damunt el meu esguard
> **sóc presoner**
> que **la vull presonera**

La «presó d'amor» es troba a l'arrel de la literatura amorosa europea. Apareix a la novel·la de cavalleries, i a la lírica, és recollit, entre d'altres, per Guillem de Cabestany. A *Li dous coussire*, un autèntic èxit de l'època si valorem que el copien vint del centenar de cançoners conservats, Guillem de Cabestany escriu:

> ...... la bellesa
> e·l bes q'en midonz es
> m'a sai lassat e pres.[36]

De nou, Salvat-Papasseit modifica el tòpic i situa els amants en una situació d'igualtat: «sóc presoner / que la vull presonera». L'expressió juga amb un altre element de la lírica tradicional: l'anàfora derivativa.

Manipulació d'elements religiosos

Des dels orígens de la lírica en vulgar, la frontera entre l'àmbit sacre i l'àmbit profà no ha estat infranquejable. El trànsit de tècniques i recursos religiosos vers zones de contingut profà és constant. Ramon Llull, que segons la vida componia una «vana cançó» quan visqué els efectes trasbalsadors de la «conversió», aplicà amb eficàcia i bon gust literari les tècniques de la *fin'amors* a cantar una *midons*, situada en una esfera inaccessible. La «cançó» que el canonge canta al capítol LXXVI del Blanquerna és una mostra dels procediments anomenats «traslladat al diví»:

> –A vos, dona verge santa Maria,
> dó mon voler, qui·s vol enamorar
> de vós tan fort, que sens vós no volria
> en nulla re desirar ni amar;[37]

36. COTS, Montserrat, *Las poesías del trovador Guillem de Cabestany,* Bol. Real Academia de Buenas Letras de Barcelona, XL-1985-1986, 1986, pàg. 281.
37. LLULL, Ramon, *Libre de Evast e Blanquerna.* A cura de S. Galmés, Barcelona: Barcino. 4. vol. Els Nostres Clàssics, 1947-1954, pàg. 50-51, 58-59, 74, 75; vol. II, pàg.115.

La frontera és transgredida en totes dues direccions. L'àmbit del sagrat i l'espai del profà es contagien i s'influencien mútuament.

L'autor d'*El poema*, que a les «notes autobiogràfiques» s'havia declarat «cristià», coneixia bé els elements propis de l'expressió religiosa. A «Deu-me una santa», de *La gesta,* Salvat havia operat sobre imatgeria religiosa, que un cop desprovista de tota càrrega religiosa, utilitzava amb un nou sentit metàfòric:

Deu-me una santa, enc que no sigui al dogma
a qui pugui **pregar,** jo **pecador d'amor;**
deu-me una santa que hagi estimat força,
que **per pregar**-li calgui un bes i **una cançó**.
Una santa a qui promet que
duria l'**estampeta** arran arran del cor.

«Jaculatòria», primer dels cal·ligrames d'*El poema,* reprèn la tècnica. Dissenyat a dues columnes, dibuixa un món de correspondències, alguna vegada interpretat com una balança.[38] Les al·lusions confirmen que es tracta de la manipulació d'elements provinents de la devoció popular, concretament de l'escapulari. Uns elements, que buidats del significat inicial, adquireixen un valor amorós, eròtic. Els mots «Oh tota pulchra», procedent de les jaculatòries, es contraposen a «gotes de sang», també en vertical, per formar una diagonal de simetries. A la part de davant de l'escapulari, el devot formula, en vers, una promesa:

ET DURÉ **SEMPRE**
AL PIT
ET SOMNIARÉ
A LA NIT

El dors, adquireix un to més penitencial:

ESPINES DE
LLIGA. AMANT
FERIU MA CARN

Secretisme amorós

La naturalesa de la relació establerta entre el poeta i l'«amiga» obliguen a la discreció, a estimar d'amagat. La situació no era inèdita. Bona part de la lírica amorosa europea silencia, per raons socials, la identitat de la dama. En ple segle XX, Joan Salvat-Papasseit reitera el procediment.

38. Per a aquesta interpretació, CARRERA, Anton, «*El poema de la rosa als llavis*» dins *Lectures de COU 1995-1996*, Barcelona: La Magrana, 1995, pàg. 86-89.

En aquesta direcció la lírica dels trobadors oferia tota una casuística; de sempre havia cantat un amor clandestí, que reclama discreció i exigeix secretisme, dues qüestions gelosament guardades per Salvat. És ben significatiu, que malgrat els esforços d'alguns investigadors, la personalitat de l'«amiga», objecte de tota mena d'hipòtesis, continua sent un misteri.

El tema és tractat de manera expressa en el poemari. Encara més: el secret determina l'espai de la relació amorosa:

> Seré a ta cambra, amiga, ningú no ho sabrà:

un espai, valorat per l'amant:

> La seva cambra si em té enamorat!

Tanmateix, el secret comporta una felicitat; inclou el goig de la transgressió, d'estimar d'amagat; un plaer restringit, compartit amb caràcter exclusiu pels protagonistes,

> Quin tebi pler l'estimar d'amagat
> tothom qui ens veu quan ens veu no ho diria
> –però nosaltres ja ens hem dat l'abraç
> i més i tot, que l'abraç duu follia.

I motiva el record irònic, burleta, del *gilós* trobadoresc:

> ¿On és l'espieta que l'amor ens priva?

L'espai privat: la cambra

L'autor segueix les directrius convencionals de la *fin'amors*. L'encontre es realitza en un escenari natural; la relació es consuma a l'espai privat: «seré a ta cambra». Salvat confirma una tradició. El divertit i fatxenda Guilhem de Peitieu, el primer trobador d'obra conservada, oferia la doble opció:

> Si·m breu no·n ai aiutori,
> cum ma bona dompna m'am,
> morrai, pel cap Sanh Gregori,
> si no·m baiz'en **cambr'o sots ram**.[39]

39. Ruiz-Doménech, José Enrique, *La identitat*..., 1999, pàg. 102.

«Si no em besa **en cambra** o **sota l'arbre»**. A la generació següent, Arnaut Daniel escriurà:

> Lo ferm voler q'el cor m'intra
> no·m pot ges becs escoissendre ni ongla
> de lausengier qui pert per maldir s'arma;
> e pus no l'aus batr'ab ram ni ab verja,
> sivals a frau, lai on non aurai oncle,
> jauzirai joi, **en vergier o dins cambra.**[40]

El cant del goig: la cançó

La progressió ascendent dels sentiments condueix l'acció vers la plenitud, fins a la possessió plena dels amants. En el cal·ligrama del vaixell, la noia havia mostrat la seva disponibilitat:

> tes lèvres sur ma bouche
> –dans un baiser farouche
> je serai toute à toi!

Tanmateix, l'oferiment ve condicionat per l'acceptació d'un present:

> marineret qui no vigila
> –corsari ven i li pren l'aimia–
> si no li duia cap cançó–
> corsari ve i li pren l'amor

La cançó és el dot amb el qual es presenta l'amant; és també el gènere que expressa el goig. Salvat fon el mite personal del «mariner d'amor» amb el gènere tradicional de la cançó. Els textos que contenen els episodis nuclears del relat prenen aquest format i presenten una estructura paral·lelística que reitera el to alegre i optimista, propi del gènere. I al capdavall, acaba per vincular, com ja havia proclamat abans, els termes «amor, festa i cançó»:

> Ulls clucs
> l'amor
> sap que la vida sempre és una festa
> una cançó

Una associació que coneix el seu correlat a l'epistolari. En una lletra adreçada a Josep M. López-Picó amb data 14 de juliol de 1922, és a dir, quan el llibre pràcticament era enllestit, escriu: «Si veiéssiu, amic, quin llibre d'optimisme és el meu llibre nou: és com **una cançó»**.[41]

40. Daniel, Arnaut, *Poesías*. A cura de Martí de Riquer, Barcelona: Quaderns Crema. Sirmio, 1994, pàg. 92-93.
41. *Epistolari...*, pàg. 163. (*El subratllat és meu*).

A «Visca l'amor», el poema estructura una seqüència paral·lelística on cada joc d'apariats reitera l'hemistiqui inicial. La composició interna de les estrofes també crea àrees simètriques. El desplegament temàtic encetat al vers primer es clou en el segon:

> Visca l'amor que m'ha donat l'amiga
>
> fresca i polida com un maig content!

Tanmateix, el paral·lelisme no és solament verbal; també ho és d'idees, de conceptes. I l'esquema es reitera. Mentre els versos senars, 1 i 3, manifesten el goig pel do rebut de l'«amiga»:

> 1:Visca l'amor que m'ha donat l'amiga,
>
> ....
>
> 3 Visca l'amor; l'he cridada i venia

els parells, 2 i 4, en completar el sentit poètic, insisteixen en el motiu de la virginitat:

> 2 Fresca i polida com un maig content
>
> ....
>
> 4 tota era blanca com un glop de llet.

El paral·lelisme, que compta amb un precedent destacat en el llibre dels Salms, és un procediment característic de la poesia tradicional que aconsegueix un grau notable de refinament en la *cantiga d'amigo*:

> Ondas do mar de Vigo,
> se vistes meu amigo,
> E, ¡ai, Deus!, se verra cedo.
>
> Ondas do mar levado,
> Se vistes meu amado,
> E, ¡ai, Deus!, se verra cedo.[42]

Amb manifestacions més senzilles, sovint sense el vers de refrany, és freqüent en la lírica catalana des de les primeres mostres d'inspiració popular, com ho manifesten peces anònimes dels segles XIV i XV.[43] A la lírica medieval «amiga» és el terme que oculta la identitat de la noia o de la dama, «cançó» el gènere que, amb diverses modalitats, expressa l'amor. Ambdós elements són mimèticament evocats en els versos dels poetes vinculats al neopopularisme.

42. ÁLVAREZ BLAZQUEZ, Xosé María, *Martin Codax, cantor do mar de Vigor*. Edició, notes i fixació de textos de Xosé Ramón Pena. Vigo: Edicións Xerais.

43. Sobre el paral·lelisme, ASENSIO, Eugenio, *Poética y realidad en el cancionero peninsular de la Edad Media*. Madrid: Gredos, 1957; ROMEU, Josep, «El cantar paralelístico en Cataluña. Sus relaciones con el de Galicia y Portugal y el de Castilla» publicat a *Anuario Musical, IX*, 1954, reelaborat a ROMEU, Josep, *La viadeira o cançó paral·lelística als Països Catalans*. Barcelona: Publicacions Abadia de Montserrat, 1993. Del mateix autor, «Influència de la lírica gallega en la catalana, particularment tradicio-

Al *Verger de les galanies*, Josep Carner recreava una peça popular basada en la dualitat amorosa oferta per dues noies, «dues amigues»:

L'*amiga* blanca m'ha encisat,
també la bruna;
jo só una mica enamorat
de casdascuna.[44]

L'estímul de Carner troba ràpidament ressò entre els poetes de la generació immediata, que el prenen com a mestre, segons anys més tard, en ocasió del setanta-cinquè aniversari del poeta, testimoniava Clementina Arderiu:

Érem les donzelles
del milnoucentsdeu
tan enamorades
d'una sola veu!
El més alt poeta,
Barcelona el té!
Un altar li fèiem
a Josep Carner.[45]

I el conreu de la cançó predomina en el neopopularisme, un dels corrents sorgits del postsimbolisme. Una cançó on els procediments habituals en el vers de Joan Salvat, musicalitat del vers, paral·lelisme sintàctic i conceptual, ús de les correlacions, amor secret a l'«amiga», delicadesa d'expressió... es manté constant:

Jo faig versos per virtut
d'aquell més dolç per mi que l'aire;
que amb ell mos versos he viscut
i me'ls coneix caire per caire.

Jo faig versos per l'**amat**
que me'ls entèn i me'ls estima,
i en paga em dóna, enamorat
un bes per cada nova rima.

Clementina Arderiu, *L'alta llibertat*[47]

Però m'has donat la mà
amiga, i el cor s'enjoia:
damunt la vinya s'ha alçat
en ample vol una **alosa**
el sol és dolç com la mel
i a l'arbre li ha nascut ombra.

Tomàs Garcés, *Vint cançons*[46]

nal» a *Recerques d'etnologia i folklore*. Barcelona: Publicacions de l'Abadia de Montserrat, Biblioteca Serra d'Or, 251, 2000. Diverses cançons paral·lelístiques dins el recull Romeu, Josep, *Corpus d'antiga poesia popular*. Barcelona: Barcino, Els Nostres Clàssics, B, 18, 2000.

44. Carner, Josep, «Cançó d'un doble amor», dins *Verger de les galanies*. Barcelona, 1911.

45. Arderiu, Clementina, *L'esperança encara*. Pròleg de Joaquim Molas. Barcelona: Edicions 62, Antologia Catalana, 55, 1969, pàg. 27.

46. Garcés, Tomàs, *Vint cançons*. Barcelona: Llibreria Nacional Catalana, Salvat-Papasseit, Llibreters, pàg. 24.

47. Arderiu, Clementina, «Cançó» dins *L'alta llibertat*, Barcelona: Catalana, pàg. 35.

Comiat i promesa de fidelitat

Les hores immediates a la nit d'amor les interromp l'arribada de la llum, que el poeta ha viscut com una fantasia oriental,

> Mes d'aquest somni d'Orient
> ens despertava el bell matí;

en una nova versió de l'albada, que ara, no suposa l'encontre dels amants sinó l'exigència, mentre recull un tema ja conegut, de la separació:

> –jo la deixava tot tement
> si algú ens vindria a descobrir.

Alhora que el poeta descriu l'enlluernament davant el cos de l'«amiga»:

> Quin desvetllar-me el seu cos tot nu
> (era un fanal que em feria la cara:
> –quan a ciutat plou tot queda com Tu,
> nacre lluent de l'una banda a l'altra).

Un desvetllament que aproxima la separació i la promesa de fidelitat, «Ja et sóc fidel...» vers el comiat, expressat en una antítesi que redueix al mínim els elements lingüístics,

> I el nostre bes era tan llarg
> com la nit curta al seu braç.

Un distanciament que reclama mots de compromís. En un joc de reiteracions, el poeta promet fidelitat mentre pren el seu nom com a divisa:

> Si anessin lluny
> tan lluny que no et sabés
> tampoc ningú sabria el meu destí,
> cap altre llavi no em tindria pres,
> però amb el teu nom faria el meu camí.

48. *Epistolari...*, pàg. 139.
49. *Epistolari...*, pàg. 154.

...i alguns interrogants

Sembla evident que per projectar una història personal Salvat utilitza amb originalitat i encert materials procedents de la lírica popular i de la lírica dels trobadors. L'interrogant sorgeix immediatament. Quina és la font d'informació per accedir a la convenció de la *fin'amors*, una expressió elaborada, d'àmbit restringit, lectura de cercles més aviat noucentistes? Com s'explica, en un autor que tot just devia fer estudis elementals, que segons confessió personal, la universitat no l'havia aixoplugat? Com s'explica la recurrència a registres literaris acadèmics i formalistes, en un autor que signava «poetavantguardistacatalà», que sota el terme «poetes en minúscula» blasmava els continuadors del noucentisme, en definitiva els conreadors de les ramificacions diverses del postsimbolisme?

És cert que el retorn al cançoner surava en l'ambient. Carner havia publicat *Verger de les galanies* el 1911 i d'ell en deriva un corrent d'autors que imiten formes i gèneres, procediments i temàtiques de la lírica tradicional. Salvat, però, és ben lluny d'aquests cercles.

Amb tot, els coneixia. Si més no, alguns. A l'epistolari cita de memòria les cançonetes del *Déu nos-do ser catalans* de J. Carner,[48] i registra l'aparició de les *Cançons d'oblit i de taverna*, de Josep M. de Sagarra.[49] Més endavant, poc després de la seva publicació, redacta unes ratlles de crítica sobre les *Vint cançons* del seu amic Tomàs Garcés.[50] Tanmateix, aquests factors expliquen un ambient i justifiquen unes tendències, de cap manera uns resultats. A més, cal constatar que ningú és tan brillant com Salvat en el producte final, tan eficaç en les estratègies. Els poetes esmentats imiten procediments de la lírica popular, restauren temàtiques tradicionals, però resten lluny de l'expressió trobadoresca[51] que alena rere molts versos d'*El poema.*

50. Segons consta al colofó de la primera edició, les *Vint cançons* de Tomàs Garcés es publicaren a les edicions que comandaven els germans Salvat-Papasseit, el 20 de desembre de 1922. Poc després, el 4 de gener de 1923, i signada per Aristrar, n'aparegué una ressenya crítica a *La Publicitat.* El text ha estat recollit a SALVAT-PAPASSEIT, Joan, *Mots-propis i altres proses*. A cura de J. M. SOBRÉ. Barcelona: Edicions 62, Antologia Catalana, 81, 1975, pàg. 95-97.

51. El caràcter popular del tipus de cançó conreat per Joan Salvat ha portat bona part dels crítics a explicar-se l'obra del poeta, i sobretot *El poema* sobre una formació cultural molt feble, on tota influència es redueix a un repertori de caire tradicional i popular, bàsicament oral.

A més, el caràcter innovador que per a la lírica catalana suposa el reflex del realisme amorós, sovint anomenat erotisme, ha polaritzat també bona part de les lectures crítiques d'*El poema de la rosa als llavis*. "La poesia catalana moderna no té cap poema d'amor que deixi tan al descobert intimitats eròtiques i doni al mateix temps una impressió tan extraordinària de netedat". TEIXIDOR, Joan, «Joan-Salvat Papasseit» dins *Cinc poetes*. Barcelona: Destino, 1969. El mateix Joan Fuster que recorda que «ha estat dit que *La rosa als llavis* és el millor poema eròtic de la llengua catalana» i afegeix «això és indubtable», si bé opina «darrera Salvat no hi ha els trobadors, ni el Dant, ni el Petrarca...», FUSTER, Joan, «Introducció a la poesia de Salvat» dins SALVAT-PAPASSEIT, Joan, *Poesies*, Barcelona: Ariel, 1962, p

Potser alguna font culta, oculta als estudiosos? Potser un curs acadèmic netament noucentista?

L'any 1914, el Dr. Jordi Rubió dictà un curs de literatura catalana en els Estudis Universitaris Catalans. Entre els inscrits, un nom sorprenent: Joan Salvat-Papasseit. I, entre els temes, una confirmació: els trobadors.

GUIMERÀ I EL PREMI NOBEL. CRÒNICA PROVISIONAL D'UNA CANDIDATURA

Enric Gallén

La proposta de candidatura de 1906

A hores d'ara és clar que Josep Miracle es va confondre: el 1904 Guimerà no tenia cap opció d'aspirar com a candidat al Premi Nobel de Literatura.[1] La con-

1. Vegeu Josep MIRACLE, *Guimerà*, Barcelona: Editorial Aedos, Biblioteca Biogràfica Catalana, 13, 1958, pàg. 439-441. La publicació, però, d'un article de Bertil Maler; «Un mystère littéraire: le célèbre dramaturge catalan Angel Guimerá et le Prix Nobel», *Moderna Språk*, el 1971, va desfer l'error de datació comès per Miracle. L'article de Maler va ser traduït i reproduït a *Serra d'Or*, el març de 1972; el mes següent Miracle el va respondre en la mateixa publicació amb un altre paper. Ara, Miracle reconeixia la base del seu error en una confusió de dates de les germanes Adriana i Sara Aldavert, marmessores del llegat Guimerà: «Em refereixo concretament a la visita que el senyor Hagberg efectuà a Guimerà. Aquesta visita, les senyores Aldavert la van situar el 1904, com íntimament lligada als preliminars per a la concessió del Premi, i jo no tenia absolutament res a oposar-hi. Me'n van subministrar fins i tot una fotografia que em vaig apressar a reproduir, i que Maler lamenta que jo no hi hagués posat la data. Si ho hagués pogut fer, hauria descobert el confusionisme de la memòria de les senyores Aldavert i en el qual necessàriament vaig haver de caure; després de publicar el llibre, *fullejant la premsa il·lustrada vaig descobrir que aquella fotografia suposada del 1904 corresponia ben bé al 1913* (els destacats són meus), i ara em sap molt de greu de no poder donar una major precisió a aquesta data, ni quant al periòdic ni quant a la data exacta», «Guimerà i el Premi Nobel» dins Josep MIRACLE, *Àngel Guimerà, creador i apòstol*, Barcelona: Publicacions de l'Abadia de Montserrat, Biblioteca Serra d'Or, 95, 1990, pàg. 155. Tanmateix la confusió de Josep Miracle sobre les circumstàncies del Premi Nobel de 1904, amb la lectura «política» com a valor afegit, ha estat recollida, abans i després de la publicació de la seva biografia, per uns quants investigadors. Vegeu, en aquest sentit, Xavier FÀBREGAS, *Àngel Guimerà, les dimensions d'un mite*, Barcelona: Edicions 62, Llibres a l'abast, 91, 1971, pàg. 91; Guillem-Jordi GRAELLS, *Guimerà*, Barcelona: Edicions de Nou Art Thor, Gent nostra, 8, 1979, pàg. 26; José Llort BRULL, *Ángel Guimerá. Canario ilustre. Poeta de Cataluña,* Santa Cruz de Tenerife: Ediciones Goya, 1979, pàg. 260. En l'estudi recent de Jaume SUBIRANA, *Josep Carner: l'exili del mite (1945-1970)*, Barcelona: Edicions 62, Biografies i Memòries, 45, 2000, encara podem llegir en una nota a peu de pàgina: «encara resta per aclarir què va fer que el 1904 (i posteriorment el 1913) Àngel Guimerà no s'endugués un premi Nobel que semblava que anava a obtenir al costat de Frederic Mistral (i l'obtingués, en canvi, el seu traductor al castellà, José de Echegaray)», nota 20, pàg. 225-226. Més encara: una darrera prova, a propòsit de l'homenatge nacional que Guimerà va rebre el maig de 1909, Edvard Lidforss comunicava per carta (2-VI-1909) a Joaquim Miret i Sans: «Mucho me alegro con la grande, la excepcional honra que toda Cataluña acaba de hacer á D. Angel, que bien se lo merece, y yo tengo para mí que, *si en 1904 hubiese sido propuesto como candidato al premio*

cessió del premi, que aquell any van compartir Frederic Mistral[2] i José de Echegaray,[3] devia obeir a altres qüestions que, en aquell context, poc tenien a veure amb possibles pressions polítiques del govern espanyol, perquè el Premi Nobel no li fos concedit al dramaturg català. Breu: Guimerà no hi va poder optar senzillament perquè la seva candidatura no va ser presentada, com era preceptiu, oficialment fins l'any 1906.

En efecte, Carl David af Wirsén, president del Comitè Nobel, va enviar el 24 de novembre de 1905 una carta en què convidava els membres de la Reial Acadèmia de Bones Lletres de Barcelona a presentar una proposta de candidatura.[4] Tres homes de la institució: Joaquim Riera i Bertran, president accidental de l'Acadèmia, Antoni Rubió i Lluch, catedràtic de literatura a la Universitat de Barcelona, i Frederic Rahola, diputat a Corts per Barcelona, van ser els encarregats d'estudiar «esta cuestión teniendo á la vista el Estatuto y Reglamentos de la «Fundación Nobel» amb l'objectiu que

Nobel, tal vez se le hubiera preferido a él y no al sr. Echegaray, que en mi concepto es muy inferior, particularmente en lo que toca á los caracteres (femeninos). (Els destacats són meus). Epistolari de Joaquim Miret i Sans. Biblioteca de Catalunya.Vegeu també Josep MUNTÉ, *Guimerà, candidat català al Premi Nobel des de 1906 al 1922,* «Tele/expres», 24-VII-1974, pàg. 17, 31-VII-1974, pàg. 15, 7-VIII-1974, pàg. 15, i 14-VIII-1974, pàg. 15. Que jo sàpiga, Munté va ser el primer en consultar, utilitzar i difondre part dels materials sobre el Premi Nobel del Fons Àngel Guimerà, que avui són dipositats a la Biblioteca de Catalunya.

2. Pel que sembla, el 1901, d'un total de vint-i-cinc nominacions, van quedar finalistes Frederic Mistral i Sully Proudhomme, que finalment es va endur el guardó: «The Swedish Academy found it proper to take into account the heavy support expresed for Sully Prudhomme by numerous members of the French Academy», dins *The beginning of the century. «A lofty and sound idealism».* www.nobel.se/literature/articles/. Sobre el Premi Nobel compartit per Mistral i Echegaray, vegeu també Kjell ESPMARK, *The Nobel Prize in Literature. A Study of the Criteria behind the Choices*, Boston, Massachusetts, 1991, pàg. 15-16, 20, 122-3.

3. Així, a Echegaray el premi li va ser concedit «in recognition of the numerous and brilliant composition which in an individual and original manner have revived the great tradition of the Spanish drama», i, en el cas de Mistral, «in recognition of the fresh originality and tone artistic genius of his poetry, which faithfully mirrors the native spirit of his people, and of his important work as a Provençal philologist» dins Bernard S. SCHLESSINGER - June H. SCHLESSINGER, *The Who's Who of the Nobel Prize Winners 1901-1995*, Oryx Press, 1996, pàg. 58.

4. «Fué leída una comunicación del señor C. D. af Virsén [*sic*], presidente del Comité Nobel de la Academia Sueca, fechada en Stockholm el 24 de noviembre del año actual, manifestando que los miembros de esta Real Academia de Buenas Letras tienen el derecho de presentar candidatos al premio Nobel de Literatura y expresando el deseo de que hiciesen uso de este derecho. La Academia agradeciendo profundamente esta alta prueba de consideración del Comité Nobel de la Academia de Suecia, acordó nombrar una comisión compuesta por los señores Riera y Bertran y Rubió y Lluch y Rahola para que estudiase esta cuestión teniendo á la vista el Estatuto y Reglamentos de la "Fundación Nobel" que había asimismo enviado el referido presidente Virsén, junto con varios prospectos ó programas del concurso redactados en castellano, y én época oportuna se sirviesen proponer a ésta Academia lo que estimen procedente». Sessió del dia 16-XII-1905 de l'Acadèmia de Bones Lletres, recollida dins el *Libro de Actas*, fulls 53-54. Vegeu també: «Noticias» dins *Boletín de la Real Academia de Buenas Letras*, núm. 20, octubre-desembre de 1905, pàg. 255.

«en época oportuna se sirviesen proponer á esta Academia lo que estimen procedente"».[5]

Finalment, en la sessió de l'Acadèmia de Bones Lletres del 20 de gener 1906, presidida per Ferran de Sagarra, es va recordar que la presentació del candidat s'havia de realitzar abans del primer de febrer de cada any. Atès, per altra banda, «que esta proposición sea motivada y hecha individualmente por los académicos y no por la Academia corporativamente, el secretario será el único que hará este año la presentación, aun cuando no pueda formularse en la fecha indicada por no tener aun la colección de la obra del candidato para ser remitida á Stockholm». La comissió va elevar la proposta de la candidatura de Guimerà, tot i ser conscients que «por no llegar a tiempo oportuno a su conocimiento, sea repetida el año próximo».[6] Així, doncs, es va decidir enviar al Comitè Nobel un exemplar de cada obra publicada, així com «el informe de los méritos extraordinarios que reune este escritor catalán de carácter *idealista*[7] (*el destacat és meu*), formulado y firmado por los señores Riera, Rubió y Rahola».[8]

De la proposta, segons la còpia que es conserva al Fons Àngel Guimerà de la Biblioteca de Catalunya, en vull destacar sobretot tres aspectes. En primer lloc, el reconeixement que es fa de Guimerà com un escriptor conreador de diferents gèneres en «un no interrumpido período de más de treinta y cinco años», la qual cosa «le ha elevado á preeminente altura en el movimiento de brillante restauración, no sólo de las letras, sino de todos los elementos que integran la civilización catalana»; en segon lloc, el fet de tractar-se d'un dels autors vius més prolífics de la literatura catalana i el més universalment conegut. I, en tercer lloc, la «glorificación» i projecció futures que es confiava que la literatura catalana podria obtenir en el cas que el Nobel fos concedit a Guimerà:

5. *Ibidem.*

6. Sessió del 20 de gener de 1906 de l'Acadèmia de Bones Lletres de Barcelona. *Libro de actas*, fulls 54-55.

7. Les bases del premi estipulaven que el Nobel de Literatura havia de ser atorgat a l'escriptor que hagués produït «the most outstanding work in an ideal direction». El terme «ideal» va ser motiu de polèmica. De fet, durant el període en què Wirsén va ser el responsable públic del Comitè Nobel, per «ideal» s'entenia un «lofty and sound idealism». Per aquest motiu: «the set of criteria which resulted in Prizes to Bjornstierne Bjornson, Rudyard Kipling and Paul Heyse, but rejected Leo Tostoy, Henrik Ibsen and Émile Zola, is characterized by its conservative idealism (a domestic variation of Hegelian philosophy), holding church, state and family sacred, and by its idealist aesthetics derived from Goethe's and Hegel's epoch (and codified by F.T. Fischer at the middle of the nineteenth century). Those standards had earlier been tipycal of Wirsén's and the Academy's struggle against the radical Scandinavian writers. Nobel's testament gave Wirsén –called "the Don Quixote of Swedish romantic idealism"– the opportunity to carry his provincial campaign into the fields of international literature. This application was actually far from Nobel's values: he certainly shared Wirsén's disgust for writers like Zola, but was radically anticleric, adopting Shelley's utopian idealism and religiously couloured spirit of revolt."» Kjell ESPMARK, «The Nobel Prize in Literature», www. Nobel.se/literature/articles/espmark/. Vegeu també del mateix ESPMARK, *The Nobel Prize in Literature. A Study of the Criteria behind the Choices*, *op. cit.*, pàg. 9-26.

8. Vegeu *supra* nota 6.

«Premiar, pues, a Guimerá con premio atorgado en nombre de un gran espíritu de Humanidad, sería, al par que acto de justicia, glorificación en él de una literatura de venerable linaje y de alientos civilizadores.»[9]

Així les coses, el 6 de febrer de 1906, Joaquim Riera i Bertran es posava en contacte amb Guimerà, sense precisar-li, però, el motiu concret: «per'un assumto que crech de força interés pera tu y qu'es de molta satisfacció pera mi, servéixte passar á veurem, tan aviat com pugas, á la Diputació (de 11 á 1 y de 4 á 6) ó be á casa meva (y teva) Gran Vía 631, 2ª–, prop de Lauria, de 2 á 3. Tambe á las vetllas soch casi be sempre á casa, desde las 9.»[10]

La proposta es va fer, doncs, amb retard. Dies després, tal com s'havia demanat en la sessió del 20 de gener de 1906, es van trametre sengles cartes de recomanació a Edvard Lidforss i Göran Björkman, dos escriptors suecs, que eren membres corresponents de la Reial Acadèmia de Bones Lletres, i també de l'Institut Nobel de l'Acadèmia Sueca.[11] El 20 de febrer, Lidforss va respondre a Joaquim Miret i Sans, secretari de l'Acadèmia, lamentant-se del retard en la recepció de la paperassa necessària –l'informe de presentació acompanyat de les publicacions de Guimerà– per a la presentació de la candidatura de l'escriptor català.[12] El mateix dia, Björkman

9. Proposta de candidatura presentada al Comitè Nobel de l'Acadèmia Sueca, que publico com a Annex.

10. Carta autògrafa amb membret de la «Secretaría de la Diputación Provincial de Barcelona», que es pot consultar en el Fons Àngel Guimerà de la Biblioteca de Catalunya. Sobre Riera i Bertran, vegeu Josep Brugada i Gutiérrez-Rave, «Joaquim Riera i Bertran, un gironí de *La Renaixença*», *Annals de l'Institut d'Estudis Gironins*, xxvi, 1982-3, pàg. 459-476.

11. Edvard Lidforss (1833-1910), catedràtic de llengües i literatures modernes europees a la Universitat de Lund, havia estat nomenat corresponent de l'Acadèmia de Bones Lletres el 1870, mentre que Göran Björkman ho havia estat el 1903. De Lidforss, sabem que va col·laborar a la revista *Lo Gay Saber*, on, en la seva segona època, el 1878, va publicar traduït un «quadro popular suec», i un estudi sobre «Lo Renaixement literari». Vegeu Maria Carme Ribé, *Índex de* Lo Gay Saber *(Barcelona, 1868-1869, 1878-1883)*. Barcelona: Barcino, Biblioteca Renaixença, Fundació Jaume I, 1988. Entre altres obres, Björkman va traduir *El vailet del pa*, de Narcís Oller, al suec, i va publicar *Ur Spaniens Samtida Dikting*, una antologia de poesia ibèrica (espanyola, catalana i gallega), amb poemes de Balaguer, Guimerà, Maragall, Matheu, Mestres i Verdaguer traduïts al suec. Vegeu Benet R. Barrios, «Catalanòfils. Edvard Lidfors» [*sic*], *El Poble Català*, núm. 73, 31-III-1906, pàg. 2; «Catalanòfils. Goran Bjorkman» [*sic*], *El Poble Català*, núm. 137, 30-VI-1906, pàg. 1-2; *Literaturlexikon Svensk Literatur under 100 ar Natur och Kultur*. Stockholm, 1974, pàg. 141 (Lidforss).

12. «Malheuresement, la lettre et les publications de Mr. Guimerá n'ayant été expediées de Barcelona que le 9 de ce mois, elles sont arrivées trop tard pour le prix de 1906. Les Statuts sont très précis sur ce point: le 31 janvier est le terminus ultimus, et il est d'autant peux impossible de faire une exception à la règle qu'une telle exception ne laisserait pas de causer les controverses etc., et pourrait même compromettre jusqu'à un certain degré l'autorité de l'Institut. Ainsi, vous n'avez autre chose à faire que "paciencia y barajar", en ayant soin de renouveler la proposition en dû temps pour le prix de 1907.» Còpia de la carta conservada en el Fons Àngel Guimerà de la Biblioteca de Catalunya.Tant aquesta com la còpia de la corresponent de Björkman van ser qualificades per Joaquim Miret i Sans de «relativament» molt satisfactòries; el mateix Miret i Sans les va fer arribar el 27 de febrer de 1906 a Pere Aldavert, perquè ell i Guimerà en tinguessin coneixement.

responia també a Miret i Sans en els mateixos termes que Lidforss, tot remarcant que la proposta de candidatura de Guimerà havia estat ben acollida:

> «J'applaudis vivement au choix de candidat fait par l'Académie. Je m'attendais justement à ce nom. Et que l'Académie Suedoise est bien disposée à rendre justice à une littérature, *qu'elle soit ou non éclose d'une nation politiquement reconnue, les prix de Mistral et de Sienkiewicz le prouvent déjà assez*».[13] (Els destacats són meus).

Björkman animava també els membres de l'Acadèmia a presentar la candidatura l'any vinent amb la següent observació:

> «Et il ne sera pas inopportun que la proposition soit signée par quelques membres de l'Académie individuellement, et non au nom de l'Académie, mais en indiquant chacun le titre qui le qualifie, p. ex.
>
> Riera y Bertran
> membre de la R. Academia de Buenas Letras de Barcelona
>
> Rubió y Lluch
> Professeur de Littérature à l'Université de Barcelona
> membre de la R. Academia de Buenas Letras de Barcelona
>
> Miret y Sans
> membre de Real Academia de Buenas Letras de Barcelona, etc.»[14]

13. Còpia de la carta conservada en el Fons Àngel Guimerà de la Biblioteca de Catalunya.

14. *Ibidem*. Joaquim Miret i Sans va fer arribar també a Pere Aldavert còpies, possiblement fragmentades, d'algunes cartes de Benet R. Barrios, un metge escriptor, col·laborador d'*El Poble Català*, i, pel que sembla, ben relacionat amb el món intel·lectual suec. En la del 14 de gener de 1906, datada a Estocolm, es llegeix: «Il serait bien le temps que la Catalogne vienne aussi presénter son candidat au prix Nobel de la Littérature. *Les Prix de Mistral et de Sienkiewicz prouvent que l'Académie Suédoise sait reconnaître une littérature indépendamment de sa qualité d'être éclose où non d'une nation qui soit politiquement reconnue*». (Els destacats són meus). Benet R. Barrios va traduir al català *Els caps d'ase*, de Frederic Mistral, publicat a la impremta de Fidel Giró, sense data precisa, i també *Finlandeses. Aplech de quadrets finesos de J. L. Runeberg y J. Aho*. Barcelona: Fidel Giró, impressor, 1905. De la proposta de 1907, també sabem que en va parlar, i de forma favorable, Manuel de Montoliu en l'article «Guimerà, candidat català al Premi Nobel», que va aparèixer a *El Poble Català* (31-I-1907). Entre altres aspectes, Montoliu reconeixia que *a*) «L'acord de l'Acadèmia de Bones Lletres proposant com candidat català al Premi Nobel al nostre eminent dramaturg l'Àngel Guimerà, ha sigut acollit amb unànime aplaudiment per l'opinió de la societat catalana», i *b*) abonava com a condició de la proposta de candidatura, la popularitat de Guimerà: «Aquest ha sigut segurament el pes que ha fet caure la balansa a favor den Guimerá en l'esperit dels jutges desiguals pera decidir la candidatura.»

De 1907 a 1913

Després de la manifesta negligència comesa per l'Acadèmia el 1906,[15] la candidatura de Guimerà va ser presentada el 1907 a l'Institut Nobel per diferents acadèmics a títol individual, dins el termini establert segons les bases estatutàries.[16] Així, en la sessió del primer de febrer de 1907, la proposta de la candidatura va ser «firmada individualmente y sin acuerdo colectivo o acto de la corporación de conformidad á las prescripciones estatutarias de aquella gloriosa fundación, por catorce miembros numerarios, a saber: los señores Duran y Bas, Bertran de Amat, Riera y Bertran, Bofarull y Sans, Romaní y Puigdengolas, Brocá, Ubach y Vinyeta, Soler y Palet, Miret y Sans, Cortejon, Sagarra, Baró, Aulestia y Carreras Candi». I s'assenyalava també que el 17 de gener es va enviar un altre plec dels acadèmics de «número», Rahola, Casades, Orriols i Rubio de la Serna, mentre que en Rubió i Lluch «no la había firmado por haberla ya formulado en concepto de catedrático de literatura de esta Universidad». D'aquesta forma, la «Academia se dio por enterada con satisfacción de estos actos individuales de la mayoría de sus miembros».[17]

Entre 1908 i 1913 es devien produir poques variacions a l'hora de reiterar la sol·licitud de la candidatura de Guimerà per part dels membres de l'Acadèmia de Bones Lletres, perquè no he sabut trobar referències sobre el tema en el llibre d'actes de sessions de l'entitat. Gràcies, però, a la documentació dipositada en el Fons Àngel Guimerà de la Biblioteca de Catalunya, podem anotar una sèrie de qüestions. Així que, probablement, un dels afers més importants era la necessitat i la urgència de disposar de traduccions recents de Guimerà en diferents llengües.[18] El 28-I-1908, Joaquim Miret i Sans reproduïa en una carta al dramaturg català fragments d'una altra d'Edvard Lidforss, en què aquest expressava la seva admiració per Guimerà:

15. Segons Benet R. Barrios, l'Acadèmia Sueca trametia a les altres acadèmies el reglament del guardó: «Pero no tots els anys s'envia a les mateixes Academies o nacions. L'any passat li tocà el torn a Catalunya y per la prempsa'ns enterarem de que fins el rei Oscar havia escrit una carta, puix essent reial l'Academia el reglament va signat pel monarca, si ve una cosa no vol dir l'altra». D'altra banda, segons Barrios, els representants o «perits de idiomes» eren: «el professor Carl R. Nyblom, per les llengües francesa y espanyoles; el professor Edvard Lidfors, per les llengües alemanyes i escandinaves; el professor Carl J. Wartburg, per les llengües eslaves; Alfred Anton Jensen, per les llengües portugueses; el doctor Göran Bjorkamn, per la llengua anglesa», «Nobel Institut», *El Poble Català*, 9-VII-1906, pàg. 3.

16. Acadèmia de Bones Lletres, *Libro de actas*, fulls 62-63.

17. *Ibidem*.

18. Vegeu Jan SCHEJBAL, «Projecció internacional d'Àngel Guimerà» dins *Àngel Guimerà (1845-1924)*. Fundació Carulla, 1974, pàg. 122-124. Entre els papers del Fons Àngel Guimerà, he localitzat amb data del 28-X-1907 un contracte entre Guimerà i el Théâtre Royal Dramatique [*sic*] per representar *Terra baixa*, en traducció de Lidforss, al suec, així com la minuta d'autorització de Guimerà al Dr. Eberhard Vogel per traduir i representar en alemany *Mossèn Janot* i *Maria Rosa*. Sobre la traducció de *Terra baixa* al suec, vegeu les cartes d'Edvard Lidforss del 21-VIII-1907, 1-XI-1907, 17-XI-1907 i 12-I-1908, especialment, que formen part del Fons Àngel Guimerà de la Biblioteca de Catalunya.

«"No puch expresarli quant admiro á Guimerá, qu'es verdaderament *tot un poeta* y molt celebraria que li vingués *lo premi gros*. Fins al primer de febrer no sabrem quins son los altres candidats." Diu també que ja ha vist los documents de presentació y les dues noves obres dramatiques y que tot está molt en ordre. Afegeix, emperó, lo seguent: "Li agrahiré molt que *reservadament* me fassi la favor de indicarme quin dels drames den Guimerá han sigut traduits al castellá y al francés, donchs per *certes persones* (alusió á altres membres del Comité) los hi será mes facil llegirlos en dites llengues, perqué aquí la catalana son molts pocs que la entenguin."»[19]

I Riera i Bertran afegia pel seu compte:

«Li demano donchs que se serveixi dexarme nota aquí al Ateneo, per no molestarse en pujar tan amunt fins á casa, de dites traduccions *publicades* y si sab los editors millor».[20]

Tagore, premi Nobel 1913

En morir Edvard Lindforss el 1910, Karl August Hagberg,[21] que va ser nomenat membre corresponent de l'Acadèmia de Bones Lletres el 28 de febrer de 1913,[22] es va convertir en el nou i significatiu interlocutor suec de la Reial Acadèmia de Bones Lletres, i també de Pere Aldavert i sobretot de Lluís Via com a portantveus dels interessos professionals de Guimerà.[23] En part, la funció essencial desenvolupada per Hagberg davant de l'Acadèmia va ser complementada, al cap d'un temps, pels professors Frederich Wulff, docent a la Universitat d'Estocolm, i Eberhard

19. Carta del 28 de gener de 1908 amb segell de l'Ateneo Barcelonés [*sic*].

20. *Ibidem.*

21. Així, el 4 de juny de 1910, en la primera carta que jo sàpiga que Hagberg va enviar a Lluís Via, com a resposta a dues trameses que aquest li havia fet arribar, anotava: «J'étudie maintenant le grand Guimerà pour traduire quelques morceaux de lui pour le faire mieux connu en notre pays».

22. Sobre HAGBERG (1865-1944), vegeu *Literaturlexikon Svensk Literatur under 100 ar natur och Kultur, op. cit.*, pàg. 94. El 1917 va publicar *Modärna Trubadurer. Ur Nykatalansk Dikting I Våra Dagar.* (Lund. C. W. K. Gleerups Förlag), que contenia la traducció al suec de *Terra baixa (Långlandet)* a càrrec d'E. Lidforss i el mateix Hagberg, quatre poemes més de Guimerà, i textos de Rusiñol, Iglésias, Carner, Víctor Català, Maragall, Mestres, Costa i Llobera, Via, Alcover, Alomar, Ruyra, Guanyabens, i Morató. En el Fons Àngel Guimerà de la Biblioteca de Catalunya es conserva una àmplia correspondència de K. A. Hagberg a Lluís Via entre 1913 i 1925.

23. Entre els papers dipositats al Fons Àngel Guimerà de la Biblioteca de Catalunya es conserva, amb data del 5 de febrer de 1900, l'escriptura de poder de Pere Aldavert a Àngel Guimerà en què tots dos s'atorgaven poders mútuament per tal d'actuar l'un en nom de l'altre en tots els àmbits.

24. De Vogel sabem que, entre altres obres, va traduir a l'alemany *Solitud*, *Josafat* i *Els sots feréstecs* amb el nom de *Lazarus Tod,* va publicar també un *Diccionari portàtil de les llèngues catalana y alemanya* (*Taschenwörterbuch der katalanischen und deutschen Sprache)*, en dues parts. La primera –català-alemany–, dedicada a J. Fastenrath, va ser publicada el 1911, mentre que la segona –alemany-català–, dedicada a Enric Prat de la Riba («infadigable representant del catalanisme lluytador»), es va publicar el 1916. Vegeu també Benet R. BARRIOS, «Catalanòfils: Eberhard Vogel», *El Poble Català*, núm.72, 24-III-1906, pàg. 2.

Vogel,[24] que havia estat nomenat corresponent de l'Acadèmia de Bones Lletres el 1908.[25]

El 8 de febrer de 1913, Àlvar Verdaguer, l'editor i llibreter,[26] va trametre la següent carta a Pere Aldavert:

> «Estimát amich:
> Tinch noticies *confidencials* de que'l premi Nobel te probabilitats de venir a *Espanya* y de que ara sería la ocasió de treballar per En Guimerá.
> Sap si té alguna obra nova á punt de publicar?
> ¿S'ha publicat algun treball recent sobre En Guimerá, ó sobre algun de sos darrers escrits?
> A Stochkholm s'están traduhint algunes de ses poesies, que's publicarán en algun magazine d'allà.
> Fassa'l favor de dirme si existeixen traduccions en *francés*, ó *inglés* ó *alamany*, pera donar à coneixer à aquell Institut alguns dels drames.
> Me diuhen que si jo no pogués ocuparme d'aquest assumpto, que veigi de posar à aquella persona ab relació ab algun amich que puga donarli los detalls necessaris.
> Sempre á sa disposició, se repeteix amich y servidor seu que l'aprecia.»[27]

De fet, a partir de 1913, la lectura de la correspondència entre Guimerà o algun dels seus representants –Pere Aldavert, Lluís Via– i Hagberg, Wulff o Vogel assenyala clarament que una de les grans dificultats i dèficits amb què comptava Guimerà de cara a la concessió del Nobel es devia al fet que la seva obra era poc

25. Vegeu la còpia de la carta de Pere Aldavert a Frederich Wulff (20-II-1913), en què li explica la història de la candidatura de Guimerà, proposat per membres de l'Acadèmia de Bones Lletres any rere any. En una altra carta original (5-VI-1913), de Wulff a Aldavert, recorda haver visitat Barcelona els mesos de maig i juny de 1880. Diu també que coneix Mr. Es. Ilgmar, «petit fils du gran poète», que és membre de l'Acadèmia, que llegeix el català i, segons que sembla, ha llegit tots els textos de Guimerà.

26. En una carta anterior (11-V-1910), li comunicava: «Molt distingit Sr.: li agrahiré'm digui si existeix algun estudi referent al teatre d'en Guimerá ó be si podria V. indicarme alguns articles sobre el particular, puig del extranger m'ho demanent ab forsa, interés y no se com complaurels. Gracies per endevant de son aff. ss.» Sobre Àlvar Verdaguer, vegeu Ángel Milla, *Libreros y bibliófilos barceloneses del siglo XIX. Apuntes para su pequeña historia*, Barcelona: Gremio de Libreros de Barcelona, 1956, pàg. 19.

27. La informació «confidencial» devia venir d'en Hagberg. Aquest, en tant que membre de l'Institut Nobel, va escriure de part d'Àlvar Verdaguer a Lluís Via el 22 de febrer de 1913. Hagberg se sentia continuador de la tasca de Lidforss i responsable, per tant, de presentar davant del Comitè Nobel les propostes espanyoles i italianes. Per Hagberg, que esperava visitar Barcelona el mes d'agost o setembre d'aquell any, «la difficulté avec Guimera au point de vue de prix Nobel c'est qu'il est peu connu ici en Suède et qu'il n'existe pas de traductions allemandes, anglaises ou françaises de ses oeuvres. Il ne suffit pas avec une *description* seule de son art; il faut le lire ou le voir representé sur la scène, ce n'est pas?» I afegia: «Quels de ces drames sont considerés en Cataluña com les chefs-d'oeuvre de Guimerá? Et le quel considere-t'il lui même comme son chef-d'oeuvre? L'oeuvre qui exprime le mieux son art?» En la resposta de Via (5-III-1913), aquest li demanava que comuniqués als seus col·legues del Comitè Nobel, «l'haute vitalité des oeuvres de notre grand poète, dites-leur que personne parmi nous n'a su comme lui dans ses drames et poésies mêler la joie et la douleur, la plainte et la menace, la ferveur et le blasphème. Parlez-leur de ses visions poématiques, de ses tableaux bibliques, de ses superbes évocations dans le lointain des âges, de toute cette richesse intellectuelle qui nous ravit tant ici.»

coneguda pels membres de l'Acadèmia Sueca. Entre altres raons, perquè el conjunt de la seva producció havia estat poc traduïda sobretot tant al francès, com a l'anglès o a l'alemany. [28]

Que *Terra baixa* començés a ser una obra bastant coneguda internacionalment gràcies a la traducció i a les representacions dramàtiques i operístiques,[29] no deixava de ser una excepció que confirmava la regla, i que explica la insistència i la urgència amb què es reclamaven les traduccions dels textos guimeranians. També sabem que l'Institut Nobel volia disposar de valoracions de la crítica alemanya:

> «per avuy una bona no més: el secretari de la fundació Nobel, a Stockholm, m'ha escrit demanant el juici de la crítica alemanya. Ja's pot imaginar lo que li he contestat. Ell mateix diu qu'ha fet algunes traduccions de Guimerá. Encare que digués ab quina fi volia'ls informes, semblava insistir forsa sobre la condició de secretari d'aquella institució. No'ns abandonem per això a esperances certanes. Hi ha tants que s'afanyen per obtenir la distinció. De tótes maneres, si vosaltres l'assolissiu pel nostre admirat i massa humil amic, seria'l recort més esplèndit de ma vida, l'haverhi contribuhit una miqueta.»[30]

Per la seva banda, Hagberg, que va visitar Barcelona el mes d'octubre de 1913, es mostra esperançat sobre la sort de Guimerà:

> «Ahora he finido mi rapporte [*sic*] á la Academia y me han dicho mis compañeros del Instituto que está muy bien y yo tengo *muy buenas esperanzas*. Pero, claro, nada más que esperanzas.»[31]

Les bones expectatives van esdevenir, però, consternació i decepció en ser concedit el Premi Nobel a Rabridanath Tagore, com feia saber personalment a Guimerà, en el viatge de retorn de Hagberg al seu país:

28. Vegeu la còpia mecanografiada de la carta que Lluís Via va enviar a Hagberg el 30-IV-1913, on fa una relació de les traduccions de l'obra teatral de Guimerà. Així sabem que Vogel havia traduït *Terra baixa* i *Mossèn Janot*. Al francès, Maria Pi de Folch havia traduït *La reina vella* i *Rei i monjo*; Artur Vinardell, *Mar i cel* i *La festa del blat*, i O. Martí i E. Dublineau havien traduït *La reina jove*. Pel que fa a l'anglès, Ros havia traduït *L'ànima morta*, *Sol, solet*, i *Sainet trist*, mentre que Gillpatrick s'havia fet càrrec de *Terra baixa*, *La pecadora* i *Maria Rosa*. Sobre les traduccions a l'anglès, vegeu David George: "Les traduccions de Guimerà a l'anglès" dins Josep M. Domingo-Miguel M. Gibert (eds.): *Actes del col·loqui sobre Àngel Guimerà i el teatre català del segle XIX*. Diputació de Tarragona, 2000, pàg. 189-198.

29. Vegeu, en aquest sentit, el següent fragment de la carta que Àngel Guimerà va trametre a Joaquim Miret i Sans (1-II-1908): «Molt distingit amich: las cuatre companyías escampadoras per los Estats Units d'America de la *Terra baixa*, en inglés *Marta of the lowlands*, portan per protagonistas á las célebres actrius Florence Roberts, (que va ser la que estrená la obra), Corona Ricardo, Fernanda Eliseo, y Bertha Kalich. Aquesta última comensa la escursió á las darrerias del mes novembre passat y es tant l'éxit que va obtenir que m'ha enviat ja per los meus drets d'autor tres partidas: la una de 72 duros, l'altre de 96 y la ultima de 242.» Epistolari de Joaquim Miret i Sans. Biblioteca de Catalunya.

30. Carta d'Eberhard Vogel a Pere Aldavert, datada a Aachen el 28 de juliol de 1913.

31. Carta de Hagberg a Via, datada a Aftonbladet Stockholm, 16-VII-1913.

«¿qué dice V. de este hindú? Cuando vuelva (si vuelvo) á mi país voy a preguntar á los señores exploradores de la Academia si creen preciso ir hasta la India para sacar á un autor de genio.»[32]

Hagberg ratificava també la seva posició a Lluís Via:

«Cher Via:
Je suppose que vous avez entendu pour ma lettre à Guimera le malheur qui vient de me frapper sur l'express Munchen-Berlin. Ça a été le resultat de bien des années de travail enorme et nerveux sans du sommeil. Je garde encore le lit. J'ai été bien malheureux et ce sacre hindou de Nobel ne me rendra plus gai; c'est encore un desastre; je vous écrirai plus longuement plus tard. Envoyez-moi quelques mots.»[33]

Per Hagberg, una possible explicació del premi concedit a Tagore estaria relacionada amb el fet que Guillem, el fill segon del rei Gustau de Suècia, i casat amb una princesa russa, havia realitzat el 1912 un llarg viatge a l'Índia per assistir a la coronació del rei de Siam:

«Le prince a de l'intérêt littéraire et il a étudié la littérature indienne qui, du reste, ne doit pas être bien grande, et il a le Noël passé publié sous un pseudonyme un livre avec traductions de l'anglais des poèmes hindous. Et dans la suite du princemex (?) se trouvait un de mes amis, un jeune diplomate brillant B-T, qui est fils de notre ministre en Italie et membre de l'Académie. Maintenant je vois dans les journaux suedois que B-T va donner une conference sur Tagore, le poète hindou qui a reçu le prix.»[34]

Més elements per a la reconstrucció dels fets de 1913: es pot parlar d'una possible influència reial sobre els membres de l'Acadèmia?, o de la victòria d'un tercer en discòrdia?[35] Hagberg comenta també que l'esmentat príncep havia acabat de publicar un nou volum de records del seu viatge i de la trobada entusiasta amb la família de Tagore.[36]

Després de la concessió del premi Nobel de 1913, Hagberg va refermar la seva confiança en la candidatura de Guimerà, tot assenyalant la necessitat de donar a conèixer la literatura catalana a Suècia i de presentar Guimerà «comme votre *primus inter pares*». No es va estar, però, de demanar altres avals a acadèmics o professors estrangers, amb una certa vinculació a la catalanística acadèmica, com Frederich Wulff o Eberhard Vogel, posem per cas:

32. Datada a Halle, 23-XI-1913. Sobre la concessió del Nobel a Tagore, vegeu Kjell ESPMARK, *The Nobel Prize in Literature. A Study of the Criteria behind the Choices*, *op. cit.*, pàg. 27-29.

33. Còpia de Pere Aldavert de la carta de Hagberg, 27-XI-1913.

34. Còpia de Pere Aldavert d'una carta de Hagberg a Via, 4-XII-1913.

35. «Cela n'est que *des suppositions* et *des calculs* de ma part; mais je crois qu'il ya eu deux partis (et certainement un pour notre ami comun), personne m'a voulu cela, et puis voilà le troisième neutrel qui l'emporte. Ça pouvrait vous donner une idée de toutes les difficultés». *Ibidem.*

36. *Ibidem.*

«Et c'est utile aussi que M. Vogel le propose par un écrit largement motivée. Car ça me donnera une occasion de renouveler mon rapport et de donner son opinion pour appuyer la mienne. Si vous connaissez d'autres catalanophiles dans d'autres pays, ça serait aussi utile s'ils voulaient proposer don A. Si je vois M. Wulff, je vais lui parler. Je vous remets demain un petit livre avec les statuts et reglements de la fondation Nobel. Ça vous pourra être utile. Et dans mon pays je vous écrirai plus largement d'après avoir parlé avec mes collegues.»[37]

Efectivament, el 20 de desembre Via va escriure a Vogel demanant-li que fes arribar al Comitè Nobel la memòria-proposta de candidatura de Guimerà amb una descripció raonada i formulada dels seus mèrits; la resposta de Vogel no es va fer esperar:

«He probat de fer valdre ço que significa l'obra d'en Angel per al seu poble, com á espill i revelació de la seva vida i ànima, la gran lliçó de *Terra baixa*... l'homenatge el 1909... després del qual ja no li manca més al mestre apòstol de la redempció del seu poble, que la consagració com a profeta de la humanitat, mitjansant el premi Nobel. Quina esgarrifança de joya i més que'ns arribés la nova del premi acordat á N'Angel. Quina satisfacció d'haverhi contribuhit ab la meva pobra ploma...»[38]

En correspondència, Hagberg, que confiava en el suport addicional de Vogel i Wulff, es va posar en contacte amb el darrer -a qui no coneixia personalment– per demanar-li que avalés la candidatura de Guimerà.[39]

Passa que l'esclat de la Primera Guerra Mundial, l'agost de 1914, d'una banda, i una malaltia de Hagberg, de l'altra, van desballestar la campanya de promoció de la candidatura de Guimerà.[40] Pel que sembla, la rumorologia més o menys ben fonamentada va començar a funcionar, alhora que s'adquiria consciència que les possibilitats d'obtenir el premi eren cada cop més força remotes.[41] Les circumstàncies de la guerra van provocar, finalment, que el govern suec escoltés la recomanació

37. Carta de Hagberg a Via, manuscrita per aquest. Datada a Halle, 15-XII-1913.

38. Datada a Aachen, 30-XII-1913

39. «Cher ami: Je suis bien content d'entendre que Mr. Vogel a proposé D. Angel. Je n'ai pas pu voir Mr. Wulff, car il demeure à Lund, ville d'université d'une distance de Stockholm comme celle entre Barcelona et Madrid. Mais je lui ai écrit et j'attends sa réponse. Je lui ai demandé sans le connaître personnellement le proposer D. Angel». Còpia de Pere Aldavert de la carta de Hagberg a Via, 18-I-1914. En una altra còpia d'una carta de Hagberg a Via (21-I-1914), anota que ha escrit a F. Wulff, demanant-li que faci la proposta de Guimerà, amb l'esperança «que M. Vogel fara le reste. Espérons le mieux!».

40. Hagberg afegia que per indicació d'un cosí seu, fill d'un acadèmic, sabia que el premi Nobel no li seria atorgat a Guimerà. Còpia de Pere Aldavert de la carta de Hagberg a Via, 28-X-1914.

41. «Quant aux apparences pour cette année au sujet du prix Nobel [...] –je n'ose rien dire parce que c'est si incertain. Pourtant il me paraît que l'appui de M. Vogel et M. Wulff, surtout le premier, devrait faire quelque chose. Mais il y a dans l'Académie et l'Institut des personnes qui sont tout à fait incontrolables.» Còpia de Pere Aldavert d'una carta de Hagberg a Via, 24-IV-1914.

de l'Acadèmia i decidís ajornar la concessió del premi de 1914, que finalment no es va atorgar aquell any.[42]

Tanmateix, calia continuar renovant els informes de la proposta i incentivar l'interès dels acadèmics suecs per l'obra de Guimerà. Hagberg es mostrava confiat, creia que el dramaturg català tenia *bonnes chances,* car havia aconseguit interessar un acadèmic (!). Potser per això li demanava que li enviés ressenyes i opinions sobre Guimerà en anglès, alemany i francès:

> «c'est d'une certaine importance, croyez-moi, de montrer à l'Académie suédoise que ce n'est pas moi et le prof. Wulff seulement qui croient Guimerá un gran poète. Et c'est un peu difficile pour moi de répéter dans mes rapports la même histoire. Si vous avez quelque d'autre chose d'y ajouter, tant mieux, –mais surtout si ça vient de France, Allemagne ou Angleterre.»[43]

Temps de guerra i política de neutralitat: Guimerà *versus* Galdós, el 1915?

De nou, segons Hagberg, les possibilitats de la concessió del Nobel el 1915 van semblar renéixer per a Guimerà. De la conversa amb un autor consagrat, membre de l'Acadèmia Sueca, li semblava que Guimerà podia tenir possibilitats, «*surtout comme Espagne est un des pays neutrales*». L'hauria potser de compartir, però, amb un altre competidor hispànic, Benito Pérez Galdós, que era proposat per tercer cop. Davant del plantejament d'una nova expectativa, la preocupació de Hagberg era clara:

> «Croyez vous qu'il vaudrait la peine de faire la connaissance du ministre espagnol à Stockholm? Mais peut être qu'il s'interesserait plutôt pour Galdós que pour Guimerá? Écrivez-moi sur ce sujet, s. v. p.»[44]

Via, que va trobar innecessària la visita de Hagberg a l'ambaixador espanyol, va considerar, en canvi, la possibilitat de parlar ell amb el cònsol de Suècia a

42. «Il sérait naturellement un gran avantage si on pouvait faire renouveler le propos allemand. Quant a Wulff, je lui parlerai ou écrirai. Et puis 1916 nous aurons deux prix, c'est-à-dire, espoir double.» Còpia de Pere Aldavert d'una carta de Hagberg a Via, 31-X-1914. En una carta posterior (12-XI-1914, còpia de Pere Aldavert) comunica a Via que el govern ha decidit que els premis de 1914 i 1915 siguin distribuïts l'1 de juny de 1916.

43. Carta de Hagberg a Via (còpia de Via), 5-II-1915. L'escriptor suec ha enviat les seves traduccions a Wulff, que ha repetit la seva memòria-proposta de l'any passat.

44. Còpia de Pere Aldavert de la carta de Hagberg a Via, 9-III-1915. Quant a la candidatura de Galdós al Nobel, vegeu Pedro ORTIZ-ARMENGOL: *Vida de Galdós.* Barcelona: Crítica, Biblioteca de bolsillo, 35, 2000, pàgs. 475-501

Barcelona. A la fi, però, cap dels dos no va dur a terme aquests contactes. En qualsevol cas, Hagberg era conscient que:

> «Étant donné l'état actuel d'Europe, je crois que cette année nous jouons notre dernière chance. Dans le cas de ne pas réussir cette année il faudra ne pas insister le jour où, la guerre finie est finie notre neutralité, chaque nation fera de son mieux pour obtenir le prix glorieux.»[45]

D'altra banda, per aquelles dates, Galdós era més conegut a Suècia i en el conjunt d'Europa que no pas Guimerà. Com assenyalava Hagberg, que havia traduït *Marianela* i *Doña Perfecta* al suec, diferents textos de l'escriptor espanyol es podien llegir en alemany, anglès i francès. Per aquest motiu Hagberg va considerar estratègicament que l'única possibilitat de Guimerà d'optar al premi era compartint-lo amb Galdós. Com havien canviat les expectatives en només dos anys! Hagberg reconeixia també que si contactava amb algun «ministre espagnol», aquest actuaria en favor de Galdós i que, en el cas de fer-ho amb el cònsol de Barcelona, aquest no podria exercir cap mena d'influència en els medis intel·lectuals i literaris suecs.

Malgrat aquestes consideracions, carregades de sentit comú i degudes probablement al coneixement del/s medi/s en què es movia i es prenien les decisions, Hagberg es mostrava -o ho feia veure– esperançat davant d'en Via:

> «Mais, cher ami, je crois vraiement que nous avons de bonnes chances, tout de même. Quant à moi, je ferai de mon mieux et je suis d'opinion que cette année Guimera en aura le prix sans partage, ou le partage sera avec Galdós. Dites-moi, s. v. p., si ce dernier voudrait signifier quelque grand désappointement pour don Angel.»[46]

Via insistia en la resposta, en el fet que Guimerà, com el mateix Galdós, *a*) «joue cette année sa dernière chance» i *b*) era un home d'edat «déjà avancée», amb 70 anys. En conseqüència, es podria acceptar de compartir el premi com un mal menor: «et le seul désappointement à lui serait la part totale du prix».[47]

Abans de la concessió del Nobel de 1915 a finals d'any, Hagberg reconeixia a Via que alguns membres del comitè, sobretot el director, havien estat consultant a la biblioteca de l'Acadèmia les traduccions de l'obra de Galdós i els estudis sobre ell. Per això Hagberg considerava vital escriure una carta privada al secretari de l'Acadèmia proposant-li la partició del premi.[48] De fet, tot fa pensar que qui tenia, realment, més possibilitats era l'escriptor espanyol, si més no era el candidat preferit per la majoria del comitè: d'en Hjärne: «the candidate proposed by Hjärne and the majority on the committee was Benito Pérez Galdós, who, in his broad epic works

45. Còpia de Pere Aldavert de la carta de Hagberg a Via, 20-III-1915.
46. Carta de Hagberg a Via, 31-III-1915.
47. Carta de Via a Hagberg, 10-IV-1915.
48. Còpia de Pere Aldavert de la carta de Hagberg a Via, 23-IX-1915.

Episodios Nacionales and *Novelas contemporáneas*, had shown hilmself to be "a truly significant and in his own country highly regarded author of a manly, noble, and high-minded spirit"».[49]

Davant la possibilitat que el premi anés a parar a Galdós, Hagberg va confessar a Via que tenia por que els amics catalans trobessin que ell, en tant que traductor de Galdós, hagués «treballat» més a favor de la causa galdosiana que no de la guimeraniana.[50]

La sorpresa va ser que s'ajornés la concessió del premi Nobel de 1915 fins al 1916:

> «C'est à dire on a du prix 1914 formé un fond spécial pour ses buts spéciaux qu'on n'a pas décidé encore; et le prix de 1915 on l'a retenu jusqu'à l'année prochaine. On aura donc pour 1916 deux prix, celle de 1915 et celle de 1916 -à distribuer ou à fonder.»[51]

Els últims anys

Certament, les expectatives del Nobel –compartit o no– per a Guimerà eren cada cop més llunyanes i utòpiques. La desconfiança envers l'Acadèmia Sueca creixia. Així, a finals de 1916, Hagberg es mostrava dolgut i crític amb els membres de l'Acadèmia:

49. Kjell ESPMARK, *The Nobel Prize in Literature. A Study of the Criteria behind the Choices*, *op. cit.*, pàg. 32.

50. Carta de Hagberg a Via, 23-IX-1915. Amb tot, Hagberg exclamava: «Je crois tout de même que nous avons de bonnes chances».

51. Carta de Hagberg a Via (còpia de Via), 29-XII-1915. Cap dels noms que «sonaven», segons Hagberg, va ser guardonat. Així, Hagberg esmenta a més de Galdós i Guimerà, el francès Rolland (Nobel 1915), el suec Heidenstan (Nobel 1916), el danès Gjellerup (Nobel 1917) o el suís Spilteler (Nobel 1919). Vistos els resultats posteriors, sembla bastant clar que Hagberg tenia nas o un coneixement empíric, de primera mà, de les diferents candidadtures presentades al premi. A la fi, Hagberg insisteix en la necessitat de renovar la proposta abans de l'1 de febrer de 1916, i en la possibilitat de representar *Terra baixa* a Estocolm tot divulgant el nom de Guimerà. Pel que sabem: «The 1916 report recommennded, as before, that the 1915 prize be given to Pérez Galdós (with two committee members in favor of Rolland) and that the prize for 1916 be shared between the Danes Karl Gjellerup and Jakob Knudsen (with a minority in favor of the whole prize going to Gjellerup). The academy opposed the committee on both counts and gave the 1915 prize to Rolland, "as a tribute to the lofty idealism of his literary production and tot the siympathy and love of truth with which he has described different types of human beings", and at the same time gave the 1916 prize to Heidenstam 'in recognition of *hThe is* significance as the leading representative of a new era in our literature:», Kjell ESPMARK, *The Nobel Prize in Literature. A Study of the Criteria behind the Choices*, *op. cit.*, pàg. 33.

52. Carta de Hagberg a Via, 23-IX-1916.

«Quant au prix Nobel rien de nouveau encore. Personne en parle et les academiciens restent encore la plupart en campagne dans un bon sommeil. Il faudrait un peu de nouveau sang dans cette Académie de crapauces (?)».[52]

Més encara: el secretari de l'Acadèmia Sueca, Harald Hjärne,[53] va assenyalar que no seria convenient de concedir el Nobel a cap cultura «particular», abans d'haver-lo concedit a la llengua d'una cultura «nacional». I el 1917 manifestava:

«I consider that an author who uses the older and time-honored language ought to be either placed by his side of rewarded first. It would be harmful if the academy, even against its intention, were to hurt sensitive Castilian national feelings.»[54]

Era clar que, per més que es continués presentant la candidatura de Guimerà, les seves possibilitats d'obtenir-lo –si mai no havien existit!– s'havien fet fonedisses de per vida.[55]

Amb tot, tenim encara coneixement de la presentació de la candidatura per part de membres de l'Acadèmia de Bones Lletres, a primers de gener de 1917. En una carta de Miret i Sans a Via, considerava que aquest ho hauria d'haver fet saber a Hagberg, i comunicar-li que la proposta havia estat signada per catorze acadèmics: «entre ells lo president de la Academia, lo president del consistori dels Jocs Florals d'enguany sr. Pin y dos catedràtichs de la Facultat de Lletres. D'aquesta universitat,

53. Joan SOLÀ, «Guimerà i el premi Nobel», *Avui Cultura*, 25-XI-1999, pàg. VI. Solà afegeix: «concretament, el 1919 en queden exclosos amb aquesta raó l'escriptor finès Juhani Aho (a Finlàndia aleshores la llengua dominant era el suec) i Guimerà.» L'historiador Harald Hjärne va ser el responsable de redactar els informes dels premis Nobels entre 1913 i 1921, en susbtitució de C. D. af Wirsén que ho havia realitzat entre 1900 i 1912.

54. Kjell ESPMARK, *The Nobel Prize in Literature. A Study of the Criteria behind the Choices*, pàg. 38. I afegeix: «In 1919 the idea recurred that "neither (Aho nor Guimerá) should be rewarded before some other author who has written in the earlier literary language of the country in question". The reason was given in words of Hjärne's that summed up well the policy of this period.: The academy's prize-giving policy should not, so far as such things, can be foressen and forestalled, give rise to a further aggravation of such national conflicts, which would crearly be to the detriment of the Nobel Foundation's general aim of promoting peace.»

55. Si ens fixem en els nobels guardonats entre 1915 i 1921, podem comprovar com va funcionar una determinada política de «neutralisme literari»: fins i tot, Romain Rolland (1915), l'excepció, quedava justificat perquè l'Acadèmia volia guardonar «an author whose significance was more than national, a pacifist whose fiction included both Germany and France without committing itsef to either.» *World War I.«literary neutralism»*. www.nobel.se/literature/articles/. Pel que fa a la resta, es van afavorir escriptors de petites nacions, i que adoptaven una posició de neutralitat davant la guerra: el suec Verner von Heidenstam (1916), els danesos Karl Gjellerup i Henrik Pontoppidan (1917); el 1918 no va ser concedit; el suís C. Spilteler (1919), i el noruec Karl Hansum (1920). A partir de la dècada dels vint, els criteris devien ser renovats si atenem els tres nobels concedits en vida encara de Guimerà: Anatole France (1921), Jacinto Benavente (1922) i W. B. Yeats (1923).

lo sr. Rubió professor de literatura espanyola y lo sr. Parpal, professor d'Ética, además del degá del Col·legi dels advocats sr. Brocá».[56]

Com a colofó d'aquesta crònica, necessàriament provisional i incompleta sobre Guimerà i el Premi Nobel de Literatura, podem anotar, en primer lloc, la carta prou significativa de Hagberg a Via, el 29 de gener de 1920:

«Quant a l'Institut Nobel, j'en suis presque dégouté –vous comprenez pouquoi. Il paraît qu'on ne *veut pas* donner le prix à d'autre que des auteurs germaniques, il paraît qu'on ne peut pas apprécier la génie romaine. Et surtout, il y a des membres de l'Académie qui par principe ne veulent pas accorder le prix à des auteurs qui appartiennent à ce qu'ils appellent *régionalismes*. Ils ne veulent pas le donner à don Angel, ni à Grapia Delachea pour citer quelques exemples. Vous comprenez que j'en suis un peu dégoûté d'après tant de tramit; tout de même il faut être entêté et j'ai reçu avec grande joie le nouveau tome des poésies de don Angel. Veuillez bien lui remercier de ma part; aussitôt que je pourrai j'en traduirai quelques morceaux et en tout cas je ferai de mon mieux pour faire (?) ressentir à l'Institut les beautés et l'idealité des ses poésies.»[57]

I, en segon lloc, la curiosa confessió que el 1925, un any després de la mort de Guimerà, va fer del Premi Nobel concedit a Jacinto Benavente, el 1922:

«Mon frère pourrait *peut-être* vous raconter quelque chose de mes luttes pour ce prix de Nobel à don Angel, bien qu'il n'en sait pas beaucoup. Je sais que j'ai fait tout le possible jusqu'à à être presque banni de certains grands personnages. *Et si J(acinto) B(enavente) l'a reçu c'était seulement grâce à l'académie d'Espagne et à l'influence diplomatique. Tout ça en confiance.»*[58] (Els destacats són meus).

A tall de conclusió

«Tant li fa que, objectivament, les possibilitats reals d'aconseguir el premi siguin minses. La possibilitat, escassa o no, hi és, i amb ella l'opció de somiar. ¿I què, si en obrir els ulls, el somni s'esbrava? És aquest el destí de tot somni: esbravar-se. Que es facin realitat és excepcional.»

QUIM MONZÓ, «Davant del rei de Suècia» d'*El millor dels mons*, 2001

A hores d'ara no sembla que els motius polítics fossin el principal handicap perquè Àngel Guimerà no arribés a obtenir el Premi Nobel de Literatura, si més no

56. Carta de Miret i Sans a Via, dijous 7 de gener de 1917.

57. Carta de Hagberg a Via, 29-I-1920.

58. Carta de Hagberg a Via, 15-V-1925. Sobre el premi concedit a Benavente, vegeu Kjell ESPMARK, *The Nobel Prize in Literature. A Study of the Criteria behind the Choices*, *op. cit.*, pàg. 41-42, 48-50, 134-135

fins a la Primera Guerra Mundial, quan, posem per cas, la personal interpretació conservadora que Wirsén va fer del concepte «ideal» va deixar fora del premi escriptors de prestigi i reconeixement ja universal a l'època com Tolstoi, Zola o Ibsen. Dins aquest marc s'entén també la dura reacció d'August Strindberg contra els criteris literaris de l'Acadèmia Sueca que, uns anys abans de morir, també l'havien exclòs:

> «L'Académie suédoise, dominée par le très réactionnaire Carl David af Wirsén (secrétaire perpétuel de 1883 à 1912, c'est-à-dire très précisément à l'èpoque de Strindberg), l'avait systématiquement négligé au profit d'écrivains de second rang qui s'étaient partagés les prix nationaux. À fortiori elle ne pouvait le juger digne du Prix Nobel –pas plux d'ailleurs qu'Ibsen, Zola ou Tolstoï.»[59]

En fi: un Strindberg que rebia, com a sana revenja, el reconeixement dels sectors progressistes del seu país.[60] Dins aquest context, es fa difícil saber quines van ser les possibilitats reals de Guimerà, i si la seva obra s'ajustava o no, des del punt de vista del Comitè Nobel, a la peculiar interpretació del concepte «ideal». No es pot obviar tampoc l'escassa difusió –llevat de *Terra baixa*, i a partir sobretot de 1907– de la seva producció en altres llengües.

En un altre estat de coses, quin va ser el paper dels membres del Comitè Nobel com Lidforss, Björkmann o Hagberg? Quins van ser els seus autèntics interessos i el grau d'influència reals? La majoria d'ells eren reconeguts traductors de la literatura espanyola i, en menor mesura, de la moderna catalana que tot just emergia. Amb quins criteris i amb quina energia podien defensar un escriptor com Guimerà en detriment de, posem per cas, Galdós? Per no dir, de la resta d'escriptors estrangers.

I el 1913? Si ens atenim a la correspondència de Hagberg i a l'aparentment sincera emprenyada que manifesta, quan camí de retorn al seu país s'assabenta de la concessió del premi a Tagore, potser sí que ens podem fer la il·lusió que, en aquella ocasió, Guimerà disposava de *bonnes chances*. Justament, es tracta de l'any que Karl August Hagberg havia visitat Barcelona, mesos abans de la concessió del guardó.Vés a saber! Pel que sembla, per primer cop, aquell any els membres del Comitè Nobel i els de l'Acadèmia Sueca no van coincidir en la defensa del mateix candidat. Tagore, en tant que candidat de l'Acadèmia i no del Comitè, es va endur el guardó.[61]

La política de «neutralitat literària» va afavorir, com hem vist, els mateixos països escandinaus, i així, posem per cas, es va guardonar el 1916 Verner von Heidesntam, un escriptor que s'havia destacat com a conspicu adversari del ja desaparegut Strindberg. En qualsevol cas, després de la Primera Guerra Mundial, tant

59. Jean-François BATTAIL, «De l'exil au prix Nobel du peuple» dins *August Strindberg*, revista *Europe*, núm. 858, octubre 2000, pàg. 43.
60. *Ibidem*., pàg. 44-45.
61. Kgell ESPMARK: *The Nobel Prize in Literature. www.nobel.se/literature/articles/espmark*

l'Acadèmia Sueca com el Comitè Nobel van inaugurar una nova etapa en què cultures minoritàries i sense reconeixement «polític» dins d'un Estat –com era el cas de la catalana van veure com s'esvanien les seves possibilitats d'obtenir el Premi Nobel de Literatura.

De fet, els anys vint van assenyalar un nou camí, en què «the Academy had got rid of its narrow definition of "ideal direction". In 1921 this stipulation of the will was interpreted more generously as "widehearted humanity", which paved the way for writers like *Anatole France and George Bernard Shaw, both inconceivable as Laureates –and, sure enough, rejected at an earlier stage.*»[62] (Els destacats són meus).

Fos com fos, la candidatura de Guimerà al Premi Nobel de Literatura va obrir un camí d'incertes expectatives quant al futur reconeixement internacional per a la literatura catalana; una literatura que amb posterioritat ho va tornar a intentar de forma infructuosa amb Carner o Espriu. Fins avui, és clar.

Nota

La carta-memòria amb data del 24 de gener de 1906 i escrita per Joaquim Miret i Sans, secretari de l'Acadèmia de Bones Lletres, reprodueix l'informe elaborat pels acadèmics Joaquim Riera i Bertran, president accidental de l'Acadèmia, Antoni Rubió i Lluch, catedràtic de Literatura de la Universitat de Barcelona, i Frederic Rahola, diputat a Corts per la província de Barcelona. La proposta de candidatura d'Àngel Guimerà, que no era membre de l'Acadèmia, va ser feta tenint en compte la singularitat tant de la seva obra literària, com també de la ferma actitud del dramaturg en defensa de la normalització de la llengua catalana, que li havien atorgat una notable popularitat i reconeixement literari. Per altra banda, desaparegut Jacint Verdaguer, Guimerà era l'escriptor més universal de la nostra literatura, com ho avalaven ja el 1906 les traduccions del seu teatre al castellà, a l'anglès, al francès, a l'alemany, a l'italià i al portuguès.

La carta-memòria, que reprodueixo respectant l'ortografia de l'original, es conserva en el Fons Àngel Guimerà de la Biblioteca de Catalunya en quatre plecs manuscrits (22'5 x 32'3), numerats de l'1 al 4.

Honorables Señores del Comité Nobel

El digno secretario de esta Real Academia de Buenas Letras recibió la atenta invitación con que, en nombre de ese Comité Academico, os dignasteis honrarle para que proponga é invite á proponer candidatos al Premio de Literatura instituido por vuestro benemérito compatricio antes nombrado (Alfred Nobel) y de inolvidable memoria.

62. *Ibidem.*

Después de agradecer, como se merece, la predicha invitación, por lo que enaltece á nuestra Academia y más aún por lo que glorifica á la Literatura Catalana, que es la de su predilección sincera y efusiva, los infrascritos académicos en nombre de sus ilustrados colegas, así como en el propio, en sus respectivas cualidades de Presidente accidental de la Corporación y Maestro en Gay Saber, catedrático de Literatura de esta Universidad y Diputado á Cortes por Barcelona, abundando en igual criterio é impulsados por unánimes sentimientos de la que estimamos verdadera justicia, tenemos el honor de proponer para el mencionado premio al insigne escritor catalán Don Angel Guimerá.

Fundamos tal propuesta en la convición profunda de que la labor de nuestro candidato que, aplicada á diversos géneros, abarca un no interrumpido período de más de treinta y cinco años, le ha elevado á preeminente altura en ese movimiento de brillante restauración, no solo de las letras, sino de todos los elementos que integran la civilización catalana.

Ejemplar vigoroso de esta raza que va recuperando su personalidad en todos los órdenes de la cultura después de la iniciación determinada por los Juegos Florales, es indudablemente Guimerá autor fecundo entre los vivientes y el mas universalmente celebrado dentro y fuera de Cataluña, como lo comprueban los datos que á continuación vamos á exponer.

Es autor de veinte y cuatro obras dramáticas en tres y más actos y de otras en uno. Las primeras abarcan todos los géneros, desde la alta tragedia en versos heróicos (*Mar y Cel*), y los dramas sociales y de costumbres contemporáneas (*La Boja, En Pólvora, Maria Rosa, La Festa del Blat, Terra baixa, Mossèn Janot, La Farsa, La Filla del Mar, Arran de Terra, La Pecadora, Aygua que corre, Sol solet..., La Miralta y L'Eloy:* en prensa esta última.)

Las precitadas obras, en su mayoria, están traducidas á muchos idiomas y se han representado y se representan en el centro y mediodia de Europa, como tambien en América, vertidas al castellano, italiano, francés, portugués, inglés y aleman, siendo de notar que algunas se representan asimismo en dialectos de Italia y de otros paises. En los Estados Unidos se pone constantemente en escena *Terra baixa* con el título de *Marta of the Lowlands*, siendo tambien de repertorio en aquel pais *Maria Rosa* y *La Pecadora*, traducidas las tres obras por los señores Guido Marburg y Wallace Gillpatrick.

La traducción francesa de *Terra baixa* es debida á Mr. Albert Geléc Bertal, habiéndose representado en diversos teatros de Paris y de los Departamentos, como tambien *Maria Rosa*, versión de Jules Villeneau, *L'ánima morta*, traducida por Mr. Efrain Vincent. *Mar y Cel, La Festa del Blat* y *La Pecadora* están puestas en francés por Mr. Arthur Vinardell.

En italiano figuran en cartel, entre otras, las siguientes obras: *Mar y Cel, La Festa del Blat, L'ánima morta, Terra baixa, Lo Fill de Rey, Maria Rosa, Mossen Janot, La Filla del Mar, Arran de Terra* y *La Pecadora* traducidas por autores tan renombrados como Ferdinando Fontana, Teresa Sormanni de Rassi, Leon Pagano y Antonio Moragas Llombard.

Terra baixa esta vertida al aleman por Rudolph Lothar, y en el propio idioma *La Festa del Blat* por Mauricio Chou y Federico Friedmann bajo el título de *Das Frutefest*.

En portugués existen traducciones de *Terra baixa* (con el título de *Manelich*), *Maria Rosa, Mar y Cel* y algunas más.

En castellano están traducidas por Don Jose de Echegaray *Maria Rosa* y *Terra baixa*, siendo de notar que el propio insigne dramaturgo ha vertido otras al castellano sin que conste su nombre al frente de los respectivos ejemplares. Antes de las predichas adaptaciones el celebrado escritor Don Enrique Gaspar tradujo *Mar y Cel* y *Judith de Welp*. Muchas otras obras del repertorio de nuestro candidato lo son del castellano, vertidas ó adaptadas por diferentes escritores españoles entre otros los señores Luis Lopez Ballesteros, Luis Ruiz de Velasco, Luis de Zulueta, Meliton Gonzalez (Parellada) y Luis Via.

Algunas producciones de Guimerá han merecido asimismo el honor de que notables compositores las escogiesen para libretos de óperas ó de dramas líricos. Citaremos: *Euda d'Uriach* (*Las Monjas de Sant Ayman*), música del maestro Amadeo Vives; *Jesús de Nazareth,* música del maestro Enrique Morera, quien antes havia exornado con intermedios musicales *Las Monjas de Sant Ayman*; *Tiefland*, libreto aleman de Rudolph Lothar sacado de *Terra baixa* música de Eugen d'Albert; *Le maître*, sacado asimismo de *Terra baixa*, cuyo libreto esde Louis Tiercelin y Paul Ferrier y la música del maestro Ferdinand le Borne, aceptada dicha ópera por la empresa de «Opera comique», editándola la casa Choudens de Paris; *Mar y Cel*, á la que tiene puesta música el maestro Isaac Albeniz; y *La Filla del Mar*, cuyo libreto la está poniendo un compositor italiano que no nos es conocido.

En otro órden de producción literaria Guimerá se ha conquistado también excepcional renombre. Numerosos son sus discursos ó disertaciones enaltecedores de la lengua catalana que se han publicado: todos ellos exuberantes de alta poesia y de elevadisimos conceptos, siempre nobles con una nobleza grandemente comunicativa y de un lenguaje verdaderamente magistral.

Dignos son de mencionarse entre los aludidos discursos el que leyó desde la Presidencia de los Juegos Florales de Barcelona; el que dirigió al Ilustre hispanófilo Juan Fastenrath, de Colonia, en el Palacio de Ciencias de la Exposición Universal de Barcelona; el de Presidencia de la Asamblea Catalanista de Balaguer; el de Presidencia de los Juegos Florales de Lérida; los de las Asambleas de Manresa y Gerona, y de un modo especial el de (la) Presidencia del Ateneo Barcelonés. En esta sociedad, la mas importante de Barcelona por su intelectualismo, el idioma castellano era el único dominante como oficial, y Guimerá fue quien abrió de par en par y gloriosamente las puertas de la prenombrada sociedad á la Lengua Catalana, cuyos grandes apóstoles ensalzó y cuyos derechos y meritos encomió de un modo insuperable.

Como poeta lírico, Guimerá comparte sin duda la excelsa gloria del inolvidable Verdaguer, el autor de poemas y cantos místicos inmortales. Las poesias de Guimerá, todas de intensa idealidad, especialmente las religiosas y patrióticas, están reunidas en edición monumental ilustrada por dos grandes artistas catalanes, José Luis Pellicer y Antonio Fabrés y divulgadas en reciente edición popular. Entre ellas citaremos las que nos atrevemos á calificar de monumentales composiciones poéticas que se titulan *L'any mil, Poblet, Cleopatra, Lo cap d'en Joseph Moragas, Indibil y Mandoni, Lo darrer plant d'en Clovis, Recorts, Lo cant del diable, Romiatje, La mort de la monja y Francisca.*

Para demostrar cuán fundado es el alto aprecio en que tenemos las precitadas composiciones y otras de dicho tomo, que seria prolijo enumerar, transcribiremos á continuación lo que de él ha escrito el primero de los críticos de España, Don Marcelino Menéndez y Pelayo: «...Sobre todo me asombra en la dicción poética de V. tan maravillosa fuerza plástica con que sabe dar bulto, realce y color á todo lo que describe, ya pertenezca al mundo de la realidad sensible, ya al de los caprichos fantásticos. La poesia de V. es imágen siempre, y como imágen vive de un modo mas enérgico y distinto que aquel con que suelen vivir las creaciones poéticas, más ó menos penetradas siempre por un elemento social y abstracto. Lo que V. nos pone delante de los ojos, por excéntrico y por imposible que sea, lo vemos, lo palpamos y lo sentimos inmediatamente. Yo no creo ni sostengo que esta sea la única poesia, pero ésta la (ha) alcanzado V. completamente sin distinción de asuntos, ora pinte escenas de la antigüedad clásica como *Indibil y Mandonio* y en *Cleopatra*, ora rasgos bíblicos como en *Joel*, en *David* y en *Maria Magdalena*, ora cuadros de la Edad Media, como el incomparable y sublime *Año Mil,* ora emociones propias de las más difíciles de trasladar al papel, y de las que en manos de otro cualquier artista menos sincero y menos amante de la naturalidad perfecta, no podrian escribirse sin que la Retórica las profanase. No voy á enumerar todas las bellezas que encuentro en (el) libro de V., que es en gran parte una serie de obras maestras, á las cuales irá dando su justo valor el tiempo, que abate lo mediano y dignifica lo grande.»

Y después de un extraordinario elogio de la poesia *Lo cap d'en Joseph Moragas*, el señor Menéndez Pelayo termina afirmando que el libro *Poesias* de Angel Guimerá, «lleno de resistentes é inmortales bellezas, quedará á mi entender como una de las más brillantes pruebas de que la presente edad no era tan prosáica como algunos se la imaginan.»

Antes de él, el primero de los críticos catalanes, el malogrado Jose Ixart, acababa el estudio crítico que va inserto al frente del mentado volumen con las siguientes apreciaciones escritas en catalán y que, literalmente traducidas, dicen:
«...Con el tiempo se dirá: El mejor poeta lírico entre nosotros fué Guimerá versificador intachable y de expresión clara y natural, que se amoldaba como cera á su pensamiento; plástico en la imagen, ora deslumbradora por su color, ora maciza y escultural; de sentimiento vivisimo y delicado que recorrió todas las notas, de la ternura al odio, de la pasión soberbia á la humildad amorosa; dulce, cantando recuerdos de niño; fiero en sus poesias patrioticas; en sus asuntos, con un fondo dramático visible, ya pensador, ya lírico entusiasta, siempre alejado del círculo de frivolidades de la poesia española. ¿Qué otro poeta existe entre nosotros que haya dibujado con nuevos recursos escenas de Judea y episodios historicos de Egipto, leyendas vivas de la Edad Media y delicados interiores de la vida propia; acuarelas, aguafuertes? Tal como nosotros estimamos el arte, fue fantasioso sin fraseología rimbombante, naturalista sin agudezas prosáicas; verdadero, siempre verdadero. Filosofias y dogmas se le ofrecieron solo como materia artística, igualmente bella, mediante que le anime el sentimiento. Traducido y comprendido, es poeta á quien se le sentaria como tal en mesa redonda de los contados poetas contemporaneos.»
Por su parte el moderno crítico de Italia Don José Leon Pagano en su libro *A través de la España literaria* (1904 – tercera edición) consigna que «...con Guimerá ha entrado en la península Ibera el soplo de la vida nueva.» Añadiendo que «las modernas direcciones dramáticas, halla en él un propagador de más de la marca. (El naturalismo de Strinber [*sic*], ese que llegó á chocar á los mismos concurrentes del Teatro Libre de Paris, reconoceria en muchos detalles del catalán el aire de familia. Ibsen y Björnson creerian ver en el autor de *La Festa del Blat* un aliado para la noble empresa. Y en la radiante órbita donde vierten su luz Gogol, Griboiedof y Tolstoi, Sudermann y Hauprmann [*sic*], Guimerá tiene también su puesto, á pesar de su máscara griega.» Y termina Pagano su extenso artículo monográfico de Guimerá con la siguiente síntesis. «Tal es, someramente delineada, la silueta del robusto poeta dramático que mejor encarna hoy en Cataluña las ideas de una Humanidad superior futura.»
Por nuestra parte añadiremos que las poesias de Guimerá y singularmente las que mejor expresan el estado de alma de nuestro pais, han consiguido [*sic*] grandisima popularidad, habiendo formado verdadera escuela. Entre ellas, por su forma dramática, la ha alcanzado completa el monólogo titulado *Mestre Olaguer*, vindicación varonil de los derechos del pueblo, cual monólogo cabe afirmar sin exageración que no hay teatro ni centro dramático donde no se haya recitado, produciendo en todos las más vivas manifestaciones de patriotismo.
Conviene notar, como detalle biográfico que da la medida de las poderosas facultades poéticas de Guimerá, que en los Juegos Florales de Barcelona, antes recordados, y que son como la gran fiesta oficial de la Lengua Catalana, nuestro candidato obtuvo en el año 1877 simultaneamente los tres premios reglamentarios correspondientes á los lemas de Patria, Fé y Amor, que son los de la Institución, con las ya mencionadas poesias *Lo darrer plant d'en Clovis*, *Romiatje* y *L'Any Mil.* Ningun poeta, ni antes ni después hasta hoy, ha logrado en un solo concurso los indicados tres premios que otorgan el título de Mestre en Gay Saber.
Finalmente el Señor Guimerá tiene anunciada la próxima publicación de un nuevo tomo de poesias, que es esperado con vivisimo interés, como lo despertaria indudablemente una colección de sus trabajos literarios en prosa, que comprendiese los artículos sobre política, reseñas, cuadros de costumbres, monólogos que andan dispersos por toda clase de publicaciones catalanas.
Concretándonos á los últimos éxitos de Guimerá durante el año que acaba de transcurrir, mencionaremos la representación y estampación consiguiente de *Andrónica, Sol solet...* y *La Miralta*, dramas en tres actos. El primero y el último, que son, por cierto, de bien diversa índole (puesto que el uno pertenece al género de la alta trajedia [*sic*] clásica y el otro es un estudio vibrante de costumbres modernas), han sido traducidos al idioma castellano y representados con ruidoso éxito por la Compañía del «Teatro Español» de Madrid durante la temporada del predicho año.

También la memorada edición popular de *Poesias* de Angel Guimerá fue impresa durante el transcurso del mismo año de 1905.

Tales son los antecedentes y datos, recordados con la mayor escrupulosidad, en cuya virtud estimamos fundada la candidatura propuesta y la reiteramos aquí con verdadero entusiasmo.

Las obras de Angel Guimerá, cuyos ejemplares remitirá con el presente informe la Secretaria de esta Academia, son obras de alta cultura y enseñanza. En ninguna de ellas alientan tendencias deprimentes, antes bien palpitan en todas un corazón magnánimo al servicio de una inteligencia sana y vigorosa. Ni un concepto envilecedor, ni una frase siquiera de perniciosa intención las empaña.

Premiar, pues, a Guimerá con premio otorgado en nombre de un gran espíritu de Humanidad, seria, al par que acto de justicia, glorificación en él de una literatura de venerable linaje y de alientos civilizadores.

Así lealmente lo entendemos, y ¡ojalá consigamos que asi opinen los doctos miembros de esa respetable Academia!

Barcelona á veinticuatro de Enero de mil novecientos seis.

Al Honorable Sr. Presidente de la Academia Sueca

SOBRE INFORMADORS I GENDARMES, ENCARA

Maria Josepa Gallofré Virgili

Universitat Autònoma de Barcelona

Aquest breu treball respon a la voluntat de complir una vella promesa feta a Joaquim Molas ja fa molt temps, quan aplegava el material de la tesi i en feia la primera redacció. Llàstima que a hores d'ara hi hagi una desproporció tan evident entre l'antiguitat del deute –setze anys– i el resultat, una simple nota. Una nota que, a més, és modesta i gens lluïda. Parteix d'un material poc sorprenent, tant per a mi, que hi vaig treballar amb una certa intensitat al llarg d'uns quants anys, com per a Molas i per a aquells lectors que coneguin les respostes de les instàncies gestores del control governamental sobre l'expressió durant el franquisme. Les reaccions dels vigilants de la lletra impresa destinada al consum d'uns lectors perifèrics –i, dins la perifèria, marginals i en un vehicle lingüístic considerat inicialment per ells en vies d'extinció– eren d'una previsibilitat aclaparadora, malgrat alguna francesilla que en trencava la monotonia dominant.

Tot i així, tot i que el tema estigui força gastat, que faci un tufet de «la història de sempre» i que resulti difícil abordar-lo des d'una perspectiva nova, m'he acabat convencent que, malgrat el retard, m'havia de posar novament al davant d'uns quants documents triats, en aquesta ocasió, entre el paperam que, en els anys seixanta, generava el tràmit previ de llançar un llibre al carrer. Encara que només sigui per tornar a acreditar que, al cap de vint-i-cinc anys de funcionament del sistema, els gendarmes havien reajustat els objectius i els zeladors havien dirigit adequadament les antenes cap a allò que creien que amenaçava de debò l'eficàcia de la política anterior. Cap a allò que, a més d'orientar-los en les seves interpretacions i de confirmar-les, contribuïa a millorar la situació del públic lector i a construir un espai que facilitava la recepció de l'obra. Així ens ho indiquen, per exemple, els reports que va suscitar algun dels treballs de Molas en aquella dècada dels seixanta. Ara em limitaré a presentar les dades relatives a una obra de Salvador Espriu, concretament la segona edició de *Primera història d'Esther*, precedida d'un estudi de Molas i destinada a la col·lecció «Antologia Catalana» d'Edicions 62.

Primera història d'Esther era un text especialment susceptible de generar una resposta evasiva per part d'un informador que s'hi encarés sense guies que li marquessin les pistes que calia seguir. Sense interpretacions que l'obliguessin a actuar, podia sortir-se'n amb un dictamen positiu i mantenir-se fora de l'obra tot proposantne l'admissió amb benevolència o, segons com, amb una despesa escassa d'energies. De fet, el 1948 se li havia concedit un permís que podia respondre a una d'aquestes dues raons, amb el possible afegit d'una voluntat de no impedir que una mostra tan ben tensada d'aquella marginalitat arribés, a tot estirar, al mig miler de compradors que el tiratge autoritzat marcava i a un nombre de lectors acordat a la precarietat del públic català del moment, desarticulat, trinxat i amb uns suports gairebé nuls.

Els informadors a qui fou encarregada la lectura de l'obra l'any 1966 ho tenien diferent. No van poder optar –posat que els hagués convingut o els hagués semblat que tant se valia deixar fer– per cap d'aquelles actituds que atribuïm a l'informador dels anys quaranta. No cal dir que la situació general i la del públic lector havien canviat substancialment. Havien millorat tant el conjunt de l'oferta editorial com els ajuts als lectors i, és clar, les autoritats també s'havien posat especialment en guàrdia per tal d'aturar allò que creien que es manifestava altre cop de forma preocupant. Els recursos desplegats davant la sol·licitud de reedició de *Primera història d'Esther*, presentada a l'octubre de 1966, en donen constància.

En el primer informe de lectura, hi llegim: «Esperpento guiñolesco construido bajo la forma de teatro dentro del teatro, que representa la historia bíblica de Esther, simultánea a la de varios personajes de un pueblo catalán. El autor establece un paralelismo entre el fragmento bíblico y el régimen político actual, al que condena. Debe leerlo un lector entendido en política. Las ideas del autor están condensadas en el prólogo.» L'alerta general tan ben encaminada, que desviava assenyadament la resolució cap a un altre àmbit de responsabilitats, tot marcant per on calia començar, va portar els textos –obra i estudi introductori– a un «especialista».

El nou expert engegava el seu dictamen amb un elogi remarcable i una sintaxi –si més no– curiosa: «El autor maneja a maravilla el simbolismo. Hace un paralelismo entre la historia bíblica de Esther y la realidad política de la Cataluña actual, víctima propiciatoria del despotismo reinante, al que naturalmente condena con palabras inadmisibles.» Un cop deixat anar un judici tan ben formulat, s'imposava el condicional: «Si se publicara la obra desnuda, tal vez no existiría base jurídica para impugnarla, ya que en el género simbólico pueden darse diferentes y dispares interpretaciones.»

Ara bé, el *género simbólico* havia quedat al descobert i les *dispares interpretaciones* ja no eren viables. La raó era determinant: «Pero la obra va precedida de un prólogo en el cual se dice claramente que el autor se refiere a la Cataluña de la postguerra.» D'entre tot el material que Molas aportava al pròleg, l'informador va triar només, qui sap si per enllestir aviat i per suscitar la identificació ràpida dels seus caps, uns exemples ben eloqüents: «Y a continuación destaca las frases más significativas –y también las más censurables– como por ejemplo: "condena al escritor que vende su pluma a los asnos victoriosos y se envilece exaltando, por dinero o por miedo, el poder y el triunfo; condena al cobarde que calla cuando el malo gobierna y antepone a la conciencia el calor de su vientre; los puestos de gobierno son ocupados por la gente más inepta; un muñeco clama, contra tu real fracaso, por las sombras de Susa, la angustia y el miedo de sus éxitos de comedia". NO AUTORIZABLE.»

No va caldre res més per motivar la resolució negativa. Davant la prohibició, expressada a l'editor –segons la nova normativa legal vigent–a través d'un «no es aconsejable», hi hagué un recurs de l'empresa. La via de sortida semblava que era la retallada del pròleg, que és on finalment es va arribar. Tanmateix, va caldre fer encara altres passes dins el procés previ.

Com a resultat d'una nova consulta, hi va haver el dictamen d'un nou informador que, aquesta vegada, es va enfrontar amb un fet prou obvi per als censors abans de «desaconsellar-la», però que no havia estat remarcat als informes anteriors: l'autorització ja concedida a l'editorial Aymà per a la primera edició de l'obra, el 1948. De fet, aquell darrer informador constatava, tot just començar, que, respecte al de les galerades introductòries de l'edició que aleshores havia de jutjar, «PRIMERA HISTORIA D'ESTHER presenta, en la edición de la "Col·lecció Literària Aymà" de 1948, un prólogo muy abreviado.» En la introducció actual s'hi concretava, deia, «la intención política del simbolismo esperpéntico, fácil de adivinar cuando se conocen las fobias del autor o se ha llegado al texto teatral de la mano del prologuista Joaquín Molas». Tot seguit insinuava una possible resposta: «Mas cuando la introducción de este autor queda reducida a la concisa y neutra presentación anónima de la edición de Aymá, los paralelismos históricos del texto no son tan inequívocos que impongan la interpretación exclusiva en un sentido antipatriótico, denunciable como tal.»

Però tampoc no era qüestió de deixar-se entabanar: «A juicio del suscrito cabe sospechar una intención de sátira catalanista matizada de resentimientos de vencidos en los personajes hebreos de la farsa, que Espriu trata con dolida compasión; lo que no se puede es ir más allá de una *sospecha* políticamente razonable, pero insuficiente como elemento jurídico de prueba.» Així, tot i una certa cautela, concloïa: «Por lo que parece que se debe considerar la obra como PUBLICABLE.»

Tanmateix, els responsables últims de la resolució s'havien de pronunciar, en un sentit o en un altre, també sobre el pròleg. Posteriorment el sotmeteren a aquell mateix informador que, al cap d'uns quants dies, va aconsellar: «Creo que se debe proponer la supresión de los pasajes acotados en rojo en las galeradas 3, 4 y 5 correspondientes a explicaciones confirmatorias de la intención políticamente hostil al Movimiento victorioso y al régimen unitario.»

I així va ser assumit pels censors i «proposat» a l'editor.* De fet, s'havia començat a entrar en un temps en què, com va reconèixer al cap d'un any un informador arran d'una sol·licitud de permís per a una altra obra d'Espriu, «desde el

*Els llargs fragments del pròleg suprimits per la censura en l'edició de la col·lecció «Antologia Catalana», el 1966, van ser publicats per l'autor a la *Guia de literatura catalana contemporània* a cura de Jordi Castellanos. Barcelona: Edicions 62, 1973, pàg. 339-343.

Em vaig ocupar de l'historial de *Primera història d'Esther* en l'edició de la «Col·lecció Literària Aymà», el 1948, al meu llibre *L'edició catalana i la censura franquista*. Barcelona: Publicacions de l'Abadia de Montserrat, 1991.

punto de vista de política general, quizá se produciría más gritería denegando la publicación que perjuicio autorizándola.»

No hi ha dubte que els textos literaris sense torsimany directe tenien encara la possibilitat de beneficiar-se de la butlla d'una certa inhibició i el lector de censura es podia sentir eximit d'intervenir, fins i tot quan s'ensumava que hi havia «causa». Una «causa» que ocupava un lloc més que preeminent en les dèries dels gendarmes i que es manifestava en el zel d'uns informadors adelerats a la caça del «problema». En els anys seixanta i tractant-se d'Espriu, uns i altres ja el donaven per suposat, després de *La pell de brau*. Però els auxilis de lectura canviaven les regles del joc. Malgrat que el *problema* sempre es pressentia i fins es percebia, revelar-lo i fer que el públic hi topés resultava intolerable. Els informadors posen en evidència –com ja sabíem– la mena de recels que els obsedien i que els impedien de veure res més. Ara bé, quan els perills de què havien estat advertits quedaven confirmats, ja no es tractava tan sols de reaccionar davant allò que era obvi i evitar un càstig dels de més amunt. Hi havia, per a aquests darrers, una altra qüestió bàsica: la del públic, la de resistir-se a permetre que la literatura catalana disposés de suports que, progressivament, fessin possible avançar cap a la normalitat del públic lector.

Per tal de reblar encara tant el fet de l'obsessió permanent com el de la possibilitat de no intervenir quan no hi havia lectures que ajudessin a localitzar-la, no caldria sinó recordar l'anotació tan significativa que, dos anys abans, havia fet un informador de censura davant el volum de les *Obres poètiques* de J. V. Foix presentat per Nauta. Indicava que els textos tenien «un aire entre modernista y helenizante, aunque el lenguaje, sumamente escogido, pone de manifiesto una gran influencia clásica e italianizante». Més avall es mostrava suspicaç davant el sonet de *Sol, i de dol*, «No pas l'atzar ni tampoc la impostura / Han fet del meu país la dolça terra / On visc i on pens morir [...]». Apuntava que, en el darrer tercet, «parece que hace alguna alusión a la consabida "servidumbre" de Cataluña». Però també afegia que l'al·lusió li semblava molt lleu i, en un parèntesi, es tranquil·litzava i tranquil·litzava els seus patrons amb un «quizá los dedos se me antojen huéspedes». Doncs bé, com que el material que hem vist és tan reiteratiu que, a l'hora d'interpretar-lo, ens deixa poc marge per caure en el perill de la dita popular que aquell lector invocava, potser no hem de fer res més que, en homenatge al poeta, transcriure l'esmentat tercet: «Oh vigorosa estirp! Esclava indigna / Que cobeges viltats: Sagna, i signa / El teu rescat, i el retorn a la Idea!».

LA RENAIXENÇA DES DEL PUNT DE VISTA DE LA HISTÒRIA SOCIAL DE LA LLENGUA

Jordi Ginebra

Universitat Rovira i Virgili

1. Introducció

L'objectiu d'aquest treball és replantejar-se un concepte historiogràfic clau del XIX català, el de Renaixença, des del punt de vista de la història social de la llengua. Hi ha unes quantes raons que empenyen a intentar fer aquest replantejament. En primer lloc, la crisi del concepte de Decadència: avui ja és general la idea que és inadequat parlar de Decadència per etiquetar un període de la història de la llengua i la literatura catalanes (període que, a més, resulta que durava més de tres segles: anava del segle XVI al segle XIX). Aquesta crisi, de retruc, afecta el concepte de Renaixença, en la mesura que, almenys en l'ordre lògic, una noció exigeix l'altra: hi ha renaixença si abans hi ha decadència.

La segona raó que empeny al replantejament és que en els darrers anys han aparegut treballs, d'orientació diversa –alguns de més interpretatius, d'altres que aporten dades i documentació–, que fan veure –encara que la idea tampoc no és del tot nova– que durant l'època de la Renaixença (una època que té aquest nom perquè se suposa, òbviament, que produeix alguna mena de renaixement de la llengua) l'ús del català, paradoxalment, es va haver de sotmetre a constriccions cada vegada més fortes.

La tercera raó és de mètode. La Renaixença catalana és un fenomen que no té únicament –ni, potser, principalment– abast lingüístic. És innegable que es tracta d'un fenomen literari i cultural (probablement amb ramificacions socials i polítiques), que ha de ser objecte d'estudi, doncs, de les disciplines corresponents. Ara: si la història social de la llengua aspira a ser una disciplina autònoma i a dotar-se de mètodes i esquemes interpretatius propis, és lògic que ens demanem què significa la Renaixença –com qualsevol altre fenomen històric– precisament des del nostre punt de vista, inserida en uns objectius i plantejaments específics, diferents dels d'altres disciplines humanes i socials.

Finalment, i encara que el professor Joaquim Molas no és un historiador de la llengua, l'interès per les vicissituds històriques de l'idioma català ha acompanyat des de sempre la seva llarga trajectòria professional: el Dr. Molas no s'ha limitat a fer d'historiador estricte de les lletres catalanes, sinó que ha reflexionat sovint sobre la relació, en cada moment històric, entre literatura, cultura, societat i llengua. Aquest motiu, doncs, també ens empeny a tractar de la matèria de què hem dit que ens ocuparíem. (I encara podríem afegir que la Renaixença ha estat un tema que sovint ha requerit l'atenció i la dedicació del nostre homenatjat.)

2. La definició

Si la Renaixença no és principalment, com hem dit, un fenomen de la història social de la llengua, abans de fer-nos les preguntes pròpies de la disciplina hem de recórrer –i això no contradiu el que acabem d'assenyalar al paràgraf anterior– a les disciplines amb les quals considerem que el concepte de Renaixença es relaciona més directament. La primera d'aquestes disciplines és segurament la història de la literatura. Les definicions que han proposat els estudiosos de la literatura catalana són abundants, i no és l'objectiu d'aquestes pàgines fer-ne una revisió crítica. Ens servirem, per al nostre propòsit, d'una definició del mateix Joaquim Molas, una definició senzilla i clarificadora, que no sabem, però, que hagi estat publicada. Durant una de les sessions de debat de les Jornades Antoni Febrer i Cardona i la Cultura de la Il·lustració –que van tenir lloc el 1991 a Maó–, Molas va afirmar que la Renaixença era un moviment articulat al voltant d'una idea simple, la idea de renéixer. La definició pot semblar tautològica, però ens sembla força orientadora, pels motius que exposarem tot seguit.

En primer lloc, la definició implica que es tracta d'un fenomen ideològic. Pertanyen a la Renaixença les obres literàries, les actuacions i els projectes que són fruit d'una particular visió del moment històric: són autors de la Renaixença els que escriuen –o els que escriuen d'una determinada manera– empesos per la idea de renéixer, conscients que participen d'una aspiració col·lectiva que vol fer tornar a néixer una cosa que era percebuda com a morta (o moribunda). Una conseqüència d'això és que van poder conviure, al mateix moment històric, escriptors que tenien aquesta consciència i escriptors que no la tenien. I això vol dir, per tant, que no pas tots els escriptors de l'època de la Renaixença han de ser considerats escriptors de la Renaixença. Això fa llum sobre un dels primers problemes típics amb què s'enfronta l'historiador: si cal considerar la Renaixença una etapa o un moviment. És evident que el problema es resol a favor de la segona possibilitat.

El que s'acaba de dir pot semblar a hores d'ara una obvietat. Però potser no sempre ha estat prou tingut en compte quan s'ha treballat sobre la literatura catalana del segle XIX i ha impedit, així, penetrar en la complexitat dels usos lingüístics i literaris de l'època, i en els relleus i contrastos que aquesta complexitat va generar. Albert Rossich ja avisava d'aquest estat de coses quan feia notar, per exemple, que la vitalitat de la premsa satírica barcelonina de la dècada dels seixanta i la seva força com a vehicle d'idees literàries no coincidents amb les dels Jocs Florals és un fenomen que ha passat desapercebut en part perquè els autors d'aquest corrent es van anar integrant posteriorment en la Renaixença i, en part, perquè «aquest nom [el de Renaixença] va acabar identificant-se, pràcticament sense oposició, amb tota la literatura catalana vuitcentista des de 1833».[1] També Joaquim Molas mateix, l'any 1984, en la conferència inaugural del Col·loqui Internacional sobre la Renaixença, havia assenyalat que era útil considerar la Renaixença un moviment, precisament perquè així el podíem comparar –i veure'n els contrastos– amb altres moviments literaris amb els quals va coexistir.[2]

Si traslladem aquesta manera de veure les coses a l'esfera estricta de la història social de la llengua, que és el que ara ens interessa, podem establir les assumpcions següents. En primer lloc, pertany a la Renaixença la persona que fa servir la llengua catalana –en l'àmbit d'ús que sigui– empesa per la idea que utilitzar el català constitueix un acte d'afirmació positiva (un acte que s'emmarca en l'aspiració de recuperar o fer tornar a néixer un idioma mort o decadent). Es tracta, doncs, d'un ús de la llengua ideològicament connotat. En segon lloc, podien conviure al mateix moment històric persones o segments socials que usaven el català amb aquest propòsit *renaixent* i persones o segments socials que usaven el català sense aquest propòsit (i encara, evidentment, amb d'altres que no usaven el català). En tercer lloc, també des del punt de vista de la història social de la llengua la Renaixença ha de ser considerada un moviment, i no pas una etapa. Identificar qualsevol cas d'ús del català al segle XIX amb un ús connotat ideològicament com a renaixent no ens permet analitzar adequadament la complexa situació social de la llengua de l'època.

Situats en aquesta perspectiva, una de les comeses de l'estudiós és, així, mirar de destriar en quins casos, al segle XIX, la llengua catalana es va fer servir amb propòsit de renaixença i en quins casos no. Una feina que potser no sempre serà fàcil, entre altres coses perquè és possible que hi hagi casos mixtos i, a més, perquè ens pesa molt la reelaboració dels fenòmens lingüístics del passat que han anat fent posteriorment, fins avui, els estudiosos –i els ideòlegs– dels diferents moments històrics. Una reelaboració a la qual ja es van dedicar els mateixos protagonistes de la Renaixença (tornarem sobre això més endavant).

3. Problemes de l'establiment dels límits cronològics

Havent arribat aquí, reclarem una mica per tornar-nos a plantejar algunes qüestions sobre les quals hem passat molt de pressa. Encara que considerem que la

1. Albert ROSSICH, *Francesc Vicent Garcia. Història i mite del Rector de Vallfogona*, Barcelona: Edicions 62, 1987, pàg. 166.

2. Malauradament, encara avui —setze anys després— el text de la conferència de Molas no ha estat publicat.

Renaixença és un moviment –i no pas una etapa (en el nostre cas, de la història social de la llengua) –, això no evita una pregunta cabdal, que no pas pel fet d'haver estat formulada moltes vegades es pot considerar resolta. La pregunta és la següent. ¿Quan comença la Renaixença? ¿A partir de quin moment hi ha persones que escriuen i parlen en català –o promouen activitats i plataformes orientades a fomentar-ne l'ús– amb la idea que participen d'un moviment de recuperació?

La pregunta és de mal respondre, en part perquè, com hem dit abans, la Renaixença no és exclusivament un moviment relacionat amb l'ús de la llengua catalana, i la pregunta que ens fem és potser una pregunta esbiaixada. Un historiador de la cultura o de la literatura ens diria que no podem establir que la Renaixença comença quan hi ha persones que escriuen i parlen en català –o promouen activitats i plataformes orientades a fomentar-ne l'ús– amb la idea que participen d'un moviment de recuperació, sinó que comença quan hi ha persones que escriuen i parlen –en català o en un altre idioma– i promouen activitats –d'expressió catalana o no– pensant que participen d'un moviment de recuperació cultural del país. L'historiador de la llengua podria objectar-hi que a ell això no li interessa, sinó que només li interessa el moment a partir del qual aquesta recuperació s'expressa en llengua catalana. Però aquesta objecció, tot i que legítima, impediria tenir en compte que la llengua és segurament un epifenomen, i que les tensions sociolingüístiques són sempre tensions derivades de factors d'ordre cultural, polític o econòmic.

Pensem, així, que, si bé la funció específica de l'historiador de la llengua és mirar d'establir fins a quin punt un renaixement (cultural, social, polític o de l'ordre que sigui) té conseqüències lingüístiques –i que si bé és cert que pot argumentar que, des del seu punt de vista, no hi ha renaixement fins que el renaixement no té implicacions en l'ús positiu de la llengua–, és imprescindible que, per poder resoldre el problema que es planteja, intenti conèixer l'abast i les causes generals del renaixement que estudia. I, havent arribat aquí, les coses es compliquen enormement.

Les coses es compliquen perquè els estudiosos de la literatura no es posen del tot d'acord a l'hora d'establir la data d'inici de la Renaixença. Les dates tradicionals simbòliques més recurrents són el 1833 –any de la publicació del poema d'Aribau–, el 1839 –any del primer poema de Rubió i Ors al *Diario de Barcelona*– i el 1841 –any de la publicació del volum *Lo Gayté del Llobregat*–, però hi ha historiadors que han insistit en l'existència d'una prerenaixença (que podria abastar tot el primer terç del segle) i, a més, en una línia contrària, en els darrers anys Albert Rossich ha suggerit que no és fins al 1859, amb la restauració dels Jocs Florals de Barcelona, que es pot parlar de l'inici d'un moviment consolidat.[3]

La qüestió de la prerenaixença és especialment llenegadissa, bàsicament per dos motius. En primer lloc, perquè hem tendit a considerar *prerenaixent* qualsevol

3. Vegeu Albert ROSSICH, «Les arrels literàries de Verdaguer», *Ausa*, XVII, núm. 136 (1996), pàg. 39-60.

manifestació explícita d'adhesió a la llengua catalana produïda durant el primer terç del segle XIX i, fins i tot, durant el segle XVIII.[4] Un cas extrem en aquesta línia de pensament és el de Josep Miracle, que va encara prou més enllà, fins a l'època de Felip IV: «Felip IV empenyé Espanya cap a la seva general decadència; i, paradoxalment, empenyé Catalunya cap a la seva particular renaixença».[5] Sembla, però, que en la mesura que vulguem objectivar el fenomen de la Renaixença, caldrà, primer de tot, posar-li fites cronològiques, ni que sigui amb una certa arbitrarietat. És per tot això que les mostres d'adhesió a la llengua catalana que trobem en autors del segle XVIII –i potser del primer terç del XIX– haurien de ser emmarcades en les coordenades polítiques, socials i culturals corresponents, sense que calgués recórrer al marc conceptual de la Renaixença. A més, com deia sovint Rovira i Virgili, cal que no confonguem les coses amb l'origen de les coses. Potser sense la recuperació econòmica de la segona meitat del XVIII no hi hauria hagut Renaixença, però la recuperació econòmica del XVIII no és la Renaixença.

El segon motiu pel qual el problema de la prerenaixença és incòmode es deriva del fet que els protagonistes de la Renaixença van mostrar-se molt amatents a historiar el moviment en què participaven. Van reelaborar el passat en funció dels propis criteris, sensibilitat i ideologia, i van buscar sovint predecessors del començament del segle XIX i del segle XVIII. Com que les indicacions que ens donen aquests personatges són per a nosaltres, inevitablement, fonts primàries –dades–, el resultat és que podem tendir fàcilment a veure el primer terç del segle XIX a través dels seus ulls i, doncs, a considerar-lo més «prerenaixent» del que una crítica estricta ens faria descobrir. Segurament un exemple de tot això el tenim en el que podríem denominar la *invenció* de Ballot.[6]

4. Pere Anguera fa comentaris en aquesta línia en relació amb tot el segle XIX: l'ús del català i fins i tot un cert sentiment d'adhesió a la llengua —catalanitat— no sempre ha implicat combativitat —catalanisme. Vegeu *El català al segle XIX. De llengua del poble a llengua nacional*, Barcelona: Empúries, 1997, pàg. 10-11. Antoni-Lluc Ferrer fa una referència a la complicació que suposa l'ús de l'etiqueta *prerenaixença*. Vegeu «Els orígens de la Renaixença i la mentalitat col·lectiva», dins *Actes del Col·loqui Internacional sobre la Renaixença (18-22 de desembre de 1984)*, a cura de Manuel JORBA, Joaquim MOLAS i Antònia TAYADELLA (coordinació general de Joan R. VENY-MESQUIDA), vol. II, Barcelona: Curial, 1994, pàg. 55.

5. Josep MIRACLE, *La restauració dels Jocs Florals*, Barcelona: Aymà, 1960, pàg. 36.

6. Antoni-Lluc Ferrer ha fet un excel·lent treball documentant la invenció d'un altre dels mites fundacionals —el mite fundacional per antonomàsia— de la Renaixença: el poema d'Aribau. Vegeu *La patrie imaginaire: la projection de «La patria» de B. C. Aribau (1832) dans la mentalité catalane contemporaine*, 2 vol. Aix-en-Provence: Université de Provence, 1987. Potser també caldria documentar i estudiar amb detall la invenció de Ballot (i també, per exemple, la responsabilitat de Víctor Balaguer en relació amb el fet que la historiografia posterior hagi considerat Puigblanch un «prerenaixent»). La tendència dels escriptors de la Renaixença a historiar el moviment deu respondre a la necessitat dels catalans del segle XIX i XX, detectada per Rubió i Balaguer, d'actuar a la vegada com a historiadors i com a protagonistes, i és segurament un símptoma de la «naixença reiterada» que, segons Antoni-Lluc Ferrer, caracteritza la literatura catalana moderna («Els orígens», pàg. 55-56).

(Si se'ns permet un parèntesi, direm que ara mateix no sabem si, de la mateixa manera que fa ja quaranta anys un autor va assajar d'esquematitzar el que en va dir l'«estructura de les revolucions científiques», algú ha traçat un esquema general de l'«estructura dels renaixements».[7] Podríem fer la hipòtesi que hi ha, entre altres, com a mínim dos estadis que són comuns a tots els renaixements. Hi ha un primer estadi en què es fa una declaració de mort, que és el que possibilita la nova naixença –el renaixement. Però hi ha també un segon estadi, que arriba quan el renaixement ja està més o menys consolidat –i que té com a funció refermar i legitimar el moviment–, que consisteix a buscar predecessors –antecedents nobiliaris– en el període considerat de decadència, foscor i mort.)

Sembla que –seguint els historiadors de la literatura– podem dir que existeix un període durant el qual hi ha a Catalunya nuclis d'escriptors i intel·lectuals que tenen consciència de viure un renaixement cultural del país sense que això els dugui a sentir-se protagonistes d'un moviment de recuperació de la llengua catalana.[8] L'historiador de la llengua ha d'acceptar –com hem dit– que l'historiador de la literatura (o, més en general, l'historiador de la cultura) li digui, per exemple, que la Renaixença és un fenomen extens i complex, que consisteix en la voluntat de retrobar la personalitat cultural i històrica pròpia del país, i que això es produeix en part al marge de la llengua que s'utilitza per fer efectiu i expressar aquest retrobament. Ara: el que l'historiador de la llengua ha d'investigar és en quin moment i amb quin abast –i per quines causes– aquest retrobament afecta la llengua d'una manera específica, i en quin moment la voluntat de recuperació de la llengua esdevé –si és que és el cas– preponderant. Potser no és fins llavors que caldria parlar de Renaixença «des del punt de vista de la història social de la llengua». (En l'estudi del Romanticisme caldria procedir de la mateixa manera: solem dir que el Romanticisme és la causa –o una de les causes– de la Renaixença, però hi ha un –¿primer?– Romanticisme a Catalunya que no té com a conseqüència, almenys immediata, l'aparició d'obres escrites en llengua catalana.)[9] Per aquest motiu, la nostra proposta és que els historiadors de la llengua, sense qüestionar que aquest període inicial de la Renaixença hagi de considerar-se com a tal, estableixin que, per exigències de mètode de la seva

7. Vegeu T. S. KUHN, *The Structure of Scientific Revolutions*. Xicago: The University of Chigago Press, 1962.

8. Joaquim MOLAS, per exemple, escriu, al pròleg de *Poesia catalana romàntica* (Barcelona: Edicions 62, 1965 [2a edició revisada, 1974], pàg. 7-8): «Als anys 30, es produí a la nostra terra un veritable renaixement literari [...]. Tot aquest moviment, però, traïa una contradicció interna fonamental: hom traduïa els sentiments i els comportaments [...] en una llengua que els era estranya».

9. Per exemple, en dos estudis recents dedicats al Romanticisme a Catalunya els autors no es troben en la conjuntura d'haver de plantejar-se si el moviment romàntic va impulsar l'ús del català en la literatura, i això deu confirmar, doncs, que va existir aquest Romanticisme sense implicacions lingüístiques. Vegeu Antoni MARÍ, «El romanticisme a Catalunya», i Manuel JORBA, «Els romanticismes de Catalunya», tots dos dins *El segle romàntic. Actes del Col·loqui sobre el Romanticisme. Vilanova i la Geltrú, 2, 3 i 4 de febrer de 1995*, edició a cura de Manuel JORBA, Antònia TAYADELLA i Montserrat COMAS, Vilanova i la Geltrú: Organisme Autònom Biblioteca-Museu V. Balaguer / Ajuntament de Vilanova i la Geltrú, 1997, pàg. 101-112 i pàg. 209-248.

disciplina específica (i en part per la necessitat, també metodològica, d'establir límits), faran servir l'etiqueta *Renaixença* per referir-se al moviment a partir del moment en què es detecti que la qüestió de la llengua hi és particularment rellevant.

4. La data inicial

¿Quin és aquest moment? Potser la data que, almenys com a convenció provisional de treball, podríem fixar com a representativa del fet que hi ha algun escriptor que promou específicament la recuperació de l'ús de la llengua catalana és la data clàssica de 1841, l'any de l'edició de *Lo Gayté del Llobregat*, sobretot pel pròleg que conté. És cert que quan diem «recuperació de l'ús de la llengua catalana» volem dir, almenys de moment, «recuperació de l'ús de la llengua catalana en la poesia culta», i és cert que la publicació del llibre de Rubió i Ors no va restaurar la literatura catalana. Però també és cert que va impulsar uns quants joves a escriure en català. Potser aquest grup de joves era molt reduït. Potser només van ser dos o tres. Però ja podem parlar –ens sembla– de grup de persones que manifesten l'interès de fer, en llengua catalana, una literatura culta i perdurable, que pretén enllaçar, a més, amb una tradició poètica estroncada (o suposadament estroncada).[10]

Se'ns pot objectar que si fixem l'any 1841 com a data d'inici de la Renaixença (sempre entesa amb les limitacions a què ens hem referit) no fem sinó caure en la trampa contra la qual preveníem abans, en el sentit que afavorim una lectura –si se'ns permet l'expressió– «Rubió-cèntrica» de la Renaixença, i que el Rubió-centrisme no és sinó també una invenció, el resultat d'una particular reelaboració del passat feta per Rubió i Ors mateix, pels seus descendents i pels estudiosos posteriors influïts pels Rubió. Admetent que potser en la proposta hi ha alguna cosa d'això (i deixant ara de banda la possibilitat d'investigar documentalment si realment no hi ha solució de continuïtat entre la publicació del llibre de Rubió i la consolidació d'un clima favorable a la creació poètica en català), convé precisar que es tracta d'entendre la data com a convenció, i que, en qualsevol cas, la proposta no pretén que se n'hagi de deduir que tots els qui escrivim avui en català siguem «fills» de Rubió i Ors (encara que, efectivament, Joan Sardà va afirmar, molts anys després, que tots els qui escrivien en català eren, d'alguna manera, descendents del Gaiter). A més, és innegable que, en termes generals, el procés que fa que una colla d'escriptors del segle XIX impulsin un moviment de renaixement de la literatura catalana és un procés complex, contradictori i no lineal, que és fruit de la concurrència de fac-

10. El valor de l'obra com a iniciadora del moviment seria independent del fet que el mateix Rubió mostrés posteriorment vacil·lacions i dubtes, i del fet que, pel que sembla, més endavant no va fer palesa cap inclinació particular a aprofundir en les conseqüències intel·lectuals del seu gest. També és independent del fet que encara avui resulti complex interpretar la seva iniciativa. Sobre això darrer vegeu Josep M. FRADERA, *Cultura nacional en una societat dividida*, Barcelona: Curial, 1992, pàg. 33 i 61-63.

tors i canvis diversos de tipus cultural, social i polític, i que, per tant, pot resultar simplista i infantil atribuir una gran transcendència a la publicació d'un llibre de poemes, ja que la publicació d'un llibre és al capdavall una anècdota. Però per a l'historiador les anècdotes també són dades, i l'especulació sobre els processos de canvi cultural, social i polític no poden bastir-se sinó damunt de dades. Cal que acceptem, doncs, que potser hi havia altres persones al país en condicions de fer un pròleg semblant al que encapçala el volum *Lo Gayté del Llobregat*, i que hi devia haver nuclis que esperaven o desitjaven poder fer literatura culta en català –o que, en rigor, en feien–; amb tot (o precisament per aquest motiu), l'«anècdota» de 1841 ens sembla que té prou valor representatiu. (Hi havia, efectivament, creació literària en català coetània i anterior a Rubió –i creació literària *culta*–: Albert Rossich ha fet un valuós esforç en aquests darrers anys exhumant poetes i poemes, esforç orientat a mostrar l'existència d'una tradició literària catalana –neoclàssica, barroca o rococó– que s'allarga fins a coincidir cronològicament amb el romanticisme jocfloralesc. Ell mateix, de tota manera, exclou aquesta poesia del moviment de la Renaixença.)[11]

Si fixem l'any 1841 com a data d'inici de la Renaixença (sempre, hi insistim, entesa amb les limitacions a què ens hem referit), no podrem evitar de demanar-nos què haurem de fer amb les manifestacions literàries anteriors que presenten símptomes d'haver estat redactades amb un esperit de restauració emparentable amb el de Rubió. Com hem dit abans, no es tracta pas de defensar que els poemes de Rubió constitueixin una mena d'epifania fundacional. Hem acceptat que hi ha un període durant el qual es manifesta a Catalunya la inquietud per retrobar la pròpia personalitat cultural i històrica i, si bé hem dit que aquest retrobament es produeix en part al marge de la llengua amb què s'expressa, ara és el moment de fer notar que hem dit, precisament, «en part». Tractar del problema de la llengua era inevitable, entre altres coses perquè no es podia mirar al passat sense trobar-s'hi. Sembla que durant la dècada dels vint i dels trenta hi va haver un cert debat sobre la viabilitat del català com a llengua d'alta cultura i que, encara que va predominar la idea de rebutjar aquesta possibilitat, això no va impedir que es redactessin unes quantes obres en català. El poema *La pàtria*, de 1832, en seria l'exemple més conegut. Però també hi ha, entre altres, *Lo vot complert* de Pere Mata, de 1836, un poema més significatiu en relació amb el que diem perquè va ser escrit, si se'ns permet l'expressió, amb voluntat «modernitzadora», ja que la raó que va moure l'autor a redactar-lo era incorporar la llengua catalana al moviment romàntic.[12] Considerar el 1841 com la fita inicial de la Renaixença, finalment, no significa, doncs, oblidar que les condicions que van fer possible que es creés un clima favorable a l'ús de la llengua catalana en

11. Vegeu Albert Rossich, «Les arrels», pàg. 43-46. Potser, seguint els suggeriments de Rossich, podríem dir que una diferència important entre la poesia culta renaixentista i la poesia culta coètania no renaixentista és precisament la tradició en què es volen inserir: la primera pretén enllaçar amb una tradició estroncada fa segles; la segona enllaça de fet amb una tradició viva (encara que potser no general).

12. Vegeu ara, sobre aquest poema, Xavier Vall, «"Lo vot complert", de Pere Mata, un poema presentat com el pioner del romanticisme literari català», dins *El segle romàntic. Actes del Col·loqui sobre el Romanticisme*, pàg. 387-415.

la literatura culta poden ser anteriors a aquesta data. A més, la percepció del vincle entre història i llengua, el descobriment de la rica tradició poètica popular en llengua autòctona, la idea de l'idioma com a símbol de la pàtria i la valoració de la llengua pròpia com a expressió dels orígens individuals i col·lectius són elements que, abans de 1841, ja havien començat a posar-se damunt de la taula del debat cultural.

5. Un moviment ideològic

Si acceptem que, a partir de 1841, hi ha uns quants escriptors que escriuen en català amb la idea que aspiren a restaurar, a fer renéixer, una literatura, convindrà fer ressaltar de seguida el caràcter ideològic d'aquest procés de restauració. Aquests escriptors professen la idea que la literatura catalana és morta –i, per extensió, que també és morta la llengua– i que ells treballen per fer-la reviure. Dir, durant la primera meitat del segle XIX, que la llengua catalana és morta constitueix una afirmació connotada ideològicament, carregada de pressupòsits i implicacions ideològics. El que detectem, doncs, és una determinada percepció de la realitat: el que analitzem té a veure molt més amb climes d'opinió, propòsits, aspiracions, inquietuds, que no pas amb una actitud que sigui el resultat d'una avaluació sociolingüística estricta de la situació catalana del moment. Albert Rossich ha remarcat que el «terme renaixença val només perquè reflecteix, això sí, la percepció del fenomen per part d'uns sectors».[13]

Plantegem-nos-ho des d'ara: ¿era mort l'idioma l'any 1841? Com s'ha indicat al començament d'aquestes ratlles, en els darrers anys han aparegut una sèrie de treballs que documenten l'enorme vitalitat de la llengua catalana fins a les primeres dècades del segle XIX. No ens referim, naturalment, a la vitalitat de la llengua oral i col·loquial (dir que en les interaccions de la vida diària el poble català ha estat monolingüe fins al segle XX no és cap novetat). Ens referim a la vigència i funcionalitat del català escrit: documents notarials, textos religiosos, manuals pràctics, llibres de comptes, paperassa comercial, contractes, actes municipals, etc. I fins i tot a la vigència d'una determinada literatura en català.[14]

13. Albert ROSSICH, «Les arrels», pàg. 51. Vegeu també la pàgina 52.

14. Vegeu la introducció i el capítol «El català a la crisi de l'Antic Règim» de Pere ANGUERA, *El català*, pàg. 9-19 i 21-50 (de fet també els dos capítols següents); Àlvar MADUELL, *El «Catecisme en vers» (1819) de Josep Baborés, guerriller i rector de Gualba*. Barcelona: Rafael Dalmau, Editor, 1976; del mateix autor, «Ciència, pietat i literatura en les edicions catalanes d'abans d'Aribau (1801-1833)», dins *Actes del Col·loqui Internacional sobre la Renaixença (18-22 de desembre de 1984)*, vol. I, 1992, pàg. 13-55; Catalina MARTINEZ I TABERNER, *La llengua catalana a Mallorca. Segle XVIII i primer terç del XIX*. Barcelona: Publicacions de l'Abadia de Montserrat, 2000; August RAFANELL, *La llengua silenciada*.

Precisament el que sembla que s'esdevé és que, a partir de la quarta dècada del segle, es produeix, en relació amb tot això, un cert col·lapse. La vida sociopolítica comença a castellanitzar-se ràpidament. Però fins i tot cal anar amb compte a l'hora de descriure i avaluar aquesta ràpida castellanització. Els processos socials, al segle XIX, si no és que es tracta de processos revolucionaris –que n'hi ha, evidentment, i no pas pocs–, són molt lents. Quan diem vida sociopolítica ens referim sobretot a les relacions determinades des de dalt de la piràmide social i política: l'alta administració –la pública i la privada (és a dir, la del món industrial i empresarial)–, l'alta cultura, l'alta política i l'alta societat. Com ja ha estat assenyalat, és durant aquest període que la burgesia catalana s'adscriu –no pas sense contradiccions– al projecte polític de nació espanyola i, per tant, que converteix la cultura en un recurs d'integració a aquest projecte. La voluntat d'integració exigia, així, que el vehicle lingüístic d'aquesta cultura fos la llengua espanyola. Potser el procés de recuperació cultural del país de les primeres dècades del segle XIX –aquesta primera Renaixença no lligada necessàriament amb la llengua– no és sinó l'expressió de la voluntat de participar, des d'una posició regional específica, en el programa d'articulació del nou Estat liberal unitari. Potser es tractava de fer oblidar la fama que tenia Catalunya d'haver-se dedicat més a les armes i al comerç que a les arts i les lletres, i de fer notar que també podia contribuir, amb un paper important, a la construcció de la nova cultura nacional espanyola.[15]

En aquest context, potser hem d'entendre la percepció de la mort de la literatura i de la llengua catalanes com el resultat d'un exercici d'assimilació d'aquesta opció cultural i política de la burgesia catalana i de les tendències que implicava. I, conseqüentment, potser hem d'entendre l'aspiració a fer renéixer la llengua i la literatura catalana com una reacció en contra d'aquest nou panorama. (Perquè un renaixement parteix de la constatació, imaginària o real, d'un fracàs, d'una negativitat. I, alhora, encara que sigui simplement una reacció davant la negativitat, ha de contenir, evidentment, un impuls esperançat.)

Barcelona, Empúries: 1999; del mateix autor, «Una llengua: dues funcions», dins el seu volum *El català modern*, Barcelona: Empúries, 2000, pàg. 194-209; Antoni I. ALOMAR, *La llengua catalana a les Balears en el segle XIX*. Palma: Documenta Balear, 2000; Rolf KAILUWEIT, «El canvi de l'arquitectura lingüística de les terres catalanes en els segles XVIII i XIX», *Caplletra*, núm. 27 (tardor 1999 [2000]), pàg. 189-211. També hi ha referències i comentaris d'interès a Josep MURGADES, *Llengua i discriminació*. Barcelona: Curial, 1996. Per a la tradició literària, vegeu Albert ROSSICH, «Les arrels». Si se'ns permet, hi afegirem, de qui signa aquestes ratlles, els treballs «La llengua catalana en el primer terç del segle XIX», dins *Joan Ramis i Josep M. Quadrado: de la Il·lustració al Romanticisme*, a cura de Maria PAREDES i Josefina SALORD, Barcelona: Publicacions de l'Abadia de Montserrat / Universitat de les Illes Balears / Institut Menorquí d'Estudis, 1999, pàg. 33-64; i «Problemes de la història social de la llengua dels segles XIX i XX», *Caplletra*, núm. 27 (tardor 1999 [2000]), pàg. 13-21.

15. Vegeu una descripció i un judici d'aquesta cultura catalana en castellà dels patricis de la primera meitat de segle a Josep FONTANA, *La fi de l'Antic Règim i la industrialització (1787-1868)* [vol. V de la *Història de Catalunya*, dirigida per Pierre VILAR], Barcelona: Edicions 62, 1987, pàg. 429-433. És clar que la qüestió de l'especificitat —en relació amb el conjunt espanyol— de la cultura de les classes dirigents catalanes de l'època és un tema més complex del que les nostres ratlles fan veure. Vegeu, per a això, Josep M. FRADERA, *Cultura nacional*, pàg. 92-108.

Però el nou panorama contra el qual es reaccionava –cal tornar-ho a dir– afectava fonamentalment, almenys en un primer moment, les capes altes de la societat i els nuclis d'intel·lectuals. Hem d'entendre que és en relació amb aquests grups –i no pas amb tota la societat catalana– que Rubió lamentava l'any 1841 que «alguns de élls, ingrats envers sos avis, ingrats envers sa patria, se avergonyeixen de que se los sorprengue parlant en catalá com un criminal á qui atrapan en lo acte».[16] La resta de la societat devia mantenir-se relativament impermeable al debat de les classes altes sobre la mort o la resurrecció de la llengua catalana. D'una banda, és innegable que devien notar –potser amb un cert sentiment d'inevitabilitat– les conseqüències del procés de superposició d'un idioma aliè, procés que, com hem dit, s'accelera notablement a partir de la dècada dels anys trenta. De l'altra, devien continuar immergits en formes socioculturals pròpies –també de cultura escrita–, en relació amb les quals la llengua catalana era encara predominant. No ens referim exclusivament a les formes de la cultura popular. Ens referim també al fet que sectors importants de la societat encara convivien, a la parròquia, a l'escola, al lloc de treball, amb papers –i amb textos impresos– escrits en català. En un català que, com hem dit abans, no era pas percebut com a relacionat amb cap procés de renaixement.[17]

De fet, es detecta un cert divorci –potser lògic– entre el debat sobre la llengua originat per la qüestió de la mort i el renaixement de l'alta literatura i la realitat sociolingüística general del moment. Aquest divorci és també un símptoma del caràcter ideològic del moviment renaixentista. Dit amb altres paraules: els escriptors que promovien la recuperació de la literatura en català i que lamentaven la defecció lingüística de les classes dirigents no lamentaven –almenys en aquesta primera etapa— les noves imposicions en matèria de llengua que provenien del poder central, ni tampoc no consideraven com a vinculat al seu projecte el fet que en determinats àmbits –també escrits– es fes servir el català. El 1850, per exemple, al Teatre Principal i al Teatre del Liceu encara es representava la Passió en català, però, si no ens equivoquem, cap escriptor de la Renaixença no va al·ludir a aquest fet com a símptoma de recuperació de la llengua (segurament perquè, efectivament, no ho era: es representava en català perquè sempre s'havia fet així, no pas per esperit de renéixer).[18] L'impressor Rubió, que l'any 1841 havia editat el llibre de poemes del seu fill

16. Joaquim Rubió i Ors, «Prólech» a *Lo Gayté del Llobregat. Poesias*. Barcelona: Estampa de Joseph Rubió, 1841. Reproduït en facsímil (d'on citem) a Joaquim MOLAS, Manuel JORBA i Antònia TAYADELLA (ed.), *La Renaixença. Fonts per al seu estudi 1815-1877*, Barcelona: Universitat de Barcelona / Universitat Autònoma de Barcelona, 1984, pàg. 80. El retret de Rubió té valor encara que tinguem molts indicis per pensar que va resultar, per causa dels misteris de la vida i de la història, que ell mateix utilitzaria habitualment, si no en aquell moment sí posteriorment, com a llengua familar l'espanyola.

17. Vegeu a propòsit d'això Josep FONTANA, *La fi de l'Antic Règim*, pàg. 434-435.

18. Sobre les prohibicions i obstacles posades per les autoritats civils i eclesiàstiques a la representació de la Passió —per motius morals i dogmàtics, no pas per motius lingüístics, però—, vegeu ara el treball recent de Ramon PINYOL, «Notes sobre la persecució eclesiàstica del teatre popular religiós a la diòcesi de Barcelona en el segle XIX», dins *El segle romàntic. Actes del Col·loqui sobre Àngel Guimerà i el Teatre Català al Segle XIX. El Vendrell, 28, 29 i 30 de setembre de 1995*, edició a cura de Josep M. DOMINGO i Miquel M. GIBERT, Tarragona: Diputació de Tarragona, 2000, pàg. 651-664. El llibre citat de Pere Anguera és ple de dades sobre l'ús d'aquest català no renaixent.

Joaquim Rubió i Ors, publicava poc després, el 1846, una nova edició de la versió catalana del Kempis feta per Pere Bonaura, però encara que això significa que era un llibre que es comprava i es llegia, cap dels protagonistes de la Renaixença no va pensar que constituïa un senyal que la llengua catalana no era «morta». En canvi, si el mateix any Antoni de Bofarull hagués aconseguit, com pretenia, publicar en català el volum *Hazañas y recuerdos de los catalanes*, hauria donat als lectors la primera mostra de prosa catalana de la Renaixença. Es tracta d'exemples del fenomen al qual ens hem referit abans: hi havia un ús de la llengua catalana connotat ideològicament com a renaixent i hi havia un ús que no presentava aquesta connotació.

Aquest divorci, el fet que el debat sobre la recuperació de la literatura catalana resulti un fenomen relativament epidèrmic en relació amb l'evolució social general de la llengua catalana, admet una primera interpretació raonable: ni Rubió i Ors, ni Antoni de Bofarull, ni Marià Aguiló –per donar el nom de tres exemples representatius– no pretenien cap altra cosa, durant els anys quaranta, que poder-se dedicar a una expansió erudita sense implicacions socials. En tot cas, entenien la literatura en català com un refugi simbòlic d'una història i d'una pàtria insalvables. Aquesta seria aproximadament la interpretació de Joan Lluís Marfany, per al qual la «tímida emergència d'una poesia culta en català [...] era només la cirereta que adornava aquest pastís [el de la ideologia que proporcionava a la burgesia catalana uns signes distintius cohesionadors] i, no sols la restauració literària de la llengua no arribà a plantejar-se mai més enllà d'aquests límits, sinó que el desenvolupament d'aquesta ideologia va anar acompanyat de l'esforç més important de castellanització de la pròpia societat que les classes dirigents catalanes hagin emprès mai».[19]

Les tesis que Josep M. Fradera desenvolupa en el llibre *Cultura nacional en una societat dividida*, ja citat, van en una línia semblant. Si seguim aquest autor, no podríem considerar la Renaixença com l'aspiració a fer renéixer la llengua i la literatura catalanes –i tampoc, per tant, com la reacció d'uns quants intel·lectuals davant les opcions culturals de la burgesia (a la qual ells també pertanyien)–, sinó que l'hem de veure precisament com una construcció cultural que és el resultat de l'opció ideològica de la burgesia catalana a partir de la revolució liberal. Segons aquest autor, els homes de la Renaixença «el que de debò intentaven de fer no era purament construir una literatura i, menys encara, salvar una llengua, sinó resistir en el pla cultural els efectes disgregadors de la transformació per la qual passava el país».[20]

La sòlida i extensa argumentació de Fradera –i les vies d'investigació que suggereix–demana uns comentaris que ara no estem en condicions de fer. En qualsevol cas, ens sembla que l'acceptació de les seves tesis no invalida els aspectes del que hem anat dient que, per a la història de la llengua, són més rellevants: amb unes causes o altres, amb uns propòsits o altres, durant la dècada dels quaranta apareix

19. Joan-Lluís Marfany, «Renaixença, la», dins *Diccionari d'història de Catalunya*, dirigit per Jesús Mestre, Barcelona: Edicions 62, 1992, pàg. 908.
20. Josep M. Fradera, *Cultura nacional*, pàg. 147.

una nova literatura en català que es construeix oposant-se a la idea de la mort de la llengua i que es presenta, per tant, amb la pretensió de recuperar una tradició literària perduda.

6. La segona etapa

El fet d'acordar l'any 1841 com a data inicial de la Renaixença no significa desestimar la possibilitat d'establir una certa periodització del moviment. Tots els estudiosos coincideixen a assenyalar com a clau l'any 1859, l'any de la restauració dels Jocs Florals de Barcelona. Pensem que la primera etapa, doncs, podria anar de 1841 a 1859. Hem dit que durant aquesta etapa hi ha autors que escriuen en català amb la consciència de participar d'una temptativa de fer renéixer la literatura catalana, encara que, certament, el nombre d'aquests autors és molt reduït. És reduït, però existeix. Subscrivim, doncs, aquestes paraules de Joaquim Molas (malgrat que no hi hagi coincidència absoluta en les dates): «Del 44 al 59, aquests grups minoritaris, malgrat alguns desànims perfectament explicables per la situació del poeta romàntic dins la societat on es realitza [...], acceleraren el moviment de Renaixença. Del 1833 al 1859, el moviment fou individual i desorganitzat.»[21]

A partir de 1859 les coses canvien notablement, i això és el que ha dut Albert Rossich, com hem dit abans, a proposar aquesta data com a fita inicial del moviment. Ens sembla, de tota manera, que la discrepància que hi pot haver entre la proposta de Rossich i la nostra (que de fet no és nostra, ja que hem seguit una idea que havia estat expressada sovint) és segurament de matís. Perquè creiem que tots estaríem d'acord que a partir de 1859 el nombre d'escriptors que se senten atrets per la idea d'escriure en català creix considerablement i, sobretot, que hi comença a haver plataformes estables d'expressió i difusió de la literatura en català. La primera, lògicament, són els Jocs Florals. També és un símptoma de la voluntat d'institucionalització de les lletres catalanes el fet que dels Jocs Florals sorgís una Comissió d'Ortografia que, deixant ara de banda si va reeixir o no, tenia com a objectiu fixar el codi ortogràfic per a la nova literatura. Durant els anys següents es funda el *Calendari Català* (1864), l'Esbart de Vic (1867), la revista *Lo Gay Saber* (1868), la societat La Jove Catalunya (1870) i la revista *La Renaixença* (1871). En la dècada dels seixanta el nou teatre en català assoleix un gran èxit de públic.

A partir de 1859 la llengua catalana esdevé, com ha dit Joaquim Molas, «l'element de cohesió de tot el moviment.»[22] En la mateixa línia Manuel Jorba ha escrit que els Jocs Florals «posaven el centre d'interès en la llengua catalana, com a

21. Pròleg a *Poesia catalana romàntica*, pàg. 8-9.

22. Joaquim MOLAS, «La cultura durant el segle XIX», dins *Història de* Catalunya, dirigida per Joan Salvat, vol. V, Barcelona: Salvat, 1979, pàg. 179.

objectiu d'ús i com a tema, la qual tenia així una plataforma adient per ser reconeguda com el punt de trobada i identificació de tota la col·lectivitat».[23] Esquemàticament parlant, doncs, ens sembla que la diferència entre la primera etapa i la segona, a més de quantitativa, és que durant la primera coexisteixen la idea del renaixement de la literatura en català amb la del renaixement cultural al marge de la llengua i, en canvi, en la segona una cosa i altra s'exigeixen i s'identifiquen. (Sempre amb excepcions, és clar. Cal entendre aquesta identificació sobretot com un principi i una tendència: durant els anys seixanta i setanta encara es publiquen obres «catalanistes» en castellà).

Una pregunta que hem de fer-nos és si aquesta nova situació és només el resultat d'un fenomen estrictament cultural –la restauració dels Jocs Florals– o si respon a canvis estructurals de la societat catalana o a canvis de les coordenades polítiques. Si seguim Josep M. Fradera, que estableix quatre etapes en l'evolució de les relacions entre Catalunya i el conjunt espanyol durant el segle XIX, l'any 1859 quedaria situat en la segona d'aquestes etapes.[24] Per Fradera, aquesta segona etapa es caracteritza per l'emergència de les tensions derivades de l'existència a Espanya de dos models de capitalisme diferent i per l'aparició a Catalunya de les tensions que són fruit de les lluites de classe modernes. Aquestes tensions provoquen canvis en els hàbits mentals i en l'horitzó ideològic de les classes dirigents catalanes, canvis que es resumeixen –sempre seguint Fradera– en els tres punts següents.[25] En pimer lloc, en l'accentuació de la sensació d'aïllament. En segon lloc, en el creixement del pes, en l'univers ideològic que s'havien fet aquests grups, dels valors de tradició i conservació (destacarem, entre els aspectes que dóna Fradera, la idealització i respecte pel passat i l'assimilació dels elements més conservadors de la tradició romàntica europea). I, en tercer lloc, en el fet que tot plegat provoca un *revival* –el mot és de Fradera– dels elements particularistes, que, de maons d'un edifici en runes, es converteixen en el material d'una construcció ideològica totalitzadora que reflecteix i sublima aquell aïllament. La llengua passa de ser un vestigi de la «mort de Catalunya» a ser un carreu sobre el qual s'aixeca «aquesta vasta obra de reconstrucció, intrínsecament conservadora, que ha estat la Renaixença».[26]

En aquest marc històric descrit per Fradera, els Jocs Florals poden considerar-se una peça central d'aquest *revival* particularista i, doncs, l'increment de producció de literatura culta en català que detectem a partir de 1859 –i el fet que la llengua adquireixi caràcter cohesionador i arribi a ser un símbol totalitzador– han de ser vistos com a actes de replegament ideològic i cultural. Això potser contribueix a explicar per què,

23. Manuel JORBA, «La Renaixença», dins *Història, política, societat i cultura dels Països Catalans*, vol. VI, dirigit per Josep M. FRADERA, Barcelona: Enciclopèdia Catalana, 1997, pàg. 354.

24. Josep M. FRADERA, «El vigatanisme en la transformació de les tradicions culturals i polítiques de la Catalunya muntanyesa (1865-1900)», estudi preliminar a Maties REMISA, *Els orígens del catalanisme conservador i* La Veu del Montserrat *(1878-1900)*, pròleg de Joaquim Alabareda, Vic: Eumo Editorial, 1985, pàg. 21.

25. FRADERA, «El vigatanisme», pàg. 23-24.

26. FRADERA, «El vigatanisme», pàg. 24.

des del punt de vista de la història social de la llengua, durant aquesta segona etapa de la Renaixença s'accentua el contrast entre aquest món cultural que s'expressa en català i en fa bandera, que s'expandeix, i la situació general en què es troba la societat, cada vegada més constreta a abandonar la llengua catalana en els àmbits d'ús formals: escola, premsa, contractes, notaries, parròquies (i també a abandonar-la –o ja a no arribar a adquirir-la– en els espais corresponents a les noves formes de la cultura industrial). També s'accentua, almenys en un primer moment, la distància entre la cultura feta en llengua catalana «renaixent» i aquella cultura catalana encara viva que s'elaborava amb una llengua i uns referents «no renaixents».[27]

7. La paradoxa del rector de Siurana i altres paradoxes

Aquests contrastos es resolen, ens sembla, de tres maneres. En primer lloc –i aquí dir que «es resolen» és en realitat una manera de dir–, el contrast aboca, senzillament, a una escissió cada vegada més oberta entre l'esfera afectada per la cultura renaixent en català i l'esfera afectada per l'orientació política general de l'Estat i els condicionaments socials que imposa. És el que, basant-nos en material proporcionat per Pere Anguera, podríem denominar la «paradoxa del rector de Siurana». En segon lloc, el contrast es resol amb una certa reacció davant la contradicció, que porta, d'una banda, a ideologitzar qualsevol rastre d'ús de la llengua catalana i, de l'altra, a començar a fer propostes de rectificació de la situació. En tercer lloc, amb el retrobament entre la cultura de la Renaixença i la cultura popular d'expressió catalana. Ens referirem breument a cada una d'aquestes vies de «solució».

En diversos indrets Pere Anguera ha adduït el següent text, de l'any 1867, per il·lustrar que ja a l'època algú va percebre la contradicció que es produïa entre l'expansió i dignificació de l'ús del català en la literatura i la constricció de l'ús d'aquest idioma en altres àmbits. El rector d'un poblet de muntanya, Siurana de Prades, en rebre l'ordre de redactar els llibres sagramentals en castellà, escrivia la nota següent:

> és ben curiós que quan los senyors lletrats y hòmens sabis de las ciutats retornan lo cultiu de la llengua catalana que cada dia té y manifestan major apreci en la poètica, axí com en los llibres de devoció, ara lo Gobern nos obliga ab esta medida y manament.[28]

27. Vegeu referències al divorci entre cultura floralesca i cultura-llengua del poble a Fontana, *La fi de l'Antic Règim*, pàg. 437-438.

28. Pere Anguera, *El català*, pàg. 184. Abans, per exemple, a «La Renaixença a Reus. Notes sòcio-ideològiques», dins *Actes del Col·loqui Internacional sobre la Renaixença*, vol. i, pàg. 282. Josep Murgades ja s'havia referit l'any 1988 a la paradoxa lingüística de la Renaixença a l'article «La Renaixença o l'inici d'una singular paradoxa», després reproduït al llibre *Llengua i discriminació*, pàg. 136-139. També el mateix Pere Anguera, a l'article «Des de quan parlem espanyol?», publicat al *Reus Diari* el 2 de febrer de 1989 i reproduït al seu llibre *Escrits d'urgència*, Reus: Fundació d'Estudis Socials Josep Recasens, 1991, pàg. 107.

I tot seguit indicava que li agradaria saber què pensaria d'aquest «enredo» l'arquebisbe Claret, que feia cosa d'uns vint anys «posava gran empenyo en desterrar de las tronas los sermons castellans de lluhiment». (El text té també interès perquè és un indici de la penetració de la Renaixença més enllà de les classes dirigents urbanes.) La paradoxa pot ser-nos útil sobretot si, manipulant-la una mica, la fem servir no sols per oposar la cultura en català als usos lingüístics que són el resultat de les imposicions del poder central, sinó també per oposar una cultura catalana «renaixent» en català a una nova cultura catalana en castellà. Com ens diu Josep Fontana, quan el públic plebeu «necessità accedir a una narrativa que posés al seu abast el sentimentalisme romàntic o un teatre historicista, els escriptors catalans [...] li proporcionaran drames i novel·les en castellà, amb la qual cosa contribuïren a la castellanització de la població urbana potser amb més eficàcia que la mateixa escola».[29] Josep M. Fradera ha explicat i documentat, en una línia semblant, fins a quin punt la peculiar situació de la cultura catalana de mitjan segle XIX va abocar a un consum massiu de novel·la francesa traduïda al castellà.[30] Es tracta d'una paradoxa que, en part, no és exlusiva dels anys seixanta i setanta del segle XIX, sinó que perviu fins al segle XX.

Durant aquesta segona etapa es produeix també, com hem dit, una certa reacció davant la contradicció, que porta, d'una banda, a ideologitzar l'ús «no renaixent» de la llengua catalana. Quan parlem d'*ideologitzar* ens referim al fet que els poetes cultes que en la dècada dels quaranta i els cinquanta es proposaven escriure en català però manifestaven una indiferència completa davant la circumstància que el poble fos monolingüe i conservés formes pròpies de cultura en català, ara comencen a al·ludir a aquesta circumstància i a vincular-la al seu projecte cultural. Hi ha, doncs, una certa incorporació ideològica d'aquest «català de cada dia» al moviment de la Renaixença. Pere Anguera ha documentat les referències que des dels discursos del Jocs Florals es van anar fent a la llengua del poble, al caràcter negatiu de la proscripció del català de les escoles, al caràcter imposat de la llengua espanyola, etc.[31] Molt sovint el que trobem és només una constatació, una simple descripció de la situació, sense reivindicacions i sense exigències. Però en aquest simple retrat hi endevinem una *cultura de la queixa* amb moltes possibilitats de ser aprofitada. Aquesta ideologització de la llengua «no renaixent» té segurament molt a veure amb el que ens diu Josep M. Fradera quan assenyala com a fenomen característic de les cultures nacionals modernes el fet que «la llengua parlada per les classes subalternes els serà retornada pels intel·lectuals de la burgesia emergent, [...] però els serà retornada associada a uns valor simbòlics i d'identificació que abans no tenia».[32]

La reacció davant la contradicció porta, d'altra banda, a una certa actitud de recuperació positiva. Uns quants escriptors exigeixen l'extensió de l'ús de la llengua

29. FONTANA, *La fi de l'Antic Règim*, pàg. 436.
30. Vegeu FRADERA, *Cultura nacional*, pàg. 174-229.
31. Pere ANGUERA, *El català*, pàg. 185 i seg.
32. Josep M. FRADERA, *Cultura nacional*, pàg. 152-153.

a espais altres que la literatura. L'any 1864 Josep Subirana, des del *Calendari Català*, planteja la necessitat de reimplantar l'ensenyament de la llengua pròpia. L'any 1870, des de *La Gramalla*, Pere Aldavert reivindica l'ús del català en la ciència. El 1871, des de *La Renaixença*, Antoni Aulèstia també justifica la conveniència d'implantar l'ensenyament de la llengua i la literatura catalanes.[33] Aquesta actitud és segurament l'indici que la Renaixença, o almenys determinats plantejaments sorgits dels rengles del moviment, comença a adquirir unes implicacions que superen el simple replegament culturalista.

Finalment, la contradicció es resol, en part, amb el retrobament, a partir de la segona meitat de la dècada dels seixanta, entre la cultura de la Renaixença i la cultura popular d'expressió catalana, la que llavors representaven homes com Josep A. Clavé, Frederic Soler, Robert Robert o Conrad Roure. A propòsit d'això Josep Fontana s'ha plantejat seriosament si podem identificar la «Renaixença» amb el revifament de la llengua i la cultura catalanes. D'una manera molt sintètica direm que, segons aquest autor, l'autèntic renaixement de la cultura catalana, i el que posteriorment possibilita l'aparició d'una literatura nacional, prové de la revitalització de la cultura plebea –d'expressió catalana– en l'àmbit de la premsa, el teatre i el cant coral, revitalització que es produeix en la dècada dels seixanta.[34]

Les reflexions de Fontana posen damunt de la taula uns quants problemes, als quals no podem referir-nos sinó molt breument. En primer lloc, un problema terminològic, potser menor: si és lícit anomenar *Renaixença* l'activitat literària desenvolupada a l'entorn dels Jocs Florals. Per ser coherents amb el que hem anat dient, ens sembla que sí, amb independència del fet si aquest moviment va provocar de debò un renaixement de la llengua i la literatura.[35] El segon problema són les causes de la revitalització de la cultura plebea en català, revitalització que es produeix, justament, en la mateixa dècada que es consoliden els Jocs Florals. A propòsit d'això Fontana, d'una banda, fa notar l'existència d'un teatre popular comercial en català en expansió ja en la dècada anterior i, de l'altra, estableix que una de les causes podria ser la consciència generada per les referències a elements diferencials catalans que, para-

33. Josep SUBIRANA, «Senyor Don Francesch Pelayo Briz», *Calendari Catalá del Any 1865*, pàg 88. Vegeu Pere ANGUERA, *El català*, pàg. 187-188. Pere ALDAVERT, «Una objecció a nostra causa», *La Gramalla*, núm. 5 (11 de juny de 1870). Reproduït a *La Jove Catalunya. Antologia*, a cura de Margalida TOMÀS, Barcelona: La Magrana / Diputació de Barcelona, 1992, pàg. 22-23. Antoni AULESTIA, «L'ensenyansa de la llengua y literatura catalana», *La Renaixença*, vol. I, núm.13 (1 d'agost de 1871). Reproduït a *La Jove Catalunya*, pàg. 75-78.

34. Vegeu Josep FONTANA, *La fi de l'Antic Règim*, pàg. 440-447.

35. En realitat, la qüestió de «l'altra» Renaixença no és nova. I el mateix Fontana, en un altre treball, fa servir precisament aquesta expressió: «L'altra Renaixença: 1860 i la represa d'una cultura nacional catalana", dins *Història de la cultura catalana*, dirigida per Pere Gabriel, vol. V, Barcelona: Edicions 62, 1994, pàg. 15-33. Però restringir l'etiqueta ens sembla útil, almenys com a mètode de treball. És de fet el que fa Fradera : «no entenc per Renaixença tota mena de literatura en català de 1833, 1841 o 1859 ençà, sinó tan sols la literatura catalana escrita en català dins d'unes línies ideològiques bàsiques» (*Cultura nacional*, pàg. 129).

doxalment, van aparèixer prou sistemàticament com a fruit de l'entusiasme espanyol de la guerra d'Àfrica.[36] El tercer problema són els motius de l'acostament entre la cultura floralesca i aquesta cultura plebea. Fontana mateix indica que no es coneixen aquests motius (tret que hi devia influir la revolució de 1868), i Fradera ha assajat d'analitzar-los, partint de la idea de la dificultat d'entendre que els Jocs Florals poguessin arribar a tenir la potència ideològica que van tenir.[37] La seva conclusió és que els Jocs van adquirir «la capacitat de convertir-se en l'esfera pública per excel·lència d'una literatura sòlidament lligada al patriotisme provincial», i que van reeixir a actuar d'àmbit de legitimació i consagració de la literatura en català gràcies a «la força que tenia la primarietat de les identificacions simbòliques que [...] manejaven tan magistralment».[38] Ara: això demostraria que la Renaixença, l'artefacte cultural fabricat per la burgesia catalana, malgrat el seu caràcter esbiaixat i amputat, va ser capaç d'absorbir parcialment en el tronc comú d'una literatura de base nacional alguna de les tradicions culturals de les classes subalternes.

8. La tercera etapa i el final del moviment

Si és cert que és difícil establir, ni que sigui per convenció, la data inicial de la Renaixença, potser encara resulta més difícil fixar la data final, el moment a partir del qual considerem que el moviment ha estat superat (potser, entre altres coses, perquè caldria precisar què volem dir exactament quan diem «superació de la Renaixença»).[39] Joaquim Molas, al pròleg ja citat, donava l'any 1874 com a data final, fent coincidir la crisi de la Renaixença amb la crisi del Romanticisme.[40] En un altre indret, juntament amb Manuel Jorba i Antònia Tayadella, triava –no sense afegir que la decisió els havia provocat molts dubtes– l'any 1877.[41] En un llibret recent, Ignasi A. Alomar es debat entre l'any 1880 i el 1890.[42] D'altres vegades la Renaixença s'ha fet arribar fins al 1892, la data amb què es considera que irromp el Modernisme. En aquesta línia, Manuel Jorba considera superada la Renaixença «a

36. Vegeu «L'altra Renaixença». Fontana enceta una línia de treball de gran interès, que consisteix a buscar pistes de les opinions dels escriptors de teatre i premsa popular del moment sobre la qüestió de la llengua. Ens sembla que caldria continuar per aquest camí, malgrat que les pistes, com ja adverteix Fontana, són molt menys abundants que les de la cultura floralesca.

37. *Cultura nacional*, pàg. 167-173.

38. *Cultura nacional*, pàg. 164 i 172.

39. Suposem que és més fàcil quan es tracta de determinar la superació dels plantejaments estètics de la Renaixença, però ara no ens referim a aquesta qüestió.

40. Joaquim MOLAS, *Poesia catalana romàntica*, pàg. 5.

41. Joaquim MOLAS, Manuel JORBA i Antònia TAYADELLA, «Justificació» a *La Renaixença. Fonts per al seu estudi 1815-1877*, pàg. 9-10.

42. Vegeu *La llengua catalana a les Balears en el segle XIX*. El títol del capítol dedicat a la Renaixença conté el 1880 com a data final (pàg. 31), però més endavant es diu que durant «la dècada de 1890 s'acabà a Mallorca el cicle de la Renaixença» (pàg. 49).

principis dels noranta», i Magí Sunyer assenyala que el moviment «es va allargar fins al començament dels anys noranta».[43] Confessem que no ens sembla gens fàcil, efectivament, inclinar-nos per una data concreta, especialment si volem que la data sigui significativa des del punt de vista de la història social de la llengua, entre altres coses per causa d'un problema al qual ens referirem de seguida. Tot i així, com a data convencional, potser podem utilitzar la darrera de les indicades, l'any 1892, i considerar llavors que el període de 1874 al 1892 constitueix la tercera i darrera etapa del moviment.

El problema que hem anunciat és el següent. Si el que caracteritza la Renaixença, per a la història de la llengua, és l'existència d'escriptors que fan servir el català impulsats per la idea de participar en un procés de recuperació de l'idioma propi, potser el punt final del moviment no el podem buscar al segle XIX. Molts dels escriptors catalans de l'època del Modernisme i del Noucentisme –o potser tots– actuaven amb l'assumpció que vivien un moment històric de recuperació de la identitat col·lectiva a través de la llengua (i això amb independència que rebutgessin la Renaixença com a moviment estètic o com a etapa de la història de la literatura). Un exemple extrem el tenim en l'obra *Revolució catalanista*, de 1934. Els seus autors, Josep Carbonell i J. V. Foix, posaven a la coberta del llibre un subtítol tan eloqüent com aquest: *Un esperit, un programa nacionals per al segon segle de la nostra Renaixença*.[44]

És cert que el que plantegem pot considerar-se un problema fals. N'hi hauria prou de dir que la Renaixença posa en joc la necessitat de recuperar la llengua per recuperar la identitat col·lectiva, i que, una vegada aquesta idea ha estat assimilada per tots els nuclis –o la majoria, o els més significatius– que participen en la construcció de la realitat sociocultural, deixa de ser una característica distintiva d'un grup i, per tant, distintiva d'un moviment o d'una etapa històrica. També podríem dir que la superació de la Renaixença es produeix quan canvien les implicacions de la idea que recuperar la llengua és recuperar la identitat col·lectiva. Tot i així, el problema encara és viu: ¿quan es produeix, això? ¿El 1874? ¿El 1892? ¿El 1900?

Hi ha en això, finalment, un altre problema, molt relacionat amb l'anterior. La reconstrucció historiogràfica del segle XIX, des de l'òptica de l'estudi de la llengua, la literatura i el catalanisme –i ja des de l'època del Noucentisme i, en algun cas, des d'abans–, ha tingut una orientació organicista i teleològica. La idea rectora ha estat mostrar com, a partir d'uns primers signes de desvetllament, s'iniciava un procés d'autoconsciència col·lectiva que abraçava cada vegada més aspectes i amb

43. Manuel JORBA, «La Renaixença», pàg. 354. Magí SUNYER, «La llengua catalana, del col·loquialisme a l'alta cultura», dins *Història, política, societat i cultura dels Països Catalans*, vol. VII, dirigit per Pere ANGUERA, Barcelona: Enciclopèdia Catalana, 1996, pàg. 283.

44. Sobre la visió de la Renaixença que tenien els noucentistes, amb comentaris interessants justament sobre la qüestió que tractem aquí, vegeu Josep MURGADES, «La Renaixença vista pel Noucentisme», dins *Actes del Col·loqui Internacional sobre la Renaixença*, vol. II, pàg. 111-139.

més contundència: de la poesia a la literatura i a la cultura en general, de la literatura i la cultura a la plenitud funcional de la llengua, de la plenitud funcional de la llengua a la idea regionalista, de la idea regionalista a la consciència nacional. És molt difícil evitar –si és que s'ha d'evitar– tenir aquest esquema evolutiu com a marc. El problema és que aquest esquema també dificulta determinar el punt final de la Renaixença, ja que potser llavors, com dirien Carbonell i Foix, el que passa és que la Renaixença encara no s'ha acabat.

9. L'avaluació del moviment

Des del punt de vista de la nostra disciplina específica la pregunta fonamental és si la Renaixença va ser determinant en l'evolució de la història social de la llengua catalana (o, almenys, si hi va influir i de quina manera). Ens sembla que podem percebre, en relació amb això, un ventall extens de posicions. Les extremes, antagòniques, són les que esquematitzem tot seguit. Per als uns, com ja hem suggerit, la Renaixença hauria constituït l'origen del retrobament nacional i, per tant, hauria conduït a la recuperació social d'una llengua que, altrament, estava condemnada a ocupar una posició política marginal. Per als altres, la Renaixença no hauria passat de ser una expansió erudita, arqueològica i sentimental, sense autèntiques conseqüències socials i, doncs, sense voluntat ni capacitat per alterar el procés sociolingüístic a què es veia sotmès el poble català.

Un dels elements a què se sol fer referència quan es debat la incidència idiomàtica de la Renaixença és l'abast de les «reivindicacions» que contenia el seu programa. Hem dit de vegades que els il·lustres patricis vuitcentistes només aspiraven a restaurar l'ús de la llengua en l'àmbit de la literatura culta i, fins i tot, d'una manera més restrictiva, en l'àmbit de la poesia (i, encara, d'un tipus determinat de poesia). Ara: acceptar o no aquesta afirmació depèn, en part, d'una qüestió tan convencional com és l'establiment dels límits cronològics del moviment. ¿Pertany a la Renaixença el programa de política lingüística (el govern ha de dirigir-se als ciutadans en català, la llengua catalana ha d'usar-se en l'administració central i regional quan es refereix a Catalunya, etc.) que Francesc de Paula Masferrer estableix des de *La Veu del Montserrat* el 1888? ¿Pertany a la Renaixença la reivindicació de l'ensenyament en català que realitza Sebastià Farnés, durant el 1891, des de les pàgines de *La Veu de Catalunya*? Potser el problema no és només cronològic sinó de mètode o de concepte: ¿Pertanyen Francesc de Paula Ferrer i Sebastià Farnés a la Renaixença?

Per respondre a propòsit de la manera com la Renaixença va influir en l'evolució de la història social de la llengua catalana potser caldria, doncs, fer encara unes quantes precisions conceptuals i de mètode. El que caldria evitar, en tot cas, és caure en un cercle viciós: si restringim la nòmina dels renaixentistes als escriptors que només aspiraven a restaurar la poesia catalana culta, després no ens podrem «estranyar» que no reivindiquessin l'ús del català als jutjats. Tots estaríem d'acord, ens sembla, que Valentí Almirall no està inclòs a la nòmina, sinó que pertany a una altra llista, la dels fundadors del catalanisme. ¿L'acord seria general amb altres personatges? El problema de concepte i mètode, així, també és distingir clarament entre Renaixença i el que en diem catalanisme.[45]

Per respondre amb precisió a la pregunta necessitaríem fer també una mica de sociologia de la literatura. No en farem, perquè no en sabem, però ens atrevirem a fer un parell de comentaris. El primer –elemental– és que si la Renaixença va restaurar l'ús del català en la literatura, ja podem dir que va ser determinant almenys en un dels àmbits d'ús de la llengua. És clar que això ja és complex: la tesi de Fradera és precisament que no va ser així. El segon és que, segons un esquema bàsic de la sociolingüística estàndard d'avui, els tres indicadors fonamentals de la vitalitat d'un idioma són el coneixement, l'ús i les actituds. De vegades en comptes d'actituds es parla de prestigi, però en realitat es tracta més o menys del mateix: l'idioma té vitalitat si l'actitud dels parlants és positiva, i l'actitud és positiva si aquests parlants perceben que la llengua té prestigi. Caldria inquirir si tots els estudiosos estarien d'acord que, al final de la Renaixença, la llengua catalana havia adquirit un prestigi social que no tenia cinquanta anys abans. D'una banda, no sembla gens banal que Verdaguer, Oller i Guimerà, per posar els tres casos més representatius, prenguessin la decisió d'escriure la seva obra literària només en català. De l'altra, sabem que l'idioma propi no tenia prestigi per a tothom, i que anys a venir encara trobarem joves escriptors que, de sobte, descobriran que la seva llengua és apta per a la literatura (als quals, doncs, no havia arribat aquest prestigi de la llengua). I, encara, caldria explorar fins a quin punt el prestigi d'una literatura contribueix a reforçar socialment la llengua en què està escrita. ¿Va influir el prestigi de la literatura catalana en les habituds lingüístiques del conjunt de la població? Potser tornaríem a la vella qüestió: si salvaven la literatura, ¿salvaven la llengua? (A més, quan analitza aquesta qüestió de la relació entre literatura i llengua l'estudiós català de la segona meitat del segle XX, que ha patit l'experiència d'una prohibició dràstica i total de la llengua catalana, que ha vist com es naturalitzava al seu país un altre idioma i que ha pogut, després, anar seguint de prop el tímids passos del que anomenem *normalització lingüística*, té el perill de traslladar l'esquema del procés que ha viscut a l'anàlisi del segle XIX. Però potser el contingut de la paraula *mort* aplicada a una llengua i una literatura té, per a un català que escriu sota el regnat de Juan Carlos I, un significat prou diferent del que tenia per als escriptors de la Renaixença. I, entre altres coses, potser les implicacions que té per a ell el fet d'escriure poesia en català són diferents de les implicacions que tenia aquest fet per a un romàntic del segle XIX.)

45. Però Manuel JORBA —i no ens hi referim pas perquè necessàriament ho trobem desencertat, sinó per mostrar la necessitat del debat— considera Almirall un dels participants de la Renaixença. Vegeu «La Renaixença», pàg. 355.

46. Pere ANGUERA, *El català*, pàg. 268.

Per respondre amb precisió a la pregunta, finalment, caldria saber com hauria evolucionat la societat catalana sense la Renaixença. Però no sabem fins a quin punt pot donar fruits –i té sentit– demanar-se què hauria passat si no s'hagués produït un determinat esdeveniment històric. Tot el que diguem en relació amb això pertany a l'esfera de les afirmacions no falsables. La informació que tenim avui ens porta a admetre que «el procés de recuperació del català com a llengua de cultura, de relació i amb voluntat de reconeixement polític, és a dir com a llengua oficial, es consolidà la darrera dècada del XIX», i que el català «entrava al segle XX com una llengua reconeguda com a útil i normal per a qualsevol activitat vinculada amb el saber i la seva transmissió, des de la diversió estripada a la més alta erudició».[46] Ara: deixant de banda que caldria, en tot cas, determinar quina part d'aquesta recuperació és atribuïble a la Renaixença i quina part a altres moviments culturals, socials o polítics, el fet és que tampoc no podem negar que el procés d'espanyolització lingüística de la societat catalana, encara que lent i desigual i potser no lineal en cada un dels moments històrics, no sembla aturar-se durant tot el segle XIX (ni, tampoc, durant tot el segle XX). Quan diem espanyolització no volem dir que la societat catalana hagués arribat al bilingüisme, però sí que tenim present que, de mica em mica, les diferents classes socials anaven adquirint competència activa en la llengua espanyola i, sobretot, passiva. La competència passiva va permetre assimilar tot el sistema de referències culturals que anaven associades a la pertinença a un determinat Estat nacional, i aquesta assimilació acabava condicionant el repertori lingüístic propi.

Potser ens tornem a trobar amb la paradoxa del rector de Siurana: des del punt de vista lingüístic, la societat es recatalanitza alhora que s'espanyolitza. Però mirar de resoldre com funciona aquesta paradoxa en el pas del segle XIX al XX i durant el primer terç del nou-cents és una feina que ara no ens correspon.[47]

47. Afegim, damunt la correcció de proves, cinc referències que ens semblen d'interès per al debat al voltant de les qüestions que tractem en el nostre treball. Són Manuel JORBA, «Els corrents provincialistes i la Renaixença», dins *La Sardegna e la presenza catalana nel Mediterraneo. Atti del VI Congresso (III Internazionale) dell'Associazione Italiana di Studi Catalani. Cagliari 11-15 ottobre 1995*, a cura de Paolo MANINCHEDDA, Càller: Cooperativa Universitaria Editrice Cagiaritana, vol II, 1999, pàg. 92-113 (Jorba hi ressegueix meticulosament l'impacte del *Gayté de Llobregat* i defensa la idea que hi ha Renaixença en la dècada dels quaranta); Josep M. FRADERA, «Cultura nacional en una societat dividida, deu anys després», *L'Espill*, segona època, núm. 4 (2000), pàg. 160-188; del mateix autor, «El huso y la gaita. (Un esquema sobre cultura y proyectos intelectuals en la Cataluña del siglo XIX)», *Ayer*, núm. 40 (2000), pàg. 25-49; del mateix autor, «La política liberal y el descubrimiento de una identidad distintiva de Cataluña (1835-1865)», *Hispania,* vol. LX/2, núm. 205 (maig-agost 2000), pàg. 673-702; i Albert ROSSICH, «La poesia de Bernat i Baldoví», en premsa dins el volum que recollirà el col·loqui sobre aquest autor.

LORCA I FOIX

Giuseppe Grilli

Istituto Universitario Orientale, Napoli

És ben sabuda, en la definició del perfil intel·lectual i sentimental de Federico, la presència constant, durant un llarg període de la seva vida, dels contactes i els intercanvis amb la cultura i el món catalans. No té res d'estrany: les reiterades visites, per no dir les freqüents estades de Lorca a Barcelona, les seves relacions amb un reduït però remarcable grup d'amics, les seves aparicions –en tant que personatge famós– a la premsa local amb fotos i entrevistes i la seva activitat com a home de teatre van establir una connexió ineludible.

En aquests darrers anys, gràcies a múltiples estudis i monografies, a més de records i testimoniances, aquest lligam de Federico amb Catalunya s'ha anat concretant. Avui en sabem, si no tot, gairebé. Van ser primer Sebastià Gasch i la germana de Salvador Dalí, Anna Maria, els qui van oferir llurs records i testimonis; després Antonina Rodrigo i Santos Torroella en diversos llibres han contribuït, bé que des de perspectives diferents i sovint distanciades, a dilucidar aspectes i detalls d'una espessa xarxa d'intercanvis i relacions intel·lectuals en la qual s'ha anat a buscar fins la tafaneria i la dada més insignificant.[1]

A tot plegat ha ajudat també la revalorització global, el descobriment –gosaria dir– de la densitat i l'abast de les avantguardes catalanes. Figures com Barradas, per exemple, a poc a poc han anat recuperant un espai que probablement ja és el que els grups d'aleshores li concedien.[2] Però potser la dada més intrigant i suggestiva, si

1. Recordo, primer de tot, Anna Maria DALÍ, *Salvador Dalí visto por su hermana*, Juventud, Barcelona, 1950, i, més recent, *Noves imatges de Salvador Dalí*, Columna, Barcelona, 1990. Entre els llibres d'Antonina RODRIGO: *García Lorca en Cataluña*, Planeta, Barcelona, 1975; *Lorca-Dalí: una amistad traicionada*, Planeta, Barcelona, 1981; *García Lorca, el amigo de Cataluña*, Edhasa, Barcelona, 1984. Tant per la detallada informació que aporta com per les seves valoracions crítiques és important la nota d'Albert MANENT *Federico García Lorca i Catalunya (1925-1936)*, «*Els Marges*» 2 (setembre 1974), pàg. 98-104. De Rafael SANTOS TORROELLA cfr. *La miel es más dulce que la sangre*, Seix Barral, Barcelona, 1984, i els epistolaris que ha curat i citarem més endavant. Desagradable i del tot prescindible el darrer llibre d'Ian GIBSON, *Lorca-Dalí. El amor que no pudo ser*, Plaza Janés, Barcelona, 1999.

2. Cfr. Antonina RODRIGO, *Federico García Lorca - Rafael Barradas. El Ateneíllo de Hospitalet*, «*Ínsula*», núm. 476-477 (1996), pàg. 7-8.

més no des d'una òptica italiana, és que s'hagi evidenciat l'existència no gens marginal d'un segon futurisme, a redós del nostre moviment, el qual donà fruits propis i genuïns dins d'aquell ambient.[3] Futurisme que potser fins i tot acabà influint en la dissidència de Dalí del moviment surrealista. Una extensa relació de tot això va oferir la ingent exposició de 1992, amb el catàleg corresponent.[4]

Convé, però, que, ateses les dimensions del present treball, ens cenyim al tema que aquí ens ocupa, és a dir, a les relacions entre Federico i el més original dels poetes catalans del grup d'amics que ell freqüentava a Barcelona, l'únic que realment podia estar a la seva alçada, encara que des de posicions autònomes i diferents, fins i tot contraposades. En aquest sentit, allò que compta i que de debò ha ajudat a escatir el sentit profund de la relació de Federico amb la cultura, o potser seria més pertinent dir amb la pluralitat de cultures que dinàmicament es desenvolupaven a la Catalunya dels anys vint i trenta, és la nova perspectiva aportada per una *distinta faceta* del poeta i escriptor de Granada. Parlo de la seva activitat en el terreny de les arts figuratives.[5]

A ningú no se li escapa que la principal novetat en els estudis lorquians dels últims anys ha estat la lectura en clau iconogràfica i psicoanalítica dels seus dibuixos i pintures. Aquests estudis no només han descrit la natura dels contactes de Lorca amb l'ambient de les avantguardes, dels marxants i dels artistes que operaven a Barcelona i en la seva àrea d'influència (penso, per exemple, en els nuclis de Cadaqués i Port Lligat, en l'Ateneíllo de l'Hospitalet, etc.), sinó que sobretot han tret a la llum la transversalitat dels llenguatges, la comunicació a través de i mitjançant instruments expressius contigus encara que no idèntics. I naturalment tot això ha portat a replantejar, en una òptica més completa i complexa, el sentit de l'amistat sentimental i intel·lectual que, no exempta d'alts i baixos, uní Federico i Dalí.

En altres paraules, Lorca, en la seva obra, unes vegades en absoluta sintonia, altres amb peculiaritas pròpies, fou partícip d'una recerca que era també la d'aquell que potser un xic abusivament anomenem grup català, una recerca orientada a entendre cada específica expressió artística (inclosa cada composició poètica o pictòrica) com la manifestació d'una tria de gènere, sense que això comportés una adhesió sentimental o ideològica excloent.

3. Cfr. Joan Abelló Juampere, *Presencia e influencia del futurismo en Cataluña*, dins Joan Ramon Resina (ed.), *El aeroplano y la estrella: el movimiento de vanguardia en los Países Catalanes (1904-1936)*, Rodopi, Amsterdam, 1997, pàg. 65-83.

4. *Les Avantguardes a Catalunya. 1906-1936*, Fundació Caixa de Catalunya, Barcelona, 1992. Exposició i catàleg dels quals fou autor Joaquim Molas.

5. La valorització de la qual, no ja com a element marginal i curiós respecte a l'obra intel·lectual del poeta i dramaturg, sinó en tant que activitat autònoma, va arribar amb la gran exposició organitzada a Madrid i de la qual es pot consultar catàleg; cfr. Federico García Lorca, *Dibujos*, ed. de Mario Hernández, Ministerio de Cultura, Madrid, 1986 (edició augmentada: Fundación Federico García Lorca, Madrid, 1990, amb el títol *Libro de dibujos de Federico García Lorca*).

Ideòleg i teòric d'aquestes posicions va ser, és clar, Josep Vicenç Foix. En dos dels seus assaigs, separats per deu anys, del 1925 al 1935, *Algunes consideracions sobre la literatura d'avantguarda* i *Poesia i Revolució*, Foix va centrar la qüestió reiterant el principi de la reducció a gènere o modalitat de les poètiques avantguardistes. El primer a reflexionar sobre aquestes idees foixanes va ser Gabriel Ferrater, i jo mateix m'hi he referit en alguna ocasió.[6] Però aquesta ja és matèria sobradament coneguda i sobre ella un jove estudiós napolità està treballant de cara a futures actualitzacions.[7]

No cal dir que d'aquell clima, d'aquells experiments, d'aquell debat teòric protagonitzat per Foix i que, a través d'ell, tenia el seu principal òrgan d'expressió en la revista «L'Amic de les Arts», Lorca va ser un intèrpret de primer ordre, i com a tal fou rebut i apreciat pels altres.

El triangle Lorca-Foix-Dalí, per les raons que molt succintament he exposat i que a hores d'ara ja estan àmpliament documentades, s'ha de veure com el nucli central i essencial d'una reflexió sobre la interferència dels llenguatges artisticopoètics i sobre llur relació amb les retòriques o les ideologies. En una època de violentíssima confrontació ideològica, amb un intens debat de les i sobre les polítiques, aquell grup treballava entorn d'una idea (llavors d'una modernitat que s'anticipava al seu temps) d'identificació entre retòriques i ideologies. La subjectiva llibertat d'elecció la consideraven, pel que fa a gèneres artístics i escoles, desmotivada en l'àmbit personal i programàticament exempta de tot condicionament ètic, alhora que acceptaven l'absoluta determinació, històrica i col·lectiva, de les opcions retòriques.

Entre els efectes d'aquesta recerca teòrica trobem la interconnexió –observable en Lorca, Foix i Dalí– d'un model creatiu que, per una banda, elabora temàtiques inscrites en retòriques *à la page*, sovint recorrent a l'experimentació de llenguatges específics de les avantguardes, és a dir –com diu Foix– a noves formulacions de l'hedonisme cal·ligramàtic, i que, per altra banda, duu a terme una rescriptura de models retòrics «clàssics», lligats a retòriques històricament caducades, gairebé com si amb això es volgués demostrar la permeabilitat i intercanviabilitat de les tries de gènere.

Aquí dos poetes tan diferents i d'una personalitat creadora tan forta i irreductible com Lorca i Foix van poder trobar els seus punts de contacte. Però allò que és singular i potser tan sols en aparença inquietant és que aquests contactes no corres-

6. Vegeu-ne una síntesi a Giuseppe GRILLI, *La literatura catalana y los movimientos de vanguardia (con un breve diccionario alfabético de la vanguardia catalana)*, dins Gabriele Morelli (ed.), *Treinta años de vanguardia española*, Ediciones El Carro de la Nieve, Sevilla, 1991, pàg. 137-156.

7. Cfr. Nicola Alfonso PALLADINO, *Plastica afrodisiaca e poetica dei disegni di Lorca*, «*Aion-sr*» XXXIX (1997), pàg. 533-546.

ponen a dates posteriors a aquella reflexió en comú a què ens referíem, sinó que la precedeixen.[8]

Ja de joves, en anys sens dubte anteriors a l'experiència catalana del primer, Lorca i Foix, cadascú pel seu compte, van redescobrir el valor i la possibilitat de revivificar velles fórmules genèriques segons maneres i retòriques actuals, en el marc d'una recerca poètica orientada a la revelació d'un jo poètic que, en la línia de la poesia moderna, segons la definició de Rimbaud, fos *un autre*.

Fins és probable –i és aquesta la hipòtesi que presento aquí– que aquelles experiències juvenils separades i independents constituïssin la base sobre la qual els dos adults edificarien el diàleg interpersonal i col·lectiu en què intervingueren durant el període esmentat.

Hi ha una anècdota que Foix em va explicar sobre la conversió ideològica de Dalí i que també l'afecta a ell i Federico. Que l'episodi sigui o no autèntic no té gaire importància, que la història hagi estat reinventada amb el temps en el fons és indiferent, l'important és, en una reflexió centrada en la definició dels gèneres i dels llenguatges, la disposició dels elements.[9] A més, l'anècdota es presta a una segmentació típica del relat oníric en la formulació clàssica, freudiana.

El lloc és la platja de Cadaqués; hi són presents Federico, Dalí, Gala i Eluard, a més de Foix. Lorca i Eluard mantenen una discussió molt viva sobre la poesia contemporània i les tendències últimes i més actuals. Foix no es perd un mot de la conversa, però hi assisteix en silenci i sol, alhora que pot entreveure –escena que als altres dos se'ls escapa– com Gala i Dalí s'allunyen pel moll i, a una distància prou discreta, s'acaricien i es besen.

En aquesta anècdota trobem dues parelles, formades respectivament per dos eloqüents conversadors, és a dir, dos «rètors» (Lorca, Eluard), i dues figures mecàni-

8. En la nota de presentació *Descàrrec*, datada el 1936 (però la impressió és del 1947), Foix afirma a propòsit de *Sol, i de dol*: «aquest llibre recull els sonets que l'autor escriví el 1913, el 1916, el 1918-1923 i el 1927». Això confirma l'asseveració de Gabriel FERRATER, *Sobre literatura*, Edicions 62, Barcelona 1979, pàg 55: «quasi tot *Sol, i de dol* és una obra de joventut». Cito, per als textos d'aquest recull, de l'edició a cura de Jaume Vallcorba-Plana, Quaderns Crema, Barcelona, 1985. Però vegi's també la guia de Josep ROMEU FIGUERAS, *«Sol, i de dol» de J.V. Foix*, Empúries, Barcelona, 1985.

Per a Lorca, cfr. l'edició d'Allen Josephs i Juan Caballero a «*Letras Hispánicas*», on el *Poema del Cante Jondo* és datat el 1921. Però cfr. també la nota de Miguel García-Posada a la seva edició (Círculo de Lectores - Galaxia Gutenberg, Madrid, 1996, pàg. 903-908). Les nostres cites lorquianes són tretes d'aquesta edició. Tinc també present, tanmateix, el text bilingüe de les *Poesie* de Federico García Lorca a cura de Norbert von Prellwitz, Classici Rizzoli, 2 vol., Milà, 1994.

9. Si ens atenim a la correspondència de Dalí amb Lorca i Foix publicada per Rafael Santos Torroella a Salvador DALI, *Lettere a Federico*, Rosellina Archinto, Milà, 1989 (però la primera edició, en llengua original, sortí a la revista «*Poesia*», núm. 27-28, 1987), i a Rafael SANTOS TORROELLA, *Salvador Dalí corresponsal de J.V. Foix*, Ed. Mediterránea, Barcelona, 1986, l'episodi és una clara invenció, del tot inversemblant, ja que no s'avé gens amb la cronologia de les estades a Cadaqués dels personatges evocats.

ques (Dalí, Gala), mentre el poeta (Foix) és un espectador autònom d'aquella doble realitat.

Si manllevo aquí aquest model narratiu és per oferir una demostració, mínima i encara no definitiva, del tipus de recerca que per dos camins diferents pot haver portat Lorca i Foix a fer seva aquella suggestió de la poesia com a superació de les barreres de gènere i, per tant, com a únic pont possible entre retòrica i realitat. Parlem de la propensió juvenil, present en tots dos poetes, a redactar un cançoner modern, però no concebut com un itinerari personal, segons el model petrarquesc, sinó com un exercici d'experimentació d'una forma poètica arcaica, o sentida com a tal.[10] La forma del cançoner és adoptada, a més, com a expressió de la idiosincràsia específica d'una literatura, en una mena de nacionalisme i regionalisme de l'expressió prou ben definits i entesos com una manifestació –que segurament li semblarà contradictòria a qui tingui un mal concepte d'aquest tipus d'ideologia– d'antiprovincialisme i d'aspiració universal i cosmopolita.

És en aquest sentit que diria que es pot llegir tot el conjunt de poemes que integren el primer llibre unitari de Lorca: el *Poema del Cante Jondo*. Experiència que després Federico repetiria i aprofundiria al *Romancero gitano*. Dos llibres en què revisa i reescriu una forma en tant que és dipositària de la més pura tradició andalusa. Els metres i les formes estròfiques adoptats corresponen a una idea, entesa amb un impecable rigor filològic, d'adequació, de respecte a la tradició. No són, tanmateix, conreats amb una submisa obediència a temàtiques convencionals, folklòriques en el sentit més pèssim i perniciós del terme, sinó que són adaptats a continguts frescos i renovats.

De la mateixa manera el recull de Foix *Sol, i de dol* reprèn una forma mètrica també rescatada en tant que pertany a la tradició pròpia: el sonet. No per això, és clar, Foix deixa de forçar l'operació: acompanya la mètrica *all'italico modo* amb una utilització fora mida d'epígrafs que evoquen la tradició trobadoresca provençal i els poetes italians anteriors a l'*stilnovo* fins a arribar als clàssics del segle XV català (Jordi de Sant Jordi, Ausiàs March, Roís de Corella). El plantejament de Foix és, en definitiva, volgudament ucrònic, pretén de restaurar una introducció del sonet petrarquesc en la poesia catalana de finals del Quatre-cents que de fet no es va donar. No cal dir que el forçament, o –millor dit– la falsificació historiogràfica, és funcional a l'adopció del metre amb finalitats i continguts de filiació moderna.

10. La referència a Petrarca, en clau paròdica, però no ridiculitzadora ni bufonesca, es troba al sonet-pròleg amb què Foix obre el seu ambiciós llibre de 1932 *KRTU*, i que aquí voldria transcriure sencer (cito de l'edició de Jaume Vallcorba-Plana, Barcelona, Quaderns Crema, 1983): «Pistes desertes, avingudes mortes, / Ombres sense ombra per cales i platges, / Pujols de cendra en els més folls viratges, / Trofeus d'amor per finestres i portes. / ¿A quin indret, oh ma follia, emportes / Aquest cos meu que no tem els oratges, / Ni el meravellen els mòbils paratges / Ni els mil espectres de viles somortes? / No sé períbol en la terra obscura / Que ajusti el gest i la passa diversa / De qui la soledat li és bell viure. / ¿No hi ha caserna ni presó tan dura, / No hi ha galera en la mar més adversa / Que em faci prou esclau i ésser més lliure?».

Dins dels esmentats reculls he trobat alguns punts de coincidència en el tractament de la matèria poètica que ara voldria citar per exemplificar la meva proposta interpretativa.

Primer de tot aportaria una breu composició de Lorca de tema prou explícit i evident. El mateix títol *Procesión* ens anuncia que no descriu sinó una festa parateatral:

Por la calleja vienen
extraños unicornios.
¿De qué campo,
de qué bosque mitológico?
Más cerca,
ya parecen astrónomos.
Fantásticos Merlines
y el Ecce Homo,
Durandarte encantado,
Orlando furioso.

La tècnica consisteix a representar l'espectacle popular llegint-lo i traduint-lo amb metàfores culturals, comparacions llibresques, reminiscències escolars que tanmateix ens porten a un paisatge ben conegut, a una mitografia literària molt accessible, en gran part ja recorreguda paròdicament per Cervantes al Quixot. Però potser la contribució més personal del poema és el desplaçament del marc geogràfic: el lloc de la processó és desfigurat i esdevé un altre espai en el qual és la disfressa la que marca el to, transformant-se l'ambient urbà (presumiblement sevillà), atapeït de gent que participa en el ritus pagà superficialment travestit de litúrgia cristiana, en un bosc mític, en un espai bucòlic abstracte i irreal (irrealitat remarcada per la presència dels unicorns, animal-símbol de la poesia fantàstica medieval) que arriba un moment que fins i tot pot semblar un espai hiperbori, metaestel·lar, amb aquells astrònoms que ens fan pensar en els observatoris i en les enormes distàncies salvades pels telescopis.[11]

11. El *Poema del Cante Jondo* és del 1921, bé que trigà deu anys a publicar-se, el 1931. De cap a les mateixes dates en què escrigué i elaborà aquest llibre són també alguns dels primers poemes en prosa de Lorca, entre ells el bellíssim *Poemas heroicos* que recrea el mite de Psique i conté el motiu de l'unicorn. La hipòtesi de datació la va avançar Mario HERNÁNDEZ en la seva edició de *Primeras canciones*, Alianza Editorial, Madrid, 1981. Per a les qüestions de contextualització, cfr. el vol. I de les *Obras completas* en l'ed. cit. de García-Posada, pàg. 903 i 972 respectivament. El text de *Poemas heroicos* en aquesta edició es troba a pàg. 661-662. Cito el fragment inicial que recull el motiu de l'unicorn: «Bajo el emparrado invisible del viento Psiquis se bañaba en la pupila temblorosa de un bosquecillo. Inocente y desnuda, era en el centro de las ondas el sosado pistilo de la flor inmensa del manantial. Los ojos de la niña diosa ven cómo las estrellas abren sus párpados blancos, cómo el cabritillo mama en la ubre enorme de la madre, cómo en la cima de la fronda se eleva otra espectral con los troncos de humo azul. Los oídos de la diosa niña ven cómo la esquila pone en el silencio su lenta constelación de sonidos, cómo las líricas agujas de la flauta clavan el airecillo de la lejanía, cómo el cuerno retorcido del Unicornio penetra en el vientre duro del Macho cabrío.»

Un tema afí afronta Foix al sonet IV del seu recull:

Entre negrors veig mil camins oberts
i ulls clucs, de nit, ateny els ports segurs;
els gels són calds, i res no és confús,
els cels són blaus i els prats, al lluny, més verds.

Membres lligats, encalç l'indret advers,
i són coixins i flors els rocs més durs;
sóc a París i, entre ermots, a Lladurs,
ensems vestit i nu, i en calls incerts.

El real, doncs, què és? Puix que a ple sol
vaig per canals obscurs; i entre la gent,
en vast desert, perdut. El fadrí mol

sens gra ni boll, i la passa indolent.
Oberts, els ulls són buits; i on va, què vol,
ni el cuitós sap. I oposem cor i ment!

El grau d'explicitació és aquí inferior. El tema se centra en la forma tradicional de la *cançó d'opòsit*. Però la seva especificitat es fa palesa en la doble ubicació, París i el perdut llogarret rústic. El món al revés de la disfressa produeix capgiraments (*els gels són calds*), però no alteracions de l'ordre natural, de manera que els colors de les coses són tothora perfectament distingibles: cels blaus, verds els prats. Neta la separació entre l'espectador i els actors (com en Lorca), neta la cesura entre la gentada i l'individu. El poeta és l'espectador solitari, com en l'anècdota de Cadaqués, l'observador atent, impassible tan sols en aparença, curiós de tot, fins de la més petita nimietat.

Aquest tractament del tema es reitera en uns altres dos textos que voldria transcriure. Aquest cop dono primer el de Foix, després el poema de Lorca:

En port travat ets l'algosa clapera
verda en verds morts a l'enyorat aiguall;
et vull i no, i d'un roc faig cavall
per a atènyer, de nit, selva i quimera.

En port obert ets boira marinera
vora el torrent, amb l'alba per mirall;
dic el teu nom esquerp, per cala i vall,
i ador l'absurd pels clots de Tavellera.

Só l'home antic; i tu, l'ara i l'oracle
d'una dea sense aura ni miracle,
tronc d'un menhir en el coval impur;

ombres d'un flam tu i jo al tombant d'un mur,
no som, vençut l'Instant, suma complexa:
–Despulla els ulls i, casta, vela el sexe!

Aquí s'al·ludeix clarament a l'experiència eròtica. Però també en aquest cas l'ocasió que els sentits ofereixen a la veu del poeta és mediada per una referència mítica i literària, bé que agafada en negatiu. El poeta sap que no es pot fer gaires il·lusions, que –com en una atmosfera de Kavafis– caldrà l'ajut de la fantasia per retrocedir del rònec hostal als temps de l'Atenes clàssica. Però el relat és possible només si se'l compara amb la seva transposició, només el fa possible la trama mítica, encara que aquesta sigui dràsticament negada i romànticament menyspreada als dos quartets inicials. (En els quals remarcaria de passada les marques de color tan cares al lèxic lorquià: el verd més verd de les algues marines, el blanc de llet de la matinada boirosa.) Desvetlla el misteri el darrer vers, que demana un consol per a l'ego masculí, una certesa infeliç. Crec que es pot entreveure aquí la transposició d'un motiu que no trobo gaire diferent, en essència, de la solitud trista que en clau narrativa transmet el final de *La casada infiel*. Com dèiem al començament, la poesia es fa intèrpret, tradueix els postulats de les retòriques.

Però no és aquesta la referència lorquiana que aquí em sembla més pertinent. És de nou al *Poema del Cante Jondo*, concretament *Chumbera*, una composició el títol de la qual deixa ben clar el lloc on cal situar-la: el Sacro Monte de Granada. Lloc infestat de mites, pseudo-mites i falsificacions del mite. Un lloc que, en termes foixans, podríem sens dubte considerar poblat, o il·lustrat, per oracles d'un déu sense aura ni miracles (versos 9-10 del sonet).

Llegim el text:

Laoconte salvaje.

¡Qué bien estás
bajo la media luna!

Múltiple pelotari.

¡Qué bien estás
amenazando al viento!

Dafne y Atis,
saben de tu dolor.
Inexplicable.

També aquí el tema remet directament a l'experiència eròtica, més concretament a l'erotisme frustrat i frustrant de la solitud, estèril però tan multiforme i polifacètic que recorda el cèlebre grup escultòric, de gust hel·lenístic i cal·ligràfic, del Laocoont. Ara bé, jo diria que les referències als mites són útils només per negar-los: la *chumbera*, expressió natural de l'*arisco* Sacro Monte, desafia la força del Destí i de la Natura, personificats en el vent, amb la seva imponent identitat de salvatge però legítim habitant i senyor del *lugar*; alhora equipara, però, les històries mitològiques de trama anàloga: Dafne i Atis no podrien sinó explicar vicissituds molt semblants, de fet són ells els qui coneixen i imiten la història de la *chumbera*, que és vista així com la història originària. Com en Foix (amb el seu *tronc d'un menhir*), la mitografia primordial és la del món de l'edat de pedra, anterior a les verbalitzacions i a la *fabula*. I tota mitografia posterior no pot sinó adequar-se a aquesta. Es tracta de l'experiència directa del sofriment i la joia, com en les albors de la lírica europea, quan el poeta cantava la solitud davant d'una estimada que li oferia simultàniament la submissió, fins a fer-lo esclau, i la llibertat de qui no temia cap esdeveniment real. És allò que Foix resumeix en el *bell viure* dels trobadors fins a Petrarca.

No és altre el sentit del darrer vers de la *Chumbera* lorquiana: allò que no té explicació, perquè és a l'arrel de tota explicació possible. I en aquest sentit podríem afirmar que el joiós programa foixà («m'exalta el nou i m'enamora el vell») també es realitza en Lorca amb tries temàtiques i formals que s'anticipen als motius que van presidir llur coneixença i llur participació en una etapa prou rellevant de l'experiència avantguardista-surrealista.

Abans d'acabar, encara voldria suggerir un altre paral·lelisme, d'ordre no sols temàtico-formal, sinó també de ritme i musicalitat. Una comparació entre dos sonets, dos textos la datació dels quals no exclou tampoc la possibilitat d'una complicitat més directa, si no d'una influència recíproca.[12]

El de Federico és un dels *Sonetos del amor oscuro*:

¡Ay voz secreta del amor oscuro!
¡ay balido sin lanas! ¡ay herida!
¡ay agua de hiel, camelia hundida!
¡ay corriente sin mar, ciudad sin muro!

¡Ay noche inmensa de perfil seguro,
montaña celestial de angustia erguida!
¡Ay perro en corazón, voz perseguida,
silencio sin confín, lirio maduro!

Huye de mí, caliente voz de hielo,
no me quieras perder en la maleza
donde sin fruto gimen carne y cielo.

Deja el duro marfil de mi cabeza,
apiádate de mí, ¡rompe mi duelo!,
¡que soy amor, que soy naturaleza!

Més enllà de les coincidències generals, que ja hem comentat, i de les concomitàncies estilístiques, com el predomini, freqüent en Foix, de l'imperatiu a l'hora de confegir la sintaxi dels tercets, o els acostaments estridents també típics del poeta

12. El text de Lorca es pot datar cap al 1935-36, és a dir, cap a uns anys en què no es pot excloure l'intercanvi i la lectura en privat de textos a mig embastar. Cfr. sobre aquesta qüestió la nota de García-Posada en l'ed. cit., pàg. 962-966.

de Sarrià, crec que és en el conjunt que es percep una correlació directa i profunda amb un dels sonets de *Sol, i de dol*. El tema és la coincidència dels contraris que avança en paral·lel a tots dos textos, aquest cop segons una modalitat més narrativa en Foix, més enunciativo-declarativa en Lorca, fins a compartir la cloenda, perfectament especular, amb un vers centrat en el doble, la màscara, veritable identitat del jo, anunciada i repetida en Foix a manera de tornada:

Ballem peus nus a l'alba nova! (I ella,
algues i sol, mostra un genoll precís.)
Llancem el disc muscle tibant! I ensella,
que jo só Dionís i só Narcís.

Junts, enfilem la palanca, i querella
el satirell de baix, i l'indecís,
i afanya't a colrar monyó i aixella,
que jo só Dionís i só Narcís.

Sota l'ombrel·la em plau veure com pella
la teva cuixa d'or en l'areny llis,
i del cel del teu front ésser l'estrella!

Oh la doble natura: jo, com ella,
opòs Usura i Aventura; bis:
que jo só Dionís i só Narcís.

Amor i *naturaleza* no són, sembla clar, sinó la retroversió de l'autocita mitològica de Foix: «jo só Dionís i só Narcís». Caldrà preguntar-se, en tot cas, per la inversió dels termes. A la propensió lorquiana a treballar amb una imatge que remet al mite, Foix normalment contraposa l'al·legoria d'un relat sintètic. En aquests dos sonets és com si s'haguessin canviat les tornes, si més no al darrer vers. Però també es podrien llegir l'un com a història, l'altre com a glossa.

[Traducció: Miquel Edo i Julià]

DOLÇ ANIMAL MORT. SOBRE TRES POEMES DE MERCÈ RODOREDA

Marina Gustà

Universitat de Barcelona

L'any 1984, la revista *Els Marges* publicava «el conjunt de l'obra poètica de Mercè Rodoreda»: vint-i-cinc poemes que, fins aleshores, es trobaven dispersos la majoria en revistes de l'exili mexicà, on havien aparegut entre 1947 i 1956 amb motiu, gairebé sempre, d'haver estat premiats als Jocs Florals de la Llengua Catalana o en alguna altra convocatòria.[1] Aplegats, no sembla exagerat de dir que feien una considerable impressió; fóra banal comentar que no desdeien del gruix de l'obra coneguda. Ho és potser menys afirmar que hi prenia cos una veu poètica perfectament personal, construïda des d'una consciència terrible i literària de la fragilitat humana. Amb una única excepció, es tractava d'un recull de sonets de bon ofici, en la més pura tradició postsimbolista, visible tant en l'elecció com en el tractament d'alguns temes i motius (la rosa, l'ocell, la nit), que rarament es queden en el mer pretext, i visible també, en les mateixes condicions, en la tria de figures de la iconologia occidental clàssica (Ofèlia, Adam i Eva, Judit, Nausica...) que, en ben bé la meitat del conjunt, són objecte o subjecte de la reflexió lírica sobre el seu destí.

La carpeta «Poesia»

Tenyits d'una ironia tan pròpia del gènere com gens estranya a les defenses retòriques de l'autora, els quinze poemes d'un bestiari inèdit augmentaven una mica, el 1993, la coneixença pública d'una Rodoreda oculta.[2] Entre una cosa i una altra, una quarta part –potser la més acabada– del material que sota la rúbrica «Poesia» es troba dipositat a la Fundació que duu el nom de l'escriptora, a l'Institut d'Estudis Catalans. Avui en donem a conèixer tres poemes més. Per poder-nos fer el càrrec del lloc que hi ocupen, és oportú de fer una descripció sumària del contingut de l'engruixida carpeta. El formen textos mecanografiats, alguns cops en més d'una còpia (però

1. Vegeu-ne el detall a Mercè Rodoreda, «Obra poètica», *Els Marges*, 30 (1984), pàg. 71.

2. Mercè Rodoreda, «Bestioles», *Revista de Girona*, 157 (1993), pàg. 72-75. El plec de poemes, sense títol, en conté un, «Serp», que no es va publicar.

no necessàriament més d'una versió), en estadis d'elaboració molt diversos: des del vers apuntat en un cantó de full fins al poema acabat (?), de vegades encara amb algun canvi a mà, passant per una considerable proporció d'esborranys i fragments. La predilecció pel sonet, que és, de llarg, la forma més utilitzada, deixa tanmateix marge per a formes de tradició popular o per a d'altres de més lliures. Dels aproximadament cent cinquanta textos, allò que n'emergeix amb més entitat, lògicament, són els poemes aplegats en sèries, especialment els de les dues que semblen menys provisòries: l'esmentat bestiari i el plec titulat *Món d'Ulisses*, al qual pertanyen aquests tres sonets i que és, sense cap mena de dubte, el projecte més ambiciós d'una dedicació a la poesia que, pel que en coneixem, va suposar per a l'autora assajar registres diversos, no reeixir-hi sempre, i abandonar algunes provatures a mig camí, sovint, tal com revelen els originals, després d'insistir-hi.

Passar els fulls de la carpeta que conté la poesia de Mercè Rodoreda produeix una sensació de recança pel do i l'esforç malaguanyats: no tot és igualment bo, no tot està ben acabat o simplement acabat, però l'aposta era prou alta com perquè es justifiqui voler compensar la sensació que deixa la lectura amb l'estudi i la divulgació dels textos. La constatació d'un camí interromput fa oscil·lar les explicacions possibles entre la de l'abandonament per dificultats insalvables (des del seu punt de vista: que l'escriptora cregués que no se'n sortia prou bé), que no sembla gaire versemblant, i la que potser ho és més: la decisió de dedicar-se a la narrativa per damunt d'altres gèneres (tot i que les incursions teatrals matisarien aquesta explicació). Entremig de la necessitat d'optar i l'autocrítica severa, hi hauria encara una altra consideració: la possibilitat que Rodoreda identifiqués els poemes, especialment alguns, amb circumstàncies biogràfiques massa concretes, i no hi acabés d'aconseguir la distància desitjada. Tot plegat, però sobretot això darrer, no passa de ser pura especulació: no sabem per què va deixar de banda la poesia, després d'haver-s'hi dedicat, sembla que prou intensament, durant uns anys. Només una part ínfima dels poemes està datada en els mecanoscrits; d'una altra part, encara més exigua, en sabem la data en què ha estat premiada i publicada. Segurament, la comprovació pacient de mecanografiats i tipus de papers de la carpeta amb d'altres originals datats del mateix fons permetrà fer aproximacions menys intuïtives que les precedents i les que, al capdavall, ens empenyen a creure que entre principis dels anys quaranta i mitjan cinquanta Mercè Rodoreda va donar sortida a una forma expressiva que només ocasionalment decidí donar a conèixer. Més enllà d'aquest lapse, es fa difícil la conjectura: hi ha un poema datat el 1965 i podria ser que algun altre fos posterior.

Món d'Ulisses

De la sèrie *Món d'Ulisses*, n'hi ha tres jocs de disset poemes i un quart joc incomplet que sembla una còpia de treball, amb moltes correccions a mà i provatures diverses. Dels tres jocs complets, un parell inclouen correccions manuscrites (l'un més que l'altre), algunes de les quals han passat al text mecanografiat del tercer, que, també pel fet d'anar precedit d'una llista numerada dels poemes, sembla que reculli l'estadi últim de gestació d'un projecte que va quedar inacabat. I el cas és que Rodoreda hi va arribar a estar molt il·lusionada i que, almenys durant un temps, hi va treballar a un ritme francament accelerat. Ho sabem per la part que ens ha pervingut de la correspondència que, per l'època, va mantenir amb Josep Carner. I també per la que aquest mantenia amb Armand Obiols, el qual li escriu que l'escriptora «no té aturador –ahir [*sic*] em va dir confidencialment que pensava posar en vers tota l'Odissea!» (carta del 3 de novembre de 1948).[3] Les cartes creuades entre 1948 i 1950 tenen com a tema preferent els poemes que Rodoreda envia al poeta i sobre els quals aquest fa comentaris o suggereix alternatives de detall, que no sempre són ateses –si fem cas de la versió que hem considerat «última» de la col·lecció i de les versions publicades d'alguns poemes. A partir de la informació que proporciona aquest epistolari podem aventurar alguna hipòtesi sobre la gènesi de *Món d'Ulisses*. Dels disset poemes que conté l'esmentat plec, setze són al·ludits i comentats en la correspondència; tenint en compte que pot faltar alguna carta, no és gaire arriscat suposar que Rodoreda anava formant el conjunt amb els poemes que donava per bons: gairebé tots els que Carner ja havia vist, la redacció dels quals –sempre segons les cartes– se situaria en dos moments, la tardor de 1948 i l'hivern 1949-1950. Del primer d'aquests moments, en sortirien els quatre sonets premiats als Jocs Florals de 1948, «Penèlope», «Ulisses en l'illa de Circe», «Elpènor» i «Mort d'un pretendent». No sabem quina era la previsió que Rodoreda feia per als poemes de *Món d'Ulisses.* Quan, l'octubre de 1948, li diu a Carner: «Si mai publico el llibre, ho faré constar al primer full», a propòsit de la intervenció del poeta, sembla més aviat que estigui pensant en un recull de sonets («He acordat de sotmetre-us *tots* els sonets que d'ara endavant faré»), ja que el comentari ve a tomb d'algun dels que serien premiats als Jocs de 1949, que no són de tema odisseic. Per altra banda, quan el 1956 guanya el Premi Joan Maragall amb quatre poemes de *Món d'Ulisses* («Anticlea», «Agamèmnon», «Noia morta» i «Cançó de les molineres»), escriu a Agustí Bartra que ha tingut por que fora del «conjunt de l'obra» no s'entenguessin prou.[4] Quan diu «obra» és possible que Rodoreda vulgui donar a entendre alguna cosa més que una secció d'un llibre, però no podem pas assegurar que hi pensés en aquests termes. Allò que sí que és important de constatar és que el 1956 aquests poemes no mostren canvis respecte al plec del qual creiem que han estat extrets (sempre que considerem que la confecció d'aquest és molt pròxima a l'escriptura dels textos). Potser això indica que el projecte no havia mort del tot.

És ben possible, de fet, que fins s'hagués originat abans de la tardor eufòrica del 1948. Perquè, abonant en part la hipòtesi del vist-i-plau carnerià com a criteri d'inclusió, val a dir que hi ha, fora del plec amb índex i títol, alguns textos que permeten de pensar en una dèria més antiga: un conjunt de tretze fulls (dels quals consta que anaven units amb una agulla) recull sonets –alguns d'inacabats– sobre motius de

3. Les cartes d'Obiols a Carner es troben al Fons Carner, dipositat a la Biblioteca de Catalunya.

4. Mercè Rodoreda, *Cartes a l'Anna Murià. 1939-1956*, Barcelona: Edicions de l'Eixample, 1992, pàg. 110.

l'*Odissea*: dos poemes amb el títol d'«Ulisses i les sirenes», quatre versions d'un sonet dit per una molinera, poemes sobre mariners vells o morts, sobre la figura de Nausica... El fet que hi hagi versions diferents d'un sonet, o sonets diferents amb el mateix títol o el mateix motiu, fa pensar que el plec recull provatures, baldament alguna tingui la forma de poema llest, que no acabaven de convèncer Rodoreda, i que –atès que en algun cas són al·ludides en la correspondència amb Carner– potser esperaven una represa. Finalment, hi ha encara, fora d'aquest grup, poemes solts de motiu inequívoc i alguns d'altres de referent vague que, tanmateix, podrien formar part de la mateixa embranzida. Un dels primers, el titulat «Fèmios», l'únic datat (30 de novembre de 1948), Rodoreda el devia aparcar després del comentari de Carner, potser també perquè ella mateixa no n'estava gaire convençuda (cartes sense data en tots dos corresponsals). Amb l'excepció justament de «Fèmios», l'escriptura d'aquests textos resulta més conceptuosa, arcaïtzant i, al capdavall, retòrica que no la dels disset poemes definitivament agrupats sota la rúbrica *Món d'Ulisses*. El mateix podríem dir de «Plany de Calipso» i d'un poema sobre Nausica, sense títol, publicats el 1947 a la *Revista de Catalunya*, dels quals, per altra part, no hi ha, entre el material conservat a la Fundació Mercè Rodoreda, els originals.

És difícil, parlant de textos que en la seva majoria són inèdits, aconseguir de donar-ne una idea aproximada. Si hagués de servir d'alguna cosa, la diferència que hem insinuat entre els que, probablement, són dos moments d'una mateixa obsessió hauria de passar de la impressió apuntada a la demostració amb lectura, cosa que excedeix de molt el propòsit d'aquestes pàgines. El lector, de tota manera, pot fer-se la seva composició si torna a llegir aquells dos poemes publicats el 1947 i n'aprecia la diferència amb els que van guanyar la Flor Natural als Jocs Florals de 1948 («Penèlope», «Ulisses en l'illa de Circe», «Elpènor» i «Mort d'un pretendent») i amb els premiats el 1956. I pot precisar una mica més, potser, els canvis i el to general del conjunt que, suposem, l'escriptora donava per bo, amb els tres poemes que editem. Queda també pendent una qüestió inevitable: tot i que puguem recórrer al previsible correlat entre l'aventura d'Ulisses i la dels exiliats republicans –particularment aquells per als quals l'ocupació alemanya de França va significar una nova tongada de por, violència i fugida, i, sobretot, la confirmació del transterrament– el cert és que no hi ha, per ara, cap argument amb mots de Mercè Rodoreda que avali aquesta hipòtesi –que és plausible, però només això. No sabem per què ni quan va recórrer al mite homèric. Que hi acabés trobant la manera de refredar, situada la veu poètica darrere les veus antigues, la pròpia experiència del dolor i la tragèdia és una idea que, tanmateix, es va fent més poderosa a cada lectura d'aquests poemes.

«Evocació dels morts»

Encara que a la correspondència amb Carner es fa referència a la pràctica totalitat dels poemes de *Món d'Ulisses*, els més comentats són els del que Rodoreda considera un «grup», «secció» o «capítol» (s'hi refereix d'aquestes tres maneres) dins el conjunt: «Evocació dels morts». Inicialment, creu que l'han d'integrar quatre poemes (segons carta del 16 de febrer de 1950); un cop hi està posada, però, les previsions canvien: si calculem bé, l'última decisió és que siguin onze o dotze (carta del 27 de març de 1950). Finalment, hi haurà sis poemes encapçalats per l'epígraf «Evocació dels morts» i una numeració amb xifres romanes: «Anticlea» (II), «Mort desconegut» (III), «Agamèmnon» (V), «Mort desconegut» (VI), «Mort desconegut» (VIII) i «Noia morta» (X). Hi havia per tant, com a mínim, previstos els poemes I, IV, VII i IX. La redacció d'aquests sis se situa entre febrer i març de 1950, i Rodoreda la presenta a Carner gairebé amb el signe de les coses inevitables: «El tema de la mort no serà pas el tema preponderant de *Món d'Ulisses*, però aquests dies és per a mi la línia de menor resistència...», li comenta en ocasió d'enviar-li un dels sonets (carta del 23 de febrer de 1950). Un mes més tard (carta del 27 de març), la secció ja ha crescut: «Ara em sembla que reposaré, tot i que voldria enllestir el capítol de l'"Evocació dels morts" (manquen, encara, sis sonets)». La font homèrica li donava prou corda per fer-ho, però no sembla que els arribés a escriure.

Per situar «Evocació dels morts» i, dins de la secció, els tres poemes que donem a conèixer, podem recordar el que la mateixa Rodoreda recordava a Carner: «Ulisses, seguint el consell de Circe, va fer un sot i hi degollà una ovella i un anyell. Els morts, per poder parlar, havien de beure la sang» (carta del 16 de febrer de 1950). El primer pas per al retorn a Ítaca és el viatge a l'Hades on, segons Circe, Ulisses trobarà Tirèsias i n'haurà de seguir el consell. Per parlar-hi, però, li caldrà un conjur: el manament de la fetillera és que cavi una fossa i hi aboqui llet, mel, vi, aigua i farina. I que, després de pregar els difunts, degolli un anyell i una ovella negra i en vessi la sang a la fossa. Quan els companys d'Ulisses hagin escorxat els animals, Tirèsias podrà acostar-s'hi, beure de la sang i anunciar a l'heroi allò que els déus li han reservat. Després de les prediccions del cec, d'altres morts vindran a la vora d'Ulisses: Anticlea, Agamèmnon, Aquil·les, Patrocle, Àiax, en són alguns. Sabrem com Rodoreda fa parlar els dos primers; del sonet d'Aquil·les, com del de Tirèsias, diu a Carner que els està «enllestint» simultàniament amb el d'Anticlea (carta del 16 de febrer de 1950), però no n'hi ha cap rastre en els papers conservats.

«Anticlea», «Agamèmnon» i «Noia morta» han estat publicats. Els tres poemes amb el títol de «Mort desconegut» han restat inèdits i són els que avui presentem. A propòsit del primer que li envia, Rodoreda escriu a Carner: «El protagonista d'aquest sonet és un mort desconegut que s'esmuny entre els il·lustres que parlen amb Ulisses» (16 de febrer de 1950). Les veus de dos «il·lustres» i les de quatre morts anònims, així, es fan entenedores a l'heroi i, des de l'altra banda, enfilen records i expressen la consciència confusa del seu estat present. L'Anticlea i l'Agamèmnon de Rodoreda procedeixen, efectivament, de l'episodi «La consulta dels morts» de l'Odissea. Però els seus mots només tenen en el poema homèric el punt de partida i s'allunyen de la narració d'esdeveniments. No és exclusiu, això, de la secció, sinó que caracteritza *Món d'Ulisses* en la mesura que entra en els propòsits d'origen: «Deixo moltes coses a l'ombra –tot allò que es pugui trobar en una Enciclopèdia– perquè no vull pas fer sonets parnassians.» El comentari fet a Carner (carta del 9 de març de 1950), bé que escrit en ocasió d'enviar-li «Agamèmnon», és aplicable a tots els poemes del conjunt.

L'Anticlea rodorediana revela a Ulisses tota la intensitat i l'exclusivitat del sentiment maternal, expressat sota la forma d'imatges físiques de la concepció i el part, i es conforma, diu, amb la mort que li impedeix continuar tenint el fill si, en compensació, aquest pot encara sentir la seva presència. Anticlea, protectora, vol ser la por d'Ulisses –justament allò que l'heroi més desconeix:

> Seré pagada de mai més no haver-te,
> d'haver estat un congost de carn oberta,
> crit al llindar de l'aire i la claror,
>
> si en puges d'ombra, pacient falena,
> sóc el calfred que et ressegueix l'esquena
> quan rera el ventre de l'escut tens por.

«Morir és difícil, tots els morts ho saben.» El vers es troba enmig d'una selva d'anotacions manuscrites al voltant d'una còpia d'«Agamèmnon» que forma part del plec incomplet de *Món d'Ulisses*. Rodoreda no el va aprofitar, finalment, però la lenta mort de l'atrida –«que devia ser una veritable muntanya de vida» (carta a Carner del 9 de març de 1950)– es recorda encara millor al vers 9 del sonet: «Jo m'afanyava per morir, debades».

També la «Noia morta» fa memòria del seu moment. Potser perquè és el mort més jove i més innocent, la seva veu, a diferència de totes les altres d'«Evocació dels morts», parla de la mort sense parlar-ne: només dos versos en tot el sonet –«a llunyanies meves decantada / la mort va deturar-me amb una unglada,»– fan de terme de comparació a la llarga imatge narrativa que descriu «una cinta d'aigua» que es glaça de sobte.

Els tres morts desconeguts

La noia, com els tres homes que parlen al llindar del sot ple de sang, forma part de la confusió de morts anònims que no tenen veu en el poema homèric:

> [...] i de l'Èreb
> pugen, amunionats, els bufs dels difunts que moriren:
> núvies i joves fadrins i vells que han passat moltes proves,
> i donzelletes botents, amb el cor ple del dol de suara,
> i molts també ferits per les llances capçades de bronze,
> víctimes d'Ares, encara remulls de sang els arnesos,

tota una turba que volta la fossa, amb una cridòria
com la diria un déu; i m'agafa una verda paüra.[5]

L'Ulisses de Mercè Rodoreda tal vegada pateix la mateixa por verda de l'Ulisses homèric, una por que no és la del combat, sinó la que li infon trobar-se viu enmig d'espectres que no reconeix i que s'hi atansen, atrets per la sang, per fer-li present la inquietud de la mort i la mirada desesperançada o nostàlgica que, des d'aquesta condició, llancen a la vida. Arrencats mig per força de l'estat de desconeixença, els morts sense nom d'aquests poemes i els que prenen veu en d'altres del cicle *Món d'Ulisses* potser són dels primers de la pila de personatges que, en l'obra de Mercè Rodoreda, monologuen des de l'incert estat de consciència posterior al trànsit. Són morts amb memòria, com alguns de *La meva Cristina i altres contes*, Maria de *Mirall trencat* o el penjat de *Quanta, quanta guerra*. Moltes d'aquestes memòries flotants evoquen, sense estalvi de crueltat, una mort violenta, sovint relacionada amb fets bèl·lics. «Al voltant de la gent de la meva època hi ha una intensa circulació de sang i de morts», diu l'escriptora al pròleg de la darrera novel·la esmentada. La sang, pretext i *leitmotiv* d'«Evocació dels morts», és justament la font més productiva de connotació per suggerir l'estantissa frontera entre la vida i la mort en molts moments d'una obra que revela una insistent obsessió no tant per la transcendència com per la fisicitat de la memòria dels traspassats.

No són, doncs, els «morts desconeguts», com segurament no ho és del tot cap poema de *Món d'Ulisses*, mers exercicis literaris més o menys refinats, sinó que –com d'altres poemes, no tan reeixits, del mateix fons– constitueixen una exploració de la condició mortal que es beneficia dels motius odisseics, i singularment del viatge d'Ulisses al país dels morts. Rodoreda imaginarà tres dels seus habitants anònims rescatats del silenci pel conjur de Circe, que tornen a la paraula –a la consciència– potser tan a desgrat com aquell personatge de *Quanta, quanta guerra*, que recrimina al protagonista que l'hagi despenjat: «Buit de tot, voltat de morts i de sang... ja fa temps que vaig morir ¿per què he de voler respirar i tenir un cos que no estimo i que demana sense parar son, gana i tristesa? Vull dir que demana alegria, encara que només sigui una mica d'alegria i només troba tristesa... ¿per què, per què m'has despenjat?»

El primer desconegut que compareix davant Ulisses és un pagès que ha viscut només pendent de la feina i l'estalvi. En les dues estrofes centrals del sonet recorda la seva esquifida existència, tan fàcil de robar. El darrer vers, irònica clau del poema, mostra la il·lusió patètica del mort que no sap que és mort –que és tan inconscient ara com ho ha estat en vida– i que malinterpreta l'instant del seu traspàs. Una sola passa pot significar caure al pou, tan invisible és el límit que separa l'hort de l'«erm faixat de lluna»; i el pagès, que es migra sense saber-ho, tampoc no sabrà quin és el sentit de l'embriaguesa de sang que el duu «a dalt de tot» d'ell mateix.

5. *L'Odissea*, traducció de Carles Riba, Barcelona: Alpha, 1953, pàg. 194.

Què volia dir Josep Carner quan, a propòsit del segon poema, deia (carta del 26 de febrer de 1950) que «aquest Mort desconegut es veu que era un català com una casa»? No ho devia ser més, en tot cas, que l'anterior. De la mateixa manera que el primer cant de *Nabí*, reconegut per Rodoreda com a font de la interiorització d'impressions que dóna fesomia a aquest sonet, a la manera del mutis de Jonàs al final del cant, pot flairar-se també en el recompte vital del pagès del poema anterior. Un llarg parèntesi (les dues quartetes i el primer tercet) recull el retorn d'aquest mort a allò que havia estat la seva aparença. Lentament, les sensacions –el soroll del vent, l'olor de sang, el llampegueig incert– es confonen amb les preguntes sobre el retorn a la consciència. Mig desvetllat, l'home se sorprèn a cada part del seu cos que va retrobant. Interrogants, exclamacions i punts suspensius són el recurs que, en tot el poema, s'aplica primer a suggerir aquest desvetllament i, en el segon tercet, a emfasitzar dramàticament la resposta a la demanda tàcita de l'heroi. El motiu del viatge a l'Hades és saber la veritat, recordem-ho. I aquesta només es troba, segons qui ara parla, en la mort: se surt de l'«abís» al preu d'oblidar tot allò que s'hi ha après.

L'altra cara de la veritat –la veritat de la vida– l'acabarà de dir el tercer mort. Com en els altres dos poemes, la segona persona a qui s'adreça la veu és Ulisses. Aquí, però, l'heroi perd del tot la seva singularitat i esdevé, en els mots reveladors de l'espectre, el representant de la condició humana: un animal «llis de pell», pàl·lida transparència que deixa veure la sang –la vida. Més endins, però, el cos deixa de ser imatge de delicadesa per convertir-se en un receptacle, una «cleda immunda», on «treballen» tot de vísceres tristament repugnants. I l'ull, camí d'entrada i sortida del somni, potser reflecteix la inutilitat davant la mort del «grumoll d'aurora» que el dolç animal humà guarda «darrera el front».

Els tres retornats han donat a Ulisses, i a qui, llegint, es troba en el seu mateix lloc en el text, tres visions de la mort i, de retop, de la vida: la de la negació per la inconsciència (el pagès que no distingeix entre l'una i l'altra), la del convenciment que és en la mort on es troba el sentit d'una vida de trànsit i, al capdavall, d'engany, i la que insinua l'estricta reducció de tot a la condició física, més enllà de la qual només hi ha, malgrat la dolçor i l'aurora, el desert.

Aquests tres poemes no només són un exemple, per sumar als que ja teníem, de la destresa poètica de Mercè Rodoreda; de fet, a propòsit de les habilitats mètriques i prosòdiques hi hauria, segurament, algunes coses per comentar seguint sobretot la correspondència amb Carner. El tríptic té l'interès de constituir, en un gènere que després l'escriptora abandonà, una reflexió sobre la mort que depassa el peu forçat del pretext homèric: la retrobarem, sota d'altres formes i amb altres veus, en més d'un passatge de l'obra rodorediana. Rodoreda fa parlar aquí els morts desconeguts des de la distància i la ironia dramàtica. I el que diuen, amb imatges sòbries i eficaces, amb recursos d'enorme expressivitat, resulta estranyament corprenedor. A més de totes les altres raons del cas, aquesta –la d'una lectura emocionant– fóra, doncs, una raó més per donar a conèixer aquests sonets.

Evocació dels morts
III. - Mort desconegut*

Del sot que féres m'ha menat al caire
el doll de sang que de l'anyell sortí.
En bec i sóc a dalt de tot de mi
com un ocell que s'esvalota en l'aire.

Vaig treballar, no sempre amb bona aixada,
més que no res les feixes d'un veí
i a l'orri amb les ovelles vaig dormir
i no sé com se m'aplegà fillada.

El magre estalvi m'estrenà una gerra;
a fosca entrant la vaig colgar de terra–
lladres, de nit, em congriava a l'hort.

Vaig caure al pou, i en vaig eixir tot d'una
pel cantó d'aquest erm faixat de lluna:
si no em migrés creuria que sóc mort.

Evocació dels morts
VI. - Mort desconegut

(Un palp de vent... I fronda que sospira!
Un tuf de sang i boira nas endins...
Qui gosa desbrossar tants de camins
fins al meu son?... Un llampegueig s'albira

no sé pas on... Serà llevant en foc?
Só dins la testa que tenia enlaire
amb ull que sotja i amb nariu que f[l]aira,
l'orella amb fressa que no vé d'enlloc?

I el ventre espès! La cuixa arrodonida
i, enllà, bessons, els peus de bona mida,
els dos genolls que em feien plegadís...)

M'has despertat i vols saber? Follia!
Tanta de veritat que ja sabia
i ha romàs, desapresa, dins l'abís!

* Reprodueixo els poemes sense cap correcció, segons la que sembla versió definitiva.

Evocació dels morts
VIII. - Mort desconegut

Dolç animal que adés et decantaves
vora la sang tota de foc quan surt,
tan blanc i llis de pell que sense aürt
en tu la sang fa teranyines blaves,

quantes de coses et treballen dins
orbes i estretes en llur cleda immunda,
el fetge sòpit que de fel t'inunda,
bosses que es planyen amb gemecs mesquins,

el cor, ocell dintre una ma ensagnada,
l'afrau del pit que empresonà una onada,
l'ull que somnia, més amunt, obert,

i, flor de tanta nit torrejadora,
darrera el front, aquest grumoll d'aurora
inútil a les portes del desert.

SEGONS QUE DIU LO GLORIÓS SANT LUCH: L'ART D'INTERPRETAR ELS TEXTOS *À LA CARTE*

Albert Hauf

Universitat de València, Institut d'Estudis Catalans

El professor Joaquim Molas, persona de variades lectures, no pot negar una primera i ben remarcable etapa original de medievalista. Això el distingeix d'altres col·legues que opten per mantenir ben tancades les barreres imposades pels limitats perfils acadèmics. Aquest pecat d'origen l'ha marcat de per vida, li ha imprès caràcter i l'ha ajudat a perfilar les seves nombroses lectures modernes i contemporànies des d'una perspectiva que li permet albirar el conjunt del quefer literari com un procés viu d'interrelació i renovellament constant de temes i motius. La meva nota introductòria no és, doncs, tot i que pugui semblar-ho, una mera *excusatio* per tractar temes a primera vista més acostats a la meva recerca que no a la seva. Tot i que tenia pensat de fer més palesa la bona voluntat i el sentiment de respectuosa admiració i de profund agraïment que em mereix la seva tasca i la impromta del seu esforç perseverant, assatjant una ràpida incursió en un tema més acostat als seus interessos actuals, he decidit que era millor recordar ara i ací la seva antiga, i ara sovint oblidada, faceta de medievalista, dedicant-li aquest modest escoli tirantià.

La tasca de l'escoliasta és sempre i necessàriament tan humil i laboriosa com necessària. Bé que ho viuen en les pròpies carns els pobres estudiants de literatura catalana medieval, sovint obligats a manejar uns textos mancats del més mínim suport erudit, precisament en un moment en què per sàvia decisió dels qui controlen el nostre Olimp cultural, es veuen més deserts del mínim bagatge necessari, no ja per a capir l'esperit de la lletra, sinó el mer sentit literal de les paraules. Qualsevol que es dedica a la docència sap com és de difícil eliminar aquestes llacunes de comprensió, i tracta d'omplir un buit amb explicacions que només fan més evident la impossible tasca d'emplenar l'infinit. Tots tenim el nostre capítol d'anècdotes. No fa gaire, que, parlant de Turmeda, vaig cometre la imprudència d'anomenar-lo «el Boccaccio català», la qual cosa va provocar la inquieta pregunta d'un estudiant de primera fila que, potser convençut que d'alguna críptica manera tractava de qualificar de cràpula o perdulari el renegat mallorquí, em va demanar: «I això que no era un club nocturn de Barcelona?» No anava errat, i havíem establert, tot i que no ho semblés a primera vista, una primera, tot i que tènue, connexió. Evidentment, per algun lloc s'ha de començar. El Dr. Molas, que es coneix ambdós Boccaccios, el més recent, i el que, vés a saber per quin sant! —i potser ell ens ho podria contar— li va servir de remot referent, s'ha passat bona part de la vida explicant textos i ensenyant a llegir-los d'una manera lúcida i intel·ligent. Aquestes apressades ratlles, ultra ser un petit recordatori de la tasca ingent que, ai las!, encara espera a tots els que es dediquin, malgrat les cada vegada més difícils circumstàncies, a explanar la lletra escrita, tal com ho ha fet ell durant tants anys de magisteri exemplar, volen, a més, provar als qui pensen que això d'interpretar textos és temps perdut, com pot resultar d'important saber-los llegir i presentar, com s'escau, pel cantó que més ens convé. Perquè el cas que voldria exposar és una petita història d'evident distorsió, no sé si calculada, però certament metòdica, del sentit original d'un text evangèlic que, a força de la rutinària repetició d'una exegesi feta a la mida d'uns interessos de casta, arribà a convertir-se en fonament teòric (és a dir: pràctic!) d'un codi social ben establert.

1. «Segons que diu lo gloriós sanct Luch en lo seu Evangeli»

Qualsevol invocació al text de la Bíblia, el llibre per antonomàsia, té valor apodíctic per a l'home medieval. El que diu l'Evangeli és qüestió de fe. Per això és tan important la imprecisa citació que deixa caure Martorell al principi del seu llibre. Citació que convé llegir de prim compte, ja que no solament cimenta una de les tesis cabdals de la novel·la:

> «La dignitat militar deu ésser molt decorada, perquè sens ella los regnes e ciutats no·s porien sostenir en pau, segons que diu lo gloriós sent Luch en lo seu Evangeli.»

Sinó també la següent i no gens innocent conclusió pràctica que se'n desprèn:

> «Merexedor, és, donchs, lo virtuós e valent cavaller de honor e glòria, e la fama de aquell no deu preterir per longitut de molts dies (i, 4).»

Si ho diu l'Evangeli, paraula de Déu, no solament tenia raó Martorell, sinó fins i tot aquell capità de milícies universitàries segons el qual, en els països sudamericans, on impera el vertader patriotisme, quan passa un oficial de l'exèrcit pel carrer, hom posa automàticament el semàfor en verd (si està en roig, és clar!), en senyal d'emocionat respecte pels cavallers dels temps moderns.

La qüestió, tanmateix, és la següent: on trobarem en l'Evangeli de Sant Lluc, algun lloc que s'acosti, encara que sigui a molta distància, a aquesta tesi «militarista»? Les escasses edicions mínimament anotades del TB, concorden, pel que he vist de manera unànime, que en Lc. 11, 21:

> «Quan el qui és valent, ben armat, guarda el seu pati, els seus béns es troben segurs. Però, quan en sobrevén un de més valent que ell i el venç, li pren l'armament en què confiava i reparteix les seves despulles.»

Vet ací una justificació intel·ligent i molt ben trobada del braç armat, capaç d'explicar tota la cadena de revolucions permanents de moltes repúbliques bananeres, i d'altres regnes molt més acostats, que ara presumeixen de democràcies. Però és realment aquest text de l'Evangeli el que pretén citar l'autor valencià? Opino que no, i que la imprecisa al·lusió fa referència a un altre verset del mateix Evangeli de St. Lluc esdevingut clàssic i que, si no vaig errat, hom manejava de forma sistemàtica quan tractava de donar un fonament o una justificació religiosa a l'existència oficial dels cavallers. Es tracta sempre d'un mateix text, que no és altre que Lc. 3, 14:

> «També uns soldats li preguntaven: I nosaltres, què hem de fer? I els responia: "No maltracteu ningú ni feu falses denúncies, i acontenteu-vos amb la vostra soldada".»

I com, i per què, el que originalment podria considerar-se una forta amonestació als soldats, destinada a tractar de corregir alguns de llurs vicis o pecats de classe, hauria esdevingut una *auctoritas* que consolidava el prestigi estamental de la cavalleria medieval? És una interessant pregunta, ja que la fascinant manipulació exegètica ha produït el que podríem denominar una opacitat semàntica del text, almenys en el sentit en què fou utilitzat al llarg de segles, raó per la qual queda abastament justificat que la referència fins ara hagi passat desapercebuda als estudiosos del TB. Donar una resposta a aquesta pregunta, encara que només sigui temptativament, deixa al descobert tota una perseverant trama i també una curiosa dicotomia: d'una banda, la capacitat d'adaptació de la mentalitat religiosa a les circumstàncies i pressions socials ambientals, i de l'altra, i encara que pugui semblar paradoxal, la inevitable tendència a la rutinària repetició de molts textos medievals i la seva, diguem-ne, circularitat.

A grans trets i simplificant moltíssim, les línies semblen apuntar a un procés amb diverses etapes. Una primera i ja massa remota, de discussió inicial en el si del cristianisme primitiu sobre si la cavalleria, o sigui, el dret a emprar les armes i a matar, era moralment acceptable per a un cristià. Els qui es decantaven per la total negació, invocaven la rotunditat del cinquè manament de la Llei de Déu: «No mataràs». Aquests fonamentalistes toparen amb els arguments més atemperats dels qui volien matisar el sentit de la prohibició divina, i delimitar quan era degut emprar les armes, i quan no. A partir del s. IV el cristianisme va convertir-se en la religió oficial de l'Imperi romà, la qual cosa transformava també pràcticament els bisbes en funcionaris de l'estat. No semblava prudent ni era, ben mirat, lògic, condemnar la defensa armada de l'imperi i la mateixa religió enfront a tota classe d'heretges i de bàrbars. Hom va cercar, doncs, i naturalment va trobar els precedents bíblics i evangèlics justificatius del braç militar. I per molt estrany que sembli, una de les autoritats més importants aportades fou, precisament, Lc. 3, 14, on apareixen uns soldats rasos (*milites*) transformables en cavallers, gràcies a una falsa però conegudíssima etimologia isidoriana, que proclama que el *miles*, o cavaller, era «l'home escollit entre mil» (Eth. IX, 3, 32), després dotat del millor dels animals: el cavall; definició aprofitada per Eiximenis i per Martorell. Segons St. Lluc, aquests soldats s'havien acostat a St. Joan Baptista, per demanar-li com podien guanyar el regne del cel, i el sant anacoreta, que, com és obvi, coneixia la fama de lladregots i fautors de tota classe d'injustícies i extorsions que tenien els membres del gremi, els va recomanar que corregissin aquests proverbials defectes estamentals.

D'un episodi que hom pot més aviat interpretar en sentit negatiu, els defensors de les armes en van extreure la tesi, d'altra banda evident, que si St. Joan havia dit que els dedicats a la milícia podien salvar-se si deixaven de robar i d'extorsionar, es deduïa que el sant en realitat tolerava o acceptava la professió. Tal acceptació, més aviat tàcita, va ser tema de diversos comentaris patrístics, en especial de St. Agustí.

En un posterior estadi, dits comentaris foren assimilats pels canonistes i pels teòlegs que tractaven la legalitat de la guerra justa, o en defensa de la pàtria o de la fe. Aleshores, la tesi *per negationem*, que partia, com hem dit, de la mera afirmació de la tolerància (*militare non est delictum*), passà a ser considerada del tot positiva i hom va seguir invocant St. Lluc per a defensar aquest posicionament.

Martorell no fa, doncs, en el fons altra cosa que recollir un tòpic que feia temps que havia estat assimilat tant pel dret canònic com per la teologia oficial.

Per tal de posar en evidència les línies mestres d'aquest esquema, evidentment relacionable amb la història del concepte de guerra justa,[1] em proposo de fer servir el mateix sistema que proposaria en un seminari pràctic, o sigui, fer unes poques cales a partir, per no allargar-me gaire, d'uns quants autors representatius, que destaquin, bé pel seu interès temàtic, bé perquè Martorell manejava o pogué tenir accés a les seves obres prou difoses dins l'àmbit de la cultura medieval catalana, procurant d'anar deslligant la troca dels punts més rellevants, relacionar uns textos amb els altres i explicitar i contestar dins del possible les preguntes més importants que vagin sorgint al pas (els famosos buits dels quals parlava més amunt) que planteja la comprensió dels materials aportats. Aprofitaré també l'avinentesa per a glossar qualsevol aspecte que serveixi per a una millor comprensió de l'home medieval, i, tot i que sigui de manera més tangencial, que pugui estimular la reflexió crítica sobre el sentit i contingut del TB. Començaré pels materials cronològicament més acostats a l'època o entorn de Martorell, seguint un *ordo* invers al suggerit més amunt en l'hipotètic esquema evolutiu. Numero (entre parèntesi) les parts del text emprades al llarg del comentari, per a facilitar la comparació sistemàtica dels fragments aportats com a documentació.

A) En el *Tractat de Cavalleria* encara inèdit, de Bernabé de Sanz (Ms. 46 BC, ff. 28 -29), l'autor considera que «lo principal exercici e offici» dels cavallers «deu ésser en debellar y empedir los enemichs de la santa fe cathòlica». Segons ell,

1. Vegeu Frederik H. RUSSELL, *The Just War in the Middle Ages*, «Cambridge Studies in Medieval Life and Thought», Cambridge/Londres/Nova York/Melbourne: CUP, 1979, llibre on hom trobarà una intel·ligent i documentada discussió genèrica de les línies generals del tema de la guerra justa. Etapa primitiva (pàg. 1-15), transcendental paper de St. Agustí (pàg. 16-39), etapa posterior, decretistes, decretalistes, etc. (pàg. 40-220).

és només gràcies a l'esmentada premissa que la cavalleria «és permesa en lo for de consciència», i: «No solament és permesa, *mas encara SI RECTAMENT ÉS EXCERCITADA ÉS MERITÒRIA»*:*

> (1) «Que sia permesa u diu lo test del Decret qui comense: *Militare non est delictum, sed propter predam militare peccatum est,* e en la causa XXIII, q. VI, militar per depredar o furtar o fer soberguerÍes és peccat. (2) *Emperò lo gloriós Sent Johan Babtiste interrogat per los cavallers com porien obtenir la vida eterna, segons posa sent Luch a* III [14] *capítol, dient: Quid faciemus et nos? Volents dir, nosaltres qui ab armes y exercicis bel·licosos havem a ffer nostres actes, porem salvar la ànima? Respòs St. Johan: Neminem concutiatis neque calumniam faciatis sed stote contenti stipendiis vestris: No fassau concussions, ço és soberguerÍes, ni façau calúmpnies o violències, mas siau contents de vostres stipendis, ço és del sou que militant prenen, e salvaran les ànimes* [...]" (3) E que sia meritòria diu Sent Agostí (e és text de Decret, cap. Apud Dey veros cultores, en la causa XXIII, q. i., hon diu que los cavallers són cultivadors de Déu[...] quan ho fan *pacis studio ut mali coerceantur et boni subleventur*[...] (4) St. Agustí, decret quid culpatur, en la mateixa causa e qüestió, Decr. Qui cum magnam, XI causa, q. III. St. Ambròs, Ier libre De officis, mat. causa, q. III: *FORTITUDO,* q.: In bello [...] etc."»

De Sanz, com a bon jurista professional i membre autodeclarat d'una «milícia literària» que també hi inclouria els qui com ell són defensors de les lleis (que «són dites armes raonades»), ens posa, ja d'antuvi, sobre una pista a primera vista críptica, però importantíssima, tot invocant la compilació més important «sobre qualsevol tema que el papa considerava rellevant al bé públic del cos de la cristiandat»: les anomenades *Decretals.* Una decretal, com bé diu Ullmann, «era en darrera instància un veredicte judicial, d'ací el seu nom: *decernere-decretum-decretalis epistola*»,[2] i el conjunt d'aquestes disposicions emanades de la burocràcia pontifícia constitueix un vastíssim corpus legal o sofisticat instrument usat pel Papat per anar transformant de manera tan eficaç com directa els principis teològics en codificada norma de vida, o dret establert. De Sanz ens envia a aquesta magna summa legal dividida i subdividida *ad nauseam*, com era costumari en les grans compilacions, en causes, qüestions, distincions i capítols, identificables, com passa encara ara en les encícliques papals, pel mot llatí que encapçala cada document. Sabem així on trobar les principals disposicions legals relacionades amb el tema de la guerra: la Causa XXIII, que ell tracta de donar-nos resumida en una síntesi telegràfica dels punts que considera essencials consultar, i de les qüestions i capítols que considera més importants. Dret i teologia, com no podia ser d'altra manera en una societat teocràtica, ja apareixen, doncs, en aquest primer document, com a elements íntimament associats en una simbiosi vital per a la comprensió de l'estructura de la societat medieval. I, com que la teologia és la ciència de Déu i com a tal només es fonamenta en la veritat revelada, que és la seva paraula, els arguments de St. Agustí (3) o de St. Ambròs (4), no serien teològics sense un suport explícit en textos bíblics. És, tanmateix, fàcil compulsar que l'únic text bíblic aportat com a nucli doctrinal i fonament de la norma és l'esmentat frag-

2. Walter ULLMANN, *Law ant Politics in the Middle Ages*, «The Sources of History. Studies in the Uses of Historical Evidence», Londres, 1975, pàg. 120-121.

ment (que edito en cursiva) de St. Lluc 3, 14, sobre la consulta dels soldats a St. Joan (2). També queda destacat amb majúscula* abans del fragment citat, com a prova, un altre aspecte força remarcable, que figura com a premissa bàsica i que subratlla el pas de la mera permissió o tolerància a una apreciació francament positiva («és meritòria»), salvat sempre un condicionant (també expressat per Martorell en el capítol I del TB: «[...] lo militar stament [...] deuria ésser molt reverit *SI los cavallers observaven aquell segons la fi per què fonch instituÿt e ordenat*», I, capítol 1, pàg. 5), d'un exercici correcte, necessàriament vinculat a la defensa de la religió i de la justícia, és a dir: a la repressió dels dolents i el suport als bons (2 i 3). Aquesta milícia és, doncs, positiva. La dolenta, és la depredadora, o sigui la rebutjada per St. Joan (1, 2, 3).

B) Segons el polifacètic i inesgotable Francesc Eiximenis, *Dotzè de lo Crestià*, capítol 862:[3]

> (1) «[...] la defensió de la comunitat, jatsia pertanga a tots, emperò especialment pertany als generosos [...] (2) és legut a tot cavaller per guanyar sa vida o per aprendre d'armes a servir qualsevol senyor guerrejant que no guerreg ab manifesta injustícia [...] (3) *E per confirmar açò diu que sent Johan Babtista deya als cavallers, Luce, tercio, ço és que no robassen ne dampnificassen a negú, e que fossen contents de lur sou e no·ls manà que no guerrejassen* [...] (4). Ço que dit és confirma encara sent Agostí, Epistola V, (5) e Policratus, libro VI, cap. III. (6) *E és stada fort favorejada cavalleria per la Esgleya e per lo braç setglar, car ella deu tenir en peus tota la cosa pública, axí com vem XXIII, q. V. et XIII, I, II,* [...] *e aquì trobaràs qual és lo cavaller digne de laó (Suam)* [...]»

Com podem veure, Eiximenis, teòleg en el fons empeltat de canonista, fa servir gairebé la mateixa estructura que De Sanz, si bé la seva formulació sembla més laxa i oportunista. No solament accepta ja d'entrada la funció de la cavalleria (1), sinó que en comptes d'exigir una guerra justa es dóna per satisfet que no sigui manifestament injusta (2). De bell nou, la confirmació («e per *confirmar* açò») es troba en un nucli bíblic, que torna a ser Lc. 3, 14 (3), embolcallat en unes opinions teològiques (4) de St. Agustí, amb el recurs més o menys definitiu a diverses qüestions del *Decret* de Gracià, en especial de la mateixa Causa XXIII (6). Ultra St. Agustí, el franciscà gironí esmenta el *Policraticus* (5) que tot i que ho sembli per la manera que el cita, no és cap sant pare sinó el títol de la polifacètica obra de Joan de Salisbury (s. XII), llibre que sabem que no manejava de manera directa, sinó a través de la *Summa de Col·lacions* de fra Joan de Gal·les (s. XIII), ara finalment en curs de publicació.[4]

3. Ed. Curt WITTLIN, *et alii* (ed.), *Obres de Francesc Eiximenis*, 4, Girona, 1987, pàg. 432-433; i Albert HAUF (ed.), *Francesc Eiximenis, Lo Crestià (Selecció)*, Barcelona: Edicions 62, MOLC, 98, 1983, pàg. 276-277.

4. Veg. Albert HAUF, *D'Eiximenis a Sor Isabel de Villena*, València/Barcelona: Col·lecció Sanchis Guarner, 1990, pàg. 125-149, i «Eiximenis, Joan de Salisbury i Joan de Gal·les» dins Antoni FERRANDO (ed.), *Miscel·lània Sanchis Guarner*, vol. II, Barcelona: PAM, 1992, pàg. 239-262 i, en especial, la tesi doctoral de Lluís RAMON, *Edició crítica i estudi de la Summa de Col·lacions de Joan de Gal·les*, Universitat de València, 1997, pàg. 331.

C) En aquest vast i útil compendi del franciscà gal·lès, força divulgat en català, també hi trobem confirmada la nostra hipòtesi:

> «E que (1) usar de cavalleria sia cosa leguda als cristians sots senyor legudament instituhit, e de la lig dels cavallers (2) *appar en la doctrina de sent Johan Baptista, segons que diu sent Luch, capítol* III, *on se lig aquí que sent Johan dix als cavallers que no sostraguessen per força ni per manaces a nengú alcuna cosa, ni fessen a nengú callúmpnia, e que·s tenguessen per pagats de lurs sou o soldada.* (3) Sobre la qual paraula diu sent Agostí, en la Epistola X, (nota: Aug. epist. Cl. 0262, epist.: 138, vol. 44, pàg. 141, 14: *Quibus proprium stipendium sufficere debere praecepit, militare utique non prohibuit)* que als cavallers deu bastar lur pròpia soldada cor axí los ho mana sent Johan, (4) e *no beda d'ussar de cavalleria, cor per la lig dels cavallers totes coses són conservades, segons que és scrit e·l Decret, capítol* XXIII, *questio V.* (SC, I, capítol 6, I, dist. 9).»

Una vegada més ressalta la semblança de contingut i d'estructura: Aprovació (1), fonament bíblic (2) + glossa patrística del mateix text (3), recurs al *Decret* (4), la qual cosa fa pensar en una transmissió més o menys en cadena. El que és irrebatible i que es percep potser encara més clarament en el text del gal·lès és que fou de l'amonestació de St. Lluc d'on hom va extreure la tesi de la legalitat institucional. La línia argumental seguida és clara: si St. Joan recomanà als cavallers de no robar (2) era perquè en tolerava l'existència com a institució organitzada, *ergo* aquesta no fou reprovada en si mateixa (3), *ergo* és aprovada i legal (4). Això és, si més no, el que, entre altres coses, ve a dir el comentari de St. Agustí íntimament lligat al text evangèlic («sobre la qual paraula») fins a formar una unitat lògica de sentit dins del conjunt global de la citació: «els mana que es donin per satisfets amb el seu estipendi, però no prohibeix que practiquin la milícia» (3). La referència a St. Agustí és, com podem veure, constant, i hem de considerar-la un indici més que suficient del transcendental paper que segons els experts va tenir aquest pare de l'Església en el canvi de percepció i d'enfocament global de la temàtica en qüestió. Si bé resulta canviant el títol i la quantitat de les seves obres adduïdes en els pocs casos en què aquestes s'esmenten amb un mínim de precisió, la seva presència i autoritat en tots els textos aportats resulta inqüestionable.

D) Repassant ara la part corresponent a l'Evangeli de St. Lluc en algunes de les glosses bíbliques més importants, començant per la famosa glossa a tot l'Evangeli deguda al cartoixà belga Dionís de Rikel (1402-1471), gairebé contemporani de Martorell i brillantíssim exponent de la millor tradició exegètica europea del s. XV,[5] veiem que, com era d'esperar en un escripturista de la seva talla, prescindeix, almenys de manera aparent, ja que el més probable és que la coneguera, de la referència al *Decret* de Gracià. Ell mateix (1), accepta que els cavallers treballin en defensa de l'estat, ja que cobren un sou per fer aquesta tasca sense extorsions, però el centre de la seva glossa el proporciona una obra específica de St. Agustí (2), amb

5. *D. Dionysii Carthusiani in Quatuor Evangelistas Enarrationes admodum utiles & ab eruditissimis optimisque viris permultum desideratae: In evangelium Lucae Enarratio*, Lugduni, 1579 (en realitat, 1569), pàg. 233 B.

la interpretació positiva de la qual, que és la que m'he pres la llibertat de traduir, mostra coincidir-hi plenament, al temps que s'admira de l'extrema diplomàcia i tacte de Joan el Baptista (3):

> «*Et contenti estote stipendibus vestris.* (1) Hoc est, mercede seu retributione vobis ab imperatore vel vicariis eius praefixa pro exercitiis militiae, quibus pro defensione reipublice laboratis, nec ultra quicquam ab aliquo exorqueatis. (2) Porro (secundum Agustinum contra Faustum Manichaeum) *sciebat Ioannes eos qui militabant non esse homicidas sed ministros legis, non ultores iniuriarium suarum, sed salutis publicae defensores, alioquin responderet eis: Abiicite militiam, militiam istam deserite, neminem percutite, vulnerate, prosternite.* (St. Joan *sabia que els soldats no eren homicides, sinó ministres de la llei; no eren venjadors de llurs ofenses, sinó defensors de la cosa pública; d'altra manera els hauria contestat: Abandoneu la milícia, deserteu; us queda interdit d'atacar, ferir, o véncer ningú."*). (3) Praeterea ponderanda est sapientissimi precursoris discretio [...]»

Fins ara hem presentat testimonis que mostren una clara voluntat d'harmonitzar el text evangèlic i els comentaris patrístics i teològics amb la norma legal, a la qual hom vol dotar d'una base doctrinal sòlida, i només en una instància, la d'un biblista especialitzat (D), trobem aparentment separada la base teològica de la norma canònica fixada per l'autoritat papal. Guanyem, doncs, la impressió que la constant associació —imposada per les mateixes *Decretals*— del text de Lc. 3, 14 amb la glossa del tot positiva de St. Agustí, *Contra Faustum*, que trobem suficientment explicitada en Dionís (D 2), va acabar impregnant de connotacions positives el text més aviat neutre, si no negatiu, del verset evangèlic. Com és sabut, els textos medievals es llegien gairebé sempre *cum glossa,* fins al punt que en la pràctica s'esvaïen del tot les fronteres entre el comentari i el text comentat, i una cosa acabava confonent-se amb l'altra.

E) Però si recerquem una mica més el testimoni de l'exegesi precedent, o sigui, esbrinem allò que solien dir els comentaristes dels s. XIV i XIII, percebem un interessant canvi d'enfocament i d'èmfasi. Els materials en català són molt més limitats que no en llatí, i per motius obvis, donaré preferència a la gran obrada del Cartoixà, bellíssima versió catalana, inèdita modernament per a vergonya nostra, deguda a la ploma del valencià Joan Roís de Corella, autor la influència i elegant dicció del qual és ben detectable en nombrosos fragments del *Tirant lo Blanc*. Tant és així, que hi ha qui defensa d'una manera no gens socràtica que fou ell i no Martorell el veritable autor de la gran novel·la valenciana. Corella, ultra ser responsable d'una obrada cada vegada més apreciada (i segons algú tan extensa que abastaria gairebé tota la literatura valenciana del s. XV!),[6] va fer assequible la monumental *Vita Christi* del monjo cartoixà alemany Landulf de Saxònia (†1378) a la

6. És evident que no puc estar d'acord amb la metodologia emprada en els llibres de Josep GUIA, *De Martorell a Corella. Descobrint l'autor del* Tirant lo Blanc. Catarroja/Barcelona: Afers, 1996 i *Fraseologia i estil. Enigmes literaris a la València del Segle XV*, València: 3 i 4, L'Estel, 1999, on l'autor, sens dubte mal assessorat i partint d'un extraordinari desconeixement dels mecanismes de la intertextualitat medieval europea, tot i haver fet un esforç ben remarcable i útil pels qui sabran aprofitar-lo com escau,

comunitat catalanoparlant del seu temps. Aquest llibre, del tot mancat d'originalitat, és un dels majors compendis de l'erudició patrística medieval, i tot i ser enllestit el s. XIV, ho fou a base de tisores, ja que pretén resumir, i en això rau precisament el seu grandíssim interès, tot el més rellevant que els grans pares de l'Església universal havien deixat escrit sobre la vida de Jesucrist, a tots quatre nivells de la interpretació bíblica aleshores vigent, així com tot el que contenien les glosses, *catenae* i tractats anteriors que ell considerà necessari o útil per a una lectura conjunta, harmònica i exhaustivament documentada dels quatre evangelistes.[7] Vet ací la bella versió de Joan Roís de Corella, *Primer de lo Cartoixà*, capítol 17,[8] de la glossa de Landulf al text evangèlic que centra la nostra atenció:

> «(1) Vengueren aprés los cavallers a prendre lo baptisme dient: què farem per fogir a la sdevenidora ira? Y, dolçament los tornà resposta: no opprimau ni mal tracteu los pobres, qui de vosaltres no·s poden defendre; no·ls façau afflictió alguna en béns ni en la persona; ni calumnieu los richs, cercant-los accusacions falses, ni·ls porteu davant les potestats y jutges ab fiscals extorsions per haver de les sues pecúnies; y siau contents dels vostres stipendis, del sou que us paguen per defensió de la pàtria, y no agraveu los pobles més del què la justícia us dóna. (2) *Justament y mansueta los amonesta que de aquelles coses se guarden a les quals ells cavallers comunament són promptes.* (3) *Diu sant Agostí* (!) ja la militar disciplina en los cavallers no·s troba, en lo temps passat los cavallers ab jurament se obligaven que per lo bé de la cosa pública a qualsevol perill starien, que en la batalla no fogirien, y preposarien la utilitat comuna a la pròpia vida, açò juraven y prometien los cavallers gentils ydòlatres, y de present hi ajusten que de sobre lo altar reben les spases, perquè fills de la Sgleya se atorguen *y que per defensa del sacerdoci la prenen, y per defensa dels pobres, per castich y venjança dels mals hòmens, per defensar la pàtria. Y fan tot lo contrari del què prometen. Preses les militars insígnies en supèrbia se eleven, a rapacitat se converteixen, los béns del crucifixi occupen, los eclesiàstichs persegueixen, los richs calumnien, los pobres devoren, y axí moltes vegades en aquest món en miserable vida finen, y aprés en*

sembla confondre els arguments de la filologia amb les armes més falagueres de la seducció i de la propaganda política. Els perills on pot abocar un mètode, que, d'altra banda, res no té d'original, quan és emprat sense els suficients criteris, és encara molt més evident en el segon llibre, on s'arriba a defensar que Corella és, entre altres coses, l'autor de l'*Spill* de Jaume Roig i de la *Vita Christi* de Sor Isabel. Sembla extraodinari que l'autor, tot i beneficiar-se, com és lògic, de les descobertes precedents, on hom, no pretenia establir cap rècord del nombre de préstecs corellans en el *Tirant* detectats mecànicament, sinó marcar unes pautes metodològiques i cridar l'atenció sobre els problemes que plantegen els llocs ideològicament més importants, tingui la manca de tacte d'acusar, si més no, els qui li van desbrossar i obrir el camí, de no haver sabut fer la trascendental descoberta que ell, tan modestament, s'atribueix. Això evidencia, entre altres coses, que la manca de percepció i sensibilitat d'aquest autor no ve limitada a qüestions d'intertextualitat medieval, sinó, el que és pitjor, també l'impedeix copsar els matisos d'una ironia socràtica, que s'estima molt més insinuar i plantejar problemes encara per resoldre, amb la humilitat que pertoca quan es tracten temes tan llenegadissos, que no tocar abans d'hora la trompeteria i cremar efímeres mascletades autocomplaents. *E pur si muove*, i a la llarga, qualsevol dialèctica, per poc elegant que sigui, resulta d'utilitat si va acompanyada d'una aportació documental valuosa, com en aquest cas, tot i el confusionisme que pot arribar a generar entre l'afició.

7. Vegeu la també exhaustiva obra de Walter BAIER, *Untersuchungen zu den Passionsbetrachtungen in der Vita Christi des Ludolf von Sachsen. Ein quellenkritischer Beitrag zu Leben und Werk Ludolfs und zur Geschichte der Passsionstheologie*, Salzburg: Analecta Cartusiana, 44, 1997, 2 vol.

8. València, 1496, f. 69 b.

infern eternament penen. Era aquell temps de gran felicitat y benaventura quand los reys los senyors y les potestats a la utilitat de la cosa pública entenien més que a la utilitat pròpia. Però és gran dolor, del què de present se pratica: del benifici comú no curen, per la utilitat y riquea pròpia treballen; los pobles despullen; los pobres afflegeixen, sens pietat e misericòrdia los tracten. Per ço és de creure que eternament la divina justícia del regne del cel los bandeja, lo qual és dels pobres, dient lo Senyor: benaventurat són los pobres, que d'ells és lo celestial regne [...] *qui és lo cavaller qui dels stipendis se contente y extorsions y rapines no pratique* [...]?»[9]

Tot i que el text comentat no deixa de ser el mateix Lc. 3, 14, i que hom hi esmenta també l'autoritat de St. Agustí, que com és fàcil de comprovar en el text llatí original, fagocita la veu del vertader autor de la diatriba que és un Petrus Blesensis, que en la versió desapareix del mapa sense deixar traça, el to ha canviat per complet, i més d'un prelat actual acusaria el binomi Landulf-Corella de la més escandalosa demagògia! Però en aquest cas, sembla que queda ben clar que el text evangèlic és essencialment considerat com una clara amonestació, perquè els militars es guardin de caure en els vicis que els són característics. Impressiona, sobretot, la devastadora crítica que hom deixa caure sobre una cavalleria que es diu cristiana i que fa gala d'una litúrgia: l'adobament, que hom havia elevat gairebé al nivell carismàtic de la unció dels preveres. D'això a la no menys demolidora invectiva que

9 Cf. amb el text original, VC, I, cap. 17, 17, (ed. L. M. RIGOLLOT, *Vita Jesu Christi (Ex Evangelio et Approbatis ab Ecclesia Catholica Doctoribus Sedule Collecta) Editio Novissima...*, 4 vol., París/Brussel·les, 1878, I, pàg.153 b-154 a: «*Interrogabant autem eum et milites: Quid faciemus et nos*, scilicet ut salvi simus? Et ait illis: *Neminem concutiatis*, scilicet sub praetextu officii vestri, pauperes qui se defendere non possunt opprimendo, vel corporaliter afligendo, vel indebite terrendo; *neque calumniam faciatis*, falsum crimen divitibus et potentibus imponendo, et eos in causam trahendo, et si pecuniam et bona eorum, que per aliam viam a talibus rapere et habere non potestis, extorquendo; *et contenti estote stipendiis vestris*, quae pro defensione patriae et reipublicae habetis, praeter hac etiam sine oppressione et falsi criminis impositione a nullo tallias, exactiones munerum, vel servitiorum exigendo. *Ad praedicta autem inducebat beatus Joannes milites, quia ad contraria proni esse solent, requirentes insidiando praedam ab eis quibus militando prodesse debent. Unde Petrus Blesensis* Hodie militaris disciplina prorsus evanuit. Olim se milites juramenti vinculo obligabant quod, starent pro reipublicae statu, quod in acie non fugerent, et quod vitae propriae utilitatem comunem praehaberent; *sed et hodie enses suos recipient de altari, ut profiteantur se filios Eclesiae, atque ad honorem sacerdotii, ad tuitionem pauperum, ad vindictam malefactorum et ad patriae liberationem se gladium accepisse, porro in contrarium res versa est, nam ex quo hodie militari cingulo decorantur, statim insurgunt in Christo Domini, desaeviunt in patrimonium Crucifixi, et spoliant et praedantur subjectos sibi pauperes, et miserabiliter atque immisercorditer affligunt miseros, ut in doloribus alienis illicitos appetituts et extraordinarias impleant voluntates:* haec *Petrus Blesensis*. Olim quippe rectores et gubernatores terrarum a milite usque ad Regem et Imperatorem utilitati reipublicae magis quam private intendebant; pauperes se tueri non valentes, defendebant. Sed, proh dolor! hodie de republica; et pauperibus parum curant, terras et res alienas invadunt et occupant, ut aliis exclusis, domum suam ditent et augeant. Pauperes miserabiliter affligit permittunt, et, quod plus est, etiam ipsimet immisericorditer eos affligunt. Et ideo timendum est eis ne in posterum a terra viventium alienentur, et a regno coelorum, quod pauperum est, excludantur, ut etiam dicit *Augustinus*: "Quilibet quoque rectores, quilibet clerici, si amplius quam decretum est eis, quaerunt; tamquam calumniatores et concussores Joannis sententia condemnantur: milites enim Christi sumus."»

fa Llull de la realitat de la cavalleria del seu temps en el capítol 112 del *Llibre de Contemplació* no hi ha gaire distància.[10] És clar que Corella, llevat de la petita malvestat, potser no gens casual, d'atribuir a St. Agustí, que, com hem vist, generalment és esmentat en qualitat de defensor dels cavallers, un text d'un autor que els ataca sense contemplacions, es limita a fer molt bé la seva feina de traductor, però sembla que la fa amb evident *gusto*. I costa molt de creure que aquesta tirada i altres de semblants que trobem en textos corellans com el *Triumfo de les dones* puguin sortir de la mateixa ploma de l'autor d'una obra com el TB, la finalitat de la qual, tothom assegura de manera quasi unànime, que no és altra que la de fer una mítica exaltació de l'*ethos* cavalleresc. Com vaig tractar de mostrar fa temps,[11] les contradiccions internes entre la mentalitat de Corella i la de Martorell causen perplexitat a qualsevol persona intel·ligent que vagi una mica més enllà de l'anàlisi dels manlleus fraseològics o sintàctics i s'aventuri a analitzar el significat de les paraules. Tals contradiccions només s'esvaïrien, almenys en part, assumint una intencionalitat crítica, satiricomoralitzant, del TB, comparable a la que caracteritza aquesta excepcional glossa de Landulf, cosa no gens fàcil de mantenir, de manera raonada i raonable, pel que fa al conjunt de la novel·la, però potser sí en relació amb algunes de les seves parts.

En tot cas, i tornant al tema que ara ens ocupa, mentre que de la glossa de l'altre gran escripturista medieval, fra Nicolau de Lira, del tot assimilada per Landulf, només cal tornar a posar en relleu la justificació de la rèplica de St. Joan, que va dir als cavallers allò que els va dir «degut a llur natural tendència a caure en els vicis contraris» (*Quia solent esse proni ad vitia contraria*) que també ja he destacat amb cursiva en (2),[12] el sentit del conjunt dels comentaris acumulats pel Cartoixà, no ens proposa cap defensa a ultrança de la cavalleria, ben al contrari, i pot aportar-se com a evidència del posicionament més crític, que correspon ja al que més amunt he anomenat estadi més radical.

F) Com a mostra encara més pronunciada d'aquest punt de vista, que evidentment suposaria una condemna molt explícita de bona part del contingut del TB, entès

10. Dins Ramon LLULL, *Obres essencials*, 2 vol. Barcelona: Selecta, I, 1957, pàg. 239-241. Vegeu Albert HAUF, *Ramon Llull i el* Tirant, Mallorca: Publicacions del Centre d'Estudis Teològics de Mallorca, 17, 1992, pàg. 14-19 i Albert SOLER, «Mas caváller qui d'açò fa lo contrari». «Una lectura de tractat lul·lià sobre cavalleria», EL, 29 (1989), pàg. 1-23 i 101-124.

11. Albert HAUF, «*Tirant lo Blanc*: Algunes qüestions que planteja la connexió corelliana», *Actes del Novè Col·loqui Internacional de Llengua i Literatura Catalanes. Alacant/Elx 9-14 de setembre de 1991*, Barcelona: PAM, 1993, vol. II, pàg. 69-116.

12. Cf. amb E: «Et ait illis: *neminem concutiatis*, scilicet opprimendo pauperes, et eos despiciendo. *Neque calumniam faciatis*, id es non ponatis falsum crimen divitibus et potentibus, ut occasionem exteroquendi bona earum habeatis: quia per aliam viam a talibus bona rape non possunt. *Contenti esto*, scilicet vero que dabatur eis ab imperatoribus pro labore militum quem habent sustinere in defensione patriae. Redditus autem quos habent multi milites super homines sibi subditos, habent locum stipendiorum, et ideo debent eis esse contenti. Ad tria autem dicta inducebant beatus Johanne milites, *QUIA SOLENT ESSE PRONI AD VITIA CONTRARIA...*» (*Textus Bibliae cum Glossa ordinaria: Quinta pars huis operis in se continens Glossam Ordinariam cum exposisiontem literali et morali Reverendi patris Nicolai Lyrani, necnon additionibus ad replicis super libros Matthaei, Marci, Lucae Iohannis*, Lugduni, pàg. 1528.)

com a mera apologia de la forma més estesa de practicar l'exercici de les armes, com ara les justes i torneigs en els quals l'heroi en la primera part de la novel·la obté de manera certament ben cruenta la seva inicial fama de cavaller i el premi de pertànyer a la famosa Orde de la Garrotera, hom pot presentar encara un famós *exemplum* que anota el cardenal Jacques de Vitry (s. XIII), per a demostrar que els cavallers durant aquesta sangonent pràctica duelística cometen tots els pecats capitals: pecat d'orgull, perquè, de fet, el reconegut motor dels seus actes és l'honor, fama i glòria, o sigui l'orgull i el desig de lloança; d'enveja, perquè ressenten els premis i victòries dels altres; d'ira, perquè s'irriten durant el combat; d'avarícia, perquè desitgen els cavalls i equipament dels altres i cobrar el rescat dels vençuts; de golafreria, perquè participen en nombroses festes i convits; d'accídia, a causa de llur reacció quan perden, i de luxúria, perquè tot ho fan per agradar a dones capricioses, per les quals van al combat, sovint revestits amb camises o altres peces de roba de les estimades:

> «Memini quod quadam die loquebar cum quadam milite qui valde libenter tornamenta frequentabat et alios invitabat, precones mittens et hystriones qui torneamenta proclamarent, nec credebat ut asserebat hujusmodi ludum vel exercitium esse peccatum. Alias autem satis devotus erat. Ego autem cepi illi ostendere *quod 7 criminalia peccata comitantur in torneamentis.* Non enim carent superbia cum, propter laudem hominum et glorian inanem, in circuitu illo impii ambulant et vani non carent invidia, cum unus alii invideat, eo quod magis strenuus in armis reputetur et majorem laudem assignatur. Non carent odio et ira cum unus alium percutit, et male tractat, et plerum letaliter vulnerat, et occidit; sed et inde quartum mortale peccatum incurrunt quod est accidia vel tristicia. Adeo enim vanitate occupantur quod omnia bona spiritualia eis insipida redduntur, et quia non prevalent contra partem aliam, sed cum vituperio sepe fugiunt, valde contristantur. (1) *Non carent quinto criminali peccato id est avaricia vel rapina, dum unus alium capit, et non redimit, et equum quem capiebat cum armis aufert illi contra quem pugnando prevaluit, sed occasione torneamentorum graves et intollerabiles exactiones faciunt et hominum morum bona sine misericordia rapiunt, nec segettes in agris concu lcare et dissipare formidant et pauperes agricolas valde dampnificant et molestant.* Non carent torneamenta mortali peccato vi quod est castrimargia dum mutuo, propter mundi pompam, *invitant ad prandia et invitantur non solum bona sua se et bona pauperum in superfluis* commessationibus expendunt, et de alieno corio largas faciunt corrigias. Quidquid delirant reges, plectuntur Achivi. Non carent 7 mortali peccato quod dicitur luxuria, cum placere volunt mulieribus impudicis, si probi habeantur in armis, et etiam quedam earum insignia quasi pro vexillo portare consueverunt. (2) *Unde propter mala et crudelitates que ibi fiunt atque homicidia et sanguinis effusiones, instituit ecclesia ut qui in torneamentis occiduntur sepultura christiana eis denegetur.* In circuitu quidem impii ambulant unde cum mola asinaria et cum circuitu vite laboriose demerguntur in profundum maris, id est, in profunditatem amaritudinis et laboris. Cum autem dictus miles hec verba audiret et aperte veritatem quam nunquam audierat agnosceret, sicut prius torneamenta dilexit ita postea semper odio habere cepit. Multi quidem propter ignoranciam peccant qui si audirent veritatem et diligenter inquirerent non peccarent (3) *sicut memorati milites —diligenter interrogabant Johannem Baptistam: "Quid faciemus et nos?" Quibus ipse respondit ut neminem concurrerent violenciam faciendo, nec calumpniam facerent falso aut fraudulenter accusando, sed contenti essent stipendiis que ideo,* (4) *teste Agustino, constituta sunt militantibus nedum sumptus quas predo grassetur. Non prohibet Johannes militare, dum concedit stipendia recipere,* sicut nec Dominus prohibuit censum reddi Cesari, eo quod pro judeis militabat et a violentia hostium defendebat [...]»[13]

13. Jacques DE VITRY, *The Exempla or illustrative Stories from the Sermones Vulgares of Jacques de Vitry*, ed. Thomas FREDERICK CRANE, Londres: The Folklore Society, 1890, CLXI, pàg. 62-64.

Valdria, potser, la pena de llegir també tot el *Tirant* a la llum d'aquest i semblants documents eclesiàstics medievals, que ens ofereixen un punt de vista clarament rebutjat per l'heroi i els seus companys d'armes, però que marca un utilíssim contrapunt i posa en evidència les contradiccions d'uns personatges que es maten mútuament amb la mateixa regular parsimònia amb què assisteixen a missa, es confessen, ballen o fan l'amor. Però ara iací, ultra remarcar *passim* el to general de condemna d'aquest exemple moralitzant, interessen les parts on es fa al·lusió a l'avarícia i «les intolerables exaccions» (1), que guarda relació amb la part final del fragment, on retrobem, sense esperar-ho, el text de St. Lluc clarament emprat amb una finalitat moral no gens allunyada d'allò que devia ser el sentit primigeni que li volia donar l'evangelista (3). No hi manca tampoc la imprecisa glossa agustiniana, que funciona ací en un context global que, tot i tolerar l'existència dels *defensores:* «Joan no prohibeix la cavalleria, ja que permet rebre l'estipendi que se'n deriva» (4), ataca sense manies la pràctica del torneig i recorda una altra norma canònica que Martorell tracta d'escamotejar (com potser feien també certes autoritats eclesiàstiques del seu temps, massa dèbils contra el poder constituït, però no certament la reina Maria d'Aragó, no gens afectada de batalletes cavalleresques): els qui moren en tan sangonoses lluites són privats de sepultura eclesiàstica (2), un argument de pes, i, com veurem, per això mateix invocat en les discussions escolàstiques.

L'anàlisi dels pocs textos fins ara proposats basta i sobra per oferir als estudiants una suficient percepció de l'ús, o potser caldria ja dir abús, del text de Lc. 3, 14, en el marc d'unes opinions més o menys contrastades sobre la legalitat i funció de la cavalleria medieval i d'uns registres ben variats que van dels tractats teòrics a les glosses evangèliques i els *exempla.* Però la millor manera d'acabar d'obtenir una visió clara dels punts de vista contraposats és la d'aprofitar el tema discutit per a ensinistrar-los encara més en el funcionament de la didàctica (i, en el fons, en la manera de pensar medieval!) mitjançant la coneguda tècnica escolàstica del *sic et non*, o contrast dialèctic d'opinions en què es basava la *disputatio* o discussió lògica dels arguments en pro i en contra d'una tesi, que era la base de la pràctica docent, que quedà plasmada per sempre més en els textos dels grans mestres de l'escolàstica.

Per no allargar-nos gaire, basta recórrer, sense intermediaris, a una parella selecta dels millors exponents de les dues grans ordes religioses mendicants que canalitzaren i propagaren el saber teològic en les grans universitats europees: els franciscans i els dominicans. Això podria ser una excel·lent excusa per introduir altres temes sovint oblidats, com la creació i funcionament de les universitats, els plans d'estudis, les matèries curriculars, la massiva assimilació dels materials de les summes precedents, etc.

G) La tria del mestre franciscà recau en Alexandre d'Alès, mestre de St. Bonaventura, precisament perquè el deixeble no va dedicar tant d'espai al tema que ens interessa com el mestre, el qual n'ofereix un resum no gaire original, però per això mateix encara més interessant com a síntesi d'un pensament i d'uns arguments que cal suposar força generalitzats. Tot parlant de la guerra,[14] planteja la qüestió de «si la guerra és lícita». Entre les set autoritats que allista a favor, hi trobem citat sis vegades St. Agustí, (tres, *a, b, g*, el *Contra Faustum*, que hem vist esmentat de manera expressa per Dionís de Rikel (D 2) i que cal suposar que és el text no especificat al qual tothom al·ludeix), i una (*c*) del sermó *De puero Centurionis,* que és la mateixa *Epistola 138*, citada per Eiximenis (B 4) i Joan de Gal·les (C 2), i que és l'obra on trobem una referència expressa a Lc. 3, 14, emprada en el context de defensa de la institució cavalleresca: si la religió cristiana considerés culpables totes les guerres, el consell de St. Joan hauria estat diferent, i en comptes de dir-los allò que els va dir, els hauria recomanat de deixar les armes i d'abandonar la milícia. El text evangèlic formaací part integral de la glossa:

> «c. Item, Augustinus, in sermone *De puero Centurionis*: Si christiana disciplina omnia bella culparet, hoc potius *consilium salutis petentibus in Evangelio diceretur, Luc. 3, 14,* ut abiicerent arma seque militiae omnino subtraherent; dictum est autem eis: *Neminem concutiatis, estote contentis stipendiis vestris. Quibus proprium stipendium sufficere praecepit, militare utique non prohibuit*».

L'únic altre text no agustinià esmentat justifica la força emprada: en defensa de la pàtria, dels dèbils o contra els malfectors, i és pres del *De officiis* de St. Ambròs (PL, 16, 61):

> «d. Ambrosius, I libro *De officiis*: "*Fortitudo*, quae bello tuetur a barbaris patriam vel domi defendit infirmos vel a latronibus socios, plena iustitia est"».

La part contrària aporta vuit arguments que resumeixo amb els seus corresponents fonaments escripturístics o teològics: 1) la guerra es fa per evitar les injúries, però Mt. 5, 39 recomana «donar l'altra galta», i Mt. 26, 52 diu que «cal enfundar l'espasa en la baina». També «cal tornar bé pel mal» (1 Petri 3.9) 2) 3) 4) són textos pacifistes d'*Orígenes*, atribuïts a St. Gregori, basats en Io 14, 27, Rom. 12, 19, I Cor 6, 7, Ef 6. 11. 5) Mt. 26, 52: «[...] tots els qui empunyen l'espasa, a espasa moriran». 6) St. Jerònim i Gal. 4, 29. 7) Mt. 5,10: «Feliços els perseguits per causa de la justícia, perquè d'ells és el Regne del cel.» 8) Tob. 4, 16.

La resposta magistral refuta tots aquests arguments defensant la licitud i necessitat de la guerra justa, amb textos de St. Agustí. La part central de l'argumentació diu que perquè una guerra pugui ser considerada justa s'ha de fer amb la deguda intenció i amb la deguda condició, com ara la defensa de l'estat, «però excloent el desig d'enriquir-se». Per sorprenent que paregui en un teòleg, retrobem

14. Veg. *Summa Theologica* Pars III, Inq. III, Tract. II, Sect. II, Quaest. I, Tit. III i Membrum III, 466 (dins: *Doctor irrefragabilis Alexandri de Hales, Ordinis Minorum, Summa Tehologica. Liber Tertius* Ad Claras Aquas (Quaracchi), vol. IV, 1948, pàg. 683- 686. Veg. també RUSSELL, *The just War*, pàg. 213-251.

totalment barrejades les autoritats evangèlica i canònica, si bé la famosa Causa XXIII de les *Decretals*, només hi és invocada per apartar els clergues de l'activitat militar:

> «e. Item, in persona peragentis bellum duo requiruntur: debita intentio et debita conditio. Debita intentio, secundum quod dicit Augustinus, *De verbis Domini: "Militare non es delictum, sed propter praedam militare peccatum est; nec rem publicam agere criminosum est, sed ut divitias augeas, damnabile est."* —Item, debita conditio, ut non sit persona clericalis. Unde *Canon* Ioannis Papae, [*Causa*] XXIII, quaest. 8: "Saecularem militiam excercere, terram defendere, de praeliis tractare et de armis terrenae potestatis est" [...]»

H) Si obrim ara la *Summa Theologiae* del fundador de l'escola tomista, el dominicà Tomàs d'Aquí, en el lloc adient (ST, 2-2 q. 40 a, 1),[15] hi veurem repetida, tot i que substancialment reduïda l'argumentació fonamental del franciscà. A favor de la tesi fonamentalista, o antibel·licista, ultra els ja coneguts: 1) Mt. 26, 52 i 2) Mt. 5, 39 i 3) Rom. 12, 19, l'Aquinat hi afegeix dos arguments diferents, un d'ells, el 4) al·lega que la pràctica dels torneigs és prohibida oficialment per l'Església, fins al punt de privar de sepultura eclesiàstica els qui moren en tal classe de certàmens, *ergo...*

A favor de la tesi proposa el mateix autor i text citat per Alexandre d'Alès (*c*):

> «1. SED CONTRA est quod Augustinus dicit, in sermone *De puero centurionis: Si christiana disciplina omnino bella culparet, hoc potius consilium salutis petentibus in Evangelio daretur, ut abiicerent arma* [...] etc.»

La resposta magistral de l'Aquinat afirma que la guerra justa té tres requisits: 1) l'autoritat del príncep, 2) una causa justa, i 3) la recta intenció dels qui la fan. Tots tres punts es basen en textos agustinians, amb predomini del *Contra Faustum*. Si parem esment en alguns d'aquests textos, com ara el següent:

> [1] «2. Unde Augustinus, im libro De verbis Dom[*ini*]: *Apud veros Dei cultores etiam illa bella pacata sunt quae non cupiditate aut crudelitate, sed pacis studio geruntur, ut mali coerceantur et boni subleventur* [...]»

No podem deixar de notar a simple vista que acabem de completar un itinerari que es revela circular. Així, aquest darrer text (H 2) és un dels citats per Bernabé de Sanz (A 3), Gd correspon a A 4, i Ge a A 1, etc., de manera que no tenim més remei que acceptar el notabilíssim grau de coincidència existent entre els tractadistes

15. Sancti Thomae AQUINATIS, *Summa Theologiae: Secunda Secundae*, vol. III, Madrid: BAC 81, 1963, pàg. 268-269. Cf. amb RUSSELL, *The Just War*, pàg. 258-281.

que al·legaven l'autoritat del *Decret* de Gracià (De Sanz, Eiximenis i Joan de Gal·les), els autors patrístics citats pels decretalistes i els que resulten fonamentals en l'argumentació dels teòlegs.

I és que, tal com hem anticipat i era ben d'esperar, el compiladors de les *Decretals*, en el seu evident esforç per fonamentar la *norma recti vivendi* de la societat cristiana damunt la roca sòlida de la teologia, basada en la Sagrada Escriptura, havien fet seus i copiat bona part d'aquesta argumentació teològica, en la Causa XXIII, q. I, capítol 2 & 5, capítol 3, capítol 4, q. 3 capítol 5, q. 4 capítol 37 & 6 i capítol 42 del *Decretum Gratiani*.[16] De manera que si els canonistes cercaven documentació en els teòlegs, els teòlegs acabaren també valent-se dels textos dels canonistes, per, en definitiva, repetir de manera cíclica uns mateixos arguments! Això explica la confluència d'idees en la majoria de textos, llevat dels procedents del sector dels escripturistes i dels moralistes, que es mantenen més crítics i distanciats.

Arribats a aquest punt, no té, doncs, gaire sentit tractar de dilucidar què fou abans si l'ou o la gallina. Sembla evident que el lluç es mossega la coa i que en aquest *totum revolutum*, el *forte* no és l'originalitat i el que és normal és la concatenació i la repetició a partir de la norma oficial, ja consagrada en les *Decretals*. Ens hauríem pogut refiar tranquil·lament del que diu De Sanz, però aleshores no hauríem descobert, és clar, les matisacions divergents introduïdes pel Cartoixà (D) i per Jacques de Vitry (F), exponents d'un punt de vista més exigent, o si voleu més intransigent, representant atenuat del puritanisme original.

El que sí sembla evident, després del breu itinerari diacrònic proposat, i que podem oferir a manera de conclusió, és:

1) Que Martorell en el pròleg del *Tirant* no al·ludeix a Lc. 11, 21, text que no hem sabut trobar esmentat en la polèmica sobre el paper de la milícia, sinó a Lc. 3, 14.

2) Que Martorell cita aquest text, necessàriament i de manera automàtica, ja que, com hem tractat de mostrar, amb el pas del temps s'havia convertit, gràcies al to positiu que li havia conferit una constant associació amb una glossa de St. Agustí favorable a la cavalleria, en el text bíblic que tant els teòlegs com els canonistes havien acabat fent servir com a justificació ètica, religiosa i civil de l'estament cavalleresc.

3) Que el procés semàntic que operà la transformació d'una amonestació i clara repulsa ètica (de la qual encara tenim vestigis evidents en textos de caire moralitzant com la famosa glossa del Cartoixà), dels vicis de la soldadesca, en el fonament de la defensa dels privilegis d'un estament tan prepotent com és la cavalle-

16. A. Friedberg (ed.), *Corpus Juris Canonicis*, Leipzig, I, 1879, 2 vol., pàg. 891-893, 897, 920, 922, etc. El present treball s'ha elaborat en el marc del projecte PB 98-1193-C03-02 del MEC, que es duu a terme al Departament de Filologia Catalana de la Universitat de València.

ria medieval, ens brinda una documentada mostra de la capacitat d'interpretació, transformació i manipulació dels textos en benefici d'uns interessos de classe.

Ja era, potser, hora que l'exegesi moderna del *Tirant* deixés al descobert l'embolicada troca que un constant exercici exegètic i, doncs, filològic ha anat debanant al llarg dels segles. El que és sorprenent, a la vista dels resultats, òbviament satisfactoris d'aquesta secular ensarronada conceptual, és que encara hi hagi polítics que opinin que la filologia no és important!

LA LITERATURA CATALANA EN LES LLIÇONS DE LITERATURA ESPANYOLA DE MANUEL MILÀ I FONTANALS

Manuel Jorba

Universitat Autònoma de Barcelona

En l'estudi *Sobre la periodització en les històries generals de la literatura catalana*, Joaquim Molas constata que diverses circumstàncies han fet que «la literatura catalana no hagi gaudit sempre d'un estatut polític i social ben definit», o que a tot estirar no hagi passat de la simple consideració de fenomen «regional» o «provincial».[1] Una de les conseqüències de la situació creada seria l'absència de la literatura catalana de l'ensenyament oficial, com a matèria diferenciada i pròpia, des del moment en què la literatura –la història de la literatura– va començar a ser una disciplina escolar, especialment universitària, i que fins a temps molt recents no hagi tingut la presència continuada que se li reclamava per diferents motius i des de diferents instàncies.

A l'últim quart del segle XIX, diversos personatges, implicats o no directament en l'ensenyament universitari, van plantejar la conveniència o la necessitat acadèmica, i política, de la incorporació de la literatura catalana en els plans d'estudi oficials, dintre la matèria de «literatura espanyola», i precisament en nom de la traducció política que es feia d'aquest títol.

Menéndez Pelayo proposava el 1876, en un article publicat a la *Revista Europea*, recollit a *La ciencia española*, organitzar l'ensenyament universitari de les diferents literatures produïdes secularment al territori espanyol en quatre càtedres diferents de la dedicada a la història de la literatura espanyola, per bé que aquesta és la que les hauria d'acollir si això fos materialment possible:

> «Y como la historia de la literatura española es de suyo tan extensa y raya en imposibilidad absoluta el exponerla en un solo curso, además de la cátedra general [...] conviene establecer las cuatro siguientes:
> »Historia de la literatura hispano-latina.
> »Historia de las literaturas hispano-semíticas.

1. Cf. Joaquim MOLAS, «Sobre la periodització en les històries generals de la literatura catalana», *Symposium in honorem prof. M. de Riquer*, Barcelona: Universitat de Barcelona / Quaderns Crema, 1986, pàg. 257-276.

»Historia de la literatura catalana.
»Historia de la literatura galaico-portuguesa.
»La primera debiera establecerse en la Universidad de Salamanca, emporio un día de los estudios clásicos; la segunda en la de Sevilla o Granada; la tercera en la de Barcelona, y en la de Santiago la cuarta, pues no parece justo que Madrid disfrute de todo género de ventajas y preeminencias, antes conviene vigorizar el espíritu provincial en donde quiera.»[2]

Aquesta proposta posa de manifest, si no se sabés del que es desprèn dels programes oficials, rígidament estructurats a partir del Pla Pidal de 1845, que les literatures en llengües diferents de la castellana no estaven establertes com a tals en l'ensenyament humanístic universitari, i per descomptat que tampoc en els d'estadis anteriors.

La proposta de Menéndez Pelayo, pel que fa a la literatura catalana en concret, podria respondre, en part si més no, al record del que havia vist tímidament i subsidiàriament posat a la pràctica a la càtedra de Milà, i es feia pública com a part de la polèmica sobre la ciència espanyola sostinguda per ell, Manuel de la Revilla, José del Perojo i altres,[3] en un moment en què, fora de les esferes oficials, hi havia coincidència favorable d'opinions, almenys pel que fa a la literatura catalana.

Era el cas de la d'un tal Pere Joan Bernadas, del mateix 1876, que es fa ressò de la denúncia de la «centralisació científica» continguda en l'article de Menéndez Pelayo que reivindica «per literatures provincials lo lloc que los hi correspon en la literatura general espanyola». Emparant-se en l'autoritat de l'autor, i en el títol general de «literatura espanyola», que no s'ha d'identificar amb el de «literatura castellana», Bernadas defensa la inclusió de la literatura catalana en els programes de literatura espanyola:

«Doncs, què: lo nascut a Espanya, si no ho ha sigut dintre de Madrid, ja no és de la pàtria? L'honra dels fills no és l'honra de la mare? Fins ara tot ha sigut castellà. *La bandera, de Castilla,* en lo escrit, les armes sols de Castella, en les càtedres d'història de la literatura Espanyola, sols la literatura castellana, i en tot sempre una sola província imposant-se a les demés. Per això no podem menos d'aplaudir de tot cor al Sr. Menéndez Pelayo i desitgem de totes veres que los representants de la nació, que tant deuen interessar-se per lo moviment científic i literari de son país, sens descuidar los interessos materials, procurin que, baix lo epígrafe de literatura Espanyola, que fins avui dia los catedràtics la fan sinònima de castellana, d'aquí endavant hi comprenguen lo estudi de totes les literatures que, encara que filles d'Espanya, s'hi manifesten en diferentes llengües. Com a espanyols, podem passar en que se'ns obligue a apendre de cor les obres de Cervantes, glòria ab justícia del món literari; com a catalans no podem passar en que ni sisquera se dongui a n'els castellans idea de l'existència d'Ausias March, èmul de Petrarca.
»Demanem justícia, i ja que amb lo nom d'Espanya se comprenen les quaranta-nou províncies

2. Marcelino MENÉNDEZ PELAYO, *La ciencia española (polémicas, proyectos y bibliografía)*, I, Madrid: Imp. A. Pérez Dubrull, 1887, pàg. 223.
3. A més de l'obra citada a la nota anterior, vegeu *La polémica de la ciencia española*. Introducción, selección y notas de Ernesto y Enrique *García Camarero*. Madrid: Alianza Editorial, 1970.

que constitueixen lo regne, també dins del nom literatura espanyola deuen compendre's les literatures del regne que no parlen en castellà.»[4]

Uns anys després, el 1880, hi hauria la proposta de Terenci Thos i Codina, feta en la seva condició de diputat provincial pel districte de Mataró, que la Diputació prengués l'acord d'elevar al «Gobierno de S. M. una atenta y razonada exposición en súplica de que en la nueva ley de instrucción pública hacedera, al par del estudio del árabe y hebreo y de las literaturas griega, latina y castellana, conforme hoy se verifica, se establezca en la facultad de Filosofía y Letras de la Universidad de Barcelona, con el carácter que sea más procedente, una cátedra de *Historia de la lengua y de la literatura catalana y de la antiga provenzal literaria*».[5] Ell mateix recorda, a la introducció de l'opuscle que recopila, en l'acabament del mandat, els seus «actos de iniciativa particular en bien de la agricultura, de la industria, de las ciencias, de las artes y de las letras patrias, en bien de cuanto moral y materialmente puede honrar y engrandecer a esta excelsa madre, la nativa tierra catalana, que tanto y tan ardientemente amamos», que les seves propostes són fetes amb la «voluntat, inagotable e inquebrantable para querer, honrar y servir siempre a mi país, con la fe, con la constancia y con la intención que abrigamos en nuestros corazones los catalanes catalanistas, para quienes ante todo y sobre todo, en medio del fraccionamiento general, el lema y el pendón és: *¡Cataluña!*»[6]

4. Pere Joan BERNADAS, «Quatre mots sobre la literatura catalana», *La Renaixensa*, VI, t. II, núm. 9-10 (1876), 330-331. Vegeu també Carola DURAN, *Índexs de la* Renaixensa *(Barcelona, 1871-1880)*, Barcelona: Barcino, 1998, pàg. 109. Sigui dit entre parèntesis, perquè es tracta de qüestions una mica posteriors, però el 1918, en un projecte de reforma de la Facultat de Filosofia i Lletres de la Universitat de Barcelona, es recorda que Menéndez Pelayo havia proposat el 1910 que s'hi fundés una càtedra de literatura catalana que portés el nom de Milà i Fontanals, per a la qual Hermenegildo Giner de los Ríos havia aconseguit del Parlament espanyol el pressupost adient: «La generosa propuesta fracasó entonces por causas que no creemos que se hayan de indicar aquí, motivando la calurosa protesta del Dr. Giner de los Ríos en la sesión del congreso de 30 de enero de 1912 ...» (citat per Alexandre GALÍ, *Història de les institucions i del moviment cultural a Catalunya. 1900 a 1936*. IX. *Ensenyament universitari*, Barcelona: Fundació Alexandre Galí, 1983, pàg. 183). El 1925 encara hom al·ludia la proposta de Menéndez Pelayo com una cosa desitjable en tant que no assolida: per Jaume Barrera, en una dissertació titulada *De literatura comparada*, llegida en la inauguració del curs del Seminari Conciliar de Barcelona, on era professor, la proposta de Menéndez Pelayo continuava tenint validesa, perquè la restauració cultural espanyola només podia ser vertaderament integral, harmònica i eficaç si, essent fidel amb la història de pluralitat, l'ensenyament incorporava les matèries del pla esmentat, «que quedó malogrado por estrecheces de mente y por avaras timideces de presupuesto económico de quienes podían y debían ampararlo y prosperarlo, para gloria imperecedera de nuestra patria, que fue y es grande, porque es y fue siempre plúrima» (Jaume BARRERA, *De literatura comparada. Oración inaugural del curso académico 1925-1926 leída en el Seminario Conciliar de Barcelona*, Barcelona: Eugenio Subirana, Editor Pontificio, 1925, pàg. 10).

5. Terenci THOS I CODINA, *Proposiciones presentadas a la Excma. Diputación Provincial de Barcelona por el diputado provincial por el distrito de Mataró*. Barcelona: Imprenta «La Renaixensa», 1880, pàg. 16.

6. Thos, *Proposiciones*, pàg. 5. Vegeu també Claudi OMAR I BARRERA, «Biografia del Dr. En Terenci Thos i Codina», *Tríptic de biografies del mataroní il·lustre Dr. Terenci Thos i Codina*, Mataró: Ajuntament de Mataró, 1923, pàg. 75. (La sol·licitud va ser extractada al seu moment a la secció de «noves» de *Lo Gay Saber*, 2a època, III, núm. 9, 1-V-1880, pàg. 113.)

Una càtedra lliure de literatura catalana arribà a inaugurar-se a la Universitat de Barcelona el gener de1897, a càrrec de Rubió i Lluch, que n'era catedràtic de literatura espanyola. La iniciativa havia sorgit, si més no nominalment, del nou rector, Manuel Duran i Bas, que havia pres possessió del càrrec el primer d'octubre de 1896:

> «[El nuevo rector] invitó a las Facultades de Filosofía y Letras y de Derecho a que estableciesen cátedras especiales, la primera para la enseñanza de la Historia de la Literatura Provenzal y de la Catalana, y la segunda para la de Historia e Instituciones de Derecho foral de Cataluña, como elementos propios y necesarios de cultura intelectual del territorio en que la Universidad funciona, y que, al igual que en otras naciones acontece, contribuyen al acrecentamiento de la cultura general del país al mismo tiempo que sirven y atienden a necesidades intelectuales locales...»

Les lliçons s'interromperen al cap de sis setmanes, per motius de salut del professor segons la justificació oficial, però el fet que no es reprenguessin el curs següent, en contra del que s'havia anunciat, indica que no hi hagué el necessari reconeixement de les instàncies governamentals i administratives pertinents:

> «Correspondiendo la Facultad de Filosofía y Letras a la invitación del Rectorado para el establecimiento de la enseñanza libre de Historia de la Literatura Provenzal y de la Catalana, aceptó, a indicación de aquella, su desempeño el Catedrático de la misma Dr. D. Antonio Rubió y Lluch, que tiene a su cargo como titular la de Literatura española; labor extraordinaria tanto más de agradecer cuanto que transitoriamente no es satisfactorio el estado de la vista de tan digno profesor. Semanales las lecciones, inauguráronse el 8 de enero de 1897, y en ellas trató el Dr. Rubió, a saber: en la primera, del concepto general, necesidad e importancia de la historia de la Literatura catalana; en la segunda, de los elementos constitutivos de la literatura catalana, empezando por el primero, que es la Nacionalidad, lo cual le condujo al estudio de los elementos constitutivos de ésta bajo los aspectos del fondo indígena y alienígena; del Romanticismo y el Cristianismo; en la tercera, como continuación del estudio de los elementos constitutivos de la nacionalidad catalana, del Germanismo y el Orientalismo; en la cuarta, prosiguiendo el propio estudio, ocupóse el Profesor en la determinación total de nuestro carácter nacional; de la fisonomía moral y de los destinos históricos de Cataluña; en la quinta, comenzó a ocuparse en la lengua catalana, y como preliminares de este estudio desenvolvió varias consideraciones sobre la lengua en sus relaciones con la nacionalidad; sobre el origen de las lenguas romanas y sobre el latín literario y el vulgar; y en la sexta, continuando el estudio de la lengua, ocupóse de las leyes de formación comunes a todas las lenguas romances, y especialmente en el nombre y en la unidad de la lengua catalana; en la extensión geográfica del catalán y en sus antecedentes históricos, y en la lengua catalana en el Rosellón, en Aragón, en Mallorca y en Valencia. Una alteración en su salud obligó al Sr. Rubió y Lluch a suspender sus conferencias, a las que asistieron un crecido número de escolares y varias personas que, no siéndolo, distínguense por su amor al saber.
> Contra su voluntad y a pesar de sus deseos, no pudo la Facultad de Derecho inaugurar durante el último curso las conferencias sobre Historia e Instituciones de Derecho foral de Cataluña, para cuya enseñanza cuenta en el seno de ella con valiosos elementos; pero esta eneseñanza libre queda organizada para inaugurarse en el curso 1897-98, a cargo del doctor D. Juan de Dios Trias y Giró, que desempeña la titular de Derecho internacional público y privado. Simultáneamente continuará sus lecciones semanales el doctor Rubió.»[7]

7. «El año académico de 1896 a 1897», *Anuario de la Universidad literaria de Barcelona, 1897-1898.* Segundo año de su publicación, Barcelona: Imprenta de Jaime Jepús, 1898, pàg. 20-23. Segons Alexandre

Continguts de la literatura espanyola

Deixant de banda obres de tipus general, divulgatives o de major abast (com les de Bouterwek, Sismondi, Puibusque, Ticknor, Amador de los Ríos, Hubbard o Fitzmaurice-Kelly), i tenint en compte només alguns dels manuals de literatura espanyola destinats a la docència, sembla evident que determinats autors i temes de la literatura catalana, al més sovint per causa de la teoria provençalista de la llengua catalana, hi eren explicats o al·ludits a les classes. Tanmateix, no ha de coincidir necessàriament del tot el que hom incorporava en els manuals universitaris de literatura espanyola i les classes d'aquesta disciplina, pel que fa a la informació que hi havia sobre la literatura catalana, que, per altra banda, partia, molt sovint, de bibliografia obsoleta o d'altra de més sòlida però mal aprofitada.

Per a Antonio Gil de Zárate, que com a director general d'instrucció pública havia elaborat i executat el pla de reorganització de l'ensenyament, plasmat en el Pla Pidal de 1845,[8] i que publicà manuals de preceptiva i d'història de la literatura, «la lengua provenzal se hablaba, con cortas variaciones, en Cataluña, Aragón, Valencia y Mallorca, y estos reinos habían producido acreditados poetas comos los Jordis, Muntaner, Ausias March, Raimundo Lulio; y hasta los reyes como Pedro III y Pedro el Ceremonioso, favoreciendo a los que se llamaban maestros en la *gaya ciencia* [...]. Esta poesía provenzal, como tan célebre en aquellos tiempos y por tener además en su espíritu y forma grande analogía con el genio español, fue la fuente donde principalmente bebieron nuestros poetas castellanos del siglo XV».[9]

Francisco Fernández Espino, catedràtic de la Universitat de Sevilla, diu que escriu el seu manual de literatura «para uso de la juventud, no una obra extensa».[10] Hi dedica un apartat al desenvolupament literari de la Provença, on al·ludeix els «trovadores provenzales que desde el tiempo de D. Alfonso IX, y aun antes, hubo entre nosotros», però no els trobadors catalans. En canvi, s'hi diu que «D. Jaime el Conquistador escribió en esa lengua [provenzal] sus relaciones». S'hi esmenta també la crònica de Muntaner i, en nota, que «florecieron en el siglo XIII, entre otros, Mosén Jaime Jordi, Febrer, Guillén de Berguedá, Hugo de Mata Plana, Raimundo Muntaner, Raimundo Lulio, Pedro III de Aragón y otros», després de descriure les característiques de la «poesía de los provenzales», que «llegó a ser oscurecida por la

GALI, les «càtedres lliures de Literatura Catalana i Dret Català» introduïdes per Duran i Bas «van haver de ser suprimides» (Alexandre GALÍ, *Història de les institucions i del moviment cultural a Catalunya. 1900 a 1936. Introducció* [III]. *L'estat de la cultura a Espanya i a Catalunya l'any 1900*, Barcelona: Fundació Alexandre Galí, 1981, pàg. 77).

8. Cf. Mariano PESET i José Luis PESET, *La Universidad española (siglos XVIII y XIX). Despotismo ilustrado y revolución liberal*, Madrid: Taurus, 1974, pàg. 429-440.

9. Antonio GIL DE ZÁRATE, *Manual de literatura. Segunda parte. Resumen histórico de la literatura española*, París: Librería de Garnier Hermanos, 1865[7], pàg. 170.

10. José FERNÁNDEZ ESPINO, *Curso histórico-crítico de literatura española*. Sevilla: Imprenta y Librería, Calle de las Sierpes, 1871, pàg. III.

poesía castellana» (64-65). Al primer capítol dedicat al segle XV, es refereix a l'Acadèmia de Tolosa i al Consistori de Barcelona, tot remetent de manera imprecisa a *De los trovadores en España* de Milà:

> «Desde entonces, y aun antes, Cataluña, Aragón, Valencia y Mallorca produjeron considerable número de Trovadores, entre los cuales gozan, todavía hoy, de merecida reputación Ausias March, Mosén Jordi, el célebre guerrero Muntaner, Vallmanya, Rocabertí y otros también ilustres (154).»

S'hi troben encara esments escadussers de Llull (al costat de Tomàs d'Aquino, Abelard, Albert el Gran i altres); de Jordi de Sant Jordi, a propòsit del poema laudatori de Santillana, i el predicador Vicent Ferrer, sense precisar la llengua dels seus sermons.

Francisco Sánchez de Castro, catedràtic de la Universitat de Madrid, inclou dues lliçons de literatura catalana a la part del seu manual corresponent a la literatura espanyola,[11] encabits forçadament en el quart període (del regnat de Joan II de Castella fins a l'arribada dels Àustria). Considera que «la literatura catalana está unida en sus principios a la provenzal de tal manera que forma una sola con ella» (242). Un apartat és dedicat a «trovadores catalanes en lengua provenzal», on esmenta tant els primers trobadors com Cerverí, i el suposat Mossèn Jordi, diferent de Jordi de Sant Jordi, que hauria influït sobre Petrarca; entre els «poetas en lengua catalana» anomena Llull, del qual també esmenta el *Blanquerna,* i el *Sermó* de Muntaner (247-248).

La segona lliçó es titula «Decadencia de la literatura provenzal», amb al·lusió a la *Sobregaya companhia* de Tolosa i al Consistori de Barcelona. Enumera els «trobadors» del segles XIV i principis del XV i s'atura en Ferrer i Olesa, Febrer i sobretot en Ausiàs March. Dels posteriors, esmenta els valencians Jaume Roig, Roís de Corella, Gasull i Moreno, i a continuació el *Tirant lo Blanc*, que identifica amb l'obra salvada del foc al *Quixot* i en resumeix l'argument (253). El penúltim paràgraf és dedicat a les quatre cròniques i al simple esment de Tomic, Turell (Tourel) i Carbonell, que diu que «escriben en valenciano», i el darrer a Ramon Llull i altres escriptors «didàctics» (254-255).

Les lliçons d'Antoni Rubió i Lluch

Prenent en consideració els apunts del curs 1902-1903, copiats i publicats en edició anastàtica del seu manuscrit per Cosme Parpal i Marquès sota el títol general

11. Francisco SÁNCHEZ DE CASTRO, «Literatura catalana», *Lecciones de literatura general y española. Parte segunda. Literatura española (obra póstuma)*, Madrid: Imp. de Antonio Pérez Dubrull, 1890, pàg. 242-255.

de *Lecciones de lengua y literatura española, según las explicaciones del catedrático de la asignatura Dr. D. A. Rubió y Lluch. Barcelona*, perquè ens donen més bé que el *Sumario de la historia de la literatura española* de 1901 el contingut exacte de les classes, veiem que el professor centrava l'atenció en la «literatura castellana» quan de la literatura espanyola, enceta el «ciclo nacional» a partir del segle XII.

Rubió i Lluch dictava aquestes classes el curs immediatament posterior al que s'havia inaugurat amb un discurs seu sobre *Algunos de los caracteres que distinguen a la antigua literatura catalana*,[12] clarament relacionable amb el contingut de les lliçons del 1897, i coincidint amb la creació dels Estudis Universitaris Catalans, el 1903, que incorporaven de ple aquesta matèria, sota la responsabilitat de Rubió mateix, que hi desplegà una intensa activitat orientadora de la recerca.[13]

Per tant, d'acord amb una concepció no subordinada de la literatura catalana, és lògic que no hi fos al·ludida sinó com a punt de referència, a propòsit de determinats autors o obres de la literatura castellana: és el cas, per exemple, a propòsit de la influència oriental en el *Libro de buen amor*, de l'esment del *Llibre de meravelles* de Ramon Llull, com a possible lectura de l'Arcipreste (338), o del «*Llibre de la saviesa* del Rey D. Jaime y el *Libre de paraules e dits de saviesa* [...] de Jafuda Bonsenyor», citats entre les «Obras en prosa de derivación oriental» (355), o de Guillem de Cabestany i la *Glòria d'amor* de Rocabertí, a propòsit de Macías (401). Alguna vegada es fa referència a la influència de la literatura provençal, ben diferenciada de la catalana, sobre la literatura castellana, a propòsit, per exemple de la *Vida de Santa María Egipcíaca* (287-288), i del *serventesio* i la *requesta* (397 i 406), i a

12. Antoni RUBIÓ I LLUCH, *Discurso inaugural leído en la solemne apertura del curso académico de 1901 a 1902 ante el Claustro de la Universidad de Barcelona* [*Algunos de los caracteres que distinguen a la antigua literatura catalana*]. Barcelona: Imprenta y Librería de Montserrat, 1901.

13. Ramon d'Abadal i Calderó els considerava el «somni d'anticipació de la nostra futura Universitat Catalana» (R. d'ABADAL, «L'esperit dels nostres Estudis», *Estudis Universitaris Catalans*, I, 1907, pàg. 7). El mòbil darrer era la constatació, plasmada al preàmbul de la convocatòria del Primer Congrés Universitari Català, del 1902, que «en la nostra Universitat, per poderosa que sigui la voluntat dels catedràtics, tot resta encarcarat i rutinari ...» (citat per GALÍ, *Història de les institucions...* IX, 57). Al volum citat del *EUC*, Rubió i Lluch explicita l'objectiu últim de «fer un veritable inventari detallat de la nostra gran herència literària, abans de donar per definitivament construïda aquesta ciència, [...] ens hem posat a fer les bastides, cercant el concurs dels alumnes, i interessant-los directament en la construcció del mateix edifici», amb un procediment de treball que havia de resultar engrescador, per la novetat de la implicació directa en la construcció alhora d'una «escola»: «... la nostra tasca ha sigut més aviat monogràfica que vulgarisadora. El nostre principal esforç s'ha encaminat a formar un triat nombre d'alumnes, als qui hem ensenyat no una ciència feta, sinó una ciència a fer, en la que han d'esser un dia utilíssims elements renovadors i constructors. Obrint-los cada curs punts de vista diferents, encara que deslligats aparentment, se'ls ha avivat l'esperit de curiositat, i d'aquesta manera s'ha lograt que considerassen la Càtedra de Literatura Catalana, més que com un estudi del que amb un curs se trau un certificat d'aptitud, com un laboratori en el que durant anys i anys hem de treballar amb constància, professors i alumnes, per refer la història de la cultura del nostre gloriós passat...» (Antoni RUBIÓ I LLUCH, «Literatura catalana», *Estudis Universitaris Catalans*, I, 1907, pàg. 16 i 18; vegeu també MOLAS, *Sobre la periodització*, pàg. 261-264).

la mediació catalana entre aquestes dues literatures, a propòsit de la poesia cortesana de la segona meitat del segle XV (pàg. 396-397).

Els períodes de les literatures castellana i catalana segons Milà

He escrit ja en un altre lloc,[14] on també he fet referència a les successives vindicacions de la història de la literatura com a matèria de l'ensenyament universitari, que l'efectiva incorporació de la literatura catalana en les lliçons de Milà, posada obertament de manifest als resums de literatura espanyola inclosos a les edicions dels *Principios de literatura general y española* de1873-1874 i 1877,[15] però efectiva, amb limitacions, com veurem, de molts anys abans, s'ha de relacionar només fins a un cert punt amb les seves posicions dintre del moviment de Renaixença, caracteritzades per la moderació possibilista: Milà volia per a la llengua catalana, perquè era possible i volgut per la societat en general, alguna cosa més que el que es volia i es feia en terres occitanes (parlar occità, en les diferents variants locals, en certes diades, dintre de les fronteres de la tribu familiar o de les amistats), però alguna cosa menys que el que els flamenquistes reclamaven (incorporar el flamenc a l'ensenyament secundari).[16] Per tant, la incorporació de temes de literatura catalana a les seves lliçons de literatura espanyola no podia respondre sinó a l'aplicació conseqüent i honesta del concepte generalitzat i per ell compartit d'«espanyol» a la seva disciplina acadèmica, ni altre mòbil immediat que el millor compliment de les seves obligacions docents, que tenien, però, la responsabilitat afegida de ser exercides a la Universitat de Barcelona, que era la de Catalunya.

En allò que es desprèn dels manuals escolars, la literatura catalana no mereix atenció acadèmica més enllà del XV, principis del XVI, i s'encabeix en els grans períodes establerts per a la literatura castellana, que són delimitats seguint criteris monarquicoseculars.

Hi ha referències a manifestacions literàries provençals, o provençocatalanes, d'un *primer període*, que acaba al principi del XIII; d'un *segon període,* que acaba a mitjan catorze i que seria el primer de la literatura catalana en el sentit més estricte; i

14. Manuel JORBA, Literatura, llengua i Renaixença. Models literaris i influències culturals, Pere GABRIEL, dir., *Història de la cultura catalana*, vol. V. *Naturalisme, positivisme i catalanisme. 1860-1890*, Barcelona: Edicions 62, 1994, pàg. 107.

15. Sobre les diferents edicions del manual, cf. JORBA, *L'obra crítica i erudita de Manuel Milà i Fontanals*, Barcelona: Curial Edicions Catalanes / Publicacions de l'Abadia de Montserat, 1989, pàg. 244-254. Faig les citacions per l'edició de 1877 (*PLGE*).

16. Cf. Manuel JORBA, *Manuel Milà i Fontanals en la seva època. Trajectòria ideològica i professional*, Barcelona: Curial, 1974, pàg. 153.

un *tercer període* que va de mitjan XIV fins a principis del XVI, l'últim amb referències d'un cert gruix a la literatura catalana, i que en els estudis específics de la lírica catalana seria molt matisat.[17] Si, pel que fa a la literatura catalana, el segle XVI és un període de transició, caracteritzat per una banda per les pràctiques de l'antiga escola en poetes com Gaspar Guerau de Montmajor, o pel pas a la imitació castellana, com Pere Serafí, per a la castellana forma part integrant del *quart període* d'aquesta literatura, que comprendria la major part d'aquest segle i tot el XVII, mentre que el *cinquè període* comprendria tot el segle XVIII i els primers quarts decennis del segle XIX; la literatura castellana posterior només és al·ludida escolarment en un breu paràgraf al final del seu panorama (*PLGE*, 346). Per a la literatura catalana, en canvi, i fora de les obres escolars, el *quart període* comprèn els segles XVII i XVIII i el primer terç del XIX, i el *cinquè* arrancaria de Puigblanch i, sobretot, d'Aribau, «padre o promovedor de la nueva escuela catalana» (*OC*, VI, 360), que per a ell significava la ruptura eficaç amb la tradició vallfogonesca i barroca en general.

Les primeres obres escolars de Milà

El *Compendio del arte poética*, del 1844, pels excursos d'història literària amb què l'enriquia, vol ser un compendi també d'història general de la literatura. Hi trobem la reproducció d'una estrofa del poema CXIII (vv. 245-250) d'Ausiàs March per exemplificar el decasíl·lab amb cesura a la quarta, fora, per tant, del panorama d'història literària, i *La dama d'Aragó*, com a exemple de la poesia popular. Hi esmentava també Manuel de Cabanyes, que heretà la lira de Moratín «y añadióla nuevas cuerdas», amb inclusió de l'oda *A Doña Josefa Amalia, reina de España* i de fragments de les dues epístoles.[18]

Pel que es desprèn del programa imprès que se'n conserva, a l'assignatura de «Literatura e historia», en què substituí el 1844 Pere Felip Monlau, separat de la docència per motius polítics, no sembla probable que incorporés referències a la literatura catalana. Era bàsicament un curs de retòrica i poètica, però per a «la adquisición de estos conocimientos precisos, que llamarse podrían puntos de apoyo» a l'hora de mostrar als alumnes «la dignidad del [estudio] de la literatura, señalar la extensión que a su significado deba darse, presentar su historia naturalmente enlazada con la de las instituciones, virtudes y pasiones humanas, recorrer las varias fases que las bellas letras han presentado [...]: al estudio de una época literaria precederá

17. Per al procés d'establiment de la periodització en els diferents estudis de literatura catalana de Milà, vegeu MOLAS, *Sobre la periodització*, pàg. 258-261.

18. Manuel MILÀ I FONTANALS, *Compendio del arte poética*, Barcelona: Imprenta de D. J. M. de Grau, 1844, pàg. 74 i 141-146.

una ojeada sobre los sucesos que en ella pudieron influir, y al de las obras de un autor el de su vida y carácter».[19]

El programa del curs 1847-1848, datat el primer d'octubre de 1847, l'únic publicat, que jo sàpiga, separat dels seus manuals tardans, es referia, a la part corresponent, només a literatura castellana: era un programa de literatura general i espanyola (amb la denominació que podia justificar i justificaria tard o d'hora la inclusió de literatures diferents de la castellana), però era un programa que s'atenia estrictament a les directrius oficials. Així, inclou, dins l'enunciat general de «literatura espanyola» i després de la lliçó dedicada a l'origen de la llengua espanyola i el poema del Cid, les successives lliçons (de la 47 a la 78) de «Literatura castellana», des d'Alfons el Savi fins al final del XVIII. La lliçó 79 és enunciada com de «Literatura española a principios del presente siglo» i la següent i última sobre les «Nuevas ideas literarias y su introducción en España», on podem suposar que tenia en compte, vist el valor que els donà en diversos estudis, les obres castellanes i les iniciatives literàries d'Aribau, López Soler i, com al *Compendio* esmentat, Manuel de Cabanyes.[20]

En l'esquema, coincideix amb el manual escolar d'estètica i amb el de retòrica i poètica que Milà publicà el 1848,[21] i fins i tot, pel que fa a la part històrica, amb els que incorpora als *Principios de literatura general y española* de 1873-1874 i 1877, on queda plasmada obertament l'ampliació del concepte de literatura espanyola més enllà del de la castellana, visible ja, de tota manera, anys abans, en apunts escolars del curs 1860-1861[22] i els datats el 1865,[23] i refermada en els programes autògrafs conservats, molt tardans la majoria, i en els apunts escolars del darrer curs sencer professat, copiats per Alfons Sala i Argemí, el futur comte d'Egara.[24]

19. «Asignatura del 3.er año de filosofía. Literatura e historia, al cargo de D. Manuel Milá», *Universidad literaria de Barcelona. Discurso inaugural para la Solemne Apertura de Estudios en el año académico de 1844 a 1845. Programas de Enseñanza. Lista de profesores, su calidad, asignaturas que desempeñan y número de discípulos matriculados en cada año*. Barcelona: Imprenta de Tomás Gorchs, 1845, pàg. 91-92.

20. *Universidad Literaria de Barcelona. Facultad de Filosofía. Asignatura de literatura general y española. Programa que ha formado el profesor de dicha asignatura D. Manuel Milá para la enseñanza de la misma en el curso de 1847 a 1848, a tenor de lo prescrito en el artículo 154 del reglamento vigente*. Barcelona: Imprenta de Tomás Gorchs, 1847.

21. Cf. JORBA, *L'obra crítica*, pàg. 77-85.

22. Es tracta dels *Resúmenes dictados por el Catedrático D. Manuel Milá y Fontanals. Literatura española*, escrits en tres petits quaderns conservats a l'Arxiu Pere Regull, de Vilafranca del Penedès, d'autor per ara no identificat, i datats, respectivament, el 8 d'octubre de 1860, el gener i el març del 1861.

23. Es tracta de les *Lecciones de Literatura General y Española dadas en la Universidad de Barcelona por el catedrático de la misma D. Manuel Milá y Fontanals*, copiades en un quadern amb tapa dura per Joaquim Botet i Sisó, datat a la portada a Girona el 1865 (Cf. JORBA, *Manuel Milà i Fontanals en la seva època*, pàg. 108, nota 116).

24. *Anotaciones a la asignatura de Literatura Española*, en quatre petits quaderns, corresponents al curs 1882-1883, segons l'expedient universitari d'Alfons Sala (AUB), conservats a la biblioteca de l'Associació de la Premsa de Barcelona. Va ser l'últim curs iniciat i acabat per Milà, força accidentat per motius familiars i de salut, i les lliçons no arriben a completar el programa corresponent al període tercer.

Un esquema referent a temes de llengua i literatura catalanes, bé que de data difícil de precisar, és tanmateix anterior als manuals més tardans: entre els papers llegats per Josep M. de Casacuberta a la Biblioteca de Catalunya, hi ha una quartilla escrita de mà de Milà que havia pertangut a Pau Piferrer o a Marià Aguiló, titulada «Historia de la lengua y de la literatura catalana en su primera época» (una primera època que abastaria les dues primeres diferenciades als *Principios de literatura general y española*), força precisada i detallada.

En el cas que hagués pertangut a Piferrer, com sembla possible,[25] aquest esquema seria del 1848 o anterior, i potser hauria tingut per objecte orientar-lo en els seus estudis històrics i, menys probablement, en la seva activitat escolar i en la preparació de les oposicions com a professor de l'Institut de Barcelona; aquesta datació és versemblant tenint en compte l'abast inusual d'una primera etapa com la aquí exposada, per comparació amb la periodització al·ludida, donada a conèixer sobretot entre 1861 i 1877; tanmateix, les referències, força concretes, a la matèria que abordava als *Estudios sobre la lengua y poesía provenzales*, publicats a la *Gaceta de Barcelona* l'octubre de 1853, i culminada molt després a *De los trovadores en España*, el 1861, permetrien atribuir-li una data posterior. No gaire posterior, tanmateix, per l'ús que fa del terme «llemosí» com a sinònim de llengua catalana medieval, absent dels textos milanians a partir de 1859.[26]

A la «Parte histórica» de la seva assignatura, tal com queda reflectida als *Principios de literatura general y española*, es presta atenció quasi exclusiva a la literatura castellana, que és el que el programa exigia. A part l'autoritat academico-política, Milà es podia basar, si li hagués calgut, en les característiques internes atribuïdes a la llengua castellana, en conjunt considerades superiors a les de les altres llengües romàniques, inclosa, per tant, la llengua catalana. En un programa manuscrit tardà, relativament detallat, que utilitzava si més no el curs 1882-1883,[27] i que devia tenir alhora unes funcions de recordatori del contingut de cada tema per a les classes, amplia l'enunciat de la part del programa corresponent al tema dedicat a la «Lengua castellana» (que formava part del primer apartat, dedicat a la «Literatura española. Generalidades», al costat de la «Literatura hispano-latina»), a base de sintetitzar el darrer paràgraf del capítol corresponent del manual:

25. Aquesta quartilla solta es troba entre els papers de Pau Piferrer conservats per Marià Aguiló i després per Josep M. de Casacuberta (Biblioteca de Catalunya. Arxiu Marià Aguiló. Fons Piferrer). En aquest petit fons no hi ha altres papers d'Aguiló que els que es refereixen a Piferrer. D'altra banda, el contingut del full s'adiu amb els interessos del Piferrer historiador, i per això és més versemblant que correspongués a una petició de Piferrer a Milà que no a una d'Aguiló. Vegeu-ne el text complet transcrit a JORBA, *L'obra crítica*, pàg. 76.

26. Cf. Manuel JORBA, *Manuel Milà i Fontanals en la seva època*, pàg. 207-208.

27. Es tracta amb tota seguretat del darrer programa que va utilitzar, encara una part del curs 1883-1884, perquè a la llista d'alumnes que hi ha en una de les pàgines del quadern hi consta Narcís Verdaguer [i Callís], que seguí l'assignatura el 1883-1884, segons el seu expedient universitari (AUB). Sobre aquests i d'altres programes de l'assignatura, cf. JORBA, *L'obra crítica*, pàg. 77.

«La lengua castellana (como la italiana) conservó más fisonomía materna. Es más pura en las raíces que la lengua francesa y portuguesa y abunda más en terminaciones redondas [?] que la primera y la provenzal-catalana. Sonora y majestuosa en la parte acústica, es rica en vocablos y modismos.»

I una millor llengua produïa necessàriament una millor literatura: al mateix programa manuscrit també amplia una mica l'enunciat del programa imprès, tot sintetitzant al seu torn part dels dos primers paràgrafs de la lliçó dedicada al «Carácter nacional e influencias extranjeras»:

«La literatura castellana supera a todas las modernas en carácter nacional. Se distingue por una dignidad a veces altiva y ostentosa, por una imaginación brillante y por un ingenio agudo.»

De tota manera, la llengua catalana també és qualificada de llengua nacional en parlar de l'edat mitjana:

«Desde el reinado de San Fernando y Alfonso de Castilla y de Jaime el Conquistador de Aragón, notamos grandes esfuerzos para el cultivo de las lenguas nacionales (castellana y catalana)... (*PLGE*, 300).»

No deixa de tenir relació amb això, a banda de l'exemple més contundent encara de la romanística coetània, el fet que els seus estudis d'història de la literatura catalana (no exactament així pel que fa als de la llengua i de la cultura) se centrin en la producció medieval, els quals posarien les bases d'una escola que havia de tenir futur, i en què s'usaria el terme «nacional» per designar un període que, segons els autors, comprendria els segles XIII i XIV (Rubió i Lluch) o l'últim terç del XIII i la major part del XIV (Nicolau d'Olwer i Riquer).[28] Quan la literatura catalana deixava de ser nacional, fins i tot abans que Catalunya deixés de ser un ens polític «nacional», no parlarà, escolarment, de la literatura catalana del «siglo del mal gusto» per antonomàsia, el dels «ornatos barrocos» o de les «concepciones culteranas y barrocas», perquè aquesta literatura no tenia el seu origen en l'evolució de la pròpia tradició literària catalana, sinó que era el resultat de la incorporació, mancada de l'assimilació necessària, d'una concepció aliena del gust literari. No parlarà escolarment, per tant, de Francesc Vicent Garcia, representatiu d'aquesta literatura, i de mucho, pel que de negatiu en diu en d'altres indrets («ni poeta tan eminente como se ha querido suponer»)[29] ens ho podem explicar, tractant-se sobretot d'unes lliçons que

28. Cf. MOLAS, *Sobre la periodització*, pàg. 261-267, i Martí de RIQUER, «Paral·lelisme de la nostra història i de la nostra literatura», *La República de les Lletres*, núm. 8 (abril-juny 1936), 17-23.

29. *Obras completas del Dr. D. Manuel Milá y Fontanals, catedrático que fue de literatura de la Universidad de Barcelona.* Coleccionadas por el Dr. D. Marcelino Menéndez y Pelayo, de la Real Academia Española. Tomo cuarto *Opúsculos literarios.* Primera serie, Barcelona: Librería de Alvaro Verdaguer, 1888-1892, pàg. 442).

havien de ser sintètiques per força, i en què no hi havia unes directrius taxatives. Per a la castellana, en canvi, parlarà, bé que amb les reserves pròpies del romàntic conseqüent, de Góngora, Quevedo i Calderón, entre d'altres coetanis, representatius dels «deliris» del «culteranisme» o del «conceptisme» o «equivoquisme», perquè eren autors «nacionals», en el sentit que han fet una apropiació adequada de la lliçó italiana dintre de la pròpia tradició: el culteranisme seria la conseqüència d'«errada dirección de propensiones nacionales» i «último término histórico de nuestra antigua literatura, que ofrece, no ya brillantez y cultura, sino montruosos desvaríos del ingenio y el más decidido contraste con la primitiva sencillez y gravedad». Per això en el barroc castellà, a diferència del català, la «corrupció del gust» vindria a ser senyal de nacionalitat («defectos que son también nacionales», escriu a propòsit dels del teatre de l'època).[30]

Els autors destacats

El *període primer* del panorama històric esquematitzat als *Principios de literatura general y española* (del segle XII, o d'abans, fins a principis del XIII; dels temps d'Alfons VI fins a Alfons IX: al quadern de Botet i Sisó, es precisa que es tracta d'una «Primera época en parte conjetural», que abastaria els segles X, XI i XII) és caracteritzat globalment per la «poesía heroico popular» (en fer la periodització de la literatura catalana estricta no el prendrà en consideració, perquè s'hi usa la llengua provençal). S'hi refereix a Catalunya a propòsit de la presència de trobadors provençals a la cort dels comtes de Barcelona, com a mínim en temps de Ramon Berenguer III, i de l'activitat de «trovadores naturales de España, que componían en lengua provenzal: Alfonso II de Aragón, el licencioso Guillermo de Bergadá, Vidal de Bezaudun (Besalú), gramático y poeta, etc.». Als apunts de 1860-1861 hi afegeix Pere el Gran i Cerverí.

A les *Anotaciones* del curs 1882-1883, que no incloïen la part de «literatura general», detalla el perquè d'aquesta referència a una literatura forana:

> «Hacemos una especie de escursión a la literatura de un país que no es el nuestro –a la manera que en la Historia de España se habla de los árabes en su territorio para conocerlos después en el territorio español, así nosotros conviene que sepamos, respecto de una literatura que se introdujo en nuestro país, quiénes eran los que la introdujeron (II, 9-10).»

30. Cf. Manuel JORBA, *Manuel Milà i Fontanals, crític literari*, Barcelona: Curial Edicions Catalanes / Publicacions de l'Abadia de Montserrat, 1991, pàg. 59-61.

Després amplia molt la informació de gèneres poètics i d'autors, fa conjectures sobre possibles activitats trobadoresques en temps de Ramon Berenguer III i descriu sumàriament l'obra de diversos trobadors occitans relacionats amb la cort reial de Catalunya-Aragó i la dels trobadors catalans i «rossellonesos», entre els quals Alfons el Cast, Guerau de Cabrera, Guillem de Berguedà, Ramon Vidal de Besalú, Berenguer de Palou i Guillem de Cabestany (II, 38-43).

El *període segon* de la literatura castellana (o primer més pròpiament de la catalana) va del principi del segle XIII fins a la meitat del XIV (regnats de Ferran III a Pere el Cruel) i és caracteritzat globalment pel «primer cultivo literario de la poesía y de la prosa castellana». Conté un apartat dedicat a la «poesía lírica provenzal y catalana», amb referències a trobadors catalans, entre els quals Cerverí, i a «algunos poetas más bien catalanes que provenzales»: Llull, Muntaner (pel *Sermó*) i l'infant Pere. Llull també és adduït com a autor influent sobre Juan Manuel, que se serveix de l'apòleg i de la forma novel·lesca simbòlica al *Llibre de l'orde de cavalleria* i al *Blanquerna*, «grandiosa concepción ideal, fundada en el perfeccionamiento de las instituciones sociales existentes» (*PLGE*, 305). S'hi al·ludeixen vagament representacions de misteris i altres gèneres dramàtics tant en l'àmbit castellà com en el català (quan ja havia publicat un extens i informat article a la *Revista de Cataluña*, el 1862), s'hi destaquen les quatre cròniques dels «historiadores catalanes» i s'hi enumeren les mateixes obres didàctiques que anys després encara anomenaria, com hem vist més amunt, Rubió i Lluch.

Als dos primers conjunts d'apunts no s'observa cap esment complementari rellevant. Als del curs 1860-1861 és mínima la informació recollida sobre aquest període, fins al punt que s'hi anticipa l'esment específic de Jordi de Sant Jordi i Ausiàs. De manera paral·lela, per a la literatura castellana, passa molt breument pels segles XIV i XV. Als apunts de Botet i Sisó, una lliçó és dedicada a la caracterització de les diferents èpoques, però la matèria hi és agrupada per gèneres, i subsidiàriament per ordre cronològic, amb informació semblant, però, a la dels resums inclosos als manuals.

Els apunts d'Alfons Sala amplien molt sintèticament les referències a les cròniques, també sota l'epígraf d'«Historiadores catalanes» (III, 34-36), i a diverses obres de Llull: el *Fèlix* amb «la gran fábula política de la Edad Media, *Le roman du Renard*»; resumeix l'argument del *Llibre de l'orde de Cavalleria* i qualifica «la Blanquerna o Blaquerna» de «grandiosa obra ideal y como tal utópica, que entrevé un modo mejor de ser de la sociedad pero sin alterar nada, y sólo con la perfección de las clases sociales existentes» (III, 37-40).

El *període tercer* (o segon), que va de mitjan segle XIV al principi del XVI (regnats d'Enric II a Carles I), és caracteritzat com l'«época de los trovadores castellanos». Conté un apartat dedicat als «trovadores tolosano-catalanes», amb referències a l'Acadèmia de Tolosa, imitada a Barcelona amb el «Consitori del gai saber», i a la codificació de les *Leys d'Amor*, que «influyó sobremanera en los trovadores catalanes (que sobrepasaron en mucho a sus maestros los tolosanos), no menos que en los castellanos». Hi esmenta els «trovadores en lengua catalana (al principo con resabios provenzales o lemosines), muchos de ellos valencianos y mallorquines y algunos aragoneses y navarros: Rocabertí, Mallol, Jordi de Sant-Jordi; Jacme, Arnau, Pere March y su hijo Ausias, príncipe de esta escuela; Valmanya, Fogassot, Fenollar, Gazul, Jaume Roig, Corella, etc.», que influïren en la poesia castellana (*PLGE*, 307, 309). La poesia dramàtica catalana continua present només per al·lusió a notícies de representacions. En l'apartat de «prosa didàctica i oratòria» esmenta «el famoso discurso del rey D. Martín» i «el fecundísimo Eiximenis [...], autor de muchas obras teológicas, morales y políticas, como el *Libre dels Àngels*, el *Chrestià*, el *Regimén dels Prínceps*, etc.», que influí l'Arcipreste de Talavera amb el *Libre de les dones*. En el de la «prosa històrica», s'esmenten els cronistes Turell, Tomic i Carbonell, vides de sants no precisades i la redacció catalana de *Los doce trabajos de Hércules* d'Enric de Villena, esmentat també entre els «trovadores castellanos». En el capítol de novel·la s'esmenta el *Tirant lo Blanc* i el seu autor, que l'escriví «en la lengua que se llamaba ya valenciana» (*PLGE*, 313).

Als apunts d'Alfons Sala, s'amplien relativament les referències als que ací anomena *neotrovadores*, repartits en tres grups al voltant d'Ausiàs, que centra l'època i l'atenció principal:

> «Es un poeta lírico con bastante sentimiento. Pero tiene a veces un estilo un poco árido. Se encuentra en él a veces un estilo más bien didáctico que poético, pero considérese como filósofo o como poeta, se pueden sacar de él muchas ideas intelectuales y afectivas» (III, 51-52).

Entre els poetes posteriors, presta una certa atenció a Fogassot, Corella i Roig (III, 52-54). A partir d'ací, s'incorporen diversos autors catalans i valencians al panorama de la literatura castellana (del qual desapareixen també les al·lusions a la galaicoportuguesa), per raó de la llengua que utilitzen: Boscà, Montcada, Llampilles, Andrés, Masdeu, Capmany, Comella i, només en una nota bibliogràfica complementària, Piferrer i Coll i Vehí (*PLGE*, 396).

Respecte als apunts de 1860-1861 i als de Botet i Sisó del 1865, que són el dictat d'unes primeres versions dels resums que imprimirà el 1874 i el 1877, els d'Alfons Sala, més tardans, incrementen les al·lusions a la literatura catalana i diferencien millor la literatura catalana de la provençal. La recerca personal continuada, malgrat les limitacions del programa, i ben segur que també malgrat l'interès relatiu de la majoria dels seus alumnes, molts dels quals eren estudiants de dret, per la història de la literatura, li permeten de donar entitat a les seves lliçons d'història de la literatura, tot introduint-hi unes pinzellades d'informació contrastada i d'anàlisi personal i innovadora, constatable molt especialment en el tema dels romanços i de la poesia heroicopopular castellana i, pel que fa a la literatura catalana, en tot el que afecta la poesia lírica.

NOTES SOBRE LA RECEPCIÓ DE PAUL VALÉRY EN LES LLETRES CATALANES

Manuel Llanas

Universitat de Vic

Joaquim Molas ha explicat en diverses ocasions, oralment i per escrit, que Paul Valéry constitueix, amb André Breton, un dels eixos de la modernitat literària, migpartida, segons la terminologia de Jean Paulhan, en retòrics i terroristes. I que, alhora, dins el debat sobre la poesia pura obert a partir de la conferència d'Henri Brémond, s'erigeix en una figura central. De fet, a principis dels anys 20, i sobretot d'ençà de la publicació de *Charmes* (1922), Valéry era ja una patum de primera magnitud, receptora de tota mena de reconeixements acadèmics i literaris. A França, en concret, li plouen les distincions, és objecte d'estudis crítics –el ja clàssic d'Albert Thibaudet es publica el 1923– i esdevé, com algú ha dit, un autèntic «poète d'État».[1] La projecció exterior del personatge arriba aviat a Catalunya. Un dels primers escriptors nostres a citar-lo és, en un llibre de 1923, Josep Maria López-Picó, que en una nota glossa lapidàriament la *Introduction à la méthode de Léonard de Vinci* i en una altra reprodueix un comentari de Valéry sobre Mallarmé.[2] Sens dubte, López-Picó va seguir-lo sempre atentament, però potser no tant com semblaria a primer cop d'ull. A *La Revista*, posem per cas, no he sabut trobar-hi cap article que en parli ni cap traducció, i al *Dietari* els apriorismes confessionals li fan expressar per Valéry reticències com aquesta: «El seu poder de captació li ve d'haver combatut Venus i haver vençut ell. No passa, però, més

1. Sobre aquest creixent prestigi, Josep Pla escriu un article, «L'ascensió de Paul Valéry» (inclòs a *Notes sobre París (1920-1921)* i publicat dins *Sobre París i França*, vol. 4 de l'*Obra completa*, Barcelona: Destino, 1967, pàg. 85-94), que, en principi, havia publicat en els anys de referència a *La Publicitat*. Ara: ni el 1920 ni el 1921 no apareix, en aquell diari, cap article seu amb aquest títol i, d'altra banda, es fa estrany que detectés el fenomen abans de la publicació de *Charmes*, que, com acabo de dir, marca l'inici de la fama de Valéry. Tot fa pensar que, com és habitual en Pla, aquest text l'escrivís anys després de la data atribuïda. Agraeixo a Marina Gustà que m'hagi aclarit uns quants dubtes sobre aquesta qüestió.

2. Cf. J. M. LÓPEZ-PICÓ, *Entre la crítica i l'ideal*. Barcelona: Publicacions de La Revista, 1923, pàg. 39 i *Índex* final, sense paginar. Aquesta deu ser una de les primeres referències a Valéry entre nosaltres. El mateix López-Picó no l'incorpora al volumet *Escriptors estrangers contemporanis* (Barcelona: Minerva, s/d), en què hi ha escriptors nascuts fins al 1874 i que poc després inclou dins *Dietari espiritual (Moralitats i pretextos). Segona sèrie*. Barcelona: La Revista, 1919.

enllà. Ignora el combat amb l'Àngel i del poder angèlic no en té sinó la maligna precisió lluciferina.»[3]

Procedent de Madrid, on l'havia convidat la Sociedad de Cursos y Conferencias i s'havia allotjat a la Residencia de Estudiantes, el 23 de maig de 1924 Valéry arriba a Catalunya per primera vegada gràcies als bons oficis de Joan Estelrich, que probablement el coneixia ja a través de l'Institut International de Coopération Intellectuelle, organisme parisenc de la Societat de Nacions.[4] Rebut per una corrua d'intel·lectuals i escriptors en representació de diverses entitats, la delegació catalana del Pen Club li ofereix un sopar el dia 25.[5] Entre altres, Estelrich s'encarrega de presentar al públic, des de la premsa, la figura del visitant, la poesia del qual defineix així:

> «Per Valéry la poesia, en principi, és un ofici, un "métier", on la regla sosté i estimula la inspiració. Basteix sòlidament els seus versos, rics també de sonoritat i de rima. Els seus somnis els descriu infinitament desvetllat. Són somnis lúcids, on la ment del poeta posseeix plenament el seu tema.»[6]

En el curs de l'estada, que s'acaba el 31, visita Montserrat,[7] fa una conferència de to oficial a la Mancomunitat i el dia 26, presentat per Carles Soldevila, una altra sobre la seva obra als Amics de la Poesia. És l'ocasió en què el coneix Carles Riba, per a qui Valéry es convertirà en un model. Mercè Boixareu n'ha estudiat les afinitats poètiques i Joaquim Molas ha incidit, ni que sigui tot passant, en les crítiques.[8] En rigor, Riba llegeix el primer volum de *Varietés* pocs mesos després d'aparèixer. Ho atesta una carta a Karl Vossler del 31 d'octubre de 1924:

3. Josep Maria López-Picó, *Dietari (1929-1959)*. Barcelona: Curial i Publicacions de l'Abadia de Montserrat, 1999, pàg. 61.

4. Formula aquesta hipòtesi Monique Allain-Castrillo. *Paul Valéry y el mundo hispánico*. Madrid: Gredos, 1995, pàg. 83-86, on també es troba informació sobre l'estada madrilenya i la catalana. Cf., també, per a altres dades i referències hemerogràfiques, Jaume Medina. *Carles Riba (1893-1959)*, vol. i. Barcelona: Publicacions de l'Abadia de Montserrat, 1989, pàg. 222, nota 2.

5. Cf. «El P.E.N. Club a Paul Valéry». *La Veu de Catalunya*, 28-V-1924 (ed. matí), article que resumeix les intervencions, a l'hora del brindis, del mateix Valéry, de López-Picó i d'Alfons Maseras.

6. J. Estelrich. «Paul Valéry». *La Veu de Catalunya*, 25 i 26-V-1924 (ed. matí). A *D'ací i d'allà* (juny 1924, pàg. 427), Carles Soldevila traça també una breu semblança de l'escriptor i subratlla que l'obscuritat d'aquest «puríssim poeta» és filla de «l'esforç per aconseguir un equilibri dels quatre elements indispensables a la poesia: el lògic, l'eufònic, el plàstic i el sintàctic, no el sacrifici d'un element a profit dels altres».

7. Segons Pla, Joaquim Borralleras, a la penya de l'Ateneu, va encarregar a Vicenç Solé de Sojo que acompanyés Valéry a Montserrat (cf. Josep Pla. *Darrers escrits*, vol. 44 de l'*Obra completa*. Barcelona: Destino, 1984, pàg. 457). Ara: aquell mes de maig, Pla era a París i mal podia, doncs, ser testimoni de les paraules de Borralleras que transcriu.

8. Cf. Mercè Boixareu, *El jo poètic de Carles Riba i Paul Valéry*. Barcelona: Edicions 62, 1978, i Joaquim Molas. «L'obra crítica de Carles Riba». *Germinabit*, núm. 65, agost-setembre 1959, pàg. 50-52.

«He estat, amb la meva petita família, dos mesos de vacances a París. Hi he conegut l'Unamuno, que hi fa d'exiliat apocalíptic, i he acabat de conèixer (havia vingut a Barcelona no fa gaire) el gran Paul Valéry. Un home admirable. Ha vist V. el seu darrer llibre d'assaigs, *Varieté*? El matí que vaig ésser a casa d'ell, acabava de sortir-ne Curtius.»[9]

Dins l'epistolari ribià poden espigolar-se al·lusions diverses a la poesia de Valéry, comparant-la sobretot amb la pròpia i amb el desig, sovint, de marcar-hi distàncies.[10] El cas és que, a partir d'aquell viatge d'abril de 1924, comencen a detectar-se notícies i traduccions freqüents de Valéry a diverses publicacions. A la flamant *Revista de Catalunya*, per exemple, que en el primer número insereix, dins una secció que aleshores redactava Josep Farran i Mayoral, un apunt sobre la complexitat intel·lectual de l'escriptor francès i una valoració de la seva sensibilitat antisentimental i antiespontània, completada amb una defensa de la poesia de Mallarmé. En realitat, i amb uns termes d'incondicional admiració, Farran i Mayoral pren peu en el personatge per justificar el credo estètic de la poesia noucentista:

«Un altre visitant gloriós: Pau Valéry. Ell, gràcies a una original, rica i vivent cultura, qui en fa un dels primers pensadors de la França d'avui, sap donar, poeta, al seu ric lirisme, la joiosa vida eternal de les idees. Sols el tracte amb les idees perllonga la joventut en l'obra d'art com en els homes. Alt exemple, la vida i l'obra de Goethe. En canvi, quants sensuals, sentimentals, emocionals, als trenta anys són vells en l'art i la poesia.

Els extrets poètics de sola emoció o sentiment són tèrbols produïts que aviat donen fetor de ranci. Les pures destil·lacions de l'intel·lecte poètic són les úniques veritablement perennals: Dant, Goethe, Àusias March.

Una revista literària retreia suara un mot de Valéry parlant amb André Gide: "La sentimentalitat i la pornografia són germanes bessones; les detesto".

Després Valéry detesta la producció espontània; ell sap, com Plató, que l'art és difícil. I que el fer poesia és un treball amb totes les dolors i les joies d'una labor pacient, obstinada, difícil, mai contenta d'ella mateixa. En conversa particular ens deia Valéry: "Sabeu què ha mort la poesia provençal? La seva facilitat"».[11]

En el segon número de la mateixa revista, J. P. extracta i discuteix un assaig de Valéry, *Caractères de l'Esprit Européen*, al qual retreu idees «confuses i deficitàries» en contrast amb la visió «mediterrània» i «classicista» de Francesc Pujols, molt més satisfactòria.[12] També daten de 1924 el primer article que Gaziel consagra a

9. *Cartes de Carles Riba. I: 1910-1938* (Recollides i anotades per Carles-Jordi GUARDIOLA). Barcelona: La Magrana, 1990, pàg. 286. El 1925, Riba tornarà a visitar Valéry a París (cf. *Cartes de Carles Riba. III: 1953-1959*. Barcelona: La Magrana, 1993, pàg. 354 i Jaume MEDINA. *Carles Riba (1893-1959), op. cit.*, vol. I, pàg. 61) i el tractarà encara a Barcelona el 1933, en l'avinentesa que explico més avall.

10. Cf. *Ibidem,* carta a Marià Manent del 7 d'octubre de 1938, a Xavier Benguerel del 13 d'agost de 1950, a Rinaldo Froldi de l'1 de maig de 1957 i, en especial, a Manuel de Montoliu del 16 de setembre de 1951, en la qual un Riba encès d'ira rebat la identificació de la pròpia poesia amb la de Valéry.

11. Josep FARRAN I MAYORAL, «Cròniques catalanes». *Revista de Catalunya*, núm. 1, juliol 1924, pàg. 82.

12. J. P. «Una Europa». *Revista de Catalunya*, núm. 2, agost 1924, pàg. 201-204. Atribuir aquest article a Josep Pla és llaminer i, de fet, hi ha un parell o tres de raons que podrien avalar la hipòtesi. Pla, a més,

Valéry i que reprenc més endavant. Per part seva, la *Revista de poesia* se'n fa també ressò, en dues notes anònimes: la primera, reproduint del *Times Literary Supplement* uns judicis altament encomiàstics sobre Valéry arran de l'aparició de la traducció anglesa de «Le Serpent», feta per Mark Wardle i prologada per T. S. Eliot; i, la segona, recollint una petita facècia literària protagonitzada pel poeta francès i per Tristan Derême.[13] El 1927, per un costat les pàgines de la *Revista de Catalunya* alberguen, traduït per C.[arles] C.[apdevila], el discurs de recepció de Valéry a l'Acadèmia Francesa;[14] i, per l'altre, un volum col·lectiu de la Llibreria Catalònia que recull una sèrie de reflexions sobre el llibre i la lectura inclou una aportació de Valéry.[15] Es tracta d'una de les primeres traduccions, arrenglerable amb la que, també anònima i el 1928, dóna a conèixer *La Nova Revista:* la necrologia de Mallarmé.[16] Pel que sé, les primeres de la poesia són degudes a Alfons Maseras, que al mensual *D'ací i d'allà* tradueix dos poemes, el primer dels quals dels canònics: «Narcís parla» (desembre de 1927, pàg. 385)[17] i «El vi perdut» (juliol de 1928, pàg. 264). De 1928 data igualment una nota de Tomàs Garcés que, recollint una observació de Carles Soldevila, apunta les afinitats entre Valéry i Maragall.[18] Aquestes aparicions regulars de l'escriptor en les tribunes culturals de la tercera dècada del segle XX, que estic segur que es podrien enriquir, culminen amb la publicació, el 1928, de la primera traducció de *Le cimetière marin*, una traducció avui oblidada. Em refereixo a la que publica Ramon de Curell dins una revista cultural badalonina, *Joia*, amb el títol d'*El cementiri vora el mar*. De fet, Ramon de Curell és el pseudònim literari de l'arquitecte Ramon Sastre;[19] del caire de la traducció pot donar-ne idea la primera estrofa:

> «Aquest teulat amb sos coloms espars
> Enmig dels pins palpita, entre els fossars;

corria aquells mesos per París. Sigui com sigui, només cal consultar el volum d'índexs de l'obra completa per adonar-se que Valéry és un assidu referent del nostre escriptor.

13. Cf. «Paul Valéry, traduït a l'anglès». *Revista de poesia*, núm. 1, gener 1925, pàg. 59, i «Notes al vol». *Revista de poesia*, núm. 8, juny 1926, pàg. 94.

14. «Discurs de recepció a l'Acadèmia Francesa de Paul Valéry». *Revista de Catalunya*, juliol de 1927, pàg. 34-55.

15. *Paradisos de paper*. Barcelona: Llibreria Catalònia, 1927; el text de Valéry (pàg. 11-14), fragmentari i sense nom de traductor, es titula *Llibres*.

16. Cf. Paul VALÉRY. «Stéphane Mallarmé». *La Nova Revista*, juny 1928, pàg. 165-167.

17. Aquesta traducció la reprodueix Mercè BOIXAREU a *El jo poètic de Carles Riba i Paul Valéry*, *op. cit.*, pàg. 368-370.

18. Cf. Tomàs GARCÉS. *Notes sobre poesia*, Barcelona: [Llibreria Catalònia] Imp. Altés, 1933, pàg. 15-18. Agraeixo a Glòria Casals la notícia sobre l'existència d'aquest text.

19. La majoria de notícies que he trobat sobre aquest personatge –que no figura a les enciclopèdies– es troba en les memòries de Xavier Benguerel (pàg. 172-174) citades a la nota 27. Si la traducció apareix al núm. 5 de *Joia* (juliol de 1928, pàg. 86-88) –publicació impresa a Badalona però confeccionada a Barcelona–, en el número doble (3-4) anterior de la mateixa revista és l'autor d'un article sobre Le Corbusier. El 1918 havia donat a conèixer, sota el seu pseudònim, un llibre de versos propis, *Hores del poema eròtic*; altrament, deu ser el mateix Ramon Sastre que, el 1972, tradueix un fragment de *La Jeune Parque* dins *Paul Valéry en els seus millors escrits* (Barcelona: Miquel Arimany, 1972, pàg. 42-43), perquè segons Osvald CARDONA, («Notes sobre Paul Valéry». *Serra d'Or*, gener 1962, pàg. 26-29), Sastre tenia inèdita la traducció de la major part de *Charmes*.

Migdia just, hi encén els relleus
La mar, la mar que sempre recomença!
Després de tant pensar la recompensa
D'un llarg esguard en el repòs dels déus!»

Val la pena cridar l'atenció sobre aquesta traducció per la cronologia: és la primera peninsular de *Le cimetière marin*, un any anterior a l'espanyola –tan cèlebre i divulgada– de Jorge Guillén.[20]

La petja de Valéry rep una nova embranzida arran del segon i darrer viatge de l'escriptor a Catalunya, el maig de 1933, que ha deixat més testimoniatges que el primer.[21] Com en aquell, Valéry arriba a Barcelona procedent de Madrid, on, dels dies 3 al 7, participa a un *entretien* sobre *L'avenir de la culture* organitzat pel ja mencionat Institut International de Coopération Intellectuelle. Aquesta segona visita resulta més protocol·lària i de més projecció pública, fins al punt de revestir les dimensions d'un esdeveniment cultural. Així, Valéry és rebut per Francesc Macià, i els actes en què intervé obtenen una gran repercussió periodística. Marià Manent, posem per cas, que, en companyia de Joan Estelrich, va anar a rebre l'escriptor a

20. Publicada en volum el 1930, la traducció de Guillén havia aparegut l'any anterior dins les pàgines de la *Revista de Occidente* (juny 1929); d'altra banda, el mateix 1930 apareixia també, però a París, una altra traducció espanyola de *Le cimetière*, obra de l'escriptor cubà Mariano Brull. Per a tot això, cf. Monique ALLAIN-CASTRILLO. *Paul Valéry y el mundo hispánico*, *op. cit.*, pàg. 270-272, que, però, com és corrent entre els hispanistes, desconeix del tot la realitat catalana.

21. Cf. Mercè BOIXAREU. *El jo poètic de Carles Riba i Paul Valéry*, *op. cit.*, pàg. 364-370 i Jaume MEDINA. *Carles Riba (1893-1959)*, *op. cit.*, vol. I, pàg. 78-79, 222 nota 2 i 291 nota 11. Altrament, a *Paul Valéry y el mundo hispánico*, *op. cit.*, pàg. 87, Allain-Castrillo menciona una visita privada anterior, el setembre de 1932, en què Valéry després de recórrer diverses localitats basques, va desplaçar-se a Vic, en companyia de Josep Maria Sert, una altra de les seves coneixences catalanes, per veure les pintures murals de la catedral. En el llibre de María Luz Morales citat més avall (nota 27), però, se situa aquesta anada a Vic amb el pintor Sert el maig de 1933.

22. Aquestes paraules de Valéry, de primer reproduïdes a la premsa («Conversa amb Paul Valéry». *La Veu de Catalunya*, 9-V-1933), Marià Manent les incorpora al dietari *A flor d'oblit*. Barcelona: Edicions 62, 1968, pàg. 54-57. Temps a venir, Manent escriurà dos articles sobre l'escriptor: «Valéry i els paranys del llenguatge» (*Serra d'Or*, setembre 1973; recollit dins Marià MANENT. *Llibres d'ara i d'antany*, Barcelona: Edicions 62, 1982, pàg. 141-148) i «Valéry: importància de "la nit de Gènova"» (*La Vanguardia*, 26-III-1985; recollit dins Marià MANENT. *Rellegint*, Barcelona: Edicions 62, 1987, pàg. 160-163). Potser val la pena afegir aquí que la repetida relació d'Estelrich amb Valéry culmina el 1941, quan, en el París ocupat, el mallorquí organitza una exposició sobre Joan Lluís Vives a la Biblioteca Nacional i contribueix a sostenir econòmicament el poeta, que passava per una situació ben difícil. Sobre aquest episodi, cf. Joan ESTELRICH. *Las profecías se cumplen*. Barcelona: Montaner y Simón, 1948, pàg. 133-144; Monique ALLAIN-CASTRILLO, *Paul Valéry y el mundo hispánico*, *op. cit.*, pàg. 110, i Josep PLA. *Homenots. Primera sèrie*, vol. 11 de l'*Obra completa*. Barcelona: Destino, 1969, pàg. 500. A banda dels noms que vaig indicant, sembla que els altres dos catalans que van tractar Valéry són un escriptor i un compositor: Eugeni d'Ors, que s'hi relaciona a París a partir de 1927, i Frederic Mompou, que el coneix, també a París, el 1925 i que el 1973 estrena a Barcelona *Cinq mélodies sur des textes de Paul Valéry* (cf. Monique ALLAIN-CASTRILLO. *Paul Valéry y el mundo hispánico*, pàg. 110-111 i 209-212). Aquest tracte orsià, reflectit al *Nuevo* i al *Novísimo glosario*, deu explicar que la traducció francesa de l'assaig *Lo barroco* sigui obra de la filla del poeta, Agathe Rouart-Valéry.

l'estació de França, hi manté una conversa i en transcriu especialment el parer sobre les sessions i el tema de l'*entretien*.[22] I, al final, anuncia les dues conferències que va fer: el dia 8, al Conferentia Club, sobre *Amphion* i *Sémiramis*, és a dir, sobre els seus «assaigs melodramàtics», i l'endemà, als Amics de la Poesia, sobre *Poésie et poèmes*; en aquesta darrera, presentada per Riba, Valéry posa en pràctica, segons va confessar a Manent, un costum molt poc habitual en ell: «Llegiré i comentaré poemes meus. A Barcelona obtindreu de mi una cosa que no m'agrada fer i que no acostumo a fer mai».[23] A *La Veu de Catalunya*, Manuel de Montoliu donava la benvinguda al conferenciant i en destacava el vessant intel·lectualista:

> «Valéry no s'ha acontentat amb tòrcer el coll al cigne, com va fer un il·lustre predecessor seu. Ell ha anat més enllà; no sols el símbol del cigne, ans també ço que aquest simbolitzava ha acabat en les seves mans finament cruels. Ell ha estrangulat la mateixa Pythia, tot allò que hi ha d'inconscient, d'instint, de vitalisme obscur en l'antic concepte de la inspiració, en la clàssica idea del numen. La inspiració, per ell, no és sinó un travestiment místic de l'intel·lecte, en el qual sojornen totes les muses del ver poeta. Ell és un poeta enamorat del pensament; i el pensament servit per la fantasia és la font única de la seva inspiració.»[24]

I al setmanari *Mirador* s'acull la presència del visitant amb dos articles. El primer, anònim, qualifica Valéry d'«elevat i distant» i defineix així la seva poesia:

> «Un simbolisme que sempre enretira el seu significat és l'arma terrible d'aquest poeta que ha aconseguit de refer el misteri de la poesia, perdut des de l'antigor, a base de lliurar-se a un joc intel·lectual, una mena de cacera, en la qual ell sempre duu una incompensable avantatge de temps, de forma, de consciència lírica.»[25]

El segon, un «aperitiu» de Josep Maria de Sagarra, parteix de la convicció que pocs homes hi ha que despertin «aquesta simpatia de la intel·ligència pura» i afegeix alguna observació suggestiva com la següent:

> «Valéry és de les persones que reconcilien amb la nostra època i que donen una certa aparença de realitat al mite de Prometeu. Però aquí el Prometeu no ha anat a caçar del cel flamarades espectaculars; s'ha entretingut en una cacera més delicada, ha dut en els seus dits l'imperceptible panteix de les estrelles, la sàvia geometria de les constel·lacions; ha dut les coses més difícils, però més insinuants i més incisives, de la nit. De tot això n'ha fet la seva poesia difícil, castigada, exigent, però n'ha fet també la seva mentalitat, la seva visió del món i la seva manera de moure's dintre aquest laberint estisorat i espremut de la literatura.»[26]

23. A l'article citat a la nota 17. Osvald Cardona diu que Valéry «va llegir "El serpent" i Ramon Sastre una versió catalana del mateix poema».

24. Manuel DE MONTOLIU. «Intel·lecte i poesia». *La Veu de Catalunya*, 7-V-1933, reproduït dins Mercè BOIXAREU. *El jo poètic de Carles Riba i Paul Valéry*, *op. cit.*, pàg. 367-368.

25 «Del món. Tres personalitats». *Mirador*, 11-V-1933, pàg. 1.

26. J. M. DE SAGARRA. «L'aperitiu. Els Amics de la Poesia». *Mirador*, 18-V-1933, pàg. 2, reproduït dins Josep Maria DE SAGARRA. *Obres completes. Prosa*. Barcelona: Selecta, 1967, pàg. 588-589.

Altrament, de les impressions d'aquelles dues conferències n'han deixat constància posterior, almenys, cinc memorialistes: Ferran Soldevila, Xavier Benguerel, María Luz Morales, Ignasi Agustí i J. M. López-Picó.[27] En aquest context cal situar les traduccions de Gaziel. En efecte: Gaziel, l'interès del qual per Valéry es remunta, si més no documentalment, a 1924,[28] el va conèixer personalment a l'*entretien* de Madrid, on també havia anat convidat. Ben segur que va assistir a les dues conferències, i és en aquest moment quan comença la traducció de *Le cimetière marin*, que, refosa amb la que, pel seu compte, havia emprès Miquel Forteza, no es publica fins al 1947 i a Madrid.[29] Segons pròpia confessió, Gaziel va tractar Valéry, a París, diverses vegades a partir de 1933 –la darrera, el 1939–, i fins va llegir-li mostres de la traducció, que el poeta va trobar «étonnantes de fidélité». El millor judici sobre Valéry que li conec, l'expressa en una carta a Jaume Agelet del 20 de febrer de 1957:

> «Valéry és Mallarmé, més un ingredient prodigiós que aquell no posseïa: un pensament profund. Profund, però transparent, dur i cristal·lí, com el diamant. I l'aliatge de la forma màgica mallarmeana amb la fondària filosòfica que jo en dic lucreciana, de Valéry, produeix aqueixos joiells únics que són els seus poemes –únics en el nostre món. Per trobar anteriorment alguna cosa de semblant, cal saltar a Goethe, al millor de Goethe, i al Dant, a la part menys coneguda del Dant, que és el *Paradís*, i encara més enllà a Lucreci, el poeta més gran, per mi, de Roma, i un dels màxims de l'Antiguitat, i en el seu aspecte, també únic.»[30]

Probablement animat per la falaguera –per bé que quasi privada– recepció de la traducció, Gaziel enllesteix al llarg de 1947 la de l'*Ébauche d'un serpent*, que també passa pel garbell ribià i que, prohibida per la censura l'any següent, és encara inèdita.[31] Va flanquejada per un pròleg notable, que, per un costat, explica la gènesi i

27. Cf. Ferran Soldevila. *Al llarg de la meva vida*. Barcelona: Edicions 62, 1970, pàg. 265-266; Xavier Benguerel. *Memòries. 1905-1940*. Barcelona: Alfaguara, 1971, pàg. 222-226; María Luz Morales. *Alguien a quien conocí*. Barcelona: Juventud, 1973, pàg. 132-144, de bon tros l'evocació més interessant i extensa, que reconstrueix l'entrevista que li va fer i les paraules de Valéry en les dues conferències; Ignacio Agustí, *Ganas de hablar*. Barcelona: Planeta, 1974, pàg. 300-303; i Josep Maria López-Picó, *Dietari (1929-1959)*, *op. cit.*, pàg. 61.

28. Tant a «De la vida literaria. El reino del espíritu» (*La Vanguardia*, 28-V-1924) com a «Batallas ideales. Votos no son triunfos» (*La Vanguardia*, 20-I-1928), únics articles que dedica a l'escriptor francès, Gaziel exalta els valors de l'esperit i fa professió de valérianisme fervorós, refugi balsàmic en «calamitosos tiempos». Alhora, afirma que el pinyol de la literatura de Valéry, difícil però no pas hermètica, només el copsa una minoria perquè el gran art, quintaessència de l'individualisme, no pot ser democràtic.

29. Paul Valéry. *El cementiri marí*. Madrid: Aldus, 1947. Sobre les peripècies d'aquesta traducció, que, un cop publicada, revisa, a petició de Gaziel, Carles Riba, cf. Manuel Llanas. *Gaziel: vida, periodisme i literatura*. Barcelona: Publicacions de l'Abadia de Montserrat, 1998, pàg. 348-351. Quan Pla la va rebre, va fer-ne un article elogiós a *Destino,* que aprofita per expressar reticències sobre la poesia pura a propòsit de la de Valéry (cf. Josep Pla. *Per passar l'estona*, vol. 36 de l'*Obra completa*. Barcelona: Destino, 1979, pàg. 58-61). Més endavant, Miquel Forteza va incloure aquesta traducció dins el volum de traduccions *Rosa dels vents* (Palma de Mallorca: Moll, 1960, pàg. 111-118).

30. Gaziel. *Obra catalana completa*, Barcelona: Selecta, 1970, pàg. 1701-1702. Per al fons ideològic mediterrani que Gaziel troba en Valéry i que l'hi lliga estretament, cf. *Sant Feliu de la Costa Brava*, dins *ibidem*, pàg. 349-351, on, a més, interpreta algunes estrofes d'*El cementiri marí.*

l'elaboració de la traducció de *Le cimetière* i, per l'altre, exposa la dificultat de la de l'*Ébauche*, amb:

> «la condensació extremada de la seva peripècia verbal o l'alacritat gairebé irrespirable de certes estrofes. El Jardí del Paradís, tal com l'ha compost Valéry, és un reialme tancat dins una atmòsfera enrarida i màgica, com l'alè mateix del Serpent, el seu protagonista. [...]. És, ademés, que està escrit en una llengua tallant i finíssima, sòbria com una fórmula algebraica, plena d'escorços mentals inversosímils, amb una riquesa abstrusa de consonants, timbres, opacitats i ressonàncies –i en dècimes de versos de nou síl·labes!»

El pròleg, Gaziel el remata amb una declaració de principis sobre la capacitat expressiva de la llengua receptora que devia molestar especialment el censor de torn:

> «Llegiu i rellegiu el [*text*] francès, sense cansar-vos, car sols en ell hi ha l'autèntica essència. Però després us prego que, si passeu els ulls pel català, el resseguiu sencer, d'una tirada, com si fos el poema original. I llavors em direu si no és certa una cosa que jo he après durant aquest treball: que la nostra llengua catalana té unes dots excepcionals, úniques, per assimilar-se la poesia de les seves germanes llatines, i que, en relació amb la francesa, no n'hi ha cap altra que pugui ni remotament comparar-s'hi. *Étonnante de fidélité*: són paraules del mateix Valéry. Jo crec, en efecte, que fora de la seva llengua nadiua, en cap més idioma del món *El cementiri marí* i l'«Esbós d'un Serpent» conservarien la frescor de cosa viva que guarden en el nostre.»

Durant la immediata postguerra i en el refugi de la clandestinitat, fins entrada la dècada dels 50 només tinc detectades dues traduccions –la d'un famós sonet i la d'una frase sobre la identitat europea.[32] Alhora, hi ha constància que el grup Estudi, reunit al carrer barceloní de Sant Pau, dedica dues sessions a Valéry: en la primera, del 25 de febrer de 1945, Lluís Gassó i Carbonell en llegeix originals i traduccions; en la segona, més rellevant, just un any després, Josep Palau i Fabre i Josep Miret i Monsó llegeixen assaigs sobre el poeta, Lluís Gassó, algunes traduccions de poemes i Maurici Serrahima, *Le cimetière marin* en la llengua original.[33] A l'exili, per contrast, el panorama és més nodrit, val a dir que en gran part gràcies a Xavier Benguerel. Benguerel, que, per fortuna, ens ha llegat unes interessants consideracions sobre escriptors per ell traduïts,[34] havia començat a llegir Valéry cap a 1927 influït per l'arquitecte lletraferit Ramon Sastre i de seguida prova de traduir-ne

31. A l'arxiu Gaziel, custodiat per la Biblioteca de Catalunya, se'n conserva un exemplar mecanografiat. Per a les gestions amb la censura sobre aquest llibre, cf. Maria Josepa GALLOFRÉ I VIRGILI. *L'edició catalana i la censura franquista (1939-1951)*. Barcelona: Publicacions de l'Abadia de Montserrat, 1991, pàg. 384-385.

32. «Hel·lena», *Poesia*, núm. 15 (1945?), pàg. 4 (traducció de Lluís Gassó-Carbonell) i «Europa». *Ariel*, núm. 9 (abril 1947), pàg. 32 (sense nom de traductor). De l'època de la guerra només tinc localitzada la traducció d'uns «Pensaments» (*Mirador*, 14-I-1937, pàg. 5, sense el nom del traductor).

33. Cf. Joan SAMSÓ, *La cultura catalana: entre la clandestinitat i la represa pública (1939-1951)*, Vol. I, Barcelona: Publicacions de l'Abadia de Montserrat, 1994, pàg. 203-204, i Maurici SERRAHIMA, *Del passat quan era present. I: 1940-1947*, Barcelona: Edicions 62, 1972, pàg. 295. Les idees centrals del text

alguns poemes, una operació que li resulta d'un gran rendiment intel·lectual i lingüístic:

> «La difícil interpretació dels poemes de *Charmes* en lloc de descoratjar-me, m'estimulava; procurava de llegir més en intensitat que en extensió, contenint-me l'alè quan, al moment desitjat, creia captar la justa intenció del poeta. M'obligava contínuament a transcendir-me en el curs de la lectura o relectura, i aquest estat d'aguda intenció, em produïa la il·lusió que el suplement d'alçada que aconseguia posant-me de puntetes ja formava part de la meva normal estatura.
> [...]
> Traduir aquest poeta va produir-me d'immediat la confortable sensació d'entrar a posseir un vocabulari i fins i tot un idioma summament superior al que jo solia manipular. En operar sobre textos valérians em veia obligat a ampliar el meu potencial expressiu a extrems que, en realitat, m'ultrapassaven.»[35]

Aquestes provatures no surten a la llum pública fins que, ja a l'exili xilè, publica a una revista de Buenos Aires el 1941 la primera versió de «Palme», seguida de la de *Le cimetière marin*, que apareix a Santiago de Xile el mateix any, 1947, que la del tàndem Gaziel/Forteza.[36] La correspondència publicada entre Benguerel i Joan Oliver, que s'inicia el 1942 però es fa especialment intensa a partir de 1947, és rica en referències a traduccions de Valéry empreses per tots dos. Si Oliver publica la traducció del poema «Poésie»[37] i assaja la de l'«Ébauche d'un serpent», Benguerel prova també la d'aquest darrer poema i sotmet a Oliver una colla de consultes per revisar la de «Palme».[38] És un tret distintiu de les traduccions benguerelianes: les esmenes i revisions constants. De *Le cimetière marin*, el cas més vistós, arriba a ferne quatre versions més, publicades el 1956, 1974, 1979 i 1984, i de «Palme», tres, les dues darreres publicades el 1974 i el 1984.[39] Aquest darrer any, dins el volum *El cementiri marí i altres poemes*, estampa les traduccions de més poemes valerians, «Hélène», «L'amateur de poèmes», «Le Sylphe», «Le vin perdu», «La Distraite»[40] i

llegit en la segona de les sessions, Josep Miret les reprendrà el 1989 en el prefaci a una traducció seva de Valéry que consigno més endavant.

34. *Xavier Benguerel es confessa de les seves relacions amb La Fontaine, Edgar Allan Poe, Paul Valéry, Pablo Neruda*. Barcelona: Selecta, 1974. La secció dedicada a Valéry ocupa les pàgines 101-129 i 178-179 i inclou les traduccions d'*El cementiri marí* i de «Palmera».

35. *Ibidem*, pàg. 106 i 109-110.

36. «Palmera», *Catalunya* (Buenos Aires), núm. 106, setembre de 1941. *El cementiri marí* (Santiago de Xile: El Pi de les Tres Branques, 1947), Benguerel l'havia donat a conèixer mesos abans a la revista *Germanor*, també de Santiago de Xile.

37. Apareix a *Germanor*, núm. 517 (1947); es transcriu a Xavier Benguerel/Joan Oliver. *Epistolari* (a cura de Lluís Busquets i Grabulosa), Barcelona: Proa, 1999, pàg. 57, núm. 33. El juny de 1950, Benguerel fa unes observacions sobre una estrofa d'aquesta traducció que Oliver respon tot seguit (cf. *ibidem*, pàg. 239 i 246). Amb variants, Oliver torna a divulgar aquesta traducció dins el volum miscel·lani *Homenatge a Carles Riba en complir seixanta anys* (Barcelona: Josep Janés, s. a. [1954], pàg. 69-70), i dins *Paul Valéry en els seus millors escrits* (Barcelona: Miquel Arimany, 1972).

38. Cf. Xavier Benguerel/Joan Oliver, *Epistolari*, *op. cit.*, pàg. 54, núm. 9; 62, núm. 10; 215-219; 226-227; i 236-237.

39. Els dos poemes apareixen junts dins *Xavier Benguerel es confessa...*, *op. cit.*, de 1974, i Paul Valéry. *El cementiri marí i altres poemes* (Barcelona: Empúries, 1984, amb un pròleg de Benguerel que

«Cantate du Narcisse» (121 versos), més el text del mateix poeta titulat «A propòsit d'*El cementiri marí*». Cal afegir que la traducció fragmentària de la «Cantate» es reedita el 1986, acompanyant la dels «Fragments du Narcisse», dins un llibre miscel·lani de què m'ocupo més endavant.[41] Sis anys abans, finalment, Benguerel havia donat a conèixer la traducció de *La Jeune Parque*.[42]

Mentrestant, i al marge de la versió, de mitjan anys 50, del poema «Les pas», obra de Sebastià Sánchez Juan,[43] a Catalunya és un altre exiliat, Josep Carner-Ribalta, qui, ja als 60, publica la traducció, fins ara única, de les poesies completes de Valéry, que divideix en tres seccions: *Àlbum de versos antics, La Parca Jove* i *Encantaments*.[44] Deu anys després, Miquel Arimany firma la que, fins avui, és la cinquena traducció coneguda de *Le cimetière marin*, precedida per unes breus pàgines sobre la interpretació del poema.[45] L'any següent, 1972, i a l'empara de la commemoració valériana, Arimany inaugura una rellevant col·lecció de la seva editorial amb *Paul Valéry en els seus millors escrits*, un volum que aplega textos sobre l'escriptor (deguts a Osvald Cardona, a Pere Gimferrer, a Emilie Noulet i a Arimany mateix) i un feix de traduccions, de poesia i de prosa. Dins la poesia es troben traduccions ja ressenyades (la de *Le cimetière marin*, d'Arimany, «La Distraite», de Benguerel, «Poésie», de Joan Oliver, i «L'abeille», de Josep Carner-Ribalta) al costat d'altres de noves: fragment de *La Jeune Parque* (en traducció de Ramon Sastre mencionada a la nota 17), «Cantique des colonnes», «Le vin perdu», «Le sylphe» i «L'amateur de poemes» (de Lluís Gassó i Carbonell) i «Les grenades» (de Guillem Díaz-Plaja). I dins la prosa, l'assaig *La crise de l'esprit* (traduït per Miquel Ollé), el diàleg filosòfic *L'âme et la danse* (traduït per Santiago Rubió i Tudurí), un fragment d'*Eupalinos ou l'architecte* (traduït per Lluís M. Aragó) i una selecció de pensaments (traduïts per J. Garcia Font).

Els darrers vint anys han enriquit la presència de Valéry entre nosaltres amb la traducció de tres obres cabdals en prosa. De bon començament, la de *Monsieur Teste*, que, a més de la cèlebre *soirée*, reuneix una colla de textos presidits per la

pràcticament només transcriu les paraules preliminars a la traducció de *Le cimetière marin* de 1947 i les contingudes dins *Xavier Benguerel es confessa...*). El primer poema, a més, dins *Miscel·lània 1956 del Club dels Novel·listes* (Barcelona: Aymà, 1956) i Xavier BENGUEREL, *Els altres* (Barcelona: Planeta, 1979).

40. La traducció d'aquest poema havia aparegut, el 1972, dins *Paul Valéry en els seus millors escrits*, *op. cit.*

41. Paul VALÉRY, *Narcís*. Barcelona: Edicions del Mall, 1986.

42. Paul VALÉRY, *La Jove Parca*. Barcelona: Edicions 62, 1980 (amb pròleg i notes d'Alain Verjat).

43. Sebastià SÁNCHEZ JUAN, *Miralls. Versions de lírica europea*, Barcelona: Josep Porter, 1955, pàg. 44. En unes «Excuses» preliminars, Sánchez Juan s'estén sobre les dificultats lingüístiques de traduir poesia.

44. Paul VALÉRY, *Poesies completes*, Barcelona: Selecta, 1961 (sense cap introducció del traductor i amb un pròleg de Miquel Dolç titulat «La vida i la poesia de Paul Valéry»). Per a una valoració, no gaire favorable, d'aquesta traducció, cf. Josep PLA, *Notes per a Sílvia*, vol. 26 de l'*Obra completa*, Barcelona: Destino, 1974, pàg. 235-236.

figura d'aquest personatge i traduïts per Àlex Susanna;[46] després, la d'*Eupalinos ou l'architecte*, en versió de Jordi Llovet;[47] i, en tercer lloc, la de la *Introduction à la méthode de Léonard de Vinci*, traduïda per Josep Miret i Monsó.[48] Jordi Llovet, que ha estudiat amb insistència l'obra de Valéry, ha traduït també *Les tentations de (Saint) Flaubert*, que precedeix la traducció, també seva, d'una obra del novel·lista francès.[49] En l'àmbit de la poesia, Marià Villangómez ha recopilat, en les seves obres completes, versions de dos poemes: «Les pas» i «Fragments du Narcisse».[50]

45. Paul VALÉRY, *El cementiri marí*. Barcelona: Gustau Gili, 1971. Es tracta d'una edició no venal feta en commemoració del centenari del naixement de Valéry. A part del títol que menciono tot seguit, Arimany també reedita aquesta traducció a *Versions de poesia* (Barcelona: Miquel Arimany, 1986), precedida d'un pròleg de Jordi Llovet i d'un text d'Arimany mateix («*El cementiri marí*, com a simfonia poètica»). Sobre aquesta edició i aquesta versió, que el traductor va començar a principis dels 50, cf. Miquel ARIMANY, *Memòria de mi i de molts altres*, Barcelona: Columna, 1993, pàg. 259-260 i 388.

46. Paul VALÉRY, *Monsieur Teste*. Barcelona: Laertes, 1980 (amb un extens estudi introductori de Jordi Llovet -«Paul Valéry: tragèdia de la intel·ligència, ètica del llenguatge»- i amb una nota bibliogràfica on es detalla la procedència dels textos aplegats en el volum).

47. Paul VALÉRY, *Eupalinos o l'arquitecte*. Barcelona: Quaderns Crema, 1983 (precedit d'un comentari del traductor sobre el diàleg i d'una nota editorial, també del mateix Llovet, que n'indica els orígens i el contextualitza). Afegiré que *Eupalinos ou l'architecte*, juntament amb *L'âme et la danse*, els va traduir Josep Carner a l'espanyol el 1944 per a l'editorial argentina Losada. I que aquesta traducció carneriana d'*Eupalinos* va ser reeditada a Múrcia, el 1982, pel Colegio de Aparejadores y Arquitectos Técnicos, de la ciutat.

48. Paul VALÉRY, *Introducció al mètode de Leonardo da Vinci*. Barcelona: Laia, 1989 (amb notes del traductor, autor també d'un prefaci titulat «Sobre Valéry i l'home genial», les idees del qual, com queda dit a la nota 31, havia exposat ja el 1946 en una sessió clandestina del grup Estudi). Aquest mateix llibre de Valéry és comentat i traduït molt fragmentàriament per Josep Pla (cf. *Itàlia i el Mediterrani*, vol. 37 de l'*Obra completa*, Barcelona: Destino, 1980, pàg. 71-87), que el 1975, a *Destino*, traça una semblança de l'escriptor francès i tradueix una selecció de pensaments del segon volum dels *Cahiers* (cf. Josep PLA, *El passat imperfecte*, vol. 33 de l'*Obra completa*, Barcelona: Destino, 1977, pàg. 668-685).

49. Gustave FLAUBERT, *Les temptacions de Sant Antoni*. Barcelona: Proa, 1995.

50. Marià VILLANGÓMEZ LLOBET, *Obres completes. Versions de poesia II*, Barcelona: Columna, 1991, pàg. 169-173.

REALITATS: TOMBANT REALISTA I PUNT D'INFLEXIÓ EN L'OBRA POÈTICA DE JOAN VINYOLI

Xavier Macià

Universitat de Lleida

El període que abraça de 1955 (any en què Joan Vinyoli enllesteix *El Callat*) i fins al 1963 (quan es publica *Realitats*) ha estat considerat tradicionalment com un moment d'*impasse* –un parèntesi poc rellevant des del punt de vista creatiu– en la trajectòria poètica de Joan Vinyoli. En rigor, però, i malgrat totes les aparences, es tracta d'una de les etapes més interessants i fèrtils de la primera època de la trajectòria literària vinyoliana.

No són uns anys d'estricte silenci, sinó que es tracta d'un moment de gran productivitat lírica, encara que el poeta, a la fi, només doni a conèixer un únic volum, el recull *Realitats*. Precisament, la crítica ha tendit a menystenir el període basant-se únicament en la anàlisi, una mica apressada i parcial, d'aqueix llibre, del qual s'han censurat més els defectes que no pas s'han celebrat les virtuts. Hom esmenta, també, encara que sense donar prou importància a aquesta dada facilitada pel mateix poeta i sense parar prou atenció a la simultaneïtat d'escriptura dels volums, que és en aquests anys que Vinyoli escriu els poemes de *Llibre d'amic*, un recull que no veurà la llum, però, fins al 1977.

Com intentaré demostrar en les notes que segueixen, les primeres redaccions de *Llibre d'amic* (inicialment intitulat *El Trobat* i concebut com a secció de poemari) i de *Realitats* (quan el volum, molt diferent, no s'havia estructurat encara en la seva forma definitiva) presenten unes afinitats evidents: són, en certa forma, una continuació natural del tombant poètic iniciat per l'autor amb *El Callat* i estan elaborats a l'empara de l'*ars poetica* formulada concisament en el pròleg a aqueix llibre. Ara bé, al voltant de l'any 1960, diferents circumstàncies personals i conjunturals provocaran que el poeta es replantegi seriosament el seu projecte poètic i que reconsideri del tot l'estructura inicial de tota l'obra escrita des del 1955.

Realitats és ara i això

El volum *Realitats* (el títol del llibre apareix en minúscula a la portada de la primera edició) va ser publicat per primera vegada com a número 50 de la col·lecció

«Els Llibres de l'Óssa Menor».[1] D'aquesta primera edició, se'n va fer un tiratge de 25 exemplars en paper de fil i 360 exemplars en paper d'edició.

El volum duia una «Nota preliminar» de l'autor on aquest se centrava a informar el lector, d'una forma bàsicament descriptiva, sobre el contingut concret de cadascuna de les tres parts del llibre. Aquest tipus de nota liminar és prou insòlita en el conjunt de l'obra vinyoliana, però no és, certament, la primera vegada que el poeta dóna claus de lectura sobre els seus poemes (de fet, una part del pròleg a *El Callat* ja estava dedicada a aquest fi). Ara bé, sorprèn, aquí, la seva concretesa i el seu interès per explicitar obertament les seves intencions, el caràcter unitari de les seccions, el to general dels poemes i, d'una manera molt especial, el tractament particular que s'hi fa de la realitat. Sembla com si Vinyoli, conscient del tombant realista en què es trobava immersa la poesia catalana del moment –i a la qual ell s'adscrivia implícitament amb el seu volum– hagués volgut precisar adequadament el sentit del seu llibre i, alhora, marcar distàncies respecte al model de realisme imperant.

En els seus poemes, Vinyoli parteix de la realitat circumdant, objectiva, però la seva intenció no és tant de descriure-la o de comunicar-la com de servir-se'n com a pretext a partir del qual expressar «una forta càrrega de sentiment i d'emoció». La seva poesia no es mou, en rigor, en els paràmetres de la poesia social, de caràcter bàsicament ideològic, reivindicatiu i testimonial, sinó que més aviat tendeix cap a un model poètic realista de to marcadament experiencial i moral.[2] Gabriel Ferrater ho definia així: «en el següent i sens dubte el llibre més ben aconseguit fins ara, *Realitats* (1963), el poeta pot deixar descansar la mirada en una multitud d'objectes concrets i variats, que en aparença copsa en la seva senzillesa immediata. Però la veritat és que els mira a contraclaror, i que són per a ell "correlat objectiu" d'una única i més fonda "realitat": el llarg saber de la vida que s'ha acumulat en un home madur, i que sempre li presenta cada objecte en infinita relació amb el tot que formen tots els altres».[3]

Realitats és certament un llibre complex i heterogeni, que combina poemes de factura més simbòlica amb altres de tirada més narrativa, poemes de formalització estricta i cenyida (per exemple els sonets de la secció *Cants del Separat*) al

1. És significatiu d'assenyalar que l'editor, Josep Pedreira, va triar precisament aquest recull de Joan Vinyoli com a volum que havia de tancar definitivament la col·lecció (a conseqüència, segons em confirmà en una conversa personal, dels deutes acumulats —tot i que amb posterioritat encara van aparèixer tres volums més). Per a Pedreira, la tria del llibre de Vinyoli com a volum de tancament de col·lecció era molt significativa, perquè representava un pas més en la consolidació del nou moviment poètic emergent, el «realisme històric».

2. Més en la línia d'un Gabriel Ferrater que d'un Xavier Amorós o d'un Francesc Vallverdú, posem per cas.

3. Gabriel Ferrater, «Joan Vinyoli», *Reduccions*, núm. 20 (setembre 1983), pàg. 78-79. (Recollit posteriorment, en la seva versió original castellana, dins *Papers, Cartes, Paraules*. A cura de Joan Ferraté, Barcelona: Quaderns Crema, 1986, pàg. 77-87).

costat d'altres on s'evidencia un clar alliberament formal i una discursivitat a voltes quasi prosaica. Poemes, en definitiva –alguns elaborats al llarg de molts anys i reescrits diverses vegades i d'altres escrits en un lapse de temps prou curt– que presenten maneres i tons molt diferents, cosa que dóna al volum una certa aparença d'indefinició estètica i de bigarrament poètic. Amb tot, el llibre és important perquè suposa un salt qualitatiu i una evolució fonamentals en la poesia vinyoliana i perquè inaugura el tombant realista, tan decisiu, en l'obra del poeta. És un llibre de transició i, com a tal, es conforma com un punt d'inflexió decisiu en la seva trajectòria lírica. De fet, però, *Realitats* es va acabar convertint, en certa forma, en un fracàs literari, tal com reconeixia el mateix Vinyoli: «*Realitats* va produir un gran silenci al meu voltant, i una actitud de refús i de marginació absolutes. Potser perquè no em trobaven un poeta "engatxat" [*sic*]».[4]

Certament, el volum va ser rebut pels lectors i per la crítica amb un silenci total i, de fet, l'única ressenya que se'n va publicar, signada per Jordi Maluquer i apareguda a les pàgines de *Serra d'Or* el juliol de 1964, no es pot pas dir que fos gaire positiva.[5] El llibre no va satisfer tampoc, com he dit, ni el mateix autor. Ho prova, d'una banda, els set anys de silenci que el seguiren i, d'una altra, la voluntat de Vinyoli, expressada en diverses ocasions al llarg de la seva vida, d'iniciar algun dia una revisió a fons dels poemes i de la seva organització –de tots els volums inclosos a *Poesia Completa 1937-1975*, aquest és el que presenta menys canvis–, empresa que no es va veure acomplerta.[6]

El llibre *Realitats*, en la forma, contingut i organització en què ens ha pervingut, va ser enllestit per Vinyoli molt probablement durant els anys 1960-1962.[7] Només uns pocs poemes, però, es poden datar en aquest període. La gran majoria van ser escrits uns anys abans, entre 1955 i 1960, i alguns van tenir, a més d'un procés d'elaboració complex, distintes redaccions. Això és almenys el que es desprèn del material que es conserva a la casa del poeta: els diversos plecs mecanoscrits de poemes, que es conformen com dos reculls poètics diferents i cronològicament consecutius en el temps.

El conjunt d'aquest material el formen quatre plecs de poemes mecanografiats (amb dos poemes manuscrits), que són còpia dels originals en fulls tipus quartilla i que s'organitzen de la següent manera: un primer plec, estructurat en tres parts i inti-

4. Isabel-Clara SIMÓ, «Joan Vinyoli: la paraula en el temps», *Canigó*, núm. 659, 25-V-1980, pàg. 20.

5. Jordi MALUQUER, «Joan Vinyoli 1963, treball interior, o *Realitats*», *Serra d'Or*, núm. 7 (juliol 1964), pàg. 47-49. Per altra banda, en el número 6 de la revista *Poemes* s'anunciaven els diversos treballs i comentaris que es farien en els propers números, entre els quals n'hi havia d'haver un sobre *Realitats*, a càrrec d'Albert Manent, que precisament —i molt significativament— fou l'únic dels esmentats que no va veure mai la llum.

6. Segons Xavier Folch, que va tenir cura de l'edició del volum *Poesia Completa 1937-1975*, Joan Vinyoli, a diferència del que havia fet amb els altres volums recollits en el llibre, no va voler fer una revisió a fons de *Realitats*; i això, no pas perquè no ho cregués convenient, sinó perquè els canvis havien de ser tants i tan radicals que no s'hi veia amb cor i preferia reservar aquesta empresa per més endavant.

tulat *Per l'escala secreta (Poemes)* i tres plecs més, intitulats respectivament *I. El buscador*, *II. L'aventura* i *III. Realitats*, que formen part d'un recull unitari però encara sense títol. Els poemes inclosos en aquests plecs cal datar-los entre 1955 i 1960. Els més antics són els inclosos al plec *Per l'escala secreta (Poemes)* i els més moderns els dels altres tres plecs. Faig aquesta afirmació perquè alguns dels poemes de *Per l'escala secreta (Poemes)*, com veurem, seran després incorporats, amb variants, en dos dels apartats (plecs) del projecte de recull posterior.

Per l'escala secreta (Poemes)

Es tracta d'un plec de trenta-nou fotocòpies dels fulls originals tipus quartilla amb un total de vint-i-vuit composicions mecanografiades,[8] organitzades en tres seccions: *Morir de set* (onze poemes), *El Trobat* (setze poemes) i *D'on?, on?, vers on?* (un poema). L'escriptura d'aquests poemes cal datar-la entre 1955 i 1959. Passo tot seguit a detallar el contingut concret d'aqueix plec. M'he servit d'un doble columnat per tal d'assenyalar algunes dades d'interès: 1) les diverses seccions i el seu contingut (assenyalo, entre parèntesis rectes, el lloc que ocupa el poema en la secció i, tot seguit, el seu títol), i 2) si és inèdit o bé ha estat recollit en algun altre plec inèdit (i indico, entre parèntesis, amb quin títol i quin lloc hi ocupa).

Per l'escala secreta (Poemes)

Morir de set

[1] «Oh delitós, oh màgic, oh insoluble...»	*III. Realitats* «Vermut a la platja amb acompanyament de trons», 3)
[2] «Mai no diré»	*Ibidem* (integrat parcialment i de forma fragmentada)
[3] «Alguna cosa ens ha nascut»	*II. L'aventura* (5)
[4] «Ens hem junyit al vol de les estrelles...»	*II. L'aventura* («Per ja no perdre'ns», 6)
[5] «Quedem-nos a la tenda que hem bastit...»	*II. L'aventura* «Quedem-nos a la tenda», 8)
[6] «Coses clares»	*II. L'aventura* (10)
[7] «El castell»	*II. L'aventura* (7)
[8] «En el vent»	*II. L'aventura* («En el vent» i «Secrets», 11 i 12)
[9] «Les noces»	*II. L'aventura* (13)
[10] «El corifeu. Els alífers»	*II. L'aventura* («El corifeu canta. Els alífers», 14)

7. En tot cas, amb anterioritat al març de 1962, perquè aquesta és la data de la «Nota introductòria» al llibre.

8. El primer poema, «Oh delitós, oh màgic, oh insoluble!...», presenta tres redaccions mecanoscrites diferents i una de manuscrita a la part del darrere del quart full. El darrer poema, «D'on?, on?, vers on?», és incomplet i només se n'ha conservat un fragment de la primera part de les tres en què s'organitzava. Tots els poemes del plec presenten nombroses anotacions autògrafes de l'autor.

[11] «Les illes»	*II. L'aventura* («Les barques», 15)

El Trobat

[1-12]	
[13]	inèdit
[14-16]	

D'on?, on?, vers on?

[1] «D'on?, on?, vers on?»	*III. Realitats* (*«D'on, on?, vers on?»*, 1)

El títol del recull *Per l'escala secreta (Poemes)* recorda un poema anterior del poeta, «El Campanar», inclòs a *Les hores retrobades.*[9] Si en aqueix poema l'escala funcionava com a mitjà per accedir al cim de la torre, lloc de la plenitud lumínica i sonora (repic de les campanes), i aquesta ascenció de fet representava un descens en el temps, cap al passat, l'època d'infantesa del Jo, aquí l'escala significa ascenció cap a una realitat superior, sobrehumana, que és indissociable, però, d'un moviment de descens cap al fons més íntim de la pròpia interioritat: «Cercàvem or i davallàrem a la mina. I la fos- /cor s'il·luminà de sobte perquè érem dos a contradir la nit.» (poema [9] del recull).

Per l'escala secreta (Poemes) és un recull unitari, amb una estructura molt definida, que es conforma com una continuació del volum *El Callat*. Els poemes estan escrits també amb un llenguatge explícitament simbòlic i, a més, s'hi recuperen la majoria de símbols i d'imatges clau d'aquell llibre (arbre, mar, foc, vent, camí, or...). Però ara el tema desenvolupat no és el de l'experiència poètica, sinó el de l'experiència amorosa: la recerca de la *unio mystica*, de la fusió, física i espiritual alhora, de l'amic i l'amada (un objectiu, també, en certa forma inassolible, com el de romandre per sempre en l'àmbit primigeni i pur de *El Callat*).[10]

L'experiència amorosa és presentada aquí com una experiència espiritual plena, en la qual es passa per tres estadis diferents: el primer estadi, que es correspon amb els poemes de la secció *Morir de set*, és el de la descoberta del sentiment, del naixement de l'anhel d'anar més enllà, de transcendir els límits i percaçar una unió absoluta («vida més alta»). El segon estadi, al qual corresponen els poemes de la secció *El Trobat*, descriu pròpiament l'experiència de la *unio mystica*. Finalment, el tercer estadi, que correspon a l'únic poema inclòs en la darrera secció, seria el del

9. Segons el poeta, «El Campanar» va ser el primer poema estrictament simbòlic que va escriure. La imatge de la torre o del campanar apareix suggerida en el poema [13] de la secció *El Trobat*, que serà l'únic del recull que romandrà inèdit: «... —En arri- | bar que siguem a la torre i que pugem per | l'espiral de flama cap a sortida i contem- | plació...» (ratlles 8-11).

10. El tema de la fusió del Jo poètic en l'àmbit atemporal i perfet de «El Callat» ja apareixia plantejat a *El Callat* com una veritable *unio mystica* (de fet, la fusió del Jo amb l'alteritat és un tipus d'experiència que presenta afinitats evidents amb la fusió amorosa).

retorn a la realitat, el de la presa de consciència de la humana condició temporal i, doncs, de l'acceptació que no és possible de romandre en l'àmbit de plenitud i joia de *El Trobat*, aquell en què Jo i Tu, amic i amiga, esdevenen un sol cos i un sol foc «que contradiu la nit».

No sabem amb exactitud en quin moment concret Vinyoli decideix abandonar la idea inicial del seu poemari *Per l'escala secreta (Poemes)*, en tot cas, ha de ser amb anterioritat a 1960, perquè, aquest any, ja té enllestits els tres plecs de poemes (en què s'inclouen totes les composicions de les seccions *Morir de set* i *D'on?, on?, vers on?* d'aquell recull) que es conformaran com una primera versió del que serà posteriorment el llibre *Realitats*. De *Per l'escala secreta (Poemes)*, doncs, només queden ara, isolats, els setze poemes de la secció *El Trobat*, que són els que amb posterioritat, i després d'un procés de revisió profund, donaran lloc al volum *Llibre d'amic*.

De «Realitats» a *Realitats*: replantejament i canvi

A la casa del poeta es conserva una carta adreçada a Salvador Espriu, amb motiu de la publicació de *La pell de brau* i datada a Begur el 6 d'agost de 1960, en què Vinyoli, bo i excusant-se de no haver llegit encara el llibre del seu amic, confessa que «aquests últims temps no he estat tampoc per fer cap lectura a fons, perquè vaig concentrar-me totalment a acabar el meu llibre «Realitats» que, després de molt de pensar-hi i estudiar-ho, serà o, més ben dit, ja és la fusió en part de dos llibres». Crec molt important de subratllar la importància d'aquesta carta perquè ens permet de datar amb exactitud el moment en què Vinyoli decideix posar títol al seu nou llibre.[11] Però vull fer notar que, segons la meva hipòtesi, quan Vinyoli parla del seu llibre «Realitats» no s'està referint encara al volum que finalment publicarà amb aquest nom, sinó més versemblantment al recull que havia d'incloure els tres plecs mecanografiats abans esmentats. Baso aquesta hipòtesi en dues dades fonamentals: en primer lloc, el caràcter unitari del conjunt dels tres plecs, un dels quals intitulat precisament *III. Realitats*; i, en segon lloc, el fet que en el volum *Realitats*, publicat el 1963, hi apareguin, a més de la quasi totalitat de poemes del primer i tercer plecs d'aquell recull,[12] un conjunt de setze poemes nous que, amb tota probabilitat, van ser escrits amb posterioritat a la fixació de «Realitats» i, doncs, amb posterioritat a

11. I ens permet també matisar alguna de les afirmacions que s'han fet a propòsit del pretès oportunisme de Vinyoli, inferit del títol del seu llibre, a l'hora d'intentar situar-se en l'òrbita del nou i emergent moviment poètic realista.

12. El poeta rebutja, però, tots els poemes (excepte un, «Com a Eurídice», que només recupera parcialment) de la segona secció (2n plec), *II. L'aventura*, una bona part dels quals, significativament, ja havien format part, inicialment, de la secció *Morir de set* del recull *Per l'escala secreta (Poemes)*.

1960. Per altra banda, en la mateixa carta a Espriu, Vinyoli ens diu que el nou recull, «Realitats», «és la fusió en part de dos llibres». Aquests dos llibres han de ser, versemblantment, el recull *Per l'escala secreta (Poemes)* i el conjunt de poemes (els inclosos després en els plecs *I. El buscador* i *III. Realitats*) d'un nou llibre encara sense títol ni sense organització específica (almenys que en tinguem constància).

Així, doncs, el llibre *Realitats* correspondria als tres plecs mecanografiats (i dos poemes manuscrits) conservats a la casa del poeta. Es tracta d'un conjunt de setanta-set fotocòpies dels fulls originals tipus quartilla, organitzats en tres plecs i amb la següent ordenació i contingut (dono, en un doble columnat: 1) el títol del plec (i de la secció, quan és el cas) i el seu contingut (indicant, entre parèntesis rectes, el lloc que ocupen els poemes i, després, el seu títol), i 2) el volum (o volums) en què s'han publicat els poemes (i, entre parèntesis, la secció, el títol definitiu –si hi ha hagut canvi– i el lloc que hi ocupen. Dono també, quan correspon, referència dels poemes que ja havien aparegut abans en el plec *Per l'escala secreta (Poemes)* [PLES] i el lloc que hi ocupaven).[13]

Realitats

I. *El buscador*

[1] «La pedra solitària»		R (*El temps on es contempla*, 2)
[2] «Les eres»		R (*El temps on es contempla*, «El temps», 1)
[3] «Les destrals invisibles»		ELP («El bosc», 31)
[4] «Festa»		R (*El temps on es contempla*, «Per la sega», 3)
[5] «Mesembriàntem»		R (*El temps on es contempla*, «A clar nivell de càntic», 4)
[6] «A la brasa»		R (*El temps on es contempla*, 5)
[7] «Le vierge, le vivace el le bel aujourd'hui»,	I	DM (3, «Cançó de mar», 4)
	II	AHP (1. *La paraula*, «Planell», 5)
	III	VDA (1, «Hora fixa», 21)
[8] «Si pel mateix carrer»		R (*El temps on es contempla*, 9)
[9] «Una altra música de la tardor»		VDA (1, 15) [abans: PC, «Cauen les fulles»]
[10] «Barranc»		R (*El temps on es contempla*, 7)
[11] «L'udol vermell»		R (*El temps on es contempla*, 6)
[12] «El buscador»		R (*El temps on es contempla*, «El cercador», 10)

II. L'aventura

[1] «L'escala del roserar»		TEAIR («L'holandès errant», 26)
		CDA ([IX]
[2] «Com a Eurídice»,	I	R (*Figures en èmfasi*, «Simple cant a Eurídice», 7)

13. Uso les següents abreviatures per a la remissió als llibres de Vinyoli: AHP = *A hores petites;* C = *Cercles;* CDA = *Cants d'Abelone;* DM = *Domini màgic; EG = El griu;* ELP = *Encara les paraules;* R = *Realitats,* TEAIR = *Tot és ara i res;* VDA = *Vent d'aram.*

II	inèdit	
[3] «Sóc la paraula encesa»	EG («Amb el teu gest», 2)	
[4] «Caigué la nit»	CDA ([XIV])	
[5] «Alguna cosa ens ha nascut»	CDA ([I])	PLES, 3
[6] «Per ja no perdre'ns»	C («He dit una cançó», 4)	PLES, 4
[7] «El castell»	C («Sacrifici», 20)	PLES, 7
[8] «Quedem-nos a la tenda»	C («A la borda», 18)	PLES, 5
[9] «El banc de pedra»	VDA (2, 10)	
[10] «Coses clares»	EG («L'arbre incandescent», 7)	PLES, 6
[11] «En el vent»	EG («Abracem-nos arrossegats», 8)	PLES, 8
[12] «Secrets»	EG («Tot recobrat», 10)	PLES, 8
	CDA ([V])	PLES, 8
[13] «Les noces»	EG (12)	PLES, 9
[14] «El corifeu canta. Els alífers»	C («Un vol d'ocells», 14)	PLES, 10
	VDA (2, «El banc de pedra», 10)	PLES, 10
[15] «Les barques»	ELP («Les barques de Braque», 32)	PLES, 11
[16] «Tot és de pedra, però el cant...»	CDA ([XI]	

III. Realitats

[1] «Don Estiu»	R (*Figures en èmfasi*, «L'estiu», 2)	
[2] «Dir pluges»	TEAIR («Tot és ara i res», 33)	
[3] «Vermut a la platja amb acompanyament de trons»	R (*Figures en èmfasi*, «Aperitiu a la platja amb acompanyament de trons», 1)	PLES, 1 i 2
[4] «Cantem-nos a l'orella»	R (*Figures en èmfasi*, 15)	
[5] «Després de la ressaca»	R (*Figures en èmfasi*, 3)	
[6] «En caure el vespre del dia de Sant Joan»	R (*Figures en èmfasi*, «Un home al jardí», 4)	
[7] «Coses que es fan»	R (*Figures en èmfasi*, «Una làpida», 21)	
[8] «Autoretrat, amb fang i robins»	R (*Figures en èmfasi*, «Autoretrat, amb fang i robins», 5)	
[9] «Autoretrat, amb l'ombra d'Orfeu»	R (*Figures en èmfasi*, «Autoretrat, amb l'ombra d'Orfeu», 6)	
[10] «Versos, a poc a poc»	R (*Figures en èmfasi*, «L'acte darrer», 26)	

Cants del separat

[11] «Gerontion»	R (*Cants del separat*, 1)	
[12] «Cant»	R (*Cants del separat*, 2)	
[13] «Ariel-Calíban»	R (*Cants del separat*, 3)	
[14] «El separat»	R (*Cants del separat*, 7)	
[15] «Rosselló, de sobte»	R (*Cants del separat*, 4)	
[16] «Sol negre»	R (*Cants del separat*, 5)	
[17] «Tant erro, foll...»	R (*Cants del separat*, 6)	
[18] «De corpore in sepulto»	R (*Figures en èmfasi*, «De cos present», 23)	
[19] «D'on?, on?, vers on?»	R (*Figures en èmfasi*, «D'on, on, vers on?», 25)	PLES, 17

L'anàlisi del contingut d'aquests tres plecs, a banda de donar-nos una idea prou clara sobre la producció del poeta en aquests anys de suposat «silenci» creatiu (una vuitantena de composicions, entre poemes i versions de poemes conservats), ens permet: 1) Analitzar amb detall el complex procés d'elaboració del volum *Realitats*. 2) Tenir una informació molt valuosa, i inèdita, sobre el procés d'escriptura i reelaboració d'almenys un conjunt de vint-i-tres poemes que Vinyoli donarà a conèixer uns anys més tard, bàsicament en els llibres escrits entre 1976-1981, i que inclourà en diversos volums: *Tot és ara i* res (2 poemes), *Encara les paraules* (2 poemes), *Vent d'aram* (3 poemes), *El griu* (5 poemes), *Cerles* (4 poemes), *A hores petites* (1 poema), *Cants d'Abelone* (5 poemes) i *Domini màgic* (1 poema). Aquestes versions de poemes, a més, ens serveixen per confirmar almenys tres aspectes prou significatius de la poesia vinyoliana: 1) Que és en aquests anys que es produeix ja el canvi fonamental en la trajectòria lírica del poeta i no, com s'havia mantingut fins ara, a partir de la dècada dels 70. 2) Que existeix una quasi simultaneïtat d'escriptura entre alguns dels poemes posteriorment inclosos a *Cants d'Abelone* i del conjunt de poemes que conformaran *Llibre d'amic*. I 3) que bona part de l'obra poètica escrita després de la publicació de *Poesia completa 1937-1975* (tal com el mateix Vinyoli insinua en composicions com «Muntanyes», «L'una cosa o l'altra» o «Temps» de *Vent d'aram*) suposa un retorn a –i una represa de– dues de les línies líriques iniciades entre 1955-1960, però no evidenciades públicament en aqueix moment.

Tal com ja he insinuat línies enrere, el període 1955-1962 cal dividir-lo en dues etapes radicalment diferents: una d'inicial, clarament continuista, que comprèn els anys 1955-1959, i una segona, de replantejament i de canvi, que abraça els anys 1960-1962. La primera etapa correspon a la redacció dels poemes dels quatre plecs citats (els dos projectes de poemari diferents: *Per l'escala secreta (Poemes)* i «Realitats») i representa, a grans trets, una continuació de la línia iniciada amb *El Callat*. La segona etapa, més irregular i indefinida, cal veure-la sobretot com un intent, per part del poeta, de contemporització. Això és, sense allunyar-se del tot de la línia poètica anterior i sense renunciar completament als principis poètics formulats en el pròleg a *El Callat*, Vinyoli s'esforça per adequar la seva poesia al model poètic del moment, de to més narratiu i realista. Algunes circumstàncies personals (la mort de Carles Riba i l'amistat amb Gabriel Ferrater) i conjunturals (crisi del postsimbolisme, preeminència de l'estètica realista, èxit públic de llibres com *Da nuces pueris*, *Vacances pagades* o *La pell de brau*, tots de 1960...) fan que Vinyoli es replantegi el seu projecte de llibre «Realitats» i que el reestructuri de cap i de nou.

Si col·lacionem el projecte de volum «Realitats» i el llibre *Realitats* ens adonarem exactament de quin és el sentit del canvi operat per Vinyoli en aquests anys 1960-1962. En primer lloc, vull fer observar que, en essència, *Realitats* manté la mateixa estructuració i el mateix nombre de poemes que «Realitats» (tres seccions cadascun i quaranta-quatre i quaranta-set poemes respectivament), però amb un canvi fonamental: d'una banda, se suprimeix sencera una de les seccions de «Realitats», la segona: *II. L'aventura* (excepte el poema 2, «Com a Eurídice», la primera part del qual passa, amb el títol «Simple cant a Eurídice», a la secció *Figures en èmfasi*), i, d'una altra, la que era només una subsecció de *III. Realitats*, *Cants del separat*, passa ara a tenir consideració de secció. En segon lloc, que mentre les seccions *El temps on es contempla* i *Cants del separat* es corresponen, amb mínims canvis, amb la secció *I. El buscador* i la subsecció homònima de *III. Realitats*, la segona secció de *Realitats*, *Figures en èmfasi*, és aquella que presenta una estructuració i contingut més diferents.

La primera secció de *Realitats*, *El temps on es contempla*, inclou onze poemes: nou dels quals provinents de *I. El buscador* i dos de nous, «El llaurador» i «Diumenge», que són escrits probablement després de 1960. La tercera secció, *Cants del separat*, inclou set (tots els sonets) dels nou poemes de la secció homònima de *III. Realitats* (amb un únic canvi en l'ordenació del poema «El Separat», que ara clou la secció).

La segona secció de *Realitats*, *Figures en èmfasi*, és, com dic, aquella que presenta una estructuració i un contingut més diferents respecte a «Realitats». És aquí, per tant, on es concentra quasi exclusivament la nova reformulació del poemari. *Figures en èmfasi* inclou un total de vint-i-sis poemes, dels quals, nou provenen de la secció *III. Realitats* (només un poema, «Dir pluges», serà rebutjat) i dos més provenen de la subsecció «Cants del separat» (aquells que formalment ja eren diferents). Així, doncs, quinze poemes de la secció són nous, és a dir, escrits amb posterioritat a 1960: «Simple cant a Eurídice», «A les tres copes dic això», «Julieta, que ja no hi és», «La cortina», «Plaça vella», «El mecànic i la seva família», «Pel futur», «Els racons», «Recorda», «Reclinatori», «De set a nou», «El poeta i el mar», «El vell pescador», «Castanyada amb lectura de poemes i un mort d'accident» i «Un ase brama». És en aquests poemes, justament, on d'una forma més clara es veu la voluntat de Vinyoli, expressada en la nota preliminar a *Realitats*, d'incorporar a la seva poesia «les realitats circumdants: els homes, les coses i els llocs concrets [...]. Els folls bevedors, la gent de bar, un mecànic, un adroguer, les criatures que xisclen pels carrers i places, el barri vell, les avingudes noves...». L'estructuració de *Realitats* en tres seccions de 11, 26 i 7 poemes, respectivament, fa que *Figures en èmfasi* sigui, a més de la secció central del volum, també la més important quant a nombre de composicions i, doncs, la que determini el to general del poemari. Passa, però, que és precisament la secció més heterogènia i irregular i que, a més, contrasta prou, formalment i temàtica, amb les altres dues seccions del llibre. Això explica, en gran part, que, en el seu conjunt, aquest llibre, contràriament al que és habitual en l'obra del poeta, doni més la impressió de provatura poètica que no de volum ben organitzat i amb un sentit unitari. Hi ha, en el llibre, un conjunt massa dispars de veus, intencions i tons que no s'acaben de concretar prou en una formalització reeixida i ben definida.

Sigui com sigui, el volum *Realitats* marca una tendència evolutiva i evidencia un gir remarcable en la poesia de l'autor. És el primer indici d'una nova actitud i d'un nou plantejament líric i inaugura una etapa poètica de l'autor que esdevindrà molt feraç i de gran qualitat. No n'és, però, l'única mostra: els altres poemes escrits en la mateixa època, però no recuperats fins anys més tard, també ho evidencien a bastament.

EL ENSAYISTA BAJO LA TORMENTA: GUILLERMO DÍAZ-PLAJA (1928-1941)

José-Carlos Mainer

Universidad de Zaragoza

La desazón de Guillermo Díaz-Plaja

Cuando acababa el decenio de los sesenta, Guillermo Díaz-Plaja (Manresa, 1909), parecía estar en la cumbre de toda buena fortuna literaria: era académico de la Española desde el 5 de noviembre de 1967 (contestó a su discurso Martí de Riquer), autor de más de un centenar de libros, conferenciante reputadísimo, colaborador en la prensa de más tirada. Era incluso alabado como poeta –nunca más que mediano– y en 1953 había ganado la Espiga de Oro ofrecida por el Congreso Eucarístico de Barcelona al libro de versos que mejor recogiera su espíritu: lo tituló *Vencedor de mi muerte*, no resulta ser un libro de piedad muy convencional y tuvo un prólogo de Paul Claudel, el mismo que había cantado en plena guerra civil a los obispos y sacerdotes asesinados en la retaguardia republicana (la Espiga de Plata galardonó a Josep Maria López-Picó, autor de *Presència i triomf de l'Eucaristia*). Ya en 1941 había instado expediente de notoriedad para fundir en uno sus dos apellidos[1] y configurar de esa manera un eufónico *nom de plume*. Disfrutaba de dos espléndidos domicilios, uno barcelonés –en la calle de Fernando Agulló– y otro madrileño –en el Paseo de Rosales–, el primero con vistas al frondoso Turó Park y el segundo con perspectivas sobre los pinares de la Casa de Campo y, de añadidura, sobre los largos y encendidos crepúsculos de la meseta.

Solamente algo se le había negado: el reconocimiento académico de una cátedra universitaria, lo que nunca sobrellevó con resignación. Las demás satisfacciones de la vanidad las había disfrutado todas aquel hombre de buena talla, ojos inquisitivos y bigotito recortado, algo propenso a engordar, y que tantas veces se había levantado en los banquetes a agradecer un brindis o a inclinar la cabeza, tras una conferencia, mientras atronaban los aplausos. Pero en aquellas fechas (que también tenían algo de ocaso y un bastante de alborear confuso, en términos históricos),

1. José CRUSET, *Guillermo Díaz-Plaja,* Barcelona: Epesa, 1970, p. 21 (en nota). La noticia no viene, sin embargo, en las *Conversaciones con Guillermo Díaz-Plaja*, mantenidas con Dámaso Santos (Madrid: Magisterio español, 1972).

Díaz-Plaja sentía además una incomodidad y una comezón que se transparenta en algunos de sus libros del momento: en 1966, cuando tanto se hablaba de la «generación del 36», había publicado *Memoria de una generación destruida (1930-1936)*; en febrero de 1975, cuando estaba en su apogeo la recuperación bibliográfica de las letras y las artes de vanguardia de los años treinta, había encomendado al editor José Batlló –muy próximo entonces al PSUC– su libro *Vanguardismo y protesta* que recogía algunos de sus trabajos anteriores a 1936.

¿Añoranza de un pasado que empezaba a estar lejano? ¿Reivindicación tardía de un tiempo de azares y esperanzas que también fue suyo, aunque a la fecha pareciera tan remoto del hombre cargado de honores y con una agenda congestionada de compromisos sociales? ¿Deseo de aclarar un malentendido en las prometedoras vísperas de una época nueva? De todo hay y todo está presente en la provocativa dedicatoria que llevaba el original del libro de 1975, a la que decidió suprimir la segunda parte («a mi hija Ana, para que vea», decía el texto primitivo; Ana Díaz-Plaja era la hija menor del escritor y estudiaba a la sazón Filología Hispánica en la muy revuelta Universidad Autónoma de Barcelona[2]). Pero veinticinco años después, a Guillermo Díaz-Plaja le esperaba el limbo del desconocimiento. A nadie parece interesarle mucho la compleja trama de hidrología intelectual que permea la vida de la cultura castellana y de la catalana bajo el franquismo y en la transición –un ámbito de preocupación al que el escritor dedicó algo más que retórica de buena fe– y un velo de simplificaciones y silencios oculta la persona (o, a menudo, simplemente el pasado) de aquellos que Ignasi Riera ha llamado «els catalans de Franco».[3] Parece preferible olvidar que muchos catalanes ganaron la guerra de 1936 en cuanto burgueses (o incluso como simples clases medias) y, a cambio, aceptaron perderla como nacionalistas. Y que, muchos años después, el tejido de la memoria histórica del país llegaría a ser infinitamente más complejo de lo que suele preferirse.

Un joven vanguardista del año veintinueve

En cualquier caso, a Díaz-Plaja no le faltaba razón para reivindicar su pasado. Pocos escritores habían sido tan precoces para vivir con intensidad su momento. En 1928, publicaba su primer libro que fue una antología de las cartas de Goya (la edi-

2. *Vanguardismo y protesta en la España de hace medio siglo*. Barcelona: Los Libros de la Frontera, 1975 (prólogo de José-Carlos Mainer). Mi condición de prologuista a instancia del editor, pero con la anuencia del autor a quien nunca llegué a conocer personalmente, me hizo leer el libro en pruebas: allí tomé nota de aquella singular dedicatoria que transcribo.

3. *Els catalans de Franco*. Barcelona: Plaza i Janés, 1988. Se menciona a Díaz-Plaja en la p. 140 por cuenta del poemario de Congreso Eucarístico y hay una breve biografía en las pp. 360-361: pobre cosecha en un libro que, en general, es bastante chapucero y superficial.

torial Calleja acababa de reeditar el importante epistolario dirigido a Martín Zapater) que el joven autor ilustró con un prólogo y unos «paréntesis» que apostillaban pasajes de las cartas («alternando con la columna del texto») para «situar al lector en el momento y las circunstancias». El resultado es una esperable mezcla de candidez y pedantería, como denota el propio propósito enunciado en el prefacio: «Si Goya ha de ser un héroe popular, habrá de ser, primero, un ente capaz de despertar una curiosidad entre las masas. Por eso cuando queramos que converjan las atenciones sobre la silueta de Goya, habremos de revestirla de todo aquello que hiera, más rápidamente y mejor, la superficialidad y la inconstancia de las mismas».[4] 1928 fue el año del centenario de Goya y huelga advertir el acusado sentido de la oportunidad del periodista adolescente en trance de dirigirse a «las masas». Cosa que tampoco faltó en su segundo trabajo, una monografía dedicada a Rubén Darío. Para la fecha de publicación, sin embargo, sus gustos habían cambiado y el prólogo nos lo advierte con ingenua sinceridad: «El autor de este libro no siente, en estas fechas de su edición, la vehemencia fervorosa que transparentan sus páginas [...]. El concepto de poesía que emana de la obra rubeniana se contrapone al puro culto de esencias poéticas –desdeñador de la forma– que postulan hoy un Salinas o un Alberti».[5]

Y es que en aquellos momentos, Díaz-Plaja asistía a la tertulia del Colón, en la plaza de Cataluña, que reunía a los vanguardistas barceloneses, y colaboraba en *Hélix*, la revista de Vilafranca del Penedès, organizada por Joan Ramón Masoliver. Sus diez números –que incluyeron homenajes a Rafael Barradas y a Ernesto Giménez Caballero– dibujan un perfil de coherente vanguardismo internacional, a la que se adscribía nuestro joven escritor en su colaboración más significativa, «6 notes» (número 3, abril de 1929). Comienza por lamentar que «tinc la desgràcia de posseir una petita història literària. He patit una mica de precocitat productora», pero ahora –«a la ratlla dels vint anys»– siente la necesidad de anotar las nuevas convicciones de su «ideari espiritual». Son estas: el repudio de la *sinceridad* literaria en su forma vulgar, ya que, al modo pirandelliano, «tots, absolutament tots som –amb la pluma a la mà, davant la quartel·la nua– unes *altres persones»*; la fe en el *superrealisme*, «l'únic que és susceptible de una absoluta puresa d'expressió», si no se entiende como «escola recreativa de snobs»; el rechazo de los prejuicios *antiartísticos* porque no es iconoclasta ni piensa que el arte sea otra cosa que «traça, procediment, tècnica», y el internacionalismo, «per tal de no ésser nacionalista de cap classe. Sóc un enamorat del meu temps. No sento absolutament gens la política». Los reparos a los lemas antiartísticos tienen una estrecha relación, por supuesto, con la reciente aparición del *Manifest Groc* que firmaron Dalí, Montanyá y Gasch, divertida mescolanza de descalificación de la cultura oficial *noucentista*, de insolencias futuristas y, en el fondo, de un ambicioso sincretismo de

4. *Epistolario de Goya*, Barcelona: Mentora, 1928, p. 9. Siempre celoso de la continuidad de su obra, Díaz-Plaja reimprimió sus «paréntesis» de 1928 en el volumen *Goya en sus cartas y otros escritos*, Zaragoza: Heraldo de Aragón, 1980, pp. 11-102.

5. *Rubén Darío. La vida. La obra. Notas críticas*, Barcelona: Sociedad General de Publicaciones, 1929, p. 9.

vanguardia que se patentiza en la heterogénea relación de nombres propios que se invoca al final. Pese a su disidencia, nuestro Díaz-Plaja escribió, sin embargo, en el único número de los *Fulls Grocs* (que sucedieron al famoso *Manifest Antiartístic Català*), un revelador artículo titulado «Mots d'agressió».[6]

Algunos de sus textos de entonces, recogidos en el citado libro de 1975, reflejan la tónica del momento y muestran un joven con evidente huella del orden *noucentista* pero ya asomado a la vanguardia, que visitaba asiduamente las exposiciones de las Galerías Dalmau y que había ido alguna vez al Ateneíllo de Hospitalet. Sus lógicos enemigos son los residuos neorrománticos del *modernisme* y, por supuesto, el telurismo patriótico. Una reveladora «Revisión de Joan Maragall», datada en 1929 y reseña del primer tomo de las obras completas del poeta, afirma con petulancia candorosa: «Lo que más choca a un espíritu joven, leyendo las poesías de Joan Maragall (nótese bien que estas líneas responden, precisamente, al deseo de reflejar la impresión que dicha lectura ha de producir en las nuevas generaciones habituadas a las obras de Rilke, de Cocteau, de Pirandello, de Sánchez-Juan, de Juan Ramón Jiménez, tan ricas en penetrante vida interior) es, precisamente, la falta de agudeza lírica del autor de *La fi d'En Serrallonga»*.[7] Con motivo de la concesión del Premi Creixells a la novela *El cercle màgic*, de Joan Puig i Ferrater, reclama que se ponga fin al prestigio del ruralismo entre nosotros: «Ya estamos hartos de novela rural. Ya estamos hartos de pasiones labriegas y de amores campesinos. Es urgente –indispensable– que se eleve el tono social de nuestra literatura. Que desaparezca este ambiente provinciano y triste que fomenta tantas ideas equivocadas sobre su valor». No vale siquiera señalar que «en ciertos medios literarios se ha proclamado ya el retorno a lo castizo». Él sabe muy bien que la literatura *stracittà* es otra cosa: «Un viraje. Las coplas bárbaras del fascista Curzio Malaparte sólo son admisibles tras una etapa de literatura europeizante, a lo Giovanni Verga, a lo Gabrielle D'Annunzio. Nunca como un balbuceo. Sino todo lo contrario. Un retorno de todas las morbosidades y de todas las complicaciones».[8] Un artículo del mismo año 1929 –que glosa otro de Karl Vossler, «La literatura universal i les literatures nacionals», traducido en *La Revista*– le permite volver a la carga: «Yo he pensado si no es explicable la ausencia de calidad europea de que adolece la literatura catalana por la profusión de "Manelics", "Senyors Esteves", "Margaridós", "estudiants de Vich", "Rosós", "floristes de la Rambla" y otros tipos más o menos "pairals" que "pacen estrellas" en el firmamento literario de Cataluña».[9]

6. Recogido en Joaquim MOLAS, *La literatura catalana d'avantguarda 1916-1938*, Barcelona: Antoni Bosch, 1983, pp. 441-445 (el *Full* contiene tres trabajos: el artículo de nuestro autor, como el de Sebastià Gasch, se refiere en tono indignado a la concesión del Premi Crexells a Puig i Ferrater; el de Lluís Montanyà es un vejamen de la pintura de Rafael Benet).

7. *Vanguardismo y protesta*, Barcelona: Los Libros de la Frontera, 1975, p. 158.

8. *Ibidem*, pp. 46-47.

9. *Ibidem*, p. 59.

No faltaba seguridad en sí mismo al joven escritor. Ni, por otro lado, un agudísimo sentido de la oportunidad que ya se ha subrayado. Buscaba siempre el tema candente y, por eso, fue el primero en trazar la crónica del vanguardismo catalán. Su trabajo –«Els moviments dits d'avantguarda en Catalunya (notes per a un estudi)»– mantiene todavía un elevado interés como síntesis y encabezó en 1932 un notable volumen, *L'Avantguardisme a Catalunya i altres notes de crítica*, que fue la publicación 103 de *La Revista*. Más adelante, explicaría que fue la lectura del libro de Guillermo de Torre, *Literaturas europeas de vanguardia* (1925), lo que le suscitó la idea de escribir un trabajo pionero. Su empeño no quiso dejar escapar la oportunidad de señalar que, una vez más, Cataluña había sido la adelantada española de un movimiento internacionalista, como lo fue en el romanticismo con la revista *El Europeo*, o en el naturalismo cuando Narcís Oller se proclamó discípulo de Zola, o en el modernismo con Maragall. Antes de que *Ultra* viera la luz, Joaquim Folguera y Joan Salvat-Papasseit habían escrito poemas de vanguardia y había existido la revista *Trossos*. Pero, con todo, Díaz-Plaja era, a la fecha de 1932, un espíritu que contemplaba el mundo de 1918 con cierta indulgencia: sabe que el término vanguardismo es harto insuficiente y escribe desde la perspectiva de un «esprit de reconstruction» que ha sucedido al «esprit d'inquietude», según los términos de Benjamin Crémieux a quien cita literalmente. Su actitud no es sólo un eco tardío del *rappel à l'ordre* que Cocteau lanzó en 1923. Unas palabras sobre Salvador Dalí nos dan la tónica exacta de una incomodidad de orden ético: «Les seves activitats amb relació amb l'amoralitat sobrerealista amb pèrdua absoluta de la dignitat humana i en relació amb l'extremisme polític han deixat de interessar-nos».[10] Por allí ha pasado el gesto jupiterino del Pantarca, de Eugeni D'Ors, a quien Díaz-Plaja conoció en 1928 y lo vio abucheado por los estudiantes catalanistas en la Universidad de Barcelona. El prólogo al libro es, con toda su ingenua autosuficiencia, una profesión de fe dorsiana a la que el escritor siguió sustancialmente fiel: recoge estos trabajos, nos dice, «per una voluntat d'ordenació que és pròpia a toda tasca unificada per un pensament. Les recullo per redimir-les del pecat d'anarquia, sovint d'imprecisió, amb que neixen a la fulla periòdica». Y es que en ellos ha visto latente «una voluntat d'imperi i també una afecció de totalitat. Per a la primera totes les perspectives són possibles [...]. Interessa no pas el poema, o l'estàtua, o el film, sinó el superior fenomen conjunt –la tendència– que informa, precisament, el film, i l'estàtua, i el poema».[11]

El cursillista de 1934

La seguridad que trasluce un léxico hoy ya muy datado –«ordenació», «tasca unificada», «pecat d'anarquia», «voluntat d'imperi»– se acompasaba muy bien a los

10. *L'avantguardisme a Catalunya i altres notes de crítica*, Barcelona: Publicacions de *La Revista*, 103, 1932 , p. 48.
11. *Ibidem*, p. 5.

términos de una consolidación profesional que iba viento en popa. Desde 1932 colaboró asiduamente en la revista *Mirador*, un semanario de «Literatura, Art i Política» que, años después, resucitaría en otra revista para la que también escribió ampliamente, *Destino*. Años después, el autor se jactaría de haber sido catedrático de instituto por la nueva vía de los cursillos (cursillista) y haber obtenido plaza en 1934, compartiendo el número uno de su especialidad con Jaume Vicens, que lo ganó en Historia, Domènec Casanovas, en filosofía, y Eduard Valentí Fiol, en latín. Antes, había realizado los estudios de doctorado en Madrid (1930-1931) y había sido adjunto del catedrático Ángel Valbuena Prat en la la Universidad de Barcelona, donde en febrero de 1932 organizó el primer curso universitario sobre cine (dictaron sus clases, al lado del propio Díaz-Plaja y de su principal, Ángel Apráiz, Jeroni Moragas, Rossend Llates, Lluis Montanyá, Josep Palau, María Luz Morales y Jaume Carner-Ribalta).[12]

En la *Memoria de una generación destruida* reconocería que la experiencia capital de su juventud fue el crucero por el Mediterráneo que, en el buque "Ciudad de Cádiz", realizaron profesores y estudiantes de las universidades de Madrid y Barcelona. A la vista de los participantes fue, en verdad, una cita generacional y de la lectura de otros testimonios juveniles se comprende que fuera inolvidable. Lo dirigió Manuel García Morente, decano de filosofía en Madrid y discípulo predilecto de Ortega, y entre los docentes embarcados estuvieron Manuel Gómez Moreno, Elías Tormo, Juan de Mata Carriazo, Antonio García Bellido, Hugo Obermaier y Lluís Pericot. Entre los más jóvenes de estos se hallaba nuestro Díaz-Plaja que ocupó el camarote 122, de primera clase, y de su misma o pareja edad eran Enrique Lafuente Ferrari, Joaquín de Entrambasaguas, Domènec Casanovas o Ramón Sánchez Ventura. No mucho mayores, en todo caso, que los alumnos que viajaban en segunda: en la lista entraban futuros profesionales de importancia como Martín Almagro, Carlos Alonso del Real, Fernando Chueca Goitia, Luis Díez del Corral, Matica Goulard, Manuel Granell, Julián Marías, Antonio Rodríguez Huéscar, Antonio Tovar y Jaume Vicens Vives, al lado de muchachos de apellidos reveladores (Laura Giner de los Ríos, Belén y Carmen Marañón, Soledad Ortega y Juan Pérez de Ayala) y de escritores en agraz como Virgilio Botella Pastor, Salvador Espriu y Bertomeu Rosselló-Pòrcel. Un año después, la Universitat Autònoma de Barcelona organizó

12. *Una cultura del cinema. Introducció a una estètica del film*. Pròleg de Sebastià Gasch, Barcelona: La Revista, 1930. Se menciona con elogio en el reciente libro de Román GUBERN, *Proyector de luna. La generación del 27 y el cine*, Barcelona: Anagrama, pp. 40-41. El prefacio de Gasch es espléndido y comenta, entre otras cosas, la consabida oposición Buster Keaton-Charles Chaplin; el texto de nuestro autor es, a veces, muy brillante. Quizá la aportación más original sea el capítulo final, «Geografia. Balanç», que repasa la actualidad del cinema mundial: «Amèrica –escribe– ha marcat, en tot moment, la normalitat cinematogràfica», pero las innovaciones más interesantes vienen de Alemania, «direcció enfora», y de Francia «direcció endins» (*loc. cit.*, p. 112; poco antes, ha escrito que «el pol extrem de la direcció endins és el *surrealisme*. El pol extrem de la direcció enfora és l'*expressionisme*»). Pero, en cualquier caso, la máxima calidad artística está en otro lugar: «I, sobretot, Rússia que ha donat la màxima genialitat al cinema. Tot el que hagi de capgirar-se, tot el que hagi de donar de sensacional i d'inèdit al cinema, ho deurem ara per ara al cinema soviètic. Rússia, clau del cinema futur» (p. 114).

otro crucero más ambicioso que, a bordo del "Marqués de Comillas" y entre el 20 de julio y el 10 de septiembre de 1934, llevó a sus pasajeros a las islas Canarias, el Caribe y Nueva York. Guillermo Díaz-Plaja y Jaume Vicens dictaron a lo largo de la travesía numerosas conferencias relacionadas con las escalas que se hicieron. En 1935, un breve libro de nuestro escritor, *Cartes de navegar*, publicado por los bonitos Quaderns Literaris del joven Josep Janès, recogió una serie de atractivas estampas de ambas excursiones.[13]

El entusiasmo no impedía, sin embargo, una perfecta planificación de la carrera académica que le hizo estar presente en el *Bulletin Hispanique* (con un trabajo sobre «Las descripciones en las leyendas cidianas», 1933), pero también en los *Estudis Universitaris Catalans* («Pre-romanticisme i Pre-Renaixença», 1934) y, a la vez, en la industria del libro de texto en la que, bastantes años después, tuvo larga hegemonía (en 1935 ya publicó, en colaboración con Manuel de Montoliu, los dos primeros cursos de *El lenguaje. Su gramática*). Es el mismo sentido de la oportunidad que regía la elección de temas de sus libros: en 1936 obtuvo el Premio Nacional de Literatura, consagrado a la celebración del centenario del romanticismo y otorgado por un jurado en el que figuraban Antonio Machado y Pío Baroja, con una *Introducción al estudio del romanticismo español* que aún tiene utilidad y abunda en intuiciones certeras; en 1937, otro centenario de 1936 (el de la muerte de Garcilaso de la Vega), le llevó a preparar una cuidada antología, *Garcilaso y la poesía española (1536-1936)*, que tenía como claro y confesado antecedente «la tradición, añeja ya, de las "famas", "elogios" y "coronas", reanudada en nuestro tiempo por Gerardo Diego con su excelente colección gongorina».[14] La selección llega a lo más actual: los poemas de Rafael Alberti en *Marinero en tierra* y *Sermones y moradas*, la biografía en prosa de Manuel Altolaguirre y versos que Luis Felipe Vivanco, Luis Rosales, Germán Bleiberg y Miguel Hernández habían dado a conocer en sus libros

13. Hay edición reciente de *Cartes de navegar*, Argentona: L'Aixernador, 1992, que lleva como prefacio un artículo de Rosa M. DELOR I MUNS, «1933. Un creuer per la Mediterrània», *Serra d'Or*, 367, 1990, pp. 31-34; los apéndices recogen la lista de expedicionarios, textos de Espriu y Rosselló-Pòrcel relacionados con el viaje y amplia información gráfica sobre el crucero transatlántico. El libro más conocido suscitado por el viaje mediterráneo es, sin embargo, el resultado de un concurso de diarios de a bordo que convocó la Facultad de Filosofía de Madrid. El revelador prólogo anónimo (pero de mano de Morente) presenta el crucero como «una lección viva de arte e historia» y un «aula en marcha». El volumen –*Juventud en el mundo antiguo (Crucero universitario por el Mediterráneo)*, Madrid: Espasa-Calpe, 1934– recoge en su integridad el diario de Carlos Alonso del Real, que fue el ganador, y una selección de los presentados por Julián Marías y Manuel Granell.

14. *Garcilaso y la poesía española (1536-1936)*, Universidad de Barcelona, 1937 (Publicaciones del Seminario de Estudios Hispánicos, II). La colección estaba dirigida por Ángel Valbuena quien la había inaugurado con el primer tomo de su *Historia de la poesía canaria*; el tercero de los previstos hubiera sido una *Antología lírica* de Quevedo (*I, Sonetos*), a cargo de B. ROSSELLÓ PORCEL [*sic*]; el IV, una monografía de Blanca González de Escandón, *El tema del «carpe diem» y la brevedad de la rosa en la literatura castellana*, y el V una edición de *La mesonera del cielo*, de Antonio MIRA DE AMESCUA, realizada por Valbuena Prat. Los tres autores más jóvenes habían sido viajeros del Ciudad de Cádiz en su periplo mediterráneo de 1933.

o colaboraciones recientes (la égloga de Hernández había aparecido en el número de junio de 1936 de *Revista de Occidente*).

Pocas veces se tiene tan vívida impresión de lo que cercenó la guerra civil: imaginamos con facilidad cómo pudo quebrar una amistad o una carrera, pero cuesta pensar que también pudo tener su importancia la continuidad de la recepción de una revista o de la lectura de un poema. También en 1936 Díaz-Plaja daba a luz su primer libro importante en lengua castellana, *El arte de quedarse solo*, un libro que por su fecha quedó en un raro limbo temporal para sus lectores potenciales: se leyó después de la guerra pero había sido escrito para un mundo que estaba muy lejos de concebirla.

Muy similar a la de *L'avantguardisme a Catalunya*, pero con un poco menos de petulancia, la nota preliminar, inscrita en letra cursiva, precisaba que aquellos ensayos correspondían a «los años más fervorosos e inseguros de mi adolescencia», pero también consignaba que «hay en ellos la voluntad de fijar con trazos firmes –su vocación universitaria le mueve– algunos de los hechos más sujetos a polémica y novedad, un tiempo combativa y hoy felizmente instaurada». Han desaparecido por el escotillón la «voluntat d'ordenació» y la «voluntat d'imperi», pero seguía vigente una pauta, más orteguiana que dorsiana, la de «potenciar la obra elegida», y otra, más dorsiana que orteguiana, pero siendo a la vez las dos cosas: establecer «el punto de vista crítico de su generación». La vanidad, en todo caso, estaba justificada, cuando el escritor recogía el lugar de procedencia de los trabajos: el que da título al volumen viene de *Cruz y Raya*; el dedicado al teatro de Azorín fue encargado por el propio autor estudiado para ser prólogo a una edición de sus obras; «Eco de Narciso» es transcripción de una conferencia pronunciada en el Hotel Ritz, de Barcelona; «Cine y adolescencia» ha sido publicado en francés por el Instituto Internacional de Cine Educativo, con sede en Roma... y los otros trabajos han salido previamente en las páginas de *La Gaceta Literaria*, *Revista de Occidente* y la habanera *Revista de Avance* y en las planas de los periódicos *El Sol* y *Crisol*. Pero *El arte de quedarse solo* es algo más que una colección de escritos dispersos. Desde la tipografía a la disposición interna de los trabajos, invita a una lectura unitaria: es un *ensayo de ensayos*, armonizado y dirigido, como los que había escrito D'Ors. Responde a una modalidad de escritura de la que, un año antes, había dado un buen ejemplo otro joven catalán, José Ferrater Mora, en *Cóctel de verdad*, que no vacilaba en titular su primera parte «Nuevas glosas antiguas» y dedicarlas «a la memoria de Eugenio D'Ors, exhausto en las lides de la Cultura».[15]

15. El culto dorsiano de preguerra y postguerra merece un estudio atento. En lo que concierne a Díaz-Plaja el texto más revelador son las *Veinte glosas en memoria de Eugenio D'Ors*, escritas a su muerte y que configuran un notable tomo de cien páginas (Diputación Provincial de Barcelona, 1955). Cada glosa se refiere a un atributo del maestro –«El vigía», «El dandy», «El europeo», «El ordenador», «El mitólogo», etc.– y se dedica a algún dorsiano de pro (condición que incluye, entre otros, a Aranguren, Víctor D'Ors, Josep Janés, Azorín, Marañón, Masoliver, Ramón Sarró, Laín Entralgo, Josep Cruset y, por supuesto, el ministro Joaquín Ruíz Giménez: la nómina es tan reveladora como la relación de rasgos seleccionados).

La adaptación

Ya se habrá advertido que el periodo de la guerra civil fue muy activo para nuestro escritor, que prestó servicios militares para el gobierno legítimo en una batería de costa, aunque dedicado a tareas de extensión cultural. Una muestra de tal laboriosidad fue la publicación en 1939 de *La ventana de papel (Ensayos sobre el fenómeno literario)*, que encabezó una «Colección de Ensayistas», dirigida por el propio Díaz-Plaja para Editorial Apolo. La nota preliminar es reveladora: «En la reclusión de unas horas muy duras, apenas luminosa la rendija de esperanza, el Escritor se sentía consolado porque veía el mundo a través de rectángulo de su cuartilla, a través de la rejilla de la página impresa. Por allí entraba aire fresco y música antigua y alegría de futuro. No hay ventana a tan vastos horizontes ni tan subyugadora como esta –cuartilla, libro–, ni que más puedas darnos más absoluta fe de la permanencia del espíritu».[16] Pese a la solapada pero recurrente metáfora de encierro, la realidad no había sido tal: Díaz-Plaja distaba mucho de ser un «ex-cautivo» (como querría la jerga de los vencedores) y más bien fue un hombre que ventiló con fortuna y rapidez el obligado expediente de depuración. Enseguida le hallaremos en primera línea de los nuevos y no debieron faltarle avalistas (que el segundo volumen de la «Colección de Ensayistas» se encargara a Joaquín de Entrambasaguas da una pista muy segura, al margen de que el catedrático madrileño hubiera sido también pasajero del crucero mediterráneo). A la altura de 1966, en pleno resquemor autojustificatorio, Díaz-Plaja matizaba las cosas y se achacaba una decisión consciente que no resulta muy verosímil a la altura de 1939: «Un deber se me dibujó enérgicamente en el corazón. Quedarse. Quedarse, ¿para qué? ¿Para denostar a los que perdían? No hubiera sido piadoso. ¿Para exaltar a los que ganaban? No era necesario, ni hubiera sido elegante. Quedarse sencillamente para proseguir, para continuar [...]. Un mundo nuevo nos venía entre jadeantes laureles militares. Y, curiosamente, aquellos poetas que llevaban botas de montar, venían cantando melífluos temas esteticistas, en sonetos perfectos y prosas con volutas, Dios, paisaje, levantado amor».[17] Páginas atrás, tal designio alcanza a toda una generación que se inmoló a sí misma en su función de «puente». A esa misión no podían «renunciar quienes se educaron, liberalmente, en amplitud de criterio y en multiplicidad de elementos formativos, lo que implica que fuimos «quemados»

16. *La ventana de papel (Ensayos sobre el fenómeno literario)*, Barcelona: Apolo, Col. de Ensayistas Españoles, 1939, p. 9.

17. *Memoria de una generación destruida (1930-1936)*, Barcelona: Aymá, 1966, p. 142 (el volumen pertenece a una colección que fue efímera y que pretendía, bajo la dirección de nuestro autor, recoger textos de la «generación destruida»: se anunciaron al efecto originales de Laín Entralgo, Rafael Oliver Bertrand, Julián Marías y Vicente Risco. El antecedente más cercano de este volumen æaunque significativamente despojado de toda intención políticaæ es el librito *Papers d'identitat*, Barcelona: Edicions de l'Espiga, 1959, escrito en su medio siglo de vida e impreso en una edición numerada de cien ejemplares para sus amigos y otra, de la misma tirada, para la venta. Es significativo que se retome la reflexión de 1936 sobre la soledad como condición del intelectual: «La punició per l'Esperit s'anomena Solitud. Cal pagar el crim d'ésser diferent» (p. 15).

antes y estamos condenados, acaso, a ser triturados después por los fanatismos que vengan».[18] Un panorama de conciencia abnegada que completa la certidumbre moral aportada por la admirable continuidad de una tradición: «No estuvimos solos sino en los primeros instantes. Cada día aprendíamos el nombre de un regresado ilustre: Azorín, Baroja, Menéndez Pidal, Marañón, Ortega. ¡Ya teníamos compañeros de camino! ¿Qué camino? El de ellos, es decir, el de todos. El del quehacer cotidiano para llenar los vacíos dejados por el exilio».[19]

De las tres mentiras piadosas con que Díaz-Plaja mitigaba sus desazones, la más cercana a la verdad es la tercera. El mundo de la primera postguerra no fue exactamente un erial, como ha acuñado el título del libro de Gregorio Morán, donde quepa exigir cuentas a cada planta aislada en forma de un Nurenberg incruento pero airado. Tampoco era tan frondosa la «vegetación del páramo» como pretende otro título de Julián Marías, quien, al revés que Díaz-Plaja, pudo exhibir las llagas, las dificultades y las trabas de un ex-combatiente republicano en trance de reconstruir una vida profesional bajo mínimos.[20] Por seguir la metáfora botánica, la verdura de aquellas eras desoladas tuvo las virtudes y los vicios de lo que prospera en las tundras, o en los terrenos salitrosos, o entre los roquedales: vicio y virtud se resumen en lo que biológicamente se llama *oportunismo* y que comporta frecuentes rasgos de parasitismo, de arbitraria diferenciación de especies, de floraciones tempranas y vistosas, de agostamientos rápidos. Las letras de la postguerra estuvieron marcadas por la recesión general de los valores morales colectivos, por la dispersión de la noción más elemental de un canon de respetabilidad intelectual y por los abismáticos vacíos en los escalafones. Y, en consecuencia, abundaron mucho los innecesarios ademanes de adanismo, los demasiados descubrimientos del Mediterráneo y, al cabo, una curiosa mescolanza de laboriosidad piadosa y de petulancia adolescente, de vetustez sobrevenida y de juvenilismo pegadizo. Un escritor como Camilo José Cela, tan antiguo y tan moderno, tan irritantemente frívolo y tan dramáticamente sombrío, fue, sin duda, el representante más conspicuo de la nueva literatura. Y, a su lado, las dos mayores novedades editoriales fueron una confirmación de tendencia y un éxito intelectual que no tenía tantos precedentes: me refiero, con lo primero, al regreso a la novela y, con lo segundo, al auge y desarrollo del ensayo universitario de divulgación que incluye trabajos de Pedro Laín Entralgo, José Antonio Maravall, Antonio Tovar, José Luis L. Aranguren y Julián Marías.

18. *Ibidem*, pp. 21-22.

19. *Ibidem*, p. 144

20. Me refiero, por supuesto, al sugerente y apasionado libro de Gregorio MORÁN, *El maestro en el erial. Ortega y Gasset y la cultura en el franquismo*, Barcelona: Tusquets, 1998, al que hubiera beneficiado una investigación más minuciosa y un espíritu más flexible; el trabajo de Julián Marías, cuya imagen aparece tan desfavorecida en el libro de Morán, es «La vegetación del páramo», que forma parte del volumen *La devolución de España (segunda parte de «La España real»)*, Madrid: Espasa-Calpe, 1977, pp. 185-191.

La historia del ensayismo de la alta postguerra está todavía por hacer y allí es donde Guillermo Díaz-Plaja ocupa un destacado lugar.[21] Que es, de añadidura, el de precursor: páginas atrás se han citado los madrugadores títulos anteriores a la guerra civil y unos párrafos más arriba se ha traído a colación *La ventana de papel*, inicio de su producción de postguerra y que nuevamente responde a la concepción de ensayo con voluntad globalizadora de aquellos que conjunta. Simplemente ha cambiado el sujeto activo del ensayo: aquel «quedarse sólo», gesto un poco *dandy* de 1936, ha dado paso a la personalización un tanto angustiada del título que arriba se comentaba: el escritor que, en días aciagos, no tiene otro consuelo que el libro, el libro propio («los libros más queridos, los que se leen más, si no con la retina con el pensamiento, son los propios [...]. Por eso, lo único que compensa la Obra es escribirla»).[22]

Sin embargo, por lo demás, casi nada denota explícitamente la tensión en que el libro se escribe. La primera parte, «Estudio sobre el carácter de la literatura española», y, más aún, su primera parte, «Lo español, conjunto sinfónico», podría parecer un brindis a la nueva circunstancia unitaria. Pero, a decir verdad, sus afirmaciones eran demasiado atrevidas para los tiempos que empezaban a correr aunque, por supuesto, no tuvieran nada de secesionistas. Sin embargo, en tiempos tan recios, citar a Maragall en catalán, o confirmar la fuerte personalidad de una «España orfeónica» frente a una «España individualista» era ya mucho. Aquellas reflexiones recreativas y un sí es no es arbitrarias, en suma, respondían bastante bien a un tono de afable diálogo intelectual que hubiera podido tener como marco la Universitat Autònoma de 1933: así debe entenderse que considere que la aportación de Cataluña al cultivo del castellano dio siempre «voces menores», o que, de modo general, la cuerda más habitual en el lirismo catalán sea la intimidad cotidiana y casi doméstica, mientras que la relación de la especificidad valenciana con la general catalana es similar a la que Andalucía mantiene con Castilla, una «anticipación de lo barroco, mayor sensualidad, placer por lo que el arte tiene de juego».[23]

El resto del volumen ofrece un singular ramillete de sorpresas en grato estilo. Lo son, por ejemplo, los elogios al esperpentismo de Valle-Inclán y al estilo de Baroja en la sección «El secreto fáustico». O el elogio de Jean Cocteau en «Tres siluetas fugitivas» (las otras dos son las de José Martí y Erasmo, según la biografía de Stefan Zweig). El artículo más largo y revelador, a modo de dietario que incluye intertítulos entre paréntesis, se titula «El escritor y la obra». Quizá lo más cercano a nuestra sensibilidad y al tono de confesión de parte es lo referido al ensayo: «Todo

21. No figura, sin embargo, en el certero y sólido volumen antológico de Jordi Gracia, *El ensayo español. 5. Los contemporáneos*, Barcelona: Crítica, 1996, cuyas observaciones sobre el ensayismo en la inmediata postguerra conviene tener muy en cuenta.

22. *La ventana de papel*, ed. cit., 153.

23. *Ibidem*, pp. 47. En 1940, el autor publicó un libro, *El espíritu del barroco. Tres interpretaciones* (Barcelona: Apolo, 1940), que apuntaba a un «posible factor racial» del barroquismo: el origen hebreo de alguno de sus creadores. La hipótesis originó cierta polémica por más que lo más significativo del volumen fuera la consideración del barroco como «constante» histórica: una concepción idealista y cíclica de la historia a la que el autor fue particularmente aficionado.

ensayo es una autoetopeya [...]. Es preciso, primero que todo, sentirse problemático y *distinto*. Es imposible buscar al ensayista entre los espíritus uniformados por educación o vocación [...]. Todo ensayista es, en este sentido, un hereje de la unidad. Se sabe diverso y necesita el autocomocimiento de su yo».[24]

¿Hereje en 1939? En todo caso, hereje de una herejía menor. Y, a la vez, arrepentido de otras piruetas. Más arriba, Díaz-Plaja ha lamentado que en los tiempos que corren se ha perdido «ese vigor constructivo, ese brío arquitectónico» y cree que lo peor de surrealismo y sus congéneres fue haber «devuelto a los escritores la confianza cerrada en la inspiración». ¿Sería, entonces, el ensayismo una fase de transición a la expectativa de devolver la confianza? ¿Una suerte de convalecencia intelectual? En todo caso, parece que la tarea de reanudar la confianza en el orden corresponde a una generación que nació con los mejores augurios y que ha visto romperse sus juguetes entre sus manos, quizá por su culpa: «He meditado muchas veces sobre el destino de mi generación: de una generación que se acostumbró, desde su llegada, a sentirse vencedora, más que con su mérito, con su actitud [...]. Nunca como en este periodo recién acabado se abrió un crédito más amplio a los que se presentaba no con un gesto humilde de promesa sino con la insolencia de la realización. Ser «joven» valía, en efecto, como la mejor ejecutoria [...]. Se dieron oídos a todos nuestros gritos, y fuimos alegremente iconoclastas».[25]

Se echará de ver, sin embargo, que el arrepentimiento es muy parcial porque el escritor no renuncia del todo al juego. En su «Lección de primero de octubre», Díaz-Plaja imagina el modelo de una que ha de ser pronunciada en todos los inicios del curso (¿bajo la cuartelera imagen del Caudillo y el aire señoritil y engominado del Fundador?). En ella se afirma que la literatura es, en el fondo, un lujo y tan inútil en orden a la vida práctica como pueda serlo la corbata en nuestra indumentaria masculina. Y se recuerda que en la literatura y en arte no hay progreso, idea que es la misma que T. S. Eliot había expuesto en *The Sacred Wood*. Sabe que la estética carece de fronteras, aunque el estudio de la propia de un país afine la sensibilidad y mejore el lenguaje de territorios concretos. Y que, pese a toda una tradición de dómines aburridos, la gramática no es una ciencia de fórmulas sino una «ciencia natural», que describe y no prescribe, lo que resulta sugestivamente vossleriano. Comprueba que en todos los programas hay siempre una lección en blanco, pero muy tentadora, que es la de la literatura primitiva (lo dice quien ha leído, sin duda, el *Decameron negro* de Leo Fröbenius, o los libros de Blaise Cendrars y Henri Michaux, y sabe que el *primitivismo* es una de las tentaciones del siglo). Y recuerda que es muy importante el estudio de lo contemporáneo. En el fondo, la «Lección de primero de octubre» resulta ser una mina puesta en los cimientos mismos del almidonado bachillerato del ministro Sáinz Rodríguez...[26]

24. *Ibidem*, p. 162.

25. *Ibidem*, p. 170.

26. Sobre la novedad de los manuales de bachillerato de Díaz-Plaja, cf. las consideraciones de Fernando VALLS, *La enseñanza de la literatura en el franquismo 1936-1951*, Barcelona: Antoni Bosch, 1983, especialmente pp. 91-93.

Tiempo fugitivo: El ensayo como confesión

De todos los libros de Díaz-Plaja de estos años difíciles, quizá el más significativo es uno que no suele citarse apenas: *Tiempo fugitivo. Figuras y paisajes de 1940*, que organiza algunas de sus colaboraciones habituales en *Destino*. Y que, por otra parte, coincide en el tiempo de publicación con un volumen de manifiesto oportunidad política: *La poesía y el pensamiento de Ramón de Basterra* (el prefacio lo subraya ante el lector, por si hiciera falta: «El hecho de que en la actualidad sus concepciones se hayan hecho carne y sangre de multitudes acrece prodigiosamente su gloria. Basterra, profeta en su Patria y en Europa, ofrece uno de los más altos ejemplos de pre-visión histórica que puedan registrarse»). El modesto propósito de *Tiempo fugitivo* se inscribe en la inevitable nota inicial en muy otros términos: «Doy, en las páginas que siguen, lo más ligero y comunicable de una actividad literaria, durante el año que termina. Están escritas bajo el signo de Sagitario y las caracteriza un impulso de curiosidad».[27] En función de tal designio, la organización del libro se ajusta al curso de los meses del año y, al frente de casi todos ellos (las excepciones son los de mayo, junio, julio, agosto y octubre), se consignan unas líneas evocativas de su huella: a veces, son un poema (como la «Seguidilla de marzo») o, más a menudo, una incursión lírica en prosa («enero es todo cristal. Duro, frío, traslúcido»; «En la cena de los meses, alrededor del candelabro del sol, ¿qué figura hace noviembre? Abril es rosa, y agosto carmesí. Diciembre, blanco. Todos hemos matizado así alguna vez. Pero, ¿y noviembre? Noviembre, color de niebla, traslúcido, perla, color de humedad, verdegris. Es el chal que agita el viento del año que se despide»).

La mezcla de lirismo e intuición, como el jubiloso tributo al orden casual de la meteorología, no es cosa enteramente nueva: son artes de composición de la volátil materia del ensayo. Pero, en este caso, no carecen de precedentes cercanos. Muy a mano, tenía Guillermo Díaz-Plaja los almanaques literarios que estuvieron en boga en los años recientes o, por no salir de la misma fecha, un delicioso librito de Benjamín Jarnés, *Feria del libro*, que se presentaba –con indicación explícita de jornadas e itinerarios– como una excursión de varios días por las novedades que ofrecen las casetas de la segunda muestra madrileña.[28]

No sólo este artificio suponía un tácito engarce con las letras anteriores a 1936. El empeño de *Tiempo fugitivo* resulta también una implícita defensa del ensa-

27. *Tiempo fugitivo. Figuras y paisajes de 1940*, Barcelona: Ediciones de la Espiga, 1941 (título en la cubierta; en la portada, el subtítulo es: *Mil novecientos cuarenta*), p. 5.

28. Fundamentalmente, pienso en el *Almanaque de las Artes y las Letras para 1928*, organizado por el pintor Gabriel GARCÍA MAROTO (Madrid: Biblioteca Acción, 1928) y el *Almanaque Literario 1935* (Madrid: Plutarco, 1935), además de los divertidos almanaques de la revista *Cruz y Raya*, *El Acabóse* (1934) y *El aviso* (1935), que ætras la guerra civilæ imitaron *Escorial* primero y *Papeles de Son Armadans* después; el libro de Benjamín JARNÉS es *Feria del libro*. Madrid: Espasa-Calpe, 1935.

yo como forma de la libertad espiritual. En una anotación de noviembre, a propósito de un libro de Entrambasaguas, *Determinación del romanticismo español*, se alza contra quienes reprochan al ensayo falta de erudición o construcción deficiente: «Mantener el ensayo en la zona intermedia, que va de la simple afirmación a la abrumadora demostración cargada de contundencia, es labor de captación intelectual cuya importancia no puede soslayarse. Contiene el ensayo lo mejor del ejercicio intelectual: es decir, el atisbo, el vislumbre de la verdad, el goce supremo de la cópula entre el intelecto y el fenómeno».[29] Y claro está que el límite de ese juego puede ser la dispersión gratuita, la complacencia en el sonar de los abalorios: más de una vez se incurre en ello. La entrada en el mes de diciembre, bajo el rótulo de «Pura magia», evoca, por ejemplo, el milagro de la «cajita sonora» de la radio: «Una pequeña presión a la derecha: ¿está realmente en Praga esa señorita cuya voz se oye ahora? Una pregunta más: ¿suena en Turín ese acordeón? ¿Es de El Cairo esa guitarra gangosa? [...] ¿Sospechan ellos, el locutor de Hamburgo, la liederista de Bucarest, el pianista de Lisboa que a centenares de kilómetros, en una playa silente, junto a un hogar crepitante, hay un hombre que les escucha?».[30]

Prescinderemos de la fácil imputación de frivolidad, cuando ese mundo intercomunicado por las ondas estaba a punto de hundirse en la guerra total y cuando, pese a la promesa de Franco («ni un hogar sin lumbre ni un español sin pan»), los «hogares crepitantes» no eran la imagen más frecuente. Porque, inevitablemente, el libro refleja el compungido regreso al orden. En febrero, ha leído un texto muy crítico de Papini que le ha traído el recuerdo de la «deshumanización» de la que habló Ortega: «¡Cuánto han envejecido aquellas cosas nuestras que eran jóvenes hace diez años! ¡Qué pena tan honda respiran los muebles llamados cubistas! Las últimas vibraciones, en la pintura, en la arquitectura, en las letras, denotan la fatiga por el espíritu geométrico. Un retorno a lo humano se produce victoriosamente, y también fatalmente. Pensar, con gesto soberbio, en una fijación definitiva del gusto, fue un error pueril, una enfermedad de crecimiento que padeció la generación que era joven hace diez años, porque coincidía con una excesiva sobrevaloración de lo juvenil».[31] Parecidas reflexiones le inspira, en marzo, *Primer libro de amor*, de Dionisio Ridruejo, que «llega al campo de la poesía española cuando han periclitado todos los ismos. Cuando, tras las escuelas líricas devastadoras de los cánones de la poesía tradicional, se incide en una suerte de neoclasicismo cuyo modelo capital es, precisamente, Garcilaso».[32] En agosto, el recuerdo de la compañía de ballet de Loïe Fuller, sucesora de Dighilev, «el brujo», y de Nijinski, «el pájaro», le permite una visión panorámica sobre toda la vanguardia de la postguerra de 1918, «uno de los momentos que ha acumulado más fatiga sobre el espíritu de las gentes. Tanta, que las gentes se dieron a la curación violenta del primitivismo». Y es que «las postguerras marcan, en la vida de los pueblos, ese momento convaleciente en que todos los

29. *Tiempo fugitivo*, ed. cit., p. 165.
30. *Ibidem*, p. 171.
31. *Ibidem*, pp. 36-37.
32. *Ibidem*, p. 57

virus son mortales. El peligro de la desmoralización acecha; puede atacar al arte, dándole formas ligeras; incitando al creador a prescindir de estudio y de canon».[33]

Unos años antes, el primitivismo le había parecido un divertido síntoma más de su tiempo. Ahora, con motivo del centenario de Lucano, recuerda la debilidad de algunos intelectuales romanos respecto a los bárbaros germánicos y trae a colación algo de lo que ya había hablado extensamente a propósito de los orígenes emocionales del romanticismo, en el libro de 1936: el tema del villano del Danubio y su arenga ante Marco Aurelio, tal como lo contó el fabulador Fray Antonio de Guevara. Y es que «de la blandura de las *Geórgicas* se pasa insensiblemente a la exaltación del mundo bárbaro que se advierte en la *Germania* de Tácito». Pero la alarma le lleva más lejos: «En nuestros días penúltimos, ¿para qué recordar tanto burgués opulento jugando a demagogo; tanto prócer de la cultura divirtiéndose con la tea incendiaria; tanto snob de familia distinguida adornado –porque estuvo de moda– con la estrella roja de los soviets».[34] ¿Aquello que parecía un síntoma de modernidad se ha convertido en amenaza? El tono de esas observaciones es marcadamente spengleriano (del Spengler de *Años decisivos*), pero alguna otra va más lejos. En una nota que corresponde al mes de marzo, surge otra dimensión de esa debilidad occidental: «He visto hace unos meses, el film de la Olimpiada de Berlín, realizado por Leni Riefenstal [*sic*]. Se veía allí al blanco pugnando con fatiga increíble por mantener, más que un record, la supremacía de una raza. Pero, implacablemente, pisándole los talones, venciéndole a menudo, se veía al negro de una brillante elegancia equina; al amarillo, fino y agudo como una flecha... Documento terrible».[35]

El pasado cercano es, sin duda, culpable. Y comporta cosas todavía más turbias que ha venido a recordar la reciente muerte de Freud, ese «judío notorio» que «realizó la enorme y terrible labor de desarticular la noción de que la conducta obedecía a impulsos morales, para substituirla por la de que dicha conducta era empujada por fuerzas fisológico-sexuales». La herencia semita ha traído siempre disolución de certezas: «Ya nos vamos acostumbrando a delatar ciertos fastos judíos como expresamente encaminados a derribar, a "sabotear" las formas básicas, las nociones elementales de las culturas. Lo que Freud realiza con la moral, lo hizo anteriormente Otto Weininger con los conceptos fundamentales de la virilidad y la feminidad [...]. Y lo que Freud y Weininger hacen en los estudios fisiológicos, ¿no lo llevaron a cabo el semijudío Proust en la prosa y el judío total Max Jacob en el verso? ¿No existía en uno y en otro un oscuro prurito por derrocar las formas artísticas por largo tiempo establecidas?».[36]

Pero, ¿valía la pena lo que se derrocó? El vanguardismo artístico compartió con los movimientos fascistas un mismo aborrecimiento por el mundo de los amenes

33. *Ibidem*, pp. 122-123.
34. *Ibidem*, p. 18.
35. *Ibidem*, p. 65.
36. *Ibidem*, pp. 12-13.

del XIX, tan aburguesado, tan hipócrita y cursilón. No es fácil dictaminar qué habla en la voz de Díaz-Plaja: si sus convicciones juveniles o el contagio superficial de los nuevos camaradas. En el mes de abril, la noticia de la muerte de Ludolf Parisius, inventor de la tarjeta postal ilustrada, le suscita una «Elegía sin lágrimas» por esa «internacional de la cursilería que fueron las tarjetas postales: palomas dándose el pico; cintas de color de rosa; corazones flotantes sobre nubes de algodón; pensamientos y violetas de relieve; barquichuelos de purpurina; enamoradas figuras de donceles; redondas mujeres cabalgando bicicletas imposibles; soldados empenachados y bigotudos; escenas delicuescentes de amor sobre sofás y canapés innumerables».[37] La mirada preocupada o condescendiente hacia los últimos años hace, por lo mismo, más significativas las rotundas elecciones de lo que sigue vivo y ejemplar. A la cabeza de todo, Eugenio D'Ors, de quien saluda con alborozo la reedición de *Tres horas en el Museo del Prado*: «¡Cuántas creaciones críticas ha despertado ese libro! ¡Cuánta claridad ha derramado!».[38] Pero también se jalea con entusiasmo a Giménez Caballero que acaba de obtener el Premio Internacional del Fascismo por su libro *Roma Madre*, con el que se «reanuda una tradición espiritual perdida desde el siglo XVIII», cuando la devoción intelectual por Italia quedó reemplazada «por las orientaciones que llegan de la cultura centroeuropea».[39] De Eugenio Montes, otro mosquetero del fascismo intelectual, le llega *El viajero y su sombra* que, para Díaz-Plaja presenta «una idea histórica de Europa», amenazada ayer por los turcos y hoy por los soviéticos: «Frente a una y otra amenaza, Montes quisiera levantar la idea de una solidaridad europea, cristiana y occidental. Algo así como un renacer de la idea carolingia, de un Sacro Imperio Romano-Germánico que diese una conciencia ecuménica y militante a la Catolicidad».[40] Se tributa un aplauso a Luys Santa Marina, que ha publicado su biografía *Cisneros*: en orden a la creación de la prosa castellana actual, afirma Díaz-Plaja que «el primer paso lo da Unamuno; el segundo, Azorín. Otros, Pérez de Ayala, Miró. Otro, hoy, Luys Santa Marina».[41] Y a la recepción de los versos de *Primavera en Chinchilla*, recuerda con afecto cómplice la tertulia del Lyon, al final de la Rambla, donde en 1934, «Loscertales traía el cartelón pintado para el local de Falange» y «Luys había hecho grabar sobre las flechas recién nacidas esta frase latina: *Mortui morituros sperant*».[42]

Es fácil que todo esto sean concesiones al espíritu de un tiempo y que la culpa de Guillermo Díaz-Plaja dimanara más de la indulgencia acomodaticia que del entusiasmo militante. Sus lealtades se siguieron orientando –y se ha dejado ver en alguna cita antecedente– hacia el bloque fundamental de las letras contemporáneas que era, sustancialmente, liberal. Incluso al reseñar pieza tan singular como *Comunistas, judíos y demás ralea*, de Pío Baroja, se da cuenta de la trampa de este

37. *Ibidem*, p. 85.
38. *Ibidem*, p. 16.
39. *Ibidem*, p. 39.
40. *Ibidem*, p. 117.
41. *Ibidem*, p. 59.
42. *Ibidem*, p. 32.

«libro desconcertante» y afirma que «podríamos seleccionar nosotros una antología –seguramente más copiosa– en que se demostrara lo contrario».[43] Aunque prefiere pensar, eso sí, que este libro obedece a una tendencia generacional de conversión patriótica: «Unamuno llora con verdadero dolor aquel "¡Muera Don Quijote!" que lanzó en los momentos del Desastre; Valle-Inclán recobra en la última parte de su obra, su mejor brío español; Maeztu se redime de su rubio internacionalismo con la *Defensa de la Hispanidad*; Baroja, el más tardo, rectifica de algún modo el desolado gesto, percibible en muchas novelas suyas, que tanto nihilismo y tanta disolución infiltraron en la juventud».[44]

De un modo u otro, *Tiempo fugitivo* sueña con la reconstrucción de la cultura. Lo mismo cuando saluda la reapertura de la Biblioteca de Catalunya en nueva sede («hemos abierto, barceloneses, una de las más bellas bibliotecas del mundo. Creedme. Más chica que la Columbia University, pero más noble; menos numerosa que la de la Sorbona, pero más asequible»,[45] que cuando asiste en octubre a la inauguración solemne del curso académico, que «recobra el viejo sentido ritual, anegado en los últimos tiempos por un océano de chabacanería. Porque el Rito es la señal eterna de la Norma, la España que amanece erige el rito en todas sus manifestaciones colectivas».[46] ¿Volverán mejores tiempos para el intelectual? Quizá la nota más delatora de todo el libro, en orden a esa esperanza de restitución, sea la que, pocas líneas más abajo de la última cita, comenta el auge de las entrevistas y encuestas dirigidas a escritores: Díaz-Plaja no desearía que «una comunidad bien organizada olvidase al escritor, no ya en sus libros sino incluso en su persona. Interesarse por la persona del escritor no es, efectivamente, una frivolidad [...]. A menudo, hay tema de interés suficiente en la lista de libros que se preparan, o sueñan, y alguno de los cuales quizá no se imprima nunca; en la frase pronunciada al azar; en el gesto con que se comenta un fenómeno; en la sonrisa con que se defiende de la saeta de una pregunta».[47]

«El arte de quedarse solo», preconizado en el libro de 1936, había sido, en suma, un mohín de coquetería, a la vista de estas líneas de 1941. Las cavilaciones y el estilo mismo de Díaz-Plaja habían nacido para la sociabilidad, para la conversación amigable, la tertulia complaciente y la apostilla ingeniosa. En 1936 perdieron su público natural y después de 1939 hubo que crear otro, menos moderno y más ceremonioso, más pacato y un poco vulgar. Hay artes *fuertes* que no pierden su tensión interna en circunstancia alguna; hay otras que adoptan la forma del recipiente que las contiene, pero no por ello pierden todo el valor de su sustancia originaria. Ni mucho menos... La continuidad que Guillermo Díaz-Plaja aportó a la vida cultural catalana y española no entra en las categorías usuales de lo heroico. Pero, a menudo, salvan la esperanza los fieles a la mínima resistencia.

43. *Ibidem*, p. 128.
44. *Ibidem*, p. 129.
45. *Ibidem*, p. 45.
46. *Ibidem*, p. 145.
47. *Ibidem*

COL·LECCIÓ
HOMENATGES

19

VOLUM II

Professor

Joaquim Molas

–

Memòria, escriptura, història

Professor

JOAQUIM MOLAS

—

MEMÒRIA, ESCRIPTURA, HISTÒRIA

Publicacions

UNIVERSITAT DE BARCELONA

BIBLIOTECA DE LA UNIVERSITAT DE BARCELONA. Dades catalogràfiques

Professor Joaquim Molas: memòria, escriptura, història.– (Homenatges ; 19)

Notes. Bibliografia. Índex
ISBN 84-475-2657-7 (o.c.)
ISBN 84-475-2654-2 (vol.1)
ISBN 84-475-2656-9 (vol.2)

I. Molas, Joaquim, 1930- II. Col·lecció: Homenatges (Universitat de Barcelona) ; 19
1. Molas, Joaquim, 1930- 2. Bibliografia 3.Literatura catalana 4. Homenatges

Adolf Florensa, s/n; 08028 Barcelona;
Tel. 934 035 442; Fax 934 035 446;
sipu-sec@org.ub.es; http://www.ub.es/spub/sipub.htm

Disseny de la coberta: Cesca Simón

Fotografia de la coberta: Pilar Aymerich

Impressió: Gráficas Rey, S.L.

Dipòsit legal: B-8675-2003

ISBN: 84-475-2654-2 (volum I)
84-475-2656-9 (volum II)
84-475-2657-7 (obra completa)

Imprès a Espanya/Printed en Spain

Ha tingut cura de la preparació d'aquest volum la Comissió Organitzadora de l'Homenatge a Joaquim Molas, composta per Rosa Cabré, Glòria Casals, Josep M. Domingo, Pere Farrés, Marina Gustà, Josep Murgades, Ramon Pla i Antònia Tayadella. Aquesta Comissió ha comptat amb la valuosa col·laboració de Jaume Gomila i Maria Àngels Verdaguer.

ÍNDEX

VUIT CARTES DE BARTOMEU ROSSELLÓ-PÒRCEL I UNA DE JOAQUIM RUYRA A TOMÀS GARCÉS

Albert Manent

Barcelona

Aquest «prodigiós Rosselló-Pòrcel, mort a vint-i-quatre anys!», amb què cloïa Carles Riba un dels pròlegs a l'obra pòstuma *Imitació del foc* (1938), fou convertit en un mite per la generació de la revista *Ariel*, encapçalats per Josep Palau-Fabre el qual publicà un volumet de poesia clandestina sota el títol d'*Imitació de Rosselló-Pòrcel*. I després fou un nom «tutelat» per Salvador Espriu. I encara avui continuen sortint materials literaris, biogràfics o estudis sobre aquest malaguanyat escriptor, que era potser el poeta més dotat de la seva promoció-generació.

Per contribuir, bé que molt modestament i limitada, a fer veure més l'acció cultural del poeta mallorquí, dono a conèixer vuit cartes que envià a Tomàs Garcés, durant els anys 1935 i 1936, en l'època de la seva estada a Madrid per preparar unes oposicions a ajudant de càtedra d'institut. D'una banda, hi ha l'interès jovenívol de Rosselló per a ésser present a *Quaderns de poesia*, la revista de prestigi que dirigien cinc escriptors, bé que, *de facto*, el director era Tomàs Garcés. Efectivament Garcés li acceptà diverses col·laboracions poemàtiques, la darrera de les quals foren els poemes «Pont del vespre» i «Indecisa, rara, nova...», editats al número de març de *Quaderns de poesia*.

A tornajornals, podríem dir, Rosselló féu moltes gestions amb escriptors de Madrid per recaptar originals per als *Quaderns de poesia* i ho aconseguí de Juan Ramon Jiménez, Manuel Altolaguirre i José Moreno Villa. En canvi, que sapiguem, no obtingué materials de Jorge Guillén, Luis Cernuda i José Bergamín. Pel que diu, Unamuno no li contestà. De les cartes es dedueix que Rosselló-Pòrcel es movia molt i es trobava ben introduït en els medis intel·lectuals de Madrid i que alhora tenia una certa audàcia per fer els seus contactes.

Fins ara es coneixien vint-i-tres cartes de Rosselló[1] i sembla que n'hi ha moltes més d'inèdites i disperses, començant per les de Salvador Espriu, de les quals

1. Vegeu Montserrat MORAL DE PRUDON, «Epistolari de Bartomeu Rosselló-Pòrcel», *Randa* núm. 4, Barcelona 1976, pàg. 143-162.

Carles-Jordi GUARDIOLA, «Quatre cartes de B. R. P. i un apèndix», *Lluc* núm. 629, Palma de Mallorca, setembre del 1973, pàg. 14-16.

publicà fragments. Espero que aquesta breu correspondència Rosselló-Pòrcel-Garcés esperoni altres estudiosos, entre ells Roberto Mosquera, que és qui més ha estudiat darrerament l'obra del poeta mallorquí i al qual dec alguna informació per a completar les breus notes que acompanyen les cartes. També vull agrair a la família de Tomàs Garcés, especialment a la seva filla Carme, que m'hagin facilitat gentilment la consulta i la publicació d'aquest epistolari.

La carta de Ruyra a Garcés és, com es veu palesament, per agrair-li l'entrevista que li havia fet aquell 1926 a la *Revista de Catalunya.* També en va publicar amb Josep Carner, Jaume Bofill i Mates, Pompeu Fabra i Víctor Català. Resta inèdita la del caputxí Miquel d'Esplugues. Aquestes entrevistes han estat publicades, sota el títol de *Cinc converses* (Barcelona, 1985).

Palma, 8 Set 35

Admirat Garcés:
Heus ací tres sonets recents. Els creieu dignes de *Quaderns de Poesia*?[2]
Són part d'un llibre meu (*Fira encesa*) que sortirà molt prest, potser a començaments de Novembre. Es per això que –si poden anar als quaderns– hauria d'ésser en un número molt pròxim. Si no, arribarien tard.
Voldreu molestar-vos i dir-me el que hàgiu decidit? Perdoneu-me tanta feina![3]
Ben vostre,

Rosselló Pórcel

P. S. –No forceu res, us prego. En última instància aniran a *La Nostra Terra*[4]. Però...
Son Espanyolet, 21 - Palma

Madrid, 25 oct. 35

Admirat Garcés:
Sóc a Madrid i tinc entre mans aquell típic doctorat. Es fantàstic de veure les poques coses nostres que arriben aquí. Res, vaja.
És per això que us demano un exemplar o dos dels *Quaderns*, si es que, a la fi, el sonet ha sortit.
No us molesta massa d'enviar-los?
Disposeu del vostre affm.

Rosselló Pòrcel
Escuela Internacional Española
Ricardo Fuente, 5
MADRID

Sebastià P. ARROM, «Correspondència de Bartomeu Rosselló-Pòrcel: sis cartes a Gabriel Fuster i Mayans (GAFIM)», *Estudis Baleàrics* núm. 32, Palma de Mallorca, març del 1989, pàg. 43-46.

2. *Quaderns de poesia*, revista mensual, dirigida per J. V. Foix, Tomàs Garcés, Marià Manent, Carles Riba i Joan Teixidor. Entre juny de 1935 i març de 1936 en sortiren 8 números.

3. «Oh peresa de l'aire», de B. Rosselló-Pòrcel, sortí a *Quaderns de poesia* l'octubre de 1935.

4. Revista dels intel·lectuals mallorquins, publicada a Palma de 1928 a 1936.

Madrid, 24 Nov. 35
Sr. Tomàs Garcés

Estimat amic:
Gràcies per les vostres paraules amables.
Renuncio a retribució: Això sí, us agrairia un o dos ex. del *Quaderns 3.*
Rebo amb plaer el vostre encàrrec. Em sembla molt que, si no tots, un o altre inèdit ha de caure.
Prest us donaré noves més concretes. De J. R. J. res segur fins d'aquí a uns dies: viu rodejat d'una politiqueta poètica que encara no conec bé.[5]
Tornaria a escriure.
Ben vostre

Rosselló

Madrid, 29 Nov. 35

Admirat amic:
Acabo de rebre la vostra del 27. Contesto –Comercial Poetry and Co.– per apartats.
1° Si és tan obligatori cobrar us agraïria que em guardéssiu les quinze fins a mitjan Desembre, quan jo passi, camí de Mallorques.
2on J. R. J. El poema està promès. Abans del diumenge el tindré i us serà reexpedit immediatament. He vist l'home: és el cas màxim –i en conec alguns– d'autoadoració, narcisisme i ennuvolament. Gran rebuda. Parlàrem de poesia catalana. Arriba fins [a] López-Picó i no en té gran concepte. De Riba –ell diu que l'ha llegit– ja no en té idea. Vol rebre llibres catalans. (Adreça: Padilla, 38). Cap prejudici contra nosaltres. Arriba a acceptar sense gestos indignats el separatisme: –No. Si es natural. Si me parece muy bien... Reclama un dipòsit de llibres catalans *–lo más fino–* a Madrid. Insinua el llibreter León Sanchez Cuesta.[6] Diu que per força vendríem alguns exemplars. Li vaig donar el meu ex. dels *Q. de P.*[7] Va lloar la tipografia: –Como siempre, los catalanes... Demana amb gran interès els 2 primers números i vol una subscripció. Vaig excedir-me oferint-li...? Vós direu. Va parlar-me molt malament de la Generació Antologia Diego.[8] Fa una mica l'efecte d'un fantasma. Si no fos tan gran, tan gran poeta, ja ni se'n parlaria.
3er Iniciades gestions amb Altolaguirre[9] i Alberti. Altolaguirre, segur. El veuré aviat. Enviaré adreça «Caballo»[10] y potser intercanvi.t Veuré Bergamín.[11] Suposo que podrà arranjar-se l'intercanvi. Escriuré.
5è Mercès pels Quaderns que m'envieu.
6è Maneu tant com us plagui. Es divertidíssim!
Us estima

R. P.

5. Es refereix a Juan Ramón Jiménez el qual en el número 5 (desembre de 1935) de *Quaderns de poesia* publicà el poema «Luna del hombre».
6. Fou durant molts anys un dels llibreters de Madrid més lligat al món cultural.
7. *Quaderns de poesia.*
8. Es refereix a Gerardo Diego, *Poesía española. Antología 1915-1931*, 1932.
9. Manuel Altolaguirre (1905-1959) publica «A un olmo» al núm. 6 (gener 1936) de *Quaderns de Poesia.*
10. Es refereix a *Caballo verde para la poesía*, revista que editava Altolaguirre i la seva muller Concha Méndez. La dirigia Pablo Neruda. Durà de 1935 al 1936.
11. José Bergamín (1895-1983). Escriptor i director de la revista d'assaig *Cruz y Raya* no publicà res a *Quaderns de poesia.*

Madrid i dimarts (4/XII/35)
Benvolgut Garcés:

Acabo de rebre l'inèdit de Juan Ramón. Le voila.
Demà passat veuré Bergamín.
A fi de setmana tindreu l'Altolaguirre.
Vostre afectíssim

R. P.

Madrid, 7 Des 45
Estimat Garcés:

M'han fet a mans la vostra carta quan jo estava escrivint el sobre d'aquesta. Tinc coses – interessants, em sembla– per a contar-vos.
He visitat J. Bergamín. M'ha presentat a ell un poeta jove, andalus, Muñoz Rojas.[12] (Heu vist anunciat a *C. y R.*[13] un llibre seu de vers «Ardiente Jinete»?) Bergamín ha estat afabilíssim amb mi. No havia rebut dels *Q. de P.* més que un número, el 3. L'he vist. El tenia damunt la taula. Davant mi ha donat ordres per a l'intercanvi i per a les publicacions poètiques. Suposo que tot rutllarà. Sia com sia, i per cas d'un d'aquells descuits madrilenys, teniu-me al corrent d'això. No costaria res recordar-li-ho.
Amb Bergamín encara hem parlat d'afers més importants. Hem arribat a dues conclusions:
1ª Que es gairebé segura l'edició d'una Antologia de les *Estances* amb traducció cast. «en regard», pròleg d'algú important d'ací (Guillén?) i una notícia sobre Mestre Carles. Qüestió traducció i qui l'ha de fer. Seria bo que fos del mateix Riba?[14] Jo li escric avui mateix. Voleu parlar-ne? No us vull amagar com m'agradaria de traduir-les jo, sempre que C. R.[15] volgués passar-hi una darrera mà. Demano massa? Bergamín m'ha promès una edició perfecta.
2on Una crònica mensual a *C. y R.* de lletres catalanes, per un escriptor català i *en català*, que s'agermanaria amb una altra de portuguesa, en portuguès. Això sí, s'hauria de madurar i pensar bé com podria fer-se, perque pot tenir una certa trascendència. No us sembla?[16]
3er Que està encantat de unar [*sic*] relacions, que vol anar a Barcelona, (Els *Amics*[17] no podrieu?–) i que podríeu fer coses.
Res més. Aviat tindreu noves de l'Altolaguirre. Us estima

R. P.

Mercès pels Quaderns que m'envieu.

12. José Antonio Muñoz Rojas (1909).
13. *Cruz y Raya.*
14. Aquesta obra no passà de projecte.
15. Carles Riba.
16. *Cruz y Raya* no publicà mai res en català.
17. Amics de la Poesia, entitat fundada el 1920.

Madrid i diumenge
Amic Garcés: Estat de les gestions: Unamuno no ha contestat. Guillén encara no ha acabat el seu poema.

Moreno Villa[18] no era a Madrid. L'he vist avui. Em donarà un poema dimecres o dijous –mai més tard–. Us serà reexpedit immediatament.
Cernuda fa un llibre amb tota la seva obra i no pot donar res ara. Fins després de l'aparició. –Tè manies.
Així –es ben poc! – contesto la vostra carta.
Us abraça,

Rosselló

[A l'anvers diu:
TARJETA POSTAL
Senyor Tomàs Garcés
Corts Catalanes, 660
Joieria Sunyer
Quaderns de Poesia
Barcelona
En este lado se escribe solamente la dirección.]

13 juny 36

Escuela Internacional Española
M a d r i d
Ricardo Fuentes, 5
Teléfono 55043

Amic Garcés:
He rebut totes (i són moltes) les coses que m'heu enviat. Gràcies de tot.
Corresponc –més pes! – amb un poema. Us va bé?
Veniu per ací? Imagineu que ara m'han engegat unes oposicions[19] i estic en l'estat desesperat del madrileny típic que prepara...!
Vostre affm.

Rosselló

18. José Moreno Villa (1887-1955). Poeta. Morí a l'exili de Mèxic publicà el poema «En aquel tiempo» al número 7 (febrer 1936) de *Quaderns de poesia.*
19. Rosselló guanyà a Madrid les oposicions per a ajudant de càtedra d'institut i fou destinat al Pi i Margall de Barcelona.

Sr. Tomàs Garcés

Gentil i simpàtic escriptor: l'espantosa malaltia del Dr. Turró, qui, més que un amic, era un germà meu, m'ha tingut fora de to durant una pila de dies i ha sigut causa que no us hagués comunicat la meva impressió sobre la conversa amb mi que vàreu publicar a la *Revista de Catalunya*.[20] El Dr. Turró fou qui me la donà a llegir, aleshores que encara no estava enllitegat i que solíem passar les tardes tots dos conversant amigablement en el seu despatx. Ell i jo la comentàrem. Jo vaig fer-li notar la precisió, la delicadesa i el bon ordre amb què havíeu sabut exposar i esbrossar unes frases força vegades, força vegades [*sic*] amb observacions que la prudència aconsellava ocultar. Vós n'heu sabut copsar la flaire i despullar-les de tot allò que podia resultar inconvenient. Us hi heu portat com un ver amic que, dintre els límits de la veritat, procura fer tot el favor possible al interlocutor que presenta al públic.
Us dec, doncs, unes gràcies ben fervents, i us les dono; car, cregueu que no, per tardanes, han perdut la seva ardentor. La desgràcia terrible que em va distreure de vós alguns dies, ha enllaçat amb una associació profunda i ferrissa el vostre nom i l'agraïment que us dec a imatges d'un ordre ben diferent, però inesborrablement gravades en el meu esperit.
No sabent el vostre domicili, dirigeixo la present a la redacció de *La Publicitat*. Suposo que us la trametran. Us estimaria, però, una postal, quatre lletres, que me'n acuséssiu rebut.
Disposeu sempre del vostre afm. company de lletres

J. Ruyra F.
Blanes, 11 juny 1926
V/C. Calle Ancha Nº 8
Blanes

20. L'entrevista sortí al número 22 (abril de 1926) de la *Revista de Catalunya*.

EN PRO D'UNA REVISIÓ RADICAL DE LA RENAIXENÇA

Joan-Lluís Marfany

University of Liverpool

Espero que em serà perdonat de començar amb una referència autobiogràfica. Poc després d'iniciat el primer any de carrera, vaig entrar en contacte, gràcies a Jordi Carbonell, oncle d'un bon amic de col·legi i de qui sóc deutor per moltes altres coses, amb les classes, aleshores semiclandestines, dels Estudis Universitaris Catalans. A les de literatura era el primer any que Joaquim Molas, tot just tornat d'una estada de dos anys a Liverpool, hi substituïa el doctor Rubió i, amb característic menyspreu a tota concessió en el terreny del rigor intel·lectual, havia triat per al seu debut potser la més eixarreïda i ingrata de les opcions a ell obertes: la literatura del XIX fins a la restauració dels Jocs Florals. No sé com va afectar aquesta experiència els meus companys de classe –no més de sis o set en total. Per a mi, va ser absolutament capgiradora. Jo volia fer de l'estudi de les lletres la meva professió simplement perquè era un lletraferit i aquelles lliçons de Molas em van revelar que hi havia una altra manera d'investigar-les, com a part i testimoniatge alhora del recorregut històric d'una societat, que podia ser més remuneradora en termes de satisfacció intel·lectual i d'abast social. Per això m'ha semblat especialment adient de dedicar la meva contribució a aquest homenatge a una reflexió general sobre aquell mateix tema, feta des de la mateixa perspectiva que aleshores se'm va obrir i sempre més he mirat de no abandonar. Una reflexió que, fidel també a l'esperit d'aquell ensenyament, vol invitar tots els interessats a repensar críticament a fons la nostra visió actual d'això que habitualment anomenem la Renaixença.

Renaixença era, justament, un mot que Molas evitava molt deliberadament en aquelles classes, com evitava el de Decadència, perquè n'associava l'ús –amb raó– amb la idea, aleshores prevalent al món intel·lectual catalanista, de l'excepcionalitat essencial de la literatura catalana, que no podia ser considerada sinó com un aspecte de la gran reivindicació nacional i, abans, doncs, que objecte d'estudi rigorós, havia de ser-ho d'amor cec i incondicional. Contra això, Molas reclamava per a la història d'aquesta literatura l'estatus de disciplina universitària, en relació d'igualtat amb la de qualsevol altra «literatura nacional», i insistia per això en la necessitat de servir-se de la mateixa terminologia periodizadora internacional. Ho il·lustren els títols de les antologies poètiques que ell mateix va anar publicant a la col·lecció «Antologia Catalana» i que constituïen precisament el primer intent d'estructurar aquest estudi, si més no pel que feia a aquest període, d'acord amb aquest principi metodològic fonamental: *Poesia catalana neoclàssica i pre-romàntica*, *Poesia catalana romàntica* –i si la tercera es deia *de la Restauració* era només perquè s'hi encavalcaven més d'un període i estil; de Renaixença, tampoc no se n'hi parlava.[1]

En el seu moment això era plenament justificat, potser imprescindible, fins i tot. L'objectiu perseguit, però, ja fa temps que va ser assolit i, en aquesta nova situació, són els inconvenients de la periodització i la terminologia que he anomenat internacionals que constitueixen una de les principals fonts de problemes de la disciplina. No únicament perquè els conceptes són particularment imprecisos, sinó perquè l'obsessió periodització i classificatòria mateixa tendeix a empènyer la professió cap als interminables, autoperpetuadors debats esotèrics i l'allunya cada vegada més, no de la solució, sinó del plantejament mateix de les qüestions històriques realment importants. Al capdavall, que a la història de la literatura catalana hi ha hagut una decadència i una renaixença –o, per dir-ho d'una manera que eviti aquests termes ja tan carregats de tota mena de connotacions, que la literatura catalana va retornar a una vida més o menys plena després d'haver estat molt a la vora de l'extinció– és un fet incontrovertible. Esbrinar-ne el com i el perquè hauria de constituir un dels primers, si no el primeríssim, objectius de l'estudi d'aquesta història.

Cal reconèixer, però, que, pel que fa a la segona part de la qüestió –a efectes d'aquest article, deixaré completament de banda la Decadència–, tots hem estat, en conjunt, molt reacis a plantejar-nos-la de debò. Gràcies a l'expansió, la consolidació institucional, i la internacionalització de la disciplina, amb la consegüent recerca de temes inèdits de tesi doctoral i d'àrees d'especialització relativament verges, hem omplert moltes de les nombrosíssimes llacunes del nostre coneixement del període. No és tampoc que hàgim ignorat completament el tema de la Renaixença: li hem dedicat uns quants treballs i, fins i tot, fa uns anys, tot un congrés.[2] Però, per una banda, la nostra aproximació ha estat molt fragmentària: hem tendit a investigar aspectes de la qüestió, no pas la qüestió mateixa. I, per l'altra, en la mesura en què ens n'hem ocupat globalment, el nostre tractament ha estat marginal: vull dir que l'hem estudiat com un tema més de la història de la literatura catalana del XIX i, pitjor encara, com un tema més aviat a part, sense gaire incidència damunt els altres i al marge de la seva seqüència –quan és evident, o hauria de ser-ho, que n'és de fet el fonamental, aquell a partir del qual hauria d'estructurar-se tota la nostra investigació pel que fa a aquest període. Ho il·lustra gairebé a la perfecció l'organització interna –o la seva manca– del volum setè de la *Història de la literatura catalana* de Riquer-Comas-Molas, on la Renaixença és liquidada en un capítol inicial de trenta planes i pràcticament no se'n torna a parlar més. És cert que la data màgica del 1833 i, subsi-

1. Barcelona: Edicions 62, 1968, 1965, i 1966, respectivament.

2. Realitzat el 1984, les seves actes han estat editades per Curial com a volums XXVII (1992) i XXVIII (1994) dels Estudis Universitaris Catalans. Però el seu resultat més important va ser la compilació, per Joaquim MOLAS, Manuel JORBA, i Antònia TAYADELLA, de l'útil *La Renaixença. Fonts per al seu estudi 1815-1877*. Barcelona: Departament de Literatura Catalana de la Universitat de Barcelona / Departament de Filologia Hispànica de la Universitat Autònoma de Barcelona, 1984.

diàriament, la del 1859 continuen sent els punts d'inflexió que hi determinen la divisió de la matèria en capítols per a la primera meitat del segle. Però el dedicat al període 1800-1833 duu el títol incòmode i evasiu de «Llengua i literatura. 1800-1833» i el concepte determinant a l'explicació del canvi que segueix immediatament és «Romanticisme», no pas «Renaixença».[3]

És clar que aquesta reticència s'explica en primer lloc pel senzillíssim fet que la qüestió de la Renaixença és difícil i la seva investigació, una tasca ambiciosa i, com diuen els francesos, *de longue haleine*. Però em sembla que hi intervé també, de manera més aviat inconscient, una mena de por col·lectiva a afrontar la possibilitat –que, a l'estat actual dels nostres coneixements, ja ha començat a prendre perfil de certesa– d'haver de revisar radicalment alguns dels principis fonamentals de la ideologia implícita que sosté la nostra pràctica com a gremi professional –i potser és això que explica, en una part molt principal, les dificultats, finalment insuperables, amb què va topar l'única persona que va intentar d'arribar a una síntesi interpretativa de la Renaixença, el doctor Rubió.[4] La història de la literatura catalana tal com la solem practicar ignora, en efecte, una cosa que tots sabem i de tant en tant admetem: que durant llargs períodes el principal vehicle lingüístic de la literatura, a Catalunya, no va pas ser el català. Ho sabem, però actuem com si aquest fet només tingués efectes marginals damunt la realitat que constitueix l'objecte del nostre estudi. Si, eventualment, ens ocupem de les manifestacions literàries produïdes a la nostra terra en castellà, és sempre de manera fragmentària i subsidiària: perquè algun aspecte concret d'alguna d'aquestes obres interessa puntualment i directament l'única matèria legítima d'investigació per a nosaltres, la literatura catalana.

Molts de nosaltres no hi sabem o no hi volem veure cap problema, en això. La situació inquietava, en canvi, el doctor Rubió.[5] També havia inquietat, abans, el seu pare, que, el 1907, a les planes de la revista dels *Estudis Universitaris Catalans*, havia reconegut que una cosa era «la història literària de Catalunya» i una altra, «la seva literatura nacional en la llengua nostrada», encara que tot seguit havia decidit que la segona era «la part més important» –i més digna, doncs, d'estudi –perquè «nos fa conéixer la nostra ánima nacional», mentre que la història literària de Catalunya només ens feia conèixer «la nostra vida social».[6] Avui que ni els nacionalistes no gosen parlar d'«ànima nacional», aquest raonament idealista fa de mal

3. Barcelona: Ariel, 1986, pàg. 9-151.

4. Que va quedar inacabada i que ha estat publicada en traducció catalana al volum tercer de la «seva» *Història de la literatura catalana*, Barcelona: Publicacions de l'Abadia de Montserrat, 1986, pàg. 263-457. Abans Rubió havia contribuït amb una síntesi sobre el tema al llibre col·lectiu *Moments crucials de la història de Catalunya*, Barcelona: Editorial Vicens-Vives, 1962, pàg. 287-327.

5. Així ho va exposar a «Poesia neoclàssica i pre-romàntica» [ressenya de l'antologia de Molas], *Serra d'Or*, XI, 1969, pàg. 111-13 i hi va insistir poc després, al mateix lloc, pàg. 335-42, a l'entrevista que li va fer Baltasar Porcel, sota el títol «Jordi Rubió, entre l'erudició i la vida» (incorporada després al seu llibre *Grans catalans d'ara*, Barcelona: Destino, 1972, pàg. 54-70).

6. N'he perdut la fitxa i no puc donar-ne ni el títol, ni les pàgines, però el lloc i la data (el volum és el primer) són correctes.

acceptar. «La nostra vida social» sembla un objecte d'estudi molt més sòlid per a una disciplina que, amb més o menys convicció segons els individus, no deixa de considerar-se com una de les ciències socials; i si el nom d'historiadors de la literatura vol dir alguna cosa, qui pot dubtar que «la història literària de Catalunya» hauria de ser la descripció exacta d'allò a què ens dediquem els que ens ho diem? Ara bé, com Rubió i Lluch advertia, això ens obliga automàticament a incloure, sense distinció, en la nostra matèria d'estudi tota la literatura escrita –i editada i llegida– a Catalunya en l'una i l'altra llengua, de la mateixa manera que la investigació de la «nostra vida social» ha de situar al lloc central que li correspon la diglòssia generalitzada de la societat catalana en aquesta època.

Cal precisar, potser, que no es tracta pas ni d'una qüestió de delimitació arbitrària d'un camp d'estudi, ni d'una tria política. És cert que a efectes de definició del gremi i d'ubicació de la seva activitat dins els organigrames administratius és perfectament legítim i probablement fins i tot imprescindible d'adoptar la llengua com a criteri: un professor d'història de la literatura catalana és un senyor que fa classes sobre la literatura escrita en català. També és cert que, a partir del moment que la societat catalana va rebutjar molt majoritàriament la diglòssia en la qual havia viscut durant molt de temps i va voler tornar la llengua pròpia a la plenitud d'ús, escriure en l'una llengua o l'altra va esdevenir automàticament, per a tot catalanoparlant d'origen, una presa de posició política. Però transposar aquest fet a una època anterior és un anacronisme inadmissible: escriure en castellà o en català, per a un català de, per exemple, 1830 no depenia d'una elecció personal, sinó dels dictats d'una convenció social acceptada per tothom. Per aquesta mateixa raó, sigui quin sigui el criteri definidor de la nostra activitat professional com a «àrea de coneixement», aquest coneixement, si ha de ser-ho de debò, ens exigeix d'estudiar la «història literària de Catalunya» prescindint de tota distinció lingüística. Perquè, si no ho fem així, el nostre coneixement serà imperfecte.

Entenguem-nos: no serà simplement incomplet, sinó greument deformat. Si no ens esforcem per establir el quadre de la «història literària» d'un determinat període en la seva totalitat, no podrem saber quin és el lloc correcte ni el sentit de les parts que hi tenim dibuixades i correrem el risc de prendre els detalls del rerefons per figures centrals del primer pla. Quan el qui aquí homenatgem va publicar l'esmentada antologia de la *Poesia neoclàssica i pre-romàntica* catalana, el doctor Rubió hi va objectar, tan delicadament com li va ser possible, que pràcticament tot el que hi apareixia com a neoclàssic i fins i tot molt del que hi era considerat preromàntic prolongava de fet una tradició que, conservant la mateixa terminologia, caldria anomenar barroca –que, en altres mots, eren coses que podien haver estat escrites al segle XVII. De poesia neoclàssica i potser de preromàntica, –afegia, ja més decididament, el doctor Rubió– ja n'hi ha: en castellà. El gruix més important el forma la que escrivien, cap als anys del Trienni Liberal, Aribau i els seus amics.[7] Abans d'aquesta època, no se'n troba gaire, ni en castellà; però, en canvi, sí que hi

7. RUBIÓ, «Poesia neoclàssica...», pàg. 112.

ha indicis que els cercles més refinats de les classes altes estaven relativament al dia de les modes culturals –que hi arribaven també en castellà, o en francès o en italià. El problema no era pas no parlar-ne, de tot això– en altres ocasions s'hi ha fet referència sense que hagi canviat res. El problema és no tenir-ho, tant si se'n parla com si no, realment en compte, perquè això representa oblidar la qüestió fonamental del caràcter essencialment diglòssic de la cultura catalana en aquesta època: el català ja no era, ni podia ser vehicle de certes manifestacions culturals, ni de certes formes de literatura, especialment les noves, les que es renovaven constantment segons la moda. El neoclassicisme, el preromanticisme, igual com el romanticisme més tard, eren ja inseparables del castellà. Buscar-ne mostres en català és, per força, una tasca abocada al fracàs o a l'error. No totalment, se'm dirà. És veritat que hi ha alguna, raríssima, excepció: *La Fama en lo Parnàs* de Vada, potser algun poema de «Martilo» –però només algun, i encara–, els fragments del poema èpic de Puigblanch, les «trobes» d'Aribau. Però, justament, si ens atenim a l'aproximació integral, d'observació de tota «la història literària de Catalunya», que estic advocant, és aquest caràcter d'excepcionalitat que cridarà en primer lloc la nostra atenció i que constituirà la primera cosa per explicar. En comptes de trobar natural que algú escrivís una cosa així en el que al capdavall era la seva llengua, la més bàsica prudència intel·lectual ens durà a demanar-nos quines especialíssimes circumstàncies justifiquen que en aquests casos es trenqués la regla, àmpliament confirmada per tots els altres, que deia que la llengua pròpia no s'havia de fer servir per a aquestes funcions.

Ja sé què se'm replicarà: són justament mostres d'una voluntat de combatre aquesta diglòssia cultural; són el que sempre s'ha dit que són: els precedents i els primers passos de la Renaixença. Com s'expliquen, doncs, aleshores dues coses: la primera, que els mateixos responsables d'aquestes manifestacions ocasionals practiquessin, amb aquestes excepcions que, en la immensa majoria de casos són úniques i que mai no passen de dues o tres, la diglòssia cultural que se suposa que combatien? La segona, que el que, manllevant la terminologia de la història econòmica, podríem anomenar *take-off* d'aquesta «Renaixença» coincideixi justament amb la conversió definitiva de la societat catalana en una societat diglòssica? Recordem, pel que fa a aquesta segona pregunta, que, cap al final de la Guerra del Francès, Ballot va resumir els casos en els quals encara era normal de fer ús escrit del català en un limitadíssim ventall de situacions de desigualtat social i tracte paternalista: els senyors amb els seus «majordoms» –és a dir, administradors–, les senyores amb la família –és a dir, no pas, com ha llegit anacrònicament Anguera, les dones, la majoria de les quals no sabien escriure, amb les tietes i els cosins, sinó les mullers dels senyors amb els seus criats domèstics–, les monges amb els parents, i els propietaris amb els masovers. El que Ballot no explicava és que la restricció del català a aquest camp tan esquifit era un fet molt recent. I una mica exagerat també: a les dues primeres dècades del XIX el català –i un català infinitament més estandarditzat, per la simple tradició ininterrompuda, que no se sol dir– encara mantenia una presència prou respectable, bé que en constant retrocés, a la pràctica escrita –correspondència privada i comercial, comptabilitat, paperassa burocràtica interna– d'un ampli sector social mitjà integrat per propietaris, advocats i notaris, industrials i comerciants, i capellans. Cal afegir, però, que, per l'altra banda, el quadre dibuixat per Ballot era en realitat la instantània que capturava un moment molt fugisser en un rapidíssim procés de liquidació del català com a llengua escrita. La burgesia que s'estava fent a partir de l'esmentat sector estava a punt d'imposar a tota la societat catalana una diglòssia absoluta que no trobaria altra resistència entre les classes subalternes que les dificultats materials d'accés al castellà. Molt especialment, la seva ideologia liberal comportava en aquest punt un canvi fonamental: la desaparició de la diglòssia diferencial de classe, típica de l'Antic Règim –i encara reflectida en el famós passatge de Ballot–, però contrària al nou principi fonamental de la igualtat de tots els «ciutadans». Així, coses que sovint són esmentades com a manifestacions d'una «renaixent» oposició a la diglòssia no són sinó rèmores de l'antiga actitud de la classe dominant segons la qual era justificat d'adreçar-se en català als inferiors socials no sols perquè aquests no entenien el castellà, sinó perquè ja estava bé que no l'entenguessin. I al revés: el que és històricament significatiu, per exemple, en l'activitat apologètica del pare Claret no és pas, com se sol dir, que fes literatura de missió en català –la literatura de missió *sempre* s'hi havia fet–, sinó que la fes en castellà. La diglòssia universal triomfa, doncs, a la segona meitat de la dècada dels trenta, és a dir quan s'imposa finalment la revolució liberal; els resultats pràctics comencen a veure's clarament a la dècada dels cinquanta. La coincidència cronològica amb la Renaixença és perfecta.[8]

Que les ocasionals excepcions literàries a la norma diglòssica no són explicables per cap voluntat de renaixença ja és força generalment acceptat, d'altra banda, pel que fa a alguns casos concrets. Antoni-Lluc Ferrer hi va obrir camí, desmuntant el d'Aribau, desmitificació reblada després per Josep Fontana.[9] Més recentment, Albert Ghanime ha sotmès a una crítica semblant Joan Cortada.[10] Però encara queda molta feina per fer en aquest sentit i, sobretot, és tota la idea dels suposats orígens intel·lectuals romàntics d'una no menys suposada renaixença «nacional» que cal destruir d'una vegada. Si bé ja s'accepta en general que tota idea de restauració lingüisticocultural era completament aliena a Aribau, gairebé tothom persisteix encara a veure en la seva «oda» un primer pas objectiu en aquesta direcció. Fos quina fos la

8. He estudiat aquesta qüestió a fons a *La llengua maltractada*. Barcelona: Empúries, 2001, pàg. 307-464. Lamento sincerament, en canvi, d'haver de dir que Pere ANGUERA, *El català al segle XIX*, Barcelona: Empúries, 1997, és una pèrdua total de temps.

9. Antoni-Lluc FERRER, *La patrie imaginaire*, 2 vol. Aix-en-Provence: Université de Provence, 1987 i Josep FONTANA, *La fi de l'Antic Règim i la industrialització 1787-1868* [*Història de Catalunya*, dirigida per Pierre Vilar, V], Barcelona: Edicions 62, 1988, pàg. 429-31. Voldria aprofitar aquesta avinentesa per a fer una rectificació pública. Vaig fer en el seu moment una recensió molt injusta del llibre de Ferrer, posant massa èmfasi en els seus aspectes negatius —explicables sens dubte pel fet de tractar-se d'una tesi doctoral redactada potser sota una certa pressió— i no prou en el seu innegable mèrit d'obra peonera en la crítica del consens general sobre els inicis de la Renaixença. Potser no és massa tard per a presentar les meves excuses, a ell i als lectors als quals vaig donar una no prou exacta idea del seu llibre.

10. Albert GHANIME, *Joan Cortada: Catalunya i els catalans al segle XIX*. Barcelona: Publicacions de l'Abadia de Montserrat, 1995.

intenció de l'autor, el fet és –se'ns diu– que el poema establia, entre pàtria i llengua, una equació revolucionària i carregada de possibles conseqüències. Deixem de banda que parlar d'equació o d'identificació és clarament exagerat: Aribau presenta la llengua –més exactament, i la precisió no és gens trivial, l'acte de *parlar* en ella– com a l'únic consol de l'emigrat, el pal·liatiu de l'enyorança de la pàtria. L'important és que no podem donar per suposat, com hem fet i seguim fent, que *pàtria* té aquí el seu sentit nacionalista, sentit que, com tots sabem, però en aquesta ocasió oblidem, era aleshores molt recent i competia amb el tradicional de lloc natal (*ma pàtria*, afegeix religiosament el baró de Maldà sempre que esmenta Barcelona). En realitat, l'evidència interna del poema mateix indica sense cap mena de dubte que és en aquest segon que cal entendre-hi el mot. Si la identificació entre llengua i pàtria hi és, en efecte, dubtosa, no ho és gens la que s'hi estableix entre pàtria i paisatge: l'enyorança s'hi expressa exclusivament en termes d'aquest. Però, contra la tendència automàtica i universal a veure-hi, sense pensar-hi massa, una mena de síntesi més o menys simbòlica de Catalunya, Josep Moran ha demostrat molt convincentment que es tracta d'una topografia molt precisa: la del pla de Barcelona.[11] Encara que ell no hagi volgut extreure'n la inevitable conclusió, aquesta és ben clara. No sols és la pàtria de Remisa, i no pas la pàtria en si, que, tal com ha indicat Ferrer, Aribau celebra; és, a més a més, no pas la pàtria «nacional» de Remisa, sinó la seva *patria chica*.[12] Si persistim a llegir aquestes «trobes» com un crit de renaixença, caldrà admetre, amb Ferrer altre cop, que és a base de forçar-ne totalment el sentit.

Però això és exactament el que fem amb tots els altres textos d'aquesta època en els quals hem anat trobant manifestacions diverses de l'ambient propici dins el qual prendrien tot el seu suposat sentit les «trobes» d'Aribau, expressions del mateix difús i incipient, però inequívoc, esperit de restauració nacional. Aquí també, repetidament, el nostre procediment consisteix a enfocar detalls, aïllar-los del seu context, i llegir-los anacrònicament com a confirmacions d'una idea prèvia –dir-ne hipòtesi seria incorrecte– sobre la veritat de la qual no tenim ni el més petit dubte. *Los condes de Barcelona vindicados*: el títol ens basta. Què pot ser un llibre que el dugui, si no el record i la defensa dels nostres orígens nacionals i, doncs, un símptoma de renaixença? Si haguéssim llegit com cal, no ja el llibre sencer, sinó senzillament la «Razón de la obra» que l'encapçala, hauríem vist, però, que allò que s'hi reivindica és la plena inserció d'aquests personatges dins la genealogia reial que culmina en «*el tierno renuevo de la* contrariada *e inocente D.ª* ISABEL *II de las Españas*» –dit d'una altra manera, que Guifre el Pelós és tan espanyol com Don

11. Josep MORAN I OCERINJAUREGUI, «Topografia de l'oda "La Pàtria" d'Aribau», *Estudis de literatura catalana en honor de Josep Romeu i Figueras*, Barcelona: Publicacions de l'Abadia de Montserrat, 1986, II, pàg. 141-46 (i ara en els seus *Estudis d'onomàstica catalana*, Barcelona: Publicacions de l'Abadia de Montserrat, 1995, pàg. 119-24.)

12. FERRER, *La patrie*, I, pàg. 246. Val la pena d'observar que el poema es vincula així al curiós barcelonisme, o potser caldria dir-ne «barcinonisme» o «faventisme», que és un tret característic de la ideologia dels intel·lectuals liberals catalans de l'època del Trienni que es transmetrà encara a la generació immediatament posterior, la de Milà, i perdurarà fins als primers anys trenta.

Pelayo– i d'aquells remots principis dins el període fundacional de la comuna Espanya.[13] Com podem d'interpretar una *Gramatica i apologia de la llengua cathalana* publicada el 1814 altrament que com una primerenca fita del procés de la nostra restauració nacional? Poc hi fa que l'autor, com sabem perfectament, hagi practicat la diglòssia tota sa vida, que ens digui, en aquest llibre mateix, que tots tenim l'obligació de «parlar» la llengua castellana, que és la «de tota la nació», que només hi consideri per a l'ús escrit del català –i, doncs, per a la utilitat de la seva gramàtica– un nombre restringidíssim de circumstàncies possibles. Esmenant fins i tot la plana a contemporanis als quals hauria estat prudent de concedir la probabilitat d'un més gran coneixement de causa, rebutgem desdenyosament el seu testimoniatge sobre l'escassa repercussió d'aquesta obra: donat que aquesta és la primera gramàtica d'una llengua encara prerenaixent, com s'explica, si no és per la seva influència, que trobem les formes que proposa a la llengua dels autors que escriuen immediatament després?[14] En la nostra ignorància de la realitat social de l'època, ni se'ns acut de pensar que potser Ballot es limita a explicitar una normativa tradicional que informa una pràctica encara prou viva entre els seus coetanis, però a punt també de desaparèixer –en altres mots, que Ballot no representa pas un començament, sinó un final.[15] En la relativa proliferació de diccionaris bilingües i multilingües hi volem veure un altre senyal de renaixement, per més que tots els seus autors deixin diàfanament clar que el seu objectiu és de facilitar als catalans l'aprenentatge de la «lengua nacional». Si algú recull i publica els materials previs per a la formació d'un repertori biobibliogràfic dels escriptors catalans, ens neguem a acceptar que això pugui ser cap altra cosa que un gest d'afirmació nacional, encara que l'autor entengui per catalans només els nascuts –en qualsevol època– dins el territori definit per les tot just creades quatre províncies i que la seva intenció hagi estat, segons ens diu ell mateix en el pròleg, de vindicar l'aportació «provincial» a les lletres «nacionals».[16] Un destacat protagonista de la vida intel·lectual del país escriu un article per tal de desfer les suspicàcies dels que, de fora estant, voldrien veure en l'interès dels catalans per l'estudi i la valoració de la seva història una voluntat d'afirmació del vell esperit provincial –entenent ara el mot tal com ho era a l'Antic Règim– i explicar que, ben al contrari, hi domina el desig d'incorporar aquest patrimoni al de la comuna nació espanyola en construcció –que «Catalanismo no es provincialismo». Ignorant olímpicament tot l'article, ens fixem únicament en aquest màgic mot de «catalanisme» i, sense plantejar-nos ni per un segon la possibilitat que no tingui aquí el mateix sentit que sol tenir avui –com no l'hi té l'altre terme, «provincialisme»–, celebrem l'aparició d'una altra fita cabdal

13. Barcelona: Imprenta de J. Oliveres, 1836, I, 1-12 (la cita, a la pàg. 6). N'hi ha una edició facsimilar recent, per *La Vanguardia*, i la «Razón» es pot llegir també a *La Renaixença. Fonts*, pàg. 40-50.

14. Vegeu la «Introducció» de Mila Segarra a la recent edició facsimilar, Barcelona: Alta Fulla, 1987, pàg. 44-52. Segarra nota la «mentalitat diglòssica» de Ballot a la pàg. 55.

15. El lector podrà trobar-ne una justificació detallada i documentada a *La llengua maltractada,* pàg. 398-405.

16. El «Prólogo» de les *Memorias* de Torres Amat es pot llegir també a *La Renaixença. Fonts*, pàg. 26-39.

dins el procés restaurador.[17] Encarregat de pronunciar el discurs d'inauguració de curs a la Universitat de Barcelona, un catedràtic de filosofia dedica la seva peroració a advocar per un ensenyament filosòfic que s'adeqüi a les exigències de l'esperit nacional. La influència de la teoria del *Volkgeist* hi és patent: caldria ser cec –concloem– per a no veure-hi una altra mostra claríssima de la conjuntura mental renaixentista. No pensem a comprovar de quin esperit nacional es tracta. Si ho féssim, trobaríem que la resposta és l'espanyol.[18] De passada, potser ens demanaríem quins motius tenia aquest bon senyor per a triar justament aquest tema i a què es referia quan deia que «[t]rasplantar a nuestro suelo un sistema de filosofía exótico traería por de pronto la abdicación más cabal de la libertad del pensamiento propio» –especialment tenint en compte que tot seguit proposava ell mateix una operació transplantadora d'aquesta mena o, més exactament, la continuació d'una operació ja iniciada. I qui sap si no se'ns començaria a acudir la idea que estem mal interpretant i magnificant fora de tota proporció una senzilla defensa d'uns estretíssims interessos gremials.[19]

Però, de tot aquest catàleg de prevaricacions contra els més bàsics principis metodològics de l'historiador, no n'hi ha cap de comparable amb la que, cronològicament, tanca la llista: la que cometem en la nostra interpretació de l'anomenada restauració dels Jocs Florals. Que ens hàgim entestat tan llargament a veure-hi la culminació de l'etapa inicial del suposat procés de renaixença i una decisiva passa endavant en ell vol dir que no hem llegit els documents relatius a l'episodi o que, si ho hem fet, ha estat d'una manera deliberadament obtusa. I no és pas que siguin obscurs o ambigus. Prenguem-ne els dos de més programàtics, els respectius discursos del secretari i el president del primer consistori. Aquell repeteix allò que ja hem trobat a totes les putatives manifestacions renaixents anteriors: «que, si bè nos gosem en lo recort de allí hont venim com catalans, es ans que tot, pera martxar ab mès goig y ab mès companyia allá ahont anem com espanyols». I exposa les limitacions molt precises que condicionen aquest peculiaríssim retorn del català a la dignitat de llen-

17. B. Y B., «Estudios históricos. Catalanismo no es provincialismo», *Diario de Barcelona*, 30-I-1855. GHANIME, *Joan Cortada*, pàg.117, ha argüit molt convincentment que les sigles amaguen Antoni de Bofarull i no pas, com s'havia suposat sempre, Duran i Bas. El sentit de l'article és diàfan.

18. Manuel JORBA, «La Renaixença», a RIQUER-COMAS-MOLAS, *Història de la literatura catalana*, vol. VII. Barcelona: Ariel, 1986, pàg. 18, ho indica, però no sembla veure-hi cap raó per a no persistir en la interpretació tradicional. Només Josep M. FRADERA, *Cultura nacional en una societat dividida*, Barcelona: Curial, 1992, insisteix molt explícitament en aquest punt i critica l'esmentada interpretació (però no acabo de veure al discurs de Llorens les implicacions que ell li troba). El document, a *La Renaixença. Fonts*, pàg. 119-40, esp. pàg. 121 i 138.

19. Tot i que Misericòrdia ANGLÈS CERVELLÓ, *El pensament de F. Xavier Llorens i Barba i la filosofia escocesa*, Barcelona: Institut d'Estudis Catalans, 1998, pàg. 23-24, esmenta l'oposició de Llorens al krausisme i les seves relacions de respectuosa discrepància amb Sanz del Río, a ningú no sembla haver-se-li acudit la possibilitat d'una connexió molt directa entre la seva oració inaugural i l'anunci de l'imminent retorn a la càtedra de Sanz, després del seu període de tancament voluntari a Illescas. No oblidem que Sanz havia estat enviat en missió oficial a cercar als centres universitaris d'Europa el model de filosofia que calia incorporar al programa d'estudis de l'ensenyament superior espanyol.

gua literària: que no surt del clos d'un ritu anyal, solemnitzat pel patrocini oficial de l'Ajuntament; que no té caràcter d'innovació, sinó que és «una renovació de lo antich»; que s'ajusta a unes normes molt estrictes; que es limita a la poesia. La convocatòria les havia enumerat més clarament encara i n'hi havia afegit una altra que el secretari no feia explícita: l'ús prescriptiu d'un català literari artificial, expressament allunyat de la llengua parlada. Però és el discurs presidencial de Milà que, en la seva brevetat, ens revela de la manera més diàfana l'autèntic significat de la iniciativa:

> «Ab un entusiasme barrejat de un poch de tristesa, li donam *aquí* á aquesta llengua *una festa*, li dedicam un filial *recort*, li guardam *almenys un refuji*. Als qui nos fassen memoria de las ventatjas que porta lo *olvidarla*, direm que á estas ventatjas preferim retenir un sentiment *en un recó de nostres pits*, y si en aquest sentiment algú hi volgués veurer perills y discordias ó una disminució del *amor á la patria comuna*, podriam respondrer que eran ben be catalans molts dels que ensangrentaren las ayguas de Lepant y dels que cassaren las águilas francesas; y podriam repetir un aforisme ja usat al tractar de un dels millors catalans y mes ardents espanyols que may hi ha hagut: "*No pot estimar sa nació, qui no estima sa provincia*".»[20]

Estrany crit de reivindicació! El parlament de Milà mostra, al contrari, que la «restauració» dels Jocs Florals no era sinó la torna de la diglòssia absoluta que la burgesia catalana adoptava com a part essencial de la seva ideologia de classe que volia ser rectora de la nació espanyola en construcció. La lliure renúncia a la llengua pròpia en tot ús escrit era sentimentalment compensada amb aquest gest emfàticament simbòlic –vull dir inequívocament dissociat de qualsevol repercussió en qualsevol altre espai social.

Si no és, però, com a símptomes de renaixença, com s'expliquen, doncs, les innegables excepcions a la diglòssia literària a la primera meitat del segle XIX? Abans de tot, caldria decidir, cas per cas, si es tracta d'autèntiques excepcions. No estic pas pensant en la mena de material catalogat fa uns anys per Àlvar Maduell o bona part de l'exhumat recentment per Max Cahner.[21] Aquest és evident que no trenca pas la diglòssia cultural d'Antic Règim, que és una diglòssia classista: com ja he dit més amunt, els productes de consum popular –catecismes, goigs, romanços, etc.– era normal de fer-los en català. Fer el còmput dels que ho eren i engruixir el catàleg de Marià Aguiló té a hores d'ara un interès molt limitat. Allò que és històricament rellevant en aquest terreny és, com ja he insinuat també més amunt, la cronologia, el

20. «Memòria del secretari» i «Discurs del senyor president del Consistori», *Jochs Florals de Barcelona en 1859*, Barcelona: Llibreria de Salvador Manero, 1859, pàg. 29-57 i 23-25, reproduïts a *La Renaixença. Fonts*, pàg. 186-213 i 183-85. Les cites, a les pàg. 35 (192) i 24-25 (184-85), respectivament (*la cursiva és meva*).

21. Àlvar MADUELL, «Ciència, pietat i literatura en les edicions catalanes d'abans d'Aribau (1801-1833)», *Actes del Col·loqui Internacional sobre la Renaixença*, I, pàg. 13-55; Max CAHNER, *Literatura de la revolució i la contrarevolució (1789-1849). Notes d'història de la llengua i de la literatura catalanes,* volum I. Barcelona: Curial, 1998.

grau, i el ritme de la introducció del «castellà». El que caldria investigar, doncs, és com evoluciona paral·lelament la producció en cada una de les dues llengües.

No: és l'excepcionalitat, dins una situació diglòssica, d'obres literàries «cultes» en català que cal sotmetre a examen. En el curs de les darreres dècades hem anat descobrint o redescobrint textos i autors del XVII, el XVIII, i els inicis del XIX i ha arribat un moment en què, en comptes dels quatre illots en un immens oceà de la vella visió, comencem a tenir davant dels ulls un petit continent, una literatura catalana de la Decadència. El nostre coneixement n'és encara molt fragmentari i, de fet, és més que probable que, per la seva naturalesa mateixa –ara mateix en parlaré–, mai no ens serà possible de recuperar-la tota. Però el que en sabem ja és suficient com per a comprovar que hi va haver una ininterrompuda continuïtat de la producció literària en català. Això, ben mirat, no hauria de ser cap sorpresa: el que no tenia cap sentit era que, molt de tant en tant i sense cap explicació, algun quídam s'hagués despenjat, sense ni com va ni quant costa, amb un tros de literatura en la nostra llengua. Cal evitar, però, de caure a l'error de projectar damunt d'aquesta contínua tradició la suposada explicació que donàvem, en general implícitament, a aquelles estranyes aberracions i interpretar-la, anacrònicament, com a una manifestació de resistència col·lectiva a la castellanització cultural. Aquesta literatura es dóna dins un context de diglòssia ja molt generalitzada i sense contradicció amb ella. Els homes que la produeixen, eclesiàstics d'una certa importància, nobles de la terra, notaris i advocats, professors de facultat i seminari, algun metge i apotecari, acadèmics tots de Bones Lletres o que hi aspiren, pertanyen a estaments que han adoptat de fa temps el comportament diglòssic i ells mateixos en són la prova. Cal concloure, doncs, que, dins aquest marc cultural d'Antic Règim, la diglòssia deixava un cert espai a l'ús literari de la llengua materna. I la tasca més urgent i important amb què haurien d'enfrontar-se els especialistes del període és justament la de precisar-ne els límits, d'aquest espai.

Dit d'una altra manera, en quines circumstàncies era compatible amb la diglòssia d'escriure obres literàries en català? La meva hipòtesi –que aquí no puc exposar en detall– és que aquesta literatura complia tres condicions: era de circulació manuscrita i limitada als mateixos cercles que la produïen; era estrictament en vers i de temàtica circumstancial, sovint jocosa o satírica; i, en termes estètics, estava totalment i exclusivament lligada als models que ja s'ha fet habitual d'anomenar barrocs, és a dir als fixats al segle XVII per Garcia i Fontanella: dècimes, romanços, algun sonet, i glosses i *letrillas* a base de *redondillas* pel que fa a la forma, i bucolisme o sàtira pel que fa al contingut. Es tracta, doncs, d'una literatura volgudament menor, amb un marcat caràcter de joc privat –i sovint maliciós– de lletraferits de, insisteixo, Antic Règim. La primera de les condicions enumerades podia ser trencada en part alguna vegada, però només ella i només en part: ocasionalment, per alguna circumstància especial, aquestes obretes podien ser impreses, però sense que això les sostragués a la privadesa dels circuits productors-consumidors, garantida per l'anonimat o el recurs a les sigles o als pseudònims faceciosos. Així és com apareixen, amb una relativa freqüència, a les planes del *Diario de Barcelona*, el qual, d'altra banda, convé de no assimilar anacrònicament a la premsa actual –no sols perquè la seva circulació devia de circumscriure's considerablement als mateixos cercles que produïen aquesta literatura, sinó perquè aquests el tractaven ben ostensiblement com a una extensió de l'àmbit– acadèmia, tertúlies de rebotiga, sagristia, i convent –dins el qual exercien la seva activitat ludicocultural. El concomitant implícit –com ho solen ser les tendències imposades pel prestigi social– d'aquestes limitacions és que tota manifestació literària que no s'hi ajustés havia de ser necessàriament en castellà. Encara que aquesta realitat queda obscurida, pel que fa especialment al XVIII, per l'escassesa de literatura en aquesta llengua produïda per catalans, seria un greu error de dubtar-ne. És molt més raonable d'explicar aquesta situació per la manca d'empenta dels escriptors del país, la qual és atribuïble al seu torn al caràcter intel·lectualment resclosit dels ambients en els quals es movien i a l'absència d'estímul social que, –un cop més– en un marc cultural d'Antic Règim, comportava per a aquesta mena d'activitats l'allunyament de la Cort. Que aquests homes no ens han deixat gaires obres en castellà perquè no eren capaços d'escriure'n de la mena que s'hi havia d'escriure i que ens n'han deixat, en canvi, en català perquè només servien per a escriure'n de la mena que s'hi podia escriure pot semblar, ho admeto, un raonament circular. El confirmen, però, dues coses: les constants lamentacions i protestes –purament rituals, aquestes– per l'abandonament del conreu literari del català i l'avançat estat de diglòssia general a la societat –una diglòssia, no ho oblidem, de caràcter classista i empesa en el seu progrés per les pretensions d'ascens social.

Ara bé, la primera evidència que se'ns imposa, un cop n'hem reconegut l'existència, és que aquesta tradició literària marginal en català no es trenca pas en arribar al segle XIX, sinó que hi penetra sense cap senyal immediat de decadència i traspassa la data màgica del 1833. Ja ho va observar, altre cop, el doctor Rubió: el que Molas deia de la poesia del set-cents ho hauria pogut dir igualment de la produïda entre 1808 i 1833 «i encara de bona part de la posterior abans del 1859».[22] El doctor Rubió no va ser més específic, però, si ens ho mirem amb ulls nets de prejudicis «renaixentistes», és difícil de no veure que, per exemple, els poemes de Larios de Medrano[23] i les *Llàgrimes de la viudesa* de Martí i Cortada –que Piferrer, que ell sí que era romàntic, considerava un *tonto coplero*–[24] prenen molt més sentit com a productes de l'esmentada tradició que no pas com a suposat «precedent de la Renaixença», els uns, i «una de les primeres mostres de la Renaixença», les altres. El mateix cal dir de les tres quartes parts, si no més, del material aplegat tant a *Els trobadors nous* com a *Els trobadors moderns* –entre els quals, dit sigui de passada, mai no he sabut veure cap diferència significativa. O dels versos de tots els «tamboriners», «fluviolers», i altres instrumentistes fluvials que constitueixen la conseqüència més directa i palpable de l'aparició de «Lo Gayté del Llobregat» a les planes del *Diario de Barcelona*. I que estaven perfectament justificats de respondre-

22. «Poesia neoclàssica...», pàg. 112.

23. «Joan Làrios de Medrano: Poemes», a cura de Joan Alegret, *Els Marges*, núm. 18-19, 1980, pàg. 79-95.

24. En carta a Manuel de Bofarull del 22-IX-1841, citada per Ramón CARNICER, *Vida y obra de Pablo Piferrer*, Madrid: CSIC, 1963, pàg. 53-54.

hi així. Relacionar aquest «Gayté» amb «El Trovador de Laletania» de Ribot i Fontserè i «El Trovador del Panadés» de Milà pot semblar inevitable si ja duem al cap les idees preconcebudes de la seva transcendència dins la suposada «renaixença» i del llegat romàntic d'aquesta.[25] La veritat és, però, que, fins i tot deixant de banda que els dos darrers, catalans per la geografia, eren castellans per la llengua, ni Laletània, ni el Penedès no són rius, ni un gaiter no és un trobador –ni té res de romàntic. Ben al contrari: la gaita és un instrument característicament rústic, com el fluviol i el tamborino –plegats, formaven la típica cobla de tres quartans–, i com les *zampoñas* i els *caramillos* dels *zagales* poètics de Lope de Vega i Góngora. «Lo Gayté del Llobregat» ens remet al bucolisme dels Gilets i les Giletes, ens remet a Fontanella i Garcia. I no pas únicament pel pseudònim. Mirem-nos sense prejudicis, altre cop, el primer dels poemes així signat públicament, tal com va aparèixer la primera vegada al diari, sense cap exerg. Què hi veurem, si no un poema bucòlic, de to popularitzant, amb musical *ritornello*, en celebració de la senzilla felicitat de la vida camperola? I si llegim tota la sèrie original segons l'ordre de publicació al mateix lloc, en comptes de fer-ho en alguna de les versions posteriors, en volum, comprovarem, no sols que aquest primer poema no és pas un cas aïllat (vegeu «La nit de sant Joan», vegeu les dècimes de «Lo hivern»), sinó que és detectable en el conjunt un clar procés de maldestra transició d'una vella tradició perfectament assimilada a una nova literatura coneguda només per referències. Al capdavall, tots sabem que, exactament a la mateixa època, Rubió encetava –i deixava sense continuació– una «Biblioteca de Antichs Escriptors Catalans» amb edicions de Garcia i de Pere Serafí. Ell mateix, d'altra banda, admetia, al pròleg famós, que l'entusiasme que hi exhibia pel medievalisme romanticoide era en ell ben recent i que hi havia arribat gràcies a les recomanacions d'alguns amics més ben informats que no pas ell, que havia estat fins aleshores, no pas un «trobador», sinó un «gaiter».[26]

Cal afegir encara que, si la data del 1833 no significa cap inflexió en aquesta ininterrompuda tradició, tampoc no hi ha cap motiu per a veure'n el límit en la del 1859. El corrent perdura, al contrari, a les cançons catalanes de Clavé –i als versos en la mateixa llengua d'alguns col·laboradors de les seves publicacions, com ara Albert Columbrí i els dos Vidal de Valenciano–[27] i a la literatura jocosa i paròdica de Pitarra i companys, i demostra així una certa capacitat de transformació renovadora. De fet, és legítim de demanar-se, amb Josep Fontana, si no és d'aquí que arrenca l'autèntica renaixença cultural del català.[28] Sí i no, crec, com ell mateix, que hauria de ser la resposta, que, en qualsevol cas, cau fora dels propòsits d'aquest article. Als

25. JORBA, «El Romanticisme», pàg. 112.

26. *Lo Gayté del Llobregat. Poesias*, Barcelona: Estampa de Joseph Rubió, 1841, IX: «Desde que arribá á sos oidos, que desgraciadament fou molt tart, la paraula *Trobador*; desde que sentí parlar á sos joves amichs, als quals deu lo poch que val, de estos fills de l'arpa...» Vegeu també pàg. I-II (també a *La Renaixença. Fonts*, pàg. 81 i 75-76).

27. A l'*Eco de Euterpe*, on també es poden llegir (I, 2, 5, 13, 43 [1859], II, 81 [1860]) cançons de Pere Serafí, una «gileta» de Fontanella (II, 51 [1860], 28), o el sonet a «la senzillesa de la llengua catalana» de Garcia (II, 81 [1860], pàg. 147).

28. FONTANA, *La fi de l'Antic Règim*, pàg. 440-44.

efectes d'allò que ara m'interessa, cal insistir, al contrari, damunt el fet que, a mesura que avança el vuit-cents, aquesta tradició literària s'acosta cada cop més al fons d'un atzucac històric. En procés de ràpida desaparició els sectors socials i les formes d'organització de la vida cultural d'Antic Règim que la sostenien, degenera irremissiblement en aquest terreny, alhora que es degrada intel·lectualment. Els escriptors burgesos l'ataquen violentament per la seva vulgaritat plebea, els més conservadors, o, els més progressistes, es mofen amb condescendència del seu caràcter tronat –la naturalesa classista de la condemna és la mateixa.[29] Els que encara s'hi vinculen accepten ells mateixos, en la mesura que pertanyen a la burgesia o aspiren a integrar-s'hi, aquest veredicte: la prolonguen exclusivament amb finalitats paròdiques i són conscients de la seva irrecuperabilitat fora d'aquest estretíssim clos. N'és la prova més vistent l'excepcional número seriós d'*Un Tros de Paper*, la gràcia del qual rau justament en el fet de ser una mostra de literatura respectable escrita en català del que aleshores es parlava.[30] A nosaltres, el document ens pot revelar la perfecta viabilitat potencial d'una tal literatura, però el fet històric que documenta és la convicció col·lectiva de la seva real impossibilitat social: havent sorprès els lectors amb aquest estirabot, típic dels gats dels frares que són, els redactors tornen al número següent –i definitivament– a les habituals gatades.

El que sobrevivia encara, al segle XIX, d'una literatura culta en català estava condemnat, de fet, des del moment mateix de l'inici del procés històric de la revolució liberal i la condemna va esdevenir efectiva amb el triomf d'aquesta, a la dècada dels trenta. Amb aquest canvi, en efecte, la diglòssia va passar de procés espontani i gradual, propel·lit per la mobilitat social, a objectiu polític. Per a la burgesia catalana, que s'erigia en classe dominant de la societat, la diglòssia no admetia excepcions: els seus principis liberals exigien –i la nova escola havia de garantir– la desaparició en aquest àmbit de tota distinció de classe; la seva vocació progressista rebutjava tota manifestació cultural que fos identificable com a rèmora del passat; i la seva entusiàstica voluntat de construcció de la comuna nació espanyola aconsellava el sacrifici dels vestigis de la vella nacionalitat «provincial». A partir d'aquest moment, la supervivència de la tradició literària culta en català ja només podia ser residual. Un jove aspirant a intel·lectual com Rubió i Ors encara s'hi podia trobar lligat inicialment pels seus orígens menestrals, però si, com ell, protagonitzava ja un procés d'ascens social, aviat trobava qui –companys ja burgesos, més sofisticats– li

29. Exemples de la primera actitud a la memòria del secretari dels Jocs Florals del 1859, Antoni de Bofarull, a *La Renaixença. Fonts*, pàg. 204, al discurs presidencial dels del 1864, de Joan Cortada, reproduït per GHANIME, pàg. 206-12, a la pàg. 211, o als textos de Bofarull i de Milà citats per FRADERA, pàg. 148-54. Exemples de la segona, els versos paròdics publicats a *El Pájaro Verde*, II, pàg. 255-56 amb aquest encapçalament: «Entre los manuscritos que heredamos de Fray Pataca hombre que murió en Lérida el siglo pasado, con olor de poeta, encontramos las siguientes décimas [...]: "A un poeta improvisat que compongué un soneto mes aspre que una nespre verda, per llegirlo devan un públich mol instruit y numerós"» o l'igualment paròdic «Geroni CUNILLE», «Un somni», *Diario de Barcelona*, 4-III-1852, en redondillas que comencen: «Sota un arbre tristament / sentada una nina estaba...».

30. No en tinc a mà la referència, però el número no és difícil de trobar. Crec recordar que va ser publicat arran del dia de Tots Sants o alguna data semblant.

obria els ulls a la necessitat de deslligar-se'n. Si algú el seguia encara per aquell primer camí, era gent, com el metge vilatà Pau Estorch o el mestre de poble Andreu Pastells, que quedava al marge d'aquest corrent sociocultural dominant pel seu allunyament social o geogràfic –o una cosa i l'altra. I només des d'aquesta perspectiva es pot arribar a entendre l'altrament inexplicable enigma de *Lo Verdader Catalá*, aquest «primer òrgan de la Renaixença» totalment ignorat al seu moment, al·ludit –molt rarament– amb la més gran indiferència amb posterioritat, i tractat amb la més evident incomoditat per tothom des que Miquel i Vergés, primer, i Casacuberta, després, van fer inevitable de parlar-ne.[31] Si, un cop més, n'haguéssim llegit sense preconcepcions les planes i, especialment, les declaracions finals dels seus propis responsables, hauríem comprès de seguida allò que només el doctor Rubió, un cop més també, sembla haver vist: que lluny de començar res, *Lo Verdader Catalá* representa un acabament, el de la llengua catalana com a vehicle de literatura culta.[32] Als anys quaranta, una publicació que encara reivindicava aquesta funció per a ella no podia trobar altre eco que la mofa.

Com és, doncs, que altres manifestacions literàries cultes en català més o menys coetànies i fins i tot posteriors en trobaven? Dit d'una altra manera, com s'expliquen les autèntiques excepcions literàries a la diglòssia? Algunes, poques, de molt concretes, per alguna circumstància molt especial: és el cas de les suscitades per la visita reial del 1802, l'*Epitalami* que Cahner ha atribuït recentment a Ignasi Plana i *La Fama en lo Parnás* de l'escolapi Jaume Vada.[33] Emmarcades –convé de no oblidar-ho– per un nombre molt més gran d'altres versos celebratoris en castellà –alguns escrits sens dubte pels mateixos autors, diglòssics habituals, per altra banda–, representen un testimoniatge marginal i ritual de la peculiaritat nacional –en el vell sentit etimològic del mot– de la província que sempre havia estat gairebé de rigor en manifestacions d'aquesta mena.[34] Cauen, doncs, dins la categoria d'un cert tipus de producte literari que les regles tàcites de divisió lingüística de la literatura d'Antic Règim atribuïen al català i que només és excepcional, al capdavall, perquè les ocasions que hi donaven peu s'esdevenien molt de tant en tant. Comparteixen, però, una cosa amb les altres, més nombroses i més interessants, excepcions: el

31. Un bon exemple d'aquesta incomoditat a JORBA, «El Romanticisme», pàg. 82-83. No és l'única vegada que Jorba es troba en aquesta incòmoda situació, agafat entre la seva fidelitat a l'esquema tradicional i el que li diu el seu excel·lent coneixement del període.

32. RUBIÓ, «La Renaixença», a *Moments crucials*, pàg. 311. Les esmentades paraules de comiat de la revista es poden llegir a Josep M. DE CASACUBERTA, *«Lo Verdader Catalá» primer òrgan periodístic de la Renaixença (1843)*, Barcelona: Barcino, 1956, pàg. 134-35.

33. CAHNER, *Literatura de la revolució*, pàg. 350-75; Joaquim MOLAS, «Poesia barroca i poesia neoclàssica el 1802», *Estudis de Llengua i Literatura Catalanes*, II (1981), pàg. 271-306.

34. Val la pena d'observar, en aquest sentit, que l'encarregat d'organitzar tot el cerimonial de la rebuda i les festes subsegüents, Ignasi Plana, va inspirar-se de tota evidència en el precedent —com sempre s'havia fet en aquests casos— i, més concretament, en el proporcionat pel més recent, el de la visita de Felip V en 1701-02. Vegeu Enric RIERA I FORTIANA, «Les festes celebrades a Catalunya durant el viatge i el casament de Felip V (1701-1702)», a *El barroc català*, a cura d'Albert ROSSICH i August RAFANELL. Barcelona: Quaderns Crema, 1989, pàg. 395-410.

caràcter literàriament ambiciós i, doncs, en una literatura provinciana d'Antic Règim, socialment elevat, el qual es manifesta en l'elecció de gènere i forma mètrica: l'èpic i l'*ottava rima* –l'estrofa dels grans clàssics italians que eren encara, com ens ho recorda Byron, el model literari suprem–, respectivament. És una altra manera de dir que aquestes darreres són autèntiques excepcions: el català hi és usat, sense circumstàncies especials que ho justifiquin puntualment, en obres de gran volada, si més no en intenció.

La raó d'això –n'estic convençut encara que aquí no pugui demostrar-ho– és la voluntat d'expressar, amb un gest ple de valor simbòlic, únic i irrepetible en cada cas individual, l'amor a la llengua pròpia, a la qual el mateix que ret l'homenatge ha renunciat com a vehicle de l'escriptura. L'actitud no és pas nova, sinó que es remunta a l'època en què es consolida irreversiblement la diglòssia literària i es manifesta periòdicament en el curiós gènere de la vindicació de les «excel·lències» del català, vindicació que és absurd de presentar, com se sol fer, en termes de defensa de l'ús de la llengua, donada l'evidència flagrant de la pràctica sòlidament diglòssica dels vindicadors. Sembla prou clar, però –encara que podria ser un efecte de la nostra ignorància–, que la freqüència d'aquestes manifestacions augmenta amb el pas del temps, igual com la dels poemes ambiciosos en català que trenquen les regles del joc diglòssic, i que les unes i els altres assoleixen una notable concentració a les darreries del XVIII i començaments del XIX.[35] Per tal d'entendre aquest curiós fenomen, és important d'observar el fet extraordinàriament anòmal –però al qual ningú entre nosaltres no sembla mai concedir tota la importància que té– que les classes dominants a Catalunya –i, rere elles, la resta de la societat– accepten la superioritat social del castellà i fins i tot, més tard, la seva condició de llengua exclusiva de «la Nació», però es neguen sempre a deixar de parlar en català i, més encara, de considerar-lo l'única llengua *pròpia*. S'avenen a ser diglòssiques, però no a esdevenir bilingües. La raó d'això és un misteri que potser no arribarem a esbrinar mai, però no hi pot haver dubte que té alguna relació amb el fet que els representants intel·lectuals d'aquestes classes dominants sentin periòdicament la necessitat de proclamar ben clarament que la renúncia de la llengua pròpia en l'ús escrit és l'acceptació d'una realitat imposada per les circumstàncies o, més tard, una decisió política col·lectiva, però mai no obeeix a cap deficiència intrínseca de la llengua mateixa, llengua de passat gloriós, llengua d'Estat, i llengua perfectament capacitada per a ser vehicle de la més excelsa literatura. Aquest és el sentit de totes les esmentades «defenses» del català, perfectament resumit, en la seva contradicció mateixa, en la més precisa i rotunda de totes elles, la famosa de Campmany, seguida per pràcticament totes les posteriors. Ara bé, de tant en tant, especialment a partir de les darreres dues dècades del set-cents, algun d'aquests individus decideix de donar-ne una demostració pràctica –i apaivagar, alhora, sens dubte, la seva mala consciència. El resultat és un poema de tema elevat en metre noble. Que aquesta és l'única explicació satisfactòria de tots aquests suposats «precedents» o «primeres fites» de la Renaixença ho confirmen

35. Vegeu Francesc FELIU *et al.*, *Tractar de nostra llengua catalana*. Vic/Girona: Eumo Editorial/ Universitat de Girona, 1992.

diversos detalls: el poema no passa sovint d'un estat incipient i fragmentari i es difon en forma manuscrita, amb lectures en veu alta davant d'auditoris molt restringits d'intel·lectuals, però mai o gairebé mai no es publica. Però, sobretot, l'argument més concloent és el seu caràcter absolutament excepcional, en contrast amb la naturalesa sòlidament diglòssica de tota l'altra actuació pública i producció literària de l'autor –la qual admet, naturalment, algunes mostres de la mena de literatura menor que, com he argumentat més amunt, era compatible amb la diglòssia. És possible que això sigui també aplicable en part a casos que s'expliquen fonamentalment per altres raons, com ara els poemes de la visita reial del 1802. L'exemple més clar i més explícit, però, és el de Puigblanch, que va expressar públicament el desig que «ya que haya de morir este idioma catalán, se le sepulte con honra quedando en él un escrito que merezca leerse».[36] No sabem si aleshores ja s'hi havia posat ell mateix o si no ho va fer fins més tard, però que el seu poema –èpic, en octaves reials– *Les comunitats de Castella* volia ser justament això –i res més que això– no ofereix gaires dubtes.[37] El doctor Rubió va oposar a la declaració citada de Puigblanch el conegut projecte del jove Aribau d'escriure un poema d'empenta «plorant la vergonyosa decadencia –en que vuy jau la cathalana faula».[38] És molt més lògic, tenint en compte tota la trajectòria, política i literària, del personatge, de veure-hi un altre exemple d'exactament la mateixa actitud: el gest aïllat de compensació simbòlica i sentimental de la consagració final de la diglòssia.[39]

Aribau, és pràcticament segur, no va escriure mai el seu poema. Però, en canvi, un altre de seu, ben diferent, producte circumstancial totalment dins els límits de la diglòssia, va convertir-se inesperadament en el més famós d'aquests gestos simbòlics, assumit com a tal col·lectivament. La raó d'això es troba clarament en el fet que les seves «trobes», tot i el seu caràcter circumstancial, constituïen una peça de literatura moderna, exemple d'una sensibilitat nova, la mateixa que s'imposava arreu de l'Europa avançada. El seu valor testimonial de cara a la viabilitat virtual del català com a llengua literària en quedava realçat. Els altres exemples de la mateixa mena reproduïen models antics que ara justament començaven a ser qüestionats: traduïen o parafrasejaven la gran poesia litúrgica en llatí –com faria encara als anys quaranta Muns i Serinyà– o imitaven el gran poema èpic del Renaixement italià. El

36. A les seves «Observaciones sobre la lengua catalana», editades per Josep M. Miquel i Vergés, «La filologia catalana en el període de la Decadència», *Revista de Catalunya*, xviii (1938), pàg. 655-672. Aquestes paraules han estat citades després per tothom.

37. És realment increïble que ningú no hagi trobat estrany que un poema suposadament de clara significació «renaixentista» tingui com a tema un dels mites fonamentals del nacionalisme espanyol. Recordem també que Puigblanch s'havia declarat partidari de la diglòssia absoluta el 1811, en un famós passatge de *La Inquisición sin máscara* (citat, per exemple, per Manuel Jorba, «Actituds davant de la llengua en relació amb la Renaixença», *Actes del Sisè Col·loqui Internacional de Llengua i Literatura Catalanes*, Barcelona: Publicacions de l'Abadia de Montserrat, 1983, pàg. 127-51, a la pàg. 131).

38. «Poesia neoclàssica...», pàg. 112.

39. No sé si cal dir que la mateixa explicació serveix meravellosament per a la *Gramàtica* de Ballot, en la qual tornem a trobar la declaració de principi sobre la diglòssia, l'elogi de la llengua catalana, i la declaració d'amor personal a aquesta.

poemet d'Aribau, molt menys ambiciós d'intenció –sense ambicions, més ben dit–, demostrava tanmateix que, si calia –que no era el cas, evidentment–, el català podia servir per a escriure literatura de la més moderna. Aquest és de tota evidència el sentit de la famosa nota de presentació d'*El Vapor*, com ho és, ben explícitament en aquest cas, d'un altre producte semblant sortit del mateix cercle, el poema de Pere Mata *Lo vot complert*, que va encara més lluny en insistir en l'ús del català tal com es parla en aquell moment. Al mateix temps, no es pot dubtar de les conviccions diglòssiques de tots els responsables d'*El Vapor* ni de Pere Mata, que, un cop demostrat *quod erat demonstrandum*, no va tornar a escriure mai més res en català.[40] Va ser, però, com tots sabem, el poema d'Aribau que va esdevenir, a partir del 1836, la referència obligada de tots els gestos posteriors del mateix signe. Més encara, va anar adquirint la funció d'exorcitzar la culpa col·lectiva del sacrifici de la llengua pròpia, abans que aquesta funció no quedés institucionalitzada en la cerimònia anual dels Jocs Florals, la «restauració» dels quals cal veure com a la culminació lògica d'aquest corrent històric de justificacions individuals de l'adopció de la diglòssia.

El camí que mena de l'un als altres, és a dir la Renaixença pròpiament dita segons la concepció clàssica, em sembla també prou clar, bé que aquí només puc oferir-ne una visió esquemàtica. S'hi combinen tres processos històrics que comparteixen també un origen comú en el *take-off* industrial de la societat catalana. Tenim, per una banda, la transformació de la vida literària i, més generalment, de la manera com les activitats que acostumem a anomenar culturals s'articulaven amb la societat que les produïa i consumia, incloent-hi l'aparició, justament amb la generació d'Aribau i amics, d'una nova mena d'intel·lectuals amb vocació professional i ambicions d'influència política. Per satisfer l'una i les altres, aquests homes empenyien ells mateixos la creació de formes d'organització de la seva activitat adaptades als requeriments d'una societat capitalista, fonamentalment les editorials comercials i unes noves societats obertes a tothom que estigués en disposició de pagar-ne les quotes. Les seves possibilitats, no ja de desenvolupament, sinó de consolidació estamental eren, però, molt precàries i els forçaven a multiplicar els esforços d'aprofitament de totes les opcions d'estabilització i ascens social que oferia una societat en plena alteració i que eren elles mateixes noves i encara molt indefinides

40. FERRER, *La patrie*, I, pàg. 373-94 i II, pàg. 621-61. És curiós, altre cop, que ningú no hagi observat una importantíssima implicació de la referència a Walter Scott: l'orgull de l'hipotètic escocès presentador dels seus versos es basava en el fet de l'origen escocès del més gran escriptor «anglès» vivent. Em sembla evident que l'aspecte lingüístic era, per als presentadors d'*El Vapor*, no superflu, però sí accessori. L'important era que el poema era bo i modern; que fos en català subratllava senzillament la catalanitat d'aquest potencial gran escriptor «espanyol». No oblidem, d'altra banda, que va ser dins el cercle del mateix periòdic que va quallar finalment el projecte d'editar Walter Scott —i altres autors romàntics— en traducció... al castellà. Ni que, abans d'això, Aribau, director del frustrat projecte inicial, havia rebutjat Bergnes —que, irònicament, acabaria sent-ne el realitzador— com a possible traductor, perquè el seu castellà no era prou *castizo* (en carta a López Soler del 17-XII-1828, citada per Santiago OLIVES, *Bergnes de las Casas, helenista y editor, 1801-1879*, Barcelona: CSIC, 1947, pàg. 25). Pel que fa a Mata, la seva actitud decididament contrària a la restauració del català com a llengua literària ha estat molt sovint esmentada (per exemple, per JORBA, «Actituds...», pàg. 137).

–la premsa, l'ensenyament, l'administració pública– i cap de les quals no era ella sola suficient per a aquests propòsits. Això introduïa en aquest emergent sector un ambient de competència exacerbada en el qual cada individu o petit grup d'individus afins intentava desesperadament de copar tantes posicions com podia. Des del primer moment, aquests homes havien vist la importància que podia tenir per a ells l'associació amb una burgesia industrial amb ambicions de classe rectora «nacional» i havien aspirat a la funció d'ideòlegs de la classe. La complicada elaboració d'aquesta ideologia a través de l'agitat període de constants enfrontaments iniciat amb la Guerra del Francès i tancat definitivament el 1843 va comportar repetides cremes, en una successió d'onades, de tot just encetades carreres d'intel·lectuals i un progressiu esclarissament dels rengles d'aquests per eliminació dels competidors que cometien l'error d'apuntar-se a la política perdedora.

El producte final va ser, com ha indicat Josep M. Fradera, una peculiar versió del liberalisme moderat caracteritzada per una estretíssima visió moral d'inspiració catòlica, un poruc rebuig de tota representació literària o artística mínimament realista de la realitat coetània, i un marcat component de catalanitat.[41] La burgesia catalana, en efecte, havia emprès amb entusiasme, com ja he dit, l'empresa de construir la comuna nació espanyola, però reservant-s'hi, al mateix temps, un lloc capdavanter, en consonància amb el seu paper en el terreny econòmic. Això exigia la incorporació de personatges, institucions, i episodis de la història de Catalunya a la nova mitologia nacional espanyola. Així, al costat de Numància, els comuners, Trafalgar, i Don Pelayo –a qui es dedicarien els dos primers carrers de la Barcelona nova–, els poetes del liberalisme català –Ubariso, Lopecio, Martilo i companyia– celebraven particularment grans fets històrics espanyols en els quals Catalunya havia fet un paper destacat, com ara Lepanto i el Bruc, però també insistien a incloure els comtes-reis dins la genealogia reial espanyola i associaven el nou règim a les antigues institucions «democràtiques» catalanes i presentaven la instauració del

41. *Cultura nacional en una societat dividida*. Barcelona: Curial, 1992. Amb aquest llibre, i alguns treballs posteriors, Josep M. Fradera ha començat, molt suggestivament, a obrir camí en aquesta i en les altres qüestions fonamentals esmentades al paràgraf anterior. Ningú no pot ja treballar tampoc en aquest tema sense llegir i rellegir *La fi de l'Antic Règim i la industrialització* de Josep Fontana. Antoni-Lluc Ferrer ha tret a la llum els múltiples llaços interpersonals que formaven un d'aquests grups d'intel·lectuals, la seva imbricació amb un cert sector de la burgesia catalana, i el seu caràcter d'això que ara se'n diu *lobby* dels interessos d'aquest sector. D'algun d'aquests individus ja en tenim, gràcies a Santiago Olives i, més recentment, Albert Ghanime i Manuel Jorba (pel seu *Milà i Fontanals en la seva època*. Barcelona: Curial, 1984), una visió molt completa —amb moltes pistes per a un quadre de conjunt—, però encara queda molta feina per fer (sabem molt poc de Rubió i Ors, com ha recordat Fontana, però encara menys de Víctor Balaguer, i no diguem de Pere Mata o Ribot i Fontserè o, més tard, d'Adolf Blanch o Sol i Padrís). Les dues tasques més urgents, em sembla, són les de reconstruir la xarxa de les seves relacions entre ells i amb la resta de la societat en general i la dinàmica històrica de la constitució i dispersió d'aquests grups, d'una banda, i la d'establir un quadre complet de la vida literària i cultural en general, de l'altra. Per a la primera, i mentre esperem noves investigacions sobre les fonts primàries, el vell diccionari d'Elias de Molins, explotat sistemàticament, permet ja de dreçar una primera tipologia sociològica d'aquests intel·lectuals i un primer esquema de la seva organització en grups i de la història d'aquests grups mateixos.

constitucionalisme com una restauració d'aquelles –ara generosament esteses als altres espanyols– i una revenja de la repressió del 1714. La incomprensió amb què va topar aquesta política a la resta d'aquesta comuna Espanya, el rebuig escandalitzat d'aquestes pretensions catalanes de lideratge, els enormes obstacles oposats a l'esmentada tasca constructora mateixa –no sols deliberadament, per malfiança, sinó també per simple incapacitat d'entendre la importància de difondre i internalitzar la idea de «la Nació»– i, finalment, el tracte injust que Catalunya va rebre repetidament d'uns governs centrals que hi imposaven constantment l'estat d'excepció i l'autoritat d'uns capitans generals que s'hi comportaven com a autèntics sàtrapes, tot això va tendir a reforçar la dimensió catalanista de la ideologia que els intel·lectuals liberals catalans elaboraven per a la classe dirigent.[42]

Cal anar molt amb compte, però, de no interpretar aquest catalanisme anacrònicament. L'evidència és claríssima en aquest sentit. Aquesta burgesia proclama constantment, per boca d'aquests mateixos intel·lectuals, el seu indeclinable compromís amb la nació comuna i persisteix sense cap reticència en el sacrifici de tots els signes de l'antiga identitat «provincial», començant pel més important, la llengua. En el clima, però, d'extremada competència que he descrit més amunt i davant la repetida experiència de la dificultat de fer-se sentir a escala «nacional» –molt explícitament, pel fet mateix de ser catalans–,[43] la necessitat de nodrir la dimensió «regional» de la ideologia burgesa es converteix inevitablement en temptació de crear un clos protegit per als escriptors del país –i això, en cercle viciós, reforça l'esmentada dimensió. És així com cal interpretar, em sembla, la crida a la «independència literària» de Rubió i Ors, secundada per Pi i Arimon i de seguida predicada, sobretot, amb l'exemple per pràcticament tothom.[44] Que aquesta no equivalia a un crit de restauració d'una literatura en català queda fora de dubte en vista del fet que, tret dels versos del «Gayté», aquesta literatura catalana independent és escrita en castellà, des de les novel·les de Joan Cortada –per a qui Ghanime ha reclamat amb molta raó el títol d'inspirador d'aquesta política cultural–[45] fins als drames de Tió, passant per les provatures poètiques, en vers i en prosa, de Piferrer. Això, naturalment, deixava la porta oberta a competidors vinguts de fora, a qui ningú no podia impedir d'apropiar-se de la temàtica catalana –com va fer, per exemple, amb molt d'èxit, Eduardo Asquerino amb el seu drama *Eulalia, la barcelonesa*, el gran

42. He parlat d'això amb una mica més de detall a «Catalunya i Espanya», *L'Avenç*, núm. 216, juliol-agost 1997, pàg. 6-11.

43. Com ho il·lustra, entre altres coses, la decisiva importància, de cara a les oposicions, d'expressar-se «sin dejo provincial» (JORBA, *Manuel Milà*, pàg. 86-89). Vegeu també FONTANA, *La fi de l'Antic Règim*, pàg. 431-32.

44. *Barcelona antigua y moderna*, Barcelona: Imprenta de Joaquín Verdaguer, pàg. 1851-54, II, 300: «Convenimos además con los que opinan que Cataluña no puede aspirar a la independencia política, pero sí a la literaria; que puede todavía crearse un género de literatura más o menos en consonancia con la antigua y que sea el trasunto del estado de su actual sociedad.» Però cal observar que ho deia en castellà i que no deia pas que aquesta literatura pròpia s'hagués d'escriure en català —i, en textos d'aquesta època, això no es pot pas donar per suposat, sinó tot el contrari.

45. GHANIME, *Joan Cortada*, pàg. 33-52.

esdeveniment teatral del 1849.[46] La solució que el «Gayté» proposava tàcitament a això, no sols amb els seus versos, sinó amb la seva vinculació deliberada a l'exemple d'Aribau, transformat justament per ell en «Oda a la pàtria», era d'usar la composició ocasional d'alguna poesia en català com una mena de segell de garantia de catalanitat i de prova de foc que donava dret a ingressar dins el cercle dels «escriptors catalans». La proposta va ser seguida, molt tímidament durant els quaranta, però d'una manera ja molt decidida a partir del 1850, en un procés que va culminar en la decisió de declarar el català llengua exclusiva dels Jocs Florals i utilitzar aquests per a oficialitzar, en certa manera, el procediment. La immediata reacció d'alarma que això va provocar per part dels qui se'n sentien perjudicats demostra que, malgrat el seu caràcter simbòlic –o justament a causa d'ell–, la maniobra funcionava.[47]

Aquesta interpretació –aquí molt esquemàtica– explica prou raonablement, em sembla, coses que en la tradicional resultaven inexplicables. És l'única coherent, sobretot, amb l'evidència abassegadora de la persistència total i universal en la diglòssia. L'essencial del que he exposat aquí no és pas, d'altra banda, nou. Josep Fontana ja va destruir molt convincentment, no fa gaire, la idea que del procés que culmina en els Jocs Florals se'n pugui dir legítimament «Renaixença» i que se'l pugui identificar amb «el revifament de la llengua i la cultura catalanes».[48] I, fent seva la distinció thompsoniana entre cultura patrícia i cultura plebea, va contrastar també la fidelitat lingüística de la segona amb el comportament bàsicament diglòssic de la primera. Jo hi afegiria dues coses, però. Una, que va ser el desenvolupament que va seguir durant la primera meitat llarga del vuit-cents la cultura patrícia –és a dir, això que anomenem, tan abusivament, Renaixença– *exactament* el que va forçar una tradició literària vivent en català a sobreviure únicament com a part de la cultura plebea. L'altra, que el lloc que aquesta cultura patrícia va acabar fent a la llengua

46. No tinc a l'abast les dades de l'estrena, al Teatre Principal, però la premsa en va parlar molt, en termes elogiosíssims, durant les setmanes següents. L'obra va ser reposada en temporades posteriors. Un altre exemple és el de Manuel García Muñoz, que apareix a Barcelona el 1851 i publica versos de tema «renaixentista» a *El Sol* (per exemple, «Meditaciones. A Barcelona», el 30-v-1851). No sé si també era «castellà» l'Antonio Martínez que va contribuir a l'operació ideològica de la inauguració del monument a Galceran Marquet amb un romanç en aquesta llengua (*El Sol*, 22-vii-1851).

47. És prou conegut l'article de «Roberto» a *La Corona*, 1-v-1859, reproduït per Josep Miracle, *La restauració dels Jocs Florals*, Barcelona: Aymà, 1960, pàg. 320-23. A la dècada dels cinquanta eren molt actius a les societats i la premsa literària barcelonina alguns autors no catalans com Joaquín de Helguero (molt amic de Víctor Balaguer), Gregorio Larrosa, Fernando de Antón (company d'Adolf Blanch a la Reunión Literaria, descrit al *Diario de Barcelona* del 5-i-1852 com a «joven literato ventajosamente conocido»), els germans José Manuel i Miguel Tenorio, Joaquín María Martínez i altres. Caldria examinar si —ells i també els escriptors catalans com Màximo Comes, Francisco Xavier Orellana, Josep Maria Mayolas, Federic Trias i altres que no van afegir-se a l'operació dels Jocs Florals— van quedar arraconats en el curs dels seixanta i, en cas de ser així, si es pot establir alguna relació entre això i aquesta institucionalització de la «independència literària» catalana.

48. Fontana, *La fi de l'Antic Règim*, pàg. 429-47. Hi ha també, com ell mateix reconeix, el precedent llunyà de Pere Coromines, *Interpretació del vuitcents català*, Barcelona: Publicacions de «La Revista», 1933, i el més recent d'Ángel Carmona, *Dues Catalunyes*. Barcelona: Ariel, 1967.

pròpia com a vehicle literari –matisant així el projecte inicial d'una diglòssia absoluta– no va ser només molt mesquí, sinó sotmès a unes condicions molt específiques: que es limités a la poesia i que tingués un caràcter estrictament oficial i ritual i un valor purament simbòlic. Que fos, com he dit més amunt, la torna de la diglòssia com a principi. Dit d'una altra manera, no és sols que la Renaixença no fos tal cosa, sinó només «un tímid retorn» a la literatura catalana; és que lluny de voler-la fer renéixer, va ser un intent de liquidar el que encara quedava d'ella, deixant-ne només un grotesc recordatori. Quan la renaixença, finalment, va arribar, va ser a desgrat de la Renaixença.

EL LÈXIC DE LA MODA EN LA LITERATURA DE CORDELL

Joaquim Martí Mestre

Universitat de València

Els plecs solts, com el teatre de sainet, pel seu caràcter realista i popular, són un bon reflex dels costums socials i de les formes de vida del seu temps. Així mateix, sense oblidar els convencionalismes lingüístics propis de tot gènere literari, ens han llegat un important testimoniatge històric de la parla viva i col·loquial del nostre passat recent, especialment de les classes populars.[1]

Dins de la interacció reconeguda entre llengua i cultura, assenyalada per nombrosos filòlegs,[2] el nivell lingüístic que millor representa aquesta connexió és evidentment el lèxic. I precisament el lèxic de la literatura de cordell aporta nombroses dades sociològiques sobre usos i costums pretèrits. D'altra banda, el marc sociocultural que produeix els mots es fa necessari per a interpretar-ne amb precisió el significat, i per explicar els canvis lèxics i semàntics condicionats socioculturalment. Dins d'aquest context hem d'entendre, per exemple, la substitució dels tradicionals *saragüells* pel gal·licisme *pantalons* (*pantaló*) i, en general, la penetració abundant de manlleus lèxics francesos al segle XVIII subsegüent a la introducció de les noves modes indumentàries des del país veí. La riquesa lèxica dels plecs solts ens permet també de notar diferències dialectals: *palmito* / *vano*, *espill* / *mirall*, *bracilet* / *braçalet*, *farfalà* / *farbalà*, *calces* / *mitges*, i reunir mots, variants o accepcions no registrats o no documentats als diccionaris, així com primeres documentacions.

Un dels àmbits socials sobre els quals aporten més informació els plecs solts és, en efecte, la indumentària. En general, d'acord amb el pensament i la moral tradicionals, hi ha una crítica del luxe, de l'ostentació i de les modes, sobretot estrangeres. Amb el perill que això comportava, tant per a l'economia domèstica

1. També són una font ben significativa per a aproximar-nos a la problemàtica dels usos i de la consciència lingüística en la nostra societat als segles XVIII i XIX. Vegeu a aquest respecte V. L. ARACIL (1968), A. MAS MIRALLES (1993), J. MARTÍ (1996 b) i M. NICOLÀS (1998).

2. La relació és evident ja des de l'escola idealista de Vossler, i ha estat remarcada igualment pel mètode *Wörter und Sachen*, per la geografia lingüística, per l'estructuralisme americà, per l'"escola lingüística espanyola", i més recentment per lingüistes tan significatius com E. COSERIU (1981), R. LAPESA (1996) o K. BALDINGER (1985), entre d'altres. Per a una visió de síntesi, vegeu M. CASADO VELARDE (1988).

com estatal, per la invasió de manufactures foranes, i, en certa manera, per a l'equilibri social establert, ja que el desig d'anar a la moda, a pesar dels problemes econòmics, es generalitzava per imitació en tota la societat, conduint a un cert anivellament en els símbols externs entre les classes socials. També el matrimoni podia eixir-ne malparat, ja que l'elevat tren de vida que les dones exigien als seus marits, l'autoritat dels quals es posava en seriós dubte,[3] podia fer que aquests es retragueren a l'hora de casar-se, contribuint a augmentar la crisi de la institució matrimonial.[4] Els sacerdots des de la trona i els bisbes amb edictes i cartes pastorals, en nom de l'austeritat cristiana, clamaven contra el luxe i la "profanitat" en el vestir.[5] Així mateix les autoritats van prendre cartes en l'assumpte, dictant al llarg del segle XVIII diverses disposicions limitant les modes estrangeres i el luxe excessiu en el vestir, tant per a protegir la producció pròpia com per raons morals i socials, però sembla que la seua eficàcia fou més aviat escassa.[6] El Baró de Maldà, a finals de la centúria, va saber captar bé els diferents aspectes de la situació:

> "el gran luxe confon les classes de persones,[7] exigint costoses despeses els adornaments i els vestits,... que molts en surten ben empenyorats,... puix retreu a la gent de seny de casar-se, amb els crescuts dots que es donen avui a les senyores, havent de baixar més de quatre marits les espatlles als capricis d'una dona boja, com n'hi ha moltes en aquesta capital;[8] i marits afeminats, que és una llàstima, per la manera ridícula de vestir a la francesa" (ap. J. Carrera i Pujal, 1951:401-402).

3. C. Martín Gaite (1981:56-57, 282) argumenta que al segle XVIII, acompanyant la pèrdua del sentit tradicional de l'honor baronívol, les dones posen "por primera vez en entredicho" l'autoritat dels marits. De fet, en la literatura satírica catalana ja hi havia una certa tradició a aquest respecte. Recordem el cas ben significatiu de l'*Espill* de Jaume Roig, obra que coneixia ben bé Carles Ros, i molt probablement també els altres col·loquiers, a través de l'edició que en féu el mateix Ros, l'any 1735. En aquesta obra, en efecte, es fa palesa la impotència de l'home per a sotmetre la dona. Són ben significatius els següents versos, encara que no són els únics que s'expressen en termes similars: "Com carceller, / pres me tenia / ma homenia" (edició de V. Escrivà, València, IAM, 1981, pàg. 80). Carles Ros sobre aquest assumpte, per exemple, escriu: "Puix per so diguí al principi / no tinch a bé siga alta / la muller al marit pobre, / perquè ella el riny y l'esbrama" (C. Ros: *Rahonament y coloqui nou hon se reciten les fatigues...*, 3), i aconsellava a les dones que havien d'estar "sutjectes... al marit, / procurant tindre'l content" (C. Ros: *Rahonament y coloqui nou hon se reciten les fatigues...*, 4).

4. Considerant les despeses exigides per la moda femenina, Cento de Benimaclet exclama: "Asò és una Babilònia. / Cabró el que es vullga casar; / per molta renta que tinga, / sempre es morirà de fam" (Col·lecció de col·loquis manuscrits de Vicent Manuel Branchat i Alfonso, BUV, ms. 661, que inclou peces datades entre 1814 i 1819, pàg. 183).

5. Per exemple, el clergue Feliu Amat, en el sermó predicat l'any 1783 a l'església dels Caputxins de Barcelona (veg. J. Carreres i Pujal, 1951:400-401). El dia de Tots Sants de 1800 es va predicar a València una *Homilia de la influencia de los vestidos sobre la moral christiana* (València, Oficina de Joseph Estevan).

6. Sobre aquests edictes i lleis, vegeu M. Rocamora (1944:38-40) i J. Carrera i Pujal (1951:390-392).

7. O com diu Branchat (pàg. 105), "el luxo que en València / y a, com en totes les parts, / puix nunca se pot saber / la diferència que y a / entre la noble y plebeya, / entre el marqués y artesà".

8. Els eclesiàstics recordaven als marits la necessitat d'exercir la seua autoritat sobre les dones per a imposar la moderació en les despeses i l'honestedat en el vestuari (cf. M. Bolufer, 1998:185-186).

Entre les modes indumentàries estrangeres, la més influent al segle XVIII era efectivament la francesa.[9] En el rebuig a les *modes afrancesades* (Branchat, 89) entre certs sectors de la població, sobretot els més tradicionals, sens dubte influí l'esperit contrarevolucionari que va provocar la Revolució Francesa en les nostres terres, el qual connectà amb l'antipatia popular envers els francesos, rivals comercials d'Espanya, sentida des de temps arrere.[10] Així, en un dels col·loquis instigats pel virrei de València Duc de la Roca (1793-1794), que es va significar pel seu antifrancesisme, es ridiculitza la manera de vestir dels francesos i dels qui segueixen les seues modes: "...sent un compost de asambleos, / en costums, tracte y vestir. / El hu va a lo Maquiabelo; / el atre, a lo gran Pequín; / este un compost de home y dona, / aquell nano machaquí, / sent de tots el fes-me riure" (*En obsequi dels voluntaris honrats*, 3).[11] Darrere la introducció de la moda francesa a l'estat espanyol, la propaganda antigàl·lica trobava unes intencions polítiques de despersonalització, d'afebliment militar i d'engany. Així ocorregué l'any 1794, coincidint amb la guerra contra la Convenció Francesa: "Ells a engañar desperts sempre, / fent als españols dormir, / chuant-los a la bambau / en *fullarasques*, *perfils*, / *sarahuellets de churrets*, / tan chustets, tan oprimits, / que no els deixen pegar pas...[12] / ¡Pobra de la honestitat! / ¿Y tals *calses* quant se han vist? / ¿Y els *tacons*, y els *sombrerons*, / *casaquetes de arlequín*, / y *una bareta en la mà*? / ¡Mireu què bravo fusil!... / De este modo ens desarmaben, / sinse pensar ni sentir... / Així nos han fet el llit, / y sempre ens han engañat" (ibidem, 5). I igualment en la guerra del Francès (1808-1814): "y ells nos feen la bambau / en *blondes*, *titaratets*, / *randes*, *carotes en ales*, / y molts *trages indesents*, / que ha segut la perdisió / de nostra España" (*Roquet y Goriet, cosins chermans per part de la ahuela Gregòria Nofra..., machorals en les festes dels Sants de la Pedra, que caiga com a pilons de riu sobre els francesos, parlen y dihuen*, València, 1809, pàg. 4). Hom relaciona el luxe i les *modes profanes* que imperen a València, particularment entre les dones, amb la ira divina que castigava els valencians amb les calamitats de la guerra: "En València y a molt luxo, / y a molta profanitat... / Eyxes dones o dominis (sic) / que en tant de descaro van / han de ser el nostre asot, / eyxes que habien de anar / vestides de hàbit, honestes, / per lo carrer les voràs / en brazos y pits a l'ayre, / reclutant per a pecar". Els moralistes trobaven que l'únic remei era "deyxar bureos y bromes, / chocs, teatros y amistats, / clamar de veres a Déu / nos mire en ulls de pietat, / arrepentirse de veres, / fer confesions che-

9. Com diu M. ROCAMORA (1944:7-8, 10), "al mediar el siglo XVIII había arraigado con carácter definitivo en Barcelona el dictado de la moda francesa", la qual, de fet, ja es deixava notar en les nostres terres des de l'entronització dels Borbó.

10. A València, durant el segle XVII, francesos i italians exercien la majoria de les arts i negocis de la ciutat (cf. M. BARRI, 1999:40)

11. Per no estendre'ns massa, generalment citem els títols dels col·loquis en forma abreviada. Podeu veure els títols complets, i la data, en els catàlegs i reculls bibliogràfics: GENOVÉS OLMOS (1911), RIBELLES COMÍN (1943, 1978), GÓMEZ SENENT (1982), *Col·loquis i raonaments* (1983), ESPÍN RUBERT (1994), TORRES NAVARRETE (1995).

12. Efectivament, el vestit popular de la província de Terol es componia de calçons cenyits (GEA, XII, 3245), comparables per la seua estretor amb els nous pantalons de moda d'origen francès.

nerals / y una mudanza de vida" (*Segona part del rahonament entre el Raspós de Ruzafa y el Rull de Patraix*, s. a. [1810], pàg. 3-4).

Acompanyant les modes i els nous costums socials procedents de França, s'introduïren en la nostra llengua nombrosos gal·licismes lèxics.[13] Un d'aquests fou el neologisme *pantaló*, pres del francés *pantalon*, i documentat en català des de finals del segle XVIII (1796): "unas calsas ditas *pantalons*" (cf. M. Barri, 1999:442). J. Coromines (DECat, VI, 234) l'enregistra per primera vegada l'any 1810, en un document de Mataró, sota la forma encara plenament francesa *pantalon*, pres del *Diccionari Aguiló* (VI, 31).[14] En un poema anònim valencià de devers 1814, titulat *Els currutacos*, el trobem ja en la forma adaptada *pantaló*: "Tant al tio com nebot / *saragüell llarg* acomoda, / que es rompen, si es pega un bot, / però *el pantaló* han fet moda" (Martí, 1997:42). Els *pantalons* es difongueren arran de la Revolució Francesa, i, a diferència dels clàssics saragüells valencians, caracteritzats per la seua amplària, eren ajustats i cenyits, i més llargs (cf. J. Amades, 1939:75; M. Rocamora, 1944:35; J. Laver, 1989:162). Segons J. Martí Gadea (*Tipos, modismes y coses rares y curioses de la terra del Ge. Apèndix*, València, 1908, pàg. 94), en un principi als pantalons també els deien *calçons Wellington* perquè se n'atribuïa la invenció al duc de Wellington durant la guerra del Francés, "en la que l'indicat caudill féu posar eixos estranys calsons als seus regiments britànichs". Així, doncs, veiem com abans de la popularització de la paraula i de l'objecte entre nosaltres, hom va recórrer al lèxic patrimonial preexistent per a denominar la nova peça amb mots nostres ben coneguts, com eren els *saragüells* (*saragüells de xurrets*, *saragüell llarg*), els *calçons* (*calçons Wellington*) i les *calces*, amb el semantisme dels quals el referent importat tenia una certa semblança. També el poeta olotí Pau Estorch, l'any 1851, en uns versos populars rebutjava el neologisme com a poc natural en lloc de *calsas llargas* (cf. DECat, VI, 234). Tot sembla indicar, doncs, que en principi hi hagué una certa resistència popular a admetre el manlleu. Igualment, en el vocabulari que acompanya la *Gramática de la lengua menorquina* de Juli Soler (Maó, 1858, p. 116) es tradueix el castellà *pantalones* per *calçons*, i el mateix ocorre en el *Vocabulario castellano menorquín y vice-versa* de Josep Hospitaler (1869:91): "pantalón, calzón - calsons". Tanmateix, el prestigi de la llengua francesa, particularment en l'esfera lèxica de la moda, facilità l'adopció del neologisme, amb una mínima adaptació fonètica (*pantaló*, *pantalons*). Com a tal ja consta en el diccionari de Labèrnia (II, 331), sota la forma *pantalon* 'calsas llargas que arríban fins als peus', i en Josep Escrig (1851:628) i Escrig-Llombart (1887:931) ja en la forma adaptada *pantaló*.

13. G. COLON (1976:171-176) indica que els manlleus del francés antic i modern constitueixen una aportació lèxica de considerable importància en català, però que són un dels aspectes pitjor coneguts del nostre lèxic. Darrerament l'estudi dels gal·licismes del català ha rebut un impuls considerable amb el llibre de M. Barri (1999). Aquesta autora, però, assenyala la manca de documentació escrita de molts termes d'origen francés introduïts en català, sobretot durant el segle XVIII (1999:53), aspecte en el qual pensem que la literatura de canya i cordell pot aportar dades gens menyspreables.

14. En el col·loqui *Abaristo, peó de obrer de vila o manobre, y sa muller doña Pepa Antònia la llabanera* (València, per Francesc BRUSOLA, 1813, pàg. 2) consta també en la forma *pantalon*. En castellà *pantalón* es documenta també des del voltant de 1800 (cf. DCECH, IV, 372).

Sembla que en un principi s'utilitzà prou en singular, d'acord amb l'ús preferent francés, encara que més tard ha acabat fent-se usual fonamentalment en plural, segons el model de *calçons*, *saragüells* o *calces*. J. Martí Gadea en el seu diccionari (1891:1399) l'arreplegà ja en plural (*pantalons*), juntament amb el singular *pantaló*, i en els seus *Tipos, modismes y coses rares...*, l'any 1908, donava ja només la forma plural (*els pantalons*).

La mateixa paraula *moda* és d'origen francés (fr. *mode*),[15] i es documenta en català des de finals del segle XVII (DECat, V, 712). Vegem algunes construccions formades sobre aquest mot. En complements verbals: *ser* (*algú*) *de moda*: "No hos agradeu de beatas, / perquè las que *són de moda* / al detràs són unas fartas / y escúran bé la cassola" (Escobedo, 1260); *ser* (*alguna cosa*) *moda*: "Però a què cansar-se més, / si *és moda* ya el criticar / a les pobretes corderes" (*El fadrí*, pàg. 91); "per *ser moda* que ha vengut / de terra de condenats" (Branchat, 184); *anar a la moda*, o *a tota moda*: "una que *vacha a la moda*" (*Trobos nous per a esplayar el ànimo cantant els nóbios a les nóbies* (n. 8), "¿Si no *bach a tota moda*, / yo com me presentaré?" (Martí, 1997:307); *seguir les modes*: "Las donas són capritxosas, tenan molta vanitat, / volen anar mol bunicas, / portan un lucso estramat... / Perquè, doncs, també vosaltres / *totas las modas seguiu...*" (Segura, 117); *seguir modes*: "Altres volen *seguir modas* / de vestits" (Escobedo, 1368). Com a complement nominal o adjectival: *a la moda* o *a tota moda*: "ben vestides y molt campechanes, / en brials calats / *a la moda*" (*Chiste de un lleñeter, dos chitanes y un bou*, 3), "un llit fet *a tota moda*" (Segura, 23); *de la moda*: "Tots los pixavins que veus, / petimetres *de la moda*, / no et volen" (Martí, 1996:185); *de moda*: "uns guardapeus, / y en ells una basquiñeta / de estes *de moda*" (Martí, 1997:312).

Sinònims, menys utilitzats, de *moda* són els mots *usansa* (Martí, 1996:206) i *llei*: "per anar *a la ley*" (*Coloqui nou de Pepo Canelles*, 4), o l'expressió *estil del dia*: "és fet a l'estil del dia" (*Lo cul pustís. Entremés nou*, 2-3), "segons l'estil del dia" (J. Martí Gadea, 1891a:373). Al segle XVI s'usava *anar al modern*, com en els *Consells a una casada* d'Andreu Martí Pineda: "Y per *anar al modern* / lo que visten en yvern / empenyoren en estiu" (R. Miquel i Planas, 1911:292).

Els *pixavins* i *petimetres*,[16] sempre pendents de la moda, vestits -com diu Branchat- *a lo estrancher*, reflectien la moda estrangera també en el seu llenguatge, esquitxant-lo de gal·licismes, i en el cas dels petimetres valencians, iniciant un procés de substitució lingüística a favor del castellà, considerat com una llengua de *buen tono* o de *política gran*, a diferència de la pròpia (cf. J. Martí, 1997:71-72).

15. Per a la història del vocable *moda* en castellà, vegeu P. ÁLVAREZ DE MIRANDA (1992:655-661).

16. El terme *pixaví* era el nom burlesc que els llauradors aplicaven als habitants de la ciutat de València; sovint pren també el sentit de 'petimetre'. Sobre els usos i costums dels petimetres es pot consultar C. MARTÍN GAITE (1981). Per a més dades sobre la seua presència en els col·loquis valencians, vegeu J. MARTÍ (1997 i e. p.).

L'ús del castellà estava de moda, juntament amb les noves modes indumentàries, gastronòmiques, musicals o galants. Tanmateix, el valencià continuava tenint el redós de la tradició i d'un cert efecte de solidaritat grupal o de prestigi encobert entre la gran majoria catalanoparlant, per a la qual el castellà continuava essent una llengua estranya i dificultosa, però la modernitat, la cultura, la distinció, el cosmopolitisme, el poder, el progrés, el prestigi obert, en definitiva, semblaven demanar unes altres dreceres lingüístiques.[17]

Els gal·licismes i castellanismes no eren l'únic component diferencial del seu llenguatge, sinó que sembla que també usaven mots, accepcions i construccions peculiars, fins al punt que es podria parlar d'una mena d'argot, el qual en les nostres terres no estava exempt de la influència inevitable del castellà. En la *Conversa segona que.s tingué altra tarda a la Bordeta, en la qual se parlà dels xixisveos* (Barcelona, 1753) sobre els petimetres i xixisbeus es diu: "Altres hi ha que cap al vespre, / van a la pescateria, / y allí *fan cama de gos* / (que de aquesta frase estílan). / Y si veuhen la criada / coneguda, ja la crídan / ab aquell *Epa!* que sols / ells saben què significa. / Veureu que luego se acosta, / y ben cert és que riuríau / de ohir *los termes que gàstan / a la sua garabia*" (Escobedo, 433). Carles Leon en el seu *Coloqui nou de Pepo Canelles* (p. 2) diu que els petimetres parlen "sempre *ab termes retumbants.* / Hu salta y diu: «*¡Bien parado!*»; / el atre diu molt formal: / «*¡Ha salada! ¡Qué salero!*» / y atres monades al pas, / que no tenen més sustància / que abadecho remullat". En la seua crítica de les modes i de la corrupció de costums de la societat contemporània, el mateix Carles Leon posa en boca del seu personatge Quelo una queixa amarga del llenguatge de moda, que canvia i confon els termes tradicionals, provocant ambigüitat i malentesos:

Si es parla, tot al revés
se ha de entendre, puix estan
tan corromputs els conceptes
que per bif se entén el baf.
Als diners els diuhen *cristos*;
cortejo, a l'amancebat;
quant volen anar-se'n, *jopo*;[18]
ahur, si han de saludar;[19]
si han de pagar algo, *afluixa*;[20]

17. En un altre lloc (J. Martí, 1997:70-76) citem diversos testimonis documentals de situacions de canvi d'ús lingüístic a favor del castellà entre els valencians al segle XVIII.

18. Del castellà *hopo* (o *jopo*), pròpiament 'copete o mechón de pelo', que en determinades frases va adquirir el sentit figurat d''escapar, fugir, anar-se'n': *volver el hopo, dar el hopo.* O potser més aviat en la nostra llengua procedeix de l'aragonés, on s'ha creat el verb derivat *jopar* o *joparse* 'marchar-se, escaparse, largarse' (cf. DCECH, III, 386; R. Andolz, 1977:164). Cf. "En un cabo, és veritat, / *joparen* a Barcelona" (Josep Fambuena: *Fer les cartes*, València, 1881, pàg. 23).

19. És la interjecció castellana *abur* 'adéu', procedent del basc *agur* ibid., que en castellà antic, on es documenta des del segle XVII, tenia també la forma més etimològica *agur* (cf. DCECH, I, 25). Segurament en català ha penetrat per mediació del castellà.

20. Cf. "Tòfol la bolsa *afluixà*, / y els pinos de ella tragué / per a pagar l'almorsar" (Martí, 1997:305). En el DCVB (I, 259) es recullen les expressions *afluixar la bossa*, *afluixar la mosca*, *afluixar los cordons*, totes tres amb el sentit de 'donar diners per força'.

si han de menjar, a *jamar*.[21]
Diuhen a la tenda *hermita*,[22]
y al beure diuhen *bufar*.[23]
Tot són paraules ambiues,
enfàtiques y brutals,
baix la capa de estrivillos,
saynetes, dijos salats"

(*Els dos besons, Nelo y Quelo (...), pasen les nits toledanes tractant y cotejant els temps pasats en lo present estat de les coses del poble en general. Tercera part*, 1787, p. 3).

Encara que alguns d'aquests mots citats per Carles Leon, si més no, no estarien limitats a una determinada varietat social, sinó que segurament formaven part de l'argot comú,[24] i, com veiem, alguns han arribat com a tals fins al llenguatge actual.

Per últim, en el número XII del periòdic barceloní *El caxón de sastre cathalán* (1761), dedicat precisament a la moda, es parla també de la influència pertorbadora d'aquesta sobre les llengües: "En cosa ninguna ha exercido el uso o la moda más despóticamente su jurisdicción que en la corrupción y alteración de los idiomas", de

21. Del caló *jamar* 'menjar'. Almenys actualment, es pronuncia amb [x], com en castellà, encara que potser no sempre fou així. Es troba en els vocabularis catalans d'argot de WAGNER (1924:66-67) i de VINYOLES (1978:103). Segons J. SANMARTÍN (1998a:463), en castellà *jamar* es documenta des de principis del segle XX en el *Diccionario de argot común español* de L. BESSES (1905). En realitat, ja consta a mitjan segle XIX en l'anònim *Diccionario del dialecto gitano* (Barcelona, 1851:115). Carles Ros ja va recollir al segle XVIII el substantiu *jama* 'menjar': "y si sempre tingués *jama* / menjaria com un rey" (*Coloqui entretengut hon se reciten algunes de les moltes rinyes que solen passar entre les sogres y les nores*, ap. Torres Navarrete, 35). Trobem *jamar* també a mitjan segle XIX en el col·loqui terser d'*Un pillo y els chics educats en la casa de Benefisènsia* (València, 1846, pàg. 52): "*jamant*-me'l [el pa] a mos redó". En fonts valencianes del segle XIX es recull així mateix el sinònim *jalar*, igualment d'origen caló: "Cuant els colors se li amaguen, / ¿vosté és que se hu ha *jalat*?" (ESCALANTE, *Obra completa*, I, 96).

22. En el vocabulari de VINYOLES (1978:84) es recull *ermita* 'taverna'. En el *Tabal y donsayna* de Constantí Llombart es documenta amb el mateix sentit el diminutiu *ermiteta*: "a la entrà del camí, / que hi a una *ermiteta*, abaixen [de la tartana] / y es fan els hòmens un *quilo* / per allò d'anar templant-se. / Les siñores solen fer-se / algun *duque* (eixes paraules / de *doset* y *metailla* / pa siñora fan molt bastes)" (1878, pàg. 222).

23. *Bufar* 'beure begudes alcohòliques; embriagar-se' el documentem des del segle XVIII: "se n'anaren a *bufar* / al tabernáculo que / se ven lo vi acostumat" (*Segona part de Cua de Palla, Pacalo y el Niño de l'Hospital*, Fons Nicolau Primitiu (N.P.), ms. 420, f. 136r), i continua al XIX: "el chic deprengué a *bufar* / més encara que sos pares" (Martí Gadea, 1891a:384). I el substantiu *bufa* 'embriaguesa', com a derivat postverbal: "-En bebiendo otras seis copas, / me voy a poner de un temple... / -Ell de si en poquet s'atufa...; / con que si pren micha *bufa*, / fasen vostés el favor" (Escalante, vol. II, pàg. 441). Del verb *bufar* prové el nom del famós personatge de *Tito Bufalampolla* protagonista de diversos col·loquis de Carles Leon. El DCVB (II, 714) registra *bufar-se* 'embriagar-se' en valencià, però sense documentació escrita. Notem com en els exemples referits dels segles XVIII i XIX aquest verb no era encara reflexiu, a diferència del que és més habitual actualment. El trobem per primera vegada com a tal, *bufar-se*, a principis del segle XX, en Martí Gadea: "La classe mija [de València] (...) / és molt amant de les festes (...), / de fer paelles, y en estes / de *bufar-se* més qu.un sep" (*Troços y mosos*, pàg. 171).

24. Sobre el concepte i característiques de l'argot comú, vegeu Julia SANMARTÍN SÀEZ (1998:211-238; 1998a:VII-VIII).

manera que "si vinieran otra vez los del siglo passado, que fue la época feliz de las musas castellanas,... yo apuesto que se habían de cortar y habían de tartamudear en la conversación con un lindo, con un modista de estos tiempos". I hom recull a continuació alguns dels mots i expressions, en castellà, dels petimetres, contraposant-los als tradicionals.

Veurem a continuació una mostra del lèxic indumentari dels pixavins, petimetres i xixisbeus,[25] els quals generalment són ridiculitzats en els plecs solts, tant pel seu aspecte com pel seu comportament.

Els homes *a la moda* anaven, en efecte, ben *afeytats* (*afaytadets*),[26] *llepadets, plenets de olor, risadets, entonadets* (*El so Christòfol*, 6). Es posaven "més de un armut de *polvos*, / que pareixen vells tots cans" (C. Ros: *De la molinera*, 2), així com *talco* (*El so Christòfol*, 5) i *seu* (*El so Christòfol*, 6). Es perfumaven amb *aygües de flors* (*El so Christòfol*, 6). Estaven "tot lo dia" amb *la pinta, l'espalmadoret* i *lo mirall* o *espillet*, "per a mirar-se la cara" (Escobedo, 842; *El so Christòfol*, 6; Martí, 1996:57).

Es cobrien el cap amb *barrets*, mot genuí que alterna amb el castellanisme *sombrero*. Eren *barrets adornats* (Escobedo, 993), *sombreros* amb *plomes* (Martí, 1997:236), "*sombreros redonets* / en dit y mich de copeta, / com una post de forner" (*El so Christòfol*, 7), "un *sombreron* en tres picos" (*Els dos besons... Segona part*, 1), *sombrero de broma* (*Coloqui nou de Pepo Canelles...*, 6). També era moda dur *gorra* o *barret negre* (Branchat, 88). A més, es posaven *perruques* (Escobedo, 993) o *peluques* (Martí, 1997:236), i *peluquins* (Martí, 1996:206; *Els dos besons... Segona part*, 1-2), així com *papillotes* (Martí, 1996:206; Escobedo, 993), igual com les dones (Escobedo, 993), i *risos* (Escobedo, 993; *El so Christòfol*, 5). També es podien cobrir els cabells amb *rets* (Escobedo, 993). Alguns fins i tot portaven *pendientes* (Branchat, 90) en les orelles.

Anaven vestits amb *camisoles en randetes* (C. Ros: *De la molinera*, 2), *levita* (Martí, 1997:332), *casaca* (Martí, 1996:57, 236), *casaquinet* (*El so Christòfol*, 6) o *casaqueta* (*Els dos besons... Segona part*, 2), feta *a lo títaro*,[27] en diminutiu per a indicar la seva mida menor i amb intenció caricaturesca, a diferència de la *senyora casaca* "ben feta, bastant cabal, / molt sèria y respectuosa" que es duia en la *moda antiga* (*Els dos besons... Segona part*, 1). Les jupes (*chupes* o *chupetes*) eren també

25. El *xixisbeu* (castellà *chichisveo* o *cortejo*) era el galant que es trobava al servei amorós d'una dama, sovint casada.

26. En contraposició als homes a l'antiga, "tan mal afeitados", els quals hagueren de recular, "huyendo / la inundación de velleras, / modistas y peluqueros, / que han arrasado el bigote / de la patria a sangre y fuego" (RAMÓN DE LA CRUZ, 1769; edició de M. COULON, 1985:117-118).

27. Forma valenciana de *titella*, documentada ja al segle XVII (DECat, VIII, 517). En la *Rondalla de rondalles* es troba l'expressió *fer boca de títaro* 'morir', en referència a la immobilitat de la boca dels titelles (J. A. PELLICER, 1986:146). Els petimetres sovint són comparats als titelles o putxinel·lis, pel seu posat i gestos artificiosos, afectats, ridículs i poc masculins (cf. C. MARTÍN GAITE, 1981:282-284).

petites, forjades "de tres mil modes...: / a la francesa, española, / inglesa o de Portugal" (*Coloqui nou de Pepo Canelles*, 3), ornades amb *bollats* o *bollados*,[28] *tallades a lo desgay* (*Els dos besons... Segona part*, 2).[29] Els *sortuns* (o *surtuns*) (Martí, 1996:236) o *fracs* (Martí, 1996:236), "que tapen les pantorrilles", havien arraconat *les chupes curtes*. El col·loquier els anomena, burlescament, *botargues de moda*, "y les usen com a tals", i *balandrans* (*Coloqui nou de Pepo Canelles*, 3). Més llarg que la *jupa* tradicional era també el *chamarluco* o *chupa llarga* (Martí, 1996:57)[30]. Els *sarahuells* eren "justets" (*Els dos besons... Segona part*, 2) i tenien "més *bufes* que.ls que porta el gran sultan", i la *trincha* que els subjectava era moda dur-la més alt de l'habitual: "els pasa del melic un pam en alt" (*Coloqui nou de Pepo Canelles*, 3). Les dones també duien la *trincha* més alta: "és moda ara alsar[-la], / que pareix que duguen cotes, / traban-se així al caminar" (*Trobos nous per a esplayar el ànimo cantant els nóbios a les nóbies* (n. 3).

Dedicaven molta atenció als guarniments i complements: *galons* (Martí, 1997:236), *brodadures* (*El so Christòfol*, 5), *cintes* (Escobedo, 993), *tafetans* (o *tafatans*) (Martí, 1997:236; Escobedo, 842), *bradicú*,[31] *espadí*, *tontillet* (Martí, 1996:206), *flocs* (*El so Christòfol*, 5), *floquets* (Martí, 1997:294; *El so Christòfol*, 6),[32] *choyells* (*El so Christòfol*, 5), *anells* (*El so Christòfol*, 6), "quinze mil *botonets* / en *bolchaques* y *camals*" (*Coloqui nou de Pepo Canelles*, 3); el *rellonche* (Martí, 1997:308), amb les seues *cadenases* (*Els dos amics, Nelo y Quelo (...), pasen les nits toledanes tractant y cotechant els temps pasats en lo present estat de les coses del poble en cheneral. Segona part*, 1787, p. 2) o *cadenetes* (*Els dos amics... Segona part*, 3), així com *pencholls* "fora el *secret* o *bolchaca*[33]" (Martí, 1996:57).

28. "Dieu-me què és moda? / De color un tros de drap, / una llista, unes evilles, / cuatre *bollats*" (*Coloqui nou de Pepo Canelles*, 6), "chupa en *bollados*" (BRANCHAT, 91). Ús substantivat de *bollat*, derivat de *bolla*, no recollit al DCVB ni al DECat, però sí en el diccionari d'Escrig (1851:131): *bollát* 'bollo, por el plegado de forma esférica usado en las guarniciones de vestidos, etc.', com en els d'ESCRIG-LLOMBART (1887) i MARTÍ GADEA (1891). El mot s'usa també com a adjectiu: "los mocadors *bollats*" (*Nova y gustosa notícia...*, 1), és a dir, 'adornats de bolles o convexitats' (DCVB, II, 566).

29. És a dir, *a l'esgaiada*. El DCVB (IV, 263) recull *desgai* 'gaia de la camisa' a Fraga, sense documentació.

30. En castellà el *chamerluco* era un vestit d'home "en forma de una casaca ceñida al cuerpo, y que señala la cintura, y passa de quatro a seis dedos de las rodillas" (*Diccionario de Autoridades*, 1729, II, 301). Designava també un vestit femení. En italià *giamberluco* 'sorta di veste lunga'. Coromines els creu d'origen turc, introduïts per via de l'àrab africà (DCECH, II, 317). Esteban DE TERREROS (*Diccionario castellano*, Madrid, 1786, I, 409) cita l'equivalent francès *chamberluche*.

31. "Yxca un mollet enflocat, / en *bradicú* y espadí" (Martí, 1996:206). El mot *bradicú* cal relacionar-lo amb l'antic *bran* 'espasa', del germànic *brand* 'tió', després 'espasa', que ha donat també el verb *brandar* o *brandir*. En francés antic *brand* : 'épée à forte lame dont on se servait au moyen âge' (P. ROBERT, 1980, I, 547), com en occità *brand* 'espadon (grosse épée que l'on maniait à deux mains; tison' (L. ALIBERT, 1966:176).

32. *enflocats com les muletes* (*Coloqui nou de Pepo Canelles*, 2).

33. *Bolchaca* és també la forma aragonesa de 'bolsillo' (GEA, XII, 3246).

Portaven *calsa de seda* (*Coloqui nou de Pepo Canelles*, 3; *Els dos besons... Segona part*, 2), i anaven calçats amb *sabates*, *botes* o *escarpins*, "que a la vista el peu fan chic, / encara que siga gran" (C. Ros: *De la molinera*, 2). Les sabates eren *a la usança*, és a dir, lleugeres, "que pareixen escarpins" (Martí, 1996:206), *primes*, voretades de *llistetes* (Martí, 1996:57), *envellutades* (Escobedo, 993), *escotades* (*Coloqui nou de Pepo Canelles*, 3), *en tacó* (Martí, 1997:308). Les *botes* eren *a la faralé* o *a la bombé* (Branchat, 187). En les sabates duien *sivelles* o *evilles* (Escobedo, 658; *Coloqui nou de Pepo Canelles*, 3, 6). Branchat (pàg. 186) burlescament diu que "el vistuari dels hòmens... / és engerto de nacions": "les *zabates* són de ruso; / els *sarag̈uells*, de ytalià; / les *calses* a lo moruno, / el *chupetí* a lo alemà; / *casaca* a lo yngleset, / *tirans* de napolità, / el *sombrero* de francés".

Per la seua part, les dones anaven *emperrifollades* (C. Ros: *Paper graciós, lo millor que a eixit d'esta mà*, 2), amb els seus *perfums* i *untets* (Escobedo, 993), plenes de *pelendengues*,[34] "perquè.ls simplets vingen a fer-les *mil rendiments*" (C. Ros: *Paper graciós, lo millor que a eixit d'esta mà*, 2). Es cobrien amb *cofions de moda* (*Els dos besons... Segona part*, 3), *papalines en randa* (*Coloqui nou de lo que tots som fabricants*, 1854:1-2), *sombrero de broma* (*Coloqui nou de Pepo Canelles*, 6), *mocadors bollats* o *carotes*.[35] Sobre la *còfia* era moda dur *carambes* (*Coloqui nou de Pepo Canelles*, 6), mot d'origen castellà.

L'abillament femení es completava amb nombrosos guarniments. De tela: *llistes* (*Coloqui nou de Pepo Canelles*, 6), *flocs* (*Coloqui nou de Pepo Canelles*, 6), *brodadures* (Escobedo, 1018), *escarapeles* (C. Ros: *Paper graciós y entretengut per al desfreç de Carnistoltes*, 2),[36] *farfalans* (C. Ros: *Romanç nou, graciós y entretengut en què.s declara la rinya, junta y del·liberació que.ls toros acordaren...*, 2) o *farvalans* (Escobedo, 993)[37] per ornar els guardapeus, *gorgueres* (*Nova y gustosa*

34 "Així se pensara sério / la pragmàtica establir / de uniformar a les dones / y no deixar-les eixir / de casa en tants *pelendengues*, / que els pobres dels seus marits / no tenen brazos ni haciendes / per a sostindre-u" (*En obsequi*, 8). Amb el sentit d''ornaments femenins', com el castellà *perendengues* (que coneix la variant *pelendengues*), llengua d'on molt possiblement procedeix (cf. J. Escrig, 1851:642; DECat, VI, 427; DCECH, IV, 489-490; DCVB, VIII, 397).

35 "Es penseu anar molt guapes / en les *carotes* al cap" (*Nova y gustosa notícia...*, 1). Cf. "La comare de Foyos / porta *carota* / de la randa més fina / que hi a así en l'horta" (J. Martí Gadea: *Tipos...*, pàg. 55). La *carota* era un 'gorret que porten els infants petits', única accepció recollida en el DCVB (II, 1047) i el DECat (II, 546-547) com a peça de roba. Però, com veiem, la *carota* era a més sinònim de *papalina* 'especie de cofia que usan las mujeres'. Així consta també en el diccionari d'Escrig (1851:167): "*la caròta c'usen les sinyores*. Papalina", i en els d'Escrig-Llombart (1887) i J. Martí Gadea (1891).

36. Pres del castellà *escarapela*, pròpiament 'baralla', que després adquirí el sentit de 'divisa de coloraines', usada com a distintiu, però també com a ornament. En català *escarapel·la* s'ha especialitzat amb el sentit d''insígnia de forma circular', encara que al segle xviii, com veiem, designava també simplement un ornament. D'altra banda, el mot, usat per Carles Ros, avança la data coneguda de documentació en la nostra llengua.

37. Procedents del francés *falbala*. Segons el DCVB (V, 739), la variant *farfalà* actualment és pròpia del català occidental, i *farbalà* de l'oriental. Les dades dels plecs solts confirmen aquest repartiment dialectal ja al segle xviii, i n'avancen la documentació a la primera meitat d'aquella centúria. J. Coromines

notícia..., 1), *manguitos* (C. Ros: *Paper graciós y entretengut per al desfreç de Carnistoltes*, 2), *espolins* "de seda y or" (*Rahonament entretengut y divertit per a el desfrés de Carnistoltes...*, 3), *guants* (C. Ros: *Festa del Corpus...*, 3) o *guans*, fins i tot quan fa calor (Branchat, 184). Portaven molts *joyells* (Martí, 1996:200) i *alaixes* (Martí, 1997:334): *medallons* (*Els dos besons... Segona part*, 3), *creuetes* (Martí, 1996:186), *collar* (Martí, 1996:200). A les orelles duien *arracades* (Martí, 1996:186; *Chiste nou y divertit que susuí a unes llauraores, filles de Cuart...*, 1) o *pendientes* (Martí, 1997:334; C. Ros: *Nova y gustosa relació...*, 3) i *almelons*[38] (*Els dos besons... Segona part*, 3); en els braços, *brasalets* (Escobedo, 993) o *brasilets* (C. Ros: *Romans y coloqui nou per a riure...*, ap. Torres Navarrete, pàg 159)[39] i *manilles* (Martí, 1996:186) en les mans, així com *anells* (Martí, 1996:186) i *sortijas* (Escobedo, 591; Segura, 23). Era moda que els *caragols* o *tiragusons* els pengessen al front (Branchat, 179),[40] el que es coneixia com dur *la caragolada per lo front* (Martí, 1997:311), cosa que provocava la censura del llaurador, el qual els anomenava burlescament *refillols en lo cap* (Martí, 1997:311). En els cabells es posaven la *pinta* (amb l'augmentatiu *pintasa*), l'*agulla*, que solia ser d'argent (*ahulla de plata*), i el *rascamoño*, que era una varietat d'agulla grossa (Martí, 1997:334; C. Ros: *Nova y gustosa relació...*, 3; C. Ros: *Romanç nou, graciós y entretengut en què.s declara la*

(DECat, III, 885) recull també les variants *perfalà* en mallorquí i menorquí i *parvalà* en menorquí. En el vocabulari menorquí d'Hospitaler: *pervalà* (1869:93). Les dues formes que documentem al segle XVIII deuen procedir directament del francés, sense la necessitat d'una mediació del castellà, com insinuen Alcover i Moll (DCVB), car en castellà *falbalá* i *farbalá* es troben per les mateixes dates que en català, des de 1732 (DECat, III, 885).

38. Augmentatiu d'*ametla*, amb el sentit de 'pedra preciosa de forma semblant a l'ametla', mot registrat però no documentat amb aquest sentit pel DCVB (I, 621).

39. La forma *brassalet* es troba en un plec solt barceloní, mentre que la variant *brasilet*, no registrada als diccionaris, és la que usa Carles Ros. Es pot relacionar amb altres variants valencianes d'aquesta família lèxica amb *i* com *bracil* 'braçalet', *bracillada* 'moviment ràpid del braç', *bracillejar* 'bracejar', *abracillar-se* (cf. DCVB, II, 644; DECat, II, 187).

40. La forma *tiragusó*, no enregistrada en els diccionaris valencians de l'època, així com tampoc al DCVB ni al DECat, és una variant de *tirabusó* 'tirabuixó, floc de cabells en forma espiral' per equivalència acústica (*b* = *g*). Els diccionaris d'ESCRIG-LLOMBART (1887), de MARTÍ GADEA (1891) i de PLA I COSTA (ap. J. MARTINES, 1998:226) recullen *tirabusó* (*tirabuçó*), i no *tirabuixó*, però només amb el sentit de 'llevataps'. En Escrig (1851:828) *tirabuçó* 'tirabuzón, en dos acepciones; en una de ellas, tambien sacacorchos'. En castellà *tirabuzón* 'llevataps' es documenta des del *Diccionario de Autoridades* (1739), procedent del francés *tire-bouchon* ibid., i, segons Coromines (DCECH, V, 507), influït formalment pel castellà *buzón*. L'aplicació de *tire-bouchon* al pentinat en francés amb el sentit metafòric de 'boucle enroulée comme une mèche de tire-bouchon' consta des de principis del segle XIX (1805) (A. REY, 1992:2124). En català el DCVB (X, 299-300) i el DECat (VIII, 509) no en documenten el sentit de 'floc de cabells en forma espiral' fins Santiago Russinyol, encara que ja l'havia recollit P. LABERNIA (II, 825). Amb el sentit de 'llevataps' Coromines (DECat) troba *tirabuixó* per primera vegada en el diccionari d'Esteve, Belvitges i Juglà (1803-1805). Quan Branchat utilitzà *tiragusons* amb el sentit de 'floc de cabells en espiral', l'any 1818, era un mot encara poc conegut, un neologisme propi del llenguatge de la moda: "al front els penchen a totes / caragols moltísim llarcs, / que... pareixen / destapadors de barrals; / *tiragusons* crec que es dihuen, / inventats per Satanàs". En valencià *tirabusó* (o *tirabuixó*) continua essent un mot poc popular, i amb aquest sentit és més corrent *caragol*, que era també el mot preferent de Branchat.

rinya..., 2; Branchat, 113, 179), mot procedent segurament del castellà. Els cabells solien arreplegar-se en forma de *moño*, *topo* o *castaña* (*Canción de la modista*).[41]

Al segle XIX es van posar de moda unes bosses anomenades *ridículs*[42] (del francés *réticule*), confeccionades amb seda, en forma de conquilla, i subjectades amb llargues cadenes (cf. M. Rocamora, 1944:42), les quals substituïen les butxaques dels vestits (cf. J. Laver, 1989:153-155). Els escriptors populars van caricaturitzar la novetat, jugant amb el doble sentit de *ridícul*: "y en les dones... sons *ridículs* penchant, / y atres *ridícules* modes" (*Coloqui nou de lo que tots som fabricants*, 1854:1-2). Segurament també fan referència al mateix objecte els següents versos satírics de Branchat (ps. 182, 89): La "*gran bolsota* / que elles porten en la mà, / semechans als peluqueros / que anaven en añys pasats / a pentinar per les cases"; "¿Y les chiques de costura / y encara algunes més grans, / que porten una *gran bolsa*?, / moda indigna dels gabaigs".

Les dones es posaven molts *afaits* (*potingos*) en la cara: *seretes*, *alcànfora*,[43] *cascall*, *meleta*, *verniz*, *blanch de ou*, *llet virginal* (C. Ros: *Romans y coloqui nou per a riure*..., ap. Torres Navarrete, pàg 160), *ayguages* (C. Ros: *Paper graciós y entretengut per al desfreç de Carnistoltes*..., 2), *ayguas olorosas*, *polvos* (Segura, 23), *talcos*, *esmalts*, *colors* i *colorits* (Branchat, 180; *Els dos besons... Segona part*, 3). Duien el *cap empolvat* (Escobedo, 591) i usaven *bandolina* per a pentinar-se (*Canción de la modista*).

S'estrenyien el cos amb la *cotilla* o *coset* (*Nova y gustosa notícia*..., 2). Es censura que la *cotilla* de moda fos massa *escotada* (*Els dos besons... Segona part*, 3; *Coloqui nou de Pepo Canelles*, 6).[44] Aquest tipus de cotilla es coneixia amb el nom castellà *despeñadero*.[45] Es cobrien amb *chal* (*Coloqui nou de lo que tots som fabricants*, 1854:2), *cota* (Escobedo, 993; *Discursos de una donsella*..., 3), *mantellineta*, però "de tela tan fineta / que les fa transparentar" (*Els dos amics... Segona part*, 3); *gavardina*

41. En efecte, en la primera meitat del segle XIX els pentinats femenins de moda eren complicats, amb caragols que queien sobre el front, i una trossa en la part de darrere, i es podien adornar amb flors, plomes, pintes o agulles (cf. J. LAVER, 1989:167).

42. Mot no registrat, amb aquest sentit, pel DCVB ni pel DECat.

43. Variant de *càmfora*. Consta en el diccionari de Bulbena (ap. DCVB, I, 448). J. Coromines (DECat, II, 453) diu que *alcàmfora*, junt amb *càmfora*, sembla popular a Menorca. Veiem que tampoc no era desconeguda en valencià.

44. Els col·loquiers, cas de Branchat o de Carles Leon, solen queixar-se d'una moda femenina que era qualificada d'*escandalosa* (BRANCHAT, 180), car les dones duien "els pits tots destapats" i "la esquena... al consonant", i anaven "provocant a tots los hòmens", tant amb la roba com amb el seu *descaro* (ibid., 102-105). En efecte, a principis del segle XIX, quan escriu Branchat, el vestit femení de moda acceptat era "una especie de ligero camisón que, aunque es verdad que llegaba hasta los tobillos, llevaba un escote muy exagerado, incluso en los vestidos de mañana" (J. LAVER, 1989:157).

45. El nom és aprofitat per Carles Leon per construir un joc de paraules:"sobre la gran tumba / que per *cotilla* portau / ab les ulleres de batre / no.s pot lo fondo alcansar. / Li dihuen *despeñadero*, / y aplegant-se a *despeñar*, / entre el *despeño* y *empeño*, / ya no.s pot alsar lo cap" (*Coloqui nou de Pepo Canelles*, 6-7).

(*Discursos de una donsella...*, 3)[46] i *bufandes* "per tapacolls" (*Els dos besons... Segona part*, 3) o "sobre els pits" (*Coloqui nou de Pepo Canelles*, 6). Usaven *camisons* (*Rahonament entre el Rull de Payporta y Albudeca...*, 1) i *balandrans*.[47] Per inflar la falda recorrien al *miriñaque* (*Coloqui nou de Miquelo el de Rusafa...*, 2), o *meriñaque* (Martí Gadea, 1891a:32, 67),[48] i al *sarandero* o *cercolet* (*Nova y gustosa notícia...*, 1, 3, 4),[49] així com al *tontillo*, "baix de les faldes", que era ample "com una sàrria" (*Els dos besons... Tercera part*, 3; Escobedo, 591), i en la part de darrere al *polisó* o *cul postís* (Martí Gadea, *Tipos... Apèndix*, pàg. 105; *Lo cul pustís. Entremés nou*, s. a.). Quant al calcer, es citen *jineletes a lo marrueco* i *sabates a la prusiana* i *a la francesa* (*Els dos besons... Segona part*, 3; *Nova y gustosa notícia...*, 1; C. Ros: *Romanç nou, graciós y entretengut en què.s declara la rinya...*, 2). L'habillament es completava amb les *calses*, les de més qualitat fetes de *seda* (*Els dos besons... Segona part*, 3).

Unes altres peces de roba femenines esmentades en els plecs solts com a tradicionals són: el *gipó* (Escobedo, 804; Branchat, 114), que cobreix dels muscles fins a la cintura i, a diferència de la *cotilla*, va proveït de mànegues, el *mantell* (C. Ros, *Festa del Corpus*, 3) o *manto* (*Discursos de una donsella...*, 3), el *davantal* (Martí, 1997:371) o *devantal* (Escobedo, 804), *els guardapeus*,[50] que eren la vertadera falda

46. Notem que la *gavardina* no la duien únicament els senyors (DCVB, VI, 236), sinó també les dones.

47. "estic determinat / a embocar-te en la pallisa / quatre vares de estampat; / sense que ho sàpien tos pares, / per a fer-te un *balandran* / d'estiu, en quatre penjolls, / *al estilo de Valencia*" (MARTÍ, 1996:271), aplicat a un vestit femení de moda, encara que potser de forma irònica o caricaturesca, igual que en la utilització com a nom burlesc del frac en el passatge comentat més amunt del *Coloqui nou de Pepo Canelles*. El mot *balandran* es fa servir també figuradament en un col·loqui de Carles Leon com a terme insultant: "pués sols a l'oir «tinte al rey», / mes que ho diga un *balandran* / de ministril, atorrulla / a un llop" (*Enhorabuenas, plácemes y regocijos...*, 1802:7). A Calaceit el *balandran* és una 'peça de roba de protecció dels nadons' i a la Codonyera és 'la bateta que posaven als nadons' (M. BLANC, J. MARTÍ, 1994:34). A Mequinensa *balandram* és sinònim de 'malvestit i maldestre de moviments' (H. MORET, 1996:63), significat que sembla tenir relació amb el del fragment de Carles Leon. En occità *balandran* (*balandras*) s'usa també com a terme insultant, amb un sentit paregut i segurament relacionat: 'dadais, flandrin' (L. ALIBÈRT, 1966:141; F. MISTRAL, I, 213). En català el mot es documenta des del segle XIII, i coneix les variants *balandram*, *balandran*, *balandrà* i *balendrà* (cf. DECat, I, 570; DCVB, II, 225; DCECH, I, 469; *Diccionari Aguiló*, I, 174). Coromines, Alcover-Moll i Aguiló en català el recullen només com el nom d'una 'peça de vestir llarga usada pels eclesiàstics'. En occità té un sentit més ampli com a peça de roba: 'casaque, manteau d'étoffe grossière, robe de capucin, froc' i la variant *balandrana* 'grand manteau de berger'. Segons sembla, de l'occità *balandran* va passar al francés i al castellà. En portugués *balandrau* (ant. *balandrao*) i en italià *palandrana* (*palandrano*) 'veste (specialmente da uomo) lunga e larga, gabbano' (B. MIGLIORINI, 1965:955). D'etimologia incerta, però possiblement derivat de l'arrel de *balandrar* 'balancer, brimbaler' en occità i *balandrejar* 'gronxar-se', 'oscil·lar' en català, a causa del moviment d'aquest vestit llarg (cf. J. COROMINES, *op. cit.*; P. IMBS, 1975:69-70), cosa que explicaria també l'aplicació a una persona malgirbada, desmanyotada, de moviments maldestres, i, per extensió, babau, tanoca.

48. Adaptat també en *miriñac* (J. HOSPITALER, 1869:94), *mirinyach* (MARTÍ GADEA, 1891).

49. Del castellà *zarandero* 'persona que mueve la zaranda', que és un 'cedazo rectangular', amb la forma del qual es comparava aquesta peça de roba.

50. El mot *guardapeus* amb referència a un objecte singular es fa servir amb l'article en singular o en plural: "un guardapeus" (C. ROS: *Romanç nou, graciós y entretengut en què.s declara la rinya, junta y del·liberació que.ls toros acordaren...*, 2) o "uns guardapeus" (MARTÍ, 1997:312).

exterior (cf. Grup Salpassa, 1993:139); les *basquinyes*, de més qualitat que els guardapeus, guarnides, per exemple, amb *gallardets*, se solien portar en dies de festa (Martí, 1997:307, 312, 371; Branchat, 181; C. Ros: *Romanç nou, graciós y entretengut en què.s declara la rinya, junta y del·liberació que.ls toros acordaren...*, 2; cf. DCVB, II, 345). Davall duien les *sinagües* o *sinahues*, i damunt d'aquestes el *sagaleget* (*Els dos amics... Segona part*, 3).[51] Mots derivats de *falda* són: *faldetes*, *faldillas*, amb la variant fonètica *fandillas*, *faldar* i *faldons* (C. Ros: *Nova y gustosa relació...*, 2; Martí, 1996:343; 1997:357, 371, 372; Escobedo, 804, 1121). En el cap duien la *caputxa*, la *mantellina* i el *mocador per al cap* (Martí, 1996:106, 115; 1997:253, 294 *Els dos amics... Segona part*, 3). Una varietat de mantellina era el *dengue* (*Rahonament entretengut y divertit per a el desfrés de Carnistoltes...*, 3) (cf. E. Martí i Mora, 1999:64-65).[52] També portaven un *mocador del coll* o *mocadó d'espatllas* (*Relació xistosa o xasco que donà una guapa valenciana a set galans pretendents que volían conquistar-la*, 2), que es col·locava sobre els muscles. Es cobrien les cames amb *calces* (Martí, 1996:227, 322; 1997:352), a Catalunya *mitjas* (Escobedo, 1269), i calçaven *espardeñes* o *sabates* (Martí, 1996:67; 1997:294, 371).

D'altra banda, el vestuari popular tradicional masculí, conservat generalment pels llauradors, incloïa, de dalt a baix les següents peces: *muntera* (*Coloqui nou de Pepo Canelles*, 3; Martí, 1997:247) (o *montera*) (*El so Christòfol*, 5), *barret* (*Coloqui nou en el que es referix el chasco que li va pasar a un llaurador molt famolenc...*, 7), *còfia* (*Coloqui nou en què Tito Bufalampolla y Sento el Formal conten la maestransa...*, 1789:5) i *mocador*[53] per a cobrir-se el cap. Joan Baptista Escorigüela (N.P., ms. 421, f. 75) parla de la *barretina*, tractant de la roba d'uns infants, però també podien dur-la els adults (Grup Salpassa, 1993:141). Directament sobre la pell hom duia la *camisa* (Martí, 1996:85, 102; 1997:246) o *camisola* , amb el seu *faldó* (*Coloqui nou en el que es referix el chasco que li va pasar a un llaurador molt famolenc...*, 7) i el seu *cabecet* (Martí, 1996:169).[54] La *faixa* anava per damunt de la camisa i dels saragüells i servia per a subjectar aquestes peces al cos, i també s'aprofitava per guardar-hi els diners (cf. Martí, 1996:84; *Rahonament y coloqui nou en què es manifesta el consell que tingueren el tio Cosme Nespla de Benifaraig, Badoro Rico-Paño de Moncada y Jaumet el Polinari de Alfara*, 1797, pàg. 2). El *bolsó* o la *coixinera*[55] amb els diners també es podia dur en altres llocs,

51. Del castellà *zagalejo* 'refajo que usan las lugareñas'. També va ser adaptat amb [k] per la [x] castellana: "*sagaleco* de moda / vol Doloretes"(J. MARTÍ GADEA: *Ensisam de totes herbes*, 1891, pàg. 160).

52. Amb aquest sentit no es registra al DCVB (IV, 125). A Mallorca dóna nom a un tipus de davantal. Segurament el mot és pres del castellà *dengue*, que designa un tipus d'esclavina d'ús femení (cf. DCECH, II, 442-443).

53. "Yo sóc llaurador y dec anar en camalets y *mocador al cap*, y no en casaca y pantaló" (*El Mole*, núm. 11, 1837).

54. El DCVB (II, 772) va recollir *cabecet* 'coll de la camisa' entre els pagesos d'Elx, i J. Coromines (DECat, II, 510) *cabeç* 'trau primer del coll de la camisa' a Alcoi, i el documenta ja al segle XIV. J. ESCRIG (1851:148) i J. MARTÍ GADEA (1891:516) arrepleguen *cabés* i *cabeset* 'cuello de la camisa', i J. PLA I COSTA: "*cabeset de la camisa*. Cabezón' (ap. J. MARTINES, 1998:125).

com "en lo si" (*Junta secreta, arenga crítica que fan sis personats de distinguit caràcter*..., 1787, pàg. 7). Des del coll fins a la cinta o un poc més avall, damunt de la camisa, es duia la *chupa* (*Coloqui nou del tio Vueltes*, 2; Martí, 1996:85), que solia ser *curta* (C. Ros: *Romanç nou de la correguda de baques y bedells*..., ap. Torres Navarrete, 223), i la portaven també els xiquets (Escorigüela, N.P., ms. 421, f. 75), encara que també existia la *jupa llarga* (per davall del maluc) (Grup Salpassa, 1993:141). El derivat *jupetí* (*Junta secreta*..., pàg. 7; Martí, 1996:236) o *chopetí* (*Coloqui nou en el que es referix el chasco que li va pasar a un llaurador molt famolenc*..., 7), obert al davant, a diferència de la jupa, no tenia mànegues: "*chupetinet* brodat / que per a casar-me en feren" (Civera, 1820: 30). Per damunt de la camisa es duia també l'*armilla* (o *armilleta*) (*Coloqui nou en què es referix lo viage que féu Tito Bufalampolla*, 1789:6; *Rahonament y coloqui nou en què es manifesta el consell que tingueren el tio Cosme Nespla de Benifaraig, Badoro Rico-Paño de Moncada, y Jaumet el Polinari de Alfara,* 2) (del castellà *almilla*).[56]

Els llauradors s'abrigaven amb la *manta* (*Coloqui nou en el que es referix el chasco que li va pasar a un llaurador molt famolenc*..., 7), amb la *capa* (Martí, 1996:169, 237, 341), el *capot* (Branchat, 79) i el *capotet* (Martí, 1996:222, 309), que es col·locava sobre els muscles: "*capotet* al coll" (*Rahonament entre Chimo el Gros del camí de Arrancapinos y el tio Joan Senén de Patraix*, 1). Es parla també de la *capa borreguera* "per a les pluches y els aires" (Martí, 1997:247). Podien dur igualment *sayo* (Martí, 1996:56).

De la cintura fins als genolls es cobrien habitualment amb els *sarahuells* (Martí, 1996:236; 1997:246), o *camalets* (*Coloqui nou en el que es referix el chasco que li va pasar a un llaurador molt famolenc*..., 7), que podien ser de diferents teixits, com ara els *sarahuells de màrraga* (Martí, 1997:246). Quan anaven "ben aseat[s]", com ara els dies festius, duien els *sarahuells de negrilla* (Civera, 12) o *de negreta* damunt dels *saragüells blancs* (cf. J. Amades, 1939:81), els quals es confeccionaven amb la tela d'igual nom, i també se solien dur durant els mesos d'hivern (cf. Grup Salpassa, 1993:136). Els saragüells es *nugaven* (Martí, 1997:294) amb una *tireta* (C. Ros: *Paper graciós, lo millor que a eixit d'esta mà*, 2), o amb la *trincha* (*De les buñoles*, N.P., ms. 420, f. 41v-46v, ap. Zubeldia, f. 45r). Els *sarahuells blancs* (Martí, 1996:71, 128; 1997:351) quan anaven davall dels altres feien, doncs, la funció dels actuals calçotets:[57] "y me'l varen agarrar / entre els tres, y *me'l deixaren*, / al pobre, *en sarahuells blancs*" (Martí, 1996:128). En algun cas es parla també

55. La *coixinera* ací designa una taleca o saquet de tela per a dur algun objecte, en aquest cas els diners. Aquesta és una accepció que el DCVB (III, 262) enregistra només a l'Empordà, i sense documentació, però que, com veiem, és igualment valenciana (cf. ESCRIG-LLOMBART, 1887; MARTÍ GADEA, 1891).

56. E. CISCAR PALLARÉS (1998:115) documenta *armilla* "chaleco" al segle XVII a La Valldigna. Avui dia és un mot poc corrent en valencià.

57. Així ho va recollir, en efecte, Carles ROS (1764:210): "*sarahuells blanchs*, calçoncillos: los calçones de lienço ancho que se traen debajo de los otros calçones".

amb aquest sentit de *la braga* : "els sarauells fets a trossos, / molts en la *braga* penjant" (Martí, 1996:322).

Els saragüells eren el símbol de la masculinitat i dels seus atributs, com després ho passaren a ser els pantalons. Així, l'expressió *portar* (*dur* o *calçar*) *els saragüells* significa 'comandar', especialment en el matrimoni: "Qui mana, Toni o Manena? / «Así qui té de manar? / Si porte yo les faldetes, / *tu els sarahuells portaràs*»" (Martí, 1997:294). Però la dona no sempre s'hi resignava, i també volia *portar els saragüells*: "el marit mana una cosa; / ella vol contrarrestar. / Ell vol *dur els saragüells*, / ella també els vol portar" (*Coloqui nou de lo que pasa...*, 4), "si es fa prenyada, / el marit pot perdonar, / que *ella calça els sarahuells*, / y si replica, rebrà" (C. Ros: *Romans y coloqui nou per a riure...*, ap. Torres Navarrete, 159).[58] En mallorquí, on no es coneix el mot *saragüells*, es deia *dur els calçons*: "dona que vol *du es calsons*, / volguent fe s'homo un norrés / sempre el me té compromés / a moure-lí castions" (Segura, 84).[59]

Els homes es cobrien les cames, des del genoll, amb *calces* (Martí, 1996:227, 322; 1997:352), subjectes en la part superior per *lligacames* (Martí, 1997:247). En els peus podien dur *peücs* (Martí, 1996:227). Calçaven habitualment *espardenyes* (Martí, 1996:67; 1997:246), o *espartenyes* (Martí, 1996:227; C. Ros: *De la molinera*, 2), *d'espart* o de *cànem*, normalment subjectes al turmell amb vetes o cordons, conegudes per això amb el nom d'*espardenyes de ramalet* (*Junta secreta...*, pàg. 7).

Tot i que els llauradors conservaven millor el vestit tradicional, al segle XVIII també els arribaven les novetats indumentàries, sobretot en la roba de festa, quan es vestien *de punta en blanc* (Martí, 1996:338). Així, per exemple, en el *Coloqui entretengut hon se referixen la explicació de les dances, misteris, àguiles y altres coses exquisites tocants a la gran festa del Corpus que.s fa en València* de Carles Ros, la primera edició del qual és de 1734, el llaurador Blai portava *poleví* (en l'edició de 1772 *polldeví*) i *corbata* (pàg. 2), i un altre camperol, Pau, diu que durant la processó del Corpus va perdre les *sabates* (pàg. 2), i no les tradicionals *espardenyes*. Els *llaurons* que acudien a la *correguda* de vaques i vedells que es féu en un camp prop de la Zaidia, l'any 1755, també duien *sabata de moda chusta* i *chapeu a lo maco* (C. Ros: *Romanç nou de la correguda de baques y bedells...*, ap. Torres Navarrete, 223). Igualment, Joro es posa *apanyat* per intentar seduir una *valenciana*, amb *còfia blanca*, *borles d'or*, *faixa d'alducar*, *calces verdes*, *sabata de color de llima*, *hevilles de plata de llei*, a més dels *saragüells de negrilla* (Martí, 1996:174-175). També podien dur *calces morades*, *calces de fil blanquechat*, *sabates de cordobà* i *corbatí* (Civera, 30; Martí, 1996:338).

58. Amb un sentit diferent, també es diu *no cabre u en els saragüells*: 'estar molt cofoi, molt satisfet' (MARTÍ, 1997:281).

59. La composició anònima *Maridos, cuidado con los calzones* (SEGURA, 85) està dedicada precisament al tema de les dones que pretenen manar sobre els marits.

La temptació d'anar elegant i a la moda arribava igualment a les dones de les classes humils, que se sentien fascinades pels usos indumentaris de les dames acomodades. Unes llauradores mudades, "més empiulades que un toro", lluïen "llistes, flocs, farfalans, / agulles, pintes de plata, / pendientes, creus y collars" (*Coloqui graciós que tingueren Vadoro el Cert...*, 4). L'autor anònim d'un trobo adverteix a una llauradora, Pepa, que "si eres llauradora, / no vullgues donar que riure, / per vestir com a señora" (*Trobos nous per a esplayar el ànimo cantant els nóbios a les nóbies*, núm. 3). I Abaristo, peó d'obrer de vila, aconsella a la seua dona Pepa Antònia que "vol *camisón* y tots los demés arreos de currutaca": "Pepa, tin enteniment, / deixa't de ser currutaca" (Martí, 1997:307).

Vegem ara uns altres tipus socials i professionals a la indumentària dels quals es fa referència en els plecs solts. Els lletrats i notaris portaven *bata*, *barretina* (C. Ros: *De la molinera*, 2), *peluca* i *golilla*, anaven *enrandats* (C. Ros: *Paper graciós, lo millor que a eixit d'esta mà*, 2), i es retallaven la barba en forma de *pera* (C. Ros, *Festa del Corpus*, 3; *Raonament y coloqui nou a hon li referix un llauró a una valencianeta les moltes gràcies que té*, 2). Uns boticaris portaven *capa*, *espasa*, *sombrero* i *sabates* (Martí, 1997:350). El vestit d'un *majo* es componia de: "les *borles* y *monetilles* / les portava a sentenars. / *Botons*, sobre dotse groses, / ne duya remenechant, / son *sigarrot* en la boca / y un *chambergo* de costat", i anava armat d'un llarg *furgadens de Albasete*, és a dir, d'una gran navalla (Martí, 1997:306). Els clergues duien la *casulla* (Martí, 1997:327), la *dalmàtica* (Martí, 1996:221), *el manteu* (*Chiste dels estudiants y el porc*, 3), *el roquet* (Martí, 1996:226) en el cas dels capellans, i en el dels frares, el *caputxó*, *la clotxa*, a més del *manteu* (Martí, 1996:111; Segura, 21).[60] Per últim, el col·loquier Manuel Civera descriu un "*vestit de militar* / de aquells antics que s'usaben / en sigles antipasats": *casacota* amb "botons com a duros", *chupetí* "de a sinc pams", "*bolchaques* com a sacs", "els *sarahuells* sinse *sinches*, "la *bragueta* dabant", "grans sabates en hebilles / y calses de matablanc" (Civera, 1820:70).

Hem vist com, en efecte, els gal·licismes constitueixen una bona nòmina entre el vocabulari indumentari recollit. Alguns penetraren en català durant aquesta època; altres són anteriors. Potser alguns d'aquests termes ens han arribat per via del castellà. Són d'origen francés mots com els següents: *bandolina* (fr. *bandoline*), *casaca* (francés *casaque*),[61] *clocha* (fr. *cloche*), *farbalà* o *farfalà* (fr. *falbala*), *frac* (fr. *frac*), *galó* (fr. *galon*); *levita*, en l'accepció indumentària prové del francés *lévite*. S'introduí en català al segle XIX. Coromines (DECat, IV, 952) no veu cap raó per suposar una mediació del castellà en la penetració d'aquest mot en català, sinó més aviat el contrari. *Manteu* (fr. *manteau*); possiblement *papalina* 'tipus de tela molt

60. Potser mereix un esment la transformació vulgar de *dalmàtica* en *almàtica* que fa el llaurador Roquet (MARTÍ, 1996:225). Es tracta d'un cas de deformació vulgar d'un cultisme, fenomen no estrany en els col·loquis. La forma aferètica *almàtica* 'dalmàtica' la va recollir també J. Martí Gadea (1891:174).

61. Segons M. ROCAMORA (1944:8), la *casaca* fou la peça més representativa del gust francés del segle XVIII.

fina', 'còfia, cobricap blanc de dona' (fr. *papeline*) (DCVB, VII, 199), encara que Coromines (DECat, VI, 245) el creu un derivat de *papal*, derivat, al seu torn, de *papa* 'pare', 'Sant Pare'. *Papillota* 'tros de paper amb el qual es subjecta un floc de cabells per arrissar-lo' (fr. *papillote*). També s'usava amb referència a les persones distingides, precisament les que feien servir aquest tipus d'ornament, la *gent de papillota*, per oposició a la *gent de poca nota*, tal com ho trobem en la composició barcelonina *Trampas de las donas ab sos marits* (Escobedo, 1262). *Perruca* s'introdueix en català al segle XVIII, del francés *perruque*. El DECat (VI, 460) l'enregistra per primera vegada a la fi d'aquell segle en el Baró de Maldà, i el derivat *perruquer* en el *Diccionario* de Belvitges, Esteve i Juglà (1803-1805); però ja eren una mica anteriors: *perruca* consta en un plec solt barceloní de 1752 i *perruquer* en el romanç de 1763 *Última disposició de Carnestoltas*: "Elegesch en marmessors... / *perruquers*, músichs y mestres / de ballar o de saltar" (Escobedo, 1403-1404). En els col·loquis valencians el trobem sempre en la forma *pel-*, coincident amb el castellà, d'on deu procedir: *peluca, peluquí, peluquero* (Martí, 1996:177).[62] El mot *poleví* (o *polldeví*), del francés *pont-levis*, pròpiament 'pont llevadís' (en castellà *ponleví* o *poleví*) donava nom a un tipus de calcer amb la sola en forma de corba, de manera que restava un buit entre la punta i el taló. No és recollit en el DCVB ni en el DECat. *Sortú* i *surtú*, del francés *surtout* 'vêtement de dessus, sorte de cape ou de grand manteau ample' (P. Robert, VI, 425). No recollit al DCVB ni al DECat, però sí que el registra el *Diccionari Aguiló*, l'any 1805: *surtu* 'traje varonil' (VII, 337). En els plecs solts l'enregistrem a finals del segle XVIII, aplicat a la indumentària masculina i femenina,[63] però també com un dels components de la bolcada, en una composició manuscrita de Joan B. Escorigüela: "...sirena, braser, *surtú*, / choguets, aygua. Tot hu du / el aya en la bolcadeta" (Escorigüela, N.P., ms. 421, f. 31v).[64] Acabem aquesta breu relació amb les veus *xal* (fr. *châle*)– i *xapeu* 'capell' (fr. *chapeau*).

62. També el masculí *peluca*, moneda castellana dels segles XVII i XVIII, en la *Rondalla de Rondalles* de Lluís Galiana (DCVB, VIII, 494; J. E. PELLICER, 1986:116).

63. En la *Junta secreta* de Carles Leon el *jaque* Temporal conta als seus companys de malifetes la feta que li ocorregué amb "una ninfa de *quince* a *veinte*", la qual "volia anar y vestir a *toda moda*", i com ell "no tenia més rentes que les mans franques, era precís valdre'n d'elles per a mantindre-li el rumbo de la caramba, tirana, arrastra majos, despenyadero, polanesa, medallón, bufanda, tabarquina, *surtú*, camison, sobrepuesto o zona tórrida" (Madrid, impremta de Manuel González, 1787, pàg. 5).

64. En un anunci publicat en la darrera dècada del segle XVIII al *Diario de Barcelona* es parla de la venda d'un "*surtú* nuevo de paño de seda color azul, forrado de pieles de arminios blancas, con sus muletillas bien trabajadas" (M. ROCAMORA, 1944:32). L'ús de casaques, fracs i sortuns s'identificava clarament amb la moda francesa: "Què direm dels currutacos? / Quin inxerto més través! / Les gineles de Marruecos, / sarahuells de mariners, / les casaquetes, els fracs / y sortuns a lo francés, / les patilles a lo hebreo / y a lo alemà el sombreret" (*Parranda y Bufalampolla venen del Norte, cridats de Cento y Tito*, València, impremta del Diari, 1811, pàg. 2).

Bibliografia

ALIBÈRT, Louis (1966): *Dictionnaire occitan-français d'après les parlers languedociens*, Toulouse, Institut d'Etudes Occitanes.

ÁLVAREZ DE MIRANDA, Pedro (1992): *Palabras e ideas: El léxico de la Ilustracióm temprana en España (1680-1760)*, Madrid, BRAE.

AMADES, Joan (1939): *Indumentària tradicional*, Barcelona La.

ANDOLZ, Rafael (1977): *Diccionario aragonés*, Zaragoza, Librería General.

ARACIL, Lluís V. (1968): "Introducció" a *E. Escalante: Les xiques de l'entresuelo. Tres forasters de Madrid* , València, Garbí.

BALDINGER, Kurt (1985): "Lengua y cultura: su relación en la lingüística histórica", *Revista Española de Lingüística*, 15, pàg. 247-276.

BARRI, Montserrat (1999): *Aportació a l'estudi dels gal·licismes del català*, Barcelona, Institut d'Estudis Catalans.

BLANC, Miquel; MARTÍ, Joaquim (1994): *Garba. Mil paraules de Calaceit*, Barcelona, Columna.

BOLUFER, Mónica (1998): *Mujeres e Ilustración. La construcción de la feminidad en la España del siglo XVIII*, València, IAM.

CANTOS CAMPS, Antonio (1980): *El traje de labradora valenciana*, València, Marí Montañana.

CARRERA I PUJAL, Jaume (1951): *La Barcelona del segle XVIII*, II, Barcelona, Bosch.

CASADO VELARDE, Manuel (1988): *Lenguaje y cultura. La etnolingüística*, Madrid, Síntesis.

CISCAR PALLARÉS, Eugenio (1998): *Vida cotidiana en La Valldigna (siglos XVI-XVIII)*, Simat de la Valldigna, La Xara.

CIVERA, Manuel (1820): *Colecsió de vàries conversasions alusives al nou sistema consitucional (sic) que pasaren entre els dos acreditats patriotes Saro Perrengue, carreter del poble de Godella, y el dotor Cudol, abogat de esta ciutat de Valènsia*, València, per Francisco Brusola.

Col·loquis i raonaments (1983), edició facsímil amb una introducció de Ricard Blasco, València, L'Estel.

COLON, Germà (1976): *El léxico catalán en la Romania*, Madrid, Gredos.

COSERIU, Eugenio (1981): "La socio- y la etnolingüística. Sus fundamentos y sus tareas", *Anuario de Letras*, XIX, pàg. 5-30.

COULON, Mireille (1985): *Sainetes. Ramón de la Cruz*, Madrid, Taurus.

DCECH = COROMINES, Joan (1980-1991): *Diccionario crítico etimológico castellano e hispánico*, Madrid, Gredos, 6 vol.

DCVB = Alcover, Antoni M.; Moll, Francesc de B. (1988): *Diccionari Català-Valencià-Balear*, Palma de Mallorca, Moll, 10 vol.

DECat = Coromines, Joan (1980-1988): *Diccionari etimològic i complementari de la llengua catalana*, Barcelona, Curial, 9 vol.

Diccionari Aguiló (1914-1934). Materials lexicogràfics aplegats per Marià Aguiló i Fuster, revisats i publicats sota la cura de Pompeu Fabra i Manuel de Montoliu, Barcelona, IEC, 8 vol.

Diccionario de Autoridades (1726-1737), Madrid (reedició facsímil, Madrid, Gredos, 1979).

Diccionario del dialecto gitano (1851), Barcelona, Imprenta Hispana.

Duarte, Carles; Alsina, Àlex (1986): *Gramàtica històrica del català*, Barcelona, Curial, vol. 3.

Escobedo Abraham, Joana (1992): *Poesia popular catalana no religiosa del segle xviii*, Barcelona, Universitat de Barcelona, tesi doctoral.

Escrig, Josep (1851): *Diccionario valenciano-castellano*, València, Ferrer de Orga.

Escrig, Josep; Llombart, Constantí (1887): *Diccionario valenciano-castellano*, València, Librería de Pascual Aguilar.

Espín Rubert, Mª Assumpció (1994): *Carles Ros: Idees lingüístiques i edició de l'obra literària*, València, Universitat de València, tesi doctoral.

Fernández Valladares, Mercedes (1988): "Cartas en verso de rústicos y patanes. Las «nuevas» de la corte a principios del siglo xviii", dins *Varia bibliographica. Homenaje a José Simón Díaz*, Kassel Edition Reichenberger, pàg. 255-268.

GEA = *Gran Enciclopedia Aragonesa*, Saragossa, Unión Aragonesa del libro, vol. XII, 1980.

Genovés Olmos, Eduardo (1911): *Bibliografia valenciana*, València, Imprenta de Manuel Pau.

Gómez Senent, Carme (1982): *Literatura de cordell valenciana dels segles xviii i xix*, València.

Griera, Antoni (1966-1970): *Tresor de la llengua*, Barcelona, Polígrafa, 14 vol.

Grup Salpassa (1993): "Costums tradicionals, indumentària, cants i balls", *Quaderns de Migjorn*, 1, pàg. 135-147.

Gulsoy, Joseph (1964): *El Diccionario valenciano-castellano de Manuel Joaquín Sanelo*, Castelló de la Plana, Sociedad Castellonense de Cultura.

Hospitaler, Josep (1869): *Vocabulario castellano menorquín y viceversa*, Maó, Imp. de Miguel Parpal.

Imbs, Paul (Dir.) (1971-1990): *Trèsor de la langue française. Dictionnaire de la langue du xixᵉ et du xxᵉ siècle*, París, Centre National de la Recherche Scientifique.

LABÈRNIA, Pere (1839-1840): *Diccionari de la llengua catalana*, Barcelona, Hereus de la Viuda de Pla, 2 vol.

LAPESA, Rafael (1996): *El español moderno y contemporáneo. Estudios lingüísticos*, Barcelona, Crítica.

LAVER, James (1989): *Breve historia del traje y la moda*, Madrid, Cátedra.

LICERAS FERRERES, Mª Victoria (1989): *De cap a peus. Indumentària tradicional valenciana dels segles XVIII i XIX*, M. I. Ayuntamiento de Quart de Poblet.

MARTÍ GADEA, Joaquim (1891): *Diccionario general valenciano-castellano*, València, José Canales Romà.

MARTÍ MESTRE, Joaquim (1994): "Malnoms valencians del segle XIX", *Societat d'Onomàstica. Butlletí interior*, LIX, pàg. 199-226.

MARTÍ MESTRE, Joaquim (1996): *Col·loquis eròtico-burlescos del segle XVIII*, València, IVEI.

MARTÍ MESTRE, Joaquim (1996 b): "Contacte lingüístic entre el català i el castellà a la València dels segles XVIII i XIX", *Caplletra*, 20, pp. 207-236.

MARTÍ MESTRE, Joaquim (1997): *Literatura de canya i cordell al País Valencià. Els col·loquis de temàtica jocosa i satírica. Edició i estudi lingüístic*, València, Denes.

MARTÍ MESTRE, Joaquim (e. p.): "Llengua i cultura als segles XVIII i XIX. El lèxic social en la literatura de cordell", dins *IV Simposi de Filologia Valenciana -en honor de Joan Veny- (València, 9-11 de maig de 2000)*, en premsa.

MARTÍ I MORA, Enric (1999): *Apunts d'indumentària tradicional*, València, Lo Rat Penat.

MARTÍN GAITE, Carmen (1981): *Usos amorosos del Dieciocho en España*, Barcelona, Lumen.

MARTINES, Josep (1998): *El diccionario valenciano de Josep Pla i Costa (1817-1890)*, Alacant, Institut de Cultura «Juan Gil-Albert».

MAS MIRALLES, Antoni (1993 a): "Aproximació a la parla de Santa Pola (Estudi sociolingüístic d'un sainet santapoler del segle XIX)", *La Rella* , 9, pàg. 83-100.

MIGLIORINI, Bruno (1965): *Vocabolario della lingua italiana*, Torino, Paravia.

MIQUEL I PLANAS, Ramon (1911): *Cançoner satírich valencià dels segles XV y XVI*, Barcelona, Biblioteca Catalana.

MISTRAL, Frédéric (1979): *Lou Tresor dóu Felibrige*, Aix-en-Provence, Édisud.

MORET, Hèctor (1996): *Sobre la llengua de Mequinensa*, Calaceit, Institut d'Estudis del Baix Cinca -I.E.A.

NICOLÀS I AMORÓS, Miquel (1998): "Perspectiva i context: una relectura pragmàtica del teatre d'Eduard Escalante", dins *La història de la llengua catalana: La construcció d'un discurs*, València / Barcelona, IIFV / PAM, pàg. 323-347.

PELLICER BORRÀS, Joan E. (1986): *La "Rondalla de rondalles" de Lluís Galiana. Estudi lingüístic i edició*, València, IFV.

PUIG, Immaculada; ROCA, Paquita (1986): *Justillos i gipons a les comarques del nord del País Valencià*, Castelló, Diputació de Castelló.

PUJOL, Francesc; AMADES, Joan (1936): *Diccionari de la dansa, dels entremesos i dels instruments de música i sonadors*, I, Barcelona, Fundació Concepció Raball i Cibils.

REY, Alain (1992): *Dictionnaire historique de la langue française*, París, Le Robert.

RIBELLES COMÍN, Josep (1943, 1978): *Bibliografia de la lengua valenciana*, toms III i IV, Madrid, Tip. de la Revista de Archivos.

RIBES, Vicent (1985): *El segle XVIII*, València, IVEI.

ROBERT, Paul (1980): *Dictionnaire alphabétique et analogique de la langue française*, París, Le Robert.

ROCAMORA, Manuel (1944): *Un siglo de modas barcelonesas (1750-1850)*, Barcelona, Ediciones Aymà.

ROS, Carles (1764): *Diccionario valenciano-castellano*, València, Benito Monfort.

SANMARTÍN SÁEZ, Julia (1998): *Lenguaje y cultura marginal. El argot de la delincuencia*, València, Facultat de Filologia, Universitat de València.

SANMARTÍN SÁEZ, Julia (1998a): *Diccionario de argot*, Madrid, Espasa.

SEGURA, Isabel (1981): *Romances de señoras*, Barcelona, Alta Fulla.

TORRES NAVARRETE, Francesc (1995): *La llengua de Carles Ros*, València, Universitat de València, tesi doctoral.

VINYOLES, J. J. (1978): *Vocabulari de l'argot de la delinqüència*, Barcelona, Millars.

WAGNER, Max-Léopold (1924): *Notes linguistiques sur l'argot barcelonais*, Barcelona, IEC.

ZUBELDIA LAUZURICA, Mª Isabel (1986): *Coloquios inéditos valencianos del siglo XVIII*, València, Universitat de València, Facultat de Filologia, tesi de llicenciatura.

ELS CAMINS DE LA FUNDACIÓ RAMON LLULL

Josep Massot i Muntaner

Abadia de Montserrat, Institut d'Estudis Catalans

Ben poc després de l'ocupació de Catalunya per les tropes franquistes, es va posar en marxa a París la Fundació Ramon Llull, promoguda per l'antic conseller de Cultura i aleshores conseller de Governació i Assistència Social de la Generalitat, el mallorquí Antoni M. Sbert.[1] Aquesta Fundació, esmorteïda a causa de la Segona Guerra Mundial i de l'exili de Sbert a Mèxic, va durar, si més no nominalment, fins a la segona etapa de París de la *Revista de Catalunya*, mentre era president de la Generalitat de Catalunya a l'exili Josep Irla. Ens manca encara una història exhaustiva dels seus projectes i de les seves realitzacions,[2] que només serà del tot possible quan siguin oberts els arxius de la Generalitat que van ésser salvats de les urpes dels alemanys nazis gràcies a l'ajuda del govern basc.[3] Sí que en sabem, però, moltes coses, que en bona part ja m'ha estat possible de resumir en altres indrets.[4] Avui voldria insistir una mica en els difícils orígens i en el complex desplegament de l'empresa, prenent per base sobretot la correspondència de Sbert amb Josep Pous i Pagès,[5] i publicar-ne un projecte d'estatuts –mai no aprovat a causa de l'esclat de la Segona Guerra Mundial– que ens ha arribat a través de l'arxiu de Lluís Nicolau d'Olwer, conservat a l'Institut d'Estudis Catalans.[6]

1. Per a la seva suggestiva trajectòria, vegeu el meu llibre *Antoni M. Sbert, agitador, polític i promotor cultural*. Barcelona, 2000.

2. És sorprenent que ni la *Gran Enciclopèdia Catalana* ni el *Diccionari de la literatura catalana* (ni el més recent *Nou diccionari 62 de la literatura catalana*) no tinguin l'entrada *Fundació Ramon Llull*. Sí que la té, bé que molt breu i limitada a les activitats a Mèxic, el *Diccionari dels catalans d'Amèrica*, dirigit per Albert MANENT, Barcelona, 1992, pàg. 270 (aquest diccionari, en canvi, omet l'entrada *Sbert, Antoni M.*).

3. Cf. *Antoni M. Sbert, agitador, polític i promotor cultural*, pàg. 141. Aquests fons han de passar durant el 2001 a l'Arxiu Nacional de Catalunya.

4. Sobretot a l'esmentada biografia *Antoni M. Sbert, agitador, polític i promotor cultural* i al volum anterior *De la guerra i de l'exili. Mallorca, Montserrat, França, Mèxic (1936-1975)*. Barcelona, 2000.

5. L'immens arxiu de Pous, conservat actualment a l'Arxiu Nacional de Catalunya, ja ha estat objecte d'un primer estudi de conjunt: M. Àngels BOSCH, *J. Pous i Pagès. Vida i obra*. Figueres, 1997. La correspondència amb Pous i Pagès, les fotocòpies de la qual m'han arribat gràcies a la gentilesa del director de l'ANC Josep M. Sans Travé i de Jordi Manent i Tomàs, m'ha servit extraordinàriament per a la biografia *Antoni M. Sbert, agitador, polític i promotor cultural*.

6. He d'agrair a la responsable d'aquest arxiu, Laia Miret, les facilitats que m'ha donat per a la seva consulta.

La idea de la Fundació Ramon Llull no va sorgir del no-res, sinó de la confluència de tot un seguit de circumstàncies que l'afavorien. Antoni M. Sbert havia estat sempre un home d'acció i alhora de reflexió, un polític que aspirava al mateix temps a ésser un intel·lectual rigorós i exigent, un organitzador que tenia la pretensió de coordinar esforços i de donar un to internacional a les seves activitats. Per això, quan fou nomenat conseller de Cultura, en uns moments especialment difícils, va impulsar la Junta de Relacions Culturals de Catalunya, amb una clara voluntat de projecció externa. Al dossier de premsa de la Generalitat conservat a l'Arxiu Montserrat Tarradellas i Macià de Poblet,[7] corresponent al 20 de maig de 1937, he pogut localitzar un interessant article de *La Dépêche*, signat N. M. –que deu correspondre a l'arquitecte i escriptor Nicolau M. Rubió–,[8] ben significatiu del nou esperit que Sbert volia difondre arreu, amb la intenció de contrarestar el mal ambient contra Catalunya sorgit a l'estranger a causa dels excessos dels primers mesos de la Guerra Civil, magnificats per la premsa i objecte de llibres i d'opuscles apareguts en diverses llengües, entre les quals i en primer lloc el francès:

> «A l'occasion d'une séance tenue par la "Junta de Relacions Culturals de Catalunya", j'ai visité le palais que le départament de culture de la Généralité occupe dans cette grande voie de Barcelone qui est l'avenue Pi i Margall (ancien *Passeig de Gracia*). L'installation noble et d'une haute distinction de ce département, restera attachée au nom du "Conseller" de culture, M. Antoni M. Sbert. Il en sera de même pour la création de la "Junta de Relacions Culturals".
> Ceux qui, en France, s'amusent à lire les descriptions terrifiantes que certains de nos confrères imaginent, à propos de l'*enfer catalan*, seraient bien surpris de constater ce que c'est qu'une séance de la "Junta de Relacions Culturals". J'ai parlé de son installation, de son cadre tout à fait raffiné. Son personnel est aussi des plus distingués. Vous y rencontrerez les membres les plus en vue de l'intellectualité catalane. Il ne manque à la "Junta" que ces quelques rares intellectuels qui, ayant de tous temps adopté une attitude politique très poussée à droite, ont cru qu'ils devaient s'absenter au moment du triomphe des masses populaires catalanes.
> La "Junta de Relacions Culturals" est présidée par cet homme indiscutable et indiscuté, le reconstructeur de la langue catalane, professeur Pompeu Fabra. Un tel président constitue la plus ferme garantie de la haute qualité intellectuelle du labeur de la "Junta", et aussi de l'amour aux choses de la Catalogne qui guide ce labeur.
> Suivant la pensée du "Conseiller" Sbert, la "Junta de Relacions Culturals de Catalunya" doit exercer le contrôle de toutes les missions culturales catalanes à l'étranger. Aussi, la "Junta" devra s'occuper de l'importation des hautes valeurs étrangères en Catalogne. Elle prépare une série de dix conférences à la Sorbonne, au cours desquelles dix spécialistes catalans parleront aux universitaires de Paris de l'histoire, de la littérature, de la pensée et de l'art de la Catalogne.
> Mais aussi, la "Junta de Relacions Culturals" va étudier le projet d'une série de conférences que

7. He d'agrair al P. Alexandre Masoliver i a la senyora Montserrat Catalan les facilitats que m'han donat per a la consulta d'aquest importantíssim arxiu.

8. Segons Maria Campillo, *Escriptors catalans i compromís antifeixista (1936-1939)*, Barcelona, 1994, pàg. 127, el 29 d'abril de 1937 Nicolau M. Rubió enviava una nota al conseller Sbert en la qual li deia: «Per un article que faig a *La Depéche* [*sic*] de Toulouse parlant de la Junta de Relacions Culturals, creació vostra, necessito una fotografia de l'interior del Departament, que faci molt goig, potser una vostra dintre el vostre despatx».

les hommes représentatifs de la pensée française, aussi bien de Paris que de tous les centres universitaires de France, pourraient venir faire à Barcelone.»[9]

Per la seva banda, l'historiador Ferran Soldevila reflectí al seu dietari, el 21 d'abril de 1937, la «primera reunió de relacions culturals», al Palau Robert de Barcelona, en la qual «no hi ha hagut sinó un discurset del Sbert. Queda bastant bé, una mica dictatorial. Ha criticat els intel·lectuals. Com que ha estat un monòleg, res a dir. Si hi hagués hagut diàleg, i diàleg sincer, un hom hauria pogut dir-li: "Els polítics critiquen els intel·lectuals. Perfectament: ja arribarà l'hora que els intel·lectuals criticaran els polítics. Perquè els intel·lectuals poden haver pecat per omissió (i encara caldrà veure les causes i els efectes d'aquesta omissió); però els polítics han pecat per acció i per omissió: les causes ja les sabem i els defectes estem veient-los"».[10]

Sbert dugué encara a terme, durant els anys de la guerra, un bon nombre de missions politicoculturals a l'URSS, a Anglaterra, a Suïssa i sobretot a França, on tenia molts amics i on residí aviat la seva muller, fugint de l'estretor i dels perills de la Catalunya sotmesa als bombardeigs procedents dels –roports «nacionals» de Mallorca.[11] Com a conseller de Cultura, d'altra banda, posà les bases de la Institució de les Lletres Catalanes –consolidada i fundada oficialment durant el temps del seu successor Carles Pi i Sunyer–, que agrupava els intel·lectuals addictes a la República, sota la presidència del seu amic Josep Pous i Pagès i amb Carles Riba com a vicepresident.[12]

D'acord amb aquests antecedents, Sbert mateix ens explica, en una detallada *Memòria de la Delegació General* de la Fundació Ramon Llull, que «la necessitat de crear a França una institució per a estendre el coneixement dels valors culturals de Catalunya, estimular l'interès dels estrangers per als estudis catalans i procurar la col·laboració de tots els nuclis on és parlada la nostra llengua» el «preocupava de temps enrera; l'increment de les activitats culturals a Catalunya era una raó més per a desitjar una organització difusora d'aquestes activitats». La Junta de Relacions Culturals fou creada el 8 de març de 1937 a fi d'«establir» una «coordinació» de les «relacions i activitats culturals en altres països» i de «facilitar l'acció dels intel·lectuals catalans a l'estranger», i aviat, el juny de l'any següent –quan Sbert era

9. Tot seguit Nicolau fa els elogis de Carles Riba, «grand poète catalan, dont l'oeuvre a une valeur universelle», i de la seva muller, Clementina Arderiu, autora d'una «oeuvre de premier plan».

10. Ferran SOLDEVILA, *Al llarg de la meva vida. I. 1926-1939*, Barcelona, 1970, pàg. 345. A la mateixa pàgina, Soldevila fa al·lusió al «projecte de conferències a la Sorbona», que anava «endavant». Sobre la constitució i les activitats de la Junta, vegeu CAMPILLO, *Escriptors catalans i compromís antifeixista*, pàg. 127-128.

11. Cf. *Antoni M. Sbert, agitador, polític i promotor cultural*, pàg. 78, 83-84 i 86.

12. Cf. CAMPILLO, *Escriptors catalans i compromís antifeixista*, pàg. 89-91, 129 i seg., 243 i seg.; *id.*, *La Institució de les Lletres Catalanes 1937-1939.* Barcelona, 1999; *id.*, «Notícia del Llibre d'Actes de la Institució de les Lletres Catalanes 1937-1939», *Serra d'Or*, núm. 412 (abril de 1994), pàg. 69-74. Per a la intervenció de Josep Pous i Pagès, vegeu BOSCH, *J. Pous i Pagès. Vida i obra*, pàg. 261-264. Per a la de Riba, vegeu Jaume MEDINA, *Carles Riba (1893-1959)*, I, Barcelona, 1989, pàg. 96 i 331-334.

conseller de Governació–, «varen ésser iniciades a París les gestions per a constituir una Fundació que pogués estendre les seves activitats a totes les branques científiques, a les Lletres, a les Arts i a l'ensenyament», amb la intenció de complementar i ampliar la feina que ja es feia a través de l'Institut d'Art et d'Archéologie de París. Sbert precisa que «el propòsit dels fundadors no limitava a França l'activitat de la Fundació. Si es proposava ja establir-ne la seu a París, és perquè la relació de la cultura catalana amb la francesa és tan íntima i secular, que ha remuntat el Migdia, al nord dels Pirineus, per estendre els seus lligams amb el centre de la nostra civilització occidental –París– com havia creuat la Mediterrània per anar al proper Orient i deixar-hi les empremtes catalanes, performades amb l'herència de Grècia, de Roma i de Bizanci, impregnades d'influències gòtiques, però sempre amb un accent ben català». El projecte, però, romangué encallat, a causa de «circumstàncies que estan en la memòria de tots», que van anar «creant dificultats, en el temps i en els mitjans, a la realització del nostre propòsit, en el qual els fundadors hem perseverat, ara amb més fermesa que mai, perquè la nostra llengua resta, en el seu territori metropolità, confinada en l'íntim recer de les afeccions familiars, sense poder fer-se sentir ni en la vida pública ni en la vida civil, sense poder continuar essent el vehicle de les aportacions de la cultura catalana a la civilització i l'instrument per a donar forma a les més enlairades manifestacions de l'esperit».[13]

És evident que des del març-abril de 1938, a partir de l'esfondrament del front d'Aragó i de l'ocupació de Lleida per les tropes franquistes, s'inicià un ràpid procés de desmoralització i era previsible que molt aviat la lluita arribaria a Barcelona, amb un resultat desfavorable per a la República.[14] En aquest context, el projecte de Fundació a París partia de la premonició que l'exili s'acostava i que convenia arbitrar unes fórmules per a pal·liar-ne tant com fos possible els efectes negatius. En el mateix sentit, ens consta que el mateix any 1938 els homes de la Institució de les Lletres Catalanes havien «convingut» «el projecte [...] de recollir en unes caixes els llibres originals i apunts dels escriptors catalans que haguessin d'exiliar-se», i el polític, historiador i periodista Antoni Rovira i Virgili «havia insistit per tal que això fos preparat amb el temps necessari».[15] A l'hora de la veritat, tanmateix, sorgiren «dificultats» per a tot, sens dubte per la manca de mitjans del govern català, en pèssimes relacions amb el govern de la República establert a Barcelona, i per la por de caure en un derrotisme excessiu, bé que algunes persones s'espavilaren pel propi compte a fi de trobar solucions poc o molt satisfactòries. Rovira i Virgili mateix anotava, el 23 de gener de 1939:

> «Algú em fa la confidència que no falten els qui han enviat a l'estranger, no sols el paperam que els ha interessat, ans encara els mobles i la roba de vestir. Tan fàcil que era, fa una o dues setma-

13. *Revista de Catalunya*, IV època, núm. 1, any XI, núm. 94, París, desembre de 1939, pàg. 92-94. Reproduït a *Antoni M. Sbert, agitador, polític i promotor cultural*, pàg. 292-293.

14. Vegeu, per exemple, el meu llibre *De la guerra i de l'exili*, pàg. 153-154.

15. A. Rovira i Virgili, *Els darrers dies de la Catalunya republicana (Memòries sobre l'èxode català)*, Buenos Aires, 1940, pàg. 45.

nes, de dedicar un camió de la Generalitat a l'evacuació del material literari! Sé que el Conseller de Cultura estava ben disposat.»[16]

Aquest dia 23 de gener de 1939, Josep Pous i Pagès i Carles Riba ja eren fora de Barcelona, precisament per indicació del conseller de Cultura, Carles Pi i Sunyer,[17] i només Rovira i Virgili, Pompeu Fabra, Josep M. Capdevila, Joan Oliver, Cèsar August Jordana i Francesc Trabal pogueren assistir a una reunió d'urgència, convocada per Trabal en qualitat de secretari de la Institució de les Lletres Catalanes, a la seu de la Conselleria de Cultura. S'hi prengueren «dos acords: continuar l'obra de la Institució allí on puguem, dins o fora de Catalunya, i encarregar interinament de la presidència Pompeu Fabra».[18] Fabra encara fou a temps de presidir una darrera sessió de la Institució de les Lletres Catalanes al «Mas Perxés de l'Agullana», el 27 del mateix mes. Hi assistiren, a més de Fabra i de Trabal, C. A. Jordana, J. M. Capdevila, Joan Oliver, A. Rovira i Virgili i J. Serra Hunter, als quals s'afegiren, «invitats pel President Accidental, els membres del secretariat de la Institució, Sres. Mercè Rodoreda i Anna Murià i els Srs. Armand Obiols, Lluís Montanyà i Xavier Benguerel». D'acord amb les instruccions del conseller de Cultura, «s'acorda instal·lar la Institució de les Lletres Catalanes en el Mas Perxés del poble de l'Agullana (Girona)» i s'hi decidí igualment d'«acollir sota la protecció de la Institució els escriptors que han volgut seguir-la».[19]

Antoni Rovira i Virgili dóna fe que el 28 de gener de 1939, quan ja se sabia la mala notícia de la caiguda de Barcelona, els intel·lectuals del mas Perxés no havien perdut ni la gana ni l'humor: «Parlen amb animació, riuen, fan frases, diuen acudits, miren l'esdevenidor, si no amb optimisme, amb coratge. Es parla de la *Revista de Catalunya* i del lloc on podrà publicar-se d'ací endavant. A Perpinyà? A Tolosa del Llenguadoc? A París? A Mèxic? A Santiago de Xile?»[20] L'endemà, Rovira tingué una franca conversa amb Carles Pi i Sunyer, que li contà «detalladament» una entrevista ben poc esperançadora que havia mantingut el dia anterior amb Juan Negrín, primer ministre del govern de la República, durant la qual el conseller de Cultura «li parlà de la conveniència d'establir a l'estranger algunes institucions culturals de la Generalitat, dins les quals podrien seguir actuant un bon nombre d'escriptors i artistes nostres». Negrín li respongué, amb cortesia, que necessitava «tots els diners, especialment les divises, per a la guerra», que encara continuava en altres fronts, entre els quals els de Madrid i València.[21]

Quan l'exili a França ja era una trista realitat, el 10 de febrer de 1939 Ferran Soldevila anotava al seu *Dietari de l'èxode* que el dia abans havia rebut «una carta

16. *Ibid.*

17. *Ibid.* Cf. Bosch, *J. Pous i Pagès. Vida i obra*, pàg. 265-266.

18. Rovira i Virgili, *op. cit.*, pàg. 44-46.

19. Campillo, *Notícia del Llibre d'Actes de la Institució de les Lletres Catalanes*, pàg. 74; *id.*, *La Institució de les Lletres Catalanes*, 40 (facsímil parcial de l'acta de la reunió del 27 de gener de 1939).

20. Rovira i Virgili, *op. cit.*, pàg. 140-141.

21. *Ibid.*, pàg. 146.

remarcable de Carles Riba, explicant-se i esplaiant-se sobre la divisió o cissura que s'ha produït dins de la Institució de les Lletres Catalanes: En Pous i En Riba –president i vice-president– per una banda, i els altres per l'altra». Riba, però, li explicà de paraula, el mateix dia 10 a Perpinyà, que «ja s'havia entrevistat amb En Trabal i els altres i tot s'havia arreglat». De tota manera, en parlava «amb un menyspreu olímpic. Els arrossaires i vel·leïtosos que al·ludeix en la carta són En Trabal i l'Oliver».[22]

Seguint els acords presos a Barcelona i a Agullana, la Institució de les Lletres Catalanes, representada sobretot per Francesc Trabal, però d'acord novament amb el seu president Josep Pous i Pagès, va iniciar una política d'ajuda econòmica als escriptors exiliats i es preocupà per la represa de les activitats intel·lectuals –i ben en concret de la *Revista de Catalunya* –, amb el suport de Carles Pi i Sunyer.[23] Aquests intents fracassaren davant el protagonisme pres per Antoni M. Sbert, que de bon començament es convertí en el braç dret del president Lluís Companys, juntament amb el seu amic Josep Tarradellas, per a tots els afers de tipus polític i assistencial relacionats amb els catalans exiliats i posà en marxa un projecte molt elaborat, que anava molt més enllà dels propòsits de la Institució de les Lletres Catalanes i dels seus caps pensants.

Ja el 19 de febrer de 1939, quan la Guerra Civil encara no havia acabat, Sbert s'adreçava, des de Perpinyà, a Josep Pous i Pagès, resident aleshores a Avinyó, i li acusava recepció d'una carta que havia rebut a la seva «tornada de París, on he passat uns quants dies» i on a partir de l'endemà passaria «una setmana més». Li assegurava que es preocupaven per les mateixes coses i, després de resumir-li la tasca que duia a terme per a ajudar els refugiats, li explicava les grans línies de la fundació que es proposava d'iniciar ben aviat, amb el propòsit d'unir forces, d'eliminar capelletes i clans i de substituir les «restes del Govern català», del qual només havia de restar, «com un símbol inoperant, en un discret exili, el President» Companys:

> «Ja podeu imaginar que la vostra preocupació és la meva. No hem deixat de preparar feina. En resum, els nostres projectes són: d'una manera immediata, continuar l'obra de treure la nostra gent dels camps de concentració i ajudar-los a desplaçar-se a Perpinyà, allà on provisionalment puguin ésser acollits. Organitzar alguns centres d'acolliment. Fins ara tenim el de Tolosa. Tractem d'organitzar-ne un altre a l'Herault o a l'Aude. Fer un cens i una tria dels catalans internats a França.
> Com a projectes en vies d'organització: gestions començades per a traslladar al Canadà, a Mèxic i en algun altre país –fins ara sols en els dos primers tenim la gestió començada– nuclis catalans. Crear una fundació a França sota un Patronatge d'amics francesos, amb fi de fer possible el manteniment de les activitats culturals catalanes, l'assistència als refugiats i les relacions entre

22. Ferran SOLDEVILA, *Dietaris de l'exili i del retorn. 2. El retorn*. Edició, notes i fotobiografia a cura d'Enric PUJOL, València, 2000, pàg. 425 i 427.

23. Cf. BOSCH, *J. Pous i Pagès. Vida i obra*, pàg. 271 i Maria CAMPILLO i Francesc VILANOVA, *La cultura catalana en el primer exili (1939-1940). Cartes d'escriptors, intel·lectuals i científics*, Barcelona, 2000, XVII-XX, pàg. 31-34 i altres referències donades a l'índex de noms, s. v. *Trabal, Francesc*.

nosaltres i els nuclis de catalans establerts arreu del món. Tinc enllestits els Estatuts, pendents d'unes consultes amb els amics francesos. Tant prest com estigui cuit vos ho diré.

Des d'un punt de vista polític, les nostres activitats pretenen eliminar tot el que sigui motiu per a mantenir capelletes i clans: política que no sigui mantenir viu l'esperit de Catalunya, sense prejutjar cap solució política del pervindre, no ens pot interessar. Sols una divisió és necessari fer en el present: la dels catalans que tinguin les mans netes i el cor ben alt i la dels dels [*sic*] altres.

Tan prest com la Fundació estigui en marxa, una quinzena de dies, els restes del Govern català seran bandejats pel vent. Govern sense territori és una entelèquia perillosa. Caldrà que resti com un símbol inoperant, en un discret exili, el President, la qual representació legal és insubstituïble i la qual actuació, per moltes raons, és necessari estalviar...

Cerqueu en la vostra vida interior la pau, i no perdeu la fe en allò que haveu servit amb llaialtat [*sic*], puix ara més que mai ens cal l'esforç de tots i la unitat de tots els esforços.»[24]

En aquesta empresa, per a la qual aconseguí la col·laboració sense reserves de Josep Pous i Pagès, Sbert no anava tot sol, bé que a vegades podia semblar-ho. Ens consta que Carles Riba s'entusiasmà amb la idea de la Fundació Ramon Llull i en parla al seu epistolari a partir del 15 de febrer de 1939,[25] i el 21 d'agost del mateix any Josep Tarradellas comentava a Carles Pi i Sunyer que «en certs medis, que no cal anomenar, es dóna com a cert que vós sou contrari a la Fundació i a la manera com ho porta l'Sbert. –Els qui escampen aquesta versió diuen que en la visita que féreu a Hurtado, li vàreu fer conèixer aquest pensament vostre, dit i repetit constantment. Precisament fa pocs dies que vaig trobar casualment Joan Casanoves i Joan Tomàs en ple Boulevard Saint-Germain, els quals varen parlar-me de totes aquestes coses amb una passió que feia veritable pena; malgrat els meus desmentiments i dirlos que tant vós, com Gasol [*sic*], Fabra, Nicolau, és a dir tots els del Consell, tenim una completa compenetració, ningú no s'ho creu i la reacció és de creure's i dir que l'únic que recolza l'Sbert sóc jo...».[26]

El 26 de febrer de 1939, Sbert adreçava des de París al doctor Camille Soula, catedràtic de Fisiologia de la Universitat de Tolosa de Llenguadoc, una carta referent a la Residència de Tolosa –on s'allotjaven un bon nombre de refugiats catalans–, a la Residència similar de Montpeller, en vies d'organització, i sobretot al projecte molt avançat de la Fundació Ramon Llull, que recollia una iniciativa que Sbert mateix –com ja sabem– havia proposat, sense èxit, el maig de 1938, concretada ara en una fundació d'utilitat pública, sota el control de les autoritats franceses, que tindria l'objectiu d'ajudar totes les manifestacions de la cultura catalana, de donar socors als refugiats i d'afavorir els contactes entre els expatriats catalans i amb els amics francesos, en un esperit de neutralitat política i religiosa, necessari perquè entre els expatriats n'hi havia de dreta i d'esquerra, i d'acord amb l'esperit liberal de Catalunya:

24. Text mecanografiat. ANC, fons Pous i Pagès. La carta comença «Estimat amic», i acaba: «Us saluda i abraça el vostre afectíssim».

25. Cf. *Antoni M. Sbert, agitador, polític i promotor cultural*, pàg. 109-114 (tingueu present que la primera ratlla de la pàg. 112 ha de dir «4 de gener de 1940», en lloc de «4 de gener de 1938»).

26. Text citat per Francesc VILANOVA I VILA-ABADAL, *Política i cultura en el primer exili*, en premsa.

«Étant don[n]é que les amis, que vous et le Comité de Toulouse gentilment avaiz [sic] bien voulu héberger, manquent d'argent de poche et, même, de l'indispensable pour faire face à leurs besoins, nous voulons faire un nouvel effort en vous envoyant fran[c]s dix mille de nos revenus du bureau central.
Je vous prie encore de distribuer cette somme assisté des person[n]es les plus qualifiées parmi les catalans et selon les besoins, col[l]ectives [sic] ou individuelles [*sic*] les plus urgentes [sic].
Je suis rentré à Paris le 23, après avoir arrêté à Montpellier pour m'entretenir avec le Comité et les amis qui nous aident, tout particulièrement avec Mr. Amade.[27] Nous tâchons de formaliser à Montpellier une organisation pareille à la vôtre, pour les catalans, avec un centre d'hébergement. Au même temps, les travaux pour réaliser une initiative que j'avaiz [sic] san[s] succès proposée le mois de mais 1938, sont, à présent, poursuivis activement à Paris. Je viens de rédiger un project [*sic*] de Statuts d'une fondation d'utilité publique, lequel, après consultation avec quelques juristes français, je vous ferais [*sic*] parvenir.
La fondation, sous le contrôle des autorités françaises, serait la centrale de notre organisation ayant pour but aider les manifestations de la culture catalane et secourir les réfugiés, établir des liens entre les expatriés catalans, eux mêmes, et les amis français, dans un esprit de neutralité politique et religieuse, tout à fait nécessaire étant don[n]é que beaucoup de catalans de droite devront rester expatriés comme nous mêmes les hommes de gauche. Le vrai esprit de la Catalogne, vous le savaiz [*sic*] depuis longtemps, est libéral. Voilà, doncs [sic] l'esprit que nous voulons attacher à notre fondation
Si cela est possible, je tiens à arrêter à Toulouse, à mon passage vers Perpignan, pour vous voire [*sic*] et avoir un entretien avec nos amis. Je vous prie de bien vouloir tenir au courant de nos projects [*sic*] à Serra Hunter,[28] Bellido[29] et les plus qualifiés des groupes catalan et toulousain. Ils sauront m'excuser de ne leur écrire pas individuellement.»[30]

Els estatuts de la Fundació Ramon Llull a què Sbert fa al·lusió a les cartes esmentades a Pous i a Soula deuen ésser més o menys els que, en una data indeterminada, va fer arribar a Lluís Nicolau d'Olwer i que no m'entretinc a comentar perquè els publico íntegrament a l'apèndix 1, llevat del darrer full, que contenia la darrera part de les disposicions transitòries, perdut. Com ja he assenyalat al començament, es tracta d'un projecte d'una «Associació internacional per al manteniment de la cultura catalana» –del qual per ara no coneixem cap altra còpia ni cap altra versió– que no tirà endavant a causa de les circumstàncies polítiques de França i calgué substituir-lo, si més no provisionalment, per una Société des Amis de la Fondation Ramon Llull.[31]

27. Deu referir-se a l'hispanista Jean Amade, professor de la Universitat de Montpeller i futur membre de la Fundació Ramon Llull.
28. Jaume Serra Hunter.
29. Jesús M. Bellido i Golferichs.
30. Text manuscrit. Arxiu Municipal de Tolosa de Llenguadoc, caixa 420 (en dec fotocòpia a Montserrat Corretger).
31. Per a això i per a molts altres detalls que ara no és el moment de repetir, vegeu la informació que dono a *Antoni M. Sbert, agitador, polític i promotor cultural*, pàg. 109 i seg. Recordem que el 3 de juny de 1939 Sbert deia a Carles Pi i Sunyer: «En quant a les gestions a Londres cal que doneu la Fundació per feta, puix la legalització a França no té res a veure amb la creació d'un comitè anglès; des d'un punt de vista moral, encara que no surti el decret, actuarem sota un comitè francès o com sigui. Us trameto, amb els altres papers certificats, còpia dels Estatuts en francès per tal que pugueu fer-ne una traducció anglesa» (CAMPILLO-VILANOVA, *La cultura catalana en el primer exili*, pàg. 86).

Cartes posteriors de Sbert a Pous i Pagès ens permeten de conèixer nous aspectes de la seva activitat desbordant i de les dificultats constants amb què topava. El 8 d'agost de 1939 li feia saber des de París que havia «estat uns dies fora amb motiu de un dels embarcs col·lectius per a Amèrica» i l'informava «del resultat dels combats entre els dos bàndols espanyols i de les converses tingudes entre els diversos grups o capelletes de catalans –de grups els castellans no en solen fer més que dos, però nosaltres som més rics en tot...». Pel que fa al primer punt, el comentari de Sbert resulta ben interessant per a conèixer de primera mà detalls de l'enemistat manifesta entre Indalecio Prieto i Juan Negrín i entre els respectius partidaris, i la repercussió que tot plegat tenia per a la continuïtat de les residències dels catalans i per a l'obra assistencial i cultural en curs (tempestuosa constitució de la JARE i intervenció que hi tenia Lluís Nicolau d'Olwer, bon amic de Sbert):

«Després de creuar-se un feix de lletres sodolles d'abundants retrets i farcides de fàstics, En Prieto i En Negrín arribaren aquí en un mateix vaixell, sense haver-se parlat. En Companys tenia pendents amb Negrín els escrits plantejant per enèsima vegada el problema financer incontestats. Quan estàvem a punt de plegar les residències En Moix[32] va intervenir, després de una lletra aspra del President i va arbitrar una solució provisional per a esperar la fi de juliol i l'arribada de Negrín, que venia resolt a donar solucions per als molts que esperàvem. Rebérem poc més de 200 mil francs –canviada la divisa crec que són exactament 207 mil– en lloc dels 625.000 que havíem demanat i acreditàvem fins a 31 de juliol.[33] Els bascos, des del mes d'abril tenien una fórmula de 2 milions i mig mensuals... (més de 15 mil persones en refugis...). Fins ara ni En Negrín ha dit res a Companys ni sabríem que fos aquí si no haguessin passat altres coses.
A la Diputació Permanent, després de uns dies de discursos, es va creure[34] clar que la mayoria [*sic*], àdhuc socialistes, estaven contra Negrín; amics personals, com En Prat,[35] no anaren a la sessió... En Lamoneda (Secret[ar]i G[ene]ral del P.S.O.E.)[36] va desautoritzar En Prieto, en una sessió, en nom del partit, però En Prieto va convocar a tots els Diputats socialistes dies després i En Lamoneda va ésser desautoritzat per una aclaparadora majoria.
En Prieto sostenia el criteri de la il·legitimitat del Govern Negrín per manca de President de la República, per manca de la confiança de les Corts i per manca de la col·laboració de persones tan representatives com Giral[37] i Giner de los Ríos...[38] En Negrín va fer presentar una proposició als comunistes reforçant la doctrina del poder absolut... i va tenir tres o quatre vots i els dos que la signaven –crec que en total eren cinc–. Els nostres varen sostenir la fórmula de la concòrdia, presentaren una proposició repetint la proposta que Negrín va fer-nos en el castell de Figueres (una

32. Josep Moix Regàs, del PSUC, director general de Treball de la Generalitat i ministre de Treball de Negrín, dirigent del SERE. Cf. Campillo-Vilanova, *La cultura catalana en el primer exili*, pàg. 92, 94, 97 i 103.
33. El 22 de juny de 1939, Sbert explicava a Carles Pi i Sunyer que la «situació econòmica» era «greu. Després de fer impossible el començar la Fundació amb el fons que havien previst i que en gran part es dissol en les Residències, aquestes s'hauran de tancar aquest mes per a tots els que no tinguin subsidi» (Campillo-Vilanova, *La cultura catalana en el primer exili*, pàg. 92). No cal dir que tota la carta (*ibid.*, pàg. 92-96) conté un seguit d'informacions i de comentaris ben interessants.
34. Deu haver de dir *veure*.
35. José Prat, sotssecretari de la Presidència del Consell de Ministres.
36. Ramón Lamoneda Fernández.
37. José Giral, que havia estat cap del govern i ministre de la República.
38. Bernardo Giner de los Ríos, ministre de la República.

Junta Suprema amb els Presidents i un Comitè Executiu per a substituir el Govern) i la proposició va tenir dos vots. Els d'En Prieto presentaren una proposició declarant il·legítim el Govern i substituint-lo per una Junta formada amb un Vocal proposat per cada partit, un per cada Sindical, que la Diputació investia amb poders administratius plens, presidida per un seu representant, designat per la Diputació lliurament [sic]. Els nostres, perduda la votació de la proposta, s'abstingueren de votar-ne d'altra. Els bascos –que estaven "contents" del tracte d'En Negrín– no acudiren a la sessió. El grup d'En Prieto va guanyar de molt, però, li era necessari comptar al menys amb nosaltres, si no amb els bascos... En resum, va ésser possible colocar [sic] En Nicolau,[39] per unanimitat en la Presidència del nou organisme. La CNT hi envià En Peiró,[40] que és del grup que ara sura –sortosament-. La U.G.T. Amador Fernández[41] –un "prietista"–. El P.S.O.E. En Prieto. Els republicans de I.R. En Palomo (President del Tribunal de Comptes).[42] Els de U.R. En Valentín, magistrat del Suprem,[43] i nosaltres amb «Acció catalana» l'Andreu.[44] Els Comunistes no hi han enviat ningú i els bascos estan esperant a veure qui guanya o quin actiu té.
En Nicolau ha vist Sarraut[45] per a informar-lo i explorar el terreny. Tant per En Nicolau com per En Lange[46] –que va preparar l'entrevista i després va fer un sondeig– sabem que els francesos estan pel nou organisme i disposats a presionar [*sic*] a fi de que s'arribi a la unitat.
El President de la Diput[aci]ó P[ermanent] (Fernández Clérigo)[47] va comunicar a Negrín la sentència i va traslladar l'acord de que tots els mitjans fossin posats a disposició del J.A.R.E. (nou anagrama). L'endemà En Nicolau va requerir En Negrín per tal que donés compliment a l'acord de la D[iputació] P[ermanent], és clar que sense resultat per ara. En Negrín va acomiadar-se de la Dip[utació] P[ermanent] dient que eren, des d'aquell moment en què l'havien destronat, una Junta facciosa més... I sembla disposat –sota una forta presió [*sic*] soviètica– a mantenir el S.E.R.E. La lluita entre "serenos" i «vigilantes» ha començat. Avui un negrinista ha proposat al S.E.R.E. –en el qual continuen tots els nostres representants– que es donés un vot de gràcies al Sr. Negrín i ha trobat tants "traïdors" que ha retirat la proposta. Nosaltres mantenim la tesi de no abandonar el lloc en cap indret on hi hagi "elements"[48] perquè en aquest caudal relicte del difunt hi tenim una part –la part dels catalans. I el S.E.R.E. i el J.A.R.E. són òrgans "administratius".
Les represàlies han començat. El S.E.R.E. paga els subsidis individuals... però, la subvenció de les residències torna a estar en l'aire i nosaltres passem un mal moment.
La base del J.A.R.E. està a Mèxic, amb l'ajut d'En Cárdenas.[49] No tenim idees clares respecte al seu valor encara, puix és una massa «amorfa» en sa major part no liquidada ni pesada. Entre uns i altres passarem un mes molt dolent.»

39. Lluís Nicolau d'Olwer, president d'Acció Catalana, que havia estat ministre de la República i governador del Banc d'Espanya.

40. Joan Peiró, que havia estat ministre de la República.

41. Amador Fernández Montes, diputat per Oviedo.

42. Emilio Palomo Aguado, diputat d'Izquierda Republicana per Toledo.

43. Faustino Valentín Torrejón, diputat d'Unión Republicana per Cáceres.

44. Josep Andreu i Abelló, d'Esquerra Republicana de Catalunya, president del Tribunal de Cassació de Catalunya, gran amic d'Antoni M. Sbert.

45. Albert Sarraut, ministre de l'Interior de França.

46. Robert Lange, delegat general de l'Associació dels Amics de la República Francesa, patró de la Fundació Ramon Llull.

47. Luis Fernández Clérigo

48. És a dir, diners.

49. Lázaro Cárdenas, president de Mèxic.

Pel que fa al segon punt, a part de donar notícies sobre la situació de diversos «amics» catalans –entre els quals Fabra, que «ja està instal·lat a París»–, Sbert fa al·lusió a contactes amb alguns grups poc addictes als seus projectes, presidits per la idea de trobar una «unitat» entre tots:

> «Hem tingut "canvis d'impressions" amb els d'Unió Democràtica,[50] amb l'Hurtado[51] i amb Solà de Cañizares;[52] hem enviat un recado a Casanoves.[53] El tema ha estat la "unitat". En principi tots hi estan d'acord. Falta concretar, que és on l'acord es fa difícil... Encara que no hi tingui gaire fe crec que cal que no es perdi per nosaltres. Tenim pensada una reunió de conjunt i us avisarem.»[54]

Malgrat els problemes i les dificultats, la tenacitat incansable d'Antoni M. Sbert aconseguí de tirar endavant una Fundació que tot es conjurava per a entrebancar. El 5 de juliol de 1939 feia saber a Carles Pi i Sunyer: «Estem al nou local de la FRL on ja estan domiciliats també els del Centre d'*aide* francès (81 rue Miromesnil, 4ème étage, París)»,[55] i el 31 d'agost del mateix any li comunicava: «Pensem publicar la Revista [de Catalunya] el mes d'octubre i així mateix començar tot seguit la publicació de llibres. Amb el Mestre Fabra i en Nicolau, únics elements que són

50. Cf. *Antoni M. Sbert, agitador, polític i promotor cultural*, pàg. 104-106 i CAMPILLO-VILANOVA, *La cultura catalana en el primer exili*, XVII-XVIII.

51. Amadeu Hurtado, dirigent d'Acció Catalana, hostil a la política dels homes d'Esquerra Republicana de Catalunya.

52. Felip de Solà i Cañizares, de la Lliga Regionalista, que havia pres excepcionalment una posició adversa a Franco.

53. Joan Casanovas i Maristany, antic president del Parlament de Catalunya, contrari a l'actuació de Sbert (cf. *Antoni M. Sbert, agitador, polític i promotor cultural*, pàg. 99-101).

54. Text manuscrit. ANC, fons Pous i Pagès. Podeu complementar aquestes informacions amb la carta de Sbert a Carles Pi i Sunyer, del 5 de juliol de 1937, publicada per CAMPILLO-VILANOVA, *La cultura catalana en el primer exili*, pàg. 103-105. Hi destaquem les referències a la reunió de la Diputació Permanent i als preparatius per al desplegament de la Fundació Ramon Llull: «El Sr. [Claudi] Ametlla ha estat a París; va tocar-li assistir com suplent per si en Terra [Josep Tarradellas] no arribava a temps i va telefonar renunciant puix es trobava en un cas de consciència i no podia comprometre's a votar segons què (contra el grup Negrín, per exemple...). Junt amb l'Hurtado han fet gestions i tantejos per a interferir la Fundació, publicar una revista, etc. Concretament han anat a trobar [Carles] Riba, [Ferran] Soldevila, i els han tantejat, tirant contra tots nosaltres, sense resultat... Ha estat aquí en [Pompeu] Fabra, sobre el qual exerceixen tota classe de pressions per a separar-lo i es recorre a l'adulació i a totes les armes més innobles. Divendres p[rop]p[assat] vàrem tenir una reunió, els membres catalans primers —els que eren a París, entre els quals en Fabra— i després amb alguns dels francesos. Es varen estudiar els estatuts. Es varen ratificar els acords de principi, presos anteriorment en diverses reunions parcials; els estatuts aprovats, es va deixar un marge de confiança per a modificacions que poguessin convenir a instància dels francesos o d'algun dels catalans no presents. Concretament, va quedar ben clar que continuaríem actuant com Comitè Organitzador i que no podia per cap concepte donar-se la impressió de que la Fundació era una "iniciativa en projecte"». Hi ha també informacions valuoses sobre les necessitats econòmiques i els problemes dels refugiats i les «gestions pro-fundació» (amb un grup inicial en el qual figura Pi i Sunyer mateix) en una carta anterior de Sbert a Pi i Sunyer, del 3 de juny de 1939 (*ibid.*, pàg. 84-86). El tema de la «unitat», que va més enllà de l'aspecte cultural, és represès en una carta a Pi i Sunyer del 2 de novembre de 1939 (*ibid.*, pàg. 117).

55. CAMPILLO-VILANOVA, *La cultura catalana en el primer exili*, pàg. 105.

aquí, hem començat a enllestir un pla general, dintre de les línies que havíem parlat».[56]

El 24 de setembre de 1939, quan feia pocs dies que havia esclatat la Segona Guerra Mundial que convertia França en nació bel·ligerant,[57] Sbert adreçà una altra carta, molt extensa, a Pous i Pagès, que transcric sencera a l'apèndix 2. Enmig de l'angoixa provocada per la conjuntura política, Sbert es mostrava animat a continuar la seva obra des de París, condició indispensable per a la seva eficàcia, i exposava a Pous el pla de treball que havia traçat d'acord amb les circumstàncies, que preveia la represa de la *Revista de Catalunya* a partir de l'octubre. Tot i que el panorama general era ben negre, i no era difícil de preveure que el futur de la Fundació i de les seves iniciatives se'n ressentiria profundament, hi havia un punt positiu: la JARE havia permès de comptar amb un pressupost per a publicacions, per a subsidis a alguns intel·lectuals i per a altres atencions. En aquell moment, en concret, era possible de posar a punt el pis de la *rue* Miromesnil: sala de reunions per al Consell de la Fundació –i per a l'Acadèmia més o menys dissimulada que hi havia al darrere, que substituïa en certa manera l'Institut d'Estudis Catalans i la Institució de les Lletres Catalanes– i despatxos, i fins i tot de destinar una partida per a l'adquisició de llibres.[58]

La situació, doncs, no era gaire engrescadora.[59] Però Sbert, amb el suport entusiasta de Carles Riba, no deixà de banda els seus esforços per continuar la *Revista de*

56. *Ibid.*, pàg. 115. Vegeu al·lusions complementàries, procedents de l'epistolari de Carles Riba, a *Antoni M. Sbert, agitador, polític i promotor cultural*, pàg. 110-111.

57. El mateix dia de la declaració de guerra a Alemanya, 3 de setembre de 1939, Sbert escrivia a Pous: «Rebo la vostra de dia 1 proppassat, avui dia de la catàstrofe consumada. Tot i que jo sóc dels que s'aferren a l'optimisme per instint, no sé on agafar-me... Efectivament, les coses van per un camí que no ens va gens bé. Però, encara, potser, podrien anar pitjor... Per ara, no hi ha cap orientació concreta: esperar» (ANC, fons Pous i Pagès).

58. Ja a la carta esmentada del 3 de setembre de 1939, Sbert comentava a Pous: «No sabem encara si evaqüarem [*sic*] París. La majoria hem evaqüat [*sic*] les famílies. Nosaltres, el grup en cap, continuem fins que el Govern francès ens digui què cal fer o fins que adopti mesures generals. —Ultra el tràngol que representa per a tots aquesta catàstrofe, des del punt de vista de la nostra Fundació ens ve a desfer els plans, tot just en els moments en què tenien ja un avenir, relativament, assegurat. El JARE havia aprovat un escrit d'En Companys amb una solució financera en la qual la F.R.L. tenia una consignació. Per aquest mes podíem comptar ja amb un centenar de mils francs i en mesos successius al menys una cinquantena de mil. Us estalvio la llarga enumeració de gestions i de reunions que hem tingut que fer i, des dels diferents punts d'atac, moguent a tots amb un mateix pensament, per primera vegada des de fa temps, hem tingut un èxit. La solució financera comprèn els refugis o residències, que el mes d'agost han viscut del crèdit i de préstecs, el subsidi als diputats i una possibilitat [de] subsidi indirecta per aquells membres de la Fundació que no en reben per altra [*sic*] concepte —entre els quals vós [...].»

59. A la carta esmentada del 3 de setembre, Sbert explicava a Pous: «Ahir vàrem fer sortir En Fabra; per ell i per la família era un problema que continués aquí, tot i essent del grup de "responsables". També en sou vós i no us podem dir "veniu" perquè no hi ha res concret; per a córrer aquest risc caldria poder dir-vos quelcom que no sabem. Mestre Fabra ha preferit anar a Illa altra volta.» Bosch, *J. Pous i Pagès. Vida i obra*, pàg. 271, transcriu un fragment d'una carta de Pompeu Fabra a Pous, del 23 de juny de 1939, des de París, on li comenta: «Vejam si per fi, entre tots podem endegar les coses, que per ara no van pas com fóra de desitjar [...] Senyaleu-me dia i hora. Podeu adreçar-vos a les oficines del carrer de Miromesnil.»

Catalunya i per donar un estatus si més no provisional a la Fundació Ramon Llull. El 9 d'octubre de 1939 comunicava a Pous que «les dificultats de transport ens inclinen a imprimir la revista a París; tenim ja pressupost i impressor convenients. En Berthaud acepta [*sic*] la gerència i hem redactat un projecte d'escriptura amb En Nicolau, que Berthaud acepta també, per a reservar la propietat del títol. Des de París us enviarem el document per tal que ens doneu el parer, i si us plau el signeu, amb totes les còpies; és una mera fórmula». No li amagava que «aquest fi de mes hem estat desbordats per la feina: comptes al Jare, memòria, inventaris de les Residències, que traspassem aquest mes», i que «per això haureu rebut les còpies d'articles [per a la *Revista de Catalunya*] amb retard. Us aniré enviant les següents». Pel que fa a la Fundació, li resumia les darreres decisions que s'havien vist impel·lits a prendre:

> «Després de recapitular moltes vegades sobre les possibilitats reals per a obtenir el reconeixement, en dret públic, de la Fundació, hem cregut que calia prendre una posició de confortable espera i per a tenir-la hem llançat la iniciativa de constituir una entitat d'amics de la Fundació, la qual, mentre aquesta sigui una entitat de dret privat o civil, serà l'encarregada de cobrir-la amb més eficàcia que el comitè de patronat constituït a l'A. d'A. de la R. F.[60] (el qual subsistirà com un alt patronat de totes les obres culturals i d'assistència). Hem fet uns estatuts i ja estan en mans dels nostres amics francesos –únics que seran numeraris, per tal de no sortir de les disposicions generals. Crec que en tindrem tot seguit una trentena. La societat d'amics i la Fundació es lligaran per un Comitè o una Comissió tècnica en la qual hi serem nosaltres, com a assessors.»[61]

El 2 de novembre de 1939, Sbert tornava a posar-se en contacte amb Pi i Sunyer i li explicava més o menys els mateixos temes. Li confirmava que «les Residències» havien «passat a dependre de Laietana Of[fice], bureau del President [Companys], des del ler. d'octubre» i li explicava que «les dificultats creades per la guerra fan pràcticament impossible el reconeixement oficial de la Fundació», per la qual cosa es creava la Société des Amis de la Fondation Ramon Llull. La *Revista de Catalunya* tirava endavant i ja n'estava esbossat el contingut, el consell de direcció –en el qual figurava també Pi i Sunyer– i el comitè de redacció.[62]

Precisament el dia abans, l'1 de novembre de 1939, Pous i Pagès anotava al seu diari que la *Revista de Catalunya* renaixia «una vegada més de les seves cendres». Sbert complí la seva promesa de donar-li un lloc a París perquè pogués ocupar-se'n: «M'han fet –comentava tot seguit Pous– vice-president del Consell de Direcció. El President és en Fabra, que no viu a París, la qual cosa vol dir que m'hauré d'encarregar (de) tota la feina».[63] El 25 de desembre del mateix any, Sbert

60. Association des Amis de la République Française. Cf. *Antoni M. Sbert, agitador, polític i promotor cultural*, pàg. 126-129. Pous també formava part de la secció catalana d'aquesta Associació i Sbert li'n dóna altres informacions a diverses cartes.

61. ANC, fons Pous i Pagès.

62. Campillo-Vilanova, *La cultura catalana en el primer exili*, pàg. 117-119. Vegeu informació complementària en una altra carta del 28 de novembre del mateix any (*ibid.*, pàg. 120-121).

63. Text citat per Bosch, *J. Pous i Pagès. Vida i obra*, pàg. 277. A la carta esmentada del 9 d'octubre del mateix any, Sbert ja assenyalava a Pous que figurava «com Cap en el projecte de redacció» i li dema-

feia saber a Pi i Sunyer que, finalment, el primer número de la nova etapa de la *Revista de Catalunya* (el 94, corresponent al desembre de 1939) ja era «al correu des d'abans-d'ahir» i li resumia el programa editorial que la Fundació Ramon Llull tenia entre mans, continuant els projectes inicials, refermats no gaire més endavant en una reunió que tingué lloc l'11 de març de 1940.[64]

Pi i Sunyer, que mantenia unes bones relacions formals amb Sbert –amb el qual compartia partit i conviccions–, no acabava d'estar convençut de la bondat de les seves iniciatives i ben aviat, el 23 de març de 1940, li manifestà la seva sorpresa que al tercer número de la *Revista de Catalunya*, corresponent al febrer, encara no hagués sortit un article seu, que ell hauria desitjat que aparegués de seguida, atès que, «havent sortit de Catalunya com a Conseller de Cultura, i havent establert allà la publicació de la *Revista* amb la creació de la Institució de les Lletres Catalanes, era natural i de justícia que en el moment de tornar a sortir en l'exili es dongués la impressió de que hi col·laborava des de primera hora, i no que m'hi integrava tardanament, amb un mandrós retràs, significatiu almenys d'una manca d'interès. Desinterès que, com sabeu, per la meva part jo no he tingut».[65] Es tractava d'un episodi sense més transcendència –de fet, l'article de Pi va aparèixer el mes de març, tal com estava previst a causa de la seva llargada–, però va treure a la llum les discrepàncies entre l'un i l'altre, que alhora reflectien la informació adversa a Sbert que Pi havia anat rebent al seu refugi d'Anglaterra. Tot plegat donà lloc a un intercanvi de cartes més aviat aspres i llastimoses entre els dos antics consellers de la Generalitat, en el qual ara no em correspon d'entrar.[66]

Ben aviat les coses es precipitarien i el 6 de juny de 1940 foren tancades «totes les organitzacions d'ajut als refugiats espanyols amb l'excepció de la Fundació Ramon Llull i la *Revista de Catalunya*. Els cobreix el funcionar sota la protecció d'una Societat francesa, constituïda exclusivament per francesos».[67] El 17 de juny el mariscal Pétain va demanar l'armistici als alemanys, que no trigaren a ocupar París. Abans, Pous i Pagès (el 13 de juny) i Sbert, Berthaud, Maria Antònia Freixes –secretària de Sbert–, Armand Obiols i Mercè Rodoreda –redactors de la *Revista de Catalunya*– (12 de juliol) s'afanyaren a fugir-ne i s'estalviaren el disgust de veure els locals de la Fundació requisats pels nous ocupants i lliurats a les autoritats franquistes.[68]

nava col·laboració, bé que mediatitzada pels problemes de censura derivats de la guerra: «No envieu res per a la revista? Crec que no hi pot mancar! Encara que els temes resten molt restringits: el teatre en el renaixement literari etz...»

64. CAMPILLO-VILANOVA, *La cultura catalana en el primer exili*, pàg.122-124 (complementat en noves cartes de Sbert del 15 de gener i del 8 de febrer de 1940, *ibid.*, pàg. 127-128 i 136). Cf. *Antoni M. Sbert, agitador, polític i promotor cultural*, pàg. 116-120.

65. CAMPILLO-VILANOVA, *La cultura catalana en el primer exili*, pàg. 146.

66. Vegeu CAMPILLO-VILANOVA, *La cultura catalana en el primer exili*, pàg. 147-148, 151-154, 157-162 i 165-166.

67. BOSCH, *J. Pous i Pagès. Vida i obra*, pàg. 282.

68. *Ibid.*, pàg. 283. Cf. *De la guerra i de l'exili*, pàg. 189-225 i *Antoni M. Sbert, agitador, polític i promotor cultural*, pàg, 129 i seg.

Des de Vichy, Sbert i Berthaud feren els possibles per salvar les restes del naufragi i esperaven fins i tot de poder continuar-hi la publicació de la revista. Tot fou inútil i només aconseguiren de poder publicar, el 1941, la *Grammaire catalane* de Pompeu Fabra.[69] Quan Sbert, després de moltes penalitats, pogué cercar un refugi més benigne a Mèxic, demanà a Berthaud que tirés endavant la Fundació Ramon Llull i el facultà legalment per a poder fer-ho.[70] Al mateix temps exhortà Pous i Pagès a ajudar-lo i a estimular-lo. «He pogut parlar amb Pere Lluís –li escrivia el 21 de setembre de 1942 des de Casablanca–. M'ha promès que us veuria. No'l deixeu dormir sobre les edicions en curs, els quaderns i la història. Cal esperar caminant.»[71] Però aviat Pous i Riba tornaren a Barcelona i Berthaud col·laborà amb la Resistència i el gener de 1944 fou arrestat per la Gestapo i tancat a Dachau.

Mentrestant, el 1943 Sbert publicà un gruixut número triple de la *Revista de Catalunya* a Mèxic i estimulà l'aparició d'alguns llibres, però topà amb tants inconvenients que ho hagué de deixar estar, bé que sempre es dolgué que el món de la cultura fos deixat de banda pels polítics catalans de l'exili.[72] Un cop acabada la Segona Guerra Mundial, Berthaud intervingué encara en la nova etapa de la *Revista de Catalunya* de París (núm. 102-104, d'abril a desembre de 1947), que encara sortia sota l'empara de la Fundació Ramon Llull, però ja el 1946 Berthaud mateix s'adreçava a Tarradellas oferint-li el retorn de documents de la Generalitat que guardava «des de la clausura de la Fundació Ramon Llull».[73] S'havia tancat un cicle i ja no tornaria a sorgir cap iniciativa tan agosarada i tan globalitzant com la que havia protagonitzat, tot just en acabar la Guerra Civil, Antoni M. Sbert.

69. Cf. *Antoni M. Sbert, agitador, polític i promotor cultural*, pàg. 137-141. El 18 d'octubre de 1940, Sbert confessava a Pous: «En quant a la cultura, si no se'n pot fer aquí, si no es pot ni publicar la Revista, com voleu que es justifiqui? Amb prou feines es pot viure amb una relativa llibertat. D'altra part, quan hi ha una manca de mitjans tan notòria i es tracta d'extendre [*sic*] subsidis i no disminuir les possibilitats de pagar nòlits, sense sortir d'un pressupost limitat, com voleu que es parli de fer cultura aquí? Si puc obtenir deu mil francs amb l'excusa d'anar liquidant el negoci, serà un èxit! (No parlo dels subsidis, que ja estan assegurats» (ANC, fons Pous i Pagès). Per a les relacions de Fabra amb la Fundació Ramon Llull i amb la *Revista de Catalunya*, cal tenir ben en comptes les «Cartes de Pompeu Fabra a Josep Pous i Pagès», a cura d'Albert MANENT I SEGIMON i Jordi MANENT I TOMÀS, *Els Marges*, 61, setembre de 1998, pàg. 41-61.

70. *Ibid.*, pàg. 194-195 i 325-331.

71. Text citat per BOSCH, *J. Pous i Pagès. Vida i obra*, pàg. 292.

72. Cf. *Antoni M. Sbert, agitador, polític i promotor cultural*, pàg. 247-261.

73. *Ibid.*, 98 n.

APÈNDIX

1. Projecte d'estatuts de la Fundació Ramon Llull

PROJET DE STATUTS. Pour la «FUNDACIO RAMON LLULL».[1]

—

Association Internationale pour le maintien de la culture catalane.

I – BUT ET COMPOSITION.

ARTICLE 1.

L'Association dite «FUNDACIO RAMON LLULL»,[2] fondée en 1939, dans un esprit d'amitié française et internationale et de neutralité politique, a pour but:

a) d'aider toutes les manifestations de la culture catalane;

b) d'organiser et de diriger l'enseignement de la langue catalane:

c) d'encourager les recherches et les études scientifiques, les travaux litéraires [*sic*] et toute autre activité de la culture catalane;

d) d'établir des relations entre les catalans et les amis de la Catalogne dans tous les pays;

e) d'aider les catalans demeurant en France ou à l'étranger.

Sa durée est illimitée.

Elle a son siège social à Paris. Ce siège pourrait être transféré ailleurs sur simple décision du Conseil d'Administration.

ARTICLE 2.

Les moyens d'action de la «FUNDACIO RAMON LLULL» sont :

a) les recherches et les étudies [*sic*] scientifiques, cours, écoles, conférences, publitacions [*sic*], expositions d'art et toutes autres manifestations culturelles, l'att[r]ibution des prix et récompenses pour les encourager;

b) l'entr'aide universitaire; l'organisation de foyers pour les étudiants et écoliers et la délivrance de bourses;

c) le secours et la bienfaisance pour les catalans en France et à l'étranger; l'organisation et l'administration des centres d'hébergement; l'aide aux catalans pour se placer dans les différents pays et régions où ils peuvent être acceptés; l'attribution de pensions pour leur dévouement à l'oeuvre de l'Association et de subventions pour les travaux réalisés conformément aux buts que l'Association se propose;

d) l'organisation de comités locaux et de délégations pour développer les buts de l'Association et la coordination des activités des centres et des associations agissant conformément aux buts de la «FUNDACIO[3] RAMON LLULL».[4] Les travaux de l'Association et de ses Membres, ayant été agréés par les organes compétents, seront publiés et les buts de l'Association commentés, dès que les moyens financiers le permettront, dans une «revue» périodique.

ARTICLE 3.

La «FUNDACIO RAMON LLULL»[5] se compose de: Membres fondateurs, donateurs, correspondants et collectifs.

1. La segona *l* de *Llull* és ratllada a l'original a fi que digui *Lull*.
2. La segona *l* de *Llull* és ratllada a l'original.
3. L'original diu *Fundacion*, amb la *n* final ratllada.
4. La segona *l* de *Llull* és ratllada a l'original.
5. La segona *l* de *Llull* és ratllada a l'original.

Le titre de Membre fondateurs est décerné aux adhérents au Comité organisateur ayant versé le droit d'entrée unique de cinq mille francs; aux associés et aux donateurs agréés par le Conseil d'Administration sous la proposition de deux Membres fondateurs, ayant, en tout cas, versé ledit droit d'entrée.
Le titre de Membre donateur sera décerné aux adhérents agréés par le Conseil d'Administration sur la proposition de deux Membres de l'Association, fondateurs ou donateurs.
Un droit d'entrée unique de mille francs sera versé lors de leur inscription par les Membres donateurs.
La cotisation annuelle pour les Membres fondateurs et donateurs est fixée à cinq cents francs.
Pour être Membre associé il faut être présenté par deux Membres de l'Association, agréé par le Conseil d'Administration et s'engager à verser une cotisation annuelle de trois cents francs.
Pour être Membre correspondant il faut être présenté par deux Membres de l'Association, agréé par le Conseil d'Administration et s'engager à verser une cotisation annuelle de cent francs.
Le titre de Membre collectif peut être décerné par le Conseil d'Administration à un groupement sans but lucratif s'engageant à collaborer aux buts de la «FUNDACIO[6] RAMON LLULL[7]» conformément aux Statuts de l'Association. Les Membres collectifs seront tenus de payer un droit d'entrée unique de dix mille francs et une cotisation annuelle de douze francs par chaque Membre du groupement. La cotisation annuelle des Membres collectifs devra être, au minimum, de cinq cents francs.
Le titre de Membre d'honneur peut être décerné par le Conseil d'Administration aux personnes qui rendent ou qui ont rendu des services signalés à l'Association. Ce titre confère aux personnes qui l'ont obtenu le droit de faire partie de l'Association sans être tenues de payer une cotisation annuelle.
Le titre de Membre de l'Académie Catalane confère aussi le droit de faire partie de l'Association sans être tenu de payer une cotisation annuelle.

ARTICLE 4.
La qualité de Membre de l'Association se perd par démission ou par la radiation prononcée, pour non payement de la cotisation ou pour motifs graves, par le Conseil d'Administration, les Membres intéressés ayant été préalablement appelés à fournir ses explications, sauf secours à l'Assemblée générale.

II – ADMINISTRATION, FONCTIONNEMENT.

ARTICLE 5.
L'Association est administrée par un Conseil composé de douze Membres au moins et de vingt-quatre au plus, élus au scrutin secret pour cinq ans par l'Assemblée Générale et choisis parmi les catégories de Membres fondateurs, Membres de l'Académie, donateurs ou associés. Le premier Conseil d'Administration sera constitué conformément à l'article 27 des Statuts.
Le Conseil d'Administration doit toujours comprendre la moitié de citoyens français.
En cas de vacances, le Conseil pourvoit provisoirement aux remplacements de ses Membres. Il est procédé à leur remplacement définitif par la plus prochaine Assemblée Générale. Les pouvoirs des Membres ainsi élus prennent fin à l'époque où devrait normalement expirer le mandat des Membres remplacés.
Le renouvellement du Conseil a lieu par quart.
Les Membres sortants sont rééligibles.

6. L'original diu *Fundacion*, amb la *n* final ratllada.
7. La primera *l* de *Llull* és ratllada a l'original.

Le Conseil est présidé de droit par le Président de l'Académie, conformément à l'article 12 des Statuts. Le Président de l'Academie [*sic*] est le Président de l'Association.
Le Conseil choisit parmi ses Membres, au scrutin secret, pour cinq ans, un bureau composé de: Président, Vice-Président, Délégué Général, Secrétaire, Trésorier et Bibliothécaire.Le premier bureau sera constitué conformément à l'article 28 des statuts.
Le Président du bureau est premier Vice-Président du Comité[8] d'Administration; le Vice-Président du bureau est le deuxième Vice-Président du Conseil d'Administration.
Le Secrétaire du bureau du Conseil d'Administration est le Secrétaire de l'Association.
Le Conseil arrêtera, par voie de réglements [*sic*] intérieurs, les modalités suivant lesquelles l'Association exercera ses moyens d'action.
Les Membres de l'Association ne peuvent recevoir aucune rétribution à raison des fonctions qui leur sont confiées.
L'Administration centrale est gerée [*sic*] et les dépenses de l'Association sont ordonancées [*sic*], par le Délégué Général, conformément aux statuts.
L'Association est représentée en justice et dans tous les actes de sa vie civile par le Secrétaire, lequel doit jouir du plein exercice de ses droits civils.

ARTICLE 6.
Le Conseil se reunit [*sic*] mensuellement et chaque fois qu'il est convoqué par son Président ou sur la demande du Délégué Général ou du quart de ses Membres.
La présence du tiers des Membres du Conseil d'Administration est nécessaire pour la validité des délibérations.
Il est tenu procès-verbal des séances.
Les procès-verbaux sont signés par le Président et le Secrétaire. Il sont transcrits sans blancs ni ratures sur un régistre coté et paraphé par le Préfet de la Seine ou son délégué.
Les fonctions de chacun des Membres du bureau sont déterminées, pour tout ce qui n'est pas prévu dans les présents statuts, par le règlement intérieur de l'Association.
Les fonctionnaires rétribués de l'Association assistent avec voix consultative aux séances de l'Assemblée Générale et du Conseil d'Administration.

ARTICLE 7.
L'Assemblée Générale de l'Association comprend les Membres d'honneur, les fondateurs, les Membres de l'Académie, les donateurs et les associés. Les Membres collectifs s'y font assister par un délégué par chaque centaine d'adhérents. Les Membres correspondants assistent avec voix consultative.
Elle se réunit annuellement et chaque fois qu'elle est convoquée par le Conseil d'Administration ou sur la demande du quart au moins de ses Membres.
Son ordre du jour est réglée par le Conseil d'Administration. Son bureau est celui du Conseil.
Elle entend les rapports sur la gestion du Conseil d'Administration, sur la situation financière et morale de l'Association, sur l'oeuvre réalisée par les institutions en dépendant, les Comités et les Délégations locaux.
Elle aprouve [*sic*] les comptes de l'exercice clos, vote le budget de l'exercice suivant, délibère sur les questions mises à l'ordre du jour et pourvoit, s'il y a lieu, au renouvellement des Membres du Conseil d'Administration.
Le rapport annuel et les comptes rendus sont adressés chaque année à tous les Membres de l'Association.

8. Ratllat i substituït a mà per *Conseil* a l'original.

ARTICLE 8.
Les déliberations du Conseil d'Administration relatives aux acquisitions, échanges et aliénations des immeubles nécessaires au buts poursuivis par l'Association, constitutions d'hypothèques sur lesdits immeubles, baux excédant neuf années, aliénations des biens rentrant dans la dotation et emprunts doivent être soumises à l'approbation de l'Assemblée Générale.

ARTICLE 9.
Les délibérations du Conseil d'Administration relatives à l'acceptation des dons et legs ne sont valables qu'après l'approbation administrative donnée dans les conditions prevues [*sic*] par l'article 910 du Code Civil et les articles 5 et 7 de la Loi du 4 février 1901.
Les délibérations de l'Assemblée Générale relatives aux aliénations de biens mobiliers et immobiliers dépendant de la dotation, à la constitution d'hypothèques et aux emprunts, ne sont valables qu'après aprobation [*sic*] par decret [*sic*] simple.
Toutefois, s'il s'agit de l'aliénation de biens mobiliers et si leur valeur n'excède pas le vingtième des capitaux mobiliers compris dans la dotation, l'approbation est donnée par le Préfet.

III – ORGANISATION.

ARTICLE 10.
Pour développer son but culturel, la «FUNDACIO RAMON LULL», constitue une Académie de vingt-cinq Membres, à plusieurs sections, consacrées à chacune des spécialités scientifiques, litéraires [*sic*], artistiques, sociales.
L'Académie est constituée par les Membres et anciens Membres des institutions académiques catalanes, ayant adhéré individuellement à l'Association conformément aux articles 3 et 29 des statuts.

ARTICLE 11.
Le titre de Membre de l'Académie Catalane de la «FUNDACIO RAMON LULL» sera décerné aux membres de toutes catégories sur la proposition d'une Section agréé par l'Academie [*sic*] à la majorité absolue de ses Membres.
La qualité de Membre de l'Academie [*sic*] se perd par démission ou par radiation prononcée conformément à l'article 4 des Statuts.
Les Membres de l'Academie [*sic*] pourront faire partie d'une ou plusieurs sections.
Elle peut s'attacher des collaborateurs chargés des travaux particuliers sur la proposition de l'Academie [*sic*], agréé par le Bureau de l'Association. Les collaborateurs assistent aux séances de la section à laquelle ils sont attachés.

ARTICLE 12.
Chaque section élit son Bureau composé de: Président, Vice-Président et Secrétaire. La section est représentée par son bureau.
L'Academie [*sic*] élit son Président et son Secrétaire Général. Les Présidents des Sections sont vice-Présidents de l'Académie.
Le Président de l'Academie [*sic*] préside, de droit, les séances du Conseil Général conformément à l'article 13 des statuts.
L'Academie [*sic*] arrête son règlement intérieur avec l'agrément préalable du Conseil d'Administration.

ARTICLE 13.
Pour la coordination des activités de l'Association et de toutes autres institutions et des groupements ayant adhéré à la «FUNDACIO[9] RAMON LULL», conformément à l'article 3 des statuts, un Conseil Général des Institutions Catalanes sera constitué.
Le Conseil Général sera composé du bureau de l'Association, des Membres de l'Academie [*sic*] de la «FUNDACIO[10] RAMON LULL», des Délégués de chacune des institutions filiales, des délégués de chacun des groupements ayant adhéré à la «FUNDACIO RAMON LULL» conformément à l'article 3 des statuts, ayant le droit de se faire représenter[11] à l'Assemblée par dix délégués conformément à l'article 7 des statuts et ayant contribué à la «FUNDACIO RAMON LULL» avec un versement de dix cotisations de Membre fondateur.

IV – DOTATION, FONDS DE RESERVE ET RESSOURCES ANNUELLES.

ARTICLE 14.
La dotation comprend:
1°) Capitaux mobiliers
2°) les immeubles nécessaires au but poursuivi par l'Association.
3°) les capitaux provenant des libéralités, à moins que l'emploi immédiat n'en ait été autorisé.
4°) le dixième au moins annuellement capitalisé, du revenu net des biens de l'Association.

ARTICLE 15.
Les capitaux mobiliers compris dans la dotation sont placés en valeur nominative de l'Etat Français ou en obligations nominatives dont l'intérêt est garanti par l'Etat. Ils peuvent être également employés soit à l'achat d'autres titres nominatives, après autorisation donnée par décret, soit à l'acquisition d'immeubles nécessaires au but poursuivi par l'association.

ARTICLE 16.
Il est constitué un fond de réserve où sera versée chaque année en fin d'exercice, la partie des excédents de ressources qui n'est destinée à la dotation, ni nécessaire au fonctionnament [*sic*] de l'Association pendant le premier semestre de l'exercice suivant.
La quotité et la composition du fond de réserve peuvent être modifiés par la délibération de l'Assemblée Générale.

ARTICLE 17.
Les recettes annuelles de la «FUNDACION [*sic*] RAMON LULL» se composent:
1°) de la partie du revenu des [*sic*] ses biens non compris dans la dotation.
2°) des cotisations et souscriptions de ses Membres.
3°) des subventions de l'Etat, des Départements, des Communes et des Etablissements publics.
4°) du produit des libéralités dont l'emploi immédiat a été autorisé.
5°) des ressources créées à titre exceptionel [*sic*] et, s'il y a lieu, avec l'agrément de l'autorité compétente.

9. L'original diu *Fundacion*, amb la *n* final ratllada.
10. L'original diu *Fundacion*, amb la *n* final ratllada.
11. L'original diu, per un lapsus, *représentet*.

ARTICLE 18.
Il est tenu au jour le jour une comptabilité deniers par recettes et dépenses et, s'il y a lieu, une comptabilité matières.
Chaque établissement de l'association doit tenir une comptabilité distincte qui forme un chapitre spécial de la comptabilité d'ensemble de l'Association.

V – MODIFICATIONS DES STATUTS ET DISSOLUTION.

ARTICLE 19.
Les statuts ne peuvent être modifiés que sur la proposition du Conseil d'Administration ou du dixième des Membres dont se compose l'Assemblée Générale, soumise au bureau au moins un mois avant la séance.
L'Assemblée doit se composer du quart, au moins, des Membres en exercice. Si cette proportion n'est pas atteinte, l'Assemblée est convoquée de nouveau, mais à quinze jours d'intervalle au moins, et cette fois elle peut valablement délibérer, quel que soit le nombre des Membres présents.
Dans tous les cas les statuts ne peuvent être modifiés qu'à la majorité des deux tiers des Membres présents.

ARTICLE 20.
L'Assemblée générale appelée à se prononcer sur la dissolution de l'Association est convoquée spécialement à cet effet et doit comprendre, au moins, le [*sic*] moitié plus un des Membres en exercice.
Si cette proportion n'est pas atteinte, l'Assemblée est convoquée de nouveau, mais à quinze jours au moins d'intervalle et cette fois elle peut valablement délibérer quel que soit le nombre de Membres Présents [*sic*].
Dans tous les cas, la dissolution ne peut être votée qu'à la majorité des deux tiers des membres présents.

ARTICLE 21.
Encas [*sic*] de dissolution, l'Assemblée générale désigne un ou plusieurs commissaires chargés de la liquidation des biens de l'Association. Elle atribue [*sic*] l'actif net à un ou plusieurs établissements analogues, publics ou reconnus d'utilité publique.

ARTICLE 22.
Les délibérations de l'Assemblée générales [*sic*] prévues aux articles 19, 20 et 21, sont adressées sans delai [*sic*] au Ministre de l'Intérieur.
Elles ne sont valables qu'après l'approbation du Gouvernement.

VI – SURVEILLANCE ET REGLEMENT INTERIEUR.

ARTICLE 23.
Le Secrétaire de l'Association doit faire connaître dans les trois mois à la Préfecture de la Seine tous les changements survenus dans l'Administration ou la Direction de l'Association.
Conformement [*sic*] à l'article 23 de la Loi du 1er. Juillet 1901 sur le contrat d'association, ajouté par Décret-Loi du 12 avril 1939, l'Association ne pourra constituer de nouveaux établissements en France sans autorisation préalable du Ministère de l'Intérieur.

Le régistre de l'Association et ses pièces de comptabilité sont présentées sans déplacement, sur toute réquisition du Ministre de l'Intérieur ou du Préfet, à eux-mêmes ou à leur délégué ou à tout fonctionnaire acrédité [*sic*] par eux.
Le rapport annuel et les comptes –y compris ceux des Comités locaux– sont adressés chaque année au Préfet du Département et au Ministre de l'Intérieur.

ARTICLE 24.
Le Ministre de l'Intérieur a le droit de faire visiter par ses délégués les établissements fondés par l'Association et de se faire rendre compte de leur fonctionnement.

ARTICLE 25.
Les règlements intérieurs préparés par le Conseil d'Administration et adoptés par l'Assemblée Générale doivent être soumis à l'approbation du Ministre de l'Intérieur.

ARTICLE 26.
Les alinéas 2 et 3 de l'article 14, le paragraphe 3 de l'article 16,[12] les articles 23, 24 et 25 n'entreront en vigueur qu'après la reconnaissance d'utilité publique de l'Association.

VII – DISPOSITIONS EVENTUELLES.

ARTICLE 27.
Pour la première période le Conseil d'Administration est constitué par les personnalités suivantes:
MM. [*sic*] Pompeu Fabra - Professeur de Filologie [*sic*], ancien Président du Conseil de l'Université de Barcelone, ancien Président de l'INSTITUT D'ESTUDIS CATALANS, ancien Directeur Général de l'Enseignement de la Langue Catalane de la Généralité de Catalogne.

(Vuit fulls mecanografiats; hi manca el full final. Arxiu de l'Institut d'Estudis Catalans, fons Lluís Nicolau d'Olwer, 7/784-791.)

2. Carta d'Antoni M. Sbert a Josep Pous i Pagès (París, 24 de setembre de 1939)

FONDATION RAMON LLULL
COMITÉ DE PATRONAGE
DES OEUVRES CULTURELLES ET D'ASSISTANCE CATALANE

81, RUE MIROMESNIL – PARIS . 8e
TÉL. : LABORDE 03-70
24-9-39

Estimat amic:
He estat uns dies fora, per acabar d'instal·lar la família, per ara, a La Baule. Abans de respondre a la vostra darrera, per les qüestions que planteja, he volgut parlar-ne amb els que són aquí, o aprop d'aquí; he escrit també a M. Berthaud[13] i ja he rebut la seva resposta, anunciant-me que

12. A l'original, al marge, hi ha un interrogant amb llapis. Efectivament, l'article 16 no té cap paràgraf 3.
13. Pierre-Louis Berthaud, periodista i escriptor occità, gran col·laborador de Sbert en les tasques de la Fundació Ramon Llull.

arribarà a fi de mes per a passar una quinzena a París. Veurem si en la primera desena d'octubre podem fer una reunió.[14] Dels membres francesos, G. Duhamel[15] és aquí i està en la direcció de la P. G. F.; H. Laugier[16] és cap de Cabinet del Ministre de l'Educació Nacional i Focillon[17] està fent un curs a Nova York.

Vistes les disposicions vigents sembla evident que trobaríem més dificultats per a regularitzar el funcionament de l'Acadèmia que per al normal funcionament de la fundació com associació, dintre la qual hi ha l'Acadèmia; és a dir que l'Acadèmia «sola» és més cridanera com a rètol per a una disposició de govern. Hem estudiat unes lleugeres modificacions en els estatuts i, davant la impossibilitat de traslladar-nos en bloc, restant a França, el pla de treball és el següent: Publicació de la Revista[18] des d'octubre, sota la direcció d'un dels membres francesos i actuant com a gerent el Secretari (M. Berthaud), amb un Consell de direcció (surveillance) que sigui exactament el de la F. R. Ll. i amb un cos de col·laboradors constituït per tots els membres de l'A.[19] i els que aquests acceptin com a col·laboradors. El Consell i els col·laboradors constarien en la portada interior de la Rev. La revista tindria un caràcter extrictament [*sic*] científic i literari (ciències, lletres i arts); la crònica es limitaria a ressenyar les activitats intel·lectuals dels nostres i dels que treballin en coses nostres, els llibres apareguts, conferències fetes arreu del món, etz. [*sic*]. Altrament no podria passar. b) Publicació de la sèrie francesa de llibres, començant per la Gramàtica catalana en francès d'En Fabra, que estarà a punt a mitjans del mes vinent; del premi Folguera (C. Arderiu) amb traducció francesa «en regard» (tot plegat 120 pags.) que podria fer la Simona Gay, per al mes de novembre etz. c) Funcionament normal del nostre organisme fins on sigui possible, mantenint la unitat del nom per a les edicions i per a [la] revista «Editions Fondation Ramon Llull[»]. Us estimaré molt la vostra opinió.

Per a facilitar el funcionament del C. de D.[20] de la Revista enviarem còpies als membres del Bureau dels articles dels «candidats» i dels membres per a especialitats, és a dir: a vós Lletres, i a Mestre Fabra de tots per a la seva admissió. Començo per a trametre-vos per correu separat les tres primeres propostes: Serra Hunter,[21] un assaig; F. Soldevila, estudi de la Crònica de Ramon Muntaner; V. Gassol, una elegia. De ciències tenim un treball de l'Oriol Anguera i el Folch[22] (Laboratori de Fisiologia de l'Universitat de Toulouse).

Comprenc que la perspectiva d'un hivern a Olliergues no us agradi. No us ho podria aconsellar puix temo també que l'aïllament us faci tant mal com el fred. Potser us serà fàcil venir mensualment a passar una setmana aquí, però no sabem si nosaltres hi podrem continuar; per ara hi som perquè hi ha el nucli dels nombrosos amics i la relació amb el Govern francès; confinar la central[23] a un departament, ara que és necessari per a tot un contacte[,] és renunciar a tot... Per a imprimir tenim preus de Montpeller, n'hem demanat a Tolosa. A Montpeller hi ha l'Amade[24] i En Rovira;[25] també hi ha l'Alcàntara,[26] que és un excel·lent corrector i realitzador; a Tolosa hi ha

14. De la Fundació.
15. L'escriptor Georges Duhamel.
16. Henri Laugier, professor de la Sorbona.
17. Henri Focillon, professor del Collège de France i de la Sorbona.
18. La *Revista de Catalunya*.
19. L'Acadèmia.
20. Consell de Direcció.
21. Jaume Serra Hunter.
22. Albert Folch i Pi.
23. De la Fundació Ramon Llull, aleshores a París.
24. Jean Amade.
25. Antoni Rovira i Virgili.
26. Manuel Alcàntara i Gusart.

en Serra Hunter, En Soula,[27] En Bellido[28] i En Miracle[29] –aquest darrer, com corrector, excel·lent. Si per prevenir-vos del fred preferíssiu Montpeller seria un motiu més per a imprimir-hi la revista.
Mestre Fabra s'ha traslladat a Prades, rue du Maréchal Joffre (sense número l'adreça que ens dóna). Chez Mme. Veuve Fabre.
En Gassol, a la clínica encara a conseqüència del càlcul renal que l'ha fet patir molt, millora i està a punt d'engegar la pedra.
Us vàrem trametre doble mesada per precaució. A més tenim el projecte de que aquest ajut sigui permanent, col·locant el reduït nombre de la F. R. Ll. que no tenen subsidi en les mateixes condicions que els altres, aplicant les mateixes normes, a càrrec del fons per a cultura que el Jare ja posat a disposició d'En Companys. Per altra part ja s'ha concedit, pel Jare, el subsidi als parlamentaris i no és just veure que aquests amics disfruten d'un règim que no és permès a d'altres de la vostra condició.
Els nostres amics d'Amèrica encara no van a l'hora; els centres principals estan en una actitud excel·lent, però els nuclis «intel·lectuals» que han format l'agrupació titulada d'ajut a la cultura catalana, tot i que diuen sempre que estan convençuts de la necessitat de coordinar, tenen la pretensió de fer «la seva obra». El seu criteri pot resumir-se en poques paraules: «dirigir la cultura catalana, ells, des d'Amèrica, acceptar i rebutjar treballs etz.[»]. El nostre és que la cultura catalana ha d'ésser orientada pels mateixos que l'orientaven abans, puix la caiguda de la República no pot produir en el terreny de la cultura una subversió de valors, ni deixar a mercè d'aquesta bona gent –que no compten realment amb mitjans de gaire consideració ni tenen cap jerarquia intel·lectual– a tota la selecció dels nostres homes. Tinc l'impressió que no s'arranjarà fins que el pes de l'obra feta des de la F. R. L. els aclapari.
La subvenció d'agost i setembre es dedica a instal·lar la sala de Consell i Acadèmia i els despatxos; altrament hauríem hagut de renunciar o retornar-la. Hi ha un romanent per a llibres i he demanat a Fabra i a Nicolau[30] que presentin la seva llista. Ho faig ara vós i ho faré també als altres col·legues. El resum del projecte de pressupost ve a ésser el següent: setanta cinc mil francs, dels quals en resten quaranta mil per publicacions i llibres; els subsidis projectats, seguint les normes generals no arribaran a deu mil, per ara (hi sou vós, En Riba,[31] En Soldevila,[32] En Fabra i probablement l'Alomar[33] que vol venir; n'hem de parlar amb Puig i Cadafalc,[34] que va estar molt gentil i «dévoué» però que no sembla del tot decidit a restar aquí per raons de família). Les despeses generals, compres local, telèfon, calefacció (?),[35] correu, personal, llum etz. seran de uns 25.000 f.; la resta és per despeses extraordinàries. Com sigui que en els mesos de agost i setembre no hi ha publicacions, podrà enllestir-se la instal·lació. Us estimaré la vostra opinió d'aquests projectes, abans de presentar formalment aquest pressupost; especialment pel referent a octubre, en què pensem entrar en el període de normalitat (!) fins on la guerra ho permeti.
Seria convenient que ens enviéssiu quelcom per al primer número. Preveiem dificultats alienes a nosaltres i pròpies de les circumstàncies,[36] però, posant tot l'enteniment per a no donar-li peu, si

27. Camille Soula.
28. Josep M. Bellido i Golferichs.
29. Josep Miracle.
30. Lluís Nicolau d'Olwer.
31. Carles Riba.
32. Ferran Soldevila.
33. Gabriel Alomar, aleshores al Caire, on morí.
34. Josep Puig i Cadafalch.
35. L'interrogant entre parèntesis és a l'original.
36. Al·lusió velada a la censura, ja esmentada discretament abans, en tractar del contingut de les cròniques de la *Revista de Catalunya*.

vénen, tindrem al menys la consciència tranquil·la. D'acord amb el que em dieu; hem de superar aquest període com altres que ja hem viscut i vèncer el «fatum». No sóc prou «oriental» –o massa occidental– per a considerar-lo invencible.
Ben cordialment vostre

AnMSbert

Abans d'ahir vàrem tenir una entrevista amb el General Menard per a veure d'ésser útils a França. Les nostres iniciatives varen ésser ben rebudes.

(Text manuscrit. Arxiu Nacional de Catalunya, fons Pous i Pagès.)

SOBRE LES MUSICACIONS POPULARS DE POESIA (MARCH SEGONS RAIMON)

Lluís Meseguer

Universitat Jaume I

1. Plantejament

Tal com han estudiat sobretot Ong (1982) i Havelock (1986), hi ha dues èpoques que presenten, en sentit invers, el pas de l'oralitat a l'escriptura: al Renaixement, en l'ordre esmentat, arran de la difusió de la impremta; i al segle XX, en ordre invers, arran de la difusió de la tecnologia del so i la imatge. El moment del primer canvi, que justifica la relació entre música i text en la cançó, va ser descrit sintèticament per Jauss (1970: 94-95):

> «[...] tandis qu'au cours du XIIIe siècle le rythme musical déterminait seul la poésie lyrique, bientôt le texte poétique et la mélodie polyphonique se séparèrent pour évolouer indépendamment l'un de l'autre. [...] À partir du début du XIVè siècle, se constitue un système nouveau de genres littéraires [...] tandis qu'on voit s'amorcer à partir du dit narratif l'évolution vers la poésie subjective que representera surtout l'oeuvre de Villon.»

Dins l'evolució de la poesia catalana, els dos cicles implicats en aquest raonament són: les bases de la poesia popular i la trobadoresca; i la cançó popular actual. En l'entremig, certament, s'han produït les cançons catalanes escrites dels autors de referència: March, Timoneda, Garcia, Aguiló, Milà, Verdaguer, Mestres, Maragall, Carner, Riba, Salvat, Sagarra, Manent, Espriu o Pere Quart. La musicació actual d'aquests o altres poetes és una conseqüència de la unitat i l'evolució de la cançó dins la història de la literatura catalana, i de la correlació entre literatura culta i literatura popular. Encara que en la consideració de l'oralitat cal distingir tres tipus d'enunciació –veu parlada, recitatiu acompassat o salmodiat, i cant melòdic–, la musicació de poemes, sobretot a partir del segle XVI, és un aspecte destacat de l'evolució de la cançó.

D'altra banda, els canvis històrics afecten també l'autoria i la relació entre text i música. Un tret autorial important fins al període trobadoresc es basa en la identitat de poeta i compositor musical (Backès 1994: 30-31), i la interpretació joglaresca, en aquest sentit, posa l'èmfasi del significat en l'actuació (veg. Tavani 1992, Soldevila 1996, Simó ed. 1999). A més, l'associació sinestèsica entre so verbal i so musical va anar substituint l'arbitrarietat: per exemple, el to menor per expressar la tristesa, o la flauta per representar la vida camperola. I els paràmetres de variabilitat i d'utilització d'unitats melòdiques o mètriques són concloents. Segons el treball de Zumthor sobre una col·lecció de balades (*apud* 1991: 266-271), el 42'5 % tenen de dues a quatre versions; el 26 %, de 5 a 9; el 14 % de 10 a 19; d'altra banda, es coneixen més de dues-centes melodies del *Kyrie*, unes set-centes del *Credo*, i més de dues-centes trenta del *Sanctus* (veg. Cattin 1991: 93); i hi ha una melodia que valgué tant per a un *Veni creator spiritus* com per al cant d'amor *En ma dame ai mis mon cuer*; tots dos, a més, amb la forma mètrica de *rondeau* (Reese 1988: 245).

D'altra banda, l'herència de conservació dels ingredients verbals i musicals del període trobadoresc és desproporcionada: 2.542 textos (segons nombre establert per Istvan Frank i seguit comunament: veg. Riquer 1983: 9) i solament 264 melodies (veg. Reese 1988: 251). I, amb alguna excepció de sort notable, com l'edició de Guiraut de Riquier deguda a mossèn Higini Anglès (1926), la fiabilitat de la transmissió musical és escassa: la seva notació no sol correspondre a l'*ars mensurabilis* i la transcripció és incerta pel que fa al ritme: així, de tretze composicions de Peire Vidal (segons reconstrucció de Zoltan Falvy, 1981), quatre composicions apareixen en mode major perfecte; cinc, en tonalitats modals; i quatre, oscil·lants entre dues tonalitats.

En aquest sentit, la musicació de poemes, a poc a poc, va atenyent una autonomia creixent en el tractament dels textos. En un principi, hi impera una retòrica d'homologia. Així ho demostra la primera edició dels *Amours* de Ronsard (veg. Backès 1994: 186), que conté un suplement musical per poder cantar a quatre veus els poemes: com que majoritàriament són sonets, s'hi observa que, segons els seus músics, els quartets s'havien de cantar amb la mateixa melodia. Ara bé: gradualment, el sentit del text va imposant-se damunt la forma musical. Quan Monteverdi, al llibre sisè dels seus madrigals, musica el sonet de Petrarca «Zefiro torna, e'l bel tempo rimena» (veg. Backès 186-187), hi usa el mateix material melòdic per als dos quartets, amb lleugeres modificacions per seguir la sintaxi. Als tercets canvia d'estil: passa de ritme ternari (identificat amb l'alegria) a binari, ja que el sentit del primer així ho indica:

> «Ma per me, lasso!, tornando i più gravi
> sospiri, che del cor profondo tragge
> quella ch'al ciel se ne portè le chiavi;»

Torna, però, a compàs ternari, al començament del segon tercet, per la mateixa raó:

> «e cantar augellettti, e fiorir piagge,
> e'n belle donne oneste atti soavi
> sono un deserto, e fere aspre e selvagge.»

Els dos primers versos tenen un tema amable i primaveral; el compositor oblida l'estructura de les estrofes i l'entorn sintàctic d'aquesta alegria: il·lustra el detall dels ocells, les flors i les belles dames, després les bèsties, i oblida les identitats que el poeta hi havia construït, evidents en el darrer vers.

2. Les musicacions de March al XVI

Si, tot seguint les dades anteriors, es relaciona la lírica marquiana amb la ruptura històrica de la creació poètica i musical unitària (tal com plantejà, en general, Jauss 1970: 79-101), cal entendre aquell moment com una autèntica paradoxa: quan s'arriba a la màxima expressió de la lírica catalana, aquesta perd el seu origen verbomusical.

Tot plegat, és clar que amb el els usos de la poesia de March cal anar *cum grano salis*. La bibliografia marquiana ha anat assenyalant, en aquests darrers anys, una doble direcció: d'una banda, la pròpia consistència del dir marquià, és a dir, la creació d'un món propi, introspectiu i presumptament allunyat de l'«escalf» que provocava el «traspàs de la veritat» al si de l'«estil dels trobadors»; d'una altra, l'obertura de la seva escriptura als gèneres i àmbits expressius (així, veg. les tècniques dels sermonaris (Rico 1982), l'estructura dramàtica (Archer 1982), i àdhuc la consideració pragmàtica de l'auditori o l'ambient mediterrani (Zimmermann 1981, 1987).

És, potser, amb aquestes darreres direccions que cal relacionar la qüestió. D'acord amb la llista de freqüències de mots que publicà Hauf (1983), i sense discriminar-hi la posició contextual ni la cronològica, les següents dades semblen demostrar l'escassedat de les referències marquianes a la musicalitat i a l'oralitat: mentre que s'hi troben unes mil aparicions de l'àmbit d'*amor*, unes tres mil de *jo*, unes set-centes de la parella *delit / dolor*, i unes altres set-centes de *Déu / home*, solament s'hi espigolen, amb diverses formes, una dotzena del camp de *cant*, una vintena d'*escrit*, i uns cent cinquanta de *dir*. I, tot sigui dit, cinc casos de *trobadors*. Certament, aquestes dades –tot i no haver estat creuades entre si encara–, reforcen aquell «jo omnipotent» de què parlà Marie Claire Zimmermann, i que es podria simplificar, *sub specie musicali*, com una evident negació marquiana del període poètic anterior. Tot amb tot, és útil esmentar referències pragmàtiques i conceptuals de diversos poemes, més enllà de consideracions sobre la versificació (que, per cert, mereixeria una reflexió nova; cf. Ferreres 1979).

La poesia marquiana no és pensada per a l'actuació verbal, i generalitza formes de renúncia a l'explicitud fàtica. Tanmateix, en tres poemes es relaciona la recepció amb l'expressió afectiva, a través de l'ús retòric d'*oir*. Així, l'advertiment als amants del començ del cant XIX (ed. Bohigas, vv. 1-5):

«Hohiu, hohiu, tots los qui bé amats,
e planyeu mi si deig ésser plangut,
e puys veheu si és tal cas vengut
en los presents ne·n los qui són passats.
Doleu-vos, donchs, de mi, vostre semblant.»

Al cant XLII, el maldit a Na Monbohí, aquesta esdevé un subjecte conversacional, amb funcions atorgades de maneres diferents al llarg del poema. Als versos 1-2, trobem una invitació:

«Vós que sabeu de la tortra·l costum,
e si no·u feu, plàcia'l-vos hoyr».

I més endavant, als versos 33-34, s'hi afegeix una referència convensacional:

«Quant hoÿreu: "Alcavota provada!",
responeu tost, que per vós ho diran».

Al cant CXXVIII (vv. 195-196), finalment, trobem la comunicació del valor exemplar a un auditori suposat (i cal destacar-hi l'ús corresponent del temps verbal):

«de valor, segons oÿreu,
e d'açò gran exempl·aureu».

Com es pot comprovar, ben poca explicitud fàtica, i cap cas igual en termes pragmàtics: adherències expressives, potser, de l'herència oral del món joglaresc. La corporeïtat d'aquest discurs, la seva existència sonora, tampoc no es vincla sinó al ritme proposat per la mètrica; és a dir, només és fecund en eufonies en passatges determinats. I també, sempre, de manera motivada. Caldria comprovar-hi l'abast de l'al·literació, per exemple, tot i ser-hi inhabitual o hàbilment emplaçada, com en el cant II, versos 5-6, on no caldria esforç per pervebre-hi cap al so del timbal:

«E sent venir soptós hun temporal
de tempestat e temps incomportable».

L'onomatopeia, encara més inhabitual, és significativa més des d'un angle semàntic que fònic; així, al lai, ordenat com a poema CXXVII (vv. 172-174), en tenim l'únic cas notori:

«ya l'anafil diu: "Ta, ta, ta":
aquest és qui del món se'n va
e fuig a Déu!»

A finals del XV, el canvi de rumb polític implica el canvi de rumb de la música de la cort. I dels gustos de la noblesa, amb poques excepcions: sobretot, el cosmopolitisme i el mecenatge dels ducs de Calàbria, traduïda al *Cançoner d'Uppsala*. L'esplet dels cançoners –que no són literatura oral sinó escrita– presentarà un *décalage* temporal semblant al dels trobadorescos, sobretot si ens fixem en les tradicions literàries i musicals veïnes.

Al XVI, en qualsevol cas, resplendeix ja la polifonia: els Fletxa, Francesc de Borja, Antoni de Ribera –autor d'algunes polifonies de la *Festa d'Elx*–, Pere Albert Vila, Joan Brudieu. Mentre en castellà floreixen el *villancico* i el *romance*, s'introdueix el madrigal a la italiana, successiu a la cort napolitana del Magnànim. I dins aquest nou ambient, les úniques musicacions conegudes de peces de March són polifòniques. De primer, en la veu *altus* de quatre madrigals inclosos dins la col·lecció del canonge de la Seu barcelonina Pere Alberc i Vila, *Odarum (quas vul- / go Madrigales appella- / mus) diversis linguis decantatarum Har- / monica, nova & excellenti modulatione compositarum* (1561), redescoberts pel mestre Pedrell al Fons de Joan Carreras, cedit a la Diputació de Barcelona (veg. Pedrell 1907). Quatre madrigals són inspirats en March: «A tot hom dich lo que confes a Deu» (poema XX); «Lo mal que no publich es una llima» (poema XLVIII); «Si'l fort castell gent d'armes lo costreny» (poema LXIX); «Si'm demanau lo greu turment que pas» (poema LXXIII).

De tota manera, el tresor màxim de la recepció musical de March són, sens dubte, dos madrigals de Joan Brudieu, inclosos dins la col·lecció *De los Madrigales del muy Reverendo Joan Brudieu / Maestro de la Santa / Iglesia de la Seo de Urgel / a cuatro voces* (1585), editada a instància del capítol de la Seu d'Urgell, per homenatjar Carlo Emmanuele de Savoia a propòsit de les celebracions de la visita de Felip II a Barcelona. Devem llur reaparició també a Pedrell, que els trobà furonejant per la Biblioteca de l'Escorial, seguint indicacions d'un tal Brivieu donades pel mestre Barbieri (veg. Pedrell 1907).

El madrigal XIII, «Fantasiant, amor a mi descobre» (sobre la «fantasia» veg. Badia 1993: 160-161), consta de tres parts, fundades sobre versos estramps (cobla 1a + cobla 3a + tornada del poema XVIII). El madrigal XV, «Ma voluntat ab la rahó s'envolpa», consta de dues parts (la darrera cobla i la tornada del poema II). Ambdues peces, ben conservades, mostren un Brudieu que fuig de la sofisticació i la brillantor del madrigal italià contemporani; a l'ús de Gesualdo, per exemple. L'articulació modal s'hi adapta a les particions metri-cosintàctiques, amb un contrapunt renaixentista i evitant les cadències sobtades o massa decorades, mentre que els textos hi són declamats en homofonia, tot prioritzant repeticions clares del primer hemistiqui; tot plegat, ben adaptat a la sintaxi el·líptica, la selecció lèxica efectista i la subtilesa conceptual marquianes.

I, a part d'aquesta breu sort, el silenci. Ni els instrumentistes ni els polifonistes incorporaren aquesta època de la literatura catalana (així, a propòsit d'*El Cortesano* de Lluís Milà, veg. Romeu 1951), malgrat l'atractiu tècnic de l'ús de la tradició, per exemple, en les *ensalades* de Fletxa el Vell (veg. Romeu 1974: 13-72). I pel que fa als cançoners, la *Flor de emanorados* de Timoneda (1562), de les duescentes vuitanta peces que inclou, només cinquanta-quatre són en català, i una de bilingüe. I al coetani *Sarao de Amor* (València, 1561), que ara coneixem mutilat, només hi figuren cinc poesies catalanes. Encara que la variabilitat d'algunes cançons era verament notable. Segons Romeu (1974: 233-262), de la preciosa peça *Bella, de vós só enamorós,* només entre 1555 i 1565, n'hi ha almenys set versions: la primera redacció de Timoneda (full solt *circa* 1555), la versió contrafeta a l'espiritual, de Timoneda (1558), la segona versió a l'espiritual en castellà de Timoneda, una de contrafeta a l'espiritual en castellà per Onofre Almudèver, la versió cultista del *Cançoner d'Uppsala* (1556), la de Lluís Milà a *El Cortesano* (1561), i a Barcelona, la de Pere Serafí (1565).

3. Del segle XVI a la Nova Cançó

Després d'aquelles dècades del XVI, la separació de gustos socials reforçarà, durant segles, a més dels canvis lingüístics, la separació de gèneres: aquest panorama afaiçonarà l'evolució de la poesia i la música popular, l'osmosi entre cultura oral tradicional i cultura escrita, la incorporació progressiva de models poètics i musicals externs, les formes verbomusicals de l'espectacle modern (veg. Martorell-Valls 1985). Dit altrament: del XVI a la Renaixença, els gèneres poètics cultes i els gèneres musicals evolucionen de manera autònoma.

La Renaixença, amb els empelts convenients del romanticisme, accedeix a la reunió d'escriptura lírica i activitat musical sense antecedents notoris, però ho fa des de tots els àmbits: la (re)creació del folklore, l'aparició dels teatres, l'activitat coral, la musicologia, les institucions. La simbologia resultant serà complexa: utilitzacions subjectives de temes històrics (*Els néts dels almogàvers* de Clavé es refereix als voluntaris catalans a la guerra del Marroc); adaptacions institucionalistes (l'arranjament de Francesc Alió d'*Els Segadors*, el del virolai montserratí a càrrec de Josep Rodoreda); idealitzacions paisatgístiques (*L'Empordà* d'Enric Morera, *L'emigrant* d'Amadeu Vives) o costumistes (*La balanguera* d'Amadeu Vives). I fins i tot, quan la mitografia postimpressionista es desplegarà cap enfora, els millors compositors es faran portantveus de temes diguem-ne externs: la via espúria del *género chico* (Rupert Chapí, Josep Serrano) o la culta (Isaac Albéniz, Enric Granados).

Cal destacar, però, que la Renaixença implica una nova frontera, un nou *décalage*: mentre es recullen les «cançons populars» tradicionals, n'apareixen de «noves», separades del control exhumatori; mentre aquestes esdevenen les «cançons populars» contemporànies –tot i majoritàriament, no conservades–, reapareix la lírica culta contemporània, en part dins els Jocs Florals i, sobretot, fora. D'altra banda, la recopilació musicològica –per exemple, Pedrell– no acompanya sempre la literària. És potser ja a l'*Obra del Cançoner Popular de Catalunya* on es demostra més clarament la col·laboració moderna entre músics i escriptors (així, Lluís Millet, Francesc Pujol o Joan Llongueres).

Superada la fase de musicacions institucionalitzadores, és a dir, de lluita i d'himnes, al Modernisme s'estabilitza una triple herència musical amb espai per a la cançó: el teatre líric, la música coral, i la de cambra (veg. Aviñoa 1985). Al mateix temps, es generalitzen algunes formes populars urbanes, com el cuplet (veg. Molas 1980), que proven de catalanitzar un àmbit, el de la «cultura musical popular», que era precisament la font d'infidelitat lingüística al passat del «poble» català. En contrast, van apareixent les creacions cultes autònomes, com les d'Eduard Toldrà, sobre textos de Gual, Carner (sobretot, *El giravolt de maig*), Garcés, Sagarra i Salvat Papasseit; o les de Robert Gerhard, col·laborant amb J. V. Foix i Joan Miró; o les de Frederic Mompou, que musicà Paul Valéry. Tanmateix, malgrat aquestes o altres atencions de la música catalana culta del primer terç de segle envers la poesia lírica, la seva recepció popularista posterior, tallada per la guerra, ha estat força desigual. Aquella herència incloïa en germen la cançó, algunes de les millors cançons catalanes; i, de fet, a l'article fundacional de la Nova Cançó, titulat «Ens calen cançons d'ara», Lluís Serrahima escrivia l'any 1959 (*apud* Soldevila 1993: 571):

> «És precisament en moments difícils que han nascut gran nombre de cançons, de les més boniques, aquelles que els pobles han transformat en una mena d'oració col·lectiva. Es tracta, doncs, que surtin cançons d'aquest moment nostre. Les darreres generacions bé ho van fer. Rodoreda, Nicolau, Morera, Vives... que aleshores eren joves. Van fer cançons que tots seguim cantant. Què fan els músics que ara són joves? Les generacions futures podrien dir de nosaltres que vam ésser una generació que no sabé fer-se les seves pròpies cançons; en realitat podrien dir que amb prou feines vam cantar.»

Els noms adduïts i els silenciats indiquen la ruptura amb l'evolució de la música culta. La seva vigència, per tant, no va connectar directament amb els hàbits creatius de la Nova Cançó, fora d'algun disc, com les *Cançons de la nostra terra* (1966) d'Emili Vendrell, que inclou justament algunes de les peces de Mestres i de Carner musicades per Toldrà.

I, d'altra banda, hi ha l'herència simbolista, implícita i explícita des del modernisme. Són anys de proliferació de títols d'obres literàries basats en nocions musicals, i de títols musicals amb apel·lacions al món literari i artístic o al món natural. En canvi, l'especialització de formes líriques no significa sempre una major proximitat a la musicació: Això és aplicable a gèneres aparentment musicals o orals: el «cant», que podria haver esdevingut portantveu de la poesia religiosa –els *Idil·lis i cants místics* verdaguerians, el *Cant espiritual* de Maragall–; l'«oda», que podria haver representat l'èpica patriòtica –les succesives i diverses odes a Barcelona–; la «balada» –que compta amb conreus que passen per Maragall, Mestres, Riba, Carner–; la «sonata» –per exemple, de Lleonart o de Palol– o les «simfonies» d'Alomar incloses dins *La columna de foc*.

Una distinció més àmplia que cal tenir en compte en les musicacions d'aquell temps –al temps del postsimbolisme, sobretot– és la d'una preferència intel·lectualista (Carner, Foix, Manent) o neopopularista (Salvat, Garcés). Si la primera es pot veure representada per les *Estances* ribianes –que afegeixen a la seva pròpia estirp la *canzone* italiana que havia importat Pere Serafí i fins i tot la *canzone libera* de Leopardi–, el neopopularisme es pot simbolitzar, per exemple, amb les *Cançons d'abril i de novembre* (1918) o les *Cançons de rem i de vela* (1923) de Sagarra.

Des de la perspectiva de la Nova Cançó, la via neopopularista era més susceptible d'adhesió –la Nova Cançó que recita o musica insistentment Salvat–, tot i la compareixença dels referents coetanis als anys seixanta, els del realisme social, més clarament irònics (Pere Quart) o metafòrics (Espriu). I calia alguna autorització suplementària a aquest autèntic renaixement popularista. A la presentació de les *Cançons tradicionals* (1967) de Serrat, Oriol Martorell escrivia contra qualsevol reticència (*apud* Soldevila 1993: 608):

> [...] «Cap mena de por que aquesta recreació es faci des dels angles més diversos i fins i tot més oposats, ja sigui dels llavis d'un *liederista* o dels d'un cantant popular, des d'un grup coral o dels d'un d'aquests conjunts que en diuen de música moderna, de mans d'un compositor de reconeguda solvència o les d'un simple aficionat carregat de bona fe. [...] potser, més aviat, hauríem d'anar en compte que no se'ns adormi massa, si solament la deixem respirar i viure dins un aire rarificat per un superpurisme esterilitzador.»

Tot amb tot, l'assumpció de la musicació pròpia comporta un complex «diàleg» entre poeta i cantant. Aquest s'apropiarà d'aspectes del sentit d'aquell, n'afegirà de nous, i obtindrà a canvi una dimensió social i històrica. En la presentació que féu Joaquim Molas del disc carnerià *Canticel* (1976) de Guillermina Motta, escrivia (*apud* Soldevila 1993: 612):

> «Un Carner incert i melangiós, fidel a una terra de la qual se sent desencaixat, que insinua l'angoixa, però que sap lluitar per mantenir una fe, la fe: la vida. La tria, tan incisiva i coherent, ¿és fruit d'una obscura identificació entre autor i cantant? Dit d'una altra manera, ¿reprodueix amb un mínim de precisió el mapa de sentiments i d'incertituds de la cantant?»

Aquest mapa de «sentiments i d'incertituds» és la base de la contaminació expressiva que, pràcticament sense excepcions (a propòsit de la mateixa Motta, veg. abans Molas 1971: 82-85), viuran els millors musicadors de poetes i poemes heretats de la tradició ja clàssica o feta ara clàssica. Sobre tots, sens dubte, Salvat, bé siga amb l'austera bellesa de la dicció d'Ovidi Montllor, que subratlla la universalitat existencial i moderna dels drings vitals salvatians –per exemple, en «Tot l'enyor de demà»–; o bé amb les filigranes vocals de Serrat, que hi afig un màgic món de sensacions i melangies –per exemple, en les breus confidències d'*El poema de la rosa als llavis*– allà on l'autor potser hi havia dipositat idees senzilles i més despullades. La capacitat polisèmica de l'oralització del text i dels diversos camins estètics de la Cançó es pot veure evidenciada amb la mera audició consecutiva de poemes salvatians d'estrofisme paral·lelístic com «Res no és mesquí», o de poemes breus i més conversacionals, com «Si jo fos pescador», a càrrec del noi del Poble Sec i del cantautor alcoià.

Després dels anys seixanta, la parcial substitució dels pressupòsits ideològics del realisme per la valoració dels límits estètics del llenguatge va coincidir amb el veloç predomini de la tecnologia i el mercat damunt la literatura i la música; i, per tant, damunt el mercat i el consum popular (Adell 1997, Meseguer 1997). En termes pragmàtics, la Nova Cançó no solament no es podia tancar a cap sector d'audiència, sinó que hi havia d'afegir l'atenció a allò que no creava el «poeta» modern: el folklore i els clàssics, l'herència «popular» del passat i la de la «cultura burgesa» escrita.

El tractament de la cultura popular té diversos mètodes: les imitacions temàtiques o estilístiques del folklore català, i la recuperació dels gèneres populars de la societat de masses amb versions actualitzades. Malgrat precedents com els d'Espinàs o de Maria Carme Girau, l'esclat d'ambdues línies se sol considerar coetani (al 1968: el disc *El cuplet a Barcelona* de Núria Feliu, les *Cançons occitanes d'avui* de Dolors Laffitte, i les activitats del Grup de Folk de Barcelona, que després tindrien altres continuïtats amb grups com Uc, Els Pavesos o Al Tall). Alhora, el conreu de la música ballable, continuador de l'obra d'Emili Vendrell, Gaietà Renom o Rudy Ventura, es veuria reforçat, per exemple, per cantants com Sisa, i l'espectacle satíric, per grups com La Trinca o intèrprets com Pere Tàpias.

4. De March a Raimon

La utilització de March per la Nova Cançó troba paral·lelismes en altres usos coetanis (per exemple, de la *chanson* francesa respecte a Villon, Rabelais, Molière o Corneille). La influència francesa és fundacional a la Nova Cançó, ja des de la conferència d'Espinàs del 1957 «Georges Brassens, trobador del nostre temps», i des de l'article de Lluís Serrahima «Ens calen cançons d'ara», publicat el 1959 a *Germinàbit*. I, per cert, resulta significatiu el conegut testimoni de Brassens a *Le moyenâgeur*: «pardonnez-moi Prince si je / suis foutrement moyanâgeux».

Les pretensions pròpies i els resultats estètics de l'obra de Raimon, autor de vint-i-set musicacions de poemes clàssics, són destacables. L'ambició de fer contemporània l'escriptura d'Ausiàs March hi és administrada en cada petit detall tècnic. Les interessants motivacions confessades pel cantant de Xàtiva abracen tota una interpretació del poeta: la bellesa de les imatges, les formulacions impressionants, el discurs asprívol i rude, la tensió poemàtica, l'estat d'ànim personal, i les possibilitats tècniques (veg. Raimon 1983). I musicalment, la traducció de tals conceptes és, per exemple, la precaució de no deixar la guitarra sola, de no deixar pocs compassos sense veu, de no alentir el *tempo*, de definir l'harmonització més simple. I sobretot, hi ha la peculiar dicció raimoniana, un dels seus estilemes habituals: aquell cant que no vol o no pot fugir en absolut del recitat –amb alguna cadència d'aparença melismàtica–, matisat per algun *incipit* instrumental i transicions sense ornaments.

S'hi ha destacat també la tendència al recitat, com a estadi intermedi entre parla i cant, perceptible en molts intèrprets dels anys seixanta i setanta –la Piaf, Dylan–, adient a determinats tipus de veu. Raimon, en les seves reflexions citades adés (1983: 42), justificava: «El que desitjo ara és un crit recitat, amb pressentiment de cant i nostàlgia de silencis, sense que el concepte distregui. Cantar no és mai enraonar ni raonar».

No és March l'únic poeta utilitzat per Raimon. Així, la redistribució estròfica de «Deserts d'amics» de Jordi de Sant Jordi n'és un altre fruit notable: l'omissió de la cobla III del poema («Car prenc conhort de com sui presoner / per mon senyor, servint tant com podia») per remarcar que el protagonista se sent realment sol, sense consol del senyor; l'omissió dels tres darrers versos de la cobla IV per silenciar l'anècdota: Sforça; i l'omissió de la cobla V i de la tornada, per silenciar el «bon rei liberal» i acabar amb una repetició dels dos primers versos, de polisèmia evident: «Deserts d'amics, de béns e de senyor, / en estrany lloc i en estranya contrada». Dos altres treballs notables són la malenconiosa «Balada de la garsa i l'esmerla» de Roís de Corella, i el diàleg de textos de Timoneda amb «l'esperit musical de les bandes de música del País Valencià, amb total exclusió de la corda» (Raimon 1983: 116), segons demostra a la seva versió de la celebèrrima peça «Bella, de vós só enamorós».

La Nova Cançó pot ser un testimoni català directe de les tensions creatives derivades de la combinació de poesia culta i composició musical. Així, el mateix Raimon (1983: 114) destaca alguns trets de la música que «mai cap escrit literari no pot aconseguir»: 1) «Que unes mateixes notes puguin ser interpretades per un extensíssim ventall d'instruments diferents, de timbres clarament distints»; 2) «que puguin ser escoltades simultàniament o bé una després de l'altra, successivament»; 3) «que una mateixa melodia pugui ser executada en tonalitats diferents»; i tot això no s'esdevé «ni en la poesia ni en el teatre, que són els dos gèneres literaris més acostats a la música».

En termes de canal, teòricament, la cançó implica sempre una combinació múltiple (veg. Plett, dins DD. AA. 1991: 7): lingüisticoacústic, lingüisticovisual, acusticovisual. Des de l'autoria a la interpretació, tota musicació tendeix a implicar dos fenòmens aparellats: la popularització i l'espectacularització. Naix com una apropiació ideològica personal i finalment esdevé una generalització ideològica col·lectiva, a través dels mecanismes persuasius de l'actuació (sobre la cançó industrial i de consum, veg. Eco 1965: 313-334). Les actituds ideològiques implícites en tota musicació –i en la tria del text per afinitat electiva– són, en aquest sentit, decisives. Així, per exemple, en un testimoni personal potser ampliable a altres intèrprets de la Nova Cançó, Raimon (1983: 74) es referia a un pròxim disc «que he fet per als meus paisans que s'omplen la boca d'Ausiàs March i no el llegeixen ni tenen intenció de llegir-lo mai».

Com administrar tals ambicions? En cada petit detall tècnic. Si canta amb guitarra o amb guitarra i contrabaix, deixant ben pocs compassos sense veu, per no alentir el *tempo*. Si en decideix l'harmonització, triant entre l'opció «brasseniana» (*ibid.* 299: Brassens, li l'havia fet escoltar Sanchis Sinisterra per primer cop a València), o bé la concessió al to de «fanfarra», de banda, de lluminositat superficialment valenciana. Altres aspectes tècnics de l'oralitat poètica són també importants: el mateix Raimon es proposa pragmàticament, després de consultes a estudiosos com Martí de Riquer o Joaquim Molas a propòsit de la dicció del vers clàssic i l'actual, (Raimon 1983: 88): «S'han de dir i cantar els més difícils acostaments de consonants amb la mateixa despreocupació que hom posa en la conversa, en la qual s'està més atent al que es diu que a la dicció. Es tracta de cantar, no de donar lliçons de fonètica.»

Com si li ressonessin les homofonies de Brudieu, el cantant de Xàtiva (*ibid.* 75) aposta per un treball de recerca pacient:

> «Jo he intentat de trencar la possible monotonia que el decasíl·lab, amb la cesura entre la quarta i la cinquena síl·labes, podria mostrar si m'hagués limitat a seguir el ritme intern del vers. Ara, això, aquesta idea de trencament de la reiteració rítmica [...] en la meva interpretació, he de potenciar aquesta intenció jugant amb els grups de consonants, que són molt rics en la poesia del de Gandia, i amb les vocals fosques, la o tancada i oberta i la *u* sobretot.»

No baldament fou Miquel Dolç el que li donà les primeres lliçons per poder-los recitar en un acte commemoratiu del quart centenari de March, celebrat a la Universitat de València el 1959, tot i que després no deixà de consultar dubtes a Salvador Espriu, Martí de Riquer o Joaquim Molas (*ibid.*, 82). Ara bé, el límit era una difícil frontera, i el músic era perfectament conscient a assumir-la com un instrument complex i agosarat (*ibid.*: 84):

> «La capacitat d'allargar-se en el temps, de generar vivències que posseeix un text, una cançó, una obra d'art, té uns límits espacials i temporals. Molt sovint el problema rau a reconèixer aquests límits i a definir-los. La major part d'allò que coneixem per literatura medieval ja ha tocat aquests límits i només interessa com a objecte d'estudi d'especialistes universitaris de filologia romànica en el nostre àmbit. Gran part de l'obra d'Ausiàs March no escapa a aquesta constatació. Ho he de tenir en compte a l'hora de cantar segons quins poemes i de no cantar-ne d'altres. Em sembla que ho he tingut en compte. És més, dins d'un mateix poema no he cantat segons quines estrofes, per aquestes mateixes raons. Tinc la impressió, que voldria confirmada per altra gent, que els versos que jo canto d'Ausiàs March no sobrepassen aquests límits i que la seva capacitat de comunicació, de generar emocions, és viva, per poc que s'esforci el possible escoltador.»

L'ampli treball de Raimon sobre disset cançons de March i deu d'altres autors del XV i el XVI (veg. Margalef 1987, *in extenso* Palomero 1985), cal prendre'l alhora amb passió i amb raonament, com féu Joan Fuster a la nota de presentació de *Raimon, totes les cançons* (1981):

«Ha conferit als poemes antics eventualitat nova [...]. Ausiàs Marc no escrivia per ser cantat. Si Raimon el canta és parcialment... I tot plegat no és una aventura gloriosa?»

Des de finals dels anys seixanta fins a començos dels vuitanta, Raimon musica, amb molt semblants característiques, parts majors dels poemes XLVI, LXXXI, XI, XXIX, LXVIII, XXVIII , LXXVI, LXXXVI, LXXVII, i XXV (volum tercer de *Raimon, totes les cançons*, titulat *Ausiàs March*). I l'any 1997, amb una actitud diferent, parts dels següents: LXXX, CXI, LIX, LXIV i LXXXII, I i III (disc *Cançons de mai*). El primer bloc aposta per compassos de 4/4, llevat d'un cas en 12/8 –que permet una accentuació ternària a cada temps del compàs–, amb una certa renúncia a la variació accentual del decasíl·lab. Alhora, sol optar per una modalitat major, amb modulacions a subdominant o relatiu menor. La dicció es basa en un estilema raimonià adés comentat: aquell cant que no vol fugir en absolut del recitat –amb alguna cadència d'aparença melismàtica, tot i que sense ornaments–, matisat per algun *incipit* instrumental i transicions sense ornaments.

Algunes peces, amb bagatge tan senzill, formen part ja de l'imaginari i àdhuc de l'ideari català col·lectiu. I ça i enllà deixa anar l'eminència de moments bells. Així, a «Veles e vents» (veg. a propòsit del text, Badia 1993 o Archer, 1996), que rellegeix el poema tot ometent-ne la cobla III, la segona part de la V, la VI –ni més ni menys que la cobla «Yo són aquell pus estrem amador»!–, i la VII, i tot repetint la tornada en dos moments diferents. En «Així com cell» (veg. Zimmermann en Alemany coord., 1997), fa un bon treball sobre els primers hemistiquis, dits amb una ralentització eficaç. A «Quins tan segurs consells» (veg. Romeu, 1990), després d'una introducció amb guitarra de representació de la veu, aquesta tracta bellament els interrogants inicials. A «No em pren així» (veg. Badia, 1993), fa servir l'estrofa segona –i, a més, la utilitza clarament en l'estructuració musical– per construir, amb la companyia de modulacions per estrofes, un paral·lelisme entre el vailet i el jo líric del poema. A «No pot mostrar lo món menys pietat», davant el vers 16è: «bé i mal pensats, jo en reste cominal», el cantant (segons explic en *op. cit.* 1983: 81) ha optat per la variant *passats* –com duen l'edició de Pagès i la reproducció de Fuster– enfront de *pensats* –tal com llegeixen Bohigas, Ferrater i Gimferrer; aquesta és refusada per ser «d'una modernitat impròpia d'un poeta del segle quinze».

Aques tan acurat detallisme en el plantejament ha estat revisat en el cicle de musicacions més recent (*Cançons de mai*, 1997). Així, «Per servir amor» és obert a una melodia mediterrània que pot recordar gèneres de masses com l'havanera o el bolero. Un treball melòdic més obert es dóna en «Així com cell qui en lo somni es delita». Tot amb tot, a propòsit d'aquestes obertures estètiques, cal tenir en compte que el «jo» del compositor o l'intèrpret musical no pot substituir el del poeta. Així, cal recordar l'advertiment de Badia (1993: 179), quant a la condició «no autobiogràfica» de l'escriptura marquiana. Per exemple, el poema I, encara que siga ordenat el primer del cançoner de March, no hi funciona com a *incipit* autobiogràfic, del tipus del primer sonet del *Canzoniere* de Petrarca «Voi ch'ascoltate in rime sparse il suono». La música –heus aquí el mètode de Raimon– no pot substituir la poesia amb música, perquè, en anul·lar-se o apaivagar-se el poema, s'anul·la o s'apaivaga la cançó.

Referències bibliogràfiques

ADELL, Joan Elies. *Música i simulacre a l'era digital. L'imaginari social en la cultura de masses.* Lleida: Pagès, 1997.

ALEMANY, Rafael (coord.). *Ausiàs March: textos i contextos.* València: Institut Interuniversitari de Filologia Valenciana / Publicacions de l'Abadia de Montserrat, 1997.

ANGLÈS, Higini. «Les melodies del trobador Guiraut Riquier», *Estudis Universitaris Catalans*, XI, 1, 1926.

–«Fra Eiximenis (1340-1409) i la música del seu temps», *Estudis Romànics*, X, (1962 [1967]) pàg. 189-208.

ARCHER, Robert. «E ja en mi alterat és l'arbitre. Dramatic representation in Ausiàs March's *Cant Espiritual*», BHS, LIX, (1982), pàg. 317-323.

–*Aproximació a Ausiàs March. Estructura, tradició i metàfora.* Barcelona: Empúries, 1996.

AVIÑOA, XOSÉ. *La música i el Modernisme.* Barcelona: Curial, 1985.

BACKES, Jean-Louis. *Musique et littérature. Essai de poétique comparée.* París: Presses Universitaires de France, 1994.

BADIA, Lola. *Tradició i modernitat als segles XIV i XV.* València-Barcelona: Institut Interuniversitari de Filologia Valenciana / Publicacions de l'Abadia de Montserrat, 1993.

CABRÉ, Lluís. «El conreu del lai líric a la literatura catalana medieval», *Llengua & Literatura*, 2, 1987, pàg. 67-132.

CATTIN, Giuli. *Historia de la música*, 2: *El Medievo (Primera parte).* Madrid: Turner, 1991 (ed. original: Torino, EDT Edizioni).

ECO, Umberto. *Apocalittici e integrati.* Milano: Bompiani, 1965 (trad. cast.: *Apocalípticos e integrados ante la cultura de masas.* Barcelona: Lumen, 1968).

FERRATÉ, Joan. *Llegir Ausiàs March.* Barcelona: Quaderns Crema, 1992.

FERRERES, Rafael «La versificación de Ausias March», *Revista Valenciana de Filología*, VII, 4, 1979, 1981, pàg. 313-349.

GALLICO, Claudio. *Historia de la música*, 4: *La época del Humanismo y del Renacimiento.* Madrid: Turner, 1991 (ed. original: Torino, EDT Edizioni).

GALLO, F. Alberto. *Historia de la música*, 3: *El Medievo (Segunda parte)*, Madrid: Turner, 1991 (ed. original: Torino, EDT Edizioni).

HAUF, Albert. «El lèxic d'Ausiàs March: primer assaig de valoració i llista provisional de mots i de freqüències», *Miscel·lània Pere Bohigas*, 3, Barcelona: Publicacions de l'Abadia de Montserrat, 1983, pàg. 121-224.

–*D'Eiximenis a sor Isabel de Villena*. València-Barcelona: IIFV-PAM, 1990.

HAVELOCK, Eric A. *The Muse Learns to Write*. New Haven-London: Yale University Press, 1986 (trad. cast.: *La musa aprende a escribir*. Barcelona: Paidós, 1996).

JAUSS, Hans R. «Littérature médiévale et théorie des genres», dins *Poétique*, 1, 1970, pàg. 79-101.

MARCH, Ausiàs (1952-1959). *Poesies*, ed. Pere Bohigas, 5 vol. Barcelona: Barcino.

MARGALEF, M. Rosa. «Vigència inexhaurible d'Ausiàs March: March cantat per Raimon», dins *L'Espill*, 23-24, 1987, pàg. 61-81.

MARTORELL, Oriol; VALLS, Manuel. *Síntesi històrica de la música catalana*. Barcelona: La Llar del llibre, 1985.

MOLAS, Joaquim. *Una cultura en crisi*. Barcelona: Edicions. 62, 1971.

–«Notes sobre la cançó popular moderna: el cuplet», *Actes del Cinquè Col·loqui Internacional de Llengua i Literatura Catalanes*. Barcelona: Publicacions de l'Abadia de Montserrat, 1980, pàg. 325-347.

ONG, Walter J. *Orality & Literacy*. London: Methuen, 1982 (trad. cast.: *Oralidad y escritura*. México: Fondo de Cultura Económica, 1987).

PALOMERO, Josep. *Guia didàctica d'Ausiàs March i els altres poetes (XV, XVI) musicats per Raimon*. València: Generalitat Valenciana, 1985.

PEDRELL, Felip. «Dos músichs cinchcentistes catalans cantors d'Auzias Marc», *Anuari de l'Institut d'Estudis Catalans*, I, 1907, pàg. 408-413.

PUJOL, Josep. «Els versos estramps a la lírica catalana medieval», dins *Llengua & Literatura*, 3, 1988-89, pàg. 41-87.

QUEROL, Miquel. «Els madrigals de Joan Brudieu», *Miscel·lània Aramon i Serra*, II, (1980), Barcelona: Curial, pàg. 467-472.

RAIMON. *Poemes i cançons*. Barcelona: Ariel, 1974.

–*Les hores guanyades*. Barcelona: Edicions 62, 1983.

REANEY, Gilbert. «*Ars Nova*», dins *Historia general de la música*, I, Madrid: Istmo, 1972, pàg. 389-475 (ed. original: *The Pelican History of Music*. London: Penguin Books, 1966).

REESE, Gustave. *Music in the Middle Ages*. New York: W.W. Norton (trad. cast.: *La música en la Edad Media*. Madrid: Alianza, 1988).

RICO, Francisco. «Lo viscahí qui·s troba·n Alemanya», *Primera cuarentena y tratado general de literatura*. Barcelona: El Festín de Esopo, 1982, pàg. 85-87.

RIQUER, Martín DE (ed.). *Los trovadores. Historia literaria y textos*, 3 vol., Barcelona: Ariel, 1983.

ROMEU, Josep. *Poesia popular i literatura*. Barcelona: Curial, 1974.

–«Interpretació del poema XI. Quins tan segurs consells», dins *Quatre lectures de poesia medieval*. Barcelona: La Magrana, pàg. 57-76.

SIMÓ, Lourdes (ed.). *Juglares y espectáculo. Poesía medieval de debate*. Barcelona: DVD, 1999.

SOLDEVILA, Ferran. *Cronistes, joglars i poetes*. Barcelona: Publicacions de l'Abadia de Montserrat, 1996.

SOLDEVILA, Llorenç. *La Nova Cançó (1958-1987). Balanç d'una acció cultural.* Argentona: L'Aixernador, 1993.

TAVANI, Giuseppe. «Consideracions sobre la funció persuasiva dels espectacles joglarescos», *Miscel·lània Jordi Carbonell*, 3, Barcelona: Publicacions de l'Abadia de Montserrat, 1982, pàg. 5-19.

VALLS, Manuel. *La música contemporània i el públic*. Barcelona: Edicions 62, 1967.

VIDAL, Peire. disc *Egy trubadúr Magyarországon / A Troubadour in Hungary*. Budapest, a cura de Zoltan Falvy, 1981.

ZIMMERMANN, Marie Claire. «Écrire et dire: les processes ontologiques de la création chez Ausiàs March; l'auditoire d'Ausiàs March», *Ibérica*, 3, 1981, pàg. 11-31.

–«Du divertissement chez Ausias March (1397-1459) et chez ses successeurs (fin XVe siècle, debut XVIe): du rêve de cour-théâtre au théâtre de cour», en *La fête et l'écriture: théâtre de cour, cour-théâtre en Espagne et en Italie (1450-1530). Colloque Intrernational France-Espagne-Italie (Aix-en-Provence 1985)*, Aix-en-Provence: Publications-Diffusion Université de Provence, 1987, pàg. 71-93.

–*Ausiàs March o l'emergència del jo*. València-Barcelona: IIFV / CEIC Alfons el Vell-Publicacions de l'Abadia de Montserrat, 1998

ZUMTHOR, Paul. *Introduction à la poésie orale*. París: Seuil, 1983 (trad. cast.: *Introducción a la poesía oral*. Madrid: Taurus, 1991).

L'ÈPIC I EL TRÀGIC. SOBRE LA POÈTICA DE L'ÚLTIM MARAGALL

Carles Miralles

Universitat de Barcelona

En una carta que li adreça el 30 de maig de 1903,[1] Maragall comenta alguns poemes de Pijoan. «No cregui», li diu a propòsit d'un d'ells, «haver fet una morta imitació de lletres clàssiques». Prova d'explicar-se tot seguit, però d'una manera tan poc precisa que ell mateix se n'excusa («potser és que jo mateix m'ho haig de posar més per clar»). Ve a dir, si jo ho entenc, que allò que salva Pijoan d'aquesta mena d'imitació «és que vostè és genuïnament èpic»; o sigui, que l'èpic deu ser viu, o més aviat realista, o precisament perquè és realista: «Vostè», continua, «la realitat la sent sempre plàsticament, fins quan la *conceptua*: llavors els conceptes li resulten extrapoètics, és dir, que no es fonen amb la seva natural plasticitat poètica, aixís com el líric sí que es fon en poesia». Ho exemplifica considerant èpic Luís de León i líric Juan de la Cruz. Culmina aquesta particular interpretació de l'èpic el fet que tingui per evident, Maragall, que «els enamoraments literaris» de Pijoan han d'ésser «per Homer i Virgili» i «potser sobretot per aquest últim, que canta lo èpic de més a vora nostra».

En aquesta línia diguem-ne èpica que posa en comunicació Homer, Virgili i Luís de León amb Pijoan, potser podem arribar a imaginar que, en el cas de Luís de León, Maragall es deu referir a una corporeïtat de la seva poesia, on, malgrat la transcendència, el real té una entitat, no es fon en el poema, com passa en el cas de Juan de la Cruz, on el misticisme devora el real. Pel que fa a Virgili, el context ens aclareix que és de les *Geòrgiques,* de què Maragall parla, i, doncs, el deu trobar més proper pel tema, que no és mític com el de l'*Eneida* sinó realista, deu pensar (i, d'altra banda, «Edat d'or» és el títol del poema de Pijoan que comenta). Quant a Homer, la cosa és més misteriosa. Potser només l'esmenta perquè és un nom que s'imposa quan es parla d'èpica.

El que és clar, però, és la importància que Maragall atorga en aquesta lletra a l'èpic; a una seva interpretació de l'èpic, pel que sembla. L'èpic que tant pot ser un poema narratiu o descriptiu d'una certa extensió com una característica de poemes

1. MARAGALL 1947, pàg. 1734 *a* – *b*.

més breus i no per força narratius o descriptius, i que salva de la imitació morta perquè, essent com és sentiment plàstic de la realitat, canta allò que ens és més proper, el més real, preservant-ho, o sigui sense fondre-ho en el poema, com fa el líric.

El concepte de realitat no és a Maragall sense relació amb el de popular –amb el de poesia popular, perquè en definitiva és al real poètic, a la realitat en el poema, que es refereix quan parla de realitat. Referint-se, en una «advertència» (1903) que va creure del cas posar en la seva traducció del *Faust* de Goethe, al «drama de la Margarideta», opina que n'és «una part de forta realitat».[2] I explica que, «per això que aquest drama és lo de més forta realitat dintre del *Faust*, és també lo únic d'ell que s'ha fet universalment popular». La seva realitat –que vol dir que passa, llavors i allí com ara i aquí, que és ver– el fa intens, punyent, si el poeta sap donar «el drama pur, és dir, un», i, si és així, arriba «a purificar la vida amb el sentiment artístic d'ella mateixa». Ja es veu que usa «drama» no com a acció dramàtica o gènere teatral sinó més aviat com a tragèdia. No solament perquè és la tragèdia que purifica, des d'Aristòtil,[3] sinó perquè Maragall té presents, en escriure aquest advertiment, els tràgics grecs, com ho demostra que s'hi refereixi a continuació en el context del que és per a ell realitat i universal (popular): «proveu de situar en el temps present les tragèdies d'Esquil i Sòfocles i us quedareu meravellats de lo poc que n'haureu de tocar (a part, naturalment, l'exteriorització més superficial escènica, noms propis, etc.) perquè el públic els admeti com una palpitació de vida present. (Jo llegia *Els Perses* quan el daltabaix de Cuba i Filipines i m'esborronava.)». De manera que hi ha una relació entre èpica i tragèdia –o entre èpic i tràgic o dramàtic– a través de realitat i caràcter popular de la poesia.

D'altra banda, no només la idea que té Maragall de l'èpic té a veure amb la seva concepció de la poesia popular, sinó que en el fons de tots dos conceptes la referència a Milà i Fontanals es fa inevitable.[4] Bastarà que ara retinguem que el sentit de «popular» és a Maragall tradicional –car es refereix universalment i romàntica al poble o a l'ànima del poble, i no per exemple al proletariat urbà en concret– i s'aplica a la poesia, la que l'*Elogi de la poesia*[5] anomena «la poesia d'imitació, la col·lectiva successiva, la popular anònima».

Sense sortir de moment d'aquest *Elogi*, i tornant ara als poetes èpics, el Virgili de l'*Eneida* hi exemplifica «el càlcul, la preparació, la pauta, el concepte» juntament amb la *Commedia* dantesca.[6] El Virgili que Maragall potser havia llegit per disciplina, seguint el consell de Pijoan, però quasi segur sense entusiasme: «davant de ma finestra, el mar va mudant els colors amb les hores, mentres jo llegei-

2. MARAGALL 1947, pàg. 176 *a* – 178 *b*. Una redacció més extensa del mateix text a TUR 1974, pàg. 237 i seg., cf. també QUINTANA 1996, pàg. 278.

3. *Poèt.* 1450 *d*. Sobre el sentit de la catarsi cf. LANZA 1987, pàg. 61 i seg.

4. JORBA 1991.

5. Ed. QUINTANA 1996, pàg. 472.

6. Ed. QUINTANA 1996, pàg. 462.

xo el seu Virgili»,[7] escrivia a l'amic el 18 de juny de 1906. Una mica distret i resignat, diguem-ne. De fet, no cal comptar ni que Virgili l'ajudés gaire en el seu camí cap a Homer.

Perquè era a Homer que el menava el seu concepte de l'èpic, del real poètic i del tràgic –o del dramàtic. I una sèrie de factors es van combinar perquè hi pogués arribar amb garanties, fins als fruits de la *Nausica* i els *Himnes homèrics*. De fet, l'opinió que Maragall manifestava en l'advertiment, encara, del *Faust* de 1903, que «quan el poble epopeïtza els seus hèroes tradicionals se diu Homer», només reafirma el que ja hem subratllat sobre el caràcter popular i tradicional de l'èpica. D'ençà de 1908, en canvi, la lectura d'Homer li serveix per a consolidar i perfeccionar la seva poètica. No que no l'hagués llegit abans, car Goethe l'hi portava i el 1908 ja el coneixia prou, sinó que fins llavors no coincidiren la focalització d'Ulisses com a símbol en el lloc del comte Arnau, acabat el cicle,[8] i la de Nausica en el lloc d'Haidé i de la «pastora de l'ull blau» també arnaldiana, d'una banda, i, d'una altra, la influència en Maragall de Bosch Gimpera i, a través d'ell, de Segalà, que aleshores publicava les seves traduccions de tot Homer a l'espanyol i planejava traslladar la *Ilíada* al català.[9]

Anem per parts. De primer, l'*Odissea*. Riba, a la vista de l'exemplar de la traducció italiana d'Ippolito Pindemonte (1822) que en posseïa Maragall, va remarcar que, com en l'exemplar de l'*Odissea* de Goethe –en aquest cas una edició en grec i llatí de Pàdua 1777–, només en els cants del VI al XIII hi havia «passatges i versos subratllats».[10] La cosa és ben certa i és de tota evidència que aquests cants cal destacar-los perquè contenen la matèria de la *Nausica*. Però s'ha de remarcar igualment que Maragall havia llegit tota l'*Odissea* i que aquest poema l'interessava tant pel tema i l'heroi com també per la mena d'èpica que representava. Pel que fa al tema, molts altres episodis de l'*Odissea* són contats a la *Nausica*, i pel que fa a la dicció, un exemple pot ser adduït, com a mínim, de l'interès de Maragall.

Aquest practicava amb les seves filles grans una mena de lectura amb glosses de textos que creia que havien de conèixer i que ell podia ajudar-les a entendre. Així, l'estiu de 1906, segons sabem per una carta a Pijoan, passava els vespres «a casa, llegint i explicant a les tres grans la *crònica* d'en Muntaner, que les deixa totes meravellades».[11] I dos anys després, en una altra carta a Pijoan des d'Olot, del primer de setembre –els dos mesos d'abans els ha passats escrivint una bona part de la *Nausica*–, li pondera que Homer agrada molt a les seves filles: «No sols les aventures, sinó el modo de dir que els faig entendre de l'italià: *E tu così li rispondesti, Eumeo. Qué bonito!* –diuen».[12]

7. Maragall 1947, pàg. 1762 *b*.
8. Edició del cicle per Marfany 1974.
9. Segalà 1990; cf. Garriga 1986; Miralles 1990.
10. Ed. Sullà 1983, pàg. 13.
11. Maragall 1762 *b*.
12. Maragall 1767 *a*.

El vers que Maragall cita[13] és Pindemonte XIV, 67 (= *Odissea* XIV, 55), citació que, a més de palesar que havia llegit més enllà del cant XIII, és particularment important perquè planteja la qüestió de quin devia ser «el modo de dir» homèric que Maragall podia il·lustrar, amb un vers com aquest, a les seves filles. Perquè el vers no sembla gaire «bonito», almenys d'entrada. D'una banda, però, és un vers formular –repetit quinze vegades–, i Maragall podia parlar a les noies d'oralitat –o, en els seus termes, de poesia popular–; d'altra banda, en aquest vers hi ha un trencament de la distància, per part del poeta: deixa per un moment el relat en tercera persona per apostrofar el vell Eumeu.[14] Ja un escoliasta feia notar que l'apòstrofe augmenta el *pathos* de l'escena, i això devia fer veure Maragall a les noies: que el poeta prenia partit, celebrava la prudència, la fidelitat del vell.

Si no vaig errat, la carta il·lustra, doncs, la mena de característica de la dicció èpica («el modo de dir») que entendria el poeta –no gaire lluny, conceptualment, d'allò que hem vist que destacava del Virgili de les *Geòrgiques*–, l'acostament a la realitat, la presència en el poema heroic de la gent tal com és. Eumeu és un porquer, un vell, i és la bondat i la fidelitat allò que el caracteritza. Mitjançant l'apòstrofe el poeta homèric se'l fa seu.

Tot plegat, que el concepte maragallià de l'èpic, pel que fa a Homer, és més proper a l'*Odissea* que no pas a la *Ilíada*, tant per l'argument triat per a la *Nausica* com per la manera que tenia de destacar a les seves filles l'apòstrofe del poeta a Eumeu, si jo he sabut comprendre-la. L'*Odissea*, endemés, incorpora al seu curs narratiu, a l'entorn d'Ulisses, contes, relats fantàstics, és a dir, *Märchen*, un mot amb significativa presència a Goethe. En l'escena del convit en la terra dels feacis, quan Ulisses ja ha descobert la seva identitat (cosa que s'esdevé a II, 406 de la *Nausica*), Nausica evoca, en diàleg amb ell, l'engany famós del cavall de Troia, l'aventura a la cova de Polifem i la disputa amb Àiax a propòsit de les armes d'Aquil·les (II, 437 i seg.). Tots temes molt famosos, que Maragall podia conèixer de qualsevol repertori mitològic. L'afer del cavall de fusta és important en el llibre VIII de l'*Odissea*, perquè és Ulisses mateix qui exhorta Demòdoc a cantar-lo (vv. 486 i seg.) i perquè, en complaure'l l'aede, esclata en plors, cosa que, advertida per Alcínous, motiva que finalment Ulisses hagi de revelar de debò qui és. Ara, el tractament més extens d'aquest tema i el que el fa cèlebre en la literatura occidental és el de Virgili en el llibre II de l'*Eneida*. Quant a la disputa i posterior follia d'Àiax, en el cant XI de *l'Odissea* trobem una referència a Àiax entre els morts i a la contesa per les armes, però no és pròpiament un tema en la seqüència narrativa del poema homèric. El tema de la follia d'aquest heroi subseqüent a l'adjudicació de les armes d'Aquil·les a Ulisses és l'argument d'una tragèdia, l'*Àiax* de Sòfocles.[15] Ben segur que el fet de

13. Amb més d'una errada, entre les quals la insòlita i depriment *Enneo*, també repetida a totes les edicions fins que mirà d'esmenar-la SULLÀ 1983, pàg. 178.

14. Sobre l'apòstrofe homèric en general –exemples de la *Ilíada*–, cf. MIRALLES 1992, pàg. 47 i seg.

15. En una carta a Antoni Roure del 26 d'agost de 1908 (MARAGALL 1947, pàg. 1854 *b*) li demanava si sabia «on se troba la relació de la disputa d'Àiax i Ulisses sobre les armes d'Aquil·les» perquè «me convindria veure-la».

tractar-se d'un tema tràgic no és sense importància de cara al fet que Maragall el triés i, sobretot, el posés en llavis de la noia. En sentir que s'hi refereix, «Princesa», li demana Ulisses, «per què em retreus aqueixos fets terribles / tu que ets tan dolça?» (II, 467-469). Podem reconèixer aquí una mena de redempció de l'heroi, indirectament, per la innocència de la noia, un tema que és ben de Maragall i que ja es veu que té a veure amb el més explícit i tan comentat de la redempció del comte Arnau per la pastora.[16] Per la seva banda, el tema del cavall il·lustra «l'astúcia tan famosa» (II, 438) de l'heroi, la seva gesta més popular i, per la manera com mostra el seu enginy, més fabulosa. Directament folklòrica, i també certament fabulosa (*Märchen*), és l'altra contalla, la de Polifem, que prové, com és ben sabut, de l'*Odissea*. Tant com són fabuloses, meravelloses, les dues històries que conta d'ell mateix Ulisses, la de les sirenes i la de la visita als morts. La primera il·lustra el perill de la privació del retorn, perquè qui sent el cant de les sirenes «oblida de seguit tota altra cosa / i se n'hi va de dret» (II, 488-489), perd, doncs, l'oportunitat de tornar a casa, a la muller i als fills, i hi perd també la vida. La segona, que és empresa extraordinària, excepcional, que Ulisses comparteix amb alguns poetes, com Orfeu o Dante, presenta en el tractament maragallià un tret significatiu que també cal posar en relació amb el paper redemptor de Nausica. Ulisses n'enceta el relat, ofereix una panoràmica general del món dels morts, però just quan s'acosta (II, 585) «un espectre gran de barba blanca», potser el de Tirèsias, «cau el teló ràpid, perdent-se les paraules darrera d'ell». El contingut de l'oracle l'explicarà (III, 114 i seg.) Dimant, un personatge influent de la cort, que resumirà en l'essencial *Odissea* XI, 100 i seg., segurament sobre Pindemonte[17] però en general d'una manera lliure i segura, més recordant la traducció italiana que tenint-la sempre literalment present. Allò que ara importa, però, és que el col·loqui amb la mare, els encontres amb Agamèmnon, Aquil·les i Àiax, és Nausica qui ho conta i en diàleg amb Daimó, el poeta (III, 213 i seg.). La poesia i la noia s'ajunten per redimir situacions o històries que són considerades cosa «horrible, horrible» (III, 219), «grans tragèdies» (III, 222), i el poeta consola Nausica (III, 254 i seg.) explicant-li que, si serva «la visió gran» del pas de l'heroi per la seva vida, tota ella «en serà il·luminada», en el sentit que sempre, en les diferents vicissituds de la seva existència, «tindreu a dintre el cor», li diu, «la dolça / memòria gran d'aquest moment i hora / en què heu aimat a un hèroe en puresa».

O sigui, que la *Nausica* no solament desenvolupa matèria homèrica dels cants del VI al XIII de l'*Odissea* sinó que aprofita, dramàticament, alguns aspectes de la

16. MARFANY 1974, pàg. 15 i seg.; MARFANY 1975, pàg. 122 i seg.

17. Algunes coincidències semblen provar-ho: cf, per exemple, Maragall III, 128-129 («Mes quan arribis / a casa teva, encara mals t'hi esperen») amb PINDEMONTE 1989, pàg. 87 *a* (*Od.* XI, 154: «Mali oltra ciò t'aspetteranno a casa») contra la traducció de Segalà 1990 II, pàg. 202 («y hallarás en tu palacio otra plaga»), prou més ajustada, del vers *Od.* XI, 115. Aquesta llei de coincidències no va a favor de la idea de Bosch Gimpera (1980, pàg. 38) que «la publicació de l'*Odissea* per Segalà –que era company seu a l'Institut d'Estudis Catalans que Prat de la Riba acabava de fundar– l'inspirà per escriure la seva *Nausica*».

figura de l'heroi que el fan més popular, més fabulós i extraordinari, però també més ultrat, protagonista de «grans tragèdies», més terrible; l'exposició dels quals davant de Nausica i per Nausica mateix no és sense relació amb la puresa de la noia i el paper redemptor que Maragall li atribueix. Hi ha, doncs, una interpretació de l'èpic i el tràgic.

De l'èpic i el tràgic més proper –o sigui, del més distant de la solitud, de la identitat rigorosa de l'heroi amb si mateix que bona part d'estudiosos i pensadors solen considerar condició imprescindible de l'èpic i del tràgic.[18] A Maragall l'heroi com a tal apareix en les paraules dels altres. Perquè la primera condició de l'heroi és que sigui popular. Ho demostren els episodis odisseics que hem vist que triava però també la matèria iliàdica que va voler posar en boca del vell i cec Daimó, davant d'un Ulisses que no s'ha donat encara a conèixer i seu al banquet al costat d'Alcínous. Es tracta d'*Ilíada* (III, 161), l'escena en què, des de dalt de la muralla de Troia, Hèl·lena va informant Príam sobre qui és i com és cada heroi grec que el vell li demana. I és aquesta escena la triada per Maragall perquè provoqués, en cantar-la el seu Daimó (II, 275-327), el mateix efecte que la gesta del cavall a l'*Odissea*, de primer el plor i després, amb la mediació i a causa de la pressió d'Alcínous i Nausica, la declaració verdadera per Ulisses de la seva identitat (II, 406). En aquesta escena maragalliana, el poeta, Daimó, és figura de l'autor, com Demòdoc ho és, en l'episodi de l'*Odissea*, de l'autor d'aquest poema. Maragall escriu, doncs, que Daimó canta que Hèl·lena deia. I Ulisses és qui dins del poema escolta Daimó i, doncs, el que Hèl·lena deia d'ell. Perquè és quan sent que Daimó canta el que Hèl·lena deia d'ell en la *Ilíada* que Ulisses és, d'una banda, l'heroi popular, homèric, que Daimó descriu en paraules que atribueix a Hèl·lena, i, d'una altra, Maragall que llegeix l'*Odissea* i la *Ilíada* tant com els espectadors o lectors de la *Nausica*. L'objecte del cant i qui, en rebre'l, aprendre'l i tornar-lo a dir, n'esdevé també subjecte.

Tots aquests filtres del que és dit, que podrien donar peu a una reflexió més complexa que la que Italo Calvino va construir sobre «Io scrivo che Omero racconta che Ulisse dice: io ho ascoltato il canto delle Sirene»,[19] bastarà ara assenyalar que, a més de les correlacions i relacions que he dit (Maragall-Daimó, Maragall-Ulisses; Ulisses (Maragall) objecte i subjecte del cant), també marquen la centralitat d'una veu de dona i la necessitat de la poesia: Hèl·lena i Daimó, un joc especular del que constitueixen, a un altre nivell, Nausica i Daimó.

Ben cert, no és ara el moment de repassar la complexitat del pensament maragallià sobre la dona, o la percepció que el poeta tenia de la condició femenina. Sí que ho pot ser de manifestar que per mi aquest tema no és pertinent en termes de xafarderia diguem-ne historicobiogràfica sinó en termes de coherència textual: no quantes dones i quina mena de relacions tenen amb ell, sinó quantes dones i amb

18. Sobre l'heroi tràgic, cf. MIRALLES 1997, pàg. 33 i seg.
19. CALVINO 1995, pàg. 374 i seg.

quines relacions textuals trobem en l'obra de Maragall. I és un tema, com acabo de dir, que no puc abastar en la seva complexitat però que sí que crec necessari plantejar atès el que provo d'explicar en aquest treball.

Ja m'he referit més d'un cop al caràcter redemptor de Nausica i al paral·lel que, des d'aquest punt de vista, és dat d'establir entre la princesa homèrica i la pastora del final de «La fi del comte Arnau». Tanmateix, en les tres parts d'aquest poema èpic que Maragall no publicà mai unitàriament hi ha més d'una dona i més d'una veu de dona: hi ha Adalaisa, la dona i les filles (d'Arnau i del poeta), la pastora. I aquestes altres dones també tenen a veure amb la cançó, que d'antuvi és l'ànima del comte («son ànima / que és una cançó»), el lloc de la seva inquietud i de la seva condemna («te diran ànima en pena / com si fossis condemnat») i més tard l'instrument de la redempció, quan canta, mentre fila, l'esposa de l'heroi i una pastora s'associa al seu cant («a sa veu altra es conlliga / que mai s'hi havia conlligat... / que va cantant la cançó antiga / amb una nova pietat»). Els nivells de realitat de cada una són diferents i canvien en les diverses situacions de cada poema, però són totes elles, no totes de la mateixa manera, a portar el comte a la seva salvació, que pugui canviar el cavall per la casa: només quan la seva ànima deixi de ser el cavall cantat per «les veus de la terra» per ser «la casa» que ha abandonat, la cançó canviarà, la redempció serà possible.

No entro ara en els poemes d'Haidé, que potser trasllueixen una imatge més fixa, ni em deturo en l'evocació de l'Agnès de «Glosa», que Riba trobava tan propera a Nausica.[20] Pel que fa a l'Ulisses de la *Nausica*, aquí no és només la noia l'única imatge del femení, tampoc. Hi ha la dona d'on ve, l'heroi, Calipso, i la dona cap a on va, Penèlope, i hi ha les altres noies companyes de Nausica i hi ha també la reina, a més de la princesa; i hi ha també les sirenes i Hèl·lena. Sense entrar en la complexitat dels nivells de realitat de cada una ni de les diferents maneres que tenen d'entrar en l'acció ni de la relació de totes elles amb Ulisses, sí que val la pena insistir que Hèl·lena i Nausica associen la seva veu, cada una, a la del poeta per vehicular una imatge de l'heroi; que Hèl·lena, amb paraules de la *Ilíada*, reflecteix la de l'heroi més prudent, entre els aqueus, i que és aquesta imatge la que fa plorar Ulisses, amb un plor –heretat de l'*Odissea*, però canviat, com dèiem, el tema del cant que el provoca– per al qual podríem anar a cercar paral·lels en la història maragalliana d'Arnau: un plor, de primer involuntari («ell vol esclafir la rialla, / fa un gran crit i arrenca el plor»), que, després, però, d'un rastre que deixa «de plors i de renecs», esdevé el plor dins del qual «ha trobat son ànima / que és una cançó». Tampoc no convé deixar de banda que «el ritme» que fonamenta «la creació» just al començament de l'*Elogi de la poesia* podem trobar-lo «en el plor de l'home».[21] El camí cap a la salvació o la purificació de l'heroi, pel plor, comença en les paraules de la *Ilíada* atribuïdes precisament a Hèl·lena en una escena, plena de color i de contrastos, en què els vells de la ciutat assetjada per causa d'ella reconeixen, però, l'excepcional

20. Ed. SULLÀ 1983, pàg. 25.
21. Ed. QUINTANA 1997, pàg. 454.

bellesa de l'esposa de Menelau raptada per Paris. Les paraules de la tan bella adúltera –la sort de la qual, com subratllà Riba,[22] enlluernava Nausica, que potser ingènuament però ben cert que l'envejava– disposen Ulisses a la redempció de la seva tragèdia, de la seva vida plena d'aventures, de dones i d'enganys, per una noia pura, la qual, per haver amat l'heroi, com hem vist, «en puresa», assolirà també, ella, «la dolça / memòria gran d'aquest moment» (III, 263-265). Si no en serà literalment redimida, la seva vida en resultarà decisivament il·luminada.

Per obra de la poesia, de la bellesa, de la gràcia. La poesia, d'una banda, que ha quallat en la plasmació de la vida de l'heroi, de les seves aventures i gestes, i la poesia, d'altra banda, que s'ha congriat en el cor de la noia i bastarà, li explica Daimó, «vostra sort quina sia, sempre, sempre, / en pau reclosa o bé pel món enduta, / en calma, en tempestat, en la vellesa, / en dolors, en salut, en malaltia» (III, 259-262), per a endolcir-li la vida.

El nom del poeta, per cert, no sembla que hagi sorprès ningú tot i que planteja com a mínim dues qüestions. La primera, per què Maragall no va conservar el nom de l'homèric Demòdoc? La segona, per què, havent decidit de canviar-lo, va triar Daimó? Una sola pregunta, de fet, si arribem a saber –a conjecturar, per força– les raons que l'anomenés Daimó. En el context de la poesia, la bellesa i la gràcia, i atesa la maragalliana poètica del tal Daimó, el més probable és, em sembla, que el seu nom fos anostrament del grec *dàimon*. Aquest mot pot haver donat peu a una seva interpretació per Maragall com a geni o esperit, en relació amb el divinal i amb el destí, idees que no són gens de mal lligar amb la poètica de Maragall. En el sentit que l'*Elogi de la poesia* insisteix que «l'art, per tenir aquesta virtut redemptora que li és pròpia, cal que ens sigui directament vingut del seu origen diví», i que és «diví» el barboteig poètic «brollat a través del poeta», el qual és «òrgan perfecte de la paraula divina»; sobre ell mateix, Maragall hi afirma que «Déu s'ha mogut» en la seva ànima, dins d'ell.[23] D'altra banda, també a la *Nausica* és diu que Daimó és d'Apol·lo i de les Muses, i, doncs, sagrat, (I, 232-234), com és sempre el poeta en la tradició platònica.

En definitiva, la poètica de Maragall havia anat trobant arguments, exemples i símbols per decantar-se del tot de la banda de la poesia espontània, natural: popular com l'èpica. Contra la poesia sentimental en termes de Schiller, Maragall exaltà la «naïve», la ingènua. Ja a Schiller el paradigma d'aquesta mena de poesia era la grega.[24] I la grega més antiga. En una cèlebre carta que envià a Pijoan el 4 de setembre de 1910, Maragall li explicava que havia llegit Hesíode, i contraposava aquest poeta, que era, deia, «un veritable rústic en gran», a Teòcrit, que, «en comparança», trobava que era «estrafet, d'un rústic ciutadà».[25] «El contrast és interessant»,

22. Ed. Sullà 1983, pàg. 29 i seg.
23. Ed. Quintana 1997, pàg. 456, 458, 460, 456-457.
24. Quintana 1977, pàg. 305.
25. Maragall 1947, pàg. 1769 *b*.

comenta Quintana,[26] «perquè Teòcrit, alexandrí, és a dir urbà, pertanyent a una època de decadència, contrasta amb el primitiu (preàtic i per tant preurbà) Hesíode». En el mateix volum, que li havia deixat Bosch Gimpera,[27] Maragall conegué els himnes òrfics, i ja feia mesos –des del juliol– que el mateix Bosch Gimpera li anava degotant traduccions literals dels himnes homèrics, sobre les quals Maragall es posaria a escriure les seves el mes d'octubre. Els himnes homèrics li van ser, dins de la seva concepció de l'èpica, l'exemple més pur de poesia espontània, natural. El millor testimoni n'és la llengua: la llengua poètica de Maragall es renovellà en l'experiència de dir els himnes en català i en la complementària –indestriable de l'altra– de cercar un ritme per a ells. Riba va saber magistralment comprendre –més enllà del tema acadèmic de l'anostrament de l'hexàmetre– que Maragall havia trobat en el vers grec una forma natural prou llunyana per forçar-lo sense esclavitud però donant-li una norma;[28] una norma que, per dir-ho reprenent paraules de Maragall a l'*Elogi de la poesia* –quan ell encara no pensava en l'hexàmetre, però que s'apliquen excel·lentment a la seva manera d'adaptar-lo– ve a ser «la majestat misteriosa del ritme tradicional dominant»; per a la paraula viva com «un mantell hieràtic, però folgat i voleiant».[29]

Ara, en el camí cap als himnes, un primer avenç important, originat en un encàrrec de Segalà, fou la presa de contacte amb l'epinici pindàric, amb la lírica coral grega.[30] De fet, Maragall a la *Nausica* havia intentat un desenvolupament compost, dramàtic, d'un tema i d'un heroi èpic. Usava l'èpica homèrica, però, com una mena de contenidor o de dipòsit. D'una banda, n'extractava escenes i les disposava segons una intenció dramàtica; de l'altra, es conformava amb el ritme d'un vers nostre, el decasíl·lab, que és el mateix que trobava en les traduccions italianes de què se servia. Els himnes li donaren, diguem-ne, els trossos d'èpica més purs, més prop del diví, àdhuc pels temes; i, a més, intuït gràcies a Bosch Gimpera l'hexàmetre, l'usava per cercar un ritme natural més original i espontani, més pur. Quant als epinicis, tal com ell els devia veure, eren peces èpiques compostes que tenien elements de lírica, acostaven els mites –els apropaven al real– i aportaven reflexió i parènesi. Més tard, quan va conèixer els de Baquílides –gràcies també a Bosch– s'exclamà «Quina poesia més pura i resplendenta!» i, com a tret comú a Píndar i a Baquílides, destacava «un gran to líric, una passió».[31] Pot ajudar a fer-nos una idea del que li representà la

26. QUINTANA 1977, pàg. 310.

27. És l'exemplar de què li parla en la lletra del 12 de setembre (MARAGALL 1947, pàg. 1637 *a*: «Li tornaré els manuscrits (junt amb l'Hesíode)...») i que després Bosch regalà, explica Riba (ed. SULLÀ 1983, pàg. 179), «a l'autor d'aquesta tesi, en memòria de la presa de grau» –Bosch Gimpera, llavors rector de la Universitat de Barcelona, presidí el tribunal de doctorat de Riba.

28. VALENTÍ 1973 *a*, pàg. 67 i seg.; MIRALLES 1986, pàg. 89, 93 i seg.

29. Ed. QUINTANA 1996, pàg. 469.

30. En resultà la traducció de l'olímpica I de Píndar (MARAGALL 1947, pàg. 381 i seg.), que Segalà va fer sortir (s. a. però 1911) a la col·lecció de clàssics «*cum ibericis versionibus*» que ell dirigia amb Cosme Parpal i que publicava a Barcelona l'Acadèmia Calassància.

31. Citat per Riba, ed. SULLÀ 1983, pàg. 181 (sense data: MARAGALL 1947, pàg. 1639 *a*) i 184 (MARAGALL 1947, pàg. 1638 *b*).

traducció de Píndar un fet simptomàtic: que en la versió espanyola, publicada a *La Lectura* de Madrid a començaments de 1908, de l'*Elogi de la poesia* aquest poeta apareix amb Schiller per il·lustrar «la oratoria en pro de abstractos ideales», mentre que el 1909, quan publica l'edició definitiva, Píndar ha desaparegut del text.[32] La raó és senzilla: ja el coneixia i no en tenia la mateixa idea, sinó aquesta altra que ha estat dita.

De més, el tracte amb els poetes grecs li semblava que podia enriquir, dignificar, el català, i el seu català. Sobretot si podia ser directament amb els originals grecs. No va gosar posar-s'hi, però va concebre la idea d'aprendre el grec. Es va trobar gran, potser no va saber com fer-ho, però ho va dir per carta a Bosch Gimpera («...que li venen desitjos d'aprendre el grec i que tindria gràcia a la seva edat...»), el qual li ponderà «els tresors d'aquell or de poesia que brollarien segurament de la seva ploma, ja tan gloriosa, al posar-se en contacte amb la mateixa deu de la bellesa hel·lènica».[33] El 4 de setembre de 1910 encara ho diu a Pijoan: «Sap que estic mig temptat d'anar a classe de grec amb en Segalà aquest curs vinent? Déu meu! si jo l'hagués après de jove! Quina font perduda per a la bona set!».[34] I el dia 12 d'aquell mateix mes en torna a parlar, sembla que engrescat, a Bosch,[35] però el 4 d'octubre, en tornar a Barcelona i davant la imminència de les classes, ja n'ha desistit: li diu a Pijoan que no n'estudiarà però que, en canvi, emprendrà «la versió poètica catalana»,[36] com ja havia fet amb l'olímpica I pindàrica, dels himnes homèrics sobre la traducció literal. Maragall devia veure que, encara que fos per mitjà de les traduccions de Bosch, el grec l'obligava a resoldre problemes, lèxics i sintàctics, li portava noms nous i combinacions inesperades, comparacions i imatges, i fins un altre sentit del vers, de la línia, menys sintàcticament clos; que els himnes, en forçar-lo a aquesta feina, el duien a les fonts, i que ell en treia el guany d'una renovació, d'una més gran puresa, també des del punt de vista de la seva llengua. Semblantment al que passava amb el ritme, que creia que aclimatava al català el moviment de la mar grega o la respiració del grec –per això feia que Bosch li llegís en veu alta els hexàmetres en grec–, el vocabulari i l'ordre dels mots de la traducció literal l'obligaven a dedicar, en la construcció del vers, una atenció especial a la llengua. Potser també l'hi portaven les sessions de l'Institut d'Estudis Catalans, del qual havia passat a formar part quan hi fou constituït (1910) l'Institut de la Llengua, la primera Secció Filològica. Tot plegat, el català més ambiciós de Maragall, el que es planteja i mira de resoldre més problemes, és el dels seus *Himnes homèrics*.

Maragall va veure en els himnes també uns temes llunyans i, sobretot, una esplendor, una gràcia original: com si li arribés la mena de música dels orígens que havia somiat, natural i pura, per a la seva poesia. La manera com pondera «l'aparició

32. Ja ho notava VALENTÍ 1973 *a*, pàg. 66; cf. QUINTANA, 1996, pàg. 241 i seg., 257.
33. Citat per Riba, ed. SULLÀ 1983, pàg. 178.
34. Citat per Riba, ed. SULLÀ 1983, pàg. 179 (MARAGALL 1947, pàg. 1769 *b* – 1770 *a*)
35. Citat per Riba, ed. SULLÀ 1983, pàg. 180 (MARAGALL 1947, pàg. 1637 *a*).
36. Citat per Riba, ed. SULLÀ 1983, pàg. 180-181 (MARAGALL 1947, pàg. 1770 *b*).

de l'Afrodita a Ankises», que «és cosa» –escriu el 12 de setembre de 1910 a Bosch–[37] «que arriba a enlluernar», és simptomàtica de com valora la forma en què l'himne sap referir, nítid, l'impuls eròtic de la bellesa de la divinitat, l'estupor que causa en Anquises i com es resol en desig («d'amor encès») i en la decisió que mena, malgrat la prudència de l'heroi, a l'acoblament que la dea desitja («... mes ara cap déu ni cap home m'atura / que amb tu de seguida m'uneixi d'amor...»). O la manera com Leto, quan busca un lloc per infantar Apol·lo, li fa pensar en la Mare de Déu «cercant posada», que és significativa d'una certa capacitat sincrètica, o almenys més plural, d'entendre el diví. No hi veu una deessa perseguida per una altra, un mite llunyà del primer infantament, sinó que l'assimila cordialment a la seva història sagrada. Després, pel que Bosch li explica, s'adona que li cal pensar la situació en grec, si vol comprendre «el simbolisme de les imatges i dels fets (com el cobrir-se d'or l'illa de Delos a l'eixida d'Apol·ló» i que hi ha un «sentit religiós grec, tan sovint mal comprès».[38] Però, entre l'aproximació al seu sentit religiós i la presa de distància –depuració d'aquell sentit en la confrontació amb fets religiosos diferents, altres–, Maragall s'emociona i es meravella, situat en un indret ple del que cerca: l'original, més prop dels déus, més natural i espontani; i un sentit de l'humà, de la indefensió dels homes i de la inevitabilitat de la sort que els correspon, que només cal llegir com traduí la por d'Anquises en ésser cert que s'ha ajuntat amb una dea o la indignació de Demèter («inflamada / en ira terrible») en ser sorpresa per Metanira –per quedar-nos amb dos exemples simptomàtics–, per comprendre que va intuir i que s'hi va sotmetre humilment, com esperant el do renovellat. Es trobava, per gràcia de la traducció de Bosch, més prop de coses que Pindemonte li havia fet sentir potser més properes però menys pures, menys gregues.

Tornant un moment a l'èpica, és ben possible que Maragall hagués compartit l'opinió estesa des de la segona meitat del XIX[39] i llavors general sobre els himnes homèrics, que li podien haver transmès Bosch o Segalà, segons la qual havien estat el germen o l'escola dels primers cants èpics, de la mateixa manera que després, a partir d'aquests primers cants, s'originà l'èpica homèrica. Això n'hauria augmentat als seus ulls el prestigi, i encara més si hi veia les antigues festes a l'entorn dels santuaris, amb el poble que s'hi aplegava, el públic dels himnes homèrics. És possible que la cosa hagués lligat, per ell, amb l'origen de l'èpica segons Milà.[40]

I, tant en els himnes com quan llegia Píndar i Baquílides, no trobava l'extens poema seguit sinó una mida més abastable; no li calia descompondre en segments, en escenes –o «extractes», com ell en deia–, el curs imparable dels hexàmetres de la *Ilíada* o l'*Odissea* sinó que la mena de narració que li oferien fins els himnes més

37. Citat per Riba, ed. SULLÀ 1983, pàg. 179 (MARAGALL 1947, pàg. 1637 *a*).

38. Citat per Riba, ed. SULLÀ 1983, pàg. 182 (MARAGALL 1947, pàg. 1637 *b*).

39. Expressada en les grans històries de la literatura grega d'aleshores, des de la pòstuma de Karl Otfried Müller (*Geschichte der griechischen Literatur bis auf das Zeitalter Alexanders*, Breslau, 1941) fins a la dels germans Alfred i Maurice Croiset (vol. I, pàg. 54: París, 1887).

40. Cf. supra, nota 4 i QUINTANA 1996, pàg. 387 i seg.

llargs, com el d'Hermes, li semblava caracteritzada per «la gràcia», que hi aportava «una frescor i sobrietat verament exquisides».[41]

Així les coses, podem suposar que el tracte amb la poesia grega, orientat per Bosch, li féu possible, més directament, la inclinació que li havia fet néixer de jove Goethe. Quant a la «gràcia» en concret, potser podria ser presa com a emblemàtica del que Maragall acabà exemplificant amb la poesia grega. Certament, es tracta d'un mot ja present a la seva poètica, bàsic a la *Nausica* i relacionable sense problemes amb altres com ara «naturalitat» o «espontaneïtat».[42] Però és difícil no pensar que la «gràcia» fou encara més important per a Maragall després d'haver trobat aquest mot en la seva interpretació de l'olímpica. I com a traducció del grec *kharis*, el mateix terme que usaren els cristians per a significar la gràcia en sentit religiós. En traduir el poema pindàric, Maragall usava decasíl·labs i hexasíl·labs i no tenia en compte la responsió de les estrofes; però respectà les imatges i les metàfores i tenia raó Segalà quan li deia que la seva versió tenia més de pindàrica que la de Luís de León.[43] Maragall marca un to alt, d'entrada, conscient del que representa la sentència inicial del poema, i el manté, adaptant-lo a la realitat i al mite i, entusiàsticament, a la reflexió que el poema conté sobre la poesia; sobre la veritat, de fet: «Molts fets hi ha que ens admiren; / pro alguns només són fàbules / amb gran enginy ordides / més enllà de lo cert, amb què s'enganya, / per assombrâ'ls, als homes». A continuació, l'admirable expressió sintètica dels versos 30-32 de Píndar, no detura Maragall, que afirma: «Perquè la poesia té la gràcia / de tornar dolces als mortals les coses, / honrant com a creïble / lo que altrament no ho fóra». Fernández-Galiano, en celebrar la traducció d'aquests versos per Maragall com «una de las más bellas», invita a confrontar-la amb uns altres dos versos de Goethe («Märchen noch so wunderbar / Dichterkünste machen's wahr»),[44] cosa que tal vegada dóna encara més fonament a la idea que el seu accés a la poesia grega antiga permeté a Maragall fonamentar en els originals, més a tocar de l'arrel, temes seus i idees recurrents que, abans d'aquest accés, havia pouat de Goethe.

De manera que la producció última de Maragall es deixa llegir en relació amb l'èpica, entesa com ell l'entenia, i, en concret, després de la confluència de l'*Odissea* i la seva tragèdia de *Nausica*, partint de Goethe, en el context d'una èpica més natural, més episòdica i anterior al gran poema seguit. Que li fossin igualment de referència tant els himnes homèrics com els poemes de la lírica coral, no caldrà que n'analitzem la coherència en termes històrics sinó tan solament que ho constatem en funció de la poètica de Maragall.

41. Citat per Riba, ed. SULLÀ 1983, pàg. 183 (MARAGALL 1947, pàg. 1638 *a*).

42. La «gràcia» també serà un concepte i un mot clau a Riba. BALASCH 1987 (pàg. 31 i seg.) el relaciona amb Schiller; MIRALLES 1979 (pàg. 31 i seg.) amb Píndar.

43. Citat per Riba, ed. SULLÀ 1983, pàg. 181 (MARAGALL 1947, pàg. 1770 *b* – 1771 *a*).

44. FERNÁNDEZ-GALIANO 1956, pàg. 113. També aquest estudiós contrastava la traducció de Maragall, com havia fet Segalà, amb la de Luís de León –que en aquest punt tradueix *kharis* com a «merced de la poesía».

Tanmateix, pel que fa a la *Nausica*, queda en peu la qüestió de la tragèdia, que havíem vist que per Maragall tenia relació amb l'èpica. I, en el rerefons, la qüestió de si havia hagut de trencar o fins a quin punt amb la seva concepció de l'heroi en centrar-se en la figura d'Ulisses. Sobre la segona, respondré d'entrada que sí i que no: que, d'una banda, Ulisses és una nova representació –a partir de l'heroi de les velles contalles i de la figuració que se n'havia fet Goethe, que l'havia imaginat una mica bandarra–[45] d'aquell afany de sobrehumanisme, d'inquietud, que encarna, en la poesia maragalliana, el comte Arnau; que, d'una altra banda, però, l'Ulisses de la *Nausica* resulta un heroi més universal i més acostat a la condició humana, en el sentit que simbolitza més precisament l'home que, havent viscut una vida plena, rica d'experiència, és sensible a la bellesa i a la joventut però sap que la fidelitat amb si mateix li exigeix el retorn: la casa pairal i la muller, la pàtria. Nausica li representa el valor de refusar: fetillat per ella i agraït, té el seny de continuar el viatge, conscient del que li és possible i del que no. No hi ha sirenes que el vulguin perdre, ara, sinó una noia jove, pura, que se li voldria lliurar. I ell que continua el seu camí –ell tot sol, sense companys que li tapin les orelles–, fidel al seu destí. Si l'heroïcitat d'Arnau raïa en el seu sobrehumanisme, sembla que la d'Ulisses ha superat o deixat enrere aquest sobrehumanisme i que s'ha concentrat en el seu seny, en la seva contenció i prudència: qualitats humanes. El cert és, al capdavall, que l'Ulisses de Maragall guanya la possibilitat de recomençar, tornat a si mateix. Supera la prova suprema, car no s'enfronta, sobrehumanament, a morts, enemics descomunals o monstres, sinó, amb aquelles qualitats humanes, a la bellesa i a la gràcia.

Crec que és aquí on l'interès de Riba es troba amb Maragall. Quan trià la *Nausica* com a tesi de doctorat, ja entrat en la quarantena, i encara més tard, quan en l'exili partí de la situació moral de l'últim Maragall: les *Elegies de Bierville* reprenen la figura d'Ulisses a la *Nausica* i, alhora, l'Arnau que hi ha rere Ulisses. Sempre amb la tensió, que Riba treu de Maragall, entre el sobrehumanisme nietzscheà i l'heroïcitat només humana que fa de més bon integrar en les vicissituds de l'experiència dels mortals. Riba aconseguí, per la dolorosa circumstància de la guerra i per la crisi llavors de l'humanisme europeu, dibuixar una visió del tràgic, en contacte amb la tragèdia grega,[46] més còsmica, més universal, mentre que Maragall, en plantejar-se la situació d'Ulisses en termes de justificació o de salvació personal, quedà limitat a la redempció individual –que no és un tema, dit sigui de passada, menys universal, però que, en els termes de Maragall, és difícil que pugui ser igualment tràgic.

Perquè –i ara torno a la primera qüestió abans oberta– què volia dir Maragall quan donava a la seva *Nausica* el títol de «tragèdia»? Riba hi trobà una solució potser massa mecànica però que, tot i que no permet de distingir gaire entre l'Ulisses de Goethe i el de Maragall, es basa en un esquema i és plausible. L'Ulisses de Goethe menteix a la noia, i Riba tenia dret a imaginar, com va fer,[47] que això consti-

45. «Das bettgenoss unsterblich shöner Frauen!» com recordava amatent Riba, ed. SULLÀ 1983, pàg. 36.
46. FERRATÉ 1955; MIRALLES 1997.
47. Ed. SULLÀ1983, pàg. 32. VALENTÍ 1973 *a*, pàg. 62 i seg., segueix Riba, però entén que «el motiu pròpiament tràgic» que hi havia a Goethe, Maragall «el deixà de banda».

tuïa una culpa o un error (*hamartia*) en els termes d'Aristòtil.[48] Per un altre costat, a pesar que existia la promesa, feta per Ulisses a Alcínous, de casar la noia amb Telèmac, Nausica a Goethe se suïcidava. Tota una altra cosa, doncs, que ben cert que permet parlar-ne en termes de tragèdia. Però, com fer-ho en el cas de la de Maragall?

Una primera resposta podria ser que Maragall usava «tragèdia» en el sentit de cosa extraordinària, inoïda, tràgica perquè mostrava les il·lusions, els sentiments d'amor no correspost d'una noia excel·lent i tan bella. Usava, diguem-ne, el sentit popular, espontani, d'aquest terme. No cal deixar-la de banda, aquesta resposta. D'un article de 1905 sobre tot un altre tema («La emigración alegre»), podem deduir-ne que una tragèdia és «un gran acto de la vida: una gran alegría y una gran tristeza» produïdes per alguna sobtada presència del desconegut, per una ruptura del quotidià. Qui passa per una tragèdia, allò que sent és «fuerte y acre, es la levadura del dolor humano».[49] En aquest sentit, la tragèdia de *Nausica* rau en la voluntat de Maragall de revelar en la seva puresa el dolor de la noia, el seu pas d'una gran alegria a una gran tristesa.

Si així ha quedat perfilada una primera resposta, en podrem encara derivar una segona. L'Ulisses de Maragall és l'experiència, l'home tal com ell mateix es defineix a I, 297 i seg. («Jo só aquell que rodant va per la terra / i per la mar, passant treballs en busca / del bon camí per retornar a la dolça / pàtria enyorada...»); tot allò que la vida va deixant, com una crosta, damunt de qui la viu: no plàcidament sinó com a font de treballs i causa de separació de les aspiracions originals, més pures, de les quals l'home s'ha d'apartar per força si no viu fora del món, d'esquena a tants de problemes, a tanta de lletjor i de misèria. Nausica en canvi és la bellesa i la gràcia, la joventut i la feminitat, la poesia. L'home ha d'enfrontar-se al món, s'hi ha d'embrutar; la noia jove surt d'un món de contalles, no contaminat, original. I la seva gràcia original queda lluny de l'abast de l'home: en pot ser redimit i fins la imatge que resulta de la seva experiència, idealitzada per la noia, pot redimir-la, a ella, si la conserva neta en el seu cor; però l'home ha de seguir el seu camí, el del retorn, a ell mateix, a la pàtria –Maragall havia traduït també Noval,[50] i aquesta és una idea que lliga amb la figura d'Ulisses i que retrobem, altre cop cabdal, a Riba–;[51] no pot, si n'ha de ser redimit, haver-la, la noia, fer-la seva, per més greu que li sabés a Ferrater.[52] Si Valentí va llegir bé «Paternal»,[53] Maragall, amb l'ajuda de Nietzsche, havia estat capaç de conciliar –més o menys contradictòriament, deixem-ho– la

48. *Poèt.* 53 *a*. Cf. supra, nota 3.

49. MARAGALL 1947, pàg. 1426 *a* – 1428 *a*.

50. MARAGALL 1947, pàg. 479 i seg. La traducció deu remuntar a 1904 (cf. CABRÉ 1985, pàg. 149 i seg.), però la va reprendre l'estiu de 1906, segons resulta d'una carta a Antoni Roura del dia 10 de juny d'aquell any (MARAGALL 1947, pàg. 1854 *a*).

51. MIRALLES 1979, pàg. 22 i seg.; BALASCH 1987, pàg. 61 i seg.

52. FERRATER 1968.

53. VALENTÍ 1973 *b*, pàg. 174 i seg.

crueltat –el món de fora, hostil fins en les festes– amb la natura –el món de dins, la maternitat, la dona i el fill. La *Nausica* dramatitza la certesa de l'últim Maragall que la natura i el món són al capdavall opòsits que només poden arribar a influir-se benèficament per via de símbol, per «la virtut redemptora de l'art» que Maragall havia trobat formulada a Novalis.[54]

Si això és així, aquest fóra el sentit més profund del terme «tragèdia» aplicat pel seu autor a la *Nausica*. Sense descartar mai l'altre, més immediat, aquest sentit simbòlic del tràgic el complementaria. I tots dos sentits explicarien la raó que en la *Nausica* coexisteixin l'èpic i el tràgic maragallians.

Un altre tema que deriva d'aquest sentit simbòlic de tragèdia és fins a quin punt Nietzsche hi té res a veure o no. Fa anys que Estelrich veié l'obra de Maragall oscil·lant entre un romanticisme cristià (Novalis) de tendència catòlica i un neoclassicisme hel·lenitzant (Goethe) que arriba, per contaminació nietzscheana, a l'exaltació dionisíaca.[55] Fóra la *Nausica*, també simbòlicament, la conciliació dels dos extrems, que no podia operar l'home anterior però sí que pot dur a terme l'home ja fet, sensible a la bellesa i carregat d'experiència, que torna a casa?

Podríem dir que sí, intuïtivament. Però la veritat és que és difícil estar d'acord amb els termes d'Estelrich, tot i la influència que, reconeguda o no, han tingut en la interpretació de Maragall. Pel que fa al nostre tema, no és clar què concretament hem d'entendre que vol dir «exaltació dionisíaca», provinent de Nietzsche, a Maragall. Perquè, en termes generals, per oposar romanticisme i neoclassicisme no cal barrejar-hi tants alemanys, i, en termes concrets, si aquesta observació s'ha de poder aplicar a la *Nausica*, s'hauria de trobar la manera de posar en relació aquesta «exaltació dionisíaca», que ve de l'autor de *Die Geburt der Tragoedie* (1872, 1886), amb la tragèdia i el tràgic.[56] Si no se'n parla en concret, sobre els textos, sinó en general, podem arribar a resultats una mica esquemàtics i primaris, com ara el de Fuster[57] quan redueix aquest dionisisme a gosar viure la vida com mai no va gosar viure-la Maragall perquè era un burgès i per limitacions de la seva fe cristiana. Fuster té gràcia i és brillant quan assenyala que Maragall havia trobat «fantasmes sorgits de la imaginació anònima del poble» i també quan els enumera («el caçador sacríleg, l'eremita bestial, el bandoler que practica amb esplèndida solvència els set pecats capitals, el feudal insaciable») però no és bastant, tot plegat, per a demostrar que en ells es faci «visible», com sosté, «l'ingredient dionisíac». Si apliquem una tal afirmació a la possible existència d'un dionisisme, d'arrel nietzscheana, que hagi operat en Maragall i hagi acabat influint en la concepció maragalliana del tràgic, caldria especificar on, quan i de quina manera. Si no, que Maragall sigui un poeta «dionisíac» no passa de voler dir que era «inquiet», i això ja ho havia ben explotat Montoliu: «inquiet en el concebir,

54. *Elogi de la poesia*, ed. QUINTANA 1996, pàg. 458.
55. Estelrich 29.
56. MIRALLES 2000.
57. FUSTER 1971, pàg. 48 i seg.

inquiet en l'executar. La seva escola és l'escola de la inquietud. Sedent de les més petites frisances de les coses, les recull i les torna amb una minúcia extraordinària, amb una fidelitat pasmosa, amb una força de suggestió irresistible. Tota la seva poesia és pura sensació: res de sentiment, res de fantasia, res d'idea. És el poeta en estat permanent de passivitat, de receptivitat, de feminitat. La seva poesia és l'eterna fluctuació de l'esperit creador sobre la mar agitada de les sensacions, sense guia, sense nord que assenyali la ruta de la nau abandonada. És l'escola de les grans divinacions i de les grans incoherències; dels grans enlairaments i de les grans caigudes. No reconeix cap poder moderador, cap llei d'eurítmia. És l'embriaguesa, en estat permanent, de l'esperit deixant-se esgarriar per les tenebroses boscúries de l'inconegut i trobant la suprema voluptat en aquest esgarriament i en la fusió de la personalitat dins de la gran vibració del tot».[58] Ja ho havia explotat Montoliu, doncs, tant com li va semblar que podia donar de si: si no ben a fons, almenys amb moltes paraules. Tot plegat, si algunes d'aquestes no passen de simples etiquetes per dir que era romàntic i, com la fórmula «exaltació dionisíaca» d'Estelrich, semblen d'aplicació general a Maragall i a la seva poesia, d'altres d'aquestes de Montoliu potser podríem reconèixer que resulten més acostades a la concepció maragalliana de l'heroi tràgic i del tràgic a la *Nausica*. Així, per exemple, oscil·lar entre l'alegria i la tristesa, romandre tot esperant el desconegut, experimentar-lo en termes de passió i de sentiment, lliurar-s'hi apassionadament, com en una mena d'embriaguesa (*Rausch*, per dir-ho amb Nietzsche), això sí que és dionisíac. Ara, per trobar això a la *Nausica*, més val que ens desplacem de l'heroi a l'heroïna: això sembla més aviat l'itinerari de la princesa dels feacis al drama de Maragall i poc confrontable resulta, en canvi, amb la prudència d'Ulisses, un heroi que ha aconseguit transformar en saviesa tots els seus treballs, les seves peripècies i vicissituds, i ara només vol el retorn a si mateix («més ric de mi, més ple de món, més ànima»: I, 565): a la terra de la infància, a la pàtria, al casal i a l'esposa. Si de cas, el tràgic en sentit nietzscheà se situa a Maragall més de la banda de la noia –que és qui dóna títol a la seva obra. De la part de l'home, el seu Ulisses representa no sempre tornar a començar de l'Ulisses de Dante que reapareixerà a Riba[59] sinó la conformitat amb el retorn, l'aquiescència a un destí casolà i quiet, el revers de la medalla de les gestes, ja només contalles, que il·luminaren la seva jovenesa heroica i han esclatat en la imaginació de la noia, inflamant-la. Nausica s'exalta amb els fets d'un home que no és l'home, el mateix, que té al davant, que ja no és l'heroi que havia estat, l'home excessiu que habita, per la poesia, en la ment de la noia. Se n'enamora, amb passió, sense gosar reconèixer el que sent, i enganyada, perquè confon el seu heroi amb l'home gran, cansat, que només sap parlar d'ell i del retorn. La seva tragèdia és la seva jovenesa, la seva gràcia i bellesa, la seva fe en la poesia.

Romeu i Valentí i Marfany insistiren en el retorn de l'últim Maragall a l'exaltació individualista nietzscheana d'anys enrere.[60] Marfany ho relacionava amb els

58. Montoliu 1912, pàg. 114 i seg.

59. Miralles 1995 *a*, pàg. 61 i seg.

60. Romeu 1955, pàg. 100 i seg.; Valentí 1973 *b*, pàg. 151; Marfany 1975, pàg. 174 i seg. (cf. Marfany, 1974, pàg. 15 i seg.).

fets de la Setmana Tràgica (1909),[61] i certament hi ha tot d'evidències textuals d'una reflexió de Maragall sobre la tragèdia i el tràgic que acabà plantejant en termes de superació personal, individual; en termes de redempció. Pel que fa a Nietzsche, però, –almenys pel que fa a Nietzsche en relació amb la tragèdia–, la qüestió és possible que no pugui plantejar-se ben bé en els mateixos termes entre «La fi del comte Arnau» i la *Nausica*.

En «La fi del comte Arnau», publicada a *Seqüències* (1911), l'espectre del comte, sempre amunt i avall entre els humans, observa els vivents i es defineix «com un ensomni, com una ombra, / com un despert entre adormits». Elvira, la seva dona, li respon que ella feia, en vida, a casa seva, això mateix, recórrer-ne «les estades / com un fantasma vigilant» abans de tornar al llit on Arnau dormia, «vetllant encara ton son inquiet». Arnau interpreta la vetlla de la seva dona prudent, al casal on tots dormen, com la felicitat, haver viscut, com ho ha pogut fer ella, «rica d'amor, muller lleial, / i per l'amor, de mil maneres dintre la vida universal»; la seva vetlla, en canvi, la d'Arnau, com una ombra, entre vivents («ara, mort-viu, haig de fer via / com un despert entre adormits», repeteix), ell mateix la interpreta com a càstig i se'n lamenta perquè vivia, diu, «per mi tot sol i els meus delits». O sigui, la dona tancada a casa es realitza universalment mentre que l'home, sempre d'un lloc a l'altre, vivint, es tanca en si mateix i es fa egoista.

En una carta que escriu a Josep Dachs, secretari de Torras i Bages, el Nadal de 1910, Maragall s'esplaia sobre el fet que tothom sembla adormit davant del misteri del Nadal («em sembla que encara estem tots adormits»), i que, essent així que «tota la tribulació del món no és més que un sòmit d'aquest dormir», «només cal i només val això: despertar al sentit d'unes paraules que no s'han d'inventar, no, que ja han sigut dites i són redites en tot moment, i en tot moment les sentim i no en fem cas».[62] Marfany, confrontats diversos articles de l'època, pensa que Maragall es presenta com un profeta, que fa passar del comte Arnau a ell mateix, com a artista, la responsabilitat de romandre despert quan tots els altres dormen.[63] Es convertiria així en una mena de boc expiatori, o d'heroi tràgic,[64] que assumiria les culpes de la societat, per redimir-la. Però, de fet, pel que fa a Arnau, és ell el redimit per la pastora i la seva dona, per la poesia, la bondat i la bellesa. No vol dir que Maragall no pensés una cosa semblant, en el fons, a la que diu Marfany, però potser vol dir que, a l'època de «La fi del comte Arnau», ja n'estava desenganyat, des del punt de vista d'assumir com a artista les culpes o les mancances de la societat, per més modernista que això sigui. Ell només volia salvar-se ell per l'art, i si el poble hi havia de tenir res a veure, havia de ser la bona gent que s'aplegava per comentar la jugada o per

61. Marfany 1975, pàg. 175 i seg. (cf. Marfany 1974, pàg. 16 i seg.).

62. Maragall 1947, pàg. 1671 *b*.

63. Marfany 1974 i 1975, seguint Romeu 1955.

64. Són els termes de l'anàlisi de la figura d'Èdip per Vernant 1972, pàg. 114 i seg. Però la lògica tràgica comporta el càstig de qui porta la redempció o la salvació, inexorablement, i una dimensió de la desolació i del dolor que Nietzsche tenia sempre present.

escoltar els cants del poeta, la gent del poble, pescadors, mariners, homes i nois i dones, tal com surten a l'acte III de la *Nausica*, semblant a un cor del drama grec. La gent com era abans i no el proletariat urbà.

El sintagma «despert entre adormits», però, el més probable és que li vingués a Maragall del record del prefaci de l'*Also sprach Zarathustra* (1883) que ell havia traduït (1898); en concret, del moment en què el vell que veu passar Zaratustra –de tornada, ara que baixa de la muntanya– comenta davant d'ell i li pregunta: «Mudat s'és Zarathustra: Zarathustra s'ha tornat infant: Zarathustra és un que ja s'ha despertat. Què vols anar a fer amb aquells que encara dormen?».[65] O sigui, que el Zaratustra de Nietzsche fou «un despert entre adormits», com el comte Arnau de Maragall.

El trasllat d'aquest sintagma del comte Arnau a Ulisses no troba evidències textuals ni sembla imposar-se. Si de cas, Ulisses pot semblar un despert entre adormits en un episodi, el del descens a l'Hades, que és cantat, a la *Nausica* –que forma, doncs, part de les gestes que el feren heroi, en el passat matèria del cant–, però a Feàcia no: més aviat s'hi prepara per ésser un adormit entre desperts, en el vaixell meravellós que el portarà a Ítaca. Desperta entre adormides podria arribar a semblar Nausica entre les criades, quan explica la nit que ha passat, o després, embriagada d'amor i de poesia, fins al punt que el seu pare ha de justificar el seu entusiasme perquè és «fantasiosa / i àvida de cançons» (II, 227-228) i la mare manar-li que «no frisi» (II, 244). En la seva tragèdia, segons Maragall, és ella qui sofreix, en silenci, qui passa de l'alegria a la tristesa (III, 240). Però és de tota evidència que Nausica no arriba tampoc al fons del dolor ni fa cap gest extrem que la situï en el centre de cap tragèdia, realment, en sentit nietzscheà. Hi ha una resignació que hauria desplagut del tot a Nietzsche, en la *Nausica* de Maragall. Ella perquè és una noia i accepta que no ha de tenir iniciativa; ell perquè va a la seva, perquè el pensament del retorn se li imposa i l'imposa a tots els altres, que el veuen en funció d'aquest pensament. Ella perquè roman i ell perquè passa. Una resignació cristiana, en definitiva. No hi ha, de fet, ni «mite tràgic», en els termes de Nietzsche, ni tampoc el «prodigiós fenomen del dionisíac», a la *Nausica*, perquè tot es presenta ablanit per la contenció i el seny, per la virtut com a condició de la bellesa i per la prudència com a redempció de les gestes, d'allò que hi ha de terrible en l'heroisme. El dionisíac de Nietzsche se situa explícitament de la banda de l'art –l'existència del món només es justifica si el concebem com a fenomen estètic–, i fins aquí podia seguir-lo Maragall, però enfrontat a la moral, que en la tradició occidental vol dir el cristianisme, i fins aquí era impossible que el seguís Maragall, i de cap manera llavors, que havia aplicat, com hem vist, el «despert» al misteri de la fe i el «dormir» a la societat, al món on de debò tenien lloc les tragèdies. La manera com Maragall pensava en la redempció hauria fet que Nietzsche pensés en Schopenhauer, en la concepció d'aquest d'un «esperit tràgic» que meni els humans a la «resignació». No el plor, que comparteixen Arnau i

65. MARAGALL 1947, pàg. 387 *b*.

Ulisses, sinó el riure, el riure del pessimisme, que Zaratustra ha presentat com a cosa santa als homes superiors, és per Nietzsche la característica fonamental del tràgic.[66]

No hi ha conciliació sinó per l'art, però això no provoca cap tragèdia. Mitjançant tot el sistema complex de les relacions en el drama, el poeta objectiva la seva situació intel·lectual, ideològica, sense identificar-se amb cap personatge. Vol sobretot, en els seus termes sobre Goethe, «purificar la vida amb el sentiment artístic d'ella mateixa». Per això tot el sobrehumanisme d'Ulisses pertany al passat, és ja cant. Va ser Riba, anys després, en la conjuntura històrica que ha estat més amunt evocada, qui, aprofitant l'Ulisses de Dante, interpretà el desig d'inquietud, encara, de l'heroi com a símbol de la perenne inquietud intel·lectual, a l'elegia IX; en canvi, conscient o no de l'origen nietzscheà de la idea, el «despert entre adormits» d'Arnau el traslladà, a l'elegia VI, a l'amor, a l'acoblament, al «somni» en què s'endinsen els amants: «Fins que us despertareu com d'entre vivents per a un somni / entre adormits. Recordant; sense saber: recordant» (vv. 41-42). S'hi ha afegit obscurament Heràclit[67] i el tema ha estat definitivament passat del verb a la carn, a Riba, tal com Ferrater, partint de Maragall, enunciava, en un context on la catarsi només semblava la resignació d'un vell pare de família.

Tornant a Maragall, ell d'aquesta princesa dels feacis, tan plena de gràcia i bella com fantasiosa i exaltada, impacient i embriaga d'amor i poesia, no solament redemptora sinó redimida per l'heroi, no en va treure una tragèdia o un drama dionisíac en sentit nietzscheà sinó sobretot l'exigència del començament, la bellesa original d'una poesia com la grega arcaica tal com ell se l'imaginà i la llegia; era l'esplendent saó de la infància de la poesia allò que Maragall va saber trobar en l'èpica homèrica, en els himnes, en la lírica coral. No va poder arribar a retrobar-se, en aquesta última etapa, amb la tragèdia dels grecs, i la poesia dels grecs que va freqüentar més aviat el n'apartava. La tragèdia queda salvada per la poesia; no s'hi arriba. El tema de l'últim Maragall, quan ha deixat redimit Arnau i ha aconseguit d'explicar-se en el «Cant espiritual», no és ja, des del punt de vista tràgic, ell i la seva redempció –ell s'ha salvat en la contemplació de la bellesa i en la resignació, com el prudent Ulisses–, sinó l'art com a expressió, dramàtica, de la impossibilitat de conciliació entre la natura i l'experiència.

Bibliografia

BALASCH, M. *Carles Riba. La vessant alemanya del seu pensament i de la seva obra.* Barcelona, 1987.

66. MIRALLES 2000, pàg. 149. El plor i el riure coexisteixen, però, patèticament, en la fabulació maragalliana del comte Arnau.

67. MIRALLES 1995 *b*, pàg. 93 i seg.

BOSCH GIMPERA, P. *Memòries*. Barcelona, 1980.

CABRÉ, R. «Joan Maragall, una aproximació des de *Nausica*», *Ítaca* 1, 1985, pàg. 147 i seg.

CALVINO, I. «I livelli della realtà in letteratura», *Una pietra sopra* (1980), Torí, 1995, pàg. 374 i seg.

ESTELRICH, J. Pròleg a l'edició dita «dels fills», 24 volums. Barcelona, 1929-1955.

FERNÁNDEZ-GALIANO, M. *Píndaro, Olímpicas*. Madrid, 1956, [2a ed].

FERRATÉ, J. «El risc que salva», *Carles Riba, avui*. Barcelona, 1955, pàg. 87 i seg.

FERRATER, G. «Sobre la catarsi», *Da nuces pueris* (1960), *Les dones i els dies*. Barcelona, 1968, pàg. 41.

FUSTER, J. *Literatura catalana contemporània*. Barcelona, 1972.

GARRIGA, C. «La *Ilíada* catalana de L. Segalà», *Ítaca* 2, 1986, pàg. 189 i seg.

JORBA, M. *Manuel Milà i Fontanals, crític literari*. Barcelona, 1991.

LANZA, D. *Aristotele, Poetica*. Milà, 1987.

MARAGALL, J. *Obres completes*. Barcelona, 1947.

MARAGALL, J. - MARFANY, J. L. *Joan Maragall, El Comte Arnau*. Barcelona, 1974.

MARFANY, J. L. *Aspectes del modernisme*. Barcelona, 1975.

–«Joan Maragall», M. DE RIQUER - A. COMAS - J. MOLAS, *Història de la literatura catalana*, vol. 8, Barcelona, 1986, pàg. 187 i seg.

MIRALLES, C. *Lectura de les* Elegies de Bierville *de Carles Riba*. Barcelona, 1979.

–«El fragment de Cal·lí traduït per Nicolau d'Olwer (Sobre els orígens de l'adaptació del dístic elegíac al català)», *Eulàlia. Estudis i notes de literatura catalana*. Barcelona, 1986.

–«Segalà y sus versiones homéricas», apèndix a SEGALÀ 1990 III, pàg. 221 i seg.

–*Come leggere Omero*. Milà, 1992.

–(*a*) «L'experiència poètica de Carles Riba a l'exili. Sobre les *Elegies de* Bierville», X. AVIÑOA - J. CORREDOR - MATHEOS - J. MALÉ- C. M. - J. MOLAS - J. PALAU I FABRE - C. SOBREVILA. *Cinc aproximacions a la cultura catalana del segle XX. Miró, Picasso, Mompou, Riba, Foix*. Barcelona, 1995, pàg. 57 i seg.

–(*b*) «Els grecs a la poesia de Riba», *Els Marges* 52, 1995, pàg. 89 i seg.

–«Il tragico in Sofocle», *Lexis* 15, 1997, pàg. 33 i seg.

–«El tràgic i el seu déu», *Drama* (Beitragen zum antiken Drama und seiner Rezeption), 9, *Das tragische*. Stuttgart-Weimar, 2000, pàg. 147 i seg.

MONTOLIU, M. de. *Estudis de literatura catalana*. Barcelona, 1912.

PINDEMONTE, I. (trad.). *Omero, Odissea* (1822). La Spezia, 1989.

QUINTANA, L. (ed.). *La veu misteriosa. La teoria literària de Joan Maragall*. Barcelona, 1996.

ROMEU, J. *El mito del Comte Arnau en la canción popular, la tradición legendaria y la poesía*. Barcelona, 1948.

–«Una interpretación de Juan Maragall», *Tres estudios de literatura catalana*, Madrid, 1955, pàg. 77 i seg.

SEGALÀ, L. (trad.). *Homero, Ilíada*, vol. I; *Homero, Odisea*, vol. II; *Homero, Himnos, Margites, Batracomomaquia, Epigramas, Fragmentos*, vol. III (1910). Barcelona, 1990.

SULLÀ, E. (ed.), *Joan Maragall, Nausica, text establert sobre el manuscrit de l'autor per Carles Riba*. Barcelona, 1983.

TUR, J. *Maragall i Goethe*. Barcelona, 1974.

VALENTÍ, E. (*a*). «Maragall i els clàssics» (1961), *Els clàssics i la literatura catalana moderna*, Barcelona 1973, pàg. 55 i seg.

–(*b*), «Joan Maragall, modernista i nietzscheà», *ibidem*, pàg. 123 i seg.

VERNANT, J. P. «Ambiguïté et renversement. Sur la structure enigmatique d'*Oedipe roi*», J. P. V. P. Vidal-Naquet. *Mythe et tragédie en Grèce ancienne*, París, 1972, pàg. 99 i seg.

CANÇÓ DE L'AVALOT DE LES QUINTES (1773)

Josep Moran i Ocerinjauregui

Universitat de Barcelona

Institut d'Estudis Catalans

Introducció

L'avalot de les Quintes de 1773 probablement no ha tingut en la historiografia catalana l'atenció que es mereix. No apareix ni tan sols esmentat en obres d'enfocament ben diferent, com són la *Història de Catalunya* de Ferran Soldevila, o la que sota la direcció de Pierre Vilar ha estat publicada recentment, i tampoc en l'obra més específica de P. Voltes, *Carlos III y su tiempo* (Barcelona, 1964). Sí que li dedica un apartat Joan Mercadé en la seva obra *Els Capitans Generals (segle XVIII)* (Barcelona, 1957, pàg. 108-110), que de fet és un resum del capítol dedicat a aquest episodi per Jaume Carrera i Pujal en les seves obres: *Historia política y económica de Cataluña. Siglos XVI al XVIII*, v. II (Barcelona, 1947, pàg. 447-453) i *La Barcelona del segle XVIII*, v. I (Barcelona, 1951, pàg. 69-82).

Aquest episodi, però, sí que ha estat tractat pels historiadors de la cultura i de la literatura catalanes Enric Moreu-Rey, *Revolució a Barcelona el 1789* (Barcelona, 1967, pàg. 53-58) i Max Cahner, *Literatura de la revolució i de la contrarevolució (1789-1849)*, v. I (Barcelona, 1998, pàg. 11-28). Aquests autors l'han considerat com un precedent dels fets que tingueren lloc a Barcelona el 1789, l'any de la Revolució Francesa.

Encara que Carrera i Pujal es refereix al rerefons polític del cas més enllà de la descripció detallada de les causes i de les conseqüències directes de la revolta en relació amb les quintes, els autors esmentats que el segueixen no han aprofundit prou en aquest sentit; i és potser per això que el fet no ha merescut una atenció més gran en la historiografia general.

Hi ha un autor, però, que ha tractat més a fons aquesta qüestió: Francesc Tort Mitjans, en la seva obra *El obispo de Barcelona Josep Climent i Avinent 1706-1781* (Barcelona, 1978). Hi dedica tot un capítol titulat «Motín de Quintas», on tracta la dimissió forçada d'aquest prelat el 1775 a causa precisament de la seva implicació en els fets i de la interpretació política de caràcter sediciós i separatista que en va fer el govern de Madrid, és a dir el del rei absolutista Carles III. F. Tort, ultra la bibliografia existent del cas, ha consultat també nombrosa documentació inèdita, pública i privada, que s'hi refereix (entre la qual volem remarcar l'interès del dietari dit *Lumen Domus* del convent dominicà de Santa Caterina de Barcelona, que es conserva a la Biblioteca de la Universitat de Barcelona) i que no havia estat tinguda en compte pels autors anteriors. Cal dir que la historiografia recent tampoc no té en compte aquest estudi de F. Tort, potser perquè tracta d'un personatge eclesiàstic.

Segons reporta Tort, el Consell de Castella emeté el 10-9-1774 el dictamen següent: «El Consejo, Señor, halla confirmado en este expediente el orgulloso espíritu que revive y domina el corazón de los catalanes para restituirse a las libertades de los antiguos fueros que por justas y graves causas les están derogados y el anhelo que muy a las claras descubren de governarse por distintas reglas y leyes que las comunes a toda la Nación, como si Cataluña fuese algún otro Principado distinto independiente de los muchos que componen unidos el todo de esta gran monarquía, en que se ve que el clero, la nobleza y el pueblo de Cataluña piensan de un mismo modo, creyéndose con derecho de gozar de más distinciones que las otras provincias»; Tort informa també que el Consell de Castella denuncià la representativitat il·legal, que s'havia arrogat la diputació dels gremis (que s'havia format a Barcelona per ajudar a resoldre el cas amb el consentiment de les autoritats borbòniques locals), en erigir-se «en democracia o república con notable perjuicio y acatamiento de los derechos de la soberanía y usurpación de las facultades», pròpies del rei (Tort, *op. cit.*, pàg. 358).

Aquest discurs ens mostra que malgrat el desenvolupament econòmic de Catalunya en aquest període de la Il·lustració, hi havia una desconfiança política profunda per part del govern de la monarquia absoluta, de base castellana, envers el poble català compresos tots els estaments, fins i tot la noblesa, que si més no teòricament havia de ser partidària de la casa de Borbó i que formava part del govern local, però que, com diu bé la cançó que oferim seguidament tenia una funció ambivalent: «mirant contentar-na·l rey / no descontentant la pàtria» (estrofa 60).

La cançó

En aquest context fou escrita aquesta cançó. Com hi podem comprovar, ultra una descripció dels fets que intenta conciliar les opinions i donar una sortida políticament correcta al cas, hi ha un propòsit de crear un estat d'ànim d'adhesió a la monarquia a base d'identificar-la amb els mites i els fets gloriosos de la història de Catalunya que demostren «la noblesa de la nació cathalana» (estrofa 98), pel fet que «nostre compte també és rey de las Índias y de Espanya» (estrofa 104).

El manuscrit d'aquesta cançó, de cinc pàgines, escrit amb lletra molt regular però amb algunes correccions d'interpretació difícil, es troba a l'Arxiu Històric de la

Ciutat de Barcelona (Ca l'Ardiaca), solt, en una caixa sota l'epígraf «Fragments literaris», sense que n'hi consti la procedència. No hi ha títol en l'original, però l'estrofa 6 es refereix a «esta cançó», substantiu que hem mantingut en el títol que li hem donat.

No hi consta tampoc l'autor, però sí que sabem que era barceloní, perquè ho afirma en l'estrofa 6; tenint en compte els fets històrics que esmenta, podem suposar que, tot i el caràcter popular que l'obra presenta intencionadament, devia ser una persona il·lustrada i bona coneixedora dels fets que explica. Pensem que aquest devia ser un clergue, per la deferència amb què es refereix al bisbe i pel caràcter piadós de la narració. I com que l'estrofa 85 es refereix a sant Francesc («lo serafí llagat») i al convent de framenors de Barcelona, bé podia ésser un membre d'aquesta comunitat.

Quant a la data de la redacció, el text és molt precís: la cançó fou escrita el 25 de juliol de 1773, diada de Sant Jaume, considerat patró d'Espanya (estrofes 5 i 6); es tracta sens dubte d'una data convencional, adient a la ideologia que vol transmetre l'autor.

E. Moreu-Rey publicà en la seva obra esmentada sis fragments de cançó que es refereixen als avalots del 1773. Els dos fragments primers no corresponen a l'obra que oferim, però els altres quatre són reproducció parcial d'aquesta obra, concretament de les estrofes 13, 14, 15, 51, 52, 53, 70, 71, 72, 73 i 74; com a referència general de la procedència de tots aquests fragments, Moreu indica: «(Arxiu Històric de la Ciutat, ms. A-362, f. 157-159, 164, etc.; *id.*, *Miscel·lània Arrau*)» (Moreu-Rey, *op. cit.*, pàg. 58). Cahner reprodueix del llibre de Moreu-Rey les estrofes 71-74, i afirma que aquest autor «diu haver-lo copiat d'una composició continguda en un manuscrit de l'Arxiu Històric de la Ciutat de Barcelona titulat *Miscel·lània Arrau*, no localitzable» (Cahner, *op. cit.*, pàg. 21). Com que les dades que dóna Moreu-Rey respecte de les fonts que utilitza són ambigües, crec que és possible que hagi tingut a la mà el mateix manuscrit que nosaltres transcrivim, perquè encara que la seva versió presenta algunes petites variants respecte de la nostra, aquestes poden ésser degudes a la regularització lingüística que presenta la versió de Moreu-Rey.

Per altra banda, creiem que és possible que en el seu temps aquesta cançó no hagués tingut gaire difusió, almenys obertament, i per aquest motiu no devia ésser recollida ni esmentada en obres i repertoris posteriors, com el ms. A-362 de l'Arxiu Històric de la Ciutat de Barcelona, que utilitzen Moreu-Rey i Cahner, dels primers decennis del segle XIX.[1] Això potser és degut al fet que la dimissió forçada de Climent produí una consternació popular que alarmà les autoritats de Madrid, fins al punt de témer una revolta popular, de manera que la cort va advertir secretament a

1. La primera cançó que conté és datada l'any 1810; aquest manuscrit, a més de les cançons que transcriu M. Cahner, a partir de la pàg. 200 conté còpia de diversos documents oficials referents als fets de 1773.

Climent que «cualquier cosa que sucediera en Barcelona se le atribuiría a él» (F. Tort, *op. cit.*, pàg. 373). No devia ser oportú, doncs, de remenar una qüestió que preocupava les autoritats, i, d'altra banda, potser en aquells moments no hauria estat ben rebuda popularment una obra escrita amb la intenció de conciliar l'afecte del poble català amb la monarquia. En qualsevol cas, però, és clar que els catalans de llavors, és a dir, d'abans del romanticisme, més enllà de l'adhesió obligada a la monarquia borbònica absolutista, posseïen uns valors identitaris i una consciència històrica comunitària.

La nostra transcripció segueix les normes habituals en aquesta mena de textos: hem respectat sempre la grafia original, però hem regularitzat la puntuació i l'ús d'accents, guions i apòstrofs, segons la normativa actual, i indiquem amb un punt volat les elisions que avui no se solen representar gràficament. També respectem la numeració de les estrofes de quatre versos, que apareixen en l'original.

En la exelent Barcelona
de grans glòrias coronada,
la qu·és trono de Maria
y té un àngel per sa guarda. 1

La que fou cort de Ataülfo,
el primer trono d'España,
las cendras d'est primer rey
dins en sas entrañas guarda. 2

La que sacudí lo yugo
de Mahoma y sa canalla,
y posant-se en llibertat
per gents diversas la guaña. 3

La que ab gran fidelitat,
tant divina com humana,
és estada, és y serà
entre totas pura y sana. 4

En lo any de mil set-cents
setanta-tres y en jornada
vint-y-sinch de juliol,
qu·és lo sant patró d'España, 5
en esta Ínclita ciutat,
per un qu·és fill de tal mare,
s'és escrita esta cansó
per motiu que l'acompaña. 6

I és per uns cert moviments
que féu nostra jovenalla
per no voler ser quintats
ab sentit que·l rey nos mana. 7

No penso agraviar ningú,
sí sols veritat gastar-na,

y aixís estau-me atents
que ara vaitg a declarar-ma. 8

Nostre compte, y gran señor,
qu·és Carlos 3, rey d'España,
sorteig se fassa ab amor
ab sa orde diu y mana. 9

I est sia de homes solters,
joves y de fama y cana,
per lo rehemplàs de l'exèrcit
de la corona de España. 10

Donan-li cada província
la gent se li aseñala,
i asò sia cada any
de la gent que allí li fàltia. 11

En lo any setanta-tres
lo nostre general mana
se fasa lo allistament
per lo sorteig comensar-na.[2] 12

La ciutat rebé la orde
de que·n planta deu posar-la,
mes com era de mal fer
no sàban com comensar-na. 13

Vàrias juntas tingueren
però al fi determinaren
que tots los proms dels comuns
dels seus deuen llistas dar-na. 14

Quédan estos admirats
però pitició acompàñan
que los déixian ajuntar
per representà'l monarca, 15
puig pènsan continuarà
la expepció que fins ara
nosaltres avem lograt
per sa pietat soberana, 16
en fer-ne la nostra gent
voluntaris ab gran garra
conforme se ha practicat
sempre que·l rey gent demana. 17

Lo qe no han concedit,
y luego de absolut mànan

2. Bernardo O'Connor y O'Phaly, que el 1772 fou nomenat capità general interí de Catalunya, d'acord amb el seu antecessor, el comte de Ricla, llavors secretari de guerra, intentà d'implantar a Catalunya el sorteig per al servei militar. Com a conseqüència dels fets que s'hi produïren fou rellevat del càrrec el mateix any 1773.

a el noble Ajuntament
las llistas deu practicar-na. 18

Lo dia de santa Mònica
diada fou señalada,
que isqueren a pèndrer noms
a tota la jovenalla. 19

Quant los miñons ho saberen
a patrullas se formàban
portant a las mans bastons
y detràs d'estos anàvan. 20

Luego que ells los veren
la campaña desempàran
y carregats de temor
a rrefugi se posàran. 21

Luego doblar lo número,
que ha tothom admirava
vèurer tal confusió
sent cosa que no·s pensava. 22

Cridàvan tots viva·l rey,
quinta ab nosaltres no campa,
puig nostre rey y señor
tal ordre no·ns ha manada. 23

Però tots volem servir-lo
voluntaris ab gran garra,
y darramarem la sanch
si necesitat ho clama. 24

Apatrullats, y cridant,
ab tres brassos, dich, estàban,
uns dins en la cathedral,
altres al pla del Pàlacio. 25

Altres van per la ciutat
recultant a qui trobàban,
y no bolent-ne seguir
lo bastó li aplanàvan. 26

Lo dia quatre de maig,
dia de Mònica santa,
gran fou la commució
però major la maraña. 27

Perquè veure·l general
tenir las botas posadas
y dar orde als comandants
y tocar a generala. 28

Prengueren tots los soldats
cada un son lloch y arma

y posats a punt de guerra
y promptes a disparar-na. 29

A rrebato també ohïm,
tocaba nostra Onorata,[3]
la que asustaba la tropa
y ha nós (no) la pell de cabra. 30

Alterada la ciutat,
tothom las portas tancaba
pregant Déu do quietut
per medi de santa Eulària. 31

Quan lo señor bisbe veu
cosa tant desbaratada,
encontrar los miñons ba
i d'esta manera als parla: 32
«què·s lo que voleu, fills meus?
tracteu de asosegar-vos,
que jo faré per ma part
tot allò que m'acompàñia.» 33

«Nos vòlan quintar, señor,
dient-ne que·l rey ho mana;
si una tal orde hi agués
bé l'aurían publicada. 34

Per tant no·sosegarem
fins ha tant que vustè vàgia
al Palau del General
y fer que quinta no mània». 35

Vehent-ne lo bon pastor
lo sentiment ab què·stàban
los añells de son remat,
va allí hont se li demana, 36
a·plicar-na sos oficis
per la quietut lograr-na,
suplicant cesi la quinta
a los gefes ho demana. 37

Y no ignorant los geffes
l'inportant que ha tots estava

3. L'Honorata era la campana de les hores, que també s'utilitzava per a tocar a sometent. Trencada a la Guerra de Successió per una bomba, segons Carreras i Pujal (*op. cit.*, 1951, pàg. 343-355), el 1718 es va demanar permís al rei per a fer-ne una de nova, que fou denegat: «habiendo sido esta campana la que tocó los movimientos de las sediciones, y por otros motivos que Su Majestad ha tenido presentes» decidí que fos desfeta «y que en tiempo alguno se vuelva a ejecutar esta campana». Com que la campana Tomassa, que tocava les hores en substitució, tenia un so insuficient, el 1758 l'Ajuntament demanà permís de nou per a fer la campana de les hores i, en no rebre resposta, decidí construir-la. Com que aquesta campana nova tenia el so deficient fou substituïda el 1763, i aquesta altra fou destruïda el 1773 arran d'aquests fets.

lograr-na la quietut
ab medi l'an procurada. 38

Luego ab públich pregó
suspèndrer quinta declara
de part del Real Acuerdo
y del general que mana, 39
fins ha tant que la persona
del rey ne sia informada
y resòlguia lo millor
per la província y la Espanya. 40

Un escamot de minyons
dret al portal nou anaren,
y encontrant aquest tancat
a l'oficial demànan 41
que se digna obrir la porta,
que fora volen anar-sa,
a lo que los respongué:
«luego si·l govern ho mana». 42

Estant ab estas rahons,
los del registre dispàran
tres furiosos trabuchs
que de això molts morts quedaren. 43

Aquí fou un gran tropell
puig enraviats estàban
per tal traidora acció
com esta que ha passada. 44

Cuidant pèngian los burots,
si no hem nós de matar-los,
la justícia los prengué
y a la Ciutadela·ls tanca. 45

Tot a vista dels miñons
per poder aquietar-los;
hi'ls promet donar-los càstich
segons la lley de la causa. 46

La justícia per la nit
[a la][4] ronda als encomana
y llicència los van dar
per a poder ajuntar-se. 47

Luego van convocar
los vocals ab tota instància,
y elegiren diputats
per a cuidar de la causa. 48

4. Aquest fragment presenta una correcció gràfica en l'original de lectura dubtosa; la versió que donem sembla la més correcta.

Dotze foren elegits
per representa'l monarca
los fets nos han suchsehït
en la nostra màrtir pàtria. 49

Estos patrons elegits
ab ayre van acceptar-o
esperançats del remey
per l'amor que·ns té·l monarca. 50

No contents de tot açò
grans providèncias donàvan
aquells del consell de guerra
y lo general ho mana: 51
fortifícant los portals,
Ciutadela y Daraçana,
com hi també Monjuhïc,
qu·és la millor amenaça. 52

Y també provisions
de boca y de guerra mànan,
amenaçant-ne gran siti
a gent qe no tenen armas. 53

Puig los de la commució
ninguna arma portàvan
de aquellas que són de foch
ni menos n'i agué de blanca, 54
ni maltractaren a dos
ni contra lo rey anaren,
sols lo fi fou reternir-se
perquè·n sabés lo monarca, 55
considerant-se enganyats
com en altre temporada,
governant lo de La Mina[5]
de fer artillers nos mana, 56
dient era orde del rey,
y tal cosa averiguada
d'ell fou sola fantasia
per si més onra guañar-na. 57

Sabut que fou en la cort
lo que·n Barcelona passa,
mànan luego baixà'l punt
Copons de la Manresana,[6] 58

5. Jaime Miguel Guzmán Dávalos y Spínola, marquès de La Mina, fou capità general de Catalunya en els períodes 1742-1746 i 1749-1765.

6. Segons J. Carrera i Pujal, «Els successos de Barcelona alarmaren les altes esferes del govern de Madrid, com ho prova l'ordre del Rei de què efectuessin un viatge exprés i ràpid a la ciutat els dos diputats de la noblesa catalana residents a la cort, amb l'objecte d'apaivagar els ànims» (*op. cit.*, 1951, pàg.

y ab ell altres dos subjectes
lo nom de estos no·s calla,
lo hun té per nom Novell
l'altre de Po[n]sich se aclama.[7] 59

Y arribats en Barcelona
junta vàran destinar-na
mirant contentar-na·l rey
no descontentant la pàtria. 60

Se ingeniaren tan bé
en la nostra flor de España
que quedà cont[ent] lo rey
y també la jovenalla, 61
puig entregaren la gent
belicosa ab gran garra
y tots ab contento diuen
víchtor lo rey y la pàtria. 62

Cesà aquí la inquietut
per alguna temporada,
que pariran molts preñats
ab ocasió comprada. 63

Lo dia quinse de juny
brega hi agué altre vegada
procurant tal quietut
qui quietut deu buscar-ne.[8] 64

Y fou que·n la Blancaria,
per la prosesó que i passa
del Señor sacramentat
de Sant Cugat nomenada,[9] 65
tots los anys se planta un maig,[10]
pollastres per anramada,
y són per a qui los heu
quant la prosesó ha pasada. 66

Luego que agué passat
la gent comensà arrimar-se,

73). El 1767 fou concedit el títol de marquès de la Manresana a Ramon Ignasi de Copons i d'Ivorra, baró de Cervelló (dit de Sant Vicenç dels Horts, que era el centre d'aquesta baronia) i senyor de la Manresana.

7. Francesc Novell (o de Novell), membre de la Reial Acadèmia de Bones Lletres de Barcelona, el 1763 era regidor substitut i el 1769 regent perpetu de l'Ajuntament de Barcelona. Ramon de Ponsich i de Camps, doctor en lleis i membre de la Reial Acadèmia de Bones Lletres de Barcelona des del 1735, fou regidor perpetu d'aquesta ciutat des del 1746; morí el 1775. Agraeixo al Dr. Josep M. Torras i Ribé aquestes dades.

8. Aquest conflicte ocasional revela prou bé la relació crítica entre la tropa de la guarnició i la societat civil en aquells moments.

9. El carrer de la Blanqueria és dins el terme parroquial de Sant Cugat del Rec.

10. Es tracta d'un arbre de maig, guarnit de flors i cintes.

y un soldat y un mariner
barallas vàran travar-na. 67

Acudí lli un centinella
y ab lo fusell colps donava
a tota la multitut,
y aquí comensà la dansa. 68

Perquè alterada la gent
contra d'ella van girar-se,
luego vingué la guarda
y per adovar ho espatlla. 69

Vingué la cavallaria
ab fúria delirada,
i la espasa a la mà
ferint qui més prop trobava. 70

Los paisans ab crits y pedras
com podían se tornàvan,
y forman-ne una barrera
formàvan camp de batalla. 71

Sabut pel governador,
tropa mana retirar-na,
hi'ls destina la Esplanada[11]
posar-se a punt de batalla. 72

Los paisans desesperats
sos judicis ban formant-ne,
allí tots amotinats
demanant de tot venjar-se. 73

Alcaldes y diputats
procurant amañagar-los
los ne feren desistir
de l'empeño que·s posàvan. 74

Visita lo general
la tropa a la Esplanada
a la nit y a cavall,
ab atxas lo acompàñan. 75

Dóna l'orde li apar
y después van retirar-se,
igualment també·ls paisans
hi aquí va tranquilisar-se. 76

Los diputats elegits
junta vàran destinar-na,
per los medis ne pendran
en vista dels fets nos pàssan. 77

11. L'Esplanada era situada entre la ciutat i la Ciutadella, no gaire lluny del palau on residia el capità general, al Pla de Palau.

Igual lo consell de guerra
procura nos criminar-nos,
y també·l sor. fiscal
sumària nos ha tirada. 78

Tots acúdan a la cort
per a que·ns fàsan la barba,
y remirant los escrits
justícia n'em alcançada. 79

Per la pietat del rey,
que Déu nos mantinga y gua[r]da,
alçant indult de la quinta,
y per los demés fets mana. 80
silenci perpètuo·s tinga
per una y altre vanda;
hi·s tinga per pauta·l vando.[12] 81

Per aquets fets despatxat
per la corona d'España,
que·n ninguns fets dels paisans
la tropa no deu posar-se. 82

Bé han procurat deslluhir
nostra fama invidiabla,
mes res no han conseguit
mediant la divina g[r]àcia, 83
procurant-la alcansar
la nostra patrona Eulària,
puig té ab guarda la ciutat
com ho diu al Patriarca.[13] 84

És lo serafí llagat
y de los menors gran pare,
consta lo que d'ell tinch dit
en son convent ab retaula. 85

També nos ha franquejat
sa misericórdia y gràcia
la nostra amada perla
y patrona mercenària. 86

12. En el *Lumen Domus* de Santa Caterina hi ha l'anotació següent: «Extracció de 29 fadrins per la milícia feta ab artifici. En effecte, el dia 11 de juny de 1778 se tragueren a sort 29 jóvens o fadrins per servir al rey. Se féu l'extracció ab tota quietud. Però tots los que sortiren per servir al rey ya eren comprats y se havien obligat per diners que·ls havia promès la ciutat [per] servir al rey...» (v. III, pàg. 461).

13. Probablement es refereix a Francesc Climent, dit Sapera, que fou patriarca de Jerusalem, i bisbe de Barcelona entre 1410-1415 i 1420-1430, del qual diu S. PUIG I PUIG: «fomentó, según Tarafa, el culto a Santa Eulalia, la Santa Cruz, la Virgen Santísima y Todos los Santos» (*id.*, *Episcopologio de la sede barcinonense*, Barcelona, 1929, pàg. 317).

Los qu·eu aixit destinats
per lo servei del monarca
procureu molt agrahïts
servir-lo de bona gana. 87

Los catalans que·n sas mans
harríban a tenir armas,
tots, diu, que són grans soldats
Carlos ters, rey que buy mana. 88

Esperam reverdireu
glòrias de edats pasadas
que aquells nostres majors
bruñiren ab sa espasa. 89

Y perquè imitar pugueu
ab lo que vos sia dable,
vos ne buy representar
certas cosas memorables: 90

Cerdeña, Iviza y Mallorca,
Menorca y la Siciliana,
yslas són que se rendiren
a la forsa cathalana. 91

Aquells regnes venerats
de Múrcia,València y Nàpols,
per nostres valors subjectes
se veren a tota España. 92

Aquell ducat de Athenas
y també·l de Neopàtria,
los aplacà son argull
nostra valerosa maña. 93

La isla regne de Còrcega
Y altres conquistas vàrias
ho entregàrem subjechtes
al soberà que·ns manava. 94

En la guerra de Pavia
lo rey Francisco de França
ha un català pres s'entrega
hi a ell rendí sa espasa.[14] 95

En Sant Joan de Latran
un exèrcit saquejaba,
defensaren lo dit temple
alguns cathalans de fama. 96

14. Francesc I fou fet presoner el 1525 a la batalla de Pavia pel tortosí Joan Aldana.

Quan lo pontífice ho sabé
los escuts d'estos demana
y en el ruedo de dit templa
[allí][15] col·locar-los mana, 97

per a què cònstia en lo món
esta ydalguia santa
y eternizar la noblesa
de la nació cathalana.[16] 98

Un compte de nostra terra
com la història proclama
salvà la honra y la vida
ha una emperatriu alemaña.[17] 99

De d[o]n Dalmau de Creixell
digne és de historiar-se,
cer general de tres reys
hi a estos governava. 100

Morí dit en lo exèrcit
y no sabent com premiar-lo
ells lo pòrtan al sepulcre,
més glòria no pot constar-na.[18] 101

Estas, ho nobles miñons,
són las glòrias alcança
nostra invichta nació
ab lo cer de mes ydalga. 102

O Verge de Montserrat,
perla nostra catalana,
ajudau los de l'exèrcit
de la nostra terra amada. 103

Nostre compte també és rey
de las Indias y de Espanya,
de buy abant li direm
rey y pare de la pàtria. 104

15. Aquest fragment presenta una correcció gràfica en l'original de lectura dubtosa; la versió que donem sembla la més correcta.

16. Es refereix a l'ocupació de Roma per les tropes de l'emperador comandades per Hug de Montcada al setembre de 1526, l'any anterior del saqueig de Roma. Segons N. Feliu de Penya (*Anales de Cataluña*, vol III, pàg. 169), a la porteria del convent de la Mercè de Barcelona (avui Capitania General) es trobava pintada en el seu temps aquesta gesta. Agraeixo al prof. Pere Molas les seves indicacions per a localitzar aquest episodi.

17. Segons una llegenda recollida per Desclot com a fet històric, una emperadriu d'Alemanya acusada d'adulteri fou salvada per la gesta d'un comte de Barcelona, atribuïda a Ramon Berenguer III o al seu fill Ramon Berenguer IV.

18. Segons l'historiador Pere Tomic, Dalmau de Creixell tingué una actuació decisiva en la batalla de Las Navas de Tolosa, però no és segur que hi participés.

Voluntaris, Déu vos guart,
los de casta catalana,
y que serviu a l'exèrcit
de la corona de Espanya. 105

En lo exèrcit, miñons,
abivar la nostra fama,
ab ànimo, catalans,
al servey del rey de Espanya. 106

Pregam tots en nostra terra
per lo acert de vostras armas,
perquè conseguiu trofeos
per Déu, lo rey, y la Espanya. 107

Finis

NARRATIVITZACIÓ DE FORMES SIMPLES: L'OBRA DE JESÚS MONCADA

Josep Murgades

Universitat de Barcelona

Porque en el principio de la literatura está el mito,
y asimismo en el fin.

JORGE LUIS BORGES

I) Errata i subsegüent *restitutio*

Això era en una de tantes enquestes recurrents entre gent lletraferida a propòsit de la literatura del país.[1] Tot responent-hi, ponderativament, a l'obligada pregunta sobre el *hit-parade* particular, hi va aparèixer imprès, per *lectio facilior* del copista o per excés intervencionista del corrector, *fabulació mitològica*,[2] en comptes del que jo havia escrit, que era *fabulació mitagògica*. O d'allò que també hi hauria pogut escriure, que era mitopoièsica.[3] En qualsevol cas, mitagògic, entès aquí en el sentit etimològic del terme, que «porta» mites, o mitopoièsic, que els «crea», són termes que permeten de condensar indicativament, en un sol adjectiu, la principal característica definitòria de la mena de fabulació a què jo em referia en l'enquesta esmentada, és a dir, la introduïda en l'actual literatura catalana per qui n'és a hores d'ara un dels autors sens dubte més traduït a més llengües d'arreu: Jesús Moncada.

1. «L'estat actual de la literatura catalana», *Serra d'Or*, abril 1998, pàg. 18-23.

2. *Loc. cit.*, pàg. 22. Si tenim en compte que, poc més amunt d'aquest passatge, «la incerta gràcia» del meu original va veure's trabucada en «la incerta glòria», caldrà potser atribuir-ho tot plegat als lapsus d'un copista vagament il·lustrat. D'altra banda, és evident que la fabulació al·ludida (veg. *infra*) no ho és ni ho pot ser, *per se*, de «mitològica», almenys ara per ara.

3. Poc temps després, rellegint *Nuovi riti, nuovi miti* (1965) de Gillo Dorfles, vaig veure que aquest, ja en la introducció de l'obra, adjudicava una significació pejorativa a «mitagògic» i una de positiva a «mitopoièsic»; tot i que operativa en el seu context i respectable, no crec que la tal distinció hagi de ser vinculant.

II) Coordenades d'un mite

La producció moncadiana comprèn fins a la data (desembre de 2000) tres llibres de narracions[4] i tres novel·les.[5] I tret d'algunes composicions del primer llibre, HME, clarament ambientades a la gran ciutat,[6] l'eix vertebrador de tota l'obra gira a l'entorn de la vila natal de l'autor, Mequinensa, al territori de la Franja de Ponent. I ho fa d'acord amb supòsits inequívocament tipificables d'això que, dels grecs ençà, acostumem a anomenar mite.

És una narrativa, per tant, emmarcada en unes coordenades cronològiques i espacials ben altres que les tingudes per habituals. El seu temps se situa en un passat remot, si no en termes històrics absoluts, sí almenys en aquells de relatius però no menys reals que són els psicològics (per al lector actual de carn i ossos com també per a bon nombre dels personatges de ficció que hi desfilen);[7] un temps amb valor, doncs, de temps primordial, fins i tot de no-temps. El seu espai, explícitament mencionat d'altra banda per l'autor,[8] cobra una dimensió de llunyania inabastable, i això no pas pel fet de referir-se a una població geogràficament extrema del país (cosa que pot tanmateix també contribuir-hi, si més no des de l'òptica dels lectors capitalins), sinó perquè la Mequinensa literàriament evocada per Moncada va desaparèixer, talment una moderna Atlàntida, materialment engolida per les aigües d'un pantà el 1975.

Altrament, els personatges que es mouen per aquest escenari poden no ser certament ni déus ni figures fabuloses, però sí que destaquen com a éssers remarcables per alguna o altra raó, mereixedora de lloança o de blasme, d'admiració ponderativa o d'hilaritat condescendent, de compassió irònica o de retret condemna-

4. *Històries de la mà esquerra i altres narracions* (1981), *El Cafè de la Granota* (1985), *Calaveres atònites* (1999); a partir d'ara, respectivament, HME, CdG, CA.

5. *Camí de sirga* (1988), *La galeria de les estàtues* (1992), *Estremida memòria* (1997); a partir d'ara, respectivament, CdS, GdE, EM. Tota l'obra de Moncada ha estat editada per La Magrana.

6. «Conte del vell tramviaire», «Història de dies senars».

7. L'analepsi més reculada de CdS remunta fins a la batalla de Tetuan, el 1860, però el fil de l'acció transcorre pràcticament tot al llarg del segle XX. A GdE aquest fil s'encavalca entre la proclamació de la República i la postguerra dels anys cinquanta. A EM oscil·la, fent òbviament un gran salt, entre els mesos d'agost-novembre de 1877 i el present coetani de l'autor, el nostre. HME i CdG es presten més a una certa atemporalitat, per bé que hi ha narracions fàcilment ubicables per raons de context en el decurs històric (com ara «Nit d'amor del Coix Silveri» o «Strip-tease», ambdues dins HME). Les de CA se situen explícitament totes, analepsis i prolepsis a banda, al llarg dels «tres anys» següents a un «primer de setembre de 195...» (veg. pàg. 21 i 7, respec.).

8. Tot i que enmig del decurs narratiu la denominació habitual és «la vila», Moncada no s'està de precisar, en algunes de les notes introductòries als llibres, que és de Mequinensa que parla (veg. CdS, pàg. [5]; EM, pàg. 5-7; CA, pàg. 7-23). Aquesta apareix també explícitament esmentada, al costat de «la vila», a GdE (veg., per ex., pàg. 52), a tall d'espai originari, per bé que en segon pla en relació amb aquell on transcorre el gruix de l'acció, Torrelloba, un fantònim que, a tall de convenció literària, serveix per designar una ciutat que, per tota mena de detalls, no pot ser altra que Saragossa.

tori. I ho fan a més tots, sense concessions a cap personalisme excessivament singularitzat, en un context de virtuts i de febleses col·lectives sinècdoquicament palesat en el títol de l'obra més celebrada de l'autor i que va consagrar-lo literàriament: *Camí de sirga*.[9] Una *pars pro toto*, aquesta, d'allò més eficaç per posar en relleu, fins al llindar del mite,[10] les condicions laborals i de vida en general dels habitants de l'antiga Mequinensa eminentment fluvial i minaire.

L'estructura de sentit confegida llavors per Moncada a través d'aquesta mitificació és, doncs, una de canònicament orientada, mitjançant el recurs de remetre's a uns temps presentats com a originaris, i tot parlant d'aquelles realitats primàries sobre les quals recolza al capdavall l'existència humana –família, clan, classe, ciutat–, a fornir per la via d'un llenguatge no pas discursiu ni conceptual, sinó representatiu i plàstic (segons és propi del llenguatge del mite enfront del llenguatge del *logos*),[11] elements d'ordenació i coherència per a les experiències en el temps d'un determinat col·lectiu humà.[12]

Un col·lectiu centrat, segons hem vist, en la població mequinensana, però en molts aspectes referible després per metonímia, i en virtut del susdit procés de mitificació, a part de la societat catalana –la de tantes viles petites i mitjanes.

III) Fonts de la mitopoiesi moncadiana

Possiblement la causa de l'extensibilitat, adés apuntada, del mite bastit per Moncada té a veure amb els materials primigenis de què es nodreix, més pròxims a certs *universalia*, com veurem, que no pas aquells amb què acostuma a treballar la literatura de concepció i propòsit més culturalistes.

Pensem per exemple, a efectes contrastatius, en altres propostes mitopoièsiques de la literatura catalana del segle XX i d'ubicació temporal i espacial igualment definides: el Bearn de Villalonga i la Sinera d'Espriu –tots dos, altrament, estudiats amb clarividència per Joaquim Molas.[13] Ens trobem que les fonts, tant de l'un com

9. A més d'en el títol, aquesta expressió de *camí de sirga* i la realitat a què respon apareixen sovint al llarg de l'obra (46, 65, 69, 71-72, 74, 75, 118, 167, 170, 199, 232, 233, 255), a tall d'eix vertebrador.

10. Veg. Ernst CASSIRER, *Sprache und Mythos*, en esp. el cap. VI, sobre el poder de la metàfora (pàg. 91-107 de la traduc. esp. publicada per Ediciones Nueva Visión a Buenos Aires el 1973).

11. Cf. la nota proemial a CdS: «Encara que el canemàs d'aquesta novel·la està teixit amb fets del darrer segle d'existència de l'antiga vila de Mequinensa [...] l'autor vol aclarir que no ha pretès de cap manera escriure la història, si més no en el sentit usual del mot, d'aquells esdeveniments [...]», pàg. [5].

12. Formulo aquestes i altres consideracions a l'entorn del mite basant-me en un dels molts i excel·lents estudis que li ha dedicat Lluís DUCH, concretament en aquest cas, *Mite i cultura* (PAM, 1995).

13. Veg. «La poesia de Salvador Espriu», *Serra d'Or*, abril 1964, pàg. 43-46. «Llorenç Villalonga i el mite de Bearn», pròleg a *Obres completes*, vol. I, Barcelona: Edicions 62, 1966, pàg. 7-29.

de l'altre mite, són eminentment literàries: il·lustrades i, més concretament, fàustiques, en el cas del primer, bíbliques però també expressionistes i postsimbolistes en el cas del segon, a més de les clàssiques, que els amaren tots dos. Es tracta, en aquest aspecte, de destil·lacions sàviament aplicades i plenament reeixides d'uns corrents pouats d'algunes de les més acreditades tradicions de l'alta literatura.

Si ens remuntem encara en el temps i parem esment en l'obra de mossèn Cinto, semblantment estudiat per Molas,[14] observarem que entre els referents de la seva ambiciosa proposta mitopoièsica –*L'Atlàntida*, *Canigó*– n'hi ha, com no podia ser d'altra manera, d'igualment referibles a la literatura més consagrada –des de la Bíblia fins a Milton, passant per Virgili, Camoes, Tasso–, sovint al costat o en simbiòtica combinació amb d'altres d'extrets de la rondallística i del romancer populars.

Cap d'aquests casos no és ben bé equiparable tanmateix –pel que fa a la filiació de les respectives fonts– amb el de Moncada. La literatura d'aquest beu, en primordial instància i en considerable mesura, de les de l'oralitat. D'una oralitat tal com és practicada per «veus volanderes»[15] que reporten «històries»[16] i «contalles»[17] en un context social preferentment de «tertúlies»,[18] ja bé siguin «can-

14. Sobretot al capítol que li dedica dins RIQUER, COMAS, MOLAS, *Història de la literatura catalana*, vol. VII, Barcelona: Ariel, 1986, pàg. 223-289. Altrament, amb una bona dosi de raó, i alhora una mica d'excusable presumpció, Molas ha pogut afirmar que Verdaguer «gairebé me'l vaig inventar jo», dins l'entrevista signada per Manuel LLANAS i Josep M. MUÑOZ que, sota el títol «Joaquim Molas o la construcció d'una nova tradició literària», ha publicat *L'Avenç* (setembre 2000), pàg. 56-66.

15. Expressió que trobem, per exemple, a HME: 63, 100; CdG: 46; CdS: 110, 279, 284.

16. El d'«històries» és per a l'autor un concepte amb valor d'hiperònim, on foren englobables de manera genèrica la major part de concrecions narratives que aquí, seguint André Jolles, són designades amb el nom de «formes simples» (veg. *infra*). «Històries» són la base constitutiva de les narracions de HME (també *ibidem*: 59), així com aquelles que «fan greix, ajuden a viure» (CA: 96) o que duen qui tenen per reportadors o per protagonistes a «xalar-hi» igualment (*ibidem*: 96). Altrament, i tot reflexionant en veu alta sobre la pròpia obra, Moncada no s'ha estat repetidament d'observar que «qualsevol nucli humà és una font inexhaurible d'històries» –entrevista amb Carles Singla a l'*Avui* (14-II-1992)– i que «qualsevol col·lectivitat humana és un niu d'històries» –entrevista amb Xavier Bosch a l'*Avui* (26-X-1999)–, tot reconeixent així implícitament l'origen eminentment folklòric i, doncs, universal, de la seva obra (veg. *infra*).

17. HME: 59; EM: 100, 104.

18. La institució aglutinadora per excel·lència de l'oralitat en el món industrial anterior a la irrupció dels *mass-media*. Remeto sobre el particular a l'amè i clarivident assaig d'Enrique TIERNO GALVÁN, «Notas sobre la tertulia», dins el seu llibre *Desde el espectáculo a la trivialización*, Madrid: Taurus, 1961, pàg. 247-272, del qual reprodueixo, perquè el crec perfectament aplicable als participants i als continguts de les tertúlies moncadianes, el següent paràgraf: «Para los tertulianos la tertulia es un medio de liberación y la tertulia misma resultado de un conjunto de liberaciones coincidentes. De aquí que la tertulia sea en cierto modo el sustitutivo sedentario de la aventura y de aquí también que tanto se goce de la condición de contertulio, la distinción rigurosa entre verdad y mentira pierda sus valoraciones normales, pasando a otro plano caracterizado por la convención, aceptada tácitamente por todos los tertulianos, de que sólo en la medida en que el opinar lo exige, la verdad es verdad y la mentira, mentira. La tertulia tolera, pues, en principio, una liberación inofensiva del rigor moral implícito en la distinción en cada caso vigente entre lo verdadero y lo falso.», *op. cit.*, pàg. 249.

toneres»,[19] ja bé estiguin, prou més sovint, assentades en el marc d'establiments [20] o de cafès degudament tipificats.[21]

La tradició de la qual parteix originàriament la seva literatura és, doncs, la del folklore. Entès aquest com aquella comunicació, a efectes no estrictament informatius, que es dóna de manera interactiva entre dues o més persones en contacte directe, que comparteixen òbviament el mateix codi lingüístic i que necessiten resoldre algun obstacle material o social derivat de la situació més o menys circumstancial en què es troben.[22]

És tot basant-se en aquesta matèria primera, existent com a tal només en la mesura que s'ha vist acceptada i feta pròpia per una comunitat determinada,[23] i tendent a través del *media* de la conversa i dels relats que s'hi vehiculen a la preservació de la realitat i al cohesionament social,[24] que Moncada s'afanya a elaborar allò que d'antuvi no són sinó motius folklòrics[25] i formes simples[26] fins a convertir-ho en arguments narratius [27] i en formes complexes.[28]

19. CdS: 14, 290.

20. Cf. les tertúlies del «baster», del «sabater», dels «llaguters», a més de les «esportives locals» (CdG: 26, 73 i 76-77, 54, 35, respec.). També la de la «impremta» (CA: 224). I la de «la capitana generala» i les implícites de les «xocolatades de les senyores» (GdE: 37 i 75, respec.).

21. «De acuerdo con las exigencias de la función social del espacio, la tertulia necesitaba el suyo; fué el Café. Y de tal modo lo fué que en su sentido más propio, en el orden social, un Café es el *lugar* donde hay tertulias. Desde el corrillo hasta el salón, pasando por la rebotica, los grupos de conversadores tienen su lugar definidor y la tertulia es la "tertulia de café".», Enrique TIERNO GALVÁN, *op. cit.*, pàg. 268. Voler referenciar les ocurrències d'aquest espai i de les seves tertúlies al llarg i a l'ample de l'obra de Moncada comporta obligatòriament, i més que mai, de remetre's a la fórmula *passim*. Caldria remarcar només, si de cas, la funció significant que, per metonímia, els atorga l'autor a l'hora de referir-se a la conflictivitat existent d'ideologia i de classe, representada pels respectius assidus –i per esmentar-ne sols algun exemple– al Cafè del Moll, o de la «xusma», i al Casino de la Roda, o cafè dels «senyors» (CdS: 28, 284, etc.), o al Cafè Varsòvia i al Casino (EM: 202-209, 233-236), per no parlar dels «pròcers torrellobins» concurrents al Cercle Mercantil (GdE: 14, 74, 246, 282).

22. Manllevo, no en estricta literalitat, la definició d'un dels millors i més crítics coneixedors del folklore tradicional i actual del país, Josep M. PUJOL, «La crisi del folklore», *Serra d'Or*, novembre 1989, pàg. 20-23.

23. Veg. Roman JAKOBSON, «El folklore, forma específica de creació» (1929), dins *id.*, *Lingüística i poètica i altres assaigs*, Barcelona: Edicions 62, 1989, en esp. les pàg. 112 i 115.

24. Sobre la funció utilitària i, al capdavall, legitimadora de moltes manifestacions pròpies de la cultura de l'oralitat, veg. Arnold VAN GENNEP, *La formation des légendes* (1910), pàg. 36 i 68 de la traduc. esp. de 1914, reeditada en facsímil per Altafulla el 1982. També, per a un enfocament més sociològic, però no menys coincident, Peter BERGER i Thomas LUCKMANN, *The social construction of reality* (1966), pàg. 156-157 i 212-213 de la traduc. cat. publicada per Editorial Herder el 1988.

25. En el sentit absolutament operatiu que atorga al concepte Stith THOMPSON al seu monumental *Motif-Index of Folk-Literature*, Indiana University 1966, segona edició, 6 vol.

26. En el sentit fixat per a aquesta expressió en el lluminós estudi d'André JOLLES, *Einfache Formen* (1930); el llegeixo i el cito per l'edició de Max Niemeyer Verlag (Tubinga, 1974).

27. En el sentit que atorgaven al terme *sjuzet*, també sovint traduït per «trama», els formalistes russos Xklovski i Eichenbaum.

28. *Kunstformen* (o «formes artístiques») en la terminologia de Jolles, és a dir, aquelles «die gerade durch persönliches Wählen, durch persönliches Eingreifen bedingt sind, die eine letzmalige

La seva és una proposta literària on ha cristal·litzat clarament tot el procés que, per dir-ho a la manera de Grimm, va de les manifestacions primigènies fruit d'un *Sichvonselbstmachen* fins als gèneres creats per *Zubereitung*.[29] I el seu repte com a escriptor consisteix, per dir-ho ara amb Jakobson, a fer el pas del folklore –identificat amb la *langue* pel caràcter extrapersonal d'ambdós, dotats d'una existència només potencial i susceptibles tan sols d'un cert grau de deformació– a la literatura –identificada amb la *parole*, pel fet de trobar-se ambdues sotmeses a la realització individual i, doncs, ser aptes per a una molt més gran varietat de modificacions.[30]

IV) Oralitat com a base

Per comprovar el primigeni substrat oral, folklòric –i, per tant, comú amb tot d'altres manifestacions literàries elementals arreu de l'espai i al llarg del temps– de l'obra moncadiana, basta contrastar-la, pel que fa als tòpics o motius, amb l'índex dreçat per Thompson, i amb les formes simples detectades per Jolles pel que fa a les concrecions de gènere.

IV) A. Motius folklòrics

Vegem una mostra, merament indicativa, dels primers (amb el benentès que, per òbvies limitacions d'espai, em limitaré a consignar simplement la designació fixada per Thompson a propòsit d'alguns dels diferents motius que aquí vénen a tomb, tot indicant la referència lletronumèrica que l'acompanya, i a partir de la qual, en una investigació més aprofundida, és possible de remetre's a la bibiliografia oportuna).

La dimensió meravellosa d'«Història de dies senars» (HME: 127-141), escrita encara quan el nostre autor es mostra altament receptiu a la influència de Pere Calders, respon al vell tòpic de l'*Speaking head* (Thompson: D1610.5), com també en part a un altre d'afí que és el *Revenant as face or head* (*ibid.*: E422.1.11.2), el

Verendgültigung in der Sprache voraussetzen, wo sich nicht mehr etwas in der Sprache selbst verdichtet und dichtet, sondern wo in einer nicht wiederholbaren künstlerischen Betätigung die höchste Bündigkeit erreicht wird.», *op. cit.*, pàg. 182.

29. Citat per Jolles, *op. cit.*, pàg. 231, que fa sinònim el primer d'aquests conceptes (traduïble aproximadament per «fet-per-si-mateix») de *Naturpoesie* (o «poesia natural»), i el segon (traduïble aproximadament per «preparació condimentada»), de *Kunstpoesie* (o «poesia artística»).

30. Veg. Jakobson, art. cit. *supra*, en esp. les pàg. 116-117 i 122-123.

qual, a banda aparèixer en les primitives literatures irlandesa i islandesa, compta, tot sigui dit de passada, amb una variant ja dins la literatura culta o escrita, concretament al Quixot (II, 62), amb motiu de l'estada que fa l'entranyable personatge a la ciutat de Barcelona.

«Joc de caps» (HME: 13-19) és una de tantes variacions possibles dels motius *Dead persons play cards* (Thompson: E577.2) i *Playing cards with a dead man (gohst)* (*ibid.*: E577.2.1), de la mateixa manera que «Traducció del llatí» (HME: 69-73), una de les peces més «folklòriques» de Moncada, es pot inscriure perfectament, dins l'epígraf genèric *The unquiet grave*, en qualsevol dels següents tòpics: *Dead person speaks from grave* (Thompson: E417), *Gohst return to enforce its burial wishes or to protest disregard of them* (*ibid.*: E419.8) i *Gohst chooses own requiem* (*ibid.*: E545.11). També encara dins aquest mateix ampli epígraf podem incloure «Preparatius de viatge» (CA: 99-111), amb els motius *Person under religious ban cannot rest in grave* i *Excommunicated person cannot rest in grave* (Thompson: E412 i E412.1, respec.), així com també i sobretot amb el de *Unconfessed person cannot rest in grave* (*ibid.*: E411.0.2.2), i semblantment l'episodi pel qual és tret a col·lació Bakunin de Planes i el seu pare, a més del «metge romàntic» Octavi Oliver (CdS: 211-213), amb *Suicide cannot rest in grave* (*ibid.:* E411.1.1).

No costa gaire tampoc referir el motiu central de «L'ull esquerre de Tomàs d'Atura» (HME: 21-31) al de *Revenant as an eye* (Thompson: E422.1.11.1), ni el d'«Aniversari» (HME: 143-147) a *Spirits put corpse into river* (*ibid.*: F402.1.8), el de «Revenja per a un difunt» (HME: 61-67) a *Flying dutchman has dead men as sailors* (*ibid.*: E511.2.1) o el de «Riada» (HME: 53-60) a *Seaman who defies God shipwrecked* (*ibid.*: Q221.4).[31] Per no parlar de l'atomitzada recurrència pràcticament tot al llarg de l'obra moncadiana del motiu *Sailing against a contrary wind, current and tide* (*ibid.*: D1520.15.1). O d'un altre de no menys omnipresent, sinó que possiblement encara més, com és el de l'anticlericalisme, paradigmàticament representat pel vell tòpic de l'*Incontinence of Clergy* (*ibid.*: V465.1),[32] el qual assoleix l'apoteosi en la narrativa de Moncada a «Nigra sum» (CA: 178-195).

Altres motius, encara, que en la ploma de Moncada experimenten capgiraments espectaculars en relació amb llur primigènia base folklòrica, són «Debat d'urgència» (HME: 113-125), referible en principi a *Temple about to be taken over by pagans saved by appearence of a Sign of the Cross (image of the Virgin)* (Thompson: V344), «Fet d'armes» (CA: 87-98), associable amb *Brothers identical in appearance* (*ibid.*: F577.2), i «Mel» (CA: 196-215), sens dubte una de les narra-

31. Lamento no recordar el lloc exacte d'Espanya on se situava un relat semblant –referit a l'amenaça de què era objecte una estàtua de la Mare de Déu d'anar a parar a l'aigua si no feia que descendís la crescuda d'un riu per sota del pont on havia de passar en processó–, que vaig sentir-li explicar fa anys a un bon amic per desgràcia ja desaparegut, en Víctor Siurana.

32. Thompson remet per a un resseguiment més exhaustiu d'aquest *topos* literari als Index 113*b* i 136*c* de l'*Encyclopaedia of Religion and Ethics* de J. Hastings (Nova York 1908-1922).

cions més hilarants i alhora emotives de l'autor, bastida a partir d'una anagnòrisi com a motiu central i relacionable amb *Unexpected meeting of father and son* i *Unknown son returns to father's court* (Thompson: N731 i N731.1, respec.).

En darrer lloc, i per acabar provisionalment amb aquesta cala només orientativa en la pedrera de motius de què es forneix Moncada, en tenim un amb valor d'autèntic leitmotiv tot al llarg d'una de les seves novel·les, EM (*passim*): concretament el de l'extraordinària semblança amb el rei Ferran VII d'un personatge, Genís, que duu per cognom també el de Borbó i que, per a més inri, esdevé el principal i més acarnissat responsable del triple assassinat a l'entorn del qual gira la trama narrativa de l'obra. És aquest un tòpic que podríem adscriure en principi al tipificat per Thompson sota el lema *King and fool identical in appearance* (*ibid.*: F577.3), viu encara, amb major o menor dosi d'intencionalitat antimonàrquica, en el folklore dels nostres dies,[33] i del qual, d'altra banda, es feia ressò Freud al seu estudi de 1905 sobre *Der Witz und seine Beziehung zum Unbewussten* («L'acudit i la seva relació amb l'inconscient»), on el reportava sota la variant d'un acudit precisament.[34]

IV) B. Formes simples

Però si en una proposta literària bastida sobre l'oralitat no costa gaire, segons hem vist, de detectar-hi motius acreditats tot al llarg d'una tradició tant diacrònica com diatòpica, que actuen talment a tall de mínimes unitats de significació narrativa, tampoc no resulta gaire més complicat de rastrejar-hi concrecions de gènere a través d'això que, d'acord amb Jolles, hem convingut d'anomenar «formes simples».

D'entre les tipificades per Jolles,[35] la que en una narrativa com la de Moncada revesteix valor de forma matriu, englobadora de les altres, és, com ja he subratllat

33. Qui no ha sentit a parlar de semblances anàlogues entre súbdits aranesos i representants de la mateixa reial nissaga?

34. No em sé estar de reproduir-lo en traducció catalana: «Sereníssim fa un viatge pels seus dominis i observa entre la multitud un home que té una retirada més que remarcable amb la seva alta persona. Li indica que se li acosti per preguntar-li: "La seva mare va servir mai a Palau?". "No, Altesa Sereníssima, però sí el meu pare".»; em serveixo de l'edició publicada a cura de Peter Gay per Fischer Taschenbuch Verlag (Frankfurt am Main 1992), pàg. 84. Freud s'hi torna a referir poc més avall (pàg. 118-119 de l'ed. cit.) per subratllar la pertinència de l'acudit com a gènere literari amb vista a capgirar, gràcies a una resposta enginyosa, el sentit ofensiu de la pregunta d'algú superior en rang.

35. La llegenda, la saga, el mite, l'enigma, el proverbi, el «cas», el «memorabile», la rondalla (*Märchen*), l'acudit, *op. cit.*, pàg. 10. Sobre el cas (*Kasus*) i el memorabile (*Memorabile*), veg. *infra* en el cos del text. En el seu moment, hi hauria pogut incloure també la paràbola i l'anècdota. Avui, hi escaurien semblantment les *Alltagsgeschichten* (o «històries quotidianes») i les *urban legends* (o «llegendes urbanes»). L'important de l'estudi de Jolles no és tant aquesta classificació inventarial com el marc teòric que estableix per a la comprensió de configuracions (*Gebilde*) que, sorgides directament de la llengua sense la

més amunt, la del mite. Aquest, d'acord amb les observacions que hi prodiga l'autor al·ludit, sorgeix de l'exigència que l'home posa al món i als seus fenòmens per tal que se li mostrin accessibles, cognoscibles, i la rèplica que en rep és la que li permet llavors d'elaborar una contesta. Per això el mite fóra una resposta en la qual hi hauria continguda una pregunta.[36]

Aplicat a l'obra moncadiana, tenim així que aquesta –el seu ampli conjunt, però en especial CdS– fóra l'intent de respondre, en termes evidentment al·lusius, i no pas racionals o demostratius, sinó figuratius i parabòlics,[37] als interrogants sorgits en el transcurs d'un procés de transformació convulsiu, si no traumàtic, que, centrat en la col·lectivitat mequinensana, per bé que amb valor de model per a tants altres llocs del país, abastaria aproximadament, en el temps real, el segle comprès des de la restauració fins a les acaballes del franquisme. El fet llavors que el procés culminant d'aquest agitat periple consisteixi en la construcció d'un pantà destinat a liquidar físicament l'espai mitificat –la vila i el *modus vivendi* característic de bona part dels seus habitants–, pot ser vist en darrera instància com una metàfora de la modernitat: el desenvolupament no es paga sinó a un preu costosíssim, i més si aquell té lloc sota el auspicis de règims en gran part dictatorials.[38] Però ara i aquí n'hi ha prou simplement d'apuntar aquesta possible via interpretativa.

A diferència del mite, l'enigma, sempre segons Jolles, seria exactament el contrari: la pregunta que enclou una resposta.[39] I mentre que aquell se situaria sota el signe de la llibertat i fóra acció i significaria un respir, aquest ho faria sota el del constrenyiment, comportaria dolor i voldria dir angúnia.[40]

Tot això pot trobar la seva traducció, a grans trets, evidentment, i sempre pel que fa a la forma simple germinal de què arrencaria, en GdE. La pregunta a què ha de respondre Dalmau Campells és la sort seguida pel seu pare, i no hi troba resposta si no és també en una mort tan atzarosa i gratuïta com la que va acabar amb aquest. Si la forma simple de l'enigma compendia *in nuce* la dimensió global de la novel·la,

intervenció de cap poeta, només per causa de l'ocupació intel·lectual (*Geistesbeschäftigung*) derivada del treball per mitjà d'aquella, menen a l'aparició d'uns gestos lingüístics (*Sprachgebärde*) –equivalents si fa no fa d'allò que de manera més convencionalment admesa anomenem motius o tòpics– que, degudament actualitzats (*vergegenwärtigt*), es concreten en les anomenades formes simples (*Einfache Formen*).

36. «Mythe ist eine Antwort, in der eine Frage enthalten war», Jolles, *op. cit.*, pàg. 129; cf. també pàg. 97.

37. Segons és propi de la naturalesa del mite, i tal com ha estat posat en relleu per Kirk, citat per Duch, *op. cit.*, pàg. 42.

38. Veg. l'apassionant estudi de Marshall Berman, *All that is solid melts into air. The experience of modernity* (1982), en esp. el primer cap., destinat a l'exegesi del *Faust* en tant que tragèdia del desenvolupament / desenvolupisme.

39. «Rätsel ist eine Frage, die eine Antwort heischt», Jolles, *op. cit.*, pàg. 129.

40. «Deshalb steht Mythe im Zeichen der Freiheit –Rätsel im Zeichen der Gebundenheit; deshalb ist Mythe Tätigkeit, Rätsel Leiden, deshalb bedeutet Mythe ein Aufatmen, Rätsel eine Beklemmung.», *ibid.*, pàg. 130.

aquesta resulta altrament de l'exercici de complexació d'un motiu tan freqüent com el de *Son seeks unknown father* (Thompson: H1381.2.2.1).[41] Amb un resultat final que, com a conseqüència no pas d'aquesta recerca, sinó de la mateixa diversificació de la trama narrativa, pot acabar desembocant, segons advertia ja el mateix Jolles i com és també aquí el cas, en una veritable *Detektiverzählung* (o «narració detectivesca»).[42]

La saga –entesa no tant com la història d'una família, sinó com aquella forma simple que posa en relleu com la història existeix en tant que procés de l'esdevenir-se d'una família, i que és aquesta al capdavall qui fa aquella–[43] troba també la seva deguda representació en les tres produccions novel·lístiques de Moncada, on cap saga familiar no hi és historiada per sobre de les altres, però on totes contribueixen al bastiment de la història pròpia i aliena des dels respectius lligams sanguinis.

El «cas» (o *Kasus*) –juntament amb el «memorabile» (o *Memorabile*), les úniques formes simples per a les quals va encunyar Jolles, a partir del llatí, un terme no avalat per la tradició– consistiria a fer una pregunta per a la qual no hi ha resposta, de manera que se'ns imposa el deure de la decisió d'acord amb unes normes que cal sospesar i sotmetre a valoració en un o altre sentit.[44] La seva tendència, tan bon punt es veu realitzat com a forma artística, és a convertir-se en novel·la curta (o *Novelle*).[45]

D'acord amb això, i basant-nos igualment en l'afinitat de significació que pot revestir en català (i en espanyol) el terme en qüestió de «cas»,[46] és que bé podem situar aquesta forma simple en la base d'una narració com ara EM, estructurada al voltant de la reconstrucció d'un «cas» esdevingut l'estiu del 1877 –l'assassinat d'un recaptador d'impostos i de dos integrants de la seva comitiva– i sobre el qual, d'acord amb la mateixa conflictivitat social de l'època, hi ha valoracions enfrontades que, en virtut de la dinàmica entre analepsi i prolepsi que vertebra l'obra, es projec-

41. Per a un resseguiment circumstanciat de les múltiples manifestacions d'aquest motiu, veg. Elisabeth FRENZEL, *Motive der Weltliteratur* (Kröner: Stuttgart, 1980), s. v. *Vatersuche*.

42. JOLLES, *op. cit.*, pàg. 148-149.

43. «[Les sagues ...] geben im Grunde nicht die Geschichte einer Familie, sondern zeigen, wie Geschichte nur als Familiengeschehen existiert, wie Familie Geschichte macht.», Jolles, *op. cit.*, pàg. 71-72.

44. «Das Eigentümliche der Form Kasus liegt nun aber darin, daß sie zwar die Frage stellt, aber die Antwort nicht geben kann, daß sie uns die Pflicht der Entscheidung auferlegt, aber die Entscheidung selbst nicht enthält [...] so können wir sagen, daß sich in dieser Form das Schwanken und Schwingen der wägenden und erwägenden Geistesbeschäftigung verwirklicht.», Jolles, *op. cit.*, pàg. 191.

45. *Ibid.*, pàg. 182.

46. Josep M. Pujol se servia d'aquesta mateixa denominació de «cas», que diu extreure «del títol d'una famosa revista popular», és a dir, d'*El Caso*, per referir-se a aquella mena de productes literaris, de caire també eminentment folklòric, a través dels quals «la societat administra el terror com a correctiu social», veg. *id.*, «Literatura tradicional i etnopoètica: balanç d'un folklorista», dins *La cultura popular a debat*, edició a cura de D. LLOPART, J. PRAT i Ll. PRATS, Barcelona: Alta Fulla, 1985, pàg. 158-167; el passatge aquí cit. és a la pàg. 166.

ten encara sobre els nostres dies, tot obligant-nos a prendre-hi partit retrospectivament des del nostre mateix avui.[47]

En les remissions aplicades a fets literaris de les primeres dècades del segle XX que, com ja hem vist, duu a terme Jolles tot partint de les formes simples tradicionals, aquest apunta, a propòsit de la llegenda –originàriament substantivada en manifestacions com ara les *Acta Martyrum*, les *Acta Sanctorum*, les *Vitae*, etc.–, que aquesta es prolongaria en els nostres dies a través dels anomenats rècords esportius, que no són certament cap miracle en el sentit medieval, però sí en el sentit d'un rendiment que semblava inassolible o impossible fins al moment. I d'aquí que aquests rècords siguin avui dia una de les coses que ens resten del passat i d'allò que aquest ens retorna, com abans ho eren les fetes meravelloses dels sants.[48]

Atès això, no ha de sobtar gens que una literatura fonamentada en l'oralitat com ara la de Moncada presenti abundants referències a l'esport per excel·lència dels últims cent anys, el futbol.[49] Les quals, tot i com sovint s'adrecen en ploma del nostre autor a la denúncia irònica de les implicacions alienants d'aquest esport en mans dels poders fàctics,[50] no per això deixen de traslluir episodis amb valor de reminiscències certament llegendàries.[51]

Si per «memorabile» cal entendre, com afirma Jolles, la forma simple més corrent del món modern, en tant que permet, com a recull de fetes tingudes per memorables, de destriar enmig d'un món indestriable fins a fer-lo concret i creïble, amb possibilitats d'acabar derivant també fins a novel·la curta,[52] llavors sens dubte constatarem l'ocurrència d'una tal forma en el corpus literari moncadià, ja bé sigui com a narració,[53] ja bé sigui com un de tants episodis que n'entreteixeixen la novel·lística.[54]

47. Veg., en aquest sentit, EM: 59-60, 99-100, 210-211, 237, 314-315, 347.

48. JOLLES, *op. cit.,* pàg. 60-61. En el desplegament que fa d'aquest paral·lelisme, l'autor suís subratlla la importància de detectar formes aparentment «no literàries» en enunciats com ara els de la secció esportiva dels diaris i qualifica expressions com ara *knock out* de veritables «gestos» (o motius, segons la terminologia més convencional) lingüístics.

49. Cf. «El tema principal de conversa, més ben dit, l'únic, era el futbol» (GdE: 352); «Com de costum, la informació més apassionant, la realment valuosa, era l'esportiva: el plat fort, el partit de la pròxima jornada de la lliga entre el Torrelloba i el Barcelona» (*ibid.*: 415-416).

50. Cf. CdG: 60; GdE: 24-27, 415-419; CA: 55.

51. És el cas de narracions com «Absoltes i sepeli de Nicolau Vilaplana», «Futbol de ribera», «Un enigma i set tricornis» (CdG: 17-21, 31-37, 53-62, respec.).

52. *Op. cit.*, pàg. 215-217.

53. Cf. HME: «Riada», «Revenja per un difunt», «Traducció del llatí», «Aniversari», pàg. 53-60, 61-67, 69-73, 143-147, respec.; CdG: «Un barril de sabó moll», pàg. 5-10. Més en general, totes les narracions de CA, a partir del motiu més o menys tipificat que les caracteritza, resulten adscrivibles a la forma del *memorabile*.

54. Alguns exemples de CdS: ús d'un canó durant la Guerra del Francès i la dels Carlins (94-98); imatges de sants llançades a l'Ebre el 1936 (170-172, 228); tornada a la vila de Carlota de Torres després de la Guerra Civil (214-216); trombó dalt d'un llaüt enmig del riu tocant *La internacional* en ple franquisme (273-274).

I, encara, pel que fa a la forma simple del proverbi (*Spruch*), el llenguatge oral en què s'abeura Moncada n'és igualment ben proveït,[55] amb mostres que evidencien el caràcter no forçosament alliçonador ni iniciàtic d'aquesta forma simple, sinó més aviat retrospectiu, concloent i resignat.[56] Subsisteix amb tot només el dubte de si determinades expressions més col·loquials, i més o menys lexicalitzades, resulten igualment englobables o no dins aquest ampli calaix genèric de la literatura paremiològica.[57]

V) Tractament narrativitzador

La confecció d'un text –de qualsevol text que no sigui directament l'obtingut per mera transcripció mecànica d'una conversa magnetofònicament enregistrada a la insabuda dels seus interlocutors– comporta sempre un major o menor grau d'elaboració. Cosa que, quan es tracta d'un text literari, equival a un arbitrament de convencions formals més o menys considerable. Les úniques, al capdavall, aquestes, aptes a fer-nos sentir atrets per un missatge que, mancat per complet o en gran mesura de finalitats instrumentals i, doncs, pròpiament comunicatives, es caracteritza precisament per la seva contingent gratuïtat.

Si això és pertinent per a unes manifestacions com aquelles de què segons hem vist parteix Moncada –motius folklòrics, formes simples–, més ho és encara per al producte resultant del procés de narrativització d'aquestes. La conversió d'uns materials originàriament orals i literàriament primaris, d'ús reduït per tant a interlocutors *in praesentia*, en uns altres d'escrits i, doncs, literàriament secundaris, capaços d'interessar lectors evidentment *in absentia*, és com ja s'ha indicat més amunt allí on hi ha l'art narratiu d'aquest autor.

Analitzar llavors amb detall la riquesa de recursos desplegats en la seva obra –en tot allò que aquests presenten de variació i de complexació en relació amb aquells de més rudimentaris o tradicionals que els fan de base de partença– és una

55. Cf. «Qui allunya de vista, allunya de cor» (CdS: 321); «Amor de ric, aigua en cistella» (GdE: 292; una versió anàloga d'aquest proverbi, per mitjà d'un refrany aplicat en aquest cas a l'amor d'una donzella, el trobem ja per escrit al *Flor d'enamorats* de Joan Timoneda, de 1562); «Cadascú es posa la llengua on li dol el queixal» (CA: 67); «Primer és la carn que la camisa» (*ibid.*: 69).

56. «Der Spruch ist nicht lehrhaft, er hat keinen lehrhaften Charakter, er hat selbst keine lehrhafte Tendenz [...]. Alles Lehrhafte ist ein Anfang, etwas, worauf weiter gebaut werden soll –die Erfahrung in der Form, in der sie der Spruch faßt, ist ein Schluß. Ihre Tendenz ist rückschauend, ihr Charakter ist resignierend.», JOLLES, *op. cit.*, pàg. 158.

57. Com ara –i aquesta breu relació és tot al contrari d'exhaustiva– *tenir sempre la pólvora a torrar*, *ser més llarg que una madeixa de fil* (CdG: 43 i 75, respec.); *tenir mà a la farinera* (GdE: 264); *buscar la lluna per la bassa* (EM: 183); *estar com un peix al rostoll*, *fer córrer l'ungla* (CA: 31 i 57, respec.), i de totes les quals només documento a la *Paremiologia Catalana Comparada* de Sebastià Farnés la darrera.

tasca especialment indicada per als especialistes en narratologia[58] –car prou n'hi ha, i de ben acreditats alguns, dins l'àmbit cultural del país. Jo, aquí, per òbvies limitacions de tota mena, em cenyiré només al breu resseguiment de trets que, ja bé sigui de manera explícita o bé implícita, revelen la vertebració de l'obra moncadiana a l'entorn d'aquesta dialèctica de relligament recíproc entre oralitat i escriptura.

V) A. Adveració de l'oralitat

En principi, hi ha el supòsit programàtic de fer creïble en la ficció una literatura de pedigrí tan suspecte, als ulls del *media* escrit, com ara la primigèniament folklòrica, popular. Per aconseguir-ho, s'emfasitza en primer lloc l'origen volàtil dels relats, procedents de la realitat oral,[59] alhora que es formulen aparents reserves sobre el seu grau de veracitat.[60] I, en segon lloc, amb vista a fer veure que hi ha manera de garantir aquesta suposada veracitat ni que sigui parcialment, es procedeix tot sovint a la inclusió d'intermediaris entre els relats, o els seus reportadors, i qui representa que és el narratari de tot plegat, o el seu lector implícit, en forma de documents[61] o de cronistes[62] encarregats del transvasament en primera instància del flux oral a un suport escrit previ al que ens arriba a nosaltres ja en forma del llibre que ens disposem a llegir.

Tot plegat, no cal dir, no és sinó una hàbil finta retòrica perquè uns relats, en principi suspectes d'una falsedat altra que la inherent al producte literari escrit, cobrin major versemblança com a textos –si cal– a còpia de ficcionalitzar també el mateix fet de la impetració d'aquesta.[63]

58. Sempre podran sucar-hi pa fent anàlisis de la trama (a les novel·les, d'habitud, encastada), els temps narratius (amb prolepsis i analepsis per a tots els gustos), les alternances entre les diverses menes de narradors i de narrataris, etc. Cal remarcar només llavors l'observació de Burkert (reportada per Lluís Duch a *op. cit.*, pàg. 181, i perfectament aplicable al discurs literari del nostre autor) que «[e]l pensament mític treballa amb seqüències, no amb conseqüències; amb tot pot ser extraordinàriament diferenciat, subtil i eficaç».

59. Vegeu-ne una mínima relació *supra*, en l'apartat III), sobre les fonts de la mitopoiesi moncadiana.

60. «[...] aquesta mena d'històries, ja se sap, agafen vida pròpia i esdevenen incontrolables» (CA: 127); i la «història» sempre pot degenerar en «fulletó» (EM: 311) o en «romanço» amb tot d'«excrescències afegides» (*ibid.*: 347).

61. Com és el cas, de rància tradició literària, del «manuscrit trobat», que a EM (5-6, 346) fóra l'obra d'un testimoni coetani dels fets descrits, l'escrivà del jutjat de Casp Agustí Montolí.

62. Cf. CdG: 25, 35, 53, 63-65; CdS: 13, 204.

63. Una bona il·lustració de la dinàmica en què recolza aquest joc la trobem a CA (22-23): en el text proemial escrit per qui hauria estat antic testimoni o narratari de les històries reportades, el secretari del jutjat de Pau Mallol Fontcalda, aquest hi fa constar que l'autor del llibre, esmentat pel seu nom real de Jesús Moncada, se li hauria adreçat amb uns «esborranys» de «narracions», aplegades, s'entén, a partir de la transmissió oral col·lectiva; aquestes haurien estat retornades a l'oralitat ara en forma d'«un seguit de xerrades» entre tots dos, fins a convertir-se, també se sobreentén, en el producte novament reelaborat, i perfet

Altrament, la ubicació en un temps remotament indefinit o no-temps característica del relat mític, es veu contrapuntada aquí amb remissions precises al temps històric real, d'un passat concret o d'un avui que no ho és menys: el de l'autor i del lector.[64] Això contribueix a la textualització narrativa d'allò que d'antuvi no era sinó oralitat tradicional.[65] El mite, com a forma simple, pot perdre llavors part de la seva força, en detriment del meravellós i en favor del que té la realitat d'immoral,[66] però guanya en escanvi credibilitat racional als ulls de qui no n'és oïdor col·lectiu de cafè en un moment imprecís sinó lector solitari de butaca en un present concret.[67]

V) B. Convencionalització del relat

Però no tot és propòsit d'atorgament de veracitat al producte final extret per narrativització d'uns tals materials en brut. També hi ha, en l'obra de Moncada, un desplegament deliberat d'allò que els formalistes russos anomenaven *obnazenie priëma*, o posada al descobert dels recursos,[68] amb vista precisament a subratllar el

per escrit, que és el que ara el lector té a les mans. Transformar en matèria de ficció els vaivens, suposats o reals, tant és, experimentats en la gestació del text, és una manera ben hàbil d'advocar a favor de la legitimitat, és a dir, de la versemblança literària d'aquest.

64. Un exemple immillorable d'aquesta dinàmica el trobem a EM, on l'exacta situació en el temps del «cas» que hi és narrativitzat –entre agost i novembre de 1877–, així com l'esment d'efemèrides històriques vàries –com ara les guerres carlines (76, 117), la Guerra Francoprussiana i la Comuna de París (117), l'enriquiment propiciat per la Gran Guerra (33), etc.–, alterna, per mitjà del recurs epistolar, amb el temps històric real de redacció de la novel·la per part del seu narrador, entre el febrer de 1995 i el maig de 1996.

65. On aquest recurs apareix utilitzat de manera més sistemàtica és a CdS, l'obra també de més ambició èpica de l'autor: des de la Guerra del Francès el 1810 (70, 94) fins a la tardor de 1971, segon any de les demolicions de l'antiga Mequinensa (277, 278, 283, 302) –passant, entre d'altres efemèrides, per la batalla de Tetuan el 1860 (36-39), la bomba del Liceu el 1893 (50), l'atemptat contra Alfons XIII el 1906 (49), la Setmana Tràgica el 1909 (43), l'assassinat de Canalejas el 1912 (49), el regicidi de Sarajevo el 1914 (47), la Gran Guerra de 1914-1918 (23, 26, 53, 55, 85) amb les subsegüents controvèrsies entre francòfils i germanòfils (55, 62, 78, 80, 239) i el seu armistici (84), la Revolució Russa el 1917 (119), la proclamació de la Dictadura de Primo de Rivera el 1923 (118, 196), l'adveniment de la República el 1931 (143, 145), la rebel·lió militar al Marroc el 1936 (167), l'ofensiva feixista el 1938 (189), l'esclat de la Segona Guerra Mundial (220), l'entrada dels alemanys a París el 1940 (239), l'univers concentracionari de Mauthausen (261-262, 326), els maquis (256), les expectatives arran de la victòria dels aliats sobre l'Eix (286-287)–, diferents al·lusions explícites ens permeten de situar en el context real de la història efectivament esdevinguda la trama argumental de la novel·la.

66. «Sobald das Märchen historische Züge bekommt –und es geschieht das manchmal dort, wo es mit der Novelle zusammentrifft–, büßt es etwas von seiner Kraft ein. Historische Örtlichkeit, historische Zeit nähern sich der unmoralischen Wirklichkeit, brechen die Macht des selbstverständlich und notwendig Wunderbaren.», Jolles, *op. cit.*, pàg. 244.

67. Una fórmula intermèdia de casament entre el temps mític i el temps històric és l'assajada prou reeixidament per l'autor en el monòleg que, a cavall de la crònica i de l'autobiografia, posa en boca d'un barquer a EM (67-70).

68. Veg. Victor Erlich, *Russian formalism* (1969), en especial les pàg. 272 i 276 de la traduc. esp. publicada per Seix Barral el 1974.

contrari de la presumible veritat real a què respondria el referent narrat, o sigui, a posar en relleu nu la dimensió convencional, fictícia, de l'obra literària tota en un plegat.

Són mostres de metaliteratura com ara l'«Informe provisional sobre la correguda d'Elies» (CdG: 25-29) –una narració temàticament quasi espriuana pel que deixa entreveure d'insolidaritat humana per la via del grotesc–, construïda a cops de contrast entre l'opinió divergent de diferents testimonis i allò que en va confegint, tot filant així la narració –talment el Guilhem de Peitieu del «Farai un vers de dreit nien» o el Lope de Vega de «Un soneto me manda hacer Violante»–, el suposat «cronista» dels fets. I també la contraposició de parers entre igualment «un feix de testimonis» i «una crònica anònima», ja a les primeres pàgines de CdS (9-14).

O juxtaposicions caricaturesques que posen en relleu la diferència, a propòsit del mateix episodi, entre els usos espontàniament col·loquials del llenguatge i els usos impostadament cultes d'aquest,[69] és a dir, entre oralitat i escriptura, entre la pressuposada autenticitat d'aquella i la decidida enganyositat d'aquesta.[70]

També és un recurs convencionalitzador, per més que pugui emanar tan espontàniament com indeliberada, el d'optar per títols clarament metrificats[71] o el de confegir segments de prosa no menys inequívocament versificats.[72]

I, més en general, ho és la dimensió paròdica i, en darrera instància, propiciadora de distanciament crític com és la resultant d'un recurs en principi formal, però no per això menys combatiu dipositari i esmolat propagador d'un determinat sistema de valors, com ara el de la ironia, de molt el més conseqüentment emprat per Moncada.

69. Cf. el contrast entre allò dit i allò escrit, en funció, evidentment irònica, dels estatus socioculturals dels respectius emissors: *no es sentia ni una mosca – un silenci sepulcral* (GdE: 387); *si mous una cella et mato – no es mogui, en nom de la llei* (*ibid.*: 388); *amb puntades de peu als collons d'aquesta colla de cràpules – amb la severitat precisa* (*ibid.*: 417); *merder – embolic* (*ibid.*: 440); *s'han presentat – s'han personat* (EM: 173-174).

70. O a l'inrevés: és el cas del fatu senyor de la Picarda, entestat a dir *London* i *la Suisse* allí on tothom diu, i eventualment escriu, *Londres* i *Suïssa* (EM: 98).

71. Cf. el ritme iàmbic de CdS; o l'anapèstic d'EM i de CA.

72. Vegeu-ne alguns exemples extrets d'EM. Tirallonga de pentasíl·labs: «Si jo fos de tu, / baixaria a treure / els ulls amb les ungles / a aquests fills de puta» (53). Tirallonga d'heptasíl·labs: «les obreres de la fàbrica / d'extracte de regalèssia / deien que els dos forasters / pixaven aigua beneita» (75). Combinació de tercets heptasil·làbics: «les cendres del mocador / suren a la xemeneia / com volves d'una neu negra» (20); «a la vila, a la tardor, / pots triar entre crisantems, / dàlies i octubreres» (61); o aquesta amb valor anafòric sobreafegit «tant de ferum d'alcohol, / tant de pesta de suor, / tant d'aroma de cafè» (208). Tirallonga d'heptasíl·labs: «Deu dormir com el llebrer, / com voldria fer-ho ella, / amb el cervell convertit / en un grumoll de foscúria / i la memòria morta» (123). Combinació de dos alexandrins amb un dodecasíl·lab al mig: «Què passa Montolí? / Què són aquestes presses? / desprenent una combinació nauseabunda / de ferum de suor / i d'aroma d'havà» (142).

Diversos personatges de la seva narrativa són clarament adscrivibles a l'*ironic mode* teoritzat per Northrop Frye, en el sentit que els trobem en una posició de poder o d'intel·ligència inferior a la nostra, de manera que tenim la sensació d'observar-los de dalt estant en una situació de servitud, de frustració o d'absurd.[73]

Fóra el cas de pobres quídams corprenedors com ara l'esmolet il·lusionadís de poder trobar aviat feina a la lluna després d'haver-hi arribat efectivament els nord-americans,[74] el forner que frisa com a dramaturg afeccionat per tenir d'espectador el president de la Generalitat,[75] el barquer que s'adreça per carta a la Mort en demanda de convertir-se en successor del vell Caront,[76] els jaiets encaterinats a anar a veure un striptease a Barcelona[77] o llançats a proferir bravates eròtiques davant la visió d'una mossa provocativa,[78] etc.

Però també és el cas de subjectes vinculats d'una o altra manera a un cert poder, repressiu, econòmic, social, i que destaquen per confondre l'àcid acetilsalicílic amb un agent comunista (CdS: 294-295), inquirir dades sobre un tal Saturn que hauria devorat els propis fills (GdE: 21), exigir la detenció d'un individu de nom Schubert en companyia del qual deia haver volgut suïcidar-se la filla pianista (EM: 328), demanar els antecedents penals d'uns sospitosos anomenats Horaci i Virgili (CA: 226), etc.

La diferència llavors entre una i altra mena d'ironia està que la primera, per continuar dient-ho d'acord amb Frye, consisteix en un contingut completament realista i en la supressió d'actitud per part de l'autor[79] –en un procediment, tot sigui dit de passada, que contribueix a immunitzar la narrativa moncadiana de qualsevol regust costumista–, mentre que la segona és una ironia militant i, per tant, es caracteritza, ja sota el nom de sàtira –i sempre segons Frye–,[80] per una mostra de fantasia i per un contingut que el lector ha de trobar grotesc, ja que hi ha de poder reconèixer una norma moral com a actitud enfront de l'experiència de la vida.[81]

73. «If inferior in power or intelligence to ourselves, so that we have the sense of looking down on a scene of bondage, frustration, or absurdity, the hero belongs to the *ironic* mode.», Northorp FRYE, «Historical Criticism: Theory of Modes», dins *id. Anatomy of Criticism* (Princeton University Press: 1957, 2a ed. 1971), pàg. 34.

74. «La lluna, la pruna» (HME: 85-95).

75. «La Sirena del Baix Cinca» (HME: 97-102).

76. «Senyora Mort, carta de Miquel Garrigues» (CdG: 39-44).

77. «Stript-tease» (HME: 75-81).

78. «La metafísica sota les acàcies» (CA: 134-144).

79. «Irony is consistent both with complete realism of content and with the supression of attitude on the part of the author.», FRYE, *op. cit.*, pàg. 224.

80. «The chief distinction between irony and satire is that satire is militant irony: its moral norms are relatively clear, and it assumes standards against which the grotesque and absurd are measured.», *ibidem*, pàg. 223.

81. «Satire demands at least a token fantasy, a content which the reader recognizes as grotesque, and at least an implicit moral standard, the latter being essential in a militant attitude to experience.», *ibidem*, pàg. 224.

Que l'objectiu recurrent d'aquesta ironia satírica, sarcàstica fins i tot, siguin de preferència representants dels estaments clerical i militar[82] –i, només per extensió, de la resta de l'*establishment* polític i econòmic, sobretot de durant el franquisme–,[83] no és llavors sinó una prova palesa més de la filiació eminentment oral d'aquesta literatura, la qual era no cal dir com d'abundosa en èpoques com les descrites, i que ara es veu rescatada per l'autor de l'àmbit conversacional (sovint a sota veu) i projectada, ja des d'una certa posteritat, fins al registre d'una narrativitat assumible simplement com a tal per lectors que ja no hi cerquen condemnes ni consignes, sinó una recreació lingüisticoliterària generadora d'un mite a l'abast, ni massa pròxim ni massa distant, i no pas exempta d'un posicionament ètic progressista. Res de millor, doncs, a aquest efecte, que la sàvia ironia administrada per l'escriptor mequinensà.[84]

VI) Opcions de llengua i d'estil: entre la *parole* i la *langue*

Aquesta oscil·lació entre l'oralitat com a punt de partença i l'escriptura com a punt d'arribada, no podria no reflectir-se de manera convenient en opcions estilístiques i en registres lingüístics que ignoressin les peculiars condicions socials en què s'ha hagut de moure –antany com enguany– la llengua del país.

O formulat més a la directa i en to interrogatiu: com fer versemblant en la ficció narrativa un llenguatge que, dins el marc d'aquesta, representa que flueix des de i en l'oralitat d'un indret extrem del domini lingüístic, sense que la seva traducció escrita es ressenti de la presència de nombrosos elements, sobretot de filiació diatòpica o derivada de la interferència, no admissibles dins la llengua estàndard? O, altrament, com aconseguir la tal versemblança sense que l'absència d'aquests elements i la presència d'altres de no arrelats en la llengua habitual de la zona on s'ambienta la narració no cridin l'atenció sobre una excessiva artificiositat del llenguatge utilitzat?

82. Sobre la connivència d'ambdós, veg. GdE: 69, 75, 112, 135, 158-159, 188, 242, 372, 404, 407, 417, 418; també la següent asseveració, que el formulat metonímic no fa sinó enfortir: «L'Estanislau sostenia que el bonet i el tricorni eren intercanviables» (CdS: 269).

83. Cf.: «A vegades, el Calipso [un bordell] sembla un plenari municipal; d'altres, un sínode diocesà» (CA: 149).

84. «Penso que la ironia i l'humor que hi ha [a GdE; extensible però a la resta de la seva obra] contrasten amb la visió de pamflet que sempre s'ha donat d'aquella època [la postguerra franquista]. Jo no li estalvio res, però tot està dit sota una capa d'ironia.», entrevista de Moncada amb Carles Singla, *Avui* (14-II-1992).

Moncada sap llavors com trobar el punt just entre la realitat indefugible de la llengua parlada[85] i els imperatius irrenunciables de l'estàndard, entre actualització oral i convenció literària, entre *parole* i *langue*.[86]

D'antuvi, hi ha una escassedat relativa de diàlegs,[87] i una abundància per contra de recursos de mediació propis de registres més cultes o elevats que els del relat oral: cartes,[88] discursos en públic,[89] monòlegs no interferits per la intervenció sincopadora de l'interlocutor.[90] Tot això s'inscriu dins els processos d'intermediació ja assenyalats més amunt per adverar la viabilitat del pas d'una literatura de l'oralitat a una altra de l'escriptura. Però té també una clara funció obviadora de la incomoditat de fer produir-se segons qui per extens en un context de col·loquialitat verbal. Els exabruptes més directament vinculats amb aquest àmbit són prodigats ocasionalment,[91] amb una clara voluntat testimonialista de la realitat lingüística en què són proferits, cosa amb la qual s'atorga tanta de versemblança al discurs neutre i omniscient de la narració, com alhora s'aconsegueix que aquest englobi literàriament aquella realitat lingüística primigènia en la seva dimensió més vulgarment connotada.

D'altra banda, i pel que fa als registres pròpiament diatòpics, Moncada deixa constància, sempre per mor de versemblança, de trets lèxics, morfològics i fraseològics si no exclusius, sí almenys característics de l'àmplia zona del domini lingüístic

85. «Es pot considerar que una expressió és inactual a Barcelona, però el català és més que el català de Barcelona. Cal considerar que la llengua és un tot, i l'escriptor té dret a fer servir tots els registres que li sembli. Una altra cosa és que un personatge parli en un registre que no li escau per la seva situació o el seu estament social.», entrevista cit. de Moncada a l'*Avui* (14-II-1992).

86. Hi ajuda possiblement el fet que, com ha subratllat el mateix autor, «[...] a Mequinensa i a tota aquella zona, abans de l'arribada de la televisió, es parlava un català magnífic, d'una puresa extraordinària» –entrevista amb Marta Clos, *Avui* (3-IV-1997)–, i «[e]l català de Mequinensa era un català preciós, esplèndid. Podies treure'n els castellanismes amb pinces i et quedava un català d'una puresa sensacional que és la base del que escric. Amb la televisió això va degenerant d'una manera molt ràpida, però encara hi ha un nucli important de població que el continua mantenint» –entrevista amb Jordi Capdevila, *Avui* (22-X-1999).

87. Un tret, aquest, observat ja a propòsit de GdE per Carles Singla en l'entrevista a Moncada cit. *supra*, *Avui* (14-II-1992); aquest, efectivament, admetia que «sempre utilitzo poquíssim diàleg».

88. «La Sirena del Baix Cinca», «L'estremidora confessió de "Joe Galaxia"» (HME: 97-102, 103-111, respec.); «La Plaga de la Ribera», «Senyora Mort, carta de Miquel Garrigues» (CdG: 11-16, 39-44, respec.); «Amb segell d'urgència», «Esborrany d'una treva», «*Nigra sum*» (CA: 24-38, 123-133, 178-195, respec.); també les cartes del personatge Arnau de Roda i de la seva filla Palmira al narrador d'EM (*passim*).

89. «A l'Hèctor el que és de l'Hèctor» (HME: 149-153).

90. Veg. «Paraules des d'un oliver» (CdG: 22-24), «Cinc cobriments de cor al casal dels Móra» (CA: 39-53), «Una finestra del carrer de l'Ham» (*ibid.*: 64-78).

91. Vegeu-ne algunes mostres: *cony* (HME: 46, 62), *collons* (*ibid.*: 62), *la puta d'oros* (*ibid.*: 62, 65; CdS: 41, 169), *hòstia* (HME: 79, 123), *ser l'hòstia* (*ibid.*: 63, 147; CA: 206), *no estar per hòsties* (HME: 56), *raig d'hòsties* (CdS: 67) *armar-se'n* una de *mil hòsties* (CA: 120), *hòstima* (CdG: 74, 76), *ni Déu* (*ibid.*: 20), *tot déu* (HME: 69; CdS: 128, 134, 149; CA: 125), *redéu* (HME: 46, 58, 76), *ondéu* (*ibid.*: 61, 62, 66), *mecagondéu* (GdE: 397), *collons de déu* (CdS: 41, 165), *tocar-nos els ous* (CA: 18).

de la qual procedeix i en la qual se situen els seus personatges;[92] però ho fa sense que això en cap cas posi en entredit la unitat cohesionadora del diasistema lingüístic,[93] ans més aviat contribuint-hi potencialment,[94] d'acord amb la previsió expressada programàticament per Fabra en el seu Prefaci al DGLC (1932), segons la qual, si tal o tal altre mot que no hi és de moment recollit «ha de figurar un dia en el diccionari general de la llengua literària, ha d'ésser perquè un escriptor d'aquella contrada l'elevi, ell que el coneix bé, a la categoria de mot literari».[95]

I, encara, l'obra moncadiana demostra sobradament la innecessitat de recórrer a elements procedents de la interferència exercida per la llengua dominant; on no arriba la realitat de la llengua parlada, hi subvé en aquest sentit la convenció de la llengua escrita i, més especialment en aquest cas, de *le ménsonge littéraire*, vàlid no sols per a prescindir de castellanismes més o menys arrelats, sinó també per a fer produir-se en català personatges espanyols en ambients no menys inequívocament carpetovetònics,[96] en una tan pertinent com encertada mostra d'arbitrarietat lingüística –prou insòlita altrament en el si de la literatura catalana, sempre tan aferrada, ella, als ambients i a les circumstàncies estrictament indígenes.

El saldo global és llavors un *construct* lingüístic i estilístic del tot coherent amb el procés de narrativització de l'oralitat aquí analitzat, on l'equilibri respectiu s'obté conjuminant els requeriments propis d'aquella amb les espontaneïtats inherents a aquesta.

92. Són casos com ara *aidar* (HME: 98), *estalzí* (CdG: 5), *hòmens* (HME: 123, 149; CdG: 5, 43; CdS: 265), *valtres* (CdS: 258), *dis-me* (HME: 86) –que apareix també en la seva forma més que normativa de *digues-m'ho* (EM: 26)–, *sense suc ni muc* (EM: 82), etc.

93. «Els meus personatges no fan servir estrictament les variants d'aquella banda [la Franja], perquè això és molt perillós, literàriament», entrevista de l'autor amb Lluís Bonada, *El Temps*, núm. 804 (9-XI-1999), pàg. 65.

94. Cf. les següents declaracions programàtiques de l'autor en l'entrevista cit. de l'*Avui* (3-IV-1997): «... [a la zona de Mequinensa] hi ha paraules vives per una banda i per l'altra n'hi ha que són mortes o desconegudes. Incorporar-les és contribuir a enriquir la llengua. A una contrada de Catalunya que no tinguin un riu navegable com era l'Ebre hi haurà una part de vocabulari que desconeixeran. Per a un muntanyenc la paraula *sirga* no és familiar».

95. Un exemple d'aquest procés fóra l'expressió *a les talúries*, profusament utilitzada per Moncada (GdE: 71, 127, 194, 256; EM: 21, 169, 243; CA: 99, 217), la qual, viva arreu del món ponentí, ha acabat essent acceptada pel recent DIEC (1995). Els responsables d'aquest, i de la seva tan necessària segona edició, corregida i augmentada, farien santament de pouar de l'obra del mequinensà tot d'altres mots i locucions igualment dignes de trobar-hi aixopluc normatiu. Em permeto de remetre en aquest sentit al meu article «A les talúries han acabat acceptant-la», *Àrnica*, núm. 46 (setembre 2000), pàg. 72-74.

96. Com és ara el cas de la Torrelloba de GdE, que, com s'ha dit i repetit (veg. per exemple l'entrevista amb Carles Singla cit. *supra*), no és sinó un transsumpte literari de la Saragossa franquista dels anys cinquanta.

VII) Poètica de la narrativitat moncadiana

La poètica subjacent en l'obra de Moncada –resultat aquesta, segons hem vist, de la narrativització elaborada i complexa de formes simples, originàriament a hores d'ara només folklòriques–, bé podríem qualificar-la, en funció del mateix èxit aconseguit pels seus llibres entre una àmplia massa lectora, de poètica: *a*) amable, per tal com és irònicament distanciada i no per això menys compromesa amb un sistema de valors determinat, *b*) implicativa, per tal com reïx a remuntar a l'universal col·lectiu des del concret local, *c*) participativa, per tal com parteix de materials a l'abast de tothom per tornar-los-hi recarregats d'un nou potencial expressiu.

VII) A. Poètica amable

No hi ha raons per creure que la vida a la Mequinensa, i al Baix Cinca en general, de l'època relatada, de mitjan segle XIX a mitjan segle XX, fos substancialment menys dura del que ho era a les comarques de poc més avall del mateix riu, com ara el Baix Ebre i el Montsià. Quina diferència no hi ha tanmateix entre la narrativa d'un Moncada i la d'un Sebastià Juan Arbó! Entre la ironia deseixida d'aquell i el tremendisme estripat d'aquest! És clar que tots dos autors pertanyen a dues èpoques diferents, amb quaranta anys en l'endemig (el mequinensà és nat el 1941 mentre que el rapitenc ho era el 1902). Però l'ambientació de l'obra respectiva se situa si fa no fa dins les mateixes coordenades cronològiques i espacials. Potser llavors el que passa és que, com advertia Xklovski, un costum pot convertir-se en tema literari només quan ha deixat de ser costum[97] i, doncs, que Arbó, sense el distanciament temporal i en definitiva històric de Moncada,[98] no podia no fer altre que no fos el naturalisme de traç gruixut amb què va descriure les terres de l'Ebre. Resta llavors només el dubte de si l'obra moncadiana resultarà d'aquí a mig segle tan arqueològica com ara ho és la del rapitenc; jo vull creure que no.

VII) B. Poètica implicativa

Mequinensa, lloc en principi tan real i concret com alhora extrem i desconegut, és un exemple de com, gràcies al poder de la paraula literària, un indret de tals

97. Veg. Victor ERLICH, *op. cit.*, pàg. 293.

98. Per exemple: es fa difícil imaginar que, en èpoques anteriors, les pallisses i les batudes de la Guàrdia Civil poguessin ser resoltes, posats a fer-ne literatura, en termes de grotesc hilarant com trobem a CdS (257).

característiques pot convertir-se en un referent susceptible d'identificació molt més àmplia, tant en el nivell de l'imaginari col·lectiu, talment el Macondo de García Márquez, com, de manera més anecdòtica i subsidiària, en el de l'anomenat turisme literari. Un exemple d'allò ja observat per Goethe quan afirma que es projecten abans del particular a l'universal artesans i artistes ocupats de per vida en l'elaboració i en el reeiximent d'un qualsevol propòsit que no pas filòsofs en la línia de Bacon de Verulam.[99]

VII) C. Poètica participativa

L'oportunitat del *métier* narratiu de Moncada pot fer pensar, salvades totes les distàncies i guardades totes les proporcions, en el que, dins la tradició literària autòctona, va saber desplegar a mitjan segle XVI un Joan Timoneda. Prenent com a base les cançons que anaven en boca de tothom entre els estaments populars, l'enginyós valencià –d'origen, per cert, també aragonès– va recompondre-les en uns productes, aplegats al famós *Flor d'enamorats* (1562), que, tot i trair una filiació inequívocament folklòrica, resultaven aptes tanmateix per al consum d'un públic d'estatus sociocultural més elevat que aquell en el si del qual s'havien primigèniament gestat. Un públic que es retrobava així amb els seus orígens –socials, afectius, localistes fins i tot– a través d'unes composicions degudament acomodades a les previsions i a les exigències de la seva nova situació.[100]

VIII) L'art narratiu imitat per la realitat mitificada

De no pas cap altra manera substancialment distinta a la de Timoneda és que, *mutatis mutandis*, ha procedit Moncada amb la seva obra. Reciclant aquelles «històries», «xafarderies», «contalles», «parauleries» de què tothom es nodreix, també en una societat com l'actual,[101] fins a transformar-les en unes propostes narratives vàli-

99. «Handwerker und Künstler, die einen beschränkten Kreis zeitlebens durcharbeiten, deren Existenz vom Gelingen irgendeines Vorsatzes abhängt, solche werden weit eher vom Partikularen zum Universalen gelangen als der Philosoph auf Bakonischem Wege.», Goethe, *Geschichte der Farbenlehre*, dins el vol. 14 de l'edició d'obra completa (Hamburger Ausgabe) a cura d'Erich TRUNZ (1960), pàg. 92.

100. Em remeto per a tota aquesta anàlisi a la introducció escrita per Joan Fuster a la seva edició de les 54 peces catalanes que integren el corpus global de l'obra citada de Timoneda, València: Albatros, 1973.

101. Cf. la següent apreciació de Jakobson: «El predomini absolut de la mentalitat col·lectivista no és de cap manera la condició indispensable de la creació col·lectiva, per bé que una tal mentalitat proporcioni un terreny particularment favorable per a la realització més perfecta de la creació col·lectiva. Aquesta no és gens estranya en una civilització impregnada d'individualisme. N'hi ha prou de pensar en les anècdotes

des per al consum intel·lectual i capaces, alhora, en virtut de la dialèctica encertadament apuntada per Oscar Wilde, d'esdevenir elles mateixes, en tant que construccions artístiques, objecte d'imitació per part de la realitat natural de què d'antuvi sorgeixen.[102]

O algú que hagi llegit Moncada i estigui familiaritzat amb la seva obra pot ara reportar –i menys escriure– «històries» sense veure-les a través de les lents d'augment de l'art gràcies al qual aquest ens les ha fet percebre i sentir com rarament abans?[103] No ens semblen ara, moltes de les «històries» que ens arriben, des de la retrospecció però també des del present, sovint en forma de crònica periodística o *fait divers*, directament sorgides de l'obra moncadiana, encara que no hi figurin pas?[104]

I és que, talment com a la «Parábola de Cervantes y de Quijote» formulada per Borges,[105] també aquí el mosaic figuratiu de personatges, d'indrets i de situacions confegit per Moncada acaba per imposar-se al món de realitat de què provenen i per sobreposar-se a qualsevol altre de fantasies més exòtiques i distants. «Porque en el principio de la literatura está el mito, y asimismo en el fin.»

que es propaguen en els ambients cultivats actuals, en les brames i les xafarderies, en la superstició i la formació de mites, en els usos socials i en la moda.», *op. cit.*, pàg. 120-121.

102. Cf. les següents afirmacions de Wilde: «All taht I desire to point out is the general principle that Life imitates Art far more than Art imitates Life [...]. Life holds the mirror up to Art, and either reproduces some strange type imagined by painter or sculptor, or realises in fact what has been dreamed in fiction [...]. For what is Nature? Nature is no great mother who has born us. She is our creation. It is in our brain that she quickens to life. Things are because we see them, and what we see, and how we see it, depends of the Arts that have influenced us. To look at a thing is very different from seeing a thing. One does not see anything until one sees its beauty. Then, and then only, does it come into existence. At present, people see fogs, not because are foogs, but because poets and painters have taught them the mysterious loveliness of such effects. There may have been fogs for centuries in London. I dare say there were. But no one saw them, and so we do not know anything about them. They did not exist till Art has invented them.», dins *The Decay of Lying* (1889), citat a partir de *Complete Works of Oscar Wilde*, a cura de Vyvyan HOLLAND, Londres i Glasgow: Collins, 1967, pàg. 985 i 986.

103. Moncada es complau a exemplificar aquesta dialèctica per mitjà de la petita *mise en abîme* que implica l'episodi dels «humils farandulers» actuant al Cafè de la Plaça (EM: 35-36).

104. No hi fa res que el bon Moncada asseguri, en l'entrevista cit. a l'*Avui* (22-X-1999), a propòsit de CA, que «els contes que semblen més fantàstics són els que responen a situacions reals. No diré quins són per no ferir cap persona que es pogués sentir al·ludida». Una tal afirmació pot formar part de les estratègies adveratives de l'autor davant els qui necessiten creure en la base real prèvia de la ficció. El que importa és ser conscients de la indestriabilitat de l'una i de l'altra, un objectiu en l'assoliment del qual excel·leix Moncada. Al capdavall, com deia Sal·lusti, el filòsof (i segons ens recorda Lluís Duch, *op. cit.*, pàg. 78), el mite parla d'allò que mai no s'ha esdevingut, però que tanmateix sempre és present.

105. Dins *El hacedor* (1960).

MERCÈ RODOREDA: EL RETRAT D'UN MÓN, LA CREACIÓ DEL PERSONATGE

Marta Nadal

Barcelona

Fa temps, algú va comentar-me, no recordo quan ni on, ni qui va ser la persona que em va fer el comentari, que els lectors sabíem molt poc de la cara, de l'aspecte, dels nostres escriptors. Que era important, o relativament important, per comprendre la seva obra, conèixer els trets físics que els definien: els seus ulls, la seva mirada, el gest de la seva boca, les seves mans... Recordo que em va semblar una observació estranya o, en tot cas, curiosa; potser perquè en aquell moment vaig pensar que per entendre bé un univers literari n'hi ha d'haver prou llegint-lo. Llegir-lo amb profunditat. I, si es vol, o si es pot, aprofundir en la biografia del personatge, en cas que aquest hagi assolit la categoria –que no sempre es correspon amb la realitat, dissortadament per a alguns dels seus lectors– de merèixer d'ésser biografiat.

Sigui com sigui, aquell comentari al qual m'he referit al principi, m'ha retornat, darrerament, nítid, després d'haver-lo tingut oblidat durant molts anys. O de creure que l'havia oblidat. Ha estat arran de l'oportunitat, magnífica, d'haver pogut treballar amb el fons fotogràfic de Mercè Rodoreda. D'haver pogut tenir a les mans els retrats originals d'aquella nena menuda, d'aquella quasi adolescent, dels seus familiars més pròxims; d'aquella noia ben plantada dels anys trenta; d'aquella dona de maduresa precoç a qui els estralls de l'exili van atorgar una fesomia endurida però dolça; d'aquella dona secreta i distant, melangiosa, enigmàtica, de principis dels seixanta, que sembla viure només endins i gens enfora, com probablement passava a la realitat; d'aquella altra, a finals de la mateixa dècada, de posat més segur, ja amb un cert reconeixement al seu país, però gelosa de la seva intimitat; d'aquella Rodoreda, encara secreta, però més deshinibida i lliure, dels setanta, que riu amb un posat jovenívol deixant-se entreveure a través del fum esbiaixat d'una cigarreta.

Potser Mercè Rodoreda és un cas excepcional per la quantitat d'imatges de què disposem, donada l'època en què va viure. Però, certament, el seu llegat fotogràfic aporta una informació valuosa que afavoreix, no ja una major comprensió de la seva obra, sinó un seguit d'elements que poden augmentar-ne les claus d'interpretació. És a dir, els retrats, en aquest cas, d'ella mateixa, del seu entorn més proper, de l'avi que tant la va influir i dels seus pares, dels anys d'exili, d'Obiols, de París i de Ginebra i, finalment, dels últims anys a Romanyà, constitueixen un material de suport per a la interpretació de la seva obra i de la seva personalitat.

La novel·la, retrat de memòria

Sense cap mena de dubte, la família Gurguí tenia una predisposició especial cap a la fotografia. Per aquells retrats fets en estudis fotogràfics que devien respirar l'aire de petit teatre de barri, amb tot l'atrezzo disposat per a l'ocasió, i on el fotògraf, a manera de director, dirigia l'operació: per exemple, l'avi Gurguí amb un amic, mudats, immòbils, amb posat cerimoniós, traient el cap, des d'un aeroplà enlairat, d'on es podia veure Montjuïc, al fons, i un mar curull de vaixells, als peus, talment la descripció que fa Aloma del port barceloní, la primera vegada que veia el mar, amb els vaixells i la muntanya, estimbada a dins. O la petita Mercè Rodoreda, dreta damunt d'una cadira ben guarnida de flors, seriosa, amb una raqueta de tennis a la mà, contemplada pel seu avi, amb posat joiós, que seu en una butaca, al seu costat. O els retrats de la mare, que posa com una actriu de l'època, amb figura impostada, exhibint bellesa i un cert misteri.

Hem de suposar, doncs, que a principis de segle, l'expectativa d'anar a cal fotògraf es convertia en un esdeveniment gens quotidià i, per tant, hom havia de correspondre a l'ocasió amb una certa sumptuositat i reverència. A tot això cal afegir les afeccions teatrals de la família Gurguí: dels pares, sobretot, que havien actuat en companyies amateurs i que a la nit es vestien per anar a aprendre de declamar, tal com la mateixa Mercè Rodoreda deixà escrit a les seves *Imatges d'infantesa*; i de l'avi, que feia llargs recitatius apassionats i a qui agradava de mostrar-se abillat com un personatge molieresc o guimeranià; o, amb un gec a l'espatlla i un barret a les mans, assegut, amb posat reflexiu i dramàtic, mirant a l'infinit, prenia la fesomia del patriota que somia una Catalunya independent, tal com deixà escrit al revers d'aquesta fotografia que descric, i que acabava amb un «Visca!» abrandat. La tendència a la interpretació, doncs, era ben present en aquella família de lletraferits, lectors d'Aribau, de Verdaguer, de Ruyra, de Carner... que Rodoreda havia escoltat de ben petita; i el seu entorn més immediat –aquella torreta de Sant Gervasi, senzilla, però amb un jardí prou important com per celebrar-hi els Jocs Florals del Putxet, amb un monument a Mossèn Cinto, construït després de la mort del poeta– constituïa l'escenografia perfecta per desplegar tot un univers de paper, per deixar intactes moments solemnes o quotidians però que, en tot cas, l'entusiasme dels Gurguí s'encarregava de revestir-los, tots, d'una certa solemnitat. És a dir, el casal, per ell mateix, ja esdevenia un bon «decorat», tant pels seus interiors com, sobretot, pel seu exterior. Perquè el que realment va esdevenir centre neuràlgic, escenografia perfecta, va ser el monument a Mossèn Cinto que l'avi, admirador i amic del poeta, va fer construir, a manera d'homenatge, al bell mig del jardí. Aquest monument, al cim del qual sobresurt el bust de Verdaguer, ple de garlandes escolpides de color rosat i de cassoletes curulles de farigoles i romanins, amb un petit sortidor i nenúfars, esdevé, d'una banda, la presència constant en aquella casa del poeta popular, venerat per l'avi, i que constituirà per a Mercè Rodoreda un dels seus primers i principals mobiliaris poètics; de l'altra, el monument propicià, també, el desplegament de tota una activitat poètica –dirigida per Pere Gurguí i seguida des d'una certa ombra per

Andreu Rodoreda– que aconseguia la seva màxima esplendor amb la celebració d'uns Jocs Florals de barri organitzats, també per l'avi Gurguí, autèntic «activista cultural», encara que local, de l'època. O, també, gràcies a la celebració de festes patriòtiques, en homenatge al poeta, com podem llegir en una invitació que Pere Gurguí adreça «Al ferm català N'Antoni de P. Aleu»: «El Grup Nacionalista Gracienc vos invita a la festa patriótica que en homenatge al excels patrici MOSSEN CINTO VERDAGUER tindrà lloc el dia 20 de Juny a les 4 i mitja de la tarde en el CASAL GURGUÍ, (París, n. 8, S. Gervasi) Vos remencia l'assisténcia a dit acte», signada per Pere Gurguí, en nom del grup. Aquestes festes, a les quals assistiren en alguna ocasió els populars Cors de Clavé, quedaren fixades en la memòria de tots gràcies a la fotografia, document que constituïa el millor testimoni d'aquella efervescència patrioticoliterària que la família Gurguí vivia amb autèntica emoció. Altres vegades, el monument esdevé, només, l'afirmació personal de Pere Gurguí que, sempre a primer rengle, i assegut al centre, vol immortalitzar el lloc amb els retrats de grup, integrat per la seva família i parents o amics del barri, fent cobrar protagonisme a la seva néta que, generalment, seu a la seva falda o, dreta damunt d'una cadira, mirant fixament l'objectiu del fotògraf, se situa com a personatge destacat del grup. Un grup que posa per al retratista amb vestuari de mudar, si l'ocasió ho requereix, o bé amb roba de cada dia, com la imatge que ens mostra l'avi amb guardapols i espardenyes blanques i que anys més tard Mercè Rodoreda farà aparèixer a les seves novel·les, o cantera de novel·les, com podríem considerar *Isabel i Maria.*

És molt probable que aquests retrats, com molts d'altres de la família i, especialment, de l'avi, i dels quals tenim constància, fossin realitzats per un veí afeccionat a la fotografia, Salvador Farriols, oncle de l'actual propietària de la Casa Farriols, a la qual s'accedia, i encara es fa ara, pel carrer de Ríos Rosas, però que comunicava per la porta del jardí al carrer de Manuel Angelon, abans carrer de París, on es trobava el Casal Gurguí. Salvador Farriols, d'una classe social benestant, amb una formalitat que devia quedar lluny de la d'aquella família cridanera que eren els Gurguí (Montserrat Farriols, la seva neboda, explicava que Montserrat, la mare de Mercè Rodoreda, cridava, al mig del carrer, «Salvadoreeeeet...», i això posava molt nerviosa la senyora Farriols, mare del fotògraf) devia sentir-se, però, atret per aquells veïns, que podien esdevenir, per la seva excentricitat, uns models excel·lents per als seus retrats.

Aquest va ser el món de Mercè Rodoreda fins als dotze anys, tal com ella mateixa l'explicà, a través de la ficció, en alguns dels seus contes i novel·les. Un món que, anys més tard, s'hauria de convertir en el seu mite personal, en la matèria primera del seu jardí interior. Un món que es va reconstruint a poc a poc fins a esdevenir un preciós mosaic de la seva geografia íntima, del seu primitiu itinerari vital que, després, com un observador, aniria redibuixant. Com qui elabora de memòria els plànols d'una casa i a cada estança hi situa un somni. És en aquest sentit que podem considerar l'obra de Rodorededa com la recreació de la seva pròpia vida i, les seves novel·les, no altra cosa que la «seva» gran novel·la. Totes constitueixen, així, un gran mirall, trencat, que, en recompondre'l, ens dóna el dibuix d'una existència complexa en la qual el personatge-autor es va dibuixant a partir dels fragments d'altres personatges els quals ens ofereixen, finalment, el perfil d'una personalitat única. Així obtenim, a grans trets, la fesomia vital, psicològica, del seu creador.

Què és, sinó, *Aloma*, la primera novel·la reconeguda obertament per Rodoreda i acceptada per tothom com a autobiogràfica? És en aquesta novel·la, precisament, on apareix, per primer cop, l'acte descrit de contemplar fotografies, un acte que devia ser habitual en Mercè Rodoreda, un cop casada, deslligada del seu món més primitiu i originari, més íntim i acollidor; i habitual, encara més, quan era lluny del seu país. Contemplar fotografies, doncs, com a acte d'apropament a allò que ja no es té, de fer present allò desaparegut, de fer present, gairebé material, allò que ja no és altra cosa que memòria. Aloma, doncs, «[...] va treure un feix de retrats del calaix de la calaixera, es va asseure i se'ls va posar a la falda. N'hi havia molts que ni sabia de qui eren. [...] Un d'ella, dreta, amb un ram de flors a la mà. "Estigues quieta, nena, que ara sortirà un ocellet..." Encara se'n recordava.» Personatges coneguts i desconeguts, parents i amics, desfilen a través d'aquesta memòria visual, com el retrat dedicat a Montserrat Gurguí per una amiga seva, Zoila, el nom de la qual, prou rar i suggerent, és recuperat per Rodoreda a la novel·la *Jardí vora el mar*, en la figura de la dona del senyor Bellom, –personatge, aquest, a qui Rodoreda fa viure el periple a l'Argentina, a la recerca de fortuna, com ocorregué en realitat amb Joan Gurguí, el seu oncle i marit–: «[...] Dormia amb tots els amics i coneguts. "¡Que n'he arribat a fer de comèdia, després, parlant d'ella!" I aguanti's: es deia Zoila.»

O el conte «El bany», dins *Vint-i-dos contes*, netament autobiogràfic, que s'inicia amb la descripció del vestuari de la nena protagonista que es correspon exactament amb una fotografia de la mateixa Mercè Rodoreda, d'uns vuit anys d'edat: el vestit, el pomet de miosotis, el llaç al cap, els mitjons calats, blancs, i les sabates, negres, de xarol. La fotografia original i el relat coincideixen exactament. Com també correspon exactament amb la realitat, l'anada de la nena d'«El Bany», Mercè, a la representació de l'obra *Jimmy Samson*, on la protagonista del conte, la mateixa Rodoreda, havia de representar una nena mig ofegada que la treien d'una caixa de cabals. Mercè Rodoreda conservava al seu arxiu personal un programa de mà on ella actuava interpretant el paper de Ketty.

O *La plaça del Diamant,* on evidentment Natàlia/Colometa no és l'autora, però té trets que ens parlen d'ella, del seu entorn, de la seva família, i on apareixen objectes reals que formaven part del mobiliari del casal, com per exemple, la tan estimada caixa gòtica de l'avi, amb creus daurades pels costats, probablement amb una Santa Eulàlia al cim, per la qual Pere Gurguí, en una carta adreçada al seu fill Joan, comenta que en vol demanar, en cas de vendre-la, quinze mil duros, una quantitat més que considerable a inicis del segle XX: «[...] De seguida vaig veure una caixa daurada de dalt a baix, daurada i blava, amb escuts de colors tot al voltant de baix i, a la tapa, alçada enlaire, una Santa Eulàlia tota decantada, amb un lliri de Sant Antoni en una mà [...]. Una caixa de núvia, va dir la senyora, gòtica.» Una caixa, d'altra banda, que devia ser una institució en aquella casa pel fet que mereix un retrat, únic, amb categoria de document, que Mercè Rodoreda guardava en el seu fons fotogràfic personal. O la descripció que fa Colometa del llum del menjador, regal de casament d'en Cintet, talment la làmpada que figura al menjador dels Gurguí: «[...] de ferro, amb un serrell de seda de color maduixa, tot plegat penjat al sostre per tres cadenes de ferro ajuntades amb una flor de ferro de tres fulles.» O la referència a un quadre, ovalat, que encara penja d'una de les parets de la torre de la família Farriols: unes llagostes penjades de cap per avall, una natura morta que Rodoreda fa aparèixer en aquesta mateixa novel·la: «La senyora Enriqueta, que es feia vella de pressa, va regalar el quadro de les llagostes a la Rita, perquè sempre te'l miraves quan eres petita...». O l'anècdota del medalló amb el retrat del pare que la mare de Colometa havia dut sempre penjat del coll i que, un cop mort aquest, Colometa recupera; això fa pensar en el medalló que Montserrat Gurguí duia amb el retrat de la seva filla, exiliada, a partir del qual Joan Sales va poder conèixer la cara de Mercè Rodoreda, amb qui ja feia temps que es cartejava arran de la publicació de *La plaça del Diamant* i que, després de la mort de la mare, ella va recuperar. És el retrat ovalat d'una Mercè Rodoreda de finals dels anys quaranta, quan viu a París, que es mostra somrient, mig de perfil, amb una llarga cabellera solta –l'època del bust que li féu l'escultor, Apel·les Fenosa. Un retrat retallat, probablement per a la mare, a la mida del medalló, que encara conserva un color verdós als seus marges pel contacte amb el metall. I els colomars. Els de casa. Els de Gràcia.

O *El carrer de les Camèlies,* el fragment on se'ns relata la disfressa de monja de Cecília, a tres anys, una disfressa que no volia treure's mai. L'anècdota coincideix amb una fotografia de Montserrat Gurguí, mare de la novel·lista, abillada de monja, enmig d'un jardí desdibuixat, a una edat que es correspon, precisament, amb la de la Cecília del fragment: «Aleshores va explicar que quan jo només tenia tres anys m'havien disfressat de monja i que no m'havien pogut treure el vestit en tot un hivern, perquè si no me'l posaven cridava sense parar que tenia fred als ossos.» I altres episodis que es corresponen amb seqüències reals de la vida de l'escriptora. Com l'anècdota del roser que planta al jardí el senyor Jaume, transposició de l'avi Gurguí, a la tija del qual lliga un filferro amb una fusteta on escriu el nom de la nena. Per sempre més aquell roser quedaria batejat amb el seu nom.

I *Mirall trencat*, encara. O sobretot. El jardí de Can Brusi, que senyoreja pertot; i els lleons de pedra, de cabellera estesa i boca mig oberta, presidint l'entrada de les torres de Sant Gervasi, servant-ne la privacitat, són una fidel imatge de l'època, tal com ha quedat fixada en els retrats conservats als arxius històrics. I el jardí dels Valldaura que, amb més o menys deformació, és el jardí de la torre veïna de la família Farriols, amb la galeria coberta de vidres de colors, un sortidor al mig, i arbres i més arbres: el llimoner i, sobretot, el llorer. I la caseta dels safarejos; i el so característic del trepig de les fulles seques, entapissant el terra. I la nimfa de porcellana blanca que Mercè Rodoreda tenia al seu pis del carrer de Balmes, i que ella mateixa s'havia encarregat de fotografiar amb una Kodak d'estar per casa, gairebé amb la mateixa càrrega d'objecte singular amb què l'avi havia volgut immortalitzar aquella caixa de fusta gòtica. La nimfa, de posat graciós, no apareix en cap document fotogràfic dels Gurguí, la qual cosa fa pensar que era una figura adquirida per

Rodoreda, potser cap als anys seixanta, i que li recordava l'època de tot aquell món de capsa tancada del casal de Manuel Angelon que fins als dotze anys va ser el seu paradís. I els domassos a les parets, i altres objectes: «Les parets del saló estaven entapissades de domàs de color de palla i, en un racó, hi havia fet posar una nimfa de porcellana blanca, tan alta com ella, que amb un gest graciós aguantava un gerro rodó a dalt de l'espatlla.» I els noms. Com en altres novel·les, aquí, el cognom Farriols, per exemple, o el de Masdéu –que era pintor del barri de Sant Gervasi, tal com ho constatem per l'anunci que apareix al programa de l'obra *Jimmy Samson*, on ella actua, de nena– és un clar reflex de la voluntat d'incorporar a la seva obra l'aire o el gust, o senzillament el record, de tot un seguit de personatges que ella havia conegut, de més lluny o de més a prop, i que configuraven part d'aquell univers tan reduït però tan valuós per a la seva personalitat. O el jardiner del carrer de la Gleva.

Al costat de tota aquesta escenografia –on s'apleguen objectes, jardins, carrers, noms propis i personatges, vestuaris...– que es correspon amb tota una imatgeria real i pròpia, tal com podem comprovar per les imatges fotogràfiques, cal afegir, com ja ha estat assenyalat en diversos estudis rodoredians, les seqüències vitals de l'autora que han constituït, en gran part, la matèria narrativa a partir de la qual es basteix el seu univers literari. La primera novel·la, *Aloma*, tot i que revisada trenta anys després d'haver-la escrita, n'és un dels més clars exemples. És, en aquest sentit, una explosió i una mena de «pròleg» del que Rodoreda es dedicà a fer en les obres posteriors. En els contes i en les novel·les. Perquè en totes, d'una manera o d'una altra, apareix el món, gairebé immaculat i idíl·lic de la infantesa a Sant Gervasi amb el trencament que s'esdevé a l'època de la preadolescència, als dotze anys, coincidint amb la mort de l'avi, Pere Gurguí, i amb l'arribada de l'oncle, Joan Gurguí. Els seus records i la reelaboració d'aquella «arcàdia» se succeeixen, doncs, fins a *Mirall trencat* –la seva darrera novel·la–; *Quanta, quanta guerra* és tota una altra cosa. Però a la seva obra, hi trobem, també, els estralls de la guerra i de l'exili, la seva angoixa personal d'haver de deixar un món per encetar-ne un altre. Gràcies a aquest exili, Rodoreda converteix en paradís l'univers de la seva infantesa, fets reals que va viure i que va veure, com el conte «Orléans, 3 quilòmetres» de *Semblava de seda i altres contes*, on relata la seva experiència concreta viscuda al costat d'Armand Obiols, Antoni M. Sbert, Maria Antònia Freixes, i el bibliotecari gascó, Berthaud, durant el seu èxode de París, fugint de l'ocupació nazi. O «En veu baix*a*» que, tal com assenyala Josep Massot i Muntaner, a *De la guerra i de l'exili. Mallorca, Montserrat, França, Mèxic (1936-1975)*, esdevé la reelaboració del desencant amorós de Sbert amb la seva amant i secretària, Maria Antònia Freixes, la qual, un cop instal·lada a Mèxic, amb Sbert i la seva muller, li anuncia que el deixa per casar-se. Sbert omple el buit deixat per l'amant amb la vinguda d'un fill. I, com aquests, podríem enumerar molts altres exemples al llarg de la seva obra.

Al costat de totes aquestes experiències concretes, cal constatar, també, que Rodoreda fa viure a molts dels seus personatges, part de les seves angoixes, dels seus pensaments, de les seves obsessions, com la por a la infidelitat, a la vellesa del cos, o l'experiència negativa a l'entorn de la maternitat. Són les històries, sovint sòrdides, viscudes pels infants: la mort, a *Aloma* o a *Mirall trencat*; els abandonaments, voluntaris o forçosos, com a *El carrer de les Camèlies*, o *La plaça del Diamant*; els fills avortats, els fills secrets... I també hi trobem, de manera esparsa, les seves debilitats, les seves «frivolitats» potser mai no gaire confessades perquè l'època i la seva generació les hauria mirades de cua d'ull, com el seu gust pels vestits –els personatges femenins d'alguns dels seus contes han de cosir, com ella mateixa, per sobreviure, enmig d'un món i un temps adversos, però es deleixen, en canvi, pels vestits que tenen el *glamour* d'una feminitat seductora–; el seu gust per les joies, com Teresa, de *Mirall trencat*, que comparteix un secret i una seducció amb el senyor Begú, com probablement també va viure Mercè Rodoreda amb el propietari de la joieria Bagués, de Barcelona, potser d'una manera més idíl·lica que real, tal com m'ho ha pogut confirmar, per amistat i amb elegant discreció, un familiar i hereu del joier barceloní. Personatges, tots ells, que, ben disseccionats, ofereixen un retrat gairebé perfecte de la seva creadora. O, potser això és el que ella va voler deixar creure al lector il·lús que, com jo, pensa que pot arribar a dibuixar els trets d'una psicologia preservada fins al més mínim, mai abandonada a la intempèrie d'algun agosarat que intentés, algun dia, esmunyir-se per entre la seva intimitat.

La novel·lista com a personatge de creació

Tinc la sensació que parlar de Mercè Rodoreda, de la seva personalitat, esdevé més un exercici d'aproximacions i de suposicions, de conjectures, que no pas de certeses. És a dir, que aquells que la van poder conèixer de prop –que la vau conèixer de prop– poden fer-ne un dibuix més impressionista que no realista; és a dir, poden parlar-ne a través de les certeses que, de vegades, deixen veure les ombres. Perquè penso que Rodoreda no es deixà veure mai, íntimament, des de la llum. I, és clar, el que jo aventuri a dir d'ella, a partir de les seves fotografies, a partir dels seus escrits, forma part, també, d'aquesta mena d'aproximació que es pot fer del personatge, una aproximació que, en aquest cas, forma part molt més de la hipòtesi i de la ficció que no de la certesa de qui va conèixer els seus moviments, la seva expressió, la seva seducció, la seva suggerència més directes. Malgrat tot, un aspecte de Rodoreda és absolutament cert: la seva fidelitat a la llengua i al país, aspecte a partir del qual es tracen unes línies d'autenticitat indiscutible que esdevindran l'eix central de tota una sèrie de moviments. És, precisament, només a partir de la llengua que Rodoreda pot recuperar aquell paradís de la infantesa. És gràcies a la llengua que Rodoreda pot madurar i escriure la nostàlgia –i la decadència– del seu món. Per això deia abans que *Quanta, quanta guerra* era tota una altra cosa. Perquè està escrita des del salvament del naufragi, des de la terra ferma que suposà el retorn a Catalunya. Des de la seva finestra de Romanyà, el seu país i la seva llengua van poder deixar de ser aquella nostàlgia de l'apartament ginebrí per esdevenir una realitat i una fermesa. Una seguretat. Per això, la seva darrera novel·la vola amb una llibertat i un simbolisme diferent, desimbolt, deslliurat ja d'aquell món més tancadament simbòlic que suposen totes les anteriors novel·les. En aquest sentit, *Quanta, quanta guerra* hauria estat el principi d'un nou simbolisme, d'un nou estadi narratiu, d'una llibertat més àmplia de moviments. Potser, inconscientment, Rodoreda va deixar actuar la seva feblesa física –de la qual sempre havia patit– perquè, com el Lúcid Conseller de l'*Antígona* espriuana, havia arribat ja a tenir la vida «íntimament justificada». Però tornem a l'inici. Al personatge en penombra.

Una de les coses que sobten, en repassar el munt de fotografies de l'autora, és, en primer lloc, la gran quantitat de retrats que ens n'han pervingut, donada l'època i, malgrat l'època, que va viure. I, en segon lloc, l'aspecte tan canviant que ofereix l'escriptora al llarg de les diferents dècades, per la qual cosa es fa tan difícil, sovint, de situar-ne la cronologia exacta. De Mercè Rodoreda es conserven moltes fotografies d'infantesa, generalment a redós de l'avi –no n'he vista cap de sola amb els pares–, o compartint pla amb tot un grup, per bé que ella ocupava un lloc preferent. D'altres, amb el seu amic del barri, Felipet; o sola. Són les fotografies on apareix al peu del monument a Jacint Verdaguer, al jardí del casal; de la seva primera comunió; o un retrat on apareix disfressada de gautxa, i algun altre d'espars. A partir d'un determinat moment, però, la imatge de Rodoreda deixa, pràcticament, d'aparèixer. Aquesta època abastaria –si la cronologia que intuïm no ens enganya– els anys que van de la mort de l'avi al seu casament –del qual, d'altra banda, no tenim cap mena de testimoni fotogràfic. Es reprendrà als anys de la seva maternitat, cap al 1929, amb una Mercè Rodoreda adulta, de cara rodona, més aviat grassa, d'aspecte més madur del que hauria de correspondre a una noia de vint-i-un anys, que és l'edat que ella tenia en aquell moment. Poc després, però, probablement a mitjan anys trenta, Rodoreda apareix en unes fotos de carnet, arrancades d'algun document, amb una imatge molt més afinada, una mica més endurida, no tan dolça com en les anteriors, però mostrant una certa seguretat; potser amb la seguretat de qui, més que saber el que vol, és conscient del que no vol. Llavis pintats, cabells recollits, mirada fixa. Somriures mig dibuixats. És l'època del trencament definitiu del seu matrimoni i de la seva dedicació al periodisme com a pas previ a la tasca exclusivament literària que volia emprendre. És en aquest moment quan penso que es comença a crear el personatge. Quan la periodista decidida, quan la col·laboradora de la Institució de les Lletres Catalanes, comença a saber com vol ser, quina imatge vol oferir, segons el model de dona de lletres que prèviament ella ha anat elaborant, basat en una certa frivolitat, en un bon sentit de l'humor i de la ironia –el grup de Sabadell, sobretot Trabal, però també Oliver, van ser, als inicis, bons amics seus– sempre amb un cert domini de la situació i amb una bona dosi d'intel·ligència natural, d'una gran càrrega d'intuïció, i d'una exquisida sensibilitat. Una sensibilitat que permetria a l'escriptora, anys després, de parlar del sublim d'aquella seva intimitat, configurada a partir d'uns espais, d'uns personatges i d'uns moments; i, alhora, de parlar, també, de l'element sinistre que conté, indestriablement, tot moment sublim. O sublimat. És la constatació, en definitiva, que tots els paradisos són perduts.

Els primers anys d'exili, a Roissy-en Brie, són durs però no deixen estralls a la seva mirada, penetrant, serena i segura, si més no, en aparença. Potser perquè, més enllà de la guerra que l'havia duta lluny del seu país, un altre combat intern la sotraguejava: l'inici de la relació amorosa amb Armand Obiols, el qual, amb més o menys interferències, seria el company durant el temps d'exili, malgrat les dificultats per sobreviure enmig d'un món ple de dificultats i de contradiccions. Les pròpies del moment històric, i les derivades d'una relació amorosa complexa, originada al marge de la realitat que suposava la vida a Roissy-en-Brie però, tanmateix, condicionada per unes certeses indefugibles, que prenien cos en el record d'uns fills que tots dos amants havien deixat al país. Probablement és en aquest moment quan s'origina en Mercè Rodoreda un cert sentiment d'inseguretat, de por a la possible infidelitat del seu amant, que s'agreuja en haver-se de separar per l'avanç de la Segona Guerra Mundial, un sotrac que converteix aquella noia de mirada i llavis seductors en un senzill retrat de supervivència.

Acabada la guerra, i instal·lada a França –Llemotges, Bordeus, París–, Rodoreda ens retorna amb una seducció dolça, gens agressiva, pulcrament cuidada: pell blanca, cabellera rinxolada, mocadors al coll, sabates gens vulgars... Aquests anys, els de finals de la dècada dels quaranta a París, dedicada al conreu del conte i de la poesia, de la seva relació amb Carner, Rodoreda mostra una bellesa senzilla, potser no tan impostada com la d'abans. És la imatge del medalló que duia la seva mare, la imatge de la flamant guanyadora dels Jocs Florals de l'exili, de la Mestressa en Gai Saber.

La pèrdua de la joventut, el camí cap a la maduresa, comença a fer-se present cap a la dècada dels anys cinquanta, quan Rodoreda, de salut sempre feble, inestable, inicia una estada a Chatel-Guyon per dur-hi a terme les cures de salut que el seu metge li aconsella. L'aspecte, a partir d'aquests anys, serà, doncs, tot un altre: cabells curts, grisos perla, lleugerament ondulats, mostrant-se distant davant l'objectiu del fotògraf. La mirada, de fit a fit o esbiaixada, és ja un preludi d'aquelles seves fotografies tan divulgades del 1960, on la impressió de la seva cara, sobre un fons negre –com aquelles de la mare, fetes pel fotògraf Renom, de Sant Gervasi– dibuixa un rostre enigmàtic, secretiu, amb el misteri d'un somriure mig dibuixat. Una «gioconda» que inquieta per la impenetrabilitat que imposa a l'espectador. I, per això mateix, suggerent, enormement seductora. És el temps de la publicació de *La plaça del Diamant*, una època en què sembla que s'estableixi un cert paral·lelisme entre la protagonista de la novel·la i l'escriptora; totes dues viuen cap endins intentant de trobar uns lligams entre la realitat i el seu món més íntim. En Colometa, la dificultat per aconseguir-ho la duu al crit i l'únic salvament el troba en l'esperança que ella mateixa s'imposa. Des de la solitud. En Rodoreda, el crit i l'esperança es resumeixen en la literatura, que esdevindrà l'única realitat a través de la qual podrà emprendre el viatge cap als seus jardins interiors.

Amb *La plaça del Diamant* ja publicada, malgrat els maldecaps d'un premi no concedit; amb *El carrer de les Camèlies* al carrer; amb l'interès d'Edicions 62 –i, particularment, de Joaquim Molas– de tirar endavant la seva obra completa i de publicar *Aloma*, que abans revisarà, Rodoreda expressa la satisfacció pel reconeixement que suposa la seva obra i projecta una imatge de seguretat, de distància –com gairebé sempre– d'accessibilitat difícil, de certa desconfiança. Un aspecte elegant, cuidat fins al darrer detall, que es va aproximant a un model burgès; com va dir

Montserrat Roig, «té el posat d'allò que els nostres pares diuen "senyora"; l'altivesa, la distància i una equilibrada tendresa es barregen darrera una capa de recel i d'ironia.» Amb la maduresa, doncs, Rodoreda va passar d'aquella imatge de dona de lletres visiblement seductora, una mica frívola i vampiressa, mig innocent, a la de la seducció pel misteri, pels secrets amagats rere el personatge de senyora respectable.

Són uns anys, a més, en què l'escriptora, que ha vist un fruit econòmic amb la seva producció i amb les traduccions de gairebé totes les seves obres, pot oferir-se aquells petits plaers dels quals, abans, havia hagut de prescindir: abrics de pell, joies... i en fa participar a alguns dels seus personatges, com Teresa Valldaura de *Mirall trencat*, enamorada de les joies i dels vestits, de les violetes, com ella, que llueix en els escots; o com la senyora del Liceu d'*El carrer de les Camèlies* a qui fa lluir «un braçalet que era una serp d'or», i que ella mateixa duia, tot al llarg de l'avantbraç, dibuixant una espiral.

Finalment, instal·lada ja a Romanyà de la Selva, a meitat dels setanta, Mercè Rodoreda es retroba amb la nena que fou fins a dotze anys; potser per això, a la seva vellesa, se'ns mostra més capriciosa, més lliure i deshinibida. Riallera. A Romanyà, Rodoreda va retrobar la seva arcàdia, i aquell jardí va ser l'expansió del seu jardí de Sant Gervasi, del seu petit paradís. Per fi, podia reprendre el fil, com si la seva hagués estat una història normal. Sense talls de cap mena. Sense oblits, ni nostàlgies. Sense obsessions, ni desconfiances, ni dolor. Per fi, Rodoreda podia esdevenir, en aquell paratge agrest de les Gavarres, una mena d'espectador de la seva pròpia vida en tant que s'havia creat un personatge a qui havia fet assistir a l'espectacle d'una tragèdia de la qual, finalment, com en les obres dels grecs, s'operava la catarsi. Així cremaven històries sinistres, incestos, fills abandonats, endogàmies resclosides; de cop, com quan Colometa destruïa, esbojarradament, els colomars.

A Romanyà s'acaba *Mirall trencat*, la fi de tota una etapa; l'explicació o les raons necessàries de tota una vida. La senyora respectable ara ja pot anar amb pantalons malgirbats, amb botes de muntanya, amb jerseis arromangats, amb els cabells pentinats per l'aire i pel vent de les muntanyes... Ara, tot ja està superat. O gairebé. Els records ja tenen digna sepultura. Els records del sinistre. De la tragèdia. Ara només suren els records encantats, sublims, dels jardins interiors. Les estances de l'ànima.

ANTONI MARIA ALCOVER, POETA*

Maria Pilar Perea

Universitat de Barcelona

Introducció

La vida i les obres d'Antoni M. Alcover (Manacor, 1862 – Palma, 1932), a més de tres aproximacions biogràfiques de característiques ben diverses,[1] han suscitat un bon nombre de treballs que s'han centrat especialment en dues de les tasques cabdals per les quals el canonge de Manacor és ben conegut: la recopilació de rondalles[2] i l'elaboració del *Diccionari Català-Valencià-Balear*.[3] Altres estudis han considerat també altres aspectes de les activitats d'Alcover relacionades amb la dialectologia,[4] amb la lingüística en general,[5] amb els contactes que establí amb diversos intel·lectuals del moment[6] –bàsicament a través d'epistolaris–[7] o amb la

* Vull agrair a Francesc de B. Moll i Marquès, un cop més, les facilitats de què he disposat per accedir als materials alcoverians que es troben a l'Editorial Moll, a Joan March i Noguera, totes les informacions relacionades amb l'*Aplech d'algunes poesies* d'Alcover, i a Josep Massot i Muntaner, les seves observacions en relació amb alguns dels poemes editats.

1. Vegeu ROTGER (1928), MOLL (1962), complementat amb MOLL (1983a), i JANER MANILA (1996).
2. Vegeu MASSOT (1968, 1985), GINARD BAUÇÀ (1982), MASSOT (1982).
3. Vegeu SANCHIS GUARNER (1953), LLOMPART (1960), MOLL (1962b); BADIA I MARGARIT (1962), GRIMALT (1978), MASSOT (1985b), GUISCAFRÈ (1996).
4. Vegeu MASSOT (1985b, 1983d), PEREA (1998, 1999b,c).
5. Vegeu MASSOT (1977, 1984b, 1985b: 11-22).
6. Vegeu MASSOT (1983, 1984a, 1985c).
7. A més de les cartes familiars, a cura de Gabriel Barceló (2000), s'han editat diversos epistolaris dirigits a Antoni M. Alcover: les cartes de Mateu Obrador (MOLL 1965), de Miquel Costa i Llobera (MOLL 1981), de Pompeu Fabra (1983b: 68-92), del bisbe Carsalade (MOLL 1983c: 166-180), de Pere Barnils (JULIÀ 1984), dels tres estipendiats –Pere Barnils, Antoni Griera i Manuel de Montoliu– (JULIÀ 1986)–, de Jaume Collell (REQUESENS I PIQUÉ 1997), dels algueresos Ramon Clavellet, Joan Palomba i Joan Pais (PEREA 1999) i de Josep Pascual Tirado (GIMENO BETI 2000). S'ha editat també correspondència entre monjos de Montserrat i Alcover (MASSOT 1998). En sentit contrari, és a dir, essent Alcover l'emissor, s'han publicat les cartes que Alcover remeté a Marià Aguiló (MASSOT 1987), a Jaume Bofill i Mates (Guerau de Liost) (MASSOT 1984a), a Miquel Binimelis (BENNÀSSAR & FULLANA 1993), a Rossend Serra i Pagès, Narcís Oller i Johannes Fastenrath (VILA 1997); juntament amb F. de B. Moll, a Irene Rocas (VILA 1996), i les lletres que el bisbe Campins i mossèn Alcover adreçaren a Tomàs Costa i Formiguera

seva ruptura amb l'Institut d'Estudis Catalans i amb altres entitats polítiques i culturals del país.[8]

Les notes biogràfiques relatives[9] al canonge de Manacor revelen la pluralitat de facetes que desenvolupà al llarg de la seva vida. Així, a més de la seva dedicació a les tasques eclesiàstiques i a totes les activitats relacionades poc o molt amb la lingüística, Alcover cultivà també l'arquitectura, l'arqueologia, el periodisme, la història i el dibuix.[10] Aquestes facetes –secundàries si es vol, però que marcaren notablement les seves activitats en determinats períodes de la seva vida– han estat en general ben poc estudiades, tot i que, sens dubte, el seu coneixement pot contribuir a comprendre amb més profunditat la personalitat de qui ha estat considerat el fundador de la dialectologia catalana.

Bé que ha estat esmentada en diversos treballs (Massot 1983c, 1998; Janer Manila 1996; Vila 1997), no s'ha pres en consideració de manera sistemàtica una de les tasques literàries –no gaire coneguda, però– que confirma el caràcter polifacètic de les activitats d'Alcover: es tracta de la composició poètica.

Des d'un punt de vista estrictament literari, Alcover desenvolupà la (re)creació de tipus costumista a través de les *Contarelles* i dels diversos volums de l'*Aplech de rondaies mallorquines*. També va escriure, en el camp de la narrativa costumista, *N'Arnau*,[11] relat que posseeix, però, l'estructura d'una contarella i que fou publicada a les pàgines del setmanari *La Aurora*;[12] i, en el camp de la literatura religiosa, escriví algunes obres de caràcter ascètic.[13]

Pel que fa al vessant poètic, la majoria de les poesies d'Alcover no deriven en un principi de la seva tasca de recerca filològica, la qual, a partir del mestratge de

(SOBERANAS 1981). I també, en tots dos sentits, s'han fet públics els epistolaris Fèlix Sardà i Salvany-Alcover (BONET I BALTÀ & MASSOT 1982[1984]), Jeroni Pons-Alcover (MASSOT 1985c), Bernhard Schädel-Alcover (JULIÀ 1991) i Josep Carner-Alcover (JULIÀ 1995). El mateix, JULIÀ (2000) ha publicat una selecció de cartes que reflecteixen els inicis de la lingüística catalana i que inclouen els contactes epistolars –en un o en tots dos sentits– entre Alcover i diversos personatges de l'època.

8. Vegeu MASSOT (1985a).

9. Vegeu MOLL (1962).

10. En els quaderns de notes o en els quaderns de camp es troben sovint dibuixos d'Alcover que il·lustren situacions i objectes diversos. És freqüent també de trobar-hi, especialment en els quaderns que recullen les seves eixides pels Pirineus Orientals (a partir del 1900), dibuixos d'esglésies romàniques. Més endavant aquestes cròniques esdevindran els dietaris de les seves excursions filològiques. Com indica MOLL (1982: 134) i BARCELÓ BOVER al pròleg de l'edició de l'*Epistolari familiar (1896-1931)* d'Alcover, encara en relació amb les seves afeccions pictòriques, a Manacor es conserven algunes pintures a l'oli i dibuixos a llapis i a ploma de temàtica religiosa.

11. Vegeu ROSSELLÓ BOVER (1993) i DOLS & YATES (1994).

12. Vegeu *La Aurora* (1916), 493-499, 501, 503, 505-510.

13. Com ara l'*Exercici del Camí de la Creu*, l'*Exercici de l'Hora Santa*, la *Vida de Santa Margarita d'Alacoque* o la *Vida abreviada de Santa Catalina Tomassa*. Vegeu MOLL (1962: 267-269, i en especial la bibliografia (298-308)).

Marià Aguiló i de Tomàs Forteza, l'impulsà a compilar –i a recrear en alguns casos–, a més de rondalles i contarelles, cançons antigues o gloses. Per contra, les seves activitats poètiques responen a una voluntat d'aproximar-se al món de la literatura i d'establir contactes amb els literats del moment quan tan sols tenia dinou anys. Com es veurà més endavant, les composicions poètiques que conté aquest treball es poden classificar, a grans trets, segons la seva tipologia, en tres agrupacions: en poesies rimades de tipus bel·ligerant de caràcter religiosopolític, en poesies de característiques similars a les anteriors, però presentades en forma de glosada, i en poesies de caràcter religiós.

L'objectiu d'aquest treball és examinar la faceta de creació poètica d'Alcover a partir de l'edició de setze poesies que es publicaren entre el 1881 i el 1916 en diversos diaris i revistes de Catalunya i de Mallorca. El propòsit secundari d'aquesta reedició és reunir una selecció de composicions que es troben disperses en publicacions periòdiques, algunes de les quals no són de fàcil accessibilitat. Es tracta, per tant, de donar a conèixer materials oblidats, parafrasejant el títol de l'article sobre Alcover, «Textos oblidats», de Juan i Galmés (1998), el qual, a més de l'edició de textos publicats a la revista *L'Ignorancia*, recull la rondalla *No la tragué proveïda*, versificada pel mateix Alcover.

Els periòdics i revistes –tant del Principat com insulars– que acullen les composicions d'Alcover són *La Veu del Montserrat*, *Lo Missatger del Sagrat Cor de Jesús*, el *Boletín de la Sociedad Arqueológica Luliana*, *La Tradició catalana*, *El Tambor*, el butlletí *Montserrat*, *La Aurora*, la *Biblioteca Clàssica Catalana* i *La Veu de Catalunya*. En alguns casos un mateix poema –normalment amb petites modificacions formals o ortogràfiques, en funció de l'any i del lloc de publicació– apareix en diversos diaris o revistes en períodes cronològics diferents. La nostra selecció inclou també una poesia apareguda el 1883 al *Llibre de la fe*, obra que conté també composicions de Marià Aguiló, Margarida Caymari, Bartomeu Ferrá, Guillem Forteza, Tomás Forteza, Gabriel Maura i Ramon Picó i Campamar. És molt possible –atès que no es pretén de fer un treball exhaustiu en relació amb aquesta temàtica– que existeixin noves composicions poètiques d'Alcover en altres publicacions de l'època. Aquest és un motiu més que justifica la necessitat de realitzar buidatges sistemàtics de la premsa local del moment, que sens dubte aplega nombrosos escrits d'Alcover ara com ara poc coneguts.[14]

El fet que les poesies d'Alcover es publiquessin en un interval de temps tan extens (1881-1916) no significa que la seva activitat com a poeta es desenvolupés al

14. En alguns dels periòdics i revistes esmentats, Alcover també hi publicà rondalles (vegeu MASSOT 1982: 80) i articles de temàtica diversa. És ben conegut, d'altra banda, que el setmanari *La Aurora*, publicat de 1906 ençà, comptà amb la col·laboració d'Alcover des de 1909, qui, amb el pseudònim de En Revenjoli, publicà més de 140 articles de to polèmic. A més d'aquests materials, caldria estudiar la seva participació –molt sovint tendenciosa, especialment des d'un punt de vista religiosopolític– en les diverses publicacions periòdiques de l'època.

llarg d'aquest període. De fet, les composicions editades en aquest article es concentren especialment entre el 1881 i el 1885. En resta una –*L'aucellet i l'Ave Maria*–, sense data de composició, que va ser publicada el 1891, però que es podria pressuposar, per raó de la seva temàtica, que fou escrita durant els anys vuitanta.

L'examen d'aquests materials –caldria, però, un treball de recerca més aprofundit per arribar a conclusions definitives– suggereix que la majoria de les poesies d'Alcover van ser compostes bàsicament en la seva etapa de joventut, i que solament en casos esporàdics el canonge manacorí n'hauria compost de noves un cop traspassat el final de segle. En la dècada dels noranta, Alcover es dedica especialment al periodisme polèmic, desenvolupa les tasques derivades del seu ofici eclesiàstic, com també una tasca docent en el seminari –cal recordar que, a partir del 1885, un cop ordenat sacerdot, ocupà diversos càrrecs destacables: fou catedràtic del Seminari d'Història eclesiàstica (1888), de Llocs teològics (1895), d'Història de Mallorca i de Llengua i Literatura mallorquines (1898), vicari general de la Diòcesi (1898-1916), canonge magistral de la Seu (1905), vicari capitular *sede vacante* (1915-1916) i degà del Capítol (1921). En el tombant de segle, es produeix a més –marcada per la publicació de *La lletra de Convit*– l'eclosió de les nombroses activitats dialectològiques i lexicogràfiques que Alcover havia anat covant anys enrere. Vinculat a aquests afers, i també a d'altres que li demanaven una gran dedicació, és lògic de pensar que, a partir dels anys noranta, el seu vessant de creació poètica es reduís notablement o fins i tot s'anul·lés de manera definitiva.

Donen suport a aquesta hipòtesi els comentaris que recullen tres cartes d'Alcover datades el 1893, el 1897 i el 1904. La primera, datada el 15 d'agost de 1893, és adreçada a Tomàs Forteza. Alcover, després d'incloure-hi una cobla que havia compost per compromís per a una celebració religiosa en un convent de Manacor, indica: «En moment de mirade retrospectiva anyor aquell temps que feya glosses, pero comprench que altres feynes de qui no puch ni dech presindir me impedeix, me privan de tornarhi». La segona carta fa referència a la seva participació en un número extraordinari de «La Veu de Catalunya» que aparegué el 25 de juliol de 1897, publicat per Narcís Verdaguer i Callís, i dedicat a la memòria de Marià Aguiló, que havia mort aquell mateix any. Com indica Massot (1983d: 72), Alcover hi col·laborà amb una carta a Verdaguer, tramesa des de Pollença el 29 de juny, responent a una petició de «quatre estrofes o una mica de prosa», feta a través de Tomàs Forteza. La resposta d'Alcover en forma de carta és prou significativa i contundent: «Versos ja fa estona que no n'he escrits perque es massa evident que Deu no m'hi crida».[15] Aquesta mateixa negativa a compondre

15. *La Veu de Catalunya*, VIII (1897: 252).

16. Vegeu Vila (1997).

17. Vegeu la notícia que n'apareix el 1908 a les pàgines del *Bolletí del Diccionari de la llengua catalana* (IV, 39-40). El catalanòfil alemany Johannes Fastenrath (Remscheid 1839-Colònia 1908), que va organitzar uns jocs florals a Colònia el 1907, havia estat congressista honorari del Primer Congrés Internacional de la Llengua Catalana.

versos es troba també en la sol·licitud,[16] de les mateixes característiques que l'anterior, que li féu deu anys més tard Johannes Fastenrath,[17] el qual li demanà que compongués un poema per a uns jocs florals que s'havien de celebrar a Colònia en honor de Santa Elisabet d'Hongria. La resposta d'Alcover en una carta que li adreçà el 2 de maig de 1907 és idèntica: «Em demana un poema en lloança de les admirables virtuts de santa Elisabet. Fa molts anys que vaig abandonar l'art de la poesia perquè aviat em vaig adonar que Déu no m'hi cridava. Cregui que ho lamento de tot cor».[18]

D'altra banda, l'examen d'un altre material poètic d'Alcover sembla confirmar també aquesta suposició. Joan March Noguera m'ha informat amablement de l'existència a l'arxiu de l'Obra del Diccionari[19] d'una llibreta que compta amb el títol general *Aplech d'algunes poesies*[20] –el llom indica, però, *Alcover Poesies de Primera Volada*. El contingut d'aquest recull, parcialment inèdit, conté trenta-tres poesies d'Alcover, que sembla que presenten una redacció definitiva, atesa la pulcritud dels manuscrits. Els poemes abasten un període comprès entre el 1881 i el 1915. Curiosament, l'*Aplech* conté només set de les setze poesies que es presenten en aquest treball: *A [mon] Deu* (gener 1881), *Si un va ab un coix* (novembre 1881), *¡Quina colla!* (novembre 1881), *Les creus de pedra* (febrer 1882), sense títol (març 1882, publicat a *La Tradició catalana*), *Sols l'homo* (juny 1882) i *La canso dels bons catolics* (setembre 1884). Segons informació de Joan March, altres dues poesies –*Recordances* i *Escoltau*– es troben en el grup de cartes glosades que Alcover enviava setmanalment als seus familiars i que es troben datades, d'una manera genè-

18. Vegeu Vila (1997: 350).

19. Actualment està ubicat en unes dependències de l'Arxiu del Regne de Mallorca.

20. El contingut detallat de l'*Aplech* s'indica a continuació: 1) *La Moreneta de Montserrat*. Abril 1881, 1-5; 2) *Si un va ab un coix*. Novembre 1881, 6 (núm. 16 de l'annex); 3) *Diada del Corpus*. Jener de 1881, 7-8; 4) *Davant Deu*. Jener 1881, 7-8; 5) *A Deu*. Jener 1881, 12-16 (núm. 2 de l'annex); 6) *La Misa-nova*. Abril 1881, 17-19; 7) *Desitx*, 20; *Deseo* (traducció). Juny 1881, 21; 8) *Bateix de mon en cossinet Juan Alcover*. Desembre 22 1881, 22-23; 9) *A mos companys qu'han pres corona*. Novembre 1881, 24-25; 10) *¡Quina colla!* Novembre 1881, 26-27 (núm. 3 de l'annex); 11) *Oració*. Setembre 1882, 27; 12) *Cantich*. Abril de 1881, 28-35; 13) *¿Sabreu Perque?* Juny 1881, 7-8; 14) *Les creus de pedra*. Febrer 1882, 39-41 (núm. 9 de l'annex); 15) Sense títol (publicada a *La Tradició catalana*). Mars 1882, 42-44 (núm. 4 de l'annex); 16) *Sols l'homo*. Juny 1882, 45 (núm. 7 de l'annex); 17) *Himne a la Assumpta*, Agost 1882; 18) *Cor de Mare*. Joriol 1882, 48-49; 19) *Les Coves del Drach*. Santa Cirga. Agost de 1882, 50-55; 20) Sense títol (són quatre estrofes; la primera comença amb *Valen mes...*). Setembre 1885, 55-56; 21) *A Jesus Sagramentat*. Joriol 1887, 56-57; 22) *Al cor de Maria*. Octubre 1887, 57-58; 23) *Als Manacorins*. Santa Sirga. Joriol de 1883, 58-59; 24) *A l'hostia sacrosanta*. Joriol 1887, 60; 25) *La canso dels bons catolics*. Setembre 1884, 61-64 (núm. 12 de l'annex); 26) *En lo ters centenar de Carlos Borromeu*. Novembre 1884, 65-68; 27) *A Jesús*, Novembre 1887, 68-69; 28) *A Maria*. Manacor. Novembre 1887, 69-70; 29) *Pel dia de Paris*. Manacor. 18 d'abril de 1888, 70-71; 30) *A Sant Theofil. (chor)*. Juny 1889, 72; 31) *Ab motiu dels terratremols d'Andalucia de 1885*. Ciutat de Mallorca. Janer 1885, 73-76; 32) *Al Dr. Zanardelli de Bolonia ab motiu de la mort de la seua esposa Eva Paplent (18 agost 1912)*. 2 setembre 1912, 76-77; 33) *A la mort de la Reverenda Mare General de les sirvientes de Jesus de la Ciutat de Mallorca*. Maig 1915, 77-78.

rica, entre el 1880 i el 1881. S'ha trobat també un sobre amb el títol "Poesies meues de in íllo tempore", que conté deu poemes, alguns dels quals consten a l'*Aplech.*[20b]

Els inicis de l'activitat poètica d'Alcover

Les afeccions literàries primerenques d'Alcover despunten ja des de l'octubre de 1877, moment en què ingressà en el Seminari Conciliar de Sant Pere a Palma. En l'àmbit de la creació literària, durant aquest període s'exercità ben aviat a escriure, i, com indica Moll (1962: 17), la seva capacitat li permetia de redactar tant una glosada com una contarella o un article periodístic.

Tot i el seu caràcter autònom i pretesament poc influenciable, Alcover comptà des de ben jove amb influències notables que determinaren en bona mesura el desenvolupament de les seves activitats. És ben conegut l'influx que, des de 1904, exercí Bernhard Schädel en les tasques filològiques d'Alcover tant pel que fa al desenvolupament dels estudis dialectals com a la potenciació de l'ideari lingüístic que professava.[21] Cal recordar que, segons Schädel, per poder reconstruir el català literari, calia desenvolupar uns estudis dialectals complets que aportessin dades significatives que esdevindrien profitoses per a la llengua escrita.

Molts anys enrere, però, Alcover tingué una gran influència ideològica d'un oncle capellà, Pere Josep Alcover, que incidí poderosament en dos àmbits: d'una banda, en l'àmbit religiosopolític, iniciant-lo en l'ideari integrista que preconitzava el sacerdot sabadellenc Fèlix Sardà i Salvany,[22] el qual publicà, des de 1871, a la *Revista Popular*, un bon nombre d'articles que defensaven la unitat catòlica i atacaven el liberalisme; d'una altra banda, com a glosador, en l'àmbit del folklore, fent germinar en Alcover el gust per la literatura popular i especialment l'admiració pels glosadors.[23] El jove Alcover, mentre era al seminari, adreçava cada setmana a l'oncle

20 b. 1) Sense títol (*Puix veuen que la llum...*), 1884; 2) Dolça amistat; 3) *Epithalami*, 1883; 4) *Mota est terra,* 1885; 5) *L'aucellet y l'Ave Maria*; 6) *¿Sabeu perquè?*, 1881; 7) Sense títol (*¡Quina cosa més bella...*), 1882; 8) *Si un va ab un coix;* 9) Sols l'home; 10) *Les coves del Drach.*

21. Vegeu el contingut de la carta que Schädel va remetre a Alcover el 14 de juny de 1905 a Moll (1983: 51-54) i a Julià (2000: 68-77).

22. Per a una aproximació força completa de la personalitat de Sardà i Salvany i la influència que exercí en Alcover, vegeu Massot (1983b i 1992).

23. Cal recordar el seu interès per les gloses, que es manifestà en un primer moment en la lectura que féu el maig de 1882 en els locals de la Joventut Catòlica de Ciutat d'un aplec de gloses de l'amo Antoni Vicenç Santandreu de Son Garbeta sobre el misteri de la Santíssima Trinitat. Alcover publicà les seves gloses de vuit versos, *Vuitenes en honor de la Santíssima Trinitat*, al número 206 de *L'Ignorancia* el 19 de maig de 1883. Posteriorment, el 1900, dugué el glosador a Barcelona perquè recités les seves glosades en diversos cercles culturals. El 1907, el mateix any de la mort del glosador, Alcover en publicà el recull *Glosades*.

Pere Josep una carta glosada[24] on li explicava, amb visió humorística, els avatars de la seva vida d'estudiant i els esdeveniments que havien succeït durant aquell període de temps.[25]

La inclusió de formes versificades en la correspondència alcoveriana no es limita a aquestes gloses setmanals remeses a l'oncle capellà i a altres membres de la seva família. N'és una mostra la carta que Alcover adreçà al dramaturg Bartomeu Singala, col·laborador de *L'Ignorancia*, amb motiu de les seves noces, redactada mig en vers i mig en prosa.[26]

Dos anys després de la seva entrada en el Seminari, el 1879, trobem Alcover, escrivint quadres costumistes a imitació de l'estil i del llenguatge dels contes d'Antonio de Trueba.[27] Els consells del futur bisbe de Lleida i de Barcelona, Josep Miralles i Sbert, en aquells moments condeixeble de seminari, el feren decidir-se a abandonar el castellà i a escriure aquests quadres utilitzant el català de Mallorca. D'altra banda, Alcover és deutor del pollencí Joan Guiraud i Rotger,[28] també company de seminari en aquesta etapa primerenca, pel fet que aquest li féu conèixer les poesies dels Jocs Florals i les primeres composicions de Costa i Llobera.

A partir del 1880 s'iniciaren les relacions –d'intensitat diversa– d'Alcover amb escriptors i literats contemporanis, com ara Bartomeu Ferrà i Perelló, Tomàs Forteza, Pere d'Alcàntara Penya, Josep Rullan, Josep Lluís Pons i Gallarza, Tomàs Aguiló, Josep M. Quadrado, Estanislau de K. Aguiló, Gabriel Llabrés, Pere Orlandis, Joan Alcover, Joan Lluís Estelrich i Miquel dels Sants Oliver, que el van atansar a altres escriptors de la Renaixença catalana. Aquell mateix any, Alcover havia publicat al número 76 de *L'Ignorancia* la primera rondalla, *Es jai de sa barraqueta*, signada amb pseudònim de Jordi d'es Racó. Ell mateix fa esment de les activitats literàries i poètiques que dugué a terme durant la seva joventut en el manuscrit dedicat a Feliu Sardà i Salvany, *L'apostolat del Sr. Sardà i Salvat a Mallorca*, que inclou certs aspectes autobiogràfics: «Vengueren llavò algunes poesies, que ma *Càntich a Deu* obtingué un accessit en el *Certamen de Fires y Festes* de 1881,[29] haventse'n duyt lo Premi D. Juan Alcover ab la seua oda *A la Seo* y l'altre accessit D. Mateu Obrador y Benasser ab la seua oda *La Roqueta*. Això ja me donà categoria d'escriptor, una de les coses que més havia ambicionades en la meua vida.

24. Escrites, en general, en vers popular, segons la tradició del vers heptasil·làbic, encara que de vegades adoptaven altres formes populars de versificació, com ara la codolada o els vers pentasil·làbic.

25. Vegeu-ne una mostra de temàtica diversa a Janer Manila (1996: 23-25, 31-32, 36, 38, 40).

26. Cf. la reproducció d'un fragment a Massot (1983c: 60) i a Janer Manila (1996).

27. Vegeu la influència que l'escriptor costumista basc Antonio de Trueba Quintana (1819-1889) exercí sobre Alcover a March (1997/1998: 103-107 i 113-116).

28. Vegeu Massot (1977c: 24).

29. Vegeu-ne els comentaris que en fa *L'Ignorancia* (núm. 128, 1): «Dererra éll [fa referència a Joan Alvover] Don Toni Alcover, manacorí, llegí un *Cántich*, premiat amb accésit, que fa sa retxa ben amunt. Y axò qu'es séu autor es aucell de primera volada. –«Vat' aquí un atlòt, (deyan per tot) que casi ja es mèstre sense havê fét mossatge: un qui pòt professá, sense fé es noviciat.» –Y nòltros som d'aquest parê».

Corria a les hores denou anys».[30] A partir d'aquest any algunes de les seves obres en vers es comencen a publicar en les pàgines de diversos periòdics i revistes.

Des del 1881, arran d'unes relacions amicals ben intenses, Tomàs Forteza, promotor, d'altra banda, de les activitats filològiques i de recerca del futur dialectòleg, exerceix, pel que fa al vessant poètic d'Alcover, una influència notable. Amb tot, el reconeixement de la vàlua i de les capacitats del jove seminarista no li impedeix de ser alhora un crític incisiu i pedagògic. Vegem-ne una mostra de les lloances en la carta inclosa en l'epistolari inèdit que li adreça el 31 agost de 1881: «He llegit ab molt de gust la poesia que ab ta carta va junta y es sentida y bonicoya. Es una d'aquelles glosadetes qu'un amich y parent en G. Forteza; qu'ha vuyt dies que es aquí y ja sen torna á la Bibl[ioteca] de Valencia ahont te el destino, solia anomenar un confitet». I l'11 d'agost de l'any següent: «La poesieta que m'enviares m'agradá molt ferm: es un confitet de rajallas. Endavant». Tanmateix, en la carta del 27 de juny de 1884, Forteza no reprimeix uns comentaris correctius i orientadors: «A punt de tancar la carta he rebut la teua que estim molt. La poesia que enclou es bona y m'ha llevat lo temps d'alabar tot el desig de ferhi algunes correccions. De correguda he indicat les que m'han vengudes totduna. Si les acceptas, copiales. Y de totes maneres fes que les estrofes de quatre versos estigan separades al menys per comes. Lo contrari no es permés ni es propi de la classe de vers, ni l'afavoreix. Crech qu'algunes quartetes hi ha guanyat. Separeles ab un buyt encare que no hi haja mes que coma. Si'm ocorregues res mes ho miraria á proves. Adeu, estimadíssim, t'anyora y t'estima molt ton amich».

Com el poema *Càntich*, al qual es refereix la carta de Forteza del 7 de setembre, i on es comunica el seu guardó –«Tens motiu per venir; en rebre aquesta qu'aniré á entregar aquest mateix dematí ja heuras llegit probablement los lemes de les composicions premiades y veuras que'l teu *Cantich*, com jo esperava, ha merescut l'acceptació del Jurat. Té l'*Accessit* á la poesia lírica de lo cual te don la mes coral enhorabona y un abraç per quant vengas»–, de l'any 1881 és també el poema

30. *L'apostolat del Dr. Sardà y Salvany a Mallorca* (manuscrit incomplet), 10-11. Aquesta versió és gairebé idèntica a la versió castellana *Apostolado del Rdo. Doctor Felix Sardà y Salvany en Mallorca y la cooperación que le presté*, por el M. I. Sr. D. Antonio M.ª Alcover, pro. Deán de Mallorca, almenys pel que fa a aquest punt. Comproveu el contingut de la citació a Massot (1983b: 28). Com indica Massot (1983b), segons indicacions de F. de B. Moll, sembla que l'original català complet s'ha perdut. A l'arxiu Alcover, però, existeix un manuscrit de disset pàgines amb aquest títol, que conté els tres primers capítols –I: «Primeres llissons rebudes a l'escola del Dr. Sardà. Simpaties que ell se aná guanyant dins Mallorca. Creació del diari catolich *El Ancora*. Moviment favorable a la nostra llengua»; II: «La tesi d'En Quadrado y la dels Tradicionalistes sobre si els defensor de la Fe poden estar afiliats a cap partit polític»; III: «Període candent de l'Apostolat del Dr. Sardà. Campanyes periodístiques en el seu costat y en defensa d'ell»– (el tercer incomplet), realitzat per participar en l'homenatge a la memòria de Salvà i Salvany i, com fa notar el mateix Alcover en la part preliminar, per «fer veure la influència sanitosa y exuberant de coratge que el Dr. Sardà exercí damunt casi tots els meus contemporanis de seminari y sacerdoci per via sobre tot de *La Revista Popular*».

compost per Alcover destinat a la *Corona literària* oferta a la Mare de Déu de Montserrat amb motiu de la seva coronació com a Patrona de Catalunya, que Massot va transcriure el 1998 en un article que presenta les relacions entre Alcover i el monestir de Montserrat. Aquest poema, titulat *A la Moreneta de Montserrat. Per l'Album que'els poetes li oferiren ab motiu de la Coronació Pontifícia 1881*,[31] està inclòs en l'*Aplech d'algunes poesies* citat anteriorment. Es tracta d'una poesia fins fa poc inèdita,[32] per la qual cosa no s'inclou en aquesta selecció. Alcover escriu aquest mateix any diverses composicions que són incorporades en el present treball: *Recordances* (núm. 1 de l'annex), *A mon Déu* (núm. 2 de l'annex), *¡Quina colla*! (núm. 3 de l'annex) i *Si un va ab un coix...* (núm. 16 de l'annex), les tres darreres de contingut religiós i de caràcter místic; la primera rememora amb nostàlgia el temps passat. Són també de l'any 1881 –el més fructífer quant a composicions poètiques–[33] els poemes *Diada del Corpus*, *Davant Deu*, *La Misa-nova*, *Desitx*, *Bateix de mon en cossinet Juan Alcover*, *A mos companys qu'han pres corona*, *Cantich* i *¿Sabeu perque?*, que consten a l'*Aplech*.

Del març del 1882 són el poema sense títol (núm. 4 de l'annex) que apareix a *La Tradició Catalana* i el poema breu *Fulles* (núm. 5 de l'annex), que, segons consta en el títol, està extret de l'àlbum de la Mare de Deu del Puig de Pollença. Paral·lelament, a la tardor d'aquest mateix any, Alcover féu les seves primeres aportacions a la lexicologia catalana a través de la *Mostra de Diccionari Mallorquí: anar, dur i fer*, treball que se centra en el gènere dels substantius *amor*, *color* i *olor*, i que va precedit per una *Mostra de Diccionari Mallorquí: anar, dur i fer*, que consisteix en un recull de més de 3.000 locucions i frases fetes que aquests verbs poden formar quan es combinen amb altres elements gramaticals que li féu guanyar, com a premi, mitja unça d'or en peça. També versificà la rondalla *Sa mitja faveta*, en forma de codolada.

D'acord amb a l'*Aplech*, del febrer i del juny, de 1882 són, respectivament, les poesies *Les creus de pedra* (núm. 9 de l'annex) i *Solament l'home* (núm. 6 de l'annex). La primera tingué una difusió editora important, atès que aparegué a *El Tambor*, al *Boletín de la Sociedad Arqueológica Luliana* i a *La Veu del Montserrat*; la segona fou publicada al *Llibre de la fe*, que congrega, segons el subtítol, «una colecció de poesies del modern renaixement». Forteza, en la seva carta de l'11 d'agost de 1882, fa esment d'aquesta obra i ofereix a Alcover de publicar-hi un poema. La composició seleccionada fou *Solament l'home* i no la que va ser guardonada en el certamen de Fires i Festes: «Acap de rebre carta den J. Matheu qui me diu qu'ha imprès ja el Llibre de l'Amor y m demana detalls pel de la Fe. ¿Quina poesia hi vols? La pemiada? Esta ó una altra[;] envía la'm desseguida». El poema *Solament*

31. Aquest poema no consta, però, en la *Corona Poètica* de 1881 (vegeu Massot 1977b[1993: 201-206] [Pel que fa a aquest autor, s'indica sempre la paginació de la reedició, que en la majoria dels casos conté informació ampliada]).

32. Vegeu, per a l'edició, Massot (1998: 7-11).

33. Vegeu nota 56.

l'home també fou publicat amb un error en el primer verset de la primera estrofa en la revista *Biblioteca Clàssica Catalana* el 24 de setembre de 1910. Un poema que compta amb un títol semblant, *Sols l'home* (núm. 7 de l'annex), i que formalment és molt similar, podia haver estar compost en la mateixa època. Altres poesies que apareixen a l'*Aplech*, datades el 1882 són *Oració*, *Himne a la Assumpta*, *Cor de Mare* i *Les Coves del Drach*.

Més endavant, el 1883, Alcover establí els primers contactes amb Marià Aguiló[34] a través de Tomàs Forteza. Aquesta relació amb els dos personatges fou fructífera no només pel que fa a aspectes filològics sinó també per l'impuls que exerciren en Alcover a favor de la recol·lecció de materials lingüístics. Pel que fa a la creació lírica, com consta a l'*Aplech*, el juliol d'aquell any va compondre el poema *Als Manacorins*.

A partir del 1884 l'activitat poètica d'Alcover es concentra en el setmanari *El Tambor*,[35] atès que l'*Aplech* sols registra un poema compost el novembre d'aquest any que sembla que no té motivacions politicoreligioses: *En lo ters centenar de Carlos Borromeu*. A *El Tambor* es poden trobar composicions com ara *La Barca*[36] (núm. 8 de l'annex), en la qual Alcover canta les excel·lències de la nau de Sant Pere conduïda per un dels seus successors, en aquells moments Pius IX. Aquest poema, publicat en el número 2 d'aquest setmanari, l'11 d'octubre de 1884, reflecteix de ple el període de lluites politicoreligioses que es generà a final del segle XIX, en particular la polèmica entre els *unionistes* (*catòlics liberals* o *mestissos*) i els *siglofuturistes*. Els primers, emparats en el moviment de la Unió Catòlica, preconitzaven la necessitat que els catòlics de totes les tendències polítiques constituïssin un front comú. Aquesta ideologia, però, rebia amb freqüència els atacs dels segons, lectors del diari tradicionalista *El Siglo Futuro*, de signe integrista ben marcat. Alcover es mostrà partidari de bon començament d'aquesta darrera tendència extremista de dreta. En *La Barca*, Alcover considera els unionistes «llops vestis ab pell d'auveya».[37] La cloenda d'aquest poema, que atacava directament «els catòlics liberals», es va haver de substituir –davant l'estupefacció d'Alcover, que no arribava a comprendre que la seva composició pogués ofendre ningú (vegeu Massot 1983b[1985b: 31])– per «els diaris liberals» perquè es pogués llegir públicament en el local de la Joventut Catòlica.[38]

La versió que presenta *El Tambor* del poema *La Barca*, inclòs en aquesta selecció, difereix del fragment que apareix en la pàgina 17 de *L'apostolat*, el qual

34. Vegeu MASSOT (1983c i 1987) pel que fa a les relacions personals entre Alcover i Aguiló.

35. Vegeu la referència a les campanyes promogudes pel setmanari *El Tambor* a MASSOT (1983b [1985b: 29-32]).

36. Vegeu-ne la reproducció a MASSOT (1992: 36-38) segons apareix a l'*Apostolado del Rdo. Doctor Felix Sardà y Salvany en Mallorca y la cooperación que le presté*, 14-16. L'edició d'*El Tambor* varia no només en relació amb l'ortografia sinó també pel que fa a alguns aspectes del contingut.

37. Justament la pàgina de *L'apostolat* que recull aquesta poesia és la darrera pàgina que s'ha conservat del manuscrit en català.

38. Cf. MASSOT (1983b[1985a]: 30).

coincideix amb el que transcriu Massot, provinent de la versió castellana (vegeu nota 30). Aquesta poesia, favorable a la ideologia de Sardà i Salvany, acompanya un bon nombre d'escrits que Alcover redactà en defensa del sacerdot de Sabadell, com també altres poemes que es van inspirar en els seus escrits.

La manca de moderació que es constata en els articles periodístics[39] d'Alcover es trasllueix també en els poemes d'aquest període. Abans de *La cançó dels bons catòlics*[40] (núm. 12 de l'annex),[41] publicada a *El Tambor* el 10 de gener de 1885, Alcover també escriu amb un estil semblant els poemes *Les creus de pedra* (*El Tambor*, 18 d'octubre de 1884; núm. 9 de l'annex) i *Es so que feim* (*El Tambor*, 3 de gener de 1885; núm. 11 de l'annex). Un mes més tard, el 7 de febrer de 1885, publica el poema *Quatre cops* (núm. 14 de l'annex), que recorda per la forma l'estil d'*Es so que feim*.

La cançó dels bons catòlics representa una bona mostra de la voluntat polèmica d'Alcover, que obvia qualsevol consideració lírica. El 1884 Alcover la llegí en una vetllada celebrada a l'Associació d'Obrers Catòlics de Manacor, i més tard, el 8 de desembre ho tornà a fer als locals de la Joventut Catòlica de Palma, que es va inaugurar a començament del 1882 i on concorrien els elements més bel·licosos de to siglofuturista i unionista.[42] I encara fou musicada pel prevere Aleix Muntaner durant els exercicis espirituals dels obrers catòlics, com consta en el *Dietari* personal d'Alcover l'1 de gener de 1899. És ben coneguda l'enemistat momentània que la lectura d'aquests versos provocà entre Alcover i l'historiador Josep M. Quadrado,[43]

39. Vegeu, per exemple, la nota bibliogràfica publicada a *El Tambor* (núm. 8, 22 de novembre de 1894, 2-3, «El liberalismo es pecado. Cuestiones candentes» sobre el polèmic llibre de Sardà i Salvany, *El Liberalismo es pecado* (1884).

40. Vegeu MASSOT (1983b) pel que fa a la relacions d'Alcover amb l'integrisme i també Benàssar & Fullana (1993). Vegeu també a MASSOT (1992: 48) la defensa que Alcover fa, des de les pàgines d'*El Ancora*, del llibre *El Liberalismo es pecado*.

41. Vegeu-ne la reproducció a MASSOT (1992: 38-39) segons apareix a l'*Apostolado del Rdo. Doctor Felix Sardà y Salvany*, 19-22. Incloem aquest poema en la nostra selecció pel fet que s'hi aprecien algunes modificacions formals, encara que mínimes, que afecten especialment l'ortografia i de manera esporàdica el lèxic.

42. Cf. MASSOT (1983b[1985b: 29]).

43. L'historiador i assagista menorquí Josep M. Quadrado (1819-1896) va ser ben conegut per les seves campanyes a favor de la unitat religiosa. Tot i que Quadrado i Alcover van travessar un període de gairebé deu anys marcats per unes relacions gèlides, arran de les extremades posicions integristes d'Alcover, el manacorí, que sentia, de fet, una gran admiració per l'historiador, contribuí a la celebració del centenari del seu naixement amb un llibre titulat *D. Juseh Mª Quadrado: sa vida i ses obres* (Ciutat de Mallorca, Estampa Amengual i Muntaner, 1919) –vegeu MOLL (1962: 213-214). Alcover també publicà altres escrits sobre la vida i les obres de Quadrado, com ara *Algo sobre la biografía y la bibliografía de Don José María Quadrado*, «Revista de Archivos, Bibliotecas i Museos», Madrid 1920); *Quadrado, continuador del Discurso de Bossuet sobre la Historia Universal*, «Sociedad Española de Escursiones; Homenaje a D. José María Quadrado», Madrid 1919, 59-70, *Quadrado, historiador*, dins l'opuscle «Homenaje a la gloriosa memoria del polígrafo D. José María Quadrado en el primer centenario de su natalicio, tributado por la intelectualidad mallorquina día 23 de noviembre de 1919, 15-22. Un anys enrere, Alcover havia redactat l'estudi *D. Joseph María Quadrado com apologista de la fe catòlica* al Congrés d'Apologètica que es presentà a Vic, amb motiu del centenari del naixement de Jaume Balmes (*Boletín de la Sociedad Arqueológica Luliana*, XIV (1912-13), XV (1914-15), XVI (1916)).

partidari fervent de l'unionisme, i també entre Alcover i Tomàs Forteza, que professava igualment aquestes idees.[44] Amb el primer, el greuge durà més de deu anys, fins al 1895. Amb el segon, segons indiquen Moll (1962: 23) i Massot (1983b[1985b: 31], la lectura d'aquest poema, feta en privat, el mes d'octubre d'aquell mateix any, suposà l'inici d'un refredament d'unes relacions fins aleshores ben intenses –com ho reflecteix el to de les cartes que Forteza adreçà a Alcover entre 1881 i 1897 que es troben a l'arxiu Alcover.

Un mes abans, en una carta escrita el 17 de setembre de 1884, justament –com consta a l'*Aplech*– el mes en què fou compost el poema, Forteza, coneixedor del contingut de la composició encara inèdita, manifesta amb prudència el seu parer: «He llegit la Cansó dels bons Catolichs y té estrofes molt escalfades, altres qu'han de menester corregir ab detenció. Axò per la part literària. Per lo damés, voldria que consultasses ab qualque persona mes prudent y mes á propòsit que jo, si algunes de les coses que dius impreses te poren fer mal avuy o algun dia, sense per axò fer el bé que desitjas. No prengas a mal el consell; l'intenció és bona. Llegeix a n'el Tio[45] el meu consell y la teua poesia vers per vers. En haver fet axò que't dich y te recomán coralment llavors estampala si vols. Els meus reparos naxen del *carinyo* que't tench». Aquest toc d'atenció no té en un principi conseqüències negatives, com ho demostra el to afectuós de les dues lletres que Forteza adreça a Alcover el dia de cap d'any i el 30 de setembre de 1885. Hi ha encara una altra carta, escrita el dia de sant Joan Baptista de 1886, on Forteza, tractant-lo atípicament de vós, però emprant encara el to amical anterior, sembla que el felicita per raó de la seva ordenació sacerdotal.[46] El declivi de la relació, però, s'havia iniciat, atès que, segons indica Massot (1983b[1985b: 33]), Alcover s'havia barallat amb Forteza, el gener de 1886, a causa de la reacció d'aquest darrer davant un article publicat a *El Ancora*.[47] En efecte, les missives s'interrompen durant quatre anys, i es reprenen el 8 de febrer de 1890 a través d'una carta de condol que Forteza adreça a Alcover arran de la mort de l'oncle Pere Josep, que tingué lloc el 4 de febrer.[48] Sortosament, d'aleshores ençà les relacions es normalitzen epistolarment amb la lletra del 7 de juliol de 1990, bé que la reconciliació definitiva s'esdevingué el mes d'abril.[49]

44. Vegeu Moll (1962: 23).

45. Fa referència a l'oncle Pere Josep.

46. Vegeu-ne un fragment: «Amich estimat: En el moment de rebre aquesta pobre lletra vos faltaran poques hores per tenir plena la alegria y la gracia més gran que Déu concedeix en la terra. ¡Quin pler seria per mi el de besarvos les mans y estrenyervos cuantre mon cor que sempre us estima. ¡Déu vos beneyesca, y vos umpla dels seus dons! ¡Benehit sia el vostro nom en la terra y en el cel, y benehit sia Déu en vos y en les seves grans misericòrdies. Donau me coral enhorabona a vostra excel.lent mare[,] a vostron pare y al honorable oncle de qui sovint me recort. Tota la meua família vos felicita. Un recort y una pregària en lo dia de demà vos demane vostre amich, Thomás Forteza».

47. Vegeu Moll (1962: 25) i Massot (1983b[1985b: 32-34]).

48. Vegeu Massot (1987[1993], nota 8).

49. Vegeu Massot (1983b[1985b: 34]).

La cançó dels bons catòlics proclamava sense embuts la guerra al maçonisme i al liberalisme revolucionari, que eren els culpables, segons Alcover, de totes les desgràcies del moment. Aquesta poesia es va reproduir a la *Revista Popular* i Sardà i Salvany, per al·lusions indirectes, la considerà una de «las mejores composiciones que ha producido en nuestros tiempos la inspiración cristiana».[50]

Altres poemes que recullen les pàgines d'*El Tambor* són dues composicions en forma de glosada: *Escoltau* (núm. 10 de l'annex) i *Una carta a un vilà* (núm. 13 de l'annex), publicades, respectivament, el 25 d'octubre de 1884 i el 24 de gener de 1885. *Una carta a un vilà* és l'únic poema que està signat amb el pseudònim *Un Tamborer*.[51] Aquests escrits, de caràcter també bel·ligerant i d'atac frontal contra els *mestissos*, adquireixen, per raó de la seva estructura i versificació, una tonalitat encara més punyent i agressiva.

Entre 1885 i 1889, l'*Aplech* recull altres poemes de temàtica essencialment religiosa: un poema *Ab motiu dels terratremols d'Andalucia de 1885* i un altre de quatre estrofes sense títol, de 1885; cinc poemes del 1887 –*A Jesús Sagramentat, Al Cor de Maria, A l'hostia sacrosanta, A Jesús, A Maria*–; un poema de 1888 –*Pel dia de Paris*– i un de 1889 –*A Sant Theofil*.

A mitjan març de 1890, Alcover, tot abandonant la direcció d'*El Ancora*, que havia assumit dos anys abans,[52] inicià tasques altres que el periodisme, cultivà la teologia, la història eclesiàstica i començà com a entreteniment la recopilació de rondalles populars de Mallorca. Amb tot, com consta a l'*Aplech d'algunes poesies*, sembla que durant aquests anys encara podia haver compost algun poema escadusser. El 1891, en el número I de *La Veu de Catalunya* apareix el poema de caràcter místic *L'aucellet i l'ave Maria* (núm. 15 de l'annex), de temàtica estrictament religiosa, el qual, malgrat aquesta data d'edició, podria haver estat compost uns anys abans. L'*Aplech* inclou dos poemes tardans, escrits a les primeries del segle XX: *Al Dr. Zanardelli de Bolonia ab motiu de la mort de la seua esposa Eva Paplent* (18 agost 1912), de 1912, i *A la molt Reverenda Mare General de les sirvientes de Jesus de la Ciutat de Mallorca*, de 1915.

Les temàtiques poètiques

Les incursions d'Alcover en l'àmbit poètic sembla que s'inicien el 1880 i es perllonguen rarament més enllà d'aquest decenni. Es tracta de composicions de cir-

50. Vegeu *Revista Popular*, XXVIII (1885), 106-107.

51. Aquest és un dels diversos escrits d'Alcover el nom del qual, amb lletra del mateix canonge manacorí, consta en l'exemplar relligat d'*El Tambor* que es troba a l'arxiu Alcover.

52. Cf. MASSOT (1992: 46).

cumstàncies que, com s'ha indicat en la introducció d'aquest treball, es divideixen formalment en tres tipologies: en poemes rimats de caràcter religiosopolític, compostos en el marc d'un periodisme d'atac contra les idees liberals; en poemes glosats en forma de sèries de versos alternats de quatre i vuit síl·labes que rimen apariats, els quals acompleixen la mateixa finalitat que els anteriors; i en poemes religiosos de caràcter místic, amb alguna concessió al lirisme a través de l'enyorament provocat per l'anhel del passat –vegeu, per exemple, *Recordances*.

Tanmateix, si es pren en consideració la temàtica, els tres grups es redueixen *grosso modo* a dos, atès que les glosades s'integren en l'agrupació de poemes compostos com a ofensiva integrista contra els unionistes. L'opció per la glosada, gènere en el qual Alcover estava prou exercitat, li permetia encara més llibertat en l'expressió i, com es pot comprovar en els annexos, les composicions resulten ben poc poètiques.

Numèricament, considerant aquesta selecció de setze poemes, dominen, amb poc marge –nou enfront de set–, les composicions de tipus místic.[53] Aquestes poesies, a diferència de les de caràcter integrista, que es concentraren bàsicament en les pàgines d'*El Tambor*, van ser publicades en diverses revistes. Així, *Recordances*, poema de sis estrofes de vuit versos tetrasil·làbics i *A Mon Deu*, poema de dotze estrofes de cinc versos, tres alexandrins, un hexasíl·lab i un altre alexandrí, que porta per lema uns versets del salm 6, 2 i 3, es van publicar en la Secció Literària de *La Veu del Montserrat*, setmanari fundat per Jaume Collell a Vic el 1878, que es va erigir en portaveu del catolicisme moderat català. *Les Creus de pedra*, poema de deu estrofes de sis versos, cinc decasíl·labs i un pentasíl·lab, és l'única composició que transcendeix els números d'*El Tambor* i es publica també, amb petites modificacions i adoptant un lema d'Antonio de Trueba, a *La Veu del Montserrat* i al *Boletín de la Sociedad Arqueológica Luliana*, revista cultural editada a Palma, interessada especialment a difondre treballs d'historiografia mallorquina, i on també es va publicar el poema breu *Fulles*.

Altres composicions de caràcter místic apareixen a *Lo missatger del Sagrat Cor de Jesús*, revista mensual de l'Apostolat de l'oració, fundada el 1893 i dirigida per Gaietà Soler, que comptava amb el suport econòmic de Fèlix Sardà i Salvany. Es tracta de *¡Quina colla!*, poema de sis estrofes, que recull l'enfrontament entre el cos i l'ànima; *Sols l'home*, composició de quatre estrofes, que també va aparèixer a *Montserrat. Butlletí de la Lliga Espiritual de Nostra Senyora de Montserrat*, revista publicada a Barcelona del 1900 al 1906 per tal d'afavorir el moviment nacionalista català de signe catòlic. El poema *Solament l'home*, variant de l'anterior, tracta també sobre la glòria de Déu, i es va publicar el 1883 al *Llibre de la fe*. També es tornà a reeditar el 24 de setembre de 1910 a les pàgines del setmanari dedicat a la literatura, la història, les arts i les ciències, la *Biblioteca Clàssica Catalana. Revista setmanal*

53. Per tots els indicis, aquesta diferència sembla que es pot mantenir en relació amb el contingut de les poesies que apareixen a l'*Aplech*.

de Literatura, Historia, Bibliografia,[54] dirigida des del 1906 per mossèn Jaume Barrera i Escudero. Finalment, el 1893, la revista barcelonina *Lo Missatger del Sagrat Cor de Jesús* recull el poema místic *Si un va ab un coix...*, composició de cinc estrofes que contraposa novament l'ànima, «ser noble», i el cos de «vil fanch».

Resten encara per situar dos poemes de caràcter religiós. D'una banda, un poema, sense títol, de vuit octaves diverses de versos tetrasil·làbics sense rima, que es va publicar en una altra revista inspirada per Sardà i Salvany i dirigida per Gaietà Soler, *La Tradició Catalana. Revista mensual científica, artística i literària*, una revista ideològica, publicada entre el 1893 i el 1894, que partí del "Círcol de Sant Jordi", entitat integrista de Barcelona. El seu objectiu fou la lluita antiliberal, propòsit que encaixava ben bé en les ideologies d'Alcover. D'una altra banda, el poema de vuit estrofes *L'aucellet y l'Ave-maria* es va publicar el 1891 al setmanari literari i polític *La Veu de Catalunya*, fundat per Narcís Verdaguer i Callís, Joaquim Cabot i Jaume Collell. Gairebé vint-i-cinc anys més tard es va publicar en els darrers temps[55] del setmanari *La Aurora*, d'ideologia conservadora i de temàtica local, del qual Alcover fou director des del 1910.

Les composicions poètiques que sembla que es van publicar únicament a *El Tambor*, bé que no es descarta la possibilitat que apareguessin en altres setmanaris insulars, vénen encapçalades per l'impacte que produïren *La Barca* i especialment *La cansó dels bons catòlics*. Aquest setmanari, portaveu del carlisme local, tendència política en la qual militava Alcover, acull la majoria d'aquests poemes, que reflecteixen clarament les seves influències integristes. Tots responen a les campanyes motivades per l'apassionament antiliberal que en aquells moments dominava el canonge manacorí. Si se'n coneixen, encara que siguin superficialment, els trets biogràfics, no és estrany que el seu caràcter batallador derivés amb facilitat en intransigències agressives envers polaritats de signe ben diferent que el seu. Dotat d'un caràcter que no coneixia el terme mitjà, el seu temperament polèmic i combatiu es va endinsar de ple, en aquesta etapa de la seva vida, en l'àmbit de les lluites politicoreligioses que sotragaren el darrer quart del segle XIX, a través d'esclats d'intransigència on increpava sense concessions els liberals catòlics. En aquesta situació, les armes que Alcover utilitzà amb contundència van ser els articles i els poemes de to bel·licós.

Amb tot, les campanyes integristes s'apaivagaren progressivament a començament dels anys noranta, moment en què Alcover abandonà també el conreu de la poesia bel·ligerant –i és molt possible que també la de caràcter exclusivament religiós–, i es dedicà a altres tasques més compensatòries i que en aquell moment també li resultaven més interessants. Les informacions extretes de l'*Aplech* i la cronologia de les poesies editades no incloses en el present recull semblen

54. Dec aquesta informació a la gentilesa de Josep Massot.
55. Vegeu MOLL (1962: 159).

confirmar-ho.[56] D'altra banda, cal considerar, com sembla confessar en les lletres que adreçà a Narcís Verdaguer i a Johannes Fastenrath, que Alcover era conscient de les seves limitacions en relació amb el conreu de la poesia. Encara que la seva tendència a la polèmica, les seves dificultats de caràcter, la virulència dels atacs en contra dels qui discrepaven del seu parer no van desaparèixer mai, i en certs moments encara s'aguditzaren, no es poden deixar de banda les qualitats d'Alcover: el seu tarannà laboriós i incansable, el seu apassionament per l'acompliment de les tasques que es proposava i la polivalència de les seves activitats, de la qual aquest recull de composicions poètiques –formalment prou dignes i gens negligibles– és una bona mostra.[57]

Referències bibliogràfiques

ALCOVER, A. M. (1898) *Dietari que jo, Antoni M. Alcover, duch de les coses més notables que'm passen, des de 27 de juny de 1898 que vatx entrar a la Cúria de Mallorca* (inèdit).

– (1983) *Per la llengua*, a cura de Josep Massot i Muntaner, Barcelona: Secció de Filologia de la Universitat de Palma / Publicacions de l'Abadia de Montserrat.

– (1988) *Diari de viatges*, pròleg de Joan Miralles, Palma de Mallorca: Moll.

– (2000) *Epistolari familiar (1896-1931)*, a cura de Gabriel Barceló, Mallorca: Tià de Sa Real.

BADIA I MARGARIT, Antoni M. (1982 [1984]) "El Diccionari Alcover-Moll", *Serra d'Or*, núm. 12, 36.

BENNÀSSAR VICENS, Bartomeu & Pere FULLANA (1993) *Carlisme i integrisme a Mallorca (1887-1889): epistolari entre Antoni Maria Alcover i Miquel Binimelis*, Mallorca: El Tall.

56. La distribució temporal de les composicions de l'*Aplech* és la següent: 12 poemes de 1881; 7 del 1882, 1 de 1883, 2 de 1884, 2 de 1885, 5 de 1887, 1 de 1888, 1 de 1889. Resten dues poesies compostes el 1912 i el 1915.

57. Durant el procés d'elaboració d'una bibliografia d'A. M. Alcover (vegeu PEREA: 2001) s'han trobat altres poesies en periòdics als quals no s'havia tingut accés mentre es redactava aquest treball. L'apartat II.1 de la bibliografia esmentada, dedicat a "Les poesies i gloses" recull un total de 38 poemes, alguns dels quals van aparèixer en més d'una publicació. Els nous poemes no inclosos en aquest treball són els següents: *Duptes, Gloses, Á Sant Tomas, En lo ters centenar de Sant Carlos Borromeu, Á Sant Tomas d'Aquino. Dolça amistat, Al Cor de Maria, Després d'haver combregat, A Jesús Sagramentat, Aniversari de la Unidad Católica* i *Contemplació*.

BONET I BALTÀ, Joan & Josep MASSOT i MUNTANER (1982 [1984]) "Sardà i Salvany i Antoni M. Alcover davant el Primer Congrés Internacional de la Llengua Catalana i la Solidaritat Catalana", *Els Marges* XXVI, 89-105 (reeditat a *Antoni M. Alcover i la llengua catalana*, Barcelona: Publicacions de l'Abadia de Montserrat, 1985, 161-185).

DOLS, Nicolau & Alan YATES (1994) "«N'Arnau» de Mossèn Alcover: estructuració semiòtica d'un text singular", *Randa* 35, 61-76.

GIMENO BETI, Lluís (2000) *Josep Pasqual Tirado i l'Obra del Diccionari (1920/1930)*, Castelló de la Plana: Societat Castellonenca de Cultura.

GINARD BAUÇÀ, Rafel (1982) "Mn. Antoni M. Alcover, folklorista", *Affar*, 187-199.

GRIMALT, Josep A. (1978) "La classificació de les rondalles de mossèn Alcover com a introducció a llur estudi", *Randa*, 7, 5-30.

GUISCAFRÈ, Jaume (1996) "Una bibliografia de les edicions i les traduccions de les rondalles de mossèn Alcover", *Randa*, 38, 151-221.

JANER MANILA, Gabriel (1996) *Com una rondalla. Els treballs i la vida de mossèn Alcover,* Palma: Moll.

JUAN i GALMÉS, Gabriel (1998) "Textos oblidats de mossèn A. M. Alcover", *Randa*, 41, 113-127.

JULIÀ I MUNÉ, Joan (1986) *Mossèn Antoni M. Alcover i l'Obra del Diccionari a la llum dels epistolaris de Barnils, Griera i Montoliu*, Tarragona: Diputació provincial de Tarragona.

– (1984) "Cartes de Pere Barnils a Mn. Antoni M. Alcover", *Els Marges*, XXXII, 81-98.

– (1991) "L'epistolari Schädel – Alcover i l'inici de la lingüística catalana", *Estudis de Llengua i Literatura Catalanes*, XXIII, Miscel·lània Jordi Carbonell / 2, 132-159.

– (2000) *L'inici de la lingüística catalana. Bernhard Schädel, Mn. Antoni Alcover i l'Institut d'Estudis Catalans. Una aproximació epistolar, 1904-1925*, Barcelona: Curial / Publicacions de l'Abadia de Montserrat.

LLOMPART, Josep M. (1960) "El Diccionari català-valencià-balear", *Papeles de Son Armadans*, L, maig de 1960, 337-350.

MARCH i NOGUERA, Joan (1997/1998) "Les influències literàries del jove Antoni M. Alcover", *Estudis Baleàrics (IEB)*, 50/59, juny 1997/gener 1998, 101-117.

MASSOT i MUNTANER, Josep (1968) "Mossèn Alcover i la cultura popular", *Lluc*, setembre 1968, 9-12 (reeditat a *Els mallorquins i la llengua autòctona*, Barcelona, 1972: Publicacions de l'Abadia de Montserrat, 101-110).

– (1977a) *Església i societat a la Mallorca del segle XX*, Barcelona: Curial.

– (1977b) "Els poetes de les Illes Balears i el Monestir de Montserrat", *Randa*, VI, 1977, 152-173 (Reeditat a *Llengua, literatura i societat a la Mallorca contemporània*, Barcelona: Curial / Publicacions de l'Abadia de Montserrat, 196-223).

– (1977c) "Antoni M. Alcover i el catalanisme inconseqüent", dins *Església i societat a la Mallorca del segle XX*, Barcelona: Curial, 1977, 21-45.

– (1982) "Mossèn Alcover i les Rondalles", *Lluc*, setembre-octubre, 1982, 12-14 (reeditat a *Antoni M. Alcover i la llengua catalana*, Barcelona, 1985: Publicacions de l'Abadia de Montserrat, 77-111).

– (1983a) "Mossèn Alcover, lingüista", Introducció a l'antologia d'A. M. Alcover, *Per la llengua*, 5-16 (reeditat a *Antoni M. Alcover i la llengua catalana*, Barcelona: Publicacions de l'Abadia de Montserrat, 1985, 11-22).

– (1983b) "A. M. Alcover, deixeble de Fèlix Sardà i Salvany", *Randa*, XV, 85-104 (reeditat a *Antoni M. Alcover i la llengua catalana*, Barcelona: Publicacions de l'Abadia de Montserrat, 1985, 23-53).

– (1983c) "Antoni M. Alcover, amic i deixeble de Marià Aguiló", *Randa*, XIV, 93-107, (reeditat a *Antoni M. Alcover i la llengua catalana*, Barcelona: Publicacions de l'Abadia de Montserrat, 1985, 55-76).

– (1983d) "El nom i la unitat de la llengua segons Antoni M. Alcover", *L'Espill*, núm. 17-18, primavera-estiu 1983, 79-89 (reeditat a *Antoni M. Alcover i la llengua catalana*, Barcelona: Publicacions de l'Abadia de Montserrat, 1985, 113-127).

– (1984a) "Mossèn Antoni M. Alcover i Guerau de Liost", *Randa*, 16, 121-128 (reeditat a *Antoni M. Alcover i la llengua catalana*, Barcelona, 1985: Publicacions de l'Abadia de Montserrat, 187-196).

– (1984b) "Antoni M. Alcover i la llengua literària", *Miscel·lània Sanchis Guarner, I*, Universitat de València, 213-224 (reeditat a *Antoni M. Alcover i la llengua catalana*, Barcelona: Publicacions de l'Abadia de Montserrat, 1985, 129-160).

– (1985a) *Antoni M. Alcover i la llengua catalana*, Barcelona: Publicacions de l'Abadia de Montserrat.

– (1985b) "Jeroni Pons, defensor de Mn. Alcover", dins *Homenatge a Antoni Comas*, 251-275 (reeditat a *Antoni M. Alcover i la llengua catalana*, Barcelona, 1985: Publicacions de l'Abadia de Montserrat, 197-227).

– (1985c) *Els mallorquins i la llengua autòctona*, Barcelona: Curial, 2a ed.

– (1987) "Cartes d'Antoni M. Alcover a Marià Aguiló", *Els Marges*, XXXVIII, 81-90 (reeditat a *Llengua, literatura i societat a la Mallorca contemporània*, Barcelona: Curial / Publicacions de l'Abadia de Montserrat, 1993, 38-47).

– (1992) "Feliu Sardà i Salvany a Mallorca (1871-1915", dins *L'església mallorquina durant la Restauració*, Barcelona: Publicacions de l'Abadia de Montserrat, 20-88.

– (1993) *Llengua, literatura i societat a la Mallorca contemporània*, Barcelona: Curial / Publicacions de l'Abadia de Montserrat, 38-47.

– (1998) *Mn. Antoni M. Alcover i el monestir de Montserrat*, Manacor: Escola Municipal de Mallorquí.

MOLL, Francesc de B. (1933) "Mn. Antoni M. Alcover", *Bolletí del Diccionari de la Llengua Catalana*, XV, 4-28.

– (1962a) *Un home de combat (Mossèn Alcover)*, Palma de Mallorca: Moll.

– (1962b) "Comment a été fait le Diccionari català-valencià-balear", *Actes du X Congrès International de Lingüistique et de Philologie Romanes*, II, Strasbourg, 819-830.

– (1965) "Cartes de tema lul·lià d'En Mateu Obrador a mossèn Alcover", *Estudios Lulianos*, IX, 229-250, (reeditat a *Aspectes marginals d'un home de combat*, Barcelona: Publicacions de l'Abadia de Montserrat, 1983, 93-109).

– (1981) "Epistolari de Miquel Costa i Llobera a Antoni M. Alcover", *Randa*, XII, 125-189, (reeditat a *Aspectes marginals d'un home de combat*, Barcelona: Publicacions de l'Abadia de Montserrat, 1983, 110-165).

– (1983a) *Aspectes marginals d'un home de combat (Mossèn Antoni M. Alcover)*, Barcelona: Curial Edicions Catalanes / Publicacions de l'Abadia de Montserrat.

– (1983b) "Epistolari de Pompeu Fabra a mossèn Alcover", dins *Aspectes marginals d'un home de combat*, Barcelona: Publicacions de l'Abadia de Montserrat, 68-92.

– (1983c) "Epistolari del bisbe Carsalade a mossèn Alcover", dins *Aspectes marginals d'un home de combat*, Barcelona: Publicacions de l'Abadia de Montserrat, 166- 180.

PEREA, Maria Pilar (1998) "Antoni M. Alcover i el català de l'Alguer", *Revista de l'Alguer*, IX, 224-247.

– (1999a) "Cartes de Ramon Clavellet, Joan Palomba i Joan Pais a Antoni M. Alcover", *Revista de l'Alguer*, X, 119-167.

– (1999b) *Compleció i ordenació de* La flexió verbal en els dialectes catalans *(A. M. Alcover i F. de B. Moll)*, Barcelona: Institut d'Estudis Catalans.

– (1999c) *Complements a* La flexió verbal en els dialectes catalans, Barcelona: Curial/Publicacions de l'Abadia de Montserrat.

– (2001) "Cap a una bibliografia d'antonio M. Alcover". *Randa*, 47, 35-118.

REQUESENS I PIQUÉ, Joan (1997) "L'Epistolari de Jaume Collell a Antoni M. Alcover", dins *Estudis de llengua i literatura en honor de Joan Veny*, I, Barcelona: Publicacions de l'Abadia de Montserrat, 165-187.

ROSSELLÓ BOVER, Pere (1993) "Mossèn Antoni M. Alcover i la novel·la costumista", *Zeitschrift für Katalanistik* 6, 57-71.

ROTGER, Joan (1928) *Don Antonio Maria*, Palma de Mallorca: Publicación del "Círculo de Estudios".

SANCHIS GUARNER, Manuel (1953) "Le dictionaire historique et dialectal du catalan «Alcover-Moll»: travaux, problèmes et mèthodes", *Orbis*, II, 104-112.

SOBERANAS, Amadeu-J. (1981) "Lletres del bisbe Campins i de mossèn Alcover a Tomàs Costa i Formiguera, arquebisbe de Tarragona", *Randa*, XI, 145-158.

VILA, Pep (1996) "Lletres de mossèn A. M. Alcover i de F. de B. Moll a Irene Rocas, corresponsal de l'Obra del Diccionari a Llofriu", *Randa*, XXXVIII, 111-150.

– (1997) "Cartes d'Antoni Maria Alcover a Rossend Serra i Pages, Narcís Oller i Johannes Fastenrath", *Butlletí de la Societat Arqueològica Lul·liana*, 331-352.

ANNEX

1. RECORDANCES[1]

Una tristesa
Inexplicable
No'm dexa viure
Fentme pensar
Ab una terra
Que'm vegé nexe;
Axó es ma patria
Que somiy tant.

Edat ditxosa
En que corria
Per valls y pletes
Y comallars:
Mon cor xalava
Ab los plers dolços
Que l'innocencia
Mos fa gosar.

¡Ay quant jugavam
La primavera
Ab les floretes
Y ab mos companys;
Y els hores baxes
A l'estiuada,
Jesús, que reyam
Corrents, botant.

Y á les vetllades
D'ivern tan fredes
A dins la cuyna
En revoltants
De la flamada
Ja mos ne deyam
Bé de rondalles
Bé de glosats.

Fogiren totes
Les alegríes
De l'infantesa
Volant, volant;
Com fum exintne
De xemeneya
Que's fon pujantse'n
Per lo cel blau.

¡Oh daurats somnis
De jovenesa,
Com vos hey fosos!
Cap ne roman.
La fredor rónega
Lo meu cor gela,
Fers el roegan
Los desenganys.

Cansada la ánima
D'aquesta vida,
Ab grans congoxes
Lo pit nafrat,
Lluny de ma patria
Res m'aconsola:
Sols ella'm dona
Gotx, ditxa y pau.

Antoni M. Alcover
Mallorca, 1881

1. *La Veu del Montserrat*, IV, núm. 34 (27-VIII-1881), 268.

2. A MON DEU[2]

Domine, ne in furore tuo arguas
me, neque in ira tua corripias me.
Miserere mei, Domine: quoniam
infirmus sum: sana me, Domine,
quoniam conturbata sunt ossa mea.
(Salm. VI, 2, 3)

Oh Deu de les altures, que el bé y el mal que fassa
L'humana criatura pesau ab just rigor,
Que dins el cor dels homes sabeu tot quant hi passa
No'm mireu com á jutje:
Miraume com un pare al fill de son amor.

Deu meu, la vostra cara mostraume bondadosa,
No quant ayrada brolla lo foch de vostre esguart,
Quant aterrau los singles, la montanya alterosa,
Y rius y mar s'aturan
Ab lo fibló que gita de llamps farest esbart.

Senyor, si pogués veure los chors que vos rodejan
De serafins, y ángels, y benaurats,
Quan, cubrintse ab ses ales, entusiasmats puntetjan
Melodioses arpes
Unint á sos sons dolsos de gloria cants sagrats.

Deu meu, grandesa tanta mon esperit humilla;
Pensant ab vostra gloria, acat el front confús:
La resplandor vivíssima que en vostra cara brilla,
¡Oh mar de maravelles!
Ma vista enlluerna y cega... no puch mirarvos pus.

Hont! sense el seny torbarme, vos puch mirar de cara
Es dalt el puig del Gólgota, de peus y mans clavat,
Morint entre dos lladres, ensemps que vosta mare
Sense conhort vos mira
Dels redimits oprobi, del cel abandonat.

Aquí contempla l'ánima al Deu de gran clemencia
Que's feu home en Maria per los humans salvar,
Prenint sobre s'espatlla ab santa complacencia
El pés d'aquella culpa
Que abat la rassa humana des que Adan va pecar.

2. *La Veu del Montserrat*, V, núm. 13 (1-IV-1882), 100-101.

Aquí vetx sols llevores al qui, per darnos vida
La seva vida dona en mitx d'escarnis durs,
Y beu fins als solatjes la copa enmalahida
Que tay del vas ompliren
Tots los pecats de l'home, passats, presents, futurs.

També aquí nua l'ánima de gracia y d'hermosura
Veu nú al qui vest los homes, les feres, los aucells:
Al qui es pur com la rosa ferit per la lletjura,
Lo cos masell de nafres,
Sa cara sanguinosa, y cluchs ja los ulls bells.

Senyor, en el Calvari, sofrint tanta amargura
Al mon donar volguereu llissons de gran valor:
Les vostres majors penes son gotes de dolçura
¿Qui és l'home que mirantvos
Agonisant per l'home, no apren resignació?

Pero som mal deixeble qu'oblit prest les doctrines
Que mos donau, mon Mestres, des l'arbre de la creu:
Quant bufa el vent del sigle, de les virtuts divines
Devant mos ulls de terra
La claredat s'apaga... Deu meu no me dexeu.

Mes ¿perqué gos pregarvos si ab freda indiferencia
Vos he dexat cent voltes, del mon dins la corrent?
No tornaré á dexarvos... teniu de mi clemencia,
Mon mestre etern y sabi,
Donaume vostra ajuda... que ma flaquesa sent.

Oh Deu de les altures, misericordia immensa,
Los vostres ulls benignes en vers de mi girau...
A cumplir la promesa vostre servent comensa,
En vostres mans se posa...
De tot á vos s'entrega... manauli, es vostre esclau.

ANTONI M. ALCOVER
Mallorca, 1881

3. ¡QUINA COLLA![3]

Tots dos van plegats ha estona
sense un moment separarse;
y no es que de gust s'avengan,
que sempre se fan la cuantra.

Mentres un volar desitja
que torná á la seva patria,
l'altre dins plers que matzinan,
sens parar vol revolcarse.

Un es fill del Rey mes noble,
del Senyor més gran que hi haje;
l'altre exí de llim de terra,
y prou que terretja encara.

En cruel lluyta casi sempre,
l'un actíu, peresós l'altre,
viuen, peró ¡quina vida
tan penosa, tan amarga!

Y á pesar de axó s'estiman
tant, que en haver de dexarse,
¡Será trist l'adèu que's donen!
¡xapará'l cor sa complanta!

Tots conexen esta colla
puig la tenim adins casa
desde el día que nasqueren
¿Sabeu quí son?... Cos y ánima.

ANTONI M. ALCOVER
Novembre de 1881

4. [sense títol][4]

Dormint lo somni
de l'innocencia
¡quína ventura,
si mes fos mort,
mentres ma mare
besos me feya,
canta que canta,
vou veri vou.

Com l'oronella
que deixa l'Africa
quan ve que's baden
les gayes flors
per abeurarse
de les aromes
qu'arreu escampa
lo ventijol;

Cap á la Patria
volat huría
sota les ales
del ángel bó,
sentint tot d'una
olors divines,
cántichs de gloria,
melosos sons.

Allá may fosca
sempre de día;
may l'ivernada,
sempre aquell sol
que, si enlluerna,

Quina ventura
volá á ma Patria,
y pus tornarhi
per aquest mon,
vall de miseries,

3. *Lo Missatger del Sagrat Cor de Jesús*, II, 21, setembre de 1894, 207.
4. *La Tradició catalana*, II, 9 (1 juliol 1894), 138.

no desdelita,
que abrasa l'ánima
sense cremá'l cos.

d'enuigs y angoxes,
hon l'anyoransa
n'és lo més dolç;

hon les ventures
tenen solatges
de més agrura
que'ls dols majors;
hon un cor d'ángel
niu d'innocencia,
promte esbart cría
de passions.

¿Còm no'm matareu,
Deu meu, llavores?
¡Sería un ángel,
no un pecador!
y ab vos mots tendres,
y ullades dolces,
y abraços místichs,
y esclats d'amor!

¡Suau delliri
de la meva ánima!
¡al cel pujarmen
als primers jorns,
mentres ma mare
besos me feya,
canta que canta,
vou veri vou.

ANTONI M. ALCOVER
Març, de 1882

5. FULLES[5]
del album de la Mare de Deu del Puig de Pollensa

Cinc sigles son passats, Reyna divina
Que d'aquest putx que terra y mar domina
La fé dins los cors nostres conservau,
Per ço may mancará dins l'illa nostra,
Si la mirada vostra
Tant dolça de nosaltres no apartau.

ANTONI M. ALCOVER
7 Setembre 1982

5. *Boletín de la Sociedad Arqueológica Luliana*, I, núm. 34, 1885, 15.

6. SOLAMENT L'HOME[6]

Lo rossinyol planyívols cants refila,[8]
torrentals d'armonía y de tendror,
y publica, mon Deu, la vostra gloria;
peró no sab qui sou.

La flor engalanada ab colors belles
son cálzer esbadella, niu d'olors,
y publica, mon Deu, la vostra gloria;
peró no sab qui sou.[9]

Bressa lo ventijol branques y fulles
y juntes l'himne exhalan, tot dolsor,
y publican, mon Deu, la vostra gloria;
peró[10] no saben qui sou.

No més á un ser l'enteniment donareu
y el cor per abrasarse en santa amor;
¿y callará, mon Deu, la vostra gloria
ell sol que sab qui sou!

7. SOLS L'HOME[7]

Planyívols cants lo rossinyol entona,
torrentals d'harmonía y de tendror,
y publica mon Dèu la vostra gloria;
peró no sap qui sou.

La flor vestida de colors que encantan,
obri'l calce, niuet de suaus olors,
y publica mon Dèu la vostra gloria;
peró no sab qui sou.

Bressa lo ventitjol branques y fulles
y junt un himne axecan tot dolçor,
y publican, mon Dèu, la vostra gloria;
mes no saben qui sou.

Sols jo ab l'enteniment, entorxa mágica,
y ab el cor de desitjs mar sens fons,
aquí baix manifest la vostra gloria
coneguentvos y amantvos, mon Senyor.

[juny 1882][11]

8. LA BARCA[12]

POESIA FANTASTICA

Es una barca grandiosa
La feu un gran calafat
Y tan forta y tan brinosa
Que no tem la tempestat.

Lo timoner que tenía
Se morí; quant va esser mort
Un de bell-frech ja n'hi havía
Destre ferm, sabut y fort.

6. Inclòs dins *Llibre de la fe: colecció de poesias del modern renaixement*. Barcelona: La Renaixensa, 1883, 223 p. Publicat també el 24 de setembre de 1910 a la *Biblioteca Clàssica Catalana*, 712, amb l'addició, per error, com fa notar Joan March, d'un verset en la primera estrofa, que pertany a la poesia *Misa-nova* (*Aplech d'algunes poesies*, 17-19).

7. *Lo Missatger del Sagrat Cor de JesÚs*, 6, juny de 1893, 115. Publicat també a *Montserrat*, núm. 43 (juliol de 1904), 315 i a *Pàtria*, III, 25 de maig de 1902, 56.

8. En l'edició de la *Biblioteca Clàssica Catalana*, *No més a un ser l'enteniment donareu / lo rossinyol planyívols cants refila...*

9. *Ibid.*, *mes no saben qui son.*

10. *Ibid.*, *més.*

11. Consta entre claudàtors la data que apareix a l'*Aplech d'algunes poesies* d'Alcover i que ha permès de datar alguns poemes.

12. *El Tambor*, núm. 2 (11 d'octubre de 1884), 2.

Y diu: Qualsevol qui vulle
Esser en la nau viatgé
Es precís que se despulle
De lo qu'ara vos diré:

De ciencia bordissenca,
De superbia y mala-fe
Que tot el sebre n'envenca
Que en temps passat hi va havê.

Aquells qui les ensenyanses
Dels timoners del vaxell
Les trobin velles usanses
Indignes del temps novell;

Que se'n vajen deseguida,
No los hem de menester mes:
Curolla tan malahida
Tot ho duría á través.

Molts que tripulan la barca
Quan senten aquest reclam
Que'ls endreça son gerarca
S'exclaman: ¿Que mos n'anam?

Y prenen son equipatje
Y, sense dir: «Adeussiau»
A sos companys de viatje,
Tantost surten de la nau.

Altres naus ja los esperan,
Hi entran dedins xalest:
Prest ó tart de lo que feren
S'empenedirán aquets.

Mentres tant grosses onades
Assotan la barca gran:
Bé n'hi pegan d'andanades,
Y les que li pagarán.

Lo vent vincla les entenes,
Ja les romp, ja les romprà:
Bulla'n farán les belenes,
Als pexos bé los dirá.

Mes lo timoner destría
Un estel de llum suau:
–No temeu, diu, fassem via,
N'es escápola la nau.

Mes n'hi ha que hi reconvenen:
Adamunt tenim la mort.
¿Volgués creure als qui heu entenen?
Mos n'anassem dins un port.

–Bé la sé, el timoner crida,
La carta del navegar:
Aquell estel mos convida
Á no teme y avant passar.

Y aquells tornan. –De prudencia
Lo timoner no'n té gens.
¿S'ha vist may tal insolencia?
¡Navegar ab aquest temps!

Lo timoner que'ls escolta
S'exclama: –Los qui eus quixau
De presunció'n duys molta;
Però ben arrats anau.

¿Qui sou per donarme regles
Per ahont la barca ha d'anar
Si fa tants y tants de segles
Que navega per la mar.

Y may ni'l vent, ni les ones
La s'han poguda engolir:
En que perillás á estones
Sempre n'ha sabut sortir.

Si Deu ho vol y María
Som escapols, y mirau
Qui no vol que fassem vía,
Tantost surta de la nau.

–Noltros volem fer lo viatje
Ab vos, lo bon timoner.
–Jo no vull tal marinatje
Ab mi vos tench mester.

Si sou pitjor qu'aquells altres
Que demostran lo que son;
Duys el mal tapat, vosaltres
Sou lo mes dolent del mon.

A aquells no los agradava;
Son prosehir fou lleal:
Jo ab vosaltres confiava
Y ara me feu lo dogal.

S'excusan quant axò senten
Y ninguns volen esser,
Al parexer se presenten
Sotmesos á son poder.

Lo timoner no s'atura
Lo ho diu llampant: Mirau,
Lo vostro mal no té cura;
Fora, fora de la nau.

....
....
....
....

Es la Iglesia aquesta barca,
Pio-novê el timoner
Y los impíos de marca
Aquells que se'n van primer.

¿Però els qui tant reconvenen
Y que dar concells pretenen
Sabeu qui son aquets tals
Que Pio-novê los deya
Llops cuberts ab pell d'euveya?
....
LOS CATOLICHS LLIBERALS

9. LES CREUS DE PEDRA[13]

[Cuando las cruces caen
¡ay de los pueblos!
(TRUEBA.)]

¿La senyera[14] de Cristo feta benes...?
¡Y vencé[15] ella lo dragó infernal!
¿Les creus de pedra que per tot se veyen
En terra jauen trossejades?... ¡Ay!
Que m'espiretjan aquets[16] ulls encara
Y me rebull la sanch.

Jo, jo'ls vaitx[17] veure tot llensant[18] blasfemies
Febrosenchs[19] corre ab pedres dins les mans.
Les creus feriren, y les creus caygueren,
Arrossegantles per dins pols, dins fanch...
Passá la mastralada,[20] y tan[21] sols ruines;
De creus[22] no'n queda cap.

13. *El Tambor*, núm. 3 (18 d'octubre de 1884), 2. Es va publicar també amb lleugeres modificacions, que queden recollides en notes a peu de pàgina, al *Boletin de la Sociedad Arqueológica Luliana* (BSAL, III, 1889-1990, 197-198) i a *La Veu del Montserrat* (LVM, XIII, 10, 8-III-1890, 77-78). En aquests darrers casos el poema inclou un lema d'Antonio de Trueba. El 1898 també es publica a *Mallorca Dominical* (1 de maig, II, 65, 3).
14. Al BSAL i a LVM, *bandera*.
15. *Ibid.*, *va vence*.
16. *Ibid.*, *aquests*.
17. *Ibid.*, *vatx*.
18. *Ibid.*, *llensant*.
19. *Ibid.*, *Febrosos*.
20. *Ibid.*, *mestralada*.
21. *Ibid.*, *tant*.
22. *Ibid.*, *creu*.

Ah, no; encara'n quedan, tal com queda
Derrera'ls segadors un bri de blat,
O l'estrella quí sura sobre l'ona
Quant trossos lo vaxell al fons hi jau,
Ó el pinotell, passada la tempesta,
Qu'estronca els pins mes alts.[23]

Encara'n restan per major vergonya
Dels qui se creuen vertaders cristians;
Puix que los noys sovint les apedregan
Fent lo mossatje per com sigan grans...
¿Les veys esvorallades mitx rompudes,
Que tomban caych no caych?[24]

¿Qué será d'elles?... Caramull de ruines
Hont la molsa y l'herbatje hi crexarán[25]
Fins á cubrirles de relum y bruyes,
Y noves d'elles ja negú'n sabrá.
Y quant les vores dels camins adasin[26]
Les esmicolarán,

Y serán per omplir una camada,
Com á reble estrafet[27] ó pedruscall;
Y les creus del avior tan benvolgudes,
Que's treya lo capell[28] á son devant,
Vilment serán petjades cada dia
Per homes y bestiar...[29]

Mans pecadores que les creus tomáreu,
¡Q[u]e Deu vos malahesca d'*allá dalt*!
Pedres que fóreu a les creus llansades,
¡Que vos calsin,[30] que vos sepult lo llamp!
Vosaltres que l'infámia consentireu,
¡Que Deu vos desampar!

Governs impios que retgiu los pobles,
Que tal escarni permeteu, mirau:
Los qui les creus furiosos esvehexen

23. *Ibid.*, *O l'estella surant demunt les ones / Quan tota trossos s'en va á fons la nau, / O'l pinotell, passada la tempesta, / Qu'estronca'ls pins capdalts.*
24. *Ibid.*, *Fent el mossatje per quant sian grans... / ¿Les veys, esvorallades, mitx rompudes, / Que tomban, cayg no cayg?*
25. *Ibid.*, *crexerán.*
26. *Ibid.*, *adesin.*
27. *Ibid.*, *malfênt.*
28. *Ibid.*, *treyen* el *capell.*
29. *Ibid.*, *Serán potonejades cada dia / Fins del vil bestiar.*
30. *Ibid.*, *calcin.*

Y les imatges[31] toman de los sants,
Los qui enderrocan monestirs y esgleyes
Y fan guerra al altar…

Ab sa picassa toman tant un temple
Com d'un monarca el grandiós[32] palau;
Tant sotacavan fonaments d'un trono
Com los del Ara d'*El tres voltes sant*;[33]
Tant trepitjan un ceptre ó una corona
Com la Tiara papal.

¡Ay de vosaltres quant l'assot ferestech[34]
De sa Justicia eus[35] fibli Geovah!
Sereu just torre que'l fibló trosetja,[36]
Just la fullaca que s'en du'l mestral…
…………………………
Tirauleshi les creus, donchs, per en terra;[37]
Tiraules hi… avant!!!

[febrer 1882]

10. ESCOLTAU[38]

¿Un glosat voleu que fasse?...
Ja tench paper,
Una ploma y un tinter...
Hala ydò, gloses,
Sortiu direm quatre coses
D'allò, d'allò
Que u' tenim tant dins es cor;
Que si 'u perdíam,
A jeure mos ne poríam
Anar aviat;
Y n'es l'efecte entranyat
Y l'amor forta
envés del partit qui porta
La gran bandera
De l'Espanya vertadera
Sens fallar may.
Ell jo no tendré aturay
Fins aquell dia
Que tota ma companyía
Y conexensa
Carlista síga en crexensa
Y fassa Deu
Que'm surta bé l'intent meu;
Però una cosa
Hi ha que cuantre mi's posa:
Les passan tristes
Avuy en dia els carlistes
Al dir de molts,
Y no van de fer tals solchs
Á dins sa rota;
Que á n'es temps que correm tota
S'idea n'es

31. *Ibid.*, *imatges.*
32. *Ibid.*, *monarca'l grandiós.*
33. *Ibid.*, *Com los del Ara del Tres voltas Sant.*
34. *Ibid.*, *terrible.*
35. *Ibid.*, *us.*
36. *Ibid.*, *trossetja.*
37. *Ibid.*, *y donchs, en terra.*
38. *El Tambor*, núm. 4 (25 d'octubre de 1884), 2.

Avansar, y fora ab res
Posarse may
Si no shi veu gens de guany.
Perque als prasents
Ser carlistes no treu gens,
Sino ¡que'n dona
De perjuys! qu'una persona
Sempre ha d'estar
Ab s'esquena per parar.
Tots es partits
Mos sos cruels inimichs;
No n'hi ha cap
Que no'ns odiy tan com sap.
Es zorrillistes,
Segastinos, canovistes,
Y *sarranés*;
Sa cateyfa de panxés
Alies mestissos.
Veletes, encaradissos
Que sercan peix,
Tots s'exclaman lo mateix:
–¡¡¡Fora carlins!!!
Ell no estarem á pler fins
Que morts tots sigan,
Perque ab nigú, ab ningú lligan
Ni lligarán
Tot es temps que vius serán.
Primer consenten
Morir, que no se presenten
Á demaná
Al govern que no los fa...
¡Oh quina gent
Mes tossuda é intransigent
Ab lo que's posa!
¡Ells, ells son que mos fan nosa
Aqueys fotims!
¡Muyren ydò los carlins!,
Y fent axam
Amollan aquest reclam
Per hon-se-vuya;
Y per axâ es que quisvuya
Que 'u siga un poch
Carlista, com veu es joch
Tan mal trempat,
Y es una mica arrufat...
Tot se retgira,
Y allá mira que te mira
Ja se figura
Que li treurán sa frexura,
L'escorxerán
Y corters d'ell en farán.
Y, bona nit,
Carlista, fuitx des partit
Perque té pò.
Es bon carlistes però
No amollen may...
....
....
¿Com agrada s'escambray
D'aquestes gloses?
Un altre dia mes coses
Ja vos diré...
Á reveure, gent de bé.

[juny 1880-1881][39]

11. ES SO QUE FEIM[40]

Estirat es cuyro,
Nou es corretjam,
Presents ses massetes
Y llestes ses mans,
EL TAMBOR redobla
RA-TA-PA-TA-PLAM.

Surt cada dissapte,
Tresca la Ciutat,
Corr tota Mallorca
Sempre redoblant,
Cuantre LA CANALLA
RA-TA-PA-TA-PLAM.

Y no tem á Meco,
Diu la veritat,
Sens revolteríes,
Sensa mals *mestays*,

39. Inclòs, juntament amb el poema *Recordances*, en el grup de cartes glosades que Alcover enviava cada setmana als seus familiars.
40. *El Tambor*, núm. 14 (3 de gener de 1885), 2.

Agradi, no agradi
RA-TA-PA-TA-PLAM.

La mesticeria...
Tots es lliberals
Tiran llamps y pestes,
Y se posan blaus,
De rabia com senten
El seu PA-TA-PLAM.

EL TAMBO 's *una eyna*,
Dihuen tots plegats,
Es lo mes ridicul,
Que s'haya vist may:
Mes bo es un bram d'ase
Qu'es seu PA-TA-PLAM.

Totes ses persones
Que tenen bon cap,
No aquelles fanátiques
Curtes de gambals
Gens de gust hi passan
Ab tal PA-TA-PLAM.

Tot axò's metjecan,
Y EL TAMBO... endavant.
Mes que may llavonses,
Sentint gotx per llarch,
Ab tota sa forsa
RA-TA-PA-TA-PLAM.

Ell ses corretjades
No han agradat may
Á n'es qui les tasta,
Que mes gruny y's plany
Com mes li *arriban*,
RA-TA-PA-TA-PLAM.

Si EL TAMBOR no agrada
Á n'es lliberals
Ni á n'es mestissos,
Es un bon senyal,
Y per tal cinch centes
Venga PA-TA-PLAM.

Que mentres víu sía
Té que redoblar
Per DEU, per la PATRIA
P'el REY, y no hi ha
Que donarli voltes
RA-TA-PA-TA-PLAM.

Els qui son contraris
D'aquells mots sagrats
Son contraris nostros,
Y de mal de cap
Los n'ha de fé en *grande*
Nostron PA-TA-PLAM.

Perque es nou es cuyro,
Nou es corretjam,
Noves ses massetes
Y tot nou y sá;
Ydò que pech sempre
RA-TA-PA-TA-PLAM.

12. LA CANSÓ DELS BONS CATOLICHS[41]

Nostron viure es fer la guerra,
Guerra á mort cuantre Luzbel.
Lloch de combat es la terra;
La pau no's mes qu'en el cel.
¡Guerra; ydò, de nit y dia!
De tramuntana á mitxdía!
¡Esvehi als qui á Deu van cuantre
Volem los fills d'Israel!
No'ns parleu de paus ni tractes
Ab nostro inimich mortal!
–Guerra a mort, –vatassí els pactes.
–Llamp de Deu al deslleal.–

41. *El Tambor*, núm. 15 (10 de gener de 1885), 2. Nota de l'original: Del notable folleto pròxim a publicar-se y que conté les composicions lletgides en la sessió inaugural de la Jovintut Catòlica prenim aquesta poesía, perque son molts que mos ho han demanat, y tenim orde per ferho. Publicada també, amb certes modificacions ortogràfiques (*La cançó dels bons catòlics*) a la *Revista Popular*, XXVIII, 106-107, l'any 1885, i molt més endavant, el 6 de desembre de 1913 (3-4), al setmanari *La Aurora*.

Mentre hi haja alê de vida
Lo catolich sempre crida:
¡Visca Jesús! ¡visca el Papa!
¡Muyre la Serp infernal!
Aquell qui ab noltros no siga
Mos es cuantre, cuantre Deu.
Qui per combatre no estiga,
Llocifer ja'l té per seu.
Cap de noltros al contrari
¡que no s'atans á passar-hi;
Y qui se pos entre y entre,
Si no vol caure, que's lleu.

Llampant y clar mos ho mana
Nostro Sant Pare Lleó.
¡Que no amoll l'host cristiana
Gens a la Revolució, ...
Tant si se diu Masonisme
Com si's diu Lliberalisme,
Monstres impurs de set testes,
De baf entabanador.

Comandan tota l'Europa;
Tots los ceptres s'han fets seus.
Repropia y maleyta tropa
Per ells brama, y'ls té per Deus:
Dins los cors verí pongueren,
Rabia fort hi encengueren.
Per on passan... tot son ruines,
Abominacions, dols greus;

Convents en-terra, tot trossos
Tombes dels antepassats,
Dins la pols y el llot son ossos,
A fil d'espasa passats
Frares y monjes, figures
Venerandes y esculptures
D'alt preu... tot carbons y cenre,
Y campanars esbucats.

El Papa fora corona
Del Vaticà en les presons;
Robat lo qu'el fael dona
Per sostendre missions;
Les rendes pies... robades;
Les creus del camins... tomades.
Per tot l'Esposa de Cristo
En cadenes y grillons.

De dins nostres conciencies
Volen 'rrebassar de rel
L'abre de nostres creencies
Y escolarhi verí y fel;
Y que en satànica brega
Un de l'altre la sanch bega,
Y embolicats... dins l'abisme
Cayguem hon caygué Luzbel.

Ells *la Paraula Encarnada*
Volen de tot anul·lar;
Y envilida y 'rrossegada
La volen potonetjar.
Noltros més que tot amarla,
Y sobre tot defensarla....
Donchs un remey sols ens queda,
Emparà'l cop y atacar!

Fassem los bons una lliga:
Dels tèrbols ni un ni cap.
El qui bon catòlich siga
com s'ha de portar bé u sab
Fora ydò, girarlos cara
A los contraris... encara
Que tot tremol y s'envenga
Y lo pern del mon se xap!

–Jesucrist.... per Rey, per Guia...
Del Papa la santa veu,
Per Advocada... Maria
Y per bandera... la Creu,
Per armes tayants y fines...
Totes les virtuts divines.–
Fitsa l'idea en la Gloria
Y... endavant no reculeu.

¡Guerra a mort al Masonisme
Y a tot error lliberal!
¡Que visca el catolicisme!
¡Muyre el dragó infernal!
Aquest es lo sant y senya,
Constants y forts com la penya,
Aquí baix guerra y més guerra;
Allà dalt Pau eternal.

[setembre 1884]

13. UNA CARTA Á LA VILA[42]

Senyor Fulano de tal:
Pos massions
Que sens fer moltes rahons
Conexerá
Qu'es qui aquestes gloses fa
Tan toxarrudes,
Que surten tan á premudes
Es un xandoch
Que festa va fer ha poch,
Devés dissapte
Un que per donar recape
Es lo mes bo.
Y ¿que volia dir jo?...
¿Y la diada
A *la vila* tan notada
De Sant Antoni
Que no navegá *es dimoni*
Ab sa barrota
Y ab sa faresta carota
Que tanta por
Causa a qualque *figa flor*?
¿Y *ses banyotes*?
Y aquelles quatre *bubotes*,
Es dimoniets
¿Que no'n feren y moltets
De jutipiris?
Y atapint-se ab sos captiris
¿Que no trescaren
Tota la vila? ¿No entraren
Dins cap taverna?
¿Begueren such de cisterna
O such de bota?
¿Que anaven á gota á gota
O á roy á roy?
¿Que no feren gens de *soy*
D'aquell qui taca
Es cervell que no treu raca
De res, de res
Tot el temps que *soyat* n'es?
Es carreters,
Cassineros, taverners
Y gent del glop
¿Que no feren y de tot
Canta qui canta
Per *honrar* la festa santa?
¿No's passetjavan
Ab cuadrilles que formavan
Sempre duguent
Un bon flasco d'aygordent,
Que no tenía
Repòs, puix sempre corría
Totes ses mans
Y tot d'una com cent llamps
Ja era á sa boca
Y allá aboca qui t'aboca
Fins qu'era buyt?
¿Que no'n 'nava cap de fuyt
Per dins tavernes?
¿Y que no hi havía *llenternes*
O bé *fanals*
Que fessen llum á malalts
De malaltía
Plegada ab vinotería
O be ab such blanch,
Qu'eran justifet un cranch
Des caminar,
Sense porê envant pegar
Ni cap enrera,
En no esser per *sa dressera*,
Alies caure?
¿Qu'es dexavan pel á raure
En es clotell
Tots aquells qu'es carretell
No abandonaren
Fins y tant que redolaren
Com á botetes?
¿Y quantes xupadetes
Degueren fé
De morros *se gent de be*
Que per no *anar*
Totsols, varen aplegar
Tal companyía
Que no los dexá fer vía
De fexugota
Que va esser? ¿sa polissota
No los cualcá,
Y á tots no los va tomá?
¿Que varen jeure

42. *El Tambor*, núm. 17 (24 de gener de 1885), 3.

Fins que la se *varen treure*?
¿Y quants de *gats*
Entre *blanchs*, *negres*, *virats*
Y d'altre pel
Escorxaren sensa vel
Ni *ceremonis*?
¿Que no's lluhiren es Tonis
Que feyen festa?
¿No foren cosa faresta
Ses corregudes?
¿No hi va haver cames rompudes
Ni cap *frecás*?...
....
....
Y vostè que dirá; –¡Jas!

¿Que significa
Tanta y tanta de palica?
¿Que't deus pensar
Que 'u he anat á enderdellar
Tot fil per randa?
¡Mare de Deu! ¡quina tanda!
Te pots fet trons,
Que no vatx mes d'emperons;
Pus vuy lletgí
–Ydò jo pos put aquí
Comandassions
A tots los bons companyons

Un Tamborer
Enguany, 23 Jener

14. CUATRE COPS[43]

¡Uey!... Un altre crida
Glosada vos fa
El Tambor, y en termes
Rebents y llampants,
Tal com acostuma
Sempre redoblar
Ab tota sa forsa
Cuantre es lliberals,
Sense por ni ansia
RA-TA-PA-TA-PLAM.

¿No sabeu qui balla?
Ydò es lletx mestay,
Aquella amilia
Tota caritat
Que segons ells diuen
Res dolent may fan.
Qu'uns santets en vida
Son sense duptar,
Y es una heregía
Ferlos PA-TA-PLAM.

En temps de mos pares
Sols de DESFRESSATS
En es *derrers dies*
Hi havia sarau;
Però lo qu'es ara
Ab sos llliberals
Y ab sos *mestissarros*
La cosa ha mudat:
Ara hi ha desfressos
De cap á cap d'any,

¿Veys aquell *subjecte*
Que diu qu'es un sant,
Qu'oheix missa sempre,
Y va á rapá altars,
Y ab sa dolentía
Vol pau, molta pau,
Y cuantre es carlistes
Verí treu y sanch?
No hi poseu cap dupte,
Es un DESFRESSAT.

¿Y aquell gros *balitre*
Que va tant peus alts,
Que tot per l'Esglesia
Diu que sempre 'u fa,
Y per una *gripia*
Y un brassat d'aufaus
Que li dóna en Cánoves
Fa's mil desherats?
No hi poseu cap dupte,
Es un DRESFRESSAT.

¿Y aquell altre *duenyo*

43. *El Tambor*, núm. 19 (7 de febrer de 1885), 2.

De barbó tan llarch,
Que diu: donaría
Tots es meus infants
p'es catolicisme, -
Y no dona un pas
P'el Papa, p'es Bisbes,
Ni fa res dret may?
No 'u dupteu cap mica,
Es un DRESFRESSAT.

¿Y aquell altre *estella*,
Que no calla may,
Ab l'*Unionetxa*
Sempre dins ses mans,
Cuantre els *integristes*
Pestes amollant
Tractantlos d'heretjes,
De porchs, de gorans?
No hi poseu cap dupte,
Es un DRESFRESSAT.

¿Y aquells estafetes
Tots uns diputats
Que's diuen catòlichs
Y'n bravetjan tant,
Que no obriren boca
Vegent insultants
El Papa y es Bisbes
Dius ses Corts d'entany?
No hi poseu cap dupte,
Son UNS DRESFRESSATS.

¿Veys aquella *cota*
D'*ilustració gran*,
Que se destexina
D'allí y d'allá
Y que –en res se posa–
Diu per pa y per sal;
Y *pells* no mes cerca,
Pells canonicals?
No hi poseu cap dupte
Es un DRESFRESSAT.

¿Y aquell periòdich
Que's té per un sant
Y s'en riu des Bisbes,
Y ses Pastorals
Impugna y ataca
Pretenguent bé anar,
Y besa á n'en Cánoves
Es... tothom ja 'u sap?
No hi poseu cap dupte,
Es un DRESFRESSAT.

Ab una paraula:
Tots es *mestayats*
Son uns á defora
Y uns altres devall
Hont hi ha mestissos
RESFRESSATS hi ha.
Per axo redoble
El Tambor granat
¡Alerta á ses MÁSCARAS
RA-TA-PA-TA-PLAM!

15. L'AUCELLET I L'AVE MARIA[44]

[(Pensament de Mr. Pelerin)][45]

Axò era un hermità
Molt devot de la Puríssima;
Allá dins lo sant desert
L'invocava nit i dia,
Y mai comensava res
Sense dir: *Ave-María.*

De sentirlo, un aucellet,
Un aucell de plomes fines,
Que, tot cantant, feya el niu
Dins la paret de l'hermita,
Sens adonarsen, va aprendre
de cantar: *Ave-María.*

44. *La Veu de Catalunya*, I (1891), 474-475. Publicat també a *La Aurora*, núm. 491, 19 de febrer de 1916, 3. S'han trobat encara altres edicions d'aquest poema: al *Almanaque de "El Ancora"*, 1887, 161-162, i a *El Eco del Santuario*, II, 191, octubre de 1891, 301.

45. Inclòs en l'edició de *La Aurora*.

Era dins el mes de matx,
Les flors totes se tenían.
L'aucellet, sedent d'amor,
Prengue'l vol, el bec obría,
Y de cap a cap la selva
Ressonava *Ave-María.*

L'hermità corre que[46] corre,
Derrera ell tant com poria;
Dalt un cart l'aucell se posa,
L'ermità casi li arriba;
Però torna a prendre'l vol
Tot cantant *Ave María.*

Y se fa amunt, ben amunt.
Un àguila que[47] l'afina,
Ja li pega com un llamp,
Ja volen[48] les plomes fines,
Y mal ferit l'aucellet[49]
Va exhalar *Ave María.*

Tant bon punt l'águila'l sent,
Axampla l'arpa maligna,
Escàpol, l'hermós aucell,[50]
Volant, de goig no hi cabia,
Més viu y més fort que may
Repetint *Ave María.*

Corre que mes correrás,
L'hermità tot ho destria,
Y veu l'aucell que s'en vé,
Y dalt'l seu bras se tira;
Llevò tot dos sí que cantan[51]
De bon cor *Ave María.*

¡Oh Mare! qu'al aucellet
Li váreu salvar la vida,
No volgueu[52] que mala fi
Fassa'l pecador que diga
Y torn dir ben penedit,
De tot cor: *Ave-María.*

Antoni M. Alcover, *Pre.*

16. SI UN VA AB UN COIX...[53]

¿Per qué es que, essent jove, l'home
del interés no es esclau,
y el que se fa seu la codicia
quan ve que torna més gran?

¿Per qué es que sols gloria cerca
y viu de somnis daurats,
y deprés deixa anà'ls somnis
y pensa avuy per demá?

¿Per qué es que dins son pit coven
sols noblesa y llealtat,
que en engany se convertexen
y en mesquinesa més tart?

Per qué l'ánima es despresa,
y egoísta més envant,
y res sèu no te, essent jove,
y res per altri, essent gran?

Perqué l'ánima, sér noble,
viu unida al cos, vil fanch,
y si un va ab un coix, sol dir-se,
son dos coixos dins un any.

Antoni M. Alcover, Pbre.
[novembre 1881]

46. En l'edició de *La Aurora, qui.*
47. *Ibid., qui.*
48. *Ibid., cauen.*
49. *Ibid., l'aucelló.*
50. *Ibid., el gentil aucell.*
51. *Ibid., i llavó tots dos sí que canten.*
52. *Ibid., vullau.*
53. *Lo Missatger del Sagrat Cor de Jesús*, I, 7, juliol de 1893, 140.

LA COL·LECCIÓ *LITERATURA SENSACIONAL* (1908-09): LA PRIMERA RECEPCIÓ EN CATALÀ D'ARTHUR CONAN DOYLE

Ramon Pinyol i Torrents

Universitat de Vic

La col·lecció *Literatura Sensacional*, una de les iniciatives editorials de l'impressor Bartomeu Baxarias, constitueix el primer intent, en el segle XX, de publicar narrativa detectivesca en català per a un públic ampli, un dels nous gèneres sorgits en la centúria anterior que s'estava consolidant com un dels puntals de la literatura de consum. Un gènere que, a banda de no tenir conreu en català, s'havia començat a divulgar amb èxit en castellà i, doncs, plantejava una possibilitat de penetració en el mercat que Baxarias devia voler aprofitar. A més, l'editor-impressor sembla que tenia la intenció d'incorporar autors catalans a la col·lecció, però va haver-la de tancar abans que ni tan sols s'hi anunciés algun producte autòcton.

A *Literatura Sensacional*, doncs, només hi van aparèixer traduccions, sobretot d'Arthur Conan Doyle, i, en aquest sentit, ofereix també un altre motiu d'interès: el de ser la primera col·lecció popular catalana del segle dedicada íntegrament a publicar literatura estrangera.

Joaquim Molas, sempre amatent a totes les formes de la literatura, és l'únic estudiós, que jo sàpiga, que s'ha ocupat de *Literatura Sensacional*. A part d'algunes referències disperses, ha retratat de manera precisa la publicació i el seu context, amb aquella capacitat de síntesi que el caracteritza, en el capítol *La literatura popular i de consum en el segle XX* del volum 11 de la *Història de la literatura catalana*.[1] Des que un bon dia ens va portar a classe la col·lecció de *Literatura Sensacional* –devia ser per allà el 1972 o el 1973–, sempre m'ha semblat que hi sentia una especial afecció. Espero per això que les pàgines que segueixen, que volen contribuir a desenvolupar aquella síntesi, aportin algunes dades noves que siguin d'interès.

1. Barcelona: Editorial Ariel, 1988, 334-335.

Les primeres traduccions de Doyle en el mercat espanyol

Arthur Conan Doyle (1859-1930) era, en iniciar-se el segle XX, un escriptor famós. Va ser la creació del personatge de Sherlock Holmes –amb les novel·les *A Study in Scarlet* (1887) i *The Sing of Four* (1890), i sobretot els relats curts de la sèrie *The Adventures of Sherlock Holmes,* apareguts a partir de juliol de 1891 al *Strand Magazine* de Londres– que va convertir-lo en un dels autors més cotitzats de la literatura anglosaxona i el va projectar per tot el món. El 1894 ja hi ha anuncis publicitaris que utilitzen imatges o referències a Holmes o al Dr. Watson i el 1899, per iniciativa del mateix Doyle, s'estrena la primera adaptació teatral d'aventures del popular detectiu, arranjada i interpretada pel nord-americà William Gillette, que havia de fer aquest paper milers de vegades en el teatre, el cine i la ràdio fins a 1930, quan ja tenia 75 anys. Just el 1900 es roda la primera pel·lícula sobre Sherlock Holmes i durant la primera dècada del segle el personatge es converteix en un mite que passa a ser objecte d'adaptacions teatrals i cinematogràfiques, de paròdies de tota mena i d'aventures apòcrifes que arriben a circular com a autèntiques.

Al mercat espanyol, segons que sembla, les primeres traduccions de les històries de Sherlock Holmes van aparèixer a principis de 1901 a la revista literària *La Patria de Cervantes*, de Madrid, il·lustrades amb els dibuixos de Sidney Paget que acompanyaven les edicions originals en el *Strand Magazine*. Entre 1906 i 1909 la madrilenya Editorial Española y Americana va publicar vuit volums d'una col·lecció intitulada "Aventuras de Sherlock Holmes", dirigida per Blasco Ibáñez, en traduccions de José Francés i Julio i Ceferino Palencia. Alguns d'aquests títols es van integrar també en la col·lecció popular "La novela ilustrada" que publicava la mateixa editorial i que dirigia igualment el novel·lista valencià. Encara, en els anys 20, Blasco va reprendre aquesta edició per a l'Editorial Prometeo de València, incorporant-hi, però, relats apòcrifs sota el títol de *Recuerdos de Sherlock Holmes*.

La iniciativa de l'editorial madrilenya va empènyer altres empreses a explotar el filó holmesià fins ben entrats els anys 30, tant de Madrid (Saturnino Calleja, Rivadeneyra, "El Folletín"...), com de Barcelona (F. Granada, Maucci, Sopena, Gassó Hnos., Iberia...) i València (la ja citada Prometeo). Dins la primera dècada del segle cal fer esment especial de l'edició el 1906 de *Estudio en rojo* (Madrid: Ed. Rivadeneyra), títol ajustat a l'original (cosa infreqüent aleshores en les narracions de Doyle traduïdes a l'espanyol), que va circular en paral·lel a la versió gairebé coetània de *Un crimen extraño* (Ed. Española y Americana), que reprodueix el títol amb què havia aparegut la novel·la a França. També hem de referir-nos a la publicació per l'editorial barcelonina F. Granada y Cía. entre 1908 i 1909 d'unes apòcrifes *Memorias íntimas del rey de los detectives* (76 quaderns) i de *Memorias íntimas de Sherlock Holmes* (74 quaderns), amb un personatge completament canviat –més actiu, rude i maniqueu–, però que van assolir un èxit extraordinari, explotat després fins a la dècada dels 30 per altres editors populars i que, segons Salvador Vázquez de Parga, "potencià la dicotomia de l'heroi de dues literatures paral·leles i va enfrontar un "Sherlock Holmes per a rics" (les aventures del qual, cultes, erudites i refinades podien adquirir-se al preu inicial d'una pesseta cada volum) a un "Sherlock Holmes per a pobres" (el d'unes gestes molt més directes, fantàstiques i sensacionals que eren venudes a 20 cèntims cada quadern)".[2]

S'ha de recordar, de totes maneres, que el primer llibre d'Arthur Conan Doyle que va circular pel mercat espanyol va ser una obra política, que no devia contribuir gaire a popularitzar la seva figura com a escriptor de ficció. Es tracta de *La Guerra de Sud África: sus causas y su modo de hacerla* (*The War in South Africa: Its Cause and Conduct*), un pamflet justificatiu de la política imperial i de l'actuació de les tropes britàniques en el conflicte dels bòers (1899-1902), que va ser traduït a dotze llengües europees, amb tiratges de milers d'exemplars. La versió espanyola, deguda a Francisco de Arteaga Pereira, va sortir el 1902, pocs mesos després de l'edició original anglesa. Tot i que estampada a la "Imprenta de Antonio Marzo", de Madrid, hi figuren com a editors "Smith, Elder & Co.", de Londres, una indicació ben clara, per si calia, del caràcter estratègic que va donar-se a l'obra davant les crítiques de la premsa europea contra l'actuació britànica en aquella contesa. Doyle va obtenir aquell mateix any 1902 la concessió del títol de *sir*, i no precisament per la seva obra narrativa, sinó com a premi per la seva tasca de propagandista de la causa imperial britànica.

La holmesmania

El 1908, quan va començar a publicar-se la col·lecció *Literatura Sensacional* (que representa la incorporació al català de les aventures de Sherlock Holmes), acabem de veure que ja s'havia iniciat en espanyol l'edició d'obres autèntiques i apòcrifes del famós detectiu. La difusió editorial d'aquestes aventures coincideix amb una veritable "holmesmania", sobretot en l'àmbit teatral, que contribueix a alimentar la producció impresa, alhora que aquesta reforça la dramàtica.

En la seva aparició en els escenaris peninsulars, Sherlock Holmes va anar de bracet amb un altre personatge, Raffles, el lladre de guant blanc creat el 1893 per Ernest William Hornung –cunyat de Doyle, per cert– i que, com Holmes, s'havia popularitzat a les pàgines del *Strand Magazine* londinenc. Així, Gonzalo Jover i Emilio González del Castillo estrenaren a Madrid *Holmes y Raffles* aquell mateix 1908. Van tenir tant èxit que aquest mateix any en van escriure i estrenar una segona part, *La garra de Holmes*.

2. "Sherlock Holmes, a Espanya", dins Marie Claire UBERQUOI i Rai FERRER (eds.), *100 anys amb Sherlock Holmes* (Barcelona: Fundació Caixa de Pensions, 1987), 43.

A Barcelona, el novembre de 1908 Lluís Millà i G. X. Roura estrenaren el melodrama *La captura de Raffles o El triunfo de Sherlock Holmes*,[3] al qual va seguir una segona part, *Nadie es más fuerte que Sherlock Holmes*,[4] estrenat el febrer de 1909 també a Barcelona. Millà i Roura es van inspirar en textos de Maurice Leblanc, en especial en l'aventura IX d'*Arsène Lupin*, titulada *Herlock Holmes arrive trop tard.*[5]

En català, a finals d'abril de 1908, es va estrenar al Principal de Barcelona *El Detective Sherlock Holmes*, comèdia melodramàtica en 5 actes i 6 quadres, adaptació de relats de Doyle feta per William Gillette (l'actor) i Pierre Decourcelle, en traducció catalana de Salvador Vilaregut.[6] El protagonista l'encarnava Enric Giménez i sobresortien també Maria Morera i Josep Santpere en altres papers. Va ser el gran èxit de la temporada i la companyia Giménez-Morera la va representar durant l'estiu per moltes ciutats catalanes.[7] En la temporada següent encara va ser molt representada a Barcelona, usada com a esquer en les funcions de benefici de diversos actors i per grups d'aficionats.

La mateixa companyia Giménez-Morera (reforçada ara amb Margarida Xirgu), descobert el filó holmesià, va iniciar la temporada següent amb el melodrama en quatre actes *El gos dels Baskerville*, de Silvano d'Arborio, arreglat per Salvador Vilaregut, Josep M. Carulla i Rafael Estrada,[8] que es va estrenar a finals de novembre de 1908, amb gran èxit, al teatre Principal.

Les obres de detectius eren el gènere de moda i així ho reflecteix la cartellera barcelonina i, òbviament, la de la resta de teatres del país que s'hi inspiraven. Durant la temporada 1908-1909, a banda de les ja esmentades, hi he detectat les següents produccions:

1. L'Enrich Kartetes, paròdia en un acte d'Esteve Serra, al Centre Autonomista Català de Sant Gervasi, estrenada pel novembre de 1908

2. El detective Francis Squart, drama en 4 actes d'Enric Clapés i Masons, a l'Espanyol de Badalona estrenada pel desembre de 1908.

3. Barcelona: Establecimiento Tipográfico de Félix Costa, 1912.

4. Barcelona: Establecimiento Tipográfico de Félix Costa, 1913.

5. Segons Àngels Santa, "Las adaptaciones teatrales españolas de las novelas de Maurice Leblanc. Arsène Lupin frente a Sherlok Holmes", dins Francisco Lafarga i Roberto Dengler, *Teatro y traducción* (Barcelona: Universitat Pompeu Fabra, 1995), 361-370.

6. Barcelona: Imp. de Salvador Bonavía, 1910, *La Escena Catalana*.

7. Així, per exemple, a Reus els dies 23 i 26 de juliol (*De Tots Colors*, núm. 31, 31-7-1908, 493) i a Vic, a començaments d'agost (*De Tots Colors*, núm. 33, 14-8-1908, 526).

8. Barcelona: Llibreria Científic-literaria de J. Agustí, 1910, Biblioteca de "Joventut Teatral".

9. El número 119 de *La Escena Catalana,* del 9 de gener de 1909, s'obre amb una foto en portada d'aquesta obra de Bonavia, que, recordem-ho, era el propietari de la revista, i a l'interior anuncia que el

3. El detectiu Jeph-Roch Homs, paròdia de Salvador Bonavia,[9] estrenada al Principal de Barcelona el 28 de desembre de 1908 i interpretada per Josep Santpere.

4. El gran detective Olmez, estrenada al Novetats a primers de gener de 1909. Obra pòstuma d'Eduard Coca i Vallmajor (havia mort el 24 de desembre de l'any anterior).

5. A primers de febrer de 1909, altra vegada a càrrec del grup Giménez, Morera, Xirgu i Santpere, s'estrena al Principal *Arseni Lupin*.

A la temporada següent, es va estrenar un altre producte autòcton, *Els deixebles de Sherlock Holmes*, de J. Asmarats.

I, encara, cal recordar que la moda holmesiana, com ha assenyalat Joaquim Molas, va arribar fins a un antic gènere popular, el de l'auca, amb *Detective Sherlock Holmes*, (1908), de la mà d'un vell dramaturg, Albert Llanas, i d'un jove dibuixant, Picarol, alhora que va ser, "per a la literatura culta un veritable mite", com en el cas d'Eugeni d'Ors, "que l'utilitzà molt aviat com a tema d'especulació assagística".[10]

Literatura Sensacional

El primer número de *Literatura Sensacional* es va posar a la venda el 17 de juliol de 1908 i el darrer, el 37, el 26 de març de 1909. La publicació sortia el divendres, tenia un format de 240x170 mm, 16 pàgines a dues columnes i va mantenir invariable un preu de 10 cèntims. Les portades va ser sempre de Joan G. Junceda, generalment a una sola tinta (hi ha alguns números a dues tintes), que en els primers mesos de vida de la col·lecció alternaren el negre amb d'altres de més cridaners (groc, verd clar, blau cel, vermell...). Les il·lustracions de Junceda, d'una notable qualitat, han estat considerades "el primer i únic intent de donar al personatge

text ja és a la venda al preu de "mitja pesseta". En aquest número i en d'altres de posteriors, la revista insereix publicitat de l'obra impresa, amb anuncis com aquests. "*¡No más detectives!* Els ha eclipsat a tots en *Jeph-Roch Homs*, última creació del gran Santpere, apuntada per en Bonavía", "Pera completar les obres d'en Conan Doyle, s'ha d'adquirir la comedia en un acte... d'heroisme y tres quadros, *Jeph-Roch Homs*, que està al venda al preu de dos ralets", "Del *boulevart* Petritxol n'han sortit dos homes cèlebres; en Peyo [Pompeu Gener] y El Detectiu Jeph-Roch Homs" o "Gran èxit al Principal y al carrer de Petritxol ab *El Detectiu Jeph-Roch Homs*. Val dos rals". La redacció de la revista i de la Impremta de Salvador Bonavia eren al carrer de Petritxol, núm. 2; el polifacètic escriptor Pompeu Gener vivia en el mateix carrer, al qual denominava irònicament *boulevard* o *avenue*).

10. Loc. cit. en la n. 1.

conandoylià unes característiques pròpies, diferents de les que li havien donat els il·lustradors europeus".[11]

El text començava sempre a la segona pàgina i s'acabava a la quinzena; la darrera era reservada –excepte en l'últim número– a la publicitat de les revistes i llibres de la casa editora. En general, a cada quadern s'acaba un relat i en comença un altre (una fórmula que òbviament pretenia mantenir l'interès del lector), cosa que no es reflecteix adequadament en el títol que figura a la portada, ja que el més habitual és que sigui el de la narració nova. La col·lecció va aparèixer sempre sense nom de director i tampoc no hi va figurar mai el nom dels traductors.

Literatura Sensacional és una iniciativa del seu editor-impressor, Bartomeu Baxarias, un personatge que, com d'altres impressors i llibreters de la preguerra que van destacar com a editors (R. Ràfols, J. Baguñà, J. Balagué...), és pràcticament un desconegut. Em serà permès, doncs, de dedicar-li un paràgraf que resumeixi les quatre dades que n'he recollit. Baxarias no surt, que sàpiga, a cap diccionari biogràfic ni a cap enciclopèdia i, doncs, n'ignoro qualsevol dada biogràfica. Devia ser el continuador d'un altre impressor-editor, Francisco Baxarias, que el 1904 figurava com a titular de la impremta *La Catalana* (potser la mateixa que, propietat de J. Puigventós, va ser molt activa en el darrer terç del XIX), ubicada al carrer de Balmes, 71, adreça on l'any següent ja hi ha un Establiment Tipogràfic de Francisco Baxarias, editor del *Diccionari popular de la llengua catalana*, de Josep Aladern (pseud. de Cosme Vidal i Rosich), en tres volums. (1904-1906). Aquesta mateixa obra forma part del catàleg de Bartomeu ja el 1908, que l'ofereix als subscriptors de totes les publicacions que imprimeix amb un important descompte. Entre 1908 i 1911 va tenir el domicili al passatge de Mercader, 10, interior, el mateix lloc on durant anys hi havia hagut la impremta "Catalunya Artística". "Bartomeu Baxarias, editor" (o "Tallers Tipogràfichs de Bartomeu Baxarias", "Casa Baxarias" o "Casa Editorial Bartomeu Baxarias", que amb tots aquests noms s'anuncia) es trasllada al carrer Més Alt de Sant Pere, 17, on encara continuava el 1913, moment en què li perdo la pista. També sembla vinculat al "Kiosko 'De Tots Colors'" (situat a la Rambla de les Flors, "davant de ca'n cuadros", segons els anuncis), que actua com una mena d'oficina de l'empresa. Baxarias és editor i/o impressor de diversos productes, que van des d'un *Dietari Català* (1907, que va tenir continuïtat alguns anys), d'una sèrie d'"Auques de Catalunya" (1908), de l'obra de Francesc Carreras Candi *Dietari de la Guerra á Cervera des del any 1462 al 1465* (1908) i de més d'una dotzena de peces de Pompeu Crehuet –un home molt lligat a diverses empreses editorials de Baxarias–, fins a revistes de vida curta com ara *La Terra* (1909, 2 núms.), "senmanari nacionalista d'idees" (era l'òrgan dels esperantistes catalans i Baxarias hi figurava com a director), *La Forja* (1910), setmanari de la Unió Federal

11. Rai Ferrer, "Sherlock Holmes, a Espanya. Il·lustradors, humoristes gràfics i autors de còmics", dins *Cent anys amb Sherlock Holmes*, cit. en la n. 2, 51. I afegeix encara aquest especialista: "Atret pel personatge, Junceda va estilitzar la figura del detectiu a la seva conveniència i li incorporà al físic uns trets de tipus caricaturesc, resolts amb una gran simplicitat de traç."

Nacionalista Republicana (en va ser l'impressor fins al núm. 13), *Llibertat!* (1909), "setmanari nacionalista radical" (el director era el mateix Baxarias i l'adreça de la redacció la de l'obrador tipogràfic) o *Panteisme* (1911), que duia el subtítol de "Literatura y Art" i que només va treure 4 números. Menció a part mereixen, per la durada i l'abast cultural i social, dues iniciatives que Baxarias va posar sota la direcció de Pompeu Crehuet. L'una, *Revista Catalana*, un setmanari de literatura que va comptar amb col·laboradors de primera fila, però també de vida curta: 12 números sortits a la tardor de 1909. Josep Carner, en una carta a Maria-Antònia Salvà, d'octubre de 1909, feia el comentari següent: "La «Revista Catalana» no és cap maravella, però *viene a llenar un vacío*; y, sobretot, la publica un impressor atent al negoci, no quatre poetes sense contacte amb les impureses" (*Epistolari de Josep Carner,* vol. 3, a cura d'Albert Manent i Jaume Medina, Barcelona, Curial, 1997, 252). De trajectòria molt més dilatada va ser el setmanari teatral *De Tots Colors* (Crehuet en va ostentar la direcció fins a la tardor de 1911, en què va deixar-la per agafar la del Sindicat d'Autors Dramàtics Catalans), que va treure 291 números entre 1908 i 1913. Del setmanari van sorgir la "Biblioteca *De Tots Colors*", que recollia els fulletons que publicava, i una altra publicació, *Suplement a De Tots Colors*, destinat a publicar col·laboracions literàries, del qual va sortir 44 números al llarg de 1910 i que, al seu torn, també contenia fulletó.

De Tots Colors (d'ara endavant, DTC) va ser l'obra emblemàtica de Bartomeu Baxarias i, pel que fa a *Literatura Sensacional*, n'és la principal font d'informació. El primer anunci de la col·lecció apareix a DTC el 17 de juliol de 1908, el mateix dia que se'n posava a la venda el primer número: "Recomanem als nostres llegidors la nova publicació *Literatura sensacional*, qual anunci trobarán a darrera plana. Es interessant de debó y econòmica a no poder més, ja que la constitueixen 16 grans pàgines de lectura emocionant y's ven a 10 cèntims. Publica, sencera la aventura *El crim d'Hampstead* y sabem que's proposa, en els nombres succesius, repartir les més notables aventures del famós *Detective*. Desitgem a *Literatura sensacional* un èxit ben sorollós" (núm. 29, 463-464). És de notar que el nom del "detective" ni s'esmenta, perquè en aquell moment aquesta denominació ja era inherent al personatge de Sherlock Holmes. En el número següent de DTC insereix aquesta anunci: "¡Exit! Exit extraordinari de *Literatura sensacional.* (...) s'ha hagut de reimprimir el primer nombre que repartia, sencer, EL CRIM D'HAMPSTEAD y comensava LES ULLERES D'OR" (núm. 30, 480).

Si bé sobta una mica que el primer anunci de la col·lecció aparegui precisament quan el primer número ja és al carrer i que no n'hi hagi hagut en els números anteriors, cal tenir present, de tota manera, que DTC ja feia setmanes que promocionava la figura del detectiu britànic. De fet, al llarg de quatre números del mes de juny ja havia publicat una narració de Holmes, que va anunciar en aquests termes en el número del dia 5:

> Comensem avuy la publicació de *El mocador tacat*, noveleta de Conan Doyle, en la qual hi juga'l paper de protagonista el famós *Detective Sherlok* [sic]*Holmes. El mocador tacat*, l'ha traduit expressament per la nostra revista el notable literat y bon amich nostre Salvador Vilaregut.

Y ara, una advertencia curiosa que revela la extraordinaria desaprensió de certs editors. Podem assegurar que les aventures de Sherlock Holmes que s'han publicat en castellà ab los titols de *El vendedor de cadáveres, La hija del usurero, El novio desaparecido, El asesinato de Lady Malcolm, El robo del diamante azul* y *El crimen del hôtel de Paris*, no son escrites per Sir Arthur Conan Doyle, creador de la figura del famós *Detective* sinó per un tal Ferdinand Leven, qui, aprofitantse de la boga assolida per l'héroe de Conan Doyle, va voler imitarlo, no logrant més que estraferlo.
A cada hu, lo seu.

En el número següent, posen a la portada una foto d'Arthur Conan Doyle i dos números més endavant la hi dediquen a l'actor Enric Giménez, caracteritzat de protagonista de l'obra *Detective Sherlock Holmes*, estrenada feia poc. Acabada la publicació d'aquell primer relat, n'anuncien la d'un altre, que va aparèixer dins DTC també en quatre lliuraments, traduït ara per "Atxa" (pseudònim de Joan Oller i Rabassa, el fill de Narcís Oller), el primer dels quals va començar la setmana abans de la sortida de *Literatura Sensacional*. Aquesta segona narració holmesiana és anunciada seguint el característic estil promocional de DTC que hem acabat de veure:

Acabada la publicació del conte extraordinari *El Mocador Tacat*, del qual es protagonista el famós detective Sherlock Holmes, estávem disposats a publicar un hermosíssim conte del gran escriptor francès Catul Mendes, bellament traduit per un jove y distingit literat, més havem sigut obligats a retrassar la seva publicació, responent als desitjos, imperiosos y entussiastes, dels nostres llegidors, que'ns demanaven ansiosament un segon conte del gran detective.
Aixís, desde el nombre vinent, comensarem a publicar *L'aventura dels sis Napoleons*, emocionant narració de Conan Doyle. L'interés d'aquest conte arriba al grau màxim que puguin assolir lectures d'aquesta mena. Quan se donà a coneixer per primera volta a Londres, promogué una vibrant admiració. Per els carrers inmensos y populosos, en els ómnibus, en els tallers, en els jardins públichs, *tot Londres* llegia l'emocionant narració incomparable. Fins un redactor del *The Times*, l'universal diari anglès, exclamava esglayat d'admiració:
"Fa vuyt dies que a la nostra populosa ciutat no's fa res més que llegir la darrera aventura de Sherlock Holmes. *L'aventura dels sis Napoleons*, que acaba de posar a la venda el seu autor l'universal Conan Doyle.
Ningú pot fer altre cosa; ningú pot pensar altre cosa. Sis milions d'habitants d'Anglaterra, comenten entussiásticament les peripecies del detective. ¡Deu vulgui acabar aquest estat de coses, car, del contrari, jo crech que arrivariem a una paralisació de la vida social y económica!"
Creyem que, ab lo dit, nostres llegidors ne tindrán prou pera esperar ab ansia *L'aventura dels sis Napoleons*, capdal narració emocionant y captivadora.

Ambdós contes van ser recollits dins la "Biblioteca *De Tots Colors*" (núm. 3), amb el títol *Els mestres contistes*, volum segon (que conté també narracions de Catulle Mendés), i que, segons notícia que dóna la mateixa revista, era al carrer a mitjan octubre. Igualment van ser incorporats a *Literatura Sensacional*, en els números 10 i 11 (18 i 25 de setembre) el primer, i en els números 19 i 20 (20 i 27 de novembre) el segon, sense indicar, però, el nom dels traductors.[12]

12. "El mucador tacat" va aparèixer a DTC en els núms. 23 (5-VI), 24 (12-VI), 25 (19-VI) i 26 (26-VI-1908), 355-359, 374-377, 390-393 i 403-407. "Els sis 'Napoleons'", en els núms. 28 (10-VII), 29 (17-VII), 30 (24-VII) i 31 (31-VII-1908), 439-442, 452-455, 469-471 i 485-487.

Resseguint la publicació d'aquestes narracions dins DTC, la publicitat que se n'hi fa i la seqüència cronològica que hem vist, apareix el dubte de si *Literatura Sensacional* era un projecte preparat de temps o bé si sorgeix més o menys improvisadament arran de l'interès que sembla que desperta l'edició del primer d'aquests relats. En tot cas, ara com ara, és una qüestió irresoluble i, de tota manera, la requesta que tenia l'heroi de Doyle era prou gran, com hem vist, per aprofitar-lo editorialment.

DTC, d'altra banda, va continuar abonant aquest interès amb la publicació de diverses notícies holmesianes[13] i, fins i tot, publicant articles com *L'art dels detectius moderns*, d'un tal Romme, traduït per Narcís Oller.[14]

El primer volum: les narracions de Sherlock Holmes

Literatura Sensacional va publicar 21 relats i una novel·la, *El gos dels Baskerville*, protagonitzats per Sherlock Holmes. De Doyle, en van donar dues narracions més, de les quals tractarem més avall. Els textos holmesians provenen dels tres reculls d'aventures del detectiu aparegudes fins aleshores. De *Les Adventures of Sherlock Holmes* (1892), 11 narracions d'un total de 12 que conté l'edició original; de *The Memoirs of Sherlock Holmes* (1893), 4 d'un total de 12, i de *The Return of Sherlock Holmes* (1905), 6 d'un total de 13. La novel·la, *The Hound of Baskervilles* (1902), és editada íntegrament en 9 números.

En cap cas, com ja he indicat, no hi apareix el nom del traductor ni els títols originals. Sabem, però, que les versions dels contes publicats a DTC, "El mocador tacat" i "Els sis 'Napoleons'", són de Salvador Vilaregut i Joan Oller i Rabassa. Per ara no és possible de saber si ambdós traductors van realitzar la resta de versions de la col·lecció o bé si n'hi van intervenir d'altres. Una comparació d'aquestes dues traduccions no m'ha permès de trobar-hi trets estilístics prou rellevants que justifiquessin d'entretenir-se a mirar text per text per cercar-ne l'atribució concreta a un o altre escriptor.

Més interessant resulta, en canvi, d'intentar esbrinar quina és la via utilitzada per a les versions catalanes. El 1908 hi havia diverses edicions britàniques i nord-

13. Vegeu-ne una mostra curiosa: "Al teatre de la Comedia de Madrid s'ha estrenat l'obra Sherlock Holmes (adaptació den Decoursel [sic] que es la mateixa que's va posar l'any passat [per la temporada passada] en el teatre Principal. No ha agradat. Y veusaquí que una obra que ha tingut un èxit colossal per tot Europa a Madrid no s'han dignat donarli el pase. Potser es que'l públich de la capital d'Espanya té tan estragat el paladar pel género chico o infimo, que ja no n'hi queda pera saborejar res més. Y consti qu'ab això no volem dir que Sherlock Holmes sigui una obra mestra, no; fem constar tan sols que lo qu'ha agradat per tota Europa a Madrid ha sigut rebut ab fredor." (núm. 51, 18-12-1908, 814).

14. Núm. 39 (25-09-1908), 611-614.

americanes dels relats holmesians en format de llibre, a banda d'uns quants reculls i antologies i de textos escampats en múltiples publicacions periòdiques. Tot indica, però, que els nostres traductors van utilitzar, com tantes vegades a Catalunya i a Espanya de manera habitual fins a la guerra civil, les versions franceses. Un primer indici crida l'atenció d'entrada: els títols. Gairebé tots els originals anglesos tenen una traducció literal fàcil, i, de fet, en les edicions catalanes i espanyoles dels anys 50 ençà s'ha seguit aquest criteri. Al contrari, els de *Literatura Sensacional* i els de la majoria de les versions en castellà coetànies no solen recordar en absolut els originals, cosa que en dificulta la identificació. Aquest procediment és el que segueixen les traduccions franceses, que és la font d'on beuen els nostres traductors, sense excloure que també tinguessin a la vista originals anglesos o versions espanyoles. La confrontació de les versions catalanes amb les franceses i els originals anglesos porta a concloure que va ser precisament la via francesa la utilitzada pels anostradors de *Literatura Sensacional*. El 1908 ja hi havia diverses edicions franceses dels relats de Doyle, que sens dubte devien circular per Barcelona i de les quals, per exemple, entre d'altres, figuraven a la biblioteca de Narcís Oller, el pare d'un dels traductors, *Le chien des Baskerville* (París: Lib. Hachette et Cie., 1906) i *Souvenirs de Sherlock Holmes* (París: Lib. F. Juven, 1908).[15]

En arribar al número 30 (5 de febrer de 1909), s'acaba la publicació de *El gos dels Baskerville* i es tanca el primer volum de la col·lecció. El número, però, es clou amb una narració breu de Doyle que no pertany al cicle holmesià sinó al dels relats de tema militar, *The Lord of Château Noir* (havia aparegut a *The Strand Magazine*, el setmanari on publicava habitualment Doyle, el juliol de 1894) i que els editors de la col·lecció van titular "Pietat de guerra". *Literatura Sensacional* canviava així no sols de volum, sinó també d'autor i en part de temàtica i de gènere. Com apuntava més amunt, la col·lecció no esgota les aventures protagonitzades per Sherlock Holmes disponibles en aquell moment, ni pel que fa a les històries curtes (n'hi havia 16 de no publicades en català) ni a les llargues (*A Study in Scarlet* i *The Sign of Four*). Aquest canvi d'orientació és anunciat a la contraportada del número que comento en aquests termes:

> Aquesta interesantíssima publicació destinada a popularisar les narracions més emocionants degudes a la ploma de eminents autors, tant nacionals com extrangers, acaba de tancar el seu

15. Oller tenia aquests altres dos títols, en els quals no consta la data d'edició i que a l'Institut Municipal d'Història de Barcelona, dipositari de la donació de la biblioteca de l'escriptor, ja fa temps que no localitzen: *Sherlock Holmes*, París, Lib. F. Juven, i *L'horrible agonie de Lady Sannox*, trad. d'Albert Savine, s. l., L'Edition Française Illustrée. L'editor F. Juven tenia publicats fins a 1908, com a mínim els següents títols: *Nouveaux exploits de Sherlock Holmes* (1905), *La Résurrection de Sherlock Holmes* (1905), *Sherlock Holmes triomphe* (1905), *Souvenirs de Sherlock Holmes* (1907), *Les Aventures de Sherlock Holmes* (1907; reed. 1908), *Les Nouvelles aventures de Sherlock Holmes* (1907; reed. 1908). Una altra casa editorial parisenca, P.-V. Stock, va publicar *Mystères et aventures* el 1908, en versió d'Albert Savine, un personatge, d'altra banda, ben conegut a Catalunya, ja que fou traductor al francès d'obres de Narcís Oller i de Jacint Verdaguer.

PRIMER VOLUM, que conté les principals aventures de Sherlock Holmes seguides de *El gos dels Baskerville*.
Ab el nombre 31 de *Literatura Sensacional* comensarà el SEGON VOLUM de la colecció. Aquest SEGON VOLUM de *Literatura Sensacional* serà un aplech de diferentes narracions, també emocionants, però sempre degudes a diferents autors. De manera que aixís com el *primer volum* fou exclusivament dedicat a *Conan Doyle* y al seu *Detective*, el *segón volum de Literatura Sensacional* no tindrà preferencies y serà dintre la major varietat d'autors, lo més interessant possible dintre'l genre.
Compreu, donchs, divendres vinent, *Literatura Sensacional* y tindreu una obra rica en grans impressions y a un preu extraordinariament econòmich.

Al cap de pocs dies, el 19 del mateix mes, DTC comentava el gir adoptat per la col·lecció, sense afegir-hi més informació, però, això sí, fent-ne una elogiosa valoració:

Veritablement interessant ha sigut la reforma introduhida en la revista *Literatura Sensacional* de publicar escullides narracions ab l'atractiu innegable de la més gran variació d'autors y un criteri veritablement artístich pera la tria de les obres que no seràn may mancades per això de l'interés emocionant que hi cerquen els aficionats en aquest genre. (...) [En el segon volum] han de trovarshi aplegades les obres de més renom que en aquest rengle s'hagin escrit en tots els temps. (...) Recomanem (...) la indicada revista, car donada la orientació que se li ha imprés, serà lo [sic] que conreuhi aquest genre ab la més gran altesa de mires.

El segon volum: "varietat d'autors i de narracions emocionants"

Aquest volum s'inicia amb "Un llit terrible" (*A Terribly Strange Bed*), un dels primers contes del prestigiós Wilkie Collins (1824-1889), publicat el 1852 i recollit dins *After Dark* (1856). El següent títol, torna a ser un relat d'Arthur Conan Doyle, l'últim d'aquest autor que va aparèixer a la col·lecció: "L'anell de la momia" (*The Ring of Thoth*), publicat per primera vegada el gener de 1890 al *Cornhill Magazine* i aplegat aquest mateix any dins al volum *The Captain of the Polestar and Other Tales*. Es tracta d'una barreja de conte de misteri i de *thriller*, que s'insereix en el tema de l'antic Egipte que altres autors vuitcentistes, com ara E. A. Poe, ja havien tractat, per bé que amb menys dramatisme que Doyle. La tercera narració, melodramàtica i poc ajustada a la línia de la revista, va ésser "Una maternitat en temps del terror (Memories del duch de Fleury)", de Paul Bourget (1852-1935), un autor ben popular aleshores, el títol original de la qual no he pogut localitzar. El quart relat, "Misteriosa coincidencia" (*L'intersigne*), correspon també a un altre autor francès, el comte Auguste de Villiers de l'Isle-Adam (1838-1889), que tornaria a ésser traduït pocs anys després per Joaquim Folguera i Josep Carner amb el títol de "L'entresenya"[16]. De tema fantàstic, havia estat publicat a la premsa el 1867 –es trac-

16. Dins *Contes cruels* (Barcelona: Editorial Catalana, 1919). Aquest volum, però, és un recull de deu contes de Villiers i, malgrat el títol, pertanyen a diverses obres de l'autor. Sobre aquesta traducció, veg.

ta d'un dels primers relats dels famosos *Contes cruels* (1883)–, i recorda aspectes de *La caiguda de la casa Usher*, de Poe. És de notar que en la traducció es va suprimir la dedicatòria de l'autor a un parent seu i una llarga citació de sant Bernat.

"L'ànima", una història truculenta, és el següent títol, atribuït a un tal Carles Dadon*i*, que DTC qualifica de "pulcre literat italià contemporani". Amb aquest cognom surt a la col·lecció i també a la propaganda que en fa DTC. Tanmateix, no he pogut localitzar-lo en cap història de la literatura italiana ni en cap catàleg de biblioteques nacionals o internacionals; en canvi, sí que he trobat un avui oblidat Carlo Dadon*e* (1864-?), que per la descripció sumària que he obtingut de la seva producció podria ser l'autor d'aquest conte.

El relat següent, "El secret del penjat", en canvi, pertany a un nom molt conegut, Charles Dickens (1812-1870). La traducció catalana és deutora absoluta de la versió francesa d'Amadée Pichot (*Le secret du pendu*), publicada el 1868.[17]

La narració publicada a continuació, "Una causa criminal" (*Prösten i Vejlbyen*), és la que té una data de publicació original més reculada, 1829. Es tracta d'un relat policíac (o potser millor, judicial) de l'iniciador del realisme en la literatura danesa, Steen Steesen Blicher (1782-1848), basat en un fet real ocorregut el 1625.

El volum es clou amb "El fabricant de fèretres" de William Carlton Lanyon Dawe (1865-1935), escriptor anglès autor de diverses obres l'acció de les quals, com en el nostre relat, passa a l'Extrem Orient; la manca d'edicions d'aquest narrador a les nostres biblioteques no m'ha permès de localitzar-ne l'original.

En conjunt, el contingut d'aquest segon volum respon certament al canvi d'orientació anunciat. No va arribar a incloure, però, tal com s'havia anunciat, cap autor "nacional". Les traduccions són menys ajustades als originals (ja he indicat de tota manera que no m'ha estat possible en tots els casos de localitzar-los i tampoc, tret del conte de Dickens, no he pogut veure la versió francesa) que les de les narra-

Marta GINÉ JANER, *Carner y Folguera, traductores de Villiers*, dins Francisco LAFARGA, Albert RIBAS & Mercedes TRICÀS (eds.), *La traducción. Metodología/Historia/Literatura. Ámbito hispanofrancés* (Barcelona: PPU, 1995), 287-292. De Villiers, n'hi ha també una altra traducció de 1909, en el volum antològic *Contes extrangers* (Barcelona: Biblioteca d'*El Poble Catalá*, 81-98), que porta el títol de "L'aventura de Tse-i-la". Com passa amb tots els relats d'aquest aplec, no hi consta el nom del traductor, com tampoc el de l'antòleg.

17. He consultat la següent edició, de la qual hi ha un exemplar a la Biblioteca de Catalunya: Charles DICKENS, *Historiettes et récits du foyer*, París, Michel Lévy Frères, Libraires Éditeurs, 1868; el conte es troba a les pàgs. 189-236. Aquest conte fou traduït també per Carles RIBA, amb el mateix títol (*La Publicitat*, 2, 6, 11, 17, 20 i 26 de juliol, i 5 i 8 d'agost de 1924), i no s'ha reeditat posteriorment. He de fer notar que no he pogut localitzar l'original anglès d'aquest conte i sospito que potser no és de Dickens. De fet, en la bibliografia dickensiana no hi figura cap «The Secret of the Hanged Man» o títol similar. Podria ser, és clar, que la versió francesa hagués canviat l'original anglès. Tot i així, cap dels noms que surten en el text traduït no figura en els repertoris de personatges de Dickens que he pogut consultar.

cions holmesianes. Fan la impressió d'haver estat fetes més apressadament o, potser, la correcció de proves va ésser deficient. En tot cas, em sembla que es pot afirmar, davant dels canvis introduïts en la versió catalana –no gaire rellevants, tot cal dir-ho– en relació als originals anglesos així com per la presència de gal·licismes, que les traduccions catalanes van extreure's molt probablement la majoria de les vegades de textos publicats en algun *magazine* o en algun altre tipus de publicació periòdica francesa.

El tancament de la col·lecció

Literatura Sensacional va morir d'una manera sobtada quan arribava a la tramesa 37, que porta data de 26 de març de 1909. Sorprèn –o potser no– que pocs dies abans encara DTC insereixi aquesta nota: "El favor creixent del públich per aquesta publicació, es una prova palpable de l'interés ab que ha vist les millores introduhides en la tria de les obres que ha publicat fins are" (núm. 62, 5 de març de 1909). S'estava justificant davant d'alguna crítica? Era una crida publicitària davant d'una baixada de vendes? Les dues coses? Són qüestions a què s'hauria de respondre afirmativament, aclarides per la lectura del contundent escrit amb què l'editor Baxarias explica el tancament, i que reprodueixo íntegrament:

Importantíssim

> Aquesta publicació que comensà ab l'exclusiu obgecte de donar a coneixer en català les "Aventures del Detective Sherlock Holmes", acaba avuy els seus compromisos ab el públich.
> Y acaba perque el nou intent nostre de convertir LITERATURA SENSACIONAL en una colecció variada de treballs literaris, no ha tingut pas la bona rebuda que era d'esperar.
> No fem càrrechs a ningú. No més fem constar fets.
> Nosaltres, si haguessim cregut aquesta obra de trascendencia social o política, seguríem sacrificantnos en aquesta obra. Més com no la creyem sino motiu de passatemps, y no estem disposats a seguir divertint perdent quartos, sobretot en vista de que certs periódichs encara ens han retret com un pecat el nostre desinterés, hem resolt plegar el ram de la amenitat y tornar a casa ab la conciencia tranquila y les butxaques tancades a temps per no deixar, en obres temeraries, tots els nostres estalvis.
> Agrahidíssims a tots els que'ns han ajudat en aquesta obra. Y agrahidíssims, encara, ab els que, criticantnos a temps, ens han fet obrir els ulls y convencer de que, certa gent, només està tranquila y contenta quan s'acaba la bona voluntat y tot se'n va en orris.

Vet aquí les explicacions de l'editor. De les crítiques a què al·ludeix, no n'he sabut trobar rastre en la recerca, no tan exhaustiva com hauria volgut, que he fet entre les publicacions catalanes coetànies. Quant a les altres raons adduïdes per Baxarias, potser valdria la pena de retenir la consciència que mostra d'haver estat fent una col·lecció d'entreteniment i no pas "una obra de trascendencia social o política". La resposta inicial del públic devia ser prou bona, perquè no s'explicaria que, al preu tan baix que va mantenir al llarg del temps, s'hagués pogut sostenir durant trenta-set setmanes. Si més no, ho devia ser, com assenyala el mateix editor, fins al canvi d'orientació de la revista. El cas és, però, que el 1909 el mercat català no estava encara en condicions de tenir col·leccions populars de literatura de gènere de llarga durada, una necessitat, d'altra banda, que, almenys en part, ja estava coberta en castellà.

Sigui com vulgui, el fet és que *Literatura Sensacional* va acabar-se per manca de rendabilitat econòmica. El seu editor, que ja hem vist que no defugia les aventures periodístiques, sembla que es va veure abocat al tancament –el seu to no pot ser més eloqüent– i s'acomiada dels lectors afegint a la nota que he transcrit aquest paràgraf que fa patent el seu desig de cloure adequadament la col·lecció, amb l'ull posat, és clar, en el negoci:

> Aixís, donchs, per els que vulguin enquadernar el primer volum d'aquesta interessant publicació o be fins a lo publicat, he posat a la venda unes artístiques tapes al preu de 1'50 pessetes. En el cas d'encarregarnos de l'enquadernació del volúm s'haurà d'abonar, per les tapes y enquadernació, 3 pessetes. **Bartomeu Baxarias**

Després de la publicació de *Literatura Sensacional*, Arthur Conan Doyle gairebé ja no va ser editat en català. De l'època de preguerra, només tinc notícia de la traducció de les narracions "L'illa embruixada" (a *D'Ací i D'Allà*)[18], "La caixa ratllada" (a *Llegiu-me*)[19] i del volum *L'associació dels homes rojos. L'aventura dels cinc pinyols de taronja. El campió de fút-bol*, d'Edicions i Publicacions "Iberia",[20] que recull tres dels relats holmesians ja publicats dins *Literatura Sensacional.* Caldrà arribar als anys 80 i 90 perquè tornin a publicar-se obres de Doyle en català, ara amb força títols i força èxit. I és que les narracions de Doyle, i no sols les holmesianes, encara connecten bé amb el públic lector, sobretot entre els estudiants de secundària, destinataris de la major part d'aquestes noves edicions de les quals no ens n'hem d'ocupar aquí.[21]

18. Trad. de M. R. (Millàs-Raurell? Maria Rigol?), *D'Ací i D'Allà*, vol. XIV, núm. 84 (desembre de 1924), 228-233.

19. Trad. de Francesc Torres, *Llegiu-me*, novembre 1926, 148-157.

20. Traducció de F. V. No porta data, però és segur de 1927. Té 124 pàgs. i figura com a vol. 1 d'una "Biblioteca Popular Il·lustrada" (de la qual no sé si van sortir més números), "publicació mensual" i es venia a 1,50 pessetes.

21. He d'agrair als amics i col·legues doctors Lluïsa Cotoner, Pilar Godayol, Maria González i Manuel Llanas, de la Universitat de Vic, i Enric Gallén i Marcel Ortín, de la Universitat Pompeu Fabra, l'ajut que m'han donat a l'hora de localitzar alguns dels textos citats en el treball.

Apèndix: Índex de *Literatura Sensacional*

-ASH: *The Adventures of Sherlock Holmes* (1892)

-MSH: *The Memoirs of Sherlock Holmes* (1893)

-RSH: *The Return of Sherlock Holmes* (1905)

Volum I

1. "El Crim d'Hampstead" (*The Adventure of Charles Augustus Milverton*, RSH), núm. 1 (17-07-1908), 2-13.
2. "Les ulleres d'or" (*The Adventure of the Golden Pince-Nez*, RSH), núm. 1 (17-07-1908), 13-15 i núm. 2 (24-07-1908), 18-28.
3. "El Campió de foot-ball" (*The Adventure of the Missing Three-Quarter*, RSH), núm. 2 (24-07-1908), 29-31 i núm. 3 (31-07-1908), 34-44.
4. "La Mort de Sir Eustaqui Brackenstall" (*The Adventure of the Abbey Grange*, RSH), núm. 3 (31-07-1908), 44-47 i núm. 4 (7-08-1908), 50-61.
5. "El secret d'Estat" (*The Adventure of the Second Stain*, RSH), núm. 4 (7-08-1908), 61-63, núm. 5 (14-08-1908), 66-79 i núm. 6 (21-08-1908), 82-83.
6. "L'Aventura dels Cinch Pinyols de Taronja" (*The Five Orange Pips*, ASH), núm. 6 (21-08-1908), 83-94.
7. "Les Oques de Nadal" (*The Adventure of the Blue Carbuncle*, ASH), núm. 6 (21-08-1908), 95 i núm. 7 (28-07-1908), 98-110.
8. "La misteriosa ferida de l'Enginyer" (*The Adventure of the Engineer's Thumb*, ASH), núm. 7 (28-07-1908), 111 i núm. 8 (4-09-1908), 114-125.
9. "L'Associació dels Homes Rojos" (*The Red-Headed League*, ASH), núm. 8 (4-09-1908), 126-127 i núm. 9 (11-09-1908), 130-143.
10. "El Mocador Tacat" (*The Adventure of the Speckled Band*, ASH), núm. 10 (18-09-1908), 146-159 i núm. 11 (25-09-1908), 162-165.
11. "La desaparició d'una nuvia" (*The Adventure of the Noble Bachelor*, ASH), núm. 11 (25-09-1908), 165-175 i núm. 12 (2-10-1908), 178-181.
12. "La Diadema de Esmeragdes" (*The Adventure of the Beryl Coronet,* ASH), núm. 12 (2-10-1908), 181-191 i núm. 13 (9-10-1908), 194-198.
13. "La cambra fosca" (*The Adventure of the Copper Beeches*, ASH), núm. 13 (9-10-1908), 198-207 i núm. 14 (16-10-1908), 210-215.
14. "Un cas d'identitat" (*A Case of Identity*, ASH), núm. 14 (16-10-1908), 215-223 i núm. 15 (23-10-1908), 226-229.
15. "El Captaire de la *City*" (*The Man with the Twisted Lip*, ASH), núm. 15 (23-10-1908), 229-239 i núm. 16 (30-10-1908), 242-245.

16. "Silver Blaze" (*The Adventure of Silver Blaze*, MSH), núm. 16 (30-10-1908), 245-255 i núm. 17 (6-11-1908), 258-266.

17. "El Misteri de la vall de Boscombe" (*The Boscombe Valley Mystery*, ASH), núm. 17 (6-11-1908), 266-271 i núm. 18 (13-11-1908), 274-283.

18. "Amor de mare" (*The Adventure of the Yellow Face*, MSH), núm. 18 (13-11-1908), 283-287 i núm. 19 (20-11-1908), 290-296.

19. "Els sis 'Napoleons'" (*The Adventure of the Six Napoleons*, RSH), núm. 19 (20-11-1908), 297-303 i núm. 20 (27-11-1908), 306-312.

20. "El Tractat ab Italia" (*The Adventure of the Naval Treaty*, MSH), núm. 20 (27-11-1908), 312-319 i núm. 21 (4-12-1908), 322-335.

21. "El dependent del agent de cambi" (*The Adventure of the Stockbroker's Clerk*, MSH), núm. 21 (4-12-1908), 335 i núm. 22 (11-12-1908), 338-348.

22. "El Gos dels Baskerville" (*The Hound of the Baskervilles*), núms. 22 (11-12-1908), 349-351, 23 (18-12-1908), 354-367, 24 (25-12-108), 370-383, 25 (1-01-1909), 386-399, 26 (8-01-1909), 402-415, 27 (15-01-1909), 418-431, 28 (22-01-1909), 434-447, 29 (29-01-1909), 450-463 i 30 (5-02-1909), 466-471.

23. "Pietat de guerra", d'Arthur Conan Doyle, núm. 30 (5-02-1909), 471-478.

Volum II

24. "Un llit terrible" (*A Terribly Strange Bed,*), núm. 31 (12-02-1909), 2-11.

25. "L'Anell de mòmia" (*The Ring of Thoth*), d'Arthur Conan Doyle, núm. 31 (12-02-1909), 12-15 i núm. 32 (19-02-1909), 18-25.

26. "Una maternitat en temps del terror (Memories del duch de Fleury)", de Paul Bourget, núm. 32 (19-02-1909), 26-31 i núm. 33 (26-02-1909), 34-43.

27. "Misteriosa coincidencia" (*L'intersigne*), d'Auguste de Villiers de l'Isle-Adam, núm. 33 (26-02-1909), 43-47 i núm. 34 (5-03-1909), 50-55.

28. "L'ànima", de Carlo Dadone núm. 34 (5-03-1909), 55-63 i núm. 35 (12-03-1909), 66-69.

29. "El secret del penjat", de Charles Dickens, núm. 35 (12-03-1909), 69-79 i núm. 36 (19-03-1909), 82-86.

30. "Una causa criminal" (*Prösten i Vejlbye*), núm. 36 (19-03-1909), 86-95 i núm. 37 (26-03-1909), 98-107.

31. "El fabricant de fèretres", núm. 37 (26-03-1909), 108-116.

PRIMITIVISME I PRIMARIETAT: LA IMATGE DE LA COSTA BRAVA EN ALGUNS AUTORS CATALANS DELS ANYS 20*

Lluís Quintana Trias

Universitat Autònoma de Barcelona

L'any 1940, un metge català, Joaquim Trias Pujol, tot just exiliat, va ser processat a Barcelona en aplicació de la Ley de Responsabilidades Políticas del 9/II/1939. Entre les acusacions que se li feien, n'hi havia una de particularment pintoresca: sembla que aprofitava els seus estiueigs a El Port de la Selva durant els anys 20 i 30 per inquietar els pescadors i altres habitants del poble; concretament, segons l'informe de la Guàrdia Civil, "contaminó el virus de sus ideas en sus tertulias de casino, cuyo desarrollo cambiaron la faz política del pueblo [del Port de la Selva]".[1] Per als qui han conegut poc o molt J. Trias, l'anècdota, si no reflectís el caràcter miserable de l'època, seria risible, de tant com costa imaginar-se'l agitant les masses. Però el que aquí ens interessa és pensar com se li podia haver acudit aquesta idea insensata a la Guàrdia Civil (i a l'informador en què es basava) per redactar, amb imprecisa gramàtica, l'acusació. No és fàcil posar-se en el lloc d'un delator necessitat de salvar la pell o la hisenda, però és prou sabut que, per acontentar l'interrogador, cal dir coses truculentes i alhora versemblants. I aquesta acusació era versemblant, com tot seguit intentaré demostrar.

És clar que, per a qui conegui una mica la història (i tot seguit la recordarem), pensar-se que El Port de la Selva podia ser commogut per un estiuejant, un burgès, un "cul-blanc" al capdavall, és pura fantasia. Però podem imaginar, i aquesta és la nostra hipòtesi, que l'acusador partia d'un raonament: la gent del Port de la Selva, poble de pescadors, era humil i, per tant, ignorant i, per tant, fatalment influenciable. D'altra banda, un metge és, com a mínim des d'Ibsen, un agitador en potència, i El Port de la Selva va ser, durant la Guerra Civil un focus (o una víctima) de l'activitat anarquista i centre d'actius desembarcaments de material bèl·lic, que li van valer

* Per a aquest article m'han estat especialment valuoses les informacions de Joan de Déu Domènech. Dono gràcies també al personal de la Biblioteca Popular de Figueres i de la Biblioteca Municipal d'El Port de la Selva.

1. Citat per Francesc VILANOVA VILA-ABADAL. *Repressió política i coacció econòmica: les responsabilitats polítiques de republicans i conservadors catalans a la postguerra, 1939-1942*. Barcelona: Publicacions de l'Abadia de Montserrat, 1999. Pàg. 163. Per a tot l'episodi, vegeu pàg. 155-172.

intensos bombardeigs.[2] Una cosa, doncs, portaria l'altra. Caldria esbrinar si aquests raonaments formen part d'una "memòria col·lectiva" en el sentit que l'usa Halbwachs: un "corrent de pensament continu", que instaura una tradició i que perdura fins que no apareix l'historiador, que destrueix, en descompondre-la, aquesta tradició.[3] A risc de descompondre-la, és aquesta tradició la que pretenem estudiar.

El nostre propòsit, en aquest paper, és veure com, durant els anys 20, alguns escriptors van contribuir a generar una imatge dels habitants de la Costa Brava, i concretament de El Port de la Selva, com a gent humil i ignorant. Se'ns fa difícil concloure, ara com ara, si aquesta imatge va crear realment un "imaginari col·lectiu" que podríem anomenar "indígenes de la Costa Brava", si només la va reforçar o quin pes va tenir-hi; també ens resultarà difícil, és clar, saber si l'anònim informador de la Guàrdia Civil coneixia la contribució d'aquells autors a aquesta hipotètica imatge. Però ens atrevim a postular que, si l'acusació contra el metge semblava creïble, era perquè hi havia aquesta concepció estereotipada del que eren els habitants d'aquesta zona i que aquesta concepció coincidia amb la que els escriptors esmentats havien donat. Estudiarem, de moment, algunes contribucions a la creació d'aquesta imatge i deixarem per a un altre moment l'estudi de com es fonamenten alguns elements de l'imaginari col·lectiu. Començarem explicant breument l'origen de la denominació "Costa Brava"; veurem després el retrat dels indígenes que proposen alguns autors que es donen a conèixer durant els anys 20, i contrastarem, finalment, aquesta imatge amb la que ens en donen la geografia humana i la història.

El bateig

La Costa Brava es denomina així per primer cop el 1908, en un article de Pol, pseudònim de Ferran Agulló: "Per la costa brava"[4] on responia un altre article, aparegut dos dies abans, de Lluís Durán y Ventosa: "Tornem a parlarne. Les costes catalanes."[5] En aquest article, més aviat desmanegat, Duran va plantejar les línies bàsiques del que havia de fonamentar el descobriment de la Costa Brava; de fet, el que Duran proposava era una operació mediàtica destinada a comercialitzar un pro-

2. Lluís Jerez i Cardoso i Alfons Romero i Dalmau. "La Guerra Civil (1936-1939)." en *Història de l'Alt Empordà*. Ed. P. Gifre i Ribas. Girona: Diputació de Girona, 2000. Pàg. 611-638.

3. "En général, l'histoire ne commence qu'au point où finit la tradition, moment où s'éteint ou se décompose la mémoire sociale." Maurice Halbwachs. *La mémoire collective*. Paris: Presses Universitaires de France, 1968. pàg. 68.

4. Era el primer d'una sèrie de quatre articles apareguts a *La Veu de Catalunya* (*LVC*) en la secció diària "Al dia". Els títols eren "Per la costa brava" 12/IX/1908; "Per a fruir la costa brava" 15/IX/1908; "La gavia i els aucells" 7/X/1908, i "Els aucells de la gavia" 8/X/1908. Els va reeditar a Ferran Agulló i Vidal. *Marines*. Barcelona: Societat Catalana d'Edicions, 1917. Pàg. 112 i ss.

5. *LVC*, 10/IX/1908, pàg. 1.

ducte turístic, a partir d'uns arguments no només estètics (la bellesa del lloc, la tradició literària) i morals (el descobriment del país, els beneficis del camp contra la ciutat), sinó específicament politicoeconòmics (la reivindicació de la potència marítima medieval), tot exigint, perquè l'operació fos completa, unes inversions en infraestructura. Evidentment, al "llançament" del producte li faltava un suport polític, i aquesta va ser la missió de Pol; recordem que, a *La Veu de Catalunya*, portaveu oficial de la Lliga, Pol hi actuava com a portaveu oficiós de l'"obra de govern" de Prat de la Riba a la Diputació de Barcelona. Pol, de passada, va aprofitar per trobar un nom "comercial": Costa Brava. Aquest nom es va implantar a poc a poc, i podem afirmar que a finals de la dècada dels 20 ja estava prou arrelat.

Una nova visió

L'any 1924, en una ressenya sobre *A l'ombra de Santa Maria del Mar*, d'Alexandre Plana, Josep Pla establia el seu cànon personal d'autors empordanesos:

> "A l'Empordà hi ha hagut sempre grans prosistes. En Ruyra, la senyora Català i en Prudenci Bertrana han escrit planes immortals malgrat el seu naturalisme, que en els dos primers casos i no en tanta escala en el tercer, de vegades és intolerable. En Coromines escriu la prosa com un àngel i té planes d'or massís. En Carles Rahola, de Girona, és un escriptor d'una claredat, d'una naturalitat i d'un equilibri perfectes."[6]

Curiosament, els prosistes "de sempre" que Pla cita aquí són només trenta o quaranta anys més grans que ell. No farem aquí la història de la tradició literària sobre aquesta zona, però és de suposar que, quan Pla feia aquest comentari, no ignorava que hi havia hagut autors anteriors sinó que pretenia desmarcar-se'n. Efectivament, parlar de l'Empordà no era cap novetat sinó un tòpic floralesc més,[7] però el que interessava a Pla era inserir l'obra de Plana i, implícitament, la d'ell mateix, Josep Pla, en una altra tradició no floralesca. D'aquesta segona tradició, més recent i més acceptable, Pla estava disposat a rescatar-ne moltes coses, excepte el que ell anomena "naturalisme", que refereix més aviat al que ara coneixem com a "ruralisme". Però la nostra hipòtesi és que la visió de Plana (i la de Pla) conformen una nova tradició, diferent de la floralesca i de la ruralista; una tercera tradició de visions fetes des de la ciutat, visions d'"estiuejants", diríem (més endavant matisarem aquesta adscripció), i per això és dubtós que Plana (nascut a Lleida, amb el batxillerat fet a Figueres i resident a Barcelona) pugui ser mai considerat un "prosis-

6. Josep PLA. "*A l'ombra de Santa Maria del Mar* d'Alexandre Plana." *La Publicitat*. (12 d'abril 1924).

7. Ramón MASIFERN, per exemple, va guanyar la Flor Natural als JJ.FF. de 1891 amb "L'Aglenya", conjunt de poemes sobre "L'Ampurdá", recollits després a *Cosas de l'Ampurdá*. Barcelona: Tipografía Castillo, 1918; Frederic RAHOLA va guanyar l'Englantina als JJ.FF. de 1896 amb "La tramontana." (cf. *Jochs Florals de Barcelona*. Barcelona: Estampa "La Renaixensa", 1897, pàg. 81-84.)

ta empordanès" en el sentit que ho eren el altres. I fins i tot és dubtós que ho fos Pla, tot i que amb els anys n'havia de fer gairebé un senyal d'identitat.

Més enllà del ruralisme i dels Jocs Florals hi ha, és clar, l'antiquíssima tradició de la literatura rural, que inclou gèneres com l'idil·lisme i la literatura pastoral, i que se situa sempre en un context d'oposició entre el camp i la ciutat. En un clàssic estudi sobre aquests gèneres, centrat en la literatura anglesa però sovint extrapolable a la tradició occidental, Raymond Williams va remarcar com cada època té la seva visió del contrast camp – ciutat, que s'explica per les connotacions que acompanyen cada terme. Així, si pel que fa a la ciutat, hi ha un canvi entre la visió imperant a finals del XVIII i durant el XIX (la ciutat com a multitud) i la de finals del XIX i durant el XX (la ciutat alienant), també hi ha un canvi en la visió que es té del camp que, durant el segle XIX, passa de ser vist com a lloc d'assentament ("settlement") a ser considerat com a lloc de retir ("rural retreat"), apreciació lligada a la nova mobilitat de què disposa l'home urbà.[8]

És en aquest segon sentit que podem entendre la visió de la Costa Brava que va aparèixer a partir dels anys 20. L'Empordà, una àrea geogràfica ja tractada per la tradició literària però amb una personalitat encara poc definida, es concretava en una àrea més reduïda, la Costa Brava; alhora, deixava de ser una referència local, a càrrec de la gent que hi estava establerta o que se'n considerava originària, i esdevenia un tema d'abast més ampli, amb un tractament estètic més ambiciós, aglutinador de tòpics coneguts o nous, emanat de la gent que hi arribava, sota la figura del viatger, del turista o de l'estiuejant, una distinció que tot seguit explicaré. Això només s'entén si es recorda que la Costa Brava s'estava incorporant als circuits turístics, en una primera concreció comercial de les propostes d'Agulló, restringida de moment a una clientela urbana i burgesa. Aquesta clientela va dirigir una mirada interessada a aquests llocs, on pretenia retirar-se allunyada de tothom durant alguns setmanes, però els quals, paradoxalment, ella mateixa estava posant de moda, i per tant a la vista de tothom.

La mirada de l'observador és sempre una mirada transformadora, és clar, i això explica, també, que molts dels autors que tractem incorrin en algunes simplificacions quan presenten la Costa Brava: endarreriment, pobresa, vida retirada i d'esquenes a la terra, atracció i rebuig del mar, etc.; però és que, a més, el món on aquests nouvinguts acabaven d'arribar no era un món estable i fixat en unes formes antigues, sinó que estava canviant, i molt. Aquestes tres raons (tractament estètic, prejudici de l'observador, canvis en la realitat observada) expliquen que aquesta literatura resulti sovint allunyada de la realitat en què pretesament s'inspira: no pretenem fer aquí una anàlisi detallada de la relació entre els elements socioeconòmics de la Costa Brava, i la literatura que s'hi genera als anys 20, però hem de tenir present el contrast entre el que ens en diuen els poetes i el que ens n'expliquen els historiadors o els economistes.

8. Raymond WILLIAMS. *The Country and the City*. Frogmore (UK): Paladin, 1975. Pàg. 348-349.

Nous temes literaris

Paul Fussell, en estudiar la literatura de viatges d'entreguerres (1917-1939), observa:

> "l'explorador busca el que no està descobert; el viatger, el que ha estat descobert pel pensament dins de la història; el turista, el que ha estat descobert per l'esperit empresarial i li ha estat preparat per la publicitat de masses. El viatger genuí és, o solia ser, al mig entre els dos extrems. Si l'explorador s'inclina pel risc del desconegut i sense formalitzar, el turista s'inclina per la seguretat del pur clixé." [9]

En la distinció de Fussell, i deixant a part l'explorador, tant el viatger com el turista són resultat de fenòmens culturals, que responen a motivacions històriques i estètiques en el primer cas, i purament publicitàries en el segon; l'un surt a la recerca d'unes sensacions noves mentre que l'altre hi és arrossegat. En els casos que anirem veient (Garcés, Plana i Sagarra, especialment), es tracta d'uns primers visitants que encara no són del tot el resultat de cap campanya comercial, tot i que es mouen paral·lels al seu desplegament, i semblen buscar alguna cosa relacionada amb les inquietuds del moment: podem catalogar-los doncs més com a viatgers que com a turistes. Quan repassem els temes recurrents en les seves primeres manifestacions literàries, ens adonem que el que aquests llocs proporcionen als escriptors viatgers és allò que els corrents culturals del moment exigeixen: poesia popular, primitivisme i una imatgeria nova que permet renovar l'aparat simbolista. Efectivament, els anys que estem considerant coincideixen amb aquells en què, segons la historiografia literària, un seguit d'esdeveniments (mort de Prat de la Riba, creació d'Acció Catalana, cop d'estat de Primo de Rivera) van fer que el Noucentisme es pogués donar per finalitzat. Paral·lelament, una nova poètica, que se sol conèixer com a postsimbolisme, es consolidava.

Una anàlisi de la producció literària sobre la Costa Brava, que no podem detallar aquí, ens mostra la configuració d'un nou "locus amoenus", amb un aspecte extern prou allunyat del "locus" tradicional però amb la mateixa capacitat evocadora que aquell presentava, i amb la mateixa consideració de marc idoni per al retir i la contemplació. La poesia postsimbolista recupera així un tòpic que havia quedat arraconat en una literatura centrada en un món rural hostil i una ciutat massificada o alienant, tal com ho presentava una tradició que provenia del naturalisme. En aquest "locus amoenus", la figura de l'indígena hi és present sota la figura del que podríem denominar "l'home elemental". És a l'anàlisi d'aquesta figura que dedicaré el present article, deixant per a un altre lloc l'estudi d'altres elements que contribueixen a configurar el tòpic: la natura salvatge, la tramuntana, la cançó popular, etc.

9. Paul FUSSELL. *Abroad. British Literary Travelling Between the Wars*. New York: Oxford University Press, 1982. Pàg. 39. (Trad. meva).

Els homes elementals

L'habitant del "locus amoenus" que és la Costa Brava es representa gairebé sempre per un pescador: més endavant en veurem exemples. Tot i que, en molts dels escrits lligats a la literatura postsimbolista ambientada a la Costa Brava, la tradició ruralista hi té un pes important, és sorprenent observar que la figura del pagès, que havia estat central en el ruralisme, hagi quedat eliminada per la del pescador. Ara bé, algú havia de cultivar la vinya verda vora el mar: no només la vinya i l'olivera van continuar sent un element important de l'economia local fins a la gran vinguda del turisme als anys 60, sinó que la figura del pescador – pagès és una característica específica de la península del Cap de Creus.[10]

Com a contrast amb aquesta anul·lació del pagès i, no cal dir-ho, de qualsevol forma d'assalariat, es pot llegir l'*Excursió a Palafrugell, Palamós i Sant Feliu de Guíxols* (1900), de Cristòfol Fraginals. L'*Excursió* és un relat a mig camí entre l'excursió científica, amb el seu vessant antropològic, i l'evocació lírica; quan Fraginals parla dels indígenes, tot i traspuar un evident paternalisme, no n'oblida els aspectes més evidents, com és la necessitat de completar els ingressos de la pesca amb la indústria del suro:

> "Saltem a la platja, aon alguns mariners estan arreglant la barca pera anar a pescar; un altre remenda les xarxies. Bona gent! Tapers o pescadors, segons com se presenten les coses. Va com va!"[11]

Tot i ser un observador passavolant, Fraginals s'adonava (o li ho explicaven i creia interessant transcriure-ho, tant se val) que, a Palafrugell, el pescador havia de treballar de taper a la indústria surera quan calia. També reflectia aquesta varietat d'oficis un narrador contemporani com Joaquim Ruyra. Precisament el 1920, quan autors com Garcés, Pla o Foix preparaven la seva aparició, Joaquim Ruyra va reeditar *Marines i boscatges*, un volum de 1903 que recollia narracions publicades entre 1896 i 1902, situades en el que s'acabaria anomenant la Costa Brava; la reedició, amb el títol *Pinya de Rosa*, només tenia l'afegit d'una nova narració, "L'idil·li d'en Temme". Tot i que Ruyra va sotmetre a revisió els seus escrits, és evident que la unitat estilística l'impedia parlar el 1920 de "Costa Brava"; potser per la mateixa raó no en va parlar a "L'idil·li d'en Temme", tot i estar publicada després de la invenció del topònim. Doncs bé, a les narracions recollides a *Marines i boscatges*, l'alternança expressada en el títol no l'obliga a retratar exclusivament o pescadors o pagesos; amb els pescadors conviuen "americanos" ("En Garet de l'enramada"),

10. Joan Armangué i Ribas. *L'economia del Port de la Selva*. Figueres: el Brau, 1993, pàg. 45-46, i Yvette Barbaza. *El paisatge humà de la Costa Brava*. Barcelona: Edicions 62, 1988, vol. 2, pàg. 202.

11. Cristófol Fraginals. *Excursió a Palafrugell, Palamós i Sant Feliu de Guíxols*. Barcelona: L'Avenç, 1900, pàg. 11.

metges ("Jacobé") o "carboners" ("La Fineta"). Treballar al mar és considerat sovint una desgràcia, però no l'única possibilitat, i per això un personatge pot exigir-li al seu fill: "Vui que aprenguis ofici: res de mar" ("Mànegues marines"). D'altra banda, els pagesos dels "boscatges" també són considerats "empordanesos" ("La vetlla dels morts").

Per què, aleshores, desapareixen totes aquestes professions en els textos dels autors que tractem aquí? Una explicació possible d'aquest oblit és el pes d'un tòpic que hem detectat en aquests escrits: el de l'"home elemental",[12] lliure, que mena una vida deslligada de les cabòries ciutadanes, i que els escriptors identifiquen amb el pescador. Certament, un "home elemental" no podia ser encarnat en la poesia post-simbolista per un pagès, perquè la tradició ruralista havia convertit la seva elementalitat en primarietat. A favor del pescador hi havia en canvi d'altres tradicions més afavoridores, especialment la de la gran escola simbolista, que havia identificat el mar amb la llibertat ("Homme libre, toujours tu chériras la mer!" etc.), i que autors com Juan Ramón Jiménez, de gran rellevància per als escriptors catalans que aquí tractem, havien contribuït a reforçar.

En estar sol davant d'una naturalesa salvatge, les sensacions de l'artista s'amplien fins a causar efectes inesperats: la por, l'autoconsciència, etc. Aleshores, l'"home elemental" permet reforçar aquestes sensacions amb una figura on es compendien la puresa, la ingenuïtat, la solitud... Podem remuntar-nos a la tradició literària per buscar-ne precedents: el Virgili de les *Bucòliques*, el Schiller de la poesia "ingènua" i tota la tradició romàntica del pintoresquisme. Però hi ha altres tradicions més recents, com la "moda burgesa del primitivisme romàntic", que és comuna a la literatura de viatges de l'època, com recorda Fussell.[13]

Això lliga, en el cas concret de la literatura catalana, amb una recuperació de temes costumistes, que reivindicava formes de vida amenaçades pel progrés, i alhora amb un interès genuí per incorporar a la cultura catalana la valoració de la vida solitària, la desconfiança pel progrés i especialment la Naturalesa indòmita, que el Noucentisme havia desconsiderat. D'altra banda, certa literatura rural havia explotat també aquesta "elementalitat", i per això Montoliu podia parlar del "primitivisme cristià" de Ruyra.[14] Efectivament, Ruyra, a *Marines i boscatges* (1903) fa aparèixer l'home primitiu, ignorant però honest, com l'avi Guixer de "L'aniversari del noi Guixer" (originàriament publicat el 1899):

> "Era un home així: tenia cops de poeta sense haver-ne esment, sense perdre mai aquella simpàtica ignorància que el feia incapaç d'artificis."[15]

12. Agafo el terme, i en part el concepte, de Raymond WILLIAMS. *The Country and the City*. Pàg. 300.
13. Paul FUSSELL. *Abroad...* Pàg. 38.
14. Manuel de MONTOLIU. "La vida i l'obra de Joaquim Ruyra." dins J. RUYRA. *Obres completes*. Barcelona: Selecta, 1982. Pàg. 50.
15. Joaquim RUYRA. *Obres completes*. Barcelona: Selecta, 1982. Pàg. 144.

Darrere d'aquest comentari de Ruyra, com darrere del comentari abans citat de Fraginals sobre els pescadors de Tamariu: "Bona gent!" (que no sembla pas fruit de cap observació contrastada sobre les virtuts morals dels pescadors), hi ha el discurs ideològic del pairalisme. L'anàlisi sobre el pairalisme d'alguns autors de la Renaixença segueix vàlid per a alguns autors posteriors:

> "Per una banda, insistiria en la suposada innocència i ingenuïtat de la societat rural tot idealitzant i sublimant la vida pagesa. I, per l'altra prendria en consideració el paisatge (com diria Pierre Bourdieu) com a mer decorat, sense homes i dones reals, mostrant (fem-ho notar) un migrat interès per les condicions reals de vida i de treball dels homes del camp."[16]

Fins i tot el Noucentisme, amb tota la seva hostilitat a la reivindicació ruralista, havia preparat el terreny a la valoració de la Costa Brava i la seva gent gràcies a l'interès pel mediterraneisme que li havia arribat a través l'"École Romane" de Moréas. Precisament per això Manuel Brunet, a *El meravellós desembarc dels grecs a Empúries* (1925), es veu obligat a descartar aquest mediterraneisme si vol donar autenticitat al "seu" descobriment de l'Empordà:

> "Sota les palmeres del pati de l'Ateneu, un amic m'havia parlat de l'Empordà amb exaltació. Em ponderava el paisatge empordanès, el seu mar, la gent i llurs bregues i la facilitat amb què de la cridòria revé a la calma, igual com el fer del mar. I recordo que em deia: "Allò és Grècia". –Això no té res d'estrany: en aquell temps aquest xarampió féu molts estralls. – Però com que mai no m'he resignat que la literatura m'emboirés la vista, reaccionava contra la dèria de la comparança i contra l'emoció de l'amic."[17]

Donat que Brunet havia nascut el 1889, és improbable que amb "aquells temps" pogués referir-se al 1901, quan ell tenia 12 anys i el "xarampió" del mediterraneisme començava a propagar-se.[18] Com a molt podia referir-se als anys 1916-1917, data de la seva primera arribada a Barcelona, és a dir, només 8 anys abans de la publicació del *Meravellós desembarc* però amb l'expressió "aquells temps" aconsegueix un efecte de distanciació eficaç malgrat la impostura històrica (un recurs, d'altra banda, molt habitual en el seu amic Josep Pla).

Tot i que l'home elemental refereix especialment al pescador, aquesta elementalitat pot ser compartida pel viatger (però mai pel turista, si seguim la terminologia de Fussell). És per això que molts escriptors es presentaven a si matei-

16. J. M. Puigvert. "L'elaboració del discurs pairalista: la contribució de Josep Torras i Bages." *L'Avenç* 210. (gener1997), pàg. 6-11.

17. Cito per una edició posterior, amb el títol "normativitzat" (Manuel Brunet. *El meravellós desembarcament dels grecs a Empúries*. Barcelona: Selecta, 1956, pàg. 14). El 1925 havia sortit a l'editorial Diana, una empresa impulsada per autors com Brunet o Josep Pla.

18. Cf. Jaume Vallcorba. *Noucentisme, mediterraneisme i classicisme. Apunts per a la història d'una estètica*. Barcelona: Quaderns Crema, 1994, pàg. 37.

xos com a practicants d'una espècie de "vida robinsoniana",[19] aliats així amb els habitants del lloc i distanciats d'un lector previsiblement urbà. Però el més usual és la "recuperació" de l'indígena (pescador, insistim, no pagès) que és identificat amb la vida feréstega en un marc mediterrani. Per això en els seus primers llibres (*Vint cançons*, de 1922, i *L'ombra del lledoner*, 1924),[20] Tomàs Garcés, un autor de referència per a la poesia postsimbolista, especialment en el corrent neopopularista, presenta poemes on els protagonistes són generalment mariners ("Cançó de grumet", "Balada del mariner" a *Vint cançons*; "Cançó de grumet", a *L'ombra del lledoner*). En d'altres casos, el jo poètic s'identifica amb un imprecís estiuejant que enyora "el mar i la muntanya", que "voldria ser mariner", o bé és un "caminant" però no pas un rodamón (cf. respectivament "Cançó d'enyorança", "Cançó amorosa" i "Cançó de caminant" a *Vint cançons*). Garcés, que situa els seus poemes en les poblacions del Cap de Creus, esmenta un fenomen característic d'una zona en règim d'autarquia: l'horta que el mariner cultiva; a El Port de la Selva, per exemple, això va donar lloc a un topònim propi: "Els horts" (que Garcés evoca en poemes com "Olor mullada dels horts" a *L'ombra del lledoner*), però en els poemes mai no hi apareix l'hortolà. De manera semblant, Marià Manent ens presenta, en una nota del seu dietari datada el 18/V/1919, un viatge per Blanes amb el corresponent pescador sentenciador:

> "A un quart de vuit ja érem a Blanes. (...) Anem vorejant els començaments de la Costa Brava (...) Jo parlava amb un d'aquells homes de mar. Ell feia: "Qui és en la mar navega, qui és en terra judica.""[21]

Recordem que per a Brunet, el pescador era arrauxat ("llurs bregues"), conseqüència d'un evident determinisme climàtic. Un determinisme semblant, però, converteix els pescadors de "In vino veritas" ("Cançons de taverna i d'oblit", dins *Poemes i cançons*, 1922), de Sagarra, en tot el contrari:

> "Guaita els ulls d'aquell home que s'acosta:
> dos llacs tranquils que no malmet el greix, (...)
> Aquests homes tots tenen la mirada
> feta de les dolcíssimes clarors."[22]

19. Vegeu-ne algunes descripcions a les memòries del pintor Joan Llaverias de l'any 1906 (cf. Francesc X. PUIG ROVIRA. "Joan Llaverias. L'home i l'artista." en *Exposició – Homenatge a Joan Llaverias*. Vilanova i la Geltrú: Biblioteca Museu Balaguer, 1974. Pàg. 9-16.); al reportatge sobre el pintor Joan Gimeno que fa Agulló (Pol. "Record d'istiu." *LVC*. 8/XII/1917.), o als articles del mateix Agulló sobre les seves estades al Cap de Creus a Ferran AGULLÓ I VIDAL. *Marines*.

20. Cito per Tomàs GARCÉS. *Poesia completa*. Ed. A. SUSANNA. Barcelona: Columna, 1986.

21. Marià MANENT. *A flor d'oblit*. Barcelona: Edicions 62, 1968. Pàg. 23-25. Atès que la de 1968 és la primera edició del dietari, molt posterior per tant a la seva primera redacció, Manent va poder-hi intervenir mentrestant: citar explícitament la Costa Brava el 1919 és rar, perquè, com ja he apuntat, el topònim d'Aguiló va trigar a imposar-se. En una nova edició del dietari (*L'aroma d'arç*. Barcelona: Laertes, 1982) aquesta nota no surt.

22. Cito per Josep M. de SAGARRA. *Poesia 1. Obra completa 1*. València: 3 i 4 edicions, 1996. Pàg. 305.

També Alexandre Plana rebla decididament en el tòpic, que rellisca incontrolable cap al clixé:

> "Aquests pescadors (...) són com el paisatge que els envolta. (...) Les paraules que diuen són d'un escorç net com aquestes muntanyes. Res no els aclapara ni els desarrela del seu tarannà. Sembla que visquin de l'aire del cel i de quatre cançons, perquè una bella tonada és el que els agrada més del món. (...) Aquí la malícia no fa mal i del molt garlar en neix l'amistat."[23]

A les dues "balades" finals de *Cançons de rem i de vela* (1923), els pescadors de Sagarra, estrafets en antiherois, queden individualitzats en les figures de Luard i de Quimet, i en la popularitat que van adquirir aquests poemes no hi va ser aliena una Costa Brava que ja s'havia posat definitivament de moda. Val la pena destacar com un altre autor acabat d'arribar, J. V. Foix, va aprofitar aquesta mitificació i hi va contribuir, al·ludint a Luard en les seves proses. Ara, l'enfocament estètic és absolutament oposat al que hem anat veient. En el poema de Sagarra, Luard és un tipus gairebé folklòric, amb les característiques del boig local:

> Luard, vinga a buidar un sac de mentides
> de colors blaumarins i virolats,
> de cares amb cent ulls i pells humides,
> i fets deslIorigats;
> i se l'escolten tots bocabadats.

En la prosa de Foix, els bojos locals, entre els quals Luard i les seves fantasies, ja tenen una adscripció moderna:

> "És des del moll d'En Balleu que en Bisbe ha vist més clar que Wells l'esdevenidor del món i que En Luard, mentre la minyonada assaja capriciosos capbussons nocturns, ha precedit els més accelerats dels superrealistes amb les seves folles narracions."[24]

Les excentricitats de Luard representen per a Sagarra una tradició que la vida urbana ha perdut, i per a Foix, una avançada de les inquietuds contemporànies. Val a dir que aquest darrer enfocament és absolutament inusual i que els autors contemporanis prefereixen perpetuar la figura del pescador idil·litzat, tal com la trobem, per exemple, en la prosa "Estampa d'«En Nazaret», de les *Estampes d'Empordà* (1926) de Mn. Lluís G. Pla.[25] Nazaret, patró de barca, representa la previsible paradoxa de l'home humil però savi ("coneix tantes coses de la mar!"), i desastrat però pur ("ses

23. Alexandre PLANA. "Elogi de Port de la Selva." *D'Ací d'Allà*. 122 (desembre 1928), pàg. 38-39.

24. J.V.F [oix]. "El moll d'en Balleu." *La Publicitat* 14/VIII/1931; reproduït parcialment a *Àlbum Foix. Una successió d'instants*. A cura de Joan de Déu DOMÈNECH i Vinyet PANYELLA. Barcelona: Quaderns Crema, 1990, pàg. 33.

25. Mn. Lluís G. PLA. *Estampes d'Empordà*. Barcelona: Llibreria Catalònia, 1926. Pàg. 17, 28 i 91-93, respectivament.

dents esmaltades i ses genives de coral"); no ens ha d'estranyar la conclusió: "Envejo la petita glòria d'En Nazaret".

Tot plegat ens ajuda a entendre que, en *La Costa Brava. Album-Guía*, de 1925, que podem considerar la primera guia de la zona, abundin els Luards i Nazarets, de forma més estereotipada, és clar, com correspon al gènere de les guies de viatges. Així, Carles Rahola hi presenta Cadaqués com a lloc isolat: "els seus fills han estat més en contacte amb el mar que amb la terra", són gent d'"esperit independent".[26] Sagarra, parlant de El Port de la Selva, destaca que està "apartat del món", i que la seva "habitació humana (...) és més del mar que de la terra": tot plegat explica que "l'existència en aquest lloc és una punta primària". Que els turistes no s'espantin, però: "no hi manca una fonda neta on s'hi fan menjars de príncep".[27]

Com queda configurat doncs aquest tòpic? L'home "elemental" és un pescador (o, ocasionalment, algú que es fa amb els pescadors), fill del Mediterrani; primitiu, és a dir pobre, pur i ingenu, però savi a la seva manera; excèntric fins arribar a la marginalitat o a la bogeria, i independent.

Una existència primària?

És interessant contrastar aquest tòpic amb d'altres testimonis més lligats a l'anàlisi històrica o al testimoni directe. Ens pot servir un text de 1925: el discurs per a l'ingrés a la Reial Acadèmia de Bones Lletres de Caterina Albert, que cobria la plaça deixada vacant pel cadaquesenc Frederic Rahola, mort el 1919.[28] L'autora presenta els habitants de Cadaqués com a aventurers i viatgers però no pas miserables, i en aquest sentit resulta més precisa que les guies turístiques i els poetes foranis. Certament, recorda C. Albert, quan Rahola sortia a pescar, com a esbarjo de la seva feina universitària, "tasta (...) l'aspre arrop de les grans felicitats i aquell viure elemental dels primitius": en aquest sentit, Rahola també accedia a la seva ració de primitivisme. Però això no vol dir que la conferenciant consideri Cadaqués una societat primitiva, perquè deixa clar que Cadaqués "és rica" gràcies als seus indianos, com el pare de Frederic Rahola; el cadaquesenc, conclou, és "un home d'ara".[29]

26. Carles Rahola. "Cadaqués." en *La Costa Brava. Album-Guía.*. Barcelona: Ateneu Empordanès, 1925. Pàg. 158-166.

27. Josep M. de Sagarra. "Port de la Selva" en *La Costa Brava. Album-Guía*. Pàg. 167-172.

28. Víctor Català. "Discurs llegit a la Reial Acadèmia de Bones Lletres de Barcelona, en la solemne recepció pública de Víctor Català (14 gener 1923)." en *Obres completes*. Barcelona: Selecta, 1972. Pàg. 1659.

29. *Ibid.* pàg. 1668 i 1661-1662.

Per què els indianos resulten una de les raons de ser de Cadaqués. Yvette Barbaza, en el seu clàssic estudi sobre la Costa Brava, ha demostrat que el mar, lluny de ser, tal com ens expliquen els poetes, un món hostil on es veuen empesos els habitants de Cadaqués per culpa de la duresa de la terra, és més aviat la causa de la fundació del poble.[30] Barbaza combat un clixé (el del terrassà instintiu, advers a la mar hostil) que la literatura sobre la Costa Brava s'ha complagut a recordar, i que n'acompanya un altre, el de l'endarreriment, que tampoc és gaire clar. Ja en l'estudi que va fer Botet i Sisó de la província de Girona per a la *Geografia* de Carreras i Candi,[31] uns pocs anys abans de la conferència de Víctor Català, destacava un Port de la Selva menys primitiu que tot això:

> "1.441 habitants de fet, dels quals 777 saben llegir y escriure (...) Té regular caseriu; duana; ajudantía de marina; lloch de carrabiners; ordinació a Llançà dues vegades al día; dues escoles públiques elementals complertes, la una de noys y la altra de noyes; una de privada de noyes, a càrrech de les germanes de Jesús (...). Hi ha metges, apotecaris, fonda, hostals y s'hi exercexen los oficis y arts industrials propris d'una petita vila."[32]

En una població amb tres escoles i amb metges i apotecaris, deuria ser difícil trobar-hi el "bon salvatge" que buscaven els nostres intrèpids viatgers. En determinats moments, la pesca deixava de ser la principal font de riquesa, com explica la revista *Resurgiment*, el 1918; en una notícia anònima, però presumiblement redactada per H. Pol Mallol, s'anuncien els efectes beneficiosos que la Primera Guerra Mundial està aportant a aquesta població:

> "Port de la Selva, una tranquil·la població de gent de mar, –quina principal riquesa és la pesca,– que mai però, malgrat el nom de Port, ha estat un centre comercial, per mancança, precisament, d'un port que respongués a les seves necessitats, en els moments actuals ha abandonat els arreus de pesca per a dedicar-se totalment a l'exportació de productes alimenticis. (...) amb un port modest, Port de la Selva adquiriria un altre factor de vida de resultats espléndids. (...) Té una població de 1.500 habitants, la majoria pescadors."[33]

L'anònim articulista preveu que si no s'aprofita aquesta sobtada riquesa per enfortir les infraestructures, aquesta bonança serà efímera i, efectivament, el 1920 hi hagué una davallada demogràfica espectacular, que s'explica sobretot per la fil·loxe-

30. "No és pas l'espantosa limitació de la seva existència que n'ha empès els habitants cap al mar, és el mar que els ha atret allí, precisament perquè l'únic avantatge de l'emplaçament eren les seves bones condicions nàutiques." Yvette BARBAZA. *El paisatge humà de la Costa Brava*. vol. 1, pàg. 287.

31. Joaquim BOTET I SISÓ. *Província de Gerona. Geografia general de Catalunya*. Ed. F. CARRERAS Y CANDI. Barcelona: Albert Martín, s.a. La publicació dels volums està datada entre 1908 i 1918.

32. Ibid. pàg. 534-535.

33. "Catalunya front la guerra. Moviment d'exportació" *Resurgiment*. 21 (abril 1918). Pàg. 343. Aquesta revista, publicada a Buenos Aires, és especialment interessant perquè, en ser promoguda, entre d'altres, per H. Pol Mallol, un emigrant d'El Port de la Selva, dóna moltes notícies d'aquesta zona.

ra, però on va intervenir també la desaparició de la demanda europea.[34] Aquesta davallada va anar acompanyada, però, d'un augment considerable de la vida mitjana a tota la comarca.[35] D'altra banda, el 1920 va ser l'any de la creació del "Pòsit de Pescadors" al Port de la Selva, una cooperativa de pescadors que va aconseguir resultats notables en la millora de les seves condicions de treball i en la comercialització dels seus productes.[36] Aquestes iniciatives havien de reforçar la tradició federalista i republicana del districte electoral de Figueres (el qual comprenia la zona del Cap de Creus), que s'imposa a les eleccions des de 1901 fins a la Dictadura del 1923, i reapareix a les eleccions de 1931. El 1936 "les esquerres guanyaren en la majoria de municipis [de l'Alt Empordà], amb força especialment en l'espai geogràfic entre la Jonquera, Roses i Portbou."[37] Res d'agitació a càrrec de metges foranis, doncs: pura tradició política.

Aquesta tradició republicana i aquestes mostres d'organització col·lectiva no feien menys dura la feina de la pesca, és clar, i no són necessàriament exagerades les calamitats descrites per Sagarra en els seus poemes

> "...la dèria
> dels qui amb el rem van pentinant la mar,
> i amb les butxaques plenes de misèria
> segueixen els calvaris de l'atzar."[38],

però és evident en aquests poetes la resistència a reconèixer que ni aquell món era tan deixat de la mà de Déu ni aquella gent era tan primitiva com això: bé canviaven les tècniques de pesca i de cultiu i se sabien organitzar prou. En la mirada que hi portaven els nostres autors, hi havia altres interessos, on la mala fe no era pas l'element principal. Raymond Williams ens pot donar una explicació d'aquest fenomen:

> "el contrast obvi entre una idea del camp cultivat, en què cultiu vol dir creixement honest, i la idea del camp salvatge i no fet malbé, no cultiu sinó natura aïllada, té un perspectiva històrica clara, perquè la segona evidentment implica la resposta a tota una manera de viure, que ha estat decidida en un altre lloc." [39]

34. Segons Yvette BARBAZA (*El paisatge humà de la Costa Brava*. Vol. 2, pàg. 200), "Allò que no pogueren aconseguir en segles ni la guerra ni la pirateria, ho aconseguiren la fil·loxera i la navegació a vapor en un grapadet d'anys."
35. Vegeu Joan ARMANGUÉ I RIBAS (*L'economia del Port de la Selva*. pàg. 17) per a les dades demogràfiques, que es complementen amb les observacions d'Eduard CUSTEY I MALÉ, Lluís JEREZ I CARDOSO i Alfons ROMERO I DALMAU. "La Restauració (1875-1931). La República (1931-1936)." en *Història de l'Alt Empordà*. Ed. P. GIBRE I RIBAS. Girona: Diputació de Girona, 2000. Pàg. 549.
36. Joan ARMANGUÉ I RIBAS. *L'economia del Port de la Selva*. Pàg. 48 i 49.
37. Eduard CUSTEY I MALÉ, Lluís JEREZ I CARDOSO i Alfons ROMERO I DALMAU. "La Restauració (1875-1931). La República (1931-1936)." Pàg. 609. Per a dades sobre les eleccions, vegeu també les pàgines 580 i ss.
38. Cançó IV de *Cançons de rem i de vela* (1923)
39. Raymond WILLIAMS. *The Country and the City*. Pàg. 349 (Trad. meva).

Efectivament, no interessa pas un camp conreat sinó una naturalesa verge, sense intervenció de la mà humana; no interessa el mar vist com a camí o com a professió, fundadora de l'economia local, sinó com a món hostil i tenebrós; no interessa el pagès, lligat al terròs, de vida rutinària, ni el mariner, mer assalariat dins d'un col·lectiu, sinó el pescador, sol amb la seva barca. És igual que els historiadors ens demostrin que aquesta figura del pescador que no treballa per compte d'altri és excepcional a l'època: el que interessa és el pescador tòpicament humil, enfrontat dalt de la seva barca a un món que se li escapa. L'explicació d'aquesta visió forçosament limitada i parcial es troba, com molt bé diu Williams, "en un altre lloc", concretament a la ciutat, d'on eren la majoria de lectors de guies (i de poemes). Enfront de la ciutat, vista ja com un món alienant i rutinari, la costa és el lloc de la trobada amb si mateix.

Tot plegat dóna la sensació que, quan escrivien per a l'*Album-Guia*, Rahola i Sagarra explicaven als turistes el que volien veure-hi, més que no pas el que hi havia: per sobre de la precisió s'imposava el clixé. Així, Sagarra oscil·la entre el poeta i l'autor de guia turística, entre el creador d'imatges pròpies i el divulgador d'estereotips. Reprenent la distinció de Fussell entre "explorador", "viatger" i "turista", Sagarra feia de viatger expert que preparava la vinguda dels turistes ingenus, un tipus d'autoria molt comú en la literatura de viatges. Per això el Sagarra-guia els induïa a anar-hi en l'Album-guia de 1925, però el Sagarra-periodista els ho retreia set anys després, en un article de *Mirador*, quan publicacions com l'*Album-guia* ja estaven fent el seu efecte:

"Quan uns amics i jo vàrem descobrir fa deu o dotze anys el Port de la Selva, aquest lloc era una meravella inexplorada. (...) Ara per l'Hotel del Port de la Selva ha passat la mitja Escandinàvia i la mitja Turíngia que es passeja pel Mediterrani untant-se la pell amb oli de foca, pintant aquarel·les i utilitzant pijames de color de rave cru."[40]

Ningú, és clar, vol ser l'últim arribat ni ningú vol ser turista; tothom reclama la primícia del descobriment perquè això garanteix l'autenticitat de la seva mirada: no per res el segon llibre de poesies d'Alexandre Plana s'alça contra la guia turística per antonomàsia i es titula *Contrabaedecker*.[41]

Conclusió

Si els autors dels anys 20 i 30 presenten com a protagonista dels seus poemes un improbable home elemental això s'explica per la necessitat d'integrar-lo dins d'un paisatge també "elemental", primitiu, i de diferenciar-los, tots dos, del paisatge

40. Josep Maria de SAGARRA. *L'aperitiu*. Barcelona: La Campana, 1981. pàg. 224. Publicat inicialment a la revista *Mirador* ("El diàleg amb el mar". 8/IX/1932).

41. Alexandre PLANA. *Contrabaedecker. Girona, Tarragona, Poblet, Santes Creus, Barcelona &*. Barcelona: Publicacions de la Revista, 1918.

i dels indígenes que els seus lectors estan avesats a conèixer: el món urbà. Que aquesta imatge persisteix en l'imaginari col·lectiu, és una hipòtesi que de moment només podem formular. No sembla absurd, de tota manera, pensar que una reminiscència del tòpic de l'home elemental era subjacent en aquella acusació que, el 1940, un pobre desgraciat va poder fer contra un metge, simplement perquè estiuejava en un poble que no havia estat prou addicte al "alzamiento nacional". De la mateixa manera, i amb finalitats diferents, una enyorança d'aquest tòpic es deixa entreveure en alguns motius persistents en la poesia de la postguerra de J. V. Foix (el país s'ha despersonalitzat perquè els pescadors han deixat de pescar, perquè tot és en venda i ens sentim com forasters a casa...). Aquests motius, provinents d'observacions potser no prou contrastades, l'ajudaran a bastir, en canvi, una denúncia de la seva època d'una enorme eficàcia. Però aquesta és una altra història.

CARLES SOLDEVILA, NARRADOR: DEL PERFIL CRÍTIC A L'AUTORETRAT LITERARI

Juan M. Ribera Llopis

Universidad Complutense de Madrid

1. La història i la crítica, a l'entorn de Carles Soldevila

Com a intel·lectual de llarga trajectòria instal·lat per la seva naixença davant l'horitzó del nou-cents, Carles Soldevila (1892-1967) creix entre les tensions socials i artístiques del *fi de segle* europeu i es veu abocat a un doble cicle de crisi en el marc hispà. Un primer en el qual, entre els canvis de la inestabilitat política, es forgen els perfils de la modernitat cultural i literària; un segon, que significa la desfeta d'aquella trajectòria i obliga a resituacions i estratègies individuals i col·lectives. Així, en ambdues llargues preguerra i postguerra, es destrien les dreceres per on es poden seguir les petjades d'un cert *model* o *patró* d'intel·lectual que, respectant totes les senyes i les vàlues diferenciadores i d'identitat pròpies, representen per a la cultura catalana Josep Carner (1884-1970), per a la gallega Vicente Risco (1884-1963) i per a la castellana Ramón Gómez de la Serna (1888-1963). Sigui dit a manera d'enquadrament, sense establir comparacions avaluatòries entre les figures esmentades. I també per entendre, en primer lloc i jugant amb el títol d'un article del nostre autor (v. C. Soldevila, 1967:1259-1263), com la crítica no ha pogut estar-se'n a l'hora de tenir en compte cadascuna d'aquelles figures. Tampoc pel que fa a Carles Soldevila, articulista, comediògraf i narrador, poeta d'un aplec, a més de traductor o editor, a propòsit del qual ens cenyirem el més possible en aquesta col·laboració a la seva activitat en l'espai del conte i de la novel·la.

El 1917, Josep Carner (1967: 3) dóna la benvinguda al narrador Carles Soldevila amb motiu de la publicació del volum de relats *L'abrandament* en termes de superació de l'antítesi entre la "subversió romàntica" i el "temperament clàssic", a qui considera ofereix "... una novel·la novíssima, i està d'acord amb la més aguda sensibilitat moderna", destacant-se ell i el seu llibre, com a "intel·ligent" i gens "pintoresc", com a "un *standard author*, i no pas estribació folklòrica". Però la verba carneriana, després de respectar el dictat de Xènius sobre els versos de Carles Soldevila, que emparava des del seu *Glossari*, diu a més la seva sobre la prosa d'aquest darrer, en termes que van més enllà de l'abans dita apreciació literària: "Si ell persevera, com cal esperar, en una floració novel·lística pot fer molt per aconseguir el consorci més íntim d'una societat en transició ascendent, i el bell parlar que han elaborat els lírics" (J.Carner, 1967: 4). Josep Carner, des del programa noucentista, reconeix la necessitat d'uns novel·listes propis que acompliran una actuació educativa i divulgadora d'ampli abast i que culminaran tot un procés regeneracionista català. Era, diguem-ho així, la resposta definitiva davant la història contemporània i els entrebancs catalans i Carles Soldevila apareixia com un dels líders capdavanters; en aquell moment històric concret, tocat del seu alè de "sensibilitat" i no sols de *ciutadania* sinó de *mundanitat,* afegirà Josep Carner (1967: 5), en Soldevila és finalment celebrat com "el Benvigudíssim".

Entre 1918 i 1926, Carles Riba s'ocuparà dels dos principals aplecs de contes i *nouvelles* de Carles Soldevila, l'esmentat *L'abrandament* i *El senyoret Lluís* (1926). Riba (1985: 99-101, 332-335), en reconèixer "... la imaginació atrafegada i lúcida d'En Carles Soldevila", el veu *experimentar* sobre el quotidià mitjaçant la ironia i avançar amb aquesta eina literària cap a la delimitació entre la moralitat / immoralitat immanent a una organització de classes tant com a l'individu –polèmica suscitada pels textos de Soldevila i entorn a la qual veurem participar noms com Manuel de Montoliu i Josep Pla–, línia d'indagació en què –desoladorament o redemptora de Proust i Joyce a Mauriac i Bernanos– ha actuat la novel·la moderna, encarant l'esquema social que, al cap i a la fi, era l'europeu d'entreguerres, accentuat en el seu conflictiu perfil pel que fa a les societats més meriodionals, afegim, pels endarreridors lligams tradicionals que exasperen, en els seus extrems, la seva conflictivitat. No està de més recordar que entre aquestes dades, l'any 1925, Carles Riba, en el seu pontifical conferència-article *Una generació sense novel·la*, encara reclamava per a l'espectre català "... una atmosfera d'humanisme [que] envolti i impregni el cos social" –una moral col·lectiva?– on l'interès de l'intel·lectual per l'home pròpiament del nou-cents animaria una novel·la adient (C. Riba, 1985: 317-318). Carles Soldevila, doncs, s'endevinava, agradés o no, en la punta de fletxa d'aquella embranzida cultural. El 1935, Rafael Tasis i Marca (1935: 9-10, 94-95, 96) ja feia història sobre "el crit d'alarma de Carles Riba" i donava el nom de Carles Soldevila com un dels "exemples" a seguir, optant per la via que l'assagista considera urgentment modernitzadora i, en darrer terme, la prioritària i real en l'esquema social i demogràfic del segle XX, la de la *novel·la ciutadana* o *barcelonina* en aquest cas; per a Rafael Tasis i Marca, Carles Soldevila ha escrit pàgines "... ben ciutadanes d'ambient i de personatges, [que] no fan cap concessió al tipisme ni a l'excés de literatura que ha malmès tants prosistes catalans" –urbanes també d'estil, per tant– i hauria de donar encara més, en un expectant exercici d'autosuperació que sembla urgent per al seu espectre sociocultural: "Soldevila ens ha de donar la crònica completa i artística de la vida de la nostra ciutat contemporània; la novel·la barcelonina que tots esperem ha de trobar en l'estil admirable i en el talent de novel·lista de l'autor de *Plasenteries* el seu millor creador", el de l'autor d'aquest volum de proses de 1916 i en aquelles dates, fins i tot ja de la seva primera i paradigmàtica trilogia –*Fanny* (1929), *Eva* (1931), *Valentina* (1933)–. La consideració de Carles Soldevila com a narrador urgent, necessari, no sols per al conreu del gènere en català sinó per a la configuració política i cultural de Barcelona fins als moments de la immediata guerra, la mantenia anys després, passat el sotrac bèl·lic, Rafael Tasis i Marca (1954:

65-66), perfil el de *novel·lista ciutadà* que en ple conflicte i en una seriosa publicació propagandística de la Generalitat de Catalunya, propugnava divulgativament en castellà i en francès a *La literatura catalana moderna* (1937-a: 51-52; 1937-b: 52-53).

La veu i judici d'aquest historiador i crític ens situa a cavall dels dos cicles esmentats a l'inici d'aquestes pàgines i que es repartiran la biografia de Carles Soldevila. Les signatures que vindran després, amb més perspectiva d'aquell *impas* i amb coneixement del total del *corpus* narratiu de l'autor –que aturà la seva producció narrativa entre 1936 i 1950, des del punt de vista editorial almenys, i la tancarà el 1960– intentaran abordar-lo globalment. Volem destacar ara de quina manera els crítics posteriors que atenen la seva obra cerquen articular-la / desarticular-la i es plantegen l'empremta, resituació o desorientació del narrador en el nou estat de coses. En aquesta direcció, i en prologar les *Obres Completes* de l'autor, Domènec Guansé (1967: XXVI-XXVIII) deixà entendre que l'experiència de la guerra no es presenta fins al tercer lliurament –el primer, *Moment musical*, s'havia fet el mateix 1936 i el segon, *Bob és a París*, s'editaria el 1952–, *Papers de família* (1960), de la segona de les seves trilogies; en aquest últim títol ofereix una *novel·la testimoni* però que, pel que sembla, l'obliga a abandonar l'estil de les obres de preguerra: recordem-ho, *agudament sensible*, *intel·ligent*, *no pintoresc* segons Carner, *irònic* d'acord amb Riba, de *tan normal*, *la negació de tot estil* si sumem la informació rebuda del primer llibre citat de Rafael Tasis i Marca (1935: 95). Pareix, doncs, que desaparegut un món i instal·lat en un altre de conflictiu, l'autor varia la forma comunicativa i, fins i tot, l'empeny a variar el seu imaginari argumental i tipològic. I, sobrepassada aquesta frontera, s'argüeix una visió crítica que s'ha imposat, diríem, en excés de manera automàtica, per a novel·listes com ara Francesc Trabal, Miquel Llor, Sebastià J. Arbó i, també, Carles Soldevila. És a dir, la desorientació en un medi que no tenia res a veure amb el de llur formació, protagonisme i expectatives històricament culturals. Estem parlant de la seva hipotètica (in)capacitat de resposta literària i de la consideració de la seva oportunitat per part de la crítica, que és el que ens sembla dubtós, no tant com de la constatació de la relativa o inexistent acollida per part del nou medi. Que aquesta fou freda o inoperativa és un fet, malgrat la reedició a càrrec de l'editorial Selecta. No és en termes socioliteraris en el que discreparíem, sinó que és en l'apreciació textual on considerem que, amb el temps, caldrà revisar una lectura massa reductiva.

Dins la línia crítica majoritàriament establerta, Joan Fuster (1978: 264-265, 328) diferencia un Soldevila en la progressió de la literarietat europea del primer terç del segle XX, i un altre instal·lat en el bilingüisme català-castellà –sense constatar que l'havia practicat des dels inicis– i que no li mereix ni referir el tancament de l'esmentada segona trilogia. Més explícit és Joan Triadú (1982: 33, 61, 71, 95) que ens presenta un autor que ell mateix ens parla d'*adequació* a les noves circumstàncies –no ens informa l'escriptor, més bé, a l'hora de revisar els seus contes, de "reforçar" l'originària "intenció" en el pròleg a la reedició de les seves narracions sota el títol d'*Històries barcelonines* de 1950 (C. Soldevila, 1967: 541)?–, suposada *adequació* que el crític veu en darrer terme *continuista* i que ressona en el desconcert i en la negativa i recíproca desconnexió amb els nous narradors. Per la seva banda, Joaquim Molas (1966: 13, 16-17, 12) –que no cita de manera expressa Carles Sodevila entre els novel·listes de preguerra que havien iniciat "ambicioses trilogies", ni entre els que novel·ladament esbossaran un panorama de la vida contemporània posterior a l'enderroc del model de vida pública del primer terç de segle–, estableix una coordenada on cabria el nostre autor, sobretot en referir-se a pràctiques narratives aferrades a l'anàlisi psicològica, tenyides de pessimisme i tècnicament complexes –cita Llor o Benguerel–, però a la fi ahistòriques. Literatura que Maria Campillo i Jordi Castellanos (1988: 51) entenen com a realisme psicològic, practicable a partir d'uns models establerts dominants per un temps però difícils de mantenir en la situació coetània; és en aquest medi literari, conflictiu entre la recent tradició i la complexitat política present, on se situen "les obres de maduresa" d'autors ja grans com Carles Soldevila, junt amb altres joves acabats d' incorporar que aniran desplaçant-los.

Carme Arnau –que ens ha ofert l'estudi críticament més actualitzat del nostre autor (1987-b)–, en un altre treball de síntesi (1987-a: 74-77, 83-84) i anant d'*una visió de conjunt* a les apreciacions concretes sobre el text, situa en el medi de preguerra el Carles Soldevila animador-dinamitzador de la vida cultural, professional de la literatura i educador modernitzant de la seva classe social que trobà una drecera literària per aglutinar totes aquestes funcions, realitat la continuïtat de la qual tallà el conflicte civil i la seva derivació política: es modificarà prou el nivell d'incidència social i literària d'aquell protagonista i, creativament, se'l veurà variar de "... la vivacitat i l'optimisme [...] a la reflexió i pessimisme"; el diferent destí dels protagonistes de les dues últimes novel·les –el triomf del personatge cerebral i fred i la mort de l'idealista compromès– potser resumia, afegim, l'estat de les coses i la contraposició entre dos moments històrics i dos ben diferents ànims intel·lectuals.

2. Veu, memòria, positures i pistes literàries de l'autor

Carles Soldevila, escrivint sobre el present immediat des dels seus articles –"... he escrit a la ratlla de tres mil cinc-cents articles", més de set mil segons altres relacions (v.C.Arnau, 1982: 6)– i, complint amb el desig patern "... d'obrir una dent en la roda de la memòria" (C. Soldevila, 1967: 1331, 1573), quan refà part de la seva biografia a *Del llum del gas al llum elèctric. Memòries d'infància i joventut* (1951), deixa ben definida la seva presència en el context històric i literari. Se'ns mostra fill del vuitcentista tombant de segle, crescut entre notícies de guerra i de vagues, les estrenes de Wagner i Morera o Ibsen i Rusiñol, i els comentaris de Maragall al *Brusi* (C. Soldevila, 1967: 1572-1576). Se situa, a un nivell més íntim, formant-se entre una certa atmosfera literària, sotmès a treballs de redacció per part del pare, qui li exigia un estil concret i la realitat com a exercici, proposta que ell posa com a prova d'humilitat a pretenciosos aspirants a escriptors (C. Soldevila, 1967: 1582, 1583). Serà també el seu pare qui el col·loqui a la redacció del *Poble Català*, on tractarà figures com Pere Coromines, Gabriel Alomar i Ignasi Iglésies, paradigmes de l'espectre cultural quan va néixer (C. Soldevila, 1967: 1586-1591). De meritori en aquesta redacció passarà, el 1917, a signar una secció, *Hojas de Dietario*, a *La Publicidad* que, en transformar-se en *La Publicitat* el 1922, esdevingué *Fulls de Dietari* (C. Soldevila, 1967: 1331), articles dels quals publicarà una selecció en volum el 1928. Mentrestant, com a poeta, s'havia estrenat el 1913 amb *Lletanies profanes*, com a narrador ja l'hem vist fer-ho el 1917 amb *L'abrandament* i un any abans, el també citat *Plasenteries* l'instal·lava en aquelles proses a cavall de l'article breu i l'anecdotari contable. Pel que fa a la seva trajectòria teatral, el seu primer gran èxit serà *Civilitzats, tanmateix* (1921). A l'entorn d'aquesta embranzida literària, dins del mateix circuit, Domènec Guansé (1967: XIX-XX) el fa conviure amb els més grans –Bofill i Mates, Nicolau d'Olwer, Rovira i Virgili...– i amb els més immediats –Sagarra, Pla, Garcés, Foix, el seu germà Ferran...–. Carles Soldevila (1967: 1612-1613), quan explica la seva incorporació per oposició a la Mancomunitat de Catalunya, sumarà a aquells noms els de López-Picó i Millàs-Raurell: serien tots, si no la *generació*, sí "la promoció 1914", "... un floret d'escriptors, investigadors, artistes i pedagogs que no s'han tornat a veure plegats en cap centre oficial", reprovat des de l'oposició a Prat de la Riba com "... una mena de llista civil de la intel·lectualitat". Una promoció, cal preveure, que, des del món de les redaccions i dels organismes oficials, avançarà cronològicament cap a la Dictadura de Primo de Rivera, la República i la seva crisi, cosa que s'ha de tenir en compte com a horitzó dels judicis del Soldevila que revisarem tot seguit.

El cert és que, d'aquest entramat, surt un intel·lectual que, en la seva expressió pública, i segons Domènec Guansé (1967: XVIII), si no és un "escriptor rebel" tampoc és "conformista" ni "reaccionari": "... l'essència mateixa del liberalisme", d'un liberalisme burgès, és clar, però no necessàriament exclusivista. Llegiu per exemple articles com *Dogma i ironia*, *Al peu del mur insuperable* o *Els enemics de l'intel·lecte* (C. Soldevila, 1967: 1267-1275, 1292, 1308-1309) i el veureu posicionat en contra del feixisme en auge i dels subterfugis discursius de l'autodenominada *literatura catòlica*, i com després, a *L'art i la moral*, incideix sobre la presència i actuació dels "escriptors vidriosament catòlics" en la coetanietat catalana; o com s'expressa sobre "americanitzar-se o sucumbir" com a disjuntiva de la postguerra del 14 i sobre el conflicte entre progrés material i moral desvetllat per aquesta. I si en el segon dels textos esmentats es revolta amb ironia contra aquell qui vulgui "... negar-me el dret d'escriure altra cosa que memòries secretes" (C. Soldevila, 1967: 1274), més endavant alertarà obertament sobre el compromís i la llibertat d'expressió de l'escriptor: a *Dos sofismes només?* (C. Soldevila, 1967: 1302) es declara contra el prohibicionisme i la censura moral –veure la referència a la seva pràctica sobre l'obra del mateix autor a *L'art i la moral* (C. Soldevila, 1967: 1281)–, executats per grups autoencarregats d'un tipus de regeneracionisme que ens situa en un període de regressió; i a *La nova era literària* (C. Soldevila, 1967: 1315, 1316) enarbora, fent seu el judici del polemista Emmanuel Berl, que els intel·lectuals "no traeixen quan pensen, sinó quan s'estan de pensar; no traeixen quan fan política, sinó quan la fan per motius inconfessables", i els prega "... que no es refugiïn en les altures [...]. Que deixin que la reflexió els sigui el camí del judici, i no, com és per a molts, la manera d'ajornar-lo"; per a la cultura catalana coetània, d'acord amb aquesta exegesi, conclou que "... ens convindria més una generació d'intel·lectuals una mica apostòlics –i això no vol dir altra cosa que disposats a opinar sobre els problemes vitals– que no pas una generació de cenobites, és a dir, d'homes que s'esforcen a salvar-se sols, tot pensant amb la màxima innocuïtat possible", sempre "... des de la penombra discreta." Opina a més que aquesta tasca –per a ell a través de la literatura– ha d'adreçar-se "... a la part selecta de la humanitat que no és analfabeta, ni boja ni masella"; altre tipus "... de bèstia o de bestiola" mereix més "... el contraatac pràctic". (C. Soldevila, 1967: 1368)

Posat a ésser Carles Soldevila (1967: 1288, 1301) *apostòlic* –noucentistament?, modernament, de manera més vasta?– oposa l'Estètica a la Moral i actua persuadit d'acord amb l'axioma següent: "l'obra d'art ens dóna amb més fixesa que no pas la religió i els costums, la idea de la unitat específica dels homes". Un cop acceptat que la seva eina artística és la literària, fa per destriar la seva naturalesa i per delimitar l'horitzó sociocultural on ha d'executar-la. Respecte al primer nivell, per a Carles Soldevila (1967: 1275, 1282) "el llenguatge és la matèria de la literatura així com el color i el dibuix ho són de la pintura", una matèria que haurà de modelar, inexcusablement, els "grans problemes humans", després d'"... elevar-se a l'estudi de la filosofia" i superar "l'escuma", la superficialitat. Amb el rerefons d'aquesta premissa, l'autor forja una poètica que partint de la contemplació –recordem la lliçó paterna que permet Carles Soldevila (1967: 1582) jugar amb el referent de Stendhal; vegeu també en les seves primeres proses, les de *Plasenteries*, la insistència en l'emplaçament davant l'objecte literaturitzat, l'afany de documentar-se sobre ell i, per damunt de tot, l'abundància de l'acció i del verb *contemplar*– ha de donar pas a una indagació superadora de la transcripció taquigràfica o del maquinisme fotogràfic, de la documentació i observació d'origen i ha d'ésser integradora de la sensació i la imaginació en un bescanvi d'impulsos: un nou realisme com a fita, transmissor d'una realitat filtrada pels sentits que no poden deixar d'estar influïts per la imaginació i les seves consignes; exercici en darrer terme qüestionador entre d'altres tècniques de l'automatisme i desestimador de les "... descabelladas aventuras del futurismo y del sobrerealismo", com ara enderrocar prosòdia, sintaxi i puntuació, pràctiques que no haurien estat més que "... desesperadas tentativas en que la ingenuidad infantil convivía con la marrullería más o menos adulta" (C. Soldevila, s.a.: 29-36, 59). Judici que no el privarà, per exemple, d'incloure *Gertrudis* de Josep V. Foix entre les novel·les catalanes fonamentals dels segles XIX i XX (C. Soldevila, 1967: 1476; 1928: 76).

Aquesta penúltima afirmació, en tot cas, ja ens permet escoltar el que opina Carles Soldevila –i per tant dissenya– sobre el paisatge sociocultural i literari, el segon nivell a tractar, en aquest cas desestimant i donant per liquidat l'abast de l'avantguarda. Sols afegir al respecte la reacció de l'autor davant la iconografia característicament daliniana, que no les seves marines, quan recorda l'exposició del 10 de desembre de 1933 a la Llibreria Catalònia: "Lo siento. Me entristece. Querría comprender... Digo mal: querría sentir sin comprender, y no puedo. Debo ser un espíritu putrefacto" (C. Soldevila, 1949: 41). L'escriptor és prolix a l'hora de facilitar informació, amb judicis a propòsit de les fites de la vida cultural i literària catalana i com a involucrat en les polèmiques coetànies.

Carles Soldevila (1967: 1275-1276, 1266-1267, 1318, 1320) sanciona positivament el filologisme imperant en les lletres catalanes i enalteix la progressiva fixació lingüística per via de la voluntat artística; repetides vegades s'interessa des del punt de vista socioliterari i reclama la urgent creació i pujança d'un públic consumidor de literatura en català, qüestió a la qual va lligada la necessitat de certs gèneres i subgèneres literaris; i es mostra una i altra vegada autocrític amb la naturalesa i l'estat de la vida literària catalana: s'expressa ben clar sobre l'abundància de falsos escriptors, la perniciosa facilitat amb què publiquen, l'analfabetisme d'aquells suposats escriptors que obliga a refer els textos a les redaccions, la facilitat i conseqüent improductivitat cultural de l'èxit literari, la també conseqüent lentitud en l'avaluació literària catalana... La tan enaltida vida literària catalana –estem ja en plena Dictadura en el moment de fer aquesta apreciació– és, més bé, un "... pàl·lid substitutiu, una forta agitació literària": "Hem viscut un període literàriament agitat. Però agitat no vol dir exquisit ni important", "... ens ha mancat la figura enorme del protagonista", manca també "frenesí literari" i, excepció feta d'alguna figura –cita Salvat-Papasseit– la "Modernitat" palesa en Carner o la "revolució" representada per Maragall –malgrat la falta de reactius, considera–, és a dir, el protagonisme de figures de generacions anteriors, no troba correspondència en el present immediat, en poesia, que en prosa –és clar!– la cosa va redreçant-se; i si, pel que fa a la literatura castellana resulta impossible la seva projecció internacional, "... baldament no manquin dins la literatura espanyola tres o quatre valors estimabilíssims per llur modernitat i llur força, [que] no formen un nucli literari prou ric, prou original per a causar una sensació típica i inconfusible", "... les circumstàncies actuals de la literatura catalana no són gaire diferents. Manca una base ampla i sòlida per a pretendre que passi la frontera a guisa de valor col·lectiu" (C. Soldevila, 1967: 1265-1267, 1321, 1312-1313, 1267, 1280).

El que de la seva banda vol ésser objectivitat que no pessimisme –"... veig tanta gent que encara queda pitjor que jo! Escric per això ... i perquè, en el fons no sóc cap pessimista" (C. Soldevila, 1967: 1273)– davant un temps que ens presentava intel·lectualment ben sembrat, el farà ésser un activista que ens ha deixat documentades les polèmiques literàries coetànies tot incorporant la seva empremta. A *Vers i prosa* aporta el seu criteri a la discussió del desequilibri entre gèneres que venia del vuit-cents, veient la prosa com a eina favorable a l'estabilització d'una cultura i tractant, com a contrapunt, el cas provençal (C. Soldevila, 1967: 1257-1259). I *A l'entorn de la crítica* –mentre ateny un altre *crit d'alarma* llançat el 1915 per Carles Riba (v. 1988: 19-21) a propòsit de la urgència d'una crítica literària pròpia– desvetlla alguns angles de l'espectre català: la relació entre joventut literària i incapacitat d'autoreflexió que, en el cas català, s'adiu amb la històrica maduresa cultural, la influència de la crítica en corregir alguns defectes abans assenyalats, com la conducció de l'activitat literària i l'educació del públic, l'existència de "procediments jesuítics" i de "francs-tiradors sense programa" en la crítica constatable i la dificultat d'invocar una crítica o un gran crític –o un novel·lista o un dramaturg significatius–

en una situació política que obliga a "... fer-nos una cultura enfora de l'Estat" o sols poder comptar amb una reduïda producció (C. Soldevila, 1967: 1259-1263). Quan farà memòria biogràfica no oblida recuperar els que degueren ésser el seus criteris coetanis sobre el "cas Ors" i el "cas Carner" i llurs qüestionats desarrelaments, matèria també polèmica. (C. Soldevila, 1967: 1613-1615).

Literàriament parlant, però, la polèmica per excel·lència durant el període d'entreguerres fou entorn de la novel·la des de la seva mateixa existència i justificació al suggeriment de les dreceres que havia d'emprendre. A.Yates (1984) almenys ja deixa establert que no existí un temps sense novel·la entre Modernisme, Noucentisme i anys vint, i en algun moment caldrà dur a terme una revisió que ens permeti constatar, en un context més general, el que fou més una crisi-reorientació del gènere que no pas una carència davant la qual, no la quantitat però sí la qualitat d'uns quants títols catalans, permet objectivar la pràctica de la narrativa en claus històricament significatives. Això sense cap *chauvinisme* i tot comparant amb altres literatures, la diferència amb les quals és la tradició més pregona que aquestes tenien al darrere però que, això no obstant, també viuran el desnivell, el contrast i la rellevància de les reeixides –i duradores– excepcions. En tot cas i en català a partir dels textos de 1925 de Josep M. de Sagarra i de la contestació celebrada de Carles Riba, el tema es féu públic i concità no poques veus i opinions. Entre elles, alguna més precoç com la d'Alexandre Plana i les immediates de Gaziel, Josep Pla, Joan Estelrich o Carles Soldevila. Centrant-nos en els criteris d'aquest darrer, ens interessa ara més que la irrupció narrativa de l'aplaudit columnista que oferia la seva fórmula a la crida noucentista –n'hi hauria prou amb la nova referència a *L'abrandament* i al pròleg de Josep Carner, mereixedor de més matisos–, detectar l'escriptor entre les lectures del qual i la seva digestió literària veiem forjar-se el novel·lista amb criteris que ho serà, més enllà de la coetanietat socioliterària, des de 1929, amb *Fanny*. Totes les altres qüestions debatudes, considerem que, sense perdre mai el nord del passat i immediat present de la narrativa catalana allà pels anys vint, caldrà rellegir-les contrastant amb textos coetanis d'Ortega y Gasset, Baroja, Duhamel, Gide, Mauriac, Ames, Forster, Muir, Wharton, Walzel...; és a dir, amb documents de literatures veïnes amb les quals la intel·lectualitat catalana mantenia nivells de diàleg o d'unidireccional aprenentatge, segons els casos. D'això, Carles Soldevila n'és una bona prova. A *Els enemics de l'intel·lecte* l'autor admet un trànsit de l'anàlisi –Goethe, Stendhal– cap a la psicoanàlisi, trànsit imperiós en la novel·la, també en el teatre modern –de Schnitzler a Pirandello– a partir de "l'explicació de l'inconscient, que ha provat de fer el professor Freud amb la seva teoria, [i que] ha servit, serveix, a nombrosos autors, per reduir encara més l'exigua quantitat de lògica i de coherència que atorgaven a llurs herois"; l'obra de Proust –entre "la influència" o "el presentiment" de la psicoanàlisi freudiana– n'és el document, potser extrem, del precís "inventari ultraminuciós de totes les sensacions" en què s'ha convertit la literatura, en tractar sobretot "... ànimes elementals, on l'instint s'ofereix sense mescla, en estat d'absoluta puresa" i que marca el domini d'una "... literatura essencialment lírica o subjectiva, en la qual l'art no té altra missió que inhibir-se –almenys aparentment– i deixar lliure pas a la vida". En el paràgraf següent, però, l'escriptor reclama el dret a "la intervenció de la intel·ligència en la creació artística", personalitzada, és clar: "Cada escriptor, personalment i intuïtivament, troba els seus mitjans, no per explicar ni per definir –tasques menyspreables–, sinó per donar la sensació directa de la vida" (C. Soldevila, 1967: 1310-1311). Potser, per això, en consonància amb el reclam d'aquests marges de tria i opció, Carles Soldevila es permet revisar els patrons citats que no desqualifica en absolut: per exemple –a més de certes ironies en les seves novel·les, o quan recorda l'entrada de Freud en el món cultural català i l'esnobisme, allà pel 1924, amarat de superficial coneixement de la seva obra (C. Soldevila, 1949: 12)–, tot i acceptar el mèrit de la descoberta freudiana de l'infern subconscient humà, aclareix entre parèntesis que "les conclusions [... de Freud] no em semblen pas articles de fe"; i en pronunciar-se sobre el proustià "... *record* de lentitud en el movimiento de la máquina toma-vistas no sólo de lo externo, sinó de lo íntimo", afegeix que vida i realitat acumulen molts més components significatius (C. Soldevila, 1967: 1283; s.a.: 39). I potser en conseqüència –recordem ara el susdit rebuig per part de l'autor de la freda plasmació documental i la proposta d'un nou realisme– oferta la seva via, la suggestió, el suggeriment: "L'escriptor, mitjançant un eufemisme elegant, ha de *suggerir* la idea", ha "... d'*evocar* amb brevetat i elegància totes les vicissituds humanes" i això, amb els mots destacats, ens fa veure Soldevila més inclinat cap als marges d'André Gide, també cap als d'André Maurois, nom que acostuma a citar-se a prop de l'escriptor català i el record personal del qual ell ens ha deixat descrit (C. Soldevila, 1949: 41-42); i, aclarim-ho, les dues afirmacions darreres les explica, a *L'art i la moral*, quan contesta Manuel de Montoliu per la seva "censura d'ordre moral" contra la seva *nouvelle El senyoret Lluís*, causa d'un escàndol a propòsit de la seva immoralitat que es repetiria en publicar-se *Fanny*. Si els escrúpols d'un Montoliu augmenten davant un narrador massa explícit en certes situacions íntimes i per la projecció del seu discurs –Soldevila ens recorda amb aquest motiu que, ben al contrari, Pla l'advertia "... excesivament esterilitzat, massa inclinat al dibuix"–, l'escriptor proclamava que, davant l'episodi censurat i altres equivalents, havia actuat amb maneres "breus", "eufemístiques", sense plaure's en projeccions "*au ralentí*"; i que la presència d'un "mòdic" "detall fisiològic" ho era "... per donar el fons de la seva figura psicològica" (C. Soldevila, 1967: 1284-1285, 1281).

Precisament, en tractar del "rebombori" i dels "escarafalls" crítics davant el seu suposat immoralisme, Carles Soldevila ens explica que el vertader erotisme i la més fina anàlisi no són causa d'escàndol en altres literatures. I amb aquest motiu ens esmenta D'Annunzio i Guido de Verona, Proust, Gide –capdavanters aquests últims d'una "novel·lística lliure i rica", autors ambdós d'anàlisis "... de les bones", mencionant també autors de les dolentes–, els germans Mann ..., i, fent referència en l'article ja citat al paisatge de la postguerra del 14, destaca les literatures russa i anglesa com a "... model en el qual han convergit les mirades de tots els escriptors" i puntualitza els noms de Dostoievski i Bunin, Dickens i Joyce, sobre el monòleg del qual haurem de tornar (C. Soldevila, 1967: 1285, 1309). Arribem de la seva mà, en aquest apartat, a un darrer punt que hem de repassar –important en estar sobre un temps literari marcat per la teorització literària i l'atenció a les propostes i a l'aprenentatge narratius–, el de les lectures de Carles Soldevila, malgrat que ell dubti de les influències si no és molt puntualment; aspecte important que ens proporciona informació sobre un escriptor que ha deixat també dit que "... el llegir no em va perdre l'escriure", segurament tot el contrari, s'escau que afegim. (C. Soldevila, 1967: 1585).

Si dels temps d'universitari l'autor només ens informa d'un descobriment literari –Verlaine sota el guiatge de Rubió i Lluch–, en parlar dels seus originaris contactes amb la tradició literària és molt més prolix en detalls: oralment i lectora anà barrejant romàntics catalans, castellans, continentals, fulletonistes de tota casta i floralistes, jovenívols títols vernians, dramaturgs clàssics castellans i episodis galdosians, "... versos i novel·les, teatre clàssic i llibres de viatges..." (C. Soldevila, 1967: 1594-1595, 1582-1585). D'aquí derivarien uns primers plantejaments i unes inicials opcions i pràctiques quan arribà als seus inicis creatius. Tindrà a veure amb les deduccions del jove Soldevila el seu unilingüisme català en fer versos i el bilingüisme català-castellà en passar a la prosa, des dels primers contes –inèdits, d'altra banda– a la tasca periodística posterior i als volums de temes divulgatius, mai quan escriu novel·la (C. Soldevila, 1967: 1583, 1586)? El mateix autor confessa que, conquerit per la poesia vernacla, no se sentia gens seduït en canvi per la prosa catalana, tot adduint el següent:

> "Em semblava impossible que partint de les mostres de prosa que em venien a les mans, pogués aconseguir un cert equilibri entre l'espontaneïtat i el port que jo cercava. Els vells prosistes catalans del vuitcents em semblaven impurs, abruptes i pagesívols i els novíssims prosistes que s'entrenaven a les planes literàries del *Poble Català* o a les revistes de cenacle em semblaven amanerats i pedantíssims" (C. Soldevila, 1967: 1583-1584).

També és cert que, no sempre tan extremat, en altres ocasions assenyalarà alguna excepció en tan devastat panorama, excepció de ressonància noucentista en rescatar un entre els "... mestres com Joaquim Ruyra"; o bé quan assenyala alguna notòria absència, així la d'"el bueno de don Narciso Oller [que] ya no escribe", refent a *posteriori* el medi literari dels anys vint i plantejant que "... queda un largo intervalo de vida barcelonesa sin expresión, sin trasunto artístico" perquè "Barcelona, con ser tan grande y tan llena de inquietudes y problemas, no ha suscitado todavía un número de novelistas proporcionado a su volumen humano", buit que ell podria estar disposat a omplir o que, per la data de la redacció del text, sabia ja que havia ajudat a emplenar en bona mida i amb resultats efectius; i, fins i tot, en seguir parlant de prosistes admissibles, accepta l'existència d'"... un parell de dotzenes que per la traça i per la intenció farien un paper honorable a qualsevol país d'Europa", amb la qual cosa corregeix i augmenta la nòmina que ens donava en una referència anterior (C. Soldevila, 1967: 1463; 1949: 26-27). En tot cas i d'acord amb la cita més extensa de les transcrites, sentim el devora-llibres jovenívol enllaçar amb la seva primera presència en medis literaris que podem omplir dels noms que sabem que hi trobà, i al lector d'una literatura ja històrica connectar amb la contemporània. Però respecte a aquest temps coetani segueix tenint els seus dubtes, hi veu els pros i els contres i no silencia la necessitat d'abastar el seu ideal literari:

"Crec que els dos homes que varen començar a treure'm d'aquest *impasse* varen ser Eugeni D'Ors, el Xènius del *Glosari*, i el Josep Carner, tots dos redactors de *La Veu de Catalunya*. Cap d'ells no representava el meu ideal. El *Glosari* era escrit en una llengua sense gaire olor ni sabor, en un idioma que semblava inventat i traduït. Els articles i les notes d'En Carner o de Bellafila traginaven una càrrega, per a les meves espatlles, excessiva d'arcaïsmes i de neologismes. Però Xènius eixamplava fins a límits mai abastats el temari dels nostres articulistes, i, de més a més, no era mai rústic, i Carner tenia el do de resuscitar els morts, de naturalitzar els estrangers i de redimir el captius: N'abusava, però és indiscutible que posseïa el geni de l'idioma" (C. Soldevila, 1967: 1584).

Cal comptar, doncs, amb el rerefons potser subconscientment destriat de les iniciàtiques lectures, el parcial mestratge D'Ors i Carner, el filologisme i la cura lingüística abans destacats i defensats per l'autor, per entendre el seu substrat escriptural. I amb què més? Domènec Guansé (1996: XX) remet a l'epigramàtic periodisme parisenc, insinuant i d'erudició controlada, més envers un tema o aspecte paral·lel que pel que fa al tens assumpte polèmic en què, això no obstant, podria entrar "... de biaix, inesperat, de summa eficàcia", preferentment, llavors, sobre els temes "... més corrents, tractats amb una mica d'*esprit*". I ens sembla cert perquè, amb tot aquest pòsit, va sorgint un articulista dotat d'una frase i d'un imaginari que, verbalitzat i argumentat, continua essent recognoscible en les seves novel·les. Creiem, a més, que també caldrà comptar amb el delerós lector de novel·la estrangera que segueix *devorant* llibres, ara madurament i intel·lectual, fins i tot amb un programa.

A favor d'aquesta tasca d'autoeducació i recerca literàries jugaria l'educació idiomàtica i cultural de Carles Soldevila. Ell mateix limita l'abast dels seus coneixements d'alemany i reconeix el seu "gal·licisme" lingüístic i cultural i ens explica ben bé el que fou i com es va desenvolupar la influència gal·la –la "... inclinació a la cultura francesa [...] per obra d'unes afinitats nadiues i en bona part irrevocables"– sobre ell i, per extensió, damunt d'un temps històric i els seus coetanis per als qui el francès "... va esdevenir un segon idioma" (C. Soldevila, 1967: 1553-1555). I si en algun moment l'escriptor enyorà una experiència parisenca, finalment va poder rescabalar-se amb una estada de cinc anys a París, reflectida en *El París que yo he visto* acabat de redactar el 1941, llibre en el qual constata l'existència d'una ciutat-mite, "... un mito que ha contaminado a todos sus componentes", i que, davant la pregunta d'on ha sortit, li farà contestar: "De los libros, evidentemente" (C. Soldevila, 1942: 10, 206). Al costat d'aquesta passió, s'ha de tenir també present el britanisme de l'autor provat per respecte literari aquí ja citat i sentit per adhesió de formes de vida, exemplificat per no pocs personatges de la seva obra –un cas, dels més notables, Maurici de la novel·la *Eva*– i ben explícit en el seu pseudònim periodístic *Myself*. Tingui's en compte, d'altra banda, l'activitat traductora del període d'entreguerres i la dinàmica coneixença de la vida editorial en altres idiomes, tant de títols originals com de traduccions intermediàries a altres llengües més conegudes. El volum de Carles Soldevila *Veinticinco años de librería (Apuntes de un dependiente)* (1949), en refer para-narrativament l'aventura de la Llibreria Catalònia, ens apropa a l'activisme català en aquesta direcció. Des de tertúlies per on passaren, a més dels assidus personatges de la vida catalana, de García Lorca a Keyserling o el ja esmentat Maurois, fins a la presència en els prestatges de bibliografia estrangera, tot això farà concloure al mixtificat venedor que escriu el seu dietari de llibreter: "Cuando vuelvo los ojos atrás y revivo el desarrollo de esta querida casa, el fervor que rodeó sus primeros pasos, la mezcla de popularidad y de snobismos que contribuyó a dilatar su influencia, lo íntimamente que se mezclaron sus avatares a los avatares literarios de Barcelona, no puedo por menos de decirme: Hemos servido de algo" (C. Soldevila, 1949: 29-30, 41-42, 11, 48).

Programa lector i impuls educador, personal i col·lectiu, portaren Carles Soldevila a escriure guies bibliogràfiques que recordarà com a "... revenja contra aquella orgia de males lectures", les citades dels seus orígens (C. Soldevila, 1967: 1585). *Què cal llegir. L'art d'enriquir un esperit. L'art de formar una biblioteca* (1928) nodrirà de teorització literària, dades històriques i consideracions socioliteràries –ampliadores de la informació que sobre aquests assumptes abans hem destriat sobretot a partir dels seus articles; vegeu el capítol II a propòsit del perfil del lector i del públic, *De les tres menes de lectors* (C. Soldevila, 1967: 1452-1455)–, i, en particular, de l'inventari de lectures els posteriors *El Arte de leer* (1935) i *Para comprender la literatura* (1943), volum aquest últim en què s'ajusta al nou estat polític; per exemple, quan ordena producció catalana i també gallega, l'encapçalà amb el rètol "En lenguas regionales" i, en canvi, fa desaparèixer de la llista la referència a la producció d'autors vivents, tot silenciant el present de les lletres catalanes (C. Soldevila, 1943: 125, 132, 123).

No remorejarem ara més sobre qüestions i aspectes a propòsit dels quals hem donat unes directrius bàsiques del discurs de Carles Soldevila. Tornant, però, a la relació entre lectures i l'empremta narrativa de i sobre l'autor, aprofitarem l'esmentada i exhaustiva llista del volum de 1928 per a resseguir els factibles llums que deixaren el seu reflex en la seva primera trilogia i en la que considerem la més important, la més perdurable de les seves novel·les, *Fanny*. El capítol cinquè (C. Soldevila, 1967: 1473-1482; aquesta redacció a *O.C* corregeix i amplia cronològicament la tria de 1928: 69-87), dedicat per complet a la novel·la, ens proporciona les següents pistes que és preferible examinar prioritàriament en funció de l'edició original de 1928, que ens situa davant d'un llegat de lectures que poden projectar-se en les creacions pròpies immediates. La lectura de les germanes Brönte que agradaria veure formar part d'aquell substrat, posem per cas, no apareix reflectida fins a la reedició de l'esmentada guia. Amb tot, aquest aclariment ens permet, d'entrada, constatar l'atenció de Carles Soldevila vers la narrativa de signatura femenina, cosa que el deixa apropar-se a la configuració literària de la dona des de la seva pròpia experiència i el seu discurs: Català, Pardo Bazán, Mme. de la Fayette, Mme. de Stäel, Sand, Colette, Austen, Eliot, molt aviat Mansfield, la Woolf de *Jacobs Room*, Serao, Deledda, Negri, Lagerlof, Michaelis. És clar que amb anterioritat bascularen sobre el lector-escriptor els grans retrats femenins de la novel·lística europea dels segles XVIII i XIX: Oller, Ruyra, Valera, Clarín, Galdós, Marivaux, Laclos, Hugo, Balzac, Lamartine, Aurevilly, Flaubert, Zola, Richardson, Hardy, James, Putxkin, Lermontof, Tolstoi, Dostoievski, Txèchov, Castelo-Branco, Eça de Queiroz. Xarxa d'incentius i de referències a partir de la qual, sense oblidar autors i títols instal·lats en la frontera dels segles –France, D'Annunzio o Hamsun–, Soldevila i la seva promoció literària pugen als altars els escriptors que fan seus, per immediatesa cronològica o per preeminent atenció a llur mestratge: Proust, Gide, Mauriac, Maurois, Romains, Joyce amb la seva *epatant* tècnica monologuística, contrastada amb la de Schnitzler a *Fräulein Elsa*, Heinrich Mann de *Professor Murat* –el posterior *Der Blaue Engel* del tàndem Sternberg –Dietrich–; i J.V.Foix i *Gertrudis.* Colla sagrada a la qual s'incorpora tota una nòmina de narrativa coetània, llavors atesa i exhibida, avui en dia considerada més de justificació i consum des de la pròpia època de producció entre els segles XIX i XX: de les lletres catalanes, Tomàs Roig i Llop amb *La noia de bronze*; de les franceses, Hémon, Riviere, Benoit, Morand, Tharaud, Duvernois, el Drieu la Rochelle d'*Un homme couvert de femmes*, desaparegut en la reedició de la guia; de les angleses, Swinnerton, Baring, Dreiser; de les alemanyes, Schickele, L.Frank. Assenyalarem que quan, abans d'aquests últims, s'ha destriat entre els *grans* seleccionats per Soldevila, és cert que apareixen Lawrence i Huxley des de l'edició de 1928, però la referència als respectius *Lady Chatterley's lovers* i *Point counter point*, d'hipotètiques incidències en Soldevila pels respectius erotisme i immediatesa espaciotemporal, no figuren fins la reedició del volum. Resta dir dues coses en aquest punt: que s'ha respectat l'ordre informatiu de literatures –la catalana en primer lloc– i d'autors segons Carles Soldevila i que, tot i poder semblar una relació excessiva, encara voldríem incorporar Müssil i les seves *Drei Frauen* i el nom de Ramón Gómez de la Serna que deu tenir en ment a l'hora de fer un parell de crides sobre la literatura castellana (C. Soldevila, 1967: 1280, 1285). Davant, doncs, tot aquest patrimoni literari el que queda per considerar és el següent: malgrat que Carles Soldevila pogués palesar la seva desconfiança respecte a les lletres catalanes coetànies, criteri autocorregible segons hem vist i en segons quins aspectes, l'autor confiava en la capacitat del llenguatge literari català per a fer seva tota aquesta escomesa de la modernitat literària i narrativa. En tornar sobre l'esmentat filologisme, Carles Soldevila (1967: 1277-1278) constata "... l'aparició i consolidació d'una gamma d'estils literaris en la qual els temperaments més diversos poden trobar, si no un model, una guia, una suggestió per arribar a formar l'expressió que pertoca a llur temperament", estils i camins on "... sols és qüestió d'entrar-hi i de treballar": el de Carner "ric i simple alhora" que permet incorporar models anglesos i francesos, el de Ruyra, "greu, amb mil gustos de mar i de terra", el "robust, clar, elegant" d'En Rovira i Virgili per a l'escriptura doctrinal o històrica, el que revela "la intel·ligència" i "el subconscient" de Martínez Ferrando i de Pla, el "periodístic" d'Esclasans i el de Llates, o el "bell estil sense grops" de Garcés. Els escriptors, joves i grans per alguna raó distanciats un temps de l'evolució de la literatura –cita Junoy i Puig i Ferrater–, conclou Carles Soldevila, tenen models on triar per assimilar-los i bastir el seu vehicle lingüisticoliterari.

Carles Soldevila triarà i bastirà la seva literarietat. Això formava part d'una dèria individual i de tot un programa o una plataforma sociocultural. El temps històric jugaria en contra d'aquella col·lectivitat, aturant el seu impuls ja realitat i desfermant els fonaments del seu present. L'intel·lectual que de manera tan profusa se'ns expressa sobre tants i tan variats temes, haurà de resituar-se de manera verbalment més mesurada vivint a l'Espanya postbèl·lica. Ja l'hem vist refer el seu inductor recompte de lectures i posar la literatura "en lengua española" al capdavant i després les escrites "en lenguas regionales"; també fer memòria històrica i enyorar ensems la trajectòria de la Llibreria Catalònia, deixant al seu voltant el document de tot un món cultural soterrat. L'hem vist, així mateix, acomodant-se de forma sistemàtica al bilingüisme, sense deixar-lo invair la seva tasca narrativa, la de la recopilació de la narrativa breu en el volum *Històries barcelonines* i la de les dues darreres novel·les. Quan fa biografisme, en el volum de 1951 i també en català, a l'hora de limitar-se a la infantesa, a la formació i als primers passos literaris de la joventut, afirma que acceptat i tot que "... el món actual no és gaire propici als plaers de la maduresa i menys encara a les assossegades delícies de la jubilació", "... això no vol dir que el meu deler s'hagi extingit" (C. Soldevila, 1967: 1627). *Món* immediat i *deler* intel·lectual li faran augmentar i tancar la segona trilogia i titular-la *Els anys tèrbols*. En el pròleg a l'últim lliurament Carles Soldevila (1967: 399-400), l'autor dels topificats cercles perfectament burgesos i autocomplaents, ens diu que veu els seus personatges –i ell mateix– "... ennavegats per unes mars sobtadament avalotades" i que per *lleialtat* i *fidelitat* a ells i "... a l'ambient en què els hauria fet moure" no podia donar-los l'esquena; més encara, havent madurat tots ells en plena exacerbació de la Història. Per això evoca novel·lescament vint anys, barreja informació directa i invenció literària i fa "... per evitar judicis rotundament temeraris àdhuc en les frases i en els gestos que he atribuït als personatges que no corresponen pas sempre al criteri de l'autor, sinó als naturals excitants de l'acció i la reacció". Aquesta és, potser, l'estratègia de pont que, entre dos cicles polítics i culturals d'una centúria i per a una mateixa societat que ha perdut el nord, es planteja Carles Soldevila quan decideix posar punt i final a la seva narrativa: "Em faig vell i he temut de deixar penjats els meus personatges. Ve-li aquí". Qüestió de consciència històrica.

Bibliografia

Edició de textos

SOLDEVILA, Carles (1928): *Què cal llegir? L'art d'enriquir un esperit. L'art de formar una biblioteca*, Barcelona, Llibreria Catalònia.

– (1935): *El arte de leer*, Barcelona, Cámara Oficial del Libro de Barcelona.

– (1942): *El París que yo he visto*, Barcelona, Ed. Argos.

– (1943): *Para comprender la literatura*, Barcelona, Dolmen

– (1949): *Veinticinco años de librería (Apuntes de un dependiente)*, Barcelona, Casa del Libro

– (1967): *Obres Completes*, pròleg de D. Guansé, cloenda de F. Soldevila, recopilació i notes de T.Tebé, Barcelona, Selecta

– (s.a): *La literatura*, Barcelona, Ed. G. P.

Història i crítica literària.

ARNAU, Carme (1982): *Pròleg* a *Valentina* de C. Soldevila, Barcelona, Edicions 62/ La Caixa, pàg. 5-10.

– (1987-a): *Crisi i represa de la novel·la*, Molas, J., dir., *Història de la Literatura Catalana*, Barcelona, Ariel, vol. 10, pàg. 9-101 [74-84].

– (1987-b): *Marginats i integrats en la novel·la catalana (1925-1938)*, Barcelona, Edicions 62, pàg. 85-115.

CAMPILLO, Maria, CASTELLANOS, Jordi (1988): *La novel·la*, Molas, J., dir., *Història de la Literatura Catalana*, Barcelona, Ariel, vol. 11, pàg. 45-117.

CARNER, Josep (1967): *Pròleg a la primera edició de "L'abrandament"*, a *Obres Completes* de C. Soldevila, Barcelona, Selecta, pàg. 3-5.

FUSTER, Joan (1978): *Literatura catalana contemporània*, Barcelona, Curial.

GUANSÉ, Domènec (1967): *Pròleg* a *Obres Completes* de C. Soldevila, Barcelona, Selecta, pàg. XI-XXXI.

MOLAS, Joaquim (1966): *La literatura de postguerra*, Barcelona, Rafael Dalmau ed.

RIBA, Carles (1985): *"L'abrandament", novel·la de Carles Soldevila, Una generació sense novel·la, Contes de Carles Soldevila, Crítica, 1, Obres Completes*, ed. a cura d'E. Sullà, Barcelona, Edicions 62, vol. II, pàg. 99-101, 311-319, 332-335.

– (1988): *Entorn de la crítica, Crítica III, Obres Completes*, ed. a cura d'E. Sullà, Barcelona, Edicions 62, vol. IV, pàg. 19-21

TASIS I MARCA, Rafael (1935): *Una visió de conjunt de la novel·la catalana*, Barcelona, Publicacions de "La Revista".

– (1937-a): *La literatura catalana moderna*, Barcelona, Comissariat de Propaganda de la Generalitat de Catalunya.

– (1937-b): *La littérature catalane moderne*, Barcelona, Comissariat de Propaganda de la Generalitat de Catalunya.

– (1954): *La novel·la catalana*, Barcelona, Dalmau i Jover Editors.

TRIADÚ, Joan (1982): *La novel·la catalana de postguerra*, Barcelona, Edicions 62.

YATES, Alan (1984): *Una generació sense novel·la?*, Barcelona, Edicions 62.

LA RAÓ EN ELS TEMPS DE LA COCA-COLA (LA DESINTEGRACIÓ DEL MITE DE BEARN A *LES FURES*)

Pere Rosselló Bover

Universitat de les Illes Balears

La màquina: la gran meretriu

Segons les «Notes autobiogràfiques», publicades per Damià Ferrà-Ponç,[1] l'any 1965 Llorenç Villalonga ja havia acabat la redacció de *Les Fures*, una de les seves novel·les menys estudiades i, això no obstant, més reeixides. El llibre no va aparèixer fins dos anys més tard a Edicions Proa, i no a El Club dels Novel·listes on en aquells anys sortien totes les seves obres, perquè la novel·la era massa curta.[2] El punt de partida és remotament autobiogràfic: el sojorn de l'autor cap al 1906 a Bunyola, al número 3 de la casa del carrer de Sant Antoni, per guarir-se d'una malaltia infantil. L'escriptor mateix ens ho confessa i ens ofereix l'equivalent al món real d'alguns escenaris i personatges:

> «La meva senyoràvia, Catalina Muntaner i Sancho, vivia a Bunyola en una posada que tenia en el carrer de Sant Antoni. Jo havia estat malalt i m'enviaren a fer salut a la casa de la senyoràvia de Bunyola. De nin havia passat algunes temporades a la possessió dels Cocons, també a Bunyola, que a *Les Fures* apareix amb el nom de Sa Coma. S'Estaió, però, és imaginari.
> La novel·la és plena de transposicions de personatges reals. Quan d'al·lot estava per Bunyola vaig conèixer dues filles d'un metge de la vila que vivien recloses a casa seva, gairebé sempre amb el llum apagat. La nina de Coloma era una al·loteta que jugava amb mi per Bunyola. I Tonina una pagesa bunyolina d'ulls verdosos, rossa i agradosa. Xim era el ferrer del poble; em

1. «Notes autobiogràfiques de Llorenç Villalonga, recollides per Damià Ferrà-Ponç». *Randa*, 15 (1983), pàg. 131-168. [Recollit a: *Escrits sobre Llorenç Villalonga* (Barcelona, Universitat de les Illes Balears: Departament de Filologia Catalana i Lingüística General i Publicacions de l'Abadia de Montserrat, 1997), pàgs. 99-157.]

2. «*Les Fures* ja estava enllestida l'any 1965. Com que resultava una novel·la massa curta per a les edicions de Joan Sales, fou publicada a les Edicions Proa.» *Ibidem*, pàg. 139. Jaume Pomar es refereix a les circumstàncies de l'edició i al poc ressò que va tenir un cop publicada: «Donat que l'obra era curta per al model habitual del Club Editor, Joan Sales renuncià a publicar-la. I quan Pere Quart –Joan Oliver– vingué a Palma el maig de 1966, aconseguí l'original per a Edicions Proa de l'editorial Aymà, que dirigia. S'edit判 la tardor de 1967, i fou rebuda sense pena ni glòria per la crítica del Principat. Potser la imatge de Villalonga havia estat encasellada dins uns paràmetres que *Les Fures* trencaven.» Jaume POMAR, *Llorenç Villalonga i el seu món* (Binissalem: Di7 edicions, 1998), pàg. 147.

vaig fer amic seu i m'ensenyà a nedar dins un safareig. Francesc Camps correspon al vicari de Bunyola de quan jo era nin, que ens donava classes de Doctrina Cristiana. El descobriment d'un lladre a través de la intuïció psicològica correspon al que féu Na Coloma Pons, una criada nostra de Binissalem. Per deducció endevinà que l'autor d'un robatori a la nostra casa de Binassalem havia estat un tal Coixet.»[3]

Per aquest caràcter parcialment autobiogràfic, *Les Fures* ha estat situada sovint al costat de *Falses memòries de Salvador Orlan*, novel·la que es publicà el mateix any. Tanmateix, la pretensió autobiogràfica és més feble del que hom pot creure i, en tot cas, es limita només a la primera part. A *Les Fures* el novel·lista mallorquí sobretot ens vol comunicar el xoc entre dos moments històrics –i, per tant, dues maneres de pensar–, viscuts per ell, absolutament oposats: la Mallorca de principis de segle, idealitzada perquè pertanyia al passat i era irrecuperable; i la Mallorca del moment de l'escriptura, dels anys 60, que, com tot Occident, ha caigut sota el domini del capitalisme i de la societat de consum: «*Les Fures* representa la destrucció d'un món. A la primera part veiem Bunyola com una Arcàdia. A la segona, el paradís rural mor ofegat pel progrés tècnic. La primera part mostra l'encant de la infantesa. Però a l'altra el narrador s'adona que el món meravellós dels infants ja s'ha esvaït.»[4] Joaquim Molas, que a l'assaig que encapçalava les primeres obres completes villalonguianes va encetar les línies mestres per a l'estudi de l'escriptor mallorquí,[5] remarcava que a les cinc primeres obres del nostre autor es reflecteix el xoc entre una «societat indígena, impermeable i reprimida» i una altra «cosmopolita i esnob»,[6] amb unes formes de vida més lliures i més obertes. En aquestes obres, ja hi trobam el conflicte entre una societat tradicional, en vies de desaparició, i una altra nova, fruit de les influències del món exterior, que ha de substituir la primera. Al capdavall, la crítica a la deshumanització del món modern és una variant d'aquesta constant, que ja es detecta a *Mort de Dama*.

Amb el temps, però, el refús contra la nova societat a què la tecnologia ha duit sembla adquirir volum i, de cada vegada, es fa més obsessiu. A partir dels anys 60, quan l'escriptor ha entrat en la vellesa, adquireix un to més àcid, que fins i tot produeix el retorn de Villalonga al conreu de la sàtira. La seva crítica contra el món modern ja no respon a un sentiment d'enyorança o a la idealització d'altres èpoques anteriors. No és fruit tampoc de la lectura de filòsofs com Oswald Spengler o José Ortega y Gasset, llegits abans de la guerra; sinó que és una conseqüència de l'observació del món immediat i de la constatació que, finalment, el *canvi* s'ha fet realitat. A partir d'aquest moment, Villalonga emprèn una autèntica creuada contra el món modern en els seus articles, contes i novel·les. I no es cansa d'insistir-hi fins que

3. «Notes autobiogràfiques de Llorenç Villalonga»..., *op. cit.*, pàg. 139.

4. *Ibidem*, pàg. 138.

5. Joaquim MOLAS: «El mite de Bearn en l'obra de Villalonga» a: *Obres Completes. El mite de Bearn*, de Llorenç VILLALONGA, tom I. (Barcelona, Edicions 62, 1966), pàg. 7-29.

6. *Ibidem.* Citam segons la reedició a: Joaquim MOLAS: *Obres Completes. Obra crítica/1* (Barcelona, Edicions 62, 1995), pàg. 397-398.

l'arteriosclerosi li impedeix escriure. La sèrie «Cartas sociales mallorquinas», uns escrits periodístics apareguts a *El Correo Catalán* (i també a *Última Hora*), en són l'exemple més clar. Igualment, tot el cicle de la Lulú (*La gran batuda*, 1968; *La Lulú o la princesa que somreia a totes les conjuntures*, 1970; i *Lulú regina*, 1972) és una paròdia del món d'avui, en què Villalonga se sent incòmode i fora de lloc. Ara el seu enemic és el «progrés», la tecnologia que, des de mitjan segle XIX, ha anat canviant la fesomia del nostre món. Més que no pas les ideologies o els esdeveniments històrics, els invents han portat la desaparició d'uns costums i d'uns valors.

Tot i que els plantejaments crítics de Llorenç Villalonga puguin ésser titllats de reaccionaris, no ens ha d'estranyar que coincideixin amb moviments moderns com l'ecologisme. N'és un exemple el fet que el 1972 es manifesti d'acord amb l'essència del «Manifest per la supervivència», que havia aparegut a la revista *The Ecologist*:

> «El ocaso del modo de vivir industrial, con su eterno prurito de expansión, la tan traída y llevada sociedad de consumo –perdón: de despilfarro–, parece inevitable. [...] Los crímenes contra la ecología y el afán de lucro y despilfarro (los pecados de Babilonia, la gran meretriz, diría Juan Evangelista, se pagan muy caros). La vida a base de ir destruyendo la Naturaleza y fabricar artefactos industriales, cuya fabricación agotara las materias primas y llenara –lo está haciendo ya– el mundo de escorias y contaminara las aguas y la atmósfera, ha escrito recientement Álvarez Turiento en "Tribuna Médica", puede acabar de hecho con la Naturaleza, de la que formamos parte.»[7]

Villalonga comprèn que l'home, en el seu afany de dominar la naturalesa i fer-se la vida més fàcil, ha introduït un desequilibri imparable. Erròniament, aquest desequilibri ha estat denominat amb el nom de «progrés». L'objectiu de l'ésser humà ha resultat paradoxal, atès que la lluita contra la natura, només pot conduir a la seva destrucció i, per tant, a la desaparició de l'espècie o, àdhuc, de tot el planeta. Per això, el nostre escriptor alerta del perill de l'augment de la població mundial, que ens emmena a una desproporció entre el creixement del nombre d'habitants i el dels recursos alimentaris. Com a conseqüència, a curt o a llarg termini, només ens pot esperar la catàstrofe:

> «El triunfo del "homo sapiens" (que no es suficientemente sabio) presagia la derrota y la soledad. Triunfador, el sabio a medias, sojuzga la fauna y la flora, extermina el león, el mosquito y la caza, destruye los bosques, contamina las aguas, con las alcantarillas y con los detritus de sus industrias, envenena la atmósfera... Las grandes urbes, después de fascinar a las gentes sencillas, se van haciendo monstruosas e inhabitables; los alimentos son en general de pésima calidad, a base de conservas.»[8]

Villalonga reforça aquestes idees amb opinions de filòsofs moderns de prestigi reconegut: com Bertrand Russell, Herbert Marcuse o Levi Strauss, sense deixar d'esmentar Waldo Frank i, naturalment, Oswald Spengler, que havia llegit abans de la

7. Lorenç VILLALONGA: «La máquina: la gran meretriz (y II)», *El Correo Catalán* (17-10-1973).
8. Llorenç VILLALONGA: «Ecología», *El Correo Catalán* (7-12-1971).

Guerra civil. Sobretot coincideix amb aquells que afirmen que l'avanç científic i tecnològic no serà positiu mentre no vagi acompanyat d'un autèntic progrés humanístic, és a dir, d'una vertadera saviesa. «Waldo Frank –escriu en un altre article de 1970–, como la iglesia de antaño, nos recuerda que en un mundo donde los adelantos (léase la máquina) son manejados por voluntades anárquicas, no integrados en una totalidad humana, no pueden significar otro progreso que el progreso del caos.»[9] El gran error de l'home modern ha estat apoderar-se, com Prometeu, del foc dels déus sense saber-ne fer l'ús adequat i el seu càstig serà morir devorat per aquest mateix foc que ha robat i que ara estúpidament dilapida. Villalonga sap que les masses del món capitalista, avesades a la pseudollibertat del liberalisme, seran incapaces de renunciar a les «comoditats» i als «avanços» que la publicitat els ofereix constantment, tot i que el preu sigui la destrucció del planeta. Només seran capaços d'aquestes renúncies alguns grups que practiquen l'automarginació, com els «hippies» –«hippies i hawkies» que, segons diu a *La bruixa i l'infant orat*, «propugnen un retorn a l'època paleolítica»[10]–, als quals atorga el paper de «profetes» o oracles apocalíptics que, tanmateix, no seran escoltats ni pels poderosos ni per les masses. «Como ocurrió en mayo de 1968 –explica el nostre autor–, cualquier De Gaulle les hará callar en veinticuatro horas y miles de manifestantes se pronunciarán contra ellos en los Campos Elíseos.»[11] Només els règims polítics autoritaris podran evitar els mals de la tecnologia:

> «Para los que fuimos criados en un ambiente liberal, en una "sociedad permisiva", el trance será amargo, pero habrá que vivirlo. El remedio se llama autoridad y disciplina, porque las austeras medidas que se preconizan en el "Manifiesto para la supervivencia" sólo podrán llevarse a efecto mediante gobiernos fuertes y policíacos. En Rusia y países satélites, saben algo de eso y en Chile la caída de Allende ha demostrado que un régimen anárquico (valga la paradoja) entre demócrata y marxista, no conduce a conclusiones muy felices.»[12]

Llorenç Villalonga que, tot i haver col·laborat activament amb el feixisme durant la Guerra civil, des dels anys de la postguerra es declarava un vell liberal, a l'estil dels il·lustrats del segle XVIII, s'adona que aquest model de vida, de societat i de pensament ha arribat a la seva fi. Segons Spengler, després de les etapes de «primavera» i d'«estiu» –corresponents als pensaments miticoreligiós i filosoficocientífic, respectivament–, les civilitzacions entraven en una etapa de «tardor», caracteritzada per la confiança en l'omnipotència de la raó, a la qual segueix la decadència de l'«hivern», dominada per les concepcions materialistes, escèptiques i pragmàtiques. Villalonga creu que, per l'evolució del sistema mateix, hem arribat a aquesta quarta estació, preludi de l'extinció definitiva. El liberalisme, en la seva fase final, necessàriament ens ha de dur al totalitarisme, car els extrems sempre es toquen en "la filosofia del lluç que es mossega la cua".

9. Llorenç VILLALONGA: «La ciencia experimental en la encrucijada», *El Correo Catalán* (19-11-1970).
10. Llorenç VILLALONGA: *La bruixa i l'infant orat* (València: Eliseu Climent editor, 1992), pàg. 176-177.
11. Llorenç VILLALONGA: «Ecología», *op. cit.*
12. Lorenç VILLALONGA: «La máquina: la gran meretriz (y II)», *op. cit.*

Bearn: un paradís condemnat a desaparèixer

Les Fures és una novel·la difícil de situar en el conjunt de l'obra villalonguiana, car permet relacionar-la amb altres peces molt diverses. Ja hem vist com, pel punt de partida autobiogràfic era col·locada al costat de *Falses memòries de Salvador Orlan*; però, per la crítica de la societat moderna, es podia relacionar amb *La gran batuda, La Lulú* i *Lulú regina*. Així mateix, Jaume Vidal Alcover l'emparenta amb alguns dels *Desbarats* –els de la segona part del volum editat per Dædalus el 1965, que s'apropen al denominat «teatre de l'absurd»– i, sobretot, amb *Andrea Victrix*, car totes aquestes obres coincideixen en la idea que «el progrés és una estupidesa, la "modernitat" és una ximpleria i els avenços de la ciència no avancen res més que l'hora de la mort.»[13] Jaume Pomar, tot i admetre la intenció elegíaca i les notes autobiogràfiques presents a *Les Fures*, subratlla la distància que separa aquesta novel·la de les obres del mite de Bearn: «malgrat que el nom del poble ens pugui suggerir una mena d'apèndix del mite de Bearn, és evident que aquesta novel·la se situa clarament dins tot un altre vessant de la producció villalonguiana: el que volia aplegar en el segon tom d'obres completes amb el títol de *La raó i els esperits,* però no fou possible.»[14] Ara bé, *Les Fures* no transcorre a Bearn per casualitat. L'elecció d'aquest indret ens sembla que és molt més important del que la crítica ha volgut creure. Sinó, per què no fa passar l'acció a Fontnova, com a *Falses memòries*, o en el Campanet de *La bruixa i l'infant orat*? No oblidem que, a més, en la construcció del Bearn de *Les Fures*, hi prenen part –com ocorre a *Bearn o la sala de les nines*– tant el record de la Bunyola de la infància, com el poble de Binissalem, descobert després del casament de Llorenç Villalonga amb Teresa Gelabert, com ha assenyalat Jaume Vidal Alcover:

> «El Bearn de *Les Fures* ja és un Bearn de transició entre Bunyola i Binissalem. Per una banda, hi ha un carrer que és una "espècie de cornisa amb cases a mà esquerra i oberta a la dreta damunt una vall d'ametllers" (p. 22), que evoca Bunyola; però llavors hi ha una vicaria davora l'església, "un edifici cubista que desentona amb la plaça devuitesca i amb l'abeurador barroc" (p. 101), que és ben bé Binissalem. Però quan diu "El viatger que, després de llegir aquesta narració, vulgui conèixer el meu poble natal no hi veurà res del que he descrit: li mancarà la llunyania d'aquells anys a través dels quals he anat elaborant les vivències que s'oferien a una mentalitat de nin. Bearn és la imatge del Paradís Perdut, i només cobra valor perquè ja no existeix" (p. 70-71), torna pensar en Bunyola.»[15]

Sense negar les diferències d'intenció que separen el mite de Bearn de *Les Fures*, creiem que Villalonga emmarca aquesta novel·la en el que era l'espai mític per excel·lència de la seva obra per tal de subratllar-ne precisament el caràcter de paradís perdut. I, per això mateix, hi introdueix algunes referències als mítics se-

13. Jaume VIDAL ALCOVER: *Llorenç Villalonga i la seva obra* (Barcelona: Curial, 1980), pàg. 192.
14. Jaume POMAR: *Llorenç Villalonga i el seu món, op. cit.*, pàg. 147.
15. Jaume VIDAL ALCOVER: *Llorenç Villalonga (o la imaginació raonable)* (Palma: Ajuntament de Palma, 1984), pàg. 33.

nyors de Bearn, don Toni i dona Maria Antònia. Ara es tracta d'explicar-nos com és Bearn després de Bearn, com és el paradís després de deixar d'ésser un paradís i precipitar-se cap a la desaparició definitiva. Jaume Pomar mateix relaciona ambdues obres quan afirma que, «Si *Bearn* mostrava el procés de decadència dels senyors de la ruralia mallorquina, *Les Fures* mostrava el final d'unes formes de vida camperoles, engolides pel pas del temps devastador, inexorable, i per l'avanç de la civilització mecanitzada i tecnològica.»[16]

Als anys 50, quan es publiquen les obres clau del mite (*La novel·la de Palmira, Bearn o la sala de las muñecas, Faust, El lledoner de la clastra*), Bearn ja constituïa un paradís condemnat irremissiblement a la desaparició. Però, tot i que la seva sentència ja estàs signada, encara sobrevivia, si bé a contracorrent i en un racó allunyat d'una illa apartada. La seva condició paradisíaca no provenia ni de la bellesa del paisatge ni de la placidesa de l'existència, sinó del fet de conservar unes maneres de viure, d'ésser i de pensar que ja no existien més enllà dels seus límits. Precisament, el fet d'estar condemnat a desaparèixer és el que fa de Bearn un paradís, «perquè –com diu Marcel Proust– els vertaders paradisos són els paradisos perduts». Bearn és un mite perquè conté en si mateix la idea de desaparició, sense la qual no ho seria. *La novel·la de Palmira* (1952) introdueix un episodi ambientat en el futur, el 1980, quan la invenció de la panmorbosina allarga la vida dels individus, tot impedint-ne les malalties. I a *Bearn o la sala de les nines* (1956/1961) ens avança les conseqüències d'algunes de les grans invencions del segle XIX (el correu, el tren, el globus o el telèfon). La primera part, com *Faust*, la versió teatral, acaba quan els senyors de Bearn s'estavellen amb el rudimentari automòbil contra la foganya, perquè don Toni no el pot aturar. Tot un símbol de la manca de domini de l'home sobre la tecnologia i la ciència.

Tanmateix, l'ànima de Bearn és indestriable del personatge de don Toni, el «senyor» arruïnat que practica jocs malabars amb la raó, amb les idees i amb les paraules, sense cap pretensió de descobrir la veritat absoluta, en la qual tanmateix no creu. Amb la seva mort, Bearn deixarà d'ésser el que era: s'esvairà com un somni, incomprensible per a les generaciones futures. La raó era un ordre capaç de donar una explicació del món i un sentit a la vida. Però en la nova societat s'imposa ja no té cap valor.

Les Fures: una «rèplica» de *La minyonia d'un infant orat*?

Als anys 60, amb la transformació experimentada per la societat mallorquina amb la indústria turística, Villalonga constata la impossibilitat de la supervivència

16. Jaume POMAR: *Llorenç Villalonga i el seu món, op. cit.*, pàg. 146.

d'uns costums, d'uns valors, d'unes maneres de viure. Aleshores confirma que definitivament Bearn ha mort. La nostàlgia del nostre autor no obeeix a un temperament elegíac, a raons purament sentimentals, ni molt menys a motius polítics de caire nacionalista o ecologista. Tot el contrari: Villalonga és un pessimista convençut, que fins i tot troba arguments per reforçar la seva manera de pensar en els autors clàssics de l'antiguitat. L'Edat d'Or inicial, on la vida humana era fàcil i plàcida, l'Arcàdia perduda i irrecuperable esdevindrà un referent constant, que fins i tot es farà palesa en un relat breu, *Aquella perduda Arcàdia*.[17] L'Escola Mallorquina, en connexió amb el regionalisme catòlic de Torras i Bages, havia explotat el mite de l'Edat d'Or, que encara veia perdurar en la vida camperola illenca. El mite havia fornit molts de poemes, però sobretot havia quallat en les proses autobiogràfiques de *La minyonia d'un infant orat* (1935), de Llorenç Riber. En la seva aparició Villalonga va publicar una ressenya[18] –que conté una certa dosi d'ironia barrejada amb la vera admiració– del llibre de Riber, en la qual subratlla l'estaticitat i la manca de problemàtica psicològica de l'obra: «uno de los libros más serenados, artísticos y llenos de gracia de la actual literatura catalana», una «obra trabajada a tintas planas, sin problemas psicológicos, sin inquietudes, donde fluye una existencia casi vegetativa, llena de impulsos orgánicos y de atisbos poéticos y periféricos...»[19] Més tard, després de la mort de l'escriptor de Campanet, Villalonga en va parlar en diverses ocasions en els seus treballs a la premsa.[20] *La minyonia...*, a més d'una obra mestra del classicisme regionalista –tan ridiculitzat per Dhey a *Mort de Dama*–, és el retrat ideal d'un model de societat que ja no existeix –si és que va existir mai–.

Els paral·lelismes entre *Les Fures* i *La minyonia...* provenen, per un costat, del tractament de la infantesa perduda i, per un altre, de l'elecció d'un racó aparentment idíl·lic, allunyat de les perversions del món modern, com a escenari de l'acció. L'Edat d'Or que Riber creia veure en el Campanet idealitzat de la seva infància era fruit d'un procés cultural, d'una (de)formació intel·lectual i, al capdavall, del propòsit d'ocultar una realitat present molt més conflictiva i desagradable. Villalonga, en canvi, no amaga la crueltat –per exemple, en l'actitud del poble envers les Fures– ni els defectes dels temps antics: simplement, es limita a encarar l'ahir amb l'avui per tal que, de la comparació, en traguem les conseqüències oportunes. Per aquest motiu, construeix una novel·la dividida en dues parts, corresponents al passat i al present, que són les dues cares de la moneda, les dues «veritats» de Bearn. Amb *Les Fures* Llorenç Villalonga elabora una «rèplica» al llibre de Riber i, alhora, li ret homenatge en constatar que aquest món ideal s'ha esvaït per a sempre. Villalonga

17. Lorenzo VILLALONGA: «Perdida Arcadia». *Baleares* (14-1-1962).

18. Segons Jaume Vidal Alcover, aquest article sobre *La minyonia d'un infant orat* «pareix el comentari a una peça folklòrica en una llengua morta, i només se salva perquè el comentarista és el propi Llorenç Villalonga, que, si carrega la nota de referències literàries, també hi posa qualque cosa de substància pròpia.» Jaume VIDAL ALCOVER: *Llorenç Villalonga (o la imaginació raonable) op. cit.*, pàg. 36.

19. Lorenzo VILLALONGA: «La minyonia d'un infant orat». *Brisas*, 16 (agost 1935), pàg. 64

20. Lorenzo VILLALONGA: «En la muerte de Mossén Riber». *Baleares* (16-10-1958); Lorenzo VILLALONGA: «Mossén Riber, ejemplo y reproche». *Baleares* (14-5-1959); Llorenç VILLALONGA: «Llorenç Riber. Entre el lirisme i la retòrica». *Lluc*, 631 (novembre 1973), pàg. 19.

encara farà més palès el vincle amb *La minyonia*... a la novel·la que deixà inacabada, *La bruixa i l'infant orat* (1992), on, altre cop, insisteix en l'ensorrament d'una època molt millor, dominada per la raó. Com ha notat Vicent Simbor, el lligam entre *Les Fures* i *La bruixa i l'infant orat* –a més de coincidir en l'atac furibund contra el progrés tecnològic modern– es palesa en el fet que el narrador d'aquesta afirma ésser l'autor d'aquella novel·la, així com d'uns articles titulats «El comunismo en Medicina», que foren publicats a *El Día* l'any 1929. De fet, *Les Fures* i *La bruixa i l'infant orat* «semblen en aquest sentit una pura continuació», car «comparteixen el mateix narrador, a més a més del mateix espai ficcional i, encara, fragments sencers de *Les fures* dins *La bruixa i l'infant orat*, sota l'excusa d'aprofitar el narrador un llibre seu de *Notes*, els quals refermen els llaços dels respectius universos diegètics.»[21]

Les Fures ens mostra el darrer estadi del Bearn antic, en el qual la memòria de don Toni i de dona Maria Antònia encara segueixen vius, i el primer del nou, on la població sembla haver embogit a causa del consumisme. Mitjançant referències als antics senyors de Bearn, se subratlla el lligam d'aquesta novel·la amb el mite bearnesc. L'autor es refereix a la possible pertinença de don Toni a la maçoneria; relata l'episodi en què el vicari nou els tracta de família «devota» i no de «noble»; esmenta la fuita del senyor de Bearn amb la seva neboda, dona Xina; etc. Al capdavall, les referències als senyors li serveixen per demostrar l'essència del seu poder, que resideix sobretot en la capacitat màgica i evocadora del nom de Bearn. Al mític don Pere de Bearn, primer rector del poble al segle XV, que s'havia enfrontat amb el bisbe, s'oposa el vicari jove que volia permutar la posada de Bearn amb la vicaria. Però, amb l'arribada dels temps moderns, la distància entre els senyors i el poble s'ha acurçat i, en conseqüència, el seu poder ha minvat, perquè l'essència del senyoriu només és una qüestió de perspectiva.

Des del principi de *Les Fures*, Villalonga ens descriu Bearn com un paradís perdut, vinculat a una infantesa també esvaïda: «A Bearn vaig passar els anys millors de la infantesa. Sabem que la Humanitat és desventurada, que la Història és un aplec de crims, i que Pascal ens considera abandonats dins una illa deserta, sense objectiu ni nord... Tot això pot ésser veritat, però en el meu record Bearn segueix essent una Arcàdia» (pàg. 21).[22]

Ara bé, el seu caràcter paradisíac no rau en la bellesa del paisatge –que, al capdavall, és subjectiva–, sinó en la manera de viure dels seus habitants. Bearn és «un llogaret d'antany, encara sense el martiri de les ràdios i les motocicletes, de només un centenar de cases, petites i colrades, emparades per una església antiga,

21. Vicent SIMBOR: *Llorenç Villalonga a la recerca de la novel·la inefable* (València/Barcelona: Institut Interuniversitari de Filologia Valenciana i Publicacions de l'Abadia de Montserrat, 1999), pàgs. 271-272.

22. Citam, per comoditat nostra, l'edició de *Les Fures* d'Editorial Proa (Barcelona: 1967). El lector la trobarà recollida al volum 3 de les *Obres Completes* de Llorenç VILLALONGA (Barcelona: Edicions 62, 1998), pàg. 97-217.

immutable i nova, igual que quan la construïren» (pàgs. 21-22). En conjunt, res que singularitzi aquest poble de tants d'altres. A diferència dels poetes de l'Escola Mallorquina, formada en la tradició romàntica, l'esperit clàssic i antiromàntic del nostre autor, el paisatge no li interessa en absolut. Llorenç Riber comença *La minyonia d'un infant orat* amb una descripció idíl·lica del paisatge del seu poble, la bellesa del qual constituïa la «riquesa única» de l'escriptor:

> «Primerament, un respatler de muntanyes blaves i altres, tan blaves i tan altes que llurs cims se confonien i s'esblaimaven en la fraterna blavura del cel. Després, un onatge de turons suavíssims, amb cabellera de pins que anaven en rost a morir en la planura granívola, vestida d'ametlers, de figueres i de garroverals. Una trama de caminois bruns i fressats que anaven a perdre's com rierols eixuts i torts en la carretera reial, igual i blanca. En la llunyania, muntanyoles tapades de verdor; damunt cada muntanyola, un poblet; damunt cada poblet, torterolets de fum; entre els torterolets de fum, un campanar; i entorn de cada campanar, al cap-al-tard i al matí, les nou colomes d'argent que canten l'Ave Maria. I a mà esquerra, per un freu que fan les muntanyes, el somrís nacrat de la mar llunyana.»[23]

Per contra, Villalonga, a l'hora de dibuixar el paisatge bearnesc, el seu «llogaret d'ègloga», fuig d'estudi i, en lloc de lliurar-se a la tasca de descriure'l, introdueix una reflexió absolutament contrària al paisatgisme literari:

> «Vet aquí el poble. ¿I què direm del paisatge en què s'assenta aquest llogaret d'ègloga? Fins a Rousseau i Bernardin de Saint-Pierre, el paisatge ha comptat poc en literatura. Els romàntics l'inventaren i l'esgotaren tot d'una. El paisatge són arbres, terres, roques: objectes inanimats, o quasi, iguals avui que en temps dels romans, descrits ja una vegada per sempre. El dramatisme d'una història no està en el regne vegetal ni en el mineral. És de l'home, que cal ocupar-nos. Si he parlat de l'església, de la posada de Bearn o de l'abeurador barroc de la plaça, és perquè darrera aquestes coses hi ha, en carn viva, l'home que les ha creades. Darrera les muntanyes hi ha la mà de Déu –eterna, immutable– i a nosaltres només ens toca emmudir» (pàg. 25).

D'aquí que el caràcter idíl·lic de Bearn no es degui a l'harmonia o a la placidesa del paisatge, de la natura, sinó a la projecció del tarannà dels seus veïns: «La naturalesa a Bearn és dolça, harmònica com el caràcter dels seus habitants» els quals, a diferència del que George Sand va dir dels mallorquins a *Un hiver à Majorque*, «són precisament models de cortesania, equànimes i assenyats» (pàg. 25). Villalonga sembla establir una relació entre l'home i el medi, molt propera al determinisme, que explica la manera d'ésser dels pobladors de l'illa: la Serra de Tramuntana els protegeix dels vents freds del nord que arriben d'Europa –una idea que sembla extreta del poema *La Serra*, de Joan Alcover[24]– i la mar impedeix l'arribada d'Àfrica dels simuns ardents, de les arenes i de les formigues africanes. Fins i tot, bo i seguint un tòpic que ja es troba en alguns clàssics llatins, Villalonga afirma que els escorpins

23. Llorenç Riber, *La minyonia d'un infant orat* (Palma: Editorial Moll, 1974), pàg. 9-10.
24. Vegeu Josep A. Grimalt: nota 1 a Llorenç Villalonga: *La bruixa i l'infant orat, op. cit.*, pàg. 47.

procedents del desert saharià quan són duits a l'illa perden el seu verí.[25] Finalment, en una síntesi dels tòpics més fressats, Villalonga remata la seva descripció de Bearn amb aquest breu inventari, amb el qual sembla ironitzar sobre la poesia i la pintura mallorquines més convencionals: «pins i oliveres mil·lenàries als costers de les muntanyes, ametllers florits al pla, ovelles i remors de picarols pertot arreu...» (pàg. 25). En resum, un espai tan plàcid que, si hi ocorre algun «crim medieval» o «alguna tragèdia grega», només es pot imputar a «un accident excepcional» (pàg. 25).

Bearn serà un paradís mentre no canviï la manera d'ésser i de viure de la seva gent, mentre els bearnesos segueixin essent, «a més de cortesos, uns primitius de la raó» (pàg. 28). O, vist d'una altra manera, mentre els ulls que el miren el sàpiguen veure com un *locus amœnus*. El narrador-protagonista de *Les Fures* comprèn la seva manca d'objectivitat en parlar d'aquest Bearn, que ja només existeix en el record:

> «Potser qualcú trobarà estrany que a Bearn quasi tot fos impregnat de poesia i tan grat com ho pint [...] És natural que no pretenc esser objectiu. El viatger que, després de llegir aquesta narració, vulgui conèixer el meu poble natal no hi veurà res del que he descrit: li mancarà la llunyania d'aquells anys a través dels quals he anat elaborant les vivències que s'oferiren a una mentalitat de nin. Bearn és la imatge del Paradís Perdut, i només cobra valor perquè ja no existeix» (pàgs. 70-71).

Igualment, al final del primer capítol de la segona part el narrador ens alerta del canvi que notarem al Bearn que ara hi retrata: «Alerta, lector. Objectivament, el Bearn que veuràs en aquesta segona part et resultarà tan arbitrari com el Bearn ple de tendresa de la primera. Tots dos, però, són reals dins l'esperit» (pàg. 104). És a dir, el retrat de Bearn no respon a una realitat objectiva, sinó que exclusivament és fruit de la subjectivitat del narrador. Per tant, en el fons, hi ha una coincidència amb Llorenç Riber, el qual, tot seguint un vers de Verlaine, es considerava «Riche de mes seuls yeux tranquilles». Es tracta d'una riquesa que resideix en el subjecte i no en l'objecte, en la «mirada» i no en allò que es mira. Però, si és així, no són també subjectives les crítiques contra el món modern, que potser algun dia també semblarà idíl·lic als homes de demà? Per aquesta raó Llorenç Villalonga posa la seva història en boca d'un personatge que narra els fets des de la perspectiva de l'adult i, per tant, des de la certesa de l'esvaïment del Bearn que ha conegut quan era infant. «Era encara un infant quan vaig conèixer les Fures, mortes temps després en les circumstàncies que explicaré» (pàg. 21), diu la primera frase de la novel·la, que es clourà precisament amb la desaparició de les dues dones que rebien aquest malnom.

El fet que tota la primera part de la novel·la relati la minyonia del narrador-protagonista, un al·lot que està a punt de complir els deu anys, la converteix en un relat d'«aprenentatge». Es tracta d'un procés d'enduriment, viscut per un infant ciu-

25. Aquest tòpic ja apareix a *Botón* (1927-28), on Villalonga l'atribueix a Baltasar Gracián. Cf. Jaume Pomar i Pere Rosselló Bover: «*Botón*: un primer assaig de *nouvelle* de Llorenç Villalonga», *Randa*, 44 (2000), pàg. 92, nota 322.

tadà que ha estat traslladat al camp, que aprèn a barallar-se i a fer mal als altres al·lots, car la vida és una lluita en la qual només poden sobreviure els forts i els dominadors. Es tracta d'un procés invers al de l'infant salvatge que és «civilitzat», dominat per la societat i per la cultura, tal com narra Llorenç Riber. «Bruns, salvatges i orats», com els nins de *La minyonia d'un infant orat*, amb la pell enfosquida «fins a semblar beduïns», «xerecs, no gens galants amb les nines», malparlats i rebels, els al·lots comprenen «que la vida és una lluita i que l'home ha de pegar fort per dominar la Naturalesa» (pàg. 44). I, com hem dit, en aquest afany de dominar la Natura resideix també l'origen del progrés. Si la minyonia de Riber acaba amb l'entrada a la Ciutat dels Llibres, el procés seguit a *Les Fures* condueix els protagonistes a la degradació i a la catàstrofe: el narrador-protagonista ha quedat coix en un accident de bicicleta, en Joanet «s'ha desbaratat una mica amb les estrangeres» (pàg. 100), Xim ha mort i Tonina i Coloma han fuit. I, sobretot, Bearn –almenys als ulls del narrador– ha empitjorat, paral·lelament al procés seguit pels seus habitants:

> «El paisatge, amb les muntanyes eternes i les oliveres mil·lenàries, sembla que hagi variat als meus ulls, que ja no són nous com abans. El poble ha variat encara més en sentit francament pejoratiu. A l'últim ha aconseguit construir una vicaria devora l'església, un edifici cubista que desentona amb la plaça devuitesca i amb l'abeurador barroc. A la cantonada del Carrer Major, on hi havia una taverna petita, emblanquinada i recòndita, que semblava una capella, hi han posat un cafè pintat de verd i de vermell, amb una ràdio que crida tot el dia i destrueix el meravellós silenci d'antany. Els bearnesos semblen estar-ne molt orgullosos» (pàg. 101).

L'afany de domini de la Natura ha duit els habitants de Bearn al desfici i a la destrucció de la pau i del benestar d'abans. És la paradoxa del progrés que, en lloc de fer més habitable el món, l'omple de noves esclavituds i de noves molèsties. Es tracta d'una paradoxa semblant a la del conreu de l'exercici físic que, com li ha passat al protagonista en patir l'accident i quedar coix, pot dur precisament a convertir l'atleta en un invàlid. El progrés científic no s'identifica amb la raó ni amb la il·lustració. L'ésser humà, en un món ple de màquines i de tecnologia, segueix essent tan irracional com abans, la qual cosa el fa encara molt més perillós. Ara bé, els bearnesos dels anys 60 segueixen atribuint, supersticiosament i irracionalment, tots els seus mals a les Fures.

El progrés, per tant, no millora res. Només és, com diu don Esteve, «una fatalitat» car les «innovacions tenen, sempre, es seus inconvenients» (pàg. 101) i, com el cotxe de don Toni de Bearn, no el podem aturar. Tampoc l'atleta no pot renunciar a l'exercici, tot i el perill que suposa. És la paradoxa inevitable en la filosofia villalonguiana dels termes contraris que es toquen.

Bearn a una passa de l'antiutopia

Deu anys després d'haver passat la infantesa a Bearn, el protagonista hi retorna. A *Les Fures*, com a tantes novel·les, Villalonga comet una anacronia flagrant per tal de subratllar la diferència entre el passat i el present: així, si el Bearn de la primer part es basava en la Bunyola que havia conegut a la infantesa, cap al 1906; el Bearn de la segona part és inspirat en la societat mallorquina dels anys 60. És a dir, el canvi experimentat en deu anys al poble es correspon al que ha sofert Mallorca en quaranta. D'aquesta manera, el contrast encara queda més subratllat. Això no obstant, la història és narrada des d'un punt temporal que s'ha de situar en el futur, respecte del moment en què *Les Fures* fou escrita: com hem dit, el Bearn de la segona part coincideix amb la societat dels anys 60, quan el narrador té vint anys; però, en canvi, ell mateix ens diu que ens narra la història quan ja és vell («Així, molts d'anys després, essent jo vell, encara he pogut sentir contar»..., pàg. 113). Una perspectiva que, tanmateix, Villalonga no utilitza per introduir elements de l'antiutopia, potser perquè li basta mostrar-nos el present.

Ara, a la segona part, el protagonista té vint anys i estudia d'advocat a Barcelona. És un racionalista, que cita Voltaire i Pascal i que, en nom de la raó, defensa les Fures de les calúmnies a què el poble les ha condemnat. La Senyoràvia ha mort i la possessió de Sa Coma ha estat venuda. Les relacions del protagonista amb els seus pares no són bones: es duu malament amb el pare i la mare només «respirava pel gendre» (pàg. 99). I, com hem dit, ha sofert un terrible accident que l'ha deixat coix, amb un complex que l'ha fet renunciar definitivament a l'amor. Com ha notat Joan Alegret, a la segona part es produeix un canvi essencial en el narrador-protagonista que, a diferència de la primera, on «exerceix un paper actiu en els fets que ens conta», es converteix en una presència «més aviat passiva, d'espectador i comentarista dels fets.»[26]

Alguns dels personatges del Bearn mític de la infantesa han desaparegut: Xim, el ferrer, ha mort tísic; Jaume «Malferit» i la seva amant han estat assassinats; el vicari vell ha mort; i Tonina, la dida, i Coloma, la seva filla, han fugit del poble per a sempre. Com hem dit abans, el paisatge urbà també s'ha transformat. Però el que més ha experimentat el canvi ha estat la manera de viure del poble a causa dels nous avanços tecnològics que s'han posat a l'abast de la gent amb la societat de consum, la publicitat i els pagaments a terminis.

Així, al cafè pintat de verd i de vermell una ràdio elèctrica «xiscla eternament en qualsevol llengua, abordant qualsevol tema. Tant li és una pastoral del Bisbe com un discurs d'en Kennedy, un partit de futbol com un avió estavellat, i barreja tot aquest desvari amb un guirigall d'anuncis d'aperitius, d'aspiradores, d'olles a pressió, de *detergentes*, de neveres elèctriques... La gent no s'ho escolta gaire, però ja no sap prescindir del renou. De tant en tant, un *slogan* contundent: "*No será usted feliz sin una nevera*", "*Adquiera una máquina de escribir*", es fica dins el subconscient i

26. Joan ALEGRET: «Llorenç Villalonga: "Les Fures" i "Falses memòries de Salvador Orlan"» dins *Als Villalonga de Bearn (Homenatge de Bunyola a Llorenç i Miquel Villalonga)*. Edició a càrrec de Tomeu Quetgles. (Palma: Ajuntament de Bunyola, 1988), pàg. 87. [Aparegut a la revista *El Pont*, núm. 60 (desembre de 1972).]

hom arriba a fer un disbarat» (pàg. 101). Tothom beu Hola-Hola, encara que l'aigua sigui més bona i més barata. Miquel Curt, que quasi no sap llegir, s'ha comprat una màquina d'escriure, perquè es pot pagar a terminis encara que no la farà servir. Les filles de madò Blaia, que gairebé no tenen menjar, volen comprar una nevera elèctrica. El futur proper dels bearnesos és abandonar el llogaret i anar «a viure a Ciutat per poder contemplar pel·lícules de *vamps* i de *suspense*» (pàg. 129). Etcètera. Ens trobam davant una dura denúncia del món actual i del consumisme de la societat occidental. Villalonga refusa el principi en què es basa el neocapitalisme de la segona meitat del segle XX, el dogma d'Henry Ford, «més rígid que qualsevol dogma del Papa» (pàg. 102): cal que, mitjançant l'influx de la publicitat, la gent consumeixi màquines i productes que no ha de menester, car els productors necessiten dels consumidors per poder sobreviure. El resultat, segons Villalonga, és el retorn a una societat en què una minoria, els grans capitalistes de les grans empreses internacionals, s'enriqueix a costa de l'explotació dels pobres:

> «Si miram les estrelles en lloc de la televisió ("*Limpie su bañera con detergente Ideal*"), o bevem aigua clara en lloc de Hola-Hola, baixaran els dividends de les indústries, la Hola-Hola anirà més cara i, a part que molts hauran de tornar a beure aigua, els caps d'empresa no podran tenir cinc automòbils. És a dir, que com a l'Edat Mitjana, com a la Roma antiga, com sempre, els poderosos han de viure d'estafar els pobres» (pàg. 102).

Per a Villalonga el neocapitalisme ha duit a una nova explotació, basada en l'engany. La gent es creu ésser més rica perquè cobra més, encara que la moneda s'hagi devaluat. I el bombardeig constant de la publicitat, que crea noves necessitats amb la promesa d'una felicitat falsa i inassolible, produeix una creixent insatisfacció.

> «Per altra part, i malgrat els aparells electro-domèstics que eleven el nivell de vida, els pobres eren cada vegada més pobres: vull dir que havien de fer més feina que abans i vivien amb menys independència. A Alemanya, el país més ric d'Europa, els obrers dormien de sis en sis en una mateixa cambra. És veritat que, en compensació d'això i de menjar molt malament, cada any podien fer un viatge col·lectiu de quinze dies. A Bearn, cent vegades més pobres, cada família encara tenia la seva casa, però començava ja a ésser difícil d'emancipar-se de la propaganda industrial que s'engolia els bearnesos obligant-los a adquirir objectes progressivament més absurds i nombrosos. Les compres a terminis els feien viure endeutats i, al mateix temps, enrabiats de no poder-se procurar totes les meravelles que sentien lloar, del matí al vespre, per cent altaveus. Aquella propaganda no tenia aturall i s'anava convertint en una nova religió. Molts havien hagut de vendre els quartons de terra heretats dels seus vells, que anaven a parar als industrials rics, i constituïen nous latifundis. Per altra part, els tècnics moderns, després d'haver decretat que les terres s'han de dividir entre els conradors, havien descobert de cop que és convenient de perseguir els minifundis. És a dir, que el món semblava evolucionar, com sostenia Berdiaev, cap a una nova Edat Mitjana, més tirànica i més supersticiosa que la vella» (pàgs. 167-168).

A tot això, s'afegeix l'amenaça de l'energia nuclear, de la bomba atòmica, que per a Llorenç Villalonga constitueix el signe més clar de la paradoxa a què ens ha duit el progrés científic, atès que ens pot emmenar a la destrucció del planeta. A ella feia referència en un altre dels seus articles a *El Correo Catalán*, on deia:

> «La humanidad, sin embargo, no ha perecido ni ha cerrado las puertas a la esperanza. El último gran invento, la energía atómica, inspira tanto miedo que ha impedido una tercera guerra mundial y a ello se aferran los optimistas. Lógicamente la bomba nuclear debería ser un elemento de disuasión y desde el momento en que todos la posean parece que no ha de repetir-se el caso de Hiroshima y Nagasaki. Ningún gobernante que se halle en sus cabales se atreverá ya a arrojar la primera piedra si bien nadie garantiza la sanidad mental de todos los gobernantes.»[27]

La màgia i la raó

Les Fures conté, a més, un altre dels eixos temàtics centrals de l'obra villalonguiana: l'oposició entre la raó i la màgia, entre el coneixement objectiu i el coneixement religiós i/o supersticiós. Villalonga ens fa saber que, tot i oposar-se, màgia i raó poden conduir al mateix lloc. Paradoxalment, la deshumanització de la societat moderna, tan blasmada pel nostre escriptor, és una conseqüència del racionalisme, que ha portat al desenvolupament de les ciències experimentals i al maquinisme actual. La raó, que tengué el punt àlgid en el segle XVIII, ha conduït en el XX a un món absurd i sense sentit. Igualment, la màgia s'ha esvaït amb els nous temps que, amb el racionalisme i els avanços, han perdut el sentit de la meravella que els donava la idealització. Tanmateix, el progrés científic no implica que en l'actualitat la superstició, les creences irracionals i els prejudicis no segueixin subsistint, tal com prova l'odi que el poble sent per les Fures. Els habitants de Bearn «Necessitaven la feredat per a poder alenar. Tenien moto, ràdio i bevien "Hola-Hola"; eren feliços: necessitaven la feredat» (pàg. 129), sense la qual no podien trobar una explicació a tot allò que no comprenien.

> «El món màgic que havia conegut a nou anys anava desapareixen substituït per un altre món científic, també incomprensible, que, en fer-se familiar, deixava d'ésser meravellós, perquè l'home només pot viure meravellat alguns moments... Concretament, durant la infantesa. Ja més grans continuam ignorant-ho tot, però el costum ens fa creure que sabem algunes coses, que hem progressat. Llavors perdem la il·lusió i ens avorrim» (pàg. 126).

Per a Llorenç Villalonga, la màgia vertadera només es pot trobar en el paradís perdut de la infantesa, car es tracta d'una època de la nostra vida a la qual no podem tornar. El protagonista afirma que, quan era infant, necessitava «la bruixeria», és a dir, l'existència real de la màgia, que explicàs el món i el fes, millor o pitjor, almenys diferent. Però la màgia necessita de la distància, car les coses, quan es

27. Llorenç VILLALONGA: «La ciencia experimental en la encrucijada», *op. cit.*

veuen de prop, perden el seu encís. D'aquí el poder evocador que pot tenir una paraula o la idealització d'un país com França on, per a aquell que mai no hi ha estat, sembla que tot ha d'ésser perfecte. Villalonga uneix aquest tema amb el motiu del «llumeneret blau», que per a ell representa la idealització que només es té en la innocència. La gran paradoxa de la raó és que persegueix el coneixement de la realitat però, a la vegada, destrueix el somni i la bellesa. Un somni que desapareix quan abandonam la infantesa i, també, quan la societat ha aconseguit un cert nivell de coneixements científics.

> «A les muntanyes que s'esfumen a l'horitzó, al llumeneret blau ("ja hi arribarem, si a Déu plau") de les velles rondalles mallorquines, no hi arribam mai. El llumeneret, de prop, és un llum d'oli com els altres, i les muntanyes de somni es van fent tan concretes a mesura que avances, que no les pots reconèixer: quan les toques, comproves que no tenien existència, que no eren, com les volíem, de boires i colors. Mai no som enfora, sempre som "aquí", i París no és màgic sinó des de Bearn» (pàgs. 90-91).

A partir d'aquesta idea Llorenç Villalonga bastirà a *Les Fures* el retrat d'uns personatges que poblen aquesta infantesa idealitzada. Però, com dèiem respecte de l'escenari de Bearn, l'idíl·lic rau en la mirada del protagonista, en els seus ulls d'infant innocent. D'aquí l'ambigüitat dels personatges que ens presenta. Per exemple, Xim, el ferrer, que conté alguns paral·lelismes amb el protagonista d'*El Misantrop*,[28] és construït a partir d'elements oposats: tot i el seu tarannà pacífic, pega a Jaume el Legionari; la seva complexió física és atlètica, a causa de l'exercici, però mor feble, consumit per la tisi; la seva castedat tampoc no concorda amb la pràctica del nudisme, ni amb el seu atractiu físic; és amable i afectuós, però el seu secret roman impenetrable... Així, mai no arribarem a saber si Xim és el pare de l'infant de Tonina i, menys encara, si ho és, per què no s'ha casat amb ella. El mateix ocorre amb Tonina, la dida, el secret de la qual –qui és el pare del seu fill– mai no s'acabarà de desvetllar. Intel·ligent, dolça, bella i permissiva amb els capricis del protagonista, la dida és un esperit fort, que no tem res ni es deixa dominar per ningú. Tanmateix, finalment haurà d'abandonar el poble perquè no pot lluitar contra el poder malèfic de la paraula, contra les gloses que li han tret quan ha tornat a Bearn amb un fill il·legítim. També Coloma, la seva filla, gaudeix d'uns trets paradoxals: rossa i bella, viva com una centella, posseeix una certa dolentia i crueltat en el fons de la seva ànima. No sabrem quin ha estat el destí de les dues dones, si bé es diu que Tonina es casà amb un comte francès, que Colometa ho féu amb un «rei del petroli» i que volia comprar la possessió de Bearn. Sigui com sigui, el misteri d'aquests tres personatges els dota d'una aura màgica als ulls del narrador. En una de les «Cartas sociales mallorquinas» Villalonga ens en resumeix la història i els qualifica d'«arquetipus» i d'«éssers mitològics», que per a ell sobretot representen tot un model moral:

28. «Xim, el ferrer del poble –que passant el temps confonia amb l'assistent del pare a la Corunya i també amb el company que a Encinacorba li suggerí *El misantrop*–, representa els valors masculins en to major heroic.» Cf. Jaume POMAR: *Llorenç Villalonga i el seu món, op. cit.*, pàg. 146.

«Por aquellas fechas –no concretemos, yo podría tener diez o doce años– existían en Bearn-ville (una Arcadia) tres arquetipos: Xim el herrero, Tonina, mi nodriza, que nunca abandonó por completo la casa de mi abuela, y Colometa. Atención: se trataba de seres mitológicos. Los tres eran bellos como estampa, pero superiores en lo moral. Ya he dicho que nunca he pretendido ser objetivo. Los tres eran superiores a mis ojos y basta.»[29]

La superioritat d'aquests tres éssers està, per tant, en la idealització que els dóna la distància, en la riquesa de la seva mirada, com dirien Verlaine i Riber. Al seu article Villalonga ens avisa que no ha volgut indagar més sobre l'autenticitat del matrimoni de la dida, perquè al capdavall es tracta de la seva dida i en vol mantenir intacte el record. I, en aquest cas, el coneixement implicaria la destrucció de l'ideal.

Els altres bearnesos de *Les Fures*, en canvi, destaquen per la seva simplicitat. Joanet és, però, el més interessant: per un costat, enllaça amb la figura de Tomeu, el criat de don Toni de Bearn, per la seva tosquedat i per l'atractiu que exerceix sobre les dones; i, per un altre, esdevé un precedent de la figura de Lilí/Lulú, car, com ella, representa l'axioma segons el qual en el món d'avui només triomfen els beneits. Joanet adquireix un relleu especial a la segona part de *Les Fures*, quan esdevé el paradigma de la perversió a què pot dur la societat consumista. Joanet festeja Margalideta, també beneita i buida com ell; però va amb estrangeres, que li donen diners per als seus capricis. D'aquesta manera, acaba a la presó com a conseqüència d'haver-se deixat embolicar en un afer de tràfic de drogues, però aviat en surt perquè es fa amic de tothom. Joanet, innocent i *gigoló* alhora, pervertit i ximple, esdevé un exemple més de la relativitat del bé i del mal. Al capdavall, és un d'aquells éssers que, com dona Xima de Bearn, fan el mal però són bons perquè resulta que el fan sense voler. Tot i això, el narrador ens en dibuixa un final tràgic, en situar-lo anys després al barri xinès barceloní.

Quasi tots els altres personatges de *Les Fures* són força esquemàtics: Jaume Malferit o «el legionari» destaca per la seva capacitat d'utilitzar la paraula per fer mal i per aconseguir l'admiració dels altres, fins al punt d'arribar a autocalumniar-se i a enviar-se anònims a si mateix. El cosí Sebastià –que potser té algun ressò de Guillem Villalonga, el seu germà major–, és violent i orgullós, li agrada fer por i només li interessa figurar davant els altres. La resta de figures de la família responen als mateixos trets que trobam tantes vegades al nostre novel·lista: la mare és bella i llunyana, el pare és absolut i no comprèn el fill, l'àvia té un caràcter dictatorial... Uns i altres es defineixen per l'actitud davant les Fures, bé refusant-les amb puerils acusacions de bruixeria, com fa madò Repelenca; bé defensant-les davant la manca de fonament d'aquestes acusacions, com fa el capellà jove. Aquest darrer, que experimenta un canvi radical a la segona part en esdevenir un defensor de la raó en els temps del desfici, resulta força diferent del Vicari Pedrissa que apareixerà a *La brui-*

29. Llorenç VILLALONGA: «Cartas sociales mallorquinas – 38». *El Correo Catalán* (20-8-1975).

xa i l'infant orat, on el nostre novel·lista sembla voler retratar l'escriptor i llatinista mossèn Llorenç Riber.[30]

Ara bé, el debat entre la raó i la màgia es polaritza sobretot entorn dels poders malèfics que s'atribueixen a les Fures. Tot allò a què no es pot donar una explicació racional, el poble ho imputa a les males arts d'aquestes dues dones: l'aparició d'uns sacs de farina, que havien estat robats per Sebastià Tiba; la mort de l'amo de can Corominas; etc. A la vegada, el poble les odia i els desitja calamitats ja que, com els antics profetes d'Israel, són temudes pel fet de només portar desgràcies. Fins i tot la prova que demostraria la seva innocència, el llamp que les acaba matant, és vista pels bearnesos com la prova de la seva maldat, perquè pensen que ha estat un càstig diví. Quan la raó s'ha esvaït i l'absurd esdevé la norma, encara persisteix el poder màgic de la paraula, que ho pot explicar tot. D'aquí que, davant un món en què la raó desapareix i persisteix la irracionalitat, la novel·la acabi amb una frase que ens palesa l'immens pessimisme villalonguià: «Però, ¿quant de temps tardarien a reencarnar-se, unes noves Fures?» (pàg. 188).

Conclusió

Les Fures, una de les novel·les que Llorenç Villalonga s'estimava més, és, sens dubte, un prodigi de síntesi de la visió elegíaca de la infantesa i de la sàtira contra la societat moderna. Precisament per reunir-hi uns components quasi contradictoris, l'escriptor mallorquí assoleix alguns dels moments més reeixits de la seva narrativa, encara que la crítica no ho hagi sabut valorar. Les obres següents (*La gran batuda*, *La Lulú*, *Lulú regina* i *Andrea Victrix*) aprofundiran, a partir de l'univers narratiu de *L'àngel rebel / Flo la Vigne*, únicament en el vessant crític encetat a la segona part de *Les Fures*. En la nostra opinió, els resultats seran inferiors. Villalonga intentarà retornar al món de *Les Fures* amb una novel·la que quedarà inacabada a causa de la seva malaltia, *La bruixa i l'infant orat*, bastida pràcticament amb retalls d'altres anteriors, però sense la força ni l'endreç d'abans. Al capdavall, a *Les Fures* hi subjauen els temes centrals del nostre escriptor i, sobretot, constitueix la resposta final a un dels conflictes que es plantejaven a *Mort de Dama*: l'oposició entre el món tradicional mallorquí, decadent i en vies de desaparició, i la societat moderna, superficial i materialista, que ens arriba de l'estranger. D'aquí, la importància de les referències a *La minyonia d'un infant orat*, peça clau de la mitificació d'una Mallorca idíl·lica i irreal: perquè Llorenç Villalonga comprèn que, com el Campanet esvaït de la infantesa de Llorenç Riber, en els temps de la Coca-Cola Bearn només pot ésser un paradís perdut.

30. Com Riber, el vicari de *La bruixa i l'infant orat* és traductor de Virgili i ha estat nomenat membre de la Real Academia de la Lengua en temps de Primo de Rivera.

SOBRE UNES POESIES DE 1837 (AMB UNA ADDENDA)

Albert Rossich

Universitat de Girona

L'any 1837 va aparèixer un llibre de poesies que aviat va quedar completament oblidat. Si més no, no surt esmentat en cap repertori bibliogràfic, ni general (el *Catálogo* d'Aguiló, el *Manual* de Palau) ni especialitzat (l'*Infierno de la Biblioteca Villalonga*, la *Bibliografia eròtico & priàpica catalano-valenciana* d'Antoni Bulbena, els treballs de Víctor Infantes, José Antonio Cerezo i de Jean-Louis Guereña).[1] Ningú, que jo sàpiga, no hi ha fet al·lusió. Si algun erudit el va tenir mai a les mans, va considerar convenient amagar-ne l'existència, a causa sens dubte del seu contingut obertament procaç.

Els impresos pornogràfics antics són raríssims, i molt més encara els redactats en una llengua d'àmbit restringit com el català. Les biblioteques públiques, en principi, no els compren. Pel que fa a les biblioteques particulars, la veritat és que no solen aguantar-hi gaires generacions: normalment els familiars –si els veuen– els eliminen a la primera oportunitat. Si no, tard o d'hora van a parar a alguna mà pudorosa que, escandalitzada, destrueix, sense deixar-ne rastre, l'objecte pecaminós.

Els perills no provenen solament dels propietaris legítims. L'estricta moralitat d'èpoques passades incentivava la destrucció dels llibres nocius que per atzar poguessin caure a mans d'ànimes piadoses, desitjoses d'evitar ocasions de pecat als més febles. Fa uns anys es va silenciar el cas d'un funcionari d'una de les biblioteques més importants de Barcelona que anava destruint amb tota cura aquells

1. Cf. José A. CEREZO ARANDA, «Una aproximación a las bibliografías de erótica en España: el infierno Villalonga», dins *Homenaje a Manuel Ruiz Luque*, Baena, 1988, 77-96; Alexandre VENEGAS ed., *La bibliografia eròtico & priàpica catalano-valenciana d'Antoni Bulbena i Tosell (1920)*, Barcelona, Llibreria de Diego Gómez Flores, 1982; Víctor INFANTES, «Por los senderos de Venus. Cuentos y recuentos del erotismo literario español», dins *Eros literario.* Actas del Coloquio celebrado en la Facultad de Filología de la Universidad Complutense en diciembre de 1988, Madrid, Universidad Complutense de Madrid, 1989, 19-30; Llibreria els gnoms, *Catalogo especial nº 50. Dedicado exclusivamente a libros de erotica, galante y curiosa*, Barcelona, [1989]; José Antonio CEREZO, *Bibliotheca erotica sive Apparatus ad catalogum librorum eroticorum (Ad usum privatum tantum)*, Madrid, Ediciones El Museo Universal, 1993; Jean-Louis GUEREÑA, «De erotica hispanica», dins *De l'obscène et de la pornographie comme objets d'études. Cahiers d'histoire culturelle*, 5 (Université de Tours, 1999), 19-32.

exemplars la consulta dels quals no aprovava: dotzenes o potser centenars d'impresos van ser objecte de la seva devota fúria al llarg d'unes dècades de servei públic. Afegim-hi que tots aquests llibres solen ser de petit format, perquè siguin fàcils d'amagar i no cridin l'atenció; que han estat fullejats moltes vegades, sovint d'esquitllentes i precipitadament; que han passat per butxaques i racons. Són llibres que acaben rebregats –fatigats, diria un llibreter–, desfets, estripats o senzillament cremats.

El llibre que dono a conèixer aquí, gràcies a l'amabilitat del seu propietari Albert Roqué, és, doncs, una absoluta raresa bibliogràfica. Deu ser l'únic exemplar que ha sobreviscut d'aquesta obra insòlita. Però, a més d'aquesta excepcionalitat, té una indiscutible importància històrica i sociològica: és, que jo sàpiga, el primer imprès pornogràfic en llengua catalana; potser és fins i tot l'obra pornogràfica original més antiga impresa en l'àmbit hispànic, malgrat el peu d'impremta –fals– de París.[2] Per a nosaltres, l'aparició d'aquest recull encara és més detonant, perquè es tracta del primer llibre imprès de poesies originals catalanes des de les obres de Vicent Garcia, reeditades diverses vegades a partir de 1703. En fi; el fet que jo tracti aquí d'un text popular desconegut del segle XIX –i tan singular– ben segur que ha de complaure a qui s'ha interessat sempre per aquest vessant, el popular, tradicionalment negligit de la nostra literatura.

Entrem ja en matèria. L'objecte que ha motivat aquesta col·laboració és, en realitat, un petit llibret de 110 x 75 mm, paginat en tres sèries de números. El primer foli és en blanc. Comença la numeració al f. [IIIv] amb el número (6) i arriba fins a la pàgina (59); la 60 és en blanc. Segueix un foli sense numerar; el foli següent *verso* duu el número de pàgina II, i continua la numeració en xifres romanes fins a la V. El *verso* d'aquest foli no és numerat, i a partir del foli següent *recto* comença una altra sèrie amb xifres aràbigues, del (2) al (25). En total, l'obra té 92 pàgines.

La portada fa constar la indicació «Entrega 1.ª». Tot i això, l'obra sembla completa. La segona part, que es devia distribuir més tard, comença a partir de la pàgina 60, en què canvia la numeració de les pàgines (primer amb xifres romanes i després amb aràbigues) i torna a començar la dels plecs impresos. La distribució de plecs, doncs, queda així: [1] (16 ps.) + 2 (16) + 3 (16) + 4 (12); [1bis] (16) + 2bis (16). A la primera part es fa constar normalment, per a cada poema, la forma estròfica; en canvi, aquesta precisió no apareix en els poemes de la segona part –que sempre són en dècimes.

2. Sobre aquest peu d'impremta, veg. més endavant. El primer imprès pornogràfic d'un autor hispànic és, segurament, l'intitulat *Fábulas futrosóficas, ó la filosofía de Venus en fabulas*, atribuït a Leandro Fernández de Moratín; aquest, però, va ser editat a l'estranger (Londres [però Bordeus], 1821). Segons Palau (núm. 29567), l'arquebisbe de Toledo va prohibir el 4 d'abril de 1827 l'obra –pornogràfica?– *Cipriota*, Biblioteca de Venus, Imp. de Amor; no sé que l'hagi vist ningú des de llavors. El mateix Palau diu que existeix una edició sense any de *El arte de las putas* de Nicolás Fernández de Moratín, que data vers 1830 (l'explicació figura dins el núm. 89413); però suposo que no devia haver estat imprès a la Península. Aquest exemplar deu ser el que esmenta Guereña, *op. cit.*, nota 53.

El volumet inclou, a més, dos gravats, naturalment obscens, de 80 x 50 mm cadascun. El primer, col·locat després del full de portada, representa un pagès jove que duu un cavall a cobrir una somera. Una pagesa, igualment jove, aguanta la cua de l'euga aixecada amb un cordill, sens dubte per facilitar la feina al cavall, el qual evidencia de manera manifesta la seva excitació. Els genitals dels dos pagesos també es mostren ben visibles. Aquest dibuix il·lustra el primer poema: «Al adagi vulgarment dit *Un bon nap ni arrancat*». El segon gravat, situat entre la pàgina 24 i la següent, és també una il·lustració del poema del costat: «Primicias de un escolá», i mostra una dama manipulant els genitals d'un escolanet que fa anar una roda de campanes de l'església.

El peu d'impremta –París– ha de ser fals: els tipus emprats i la poca qualitat dels gravats fan pensar en un obrador segurament barceloní. Un estudi pacient potser podria revelar-ne la procedència exacta. En canvi, no hi ha motius per dubtar de la data que figura a la portada del llibre. Com es dedueix del títol del poema de la pàgina 9, l'època de composició de les obres no devia ser gaire allunyada del moment de la publicació.

La portada diu així:

La | *Musa lleminera,* | *ó* | *Apetits lascius* | *per instint de naturalesa,* | *en armoniosos versos en dialecta catalá.* | No vullas contrariar may la natura, | Sil' carall set' adressa, un cony procura. | [filet] | Entrega 1.ª | [filet] | Paris | [guió] | 1837.[3]

El contingut del recull figura detallat a continuació:

[1] (ps. 5-6) *Al adagi vulgarment dit Un bon nap ni arrancat. Soneto.* En una pagesia al mitx de l'era

[2] (ps. 7-8) *Soneto*. *Malediccions á la pixa de un lechuguino, que en lloch de cardá á la seva enamorada, cardaba á dos y arreu cualsevol altre.* Pixa, esmolada mes que contell moro

[3] (ps. 9-10) *A un virgo del any 1835. Soneto.* Ponderant un marit de primer dia

[4] (ps. 11-12) *A un pare que casà una filla sens haber apenas estat promesa. Soneto.* Desde que Deu criá à Adan y á Eva

[5] (ps. 13-14) *Soneto. Als dias de la muller de un vell, que encara li reyan las orellas, prenent per peu lo ditxo que acostumaba á dirli.* Deu vos dó Jan, junt ab la vostra esposa

[6] (ps. 15-19) *Décimas Felicitant los dias, á una minyona anomenada, Tereseta Carnicera, un poch trancada de l'ala.* ¿Com podré yo en aquest dia

[7] (p. 20) *Bons dias á una minyona molt alta enomenada Teresa.* Decima. Per donate los bons dias

[8] (p. 21) *Critica á dos promesos alterats de polsos. Avís que fou donat als vehins de la Plassa dels Arrieros. Decimas.* San Antoni del porquet

[9] (ps. 22-23) *Pera que los vehins se convensian de la rahó que asisteix á sant Antoni se insertan las expresions que sobre lo mateix asunto proferiren dos mossos arrieros, enomenats Morro-tort y Picari.*[4] Mira, mira, Morro-tort

3. *natura*: a l'imprès, la *n* apareix invertida: «uatura».

4. *Picari*: al títol de l'imprès, «Picarí». Però la forma *Picari* (o *Pacari*) ve assegurada per la rima.

[10] (p. 24) *Primicias de un Escolá. Decima.* Per pisparli una peseta
[11] (p. 25) *Las llemineras. Decima.* Dos camelluentes quesades
[12] (p. 26) *Las monas de Pascua. Decima.* Mona ó no mona, la mona
[13] (p. 27) *La fira de san Domingo. Decima.* Per aqui una pasejaba
[14] (ps. 28-29) *Decima A un subjecte que per haber sobrevingut una indisposició al Sr. Rector, tinguè que retardar lo casarse alguns dias, durant los cuals era tant lo seu desespero que obligá al autor á ferli la seguent dècima, en la que se usan algunas espresions de las que acostumaba lo nubi.* ¡Pobre Met! encara no?
[15] (ps. 30-37) *Cuento. Qui no fuma no trempa. ¡Bona butllofa! Décimas.* ¿Pensas que es poca alegria
[16] (p. 38) *Pregunta curiosa. Decima.* Una pregunta vuy fé
[17] (ps. 39-47) *Lo carrer Nou de la Ramble y sas cercanías: sabis documents de un amich á altre. Decimas.* Si pasas pel' carrer Nou
[18] (ps. 48-55) *La pepa. Cansó llepisosa.* La Pepeta festeja[5]
[19] (ps. 56-59) *Letrilla. Caiga qui caiga, Rodia la bola Y el que gemeguia Ques' fasia fotra.* Si la Roseta
[Segona entrega] (f. [I], sense paginar) *Abecerolas del Amor | ó | La Musa llaminera* [filet]
[20] (f. [II]-p. V) *Al puñetero lector.* Una musa llaminera
[21] (p. 1) *Abecerolas del Amor ó La Musa llaminera. A.– Amor.* Si preguntas que es amor
[22] (p. 2) *B.– Bellesa.* Si de la naturalesa
[23] (p. 2) *C.– Carall, cony.* Són lo cony y lo carall
[24] (p. 3) *D.– Desitx.* Es un desitx natural
[25] (p. 3) *E.– Esperansa.* Es en amor la esperansa
[26] (p. 4) *F.– Fotre.* Digali futre en francés
[27] (p. 4) *G.– Gust.* Nostres abis habian dit
[28] (p. 5) *H.– Historia.* Not cremias may las pastanyas
[29] (p. 5) *I.– Inocencia.* La inocencia en una noya
[30] (p. 6) *J.– Joch.* Si del amor fas un joch
[31] (p. 6) *K.– Kiries.* Dels Kiries la cantinela
[32] (p. 7) *L.– Laconich.*. Laconich en lo parlá
[33] (p. 7) *LL.– Llet.* Es lo primer aliment
[34] (p. 8) *M.– Memoria.* Las donas pel regular
[35] (p. 8) *N.– Nina.* Es com qui diu cazá al bol
[36] (p. 9) *Ñ.– Ñaño.* Si de fotre en catalá
[37] (p. 9) *O.– Ous.* Per mes semblia un poti-potis
[38] (p. 10) *P.– Putero, Puñatero.* Un putero y un puñatero
[39] (p. 10) *Q.– Quera.* Per no dir jo tinch lo mes
[40] (p. 11) *R.– Resta.* Si es que't trovias atrasat[6]
[41] (p. 11) *S.– Sarau.* Deixa pel ximple babau
[42] (p. 12) *T.– Tetas.* Son las tetas ò mamellas
[43] (p. 12) *U.– Ulls.* Que'ls ulls demostrant claret
[44] (p. 13) *V.– Virgo.* Lo virgo que antiguament
[45] (p. 13) *X.– Xona.* Xona es de cony un motiu
[46] (p. 14) *Y.– Ya.* Cuant una puta ad diu ya
[47] (p. 14) *Z.– Zelos.* Boler de zelos rabiá
[48] (p. 15) *Interjeccion. Ah!* Son las interjeccions

5. *festeja*: a l'imprès, «festejà». Aquella forma ve garantida per la rima.
6. *atrasat*: a l'imprès, «atrasst».

[49] (p. 15) *Eh!* Si obligat de la pasió
[50] (p. 16) *Oh!* Si cardas una paruga
[51] (p. 16) *Uh!* Si lo amor per darte enuitx
[52] (p. 17) *Ay!* Si lo amor per darse un ple
[53] (p. 17) *Ey!* Si cuant vols cardar á ple
[54] (p. 18) *Oy!* Si alguna melindroseta
[55] (p. 18) *Uy!* Si amor á una mosa tenta
[56] (p. 19) *Puntuacio. ,–Coma.* La coma ó inciso en amor
[57] (p. 19) *;–Punt i coma.* Dels rodetx del punt y coma
[58] (p. 20) *:–Dos puns.* Com de amor en la ciencia
[59] (p. 20) *.–Punt final.* Cuant un pot cardá una hermosa
[60] (p. 21) *¿?–Punt interrogant.* Usa del interrogant
[61] (p. 21) *!¿–Punt admiratiu.* Es admiratiu al dret
[62] (p. 22) *()–Parentesis y claudato.* Entre parentisis, teta
[63] (p. 22) *–Guió.* Lo guió que es una ralleta
[64] (p. 23) *......–Punts suspensius.* Cuant un carda una noyeta
[65] (p. 23-25) *&c.–Etcetra.* Es la etcetra una dicció

L'índex de títols i primers versos dóna prou indicis del to dels poemes. Ni literàriament ni gramaticalment no aspiraven a la correcció; però és clar que el lèxic i la fraseologia tenen molt d'interès. Hi ha també la descurança dels impressors típica dels plecs solts i de la producció més popular. De tota manera, seria injust no valorar-hi una voluntat d'estructuració, evident a la segona part, amb les sèries dedicades a les lletres de l'alfabet, les interjeccions o els signes de puntuació: un joc lingüístic i retòric de ressonàncies setcentistes. No es tracta, per tant, de meres expansions desordenades, incoherents o improvisades.

Ja he dit, de tota manera, que la importància que té és sobretot bibliogràfica i sociològica, en tractar-se del primer imprès pornogràfic de la literatura catalana. En efecte: *El virgo de Visanteta*, la cèlebre peça dramàtica del valencià Josep Bernat i Baldoví, és de 1845; les *Advertèncias que donà Joseph Robreño a la sua muller* van ser impreses com a plec solt el 1848;[7] *La verdadera veritat o Sermó furiós*, anònima, és de mitjan segle.[8] Tot això, pel que en sabem avui.

7. El plec és format per 13 dècimes en català i 18 en castellà, segons Bulbena (Venegas ed., *op. cit.*, 29). No l'he vist, però suposo que corresponen bàsicament a les dècimes dels poemes intitulats *Memorial dirigido á D[on] F[rancisco] M[ilans del Bosch]*, *Advertencia que doná lo autor á la sua muller perque un frare, ab la escusa de afeytarse pretenia introduirse en casa seva* i *Advertencia que doná l· autor guand* [*sic*, per *quand*] *la sua muller volgué visitar á D[on] F[rancisco] M[ilans del Bosch]*, dins *Obras poéticas de Jose Robreño. Poesias sueltas*, Barcelona, Imprenta de J. A. Oliveres, 1855, ps. 120-127 208-209 i 242-245, respectivament.

8. «Debió publicarse en Barcelona del [18]45 al [18]55», escriu Mariano AGUILO Y FUSTÉR, *Catálogo de obras en lengua catalana impresas desde 1474 hasta 1860*, Madrid, Sucesores de Rivadeneyra, 1923, 716, núm. 3005. Bulbena, en canvi, diu que en coneix «dues edicions, abdues sens portada, probablement del 1880 al 98, en Barcelona», i l'atribueix a Josep M. Codolosa (Venegas ed., *op. cit.*, 60). Alexandre Venegas considera «probable» la conjectura de Bulbena. Jo, en canvi, no crec que un contemporani com Marià Aguiló es pogués equivocar en la datació. Segurament es tracta d'impressions diferents.

Qui podia ser l'incògnit redactor de l'opuscle? Acabo d'esmentar tres altres impresos del mateix caràcter, o similar, publicats no gaire més tard. D'entrada, res no fa pensar que el llibret que ens ocupa es pugui relacionar de cap manera amb Bernat i Baldoví. I segurament tampoc amb les altres obres pornogràfiques del Principat d'aquesta època.

El poema de Robrenyo esmenant més amunt va ser inclòs després entre les seves *Obras poeticas* del 1855.[9] Enmig d'aquestes n'hi ha d'altres que no desdiuen del to més o menys pujat del plec esmentat, com la *Proclama de Milans feta durant la guerra de la Independencia* o la *Formal queixa que donaren las P*[*utas*] *pobres de Tarragona á D*[*on*] *F*[*rancisco*] *M*[*ilans del Bosch*] *per haberlas agafat á ellas y no á las ricas*.[10]

Altres obres publicades amb pseudònim o anònimament, de tema pornogràfic i escatològic, presenten analogies evidents amb les peces de Robrenyo. Per exemple, les que adopten la forma de sermó burlesc, generalment fent recurs al llatí macarrònic i a autoritats fictícies, per fer més evident la paròdia. Potser Francisco Tubino en sabia alguna cosa quan explica que «demas de sus sainetes bilingües, escribió Robreño diversos sermones burlescos ó satíricos en catalán, que hoy mismo siguen reimprimiéndose; de estos, el *Sermó de la mormoració* y el *Sermó en vers,*[11] revelan chispa y gracejo».[12] Sembla desprendre's d'aquí, doncs, que n'hi havia d'altres no publicats en llibre que li eren atribuïts.[13]

Ningú no dubta, en tot cas, de l'autoria de Robrenyo pel que fa al *Sermó de la murmuració* i el *Sermó de les modes*, tots dos divulgats àmpliament a través de plecs solts –moltes vegades sense fer constar el nom de l'autor– i reproduïts en les esmentades *Obras poeticas* de 1855. Ara: qui sap si Robrenyo no era també el Llicenciat Petrena que va escriure *El pet exaltat tornat a son primer ser* (Barcelona, 1823), o l'anònim autor de les *Virtuts del cagar* (també de Barcelona, 1823). Potser una anàlisi comparativa d'aquestes peces, que aquí no puc fer, ens donaria llum sobre la qüestió.

En canvi, *La verdadera veritat o Sermó furiós*, l'imprès més escandalós de la literatura catalana, i unes altres *Virtuts del cagar,* signades per Macari Cagané, semblen imitacions posteriors, de mitjan segle XIX.[14] Fins i tot això de *Sermó furiós*

9. Veg. supra, nota 7.

10. *Obras poéticas de Jose Robreño*, *op. cit.*, 239-241 i 246-248, respectivament.

11. Es refereix al *Sermó de les modes*: veg., per exemple, Palau, *op. cit.*, núm. 271298.

12. Francisco M. TUBINO, *Historia del Renacimiento literario, contemporáneo en Cataluña, Baleares y Valencia*, Madrid, Imprenta y Fundicion de M. Tello, 1880, 184.

13. Conrad Roure diu que «Robreño escribió un sin fin de obras más, muchas de ellas desconocidas hoy, y de escasa importancia, pues, así como era repentista en improvisar versos, también lo era escribiendo sainetes, sobre las circunstancias de la localidad en que se hallaba» (Conrad ROURE, *Recuerdos de mi larga vida*, II, Barcelona, Biblioteca de «El Diluvio», 1926, 252).

14. Per a tot això, veg. Empar PÉREZ-CORS, ed., *Versos bruts. Pomell de poesies escatològiques*, Barcelona, Quaderns Crema, 1989, xxvi-xxx, 50-69, 93-99 i 142-143.

devia ser un recordatori del model: Conrad Roure cita una edició del *Sermó de les modes* imprès a Barcelona amb el títol de *Sermó furiós de les modes* (1809),[15] i l'adjectiu devia ser tan característic d'aquest tipus de peces que un plec intitulat *La estisora* i reimprès moltíssimes vegades porta com a subtítol: *Sermó sense ser furiós, pero pica y punxa: reparteix alguns clatallots y surras*, etc.

En fi: pel que ara ens interessa, el fet cert és que no hi ha bons arguments per afirmar que *La Musa llaminera* fos obra de Josep Robrenyo, que d'altra banda aquell any 1837 es trobava a Amèrica de gira teatral per no tornar mai més.[16] En tot cas, el que sí que es pot descartar totalment és que l'autor fos un rossellonès, com algú podria pensar prenent per cert el peu d'impremta de París: a part del fet que la mètrica –sonets, dècimes– remet a una formació poètica hispànica, a part de les referències concretes a molts carrers de Barcelona, només cal donar un cop d'ull a la poesia eròtica en català que es feia per aquella mateixa època al nord de l'Albera[17] per arribar a la conclusió que l'autor del nostre llibret havia de ser un barceloní –de naixement o d'adopció. Ara com ara, doncs, tal com volia el seu autor, l'hem de considerar anònim. I tampoc no podem descartar que es tracti d'una obra d'autor col·lectiu.

Addenda

Recordem la data de publicació de *La Musa llaminera*: 1837. Segons la historiografia literària catalana, per tant, l'aparició del llibre es produeix coetàniament amb el desplegament de la Renaixença.

En una ressenya d'un llibre de Rafael Tasis, del 1967, Joaquim Molas explicava que la Renaixença no havia de ser considerada un període, com feien generalment els estudiosos, sinó un moviment: «Per a Tasis, –escriu– la Renaixença és pràcticament una *època* i no, com em sembla a mi, un *moviment*», un moviment que ha de conviure amb altres corrents paral·lels o declaradament hostils, desenvolupats, «d'una manera conscient o no, per d'altres sectors o capes socials del país».[18]

15. ROURE, *op. cit.*, 250. García Venero consigna també el títol de *Sermó furiós de la Murmuració*, però segurament és un error (Maximiano GARCÍA VENERO, *Historia del nacionalismo catalán*, I, Madrid, Editora Nacional, 1967 [2ª ed.], 170).

16. Josep ARTÍS, *Tres conferències sobre teatre retrospectiu*, Barcelona, Publicacions de la Institució del Teatre, 1933, 217-218.

17. Cf., per exemple, Pere PUIGGARÍ, «La majordona Collonada» [1819?], *Almanac Català del Rosselló 1980* [=*Sant Joan i Barres*. Número especial 8], Perpinyà, Éd. du Castillet, 1979, 91-95 (veg. també la introducció a «Lo lleó i l'ase», *Almanac Català del Rosselló 1976* [=*Sant Joan i Barres*. Número especial 4], Perpinyà, Éd. du Castillet, 1975, 63-65). Un cop redactat aquest treball, n'ha aparegut una nova edició anotada, amb més obres: *Poesia eroticoburlesca rossellonesa del segle XIX*. Estudi, transcripció i notes a cura d'Enric Prat i Pep Vila. Perpinyà. Trabucaire, 2000.

18. Joaquim MOLAS, «La renaixença catalana», *Serra d'Or*, IX (1967), 923.

L'observació de Molas significava un progrés substancial en la comprensió del fenomen de la Renaixença. Efectivament: si la Renaixença es defineix com un període que succeeix al període anterior de la Decadència –una altra manera injustificada d'encapsular més de tres segles d'evolució literària–, *totes* les obres que caiguin dins d'aquesta etapa engreixen la recuperació literària catalana, i es converteixen automàticament, per a major honra i glòria dels autors i de la nació catalana, en renaixents. Si, en canvi, la Renaixença és un moviment, una escola, haurem de ser més estrictes, i només aquelles obres que comparteixin el programa de dignificació de la literatura catalana des d'uns paràmetres ben determinats podran ser-hi incorporades.

Les limitacions de la visió tradicional suscitaven contradiccions i obligaven a matisacions incongruents. Seria molt il·lustratiu repassar tants i tants testimonis contradictoris –no sempre antics– que parlen de pre-renaixença, o de precedents i precursors de la Renaixença, encara que ja ens trobem després de 1833. O les nombroses referències a l'aparició de l'obra del *Gayter* com el *veritable* començament de la Renaixença. O les advertències en el sentit que Bernat i Baldoví, per exemple, o tants d'altres, no pertanyen «pròpiament» a la Renaixença.[19] O l'observació que «els versos popularistes d'intenció estrictament humorística, com els del dramaturg barceloní Frederic Soler, tenen més aspecte de pervivència del vallfogonisme decadent que de la poesia de la Renaixença».[20] Per no parlar de la dificultat de conciliar amb la realitat la idea de restauració de la literatura en català just quan el que veiem és la desclosa de l'«escola castellana» (o hauríem de dir-ne *escuela catalana*?). O de l'inconvenient d'haver de prescindir, perquè quadrin els comptes, de molta literatura en català que reflecteix la «natural continuació del *vallfogonisme*, contrastant ab l'esperit intimament catalá que vibrava en els escrits castellans de la generació de 1808, des d'En Capmany fins a n'En Lopez Soler, n'Aribau y D. Prósper de Bofarull».[21] Segons això, la literatura en català de la primera meitat del XIX era més castellana –espiritualment– que la feta en castellà.

Altres vegades, es tirava més pel dret. Així, en el terreny teatral, Josep Robrenyo (mort el 1838) es convertia, sense sospitar-ho, en un dels iniciadors de la Renaixença.[22] En el camp de la prosa, *La cuynera catalana* era un text plenament identificat amb la Renaixença ja que s'havia publicat el 1835.[23] Coherentment amb això, doncs, *La musa llaminera* hauria de ser el primer llibre de poesies de la

19. Manuel Sanchis Guarner, *Els inicis del teatre valencià modern 1845-1874*, València, Institut de Filologia Valenciana. Universitat de València, 1980, 32.

20. Joan Ruiz i Calonja, *Història de la literatura catalana*, Barcelona, Editorial Teide, 1954, 444.

21. Conferència d'Antoni Rubió i Lluch reportada per M[ateu] Obrador y Bennassar, *La nostra Arqueología Literaria*, Palma de Mallorca, Impr. de les Filles de J. Colomar, 1905, 78.

22. Josep Artís l'anomena «el capdavanter de la nostra Renaixença dramàtica» (*op. cit.*, 225).

23. Veg. Anònim, «Pròleg a la present edició», dins *La cuynera catalana*, Barcelona, Alta Fulla, 1980, esp. 7-12.

Renaixença, perquè és el primer recull poètic en català després del tret de sortida que representa *La Pàtria* d'Aribau.

Sí: pocs anys abans de la innovadora observació de Molas, Jordi Rubió encara explicava que *La Pàtria* d'Aribau va ser «la pedra bàsica del *període* que anomenem Renaixença»[24] (el subratllat és meu). I això que Rubió tenia perfectament clara l'exigua vitalitat d'aquesta etapa primerenca: «Abans dels Jocs Florals no hi havia cap lligam visible entre els homes que avui considerem com a capdavanters de la Renaixença. Cap periòdic, cap cenacle no hi havia que donés consignes ni programes. [...] Cada autor seguia el propi impuls, en empreses individuals o editorials. [...] No hem de prendre per tota llur valor facial les declaracions xardoroses dels anys de les commemoracions, quan els protagonistes ja vells miraven enrera i dauraven en llur record la part que cada u creia haver tingut en el triomf».[25]

Doncs bé. Què és el que empeny Rubió, malgrat la prevenció que revela l'última frase, a mantenir la visió de la Renaixença com un *període* que comença el 1833? D'una banda, la tradició historiogràfica catalana, que en el seu cas era en bona part, també, una tradició familiar. I, de l'altra, la impossibilitat de considerar la Renaixença de 1833 a 1859 com un *moviment*, que no existia: «Seria una visió errada la d'imaginar els homes dels anys anteriors als Jocs Florals com una companyia que anava endavant obeint una única veu de comandament. Al contrari. Cada u obeïa la seva». Però la seva conclusió, parcial, és que «poques èpoques hi ha tan belles en la història com aquelles en les quals un grup d'homes, sense pactes previs, isolats en la fe de cada u, units però per una missió vagament interpretada si bé per tots compartida, coincideixen a bastir una obra de la qual tots són factors necessaris. Així veig l'albada de la Renaixença».[26]

No estic segur que la idea d'alba, amb el que comporta de progressió regular, sigui una imatge prou fidel del que va passar realment. Deixem-ho estar, però. La pregunta important, pel que fa a la cronologia de la Renaixença catalana, és si s'ha de posar l'èmfasi en l'albada o en la sortida del sol.

24. Jordi Rubió i Balaguer, «La Renaixença», dins Ramon d'Abadal *et al.*, *Moments crucials de la història de Catalunya*, Barcelona, Editorial Vicens-Vives, 1962, 312.
25. Rubió i Balaguer, *op. cit.*, 312-313.
26. Rubió i Balaguer, *op. cit.*, 313.

JOSEP MIQUEL GUÀRDIA: L'ESPAI HISTORIOGRÀFIC D'UN INTEL·LECTUAL CRÍTIC DE LA RENAIXENÇA

Josefina Salord Ripoll

Institut Menorquí d'Estudis

"Ce n'est que par l'exhumation et la publication des vieux textes, la plupart inédits, que les savants qui préparent les matériaux de l'histoire encore à faire de la littérature catalane, travailleront en même temps à préparer le dictionnaire historique de la langue nationale. C'est par là qu'aurait dû commencer la Renaissance, dont les résultats ont été si mesquins. Si les chefs du mouvement littéraire qui a reçu ce nom sonore, en avaient compris le sens et la portée, ils eussent commencé par glorifier les ancêtres, en produisant leurs titres à la gloire, au lieu de stimuler la vanité des gens de plume par la restauration intempestive des Jeux Floraux et autres joutes littéraires, qui ont pour effet de multiplier déplorablement les écrivains de pacotille et les versificateurs à la douzaine. C'est en rédigeant ces notes sans prétention que nous avons regretté que les promoteurs de la Renaissance catalane n'aient pas songé à doter leur pays d'une Bibliothèque choisie des auteurs catalans, d'une Grammaire historique et d'un Dictionnaire étymologique et historique de la langue catalane. L'Histoire littéraire de la Catalogne sortirait de ces travaux préliminaires et indispensables, et l'Histoire des lettres catalanes deviendrait possible."

Josep Miquel Guàrdia (1889)

Vet aquí la síntesi de tot un programa per a la cultura catalana, situat en una data ben precisa, amb tot el que comporta de presa de consciència crítica de les mancances pervingudes fins al present, i, en conseqüència, de nova proposta tendent a superar-les. La perspectiva és clarament la d'un romanista que reclama, per a la cultura catalana del XIX, les eines, els instruments i els materials de la filologia europea més rigorosa i actualitzada. Des del moment, però, que aquest camí de ciència es posa al servei de la construcció d'una cultura normal, europea i *completa* (dins de la qual la creació literària no pot suplir els espais d'història i de crítica ni desvincular-se dels grans referents de la tradició clàssica, tant la nacional com l'occidental), la perspectiva s'eixampla fins a esdevenir la d'un intel·lectual actiu i compromès.

La cita inicial pertany a les *Notes* que Josep Miquel Guàrdia Bagur (Alaior, Menorca 1830 - París 1897) va incorporar a la primera edició de *Lo Somni* de

Bernat Metge[1], feta a partir del manuscrit de la Biblioteca Nacional de París, tot i la informació que aporta de les variants del de la Biblioteca de la Universitat de Barcelona ("le meilleur") i del de Victorià Amer gràcies a la col·laboració de l'amic hel·lenista Josep Balari i Jovany. Per més que els desigs finals amb què cloïa la introducció d'un centenar de pàgines ("Puisse l'impression rendre ce livre classique") i la notícia sobre els tres manuscrits ("Peut-on avec ces éléments constituer un texte critique et definitif") es van complir ràpidament i amb escreix, fins al punt que l'edició de Guàrdia ha esdevingut un referent gairebé mític i fundacional de la historiografia del nostre segle[2]; l'editor, per contra, va ser objecte, ja coetàniament, de desfiguracions i oblits que no han pogut encara ser reparats, malgrat les temptatives de signe i de valor diversos que es poden rastrejar al llarg dels cent anys després de la seva mort.

El resultat actual és la imatge d'una figura boirosa, contradictòria i erràtica, una figura, en darrer terme, esqueixada tant per les dificultats objectives d'abraçar coherentment una trajectòria intel·lectual complexa com per la ruptura cultural imposada pel franquisme. El treball de recerca que he emprès al Fons Josep Miquel Guàrdia, donat pel seu rebesnét Patrick Casas Graux a l'Ajuntament d'Alaior el 1998, m'ha permès d'accedir a documentació inèdita que, *cum grano salis*, qüestiona obertament visions parcials, si no prejudicis, que planen fins ara mateix sobre Josep M. Guàrdia. El meu objectiu, amb tota la provisionalitat més obligada i prudent, és contrastar les noves dades documentals amb la bibliografia, contextualitzada, sobre Guàrdia, i amb l'accés directe, quan calgui, a la seva obra. Apuntar hipòtesis sòlides i raonades sobre la coherència del seu paper d'intel·lectual crític de la Renaixença hauria de contribuir a eixamplar el camí perquè l'amic gran i l'admirador incondicional d'Antoni Rubió i Lluch, en qui reconeixia el primer historiador modern de la literatura catalana[3], acabi ocupant l'espai historiogràfic que li pertoca.

1. *Le Songe de Bernat Metge, auteur catalan du XIVe siècle.* Publié et traduit par la première fois en français avec une Introduction et des Notes par J.M. GUARDIA. Imprimerie G. Gounouilhou (Bordeaux 1889).

2. "Sembla prou clar que tota consideració d'ordre teòric a propòsit de la literatura antiga està supeditada a l'edició de textos. Com anirem veient, pràcticament tots els materials que comentem estan relacionats d'alguna forma amb aquesta tasca primordialíssima. És més, fa anys que tenim la sospita que l'edició d'una obra tan singular, nostrada i irrepetible com és *Lo Somni* de Bernat Metge (París 1889) és un dels símptomes de l'entrada als nous temps que ens duran al Noucentisme i als nostres dies". Vegeu Lola BADIA, "La literatura catalana medieval vista per alguns erudits vuitcentistes" dins *Actes del Col·loqui Internacional sobre la Renaixença, II*, Estudis Universitaris Catalans, XXVIII, Curial Edicions Catalanes (Barcelona 1994), 9-16.

3. Vegeu Joaquim MOLAS, "Sobre la periodització en les històries generals de la literatura catalana" dins *Symposium in honorem prof. M. de Riquer*, Universitat de Barcelona/Quaderns Crema (Barcelona 1986), 257-276.

El paradigma de l'intel·lectual lliure pensador de la segona meitat del segle XIX

Un dels fets que més han llastat la figura de J. M. Guàrdia és la peculiaritat de la seva trajectòria biogràfica i intel·lectual, vista amb tota la dimensió d'excepcionalitat que la fa, així, difícilment, homologable. Recordem-la a grans trets: infant i adolescent menorquí, fill del metge d'Alaior, als tretze anys s'instal·la a Montpeller per cursar l'ensenyament secundari i la carrera de medicina, en la qual es doctora el 1853. Retornat a l'illa, descobreix tot d'una la seva manca de vocació pel que fa a la pràctica mèdica i decideix anar a París a doctorar-se en lletres, cosa que fa el 1855 amb una doble tesi en llatí i en francès, dedicada la primera a historia i filosofia de la medicina grega, i la segona, a l'obra del metge renaixentista navarrès Juan Huarte de San Juan, *Examen de ingenios para las ciencias*.

Establert definitivament a França (la nacionalitat de la qual adoptarà el 1864), emprendrà la vasta redacció d'obres i d'articles que afecten diferents camps de coneixement: la història de la ciència, la filosofia, la filologia clàssica grecollatina, la hispànica, la catalana i la pedagogia. Bibliotecari adjunt de l'Acadèmia Imperial de Medicina (1861-1869), s'acabarà decantant professionalment cap a l'ensenyament mitjà, primer al Collège Sainte-Barbe i posteriorment a l'École Monge, la més emblemàtica escola lliure de París, de la qual serà expulsat el 1882 enmig del ressò internacional de la seva compromesa obra pedagògica. Arraconat al Col·legi municipal de Chaptal, aconseguirà, tanmateix, una subvenció del govern francès per fer, el 1884, un viatge filològic als països de llengua catalana, amb la qual cosa donava embranzida a un interès i a una dedicació, iniciades a començament de la dècada dels seixanta amb els estudis lul·lians: l'edició de *Lo Somni* el 1889 i els articles de *L'Avenç* del 1890 al 1892 en són els fruits coneguts. La polèmica que, entre el 1890 i el 1893, mantindrà amb Marcelino Menéndez Pelayo arran de la qüestió de la ciència i de la filosofia espanyoles col·loca el polígraf menorquí en un primer pla, que, envellit i desenganyat, abandonarà fins a la seva mort a París el 1897[4].

Una trajectòria com aquesta presenta, certament, dos grans reptes d'interpretació, pendents encara de respostes satisfactòries: la coherència o la unitat d'una obra aparentment diversa, d'una banda, i, de l'altra, la seva projecció intel·lectual pública o, el que és el mateix, el sentit i l'abast d'una activitat que, difícilment, pot deixar de situar-se dins unes coordenades i dins uns grups culturals definits.

4. Vegeu A. Petrus Rotger, *José Miguel Guardia. Personalidad y doctrina pedagógica*, Ajuntament d'Alaior (Ciutadella 1985), 430. És l'obra més rigorosa de la bibliografia guardiana: elaborada a partir de la tesi doctoral, l'autor no només ofereix una profunda anàlisi pedagògica sinó que, a més, estableix, amb noves dades, la trajectòria biogràfica del metge filòsof menorquí. El que hi manca de contextualització d'història cultural no és de cap manera exigible en un estudi pedagògic, generós i tot com ho és aquest.

Cal dir, d'entrada, que la imatge que de J. M. Guàrdia ens ha llegat la bibliografia existent ha incidit en un tret, que ha calat profundament en l'imaginari col·lectiu. Em referesc al de "menorquí indòmit", títol de la "petita biografia" novel·lada que Joaquim Verdaguer va escriure, el 1957, a la memòria del seu il·lustre parent[5]. Recuperant i projectant un adjectiu ja emprat per la seva filla Madeleine Brunon Guardia[6] i per Marçal Pascuchi[7] als anys vint, cristal·litzava un tòpic que, tengui la parcel·la de realitat que tengui, "explicava" les grandeses i les suposades misèries de la vida intel·lectual de Guàrdia per un caràcter íntegre però orgullós, abocat indefectiblement a la soledat i al fracàs. Significativament, l'exemple, aïllat i repetit però no contextualitzat, del seu enfrontament amb el polígraf santanderí es vesteix de clarobscurs per acabar demostrant la desigualtat entre el Goliat espanyol i el David menorquí afrancesat.

La correspondència del Fons Guàrdia, que he tot just començat a estudiar, ens convida, ni que només sigui parcialment, a posar en dubte els arguments *ad hominem* i a introduir, per contra, explicacions coherents d'història cultural. Així, cal prendre nota de la carta que, el 12/5/1862, li adreça Emilio Castelar expressant-li, amb els següents termes, la voluntat de mantenir correspondència amb ell:

> "Hace tiempo que sigo con grande interés todas sus publicaciones, todos sus artículos. Veo en V. un libre-pensador como yo, un demócrata como yo, y además un especial entusiasta que nunca pierde de vista todo cuanto puede interesar á nuestra patria."

Més valuoses són encara les quatre cartes de Julián Sanz del Río, escrites al voltant del 1867 i acompanyades d'una còpia de l'expedient universitari que va comportar l'expulsió del catedràtic de la Universitat Central de Madrid, l'autor, entre d'altres, de la *Parte analítica de la Filosofía de Krause*, que regalarà a Guàrdia "como memoria de estima y reconocimiento á la amistad de V. para conmigo". Del contingut d'aquestes cartes, l'anàlisi de les quals ara no és l'ocasió d'abordar, voldria destacar sobretot la primera, en què l'introductor del krausisme i el configurador d'un nou model d'intel·lectual denuncia l'ambient d'intolerància espanyola, assenyala el caràcter minoritari del grup liberal i, emparant-se en l'autoritat de Guàrdia, li demana que denunciï a nivell europeu la situació espanyola:

5. Joaquim Verdaguer Travessi, germà del també escriptor Màrius, era fill del filòleg Magí Verdaguer i Callís, casat amb una neboda de Josep Miquel Guàrdia, una filla de la seva germana Maria. Al Fons Guàrdia, es troba una carta de Magí V., datada el 30 de setembre de 1882 a l'"Instituto de 2a Enseñanza de Mahón", en què, arran de la tramesa d'una obra seva, li expressa la seva admiració pel lloc que ocupa dins la lingüística moderna europea gràcies a les seves gramàtiques del llatí i del grec.

6. Vegeu "José Miguel Guardia por Madeleine Brunon Guardia", versión de Antonio Cursach, *Revista de Menorca*, 1922, 81-93.

7. Vegeu Marçal PASCUCHI, "Introducció a l'epistolari del Dr. J. M. Guàrdia", *Revista de Catalunya*, any IV, núm. 34, abril 1927, 386-395, i any V, núm. 52, novembre-desembre 1928, 421-449.

"Existe y crece en España hoy una maléfica y maquiavélica influencia contra toda manifestación libre del pensamiento; esta influencia es hija por linea recta (y no interrumpida desde Felipe 2° aquí) de la antigua Inquisición, cuyo espiritu vive, aunque el cuerpo haya pasado. Radica hoy hondamente en conciliábulos de frailes curas y monjas, de aquí pasando por palacio termina en el Gobierno público, que más veces autoriza con su silencio quemas públicas de libros o injurias y difamación calumniosa en los periódicos (...) contra los pocos profesores de ideas y sentido liberal (Figuerola, Canalejas, Fernandez Gonzalez, Castelar, Sanz del Rio); otras veces procede él mismo a medidas inauditas de intolerancia, dignas de la edad media, o de las empleadas contra fr. Luis de Leon y otros ilustres hombres. Hoy mismo ha prohibido a un joven y excelente profesor (Sr. Canalejas) seguir las Lecciones públicas sobre la *Historia de la Filosofia moderna en los pueblos latinos*, en el *Ateneo* de Madrid, corporación respetabilísima, protestando el Ministro (Sr. Jose Posada Herrera) para encubrir tan maquiavelica e inaudita intolerancia y odio a la ciencia seria y libre, que el catedrático es un *empleado* del Gobierno, al cual y a *cuyas ideas* se debe *todo entero*. ¡Como si un gobierno esceptico y groseramente utilitario, como este tuviera ideas! (...) Registre V. amigo mio, la historia contemporánea y no hallará en Europa, ni fuera, un hecho de tirania intelectual como este, ni en los motivos ni en el modo de proceder.

(...)

Y, pues los escritos de V. en el *Tiempo*, en la *Revista nacional*, la *Germania* y la de *Instruccion publica* que leemos aqui con sumo interés por versar sobre cosas de España, por fundarse en datos seguros y por respirar conocimiento profundo de nuestra vida y literatura y un sentido franco, elevado, severo liberal y amante de la libertad científica, hará V. un gran bien y aumentará entre nosotros la autoridad de su nombre, si, teniendo presentes estos hechos y conducta del Gobierno, la muestra ante la opinion publica, la censura y condena severamente, como el unico castigo posible hoy, en nombre del derecho sagrado de la ciencia y del respeto que hombres y Gobiernos le tributan hoy en Europa, excepto en España."

Aquestes paraules de Julián Sanz del Río ens ofereixen el millor dels enfocaments per *veure* Josep Miquel Guàrdia en la seva realitat d'intel·lectual. Així, els trets *personals* d'anticlericalisme, de denúncia d'una tradició inquisitorial i intolerant espanyola, de defensa d'un ensenyament (mitjà i universitari) lliure en oposició al control de l'estat jacobí (esdevingut una "església laica"[8]), la consciència del "dret sagrat de la ciència", l'exercici insubornable de la crítica adquireixen tot l'abast col·lectiu de qui comparteix amb determinats grups capdavanters una cosmovisió d'acord amb la qual defineixen el seu paper, actiu i crític, com a homes de cultura. Dit en termes més precisos: el text epistolar citat ens mostra un J. M. Guàrdia que, des de París i ja abans de l'esclat de la revolució del 1868, s'arrenglera al costat de lliure pensadors espanyols que, encapçalats per Julián Sanz del Río i convertits posteriorment en institucionistes, es drecen contra l'escola que, des del 1840 ençà, representa l'Espanya tradicional, ortodoxa i catòlica, la que, durant la Restauració, tindrà en Marcelino Menéndez Pelayo el "cruzado contra el libre examen"[9].

8. Vegeu J. M. GUARDIA, *L'état enseignant et l'école libre*, A. Durand et Pedone-Lauriel, éditeurs (París 1883).

9. Vegeu Francisco RICO, *Historia y crítica de la literatura española*, V, Editorial Crítica (Barcelona 1982), 664.

És més: el Guàrdia comprès entre la correspondència amb l'introductor del krausisme i la seva mort a París s'ha d'inserir dins una dinàmica complexa tant dins la història cultural castellana com la catalana: en el primer cas, la que representa, fins al 1898, "el conflicto entre racionalismo-positivismo, o liberalismo cultural, frente al tradicionalismo cultural"[10]; en el segon, la que fa cristal·litzar uns corrents ideològics científics i republicans amb els referents ineludibles de Pompeu Gener (deixeble, com Guàrdia, de Littré) i de Valentí Almirall (reconegut explícitament a l'obra del polígraf menorquí), amb tot el cabal que desembocarà, el 1892, en la creació d'un moviment que es reclamarà modern, nacional i europeu.

És dins aquest context que caldrà aprofundir, en el futur, en el regeneracionisme *avant la lettre* de J. M. Guàrdia: el que connecta la seva obra i la seva actuació amb les grans línies de progrés de l'Europa de la segona meitat del XIX tant des de la participació amb la cultura castellana i la catalana com pel paper que desenrotlla a França en els terrenys de la ciència, de la filologia clàssica i, sobretot, de la pedagogia.

Cal ara, però, cloure el cicle que he obert amb l'adscripció de Guàrdia en el lliure pensament europeu i espanyol, perquè aquí rau, al meu parer, la hipòtesi més plausible a l'hora d'explicar-nos l'"oblit" de Guàrdia en la historiografia actual. Em referesc a l'episodi alhora més magnificat biogràficament i menys contextualitzat culturalment de la trajectòria guardiana: el seu enfrontament, a començaments de la dècada dels noranta, amb Marcelino Menéndez Pelayo.

Els fets ens són coneguts[11]: l'obra de Guàrdia que sintetitza, des del 1855, els seus vessants científic i humanístic (la història de la medicina i de la filosofia o, millor encara: la història filosòfica de la medicina) compta amb una etapa especialment activa a partir del seu cessament a l'École Monge. Amb la col·laboració a la *Revue Philosophique de la France et de l'étranger* entre el 1886 i el 1893, J. M. Guàrdia torna a ocupar un primer pla en el debat ideològic hispànic, en la mateixa línia reconeguda per Julián Sanz del Río el 1867. Hi ha, d'una banda, els articles de la sèrie "Philosophes espagnols" (els pocs que, al seu parer, poden detenir aquest nom: els renaixentistes castellans Sabuco, Gómez Pereira i Huarte de San

10. *Ibid.*, 670.

11. La síntesi més rigorosa ens l'ofereix A. PETRUS ROTGER, *op. cit.*, 327-354, encara que la interpretació, per manca segurament de dades documentals, no superi l'argumentació personalista: "su manera de escribir, el no poder dominar su ligereza de pluma, es su principal enemigo y lo que le llevó a duros enfrentamientos, entre los que sobresale el mantenido con don Marcelino Menéndez Pelayo" (354). El mateix autor cloïa una comunicació presentada anteriorment a les *II Jornades d'història de l'educació en els països catalans* [Publicacions del Departament de Pedagogia. Facultat de Filosofia i Lletres (Palma 1978), 104-107] amb les següents paraules: "Menéndez Pelayo, censor de la nostra cultura durant molts d'anys, no va comprendre a Guàrdia. A don Marcelino devem, en gran part, que estiguem ara aquí intentant posar llum a on el nostre tradicional obscurantisme va voler posar-hi fosca".

Juan, al costat del medieval Ramon Llull[12]), i, de l'altra, els dos de "combat" al voltant de l'existència o no d'una ciència i d'una filosofia espanyoles: "L'histoire de la philosophie en Espagne" (1890) i "La misère philosophique en Espagne" (1893).

L'anomenada polèmica de la ciència (de la decadència i l'endarreriment espanyols), iniciada el 1876 arran d'un article del krausista Gumersindo de Azcárate rebatut per Menéndez Pelayo, serà revifada, des de París, per Guàrdia, que denunciarà, a l'article del 1890, el polígraf santanderí al costat d'altres autors "sectaris". L'amenaça de don Marcelino, anunciada a una carta a l'hispanista Morel-Fatio[13], es complirà el 1892 a la 2a edició del *Discurso de los orígenes del criticismo y del escepticismo*, contestat al seu torn a "La misère philosophique en Espagne":

> "Quiconque ne confond pas la philosophie avec la théologie, le mysticisme, la casuistique et la réthorique déclamatoire, ne se laissera pas abuser par ce fantôme d'une philosophie espagnole qui n'existe point, et qu'on ne saurait évoquer du néant, à moins d'être possédé de la manie de l'érudit et ingénieux Forner en son oraison funèbre. Encore Forner fait-il preuve d'esprit et de goût, et ne prétend-il pas que les philosophes modernes aient appris à penser de l'Espagne catholique et orthodoxe."[14]

"Jamás se lanzó contra Menéndez alegato tan feroz", afirma Joaquin Iriarte en un article de 1946[15], que, tot i les coordenades franquistes en què s'escriu, té el mèrit de situar Guàrdia dins el que ell anomena la generació del 68, formada, entre d'altres, per J. Costa, V. Almirall i P. Gener. L'enfrontament, doncs, ha de ser vist amb tota la seva dimensió cultural al voltant dels dos grans pols ideològics vuitcentistes que debatien les causes de la degeneració espanyola i, en conseqüència, en cercaven vies de "regeneració" de signe oposat[16].

Caldrà, en fi, plantejar en un futur dos aspectes no abordats: en primer lloc, les possibles conseqüències que aquest paper de Guàrdia va tenir en la seva relació

12. Cal dir que el rigor crític de Guàrdia és corroborat per la historiografia actual: vegeu, en aquest sentit, les apreciacions que sobre aquests filòsofs i científics castellans fan Alexander A. Parker i Antonio Castro Díaz dins F. Rico, *Historia y crítica de la literatura española*, II, Editorial Crítica (Barcelona 1980), 62-63 i 157. Pel que fa a l'article dedicat a R. Llull, n'he consultat l'original manuscrit, encara que no n'hagi pogut confirmar la publicació.

13. "He visto un atajo de desvergüenzas e improperios que dicho doctor Guardia me dedica en la Revista Filosófica de Ribot, y pienso darle su merecido" (22/8/1890). Vegeu A. Petrus Rotger, *op. cit.*, 349.

14. Incorpor la cita d'acord amb les proves d'impremta de l'article, dipositades al Fons J. M. Guàrdia de l'Arxiu de l'Ajuntament d'Alaior.

15. Vegeu Joaquin Iriarte, "La filosofía española y el choque Menéndez-Guardia", *Razón y Fe*, tom 133 (Madrid, gener-juny 1946), 527-542. Agraesc la generositat del Dr. Manuel Jorba de fer-me conèixer aquest i altres articles fonamentals sobre J. M. Guàrdia.

16. Vegeu Antonio Santovenña Setién, *Menéndez Pelayo y las derechas en España*, Ediciones de Librería Estudio (Santander 1994), 278.

amb els intel·lectuals castellans[17] i catalans; en segon lloc, el qüestionament dels paràmetres interpretatius de la bibliografia guardiana dels anys quaranta i cinquanta del nostre segle, en ple auge del "menendezpelayismo franquista", just abans d'iniciar la corba cap a l'oblit, consumat als anys setanta[18]. D'aquí la paradoxa d'enfrontar-nos a l'espai historiogràfic de J. M. Guàrdia: sembla, fins ara, indestriable del de Menéndez ja sigui per ocultar-lo a començaments del segle XX, ja sigui per fer-lo emergir, amb nous emmascaraments, en plena postguerra. La revisió es fa, per tant, necessària per tal de situar el metge-filòsof, el pedagog i el filòleg menorquí dins l'espai del debat entre tradició i modernitat que va convocar els grans intel·lectuals castellans i catalans de la història cultural entre l'esclat de la revolució del 68 i la crisi de la fi de segle.

El sentit i la coherència de l'obra catalana de J. M. Guàrdia entre la Renaixença i el Modernisme

Un dels millors exemples a l'hora de fer-nos càrrec de les ambigüitats històriques que han planat sobre la figura de J. M. Guàrdia ens l'ofereix un mateix autor, Tomàs Carreras Artau, en dos textos situats en dates històriques ben oposades. Si en el segon, de 1951, afirma que "la participación activa de Guardia en el Renacimiento literario catalán (...) se explica por motivos puramente sentimentales" i només incorpora el referent de l'enfrontament amb Menéndez Pelayo per justificar l'ostracisme a què va ser condemnat l'intel·lectual menorquí[19]; en el segon, de 1931, l'havia convertit, atenent els mateixos fets, en protagonista destacat de la Renaixença per raons de coherència interna dels interessos intel·lectuals i de la perspectiva ideològica guardians:

> "En l'apreciació del passat filosòfic de Catalunya registrem quatre actituds ben definides, dignes d'ésser criticades (...).
> Consisteix la primera actitud a negar l'existència d'una filosofia, o potser millor, d'una activitat filosòfica a Catalunya. Està implícita aquesta negació en l'ànim d'aquells que en la gran polèmica sobre la "Ciencia española" promoguda l'any 1876 per Laverde Ruiz i M. Menéndez Pelayo, sostenien que a Espanya no ha existit una Ciència i una Filosofia amb caràcters propis. Convé,

17. La reacció més coneguda, i de la qual es conserva documentació al Fons Guàrdia, és la d'Emilia Pardo Bazán, que, des de les pàgines de la revista *Nuevo teatro crítico* el va intentar desqualificar anomenant-lo "judío converso mallorquín".

18. Vegeu Antonio SANTOVEÑA SETIÉN, *op. cit.*

19. "A Guardia le restó muchas simpatías su odio intelectual a Menéndez y Pelayo, maestro seguido y siempre admirado en Cataluña. Sin duda por este motivo, la joven promoción literaria le volvió sus espaldas. Recuerdo de mi primera juventud que en una publicación catalana, órgano de las ansias de aquella promoción, se dió el grito esporádico de *pasar por alto la obra de Guardia*, por no interesar". Vegeu Tomàs CARRERAS ARTAU, "Semblanza del médico-filósofo Dr. J. M. Guardia", *Archivos Iberoamericanos de Historia de la Medicina*, vol. III (1951), 389-439.

però, no oblidar que el leitmotiv d'aquella discussió era predominantment polític-religiós. Hom tractava d'escatir si el fet de la Inquisició espanyola havia ofegat el lliure desenrotllament del pensament científic i filosòfic. I, sense negar la repercussió que aquella polèmica tingué també a Catalunya, on erudits i historiadors es llançaren ardidament a l'estudi del nostre passat intel·lectual, cal remarcar que el tema sobre l'existència i caràcters d'una Filosofia a Catalunya responia a un ordre totalment diferent d'idees i sentiments. Era l'aspiració a una renaixença integral d'un poble el que esperonà a alguns a escorcollar el passat filosòfic de Catalunya, semblantment a com s'havia iniciat la restauració de la llengua i de la literatura. I ara s'explica la paradoxa que un il·lustre menorquí, voluntàriament expatriat, Josep Miquel Guàrdia, impugnador acèrrim de la "Ciencia española" de Menéndez y Pelayo, mogut per les seves idees filosòfico-polítiques, fos, no obstant, un dels primers a estudiar alguns dels antics filòsofs catalans, i servís a la seva manera la causa de la Renaixença catalana."[20]

L'encert d'aquesta contextualització és, tanmateix, només relatiu, perquè, en la línia del que he apuntat a l'apartat anterior, l'interès de Guàrdia per la ciència i la filosofia espanyoles se situa en una data molt més reculada: l'any mateix del seu doctorat a París, el 1855, amb una tesi sobre Huarte de San Juan, amb tot el que implicava d'interès pels humanistes renaixentistes, reformistes i erasmistes, que contradeien momentàniament la història de tancament i de repressió culturals peninsular.

És justament des del seu hispanisme inicial que Guàrdia incorporarà els referents catalans gairebé al moment mateix que prenguin cos en edicions i estudis, connectats sobretot amb el seu camp d'investigació. Aquest és el cas de la figura de Ramon Llull, al qual dedicarà, el 1862, un interessant i documentat article a la *Revue Germanique et Française*, "Littérature Catalane. Le Docteur Illuminé", molt més que una ressenya aprofundida de les *Obras rimadas de Ramon Llull*, publicades a Palma el 1859 per Jeroni Rosselló. El fet de veure'l com el pare dels místics i humanistes cinccencistes castellans i catalans que ell admira és la mostra més concloent de la pertinença "lògica" a l'univers intel·lectual que sempre el definirà:

> "Ramon Llull est donc le vrai chef des mystiques espagnols, et à certains égards le prédécesseur de ces libres penseurs qui surgirent en Espagne entre le XVe et le XVIe siècles. Ce qu'il dit des Turcs, de la paix générale de monde et des conciles, se retrouve à la lettre dans les écrits si sensés de Louis Vives, publiciste et savant illustre, homme qui a honoré entre tous la race catalane et les lettres espagnoles.– Une telle filiation est à l'honneur de Ramon Llull."[21]

Aquest és el punt de partida explícit i públic d'un interès per la cultura i la literatura catalanes, que tindrà continuïtat en la traducció francesa de "Lo desconhort" a la *Revue d'Instruction Publique* (1862-1863) i que el durà a incorporar, dins

20. Tomàs Carreras i Artau, *Introducció a la història del pensament filosòfic a Catalunya i cinc assaigs sobre l'actitud filosòfica*, Llibreria Catalònia (Barcelona 1931), 20-21.

21. J. M. Guàrdia, "Littérature catalane. Le Docteur Illuminé", *Revue Germanique et Française* (París 1862), 224.

les obres i els articles posteriors de caràcter més general, les figures d'Arnau de Vilanova i de Ramon Sibiuda.

Ara el que m'interessa de destacar és el fet que J. M. Guàrdia, des de l'inici de la dècada dels seixanta, abraci des d'una visió hispànica àmplia les dues grans cultures peninsulars, tal com ho manifesta la correspodència, inèdita i desconeguda fins ara mateix, amb l'aragonès Toribio del Campillo, amic de Julián Sanz del Río i, entre d'altres càrrecs, cap de la secció de manuscrits de la Biblioteca Nacional de Madrid. Les quaranta-cinc cartes conservades d'aquest bibliògraf a Guàrdia, entre el 1861 i el 1874, són un document de primer ordre per avaluar el sòlid grau de coneixement que el menorquí establert a París rebia dels avanços filològics catalans. Així, a través d'unes cartes plenes d'amistat i de respecte, desfilen el Marià Aguiló de la "Biblioteca Catalana", el Milà i Fontanals *De los trovadores en España*, l'Antoni de Bofarull, editor i traductor al castellà de la crònica de Muntaner, el lul·lista Jeroni Rosselló i fins el dramaturg Víctor Balaguer.

La correspondència, significativament, comença a esllanguir-se amb les enhorabones per les càtedres de llatí i grec (1867) i humanitats (1869) a l'École de Sainte-Barbe, per cloure's el 13 de febrer de 1874:

> "Gran satisfaccion tendré si logra V. fructuosos resultados con su *Gramática latina*, ya que, de seguro, gloria no ha de faltarle, siendo tan idólatra de los Brocenses, Abriles y Nebrijas. Y notabilísimo émulo de tan insignes humanistas."

En efecte, el 1867 sembla cloure's una brillant etapa que l'ha col·locat en un primer pla entre els hispanistes peninsulars i estrangers per les seves obres de història cultural cientificohumanística, amb la incorporació dels grans referents catalans. Fins el 1883, en desplegarà una altra sota el signe de la pedagogia i de la filologia clàssica, dins un camp d'acció clarament francès i europeu. Així ho demostren el ressò de l'ideari i de la pràctica docents que propugna, d'una banda, i, de l'altra, el rigor científic i la consciència cultural amb què afronta, juntament amb J. Wierzeyski, la redacció de gramàtiques del llatí i del grec per a l'ensenyament secundari d'acord amb els principis de la lingüística històrica i comparada alemanya.

Així, quan el 1883 iniciï una nova etapa, J. M. Guàrdia haurà arrodonit el seu perfil intel·lectual: l'historiador i el filòsof de la medicina, l'hispanista renaixentista que havia reivindicat els precedents lluminosos dels autors catalans medievals, s'ha vist enriquit pel pedagog que s'ha plantejat críticament els fonaments de la cultura dins els estats burgesos decimonònics (el jacobinisme dels quals atempta contra la llibertat que ell sempre ha defensat), i, alhora, pel filòleg clàssic, que no concep el progrés sense la tradició.

És dins aquestes coordenades que cal contemplar la nova embranzida que, al llarg d'una dècada (1883-1893), J. M. Guàrdia dóna als seus estudis sobre la cultura castellana i la catalana, tot subvertint l'espai que els havia atorgat en la seva primera etapa intel·lectual. Gràcies a una subvenció del Ministeri d'Instrucció Pública del govern francès –que el compensa, només momentàniament, del paper jugat en el seu cessament a l'École Monge-, emprendrà, el 1884, un viatge filològic al que ell anomena els països de llengua catalana, amb l'objectiu declarat d'abordar un estudi del dialecte de les Illes i amb el resultat real d'una presa de contacte directe amb tota la cultura nacional. L'article publicat el 15 de setembre de 1885 a la prestigiosa *Revue de Deux Mondes* amb el parcial títol "Une excursion aux Iles Baléares" és la crònica brillant d'unes relacions i d'un interès que aprofundirà en posteriors publicacions, malgrat no comptar ja amb cap ajut oficial.

Entraríem ara en un terreny que reclamaria una quantitat enorme de textos, monografies i estudis generals, impossibles ni tan sols d'apuntar en els límits reduïts d'aquest article. El meu objectiu, per tant, és *només* plantejar l'abast i el sentit d'aquesta obra catalana de J. M. Guàrdia, cristal·litzada en l'edició de *Lo Somni* de Bernat Metge el 1889 i en la col·laboració a *L'Avenç* del 1890 al 1892.

Josep Balari i Jovany i Jaume Massó i Torrents[22] són respectivament els dos centres al voltant dels quals J. M. Guàrdia entaularà una interessantíssima correspondència amb Joaquim Rubió i Ors, Antoni Rubió i Lluch, Àlvar Verdaguer, Jaume Collell i Gaietà Vidal i Valenciano[23] . A través d'ells i amb ells, participa activament en la configuració i el debat de la cultura catalana entre la Renaixença i el Modernisme, mirant d'aportar-hi –amb generositat, esperit crític i sinceritat– el bagatge d'una llarga i sòlida trajectòria intel·lectual.

D'aquí que els fruits editorials i periodístics oferts –a més del mestratge exercit en els textos epistolars– defugin qualsevol consideració de caràcter "extraordinari" per convidar-nos a ser interpretats com la quinta essència del conjunt de l'obra aparentment diversa de J. M. Guàrdia. Des d'aquesta perspectiva, cal llegir el llarg pròleg a l'edició de *Lo Somni*, tan malentès i negligit, com un assaig intel·lectual en les seves primeres cinquanta pàgines i com una moderna presentació filològica en les darreres cinquanta més. La visió crítica de la Renaixença de la primera part no té evidentment cap sentit contemplada des de l'erudició[24] , però el té tot des del regene-

22. Vegeu, respectivament, Pere J. QUETGLAS "Estudi preliminar" a Josep BALARI I JOVANY, *Escrits filològics*, Editorial Alta Fulla (Barcelona 1990), i Jordi CASTELLANOS, "Massó i Torrents: el combat per la cultura" dins *Intel·lectuals, cultura i poder*, Edicions de La Magrana (Barcelona 1998), 72-89: seria interessant de rastrejar, en ambdós, l'ombra invisible de J. M. Guàrdia.

23. La correspondèmcia editada per Marçal PASCUCHI ["Quinze cartes del doctor Josep Miquel Guàrdia sobre la Renaixença", *Revista de Menorca*, 1984, 417-497], al costat de la que he pogut localitzar al Fons Guàrdia, requereixen una lectura aprofundida i una exhaustiva anàlisi, que no puc ni tan sols encetar aquí.

24. Aquest és l'"error" de Josep Yxart, que, tot i reconèixer el "mérito literario superior" de l'obra editada per Guàrdia, en combat el pròleg justament pel que conté de crítica literària i de perspectiva intel·lectual. L'atac no es justifica només per les esperables postures divergents de l'un i de l'altre en relació amb la creació literària, sinó pel fet que es nega a veure'l fora de les coordenades de l'erudició, en la qual, no gratuïtament, declara "maestro en el día á D. Marcelino Menéndez Pelayo". Vegeu Josep YXART, *El año pasado. Letras y artes en Barcelona*, Librería Española de López (Barcelona 1890), 99-108.

racionisme de l'autor, el lliure pensador i l'amant dels clàssics grecollatins de sempre, cosa que fa que avanci significativament idees de força i fins terminologia dels futurs moviments modernista i noucentista[25]. Del primer prefigura la brossiana negativa a "viure del passat":

> "Il faut vivre. Voilà le mot d'ordre, le mot de la situation. Vivre de regrets? Non, mais d'espérance, de foi, de confiance, en se pénetrant de cette vérité banale, que le passé ne recommence point." (pàg. XXXII);

del segon, la certesa que la plenitud del present passa per la connexió vivificadora amb el llegat clàssic grecollatí. D'ambdós: la posició nacional(ista) que col·loca la llengua i la cultura (l'alta cultura institucional i universitària) en el centre de tot veritable programa de modernització i d'europeïtzació.

La segona part del pròleg, la filològica, ens permet d'entendre la profunda coherència entre l'editor i l'obra editada. Només un autor que, com ell, prové de la història i la filosofia de la ciència (el seu admirat metge Hernández Morejón havia convertit el llinatge de l'autor de *Lo Somni* en professió), que s'ha sentit temptat sempre pels veritables heterodoxos, per l'escepticisme més intel·ligent, que ha estudiat des de jove els humanistes i renaixentistes hispànics (moderns a força de ser clàssics), que ha defensat les obres breus i d'abast filosòfic; només un autor com Guàrdia, deia, estava cridat a trobar i a reconèixer *Lo Somni* de Bernat Metge. La consciència de la provisionalitat de la seva edició catalana (impossibilitat com s'havia trobat per fer una edició definitiva a partir dels tres manuscrits existents) encara atorga més valor a la seva ferma voluntat de contribuir a "rendre ce livre classique".

L'amistat i la correspondència que entaularà amb Jaume Massó i Torrents li obrirà les portes de *L'Avenç* en un moment fonamental de canvi cultural. Els seus articles[26] seran, per poc temps, una finestra esbatanada que comunicarà el seu ric món intel·lectual, ben interconnectat, amb la realitat catalana. Guàrdia hi apareix sencer, de cap a peus, amb els seus múltiples coneixements científics, filosòfics, humanístics i pedagògics al servei d'una visió crítica i de la configuració de tot un programa, fonamentat en la renovació clàssica, la reforma lingüística i pedagògica, la creació d'una acadèmia de l'idioma català i d'una càtedra d'història de la literatura catalana a la Universitat de Barcelona, amb Antoni Rubió i Lluch al capdavant.

25. Resultaria especialment significatiu poder establir les coincidències de Guàrdia amb la visió crítica que de la Renaixença manifestaren tant determinats intel·lectuals modernistes com el mateix programa noucentista, en la línia de l'argumentació exposada per Jordi CASTELLANOS ["La Renaixença vista pels modernistes"] i Josep MURGADES ["La Renaixença vista pel Noucentisme"] a les ja citades *Actes del Col·loqui Internacional sobre la Renaixença*, 101-139.

26. N'existeix una edició actual amb el títol *L'illa de Menorca i altres articles* a cura de Josefina SALORD, Institut Menorquí d'Estudis/Ajuntament d'Alaior (Menorca 1998).

La projecció que Josep Miquel Guàrdia assolirà dins la cultura catalana entre el 1886 i el 1892 és paral·lela a la que recuperarà dins la castellana amb els articles sobre filosofia i ciència, que el duran a l'enfrontament amb Marcelino Menéndez Pelayo entre el 1890 i el 1893. Si ho esment, és perquè, molt possiblement, la "retirada" de Guàrdia en pot ser una conseqüència directa i definitiva. Precedint un ostracisme, que caldrà explicar amb més elements en noves ocasions, hi ha, tanmateix, l'autoexclusió de qui se sent cada cop més lluny dels joves amics de *L'Avenç*, amb qui no pot compartir un programa de modernització lingüística i cultural al marge, segons ell, de la tradició nacional i occidental grecollatina, d'acord amb el que expressa epistolarment, en diferents ocasions, a Antoni Rubió i Lluch.

Un cop més, J. M. Guàrdia restava sol fins a la seva mort a París el 1897 pel fet d'avançar-se a plantejaments no formulats col·lectivament. Noucentista *avant la lettre* pel que fa a concepcions culturals, n'hauria restat allunyat per les bases ideològiques del moviment[27]. No debades són Joan Estelrich i Marçal Pascuchi els qui es proposen, entre el 1919 i el 1938[28], d'estudiar-lo i de recuperar-lo ja dins el marc de la recuperada, en paraules de Joan Crexells, "importància del vuitcents català".

No acomplertes les iniciatives ni de l'un ni de l'altre, el primer, tanmateix, es lliga al gran projecte que duu el nom de l'autor editat per Guàrdia, i el segon hi retroba la catalanitat més sòlida d'un menorquí adscrit a la Renaixença.

Ens resta encara, per tant, d'atorgar l'espai historiogràfic que li pertoca a Josep Miquel Guàrdia, un intel·lectual crític de la Renaixença per a qui l'elaboració de la història de la literatura catalana –anunciada per Rubió i Ors i Milà i Fontanals, i feta ja realitat moderna en Rubió i Lluch– era indestriable de l'espai que la nostra cultura havia de fer-se dins la romanística europea contemporània. Parafrasejant el Guàrdia de l'article dedicat a Ramon Llull el 1862, podria dir que aquesta és la genealogia en què s'inscriu i que ha contribuït a desvetllar el Dr. Joaquim Molas, a qui esper retre l'homenatge de què és mereixedor amb un aprofundit treball sobre J. M. Guàrdia i la Renaixença.

27. Així ho apunta Eduard VALENTÍ FIOL [*Els clàssics i la literatura catalana moderna*, Curial (Barcelona 1973), 30-33, 50 i 54]: "A la primera dècada d'aquest segle (...), va sorgir a Catalunya un moviment molt ambiciós per estructurar la nostra cultura segons mòduls europeus i moderns, i un dels objectius que es varen fixar era, com havia predicat Josep Miquel Guàrdia, només que amb un esperit [liberal] molt diferent, el de recuperar el temps perdut durant els segles de decadència, ressuscitar a Catalunya l'humanisme i restaurar l'enllaç amb la cultura clàssica."

28. Al Fons Guàrdia, es conserven les cartes, que ens permeten de resseguir els avatars personals i històrics que frustraren ambdues iniciatives.

EL FUTURISME CATALÀ: SALVAT A ITÀLIA

Anna Maria Saludes i Amat

Universitat de Florència

Les relacions entre la cultura italiana i la catalana dels darrers cent anys, (junt amb les d'Itàlia amb tota la Península Ibèrica) han d'ésser vistes i interpretades com a un producte episòdic, més prop de la crònica que no pas de la història. Són illes, o espais circumscrits a un recíproc influx, totes perifèriques, i tanmateix amb una decidida voluntat de promoció dins el concert de les nacions i cultures d'Europa.

Tal vegada, aquestes relacions suggereixen una afinitat prou forta amb el país que separa i uneix alhora: França (penso en el simbolisme o en les avantguardes), però no es tracta d'un veritable intercanvi, de col·laboració o d'escoles. D'aquesta forma la crònica de les fases de la contínua successió dels fets culturals es pot explicar i arriba a descriure una certa amplitud d'interreferències, però la intensitat esdevé més evident en el gust estètic que en l'activitat especulativa, en la difusió d'autors aïllats molt més que en una veritable divulgació dels corrents.

En efecte, la perenne situació que continua mantenint en vida moltes zones d'ombra entre els dos pobles, germans per la llengua, es fa encara més complexa quan ens endinsem dins les relacions internes d'una cultura, com la catalana, que ha estat condemnada per més de quaranta anys a l'ostracisme d'una repressió política[1]. Vicis de forma, incomprensions, ignorància... conviuen *ad libitum*, i acaben per crear confusió i desordre de manera que retarden fins a l'infinit possibles descobertes.

En els darrers anys –no obstant la crisi econòmica que acompanya el cloure's del segle XX– la cultura de masses ha promocionat la descoberta dels sistemes de comunicació, enfollits en una cursa sense aturador. El déu Internet senyoreja i condiciona el nostre saber, mentre crea la il·lusió d'un món a l'abast de tothom a través del dit que prem una tecla de l'ordinador.

1. Cal recordar que durant la dictadura espanyola, Itàlia es va mostrar sovint portaveu dels moviments culturals de la resistència antifranquista.

Així mateix, les traduccions de textos catalans a l'italià i viceversa, en el darrer decenni, omplen fins a fer nosa (nosa? no voldria exagerar!) els prestatges de les llibreries en vistoses piles de volums, entre els quals campegen, entre altres, els títols d'obres «necessàries» com de Susanna Tamaro per als lectors catalans i de Quim Monzó per als italians. No cal dir que, al costat d'aquests, trobem traduccions d'autors més «segurs»[2], però no se sap per què ni com, el fet és que d'aquesta manera es mou el mercat.

I tanmateix, en certs moments històrics del nou cents, les relacions literàries entre els dos països han estat, si no intenses, almenys més coherents. Per sort, l'afany de la recerca continua en alguns de nosaltres... La constància de visitar biblioteques, arxius, hemeroteques i fons oblidats pot donar-nos satisfaccions i tal vegada agradables sorpreses.

L'any 1974, el meu primer any de lectorat a Itàlia, Joaquim Molas em va encoratjar a dedicar-me a la investigació del futurisme i els possibles influxos i relacions entre els autors avantguardistes italians i catalans. En va sortir un article que es va publicar a Nàpols en una revista d'un sol número [3]. La lectura de periòdics i revistes barceloneses de la primera dècada del segle, fins a la vigília de la guerra civil, m'havia descobert un panorama –aleshores menys freqüentat– d'intenses relacions franceses i italianes, sobretot, dins els ambients pictòrics i literaris, en el qual es perfilaven protagonistes i personatges encara vivents. Era una zona, com he dit, poc estudiada i bastant nova com a temàtica, excepte una important, encara que poc difosa, exposició del 1969, dedicada a les *Galeries Dalmau*, instal·lada la seu del Col·legi d'Arquitectes de Barcelona, i de la qual es va publicar una carpeta-catàleg, amb documents reproduïts anastàticament[4].

Dins la recerca que havia iniciat al començament dels anys setanta, entre les diverses figures tractades, m'atreia de manera particular la del poeta Joan Salvat-Papasseit (1894-1924). Amb aquell suggestiu cognom compost i de ressonàncies musicals, separat estratègicament amb un guionet (tret que va esdevenir característic, entre les noves generacions d'artistes). L'escriptor, es vantava també de les ascendències gitanes que, segons ell, s'hi amagaven. A nosaltres ens parla de l'urc del *Poeta-heroi*, personalització que l'autor proposa sovint en la seva obra. Poeta

2. Dins les traduccions compreses en els darrers vint anys, i a excepció de M. Rodoreda, de la qual ha estat traduïda gran part de l'obra, o de la producció més representativa de Ll. Villalonga, s'hauria de recordar que han tingut almenys una novel·la dins el mercat italià autors com Pere Calders, Maria Aurèlia Capmany, Baltasar Porcel, Joan Fuster, Montserrat Roig, Maria dels Àngels Anglada, Maria Antònia Oliver, Carme Riera, Josep Piera, Miquel de Palol, i potser algú més que ara em defuig. Caldria valorar també els autors italians que els editors catalans han decidit fer conèixer en la llengua pròpia del nostre país.

3. *Dettagli* "Il Futurismo in Catalogna", n° unico, desembre 1976, pàg. 25-51.

4. *Carpeta Galeries Dalmau*, recull, muntatge i disseny d'E. Bonell, J.M. Casabella, P. Casajoana i J. Morera, 1969, censurada. Un altra iniciativa interessant fou l'article de J. MOLAS, "La literatura catalana y los movimientos de Vanguardia" a *Cuadernos de Arquitectura*, n. 79, 1970, pàg. 36-42, profusament il·lustrat.

Salvat, i potser Salvador. A la cloenda del meu treball, com sigui, vaig presentar en versió catalana, potser per primera vegada a Itàlia, una composició avantguardista: *El Cal·ligrama-i-2*, del recull *El poema de la rosa als llavis* (1923), reproduït en llengua original.

El cal·ligrama, o sigui la fusió de poesia i pintura, venia a representar, i al mateix temps inaugurava, una nova proposta de lectura. A més, era la continuïtat tot i que reduïda, no per això menys incisiva, de la difusió literària del poeta en terres italianes.

En aquest punt, encara que sigui breument, hauria de ser recordada la seva recepció a Itàlia. Des del primer moment, l'obra de Salvat-Papasseit ha estat presentada dins reculls antològics[5] que el proposaven com un continuador de Joan Maragall (1860-1911), més proper als cànons del romanticisme, que no pas idoni per a experimentacions innovadores. Per confirmar aquesta actitud, només cal repassar la fitxa i els textos escollits per Cesare Giardini (1893-?) dins l'*Antologia della poesia catalana (1845-1935)* (Garzanti, Milano 1950). Les dues composicions presentades[6], permeten a l'antòleg d'afirmar: «il Salvat-Papasseit ha sacrificato gran parte della sua poesia sull'altare della decima musa, l'assurda musa della novità [...] L'avanguardismo di Salvat-Papasseit, non è tuttavia quello di Marinetti, bensì quello –nutrito di classica sapienza– di Apollinaire». Resulta evident que la imatge de l'artista, en aquest punt, podia aparèixer manipulada.

Anys més tard, J. Rodolfo i Livio B. Wilcock, en una antologia d'estil més modern, i amb els textos en llengua original acompanyant les traduccions (*Poeti Catalani*, Bompiani, Milano 1962), presentaven tres composicions salvatianes[7] que, sens dubte, recolzaven encara el desig de mantenir la poesia d'aquest autor dins el reduït esquema d'un epígon maragallià, neoromàntic i popularista. Declaracions semblants havien estat formulades i publicades a Catalunya, després de la prematura desaparició del poeta l'any 1924, pels seus mateixos companys i amics, poetes ells també, i pels crítics i estudiosos. Concretament per J.V. Foix i Tomàs Garcés. Hi tornaré tot seguit.

En 1977, una de les composicions més ambicioses de Salvat-Papasseit, fusió de diverses tècniques avantguardistes (cubisme, futurisme i dada), intitulada *Marxa*

5. No és fàcil convèncer els editors de publicar poesia, en especial estrangera. J. Salvat-Papasseit, fins l'any 1998, havia superat figures de primer ordre com un Ausias March, per posar un sol exemple de les anomalies que regulen el mercat de les traduccions. I si avui en dia hi ha tot un florir d'autors catalans traduïts a l'italià, cal no passar per alt les munífiques contribucions de la Generalitat de Catalunya, a través de la Institució de les Lletres Catalanes.

6. *Passen pel port* del recull *La gesta dels estels* (1922), i *Visió del Guadarrama*, del volum, *Les Conspiracions* (1922) : *Scendete al porto* i *Visione del Guadarrama*, pàg. 203-04.

7. *Perquè has vingut*, i *I quan confiats* del recull *El poema de la rosa als llavis* (1923), *Res no és mesquí*, de *L'irradiador del port i les gavines (Poemes d'Avantguarda)* (1921).

nupcial, fou publicada en original i versió italiana dins *Sette testi poetici*, que cloïen l'assaig: *Poesia sperimentale in Catalogna*, presentat per G.Grilli i qui escriu[8].

L'any 1990, es publicava una selecció de setze textos[9], curats per mi, i malgrat que pogués semblar una versió parcial, oferia en canvi, l'enunciat en una llengua i en un país de tan fort ascendent com és Itàlia dins l'obra poètica salvatiana. En el meu escrit desitjava, sobretot, col·locar en el lloc adequat la figura de Joan Salvat-Papasseit, és a dir, dins el marc del breu, brevíssim temps/espai dins el qual va operar el poeta (va morir als trenta anys), i dels contactes que tingué a l'interior i fora de la cultura catalana. Poc temps després (1990), en una ponència llegida en un Congrés dels hispanistes italians, a la Universitat de Palerm, vaig fer una lectura interpretativa d'un dels textos amb més densitat de significats: la *Lletra d'Itàlia* [10], que Salvat havia col·locat entre vanitat i provocació, com a preàmbul, al seu primer llibre: *Poemes en ondes hertzianes* (1919).

Una mica abans, el 1987, en una contribució a un volum col·lectiu, Giuseppe Grilli[11] reconeixia: «L'avanguardia catalana come il solo ridotto che ancora possa offrire delle sorprese», tot i els límits que suposaven, segons l'estudiós, «la preoccupazione per la lingua che ha vissuto in pieno secolo XX la sua riforma classica, o neoclassica, sembra infatti che avrebbe dovuto bloccare ogni congrua manifestazione teatrale di sovversione». Grilli al·ludia certament al famós article del 1925 sobre el debat dels moviments innovadors firmat per J.V. Foix: *Algunes consideracions sobre la literatura d'avantguarda*[12], consideracions o proposicions que havien posat el poeta de Sarrià en un capteniment quasi filosòfic enfront de les més explosives i atrevides manifestacions dels nostres poetes. L'any 1925 era l'any del primer manifest surrealista, els exercicis de les noves quintes artístiques de l'època d'or: cubistes, futuristes i dada no tan sols havien ja superat els primers obstacles de la cursa, sinó que es podien considerar arribats a la meta. A més a més, el gran amic de Foix, Joaquim Folguera, i el mateix Salvat-Papasseit, havien desaparegut, ambdós prematurament.

8. Cfr. "Carte Segrete", n° 36, aprile-giugno 1977, pàg. 69-72. *Marxa nupcial*, pertany al volum de 1921, *L'irradiador del port i les gavines (Poemes d'Avantguarda)*, cit. nota 7.

9. J. SALVAT-PAPASSEIT, *Poesie futuriste, a cura d'Anna M. Saludes i Amat,* Belforte, Livorno 1990, pàg. 103.

10. Cfr. A.M. SALUDES I AMAT, *La lettera futurista di Joan Salvat-Papasseit,* a *Dai modernismi alla avanguardie*, "Atti del Convegno dell'Associazione degli Ispanisti Italiani", Palerm, 18-20 maig 1990, a cura de C. Prestigiacomo i M. C. Ruta, Flaccovio, Palermo 1991, pàg. 145-51.

11. *Letteratura catalana e movimenti d'avanguardia (con un breve Dizionarietto alfabetico dell'Avanguardia Catalana)* a *Trent'anni di Avanguardia spagnola da R. Gómez de la Serna a Juan-Eduardo Cirlot*, a cura de G. Morelli, Jaca-Book, Milano 1987, pàg. 125.

12. A *Revista de Poesia*, vol. I, n. 2, març 1925, pàg. 66-70. Reproducció anastàtica, Leteradura, Barcelona 1978. Amb variants del títol a J.V. FOIX, *Sobre literatura i art*, dins *Obres completes*, vol. IV, a cura de M. Carbonell, Edicions 62, Barcelona 1990, pàg. 26-31.

En l'article suara esmentat, Foix negava de manera decisiva qualsevol vincle amb les avantguardes de part de Salvat. El definia fins i tot "fals avantguardista". De forma contradictoria, Foix considera que el terme *avantguarda*, i els seus derivats, són expressions que no signifiquen res en literatura. El passatge més dur contra l'avantguardisme salvatià culmina amb el següent judici:

«En rigor les tendències extremes no han influït pas gaire en la literatura catalana contemporània. És un error citar En Salvat-Papasseit. S'hi enganyà ell i ha enganyat els altres. Aquest malaurat poeta mai no fou un avantguardista ni en la interpretació directa ni en l'equívoca donada a aquesta activitat literària. Els seus cal·ligrames són infelicíssims. Crec que els nostres crítics faran una bella obra d'abandonar tota hipòtesi de filiació d'En Salvat-Papasseit a cap escola ni tendència extrema. No tan solament fracassà en el seu intent d'aportació de formes noves, sinó que demostrà no comprendre'n ni llur significació més elemental» [13].

En efecte, la posició crítica de Foix, que conté notables contradiccions, resulta xocant quan es descobreix l'autor, "investigador en poesia" (com li agradava presentar-se), que va contribuir amb una aportació tan versàtil, com estetitzant, a l'aventura avantguardista catalana. Gran operador cultural en la seva joventut, apassionat per la pintura, fou ell qui va presentar les primeres exposicions de Miró (1918) i Dalí (1925), totes dues a les Galeries Dalmau. D'altra banda, només cal donar un cop d'ull als títols de les revistes en les qual apareix el seu nom, des de "La Cònsola" (1919), "Trossos" (1916-19), "Monitor" (1921-23), "L'Amic de les Arts" (1926-29), "Revista de Poesia" (1925-27), la pàgina literària de "La Publicitat" (1928-36), "D'Ací D'Allà" (desembre 1933) fins a "Quaderns de Poesia" (1935-36), en les quals figura com a director o col·laborador assidu, que demostren força tenacitat i són prova decisiva de la voluntat de voler pertànyer a la modernitat dels nous corrents amb "ismes".

Joaquim Molas, dins l'assaig de la seva fonamental antologia sobre l'avantguarda dels Països Catalans[14] veu en Foix un dels elements que més s'ha servit de les propostes innovadores: des de la diferent utilització dels signes topogràfics, i sobretot amb l'ús més incisiu d'aquells en la pàgina impresa, tot donant gran importància a la presentació gràfica, etc. En un tal context, la contradicció del seu capteniment vers Salvat-Papasseit, es veu representada per un rebuig/acceptació que esdevé sempre més evident quan focalitzem d'una banda algun record autobiogràfic de la seva relació amb el poeta (vegís el retrat que li fa a *Catalans de 1918*, editat el 1965) i d'altra part la composició poètica que li va dedicar, *In memoriam*[15] *Ah!, si amb levites de verda llustrina*, un deliciós sonet, en el qual dins el tercet final, s'entreveuen idealment, Foix i Salvat-Papasseit, en un paisatge oníric i surreal, abillats de colors vius i brillants:

13. *Ibidem*, pàg. 66 i 69; 27 i 30 respectivament.

14. J. MOLAS, *La literatura catalana d'Avantguarda,1916-1938*, Selecció, edició i estudi, A. Bosch editor, Barcelona 1983.

15. De *Sol, i de dol*, L'amic de les Arts, Barcelona 1936.

"On cavalquem amb barbes futuristes!". La poesia en qüestió, que forneix indicis sobre l'influx del futurisme en l'obra salvatiana, i per tant contribueix a la relació entre el nou corrent italià i Catalunya, no va merèixer cap comentari en l'estudi de Pere Gimferrer –notable, per la innovació que representava-, sobre l'obra de Foix[16], mentre que canvi ha estat reproduït en la selecció antològica esmentada de J. Molas[17].

No voldria allargar-me excessivament sobre els judicis crítics de l'altre company de joventut de Salvat-Papasseit, Tomàs Garcés (1901-91) –poeta ell també i com ell col·laborador de la revista "Mar Vella" (1919)–[18], judicis que va divulgar en l'esbós biogràfic dedicat a l'amic que completa una publicació, avui introbable, peça de bibliòfil, il·lustrada per Josep Guinovart i amb un estudi de la poesia del poeta per Joan Fuster[19]. Tanmateix cal dir que Garcés nega a Salvat-Papasseit qualsevol vel·leitat avantguardista, i insisteix en l'exaltació d'un personatge atret i portat sobretot a publicar revistes, llibres i manifestos[20].

Però tornem al títol d'aquestes notes, que volien ser un intent de dibuixar més atentament el recorregut de la fama, o si es vol de la presència, de Salvat-Papasseit a Itàlia, o almenys, il·luminar el veritable recorregut dels seus textos traduïts o publicats, com a confirmació fidedigna d'aquell seu encant especial que li va permetre d'establir amb facilitat tants contactes personals amb diversos protagonistes culturals de l'època.

En el penúltim decenni de la dictadura franquista una jove estudiosa de filologia romànica, Adele Faccio, visita Catalunya i es relaciona amb diversos escriptors i personatges del món cultural barceloní. Al seu retorn a Itàlia, tradueix una sèrie de poesies i assoleix publicar-les, dins un volum compromès amb el títol: *La resistenza dei poeti catalani* [21]. Entre poemes dels diversos autors, sobresurt una composició de Salvat-Papasseit, de tema autobiogràfic, en la qual descriu el treball de guardar llenya al port, *Notturno per fisarmonica* [22]. Adele Faccio va perseverar en les traduccions a l'italià de poetes catalans. L'any 1966 reixí a publicar en un volum de textos originals i versions a l'italià, i amb una introducció i notes, tres reculls poètics de Salvador Espriu[23]. En canvi la traducció de *Les irreals omegues* (*Le omega irreali*)

16. *La poesia de J.V. Foix*, Edicions 62, Barcelona 1974.

17. *La literatura catalana d'Avantguarda*, cit., pàg. 224. Cfr. nota 14.

18. A *Mar Vella*, núm. 4, 1919, Salvat-Papasseit publicà el seu segon manifest: "Concepte del poeta".

19. J. SALVAT-PAPASSEIT, *Poesies*, transcripció dels textos per Joan Sales, Ariel, Barcelona 1962.

20. Així m'ho va confirmar Tomàs Garcés, en una meva visita al seu estudi de la Gran Via a Barcelona, l'any 1973, mentre gentilment em feia fotocòpies d'una revista introbable de la Barceloneta: *Mar Vella*, en la qual tant ell com Salvat havien col·laborat. Cfr. nota 18.

21. Cfr. *Almanacco Socialista*, 1961, pàg. 1143-64, amb il·lustracions de Mompou i Guinovart. Agraeixo a Joaquim Molas la notícia d'aquesta revista, de no fàcil localització.

22. *Nocturn per acordió*, de *Ossa menor (Fi dels poemes d'Avantguarda)*, 1925 (publicat pòstum).

23. Amb *Una testimonianza per Espriu*, d'Alfonso Gatto, el volum presenta: *Pelle di toro. Libro de Sinera. Le canzoni di Arianna*, Guanda, Parma 1966. De *La pell de brau* (1960, Barcelona), *Cementiri de Sinera* (1946 Barcelona), *Les cançons d'Ariadna* (1949 Barcelona). A Itàlia, S. Espriu, ja havia estat traduït. Cfr. C. GIARDINI, *Antologia de la poesia catalana (1845-1935)*, 1950, cit. cfr. nota 6, L.B. Wilcock,

de J.V. Foix, segons em va confirmar personalment Adele Faccio, que havia enllestit paral·lelament a la d'Espriu, va quedar inèdita[24]. Un fet que contribueix a subratllar les abans esmentades irregularitats sobre els autors catalans traduïts a Itàlia.

Recentment[25], he tingut la sort de descobrir encara la presència de poemes de Salvat-Papasseit en dues publicacions italianes contemporànies a la seva producció. Molt diverses entre si, per estil i forma, que proposaven una diferent funció i realització formal. No ens deturarem a aprofundir la caracterització estètica o ideològica dels dos periòdics amb descripcions massa detallades, em limitaré per ara, a donarne notícia. Ambdues revistes[26], de breu durada, es mouen a l'interior d'aquell considerable estol de publicacions literàries experimentals prou nombroses a Itàlia en els anys d'entreguerres.

La primera, "Procellaria", pren el nom d'un ocell migratori, de cos afuat, aerodinàmic, amb una gran capacitat d'obertura d'ales. Fou una publicació estretament relacionada amb l'experiència del teatre sintètic futurista, amb dos dinàmics organitzadors i poetes futuristes mantovans; a la direcció: Gino Cantarelli (1899-1950) i Aldo Fiozzi (1894-1941), la iniciativa editorial dels quals va constituir un pont entre el primer i el segon futurisme, que tot i les divergències estètiques amb el fundador del moviment, va respectar sempre l'ortodòxia marinettiana. Les col·laboracions internacionals i sobretot la presència de poesia dels autors es manté sovint en la llengua original de cada u.

En el número 5 (febrer 1920), al costat de composicions líriques de Pierre Reverdy (1889-1960) i Pierre Albert-Birot (1876-1967)[27], trobem una poesia de

Poeti catalani, 1962, cit. cfr. nota 7. G. TAVANI, *Poesia catalana di protesta*, Laterza, Bari 1968. Després d'A. Faccio, hi ha les traduccions de G.E. Sansone, *J. Carner, C. Riba, J.V. Foix, S. Espriu, Poesía catalana del novecento*, Newton Compton, Roma 1979.

24. En efecte, dins l'*Assaig de bibliografia de J.V.Foix*, que es troba en el volum de les *Obres poètiques*, Nauta, Barcelona 1964, compilat per l'aleshores jove estudiós Joaquim Molas –en el qual posa de manifest l'evident atracció per les belles edicions– apareix citada la traducció d'A. Faccio com a "inèdita" (pàg. 330).–; aquesta li devia haver enviat al poeta, a l'espera de la publicació amb Guanda, un exemplar mecanografiat. A. Faccio em va informar que la desaparició de l'editor Ugo Guanda va coincidir amb la seva proposta de la traducció de J.V. Foix, que no es va dur a terme.

25. De la descoberta en vaig donar notícia en una comunicació en els "Incontri inter-universitari", organitzats per I. Delogu, que es van celebrar a L'Alguer i a Sàsser al maig del 1995, on en el primer lloc es va presentar una exposició dedicada a J. Salvat-Papasseit, en el centenari de la seva naixença. En un volum miscel·lani vaig informar dels textos trobats sobre Salvat-Papasseit, informació que ara amplio: *Postille all'avventura futurista italiana di J.S-P.* a *Signoria di parole, Studi offerti a M. Di Pinto*, a cura di G. Calabró, Liguori, Napoli 1998, pàg. 531-39.

26. Han estat reproduïdes anastàticament: *Procellaria*, Mantova, aprile 1917-luglio 1920, editada a cura de G. Scalia, A. Forni editore, Sala Bolognese 1978; "Poesia", Milano aprile-dicembre 1920, a cura de L. Caruso, Spes, Firenze 1991.

27. D'aquest pintor poeta, Salvat-Papasseit, havia utilitzat una cita : "L'art commence où finit l'imitation", per encapçalar, justament aquest seu primer recull de poesia: *Poemes en ondes hertzianes*, Mar Vella, Barcelona 1919.

Salvat-Papasseit: *Passeig*, del primer llibre, publicat als seus vint-i-cinc anys[28], que recorda l'Apollinaire de *Lettre-Océan* [29]. Es tracta d'una poesia-pintura que l'acosta a l'inventor del cal·ligrama, un escriptor del qual Salvat-Papasseit (sobretot en la *Lletra d'Itàlia,* text que introduïa el volum) posava en relleu aquella síntesi de les arts agermanades –poesia-pintura-música–, com un dels cànons fonamentals, bàsics per a una nova estètica [30]. En el mateix número de "Procellaria", a la secció del *Notiziario*, es dona notícia del volum rebut de J. Salvat-Papasseit. És, com hem dit, el primer recull dels primers poemes i el cronista, en fa una breu descripció, tot citant l'epígraf de Pierre Albert-Birot, esmentat:

«Salvat-Papasseit ci invia dalla Barceloneta i suoi *Poemes en ondes hertzianes* ornati di 6 disegni originali di J.Torres-García e di un interessante ritratto dell'autore, riprodotto da un quadro di Rafael P. Barradas. La raccolta è preceduta da una *Lletra d'Itàlia* di Salvat-Papasseit stesso, nella quale egli ironizza su Prampolini futurista, "Valori Plastici", Papini, Ravegnani, Carrà e Soffici. Seguono poemi, di cui i più interessanti sono: *Columna vertebral, Sageta de foc; Drama en el port*; *El record d'una fuga de Bach* i *54045* » [31]. Malgrat la brevetat del text, hem de considerar aquesta nota una veritable ressenya del llibre salvatià i l'hem d'entendre com una valoració positiva, valoració confirmada i especificada per la selecció d'un poema concret, escollit tal vegada per marcar la convergència entre el gust del poeta català i les propies preferències dels redactors de la revista italiana.

"Poesia" és la segona publicació en la qual trobem petges del nostre artista, i cal dir tot seguit que es tracta d'un producte molt més ambiciós que "Procellaria". De fet volia ser enllaç i continuïtat de la tradició més genuïna del primer futurisme. La seva precusora, amb el títol idèntic amb el qual Marinetti l'havia batejada, havia estat la revista més significativa a l'Europa, sobretot a París, del gust *liberty* o modernista. "Poesia", ara en segona versió, pretenia afirmar en la forma i en el caràcter una identitat amb el model. Oberta a les més diverses experimentacions poètiques, ofereix un ventall tornassolat d'articles i col·laboracions, a partir de les col·laboracions del propi director, Mario Dessy (1902-1979), autor de nombroses cròniques marinettianes des de Milà, una de les ciutats més afins al futurisme. La presentació tipogràfica hi revesteix una gran importància, amb una notable elegància editorial, i cada número tenia un color diferent de portada, tot mantenint el mateix dibuix d'Arnaldo Ginna (1890-1982), d'un gust vagament modernista. La revista fou publicada amb una certa regularitat, i va durar un any: el 1920. Un dels interessos

28. *Poemes en ondes hertzianes*, cit.

29. Del recull *Calligrammes. Poèmes de la paix et de la guerre (1913-1916). Ondes*, dins Apollinaire, *Oeuvres poètiques*, Gallimard, Bib. De La Pléiade, Paris 1965, pàg. 183.

30. Cfr. A.M. SALUDES,*Tra anarchia e avanguardia: la poesia di J.Salvat-Papasseit* a *J.Salvat-Papasseit, Poesie futuriste*, cit., pàg. 68.

31. Segueix un comentari sobre els números rebuts de la revista *Mar Vella*, (cit. cfr. nota 18), de la qual dins el núm. 2, Alfons Maseras indica als catalans els veritables límits geogràfics de Catalunya, i se'n cita un breu fragment. D'aquest autor, es publica un text a *Poesia*. Cfr. nota 37.

més evidents d'aquella iniciativa residia a donar abast a les tendències poètiques de diversos països, tret que confirmava encara la vocació cosmopolita del futurisme italià. Els lectors, d'aquesta manera, podien assajar les primícies de la poesia sud-americana, grega, francesa, castellana (o espanyola), en llurs versions originals. En efecte, la llengua castellana, va tenir la sort de ser representada pel poeta i estudiós Guillermo de Torre (1900-1971). Capdavanter del nou corrent literari, De Torre constitueix una de les figures centrals de l'avantguarda dins el territori ibèric i cal reconèixer que té un lloc d'honor en les pàgines de "Poesia", des de les quals il·lustra àmpliament, en l'espai de dos fascicles [32], a través d'un assaig informatiu i alhora de valoració, la situació cultural del moment. L'escrit s'integra amb la presentació de trenta-sis textos poètics innovadors que donen una idea de les propostes del moviment ultraista[33].

És molt probable que el gran espai ocupat per la intervenció de Guillermo de Torre hagi estat la causa per la qual el manifest de Salvat-Papasseit [34], anunciat dins la secció *La poesia nel mondo*, no hagi estat publicat. Vegeu tot seguit, els termes de la crònica-anunci:

> «È uscito il primo manifesto catalano futurista *Contra els poetes amb la minúscula*, firmato dal poeta J.Salvat-Papasseit.
> Lo pubblicheremo integralmente nel prossimo numero».[35]

Com hem anticipat, el text no va tenir l'espai promès en les planes de "Poesia" i va quedar reduït a un senzilll resum que comprèn a grans trets els dos apartats finals del text, condensat en breus frases, de les quals en donem la transcripció:

> «È stato pubblicato il primo manifesto catalano futurista: *Contra els poetes amb minúscula*, del poeta J.Salvat-Papasseit.
> Riproduciamo, tradotta, l'ultima parte che ne riassume tutto il contenuto:

32. *Poesia* consta de 9 números publicats en cinc fascicles. G. de Torre amb la seva col·laboració, ocupà els fascicles 5-6 (agost– set.) pàg. 51-5; i 7-8-9 (oct.-nov. i des.), pàg.77-8. Tots del 1920.

33. Hi són representats molts poetes, entre els quals destaquem: G. Diego, P. Garfias, J.L. Borges, J. Larrea, I. del Vando Villar, i el propi G. de Torre.

34. *Contra els poetes amb la minúscula. Primer manifest futurista català*, Galeries Laietanes, Barcelona 1920.

35. Cfr. Fascicle 5-6, pàg. 56. Dins la mateixa secció, apareix la notícia sobre la revista ultraista *Grecia* (Sevilla-Madrid 1918-1920) que es jutja força interessant per la seva perfecció formal i tipogràfica. El número dóna, a més, una breu llista de poetes col·laboradors, entre els quals notem el nom de Salvat-Papasseit. Aqueta notícia demostra com l'intercanvi de revistes funcionava regularment. I també demostra que Salvat mantenia amb els avantguardistes castellans una bona relació que potser, va contribuir a obrir-li les portes de la revista *Poesia*. Per cert, cal dir que Ricard Mas Peinado ha estat el primer a donar notícia del manifest no publicat, no obstant l'anunci palès a la revista italiana *Poesia*. Cfr. *J. Salvat-Papasseit Redactor en cap*, edició facsímil de les revistes de J.S-P., amb *Estudi preliminar* de R. Mas, Parsifal edicions, Barcelona 1994, pàg. 7.

«Il Poeta d'oggi deve essere il Poeta di oggi e non quello di ieri. Se Omero cantò i remi della vittoria fu perché ai suoi tempi con la forza dei remi si ottenevano vittorie; Marinetti oggi canta le corazzate, gli aeroplani frenetici e le bocche di fuoco dei cannoni mostruosi.– Libereremo noi la Catalogna con la forza dei remi?
Vi invito poeti, a essere futuri, vale a dire immortali. A cantare oggi come si vive oggi. Il domani è sempre più bello del passato. Se volete fare dei versi, fatene: però siate Poeti. Poeti alti, audaci, eroici e sopra tutto sinceri».[36]

Reproduït en un fragment, i sense la presentació de pasquí que el Manifest ostentava, el text salvatià perdia la càrrega incisiva que el "poetavanguardistacatalà" (qualificatiu que sotasignava el text), hi havia inoculat. Si bé es veia relegat com una simple ressenya, tanmateix, cal reconèixer que es parla del manifest, tan representatiu per al poeta, a l'estranger, i en concret a Itàlia, país del qual Salvat-Papasseit se sentia deutor d'inspiració [37]. Ni es pot excloure del tot que els redactors de la revista es trobessin incòmodes davant d'un manifest –és a dir de la *forma* amb més càrrega de la tradició futurista– que potser no els resultava prou ortodox.

En cloure aquestes notes sobre la descoberta de nous materials poètics de Salvat-Papasseit m'interessa recordar la coincidència i el testimoni de les relacions internacionals que tant relleu van tenir en aquells corrents artístics, en la manera de dialogar sense interrupció encara per diversos anys. Indicis, tots, que ens confirmen com el futurisme no fou un fet circumscrit, i no sols a la cultura europea, sinó mundial, com somniava Marinetti i, amb ell, també Salvat-Papasseit [38]. No es tracta sinó d'una crònica. Crònica, però, representativa de la intensitat d'una aventura, configurada com un incentiu a la recerca d'un passat molt pròxim a nosaltres, però potser

36. Fascicle n. 7-8-9, pàg. 79.

37. La poesia catalana en la revista *Poesia* es va veure representada en els textos de dos autors aleshores ben inserits en els medis culturals barcelonins: Josep Maria López-Picó, poeta i sobretot director de *La Revista* (1914-36), instrument del noucentisme, obert però als nous corrents culturals. I Alfons Maseras, més novel·lista que poeta. (Cfr. nota 31). Tots dos reproduïts en català en dues composicions poètiques i presentats per Albert Schneeberger, (en francès) el fascicle 7-8-9 cit. pàg. 43 i 65-6, respectivament. Schneeberger havia intitulat la presentació de J.M. LÓPEZ-PICÓ: *La Renaissance Catalane*, panoràmica breu i superficial dels canvis culturals a Catalunya. En conferir el valor de la recuperació de la llengua donava els noms d'alguns artífexs. Verdaguer, Maragall, i Carner per la lírica, Eugeni d'Ors pel pensament filosòfic i per la pintura Joaquim Sunyer. Schneeberger va publicar *Anthologie des poètes catalans depuis 1854*, Jacques Povolozky, Paris (sense data) [1922?] i hi presenta Salvat-Papasseit a les pàg. 200-02. Extrec aquesta notícia de l'*Epistolari de J.Salvat-Papasseit*, a cura d'Amadeu-J. Soberanas i Lleó, Edicions 62, Barcelona 1984, pàg. 155.

38. Tot ens porta a pensar que la relació epistolar entre Marinetti i Salvat-Pappasseit, algun dia veurà la llum. Dada que també ens proposa Juan Manuel Bonet en el seu excel·lent i des de fa temps imprescindible: *Diccionario de las Vanguardias en España 1907-1936*, Alianza, Madrid 1995, dins la fitxa de J. Salvat-Papasseit: «Mantuvo correspondencia con Marinetti, Theo van Doesburg, Risco e Isaac del Vando Villar», pp. 554. Que era un grafòman, ja ho sabíem per les cartes del seu *Epistolari de J. Salvat-Papasseit*, cit., nota 36. Fins ara, per la pista futurista, existeix una amatent dedicatòria de Marinetti d'una obra seva: *Otto anime in una bomba* (1919) al poeta barceloní avantguardista i que avui es conserva en la biblioteca d'un altre poeta: J. Palau Fabre, i que gentilment em va permetre fotocopiar.

per aquest motiu, massa poc conegut [39]. D'altra banda, i davant de certes petites reticències per part dels amics Foix i Garcés, no deixa de tenir la seva gràcia que traces del futurisme català es trobin encara a Itàlia escampades i mig amagades perquè els investigadors se'n preocupin i Salvat, "poetavanguardistacatalà", sigui rescatat. A Itàlia, encara.

39. Tanmateix, crec que caldria aprofundir les aportacions d'escriptors catalans, poc coneguts dins experimentacions futuristes que foren contemporanis de la vida i de l'obra de Salvat-Papasseit, i que no van resistir a la fascinació cal·ligramàtica i als *mots en liberté*, amb els quals Salvat havia jugat amb tanta gràcia. Si més no, penso en Bonaventura Vallespinosa de Reus (1899-1967) i Armand Obiols (Joan Prat) de Sabadell (1904-1971). Encara que pugui comptar el precedent de la mort prematura del Folguera traductor de futurisme italià, tant Vallespinosa com Obiols, no sols van seguir petges salvatianes, sinó que amb llurs adhesions en poesies o revistes (no compta el nombre), van inserir-se plenament dins la trajectòria d'un futurisme català.

COS I MIRADA EN L'ESCRIPTURA DE LA DONA: LA LITERATURA SEGONS M. M. M.

Vicent Salvador

Universitat Jaume I

Els qui ensenyem literatura, ¿què ensenyem quan diem que ensenyem literatura? ¿Quin sentit té ensenyar literatura? ¿Vol dir ensenyar un ofici, el d'escriure? (...) ¿Com es pot ensenyar, però, a "crear" la desolada profunditat d'un Dostoievski? O la rebel·lió d'un Tristan Tzara? Ensenyar literatura vol dir ensenyar a inventariar, classificar i interpretar el passat? A reconstruir-lo? Vol dir ensenyar a prendre consciència de la nostra identitat...?

(Joaquim Molas, *Fragments de memòria*)

¿Podria Beatriu crear com Dante
o cantar Laura la febre d'amor?
He ensenyat a una dona a fer servir la veu.
I ara, com puc fer-la callar?

(Anna Akhmàtova, *Rèquiem i altres poemes*)

La difícil caracterització del fet literari

Certament, la perplexitat que sentim molts a l'hora d'ensenyar literatura deriva, en bona mesura, de la manca de consens sobre quina cosa és la literatura. O, dit de manera més efectiva: què fa la literatura en un món com el nostre; com assignem valors a un luxe inactual; quines coartades mítiques han tornat daurada la seua pell; com ens en servim, d'un aparell de pensar, imaginar i sentir que és art i part respecte a la història –la història dels homes i, més problemàticament, de les dones. El consens sobre aquestes qüestions erigiria un "cànon" indiscutible a partir del qual obrar amb certeses. El dissens esperona el debat, la passió dialèctica, la perspectiva múltiple dels disconformes que els amos del cànon volen foragitar a la tenebra exterior dels "ressentits".[1] És aquesta una dissensió que s'escenifica cada dia en les diverses sales de la institució literària: en la crítica, en l'acadèmia, en la creació. Maria-Mercè Marçal ha estat, durant bona part de la seua vida, una agent compromesa d'aquest debat. La seua perspectiva requereix consideració atenta, si volem assolir

1. Vg. Harold Bloom, *El cànon occidental. Els llibres i l'escola de les edats*, Barcelona, Columna, 1995.

una comprensió més completa del fet literari i de la percepció que se'n té en el món d'avui.

Si, com tothom sap, al principi de tot hi ha la paraula, també és cert que tot seguit maldem per destriar quina és la veu que la genera –o les veus– i des d'on ens arriba el flux significatiu. La desconstrucció de la metafísica verbal, del text sagrat, passa així per una assignació plural i espacialment situada de les fonts que la produeixen i del punt de mira des d'on cada una d'aquestes veus/mirades articula el sentit. En l'origen de la perspectiva hi ha sempre uns ulls i una veu i, per tant, un cos que, al seu torn, pot mirar-se i mirar els altres cossos. Aquest cos individual, concretíssim, primer motor i causa final de tota escriptura, pot tenir voluntat d'esborrar-se del text a fi d'assolir el cel de l'objectivitat i el poder de maniobra que les altures comporten. En el cas de Maria-Mercè Marçal, en canvi, el cos s'explicita obsessivament com a font i com a objecte del muntatge literari sencer. Aquest seria, doncs, l'axioma inicial.

Cos i poesia

He dit axioma; però, més ben dit, es tracta d'una intuïció de lector llargament covada i que se sustenta en nombrosos indicis textuals fàcils de detectar. En un altre lloc vaig referir-me a "l'ancoratge corporal del seu imaginari poètic" i vaig explicar com l'autora parlava i pensava des d'un cos de dona inesborrable de la seua paraula poètica.[2] Els indicis en són molts i ben diversos, i els podem rastrejar al llarg d'un reguitzell d'imatges poètiques que focalitzen reiteradament les mans, els peus nus, la cicatriu del desig, les dents, la pell, el ventre, les sensacions tàctils o els encreuaments sinestèsics profundament somatitzats.[3] Una collita semblant d'exemples es podria fer també a partir de la novel·la *La passió segons Renée Vivien*. De més a més, cal dir ara que el seu poemari pòstum duu com a títol precisament *Raó del cos*, títol triat per la curadora, Lluïsa Julià, però que correspon a un dels dos que apareixen anotats a mà per l'autora en els originals.

Vegeu una mostra de referències somàtiques, sense afany d'exhaustivitat, espigolades en aquest mateix poemari: "cremallera / de carn / mal tancada"; "la culpa és un mirall / voraç xuclant l'oblit intens de la pupil·la"; "Mans de dona saben, / però desisteixen"; "Amb el cos empalat / en eix de fosques pàtries..."; "Però els ulls, orfes / de llum..."; "Com si em vingués de tu / la carn, la sang / de les paraules"; "Són cegues, sordes, mudes / les nostres traïcions"; "...i ara li resta només dins del

2. "La metàfora en la poesia de Maria-Mercè Marçal", *1r Encontre de creadors Llengua abolida*, Lleida, Ajuntament de Lleida, 1999, pàg. 71-76.

3. Laia Climent ha resseguit molts casos d'aquesta mena en els primers poemaris de la Marçal: *La primera etapa en la trajectòria poètica de Maria-Mercè Marçal. Anàlisi de "Cau de llunes", "Bruixa de dol" i "Sal oberta"*, Memòria de llicenciatura, Universitat de València, 2000, inèdita.

puny / crispat un còdol llis"; "o com un fòssil opac i mal paït / pel ventre obscè del temps". Hi ha, així mateix, el diàleg directe amb el propi cos ("Cos meu: què em dius?") i la figuració, bellíssima, de l'ou premonitori que infon al pit la blancor darrera: "Covava l'ou de la mort blanca / sota l'aixella, arran de pit / i cegament alletava / l'ombra de l'ala de la nit." Entre les escruixidores imatges corporals que remeten a la malaltia final i a la proximitat de la mort, aquest breu poema il·lustra la intensitat expressiva del procediment, tot visualitzant la mort com un desnaixement que reverteix en la matriu absoluta:

> Morir: potser només
> perdre forma i contorns
> desfer-se, ser
> xuclada endins
> de l'úter viu,
> matriu de déu
> mare, desnéixer.

La insistència del recurs és tanta al llarg de l'obra sencera de la Marçal que correspon sens dubte a una estructura clau de la seua construcció del sentit. Com és sabut, la lingüística cognitiva ha remarcat a bastament, des de fa dues dècades, la importància del coneixement metafòric, dels mecanismes d'una raó imaginativa que projecta un domini font, més familiar, sobre un altre domini de destinació més abstracte o allunyat de la nostra experiència. Entre tots els dominis originaris que protagonitzen aquestes operacions projectives, l'experiència del propi cos és el més pregonament arrelat: en efecte, els éssers humans només poden conèixer el món a partir de la realitat somàtica individual i de les vivències elementals d'interacció amb el medi, que són les que determinen la situació i l'orientació espaciotemporals. Tot un robust corrent del pensament actual subratlla, doncs, la corporeïtzació última de la ment i de la racionalitat social.[4]

Aquesta somatització del subjecte el fa dependre, en conseqüència, de les característiques del cos, entre les quals el sexe és un factor especificador de primer ordre. La mirada femenina es diferencia bàsicament de la masculina pel fet que naix d'un cos de dona, amb úter, amb menstruació, amb capacitat per a l'embaràs, per al part i per a la criança. O per a l'avortament. Maria-Mercè Marçal escriu des de la consciència clara –militant– d'aquesta situació, i és des d'aquesta sensibilitat diferenciada des d'on tematitza el cos femení i les experiències que hi van aparellades. A *Sal oberta*, per exemple, la vivència de l'embaràs i de la maternitat finalment acceptada assoleix reivindicativament el protagonisme de la *inventio*. Però és potser a *La germana, l'estrangera* on la poeta pinta amb més cruesa la paradoxa del part,

4. Vg. especialment: M. JOHNSON, *The body in the mind. The bodily basis of meaning, imagination, and reason*, Chicago, The University of Chicago Press, 1987 i, més recentment, G. LAKOFF & M. JOHNSON, *Philosophy in the flesh. The embodied mind and its challenge to Western thought*, Nova York, Basic Books, 1999.

viscut com una partenogènesi que té caires de mutilació: "Com si un tauró m'arrenqués una mà / i tot seguit l'escopís a la platja / i ella mogués els dits per manaments / estranys als de la meva voluntat..."

Tal com s'esdevé amb el part, tota la vida s'il·lumina amb la llum i l'angle que la mirada de dona imposa a la visió: des de la sensació de comunitat de gènere amb les bruixes i les fades fins a la relació amb el pare, amb la mare, amb l'enamorada, amb les dones en general que sovint esdevenen germanes. Si les bruixes i les fades apareixen sobretot –i arriben a estimar-se– en una primera etapa en què la poesia de la Mercè busca la inspiració en el neopopularisme i en les referències llegendàries, els subtils viaranys del conflicte amb el pare representant de la Llei donen saba a l'obra més contundent de l'autora, *Desglaç*, que ofereix a l'ensems una esplèndida lírica amorosa, mentre que la relació amb la mare impregna una part del poemari pòstum, *Raó del cos.*

Sens dubte *Desglaç* és un llibre clau, la crònica poètica d'una muda de pell, de la liqüefacció d'una frontera de gel que es torna llum i esglai. L'autora ho va expressar així: "L'hora del desglaç és una hora dolorosa però oberta. Hi ha una mort. Desapareix la carcassa que immobilitza, però que també sustenta, el sòlid dóna pas al líquid, els contorns es fonen. La dicció hi és tanmateix continguda. Escriure, com un intent, encara, de donar forma a l'informe, d'*ordenar* l'embat. La desintegració aparent és també la possibilitat de fluir."[5] La complexitat del símbol construït genera una tensió paradoxal entre la vertebració i la limitació que la carcassa –l'esquelet– comporta per al jo. Aquesta imatge pregonament corporal en genera d'altres que apareixen recurrents en l'obra marçaliana, principalment la de la medusa, la criatura desossada, i esdevé símbol de la cerca d'un nou model de vida i d'escriptura que vol alliberar-se de la norma patriarcal. Es tracta, doncs, d'un intent d'estructurar el caos rere la renúncia a la llei consoladora de l'home vell que ha de donar pas a una nova manera, pròpiament femenina, de ser al món. A l'arrel del símbol, sobre el qual haurem de tornar, hi ha un somatisme innegable, alhora que una mirada irrefutablement femenina envers la mort del pare-carcassa, l'assumpció de l'amor –la "fina amor"– i la relació amb el propi gènere de l'autora.

De la mateixa manera que hi ha un sentiment filial envers el pare –una força insòlita d'emocions contradictòries rere les petges de Sylvia Plath, que presideix les pàgines de *Desglaç*–, hi ha també la filialitat respecte a la mare, de caire molt diferent, que es manifesta obertament a *Raó del cos*, si més no en una sèrie de poemes dedicats a la mare, on les dues dones apareixen "cosides / l'una contra l'altra, / clavades / una i altra / pel mateix déu / en la creu del no-res". De fet, la poeta s'aferra al paper de filla d'una mare, amb la qual se sent solidària com a dona alhora que conti-

5. "Sota el signe del drac", pròleg a *Llengua abolida (1973-1988)*, València, Tres i Quatre, 1989, p. 9. Cite sempre la poesia de Marçal per aquesta edició, i pel que fa a *Raó del cos*, únic poemari no inclòs en l'esmentat volum, cite per l'edició pòstuma a cura de Lluïsa Julià, Barcelona, Edicions. 62/Empúries, 2000. *La passió segons Renée Vivien* es troba publicada a Barcelona, Proa, 1995.

nua sent una criatura atemorida. És una filialitat sentida des de la dona, diferent de l'experimentada per un fill, dues maneres de sentir la mare que només seran igualades per la mort: "Diferents neixen, / de dona, fills i filles. La mort iguala."

La constant de totes aquestes relacions és que es presenten radicalment ancorades en un subjecte femení, bé siga en el paper de filla, d'amant o de germana. Així, si la "fraternitat" és masculina o s'arrecera en l'entelèquia del genèricament humà, asexuat o angelical, la "sororitat" com a sentiment duu inscrita la marca indeleble de la identitat sexual. El desig i l'erotisme també es fan carn literària des de la perspectiva inconfusible de la dona –d'una dona, en concret, que s'estima les dones i que hi posa les seues fantasies amatòries. Ni el fantasma dels temors masculins ni l'escissió de la figura femenina en àngel i en inductora de damnació tenen cabuda en l'angle d'aquesta mirada. La *vagina dentata*, per dir-ho d'aquesta manera, esdevé una boca acarada a una altra boca, sense cap temptació devoradora. La dona és així vista insubornablement des d'una mirada femenina: com a identitat de la pròpia escriptora o com a objecte del desig, però també com a germana, filla, mare o amiga que participen en la sororitat comuna d'un gènere femení que se sent solidari i que es reconeix en cada un dels subjectes que l'integren.

L'orfenesa literària

Femenins són, doncs, la temàtica que protagonitza l'escriptura, els ulls que miren i la veu que parla, el conjunt del subjecte –la cèlebre "funció-autor", si volem dir-ho amb Foucault– que el text construeix com a lloc de procedència del discurs. Però la construcció d'aquesta veu femenina exigeix una "paraula de dona", uns mots alliberats de les connotacions que la pràctica del discurs patriarcal els ha anat adherint al llarg de la història. Cal buscar noves maneres de dir, urgeix modelar sentits diferents per a les paraules desgastades per una tradició enfront de la qual l'escriptura femenina emergent vol marcar la seua constitutiva diferència. Les referències a la mudesa sovintegen en les pàgines de Marçal: es tracta d'un silenci la sang del qual branda l'autora conjuntament amb la mare a *Raó del cos*, aquella "llengua abolida", clausurada, que és al mateix temps la llengua de la dona i la llengua nacional oprimida.

Si la temàtica literària i la perspectivització ideològica i emotiva d'aquesta temàtica experimenten un canvi radical respecte a la tradició dominant, caldrà remenar els arxius del discurs i buscar-hi antecedents que actuen com a referents de les transformacions del codi. La finalitat d'aquesta operació és restituir a la paraula de dona una dimensió simbòlica adequada, contra les limitacions imposades per una literatura que, sense confessar-ho ni percebre-ho, no deixava de ser una literatura decantada cap a la mirada específica de l'home en el si d'una cultura androcèntrica. L'esforç respon al repte de superar una genealogia de la cultura que, tal com en el cas de la genealogia de les famílies i dels seus cognoms, és bàsicament masculina.

L'escriptora es dedica així a la recerca d'uns antecedents femenins en la producció del discurs públic, uns antecedents discontinus o amagats que cal redescobrir –"inventar" en el sentit etimològic– com a tradició alternativa d'on beure. Ben mirat, es tracta d'una mena de "recepció" esperonada, activada interessadament des d'unes assumpcions actuals concretes. L'editorial La Sal, dirigida per Isabel Segura, va fer un sòlid treball en aquesta línia uns anys enrere, com així mateix altres instàncies editorials i diverses aportacions a la ginocrítica. Reedicions, traduccions i crítica són operacions centrals d'aquesta estratègia de recepció activíssima i selectiva que fomenta l'emergència d'uns caires discursius nous.

Marçal contribueix d'una manera notable a aquesta recuperació de les mares literàries, tant en l'àmbit de l'estudi crític o històric com en el de l'edició, en el de la traducció i en la seua pròpia creació literària. La seua posició destacada –per bé que no gens oficialista, no cal dir-ho– en el camp de forces de la cultura catalana li permet dur a terme una feina considerable en aquesta direcció, sempre amb la marca d'una diferència radical a la qual lliura les seues energies.

La invenció de la figura de l'autora, de l'escriptora conscient del seu gènere que impregna d'aquest el text sencer, implica la invenció d'una tradició discursiva on inserir-se: des de Safo o les trobairitz fins a Virginia Woolf, Adrienne Rich o Anne Sexton, passant per per Charlotte Brönte o Emily Dickinson, i sense oblidar la contribució femenina a la poesia popular anònima. Això ultra les escriptores catalanes que, a més de la condició de dones, hi aporten la saba discursiva d'una llengua comuna.

En la línia d'aquesta voluntat ferma per donar a llum –com ella diu– les seues pròpies mares literàries, hi ha una sèrie de referències destacades que s'associen sovint a una imatge simbòlica. N'és una la "cambra pròpia", que Virginia Woolf va reivindicar i que va esdevenir emblema de l'autonomia quotidiana i, doncs, creativa, de la dona escriptora. N'és una altra la mort del pare, en el tractament de Sylvia Plath, que ja hem vist com es connecta amb la poesia de Marçal. O, pel que fa a l'Akhmàtova, podríem assenyalar, entre molts altres, el motiu bíblic de la dona de Lot, una mirada retrospectiva que, al moment en què prenia el camí de l'exili, desferma la metamorfosi salina.[6] I, naturalment, Renée Vivien, que mereix un epígraf propi. En escriptores com aquestes és on s'ha de buscar la sortida a la situació d'orfenesa literària: "Hem d'anar, doncs, a la recerca i captura de les 'mares' literàries escamotejades, perquè, tal com diu Virginia Woolf, dels escriptors homes podem aprendre –literàriament parlant– sens dubte habilitats i trucs d'ofici, algun consell útil, però res d'àllò essencial, res d'allò que constitueix la carn i la sang de l'obra literària."[7]

6. Vegeu el text de M. M. Marçal "Com, en la nit, les flames... Anna Akhmàtova-Marina Tsvetàieva" (dins M. M. Marçal (ed.), *Cartografies del desig. Quinze escriptores i el seu món*, Barcelona, Proa, 1998, pàg. 157-194) sobre aquestes dues escriptores, alguns poemes de les quals va traduir ella mateixa en col·laboració amb Monika Zgustová.

7. "La dona i l'escriptura", dins A. San Martín (ed.), *Fi de segle. Incerteses davant un nou mil·lenni*, València, Universitat de València, 1994, pàg. 27-39: 32-33.

Escriptores catalanes

Si, de les escriptores estrangeres, se'n pot aprofitar aquesta herència que "literàriament parlant" és "la carn i la sang" de l'escriptura, les autores catalanes comparteixen, a més, la llengua comuna i una cultura nacional que les apropa. Maria-Mercè Marçal no desatén, de cap manera, aquesta vessant de la maternitat literària.

L'obra de Caterina Albert, així, és vista com un exemple d'experiència femenina de la vida on una fúria –sentiment que Marçal assenyala també, latent, a *La Plaça del Diamant* i en molts altres casos d'escriptura de la dona– s'enfronta amb el destí fatídic: "Si a *Solitud* la violència de la Mila es limita a una amenaça, i encara no s'adreça al veritable agent del mal, que queda impune, la pubilla del mas de la Rambla del conte 'La pua del rampí' fa un pas més enllà en l'expressió de la seva fúria: en una versió alternativa del conte de Caputxeta Vermella, la pubilla mata el llop, és a dir, el seu violador, amb la pua d'un rampí, i l'enterra després ben fons en el bosc, de manera que el seu acte no podrà ser ni descobert ni castigat."[8] Se subratlla, així mateix, l'aparició, més o menys indirecta, de la descoberta de la sensualitat femenina: "En la llegenda d''El sol de Murons', incorporada a *Solitud*, (...) l'inútil sacrifici de tallar-se la magnífica cabellera que una noia realitza per amor del seu xicot serveix a l'autora per descriure el descobriment de la sensualitat femenina de la Mila, la seva protagonista. Per altra banda, en el conte 'Carnestoltes' és una de les úniques ocasions on inequívocament aborda la descripció de l'amor entre dones, encara que sense focalitzar de forma directa la dimensió eròtica."[9]

En el mateix treball citat suara, escrit a quatre mans amb Lluïsa Julià, es considera Caterina Albert i Maria Antònia Salvà com a pioneres del memorialisme femení en català, al capdavant de les dones escriptores que prenen la paraula en primera persona per explicar directament el seu entorn: *Mosaic III. Impressions literàries sobre temes domèstics* (1946), en el cas de Víctor Català, i *Entre el record i l'enyorança* (1955) de Maria Antònia Salvà. Pel que fa a aquesta darrera autora, Marçal i Julià assenyalen la seua reivindicació de la poesia popular en tant que tradició eminentment femenina, i el poema "El cactus" que –al costat d'uns altres dos poemes, "La infanticida" de Víctor Català i "La picota" de Renée Vivien– pot llegir-se com a emblemàtic d'una heterodòxia i un sentit d'exclusió característics de la dona escriptora. En un altre text, Maria-Mercè havia insistit ja en el poema de Salvà: "M'agrada veure en aquest poema una mena d'al·legoria de la dona escriptora. Perquè, en el silenci femení normatiu que el patriarcat va decretar des dels orígens, l'autoimatge de la dona que escriu té una secreta vinculació amb el monstruós".[10]

8. *ibidem*, pàg. 36.

9. M. M. Marçal i L. Julià, "En dansa obliqua de miralls, Pauline M. Tarn (Renée Vivien)-Caterina Albert (Víctor Català)-Maria Antònia Salvà)", dins M. M. Marçal (ed.), *Cartografies del desig*, citat, pàg. 21-52: 49.

10. "La dona i l'escriptura", citat, pàg. 39.

Entre el silenci imposat i la follia, l'escriptora pot autofigurar-se com un ésser essencialment heterodox. O, amb més precisió: *històricament* heterodox.

En aquesta mateixa línia, però amb una gamma de matisos molt més complexa, s'inscriu la indagació marçaliana sobre dues autores catalanes ben representatives: "Fa un cert temps, en estudiar l'obra de dues interessants i infravalorades poetes catalanes, Clementina Arderiu i Rosa Leveroni, vaig adonar-me que una via fructífera d'anàlisi passava per analitzar en els textos la dialèctica entre el model femení socialment imperant, i en major mesura assumit per l'autora, i l'impuls individual que s'hi oposa, el que podria anomenar l'impuls singularitzador, transgressor, rebel."[11] Els treballs on es desenvolupa l'anàlisi de l'esmentada dialèctica són l'estudi preliminar a l'edició de l'antologia poètica *Contraclaror* d'Arderiu, de 1985, i un capítol –"Rosa Leveroni, en el llindar"– d'un volum col·lectiu publicat en 1988.

Maria-Mercè Marçal es va sentir atreta llargament per la figura d'Arderiu. Com ella mateixa confessa en una entrevista amb Anna Montero, el paral·lelisme aparent entre el "matrimoni poètic" d'aquesta amb Riba i el que ella havia mantingut amb el poeta i editor Ramon Pinyol i Balasch –cofundador amb ella i amb altres poetes dels setanta de l'editorial Llibres del Mall– l'encuriosia, particularment pel fet de la asimetria perceptiva que tendia a situar automàticament la dona poeta "a l'ombra" del marit.[12] La lírica de Clementina Arderiu va anar seduint-la més i més, fins al punt que, els darrers anys de la seua vida, continuava treballant aquest tema i tenia el propòsit de dedicar-hi, sota la direcció de Joaquim Molas, una tesi doctoral. De fet, a l'esmentat estudi preliminar a la seua antologia de la poeta –que és el text més extens de crítica literària publicat per Marçal–, hi ha referències admiratives al pròleg a *L'esperança, encara*, que Molas havia fet per a Antologia Catalana el 1969, com ara aquesta: "De tot allò –molt poc, cal dir-ho– que jo he pogut llegir sobre l'obra de l'Arderiu, aquest pròleg és l'únic que li reconeix una certa complexitat i que pot servir de punt de partida per a un estudi més a fons que encara resta per fer."[13]

Certament, el text de Molas situa alguns "clarobscurs" de la lírica amorosa de la poeta i hi assenyala unes tensions en aquella escriptura que convertia en cant "maragallianament" la seua aventura vital com a dona. El crític hi parla d'angoixa metafísica, de terror còsmic, de boires i de cambres secretes, experiències conflictives que tenen una certa arrel romàntica i que no s'adiuen bé amb la visió de serenor planera que havia predominat entre les referències dels seus comentaristes. Marçal –que no deixa d'al·ludir a les relacions personals de la poeta amb el pare i la mare, com ho farà en el cas de Rosa Leveroni– qualifica Clementina de "personatge rodo-

11. *ibidem*, pàg. 38.

12. "Anna Montero entrevista Maria-Mercè Marçal", *Daina* 3 (1987), pàg. 77-95: 87.

13. *Contraclaror. Antologia poètica* (Introducció i selecció: Maria-Mercè Marçal), Barcelona, La Sal-edicions de les dones, 1985, pàg. 27.

redià" i assenyala les opcions entre les quals havia de fer indefectiblement la tria una dona escriptora en el context històric concret que li va tocar de viure.

En l'esmentat estudi prologal, la Marçal examina els poemes en què la maternitat esdevé matèria temàtica, cosa no gens freqüent en la poesia femenina ni que siga pel fet del conflicte que, a la vida quotidiana, se sol establir entre les circumstàncies de la maternitat i la necessitat d'aïllament i concentració que l'escriptura reclama. Sembla com si, en conseqüència, la dona tendís a preservar l'àmbit de la literatura separat de l'altre, segons afirma la prologuista a partir de les reflexions d'Adrienne Rich. D'altra banda, hi ha els motius de la mar i la casa en els poemes arderiuans, motius reiterats que palesen una certa centralitat simbòlica en el seu imaginari. D'aquesta manera la casa, en oposició a elements exteriors amenaçadors com ara el vent, representa l'espai de la seguretat i la tranquil·litat, tal com s'esdevé amb la terra ferma respecte al mar obert, que funciona com a factor d'inquietud, d'atracció perillosa, de projecció dels fantasmes interiors. Un dels poemes on el mar assoleix més protagonisme és "Imprecació", del llibre *L'alta llibertat*, on esdevé un símbol ambivalent, vinculat tant a la sina materna com a l'horror i al pecat. "Imprecació", per a la nostra analista, és un text clau a l'hora d'esbrinar la imatge de la feminitat de Clementina i constitueix una mena de "llarg exorcisme contra la seva pròpia ombra", que se sent atreta per una mar que és alhora la incertesa, la mort i el mal, enfront de la certesa de la terra endins. Encara es podria afegir un altre poema que potser és tan representatiu com el que assenyala Marçal pel que fa a la duplicitat vital de l'autora estudiada: em referesc a "Cançó del voler i del no voler", de *Cant i paraules*.

Siga com siga, cal dir que la lectura marçaliana dels versos arderiuans és una lectura més aviat identificativa malgrat la distància cronològica que separa l'estudiosa i l'estudiada: "De la mateixa manera que encara viu en nosaltres la 'filla obedient del pare' i hem de teixir i reteixir aquell altre ésser que anem descobrint i creant en nosaltres, en Clementina Arderiu hi ha una 'petita esbojarrada' que clama, que res no aconsegueix de fer emmudir al llarg de la seva obra poètica. I hi ha una revoltada que, ara i adés, ha de tornar a tancar en aquella cambra fosca on ni l'amant ni ella mateixa no podria entrar sense perill."[14]

La mar tindrà, així mateix, un lloc rellevant en l'anàlisi de la poesia de Rosa Leveroni. La comparació entre dues escriptores catalanes contemporànies com són Leveroni i Arderiu s'imposava, ateses les circumstàncies biogràfiques que les relacionaven íntimament amb Riba i amb el seu mestratge, i ateses també certes semblances en les opcions literàries, com ara la predilecció per les formes de la cançó popular. Però, molt en especial, es tractava de col·lacionar les respectives postures davant la feminitat, com fa al seu estudi sobre l'escriptora.[15]

14. *ibidem*, pàg. 57.

15. M. M. Marçal, "Rosa Leveroni, en el llindar", dins I. Segura *et alii*, *Literatura de dones: una visió del món*, Barcelona, La Sal-edicions de les dones, 1989, pàg. 99-119.

El tractament del motiu de la mar és per a Marçal la prova del contrast entre l'una i l'altra, sobretot a partir de l'ampli comentari que fa d'un poema que considera tan emblemàtic de Leveroni com "Imprecació" ho era d'Arderiu: "Elegies dels dies obscurs", un extens poema que "ens lliura en síntesi tots, o gairebé tots, els elements d'allò que Kundera anomenaria el seu codi existencial."[16] Totes dues poetes viuen traumàticament allò que el mar representa com a alliberament virtual de l'ordre tradicional immutable, però per vies diverses i amb resultats diferents. Clementina opta per la seguretat del paisatge de terra endins: "La mar, per exemple, imatge d'una feminitat 'desbordada i folla', no dominada, anterior a qualsevol constricció i límit imposats per la civilització patriarcal, origen de la vida i, alhora, mort, desig i passió, hi era una temptació present –amenaçant!– però fermament rebutjada."[17] La bibliotecària fadrina, en canvi, s'aventura al viatge que va més enllà del límit de les convencions socials, i la fita del seu retorn, més rica en coneixença, no serà pas la fermesa de terra endins sinó l'illa: "De fet, Leveroni s'identifica ella mateixa amb l'illa a la qual torna –terra ferma però circumdada per aigua en perpetu moviment, sol·licitada permanentment pel mar, i sobretot, imatge de la solitud."[18]

Sens dubte, la metàfora de l'illa –que tant de rendiment literari ha donat al llarg dels segles– és representativa de l'espai paradoxal que ocupa l'escriptor en la societat en tant que membre d'un camp literari ple de tensions: la "posició paratòpica" que ha assenyalat Dominique Maingueneau.[19] Aquesta caracterització de les relacions inestables de l'escriptor amb la societat és més evident encara en el cas de la dona escriptora. L'anàlisi de Marçal, a més, desenvolupa el marc semàntic de l'illa, el desglossa en les seues parts característiques i fixa com a element de màxima temperatura semiòtica el port, el punt fronterer entre la mar i la terra, l'origen i la meta dels viatges d'autoconeixença, la membrana on la tensió entre la realitat i el somni assoleix el grau límit. El port esdevé així emblema d'una actitud vital que contrasta amb la de l'altra poeta, esposa i mare, que focalitzarà la casa com a imatge representativa. D'aquesta manera, la intuïció interpretativa de l'analista desemboca en aquesta síntesi brillant que contribueix a il·luminar la lectura dels versos de la Leveroni: "I, per tal d'abraçar-ho tot en un sol cop d'ull, diria que hi ocupa un lloc central la tensió entre l'amor-passió i la solitud. El primer troba la seva expressió metafòrica sobretot en el mar obert. La segona en l'illa. (...) I, així, la poeta sembla voler resoldre aquesta doble sol·licitud i, en darrer terme, afirmar el seu jo i la seva vida, instal·lant-se permanentment en el llindar que representa el port: indret, com deia, del record i del desig, del dolor i del cant, on el somni de braços oberts sap contrarestar l'obscur destí que tanca."[20]

16. *ibidem*, pàg. 106.
17. *ibidem*, pàg. 104-105.
18. *ibidem*, pàg. 108.
19. "Mais l'espace paratopique le plus évident, c'est l'île, dont la littérature n'a cessé d'exploiter les ressources. Elle matérialise en effet l'écart constitutif de l'auteur par rapport à la société. Comme le sanatorium, la prison ou la forteresse du *Désert des Tartares* de Buzzati, l'île appartient au monde sans y appartenir.", *Le contexte de l'oeuvre littéraire. Énonciation, écrivain, société*, París, Dunod, 1993, pàg. 184.
20. "Rosa Leveroni en el llindar", citat, pàg. 115.

Però després d'aquesta esplèndida interpretació de dues veus poètiques que, en ser confrontades, es projecten recíprocament nova llum, Maria-Mercè es pregunta si és lícit relacionar l'escriptura amb aspectes de la vida real de les autores, capteniment "que alguns crítics considerarien extraliterari". La seua aposta és decidida: el marc històric patriarcal que comparteixen, els matisos de l'entrellat familiar on cada una se situa, o, si més no en el cas de Leveroni, la importància concedida a la literatura escrita per dones "com si cerqués el reforç que el seu entorn li nega", són, tots plegats, factors imprescindibles de la lectura textual. La literatura esdevé així un "àmbit interior de llibertat que els ha permès d'elaborar la seva experiència respectiva". Les relacions entre aquest "àmbit interior de llibertat" i el context social que el condiciona i que alhora hi és reflectit i construït seran l'objecte de les pàgines que segueixen.

L'escriptura literària i el context social: teories, veus, personatges

La concepció marçaliana de la literatura és conscientment militant, però també complexa, refinada, plena de matisos i clarobscurs, tocada d'esperit dialèctic. Hem tingut ocasió de fer-ne un tast al llarg de les pàgines anteriors, bé siga a partir de manifestacions teòriques explícites, en el teixit imatgístic de la seua poesia, bé com a emmarcament i corol·lari de les seues indagacions crítiques o historicoliteràries. Totes aquestes són vies que donen cos a una visió del fet literari per mitjà de la declaració d'opinions generals, de la veu lírica personal o de la praxi de l'assaig crític. Caldrà ara, abans de cloure aquest escorcoll encuriosit i tornar a la teorització explícita de l'autora, fer un cop d'ull a la producció novel·lística per traure'n les dades més rellevants i fer-nos una idea global del que és la literatura segons una escriptora anomenada Maria-Mercè Marçal.

La passió segons Renée Vivien ha estat, des de la seua publicació en 1995, una obra guardonada, llegida i fins i tot mitificada per alguns lectors/lectores que participen de l'actitud feminista de l'autora, molt especialment després de la seua prematura mort en 1998. No hi ha mancat, però, algun comentari crític un xic incisiu, com és el signat per Neus Real, que incidia en les limitacions de l'interès novel·lístic derivades d'un cert to hagiogràfic i fins i tot narcisista.[21] Sense entrar ara

21. Després de parlar d'una "apropiació" de la figura de René Vivien per part de l'autora, la comentarista conclou així: "En projectar-se més enllà dels límits de la ficció, aquesta apropiació apareix com una necessitat externa a l'obra, que es converteix així en una altra verbalització de la recerca personal i literària de la seva autora, autoerigida en dipositària i executora de la predicció dels textos de Renée. La transparència de l'objectiu i el seu narcisisme evident, malgrat el sedàs de la ficcionalitat en què emergeixen, descompensen *La passió segons Renée Vivien* i la transformen, si més no parcialment, en una literaturització de la passió de Maria-Mercè Marçal per l'escriptora que s'exhaureix en ella mateixa i limita, en conseqüència, les possibilitats d'apassionament del lector –o de la lectora, *please*– per la novel·la." (*Els Marges*, 53 (1995), pàg. 112-115: 115).

en la valoració crítica de l'obra, convé, tanmateix, subratllar una frase de l'esmentada recensió, segons la qual la novel·la esdevé "una altra verbalització de la recerca personal i literària de la seva autora". L'especificitat d'aquesta "altra verbalització" d'una recerca sobre la literatura i la dona és precisament el que ens interessa en aquest moment, ja que es tracta d'un text compromès amb un gènere de ficció, tot i que l'autora va i ve a través de la frontera del gènere en una dansa juganera que pot contrariar certes expectatives de lectura.

Lluïsa Julià, que ha elaborat amb cura diversos textos crítics sobre la novel·la, insereix aquesta obra en la seua trajectòria global: "Amb les seves investigacions i lectures, que Marçal havia completat amb la traducció i el coneixement de les trobadoritz i de les místiques medievals i amb teoritzacions filosòfiques feministes, l'escriptora catalana es trobava en una posició privilegiada per a desenvolupar una teoria sobre la cultura literària femenina. Ja no podem comptar amb ella per a aquesta feina, però la novel·la *La passió segons Renée Vivien* ofereix teoritzacions i reinterpretacions d'obres i mites que van en aquesta direcció."[22] Per a Julià, la singularitat d'aquestes "teoritzacions i reflexions" consisteix a "parlar i reflexionar de literatura i de la passió amorosa amb un personatge interposat".

El tema és clar i reiterat al llarg de la novel·la: una pulsió doblement sàfica, en tant que referida a la poesia i a l'amor entre dones. Equidistant de l'expressió directa de la lírica i de l'explicitud racionalista de l'assaig, i sense deixar a l'ensems de relacionar-se estretament amb l'estudi historicoliterari, l'obra interposa un personatge –uns personatges, unes veus alienes– entre l'autora i el discurs resultant. És innegable que els personatges interposats –en particular pel que fa a la protagonista i a la narradora principal, la investigadora Sara T.– no escapen gaire a la projecció identificadora de la novel·lista, fet que afebleix la carnadura d'un relat ficcional. Ni tan sols els àgils desplaçaments de la focalització narrativa compensen aquesta adhesió impertorbable.

En canvi les veus, majoritàriament femenines, que prenen la paraula en aquesta biografia múltiple i fragmentària es modulen en una rica polifonia d'estils i de registres que fa de la novel·la una indiscutible obra d'art verbal, elaborada al llarg dels anys amb cura i vigorós sentit de la llengua: bé siga el sucós col·loquial del "diari mai no escrit" d'una antiga cambrera, bé siga la mena d'hagiografia mítica de l'estimada sota el títol de "Papa de Lesbos", bé l'encès lirisme imaginatiu del relat –mig epistolar, mig dietarístic– de la turca Kerimée. El propòsit reiterat per l'escriptora és acomplit plenament amb aquesta juxtaposició de veus femenines que cobren cos en la ploma literària d'una dona, al marge dels tics i els silencis de la tradició patriarcal, com a veus femenines subjectives que articulen els seus punts de vista lluny del paper de simple objecte del desig masculí. Clar i català: la novel·lista fa

22. "La *Passió segons Renée Vivien* o *La Venus dels cecs*", dins *Homenatge a Maria-Mercè Marçal*, Barcelona, Empúries, 1998, pàg. 115-121: 118.

parlar –"ensenya" a parlar– a les dones sense la intromissió d'una percepció masculina d'escriptor.

D'altra banda, tota la novel·la està amarada de literatura, podrida de poesia: la de Renée Vivien, la de Mercè Marçal, la de "les dones d'aigua, aquelles que tenien una pena molt grossa i que el mar les cridava i les cridava"[23], la de les ànimes sense esperança amb "l'orgull solitari de les illes"[24]. Aquest íntim compromís biològic amb la literatura és el que postula l'autora per mitjà de la veu de Sara T.: "A través de Renée em sembla haver arribat a entendre què vol dir allò de barrejar indestriablement vida i literatura, viure la vida 'literàriament', potser millor, 'poèticament'".[25] No es tracta només d'un sentiment –i d'un laboriós cos a cos amb l'escriptura– sinó també d'una circumstància literària que pobla totes les pàgines del llibre: les referències a Colette i altres moltes escriptores, els personatges de crítics o estudiosos de la literatura, els detalls de la correcció d'estil o del món editorial. De fet, la novel·la representa molts dels elements constitutius d'un "camp literari" en el sentit de Bourdieu, i fins i tot podríem dir que l'escriptora hi dibuixa la seua posició i el seu posicionament en aquest camp de forces que defensa la seua autonomia social, tal com Flaubert es pintava ell mateix i les tensions de l'entorn socioliterari en les pàgines de *L'éducation sentimentale*. Amb una peculiaritat indefugible: la lluita per la recuperació d'un discurs femení i per la difusió d'una sensualitat sàfica –lirisme imaginatiu i lliure opció sexual– entre unes lectores que són inscrites en el cosmos textual com a "noies del futur".[26]

Tot plegat fa l'efecte d'un innegable compromís militant que cal situar com un correctiu històric respecte a la ideologia del discurs literari dominant. Giulia Colaizzi ho explica molt bé en postular la tesi que "la literatura funciona como una forma de mitopoiesis, como tecnología del imaginario colectivo: surge de un habla histórica, participa en la lucha ideológica por el sentido, y tiene al mismo tiempo el poder de crear representaciones, imágenes, valores, que la lógica narrativa de los argumentos es capaz de naturalizar, hacer aparecer como no-construidos."[27] Doncs

23. *ibidem*, pàg. 324.
24. *ibidem*, pàg. 346.
25. *ibidem*, pàg. 334.
26. cf.: P. BOURDIEU, *Les règles de l'art. Genèse et structure du champ littéraire*, París, Seuil, 1992. Per a diversos posicionaments crítics o remodeladors de la teoria del camp, que ha contribuït a la comprensió de les relacions entre les obres literàries i l'extratext sociohistòric, vg. el volum coordinat per B. LAHIRE, *Le travail sociologique de Pierre Bourdieu. Dettes et critiques*, París, Éditions de la Decouverte, 1999, en especial els tres primers capítols. Maingueneau, per la seua banda, fa una esclaridora presentació i adaptació del concepte de camp literari al llarg del llibre citat adés, en la pàgina 30 del qual escriu aquestes frases plenament aplicables al tema que ens ocupa, molt en particular pel que fa a la novel·la estudiada: "L'oeuvre ne se constitue qu'en impliquant les rites, les normes, les rapports de force des institutions littéraires. Elle ne peut dire quelque chose du monde qu'en inscrivant le fonctionnement du lieu qui l'a rendu possible, qu'en mettant en jeu dans son énonciation les problèmes que pose l'inscription sociale de sa propre énonciation."
27. "Entre mito y habla: literatura, cuerpo y deseo en la construcció del sujeto moderno", M. PALAU (ed.), *Dones i literatura: present i futur*, Tarragona, Institut Català de la Dona / Universitat Rovira i Virgili, 1997, pàg. 33-54: 33-34.

bé, *La passió segons Renée Vivien* té la virtut de capgirar el món de la literatura patriarcal mitjançant una nova configuració que pot ser tan "construïda" com l'altra però que, dialècticament, s'hi contraposa i en conseqüència la "desnaturalitza".[28]

Òbviament, aquest *tour de force* no es fa sense cost –un cost d'interès novel·lístic que podria compensar-se amb un guany d'originalitat diferenciadora. L'escriptora és ben conscient que aquesta pèrdua del pare literari la deixa "com un globus sense llast", desossada, sense carcassa eficient, medusa informe de la lletra. Hem vist que el símbol de la medusa apareix en la poesia marçaliana. També el trobem, a la novel·la de l'autora amb referència a la literatura –l'esbós, l'obra inacabada (pàg. 76)– o a qualsevol mena d'opcions personals que renuncien al model encotillador, sense fites ni símbols, en la solitud del desert sense sabates, on els peus nus, indefensos, entren en contacte directe amb la terra. Sara T. ho enuncia així quan parla de la decisió de constituir una parella de dones: "Potser l'afirmació d'una 'normalitat' contra la 'marginalitat' a la qual sembla condemnar-te el context. I en els marges hi ha orgull, però també més tristesa, més dolor. (Com si en l'absència de motlles, d'esquelet predeterminat, estructurador, calgués generar una closca per fora, com un mol·lusc, o anar pel món com un invertebrat)" (pàg. 125) L'abast de la metàfora, en mans de la Mercè, és sens dubte general, té diversos plans de significació i travessa els textos i els gèneres de l'autora. Podríem parafrasejar la metàfora, si fa no fa, com la paradoxa de la dona invertebrada.

Un article de darrera hora, un dels més lúcids i ordenadament acadèmics –dic "acadèmics" per entendre'ns i res més–, es titula tot just "Dona i poesia: més enllà i més ençà del mirall de la Medusa". L'escriptora s'hi planteja dràsticament la qüestió dels cànons literaris com a construcció històrica, profundament relativitzable. La idea d'uns valors transhistòrics (o ahistòrics pròpiament) de la poesia n'és un exemple cabdal: "En primer lloc, la idea que el sexe (o si voleu, el gènere, per dir-ho amb aquest mot més prestigiat en alguns àmbits) és intranscendent per a la poesia. Segons aquesta visió, hi hauria només poesia bona o dolenta. Només foren els criteris estètics i estrictament literaris –als quals se suposa, d'entrada, una objectivitat

28. Així mateix, podem considerar que el fet de tractar-se d'una novel·la amb un component eròtic d'orientació lèsbica ben palesa implica també un correctiu de les pautes eticoliteràries habituals, de manera més destacada encara que en el cas de l'homosexualitat masculina. Però, per damunt del seu homoerotisme, és particularment rellevant la naturalització del dret de la dona a un ús *qualsevol* del seu cos, a un gaudi sense pautes preestablertes. John Phillips, en un treball recent sobre la pornografia i la censura en la literatura francesa, assenyala, en parlar de la novel·la eròtica femenina d'Élisabeth Barillé i Marie Darrieussecq: "The effective deregulation of gendered desire which these writers are helping to bring about is the product, too, of an increasing fragmentation of values, beliefs and tastes, a pluralist society served by a World Wide Web, decentred, lacking consensus, control or limits." (*Forbidden fictions. Pornography and censorship in twentieth century French literature*, London, Pluto Press, 1999, pàg. 193. El joc de naturalització i desnaturalització *–desregularització* al capdavall– a què certes obres literàries sotmeten la sensibilitat social acceptada com a "políticament correcta", és un signe dels temps i alhora un factor de transformació en el camí d'un ideal de societat plural i oberta.

certa– els que determinen el valor d'una obra."[29] Tot seguit, Marçal reflexiona sobre la diferència entre l'experiència del món masculina i la femenina, sobre la raó per la qual una de les dues cares de l'existència humana ha tingut menor elaboració literària i, quan n'ha tingut malgrat els obstacles, les corresponents textualitzacions han estat desfavorablement tractades pels mecanismes selectius fins reduir a la marginalitat aquest "focus d'elaboració del simbòlic".

Al mateix estudi, l'escriptora contraposa les figures mitològiques d'Atenea i la Medusa, l'una "protegida pel llegat patern de l'armadura que l'embolcalla", l'altra invertebrada, "dona monstre, el femení indomenyat, salvatge i perillós", a la qual resulta inaccessible l'elaboració cultural de la pròpia diferència sexual. La inserció històrica de l'escriptura femenina, en els contextos socials on s'ha anat produint, ha situat la poeta, filla sense mare, en els límits d'aquesta dicotomia: "Més aviat se situaria a mig camí, en un espai híbrid entre Atenea i la Medusa, excavant túnels subterranis entre una i altra, sense ser capaç de triar entre totes dues encara que una o altra pugui predominar."[30]

Des d'aquesta perspectiva tan matisada, l'escriptura literària de la dona, en la mesura que va desenvolupant-se i construint-se una tradició pròpia, esdevé un intent per eixamplar els límits de la literatura mateixa. Si aquesta és, com molts pensem, un laboratori de l'experiència humana, aquest laboratori té com a funció, no només l'elaboració de mons subjectius individuals, sinó el desplaçament de la tanca que el nostre "horitzó d'expectatives" històric constitueix. Perquè, al capdavall, la modificació d'un horitzó d'expectatives, en el sentit de les teories de la recepció, comporta, alhora que la innovació formal, el qüestionament de les convencions socials dominants, segons comenta Di Girolamo: "L'horitzó d'expectatives no s'entén només com una mena de codi literari en poder del destinatari, sinó que comprèn també els usos i les normes socials, els modes de veure el món i de relacionar-se amb els altres que són específics d'un moment històric determinat. A causa de la seva funció 'socialment formativa', la literatura col·labora, segons Jauss, a l'emancipació de la humanitat dels vincles naturals, religiosos i socials."[31]

I si la literatura, com hem vist en resseguir les diverses manifestacions d'aquesta passió dominant de Maria-Mercè Marçal, pot modificar, segons ella, les condicions de la vida humana gràcies al canvi en la seua elaboració simbòlica, sembla que el plantejament és extensible a l'ensenyament de la literatura. De fet, moltes de les activitats de Marçal relacionades amb la literatura no estan exemptes d'una

29. M. Aritzeta i M. Palau (eds.), *Paraula de dona. Actes del Col·loqui Dones, Literatura i Mitjans de Comunicació*, Tarragona, Diputació de Tarragona, 1997, pàg. 175-181: 176.

30. *ibidem*, pàg. 180. No puc ara estendre'm en el comentari que mereix aquest important text teòric de Marçal. Vegeu, però, la meva contribució al volum coordinat per Jordi Malé i Laura Borràs, *Literatura catalana: teoria i crítica. Poètiques del segle XX*, Barcelona, UOC, 2001, capítol 14, on es fa una extensa anàlisi del text esmentat.

31. "Tendències actuals de les teories de la literatura", *Els Marges* 53 (1995), pàg. 5-13: 10.

dimensió didàctica –o socialment conscienciadora, si es prefereix–, com s'esdevé amb els seus estudis i conferències, o fins i tot amb una novel·la que s'escriu pensant en "les noies del futur".

El testimoniatge de l'escriptora, fet des d'un punt de vista radicalment ancorat en la feminitat i fins i tot en una corporalitat de dona, és d'una lucidesa impagable. I complementa unes altres visions del fet literari, sobretot les que defensen aferrissadament el predomini d'un cànon desencarnat dels contextos sociohistòrics. Tenim ara, doncs, més elements per considerar les qüestions que el doctor Molas es plantejava, com hem vist a la citació inicial d'aquestes pàgines, sobre l'ensenyament literari. Principalment l'interrogant amb què clou la seua meditació inquisitiva: "És un luxe d'una societat que necessita luxes? O, sense deixar de ser un luxe, modifica d'alguna manera la marxa, a la vegada, dels homes i dels pobles?"[32] Sens dubte, per a M. M. M., la literatura, el seu ensenyament i la seua difusió poden contribuir a aquests canvis, no sols en el cas de les dones sinó també dels homes i, en general, dels pobles. Començant pel seu, és clar.

32. *Fragments de memòria*, Lleida, Pagès editor, 1997, pàg. 122.

EL DESPLEGAMENT POETICOIDEOLÒGIC DE J.V. FOIX: DE *TROSSOS* AL *DIARI 1918*. LA CONSTRUCCIÓ D'UNA TRADICIÓ

Ramon Salvo Torres

Barcelona

Algunes preguntes

Entre el novembre de 1917 i l'agost de 1926 transcorre l'espai de temps que va de l'aparició, a *La Revista*, dels primers poemes de J.V. Foix a l'inici de la publicació, a *L'Amic de les Arts*, del conjunt de proses poètiques que pocs mesos després formaran part del seu primer llibre, *Gertrudis*, que surt el 19 de març de 1927.

Si observem la seva producció al llarg d'aquests nou anys, veurem que Foix ha publicat un conjunt de 21 poemes[1] que, des d'un punt vista formal, abracen tant vers i prosa com poesia d'experimentació graficovisual[2]. Un corpus sorprenent per moltes i diverses raons entre les quals, ara, en un primer moment, únicament destacaré les que resulten més evidents: primer, la seva migradesa; segon, que es dóna en un període de plenitud vital –entre els 24 i 34 anys– que acostuma a ser força fecund en la majoria de poetes i que ho és per a Foix mateix en altres àmbits de la vida cultural; i, tercer, i sobretot, perquè correspon a un autor a qui Joaquim Folguera havia considerat una de les dues *noves valors de la poesia catalana.*

Però situem-nos ara al 1926, ¿per què és tan escassa la producció poètica de Foix entre 1917 i 1926? ¿què l'havia portat a publicar vint-i-un poemes entre els mesos d'agost i desembre de 1926; és a dir, la mateixa producció –i tota ella prosa poètica– que la que havia publicat al llarg de tots els anys anteriors? ¿què l'havia empès a començar a publicar el 1926, amb l'objectiu, segons tots els indicis establert

1. Només contemplo els poemes publicats i signats per J.V. Foix entre novembre de 1917 i agost de 1926. Pel que fa als poemes publicats però no signats atribuïbles a Foix, solament tinc en compte el poema "El meu carrer cap al tard" perquè contemporàniament se n'indica l'autoria en la *Correspondència Obiols-Foix* (carta d'Obiols a Foix des de Florència, 8 de juliol de 1920). D'altra banda, "Dades metafísiques sobre Sarrià" l'agafo com una unitat.

2. En aquest estudi em centraré exclusivament en el poema en prosa. Respecte de la poesia d'experimentació graficovisual, ja vaig indicar (Ramon SALVO, "Anàlisi de dos poemes inèdits de J.V. Foix", *La Vanguardia*, 25 de febrer de 1992) que s'havia de considerar un apartat específic dins l'obra de J.V. Foix.

per endavant, d'aplegar aquella producció en forma de llibre, això és en *Gertrudis*? ¿per què a *Gertrudis* dels vint-i-un poemes anteriors només recupera dues proses –"Singular narració" i "Gertrudi"–, publicades nou anys abans, el 1918, a la revista *Trossos*? ¿per què de tota l'obra publicada abans de 1926 Foix només recupera la prosa i d'entre tota ella només aquestes dues proses?

El desplegament poètic de Foix. Tres classificacions

Tres classificacions complementàries d'aquests vint-i-un poemes ens ajudaran a tenir una visió de conjunt del desplegament poètic –i de la poètica– de Foix entre aquestes dues dates.

Temporalment

Si apliquem el criteri de distribució en el temps, es creen dos grans períodes sorprenentment desequilibrats delimitats pel que, de moment i simplificant-ho al màxim, concretaré en la implicació de Foix, l'any 1921, en el projecte de la revista *Monitor*:

1917-1920, període durant el qual publica 20 poemes i que es caracteritza per la intensa activitat politicocultural i literària que desplega, i 1921-agost de 1926, període al llarg del qual només en publica un de nou[3]: "Dades metafísiques sobre Sarrià", l'octubre de 1924, i en el qual l'activitat de Foix se centra, primordialment, en la política i en la militància política dins del moviment d'Acció Catalana.

Espacialment

Però si tenim en compte el lloc de publicació dels poemes, que constatem que és sempre en revistes, i el distribuïm segons el criteri de classificació anterior, ens resulta que el període 1917-1920, el de més gran volum de producció, es subdivideix en dos subperíodes: el primer, 1917-1918, en què publica a *La Revista*, als seus Almanacs i a *Trossos*, i el segon, 1919-1920, en què bàsicament publica a *La Cònsola*. D'altra banda, "Dades metafísiques"..., l'únic text nou que publica durant el període 1921-agost de 1926, surt a la revista *Bella-terra*.

3. El 24 de desembre de 1922 a *La Publicitat* Foix republica, amb algunes modificacions, "Consells a Laia", que havia publicat per primera vegada a *La Cònsola* (abril i octubre de 1920).

Formalment

Ara bé, si entre els diferents àmbits de producció de Foix –vers, prosa i poesia d'experimentació graficovisual– ens centrem únicament en la prosa, advertirem: primer, que tota ella és fantasista-onírica i, segon, que apareix per primera vegada en "Singular narració", publicada el mes de març de 1918 en el número 4 de *Trossos*, revista que amb aquest número reprenia la publicació després que Foix l'hagués comprada a Josep M. Junoy[4]. Entre aquesta prosa inaugural i el 1924 en què, després d'un temps d'absència, la prosa torna a aparèixer, Foix publica només dues proses oníriques més, ambdues també aquell 1918: "Gertrudi", que surt en el número del mes següent de *Trossos*, el darrer de la revista, i "Capítol II d'una autobiografia", que Foix, ara sense tribuna pròpia, publica en l'*Almanac de La Revista 1919*, que surt el mes de gener de 1919. És a dir que l'any 1918 hom assisteix, en tan sols tres entregues, a l'aparició i a la desaparició –més tard sabrem que temporal– de la prosa poètica de Foix. Això sí, la seva desaparició es produeix després d'haver patit una evolució vistent i gradual a través de la qual Foix passa de l'onirisme de "Singular narració" a la creació del personatge de "Gertrudi"[5] i d'aquest a la intensificació de –i a l'aprofundiment en– la poètica oniricosexual en "Capítol II d'una autobiografia", text que culmina el procés i en el qual Foix estreny el lligam entre la psicoanàlisi i la poesia.

De l'encreuament d'aquestes tres aproximacions parcials sobresurten dues dates: 1918 i 1924.

1918

Foix és, aquell 1918, un poeta que emergeix resplendentment i que duu a terme una àmplia activitat (articles, traduccions, poemes, projectes, propietari i director de revista, ...) en diferents fronts però sempre situat en les files d'avançada i amb els avançats, entre els quals és el poeta més avançat quant als temes que tracta i a la forma en què ho fa.

Les noves valors de la poesia catalana

Quan Joaquim Folguera escriu *Les noves valors de la poesia catalana*, que el 1918 rebrà el premi Agell, de la Societat Econòmica d'Amics del País, i que serà

4. "Se la compré por 350 pesetas y saqué dos números más, que ya llamé, como debía ser, *Trossos*," J. Ferran, *J.V.Foix*, Madrid, 1987.

5. Joaquim Molas, "Retrat d'un poeta adolescent. Notes per a una lectura de "Gertrudis", de J.V. Foix", Discurs de recepció pública de Joaquim Molas a la Reial Acadèmia de Bones Lletres de Barcelona, Barcelona, 1993, recollit dins *Obra crítica 1*, Barcelona, 1995.

publicat pòstumament el 1919[6], en el capítol titulat "El postsimbolisme a Catalunya" inclou únicament J.M. Junoy i J.V. Foix. Folguera remarca la novetat d'aquestes poètiques i posa especial èmfasi en "la ràpida incorporació de Catalunya a la cultura europea", a les noves tendències, que han estat assimilades d'immediat i davant les quals, aquesta vegada, la poesia catalana ha respost d'una manera quasi *elèctrica*. De Foix, i en consonància amb la presentació sense signar que havia escrit per als quatre poemes que aquest havia publicat a *La Revista* el mes de març de 1918, Folguera diu que "combina un paradoxalisme a la manera de Max Jacob a una sensibilitat exacerbada i frenètica", sensibilitat que es manifesta en la construcció d'imatges frapants. I exemplifica la seva afirmació reproduint els dos versos finals del poema *Sitges*:

> En puniment de mon dalê immortal /
> La medul·la d'un déu és espremuda.

De la resta de poemes de Foix publicats, Folguera només es refereix a "Gertrudi" sense reproduir-ne, però, cap fragment. Es pot dir que mai tan poca obra havia donat tant de si. Foix és el poeta nou, el futur. La seva projecció es prometia –i s'estava planificant perquè fos– fulgurant.

Tardor de 1917

Igual de fulgurant, tal i com reconeix Folguera, havia estat l'evolució poètica de Foix. Així, ja el 1917, en el curt lapse de temps que transcorre entre la publicació de "Dues tardes", datat el 1913 però publicat el mes de novembre de 1917 a *La Revista*, i "El cinyell", publicat a l'*Almanac de la Revista 1918*, que surt el mes de desembre de 1917, ja es constata una evolució de la poètica foixiana[7] en la qual destaca, per damunt de tot, l'aparició de l'aspecte oníric.

A l'igual que nunistes i cubistes Foix entén el poema com un producte de creació i no d'imitació. Així, la tardor de 1917, Foix per a qui la base del poema són les imatges, començarà, abans que Breton, a endinsar-se en el terreny del subconscient i a emprar l'univers del somni com a material poètic. El somni és per a Foix un altre aspecte de la realitat, és la realitat imaginada i somniada. I en la seva recerca d'imatges treballa amb els escenaris que es donen en el somni i amb les imatges, com ara les hipnagògiques, que en sorgeixen; escenaris i imatges en els quals es produeixen tot tipus de distorsions espaciotemporals, de transformacions i de transvestissaments.

Aquest procés, que com ja he dit, es comença a observar en el pas de "Dues tardes" a "El cinyell", amb la presència d'*el monyó pelòs-vermell d'un faune!*, no es

6. Enric SULLÀ, pròleg a l'edició de *Les noves valors de la poesia catalana*, Barcelona, 1976.
7. Moment que, d'altra banda coincideix amb l'aparició de la firma J.V. Foix ja que anteriorment havia signat Josep V. Foix.

farà plenament evident fins el març de 1918 quan publiqui "Singular narració". Que "Singular narració" aparegui el 1918 emmascara la datació real del canvi: la tardor de 1917. Però això no se sabrà fins l'octubre de 1924, que és quan veuen la llum els primers fragments del *Diari 1918*, la primera anotació del qual correspon al 10 de setembre de 1917 i comença: "Això és una trinxera abandonada. Ací no hi viu ningú. Amb les finestres closes, amb els portals aparedats, aquests carrers sota aquesta ombra triangular violeta, projectada amb violència pel mont d'Orsa, contra totes les lleis òptiques, són l'espectre d'una vila geottiana. Només el cavall. Tota una vila de sis centes cases per a l'Unicorni. Per a un cavall i per a mi, intrús dins les muralles abandonades. Quan me descobrirà aquest cavall? Com?"[8]. L'abast d'aquest canvi per a Foix i per a la història de la poesia catalana és ben significatiu.

La tardor de 1917 esdevé, com podrem comprovar per les anotacions del seu dietari reproduïdes a "Dades metafísiques"..., el moment inaugural de tot Foix, el moment en què fan la seva aparició el món del subconscient, el sobrerrealisme, el poema en prosa i el *Diari 1918*. I la data inaugural –si és que no és aquesta la data inicial– no devia ser massa allunyada de la de 10 de setembre de 1917. Una altra cosa és el moment en què tot això aparegui públicament, que serà el 1918, any que posteriorment Foix convertirà en un any mític.

Vers versus *prosa*

Així doncs, poc temps després, ja el 1918, conscient i segur de la novetat que suposava la incorporació d'aquest fenomen en la seva poesia, Foix s'encarrega de remarcar-la quan el mes de març fa coincidir –tot separant, a la vegada, la producció en vers de la producció en prosa– la sortida de cinc poemes nous creats sota aquest prisma: els quatre en vers: "Dansa", "Fumarel·la de bòbila", "Sitges" i "Poema de paravent" surten publicats a *La Revista* i el poema en prosa, concretament *Singular narració*, el publica a *Trossos*, a la seva revista, en el primer número que surt des que n'és el seu director i propietari.

En aquests cinc poemes Foix ens mostra els primers resultats del seu nou camp de treball: el tractament, tant en vers com en prosa, de les imatges emanades del somni. Foix, però, es decanta per aquesta darrera quan constata que si, d'una banda, la prosa li ofereix una llibertat d'actuació que no li ofereix el vers, d'altra, aquesta aposta per la prosa l'integra en el nou corrent poètic que, a finals de 1917, Max Jacob –referent constant de Foix al llarg de la seva vida– havia consolidat amb el seu *Le cornet à dés;* relació, per altra part, que Folguera ja anotava en els seus comentaris als poemes de Foix. Dit en unes altres paraules, Foix es decideix per la prosa per la seva eficàcia i per la seva modernitat. I és aleshores, el mes de març de 1918, amb l'aparició pública de les seves proses fantasistes-oníriques, que neix

8. "Dades metafísiques sobre Sarrià", *Bella Terra*, núm. 9, octubre de 1924.

públicament el poema en prosa i el poeta de poemes en prosa J.V. Foix. Quan Marià Manent ressenya en el seu dietari (11 de maig de 1918) que Foix li havia dit que pensava fer proses surrealistes[9], aquest tot just acabava de publicar "Singular narració", una de les proses del conjunt d'aquestes característiques que havia iniciat la tardor anterior, i "Gertrudi".

Escenografies i escenaris onírics. Poesia i cinema

L'anàlisi del context on apareix "Singular narració", la primera prosa d'aquell nou camp de treball, ens indica el nivell de consciència que tenia Foix d'allò que estava fent i, a la vegada, el seu interès pel cinema i la significació del cinema en la creació poètica foixiana. "Singular narració" es presenta com una prosa cinematogràfica. És la descripció d'una realitat no real. La descripció d'uns paisatges mentals onírics i oniricosexuals en forma de seqüència fílmica. D'aquí que el títol connecti *singular* amb *narració*.

D'aquí també que els poemes que l'acompanyen en el mateix número de *Trossos* remetin a cinematografia i a paisatge. Foix tradueix el "Poema cinematogràfic. Indiferència", de Soupault, que havia aparegut, precedit de "Note I sur le Cinéma", en el número de gener de 1918 de *SIC*, i "Paisatges geomètrics", d'Ezio Bolongaro. Amb aquests poemes Foix pretén mostrar no solament la coincidència quant a nivell d'investigació, d'innovació i de modernitat entre l'obra de Soupault i de Bolongaro i la seva sinó també, i per damunt de tot, el seu caràcter de capdavanter. No és lògic que ningú, i menys Foix, es faci acompanyar d'aquell a qui imita.

Perquè, el que Foix està escrivint, entre altres coses, en el seu diari aquell 1918 són transcripcions de somnis, de paisatges onírics i d'imatges hipnagògiques i, des de la publicació d'"El cinyell" –seguint les idees de Max Jacob, explicitades en el pròleg de *Le cornet à dés*, segons les quals el poema s'ha d'entendre com un objecte construït i l'obra d'art s'ha de valorar per ella mateixa i no per les confrontacions que estableix amb la realitat-, el paisatge oníric és una idea recurrent en Foix. Foix entén i es planteja el poema com un univers tancat en el qual, com si d'un film es tractés, s'encabeix l'acció. Aspecte aquest ben explícit en els títols dels poemes de Soupault i de Bolongaro que acompanyen la seva "Singular narració". Orgullosament, Foix mostra la seva originalitat i, per tal de ressaltar l'abast de les seves proses, es fa acompanyar –no acompanya– de dos poetes avantguardistes de països i tradicions diferents.

Foix, atent a tots els aspectes de la Modernitat, s'havia adonat de la relació –per la manera en com es manifestaven– entre cinema i somni, i de la similitud de

9. Joaquim MOLAS, "Notes sobre els dietaris de J.V. Foix", dins *Cinc aproximacions a la cultura catalana del segle XX: Miró, Picasso, Mompou, Riba, Foix*, Diputació de Barcelona, juliol de 1995, recollit dins *Obra crítica 1*, Barcelona, 1995.

les imatges i els paisatges del subconscient amb els del cinema pel fet com les imatges i els paisatges del subconscient es manifesten, es donen a veure, de manera cinematogràfica. D'aquí la influència del cinema en l'estructura de les primeres proses. D'aquí que, com ja he dit, a *Trossos*, s'acompanyi del "Poema cinematogràfic" de Soupault[10].

Per altra part, Foix construeix cada un dels poemes en prosa com un film, com un somni, com un univers tancat en si mateix. Així és com estan organitzats "Singular narració", "Gertrudi" i "Capítol II". Justament, en aquest darrer, a més, hi trobem referències explícites al cinema:

> [el desconegut] *digué: –COM EN EL CINE, COM EN EL CINE!*
> *I caigué desmaiat damunt el cespell.*
> *El mot cine fou un tònic fugaç però incisiu per a la meva memòria esvanida...*

Foix ens narra allò que veu[11]: singulars paisatges, singulars narracions.

Descriu fets i paisatges que nosaltres visualitzem a la manera d'un film. El lector de 1918 només en podia tenir un referent, el cinema. Els poemes de Foix, en aquesta etapa, són escenaris i escenografies. Les seves narracions són singulars i trepidants. Són truculentes. Són transformacions constants. Com les seqüències d'un film. I les seqüències del film són com les seqüències d'un somni. El poema és narrat-filmat essent fidel a les transformacions i transvestissaments del somni. Per tant, la imatge és la base d'aquest procés de construcció. I, en la prosa foixiana, la imatge pot ser un fotograma, una imatge hipnagògica; o una seqüència, un somni. L'aposta foixiana de i per la prosa està en:

Primer, construir el poema a partir de la concatenació d'imatges i,

Segon, convertir el poema en un document i/o en un documental del subconscient.

Foix uneix aquell 1918 prosa, cinema i somni. La foscor de la sala i la foscor de la cambra dormitori. La visió externa de l'espectador del film i la de l'espectador del somni. Per això el primer text publicat porta encara el regust de la descoberta: singular i narració.

10. Pere Gimferrer relaciona "Gertrudi" amb les vamps del cinema de l'època en el seu text "1918, una generació", inclòs en el catàleg de l'exposició *J.V. Foix, investigador en poesia i amic de les arts*, Barcelona, 1994.

11. Aquest procés el podem resseguir observant com construeix "Les cases de roure i carbó" dedicat a Joan Miró: a partir del dibuix de Miró que apareix en el número 4 de *Trossos* Foix construeix tot un univers. La clau de lectura i de confecció la trobem al final: *en cloure'm la por els ulls, desplegada en ventall, una sèrie completa de cartes de joc em mostrava inimaginables paisatges desolats.*

La visió de conjunt de l'obra de Foix la tenia Folguera, que estava al corrent de les seves troballes des de bon començament. No hem d'oblidar que Foix, el 1927, li va dedicar "Gertrudi"*s*. Folguera és qui s'encarrega de deixar constància de la singularitat de l'experimentació poètica foixiana tot remarcant-ne els aspectes més significatius: la imatge, les visions oníriques i la prosa a *Les noves valors de la poesia catalana*. És així com s'ha d'entendre la importància que Folguera atorga a Foix i el fet que el converteixi en un exemple a seguir quan el seu corpus poètic publicat el formaven només vuit poemes. Amb aquesta actuació Folguera[12] indicava, a més, tant quina era la via d'accés de Catalunya a la modernitat com amb qui i com es projectava la modernitat de Catalunya. Catalunya no anava a remolc de ningú. Catalunya s'havia incorporat a Europa.

L'avantguarda noucentista: El projecte de modernització del tàndem Folguera-Foix

Estratègia i planificació

En aquesta fase inicial, i per al que anomenaré el tàndem Folguera-Foix, l'avantguarda era un projecte de modernització de la cultura catalana, l'avantguarda poètica formava part d'una estratègia –o d'una línia d'actuació– l'objectiu de la qual era la modernització, l'europeïtzació, de la cultura catalana. En origen, la poesia no era, ni per a Folguera ni per a Foix, una qüestió exclusivament estètica sinó que s'integrava en un objectiu més ampli: la construcció d'un Estat. La poesia formant part de la política; la poesia com una forma de fer política.

Des de les pàgines de *La Revista* Folguera, acompanyat de Foix, va començar aquesta aposta per la modernitat mostrant el millor que es feia dins i fora de Catalunya, és a dir, els diferents corrents poètics, alguns tot just iniciats, lligats a la modernitat i, entre aquests, a l'avantguarda. Que els poemes de Foix apareguin pel març de 1918 publicats, com hem vist, simultàniament a *La Revista* i a *Trossos* no és fruit de la casualitat sinó fruit d'un projecte més ampli l'estratègia del qual es fa evident si observem què fan i què projecten Folguera i Foix al llarg del 1918: primer, al mateix temps que *La Revista* inicia la difusió dels poetes estrangers d'avançada, i

12. "Potser l'únic que de la nostra generació havia comprès l'abast de la renovació literària per les directives extremes fou l'admirat i plorat Joaquim Folguera", dins J.V. FOIX, "Algunes consideracions sobre l'art d'avantguarda", *Revista de Poesia*, 1925.

13. Antologia que no va arribar a sortir i per a la qual Guillem Apollinaire havia escrit el pròleg –"Estimat senyor, us trameto el pròleg que m'heu demanat", escriu Apollinaire a Folguera el 20 de novembre de 1917 (J.M. LÓPEZ-PICÓ, *A mig aire del temps*, Barcelona, 1933)– titulat "La poesia actual", que es va publicar a *La Revista* el mes de desembre de 1918.

aprofitant aquests contactes, preparen la publicació d'una antologia de la poesia europea[13]; segon, Folguera ha enllestit *Les noves valors de la poesia catalana*; i, tercer, Foix ha comprat *Trossos*, revista amb la qual té –i tenen, ell i Folguera– una plataforma pròpia amb difusió internacional des d'on divulgar, de forma partidista, la modernitat i l'avantguarda feta arreu i, a la vegada, mostrar la pròpia modernitat i la pròpia avantguarda.

Trossos

En els dos números de *Trossos* que dirigeix Foix domina la idea de l'avantguarda com a signe de modernitat i de modernització –"Amb aquells qui adressen (sic) llurs esforços a devetllar una nova sensibilitat i inicien una marxa triomfal devers un nou classicisme nervi del noucents i sang del futur, TROSSOS hi troba la seva companyia", es diu en el número 4 de la revista– i hi predomina la influència de la poètica que es feia a París, sobretot per la presència de *SIC*, revista de la qual Foix, com hem vist, tradueix diferents poemes. A més, a *Trossos*, es referencien els diferents corrents estètics d'avantguarda d'aquell moment: Nunisme, Futurisme, Cubisme..., apareix ja el Dadaisme en forma d'un poema de Tristan Tzara traduït per Folguera[14], es comenten obres de Max Jacob i es publica un poema de Pierre Reverdy. D'altra banda, *Trossos* ens indica clarament que Foix no mira cap al Futurisme sinó cap al Cubisme; i així, anuncia una adaptació catalana –i una possible representació– de *Les Mamelles de Tirèsies*, obra tot just estrenada feia uns mesos –el 24 de juny de 1917– a París. I és precisament fent referència en aquesta obra que Foix utilitza per primer cop el terme "Sobrerealista". Era, per tant, natural que Foix volgués divulgar l'obra d'Apollinaire ja que és un dels motors inicials del seu interès literari per la sobrerrealitat. El pròleg que Apollinaire, a finals de 1917, havia tramès a Folguera començava parlant de la poesia –"Poesia i creació no són sinó una sola cosa"– per passar a continuació a parlar, primer, dels poetes –"Es pot ésser poeta en tots els dominis: cal només ésser aventurer i que es vagi a la descoberta"–, i segon, dels espais que besllumen: "Els poetes no són solament els homes del bell; són encara, i per sobre de tot, els homes del ver, en tant que aquest permet penetrar en l'inconegut. Tant és així, que la sorpresa, l'inesperat, és un dels principals ressorts de la poesia d'avui". Afirmació que rebla quan diu: "Els poetes moderns són, per tant, creadors i inventors i profetes". Tanmateix: "No és pas necessari, per anar a la descoberta (...) un fet classificat com a sublim. Pot partir-se d'un fet quotidià; un mocador que cau pot ésser per al poeta la palanca amb la qual ell aixecarà tot un univers". El text havia hagut de colpir Foix perquè recollia les seves idees i els seus interessos: la poesia com a creació, com a sorpresa, una sorpresa que

14. El 26 de juny de 1918, des de Zuric escrivia Tristan Tzara "Llegeixo a *La Revista* una nota crítica sobre la revista *Trossos,* que ha publicat traduccions de coses meves. Us prego de comunicar-me l'adreça d'aquesta publicació i us en regracio amb els millors sentiments de confraternitat", J. M. LÓPEZ-PICÓ, *A mig aire del temps*, Barcelona, 1933.

pot sorgir d'allò més insignificant i quotidià; el poeta com un aventurer, un aventurer de l'inconegut i, en darrer terme, també com un profeta.

Aquell 1918 s'havien començat a aconseguir, en part, els objectius del tàndem Folguera-Foix: l'avantguarda poètica catalana oferia un camp nou (el subconscient i el somni), tenia presència en i contactes amb l'estranger[15]; s'havia dotat d'unes plataformes que funcionaven i tenia, de forma limitada però efectiva, projectes de difusió i de col·laboració arreu. Una planificació que va quedar estroncada, quan tot just s'estava iniciant, amb la mort, el febrer de 1919, de Joaquim Folguera.

La fi del projecte: Entre la censura de Riba i la mort de Folguera. La insolència avantguardista de Foix

El 1919 els projectes de Foix queden aturats o bé són alterats per tres fets cabdals en la seva vida i en la seva obra: el que anomenaré la censura de Riba, les conseqüències de la insolència avantguardista de Foix i, per últim, la mort de Folguera.

La censura de Carles Riba

La prosa poètica, que havia arribat al seu punt àlgid en "Capítol II d'una autobiografia", com ja he dit més amunt, desapareix sobtadament el 1919. Una de les claus per a la comprensió exacta del canvi que s'ha produït en la seva pràctica poètica ens la donarà Foix mateix per primera vegada deu anys més tard, el mes de març de 1929, quan publiqui *Algunes reflexions sobre la pròpia literatura*, en el número 31 de *L'Amic de les Arts.*

En concret, Foix inicia les seves *reflexions* d'aquesta manera:

> En publicar, en 1918, les meves primeres proses, un crític il·lustre, per qui sento profunda afecció, em digué: ¿Per què escriviu "això"? Aquesta pregunta decidí, per molt de temps, la sort de diverses petites proses –¿poemes?– que escrivia a guisa de dietari. (..)
> ¿Per què escriviu "això"?, exactament. No pas, ¿per què escriviu "així"? (..)
> Hi ha hagut moments en els quals jo mateix me les he repetides: ¿Per què escriuré "això"? ¿Per què escriuré "així"?.

15. Com ho demostren el pròleg d'Apollinaire, la correspondència de FOLGUERA amb Tzara (sobre això, vegi's "Notes per a la biografia de Joaquim Folguera", dins J.M. LÓPEZ-PICÓ, *A mig aire del temps*, Barcelona, 1933) o el poema que Foix publica en homenatge a Apollinaire en el núm. 37-39 de *SIC*, de gener-febrer 1919.

Foix, al llarg de la seva vida tornarà diferents vegades –i hi donarà visions complementàries– sobre aquest fet i sempre en contextos prou significatius. Que Foix hi tornés tantes vegades prova, d'una banda, l'impacte que li va produir el comentari de Riba i, d'altra, les conseqüències que aquest fet concret va tenir per a ell, per a la seva obra i, en definitiva, per a la història de la poesia catalana.

Bona mostra d'això és que el 1932 va tornar a emprar precisament, tot i que amb algunes modificacions, "Algunes reflexions"... com a pròleg de *KRTU*. D'aquesta manera Foix lligava per sempre més aquest fet a la seva obra.

Anys més tard, el 1955, en el número 3 de *Vida Nova* i sota el títol de *Diari*, Foix publica cinc anotacions del seu diari i en una d'elles, datada el 12 d'octubre de 1918 –ara sabem quan van tenir lloc els fets–, ofereix una altra aproximació en aquesta censura:

> En Riba n'ha copsat algunes frases i m'ha semblat que arrufava front i celles.

Quatre anys després, el 1959 i amb ocasió del traspàs de Carles Riba, Foix escrivia:

> Quan li vaig demanar, per llegir, les proses (..) mig emmurriat i tot corregint-me la puntuació, em va preguntar per què escrivia d'aquella manera.

I igualment el 1969, aquesta vegada en la conferència "Homenatge a Carles Riba", llegida a l'Aula Magna de la Universitat de Barcelona:

> En Riba, tot fent l'aperitiu vespral amb els col·laboradors de *La Revista*, va copsar alguns fragments dels poemes en prosa que jo escrivia de tant en tant i que llegia a N'Alexandre Plana (..) Es va fer passar els escrits, els va llegir, va tocar l'ase, i em va dir sec i tendre ensems:
> -Per què escriviu això i així?
> -És que ho trobeu fosc? –Li vaig demanar.
> -Ni fosc ni clar; més aviat virós i allunyat, sense il·lació.(..)
> Vaig tardar a convèncer-me de la validesa dels meus poemets. No li vaig gosar dir que també escrivia sonets.

En resum, dels comentaris de Riba, Foix en destaca tres idees: la primera, que les seves proses no van agradar a Riba; la segona, que això va decidir durant molt de temps el destí de la seva obra i, tercera, que ell mateix va tardar a adonar-se de la seva validesa.

Per la manera com Foix ho explica, la crítica de Riba no sembla que tingués un to massa admonitori, no obstant això, la sensibilitat de Foix en va captar tot el seu abast i les seves possibles conseqüències. A més, provenia d'un poeta, que tot i tenir la seva mateixa edat[16], tenia una sòlida formació i per qui Foix sentia un gran respecte ideològic i cultural. Tot i que el rebuig de les seves proses, tal i com queda ben patent a "Singular narració", no era exclusiu de Riba, Foix carrega sobre aquest la responsabilitat d'haver fet que es replantegés tant el contingut de les seves proses com la prosa mateixa durant un llarg període de temps.

D'altra banda, he dit que Foix posa una data concreta a l'inici d'aquest afer capital: "12 d'octubre de 1918"[17]. En principi sembla que hi hauria d'haver una relació de causa-efecte entre la desaparició de les proses i el comentari de Riba, però les proses de Foix no desapareixen a l'octubre ja que poc després publica "Capítol II d'una autobiografia". Sembla, per tant, que Foix no ho explica tot.

Noucentisme i Avantguarda. La insolència de Foix, un acte avantguardista soterrat

Hi ha un fet que crec que també hi està relacionat i que fa que aquella censura s'hagi d'incloure en un context més ampli. Com ja sabem, tres mesos després d'aquesta anotació, el mes de gener de 1919, apareix l'*Almanac de la Revista 1919* i, en ell, el "Capítol II d'una autobiografia". La situació del text dins l'almanac no s'ha de considerar casual. Fruit, probablement, de l'estratègia que havien dissenyat i de l'optimisme generacional que caracteritzava en aquell moment el tàndem Folguera-Foix, Foix, insolent i audaç, situa[18] "Capítol II d'una autobiografia", una estrident iniciació sexual, entre "Prometença", de J. Folch i Torres, i "Tardoral", de Guerau de Liost, dos poemes els títols dels quals avancen el seu caràcter senyorívol i delicat. Conscientment Foix buscava el contrast. I l'aconsegueix confrontant-se amb dos qualificats poetes de l'ortodòxia noucentista i confrontant el seu text amb dos poemes construïts segons el més estricte cànon noucentista. Deliberadament Foix s'emmarca entre J. Folch i Torres i Guerau de Liost de forma i manera que el seu text fos més impactant encara, de forma i manera que ressaltés la seva novetat tant quant al contingut com a la forma. Foix volia aconseguir el màxim ressò. I aquesta insolència, aquest acte avantguardista, gairebé amb tota seguretat, devia de tenir resposta.

16. Foix mateix ens dóna una imatge complementària de Riba quan escriu: "Quan més contents estàvem En Folguera i jo establint règims nous i aglutinadors en països inèdits, ha arribat En Riba i tots ens hem dissimulat (..) La presència d'En Riba ens torna púdics; amb el seu mig somriure, que aparenta amarg, arruïna sistemes i desfà cabòries" (12 abril 1916), *Vida Nova*, núm. 3, abril-maig-juny 1955, inclòs posteriorment a *Catalans de 1918.*

17. Amb totes les reserves que cal tenir pel que fa a una data donada el 1955, és a dir, 35 anys després d'ocorreguts els fets i en el moment en què Foix inicia la reescriptura i la mitificació del seu passat.

18. I dic *situa* perquè no sembla que res hagués canviat en l'almanac de 1919 respecte del de 1918, del qual Foix a *Joan Miró, 1918* (*Serra d'Or*, abril de 1973) explica que Folguera "en tenia la direcció literària, En Josep Obiols, pintor i gravador al boix, la direcció artística i jo la correcció i la supervisió. I, d'altra banda, *Albert Manent* a Perfil biográfico de J.V. Foix" dins *J.V.Foix*, Barcelona, 1989, parlant de la relació de Foix amb *La Revista* afirma que: "llegó a ser de facto secretario de redacción".

Penso que arran d'això les proses poètiques foixianes, que havien començat rebent la censura privada de Riba, devien acabar rebent una censura diríem que més formal. Aquesta doble censura a la seva poètica –que va coincidir en el temps amb la mort de Folguera i que va fer decantar el seu interès envers la política– va suposar, de fet, la desaparició d'una avantguarda incipient, de la seva gosadia i del seu esperit d'aventura. A la vegada, la censura mostrava tant els límits esteticoideològics de Riba com els que el Noucentisme estava disposat a permetre a la seva ala més avançada. I aquests límits venien donats pel cantó moral –rebuig de l'onirisme sexual–, pel cantó estètic –rebuig a tot allò que no fos vers i rima– i pel formal –rebuig a qualsevol gest estrident i avantguardista. Amb el judici de Riba i les conseqüències del "Capítol II..." desapareixia, de cop, l'aspecte més innovador de Foix, el que el feia un capdavanter. I, amb ell, allò que havia situat la cultura catalana i Catalunya a l'avançada poètica europea[19]. Insisteixo a recordar que per a Foix avantguarda era sinònim de modernització i Foix estava imbuït fins a la medul·la del projecte polític de Prat de la Riba. Per tant, el mateix Noucentisme posava límits a la seva pròpia modernitat. En aquest context, i ja sense el recolzament de Folguera, Foix es replegarà i rebaixarà el grau d'explicitació sexual. En definitiva, moderarà la seva radicalitat.

La mort de Joaquim Folguera

Amb la mort de Folguera, el projecte de modernització que havia dissenyat juntament amb Foix es quedava sense l'ideòleg i l'element vertebrador. Amb Folguera desapareixia el company i el guia[20] però també l'activista, l'organitzador, l'aglutinador, la persona que tenia els contactes... Folguera havia estat qui l'havia introduït, tal i com Foix s'encarregarà de recordar al llarg de tota la seva vida, en els àmbits de la Política i de la Política cultural. I d'alguna manera Foix esdevindrà marmessor de les idees i dels projectes de Folguera. Foix es quedava sol en el moment més delicat, en el moment en què a "Capítol II d'una autobiografia" havia plantejat batalla en defensa de la seva concepció de la modernitat i de l'avantguarda.

Replegament poètic i expansionisme polític

La projecció nacional i internacional que havien dissenyat Folguera i Foix a –i amb– *La Revista* i *Trossos* va quedar de primer minvada amb la desaparició

19. El 1918 el Surrealisme no existia encara ja que fins al mes de març de 1919 no apareixerà a París *Littérature*, revista del nucli primigeni del que més tard esdevindrà el Surrealisme. I el Dadaisme tot just acaba de publicar *Dada 3* el mes de desembre de 1918, que no s'interessa precisament per les relacions entre la psicoanàlisi i la poesia.

20. "El vaig esguardar fit a fit i restà èrtic: amb l'ull esquerre projectava a tot mon damunt una fredor que em glaçava els ossos fins a l'esgrunament; l'ull dret es feu escorredís de gairell, i, despenent-se de l'òrbita s'allunyà a través de l'horitzó i espià per ciutat si el poeta Folguera havia estat testimoni de ma cruel tortura", escriu J. V. Foix a "Singular narració".

d'aquesta última i després aturada quan, al fracàs de la revista, es va afegir la mort de Folguera.

A partir d'aquell moment Foix es replega i el seu espai d'escriptura es circumscriu a les pàgines de *La Cònsola*, una revista sarrianenca d'abast més reduït que el de les anteriors i de la redacció de la qual formava part.

La Cònsola

A *La Cònsola* –on publicarà deu poemes[21] entre 1919 i 1920– , la progressió en fons i forma que s'havia donat al llarg de 1918 i que havia culminat en "Capítol II d'una autobiografia", tal i com ja he avançat, queda escapçada. Desapareix la descripció explícita de l'onirisme sexual i, amb ell desapareix també el poema en prosa. Amb tot, Foix no abandona alguns dels temes recurrents que hi havien aparegut, com ara Gertrudis, el cinyell o el faune, als quals afegeix, sense signar, el personatge de Laia-Laieta. D'altra banda, Foix retorna al vers com a forma poètica sense abandonar el seu neguit investigador. Ho podem comprovar en els diferents poemes que hi publica: així, a *La Cònsola* coexisteixen poemes sense puntuació de factura cubista-nunista amb d'altres de factura més clàssica com ara "Sanglots d'una nit". I, en el número 19, d'11 de setembre de 1920 apareix el "Poema de Catalunya", un altre exemple de l'experimentació graficovisual que Foix havia mostrat ja a la revista *Terramar* però que, per la seva singularitat, és un precedent indiscutible de la Poesia Visual.

Monitor

A la vegada, al llarg dels dos anys de vida de *La Cònsola* i en un moment en què la vila de Sarrià estava a punt de ser annexionada a Barcelona veiem consolidar-se el Foix polític, un Foix que ha ampliat el seu camp d'actuació en passar de la Política Cultural a la Política. És en aquest context –"si vols que t'aconselli alguna cosa, treballa molt per Sarrià, fes-hi i fes-hi fer tot el que puguis (primer que tot fes-te elegir regidor)", li escriu Josep Obiols[22]– que publica *La Barcelonota*. L'aproximació de Foix a la política culminarà –i passarà a ser militància[23]– durant el

21. A *La Cònsola* trobem textos sense signar atribuïbles a Foix però, com ja he dit al començament, en aquest estudi –deixant de banda, "El meu carrer cap al tard"– només prenc en consideració els textos signats.

22. Carta del 22-6-1920, *Correspondència Foix-Obiols* a cura d'Agnès i Anna M. Ponsatí, Barcelona, 1994.

23. A. MANENT, en el seu llibre *J.V. Foix* (Barcelona, 1992) escriu: "Foix pertangué a Acció Catalana fins a la Guerra Civil (...) El 1922 era un dels oradors que recorrien les comarques per explicar el nou projecte polític". I també M. GUERRERO a *J.V. Foix, investigador en poesia:* "...constatem que J.V. Foix va participar en actes a Rubí i Moià". Al número 11 *[Butlletí d'Acció Catalana]* (12 d'octubre de 1922) *llegim:* "Organitzat per la Joventut Nacionalista de Sitges, es donarà al Teatre del Prat d'aquella vila un cicle de conferències, a càrrec, entre d'altres, dels senyors Manuel Massó i Llorenç, Martí Esteve, J.V. Foix, Josep M. de Sagarra i Josep Carbonell, d'Acció Catalana".

temps de vida, de 1921 a 1923, de la revista *Monitor. Gazeta Nacional de Política, Art i Literatura*, un període durant el qual no publica cap poema nou. La radicalitat que Foix ha posat de manifest fins ara en la poesia es trasllada a la política. S'integra en Acció Catalana i és el redactor en cap del butlletí *Acció Catalana*.

En aquells anys, i dins el context esbossat més amunt, l'intent de modernització i l'activitat modernitzadora de Foix es desplaça de l'àmbit cultural a l'àmbit polític. D'alguna manera això faria comprensible que no publiqués obra nova ja que els seus interessos es decantarien més cap a l'activitat política i les redaccions del butlletí *Acció Catalana*[24] i de *Monitor* que cap a la creació literària. Sobre els seus plans respecte de la revista diu: El meu interès i tota la meva activitat va orientada a què Monitor sigui partidista. (...) En política plantejarà positivament el problema nacionalista català. Demanarà que, allunyant-nos de romantiscismes i sentimentalismes vagues i imprecisos, es digui a base d'estadístiques i documents amb quins mitjans compta Catalunya per a viure com estat independent[25]. Foix supedita la Poesia a la Política, a l'interès general, als interessos del país. En els seus articles "Algunes consideracions preliminars" i "L'avantguardisme", publicats als números 1 i 2 de *Monitor* Foix donarà raons d'aquesta decisió.

1924. La polèmica amb Josep Pla i el retorn a la prosa poètica

1924 és la segona data que he assenyalat com a significativa en el desplegament poètic de Foix per tal com és la data del seu retorn a la publicació de material nou d'ençà de 1920. Ja dins la dictadura de Primo de Rivera, 1924 es caracteritza, pel que fa a Foix i des del punt de vista polític, per la polèmica que manté sobre el feixisme a Itàlia –"Cal que em sigui permès de confessar prèviament la meva devoció per la ideologia que motivà la fase feixista del moviment nacionalista italià"..., afirma Foix en el seu primer article[26]– amb Josep Pla a les pàgines de *La Publicitat* i per les conseqüències que se'n van derivar. 1924 és per a Foix un moment de crisi política i de crisi personal ja que, a la prohibició dels partits i a la supressió de la Mancomunitat, s'hi afegeix la manca de suport que troben els seus plantejaments polítics.

24. El butlletí *Acció Catalana* va sortir entre el 20 de juliol de 1922 i el 24 de març de 1923. "Foix n'era el redactor en cap i comptava amb redactors com ara A. Rovira i Virgili, Carles Soldevila, Ventura Gassol i Joan Draper", R. Tasis, *Història de la premsa catalana*, Vol. I, Barcelona, 1966.

25. Carta de l'1-12-1920, *Correspondència Foix-Obiols* a cura d'Agnès i Anna M. Ponsatí, Barcelona, 1994.

26. "Aspectes del feixisme. L'expressió d'una voluntat nacional" *La Publicitat*, 2 de juliol de 1924.

La polèmica amb Josep Pla

La polèmica que manté amb Josep Pla a les pàgines de *La Publicitat* és el final polític de Foix, un final que comporta, fins i tot, que Foix no hi publiqui res entre l'agost de 1924 i el de febrer de 1925, dia en què la seva signatura retorna al diari. D'altra banda, Rovira i Virgili, des d'una nota que signa "Sagitari" en el número 2, de 1924, de la *Revista de Catalunya*, llança la brama del *foixista Feix*.[27] La seva carrera política s'havia acabat.

En aquests moments sabem que, de fet, la carrera política de Foix s'havia acabat dos anys abans –l'abril de 1922 J.M. López Picó escriu a Carles Riba: "Es cotitza el nom d'En Foix per dirigir les joventuts dissidents de la Lliga (..) Es cotitza el nom d'En Foix per dirigir un diari dels dissidents. Això fa que tots els qui esperen cobrar trobin que En Foix és un polític formidable. Diu, però, En Rovira i Virgili: Qui és en Foix? En Raventós concreta: Si acceptem barroquismes polítics ja en tenim prou amb els d'En Bofill"[28]– però ell, això, ho desconeixia.

El retorn a la prosa poètica

La polèmica amb Pla i la crisi política que se'n deriva, és a dir, el fracàs polític, el porten a replantejar-se novament la seva relació amb la poesia i a adonar-se de la transcendència de la seva renúncia.

1924 és el moment en què Foix comença a replantejar-se la seva activitat literària: ara que el Surrealisme de Breton s'està imposant, Foix és conscient de la validesa absoluta del camí que havia iniciat el 1917 i, per tant, de l'error que havia comès en plegar-se a –i en replegar-se davant– la censura rebuda. Aquell 1924, doncs, Foix reprèn un camí que ara es veu capaç de recuperar i que ja no abandonarà mai.

"Dades metafísques sobre Sarrià", un text capital. El reinici i la reivindicació del seu caràcter de pioner

Publicat l'octubre de 1924 en el número 9 de la revista *Bella-terra*[29], "Dades metafísiques sobre Sarrià" és un text que, si d'una banda, com he dit, és l'únic text poètic nou que Foix publica entre 1921 i 1926, d'altra, és el text que marca el retorn a la publicació del Foix poeta. Un retorn més significatiu encara quan veiem que la represa la fa retornant sobre les seves passes. L'aparició de *Dades metafísiques sobre Sarrià*

27. Vinyet PANYELLA, "Josep Pla i J.V. Foix: la polèmica política de dos escriptors", *L'Avenç* núm. 114, abril de 1988.

28. *Epistolari J.M. López-Picó-Carles Riba*, ed. d'Osvald Cardona, Barcelona, 1976.

29. *Bella Terra* era dirigida en l'àmbit literari per Joan Draper, que havia estat company de redacció de Foix al butlletí *Acció Catalana*, R. TASIS, *Història de la premsa catalana*, Vol. I, Barcelona, 1966.

suposa que Foix: primer, retorna a la poesia des de 1920; segon, d'entre els diferents gèneres que ha conreat en el conjunt de la seva obra –prosa, vers i experimentació graficovisual-, retorna amb poemes en prosa; tercer, reprèn la prosa poètica, abandonada des de 1919; quart, retorna publicant proses de 1917 i 1918; cinquè, fa esment per primera vegada d'un quadern que després sabrem que és el *Diari 1918* i ens diu el període de temps que abraça aquest diari; i, sisè, concreta el moment en què inicia la pràctica del poema en prosa, fet que corrobora la importància de la tardor de 1917.

En "Dades metafísiques"... trobem un resum històric de la prosa poètica de Foix. De 1924 estant Foix recorda –i retorna sobre– el començament de la seva història literària, sobre 1917 i 1918, enllaçant amb el seu propi pensament com si no hagués passat el temps. És el seu *como decíamos ayer...* A la vegada, quan observem el contingut i l'estructura del text se'ns fa evident l'objectiu darrer de Foix: la reivindicació –en el moment de consolidació del Surrealisme[30]– d'una obra que ja el 1918 partia del subconscient. En darrer terme, la reivindicació del seu caràcter de pioner.

"Dades metafísiques sobre Sarrià" està estructurat en quatre parts. En aquest estudi, però, només faré esment de les tres primeres. Prenent per excusa un Sarrià que, per un motiu o per un altre, tots tres detestaran, Foix, irònic, comença el text pastitxant en tres apòcrifs tres escriptors contemporanis seus: Carles Soldevila, Joan Salvat-Papasseit i Josep Pla. Les raons d'aquesta confrontació –i de l'enfrontament que en resulta– ens ve donada pel temps històric i pel posicionament de Foix dins tres de les seves esferes d'interessos: la política (Pla), la poesia (Salvat) i la política cultural (Soldevila).

Pastitxant Soldevila, Salvat i Pla

El text de Carles Soldevila, company de Foix en la redacció del butlletí *Acció Catalana* i de *La Publicitat*, és el primer i el més important des de l'òptica de la textualitat foixiana. En ell Soldevila –la finor, la modernitat, la civilitat i l'afany d'europeïtzació; en resum, el Noucentisme més cosmopolita– rebutja la passió, la suggestió, de Foix per temes vilatans, suburbials, camforosos, prehistòrics, i per personatges grollers i impúdics; en definitiva, la via rebutjada i censurada del moviment. Primer punt important: l'enfrontament de dues polítiques culturals. I segon: Foix, que en bona part ha superat la censura rebuda, recupera i mostra la seva tradició literària personal i hi fa sortir els seus temes, els temes i motius recurrents de la seva prosa poètica i dels seus versos. Foix fa que Soldevila acabi la seva missiva d'aquesta manera tan explícita: "Les mitges de "Gertrudi"s impúdicament solitàries entre el cel i la mar cendrosos, no seran mai per a mi un tema suggestiu d'inspiració".

30. El *Manifest del Surrealisme* es va imprimir el 15 d'octubre de 1924 i a París, durant la primera meitat d'aquell any, hi va haver una certa polèmica sobre la paternitat del terme i sobre el significat que se li donava, polèmica que Foix, lector atent, no va deixar de detectar i que, indirectament, podria tenir alguna relació amb "Dades metafísiques sobre Sarrià".

La presència de Josep Pla és la més allunyada de la reivindicació del seu univers poètic. Tanmateix, el context polític justifica plenament l'apòcrif. Amb Pla, com ja he comentat més amunt, Foix acaba de mantenir una polèmica agra en pro i contra del feixisme italià a les pàgines de *La Publicitat*, que Foix ha perdut apoteòsicament. Bona prova d'això és que en el marc de la polèmica s'anuncia una tercera entrega de Foix que no va arribar a sortir mai. A més, aquest afer coincideix en el temps amb la qualificació de *foixista Feix* per part de Rovira i Virgili.

D'altra banda, la presència de Joan Salvat-Papasseit, quan tot just acaba de morir (4 d'agost de 1924), podria ser un homenatge, però el judici que li dedicarà l'any següent a la *Revista de Poesia*[31], i que repetirà al llarg dels anys, fa pensar més aviat en un text ambivalent –de reconeixement i de distanciament– en el qual Foix, indirectament, es refereix a les dues vies d'introducció de l'avantguarda a Catalunya: mimètica la de Salvat; original la seva.

Apareix el *Diari 1918*

A continuació, en una segona part, Foix diu que reprodueix fragments "d'un quadern revellit" que comprèn "del setembre del 1917 a l'abril de 1918", quadern que, per altra part, conté un univers estructurat i format, un corpus ja fet que, ara per ara, ningú no havia vist: "Evidentment: ni el famós Cavall dit Unicorni, ni la Vídua desencinyellada, ni el Fanal-de-Gas, ni la Diana fosforescent, ni el Sàtir industriós, etc. no han estat observats pel meus tres col·legues diligents".

Aquest "quadern revellit" és aquell diari que Foix, a posteriori, en un dels moments en què, com hem vist, farà esment de la censura de Riba, anomenarà *Diari 1918*. Foix escriu: "Jo havia portat per llegir a qui fos diversos fragments del meu Diari 1918 que vaig començar l'any passat"[32]. Així, doncs, en aquesta segona part, és quan apareix per primera vegada el diari que més tard Foix denominarà *Diari 1918*.

A continuació, en la tercera part i com a mostra, Foix ens n'ofereix quatre fragments. Concretament els corresponents a tres dies de 1917 –10 de setembre, 22 de novembre, 31 de novembre– i a un –9 d'abril– de 1918; gairebé m'atreviria a dir que de la primera i darrera proses –"comprèn del setembre del 1917 a l'abril de 1918", ens ha dit Foix– d'aquell "quadern revellit", del *Diari 1918*.

31. "Aquest malaurat poeta mai no fou un avantguardista ni en la interpretació directa ni en l'equívoca donada aquesta activitat literària". Dins "Algunes consideracions sobre l'art d'avantguarda", *Revista de Poesia*, 1925.

32. (12 d'octubre de 1918) Si algún dia algú m'edita el "Diari 1918" (que són 353 poemes en prosa) en dedicaré un a En Riba. Aquell que comença "Quan érem a la font tots dos...", *Vida Nova*, núm. 3, abril-maig-juny de 1955, recollit posteriorment a *Catalans 1918*.

Foix fa aparèixer el *Diari 1918* perquè és conscient que el 1924 s'ha esvaït el record de les seves proses, unes proses que, a més, en un altre context i en un altre moment històric –1924 és el moment de l'aparició del 1r Manifest del Surrealisme– han perdut el valor d'inaugurals que tenien en el moment de la seva publicació, el 1918. Amb el que això podia representar per a la seva obra que, d'inaugural i original, corria el perill de passar a ser considerada mimètica i epigonal.

Un espai notarial

Foix fa aparèixer en aquelles circumstàncies el "quadern revellit" perquè prengui una funció notarial ja que dóna fe de l'existència d'una escriptura de la qual, fins llavors, només es coneixien tres mostres. D'aquesta manera, el diari permet a Foix una triple operació: primer, reivindicar una pràctica poètica vigent des del 1917 i, per tant, demostrar que les seves proses eren anteriors al Surrealisme; segon, explicitar que ara que retorna a la creació, retorna sobre la seva pròpia obra, no a partir del Surrealisme de Breton; i tercer, fixar amb el "quadern" un lloc d'escriptura i una data d'inici: setembre de 1917.

Poc temps després Foix donarà al "quadern" un sentit més ampli quan l'anomeni *Diari 1918,* nom en el qual Foix unirà indisolublement tot allò que simbolitza el quadern amb l'any en què aquell món que contenia va fer-se públic per primera vegada amb la publicació, el mes de març de 1918, de "Singular narració" a la revista *Trossos*. Amb la publicació, el 1924, dels quatre fragments del seu quadern Foix no fa altra cosa que deixar constància que ell ja a la tardor de 1917 havia iniciat un camí poètic personal i insòlit, i recuperar la seva pròpia història: la pràctica de la prosa poètica i la poètica del somni i de l'inconscient. Recuperació que cristal·litzarà quan reprengui, ara ja de manera sistemàtica, la publicació de proses poètiques a *L'Amic de les Arts*, l'agost de 1926. I serà en els números 7 i 8 de *L'ADLA* quan Foix associarà per primer cop el concepte *Diari 1918* a unes proses[33]. Amb el *Diari 1918* Foix crea la seva pròpia tradició i aquesta tradició li permet mostrar que la seva prosa poètica era anterior als primers textos surrealistes de Breton, fet que feia d'ell, com ja he dit, un precursor.

Diari 1918: D'espai notarial a espai mític

L'espai notarial que és en aquells moments el *Diari 1918* esdevindrà, a la postguerra, un espai mític. Després de la guerra Foix ampliarà l'espai temporal i modificarà els objectius del quadern. Quan ja no necessiti reivindicar el seu lloc dins la literatura, Foix utilizarà el diari per recrear un univers vital doblement perdut: per-

33. El mateix any Foix tornarà a insistir en aquesta associació quan, sota el títol de *Diari de 1918,* publiqui dues proses a *La Revista*. A més, de les proses poètiques publicades el 1926 només una no pertany en aquest diari.

dut pel pas del temps i per les conseqüències de la Guerra Civil. Aquest pas d'espai notarial a espai mític començarà a concretar-se quan el 1955, en els números 2 i 3 de *Vida Nova*, n'apareguin unes primeres remembrances que anys després, el 1965, aplegarà, incidint sobre la mateixa data, en *Catalans de 1918*.

1925. *Algunes consideracions sobre l'art d'avantguarda*

Entre "Dades metafísiques sobre Sarrià" i la publicació de les primeres proses poètiques a *L'ADLA*, l'agost de 1926, Foix publica, el mes de març de 1925, Algunes consideracions sobre l'art d'avantguarda en el número 2 de *Revista de Poesia*.

Crida l'atenció que Foix aprofiti aquesta nova plataforma literària no pas per publicar obra de creació sinó per teoritzar sobre l'avantguarda. "Algunes consideracions"... resulta, per tant, un text decissiu per comprendre alguns punts del pensament de Foix sobre l'avantguardisme, sobre l'avantguarda poètica a Catalunya i sobre el seu avantguardisme en el moment precís del seu retorn a la palestra poètica.

El primer d'aquests punts és el que resulta més interessant ja que Foix, parlant d'altres, remet a si mateix. Quan Foix escriu: "Cap feina no és, a darrera hora, inútil. Menys encara l'ardidesa d'esperit. El dadaisme fou un entrenament a la irresponsabilitat", l'adjectiu inútil ens indica que també ell va pensar que l'ardidesa d'esperit, que en el seu cas el portava cap a l'exploració onírica, havia estat inútil.

De la mateixa manera, una pràctica avantguardista radical, com ara la dadaista, era una irresponsabilitat. Ara bé, ni l'ardidesa d'esperit ni el dadaisme eren inútils i irresponsables en si mateixos (Foix valora positivament tant l'una com l'altre), ho eren en el context històric de principis de la dècada de 1920, de l'època de *Monitor*, en el moment en què Foix supedita la Poesia a la Política. En el context sociopolític de la Catalunya dels anys 20, l'exploració onírica i el dadaisme eren inútils i irresponsables políticament i socialment quan el que estava en joc, sobretot per a Foix, era la construció de l'Estat català i de la identitat catalana –"la nostra originalitat radical no serà pas crear una Art o una Literatura autòctones sinó la realització d'una Política", afirma– en un moment en què, per a ell, encara eren possibles.

Foix continua: "Heus ací els seus atletes més aprofitats: els superrealistes. Deixem-los en llur orgia: follies de neòfit!". Foix parla dels superrealistes i del superrealisme des de la distància i des de l'experiència: coneix tant el camí que estan fent com el resultat i les conseqüències del seu trajecte. Foix ens ve a dir que, tal i com li ha passat a ell, després de la follia "Reprès l'equilibri hauran descobert unes quantes d'imatges fresques i noves, ben aprofitables" i, a la vegada, intuïtivament hauran realitzat una teràpia psicoanalítica, amb la qual "hauran alliberat la imaginació dels pòsits que la infectaven".

Foix explicita allò que considera essencial en el poema: les imatges, que són, al mateix temps, el terreny que comparteix amb el surrealistes. Imatges sorgides del subconscient que Foix precisa amb tota claredat: primer, que són "fresques i noves"; i, segon, que aquestes són les "ben aprofitables" per construir els poemes. Pel que fa a l'avantguarda, afirma que és una manera de ser, no de fer. Per això "Els atreviments, les innovacions només poden permetre's a temperaments excepcionals". És a dir, només seran avantguardistes els temperaments com ara el seu. A Catalunya només és un veritable avantguardista J.M. Junoy, un autèntic aventurer. Ell hi és implícitament. És a dir, només són avantguardistes J.M. Junoy i Foix, els dos poetes que Folguera havia indicat a *Les noves valors de la poesia catalana.*

1926. De *L'Amic de les Arts* a *Gertrudis*

Veiem, per tant, com el 1924 Foix enceta un procés de reflexió que obre amb "Dades metafísiques sobre Sarrià" i que continua, el 1925, en "Algunes consideracions sobre l'art d'avantguarda". Aquest procés culmina l'any següent a *L'Amic de les Arts*, publicació en la qual es materialitza el seu retorn a la creació poètica.

L'agost de 1926 en el número 5 de *L'Amic de les Arts* Foix comença a publicar les seves proses poètiques. Irromp a tota plana amb quatre proses sota el títol de "Sense simbolisme", acompanyat de la reproducció del quadre "Llum de petroli" de Joan Miró. D'aquesta manera Foix mostra la seva seguretat, la seva fermesa i la seva voluntat decidida d'ocupar l'espai poètic que li corresponia.

A partir d'ara Foix publicarà a *L'ADLA* sistemàticament i en els quatre números següents traurà quinze proses més. Ara sabem que totes elles, a excepció de "Conte de Nadal", provenien del *Diari 1918*[34]. A *L'ADLA* Foix reprenia l'esperit de *Trossos*. Amb una diferència substancial, però: el 1926 les seves proses ja no tenien aquell aspecte inaugural que havien tingut el 1918. L'única forma de remetre al seu origen era relacionar-les explícitament amb el *Diari 1918*. I així, en els números 7 i 8 els seus poemes apareixen sota el títol *Diari 1918*.

El 19 de març de 1927 apareix *Gertrudis*, publicat per L'Amic de les Arts en una tirada de 121 exemplars. La immediatesa de l'aparició del llibre demostra clarament la voluntat de Foix d'aplegar les proses en aquest format. La raó de la pressa no pot ser una altra que fixar la seva obra davant l'hegemonia que estava adquirint el Surrealisme. A *Gertrudis* Foix aplega totes les proses publicades el 1926 i, de les publicades anteriorment només hi inclou "Singular narració" sota el nom de "Plaça

34. Les dues publicades a *La Revista* ho són sota el títol de *Diari de 1918*. Aquestes dues proses formaran part de la secció "Diari 1918 (Fragments)" de *Gertrudis*.

Catalunya – Pedralbes i "Gertrudi", revisada i amb el nom de "Gertrudis". Totes elles, a excepció de "Gertrudi" i de "Conte de Nadal", provinents del *Diari 1918*[35].

El que sorprèn, com ja he dit al començament, és que en cinc mesos Foix hagi publicat vint-i-un poemes (dinou a *L'ADLA* i dos a *La Revista*), una quantitat que iguala la seva producció anterior. Una sorpresa ara plenament comprensible.

D'altra banda, a *Gertrudis* Foix recupera totes les proses poètiques publicades excepte "Capítol II d'una autobiografia" i les aparegudes a la revista *Bella-terra*. El fet que no republiqui les proses de "Dades metafísiques sobre Sarrià" es comprèn si tenim en compte que la seva funció era deixar constància de l'existència de la seva obra.

Però, i "Capítol II"...? Crec que en aquest cas cal parlar d'autocensura i, per tant, de canvi respecte dels objectius que Foix s'havia marcat el 1918. Per a la seva republicació Foix polirà els aspectes sexualment més frapants de "Gertrudi" com ara l'escena del negre violador. A "Capítol II"... ben poca cosa podia polir. Hauria d'haver canviat tot el text. D'aquesta manera és plenament coherent que Foix el fes desaparèixer tot i ser un text cabdal dins la seva trajectòria poètica. Perquè tal com diu Rafael Santos Torroella "és on més es pot comprovar el que realment té de pioner del surrealisme".[36]

Quan, el 1927, Foix, *la nova valor* de la poesia catalana, publica el seu primer llibre en el qual, de tota la seva producció, aplega únicament les seves proses fantasistes oníriques tenia 34 anys i en feia 10 que havia publicat el primer poema. Així doncs, *Gertrudis* representa la culminació del procés de reivindicació a què es va veure abocat a partir de 1924.

Amb *Gertrudis* Foix, des del present, 1926, crea un pont cap al passat quan uneix les proses publicades el 1918 amb les aparegudes el 1926 però provinents o emanades del *Diari 1918*. Aquesta és l'única forma objectiva que té Foix de reivindicar les seves proses oníriques i, a la vegada, de defensar la seva singularitat.

Foix, amb la seva prosa onírica havia obert una nova via poètica que un seguit de fets –la censura, primer i la seva activitat política, després– li havien fet aparcar. Quan hi retorna ho fa mediatitzat pel pas del temps i per l'auge del Surrealisme. En aquest context apareix el *Diari 1918* com a resultat d'una operació de fixació múltiple que culmina amb la publicació de *Gertrudis*. En el llibre Foix mostra el seu Sobrerrealisme creat a partir del treball sobre el subconscient, el somni i les imatges hipnagògiques. És a dir, mostra la seva pròpia via d'accés a la sobrerrealitat. El 1926 Foix tenia pressa. Estava decidit a recuperar el temps perdut.

35. Pel que fa a quins poemes pertanyen o no al Diari, Barcelona, setembre de 2000, segueixo la "Nota sobre l'edició" de *Diari 1918*, editat el 1981.

36. Rafael Santos Torruella, *Salvador Dalí corresponsal de J.V. Foix, 1932-1936*, Barcelona, 1986.

TRES NOTES SOBRE L'ACTOR JOAQUIM GARCIA-PARRENYO I LA SEUA OBRA *VICENTETA LA DE PATRAIX* (1845)

Gabriel Sansano

Universitat d'Alacant

En un treball anterior ja vam donar a conéixer el text inèdit *Vicenteta la de Patraix*, de Joaquim Garcia-Parrenyo, un autor i un títol que, juntament amb les primeres peces de Josep Bernat i Baldoví, haurien iniciat el teatre valencià modern en la primera meitat del XIX, segons Sanchis Guarner.[1] En aquell mateix estudi intentàrem oferir algunes dades sobre la procedència geogràfica de l'actor i els seus inicis en el teatre abans de la dècada de 1850, a partir de la qual començà a ser un professional de l'escena conegut en els teatres de Barcelona.

En les conclusions provisionals d'aquella primera aproximació, confirmàrem el seu nom real, Joaquim Garcia-Parrenyo i Lozano, apuntàrem que la seua data de naixement devia ser anterior a la de 1821 (data donada per la GEC), dubtàrem entre el seu naixement a València o a Barcelona, donàrem notícia de les seues primeres activitats dramàtiques en la dècada dels anys 30 i remarcàrem el fet que l'obra que editàvem, *Vicenteta la de Patraix*, no era una peça original, sinó una adaptació d'una altra anterior, que llavors ens era desconeguda.

Ara volem tornar sobre aquest personatge i aquesta peça perquè creiem que podem aportar noves dades sobre alguns aspectes que en aquella recerca no van quedar del tot aclarits, i que pensem que ens poden ajudar a conéixer millor algun dels orígens del teatre valencià vuitcentista.[2]

1. Vegeu M. SANCHIS GUARNER, *Els orígens del teatre valencià modern, 1845-1874*, València: IFV, 1980, pàg. 31. I, Per als aspectes biogràfics, G. SANSANO, «Sobre els primers sainets valencians: notícia i edició de *Vicenteta la de Patraix* (1845), de Joaquim Garcia-Parreño» en Josep M. DOMINGO i Miquel M. GIBERT (ed.), *Actes del Col·loqui sobre Àngel Guimerà i el teatre català al segle XIX. El Vendrell, 28, 29 i 30 de setembre de 1995*, Tarragona: Diputació de Tarragona, 2000, pàg. 427-454.
2. Quant als orígens del teatre en català al País Valencià del segle XIX, a més del llibre de Sanchis Guarner, vegeu en la bibliografia final Blasco, Fuster, Sirera i Sansano.

1. L'actor

Joaquim Garcia-Parrenyo i Lozano és recordat, sobretot, pel fet que a partir del 1869 entrà a formar part de la companyia del Teatre Romea de Barcelona, en què treballà durant deu anys com a primer actor i com un dels histrions més estimats de Frederic Soler, amb el qual sembla que compartí una sincera amistat. En aquest sentit, cal recordar el fet que obres com *El ferrer de tall*, *Un barret de rialles*, *Lo rector de Vallfogona* o *La Dida* van ser estrenades per aquell, o que un dels fills de l'actor portà el nom de Frederic en homenatge al dramaturg. Entre d'altres, també escriviren obres per a l'actor Francesc Camprodon o Conrad Roure. Això no obstant, com ja hem manifestat adés, ara insistirem en dos dels aspectes encara no aclarits de la seua biografia: *a*) el lloc de naixement o *pàtria*; *b*) els antecedents i inicis professionals.

1.*a* En el nostre article anterior, a més d'una recerca en els manuals d'història del teatre i de les obres enciclopèdiques, vam fer servir la necrològica apareguda en el diari *Las Provincias*, de València, només sis dies després del traspàs de l'actor. Aquesta es feia ressò d'una altra apareguda en el *Diario de Barcelona* i n'ampliava la informació, fet que semblava atorgar-li una certa veracitat. Així, l'anònim redactor valencià afirmava que:

> «García Parreño nació en Valencia en el seno de una familia muy acomodada. Su padre fue empresario del Teatro Principal, empresa en la que, a su muerte, le sustituyó su viuda. De aquí nació sin duda el amor al teatro de Joaquín Parreño, que en aquella época figurava entre la juventud más distinguida de Valencia.
> En el antiguo Liceo [Valenciano], en el que se dieron a conocer tantos valencianos eminentes, demostró el joven Parreño sus grandes aptitudes de declamación. Había en aquella sociedad un teatro, en el que actuaban los socios, y el señor Parreño se distinguía mucho en los papeles de gracioso y de galán joven, sobresaliendo en los de petimetre y calavera de buen tono. Estos fueron los principios de su carrera.»[3]

Hem localitzat, però, un altre article necrològic més extens i signat per algú que seguí i tractà directament l'actor al llarg dels anys fins al seu traspàs: Rossend Arús i Arderiu (1845-1891), publicista i dramaturg. Aquest, a diferència de gairebé totes les altres fonts consultades, dóna notícies molt precises de Garcia-Parrenyo:

> «Nació en esta ciudad [Barcelona], en la que vio la luz primera de el año 1819, siendo bautizado en la iglesia de Santa Maria del Pino. Hijo de una distinguidísima familia, y militar su padre, después de estudiar los primeros años de latín y retórica, según costumbre arraigada en aquella época, muy joven, casi niño, se dedicó a la carrera de las armas.»[4]

3. Vegeu *Las Provincias*, 1 d'abril de 1880. Ací només ens interessa la qüestió del lloc de naixença i els seus inicis teatrals. Pel que fa a son pare, quant a empresari del Teatre Principal de València, vegeu G. Sansano, *op. cit.*, pàg. 431-432.

4. Vegeu R. Arús y Arderiu, «D. Joaquín García Parreño», *La Revista Ilustrada Universal*, Any V, núm. 11, 1880, pàg. 2. He consultat l'article en la Documentació Personal de Josep Artís, Caixa 10, conservada en l'IMHC.

Pel que fa a la data de naixement, aquesta és difícil de confirmar perquè l'Arxiu Parroquial de l'església de Santa Maria del Pi no conserva gran part de la documentació referida a noces i batejos d'aquests anys, destruïda en una de les tantes bullangues de la primera meitat del segle XIX. No obstant això, mentre no siga localitzada cap altra informació, potser cal donar per bona la data de naixement, vista la precisió de dades que ofereix Arús i vista, sobretot, la relació que aquest mantingué amb aquell. Així, doncs, cal concloure que Garcia-Parrenyo va nàixer realment a Barcelona, i no a València.

El segon punt que ens interessa de la cita transcrita és el fet que el jove Garcia-Parrenyo, criat en l'ambient militar, sembla que en esclatar la Guerra Civil el 1834, si no abans, entrà a formar part d'alguna de les milícies o de la Guardia Nacional. Molt possiblement aquesta incorporació es realitzà a València, on son pare ja era empresari del Teatre Principal.[5] Segons Arús, durant la seua carrera militar prengué part en diverses campanyes contra els carlins (essent empresonat pel mateix Cabrera), passà temporades a Sevilla i San Fernando (Cadis), fou condecorat diverses vegades i patí un desterrament a Cadis.[6] Segons diverses fonts, abandonà la carrera militar a causa d'algunes circumstàncies polítiques, i es decantà per l'escena. Sobre les causes d'aquest abandonament tornarem més endavant.

Quant als seus inicis com a actor, cal recordar que la mateixa nota necrològica publicada al *Brusi* situa aquests inicis dramàtics en el teatre de l'exconvent de Mont-Sió, origen del Liceu. Arús no en diu res, però aquesta és una dada que, malgrat que no l'hem poguda confirmar, ens planteja el següent interrogant: si fos certa, hem de pensar que Garcia-Parrenyo formava part o estava relacionat amb els milicians fundadors de la Sociedad Dramàtica que el 1837 impulsava un nou espai dramàtic a Barcelona? O la referència a l'exconvent de Mont-Sió és genèrica cap a les companyies que en diverses ocasions ocuparen aquell espai?[7]

El fet cert, però, és que la primera notícia que hem pogut recollir de Garcia-Parrenyo com a executant data del 17 de setembre de 1837, quan intervé en unes funcions benèfiques fetes en el Teatre Principal de València, amb motiu de recaptar fons a favor de les víctimes de la defensa de Bilbao, ciutat que havia estat atacada durament per les tropes carlines. Com ja vam apuntar, en el mateix teatre, i des del

5. Vegeu J. L. SIRERA, *El Teatre Principal de València,* València: IAM, 1986, pàg. 56, i G. SANSANO, *Ibidem.*

6. Vegeu R. ARÚS, *Passim.* Cal dir que tot i que Arús hi dedica força espai als fets militars de Garcia-Parrenyo i al seu caràcter íntegre, les notícies bàsiques són coincidents amb les reportades per altres fonts coetànies: C. ROURE, *Cómo nació el Teatro Catalán. Recuerdos de mi larga vida*, s. d., s. p. i., pàg. 196, o la mateixa necrològica apareguda al *Brusi*. Només amb la consulta de la documentació sobre la Guardia o Milicia Nacional es podria aclarir aquest punt col·lateral de la nostra recerca.

7. Vegeu la nota necrològica del *Brusi,* a més de F. CURET, *El arte dramático en el resurgir de Cataluña*, Barcelona: Minerva, 1917, pàg. 88-89; J. ARTÍS, «La Renaixença teatral: Francesc Renart i Arús, precursor» en *Tres conferències sobre teatre retrospectiu*, Barcelona: Publicacions de la Institució del Teatre, 1933, pàg. 250-254.

dia 2 de setembre del mateix any, s'havien fet algunes funcions en benefici de les víctimes de la guerra a Xiva, i és probable que el nostre personatge hi prenguera part, malgrat que no hem localitzat la cartellera corresponent a aquests dies.[8]

La següent notícia localitzada data del 23 de març de 1839, quan intervé en una *Función Lírica a beneficio de los prisioneros del ejército del Centro, de la Milicia Nacional y establecimiento de beneficiencia de esta capital*, que tingué lloc en el Teatre Principal. Amb independència, però, que intervinguera en altres funcions que desconeixem, té un interés particular la tercera notícia que hem localitzat, datada el 26 de setembre de 1839, segons la qual Garcia-Parrenyo pren part, en el Principal de València, en la *Función patriótica a beneficio de los militares heridos y enfermos existentes en esta plaza*, amb motiu de l'acabament de la guerra carlina. En aquesta sessió, l'actor, a més d'exercir un paper en l'obra *La huérfana de Bruselas*, va recitar la composició *A la paz*, de seixanta-tres versos, a l'acabament de la funció, fet que li atorgà un protagonisme afegit.

Convé recordar, però, que en aquesta vetlada, a més dels membres de la companyia de Carlos Latorre que actuaven al teatre, desfilà per l'escenari una llarga nòmina de comparses que sobrepassava la cinquantena. D'entre tots aquests noms, molts dels quals sembla que eren membres de la Milicia Nacional, cal remarcar la presència de Joaquim Maria López, l'exministre i futur cap de govern, o del mateix Josep Maria Bonilla, sobre el qual tornarem més endavant.

Segons Arús, acabada la Guerra Civil, Garcia-Parrenyo cursà alguns anys de la carrera de medicina, tot i que no queda clar si a València o a Barcelona. Si hem de creure l'anònim redactor de *Las Provincias* o el mateix Bernat i Duran, es tractaria de València, perquè totes dues fonts el situen com a habitual de l'espai dramàtic de la societat Liceo Valenciano, un teatret modest creat a mitjans de 1841.[9] No obstant això, Lluís Tramoyeres i Francesc Almela i Vives, que han estudiat aquesta institució, no esmenten en cap moment l'actor,[10] fet que ens fa dubtar de si realment

8. Cal insistir en el fet que la conservació de la cartellera del Teatre Principal és fragmentària entre el 1832 (any de la seua inauguració) i el 1839, tot i que els cartells conservats en la Biblioteca Municipal Central de València ajuden a omplir-ne alguns buits. A partir de 1839 es pot consultar la col·lecció de cartells teatrals conservada en la Biblioteca Històrica de la Universitat de València que arriba fins a l'any 1877. La col·lecció fou compilada en 10 toms, en foli, per Andreu Ferrer Viñerta el 1893, i anava acompanyada d'un *Indice de 3608 anuncios para el Teatro Principal de 1839 a 1877 impresos en casa Ferrer de Orga*, del qual es van estampar sis exemplars en la mateixa impremta. A més de l'exemplar que es conserva en la (BHUV), n'hi ha un altre en la Biblioteca Serrano Morales de València.

9. Vegeu *Las Provincias*, 1/IV/1880, i també J. Bernat i Duran, «Los teatros regionales catalán y valenciano» en N. Díaz De Escovar i F. de P. Lasso de la Vega, *Historia del teatro español*, vol. II, Barcelona: 1924, pàg. 410. Cal dir que fa tot l'efecte que Duran coneix, directament o indirectament, l'article necrològic de *Las Provincias*.

10. Vegeu [Lluís Tramoyeres], «El Liceo de Valencia» en *Almanaque de* Las Provincias *para 1902*, pàg. 197-199, i F. Almela i Vives, *El Liceo Valenciano, sus figuras y sus actividades*, Castelló de la Plana: SCC, 1962, pàg. 24-29.

Parrenyo concorregué "assíduament" al teatre del Liceo durant aquest anys. D'altra banda, ateses les referències a les seues estades a Sevilla, és més versemblant que els estudis els fera en aquesta ciutat o, potser, a Barcelona.

Quant a aquesta ciutat, cal dir, d'una banda, que el mateix Arús comenta que Garcia-Parrenyo no acabà el seus estudis perquè, espentat pels seus ideals liberals, reingressà en la Milicia Nacional i prengué part activa en les bullangues de la ciutat, particularment en la de finals de l'any 1843, coneguda popularment com la de la Jamància, i arribà a ser secretari de la junta formada a aquest efecte, extrem que no hem pogut confirmar, ni tampoc –cas que hi prenguera part, efectivament–, a favor de quin bàndol. Aquestes notícies fan encara més dubtosa la seua presència «regular» en el Liceo valencià. D'altra banda, volem remarcar el fet que, potser, no és una casualitat que el seu conegut i correligionari Josep Maria Bonilla també es trobara a Barcelona entre els anys 1841 i 1843, i que també tinguera una participació viva en els avalots de la ciutat i, particularment, en el de la Jamància.[11]

Fem notar aquesta coincidència entre ambdós personatges perquè després de les conseqüències d'aquells aldarulls i de l'ascens del general Narváez a la presidència del consell de ministres en l'inici d'un govern moderat, Garcia-Parrenyo abandonà definitivament l'exèrcit i debutà com a actor en el mateix Teatre Principal de València, el 22 de febrer de 1844:

> «Primera representación de Don Joaquín García Parreño.
> Deseosa la empresa de proporcionar al público valenciano todas las mejoras posibles para el próximo año cómico, y convencida de que otra de las que están a su alcance es el ajuste de actores conocidos y que obtengan simpatías en el público, ha tenido la satisfacción conseguir en ajuste al joven D. Joaquín García Parreño, cuya afición hacia este difícil arte, le ha hecho arrastrarlo todo, y obedeciendo por fin a los impulsos de su corazón, se ha lanzado a una carrera que tantos laureles ofrece a la aplicación y al genio.
> Por primera vez se presenta el Sr. Parreño como actor ante un público de compatriotas, y la empresa no duda que recibirá éste una satisfacción, viéndole ejecutar el difícil papel de Clermont en el escelente [sic] drama en dos actos, titulado *La mujer de un artista*.»[12]

Després de passar tot l'any 1844 i el següent fent papers secundaris, Garcia-Parrenyo, a poc a poc es va anar obrint camí en l'escalafó de la companyia i el dilluns 1 de desembre del 1845, es presentà com a «galán joven del [teatre] de esta capital», en una funció per al seu benefici, que incloïa l'estrena de *Vicenteta la de Patraix*.

Pel que fa a Bonilla, sembla que el mateix 1844 marxà cap a Madrid, ciutat on, a més de col·laborar en algunes capçaleres com *La Risa*, impulsada pel també

11. Vegeu A. LAGUNA-E. ORTEGA, *Un periodista romántico en la revolución burguesa: José María Bonilla*, València: Associació de la Premsa Valenciana, 1989, pàg. 82-86.
12. Per a aquestes dades i per als seus primers anys com a actor, vegeu G. SANSANO, *op. cit.*, pàg. 432-433.

valencià Ayguals de Izco, coincidí amb un altre vell conegut seu, Josep Bernat i Baldoví, aleshores diputat. Tots dos, a finals d'aquest any, començaren una nova aventura editorial, el setmanari *La Donsayna*.

Una setmana després del benefici de Parrenyo, Bernat i Baldoví estrenà el nou teatre dels Porxets de Sueca amb la seua peça *Un ensayo fet en regla* i, casualitats de la vida, els dies 5 i 6 de gener de 1846 Garcia-Parrenyo posà en escena en el Principal de València *Pascualo i Vicenteta*, de Bernat i Baldoví, versió «políticament correcta» d'*El Virgo de Vicenteta*, apta per al públic burgés del Principal. La col·laboració entre l'actor i l'escriptor es tornà a repetir al mes següent, quan el 26 de febrer, aquell estrenà en el mateix Principal *El expediente labriego o El Gafaüt*, obra també per al seu benefici de comiat del públic valencià, escrita expressament per a l'actor, i que després posà en escena reiteradament.[13] Sense el nexe comú de Josep Maria Bonilla, ens costa d'entendre tant que Bernat escrivira per a Parrenyo, com la simple relació d'aquests dos personatges.

Com ja hem dit, l'1 de desembre de 1845, Garcia-Parrenyo estrenà *Vicenteta la de Patraix*, amb una bona acollida per part del públic, i sabem que al març de l'any següent marxà cap a Barcelona contractat pel Teatre Principal. No obstant això, també sabem que tornà a València cap al mes de juny d'aquest mateix any i s'hi estigué fins al febrer de l'any següent, quan marxà definitivament a aquella ciutat. A partir d'ací comença la part de la seua trajectòria més coneguda, passant del Principal al Liceu i al Romea, sense deixar de banda les seues estades a Saragossa, Madrid, Granada, Sevilla, etc.[14]

2. L'obra

Abans de res, potser convé recordar, d'una banda, que, entre la data de l'estrena de *Vicenteta la de Patraix* i la de la marxa definitiva de l'actor el febrer del 47, l'obra es va representar un mínim de cinc vegades: tres al desembre de l'any 45, una a l'octubre i l'altra al novembre del 46; d'una altra banda, que el text no era ori-

13. Vegeu G. Sansano, «Sobre els antecedents dramàtics de Josep Bernat i Baldoví» en *Actes del Congrés Bernat i Baldoví i el seu temps. Sueca, 3, 4 i 5 de març de 1999*, València: Universitat de València/Ajuntament de Sueca, 2002 (en premsa). A més, com ja hem dit, Garcia-Parrenyo inclogué algunes obres de Bernat en el seu repertori, i així, en el seu segon any al Principal de Barcelona, amb motiu del seu benefici que tingué lloc el 13-II-1849, posà en escena *El tio Batiste en Madrid, o El Gafaüt*. Vegeu Arxiu J. Artís, Caixa 10, AHCB.

14. A més de la bibliografia esmentada, vegeu J. Riera i Bertran, «Los actors del teatro català. D. Joaquim García Parreño», *La Renaixença*, 1879, tom I (1871-1898), pàg. 72-80; F. Curet, *Història del teatre català*, Barcelona: Aedos 1967; J. M. Poblet, *Frederic Soler, Serafí Pitarra*, Barcelona: Aedos, 1967, o C. Morell i Montadi, *El teatre de Serafí Pitarra: entre el mite i la realitat (1860-1875)*, Barcelona: Curial/PAM, 1995.

ginal, sinó una peça «arreglada teatro» pel mateix Garcia-Parrenyo.[15] D'on havia tret l'actor aquella idea per a arranjar-la a l'escena valenciana?, ens preguntàvem en el nostre article anterior. Quina era la font de l'obra? La tasca no semblava gens fàcil, una vegada conegudes les altres adaptacions posteriors que féu de peces castellanes, franceses o italianes. Per on havíem de començar la recerca?

No obstant això, si repassem les característiques de l'obra, ens trobarem amb un text bilingüe, escrit curiosament en prosa, en un únic acte i un únic quadre, que té setze escenes i vuit personatges: cinc que parlen en català i tres en espanyol.[16] Ací trobem un sergent andalús que, mentre espera la seua llicència definitiva, viu allotjat a casa del tio Cosquerelles, que és un sastre. El conflicte es planteja quan el tio Pere arriba a la sastreria amb la seua filla, Vicenteta, a fi de tancar el casament d'aquesta amb Miquel, fill del tio Cosquerelles. Aleshores sabrem que Miquel està enamorat d'una altra; i que Fernando, el sergent, abans de ser mobilitzat, havia estat hostatjat a Patraix a casa del tio Pere i s'havia promés, en secret, amb Vicenteta. L'obra mostra les diferents maniobres de Fernando a fi d'aconseguir que el tio Pere i el tio Cosquerelles es barallen, desfacen el matrimoni acordat, i poder, així, casar-se amb Vicenteta. Enmig de tot això, trobem Nelo, aprenent de sastre, que és el personatge graciós, típic de molts sainets que coneixem. D'on havia pres Garcia-Parrenyo la idea?

Mentre fèiem la nostra recerca sobre els models dramàtics de Bernat i Baldoví, vam localitzar el text que l'actor havia «arranjat» a l'escena valenciana, que, per cert, no era ni francès, ni italià, ni espanyol. Ara podem afirmar que *Vicenteta la de Patraix* és una «versió valenciana» de l'obra de Francesc Renart i Arús, *El sastre y el asistente, o sea, Las bodas cambiadas*, també coneguda amb el títol de *La Laieta de Sant Just*. Renart estrenà aquesta peça el 21 d'agost de l'any 1815, la qual es representà també els dies 22 i 23 del mateix mes i any.[17] Al marge de l'adaptació valenciana, el mateix Conrad Roure recordava haver vist Parrenyo en el Principal de Barcelona representant *La Laieta de Sant Just*.[18] Així, doncs, podem

15. Vegeu G. SANSANO, «Sobre els primers sainets valencians...», *op. cit.*, pàg. 438.

16. Cal recordar que es conserva un segon manuscrit amb 17 escenes. Faig servir com a text de l'obra l'editat en el meu treball anterior.

17. Vegeu J. ARTÍS, *op. cit.*, pàg. 255-256, i M. T. SUERO ROCA, *El teatre representat a Barcelona de 1800 a 1830*, Barcelona: PIT, 1987-1997, v. II, pàg. 441. Per a les representacions posteriors, vegeu els volums III i IV de la mateixa obra.

18. C. ROURE, *op. cit.*, pàg. 196. Per la referència que fa a *La Passió i mort de Nostre Senyor*, és possible que es tracte d'alguna de les temporades de la primera meitat dels anys cinquanta, quan efectivament Parrenyo representà aquesta passió. Anotarem de passada que, segons J. L. SIRERA, «El Principal de València i les representacions teatrals en valencià durant el segle XIX», *Estudis escènics*, 24, març 1984, pàg. 88, l'obra de Renart, amb aquest mateix títol, es va representar a València el 2 de desembre de l'any 1847, i tot i que no en diu res sobre la companyia que hi actuava al teatre, no seria gens estrany que fóra el mateix Parrenyo el que la posara en escena. No obstant això, no ho podem confirmar positivament i només apuntem el fet com a hipòtesi.

concloure que el text, ara amb el títol original, ara en versió valenciana, el posà l'actor en escena tant a Barcelona com a València.

A través de la graella següent, podem comparar els trets bàsics de les dues obres, i ens adonarem que les diferències són mínimes:

El sastre y el asistente, o sea, Las bodas cambiadas (o La Laieta de Sant Just)		*Vicenteta la de Patraix*
Argument	El mateix en les dues obres	
Personatges	Don Juan, tinent (cast.)	Fernando, sergent (cast.)
	López, soldat veterà, el seu assistent (cast.)	Ø
	Donya Paula, vídua d'un alferes, persona d'edat (cast.)	Donya Quitèria, vídua d'un capità (cast.)
	Pepa, la seua neboda (cast.)	Pepeta, la seua neboda (cast.)
	Senyor Jeroni, mestre de sastre (cat.)	El tio Cosquerelles (cat.)
	Francisquet, el seu fill (cat.)	Miquel, el seu fill (cat.)
	Magí, aprenent (cat.)	Nelo, criat (cat.)
	Jaume, llaurador (cat.)	El tio Pere (cat.)
	Laieta, la seua filla (cat.)	Vicenteta, la seua filla (cat.)
Ciutat	Barcelona	Un poble del Regne de València
Poble de la protagonista	Sant Just	Patraix
Espai escènic	L'única diferència notable és que, en la primera, l'habitació que ocupa Don Joan està integrada en el mateix escenari, mentre que en la segona, aquesta desapareix, se suposa que és una dependència interior.	
Text	Vers i prosa	Prosa

Deixant de banda els canvis dels noms dels personatges i de localització, hi ha dues modificacions que potser són més notables: *a*) la primera, que el text en vers de Renart passa a prosa, segurament per comoditat del mateix Parrenyo, malgrat que a l'època la prosa era estranya en el teatre; *b*) la segona i més important és l'eliminació del personatge d'en López, que és l'eix sobre el qual s'articula l'obra de Renart.[19] En López, sense arribar a ser el «graciós» de tantes altres comèdies, és l'assistent lleial i experimentat que actua d'intermediari perquè els afers del seu superior es resolguen d'acord amb els interessos d'aquest. Si hem de parlar de graciós, com ja hem fet notar, aquest seria Magí, l'aprenent de sastre, tot i que és un paper molt secundari.

Amb la supressió del paper d'en López, Parrenyo, d'una banda, atorga un paper més actiu a Fernando, ara rebaixat a sergent, el qual assumeix els parlaments i els tripijocs d'aquell, però, en benefici propi; de l'altra, reforça el joc escènic i còmic de Nelo, convertit ara en un dels graciosos i malfaeners típics del sainet valencià de tan llarga tradició, i del tio Cosquerelles, al qual dota d'una comicitat que no és present en el text original.

Tots aquests canvis creiem que deriven, en part, del fet que en l'estrena de l'obra, l'actor còmic de la companyia, el senyor Esteve del Rio, feia de tio Pere, personatge amarat també de trets jocosos, mentre que Parrenyo, que apuntava com a actor còmic, però que no ho podia ser en exclusiva perquè la plaça en la companyia ja estava ocupada, s'havia d'acontentar exhibint la seua vis còmica en papers secundaris, o bé aprofitant el dia del seu benefici. Justament amb la intenció de remarcar la hilaritat del seu paper, Garcia-Parrenyo amplifica un tret lingüístic que només apareix en una ocasió en el text de Renart: el tres versos que el senyor Jeroni adreça a la vídua, «Tenga / un *pocu* de *cuenta* aquí / *pur* favor», peculiaritat fonètica que gairebé podem relacionar més fàcilment amb el parlar dels gallecs típics del sainet setcentista, que no amb el castellà «acatalanat».

Des del nostre punt de vista, Parrenyo, en estrafer deliberadament el castellà del tio Cosquerelles, usant malapropismes i fent servir en aquesta llengua una fonètica catalana, converteix el tio Cosquerelles en el primer personatge que trobem que estrafà conscientment la seua manera de parlar la llengua que li és aliena, l'espanyol, com un mitjà per provocar la rialla del públic. En aquest sentit, com ja hem remarcat, és cert que el recurs no deixa de tenir certs paral·lelismes amb certs «rústics» de la perifèria peninsular, fins i tot, amb els mateixos personatges dels *gallegos* freqüents en el sainet castellà de la segona meitat del segle XVIII i primers anys del XIX. Això no obstant, ens sembla evident que el tio Cosquerelles és un precedent directe d'alguns tipus del sainet valencià posterior, i, sobretot, d'alguns dels recursos més jocosos del mateix Escalante.

19. Cal recordar que el títol de l'obra, *El sastre y el asistente*, ja al·ludeix al mateix personatge de López.

Hem de fer encara un comentari sobre els dos personatges relacionats amb l'estament castrense: la vídua i el militar. Si les dades que vam oferir en el nostre article anterior són certes, aquest personatge no devia ser estrany al mateix actor perquè la seua mare era vídua de militar i ell, fill orfe de militar. Així, l'al·lusió crítica, que Renart havia introduït en la seua obra poc després de la Guerra del Francès, sobre la situació econòmica miserable d'aquestes persones, amb els diversos conflictes civils que se succeïren en els anys vint i trenta, continuava tenint plena vigència, i el mateix Parrenyo s'hi devia sentir identificat. Potser per això mateix que en el seu arranjament reforçà, tot i que lleument, el paper de Quitèria.

Quant a la figura del soldat hostatjat en cases de civils, aquesta també devia ser una referència ben viva a l'època de la representació i segurament, com hem vist, una situació que el mateix Parrenyo devia haver viscut en primera persona al llarg de la seua carrera en la Milícia Nacional.

Finalment, no podem acabar aquest segon apartat sense interessar-nos per l'argument compartit de les dues obres: l'enfrontament entre l'autoritat paterna i la lliure elecció dels fills,[20] amb l'embolcall costumista del text. Amb aquest títol, Francesc Renart, a diferència d'Ignasi Plana, Manuel Andreu Igual, Andreu Amat i altres autors dramàtics catalans del primer terç del vuit-cents, ens posa davant dels ulls un tema relativament nou en l'incipient teatre català que s'obria pas en els teatres particulars de les colles d'aficionats i, molt marginalment, en el mateix Teatre Principal.

L'afirmació que, d'antuvi, pot semblar exagerada, potser no ho és tant si tenim en compte que només nou anys abans de la representació d'*El sastre y el asistente*, el 1806 i amb la Guerra del Francés pel mig, Fernández del Moratín havia estrenat, amb un èxit extraordinari, *El sí de las niñas*, una obra que, en certa manera, representava la culminació temàtica d'una sèrie de títols anteriors o coetanis que tractaven la mateixa qüestió: el xoc entre l'autoritat paterna i la lliure elecció dels fills.

Com recorda René Andioc, el març de 1776 Carles III havia fet publica la pragmàtica per la qual s'obligava els fills a sol·licitar l'autorització del cap de casa per concertar les esposalles i per contraure les noces.[21] Aquesta dada ens recorda que el tema continuava sent viu en la societat del moment, i més en una societat com la catalana. El que resulta més curiós encara, però, és que de la mateixa manera que el jove Don Carlos moratinià no s'oposa, ni es rebel·la, ni qüestiona l'autoritat del seu oncle i tutor Don Diego,[22] en l'obra de Renart, ni Francisquet, ni Don Juan, ni en López, ni la mateixa Laieta qüestionen en cap moment l'autoritat dels pares. És per això que en

20. Sobre aquesta qüestió, vegeu R. ANDIOC, «Estudio sobre *El sí de las niñas*», en L. Fernández DE MORATÍN, *La comedia nueva/El sí de las niñas*, edició de J. Dowling i R. Andioc, Madrid: Castalia, 1993, pàg. 137-159.

21. Vegeu R. ANDIOC, *op. cit.*, pàg. 146.

22. Vegeu R. ANDIOC, *op. cit.*, pàg. 149.

López organitza els seus embolics amb l'única finalitat que siguen els mateixos pares els que s'adonen que estan actuant en contra de l'elecció «natural» dels fills i que, si es tracta de casar-los, els partits alternatius no són tan dolents, i el conflicte es resol amb plena satisfacció de tots. D'aquesta manera, els personatges d'una obra i de l'altra, demostren una actitud molt semblant: d'una banda, els joves reconeixen l'autoritat dels pares i tutors; de l'altra, aquests reconeixen que el més important, en situacions «normals» socialment, és la felicitat dels fills, que de fet són els seus hereus. I més encara si, com en les dues obres, tots el joves en conflicte són fills únics!

Malgrat les pretensions modestes de la peça, el públic de Renart, o si voleu, del Teatre Principal, no podia deixar de tenir ben presents els referents literaris i escènics castellans d'aquest tema, que ja no era exactament el del casament desigual ni l'enfrontament entre els joves i els vells. No obstant això, aquest tema tan «modern» no apareix ni de lluny en l'obra dels altres autors dramàtics catalans del moment que, amb alguna excepció, continuaven arrelats als temes habituals del vell entremés.

Pel que fa a Parrenyo, en un principi sobta que aquest assumesca fidelment els plantejaments essencials del seu model, i més en un moment en el qual el romanticisme ja s'ha imposat en l'escena. Ara bé, cal tenir present que en tractar-se de la peça menor d'un benefici, l'actor no perdé el son amb la versió: si no es molestà a fer l'adaptació en vers, tampoc no perdé el temps canviant més coses de les estrictament necessàries. A més, pot ser que l'any 1845, amb una nova correlació de forces amb predomini dels sectors conservadors i en un teatre burgés com el Principal de València, la resolució dels conflictes entre pares i fills mitjançant un cert «consens» que respecta l'autoritat del cap de família i els sentiments dels fills, no deixara de tenir el seu sentit.

3. Sobre l'interès de l'autor

Coneixem molt vagament l'activitat dramàtica catalana anterior a la dècada del 1860, i coneixem d'una manera deficient, amb alguna excepció, els autors anteriors a Frederic Soler, Eduard Escalante o Pere d'Alcàntara Penya, per posar-hi algunes fites. En general, s'hi ha imposat una descripció purament referencial, imprecisa, esquemàtica que apunta cap a un teatre popular, menor, marginal o vulgar, sense entrar a valorar quins títols s'hi representaven, quins eren els models dramàtics que imitaven, com eren els locals on es representaven, de quins mitjans escenotècnics disposaven, quin era el públic que consumia aquests espectacles, quins eren els actors i les actrius que s'hi dedicaven, etc. La dispersió i precarietat de la documentació conservada, quan se'n conserva, i la manca d'estudis previs acurats suficients fan que la tasca d'aproximació semble impossible. Això no obstant, tenim la impressió que si es realitzaren noves recerques puntuals, aquestes revelarien segurament un panorama molt més ric i força més variat del que fins ara ens havíem pensat.

Un exemple el podem trobar en el mateix Joaquim Garcia-Parrenyo, un actor sobre el qual encara ignorem tantes coses de la seua dedicació a l'escena abans d'entrar en el Romea el 1869, però del qual Arús, Roure o Curet remarquen la seua vinculació i aportació a l'escena catalana i en català, pel cap baix, des de finals de la dècada dels anys quaranta.[23]

Pel que fa l'escena valenciana, a més del que ja hem exposat, cal recordar que Parrenyo tornà a València al setembre de 1856 i, tot i que de manera intermitent, hi actuà regularment fins a l'any 1864 en els teatres Principal i de la Princesa. Josep Lluís Sirera ha apuntat que els dos períodes d'una activitat dramàtica en català més accentuada a València, els compresos entre els anys 1856-1858 i 1862-1863, coincideixen amb la presència d'aquest actor en la ciutat i amb els inicis com a dramaturg de Rafael M. Liern.[24] D'altra banda, el mateix Liern, en una coneguda carta a Teodor Llorente, recordava que el Principal no disposava de *quadro valenciano* i que ell hi havia estrenat la seua primera obra, *De femater a lacaio* (27-V-1858) a instàncies del mateix Parrenyo,[25] que en aquests anys també hi posà en escena altres obres de Bernat i Baldoví.

En termes més generals, encara podríem recordar la sessió d'homenatge que el món de l'escena catalana dedicà a la memòria de l'actor quinze dies després del seu traspàs, recollida en el *Tributo de respeto y admiración que la Sociedad La Torre dedica a la memoria del malogrado primer actor D. Joaquin García Parreño*, en el qual trobem composicions laudatòries d'Emili Vilanova, Frederic Soler, Feliu i Codina, Ubach i Vinyeta, Conrad Roure, Eduard Vidal i Valenciano, Riera i Bertran, o Lleó Fontova, entre altres[26]. Tots aquests, a més dels historiadors del teatre més o menys coetanis esmentats, insisteixen en els deutes del teatre català amb les qualitats notables d'aquest actor.

Després de recordar aquestes dades, la pregunta que ens fem és la següent: per què un jove amb la seua formació cultural i amb la seua experiència en l'exèrcit mostrà sempre aquesta predilecció envers l'escena catalana, gairebé inexistent en els

23. A més de la bibliografia citada, vegeu les dades que ofereixen els fons de Josep Artís i de Jaume Rull, dipositats en l'Arxiu Històric de la Ciutat de Barcelona i en la Biblioteca de Catalunya, respectivament.

24. Vegeu J. L. Sirera, *op. cit.*, pàg. 90-91.

25. Vegeu *Epistolari Llorente*, vol. I, Barcelona: Biblioteca Balmes, 1928, pàg. 254. En aquest sentit, creiem que un estudi minuciós de la cartellera conservada potser ens oferiria altres notícies ben interessants.

26. Vegeu el *Tributo de respeto y admiración que la Sociedad La Torre dedica a la memoria del malogrado primer actor D. Joaquin García Parreño, en la noche del 10 del actual* [abril], Barcelona: Est. Tip. Succ. De Ramírez y Cª, 1880. Agraesc al professor Albert Rossich que em donara a conéixer aquesta obra i que me'n facilitara una còpia.

teatres on actuava? Quines són les raons que el portaren a insistir una vegada i una altra, ja des de la dècada dels anys quaranta, en la representació de peces catalanes davant d'un públic que no era precisament menestral? No podria ser que, a partir del resultat favorable de la posada en escena de les obres de F. Renart o de J. Robrenyo i del coneixement del món dels aficionats, Parrenyo intentara explotar un mercat que intuïa o sabia positivament que demanava a crits un teatre en català? I si podem imaginar que això poguera ser realment així, com era aquest «mercat»?

Són qüestions que ara com ara no podem respondre de manera satisfactòria perquè desconeixem, en bona mesura, l'activitat dramàtica en la primera meitat del segle XIX. Com més sabrem sobre autors, companyies, actors, actrius, espais, públics, etc., més clarament podrem contestar uns interrogants que ara esdevenen excessius. És per tot això que ens sembla fonamental continuar la recerca en aquesta època, sense deixar de banda els estudis sobre els actors i les actrius, sobre les companyies, gràcies als quals l'escena catalana consolidà un públic, i sense els quals és difícil d'explicar l'evolució del nostre teatre, incloent-hi alguns aspectes de l'obra dels nostres dramaturgs.

4. Conclusió

Al llarg dels fulls precedents creiem que hem aportat algunes dades per a un millor coneixement de la biografia i dels inicis escènics de Joaquim Garcia-Parrenyo i Lozano, el qual, segons Rossend Arús, havia nascut a Barcelona, i no a València, l'1 de gener de 1819. Ara bé, els seus primers passos en l'escena, llevat de la hipotètica intervenció en el teatre de l'exconvent del carrer de Mont-Sió, els hauria donat al setembre de 1837 al Principal de València en funcions en benefici de les víctimes de la Primera Guerra Carlina, i la seua professionalització com a histrió es produí, segons hem vist, al febrer de 1844.

Amb tot, potser la conclusió més important és la localització del model dramàtic de la seua obra *Vicenteta la de Patraix*, atés que ara podem afirmar que es tracta d'un arranjament d'un títol de Francesc Renart i Arús, *El sastre y el asistente, o sea, Las bodas cambiadas*, obra que Renart havia estrenat trenta anys abans en el Principal de Barcelona. Així, pel que fa als inicis del teatre valencià modern, cal concloure que mentre Bernat i Baldoví, com he demostrat en una altra part, tria com a model els sainets de Ramón de la Cruz,[27] Garcia-Parrenyo es decanta per un model català, malgrat que, durant molts anys, actor i text han passat per compartir un origen valencià. A més, ara podem afirmar amb més rotunditat la importància d'aquest personatge en el naixement, si més no, «professional» del teatre valencià del segle XIX.

27. Vegeu G. Sansano, «Sobre els antecedents dramàtics de Bernat i Baldoví», *op. cit.*

Bibliografia bàsica

ANDIOC, René. «Estudio sobre *El sí de las niñas*» en L. FERNÁNDEZ DE MORATÍN, *La comedia nueva/El sí de las niñas*, edició de J. Dowling i R. Andioc, Madrid: Castalia, 1993, pàg. 137-159.

ARTÍS, Josep. *Tres conferències sobre teatre retrospectiu*. Barcelona: Publicacions de la Institució del Teatre, 1933.

ARÚS I ARDERIU, Rosend. «D. Joaquín Garcia Parreño», *La Revista Universal Ilustrada*, Any V (1880?), núm. 11, pàg. 2-4.

BLASCO, Ricard. «Els orígens del teatre valencià modern» en *El teatre al País Valencià durant la Guerra Civil (1936-1939)*, vol. I, Barcelona: Curial, 1986, pàg. 13-53.

CURET, Francesc. *El arte dramático en el resurgir de Cataluña*. Barcelona: Minerva, 1917.

CURET, Francesc. *Història del teatre català*. Barcelona: Aedos, 1967.

FUSTER, Joan. «Plantejaments històrics del teatre valencià» en *La decadència al País Valencià*, Barcelona: Curial, 1976, pàg. 27-113.

MAS I VIVES, Joan. «Sobre el teatre català del segle XIX» en B. SANSANO [ed.], *Actes del I Seminari d'història de l'espectacle teatral*, Alacant: Universitat d'Alacant, 1997, pàg. 93-108.

MORELL I MONTADI, Carme. *El teatre de Serafí Pitarra: entre el mite i la realitat (1860-1875)*. Barcelona: Curial/PAM, 1995.

POBLET, Josep M. *Frederic Soler, Serafí Pitarra*. Barcelona: Aedos, 1967.

RIERA I BERTRAN, Joaquim. «D. Joaquim García Parreño», *La Renaixença*, tom I (1871-1898 [1879]), pàg. 73-80.

ROURE, Conrad. *Cómo nació el Teatro Catalán. Recuerdos de mi larga vida*, s. d., s. p. i.

SANCHIS GUARNER, Manuel. *Els inicis del teatre valencià modern, 1845-1874*. València: IFV, 1980.

SANSANO, Gabriel. «Per una revisió del sainet valencià del segle XIX: Josep Bernat i Baldoví, un exemple», introducció a de J. Bernat i Baldoví, *Teatre*, I (*Obra Completa*, 1), Sueca/Catarroja: Imp. Palàcios/Afers, 1997, pàg. 13-22.

SANSANO, Gabriel. «Sobre els primers sainets valencians: notícia de *Visanteta la de Patraix*, de Joaquim García-Parreño (1845)», en J. M. DOMINGO-M. M. GIBERT [ed.], *Actes del Col·loqui Àngel Guimerà i el teatre català del segle XIX*, Tarragona: Diputació de Tarragona, 2000, pàg. 447-474.

SANSANO, Gabriel. «Sobre els antecedents dramàtics de Josep Bernat i Baldoví» en *Actes del Congrés Bernat i Baldoví i el seu temps. Sueca, 3, 4 i 5 de març de 1999*. València: Universitat de València/Ajuntament de Sueca, 2002 (en premsa).

SIRERA, Josep-Lluís. «El Principal de València i les representacions teatrals en valencià durant el segle XIX», *Estudis escènics*, 24, març 1984, pàg. 77-92.

SIRERA, Josep-Lluís. *El Teatre Principal de València. Aproximació a la seua història*. València: IAM/IVEI, 1986.

SUERO ROCA, Maria Teresa. *El teatre representat a Barcelona de 1800 a 1830*, Barcelona: PIT, 1987-1997, 4 v.

TRIBUTO de respeto y admiración que la Sociedad La Torre dedica a la memoria del malogrado primer actor D. Joaquin García Parreño, en la noche del 10 del actual [abril]. Barcelona: Est. Tip. Succ. De Ramírez y Cª, 1880.

LA PÀTRIA CONTRA EL REI

Eva Serra i Puig

Universitat de Barcelona

La correspondència de Francesc de Tamarit, diputat militar

Entre 1888 i 1893, Celestí Pujol i Camps[1] va publicar l'edició del manuscrit en castellà de la crònica de Jeroni Parets, l'assaonador de Barcelona i cronista ineludible de la Guerra dels Segadors. Pujol i Camps va acompanyar aquesta edició amb la publicació d'una nodrida representació documental de procedència diversa que cobria tot el ventall cronològic de la crònica de Parets i que és una font inesgotable d'informació sobre la Guerra dels Segadors. Entre aquesta documentació complementària hi ha diverses cartes del diputat militar Francesc de Tamarit d'un gran interès, tretes de l'Arxiu Reial de Barcelona (ACA) que Francesc de Bofarull va buscar i copiar per encàrrec de Celestí Pujol i Camps.[2] A diferència del dietari de Parets, aquesta documentació conserva la llengua original en què va ser escrita, la major part en català. Per amabilitat de Jaume Riera i Sans, he tingut coneixement de la correspondència adreçada per Pujol i Camps a Francesc de Bofarull sobre aquesta documentació. «La Academia tiene encargada a Balaguer y a mí la publicación de una crónica catalana del siglo XVII. ¿Tiene usted inconveniente que para esa publicación utilice algunos de los documentos por usted copiados? Se lo ruega su afectísimo amigo Celestino Pujol y Camps».[3] La relació, per raons documentals, entre l'historiador i l'arxiver havia començat abans: «Deseo como siempre merecer de usted copias del dietario y registro de correspondencia y cuanto encuentre usted

1. «De los muchos sucesos dignos de memoria que han ocurrido en Barcelona y otros lugares de Cataluña. Crónica escrita por Miguel Parets entre los años de 1626 a 1660». 6 toms. *Memorial Histórico Español*, vol. XX-XXV, Madrid, 1888-1893. Després de la mort de Pujol i Camps, la Real Academia de la Historia va confiar a Manuel Danvila la continuació de l'edició de la crònica de Parets amb la documentació complementària recopilada per Pujol i Camps. La tasca de Manuel Danvila correspon als volums XXIV i XXV del MHE.

2. Tal com ens explica C. Pujol i Camps, Francesc de Bofarull també va col·laborar amb ell en la recerca de la identitat del cronista de «De molts successos que han succehit dins Barcelona y de molts altres llochs de Catalunya dignes de memòria». La identitat, en canvi, era coneguda per Marià Aguiló, MHE, vol. I, nota preliminar de C. Pujol i Camps, pàg. XV-XVI.

interesante de los meses de junio, julio y agosto [de 1640]. Por mucho que me mande usted no estaré descontento. Vengan pues copias y recibos».[4] Francesc de Bofarull cobrava per la tria i la transcripció.[5] Les cartes de Pujol i Camps a Francesc de Bofarull permeten comprovar la poca simpatia que Pujol i Camps sentia per l'alçament del 1640 i la seva manca de sintonia amb el catalanisme, amb l'excusa de la veritat històrica. Així, en una ocasió, en trigar a rebre resposta de Bofarull, escrivia «Querido Paco [...] empiezo a estrañar el silencio de usted, el cual atribuyo a cualquier causa menos a la de que le hayan parecido mal mis convicciones acerca de algunos extremos de 1640, como mal les han parecido a algunos fervorosos catalanistas, para quienes, según veo, los hechos históricos han pasado fuera de la realidad y de consiguiente es necesario tratarlos con ditirambos y fantasías. No creo que se haya usted contaminado de ese catalanismo que imprime poca seriedad».[6] En estranyar-se que a l'Arxiu de la Corona d'Aragó no existeixi cap paquet de cartes que contestin als diputats d'aquell trienni, escriu,[7] «[...] estas son las más interesantes pues las de esos no dicen nunca la verdad más que a medias y llegan a cargar con su eterno llorar contra los desmanes de la tropa, refiriéndolos por activa y por pasiva, sin consignar nunca las mayúsculas bribonadas que también cometían los paisanos y en particular los de mi tierra. Esto es lo que importa conocer».[8]

La consulta d'una documentació de cartes del segle XVII adreçades als diputats, que figura en la guia de l'arxiu dins d'una sèrie miscel·lània de documentació de la Generalitat, titulada «sèrie de papers solts»[9] i actualment en procés de recatalo-

3. ACA, Madrid, 26 de març del 1886: Carta de Pujol i Camps a Francesc de Bofarull; lletra autògrafa.

4. ACA, Madrid, 15 de març del 1886: Carta de Pujol i Camps a Francesc de Bofarull; lletra de mà del secretari.

5. ACA, Madrid, 26 de març del 1886: Carta de Pujol i Camps a Francesc de Bofarull: «Creo que cobraré mañana y remitiré immediatamente el importe del 3º [recibo]»; lletra del secretari. Madrid, 29 de març del 1886. Carta de Pujol i Camps a Francesc de Bofarull, li adjunta: «100 reales del tercer recibo»; lletra de mà del secretari.

6. ACA, [Madrid, 1886]: Carta de Pujol i Camps a Francesc de Bofarull; lletra de mà del secretari. Sanabre explica que Pujol i Camps va fer públics, com un descobriment sensacional, una sèrie de còpies de documents de la Biblioteca Nacional de París relatius als tractes i pactes de Catalunya amb França datats de març a agost del 1640, la cronologia dels quals «no resiste una crítica acurada, habiéndose levantado teorías políticas y acusatorias sobre tales pretendidos descubrimientos por distinguidos historiadores, como A. Cánovas del Castillo, Carreras y Candi, etc.», J. SANABRE, *La acción de Francia en Cataluña (1640-1659)*, Barcelona, 1956, pàg. 92-93. J. Sanabre es refereix a la nota preliminar feta per Pujol i Camps al vol. XXII del MHE.

7. Cal advertir que l'ACA conserva la correspondència de la Diputació del General enviada però no les Lletres Comunes Originals Rebudes. Evidentment, l'hostilitat que Celestí Pujol i Camps sentia per la Diputació del General no li permetia adonar-se de l'expoli que aquesta institució havia sofert arran de la seva dissolució per Felip V. Jaume Riera i Sans no dubta, per exemple, que la col·lecció d'impresos del segle XVII, avui integrada als fullets Bonsoms, és fruit d'una mena de botí a càrrec de la institució desapareguda, aquesta, sempre mal protegida, dins les parets de l'Audiència Borbònica.

8. ACA, Madrid, 26 de març del 1886: Carta de Pujol i Camps a Francesc de Bofarull; lletra de mà del secretari.

9. F. UDINA MARTORELL, *Guía del Archivo de la Corona de Aragón*, Madrid: Ministerio de Cultura, 1986, pàg. 339-340.

gació,[10] m'ha permès identificar que en aquesta sèrie documental es troba bona part de la correspondència reproduïda per Pujol i Camps en els volums XX a XXV del *Memorial Histórico Español*. Dins aquesta correspondència hi ha, entre d'altres, les cartes que Francesc de Tamarit va adreçar als diputats en els primers mesos de l'alçament de la Guerra de Separació, quasi totes autògrafes. Bofarull va fer-ne una selecció, segurament de les més interessants; tanmateix, en el bloc documental de l'ACA n'hi ha unes quantes més no publicades, no sols de Francesc de Tamarit sinó també de moltes altres persones o institucions involucrades en aquell moment històric.[11]

Les raons de la guerra contra el rei

Les cartes de Francesc de Tamarit, escrites des de Figueres –les conegudes i les inèdites– són la base d'aquest article,[12] tot (ell) farcit de cites, perquè no vull alterar ni el llenguatge ni el raonament de qui les escrivia. Totes elles són molt valuoses per situar tant la lògica política de la resistència, és a dir, la defensa del model polític català, com els imponderables militars d'un país amb un desenvolupament polític extraordinari, però un país només amb poder civil i geogràficament petit i demogràficament limitat per fer front als exèrcits de les anomenades noves monarquies de l'Europa moderna. Les cartes ens situen en els moments més crítics de l'any quaranta, quan la lògica dels fets va acabar imposant una guerra a Catalunya, i els dirigents catalans es van veure obligats a impulsar una defensa militar. Ben aviat els imperatius bèl·lics van situar els dirigents davant la dura necessitat d'anar a la recerca d'un auxiliar militar tan poderós com el poder militar que els atacava.

10. Tot i les pèrdues sofertes per l'arxiu de la Diputació del General, pel que fa a la seva correspondència rebuda o cartes comunes originals, l'ACA encara conserva uns milers de cartes rebudes originals dels anys de la Guerra dels Segadors, algunes de les quals són les que foren transcrites per Francesc de Bofarull i publicades per C. Pujol i Camps. Agraeixo al director de l'ACA, Carlos López, i al facultatiu, Alberto Torra, la possibilitat de la seva consulta, tot i estar en procés de recatalogació.

11. Tant Celestí Pujol i Camps primer, com Josep Sanabre i Eulogio Zudaire després, van fer ús d'aquesta correspondència, de la de Tamarit i de moltes altres més persones o institucions, encara que tant Sanabre com Zudaire en feren molt menys ús. Pujol i Camps cita aquesta correspondència segons la referència documental ACA, Generalitat Cartes Comunes Originals i la data. J. Sanabre i E. Zudaire, segons la referència ACA, Generalitat Correspondència Rebuda i una numeració de caixa. Tanmateix, aquesta correspondència segueix, en part, encara inèdita.

12. Entre el 24 de setembre del 1640 i el 17 de gener del 1641, Francesc de Tamarit escriu als diputats residents a Barcelona unes 56 cartes, una des de Girona i les altres des de Figueres. D'aquestes 56 cartes, 17 van ser publicades per C. Pujol i Camps i la resta són inèdites. A més d'aquestes cartes, faig ús d'unes altres, de destinatari o de corresponsal diferent, pel seu caràcter il·lustratiu. Cito les cartes publicades per la referència de publicació (MHE, volum i número del document) i les inèdites per la referència documental arxivística (ACA, Generalitat Correspondència: GC i número de caixa i de document). En tots dos casos faig constar el lloc i data de la carta. La cronologia és una dada suficient per localitzar, si es vol, les cartes publicades.

Francesc de Tamarit raona amb una lògica extrema i amb una gran maduresa i sentit de la realitat.[13] No mancat de pensament polític, tanmateix, posa en primer terme els imponderables militars que se li presenten, i esgrimeix i proposa les solucions que considera imprescindibles. El llenguatge viu d'aquesta correspondència, fonamentalment de preocupació politicomilitar, resulta també una invitació als historiadors de la llengua perquè tinguin en compte no sols els papers literaris de la nostra història moderna sinó també la llengua de la vida política, militar o judicial de la nostra història dels segles XVI i XVII.[14]

El 26 de setembre del 1640 Francesc de Tamarit es veié obligat a desplaçar-se a Figueres per tal de donar suport logístic a Illa i a Ceret, amenaçades per l'exèrcit del rei de Castella. El seguiment de la correspondència de Francesc de Tamarit publicada o inèdita és una visió, des del dia a dia, dels imponderables de la defensa del Rosselló. La tasca de Tamarit al front de llevant va ser ingent i amb pocs recursos. Al llarg de bona part de la seva estada a Figueres, no va tenir ni veedor, ni pagador, ni secretari. En tot moment va demanar poder disposar d'aquest equip mínim, per tenir liquiditat i no haver de fer personalment totes les diligències, ni haver de respondre tota la correspondència que li arribava. «Suplica a V^{a} S^{a}», és a dir, als diputats o a la Diputació del General, «que fassa mersè enviar-me algú que em puga descansar, que aseguro fas més del que puch y que los negosis patexen per aver-ho yo de fer tot [...] la persona que m'enviarà no sols fasa bona lletra sinó que sia secretari que puga fer lo que és menester y sàpia fer los despachos».[15]

A diferència de la lògica dels reis de l'època, per als catalans la guerra no tenia cap motivació dinàstica ni tampoc religiosa,[16] tot i el paper que, dins el clima

13. No sembla pas que hàgim de creure'ns l'opinió interessada de Plessis Besançon de considerar Francesc de Tamarit un inexpert. Josep SANABRE, *La acción de Francia en Cataluña en pugna por la hegemonía de Europa (1640-1659)*, Barcelona: Reial Academia de Bones Lletres de Barcelona, 1956, pàg. 135.

14. Un estudi de la llengua en aquests segles, a més, ens permet observar la penetració del castellà en el llenguatge militar, tal com han observat Eulàlia Duran i Vicenç Estanyol, o també ens permetria adonarnos d'aspectes no prou coneguts i insinuats per Víctor Ferro, pel que fa a la substitució de la *e* per la *i* en les paraules *Diputació* i *diputats*. «Introducció» d'E. Duran a la seva edició de Cristòfor DESPUIG, *Los col·loquis de la insigne ciutat de Tortosa*, Curial/Universitat de Barcelona, 1981, pàg. 26. V. ESTANYOL, *El pactisme en guerra. L'organització militar catalana als inicis de la guerra de separació, 1640-1642*, Barcelona: Fundació Vives i Casajuana, 1999, pàg. 61, nota 97. V. FERRO, *El dret públic català. Les institucions a Catalunya fins al Decret de Nova Planta*, Vic: Eumo, 1987, pàg. 247-248, nota 10. Encara, afegiria jo, caldria estudiar millor substitucions en el llenguatge com la de *racional* per *hazienda*, que després hem convertit en *hisenda* i que verifiquen processos de canvis de paraules, que són en definitiva canvis històrics i de concepció, paraules que van ser reforçades pels Borbons, els quals, al seu torn, n'introduïren més i que l'administració autonòmica mai no va tenir en compte de manera completa en iniciar el seu rodatge.

15. ACA, GC, 74/10972 (Figueres, 12-X-40).

16. Les proposicions reials a Corts penso que demostren prou bé la justificació dinasticoreligiosa de les guerres del rei.

postridentí de l'època, es va voler que tinguessin els teòlegs,[17] i els aparents episodis de profanació de la soldadesca.[18] Les raons de fons eren patriòtiques i constitucionals. El jurament de la Junta de Braços del 27 de setembre del 1640 ho verifica i, en més d'una ocasió, en les cartes de Francesc de Tamarit hi emergeix el tema de la defensa del territori i el seu model polític. «[...] no pos dubte», escriu Francesc de Tamarit en una carta sense destinatari conegut, però potser adreçada a Guerau d'Alemany, a Josep de Clariana o al vescomte de Joc, «que vostra senyoria, com a tant cathalana, ne sia la primera en defensar las lleys y privilegis y llibertat de la terra [...] corresponent a la noblesa y zel ab que los de aquexa Casa [és a dir, la Diputació del General] an defensat las cosas de la Provínsia».[19] És sobretot en el llenguatge dels membres del braç militar que s'impliquen en la contesa, que emergeixen els raonaments patriòtics. «Dilluns a 19 [novembre] partirem per a nostra jornada a ont anam tots gustosos ab la consideratió de què en ella ha de resultar nostra redemptió. Offeresc ab majors veras, si és que pot ser, ma vida en servey de ma pàtria, y molt en particular venint-me ordenat per mà de Vª Sª». Aquestes són les paraules adreçades als diputats des de Figueres per don Lluís de Barutell.[20] La pàtria dels cavallers, una terminologia renaixentista-humanista és, en canvi, identificada pels pagesos sobretot amb la terminologia de la terra.[21]

17. Segons Víctor Ferro, la «Justificació en consciència...» del 1640, que argumentava l'alçament contra Felip IV, representa la recepció oficial a Catalunya de la teoria política dels teòlegs castellans del segle XVI, *El dret públic català. Les institucions a Catalunya fins al Decret de Nova Planta*, Vic, 1987, pàg. 432.

18. Els estudis de J. M. Puigvert han demostrat que els soldats atacaven les esglésies parroquials en tant que magatzems de la comunitat pagesa en temps de guerra, sense cap idea herètica sinó només a la recerca del botí. Tanmateix, el clima de contrareforma del moment que han verificat tant Joan Busquets com Puigvert va reforçar la teoria de la profanació. Joan BUSQUETS, «Revolta popular i religiositat barroca: l'excomunió de l'exèrcit espanyol a la Catedral de Girona el 1640» a *Treballs d'Història*, Diputació de Girona, 1976, pàg. 63-87. Joaquim M. PUIGVERT, «Guerra i contrareforma a la Catalunya rural del segle XVII» a *La revolució catalana de 1640*, Barcelona, 1991, pàg. 99-132.

19. ACA, GC, 73/10837 (Figueres, 30-IX-1640). Enric d'Alemany el 30 de setembre s'havia adreçat a Francesc de Tamarit amb les paraules següents: «ab tot acudo a ma obligació y al que dec a la sanc que tinc de bon català y en lo que importarà al servey del Principat», ACA, GC, 73/10840.

20. ACA, GC, 75/11223 (Figueres, 16-XI-40).

21. Joan Guàrdia explica la intervenció de «la gent de la *terra*» en el Corpus de Sang; els consellers de Manresa expliquen que els revoltats de Vic i Moià de maig del 1640 qualifiquen els consellers municipals passius de «traidors a la *terra*»; la relació de J. B. Sanz sobre els fets de Vic de la primavera i estiu del 1640 explica que la «gent revoltosa» cridava «grans crits de visca la *terra* y lo rey y muyran los traidors y mal cristians». Joan GUÀRDIA, «Diari (1631-1672)» a *Guerra i vida pagesa a la Catalunya del segle XVII*, a cura d'A. Pladevall i A. Simon, Barcelona: Curial, 1986, pàg. 60. J. H. ELLIOTT, *La revolta catalana 1598-1640*. Barcelona, 1966, pàg. 413, E. SERRA, «Segadors, revolta popular i revolució política» a *Revoltes populars contra el poder de l'estat*, Barcelona: Generalitat de Catalunya, 1992, pàg. 51. X. Torres ha verificat el caràcter de sinònim de comunitat política de la paraula terra, «Pactisme i patriotisme a la Catalunya de la guerra dels Segadors», *Recerques*, 32, 1995, pàg. 45-62. E. Duran ja ha fet veure, també que la paraula pàtria anava substituint la paraula terra dels avantpassats, «Introducció» als *Col·loquis...*, pàg. 37. Tot això esdevé prou evident en tenir present la importància política institucional de la paraula *terra* en el llenguatge de la guerra de Catalunya contra Joan II.

No som, doncs, davant de la guerra d'un rei sinó davant de la guerra d'una província segons terminologia del segle XVII i les evocacions religioses, potser, bones per a la propaganda i presents en la revolta,[22] no hi eren, però, en el jurament de la Junta de Braços del 27 de setembre del 1640, on el que sí que s'hi jurà va ser la defensa de les constitucions, la lleialtat a la província i la fidelitat als diputats.[23]

Homes i diners, un imperatiu indefugible

Hi havia un doble problema plantejat: el constitucional, que requeria mecanismes polítics de recomposició de les relacions pactistes, i el problema militar immediat. El primer era impossible de resoldre amb la presència sobre el territori d'un exèrcit, que actuava com a enemic. El segon requeria no sols perícia militar sinó homes i diners.

Francesc de Tamarit coneixia el país pam a pam i tenia idees pròpies sobre la seva defensa. Hi mancava gent, i els allotjaments i l'esforç de Salses havien arruïnat les viles. Tanmateix, la defensa d'Illa i Ceret obligava a portar gent al Rosselló «de tots los llochs de Cathalunya, des de aqueixa ciutat [Barcelona] fins a esta vila [Figueres], així com den la part de llevant, arribant al més alt de Cathalunya que són las muntanyas, a la part de Tremontana que són Vallès, Vich, Llussanès, Manresa, Santpedor, Sellent, Berga, Bagà, Ripoll y totas las comarcas de aquestos llochs, dexant los llochs de la Marina per a la guarda».[24] Sovint Tamarit va estar en desacord amb la Junta de Guerra del govern català. «*Fas molta maravella de la desposisió* [subratllat en l'original] dels senyors de la Iunta de Guerra, que fasan venir así la gent de Aygualada y que los que són de llochs més sercans así fasan anar a Lleyda. Apar-me que Catalunya se avia de dividir en dos parts fent-se la divisió des de Barcelona, una a la part de ponent y altra a la de llevant, y no per veguerias». Segons ell, aquesta havia de ser la base d'organització territorial dels tercis catalans, tercis que considerava que calia reclutar d'immediat.[25] Quan el 26 de setembre

22. Penso en l'autoanomenat exèrcit cristià que, segons N. Sales, ja podia jugar amb els dos sentits de la paraula, religiós i/o en referència al rei cristianíssim, és a dir, el rei de França. Núria SALES, *Els segles de la decadència. Segles XVI-XVIII*, Barcelona: Edicions 62, 1989, pàg. 344-345.

23. *Les Corts Generals de Pau Claris*, edició a cura del P. Basili de Rubí, Barcelona, 1976, pàg. 162, nota 56. E. SERRA, «1640: una revolució política. La implicació de les institucions», a *La revolució catalana de 1640*, Barcelona, 1991, pàg. 49. *Dietaris de la Generalitat de Catalunya*, vol. V, *Anys 1623 a 1644*, Barcelona: Generalitat de Catalunya, 1999, pàg. 1087-1088.

24. Francesc de Tamarit als diputats a *Memorial Histórico Español*, XXI doc. 262 (Figueres, 26-IX-1640). En la carta del document 267 hi afegeix el ducat de Cardona. El territori català, que ja comptava amb bones descripcions, des de la d'Onofre Manescal (1597) fins a la del pare Gil (1600), era conegut prou bé per aquest dirigent. Si més no, la fiscalitat de la Diputació del General obligava a tots els seus homes a tenir el territori català al cap.

25. ACA, GC, 76/11334 (Figueres, 28-XI-40).

Francesc de Tamarit es va desplaçar a Figueres, no sembla que comptés, encara, amb una guerra oberta i simultània a ponent. Es tractava de resoldre la situació del Rosselló «per a després poder acudir tots a la part de ponent».[26] El 2 d'octubre la preocupació fonamental de Tamarit seguia sent el Rosselló. Perpinyà, Cotlliure i Roses eren en mans de l'enemic i Illa, Ceret i Tuïr corrien un risc seriós de caure-hi. Tot l'esforç s'havia de posar «en Rosselló perquè allí», escrivia Tamarit, «és la necessitat de assistir en esta ocasió».[27] Calia defensar els colls de Ternera, Ceret, Panissars, Portús, Banyuls, Ullat i Carabassera,[28] i les poblacions de Castelló d'Empúries, Cadaqués i Palamós.[29] Amb tot, el mateix 2 d'octubre ja va veure que s'imposava una guerra de dos fronts. «Pesam molt la temeritat dels tortosins y que Vª Sª», escrivia a la Generalitat, «aya de sustentar en un matex temps dos exèrcits. Nostra Senyor vulla remediar-ho y donar-nos bona pau».[30]

Les dificultats de la mobilització

A la doble ofensiva, s'hi van afegir les dificultats de la mateixa mobilització.[31] El sistema militar català era fonamentalment defensiu i tenia la seva pròpia lògica. Tamarit va adonar-se ben aviat que tenia capacitat defensiva però no estava en condicions d'actuar en termes d'ofensiva. Per exemple, podia controlar la guarnició de Roses amb la companyia de cavalls del rector de Sant Miquel de Fluvià, capitanejada per fra Enric Joan, perquè aquesta companyia no deixava «axir un peu fora als de la forsa de Rosas y, si ella no fos, lo enemich seria senyor de aquesta plana»[32] i sense gaire despesa feia «star a ralla als de Rosas» que els anomenaven «los scarrabillados y los tenen molt gran temor».[33] Però, en canvi, els catalans no podien batre el castell de la Trinitat, és a dir, la força de Roses. Segons Tamarit, a la força de Roses hi havia 700 homes i, per prendre'l per escalada, en calien 2.000 i 200 cavalls. L'esperança era la seva caiguda «per faltar-li la aygua, que té la de la sisterna gastada». Ara bé, «la llenya no se'ls pot llevar, perquè tenen moltas oliveras

26. MHE, XXI, doc. 262 (Figueres, 26-IX-40).

27. ACA, GC, 73/10864 (Figueres, 2-X-40).

28. MHE, XXI, doc. 342 (Figueres, 18-X-40).

29. ACA, GC, 76/11297: Carta de Josep Sacosta a Francesc de Tamarit (Ceret, 24-X-40). ACA, GC, 74/11058 (Figueres, 26-X-40).

30. ACA, GC, 73/10864 (Figueres, 2-X-40).

31. Per a una visió general d'aquesta etapa, vegeu *Dietari de l'Antich Consell Barceloní*, Barcelona, 1910, vol. XII; *Dietaris de la Generalitat...*, vol. V; J. SANABRE, *La acción...*, cap. II; *Les Corts de Pau Claris...*; E. SERRA, «Entre la ruptura i la continuïtat. Algunes consideracions a propòsit de la capacitat institucional de Catalunya durant la Guerra dels Segadors» a *Les Corts a Catalunya. Actes del Congrés d'Història Institucional. 28-30 d'abril 1988*, Barcelona: Generalitat de Catalunya, 1991, pàg. 160-167; i especialment, V. ESTANYOL, *El pactisme en guerra...*

32. ACA, GC, 74/10972 (Figueres,12-X-40).

33. ACA, GC, 74/11048 (Figueres, 22-X-40).

junt a la forsa».[34] En un moment que va semblar que l'enemic volia desembarcar la cavalleria a Roses, la resposta catalana només va poder ser la de manar retirar la palla dels camps, des de Roses fins a Castelló d'Empúries i cremar tota la que no hi hagués temps de retirar.[35] Això vol dir que, en tot cas, l'única ofensiva que es considerava, si és que es pot anomenar així, era desgastar l'enemic, a Roses, a Cotlliure o a on fos. «Air *los almugavers* [subratllat en l'original] arribaren fins prop las muralles del castell de Sant Elm de Caplliure, que'ls tiraren los del castell moltes mosquetades y foren venturosos que no·n tocaren ningú y se'n aportaren 6 o 700 bèstias de llana, de manera que ara no los resta carn per a meniar y tenen tanta falta de munisions que donan sols mitx pa de munisió als soldats, de manera que molts se'n van».[36]

Tanmateix, tot fa pensar que Tamarit considerava relativament feble la situació de l'enemic al Rosselló i que una actuació immediata i curta d'un auxiliar no gaire nombrós seria suficient. La rapidesa era important per no donar a l'enemic cap temps de revifada. «Convé molt abreviar», escrivia a propòsit de les converses entre Vilaplana i Du Plessis, «ans que lo enemich sia més poderós y ara està molt amedrentat y lo ivern ve».[37]

Tres tipus de problemes van obligar a convertir l'eventual auxiliar militar, allò que inicialment havien de ser els francesos, en un aliat polític definitiu. L'ofensiva de ponent, les dificultats de la mobilització pròpia i el dilentantisme recelós dels mateixos auxiliars.

Els ànims de la gent no eren de guerra «la gent», escrivia Enric d'Alemany a Tamarit, «té poca gana de pelear y de axir-se de son agre».[38] Un país de pagesos, comerciants i menestrals, absorbits pel treball quotidià, era un terreny propici per a l'autodefensa local, però no per a una pressió fiscal en forma d'allotjaments o de lleves d'una guerra convencional. Els sectors dirigents ho sabien prou bé, «nostres catalans són mal sufrits», escrivia Josep Sacosta a Tamarit.[39] «La gent de somatent acut de mala gana per estar ocupats en sembrar», constatava Tamarit.[40] Tamarit reclamava una transformació del sistema militar català[41] i volia evitar els inconvenients derivats d'una milícia civil. Demanava a la Generalitat que fes obrir els ulls a la Junta de Guerra «y·ls desenganye, que mentras no fasan tercios alistats y pagats

34. ACA, GC, 74/11048 (Figueres, 22-X-40).

35. ACA, GC, 76/11297: Carta de Josep Sarroca a Francesc de Tamarit, (Ceret, 24-X-40).

36. ACA, GC, 73/10943 (Figueres, 31-X-40). Tamarit confiava en el desgast de l'enemic i en els fets climàtics; el 24 d'octubre respirava perquè la tramuntana impedia l'enemic socórrer Roses i Cotlliure, MHE, XXI, doc. 347 (Figueres, 24-X-40).

37. MHE, XXI, doc. 342 (Figueres, 18-X-40).

38. ACA, GC, 73/10840 (Figueres, 30-IX-40). Aquesta frase és citada en castellà i incompleta per J. SANABRE, *La acción...*, pàg. 105.

39. ACA, GC, 76/11297 (Ceret, 24-X-40).

40. ACA, GC, 75/11168 (Figueres, 8-XI-40).

41. E. SERRA, «Segadors, revolta popular...». Vicenç ESTANYOL, *El pactisme en guerra*. Barcelona, 1999.

per Vª Sª no·s podrà fer cosa bona. Las universitats gastan y són gastos de ningun profit, perquè tot se gasta per los camins mudant-sa y transmudant-sa y envian la gent que no és de profit, perquè envian bovers y altres mosos sens armes».[42] El que calia era «gent continua» pagada per la Generalitat.[43] Tanmateix, tot seguit es van veure les dificultats per posar les lleves en marxa i sovint els contratemps o la manca de destresa de la Junta de Guerra en la manera de fer-ho. «Lo voler fer terçio vuy en Rosselló és impraticable per ser despoblat y lo sou del mestre de Camp y officials se gastarà sens pròfit».[44] En una altra carta, aquesta ja coneguda, Tamarit insistia en la necessitat de donar «bona forma en lo de las llevas, que de la manera se fan ara no·s fa cosa bona, tots són plets ab los talls, y las universitats se arruïnan y la gent no és de servey, que a ben anar a de ser gent fixa y pagada per mà de Vª Sª y anomenar los capitans, que los que nomenan las universitats és cosa de burla».[45] Però les lleves no acabaven de reeixir. Tamarit, es mostra constantment queixós. Arles, una vila –escriu– que amb les masies passa de 300 cases, només havia fet set cavalls.[46] Es queixava del Vallespir i del Conflent que «apenes fan res en favor de la província, que volen estar en sas casas molt descansats, y que nosaltres los anem a defensar [...] la experiènsia me ensenya que donen lo fruit com lo noguer».[47] Les lleves havien de ser una cosa del tot diferent d'una milícia civil, perquè era «treball molt gran y cosa de risa voler fer guerra amb gent de somatent», «Vª Sª se ha de servir de fer los tercios de gent pagada y que estos estigan a obediència y pugan ser castigats, que ara lo hu se'n va y l'altre ve».[48] Tot eren esperes en va, «fins ara no ve ningú enviat per los mestres de camp que Vª Sª ha anomenat», escrivia Tamarit a la Diputació el 8 d'octubre, «[...]. Tinc intel·ligènsias que tots se portan ab molta fleuma y tibiesa en fer las llevas. Vª Sª se ha de servir y lo Consell de Guerra advertir que en la forma stà desposat lo de les lleves no pot reixir bé, conforme la esperiènsia ho amostra. Vª Sª ha de pendrer resolusió de fer la gent allistada y pagar-la y anomenar capitans y, per sustentar aquex gasto, posar algun dret que totom lo pague, collectant-lo Vª Sª. Y los tersios de la part de llevant an de anar a servir a ponent y los de ponent a llevant, que ara estan masa prop de ses cases que encontinent se'n tornen a ellas y quant pensam tenir soldats en los puestos assenyalats no y tenim ningú. Lo castigar als que se'n tornen és cosa difficultosa y así inpraticable per moltas rahons y crega Vª Sª que asò se sustenta per miracle».[49] Ens equivocaríem si interpretéssim el que es diu

42. ACA, GC, 76/11296 (Figueres, 24-XI-40). Paraules semblants escrivia Ramon de Guimerà des de Xerta, J. SANABRE, *La acción...*, pàg. 107.

43. ACA, GC, 76/11340 (Figueres, 29-XI-40).

44. ACA, GC, 73/10891 (Figueres, 4-X-40).

45. MHE, XXI doc. 342 (Figueres, 18-X-40). També citada per J. Sanabre, si bé en castellà i no textualment, *La acción...*, pàg. 106.

46. ACA, GC, 74/11069 (Figueres 28-X-40).

47. MHE, XXII, doc. 396 (Figueres, 12-XII-40). En una altra carta no publicada, Tamarit escrivia a la Generalitat: «Tinc entès que los del Conflent no han acudit conforme avian ofert aquí a Vª Sª y de Serdanya ningú» ACA, GC, 73/10864 (Figueres, 2-X-40).

48. ACA, GC, 73/10863 (Figueres, 2-X-40).

49. ACA, GC, 73/10934 (Figueres, 8-X-40). Francesc de Tamarit, aquí, en defensar un exèrcit regular, lògicament ja advocava per uns soldats no locals.

en aquesta correspondència en termes exclusius catalans. La història militar europea verifica sempre les dificultats de qualsevol mobilització. És més, en el cas català, el batalló que França pactà amb els catalans en els acords de la Peronne del 19 de setembre del 1641[50] procedeix de la pràctica militar catalana dels mesos anteriors, tot i els seus problemes.[51]

Els imponderables del diner

Tamarit, senzillament, necessitava diners per a un exèrcit de lleva ben pagat, amb gent del país o de fora.[52] Si es pagava, deia Tamarit als diputats, al Rosselló es podrien trobar molts soldats de cavall bons i armats.[53] Amb diners –escrivia pel seu compte Josep Sacosta a Tamarit– s'oferia «bisarra gent, desijan servir-nos»,[54] per tal com la frontera estava plena de població flotant. En canvi, la gent d'armes pròpia professionalitzada «d'experiència y valor» escassejava i la poca que hi havia se la distribuïa tan bé com es podia. Així, Tamarit no deixava marxar el capità Jacint Raguer cap a Balaguer fins que no disposés del nomenament del capità Jaume Puig.[55]

Una frase atribuïda a Richelieu, molt comuna i usada a l'època i que també la trobem en la ploma de Tamarit és «lo nirvi de la guerra és lo diner y si no y ha persona que cuyde d'ell sessarà tota la màquina».[56] Alçar tercis amb gent pagada pel govern català volia dir diners. És per aquesta raó que Tamarit vigilava la recaptació fiscal de la Generalitat i es queixà una vegada i una altra de la mala inspecció dels sobrecollidors de la Diputació. «Si los sobrecullidors feran son ofici, sabrian que en las taulas de Vilafranca de Conflent, Pradà, Vinsà, Figueres y altres no y ha ploms per plomar las robas entran. Yo scrigué a mossèn Vergès de Gerona que me·n'enviàs y me·n'envià sols uns pochs ne tenia» i en demana un parell de quintars.[57] En tot moment, Tamarit va reclamar un veedor o pagador perquè ell necessitava diners però no podia atendre els temes fiscals. La plaça de Figueres no era la més idònia per disposar de diners. En el front de llevant la taula decisiva era la de Girona. Tamarit va fer diligències de tota mena per obtenir diner comptant «que com aquest lloch [Figueres] és de poch comers se'n troba poch, a Gerona seria possible se'n trobàs més».[58] La taula de canvi de Girona prèvies lletres de canvi o les taules de la bolla de les vegueries de la zona van ser a tota hora les bases dels recursos monetaris

50. J. Sanabre, *La acción...*, pàg. 648-652, clàusula 15 de la pàg. 651.
51. E. Serra, «Entre la ruptura...»; V. Estanyol, *El pactisme en guerra...*, pàg. 69.
52. MHE, xxi, doc. 342 (Figueres, 18-X-40).
53. ACA, GC, 73/10864 (Figueres, 2-X-40).
54. ACA, GC, Josep Sacosta a Francesc de Tamarit, 73/10861 (Ceret, 2-X-40).
55. ACA, GC, 73/10864 (Figueres, 2-X-40).
56. ACA, GC, 73/10863 (Figueres, 2-X-40).
57. ACA, GC, 74/11048 (Figueres, 22-X-40).
58. ACA, GC, 76/11334 (Figueres, 28-XI-40).

de Tamarit. Però per tenir liquiditat i obtenir numerari per avançada calia la confiança dels sectors implicats en en el tràfic de diner, com els arrendadors de la bolla i, encara, no sempre era fàcil. «Yo vaig procurant que Soler, arrendador desta bolla [la de Girona], dóne diners, fins ara no ha donat ningú[*n*]» –escrivia Tamarit.[59] Quan, finalment, van entrar els auxiliars francesos, la necessitat de diner es va fer peremptòria. «Los francesos que són en Rosselló me molen los osos y no sé com fer-o. Ara és ora de fondrer los brandons, braser y tota l'altra plata [de la Diputació].[60] Tamarit, sense veedor i amb poca liquiditat monetària, va abdicar de passar mostra a Figueres, mentre escrivia a la Diputació, tot dient que les tropes d'Espenan passessin mostra fora de les muralles de Barcelona, perquè allà sí que hi havia racional i més diner.[61] Tamarit, ja a punt de marxar de Figueres, calculava que la defensa d'aquell front necessitava de 14 a 15 mil lliures mensuals i de Barcelona només n'hi arribaven quatre mil.[62] No és d'estranyar, doncs, que sempre volgués despendre's dels presoners «los quals no fan sino gastar»,[63] cada dia feien 2 sous de despesa cadascun «Vª Sª ordenarà lo que se ha de fer de ells, que si lo General tingués galeres, se podrian posar en ellas».[64]

La recerca de diner dóna lloc a notícies interessants i força diverses, des de la necessitat d'explotar els recursos miners fins a la necessitat de posar en marxa les confiscacions.[65] «Me an advertit», escriu Tamarit, «que en Palafrugell y ha una famosa mina de plom, estany y alcòfol, que és vernís per ollas y aram. Así hi ha persona pràtiga de traurer ditas minas y que de bona gana si empleará [...]. A més que són necessàries per a la guerra, del que sobraria se trauria molt diner per aiuda de costa della».[66] Pel que fa a les confiscacions de les rendes del marquès d'Aitona, el segrest de la sal és, segons sembla, l'esperat amb més interès.[67]

El diner no sols sortia de les taules de canvi i de les taules de la bolla sinó també dels llocs, viles i ciutats, és a dir, les universitats, i tot plegat va ser la base fonamental de les garanties per obtenir préstecs avançats. El dos d'octubre, Tamarit encara manifestava la seva preocupació per la pressió sobre les universitats, que des de l'esforç per recuperar Salses –escrivia– ja estan prou «carregadas» i «cansadas»,[68]

59. ACA, GC, 73/10863 (Figueres, 2-X-40).
60. ACA, GC, 78/11662 (Figueres, 28-XII-40).
61. ACA, GC, 77/11432 (Figueres, 7-XII-40).
62. ACA, GC, 79/11730 (Figueres, 3-I-41).
63. ACA, GC, 76/11267 (Figueres, 21-XI-40).
64. MHE, XXI, doc. 347 (Figueres, 24-X-40).
65. Eva SERRA, «L'inici formal de la guerra contra el rei: un censal de tres-centes mil lliures. Nota a un aspecte de la Guerra dels Segadors», a *El Barroc Català*, Barcelona: Quaderns Crema, 1989. pàg. 89-135. Vicenç ESTANYOL, *El pactisme en guerra...*, pàg. 115-131.
66. ACA, GC, 74/10972 (Figueres, 12-X-40).
67. ACA, GC, 77/11546 (Figueres, 15-XII-40). Ramon de Montcada, marquès d'Aitona, era senyor de Canet on hi havia salines. A Catalunya no hi havia monopoli reial sobre la sal. Ara, segurament, com tots els governs de l'època, la Generalitat devia veure en la sal de Canet una possible font d'ingressos per la via del comerç i la fiscalitat.

però el més de desembre la seva percepció, irremissiblement, ja era una altra. «Vª Sª se auria de servir de no admetrer scusa a las universitats y llochs que recusan pagar».[69] Això no vol dir que, quan la pobresa dels llocs ho reclamava, Tamarit no manifestés, si més no, la necessitat de disminuir la pressió dels allotjaments o d'estalviar oficials.[70]

Els privilegiats i la guerra

Els esforços per tal de mobilitzar el país segons un ordre institucional regular i controlat es van fer cada dia més difícils. Ben aviat es va observar la inhibició dels sectors privilegiats. Francesc de Tamarit ja ho manifestava en una carta publicada per Pujol i Camps, en verificar algunes irregularitats en el comportament dels homes d'Olot, els quals no havien tornat les armes que tenien en caució, per haver-hi, potser, interferències tèrboles. «Asò nax de algunas personas ricas y poderosas, que diuen algunas cosas que ab ellas conmouan lo poble y són ocasió que axí en dit lloch com ab altres sircumveïns no·s fa lo servey que·s deu fer a la Provínsia, y si se'n castigava hu o dos sesava asò».[71] El paper, si més no equívoc, dels privilegiats, és un tema recurrent en les opinions de la correspondència de Tamarit. «Moltes universitats se quexen», escrivia el 12 d'octubre, «que los familiars del sant offici no volen anar, conforme fan los altres, a guardar los passos y pelear contra los enemichs de Déu a que tenen com ha familiars particular obligasió, ni volen pagar los talls que las universitats per dit effecte fan».[72] En aquest cas, sí que Tamarit usa l'argument de la religió, que, en canvi, no esmenta quan fa referència a altres sectors. L'actitud dels familiars del sant ofici ja revela allò que començava a ser freqüent entre molts plebeus enriquits: el desig d'obtenció d'una familiatura del sant ofici, per, si més no,

68. ACA, GC, 73/10863 i 73/10864 (Figueres, 2-X-40). A propòsit de l'esforç municipal en la campanya de Salses, E. SERRA, «Notes sobre l'esforç català a la campanya de Salses. Juliol 1639, gener 1640», a *Homenatge al doctor Sebastià Garcia Martínez*, València: Generalitat Valenciana, 1988, vol. II, pàg. 7-28. En relació amb les hisendes municipals durant la guerra i/o la seva fallida a causa de la guerra, vegeu: E. SERRA, «Entre la ruptura...»; Pere GIFRE, «Universitats endeutades i fiscalitat comunitària. Les universitats del comtat d'Empúries, 1659-1705», *Recerques*, 33, 1996, pàg. 53-75; i sobretot, Jordi OLIVARES, *Viles, pagesos i senyors a la Catalunya dels Àustria*, Lleida: Pagès, 2000, pàg. 458-469. Pel que fa a la fallida de la Generalitat amb la guerra, vegeu: E. SERRA, «Catalunya després del 1652: recompenses, censura i repressió», *Pedralbes*, 17, 1997, pàg. 200. Pel que fa a les taules de canvi i la guerra, per exemple sobre la de Cervera, J. M. LLOBET, *La «Taula de Canvi» de Cervera y su entorno socio-económico (1599-1715)*, IEI/Diputació de Lleida, 1985, pàg. 82-92. Un cop fet aquest article ha aparegut el llibre de M. CRUSAFONT I SABATER, *Història de la moneda de la guerra dels Segadors. (Primera República Catalana) 1640-1652*. Barcelona, 2001. Societat Catalana d'Estudis Numismàtics. Institut d'Estudis Catalans, que confirma la importància de la moneda local durant la guerra dins la politica monetària de Barcelona.

69. MHE, XXII, doc. 396 (Figueres, 12-XII-40).

70. ACA GC, 75/11197 (Figueres, 12-XI-40).

71. MHE, XXII, doc. 396 (Figueres, 12-XII-40).

72. ACA, GC, 74/10972 (Figueres, 12-X-40).

acollir-se als privilegis d'exempció fiscal, cosa que va ser un tema persistent durant tota la segona meitat del segle XVII. Els familiars del sant ofici no eren sols a negar-se a la mobilització; tampoc el braç militar de Girona no hi acudia. «Los militars y que gaudexen de privilegi militar no an acudit aquesta vegada com devian, avent-los yo escrit carta a la confraria de Sant Jordi de Gerona, (que és gran falta), axí per la que fan sas personas, que per ocasions de faccions són menester persones de cap, com també per lo cumplí, que no anant ellas les altres dexan de anar». Francesc de Tamarit, fins i tot insinuava la utilització d'un recurs de pressió prou important: «V[a] S[a] se servesca avisar-me lo que se ha de fer, (advertint que n'i ha molts de insaculats a deputats y oïdors)». Tamarit, doncs, proposava la desinsaculació dels renitents. L'actitud de Girona va exasperar Tamarit, durant tots els mesos d'estada a Figueres. No admetia les seves queixes de ser pobres, de no tenir diners i d'haver gastat ja molts milanars. Els comminava a treure els diners dels «deposats en la Taula que són moltas cantitats». A més, no estava d'acord amb la mena de despeses fetes per Girona, totes elles només per a fortificar-se «tota sa felicitat ha posat en fortificar-se», tot fent unes fortificacions que per defensar-les necessitaria vuit o deu mil homes «y no tenint propísios als del Ampurdà, no sé de ont los an de treurer», «Y per opinió mia», sembla mig ironitzar Tamarit, «la millor fortificasió que tenen és Sant Narcís».[73] El 22 d'octubre de Girona només esperava una companyia de les confraries, la qual havia «valgut alguns pactes».[74] Francesc de Tamarit, per tant, no s'estava d'observar l'existència d'un enemic intern, i la seva condició de cavaller no l'impedia ser contundent contra l'actitud de molts membres del seu braç. És especialment interessant la crítica que Tamarit fa de Berenguer d'Oms, senyor del castell de Montesquiu, perquè no assumia com calia la defensa del seu castell. Si no ho fa, manifestava, «serà forsós volar dit castell perquè lo enemich no·s fasa senyor de ell, que essent-ho parillarian molt los colls».[75]

73. ACA, GC, 74/11048, (Figueres, 22-X-40). Independentment del caràcter de talaia de l'església de Sant Narcís, no dubto que Francesc de Tamarit al·ludia també irònicament a la llegenda de les mosques de Sant Narcís, que, ja introduïda a finals del segle X, encara va ser objecte de propaganda contra els francesos, si més no, el 1285 i el 1653. Fullet Bonsoms: 5330, *Relación auténtica de la especial protección de San Narciso, con sus hijos gerundenses, continuada en el prodigio de las moscas contra las armas francesas en este sitio de Gerona, por setiembre del año 1653*, Girona: J. Palol, 1653. Fullet Bonsoms: 2442, *Relación verdadera del exemplar castigo que Dios ha embiado sobre el exército que el rey de Francia tenia en el Príncipado de Cataluña destruyendo la cavalleria con una plaga de exambres de tabanos o moscones. Año de 1653*. Sevilla: J. Gómez de Blas, 1653. Aquest darrer fullet es troba també a Henry ETTINGHAUSEN, *La Guerra dels Segadors a través de la premsa de l'època*, Barcelona: Curial, 1993, vol. III, doc. 209, pàg. 1323-1326.

74. ACA, GC, 74/11048 (Figueres, 22-X-40). No sé què vol dir Tamarit amb aquesta frase. Em pregunto si, com en el cas de Barcelona, la mobilització havia estat una ocasió propícia per a millorar algun privilegi gremial. En tot cas, Jeroni de Real no en parla, Joan BUSQUETS DALMAU, *La Catalunya del barroc vista des de Girona. La crònica de Jeroni de Real (1626-1683)*, Ajuntament de Girona/Publicacions Abadia de Montserrat, vol. II, 1994, pàg. 128-129. Pel que fa a Barcelona, vegeu Josep M. TORRAS I RIBÉ, *Els municipis catalans de l'antic règim, 1453-1808*, Barcelona: Curial, 1983, pàg. 68-75.

75. ACA, GC, 75/11197 (Figueres, 12-XI-40).

La crítica als rics i privilegiats lliga amb la idea que Tamarit tenia precisament de la responsabilitat dels privilegiats i els poderosos en la defensa dels territoris dels quals o n'eren senyors o hi tenien hisendes. És una lògica vinculada a les velles i no prescrites competències militars de la jurisdicció. El 21 de novembre, Tamarit decidia que, mentre no arribessin les unitats militars que esperava Castelló d'Empúries, «tots los que tenen asienda vingan a residir-hi o a sos gastos envien hu o dos soldats armats y munisionats segons la asienda tenen en lo terme de Castelló».[76] La vella relació entre jurisdicció i defensa es transformava en una relació entre propietat i defensa, d'una banda, i, de l'altra, en una relació estreta entre grau de propietat i nivell de fiscalitat.[77] Per aquesta raó, van ser diverses les ocasions en què Tamarit demanà que tots els cavallers, ciutadans i persones particulars de l'Empordà i del bisbat de Girona que eren a la Junta de Braços[78] de Barcelona fossin reclamats pels diputats i la Junta de Guerra per tornar als seus llocs d'origen. Des de Ceret, Josep Sacosta escrivia a Tamarit: «tinga per cert Vª Sª y lo consistori de què, si assò no·s fa ab molta diligència, o plorarem tots y la pàtria».[79]

Francesc de Tamarit, els almogàvers i el comandament militar

En cap moment, el govern català ni va poder, ni va voler prescindir de les tropes de voluntaris. En contrast amb les lleves, els almogàvers potser eren l'opció militar més realista i viable per al govern català.[80] En tot cas, Núria Sales ha distingit entre els almogàvers dirigits per capitans *sine nobilitas* i els «tercios de vegueria sota les ordres de nobles, veterans de les campanyes de Salses o de Leucata».[81] Amb tot, les relacions entre els uns i els altres van ser permanents. «Jo tinc concertat así [Figueres]», escrivia Tamarit, «una companya de almugavers que seran serca de 200, no volen servir [*per*] menos de tres reals cada dia per cada soldat, a més de axò se ha de pagar lo sou al capità, alférez, y sargento, capdesquadras y caxa, y per a pagar-los vaix procurant que los llochs de la marina que y ha des de así a

76. ACA, GC, 76/11267 (Figueres, 21-XI-40).

77. Durant la Guerra dels Segadors es va tendir a eliminar el privilegi fiscal. Eva SERRA, «Entre la ruptura...». El mateix Jeroni de Real explica: «Prenia's al compte de la renda que cada hu podia tenir: assò era per pagar las llevas que feya lo General per la defensa del Principat». J. BUSQUETS, *La Catalunya del barroc...*, vol. II, pàg. 129.

78. Sobre la Junta de Braços, *Les Corts Generals de Pau Claris...*; *Dietaris de la Generalitat...*, vol. V, pàg. 1077-1155 i apèndixs adjunts. *Dietari de l'Antich Consell Barceloní*, Barcelona, 1910, vol. XII, pàg. 535-616 i apèndixs adjunts.

79. ACA, GC, 76/11297 (Figueres, 24-X-40).

80 Sobre els almogàvers, vegeu: Jordi VIDAL, «Les formes tradicionals de l'organització armada a la Catalunya dels segles XVI i XVII. Suggeriments per a una investigació», *Manuscrits*, 3, 1986, pàg. 105-116. N. SALES, *Els segles de la decadència. Segles XVI-XVIII*, Barcelona: Edicions 62, 1989, 340-365. E. SERRA, «Entre la ruptura...», V. ESTANYOL, *El pactisme en guerra...*, pàg. 95-102.

81. N. SALES, *Els segles...*, pàg. 349.

Hostalric contribuescan ab lo que aurian de fer de soldats, perquè me apar és molt convenient no traurer gent dels llochs de la marina que per guarda de ells són menester y molt sovint estan en armas. Vª Sª se servirà ab tota prestesa avisar-me si dita companya de almugavers se ha de pagar de diner de la Generalitat, que la contribució dels llochs no està consertada encara y podrà éser que ella no bastarà a pagar lo que dita companya gastarà. També me demana lo capità un capellà y sirurgià per dita companya. Los almugàvers estan ja apunt que en pagar-los se posaran en campanya».[82] Les virtuts i les inconveniències dels almogàvers com a tropes, al meu entendre, queden molt ben reflectides en la carta inèdita de resposta i descàrrec del famós capità d'almogàvers Francesc Cabanyes[83] adreçada als diputats i escrita des de Ginestar[84] en descàrrec de la triple acusació que havia estat feta, contra ell i els seus homes, de lladres, d'haver desemparat un coll i de no haver, ell, distribuït una presa de bestiar segons les disposicions de la Diputació. Els descàrrecs permeten observar l'autonomia i la lògica interna del funcionament d'aquests cossos voluntaris, d'altra banda, ni pitjors ni més terribles que els soldats regulars de qualsevol exèrcit.

Durant aquests mesos d'estada a Figueres, Francesc de Tamarit va tenir potser més conflictes amb els consistorials de Barcelona per raons estratègiques territorials i per raons de nomenaments, que no pas amb els almogàvers. Es pot observar una clivella entre la direcció política des de Barcelona i el comandament militar des de Figueres. Tamarit obeïa les ordres polítiques de Barcelona però exigia unes competències àmplies d'autoritat militar, que sovint entraven en conflicte amb la manca d'ordres concretes de la Diputació o amb les decisions de la Junta de Guerra de Barcelona. En tot moment, entre el 22 d'octubre i el 4 de novembre del 1640, Tamarit va insistir en el fet que el front de guerra prioritari era l'Empordà-Rosselló. Porfiar d'anar a Granollers, com feien els consellers de Vic –escrivia– era «fugir de la guerra».[85] No desplaçar-se fins a Figueres també ho era. «Se ha de servir Vª Sª de ordenar a la gent que no es detinga a Gerona, sinó que vinga así, que así tenim necessitat de ella y así té de éser la plaça de armes, puix yo hi estic y la guerra és así, que per ésta se fa la gent y no per star-se per las plaças prenent lo sol».[86] Reclamava insistentment que el consistori i la Junta de Guerra es fiqués al cap que ni a Granollers ni a Girona «no y ha guerra ni pelea alguna y que las plasas de armas an de ser allà a hont yo stich per provehir los puestos necessaris, que són Illa, Seret y altres de Roselló. Los colls que tenen quatre lleugas de largària a hont se té continuament guarda. En Panisars, Portús, Ullat,

82. ACA, GC, 77/11475 (Figueres, 10-XII-40). El paper dels capellans i els frares era important, i no sols per raons litúrgiques. El 28 de desembre Tamarit enviava a Barcelona el frare Pere Guàrdia d'Elna que havia estat pres a Salses i venia recomanat pel provincial dels caputxins, el qual el considerava «boníssim per animar la gent», ACA, GC, 78/11662 (Figueres, 28-XII-40).

83. N. Sales, *Els segles...*, pàg. 342, 350, 358, 371-372, 374-375. V. Estanyol, *El pactisme en guerra...*, pàg. 105.

84. ACA, GC, 75/11119 (Ginestar, 3-XI-40).

85. ACA, GC, 74/11048 (Figueres, 22-X-40).

86. ACA, GC, 75/11123 (Figueres, 4-XI-40).

Cabasera, Banyuls y Pineda, que per guardar bé estas montanyas són menester per lo menos 2000 hòmens. A més de asò en Cadequés són menester 500 y altres tants en Castelló y altres tants ne serian menester en Palamós, que no n'i ha ningú per no tenir-ne».[87] Si va ser constant la pugna perquè Figueres fos reconeguda com a plaça d'armes, també fou motiu de conflicte amb la Junta de Guerra que se li fes cas sobre les maneres de procedir i sobre els nomenaments. «Los de la Junta de Guerra se enganyan molt en nomenar per *mestres de camp y officials als naturals de las vegarias* [subratllat en l'original], perquè aquexos són càrrechs que se an de donar a personas que sian bonas per a la guerra, que se'ls tinga respecte y sàpian comendar, y és gran error pensar que per ésser naturals o coneguts dels pobles an de fer millor sos tersios. La experiènsia nos ho ensenya molt clarament que, per la matexa rahó que són amichs y coneguts, se·n'emprenen de ells y no los tenen lo respecte que deurian, y ésta és gent, conforme veix, que·s negosia millor ab ells ab un poch de rigor més que ab blandura».[88] A Tamarit el posaven encara més neguitós les interferències en els nomenaments. Són freqüents les queixes com la del nomenament de Francesc Prim Desgüell com a mestre de camp «perquè és estat abatre lo càrrec».[89] En tot moment, els seus homes de confiança en aquests mesos de Figueres van ser Francesc de Pinós i Josep Sacosta[90] i, a tota hora, també va mostrar poderosos recels envers Joan de Margarit i Francesc de Vilaplana. «No sabia fins ara», escriu amb un certa amarga ironia, «que jo fos general, que, si agués sabut ho era, no aguera succeït lo que ha succeït ab don Jusep Çacosta [...] y, donant Vª Sª la patent ha donada ha Vilaplana, se·m'han fet a mi dos agravis», primer, donar patent a un que no li toca i, segon, donar-la contra les seves ordres.[91] Les raons que al·lega contra Margarit i contra Vilaplana mai no van ser directament polítiques, però potser els recels que Tamarit els manifesta podrien estar relacionats amb llur actitud més confiada amb els francesos. La patent de governador de les armes de Palamós a don Joan de Margarit la trobà plena d'inconvenients, per tal com aquest era governador del duc de Sessa, senyor de Palamós, i els de Palamós estaven «mal afectes amb ell». Si ell va allà –escrivia– «y tindrem una nova guerra». La substitució de Josep Sacosta per Francesc de Vilaplana com a governador de les armes dels comtats del Rosselló i la Cerdanya va ser molt mal rebuda per Tamarit, «confés que faltar-me en esta ocasió lo costat

87. «[...] y en los altres llochs dalt dits», segueix escrivint, «n'i ha tant pochs que no goso dir lo número per moltas rahons. Sols así tenim gent de la vegueria de Gerona alguns, y alguns altres de la de Besalú, la vegueria de Vich se·n'és tornada [...] la de Berga també se'n vol tornar, de Manresa no he vist ningú, de Camprodon pocs, del Vallès ningú, de Vilafranca del Conflent n'i ha molt pochs en lo Coll de Ternera y aquex tersio no té las companyas allistadas. He enviat a dir al sargento maior que envià̀s una companya a Illa, me scriu no·n tè ninguna de feta; los de Sardanya tampoch no acudan ni fan res; del ducat de Cardona que és de la partida de Berga tampoch he vist ningú» (ACA, GC, 74/11058, Figueres, 26-X-40). Per una carta des de Figueres del 12-XI-40, es pot saber que el terci de Vic tenia 450 soldats, ACA, GC, 75/11197.

88. ACA, GC, 75/11197 (Figueres, 12-XI-40).

89. ACA, GC, 75/11197 (Figueres, 12-XI-40).

90. ACA, GC, 75/11174 (Figueres, 9-XI-40).

91. ACA, GC, 75/11197 (Figueres, 12-XI-40).

del senyor don Josep me dóna molt cuydado y me trobo casi imposibilitat de què estas cosas pugan anar bé». És més, la marxa de Josep Sacosta provocava la marxa de la seva gent i la desfeta de la companyia de cavalls en peu de Salvador Batlla de Flassà «feta ab indústria de dit senyor don Josep, veent se·n'és anat»[92] i així mateix passava amb la de don Josep de Pinós «las altras companyas de a peu parlen ab lo matex llenguatge». D'altra banda, el mateix Tamarit explica que els capitans de cavalls i d'infanteria «no volen militar bax òrdens del senyor Francisco de Vilaplana, del que resto del tot sol».[93] En poques paraules, la carta de Tamarit ens permet veure més afinitats amb els almogàvers que no pas amb més d'un cap del braç militar de la revolta,[94] i també fins a quin extrem a mitjans del segle XVII les fidelitats de parentiu, de vassallatge o clientelars podien ser decisives per a mantenir en peu una estructura militar.[95]

Més tasques en el front de llevant

En plena guerra, l'espionatge de l'enemic i el control dels vaixells que passaven per la costa van ser una altra de les tasques de Francesc de Tamarit des de Figueres. El 5 d'octubre els guardes de Begur retenien un bergantí mallorquí. Els pescadors de la localitat havien advertit la tripulació que la torre del port els enfonsaria si no desembarcaven. La descripció del fet té diversos aspectes d'interès. La tripulació era composta per vint mariners i un patró, i estava ben armada; el vaixell anava carregat de formatges i portava correspondència[96] destinada a persones de Barcelona, Tarragona i Vinaròs; en alguns casos, els destinataris eren mallorquins. El bergantí quedà retingut. Els formatges, segons deia el patró, anaven a Cotlliure i tothom pensà que la mercaderia fonamentalment anava destinada a la guarnició de Roses i a la soldadesca del Rosselló. Aquest bergantí posà Tamarit en un doble dilema: l'exercici de la justícia sense tenir magistrats a mà i la necessitat de disposar d'un dret penal de guerra. Els formatges anaven a Cotlliure «a hont estan los enemichs y de allí se proveexen los altres, a més de axò yo no sé si aquí [Barcelona] an

92. ACA, GC, 75/11110 (Figueres 2-XI-40).

93. ACA, GC, 75/11123 (Figueres, 4-XI-40).

94. En tot cas, Cabanyes tampoc no simpatitzava amb Margarit, N. SALES, *Els segles...*, pàg. 350.

95. Per exemple, recentment Kàtia Béguin ha demostrat el poder militar que va donar el clientelisme als prínceps de Condé. *Les princes de Condé. Rebelles, courtisans et mécènes dans la France du grand siècle*. Seyssel: Champ Vallon, 1999.

96. ACA, GC, 73/10906 (Jurats de Begur a Francesc de Tamarit, Begur, 5-X-40). El tema de la correspondència té el seu interès en aquest cas per conèixer les relacions entre particulars dels Països Catalans, però en d'altres casos ens permet saber que els soldats en campanya rebien correspondència. El 8 d'octubre era trobat mort un correu de Bascaró prop d'Orriols en unes vinyes en el terme de Bascaró que es dirigia a Illa. No es pot saber si va ser un mer robatori. Havia desaparegut una maleta. S'havien conservat, però, les alfàries, dins les quals hi havia cartes destinades a Francesc Sorribes i moltes més destinades als soldats de la seva companyia, ACA, GC, 73/10944 (Figueres, 9-X-40).

llevat lo comers als mallorquins».[97] Allò que se li plantejava a Tamarit era la necessitat d'impedir l'aprovisionament de l'enemic. Ara bé, els esforços destinats a evitar l'arribada de queviures a les zones ocupades eren contrarestats pel comerç procedent del regne de França, tot i els pactes d'auxili en curs. Amb tot, Tamarit no podia deixar d'actuar i avançà la seva opinió en matèria penal pel que fa als homes del bergantí mallorquí. Segons ell, calia posar en venda el bergantí i els formatges i destinar els productes de la venda als costos de guerra, a excepció del terç o el quart de la venda, que hauria d'anar a mans dels qui havien pres part en la captura del bergantí «per animar-los a fer maiors presas». Pel que fa a la tripulació, «apar se porian portar aquí [Barcelona] y la ciutat los fer treballar a las fortificacions». El cas del bergantí mallorquí no seria l'únic cas d'intercepció de queviures destinats a l'enemic. El 18 de novembre era capturat pels de Torroella de Montgrí un vaixell venecià carregat de blat de Sardenya en destí cap a Roses. La captura no fou fàcil perquè les galeres de Roses, amatents, ho van voler impedir. Tot i l'èxit de la captura, els problemes només acabaven de començar entre el comandament militar català i els homes de Torroella de Montgrí, «se volen fer amos del vexell y del que aporta, pretenent és lo vexell en son territori y en aquex títol an pres molta cosa del vaxell ab forsa d'armes» escrivia Tamarit.[98] Poca cosa es pogué aprofitar d'aquest vaixell. «Lo succés de dit vexell, en robar-lo, és estada una cosa que no·s pot dir ni encarir». Els de Torroella s'havien endut, entre altres coses, dues pedres de bronze.[99] El robatori de les gúmenes del vaixell, havia deixat aquest a la deriva i una forta tramuntana el va fer estavellar contra les roques. A excepció de quatre peces de ferro molt bones i d'algunes quarteres d'ordi ja desembarcades, que van ser destinades a Cambrils,[100] la resta de l'ordi, el blat i l'arròs que portava el vaixell s'havia perdut. «Tinch viva llàstima dels patrons y mariners y del mal succés de dita nau, causat la maior part per los de Torroella de Mongrí».[101] Tamarit va obrir diligències ràpidament. El capità Josep Agustí Bagur de Torroella «home de molta asienda» era considerat el culpable principal, per haver capitanejat la gent de la vila en l'assalt del vaixell,[102] i havia estat pres.[103] A l'hora de prendre les mesures de comdemna, Tamarit s'hi pensà. Es tractava d'una capitania no nobiliària, però Bagur era un home ric. El millor era fer-li pagar els danys i no castigar-lo en persona que seria «atemorisar esta terra». D'altra banda, pensava també que calia indemnitzar els patrons del vaixell venecià i «scarmentar als de la provínsia perquè en altra ocasió no fasan lo que an fet aquestos».[104] En aquest cas, ja he dit que el vaixell era venecià i els catalans no volien conflictes amb una potència estrangera que no veien com a enemiga. De la mateixa manera que no volien raons amb Venècia, Tamarit, en conèixer l'alçament portuguès, volgué

97. ACA, GC, 74/10972 (Figueres, 12-X-40).
98. ACA, GC, 76/11267 (Figueres, 21-XI-40).
99. ACA, GC, 76/11321 (Figueres, 27-XI-40).
100. ACA, GC, 77/11431 (Figueres, 7-XII-40).
101. ACA, GC, 76/11334 (Figueres, 28-XI-40).
102. ACA, GC, 76/11321(Figueres, 27-XI-40).
103. ACA, GC, 76/11334 (Figueres, 28-XI-40).
104. ACA, GC, 77/11519 (Figueres, 13-XII-40).

desprendre's de seguida de dos presoners portuguesos. «Las novas de Portugal són de consideratió», escriu, «assí tinch dos alferes reformats portuguesos presos, que'ls prengueran en Rosselló, si Vª Sª li apar los dóne libertat y los envihe aquí, o faré».[105] L'episodi del vaixell venecià comportaria destriar diverses qüestions. La captura d'un vaixell tenia reglamentació institucional i sempre havia estat un motiu de conflictes constitucionals entre la monarquia i les institucions. Aquí la necessitat de destriar entre el dret al botí de guerra i les obligacions militars dels provincials s'afegia al conflicte quotidià de la propietat del vaixell i la jurisdicció territorial. Un altre episodi, en aquest cas no marítim, demostra no sols l'existència de pugnes entorn del botí, sinó també els conflictes interns entre l'oficialitat catalana. Al mes d'octubre, el capità de cavalls Salvador Batlle havia pres a tir de mosquet 400 cabres i 160 moltons a l'enemic i ho portà a Millars. Tot seguit, Batlle vengué els 160 moltons a Francesc Bertran, pagès d'Illa i 100 cabres a Miquel Briaula; les 300 cabres restants van ser destinades a Josep Sacosta que era a Ceret. Quan semblava tot distribuït, intervingué Francesc Vilaplana i es féu seves les 300 cabres de Sacosta, els 112 moltons de Bertran i les 90 cabres de Briaula. Francesc de Tamarit exigia als diputats que donessin a Vilaplana una ordre de restitució immediata. Aquest afer no era gaire diferent del que havia provocat l'acusació de lladres als almogàvers de Francesc Cabanyes.

Francesc de Tamarit i la política

La tasca fonamentalment militar de Francesc de Tamarit no significa que descuri la política. La seva correspondència conté importants opinions sobre els problemes polítics que s'estaven debatent. Tamarit va aprovar sense reserves que el consistori hagués decidit recórrer als teòlegs en defensa de la política catalana i les seves paraules permeten observar el terreny que el vot dels teòlegs ocupa en la línia política del consistori: «La diligència ha fet Vª Sª de juntar theòlegs, me apar és estada molt acertada y ab la bona resolusió d'ells tindrem maior ànimo.»[106] «Molta mersè me ha fet Vª Sª de enviar-me lo vot stampat dels teòlechs», escriu en una altra carta, «que és gran cosa tenir la consiènsia límpia y sana, per poder, ab major ànimo, empendrer lo que convé».[107] Més d'un cop ha estat indicada la desconfiança

105. ACA, GC, 78/11673 (Figueres, 29-XII-40).

106. ACA, GC, 73/10934 (Figueres, 8-X-40).

107. ACA, GC, 73/10943 (Figueres, 31-X-40). Cal tornar a insistir en el fet que en el discurs polític dels dirigents de la revolució catalana no tenien pes els raonaments de trascendència religiosa, aquí en tot cas era posar la teologia al servei de la política. Res, doncs, d'aquella teologia política, de què han parlat, entre d'altres, P. Fernández Albaladejo o Xavier Gil. P. FERNÁNDEZ ALBALADEJO, «Católicos antes que ciudadanos: gestación de una "política española" en los comienzos de la edad moderna» a J. I. FORTEA (ed.), *Imágenes de la diversidad. El mundo urbano en la Corona de Castilla (s. XVI-XVIII)*, Santander, 1997, pàg. 103-127. X. GIL, «La razón de estado en la España de la contrarreforma. Usos i razones de la política» a *La razón de estado en la España moderna*, València: Sociedad económica de amigos del país, 2000, pàg. 37-58. Tot parafrasejant Albaladejo, als catalans, en canvi, pel seu constitucionalisme persistent, potser els escauria més la condició d'abans ciutadans que catòlics.

de Francesc de Tamarit envers els francesos. Potser la carta més expressiva d'aquesta actitud seva és la del 24 d'octubre del 1640, publicada per Celestí Pujol i Camps.[108] En aquesta carta, on es denuncia que França aprovisiona l'enemic, Tamarit manifesta a les clares els seus recels. Vol que sigui poca la infanteria i la cavalleria auxiliar francesa que entri a Catalunya, no vol cavalleria francesa a la frontera i en reclama de catalana per al Rosselló i l'Empordà. «Los francesos són hòmens de fer son negosi y és menester que nosaltres fasam lo nostre [...] som bastants per defensar-nos y encara per ofendrer lo enemich, que fins ara més avem guanyat que perdut». «Si lo Sr. don Josep Çacosta pogués dexar asó [...], yo li aguera suplicat fos anat aquí [Barcelona] per los tractes dels francesos, que és home que hi pot molt ben dir en asò, perquè té molt tractat los francesos y té experiènsia de molts altres tractes de ells, com és de la Bartolina y altres parts. Si Vª Sª gusta, ans de cloure los tractes, avisar-me, yo ho consultaré ab dit Sr. don Josep Çacosta, que quan lo Sr. don Ramon de Guimerà vingué a Girona anant a Seret, envií a sercar a dit don Josep, que era en esta vila, y allí los tres tractaren llargament estas cosas, y dit Sr. don Josep desenganyà a dit don Ramon de Guimerà de moltas opinions erroneas que tenia». No és l'única ocasió en la qual Francesc de Tamarit expressava les seves reserves envers els francesos. Dos dies després en una altra carta, aquesta inèdita, les tornava a repetir: «Vuy és arribat assí [Figueres] un religiós del monestir de sant Francesch de Perpinyà, que és axit de allí a títol de acaptar llagums. Me ha aportat las cartas per Vª Sª que van ab ésta y una per al rey nostre senyor que Déu guarde,[109] que entench que és del capítol d'Elna. Vª Sª se servirà encaminar-la. Lo dit religiós me ha dit que allà en Perpinyà, pochs dias ha, ha arribat 600 càrregas de vi de Fransa y 200 quarteres de bacallar y altres vitouallas, y me ha dit que un soldat del castell de Salsas li ha dit que allí estan molt ben proveïts de totas cosas que los ho aporten de Fransa. Asò dic a Vª Sª perquè veya la pocha confiansa que·s pot fer dels francesos conforme ya ab altres tinch scrit a Vª Sª. Y si a[l] temps que nosaltres llevam lo socorro de vitoualles al enemich, privant als naturals del Principat de las ganansias, estas se donan als francesos, en tant gran dany nostre, veya Vª Sª quant poch podem confiar d'ells. Per mersè que obren los ulls y no nos dexem enganyar ni nos posem en maiors treballs dels que ara tenim».[110] Ara bé, si desconfiava dels francesos, no desconfiava pas menys dels espanyols, «En lo del embaxador de Çaragosa dic a Vª Sª», escriu el 22 d'octubre, «que me apar que abans de entrar en tracta se an de treure's los soldats de así [Rosselló-Empordà], perquè pugan acudir aquí [Barcelona] tots per tractar negosi tant grave y pugan acistir los de Perpinyà y Rosselló, que és bé que totom librament hi diga son parer. Y aparexent aquí, que se ha de posar en tracta sens poder-hi acistir tots, me farà mercè Vª Sª avisar-me perquè tinc molta cosa que dir-hi y advertir».[111] Que en la persona de Tamarit els recels envers França no suposaven cap actitud prohispànica ens ho demostren no sols aquestes paraules sinó algunes

108. MHE, XXI, doc. 347 (Figueres, 24-X-40).
109. Cal remarcar aquí l'actitud encara de no ruptura oberta envers Felip IV.
110. ACA, GC, 74/11058 (Figueres, 26-X-40).
111. ACA, GC, 74/11048 (Figueres, 22-X-40).

encara més explícites, escrites el 21 de novembre, quan acabava de demanar a Josep de Pinós noves de Barcelona: «nos ha dit que en Madrit desijaven molt compondre estas cosas. Y ab altra tinc scrit a Vª Sª que, ans de entrar en tracte, a de axir tota la infanteria de así, perquè tots pugam acistir als tractas, axí com los de Perpinyà que avuy no tenen libertat, com tots los demés y, en particular, los qui tant y interesam, com yo y altres, que estam ocupats com Vª Sª sap. Y és menester anar molt despasio perquè no·ns enganyen, que tindrem molta culpa de dexar-nos enganyar, puix estam tant avisats».[112] Aquestes paraules potser expliquen, millor que cap altra cosa, el fracàs d'allò que Ramon Vidal considera la gran oportunitat del mes de desembre,[113] quan l'esclat de Portugal predisposà la cort a la negociació.[114] Al meu entendre, si hi hagué fracàs, va ser perquè la cort de Madrid mai no hauria admès una negociació sense disposar de tropes sobre el territori. Per a Madrid, la qüestió catalana ja era un afer només militar i en cap cas polític. En canvi, les paraules de Tamarit demostren que un dels requisits de qualsevol negociació política era, precisament, la prèvia sortida de les tropes.[115] Per tant, la ruptura definitiva no es deu al fet que fra Bernadí ja no fos ambaixador en aquelles dates o al fet que Claris anés «llançat en direcció única», com diu Ramon Vidal,[116] sinó al fet que la cort de Madrid no estava disposada a retirar les tropes. Cal no oblidar, i aquest és un fet ja prou conegut, que Pau Claris, en una carta adreçada al rei el 8 de setembre, ja li advertia que «no podia celebrar Corts estant l'exèrcit a Catalunya, perquè això impediria la llibertat del vot.»[117] Evidentment, l'opció auxiliar francesa, almenys pel que fa a Claris o a Tamarit, no responia a cap voluntat política profrancesa, sinó que era fruit del realisme segons el qual contra un rei només podia un altre rei,[118] com a constatació de la pròpia feblesa militar.

Francesc de Tamarit, tot i que no va renunciar mai a la mobilització autòctona d'almogàvers i de tercis, va haver d'acceptar i negociar l'auxili militar foraster. «[...] que no·s perda temps», afirmava una proposició feta a la Junta de Braços del 14 de setembre, «y en primer lloch se tracte de la defensa dels dos exèrcits que estan acometent per llevant a tanta pressa y amenassant per ponent, y que·s tracte de quins auxiliars nos avem de valer, pus sempre los exèrcits grans se componen de moltas nacions y sens ellas venen a tenir molt manco valor, y és menester guanyar temps, pus los auxiliars sempre són fora y de lluny».[119]

112. ACA, GC, 76/11267 (Figueres, 21-XI-40).

113. Pròleg de Ramon Vidal a l'edició de Basili de Rubí, *Les Corts de Pau Claris...*, pàg. 43

114. Hi ha documentació sobre les negociacions de pacificació a MHE, XXII, doc. 471-483 i XXV, doc. 865-924.

115. ACA, GC, 76/11267 (Figueres, 21-XI-40).

116. Pròleg de Ramon Vidal a l'edició de Basili de Rubí, *Les Corts de Pau Claris...*, pàg. 43

117. *Les Corts de Pau Claris...*, pàg. 59-60, 120. Eva Serra, «1640: una revolució política...», pàg. 45.

118. *Les Corts de Pau Claris...*, pàg. 101 i 104. Eva Serra, «1640: una revolució política...», pàg. 59. Dins la Junta de Braços, algunes veus ja havien advertit «ésser perillosíssim fer guerra amb auxiliars [...] y ésser millor y més segur fer-la ab naturals y paysans, sens valer-se de nacions y gent estrangera», *Les Corts de Pau Claris...*, pàg. 380.

119. *Les Corts de Pau Claris...*, pàg. 131-132.

El 7 de desembre Tamarit comunicava a la Diputació l'arribada d'Espenan, però ell encara seria a Figueres fins al 17 de gener del 1641. Entretant, les males notícies del Camp de Tarragona el van afectar: «Stich apaseradíssim del sucsés del Camp de Tarragona», escrivia a Pau Claris, «he fet tot lo que he pogut en enviar socorro [...] me alegro estiga de tant bon ànimo, yo també lo tinch, gràcies a Déu, y resolt de morir sempre que Déu vulla. Lo que·m pesaria és morir rendit a mà de castellans, que estimo més sia peleant, y açí tots estam resolts de fer-o axí, y la crueltat que ha usat lo enemich en Cambrils és ocasió de estar tots nosaltres més animosos y pelear millor, pus veuen que de una manera o de altra an de morir [...] la gent diuen y pus avem de morir moriam com a valens que Déu nos ajudarà pus defensam sa causa».[120]

El valor d'aquesta correspondència rau en el seu caràcter intern. Fora de qualsevol propaganda o dissimulació política, les cartes de Francesc de Tamarit permeten observar la qualitat de les idees de la resistència política i les dificultats de la defensa militar. En tot moment hi ha la dificultat de mobilitzar una població civil, d'altra banda, prou lleial, que s'havia tret de sobre els *tercios* hispànics, però que no tenia prou recursos per fer-se càrrec d'una guerra contra tota una monarquia hispànica.

Setembre, 2000

120. ACA, GC, 78/11662 (Figueres, 28-XII-40). És una de les poques vegades que la correspondència de Tamarit fa esment a una suposada causa transcendent, i la posa en boca popular.

PAPERS PER A FRUIR I LLENÇAR

Segimon Serrallonga (†)

Universitat de Vic

Per a Joaquim Molas, amic a Barcino i a Gypsela

L'àngel

Cap a la fi del mil·leni va venir un àngel volant per damunt la roureda i es va posar al pruner florit de ca l'Ostra. Semblava de debò. Que no era ben bé de debò? Era de debò i ho semblava. No tenia pas figura de persona com et podries pensar. Era una massa de llum verda, de to fosc, d'una finor visible i invisible, com si estigués dotat de dues natures, l'una visible, l'altra invisible. Va venir quan el sol era tot just una mica alt, encara fresc, d'una resplendor menor que anava creixent molt a poc a poc. L'amo i el mosso van passar per sota el brancam de la prunera quan tornaven del Prat Gran per esmorzar i no es van adonar de res perquè no creuen en res d'àngels i quan no s'hi creu és impossible de veure'ls. En canvi, la Maria se'n va adonar de seguida i s'hi va quedar embadalida com jo.

Jo en vaig estar molt contenta, que la Maria el veiés, perquè així compartíem la visió i el secret. Un secret no és gaire secret, si no el pots compartir amb ningú. No és tan secret, segons com t'ho mires, però és més secret perquè saps que un altre també el sap. És el que jo en dic l'alegria del secret. Sinó, estàs empipada, perquè no es pot aguantar. Si és un secret molt gros, no es pot aguantar. Ara ho dic així perquè tot comptat i debatut en tot allò hi va haver més goig que neguit, però de neguit també n'hi havia. És com si et digués el que no sé dir. Hi ha coses que només es poden dir si les dius com si no les diguessis.

S'hi va estar tot el dia. Jo hi anava de tant en tant, m'asseia al marge de l'horta i el mirava seguit sense cansar-me'n mai. La Maria també ho feia. Hi anava i jo me'n tornava a fer feina. Com si ens rellevéssim. Alguna estoneta estàvem juntes, sense dir res. La Maria em va posar un dit als llavis quan va conèixer que jo anava a dir una cosa. Jo no la volia pas dir del tot, però ella s'ho va pensar i em va posar el dit de l'orella a la boca i ja va estar. Quan vas a dir una cosa que no vols dir la cosa es passeja una mica per la boca i se'n va pel paladar. S'enfila al paladar, hi fa una pessigolleta molt fina i s'hi fon.

Ara he de reposar.

Quan el sol va ser a dalt de tot i ja no saps si la claror és blanca, verda o blava, vaig sentir un cant. Era Ell. No cantava pas amb la boca. Era Ell que cantava amb la presència. Era una invasió musical que sortia de la presència d'Ell i omplia l'aire que hi ha pertot, l'aire de fora i l'aire que tenim a dins. Llavors mateix no hauria sabut dir ni pensar si la Maria ja havia arribat o encara no. La Maria em va dir l'endemà que també l'havia sentit i que se'n recordava perquè li n'havia quedat una *estampa* al pit. Ella en deia una «estampa». Jo ja l'entenc. Una estampa de música és una estampa de música. A mi, en canvi, em va quedar un rajolí...

Com que tu ets com ets i jures que m'estimes tant, et puc dir que el rajolí és un rajolí i ja està. Si la Maria fos viva, no t'ho podria dir. Però la Maria es va morir «estampada». Aquest és el neguit, entens? La Maria es va fondre. Jo suposo que la volien enterrar perquè l'endemà hi havia molta gent a tot arreu i uns munts de flors collides de fresc posats endoina sobre la margera on nosaltres dues sèiem quan Ell tremolava com un llençol de seda i feia el cant.

El rajolí se'm va ficar a dins per l'orella. Era, com t'ho diré, un rajolí d'aigua fresca que t'entra per l'orella i es passeja per tots els pisos del cervell i per totes les cambres i tots els racons del cervell i quan una cambra es buida l'altra s'emplena i a tot arreu resta un tremolinc i tots els tremolincs s'avenen i fan un concert amb veu baixa mentre el cap del rajolí es va obrint camí com el caparró d'una serpeta pels grumolls de la cervellera beneïda.

Jo ara sóc així. Ja no sóc com quan tu em vas dir que m'estimaries sempre. Va ser molt bonic el dia que em vas dir que m'estimaves tant que no podries viure sense mirar-me. Ara és diferent perquè quan em dius que m'estimes et veig els ulls humits, i no entenc per què els tens tan humits i tan tendres i tan misericordiosos, i no entenc que la música tan fina que porto a dins tu no la vulguis sentir i vull que la sentis i no sé com fer-ho i em vénen ganes de plorar i no puc perquè el rajolí va corrent d'una banda a l'altra i no hi ha paraules que tu puguis entendre ni sé com fer-m'ho perquè el rajolí surti una mica... Si sortia una mica potser se n'aniria tot, ho entens? I això tampoc no pot ser... Si m'estimaves com tu dius no em miraries amb aquests ulls tan dolents. Tu deus pensar que els teus ulls són bons, però no ho són perquè els tens fixos i esverats i em burxen, no són com els d'abans, quan jo no tenia la música de l'àngel a dins, el meu estimat. El meu estimat és l'àngel. No sé si m'ho sabràs entendre però bé t'ho he de dir d'una vegada perquè no em facis patir ara que sóc d'aquesta manera tan feliç i tan d'aquesta manera infeliç. L'àngel era com tu quan ens vam conèixer, quan jo encara no era jo...

No cal que m'esforci més a dir el que tu no pots capir. Si vols venir-me a veure, no em diguis més que m'estimes, perquè em fas patir patir. Com em pots estimar si no em coneixes? Si de totes passades vols venir, vine, però sàpigues que diré a la infermera que no et deixin entrar si no em portes un plançó de pruner, rei.

20 d'agost de 1999

Lletra secreta al procònsol Sit*

Cum subit illius tristissima noctis imago...[1] Els versos em surten líquids de tant plorar[2] en aquest sotaterra més llefiscós i entenebrat que la plana escítia que em fa de cobrellit[3] les meves badades de viu. És ara que em demano com podia pretendre quedar-me a casa del senyor August si li bescantava la filla tan repoèticament fluix que tothom s'adonava que em reia del pare perquè l'imperialíssim no sabia qui es ficava al llit amb la seva estimadíssima filleta feta de pa d'àngel i pètals de rosa acabada de badar.[4]

Potser el ciutadà panxacontent que, en comptes de llegir versos, s'ajeia a la llitera i contemplava amb ulls de pòrfir l'ondulant silueta de la Sabina[5] amb pas dansarí i somriure de meuca enluxada, ara s'imaginarà que sóc un sac d'enveja, justament un servidor que mai no ha sentit cap mena de sentiment baix.

Que què hi farem? Sóc Ovidi, ja ho heu endevinat. Us escric la missiva present a fi que vós i els qui us fan d'aprofitats perifèrics entengueu la natura de les coses una mica més bé del que ja feu. He escrit al llarg dels segles més versos que el desgraciat d'En Vergili Virgili. És veritat que després d'haver-me mort no els vaig poder controlar gaire, els versos eixits de mi. Els copistes[6] són el dimoni. He de reconèixer sense embuts que jo mateix els ho vaig deixar fer massa fàcil. Els versos, a mi, sempre m'havien sortit de l'ànima, una ànima rodona com la panxa d'un càntir escític, de broc gros com la boca del Vesubi, a doll. Tant era que fes un piscolabis a l'alba com una trimalcionada a la nit, un xeflis august o un tiberi saturnal, la meva poeticalitat sortia oralitzada en dístics, com sap tothom. S'entén, doncs, que[7] els amanuenses hagin tirat tant pel dret. Ara, han anat francament força més lluny del que un hom com jo pogués arribar a excogitar. Jo feia dringar les paraules com palets de riu o com còdols, clic-clic, cloc-cloc, segons supputava. Allò tan malaltís

* Text aparegut de Déu do a la pantalla. Després, el disc dur va fer figa. N'hi havia, però, una *còpia impresa* per una Hewlett Packard. Damunt la còpia el receptor va fer-hi, no sap gaire si amb encert o desencert, petites esmenes i comentaris d'aclariment, sobrers per a la majoria de lectors, als quals demana vènia per amor dels pocs que no han estat tan llargament romanitzats. Els anacronismes són aparents, si entenem que ara parla l'Ovidi viu, ara l'Ombra d'Ovidi mort.

1. Vol dir: «Quan em puja d'aquella nit la imatge tristíssima». La nit que el van fer fora de les terres d'Ausònia (Itàlia meridional), potser quan passava una temporada a l'illa d'Elba on fruïa de les brises de la mar amb un amic.

2. Còpia: *deplorar*.

3. Vol dir *que se m'estén al damunt*.

4. Júlia, la filla, o Julieta, la néta? Totes dues van fer enraonar molt. Potser aquí el Poeta s'esquitlla i no vol que consti de cap manera Júlia l'Augusta. Llegiu la nota final.

5. *Sabina*. El comentarista es va pensar de primer que Ovidi es referia a una sabina qualsevol. Sabina era segurament el nom propi d'una esclaveta, que probablement ballava tan sols amb un fil de roba a sobre. D'on l'excés de la mala bava del mort.

6. Còpia: *copietes*.

7. Còpia: *Costa d'entendre, nogensmenys, que*.

del noi de Màntua no feia per a mi. No sé quina llei de gent és aquesta que en lloc de dir les coses pel nom, emboliquen la troca de mala manera, expressament. Potser vós sou d'aquells que se saben de memòria aquell esllanguiment de vers malforjat que cantaven pels carrers de Roma la colla dels horacians, qui els va arribar a parir!, quan anaven semibeguts, vull dir amb mig cos ple de vi i l'altre mig ple a vessar de fatxenderia. Allò de *ibant obscuri sola sub nocte per umbram* només lliga si aneu torrat com una sopa, no de falern, sinó de falòrnia. Com podia dir el nostre jovencell que Enees i els seus anaven *obscurs*, Enees, el Sol naixent de Roma, i els seus, que en reverberaven? I què rebollons és això de *sota la nit sola*? Que no hi eren ells, allà, sota la nit? Ja us diré jo què li passava al nyicris mantovà: escrivia de nord, apuntant el culet a la cadireta, els ulls ficats als forats de les orelletes, les orelletes girades i entaforades fins als canals de les trompes endolimfàtiques, i escoltava la música de les esferes com un pitagòric descalç. És per això i per res més que no diu enlloc amb quina mena d'estranyíssima força el fill de Venus s'endallonsava la regina de Cartago. El virginal Virgili bevia a galet les musiquetes de la celístia i delirava. Vós ja deveu conèixer el vers del novíssim porcell mallorquí que diu sense ambages *i el Seminari masturba si Virgili* (mare de déus quin llatí!). *Fit ista mentula magis beata dexterae.*[8] Tot lliga. Els segles han de passar, i el deslligat acaba que lliga. Com ho diu aquell bàrbar? Sí, home, l'institutoret que es va enamorar de la senyora de la casa a la vora del Nècarus? *Die Linien, die Linien...* Però que no vam arribar-hi? Em pensava que havíem travessat el Rin per tots cantons i teníem domtada tota la Germània. Com és que al cap de XVIII segles encara enraonen com aquest boig de les bitlles? Però, vigila que no t'enredin. Ja deus saber que d'aquesta mena de bàrbars hiperboris en diuen romàntics, com si tots fossin fills de Roma per la sang, pel geni. Ben revisat, podria valer molt la pena. Si no te'n surts de llegir-ho en bàrbar del nord, mira de trobar-ho en un d'aquests llatinencs que xipollegen a la riba Carolina de la mar romana, a l'indret de Tarraco o de Barcino.

He de plegar. Se m'acaba l'oli. Em queden una corrua de coses al pap. Demà hi tornarem. Quan vindran els llevants de l'aurora.

Em sap molt de greu, bell Sit, però m'he desendormiscat amb mal de cap. És la pressió escita, ja ho sé, però de vegades penso que la veritat no fa per a mi. Si més no, dir-la, que és el que vaig voler fer ahir. És clar, en vida mia, em vaig passar tants anys remenant embolics humans i divins! Però si veies quin temps més feixuc fa aquí sota, com se'm doblega l'ombra, com se m'aprima! Més que el temps, pesa el destemps. El destemps destrempa i t'encarcara en la destrempadura. No tinc ni ganes de plorar. Bon Sit: ho tornarem a deixar per demà, perquè avui és com si tingués un virus a la cervellera. O un Vicus sencer ple de sacralitats intolerables. O una Tarraco plena de celtibers. Ja veieu de quina em deixo anar. Ara *vale.*

8. La Fundació Bernat Metge posava punts supressius a la traducció de segons què. Qui no sap llengües mortes es perd un munt de coses vives.

He sentit a dir que ara sou de la munió que fa veure que un déu jueu condemnat pel governador Ponç[9] val tant o més que tots els déus de Roma. M'ho voleu explicar? També he sentit dir que una tribu dels Pirineus ha assassinat un procònsol i calat foc al campament romà i que no els podeu arribar a pacificar. Això encara és més estrany. Que també són gal·locatalàunics? Aquell Titus Livi llepaculs d'augustals diu que hi ha un ardat feroç de berguistans que transita com si fos a casa seva per les afraus del Pirene herculi. Són els mateixos? Si he de ser franc, tant me fa com es volen fer dir. Però em distrec i, si us he de ser més franc, si m'enfado, em trobo més bé. Ja m'ho direu.

A mi el que m'amoïna de veritat és trobar-me a l'extrem de l'imperi. Me'n veig un bull per fer arribar els *meus* versos a Roma. No paro, sabeu? És que no puc. Si no faig versos, la testa se'm desmunta. Us envio aquests, que he escrit en gètic.[10] Que com l'he après? Escoltant. Com que suposo que no en sabeu, us en tradueixo l'encep a baix llatí catalònic a fi que el feu córrer entre els laietans i els indigètics[11] que queden en aquest altre extrem del mare nostrum (i digueu als llatinencs que més val un llatí baix que un llatí fals).

TRÍSTIA AD SEDENTES SUPRA

Locus amoenus mei
A l'entreforc dels cels, les gèlides marfolles
suen vins agres amb olors de terra–
cuita, i el déu dels vents no sap ni vol
bufar com li pertoca.
S'empesta l'aire, put la terra,
i la mar és un munt de merda fosca.

Invocatio
Ara, doncs, jo, poeta de deesses,
de Júlies i Julietes i altres
formoses piules matineres, *prego*,
del fons provincial que en mi s'extrema,
a la Deessa Blanca Sobirana,
que em doni líquid fresc i argila verge,
que maurar amors en vers tan lluny de l'urbs
amb mots de barbària no en sabria
sense l'ajut de qui nasqué de qui va néixer,
oh, déu Coll·llonial, que llampes en l'altura.

9. *Pontius Pilatus*, procurador de Judea (26-36 pC). Segons els jueus, «inflexible, cruel i obstinat» com un PP aznarià. Tertul·lià el tenia «pro sua conscientia christianus». L'església copta el venera com a sant, junt amb la muller Clàudia Pròcula. Però l'Ombra d'Ovidi, de tot el que podia saber de Pilat, té en compte sobretot que era un *procurator* de la Roma imperial.

10. Llenguatge de l'Escítia segons el disticografista llatí (*Pòntiques* IV 13, 19-36).

11 S'ha de referir per força als indigetes de Cypsela, avui Guíxols.

Corpus
Era un matí lluent i de cantúries
quan del portal august eixia N'Isis.
El Sol d'Egipte duia sobre el bròquil
nilòtica blavor cuallevada.
El príncep Mehi[12] va coincidir-hi[13]
muntat en carro d'or en companyia
dels seus valents de mèntula alterosa.

–*Salut, oh dea prima i llavis ultra-*
rosats! Salut, oh tu, que pobles síl·labes
i verbs de jeroglífics mandragòrics!
El teu germà N'Osiris t'ha prenyada
no pas en va: que Seth el Ximple calli
i es posi a tremolar com jo tremolo
només de veure't, gran faluga excelsa,
vestida amb les nueses de l'aurora.
Però jo vinc cremat d'amor, no d'odi.

Es van entendre de seguida: en braços
l'un de l'altre van fer dolça jonquera.
El Nil baixava ple. No concebia
que una deessa s'enjonqués tan baixa-
ment. Ple d'enveja anava el riu d'Egipte.
Es va partir en canals, va crear deltes,
va sorrejar camins, jardins i temples.
D'aquella feta N'Isis va sortir-ne
amb la mateixa gràci' eterna seva,
però el bell príncep va quedar per sempre
colgat i rebentat sota la sorra.
Idò! I, donques, que es pensava el ximple?
Que seria com Seth, que ressuscita?

Amb això ja en teniu prou. Llegiu i rellegiu, benvolgut Sit, i no feu de Mehi. Aquestes eren les veres lliçons que jo donava en vida. Per això l'Augustàs va fer-me fora. Oi que ara m'enteneu? Fas de moralista i t'enfloquen que ets un preceptor d'amor lasciu. Potser sí que ho vaig dir, que ho vaig escriure, en un vers o dos, però per a una societat alçada i elegant de ment, no pas per a les orelles untades de mer-

12. Mehi: El Poeta va tenir la malícia recargolada de canviar Ibis per Mehi, el príncep egipci? Tot pot ser. Ibis és el nom fals que fa servir el Poeta per amagar el de l'home que li empaitava la dona, no tant, sembla, per l'ocella, que ja devia tenir la cresta blanca, com per la gàbia d'or que la contenia. La ira marital feia esclatar d'aquesta violentíssima manera la frívola tranquil·litat del preceptor d'amor. D'altra banda, els contactes de l'Escítia amb l'Egipte no eren pas només comercials i bèl·lics. També n'hi havia de culturals. I n'hi havia d'aquells que converteixen els enemics en amics de les parentes, a tall d'allò que cantava el ferrer empitarrat: *Fes dagues de serr...* El lector també tindrà en compte que les Isis i els Osiris i la resta trepal dels africans divins són matèria metamòrfica en molts passatges ovidians.

13. Còpia: *cua-incidir-hi.* L'amanuense es va deixar endur probablement pel *cuallevat* del vers precedent.

dor abellera. Només la malvolença, l'enveja i altres passions recòndites ho podien fer entendre de qualsevol altra mala manera. Mai no vaig imposar res a ningú. *Lascivire solet.*[14] No n'hi ha per a tant. Jo era un romà amb reflexos alexandrins, un refinat. En Quíntuple, que tantes bestieses ha dit de mi, ha de reconèixer que tinc el toc just, ben dat. Sempre en vaig saber. Aquesta és la veritat que els rebenta. Comuniqueu-ho als riberencs de la mar i als planícoles de la terra ferma, que són els que comencen de tenir les orelles desembossades. Però viviu en un país de pallussos, no ho oblideu, i recordeu que qualsevol pallús pot rebre un gen epifísic a qualsevol hora. L'heu d'atrofiar al primer indici –o no sou romà. *Vale.*

Post scriptum. Ja em va costar de parar d'escriure-us temps enrere, però ara ja m'ennuego d'ira: acabo de saber que al *collegium iuvenum*[15] que fundàrem a Tarraco, aquella Colonia Victrix Triumphalis Iulia nostra, els cossetans, o com dimonis es vulguin fer dir els caparruts d'aquelles rovires virgilianes d'ara, hi obliguen a parlar i escriure un llatinoide deshomologat. No cal que m'expliqueu per què. Són polls ressuscitats. Se'ls ha de torçar el coll com als ànecs, i ja està.[16] Són gaires? Si són gaires gaires, benvolgut Sit, us desitjo paciència i més salut que mai. Doncs *vale atque vale.*

Per a la transcripció i l'edició present: SSM.
Juliol de 1999

14. Que Ovidi solia lubriquejar ho diu Quintilià a les *Institucions*. Que se sàpiga, només havia dit «Jo sóc el preceptor de l'amor», al v. 17 del llibre I de l'*Art amatòria*, i «Jo sóc el preceptor de l'amor lasciu», al v. 497 del II. Els versos tramesos a Sit ho corroboren –o ho corroborarien si aquest procònsol en terres d'Ausa no fos el capgròs que ens ha deixat aquestes confidències tan ensapremades. Els lectors laietans més fins s'hauran adonat que tant l'autor com el receptor material de la missiva tenen tics imperialistes. L'imperialisme és una malaltia espectacular, genètica i sense remei conegut, que consisteix en un inflament de les neurones de l'epífisi metafísica: com més malalts, més carregats de salut. Per bé que arriba un dia que fan plaf i queden esmicolats en vint, cinquanta o cent parts, com que el fenomen és genètic, el gen central de l'epífisi és heretat per una de les parts, que d'hipòfisi esdevé epífisi, i recomença com la mar del cementiri marí de Seta que sempre recomença. No voldria pas creure que aquests sapastres portin a sobre la maledicció arnàldica que mai més s'aturaran, que aquesta és la sentència, sinó més aviat li agradaria de tendir a pensar que té una mica força de raó el luteci que des dels avencs més ennegrits de l'existència gosava dir que canviar un infern per un altre és *canviar* –i mentre hi ha canvi hi ha esperança. Una de les coses més bones de la poesia és aquest poder de transformar la terribilitat en dolçor, que un *gouffre*, per exemple, esdevingui una *gauffre* de mel. Per mi, que el nostre arnàldic laietà anava per aquí quan ja semblava que ho anava a donar tot per dat i beneït, es revifa i assegura que la poesia tot just ha començat i és plena de virtuts inconegudes. Ha de ser això, Dr. Molas, ha de ser això.

15. De *collegia iuvenum*, col·legis de joves per als fills de l'aristocràcia indígena, n'hi havia des de Sertorius (74 aC), que sapiguem. Però, si no feien una bondat política prou imperial, els capolaven.

16. Ovidi sempre fou un bon romà. I l'error que el va perdre no va ser de veure, sense voler, *Diana sine veste*? És una Diana al·legòrica la de la *Tristia II*? No seria pas la santíssima emperadriu de la ciutat joiosa? La Lívia que duia el títol diví de Júlia Augusta? *Sine veste* sola, o amb algú? El cèsar ofès no va voler que l'edicte passés per cap instància jurídica. Res de publicitat. Tot a la muda. Ell i Ovidi tots sols saben per què. Però el receptor no es pot estar de pensar en aquella cançó montpelleriana que diu: «Hi ha tres cocús dins un hostau: / Lo paire, lo filh e lo gendre, / e si lo vièlh era pas mort / hi serien quatre ensemble». Suposicions d'un eixelebrat, diran filòlegs i historiadors, però l'obligació llur és d'inquirir si la ballesta de saurí en mans del comentarista no s'alça just sobre el soterrat corrent d'una aigua viva i veraç.

L'iceberg

La serralada de Bellmunt és una timba de glaç que navega lentament per un mar antàrtic desconegut. Les masses altes llueixen un blau d'acer il·luminat. Les baixes formen esperons de glaç blavís amb vetes enreverdides que porten a ran d'aigua un festó d'alzines i arboços amb penjolls de cireres molsudes de color de rosa aquosa i de peixos d'argent bellugadís. Em demano qui governa aquesta massa gegantina i tan bon punt m'ho pregunto veig a la proa un home vestit d'algues i or i escata, regalimant. És en Foix. Ja m'ho podia pensar.

–Ei! Sóc en Mon de Torelló!

Ell alça els braços al cel que llampega sordament i crida tot sol, com si jo no existís:

–L'oceà és un riu! L'oceà és el riu!

Els confins, ecoics, repeteixen la cua de la darrera frase amb un sollevament de la vibrant: –...És el Riu!... És el Riu!...

–Ei, Vós de Sarrià! Cap on aneu? Vós! Vóós!

La meva veu se'n va com un llimerol embogit per les regions laterals i es perd com si no s'hagués fet sonora. Que ell no em sent és un fet que em desola, perquè, ara ho veig, ha de topar! El mar és sembrat d'icebergs menors, però amb burxes, i ell braceja més alt i crida més fort:

–Porto el Castell de Glaç a l'Extrem!

Per les mides inferiors i més visibles en calculo les dimensions totals: deu fer 160 milles marines de llarg per 130 d'ample.[17] No pot ser. Seria el més gran iceberg conegut.

–Foix! Ei, Vós, Revós de Sarrià! Quant fa la Terra que porteu?

–Ai, dels que escriuen sobre l'aigua! Escriviu al Glaç que no es desglaça, a l'Extrem!

Miro els espais que es van obrint davant la Nau de Glaç i veig formiguejar els icebergs menors com illots de foc. Hi ha més terres en amunt i en avall. Ja les veig!

17. Un iceberg de 1956 feia 300 km de llarg per 100 d'ample, si fa o no fa com el Principat de Catalunya. El que es movia aquests dies a una velocitat de 11/14 km per dia del pas de Drake al mar de Scotia, al sud de la Terra del Foc, en feia 77 per 38. Una milla marina té 1.852 metres.

Giravolten i giragonsen foguejant. S'acosten per cada banda de la proa i per davant. En Foix s'arbora.

–Salutacions de la Ro! –crido exultant en plena jubilació.

Ell s'arbora i arrenca a cantar. Celebra la glòria de la Mar, perquè ara totes les terres, tots els illots, tots els icebergs, cadascun destriat de l'altre, naveguen pel Temps amb la blancor de les veles llatines.

–Han florit! Tot el mar és florit! Salou! Salou! Les Illes extremes del somni esperen les teves Lleis!

Agost de 1999

Visió de Nefertiti

Jo caminava pel bosc de les Pràxedes i quan ja en sortia pel camí vermell vaig veure que al cim del rost de la torre elèctrica es passejava una noia i em vaig arrencar a córrer per veure-la de més a la vora. Ja m'ho podia pensar. Tenia el coll llarguíssim i duia una corona alta mig tombada endarrere i brillava amb morenors nilòtiques i tenia les puntes dels pits com poncelles de clavell morenet.

Vaig quedar-me aturat al costat d'una mata de romaní que m'arribava a l'espatlla i vaig espiar més. Però la noia ja m'havia vist i em feia sentir, de tan lluny com era, una olor somrient de mandràgora desenterrada que em marejava i m'embadalia i no em deixava tornar a dins de mi. El pensament que encara tenia amb una certa activitat em deia que fes un esforç ben gros, que potser amb un gran esforç podria recuperar-me i donar-me valentia a les cames i d'aquesta manera podria començar de recular. Però el meu cervell tenia la meitat ja fascinada i ell mateix, des d'aquesta altra meitat, em deia que m'acostés fins a ser-hi perquè allò era la meva felicitat i se m'escapava.

Jo ara no sabria dir qui va guanyar, més aviat diria que no va guanyar ni la meitat esquerra ni la meitat dreta sinó la costura que hi ha entre els dos hemisferis (ho acabo de veure dibuixat en un tractat d'anatomia cerebral i és veritat que tenim una cissura al cap feta de manera que les dues parts no es poden desenganxar de tan ben feta que és i que del fons que és com una vall en diuen *septum lucidum* que vol dir cleda lúcida o clos de la llum i que surt en una poesia que se'n diu l'*Infinito* perquè és una poesia escrita en italià... *Sempre caro mi fu quest'ermo colle... E questa siepe... questa siepe...* ai, Giacomo, Giacomo!). El cas és que la noia va desaparèixer del cim del turó i jo vaig sofrir una mena d'esllavissada dels meus dintres i vaig quedar sense pensament.

–L'haurem de desanestesiar a poc a poc –vaig sentir de molt lluny que deia una veu, i al cap de poc vaig veure la cara d'una noia molt bonica amb el nas arremangat i la boca tallada amb cisell que portava una bata blanca amb solapes d'ala de coloma i que tenia el coll llarg, llarg, molt llarg, i a la bata blanca que era tota un pètal de lliri d'olor s'hi marcaven dos botons que semblaven dos clavellets de pom emmorenits, dues estrelletes.

–M'heu operat... –vaig mormolar amb la veu decandida, queixant-me, per si encara hi havia possibilitat que es desfessin del fet.

–Sí, t'hem tret el mal que tenies... Ara et trobaràs sempre més bé –va dir ella com una reina i em va agafar la mà i me la va amoixar i jo vaig estar molt content perquè aquella mà també era una mà de cel amb els dits llargs i fins com els d'una marededeueta verdagueriana i duia un casquet senzill ben blanc tan ben emmidonat i d'entre els llavis jo veia com em venia al damunt aquell somriure tan il·luminat i feliç que mai més no he volgut treure'm de sobre...

30 d'octubre de 1999

La llagosta i el gat mesquer

Amb aquella capellina tan verda i tan llarga la dama semblava una llagosta posada dempeus sobre dos rocs de l'estanyol, ben dreta, però il·luminada per dins, perquè resplendia per fora com la Mare de Déu de mossèn Cinto quan va quedar plena de Nostre Senyor. Era com una noia ja feta que hagués perdut la bellesa de fora i guardés a dins la consciència de ser una bella immarcesible. Potser se li encomanaven la claror de l'herba que en diuen espargani de muntanya i la de l'aigua que reflectia la blavor del cel, i ja és impossible de dir més. A qui no ho hagi vist mai li he de dir que l'espargani es movia amb l'airet del matí i l'aigua estava quieta com un mirall. L'espargani és fet de tot de filaments argentífers que s'estan damunt de l'aigua i quan es mouen fan molta lluïssor. I ara sí que ja no puc dir res més dels colors, si és que eren colors de la *natura*, que diem. Perquè també podria ser que fos al revés i que la natura resplendís de la claror de la dama. Però sí que sé dir que la dameta feia aquella resplendor quan me la mirava només amb un ull. Com també sé dir que me'n vaig adonar per casualitat quan vaig fregar-me el racó de l'ull esquerre amb el dit perquè em feia coïssor i que la vaig veure amb l'ull que havia deixat obert per veure si m'hi veia prou bé només amb un.

No era pas una llauna o un cul de got tocat pels raigs del sol ni era cap joguina, ni, ben mirat, s'assemblava a res que no fos una noia de veritat, de quinze o setze anys, com una nimfa. M'ho vaig pensar de seguida que era una nimfa, però no volia fer-m'hi fort perquè no em desaparegués. Les nimfes són molt espavilades i si veuen que les mires fan surf!

La meva metgessa és una bona persona, però no creu gaire en Déu, és socialista, sempre diu mal de CiU i bé d'ERC i diu que hi ha comunistes bons, i diu que si visita tan bé com sap gent que són del PP perquè no poden ser del FF és perquè s'ha de fer, i no la treuràs d'aquí. Per més bona persona que vulgui ser això no quita que no sigui per dins de més mal doblegar que un tronc i que no tingui més pensaments al cap dels que em poden quebre a mi a tot el cos. Això també ho havia de dir, encara que si li arriba a les orelles es pensarà que la vull columpiar i passarà un disgust i, encara que potser no, potser sí que llavors voldrà doblar-me les pastilles.

La metgessa em va dir que mirés de dormir a les nits i de dies treballés tranquil. Em va donar pastilles per dormir i pastilles per treballar. Amb les pastilles va durar tot un mes que vaig fer el que ella volia, dormir i treballar. Però quan va arribar el bon temps me'n vaig anar de dret a les Agulles d'Amitges, més amunt de l'estany de Sant Maurici. Aquest cop era encara més de matí, encara feia més fresca, i el cel (la doctora en diu el firmament...) era net, esclarit, passat per bugada com un llençol.

A muntanya sempre m'hi emporto alguna cosa per menjar. Em vaig treure l'entrepà de truita i vaig fer-hi una queixalada. A muntanya el pa amb truita és més bo que a la plana. Mentre mastegava amb la boca tancada i tenia el mos a la mà dreta, amb la mà esquerra vaig gratar-me l'ull. No va pas fallar: la dama, allà. Dreta com una llagosta, la nimfa. Em va semblar que era un bocinet més alteta, tota plegada. Bonica! «Que rebonica que ets!» –vaig dir de pensament, amb la veu baixa del pensament, com qui no pensa.

La metgessa ja m'havia demanat si tenia atraccions matutines. Li vaig dir que no perquè amb el somriure que feia quan m'ho va demanar em feia vergonya i perquè ella no n'havia de fer res i perquè era igual. El director espiritual ja m'havia dit que tenir atraccions matutines no era pecat perquè són involuntàries i encara que et surtin jaculatòries de nord el que val és aguantar bé la tensió. I la meva tensió, de bona, ja no en podia ser més. La doctora, quan li sembla que no em pot fer entendre una cosa, me la diu d'una manera ben estranya i jo quedo content perquè em sembla que no deu ser una cosa important, que no l'hagi d'entendre. Però aquest cop com que ja la veia venir la vaig entendre perfectament, vaig entendre el que jo ja sabia: que estava gonflat, a punt de tornar-me un espargani, com si diguéssim.

N'hi ha que quan veuen un remolí d'aigua els vénen ganes de tirar-s'hi. Doncs a mi em passa al revés, em vénen ganes d'afegir-hi aigua i remolinar més. Veia aquella lluïssor que feia l'estesa d'espargani tan blanc... Amb aquell sol, solet... I la dameta, la nimfeta, la reboniqueta... Em vaig estirar a terra com un gat mesquer i m'hi vaig acostar i acostar i d'un salt sobtat la vaig empotar, la vaig cobrir i me la vaig cruspir.

I no va passar re!

Adéu, metges i metgesses; adéu, directors espirituals, i adéu, parits de dreta i d'esquerra. Que se'n vagin tots a fer punyetes. O a fer catleies, si són tan finolis.

Pegat analgèsic de pebrot coent

Prospecte per a Gretschen C.

INDICACIONS: Per amorosir temporalment els dolors i les punyides en muscles i juntures, mal d'esquena, artritis, torçades, macaments i dislocacions.

APLICACIO: Adults i adolescents de més de 12 anys: apliqueu-lo a la regió afectada un màxim de tres cops al dia durant 7 dies. En cas de dubte sobre l'edat, consulteu un psiquiatre equilibrat. // Netegeu i eixugueu la regió afectada. // Despreneu el tel de darrere i apliqueu-lo. // Despreneu-lo de la pell només al cap de 8 hores, com a mínim, de tenir-l'hi.

ADVERTIMENTS: Useu-lo directament. Només ús extern. Eviteu el contacte amb ulls, membranes mucoses, inflors, ferides o pell malmesa. Les persones amb al·lèrgies han de consultar el metge. Les de pell delicada han de provar de primer amb un trosset del pegat posat sobre el braç per veure si produeix erupció, vermellor o coïssor. No feu servir coixins calents. Traieu-lo una hora abans de banyar-vos i no us el poseu de seguida d'haver-vos banyat. En males condicions o si els símptomes persisteixen més de 7 dies o creixen o es repeteixen al cap de pocs dies o es produeix una irritació excessiva de la pell, plegueu i consulteu el metge. Deixeu el pegat fora de l'abast de les criatures, per evitar possibles enverinaments; en cas que se l'empassin accidentalment, contacteu de seguida amb el metge. Com amb qualsevol medicament, si esteu embarassada o sou lactant, demaneu el parer d'un professional de la salut abans de fer-lo servir.

Devoció i Acció

Devoció

El poeta francès Yves Bonnefoy té, entre altres devocions, la *dévotion* a Delfos. Hi va perdre l'oremus: *À Delphes où l'on peut mourir*, diu entre blancors i estrelletes d'impremta. Se li ha de dir de seguida que no cal.

No, home! Per morir de veritat, a Micenes, que et matin i serà més segur. A Delfos s'hi va a beure aigua, si ets poeta aigua de Castàlia, i agafar-hi, si t'agrada l'esperit, una pítima amb la Pítia. De Delfos te'n vas a l'illa de Dia amb Ariadna i Dionís, després ja pots saltar a Patmos, i de Dia i de Patmos de dret als Camps Elisis, que ara són a Lutècia.

Acció

Feu un pilot de pedretes negres a la caleta de la cala Pregonda de Menorca, caleu-hi foc i, quan sigui tot un caliu, escalfeu-vos a la claror de la lluna i de l'onatge, amb la Nuní, la Mariàngels i en Luigi.

DEDICATIO

Al prete rosso de les quatre estacions, amb Ro.
Al juràssic de Querforadat a l'estiu, amb Ro.
Al lligabosc de fulles roses de l'Imbern a l'autumne, amb Ro.

Nit, de 5 novembre de 1999

CONTRABAN D'IDEES: TRES CALES EN LA RECEPCIÓ DE HEINE

Marisa Siguan

Universitat de Barcelona

Està encara per fer un estudi sistemàtic i exhaustiu de la recepció de Heine a les literatures ibèriques, valorant la utilització que van fer els poetes del segle XIX i principis del XX de les idees heineanes i de la seva praxi poètica com a font d'inspiració per definir el que va ser la modernitat literària. Vull presentar aquí tres exemples d'aquesta recepció, i veure com en els tres casos els poetes utilitzen Heine com a portaveu i defensor de les seves idees, com a font d'inspiració d'un estil determinat, com a company de causa. La causa que es va perfilant al llarg del segle XIX i que es delimitarà a les albors del segle XX com a idea de modernitat literària basada en una concepció neoromàntica, simbolista, de la literatura.

El primer exemple de la recepció de Heine que he triat per analitzar és de caire liberal, pertany a la generació del que podríem dir-ne de la «jova Espanya», o de la «jova Catalunya», i és una recepció molt limitada en temps i en extensió. Té lloc dins del romanticisme i pot explicar-se per la diferència temporal que hi ha entre els romanticismes espanyol, català (i francès) i l'alemany, aquest últim molt anterior.

Als anys trenta els alemanys de la «jove Alemanya», entre els quals s'inclou Heine, antiromàntic militant, aconsegueixen notorietat, i Sainte Beuve escriu al *Globe* (11-X-1830) sobre la situació literària a França: «Toujours cette periode rétrograde et militante de l'école de poésie dite romantique, se prolongue jusqu'en 1824, et se termine aprés la guerre d'Espagne et lors de la brusque retraite de Chateaubriand».[1]

Podria dir-se quelcom semblant sobre Espanya amb ben bé deu anys més d'endarreriment: als anys trenta, els romàntics espanyols com ara Pacheco, García Gutiérrez i Larra anhelen la modernitat romàntica i liberal que havien definit Dumas i Hugo.

1. Citat a H. JURETSCHKE, *Origen doctrinal y génesis del Romanticismo español*. Madrid: Ateneo, 1954, pàg. 30. Dades generals i ben documentades sobre la recepció de Heine a Espanya es troben a C. OWEN, *Heine im spanischen Sprachgebiet*. Spanische Forschungen der Görresgesellschaft, 2te. Reihe, Bd. 12, Münster: Aschendorffsche Verlagsbuchhandlung, 1968.

I és en aquest context de pensament progressista i liberal que té lloc la primera recepció de Heine, concretament mitjançant un intel·lectual català que publica diverses revistes, totes elles de curta durada, i que s'experimenta com a dramaturg: Andreu Fontcuberta. Quan ha d'exiliar-se temporalment a Anglaterra, Fontcuberta canvia el seu nom per aquell altre que seria el seu pseudònim per sempre més: Andrew de Covert-Spring. En tornar a Catalunya, crea la revista *El Propagador de la Libertad* que veu la llum durant gairebé dos anys, 1835-36. La revista té finalitats didàctiques i il·lustratives. S'hi publica, per exemple, la «Declaration des Droits de l'homme» així com novetats polítiques i culturals. La literatura hi té un paper important. Fontcuberta és un gran entusiasta d'A. Dumas i publica una extensa biografia hagiogràfica d'ell. Per a les novetats polítiques d'Alemanya té un corresponsal, A. Bohemann, que relata els esdeveniments polítics des d'una perspectiva liberal-nacional tot mostrant la seva afecció a les corporacions estudiantils alemanyes. També hi ha cinc articles sobre el tema «Alemania literaria» signats pel mateix A. de Covert-Spring i que són en realitat cinc fragments traduïts de *Die romantische Schule* (*L'escola romàntica*) de Heine, en concret, del primer volum*. Com que Fontcuberta –pel que coneixem– no sabia alemany, probablement va agafar-los de *De L'Allemagne*, llibre que Heine publicà en francès a París l'any 1835 recollint els seus textos sobre la actualitat literària alemanya amb el fi de presentar-hi una interpretació contraposada a la de Madame de Stael, arribant fins a prendre-li el títol. Així, doncs, Covert Spring tenia accés a l'actualitat literària més flamant i confiava que ningú no s'adonaria, almenys no immediatament, del seu «contraban d'idees», per utilitzar un terme del mateix Heine.

Tots els fragments que fa servir Covert Spring provenen del final del primer llibre *De L'Allemagne*, és a dir, del començament de *L'escola romàntica*. Es tracta dels fragments[2] en què Heine es distancia del llibre de Mme. de Stael, i Fontcuberta els escull probablement perquè Staël era qui havia donat a conèixer el romanticisme alemany a França, i també a Espanya.

En els fragments triats, Heine equipara romanticisme, edat mitjana i cristiandat, tracta l'oposició entre el clàssic i el romàntic, tal com la formulen els Schlegel; s'inclouen també els paràgrafs on Heine escriu sobre Lessing i sobre els Schlegel on defineix el Parnàs romàntic alemany com a manicomi, on parla del nacionalisme i de les guerres d'alliberament. Finalment, Fontcuberta utilitza l'argumentació sobre el que Heine denomina període artístic (*Kunstperiode*) i la seva fi. Heine denomina *Kunstperiode* tot el període que inclou la producció clàssica del període de Weimar

2. *El Propagador de la Libertad,* vol. I, 1835, pàg. 331-335; vol. II, 1836, pàg. 82-85; 212-217; vol. III, 1836, pàg. 119-121.

* Hans Juretschke és el primer a comentar la recepció, o millor plagi, de Heine per part de Fontcuberta a: "Del romanticismo liberal en Cataluña", *Revista de Literatura,* 2, 1954, pàg. 9-30. La curiosa figura de Fontcuberta és també tema de l'article de Maria Grau i Meekel "Andrew Covert-Spring: assaig de construcció d'un personatge històric". *Els Marges* núm. 45, 1992, gener, Barcelona pàg. 7-25.

de Goethe i Schiller així com la producció literària del romanticisme; de fet, el període abraça la llarga vida de Goethe. I considera que amb la seva generació i la nova praxis de realisme artístic disposat a descriure la realitat i a intervenir-hi, a polititzar la literatura, aquest període ha finalitzat. Fontcuberta utilitza l'anàlisi de Goethe que fa Heine, però omet el fet (comentat per Heine) que Goethe es distancià dels Schlegel. Covert Spring inclou el fragment sobre els atacs a Goethe per part de Menzel; és llavors quan canvia la perspectiva narrativa, el text de Heine passa de la primera a la tercera persona i el mateix Heine apareix com a escriptor comentat en tercera persona. Fonctuberta l'enquadra entre aquells que no aprovaven la postura humana i política de Goethe però que no per això queien en aquests atacs: «Heine, el célebre Heine, se colocó entre los adversarios de Goethe, pero no por eso se mostró menos descontento de la aspereza de Menzel, haciéndole observar que Goethe era aún el rey de la literatura alemana, y que cuando se aplicaba la cuchilla crítica a un soberano era preciso hacerlo con la cortesía correspondiente, como el verdugo que, al decapitar a Carlos I, se arrodilló ante el príncipe, para pedirle humildemente perdón, antes de ejercer su detestable oficio.» [...] «En honor a la verdad y en alabanza de Heine diremos que nunca en Goethe atacó al poeta sino al hombre. Nunca condenó sus obras, nunca pudo descubrir en ellas las faltas que se le han supuesto, como aquel crítico que con su anteojo creyó haber descubierto las manchas de la luna. Pobres jentes! Lo que tomaban por manchas eran bosques floridos, ríos de plata, montes majestuosos y valles risueños!»[3]

El contraban d'idees permet a Covert Spring de definir la seva pròpia posició literària d'una manera prou còmoda. I les seves modificacions o reduccions, petites però importants, són mostra dels seus propis projectes així com d'un primer desenvolupament peculiar del romanticisme a Catalunya.

Fontcuberta estava embadalit pel saint-simonisme, igual que Heine, i molt especialment per la reivindicació que aquest fa de l'alliberament del cos, sotmès al llarg de la història a l'esperit i a la servitud de la fe cristiana. Escriu en un context d'escriptors que donen suport a un romanticisme de caire liberal i són entusiastes de Dumas, Hugo i Hernani. Rebutgen el romanticisme historicista que es reclou a l'edat mitjana i volen incloure dins de la literatura la vida quotidiana i els problemes del present, s'afermen en contra de l'ideal de l'harmonia clàssica, contra les formes de la poètica classicista, i donen suport al culte al geni. Han viscut l'experiència romàntica de la fragmentació del món i expressen als seus escrits les deficiències i el patiment que perceben a la realitat política i burgesa.

Des d'aquesta postura, aquests autors pretenen superar l'antagonisme entre classicisme i romanticisme. Covert Spring intenta fer-ho tot encunyant el terme *poesía armónica* des d'una postura harmonitzant i sintètica de caire saint-simonista.

3. *El Propagador de la Libertad,* vol. III, 1936, pàg. 121.

Fins i tot pretén posar en pràctica aquest concepte escrivint una obra de teatre (extremadament mediocre) que titula *Teresita o una mujer del siglo* XIX. Hi escenifica la societat del seu temps, al·ludeix als debats literaris, i fa que els partidaris del romàntic-modern intervinguin en favor de Dumas i Hugo. Es tracta d'una obra il·lustrativa i didàctica que s'aferma contra el codi d'honor espanyol i es pronuncia en favor d'un pensament il·lustrat envers la situació social de les dones, que són tractades amb proteccionisme paternalista. La postura envers l'honor, que té un paper tan important al teatre espanyol del barroc, està pensada conscientment com a emancipatòria. Tant la temàtica actual com la forma estan en contra del romanticisme historicista: Fontcuberta fa servir actes com a unitats d'acció i els organitza en una estructura no èpica, sinó tancada. Al cap i a la fi, el resultat d'aquesta idea harmonitzant és una forma de *la piéce bien faite* que, en realitat, prové de la tradició del classicisme francès.

Podríem dir que Fontcuberta pretén assolir amb el contraban d'idees dels textos de Heine una síntesi entre Goethe i Heine, pel fet que adopta la posició de Heine envers certs aspectes del romanticisme alemany. D'aquesta manera, fonamenta la seva pròpia proposta de solució sintètica. Per això no s'interessa probablement pel concepte de la *Kunstperiode*. El concepte que ell buscava hauria de permetre agrupar Goethe i Heine, no superar-los. I el distanciament entre Goethe i els Schlegel li devia semblar relativament desconegut i secundari des de la perspectiva espanyola.

La segona etapa de la recepció de Heine que vull exposar també té com a punt de partida el romanticisme i té lloc a través de Gustavo Adolfo Bécquer, que posa especial atenció a la lírica de Heine, sobretot al *Buch der Lieder*.

La situació que presento ara s'oposa del tot a la de Fontcuberta. També aquí un autor s'apropia de Heine per expressar les seves idees. Però aquesta vegada es deixa discórrer la poesia pròpia sota el protectorat de Heine, és a dir, es deixa que parli Heine per un mateix.

El 27 de març de 1863 aparegueren al quart número de la revista *El eco de París* els poemes següents amb una presentació sorprenent: «Traducción de Enrique Heine»:

> «La vida es la negra noche
> la muerte un sueño pesado
> Ya anochece... tengo sueño...
> ¡Ha sido el día tan largo!...
> Por encima de mi lecho
> pasa un ruiseñor cantando
> mis inocentes amores...
> Ya oigo entre sueños su canto.»
>
> A. Ferrán

«Por una mirada un mundo;
por una sonrisa un cielo;
por un beso... yo no sé
qué te diera por un beso!»

G. A. Bécquer

De fet, només la primera part és una traducció (més aviat una adaptació, com veurem), en concret del poema LXXXVII de *Heimkehr*:[4]

«Der Tod das ist die kühle Nacht,
Das Leben ist der schwüle Tag.
Es dunkelt schon, mich schläfert,
Der Tag hat mich müd gemacht.

Über mein Bett erhebt sich ein Baum,
Drin singt die junge Nachtigall;
Sie singt von lauter Liebe,
Ich hör es sogar im Traum.»[5]

En el segon cas, es tracta d'un poema de Gustavo Adolfo Bécquer (Sevilla 1836-Madrid 1870), la «Rima XXIII». És evident que el fet que tots dos poemes apareguin amb el títol comú de la traducció pot ser degut a motius de tipografia i composició a causa de la manca d'espai. Tanmateix, és significatiu que els dos poetes apareguin relacionats entre ells, que tots dos puguin ser vistos com una unitat. Això demostra que, en la consciència del lector de l'època, Bécquer i Heine apareixien estretament lligats l'un amb l'altre.

Des de l'any 1842 va haver-hi a Espanya traduccions soltes de poemes de Heine.[6] Potser hauríem de dir que més aviat eren adaptacions i no pas traduccions, ja que enuncien una interpretació de la lírica de Heine ben definida: allò que es llegeix i es valora, i allò que els poetes reben a Espanya entusiàsticament és el romàntic, i en primera línia el to de la cançó popular. Això és el que interessa ara de Heine i de seguida veurem que darrere s'hi amaga tota una concepció ben definida del que és popular.

4. Una traducció literal seria: «La mort és la fresca nit / la vida és el dia xafogós. / Es fa fosc, m'adormo, / el dia m'ha cansat. // Sobre el meu llit s'eleva un arbre, / on canta el jove rossinyol; / canta tot d'amors / els sento fins i tot en somnis».

5. H. HEINE, *Säkularausgabe. Bd. 1: Gedichte*. Bearbeiter H. Böhm, Berlin: Akademie Verlag und Paris: Ed. du CNR, 1979, pàg. 130.

6. Sobre les traduccions de Heine, vegeu José PEDRO DÍAZ, *Gustavo Adolfo Bécquer. Vida y obra.* Madrid: Gredos, 1958. El maig de 1857 aparegueren a la revista *El Museo Universal* quinze poemes del *Lyrisches Intermezzo,* traduïts al castellà de l'alemany per Eulogio Florentino Sanz.

A la introducció arxicitada que Bécquer escrigué per a un llibre de poemes del seu amic A. Ferrán, el traductor del poema de Heine citat anteriorment, l'autor de les *Rimas* observa el següent:

> «Hay una poesía magnífica y sonora, una poesía hija de la meditación y el arte, que se engalana con todas las pompas de la lengua, que se mueve con una cadenciosa majestad, habla a la imaginación, completa sus cuadros y la conduce a su antojo por un sendero desconocido, seduciéndola con su armonía y su hermosura.
> Hay otra natural, breve, seca, que brota del alma como una chispa eléctrica, que hiere el sentimiento con una palabra y huye, y desnuda de artificio, desembarazada dentro de una forma libre, despierta, como una que las toca, las mil ideas que duermen en el océano sin fondo de la fantasía.
> La primera tiene un valor dado: es la poesía de todo el mundo.
> La segunda carece de medida absoluta, adquiere las proporciones de la imaginación que impresiona: puede llamarse la poesía de los poetas. [...]
> El pueblo ha sido y será siempre el gran poeta de todas las naciones.
> Una frase sentida, un toque valiente o un rasgo natural le bastan para emitir una idea, caracterizar un tipo o hacer una descripción.
> Todas las naciones las tienen.
> En algunos países, en Alemania sobre todo, esta clase de canciones constituyen un género de poesía.
> Goethe, Schiller, Uhland, Heine, no se han desdeñado de cultivarlo; es más, se han gloriado de hacerlo.»[7]

Bécquer escriu sobre la poesia popular. I els poetes en què es fixa per tal d'afermar la seva posició són tots alemanys: aquí el que ens interessa és que des d'aquesta perspectiva els posa a tots dins del mateix grup. No l'interessa que Heine s'hagués deslligat d'ells ni que s'hagués distanciat de la *Kunstperiode*: Fontcuberta tampoc no s'hi havia interessat i volgué aconseguir una síntesi entre Heine i Goethe. És llavors que es llegeix Heine com a autor de cançons populars: Bécquer i els seus coetanis el fan servir amb la intenció de deslligar-se ells mateixos del llenguatge pompós del romanticisme, l'exponent més significatiu del qual és Zorrilla. L'altre Heine, el satíric, el crític, o no el perceben o l'obliden. Emilia Pardo Bazán es queixava l'any 1886 que no es llegís més que un Heine romàntic, amorós i desesperat, i s'oblidés el Heine crític que ella denomina «masculí», desconegut a Espanya al llarg de tot el segle, a diferència d'altres països com França o Itàlia.[8]

Encara que Marcelino Menéndez Pelayo demostri que la situació ha canviat, pels mateixos anys escriu a la introducció d'una traducció de poemes de Heine:

> «Confieso que en otro tiempo gustaba yo poco de Enrique Heine, considerado como poeta lírico. Nunca dejé de admirar su prosa brillante y cáustica, y siempre le tuve por el primero de los satíri-

7. G. A. BÉCQUER, «La soledad. Colección de cantares por Augusto Ferrán y Forniés» dins Gustavo ADOLFO BÉCQUER, *Rimas. Tros poemas. Obras en prosa.* Madrid: Espasa Calpe, Biblioteca de Literartura Universal, 2000 pàg. 676-677.

8. E. PARDO BAZÁN, «Fortuna española de Heine», en *Revista de España*, núm. 440, maig-juny, 1886.

cos modernos, pero la delicadeza incomparable de sus canciones o Lieder se me escapaba. A otros habrá acontecido lo mismo, aunque no tengan tanta franqueza como yo para declararlo. Pero el gusto se educa, [...]» [9]

A la meitat del segle, a l'època de Bécquer, el que es llegeix i valora de Heine és la lírica. I, concretament, Heine com a autor de cançons populars: aquest aspecte es realça a les traduccions a partir de la tradició espanyola. Si tornem als poemes citats anteriorment ens adonem que la traducció o millor l'adaptació treballa de ple en aquest sentit.

Es dóna al poema un to completament diferent, un de més lent i indefinit on hi ha lloc per a les insinuacions, amb oracions que acaben amb punts suspensius i que suggereixen més coses de les escrites. I s'hi fan unes variacions de sentit molt concretes: els versos de Heine que diuen «Der Tod das ist die kühle Nacht, / Das Leben ist der schwüle Tag» (la mort és la fresca nit / la vida és el dia xafogós) es converteixen en: «La vida es la negra noche / la muerte un sueño pesado»: es confronta la vida amb la nit, que segons Heine forma part de la mort, i hi apareix el somni, que no apareixia a Heine en aquest punt concret. Es condueix tot cap al que és transcendental, obscur i romàntic. A causa de la transposició de l'obscur i del que és propi d'un somni, el poema de Heine perd ambigüitat i capacitat de suggestió: una suggestió que Ferrán ha de substituir per punts suspensius. Igualment, Ferrán es torna més concret a la segona estrofa: l'amor al qual canta el rossinyol –i que pot suggerir el seu propi amor– l'interpreta explícitament com el seu propi amor.

El poema de Bécquer que apareixia imprès a sota del de Heine era una de les *Rimas*, una de les poques on fa servir l'octosíl·lab, el vers popular per excel·lència. Les *Rimes* tracten el tema de l'amor d'una manera prou breu i suggeridora: la suggestió de l'amor torbat, del patiment per l'amor com a símbol o imatge del patiment pel món.

A les seves *Rimas*, Bécquer fa servir poc sovint les estrofes basades en sèries de versos octosíl·labs. Gairebé sempre utilitza altres formes estròfiques, variacions del *pie quebrado* en què es combinen versos de dues longituds sil·làbiques diferents, molt sovint hendecasíl·labs, pentasíl·labs o heptasíl·labs. Es tracta d'una forma mètrica i estròfica que té un paper important a la tradició literària espanyola: va ser emprada en la lírica dels grans autors espanyols del Renaixement i del barroc. La cançó popular tradicional també fa servir combinacions de longituds mètriques diferents, però els hendecasíl·labs formen part, sens dubte, de la tradició no popular. Bécquer emprà aquesta forma de combinacions de longituds per primera vegada a les seves *Rimas* els anys 1856-57,[10] i l'any 1857 aparegueren les noves traduccions

9. M. MENÉNDEZ Y PELAYO, Prólogo a Enrique Heine, *Poemas y Fantasías*. Traducción en verso castellano de J. J. HERRERO. Madrid: Librería de la Viuda de Herrero y Cia, 1887, pàg. V.

10. Segons dades de J. F. DÍAZ, *op. cit.*, pàg. 76, apareguda [*què és el que apareix?*] l'any 1859 en una cançó de la sarsuela *La venta encantada*, de Bécquer i García Luna, amb el pseudònim d'Adolfo García.

d'Eulogio Florentino Sanz dels poemes de Heine que feien servir exactament aquesta forma estròfica. D'aquesta manera, tot reivindicant la tradició popular, introdueixen Heine dins de les formes més esplèndides del cànon de la tradició tot reivindicant la tradició popular literària espanyola, a pesar que també Heine emprà octosíl·labs. Si ens fixem en un dels poemes traduïts per Florentino Sanz i el comparem amb un de Bécquer, podem trobar algunes semblances:

Heine, Intermezzo, LX (traducció de Sanz)

«en sueños he llorado...
¡Soñé que en el sepulcro te veía!
Después he despertado,
y continúo llorando todavía.

En sueños he llorado...
¡Soñé que me dejabas, alma mía...
Después he despertado,
y aún mi lloro amarguísimo corría.

En sueños he llorado...
¡Soñé que aún me adorabas, y eras mía!...
Después he despertado
y lloré más... y aún lloro todavía.»[11]

Hi ha una relació evident amb la «Rima LXVIII» de Bécquer:

«No sé lo que he soñado
en la noche pasada.
Triste, muy triste debió ser el sueño,
pues despierto la angustia me duraba.

Noté al incorporarme
húmeda la almohada,
y por primera vez sentí al notarlo
de un amargo placer henchirse el alma.

Triste cosa es el sueño
que llanto nos arranca,
mas tengo en mi tristeza una alegría...
¡sé que aún me quedan lágrimas!»

11. *Lyrisches Intermezzo*, LV. «Ich hab im Traum geweinet, / Mir träumte, du lägest im Grab. / Ich wachte auf, und die Träne/Floss noch von der Wange herab. // Ich hab im Traum geweinet, / Mir träumt', du verliessest mich. / Ich wachte auf, und ich weinte / Noch lange bitterlich. // Ich hab im Traum geweinet, / Mir träumte, du bliebest mir gut. / Ich wachte auf, und noch immer / Strömt meine Tränenflut.» H. HEINE, citat segons la *Säkularausgabe*, vol. I, pàg. 85.

La traducció –en aquest cas es tracta d'una bona traducció– i Bécquer fan servir una combinació semblant d'hendecasíl·labs i heptasíl·labs, la qual cosa els dóna un ritme i un to comparables. Pel que fa a la temàtica, en el cas de Heine el motiu del plor es refereix a una situació amorosa concreta, mentre que Bécquer no es refereix a cap patiment que pugui concretar-se en un tema definit. El tedi, el dolor pel món, on l'amor acostuma a ser la clau, el plaer i fins i tot el goig pel patiment: això és determinant per als dos poetes. El poema de Bécquer expressa el tedi tot i que no hi explicita la causa del patiment, de tal manera que se suggereix gairebé tot: és més universal que la formulació de Heine. Sense al·ludir a res concret, el motiu del plor n'esdevé protagonista.

La limitació al que és popular no és suficient per explicar l'interès de Bécquer per Heine i pels poetes de la *Kunstperiode*. Se'n poden extreure altres aspectes. Només cal llegir amb més profunditat la cita de Bécquer sobre la poesia, i especialment els seus comentaris sobre els dos tipus de poesia. Evidentment, també hi parla de la seva pròpia concepció de poesia que es refereix a la poesia dels poetes. La poesia popular n'és part, però no només ella: es tracta d'una tradició que es basa en la sobrietat i la concisió, comparable a un raig elèctric o a un acord, suggestiu, suggeridor, no retòric. Aquesta és la poesia per la qual advoca el Bécquer romàntic enfront del romanticisme pompós i retòric de Zorrilla i el seu *Don Juan*. A Bécquer li serveix com a delimitació i com a definició pròpia: per tal de fer realitat aquesta poesia pot crear les seves formes a partir de la pròpia tradició literària, i no només la popular. És comprensible que recorri, per a la seva teoria, als poetes alemanys: ells han estat els defensors de la poesia popular, li asseguren l'argumentació i la pràctica per poder reivindicar la tradició pròpia. Bécquer pot apreciar el que hi ha de concís i suggeridor en Heine. I és característic de tots dos poetes la seva sensibilitat pel que és fragmentari, una experiència del món que havien tingut les generacions romàntiques i que reivindicaven per les formes de la literatura. També el fort to subjectiu, les insinuacions dels pensaments, la manca d'acció; tot el que és suggeridor. Aquests aspectes concrets expliquen les semblances entre els poetes, el que defineix l'època i que està per damunt de les influències. Val a dir que Bécquer és el més romàntic de tots dos; la lírica de Heine té sempre més sentit de la realitat.

A partir d'aquesta valoració de la sobrietat i la concisió, de tot el que és suggeridor, arribem a la tercera etapa de la recepció de Heine que voldria tractar, i que té lloc a les acaballes del segle XIX.

En aquest context torna a aparèixer Heine. L'editorial de *La España Moderna* tradueix la seva obra *De l'Allemagne* al castellà, una traducció que apareix sense data. També es tradueixen les memòries de Heine, a partir de la versió francesa de Théophile Gautier i publicades amb un llarg pròleg on Gautier es refereix a Heine com a Euforió, el fill d'Helena i Faust. D'aquesta manera Gautier al·ludeix a una possible síntesi entre classicisme i romanticisme que té un paper important al llarg de la recepció espanyola de Heine. En aquest context, el jove poeta Apel·les Mestres tradueix l'*Intermezzo* al català.

La traducció apareix l'any 1895 i és força aconseguida, tant pel que fa al to i al ritme com a la reproducció del contingut. També Mestres deu haver utilitzat models francesos. Ell justifica la seva traducció com a mostra de la seva veneració envers el mestre Heine i com un honor per a la literatura catalana. Mestres pretén, tal com escriu en el pròleg, posar «molt esment en respectar la dicció precisa, las acoloridas imatges y els epítets gràfichs usats per l'autor».[12] I ho aconsegueix. Treballa molt el ritme i fa servir mètrica sil·làbica. En fer això utilitza molt poc l'octosíl·lab, només quan Heine també el fa servir, i es decanta pel decasíl·lab i les combinacions de decasíl·labs i pentasíl·labs o heptasíl·labs. Es tracta dels equivalents catalans a les formes que Bécquer fa servir a les seves *Rimas*. Paradoxalment, en al·ludir sistemàticament al que és popular, s'introdueix Heine dins d'una forma de gran tradició a la poesia culta.

És evident que les traduccions d'Apel·les Mestres són molt acurades i melodioses. I els poemes que ell mateix escriu en aquesta època evidencien que Heine és també determinant per a la seva poesia.

Als poemes que publica entre 1888 i 1898 podem observar els mateixos elements que Bécquer apreciava i que seran decisius per a l'evolució de la lírica moderna: un llenguatge clar i deliberadament planer, ni pompós ni retòric, formes breus que serveixen per a evocar sensacions, plenes de matisos i suggeridores. Aquests poemes tenen per tema impressions momentànies que espurnegen com a raigs i que simbolitzen un sentiment, una sensació, on el patiment per l'amor es presenta com a símbol del patiment pel món. Hi trobem, a més, un cert to melangiós i una ironia soferta. A partir d'aquesta actitud pot explicar-se fàcilment l'interès per Heine. Com a exemple d'aquesta compenetració, cito a continuació el poema «Eren savis tots ells»:

> «Eren savis tots ells –a qui més savi,
> més fred i sentenciós–,
> i apel·lant convençuts al testimoni
> d'Hanemann o Charcot,
> m'auscyultaven entranya per entranya
> i em receptaven molt.
>
> I mai per mai vaig atrevir-me a dir-los:
> "No trastoquem autors!
> Consulti's Heine, interrogueu Petrarca,
> I ells vos diran que el cor
> No es cura amb bromhidrats ni amb la morfina,
> Que es cura amb un petó."»[13]

12. Pròleg a Heinrich HEINE, *Intermezzo*. Traducció d'Apel·les Mestres, Barcelona, 1895, pàg. 10.
13. *Apel·les Mestres*. Selecció de J. MOLAS, Barcelona: Destino, 1984, pàg. 110. Molas ha editat la selecció dels poemes amb un pròleg i una nota biogràfica. N'ha modernitzat i n'ha unificat l'ortografia. El mateix A. Mestres havia acceptat la normalització del català empresa l'any 1906.

Aquí es cita Heine fins i tot com a aval. La seva modernitat radica en tot allò que no es pot llegir a Petrarca: el tedi vital, la ironia soferta. Aquests són precisament els elements que apareixen en un poema d'Apel·les Mestres en homenatge a Heine, significativament ambientat junt a la tomba del poeta alemany. Heine adquireix en aquest poema un aire clarament decadent. Se'ns mostra un Heine fins aleshores incomprès: fins aleshores, fins a A. Mestres. Ha romàs incomprès com a poeta de la llibertat i de l'amor, com a rebel: tal com és el mateix A. Mestres, que s'adreça a Heine, per així dir-ho, com si es tractés d'un germà. Com que la revolta de Mestres és més aviat esteticista i decadent, també Heine acaba tenint aquest caire en mans de Mestres. I al final de l'extens poema escrit en decasíl·labs, diu:

> «[...]
> del cant de germanor que al rompre el dia
> cantares a la jove humanitat;
> del lai d'amor, del doll de poesia
> tota bellesa i llum i veritat,
> no n'han comprés un mot!... Tes cançons belles
> les comprendran tal volta els que avui són.
> Torna a cantar! Lo cel és ple d'estrelles,
> d'aucells la selva i de farsants lo món.
> Callà el bon rossinyol. I en sa mortalla
> va esclafir lo poeta, sens dir un mot,
> com un sanglot que va semblar rialla
> una rialla que semblà un sanglot.» (*id.* pàg. 114)

A través d'aquesta postura apareix una nova sensibilitat envers el romanticisme, de tal manera que Maragall pot escriure en aquests anys «si escolteu atentament, recollidament, el terrer naturalista, hi sentireu passar per sota la gran corrent romàntica, que ha reaparegut en nosaltres amb el nom de modernisme i que ve enriquida amb lo que ha arrossegat en el seu viatge subterrani».[14]

Apel·les Mestres, com els romàntics, també recull folklore, contes, escriu balades i cançons. En el decurs del riu romàntic de què parla Maragall, torna a llegir-se Heine.

Els autors comentats utilitzen Heine per a la seva anàlisi de la realitat, una realitat i una normalitat per la qual pateixen: el fan servir per expressar la seva insatisfacció envers el món que els envolta, per trencar amb la norma literària que és vàlida en un moment concret i per tenir un aval o un model o un acompanyant percebut com a familiar.

14. J. Maragall, *Joan Sardà* en: *Obres completes,* vol. XVIII, Barcelona, 1934, pàg. 184-185. Citat a M. Jorba, «Els romanticismes a Catalunya» dins *El segle romàntic, Actes del col·loqui sobre Romanticisme.* Vilanova i la Geltrú, 1997.

El camí que enceten amb Heine mostra dues tendències: la primera, una modernitat literària que segueix les passes del romanticisme liberal i que aspira a una síntesi entre el clàssic i el romàntic amb l'objectiu de constituir una literatura moderna pròpia.

La segona, una modernitat que adquireix el seu nou llenguatge a partir de l'accés a la tradició literària espanyola i/o catalana de què hem tractat aquí, a partir de la valoració d'un llenguatge poètic sobri, concís, suggeridor, que rep al segle XX –sota l'auspici de la *poésie pure* de Mallarmé– un nou valor.

Així, doncs, la recepció de Heine està vinculada a la definició literària de la modernitat i pot servir d'exemple de com l'autodefinició personal es realitza en un diàleg amb la tradició literària pròpia i l'aliena. Segurament, Heine hauria apreciat molt aquesta «utilització» de la seva obra, encara que s'hauria oposat al contraban amb les seves d'idees!

LA NOVEL·LA SEGONS J. M. CASTELLET

Vicent Simbor Roig

Universitat de València

1. J. M. Castellet, crític a la postguerra

Des de l'any 1949, en què va començar la seua activitat de crític literari, a la revista *Estilo,* Castellet va anar constituint-se, en poc de temps, en un dels representants més notables i més influents del món literari espanyol. Però també, primer subsidiàriament, i després directament, del català. A més a més, no podem pensar que els programes i les directrius normatives defensats per Castellet des dels seus treballs en castellà i, majoritàriament, sobre obres i escriptors espanyols eren desconeguts i inoperants al món literari català. En un període de pura –i heroica– subsistència de la literatura catalana, els nostres homes de lletres havien de suplir la manca de revistes i de premsa en català i la impossibilitat d'una autèntica vida literària mitjançant l'atenció al més afortunat i veí circuit literari espanyol. Per això el model novel·lístic, o millor, models novel·lístics, que reivindicava Castellet en articles i llibres durant els anys cinquanta i primera meitat dels seixanta tenien plena entrada entre els nostres escriptors. De fet, el realisme social o històric, en part molt considerable per l'estímul programàtic de Castellet, té un referent clònic en l'homònim moviment català, estimulat per l'esforç combinat i compartit d'ell mateix i de Joaquim Molas.

La importància de la tasca acomplerta per Castellet, tant en el circuit literari espanyol com en el català, ha merescut l'interès d'alguns estudiosos que ens han donat a conèixer les línies mestres de l'evolució professional del crític i estudiós de la literatura.[1] L'objectiu del present treball és aprofundir en un dels aspectes fona-

1. Recordem els treballs següents: Àlex Broch, «Primer Castellet», *Serra d'Or,* 218, novembre 1977, pàg. 35-37; «Anàlisi i evolució de l'obra crítica de J. M. Castellet. Segona etapa: el realisme històric (1958-1968)», *Taula de Canvis,* 11, maig-agost 1978, pàg. 92-116; Maria Helena Rufat Casals, «J. M. Castellet: el progrés del crític» dins Núria Perpinyà, (ed.): *Lectures al quadrat. Les arts crítiques de J. Molas, J. M. Castellet, J. Triadú i J. Fuster,* Lleida: Universitat de Lleida/Pagès Editors, 1995, pàg. 87-140; Núria Santamaria, «*Revista* (1952-1955) i la introducció del realisme social narratiu», *Els Marges,* 39, gener 1989, pàg. 95-109.

mentals del seu treball: la concepció de la novel·la que exposa i reivindica programàticament al llarg dels anys. Espere poder demostrar els pressupòsits teòrics reals de base i el grau de fidelitat, molt més complexa del que s'ha suposat, als mestres reconeguts. Conceptes com psicologisme, objectivisme, realisme, realisme crític, realisme històric, monòleg interior, compromís..., i autors com Ortega, Sartre, Lukács... rebran un seguiment atent, de manera que a la fi estarem en condicions d'entendre millor l'evolutiu model novel·lístic que ell va difonent al llarg dels anys.

2. D'Ortega a Sartre (1950-1957)

Com ja s'ha destacat adequadament, aquest primer període de la trajectòria intel·lectual de Castellet està marcat decisivament per la influència de Sartre, i de manera particular per la seua obra *Qu'est-ce que la littérature?*, de 1948. No tardarem a comprovar-ho. Però, immediatament abans i durant la seducció sartriana, Castellet va sentir una forta atracció també pel pensador espanyol Ortega y Gasset, convertit, no ho oblidem, en el guia intel·lectual del nucli responsable de la revista *Laye.*

La reivindicació de la Generación del 98 i d'Ortega y Gasset esdevé una constant dels articles de Castellet durant els anys cinquanta. Així, a manera d'exemple, veiem que l'any 1951 observava que el desfasament crònic de la cultura espanyola havia començat a ser vençut, en part, gràcies «exclusivamente a la puerta que abrieron nuestros vilipendiados "noventa y ochos"», seguits per «unos pocos esforzados», entre els quals destacava en filosofia Ortega y Gasset.[2]

Precisament, en aquest mateix article afegia que també la poesia havia assolit un nivell considerable, mentre que la novel·la, llevat de comptades excepcions, «permanece de espaldas a la realidad actual, a la novelística de otros países».[3] En efecte, aquest serà el cavall de batalla crític de Castellet: la denúncia de l'anquilosi de la novel·la espanyola. I en un doble sentit: en la temàtica (negació a introduir la realitat) i en la tècnica (oposició a renovar els «viejísimos moldes»). En realitat, per a Castellet, l'anquilosi és l'estat dominant no sols en la pràctica novel·lística sinó en tota la vida cultural espanyola. Les denúncies contra la pèrdua del sentit de la funció de l'intel·lectual esdevenen un leitmotiv de la seua producció crítica del període. Per això no desaprofita la publicació a Buenos Aires d'un llibre de Julián Marías en defensa del seu mestre Ortega per a fer-ne una ressenya elogiosa i adherir-se amb entusiasme a les conclusions de l'autor, qualificades de «un brillante resumen de la situación cultural de nuestro país»: assistim a la pèrdua de sentit de la funció

2. «Unas cuantas novelas», *Laye*, 13, maig 1951, pàg. 55.
3. *Ibid.*

intel·lectual, «cuyas raíces se hallan en una descomposición de los cuerpos sociales», origen de l'accés a llocs directius de persones absolutament incapaces i, cosa més greu, la resignació amb què ho accepta la societat.[4]

I aquesta paràlisi de la vida intel·lectual engloba també un dèficit que preocupa molt directament Castellet: l'absència d'una vertadera crítica literària. Els seus articles i ressenyes incorporen invariablement la denúncia d'aquest dèficit, capital per a qualsevol circuit literari. Un dels moments en què sap sintetitzar millor la seua postura és aquest, que val la pena de recuperar:

> «Un deber que pocos críticos cumplen y un derecho que pocos lectores reivindican, es el de la independiente exigencia de la crítica literaria. Desdichadamente, ésta de hoy –y la inmediata de ayer– han sido las horas de la defección de los críticos literarios, en el preciso momento en que la literatura del país –pobre en novela y teatro y sometida a fuertes influencias técnicas en poesía– necesitaba más que nunca de la orientación y el consejo de una crítica preparada, imparcial y responsable.»[5]

Ell, però, serà un d'aquells pocs crítics valents i preocupats per la modernització de la producció literària. Exercí, doncs, una meritòria labor de seguiment de la creació literària, sobretot de la novel·la en aquest període, amb crítiques dures, sense pèls a la llengua, quan calia, i alhora va explicar i difondre el model novel·lístic que als seus ulls calia fer servir per a connectar amb les literatures avançades del moment, en una tasca que haurem de qualificar de programació o guiatge. Una doble activitat en què sempre emergia explícitament la seua concepció novel·lística, que, cal advertir-ho de seguida, anirà modificant amb el pas dels anys.

Fins i tot mostra una preocupació constant pel que podríem qualificar de factors infraestructurals, com és el cas de la funció dels premis literaris. Al llibre *Notas sobre literatura española contemporánea,* de 1955, integrat per un recull d'articles publicats a diverses revistes, dedica un capítol precisament a analitzar la problemàtica dels premis literaris: «Los novelistas, los premios y la crítica», compost per tres articles apareguts l'any anterior a *Revista.* Castellet hi fa un balanç contundentment negatiu, a desgrat de les bones intencions dels patrocinadors, car «una rápida ojeada a las novelas que han obtenido los premios más importantes durante los dos o tres últimos años dará una visión sensiblemente igual del bajo nivel de la actual novelística española».[6] És a dir, si la missió dels premis literaris és estimular el desenvolupament de la producció novel·lística, de tal manera que en el termini d'uns anys hom haja pogut aglutinar un nucli de novel·listes suficient per a abastir el mercat amb novel·les d'un nivell literari digne, encara que no siguen ni genials ni

4. Cf. «Julián Marías: "Ortega y tres antípodas". *Revista de Occidente.* Argentina. Buenos Aires, 1950», *Laye*, 13, maig 1951, pàg. 59-60.
5. «Luna llena», *Laye,* 24, 1954, pàg. 101.
6. *Notas sobre literatura española contemporánea,* Barcelona: Laye, 1955, pàg. 37.

innovadores, cal concloure que «se puede hablar del fracaso absoluto de los premios literarios y, por ende, de la novela española media de nuestros días».[7]

Especialment interessant al respecte és l'article escrit amb motiu de l'adjudicació dels premis Ciudad de Barcelona de l'any 1952, ja que mostra, d'una banda, la cura per conèixer la realitat de les literatures més avançades, trencant les barreres autàrquiques imposades pel règim franquista, i, de l'altra, l'assumpció del paper programàtic, ara intentant importar una experiència que tan de prestigi havia assolit entre els francesos. Hi desenvolupa un parell de recomanacions per a ajudar a millorar-los: que els jurats siguen més estables i homogenis, amb una activitat ininterrompuda durant períodes de quatre o cinc anys, i que es transforme en un premi de reconeixement d'obres editades, d'acord amb el model del premi Goncourt francès. Però no es pot estar tampoc ara d'aprofitar l'ocasió per a insistir en el seu objectiu últim: l'actualització literària. Per això, a més a més, els jurats «deben adecuarse cronológicamente al momento cultural y estético. Ello no quire decir que hayan de pertenecer por fuerza a la extrema vanguardia, pero sí a posiciones que excluyan módulos inactuales y caducos».[8]

Però el més important per al nostre objectiu present són les explicacions sobre aquell model novel·lístic que veia com a més representatiu de la modernitat literària i que intentava d'introduir i d'imposar en el circuit espanyol. Val a dir que no és Sartre el primer referent teòric, a pesar de la ràpida seducció exercida, com tot seguit veurem, sinó Ortega y Gasset. Tant és així que la primera proposta d'un model novel·lístic, la presentada a l'article «Dos premios y dos momentos literarios», de 1950, és una divulgació de la concepció orteguiana exposada al seu llibre *Ideas sobre la novela,* de 1925, damunt la qual Castellet acobla les solucions tècniques de l'objectivisme i del monòleg interior, apreses en la lectura de Sartre. Comprovem-ho. En síntesi, podríem definir el model defensat per Castellet amb les següents característiques bàsiques: la novel·la –la novel·la actual– no s'ha de basar en una història farcida d'aventures i acció sinó en la concentració i profunditat del món interior dels personatges o, en les seues pròpies paraules, «como obedeciendo al repliegue individual del hombre moderno, la novela ha ganado en concentración y profundidad lo que ha perdido en riqueza anecdótica.»; concentració en el temps (Ortega defensava la concentració de la trama en temps i lloc, d'acord amb les «venerables unidades» de la tragèdia clàssica);[9] personatges «psicológicamente consecuentes»; i «una técnica literaria que logra sus mejores efectos en la sugerencia y el diálogo», la qual cosa significa que el lector s'ha d'enfrontar tot sol amb els perso-

7. *Idem*, pàg. 38.

8. «Los premios "Ciudad de Barcelona" 1952», *Laye,* 22, gener-març 1953, pàg. 97.

9. Crec que no deixa de ser simptomàtic l'interès de Castellet per destacar que la novel·la *Las afueras,* de Luis Goytisolo-Gay, aconsegueix l'homogeneïtat per la unitat de lloc, per la unitat de temps i per la unitat social. Cf. «Técnicas narrativas, tiempo histórico, novela colectiva», *Acento Cultural,* febrer 1959, pàg. 7.

natges sense la irrupció del «autor como "explicador"», o siga l'objectivisme i el monòleg interior.[10]

És clar que, en intentar conjuntar la teoria orteguiana amb l'alternativa sartriana, no ha pogut escapar a les contradiccions de pes que origina l'assaig d'acoblament de dues concepcions força diferents en el fons, a desgrat dels innegables punts de contacte. Per donar un exemple que em sembla que podrà començar a clarificar les coses, cal recordar que el model novel·lístic d'Ortega és l'aportat per Dostoievski, un autor del segle XIX, mentre que l'alternativa sartriana parteix de l'*Ulisses,* de Joyce, i de les contribucions dels novel·listes nord-americans de la Generació Perduda. De fet, el monòleg interior i l'objectivisme responen també a dues concepcions filosòfiques oposades, que ens condueixen a les fonts teòriques bàsiques del freudisme i del *behaviourisme,* és a dir, a la pretensió de descobrir la personalitat de les criatures de ficció mitjançant el capbussament en les profunditats del seu món interior o a través exclusivament de les dades externes: gests, accions i parlaments. El monòleg interior, doncs, sí que respon a aquell model novel·lístic que, menyspreant l'acció, se centra en la «concentració i profunditat», tot al contrari que l'objectivisme que s'ajusta molt millor a una història basada en l'acció.

A mesura que Castellet va adherint-se a l'objectivisme com a model tècnic de la novel·la moderna, va explicitant les contradiccions incloses en el programa novel·lístic d'aquest article inicial de 1950, en què la teoria orteguiana és determinant. No tardarà, per tant, a defensar tot el contrari sobre la concentració i profunditat i el psicologisme. Per exemple, ja l'any 1953, en un article a la *Revista,* en fer la ressenya d'una novel·la policíaca, reivindicava com a l'element fonamental «la misma acción que emprende el investigador.»[11] L'any 1954 en un article a la mateixa publicació feia una nítida proclama *behaviourista* en defensa de la novel·la com a acció: «la literatura de nuestro tiempo, después de una más o menos prolongada inmersión en los problemas intel·lectuales (técnicos o humanos), se ha decidido por la acción, por la conducta frente a la pasión y el pensamiento.»[12] I l'any següent i, de nou, al mateix lloc, atacava amb contundència el psicologisme i el «masoquismo intelectual»: «se ha terminado ya la era de las elucubraciones psicológicas, de los pequeños problemas subjetivos y del masoquismo intelectual.»[13] Al capdavall, la concepció novel·lística d'Ortega responia al model d'aquell enfocament analític de la psicologia dels personatges que Sartre anatematitzava per anacrònica i burgesa.

Tanmateix, Castellet no es va resignar a prescindir d'Ortega. La medul·la de la teoria orteguiana era insalvable, és clar, però uns altres aspectes, ni que fos forçant-los una mica, podien ser recuperats. No deixa de ser curiós que una cita d'Ortega

10. Cf. «Dos premios y dos momentos literarios», *Laye,* 4, juny 1950, s. p.

11. «De la novela policiaca, a propósito de *El Inocente* de Mario Lacruz», *Revista,* 88, 17/28 de desembre de 1953, pàg. 10. *Apud* Núria SANTAMARIA, *loc. cit.,* pàg. 106.

12. «Primera mañana, última mañana», *Revista,* 159, 28 d'abril-4 de maig de 1954, pàg. 10. *Apud Ibid.*

13. «La literatura quiere la paz», *Revista,* 173, 4/10 d'agost de 1955, pàg. 15. *Apud Ibid.*

encapçale el capítol dedicat a «les narracions objectives» del seu llibre *La hora del lector,* de 1957, precisament quan en la redacció primera, apareguda en forma d'article, «Las técnicas de la literatura sin autor», l'any 1951 a *Laye,* no hi figurava. Ortega continuava essent un teòric de referència. Però què podia aportar el model orteguià al relat objectivista? Vegem-ho amb l'argumentació mateixa de Castellet:

> «Ortega y Gasset diu –a *Ideas sobre la novela–* que "el gènere ha passat de ser narratiu o indirecte a descriptiu o directe. Seria millor dir presentatiu", amb la qual cosa la seva opinió se suma a la de tots els tractadistes de la novel·la que han assenyalat el procés d'objectivització, que nosaltres veiem paral·lel al de la progressiva desaparició de l'autor.»[14]

En efecte, fins a cert punt el model defensat per Ortega sembla encaixar amb una certa exigència d'objectivitat narrativa, entesa, no cal dir-ho, en un sentit molt més lax que entre els conductistes nord-americans. Ortega, en realitat, només proposava la desaparició de les intervencions del narrador, bé explicant-nos com són els personatges, bé recorrent a la funció ideològica o digressiva. Ana María Fernández[15] insisteix en la importància d'un parell de postulats essencials de la teoria novel·lística orteguiana que ara ens resulten de primer interès: el perspectivisme i la impersonalitat. Amb el primer Ortega adverteix que l'autor (i el seu representant intratextual, el narrador, –afegim nosaltres–) han de mantenir la necessària distància artística respecte al món ficcional, de manera que n'han d'eliminar el sentimentalisme. El segon, de filiació flaubertiana, en opinió d'Arturo A. Fox, citat per Ana María Fernández, és «la piedra angular de sus observaciones sobre las técnicas novelísticas: el principio de la impersonalidad que rechaza la intervención directa del autor en la narración.»[16]

Però la referència a Flaubert és ben clarificadora: Ortega, en rigor, quedava lluny de l'objectivisme en sentit estricte o *behaviourista* i si contextualitzem tan sols una miqueta més el paràgraf utilitzat per Castellet ho descobrirem: l'important no és tant el destí o l'aventura dels personatges, sinó la seua presència, ja que «nos complace verlos directamente, penetrar en su interior, entenderlos, sentirnos inmersos en su mundo o atmósfera. De narrativo o indirecto se ha ido haciendo el género descriptivo o directo. Fuera mejor decir presentativo.»[17] És a dir, els lectors hem de «veure» com són els personatges directament mitjançant els seus pensaments i els seus actes i no a través de les definicions i opinions del narrador. És una primera passa, com altres que podríem evocar, en el camí vers l'eliminació del filtre omnipresent del

14. Cite per l'edició catalana *L'hora del lector. Seguit de Poesia, realisme, història,* Barcelona: Edicions 62, 1987, pàg. 34.

15. Cf. Ana María Fernández, *Teoría de la novela en Unamuno, Ortega y Cortázar,* Madrid: Pliegos, 1991, pàg. 84-85.

16. Arturo A. Fox, «Ortega, crítico de la novela: una re-valuación», *Hispanófila,* LVIII, setembre 1976, pàg. 47. *Apud* Ana María Fernández: *op. cit.*, pàg. 85.

17. José Ortega y Gasset, *Meditaciones del Quijote. Ideas sobre la novela,* Madrid: Espasa-Calpe, 19692, pàg. 165.

narrador, però a notable distància del *behaviourisme*, com, sense necessitat de més proves, ha deixat molt clar el desig de «penetrar en su interior». Però el que m'interessa destacar és que Castellet ha tingut bona cura d'escollir precisament aquest antecedent orteguià.

Idèntic procediment utilitza per encetar l'anàlisi de la participació creativa del lector. Tant en la primera versió en forma d'article com en la incorporació posterior al llibre esmentat, *La hora del lector,* Ortega és el primer teòric recordat en el camí que conduirà a Sartre, Claude-Edmonde Magny i Roman Ingarden. Recordem el plantejament de Castellet:

> «Leemos en "Ideas sobre la novela" de Ortega –en el apartado "No definir"– que "si en una novela leo: *Pedro era un atrabiliario,* es como si el autor me invitase a que yo realice en mi fantasía la atrabilis de Pedro, partiendo de su definición. Es decir, que me obliga a mí a ser el novelista. Pienso que lo eficaz es, precisamente, lo contrario: que él me dé los hechos visibles para que yo me esfuerce, complacido, en descubrir y definir a Pedro como a ser atrabiliario."»[18]

«De este breve texto orteguiano», com ell mateix diu, dedueix que el filòsof espanyol defensava un segon tipus d'intervenció del lector, alternatiu al tradicional o dinovenc, en què el lector es troba marginat de la «labor creadora del autor». En aquest segon tipus, el del lector copartícip, ha d'interpretar els fets que el narrador li proposa a tal fi. I l'exemple extrem en seria l'objectivisme, ja que el narrador mai no relata els sentiments i pensaments dels personatges sinó que es limita a la descripció objectiva i la transcripció literal dels parlaments. Una vegada més, Castellet té gran interès a recuperar un Ortega presentat com un atent precursor de les concepcions actuals més innovadores de la novel·la.

Però, com també hem pogut comprovar, ja des d'aquell primer article de l'any 1950, en què recollia la part substancial de la concepció novel·lística orteguiana, Castellet introduïa les propostes tècniques sartrianes: l'objectivisme i el monòleg interior. I és, en efecte, el Sartre del llibre ja citat, *Qu'est-ce que la littérature?*, la base teòrica damunt la qual bastirà a partir de 1951 la seua teoria novel·lística, amb l'ajuda remarcable, sobretot, de l'estudi de Claude- Edmonde Magny, aparegut també el mateix any 1948, *L'âge du roman américain,* fonamental per a entendre l'objectivisme nord-americà.

El primer article clau en l'elaboració del seu model novel·lístic fou «La técnicas de la literatura sin autor», publicat a *Laye* el 1951, com ja sabem, on apuntava que, davant el poder omnímode del narrador de la novel·la del segle XIX, les novel·les actuals més representatives es caracteritzen per la pèrdua progressiva del poder del narrador, gràcies a l'ús, i per aquest ordre, del relat en primera persona («un estado de transición entre el punto de vista absoluto que caracteriza la novela del siglo XIX y

18. «El tiempo del lector», *Laye,* 23, abril-juny 1953, pàg. 40.

el doble polo subjetividad-objetividad que caracteriza a la del XX»), del monòleg interior i de l'objectivisme. Tot seguit, qualificava sartrianament la novel·la del segle XIX de basar-se en la psicologia analítica, a la qual la novel·la actual oposava la psicologia sintètica, i introduïa el concepte d'*engagement*, així, en francès.[19] Els postulats bàsics del model novel·lístic de Castellet ja eren exposats al públic lector. A partir d'ara es dedicarà a perfilar-los i ampliar-los en un seguit d'articles, molts dels més importants dels quals seran recollits en els dos llibres ja esmentats del període.

Abans, però, d'entrar a comentar les peculiaritats de l'assimilació sartriana, esbossarem els postulats essencials de la proposta de Castellet, tal com la podem extraure dels seus diversos treballs d'aquesta etapa inicial. Comencem per la tríade central de la seua concepció teòrica, ja plenament madurada l'any 1952:[20] revelació, proposta al lector i catarsi. Al seu costat, cal esmentar un parell de conceptes complementaris igualment centrals en la seua teoria novel·lística: realisme i tradició.

Crec que podrem entendre millor el postulat del realisme si el relacionem amb el de l'*engagement* o compromís, una de les propostes sartrianes que major impacte causaren en Castellet. Per a Sartre, –recordem-ho– la literatura, la literatura autèntica, és sinònima de funció social i només pot proposar-se un objectiu últim: esdevenir la consciència de la societat, donar-ne testimoni i manifestar el compromís moral de l'escriptor amb l'època en què viu mitjançant la seua col·laboració en la lluita pel progrés de la societat. Castellet fa seu aquest axioma sartrià amb totes les conseqüències, com ara deslligar els poetes de la missió social de la seua obra, car «ello obedece a que modernamente la misión del poeta no es la de "revelar" el mundo, como sucede con el prosista». Només els prosistes, doncs, narradors, autors teatrals i assagistes. I per a ell, i en aquesta etapa, els novel·listes. Ja veurem com en el següent període modificarà radicalment la seua concepció i privilegiarà el gènere poètic.

Castellet tradueix aquest compromís als tres conceptes bàsics a què ens hem referit: revelar, proposar i catarsi: «Escribir es, pues, por una parte *revelar* la vida del hombre en el mundo, y por otra, *proponer* esta revelación como materia sobre la que el lector debe trabajar, recrear. [...] Creemos que se ha olvidado que la literatura desempeña un importante, primordialísimo papel catártico y que puede y debe llegar a ser la conciencia reflexiva de la comunidad».[21] La *proposta* va estretament unida a les tècniques narratives i al paper actiu del lector, i de seguida les analitzarem, però la *revelació* ens porta al realisme.

L'obligació ètica de l'escriptor «de représenter le monde et d'en témoigner», en paraules de Sartre,[22] o de «tomar partido ante la realidad para llevar a cabo la

19. Cf. «Las técnicas de la literatura sin autor», *Laye,* 12, març-abril 1951, pàg. 39-46.

20. Cf., per exemple, «Notas sobre la situación actual del escritor en España», *Laye,* 20, agost-octubre 1952, pàg. 10-17.

21. *Idem,* pàg. 11-16. La cursiva ací, com sempre que no indique el contrari, és de l'original.

22. *Qu'est-ce que la littérature...,* pàg. 345.

misión que, por su misma aceptación, le viene impuesta, y que no es otra que la de procurar para sí y para el lector de su obra la plena libertad personal, su total liberación espiritual,»[23] en paraules de Castellet, du ambdós, tanmateix, a conseqüències diferents: a Castellet al realisme i a Sartre a la condemna literària d'aquest moviment. «L'erreur du réalisme a été de croire que le réel se révélait à la contemplation et que, en conséquence, on en pouvait faire une peinture impartiale. Comment serait-ce possible, puisque la perception même est partiele, puisque, à elle seule, la nomination est déjà modification de l'objet?»[24] Vet ací la primera discrepància de pes entre la concepció novel·lística de tots dos, ja que Castellet no sols reivindicava el realisme sinó que arriba a reclamar un «realismo a rajatabla.»[25] A la pràctica literària espanyola del moment que ell veia dominada per un esteticisme escapista («evasión de los escritores españoles por los caminos de un esteticismo que la novela y la narración de nuestros días tenían la obligación de haber abandonado»)[26] no troba millor antídot que la *revelació* realista. Per a Castellet, l'encarnació de la novel·la en la problemàtica social del moment només és possible a través del realisme. Amb motiu de la ressenya del llibre de Cela titulat *Del Miño al Bidasoa*, Castellet fa una de les defenses més abrandades de la necessitat del realisme, que, com immediatament veurem, en parlar de la tradició, era una característica essencial de la millor literatura espanyola de tots els temps. La literatura de viatges era contemplada, doncs, com un exercici impagable per a retrobar la realitat viva de l'Espanya coetània. Calia retornar a la visió realista de la societat del moment:

> «Esa defensa, esa reacción [contra el fals idealisme imperant] no pueden tener más base que un realismo a rajatabla y en el sentido más vulgar de la palabra. Un realismo que nace del contacto físico del hombre con el país que habita y con el que se siente entrañable e inevitablemente unido. [...] Cela sabe que hoy en día el novelista debe trabajar con los materiales que le ofrece la más inmediata realidad y que su labor consiste en revelarlos y proponerlos objetivamente al lector para que éste sea quien, en definitiva, se los arrogue como propia tarea a realizar. Consiste, pues, ese ejercicio en ponerse en receptivo contacto con la vida cotidiana del propio entorno para penetrarla y poder más tarde revelarla en la novela.»[27]

L'aposta pel realisme és decidida i no li importa enfrontar-se als seus dos mestres, Sartre, com acabem de comprovar, i Ortega, que tampoc no deixà dubtes sobre el menyspreu estètic que sentia pel realisme.[28] Al costat de la defensa del realisme genèric, Castellet introdueix també el concepte de «realisme crític», amb un ús equívoc, l'esclariment del qual ens obligarà a ultrapassar el límit cronològic d'aquesta etapa per poder resseguir-lo en els seus vaivens conceptuals. D'entrada, haurem de recordar

23. *Idem,* pàg. 17.
24. *Qu'est-ce que la littérature...,* pàg. 77.
25. «Del Miño al Bidasoa», *Laye,* 22, gener-març 1953, pàg. 69.
26. «*Espera de tercera clase* de Ignacio Aldecoa», *Revista,* 170, 14/20 de juliol de 1955, pàg. 14. *Apud* Núria Santamaria, *loc. cit.,* pàg. 107.
27. «Del Miño al Bidasoa»..., pàg. 69.
28. Cf. *op. cit.,* pàg. 152-156.

que per a Lukács, el teòric fonamental que informa la concepció novel·lística del Castellet del segon període, el de l'aposta pel realisme històric, «realisme crític» és el model seguit pels novel·listes del segle XIX, als quals enfronta el «realisme socialista», que, en realitat, no és més que una superació en els continguts ideològics de la història de l'obra, fruit de l'assumpció del marxisme. En altres paraules: el realisme crític és vist com una primera passa, vàlida però insuficient, en el camí vers l'autèntic realisme dels nous temps, el realisme socialista. Aleshores, Castellet malinterpreta la teoria lukacsiana i agafa el concepte de «realisme crític» com a alternativa actualitzadora de la pràctica novel·lística? O simplement en fa un ús diferent que no hem d'identificar amb la proposta de Lukács? La millor resposta que puc oferir és proposar aquest recorregut a través dels diversos usos al llarg dels anys.

En el mateix any i gairebé en la mateixa època n'usa dues concepcions diferents. En un lloc, sembla identificar el realisme crític amb un moviment actual: «la novela americana de nuestro siglo ha sido, creo yo, la más representativa de nuestro mundo actual, la que ha llevado el "realismo crítico" que exigían a la vez la historia de los Estados Unidos y el momento mundial, a sus extremos más impresionantes e insólitos.»[29] I, en un altre, pareix identificar-lo amb el naturalisme: «Yo apuesto –dentro de la literatura *comprometida*, que es lo que ha sido la buena literatura de todos los tiempos– por una suavización del realismo crítico, del naturalismo, en favor de un incremento de la imaginación.»[30] Per acabar-ho de complicar, aquesta identificació amb el naturalisme xocava frontalment, ara també, contra Lukács, que tenia molta cura d'elogiar i distingir el realisme del anatematitzat naturalisme.

L'any 1962 sembla identificar realisme històric i realisme crític: «Preferimos, aun así, un realismo histórico, producto de la asunción racional de la història –de nuestra historia– y del que nuestra literatura tiene muestras brillantes. Pero nos inquietan profundamente los resultados de un intento crítico, a través de la deformación, que lleva antes a una comicidad amarga y muchas veces gratuita, que a un realismo crítico y creador.»[31] I l'any següent en un parell d'articles, quasi idèntics, pareix finalment entendre, en sentit lukacsià, el realisme crític com una fase prèvia del realisme històric. Així afirmava: «A la primera de esas generaciones de novelistas [de la postguerra] podemos atribuirle una obra caracterizada, en general, como hemos dicho, por un incierto *realismo crítico*», mentre que «el *realismo* de la joven novela española puede calificarse de *histórico*.»[32] Tanmateix, encara perdura

29. «Cuatro características de la novela americana actual», *Revista*, 102, 25/31 de maig de 1954, pàg. 6. *Apud* Núria SANTAMARIA, *loc. cit.*, pàg. 105.

30. Lorenzo GOMIS (entrevistador), «Con José María Castellet. Presente y porvenir de la literatura», *Ateneo*, 62, 15 de juliol de 1954, pàg. 32.

31. «Iniciación a la obra narrativa de Camilo José Cela», *Revista Hispánica Moderna*, XXVIII, 1962, pàg. 143-144.

32. «Veinte años de novela española (1942-1962)», *Cuadernos Americanos*, CXXVI, gener-febrer 1963, pàg. 292 i 295. L'article va ser reproduït a *Índice*, 173, 1963, pàg. 13 i 24. L'altre article, en què utilitza pràcticament les mateixes paraules per a definir els dos realismes és «La joven novela española», *Sur*, 284, 1963, pàg. 48 i 51.

algun dubte. Si realment entén el realisme crític com el model novel·lístic del segle XIX, corresponent encara a una visió dominant burgesa, per què més avall, en parlar de la «joven novela española», afirma que «escapa al encasillamiento de *novela proletaria, realismo crítico, social-realismo*, etc.»?[33] Per què situar-lo al mateix nivell que models posteriors, dependents d'una ideologia marxista? Aquest concepte se'ns apareix amb un ús irremeiablement amfibològic. Per contra, el concepte de realisme històric, com més avall veurem, ha sigut proposat d'una manera molt més unívoca.

Com adés advertíem, el realisme va íntimament unit a la tradició en la teoria novel·lística de Castellet. Tradició literària espanyola i realisme es justifiquen mútuament i axiomàticament. El realisme és el model adequat de la novel·la espanyola perquè és el que respon a la tradició i la tradició és el model que cal seguir perquè és realista. Des de la novel·la picaresca fins a Pío Baroja, immediatament abans de Cela, la genuïna tradició literària espanyola és la realista, tal com veiem perfectament sintetitzat en aquest paràgraf de l'article «La novela española, quince años después (1942-1957)»:

> «*La familia de Pascual Duarte* representa el nacimiento de una nueva era de la novela española, detenida en su evolución por la guerra civil, que entronca directamente con la tradición del realismo hispánico que, inmediatamente antes de Cela, había tenido su mejor representante en la gigantesca obra de Pío Baroja, nuestro mejor novelista de la primera mitad de este siglo.»[34]

El segon pilar de la teoria novel·lística dèiem que era la *proposta*. Sens dubte, el principi més decisiu, car engloba l'activa relació autor-lector i les noves tècniques narratives a introduir.

Adés, en comentar la influència orteguiana, ja hem advertit com és fonamentalment de Sartre d'on li arriba el descobriment de la importància activa del lector. Els altres teòrics també esmentats només amplien i matisen la base sartriana. Igual que el filòsof francès, Castellet està convençut que la novel·la no es realitza més que en cada acte d'apropiació lectora, de tal manera que autor i lector han de treballar en comú, són copartícips de l'obra. Com afirmava l'any 1952, «sobre unos datos ordenados con habilidad por el autor, el lector ha de construir él mismo el sentido del libro, como ha de hacerlo en su vida cotidiana con los datos de la realidad para penetrarla.»[35] Aquesta participació activa del lector exigeix un canvi d'estratègia narrativa de l'autor i, en conseqüència, la incorporació de noves tècniques, car «deja de ofrecerle su obra como un don gracioso, para presentársela como proyecto de trabajo en común. La literatura se oscurece, se indetermina. El lector no puede ya permanecer pasivo –como cuando leía para "pasar el rato"–, sino que la obra le exige para su

33. *Idem,* 294.
34. «La novela española, quince años después (1942-1957)», *Cuadernos de Congreso por la Libertad de la Cultura,* 33, novembre-desembre 1958, pàg. 49.
35. «Notas sobre la situación actual del escritor en España»..., pàg. 11.

comprensión un esfuerzo realmente creador.»[36] El canvi és revolucionari: «con la incorporación del lector a la actividad literaria se puede decir, en usado símil marxista, que a la literatura de consumo ha sucedido la literatura de producción.»[37]

No cal dir que tota aquesta empresa de seducció activa del lector depèn absolutament de l'ús adequat de les noves tècniques que permeten la construcció de l'obra damunt aquells esmentats «datos ordenados con habilidad». Més amunt ja hem avançat que aquestes noves tècniques renovadores eren el relat en primera persona, el monòleg interior i l'objectivisme. Ja l'any 1951 Castellet defensava en aquell article titulat intencionadament «La técnicas de la literatura sin autor» la necessitat d'acabar amb l'autor-déu, que des d'un punt de vista absolut controlava el seu món ficcional. La manera d'aconseguir-ho era introduir una nova concepció total de la novel·la, que afectava, doncs, tant el discurs o relat com la història, ja que Castellet no es cansa d'advertir que la novel·la és un tot indestriable, en què «una forma distinta implica un contenido distinto, o, al menos, una visión distinta del mundo representado.»[38] De la història, –la recreació compromesa de la realitat– ja n'hem parlat; de les tècniques, ara ho farem amb l'atenció que es mereixen, ja que ens trobem davant un dels punts més conflictius de la proposta de Castellet.

A desgrat de l'aparent acceptació de les propostes sartrianes, en aquest punt Castellet, conscientment o inconscient, se n'allunya radicalment. Tant que Sartre no hauria dubtat ni un segon a rebutjar-lo amb l'habitual contundència que el caracteritzava, ja que Castellet es desentenia precisament del punt neuràlgic de la seua teoria. No pot haver passat desapercebut l'entusiasme que Castellet mostra pel relat en primera persona, a pesar que el considere una tècnica pont entre la novel·la del segle XIX i del XX. La raó és que amb el relat en primera persona l'autor prescindeix del punt de vista absolut per limitar-se a les possibilitats de coneixença d'un personatge: «El escritor ha bajado del pedestal en que estaba situado y se ha mezclado con la gente. Uno más entre ellos, ha empezado a vivir la vulgar y cotidiana existencia y un buen día nos cuenta *su historia.*»[39]

Ara bé, per a Sartre, no es tracta d'un simple problema de persona narrativa, ni tan sols estrictament de focalització zero o omniscient contra focalització interna i externa o objectivista, que són els termes a què el redueix Castellet. És a dir, per a Sartre no hi ha prou de recórrer al relat en primera persona i focalització interna fixa, perquè amb aquesta solució continuem veient els esdeveniments a través d'una subjectivitat privilegiada, que exerceix el seu domini sobre el món diegètic. A aquest model Sartre oposa un relat en què el poder focalitzador de la veu narrativa desaparega. Per això no dubta a rebutjar fins i tot el monòleg interior prejoycià, el de Larbaud i el d'Schnitzler, car responen encara a una mentalitat típicament subjecti-

36. *Ibid.*
37. *Ibid.*
38. «*La colmena.* (Notas con estrambote)», *Laye,* 18, març-abril 1952, pàg. 55.
39. «Las técnicas de la literatura sin autor»..., pàg. 42.

va: «l'inconvenient de ce procedé c'est que qu'il nous enferme dans une subjectivité individuelle et qu'il manque par là l'univers intermonadique.»[40] La seua insistència en aquest punt és fàcil d'entendre, i la raó, capital: si la novel·la renovadora demana la col·laboració activa del lector, aquest no pot trobar-se un món ficcional regit i visualitzat per un narrador, o siga, ja plenament construït, sinó la presentació objectiva d'uns fets que el lector ha d'acoblar i als quals ha de donar sentit.

En resum, cal eliminar els intermediaris entre el lector i la realitat diegètica per tal d'assolir el «subjectivisme absolut» i superar el subjectivisme i idealisme tradicionals. I açò tan sols és possible mitjançant dos procediments tècnics: l'«objectivisme absolut» o focalització externa i el «realisme en brut de la subjectivirtat», après en Joyce, que gràcies a l'ús del seu monòleg interior permet posar en contacte directament el lector amb la subjectivitat de cada personatge, o siga, oferir «une orquestration de consciences qui nous permette de rendre la pluridimensionnalité de l'événement». Aleshores ja han desaparegut «les intermédiaires entre le lecteur et les subjectivités-points-de-vues de nos personnages.»[41]

Castellet no va diferenciar en el sentit sartrià la doble tipologia del monòleg interior, ni en l'article inicial de 1951, «Las técnicas de la literatura sin autor», ni en el llibre posterior, *La hora del lector* (1957), on ampliava i matisava alguns aspectes. No es tracta d'un procés homogeni i intern que uneix el monòleg interior inicial i el de la plenitud joyciana, com apunta Castellet en el llibre citat, sinó de dos recursos oposats, car el de Joyce, segons Sartre, «a des principes métaphisiques tout différents.»[42] Els exemples que addueix de combinació d'objectivisme, monòleg interior i relat en primera persona, pròpia d'algunes obres de Faulkner, i d'objectivisme i relat en primera persona, característica de *L'Étranger,* de Camus, resulten ben interessants per a entendre el problema. Claude-Edmonde Magny, a *L'âge du roman américain,*[43] llibre de capçalera de Castellet, i abans Sartre en un article de 1943, «Explication de *L'Étranger*» recollit a *Situations, I*[44] (1947), expliquen les peculiaritats de la novel·la de Camus: en síntesi, un narrador en primera persona que usa pràcticament una focalització externa. I Gérard Genette, després d'evocar els estudis esmentats de Sartre i de Magny, defineix aquesta novel·la i *The Sound and the Fury,* de Faulkner –propose el millor exemple que hauria pogut triar Castellet–, com unes novel·les de focalització interna amb paralipsi quasi total dels pensaments o, dit d'una altra manera, els exemples que responen millor, o el menys mal, a una narració homodiegètica «neutra» o de focalització externa.[45] En resum: que el narrador en primera persona d'aquests exemples no té res a veure amb l'habitual, que imposa una focalització interna, i, per tant, és equívoc proposar aquestes novel·les com a

40. *Op. cit.,* pàg. 200.
41. *Op. cit.,* pàg. 371.
42. *Op. cit.,* pàg. 199.
43. Cf. *L'âge du roman américain,* Seuil, París, 1948, pàg. 73-76.
44. Cf. *Critiques littéraires (Situations, I),* Gallimard, París, 1993, especialment, pàg. 107-108.
45. Cf. *Nouveau discours du récit,* Seuil, París, 1983, pàg. 83-85.

mostra d'ús combinat de narrador en primera persona i altres procediments, ja que n'és un «fals» representant.

El resultat programàtic d'aquestes divergències teòriques no podia deixar d'evidenciar-se, com així ocorregué: davant la clara i inflexible postura sartriana, Castellet adopta una actitud vaga i laxa. Així, a *La hora del lector* conclou amb una genèrica recomanació final d'emprar «una pluralitat d'enfocaments narratius i, especialment, d'un to general d'objectivitat.»[46] Núria Santamaria ha advertit, en resseguir les col·laboracions a *Revista,* que «Castellet considerava que cada novel·la havia de construir un món autònom i les demandes tècniques podien ser diferents; es tractava d'aconseguir l'"autenticitat formal" en cada ocasió.»[47] Una postura eclèctica que mantindrà també en el període següent, com hom pot comprovar en llegir l'article de 1959 «Técnicas narrativas, tiempo histórico, novela colectiva»[48] o «Juan Goytisolo y la novela española actual», on afirmava, per exemple, que «cada novela exige –por su tema– un tratamiento específico, dentro de un tono de objetividad general.»[49] Àdhuc arriba en alguna ressenya a valorar positivament una novel·la per la *revelació,* a desgrat de la maldestra *proposta* tècnica, privilegiant el valor de «testimonio de una época» sobre la tècnica.[50] I contradint, de pas, el seu principi de la unió indestriable de forma i contingut o relat i història. D'aquests plantejaments a la radicalitat sartriana hi havia un abisme.

Tampoc no insisteix Castellet en dos postulats sartrians fonamentals pel que afecta al temps. En aquell article primerenc de 1950 titulat «Dos premios y dos momentos literarios», hem pogut veure que Castellet parlava de concentració temporal de la història, però és un aspecte de la novel·la que no crida gaire la seua atenció. Així com tampoc no mostra gaire interès pel temps de la narració. Ambdós són, tanmateix, elements de primer ordre en la teoria sartriana, car el temps reduït de la història, per tal que el narrador no haja d'intervenir resumint ni fent ús d'excessives el·lipsis, i la narració en present, com realitzant-se cada moment davant el lector, i no ja acabada i ordenada pel narrador, tal com esdevé en la narració habitual en passat, són imprescindibles per a possibilitar la implicació creativa del lector.

El fruit perseguit d'aquesta col·laboració autor-lector és precisament el tercer punt que proposàvem: la catarsi. O com ell mateix ho explicava en una entrevista de 1954: «El fin deseable es la *catarsis,* o purificación de autor y lector, conseguida a través de la obra literària, al crearla, primero, el escritor, y recrearla, más tarde, el lector.»[51]

46. *Op. cit.,* pàg. 39.

47. *Loc. cit.,* pàg. 108.

48. «Técnicas narrativas, tiempo histórico, novela colectiva»..., pàg. 8.

49. «Juan Goytisolo y la novela española actual», *La Torre,* 33, gener-març 1961, pàg. 137.

50. Cf. Núria Santamaria, *loc. cit.*, pàg. 107, on cita un interessant fragment de l'article «*Mirar de San Francisco*. Novela de F. Namora», *Revista,* 176, 25/31 de juliol de 1955, pàg. 6.

51. «Con José María Castellet. Presente y porvenir de la literatura»..., pàg. 32.

3. De Sartre a Lukács (1958-1965)

En aquest segon període, en què també s'integra definitivament en la cultura catalana i dedica la major part del seu treball a la literatura escrita en la llengua pròpia d'aquesta cultura, més que no el relat o tècnica novel·lística, que mantindrà, l'evolució de Castellet afecta els components de la història de la novel·la, que ara revelen l'assumpció, sobretot, de les teories lukacsianes. Castellet ha evolucionat ideològicament vers el marxisme. I aquesta evolució es tradueix en l'activitat de crític literari. El compromís ètic amb l'individu, el més representatiu de l'etapa anterior, és ara subtituït pel compromís marxista amb la societat. El títol d'un dels articles que adés hem recordat, de 1959, no pot ser més clarificador: «Técnicas narrativas, tiempo histórico, novela colectiva». En efecte, ara es tracta de definir i impulsar la novel·la col·lectiva. En poques paraules: l'*engagement* del novel·lista ja no s'ha de limitar a la cerca de la llibertat personal, de l'individu, amb la necessària implicació social, sinó que ara l'objectiu primer és l'alliberament de la col·lectivitat.

L'any 1952, en parlar del compromís de l'escriptor, afirmava que aquest està obligat a prendre partit davant la realitat per dur a terme la seua missió: «procurar para sí y para el lector de su obra la plena libertad personal, su total liberación espiritual.»[52] L'any 1957, en *La hora del lector,* deixava ben clar que el compromís de l'escriptor amb la seua societat i el seu temps no ha de comportar la minva de la plena llibertat personal. Per tant, ha de rebutjar sotmetre's a la «creació dirigida», car l'experiència del realisme socialista «ha estat artísticament de clar signe negatiu.»[53] Parle, no ho oblidem, d'evolució, no de pregon canvi ideològic. Sartre a *Qu'est-ce que la littérature?* ja havia constatat l'obligació dels escriptors de militar en els seus escrits «en faveur de la personne *et* de la révolution socialiste», que «s'impliquent l'une l'autre».[54] I, a un deixeble com Castellet, no podia haver-lo deixat indiferent. Ara accentua aquest compromís amb la «révolution socialiste» i, sobretot, és seduït per la necessitat de seguir una concepció de l'art i de la literatura marxistes.

L'any 1958, en l'opuscle *La evolución espiritual de Ernest Hemingway,* es pot detectar un canvi en la concepció del compromís de Castellet, projectat sobre l'itinerari del novel·lista nord-americà, que veu com un procés des de l'individualisme escèptic fins a l'assumpció de la realitat col·lectiva i la necessitat de lluita. El treball pot deixar entendre que Castellet mateix és qui està experimentant aquesta necessitat de major implicació social. L'any següent publica un article, ja citat en diverses ocasions, «Técnicas narrativas, tiempo histórico, novela colectiva», que no deixa lloc a dubtes sobre el canvi ideològic. Hi reivindica les novel·les col·lectives, «obras en las que el individuo ha cedido el papel de protagonista a la sociedad y en

52. «Notas sobre la situación actual del escritor en España»..., pàg. 17.
53. *Op. cit.*, pàg. 78.
54. *Op. cit.*, pàg. 332.

las que el autor ha pasado de [a?] ser un analista social y, más aún, en un lógico afán de totalidad, a intentar un cuadro, un retablo, una síntesis de la sociedad» i la base teòrica que les informa: el realisme històric, car es tracta d'oferir al lector una novel·la en què «unos personajes reales ocupen un lugar en una sociedad real y ésta aparezca dinamizada por el tiempo histórico, ese tiempo real en el que transcurre la vida de los hombres de carne y hueso.»[55] El viu compromís social de Castellet emergeix a la menor oportunitat, com, per exemple, en la ressenya a «El segundo Coloquio Internacional sobre Novela de Formentor», de 1960, quan en un moment de l'article deixava anar aquest comentari particular: «En el Coloquio de Formentor no se trató apenas este último punto [la responsabilitat de l'editor en la difusió ideològica], esencial, a nuestro entender, para valorar la verdadera responsabilidad social del editor.»[56]

El salt ideològic cap al marxisme va acompanyat, a més a més, dels canvis que ara estudiarem en el model novel·lístic, per la dedicació privilegiada a un altre gènere, la poesia, anteriorment relegada. Però el nostre objectiu és la novel·la i a aquesta retornem. Si bé els teòrics de capçalera ara són, sobretot, G. Lukács i B. Brecht, acompanyats per una llarga nòmina d'estudiosos marxistes, és el primer citat el que marcarà més decisivament la concepció de la novel·la de Castellet. Tanmateix, cal insistir a assenyalar que no fa *tabula rasa* del model defensat fins ara, influït essencialment per Sartre. La participació creativa del lector continua essent l'eix de la concepció novel·lística, tal com hem vist que descobria en Sartre i ara, en aquest article de 1959, torna a remarcar: el novel·lista ha d'oferir «a su lector la oportunidad de que sea él mismo quien opere la síntesis social para cuya realización el escritor ofrece simplemente los datos. ¿No sucede así en la obra de Dos Passos, por cuyo intento Sartre le califica como el "mayor escritor de nuestro tiempo"?»[57]

Per poder aconseguir aquesta col·laboració activa del lector, l'autor, d'acord amb la tècnica realista, que ja havia defensat en l'etapa anterior, s'ha de limitar a mostrar la realitat, «tal cual es, en su evolución dialéctica, con sus contradicciones» i afegia amb tota la intenció que «sin que sea preciso que a través de la anécdota intente *demostrar sus ideas sobre dicha realidad.*» I, d'igual manera que ho havia defensat també en el període anterior, deixava ben clar que, al capdavall, el més important era el contingut, la història, i no les tècniques narratives: «Lo que importa, pues, es la realidad. Las técnicas narrativas no son sino instrumentos en manos del escritor, los medios de que se vale para dar forma literaria a esa realidad humana tan directa.»[58] Tanmateix, ara agafa Lukács com a autoritat per a alertar sobre les temptacions del formalisme, però també del menyspreu de la importància de la tècnica narrativa, «buscando el "tertium datur"», com diu Castellet mateix. A la fi, però, cal

55. «Técnicas narrativas, tiempo histórico, novela colectiva»..., pàg. 6.
56. «El segundo Coloquio Internacional de Novela de Formentor», *Ínsula,* 163, juny 1960, pàg. 4.
57. «Técnicas narrativas, tiempo histórico, novela colectiva»..., pàg. 6.
58. *Ibid.*

dir-ho, les tècniques sempre queden supeditades a l'objectiu primer de la captació de la realitat: «la validez de las diversas técnicas narrativas viene dada, especialmente, por su adecuación a la realidad, es decir, por su capacidad de traducir literalmente, con la mayor eficacia posible, la realidad.»[59]

És l'hora del compromís social, el període en què qualla un nucli de narradors, al costat de poetes i autors teatrals, aglutinats per idèntic objectiu de denúncia de la realitat espanyola del franquisme. I també per un model literari que, com estem veient en Castellet, punt de referència teòrica indiscutible, difícilment podia ser definible més allà d'un ampli realisme, ja que les tècniques eren, a fi de comptes, subsidiàries i, a més a més, cadascú les entenia com podia. Són els integrants del realisme social, del sociorealisme, del socialrealisme, del realisme crític, del realisme socialista... o del realisme històric, com preferia anomenar-lo Castellet. Però ell no es cansava d'exposar el seu model, ja madur des del començament dels anys cinquanta, per lax que fos: realisme i un to general d'objectivitat. Ara, però, en posar més èmfasi en la importància principal de la reproducció de la realitat, no es deté en les tècniques narratives que acompanyaven l'esmentat objectivisme, el relat en primera persona i el monòleg interior. I fins i tot l'objectivisme, lluny de respondre al conductisme «abstracto» americà, conté, a causa de la temàtica escollida (la descripció testimonial, compromesa, de la realitat), «una carga ideológica que podrían muy bien presidir estas palabras de Brecht: "*El mundo de hoy sólo puede ser descrito a los hombres de hoy si es descrito como un mundo transformable*".»[60] Ideològicament diferent, doncs, del *behaviourisme* original. I, a pesar de la confusió, massa generalitzada fins i tot en els nostres dies, també advertia que sense «nada que ver con la "literatura del objeto" o "école du regard" francesa.»[61]

Ara, influenciat per Lukács, adreça els seus esforços a aprofundir els components de la història. Els conceptes clau són «totalitat» i «tipicitat». És cert, com ha fet observar Maria Helena Rufat,[62] que ja l'any 1952 Castellet havia utilitzat la categoria de «totalitat» en l'article «Notas sobre la situación actual del escritor en España», però és un cas aïllat durant el primer període. En canvi, ara esdevé, en companyia de la «tipicitat», un punt de referència central, com podem comprovar en aquesta crítica a Cela: «Su concepción ahistórica del realismo en literatura no le ha permitido ver algunas de la características que para nosotros son esenciales al mismo: *su aspiración a la totalidad a través de la tipicidad de los personajes y situaciones*.»[63] La «tipicitat» torna a ser un element clau, per exemple, en l'anàlisi positiva de *Las afueras,* de Luis Goytisolo-Gay: «logra esa difícil condición que consagra a los buenos novelistas: hacer típicos, tipificar sus personajes, de tal modo, que éstos tengan una

59. *Idem,* pàg. 7.
60. «La joven novela española»..., pàg. 51. A més a més, Castellet apunta un mèrit afegit a l'objectivisme: «evadir, en parte, la dura presión de la censura» (pàg. 50).
61. *Idem*, pàg. 50.
62. Cf. *loc. cit.*, pàg. 97.
63. «Iniciación a la obra narrativa de Camilo José Cela»..., pàg. 143.

dimensión universal, que es la mejor garantía de su realismo, ya que resulta imposible hacer típicos a esos héroes subjetivos, a esos protagonistas individualizados o anarquizantes.»[64]

Castellet viu un moment d'esperançada il·lusió en la capacitat renovadora de la novel·la, gràcies a les obres dels joves autors adscrits al moviment que ell prefereix anomenar realisme històric:

> «creemos que por el recuerdo del pasado –en este caso, la memoria de la guerra civil–, por su disconformidad con el presente y por la esperanza puesta en un futuro constructivo, es decir, por su sentido profundo, vivido y sufrido de la dinámica de la Història, el *realismo* de la joven novela española puede calificarse de *histórico. Realismo histórico* que abre las ventanas de la novela española sobre un mañana presidido por la fe en una realidad democrática, de la que las obras de hoy no son sino manifestaciones de una esperanza.»[65]

Però aquest mateix any, uns mesos després, amb motiu de l'assistència al seminari internacional «Realismo y realidad en la literatura contemporánea», organitzat per José Luis Aranguren a Madrid, Castellet tingué l'oportunitat de conversar llargament amb l'escriptora nord-americana Mary McCarty, que li va fer trontollar les fermes creences dipositades en el realisme històric.[66] L'any 1965 publicava el llibre *Poesia, realisme, història*, que n'era el cant del cigne. Aquest any Castellet deia adéu al realisme històric i només tres més tard publicava a França l'article «La littérature espagnole et le temps de la destruction», un despietat arranjament de comptes amb el moviment que ell mateix havia contribuït a formar:

> «J'écris ces évidences car bien des écrivains espagnols ont fait passer leur volonté et leurs désirs avant la connaissance de la réalité –et le pire est qu'ils l'ont fait en se qualifiant d'écrivains "réalistes" c'est-à-dire en s'abritant, pour leur oeuvre littéraire, derrière ce qu'on appelle "l'esthétique du réalisme", Revenons à Brecht, une fois encore: "...il faut interroger la réalité et non l'esthétique– même pas celle du réalisme.»[67]

A partir d'aleshores Castellet deixarà d'exercir una crítica programàtica. I en l'activitat com a estudiós i crític acabarà declarant-se convençut de la bondat de l'eclecticisme metodològic: «Aquest eclecticisme... provenia del meu convenciment que cap mètode crític no és capaç, per ell mateix, d'adequar-se en profunditat a l'anàlisi de totes les obres literàries.»[68] Ja no intentarà orientar els escriptors vers un model a imposar sinó entendre i explicar cada obra des de la seua proposta interna.

64. «Técnicas narrativas, tiempo histórico, novela colectiva»..., pàg. 8.
65. «Veinte años de novela española (1942-1962)»..., pàg. 295.
66. Cf. Josep M. Castellet, *Els escenaris de la memòria,* Barcelona: Edicions 62, pàg. 225-247.
67. «La littérature espagnole et le temps de la destruction». *Les Lettres Nouvelles,* març-abril 1968, pàg. 130-131.
68. Maria-Antònia Oliver (entrevistadora), «Josep M. Castellet, lector ingenu», *Serra d'Or*, 229, octubre 1978, pàg. 35.

JACINT VERDAGUER I EL MARESME

Llorenç Soldevila

Argentona

Verdaguer i Caldes d'Estrac

Molt probablement, les primeres estades de Verdaguer al Maresme varen ser motivades per les visites que féu al seu cosí Joaquim Salarich i Verdaguer (1816-1884), establert a Caldetes d'ençà l'octubre de 1880 a causa d'un greu tropell de salut.[1] Patia d'asma i hi exercí de metge i orientador sobre el beneficis dels banys termals.[2] En una carta datada el 1881,[3] el poeta li anuncia que ha pernoctat a Caldetes i que, pensant tornar-hi de retorn de Portbou, cosa que no farà, ha deixat de pagar la factura de la Fonda Borràs.[4] El to amb què en parla fa suposar que la fonda i el poble eren llocs coneguts de temps: «la ultima vegada que he estat á Caldetas...». A més, li demana que li pagui la factura i que l'excusi «ab lo S. Borras, á qui no tornaré á veure de temps, al contrari de lo que esperava.»

Per què, si el cosí Salarich ja vivia a Caldetes, Verdaguer optà per anar a posar a la fonda? Segurament, per no alterar el repòs del malalt que, a més a més,

1. *La Veu de Montserrat*, del 23 d'octubre de 1880, deia que després de rebre el viàtic, s'havia traslladat a Caldetes, «ab la confiansa de que, ab la benignitat del clima de la costa, trobará remey á sas dolencias, que exos dias havian recrudit d'una manera alarmant.», *Epistolari de Jacint Verdaguer, volum III (1880-1882)*, Barcelona: Barcino, 1971, carta 241, de la primera desena de desembre de 1880, pàg. 83, nota 5.

2. Josep Maria de NADAL a *Un «tros» de Barcelona. Caldetas 1800*, Barcelona: Dalmau y Jover Librería, 1951, pàg. 219, fa referència a la dedicació termal de Salarich, que publicà dos capítols dedicats al tema a *Apuntes para la historia de Caldas de Estrach (vulgo) Caldetas*, Barcelona: Impremta de la Renaixensa, 1882, pàg. 85-93.

3. *Epistolari de Jacint Verdaguer, volum III (1880-1882)*, carta 265, del 10 de juliol de 1881, pàg. 128.

4. La Fonda Borràs, propietat de Francisco Riera, conegut com el vell Borràs (cf. Nadal, 1951, pàg. 78-79), situada a l'edifici amb el número 1 del carrer de Sant Pere, que encara ocupa l'espai entre la Riera i el carrer de Sant Josep, a la banda de muntanya. En aquest darrer carrer, l'edifici que porta el número 12 també formava part de la fonda. Per a més informació sobre disponibilitats, tractes, serveis i preus, cf. nota-anunci explicativa a Salarich (1882), pàgines d'anuncis.

residia en la casa que el mataroní Ramon Spa i Torrent, gendre de Salarich, posseïa a la vila costanera.[5]

La hipòtesi que Verdaguer visités Caldetes acompanyant els marquesos de Comillas abans de 1880 l'hem de descartar per diverses raons. Primera, perquè no hem trobat cap referència a possibles estades en l'epistolari d'aquells anys. Segona, perquè ens consta que els marquesos, a banda d'estades sovintejades a les possessions de Santander i Pedralbes, l'estiu de 1878 prenen banys a Vichy, el 1879 i el 1880, ho fan a la Presta i, en aquests dos darrers, Verdaguer els hi acompanya. I, tercera i decisiva, que la torre de les Orenetes, nom amb el qual es coneixia la casa d'estiu dels marquesos de Comillas a Caldes, obra de l'arquitecte Josep Oriol Mestres i Esplugues, pare d'Apel·les Mestres, no va ser acabada fins a l'any 1883.[6] La torre era a tocar de la mansió dels Nadal.[7] Com veurem més endavant, la primera carta datada a la torre per Verdaguer és de gener de 1883.

Tant Jaume Collell com Verdaguer freqüentaven altres cases senyorials de la vila com la dels Nadal i, també, la dels Cabanyes. Segons tradició oral d'aquesta família i la gràfica d'una foto de Verdaguer jove llegint un llibre, podem afirmar que la instantània va ser feta en els jardins de la part de darrere de la mansió Cabanyes.[8] Entre altres atractius, a banda, és clar, de la magnitud de la construcció, hi havia una cascada contínua d'aigua que s'iniciava a la part més alta de la finca, passava per sota la casa i acabava a la part davantera, que dóna a la riera de Caldetes. Els descen-

5. Dada facilitada per Miquel Salarich i Torrent a CASACUBERTA I TORRENTS I FÀBREGAS, *Epistolari de Jacint Verdaguer, volum III (1880-1882)*, carta 243, nota10. Ramon Spa havia nascut a Vic, on degué conèixer Joaquima Salarich i Jiménez. Es casaren el 1872, segons consta en l'arbre genealògic que es conserva a la farmàcia Spa, de la plaça de Santa Maria de Mataró, i tingueren sis fills: Ramon, Joaquima, Montserrat, Josep, Angelina i Dolors. Spa primer fou, uns anys, farmacèutic a Caldes; botiga i habitatge ocupaven el solar situat en el camí Ral, 18, amb una sortida per la Riera. Encara avui hi ha una escala amb baranes que recorda la comunicació. Segons m'ha explicat el regent actual de la farmàcia de Mataró, Ramon Spa s'hi establí a mitjan dècada dels seixanta. Els lligams amb Caldetes van ser sempre molt intensos, de tal manera que Joaquima Salarich hi és enterrada. De tot plegat, se'n desprèn la inexactitud d'Esteve ALBERT, *Isabel Güell i Lopez de Sentmenat. Marquesa de Castelldosrius*, Andorra la Vella: Edicions Pyrene, 1990, pàg. 89, que en peu de foto deia que Joaquima Salarich era neboda de Verdaguer quan, de fet, era filla d'un cosí germà.

6. Podem trobar documentació gràfica de la torre a *Fotografies antigues de Caldes 1870-1962*, Caldes d'Estrac: Arrels Cultura, abril 1995, pàg. 101-102.

7. La torre ocupava el solar on avui hi ha un bloc de pisos construïts a primeries dels anys setanta, comprès entre el camí Ral, final del carrer de Sant Pere i el carrer de Santa Teresa que va a parar a la via del tren. La separava de la dels Nadals un torrent, actual carrer de Santa Teresa, que feia de límits amb el terme d'Arenys de Mar (cf. Joaquim M. de NADAL, *Memòries. Vuitanta anys de sinceritats i de silencis*, Barcelona: Aedos, 1965, pàg. 42).

8. És la reproduïda a *Obres Completes*, Barcelona: Selecta, 1974, entre les pàgines 744 i 745. També es troba amb molta més qualitat a *Fotografies antigues de Caldes 1870 (2n volum)1962*, Caldes d'Estrac: Arrels Cultura, juliol 1996, pàg. 93 i a Esteve ALBERT, *La vella Andorra vista per mossèn Cinto. 1883*, Andorra la Vella: Promocions literàries, 1983, pàg. 21.

dents de la família Cabanyes expliquen que, entre altres personatges il·lustres, Verdaguer freqüentà més d'una vegada la casa.

El 10 de gener de 1883, Verdaguer data a Caldetes el poema «Vora la mar». Què hi feia en ple hivern? Hi acompanyava el jove Claudi López, hereu de D. Antoni i hi devien ser de primers d'any, possiblement per a supervisar l'acabament d'obres de la torre. La nit del 16 al 17 de gener s'assabentaren de la mort del marquès.[9] L'enterrament s'efectuà el dia 19 i en carta adreçada a Teodor Llorente datada el dia 24, hi diu: «Temps ha que ni per somiar tinch temps. Ara en tindré més puig m'en vaig á acompanyar la familia Lopez á Caldetas.»[10] El 5 de febrer[11] ja data a Caldetes una carta adreçada a Melcior de Palau i és segur que hi van restar fins al dia 27 perquè, el 28 se celebraren els funerals pel marquès a Barcelona. El 3 de març[12] escriu una carta a Collell de Barcelona estant. Li comunica que s'hi ha deixat una carta seva i, que el 4 o 5, hi tornarà a anar. Aquesta visita havia de ser brevíssima perquè el dia 5 s'embarcà amb la família López en el iot *Vanadis* per fer el viatge a les costes del nord d'Àfrica i, després, a Mallorca. Aquest viatge marítim es va fer per tal que Don Claudi es recuperés de la depressió que, segons Verdaguer, li agafà després de la mort del pare.[13]

Els estius de 1882, 1883, 1884 i 1885, Verdaguer els té molt ocupats fent excursions pel Pirineu. La primavera de 1886, fa el viatge a Terra Santa, del qual torna el 3 de juny i els mesos d'agost i setembre el trobem a Pruït, al mas del Bac de Collsacabra. La primera notícia que ens dóna l'epistolari d'una nova estada a Caldetes és una carta indatada, però que suposem de finals de juny o inicis de juliol de 1888. El dia 12, Collell i Verdaguer marxaven cap a Comillas. Verdaguer li anuncia que es troba amb la família López a Caldetes, d'on feia viatges a Barcelona per atendre feines puntuals derivades dels seus càrrecs a cals marquesos.[14] Amb posteritat a aquesta, només ens consta una altra estada segura a Caldetes pels volts de juny de 1891.[15]

9. Verdaguer conta a *En defensa pròpia*, dins *Obres completes* (1974), pàg. 1206, com anaren els fets: «Allí una matinada, després de la Santa Missa, vegerem arribar, en un tren exprés, a D. Manel Arnús, portador de la per nosaltres esglayadora noticia de que aquella nit havia mort D. Antoni... soptadament. Si hagués caygut un llamp als nostres peus no'ns hauría aterrat més.» Manel Arnús, banquer, era cunyat de Claudi López.

10. *Epistolari de Jacint Verdaguer, volum IV (1883-1885)*, Barcelona: Barcino, 1974, carta 330, del 24 de gener de 1883, pàg. 18.

11. En el manuscrit la data que consta és la 5 de gener, però es devia equivocar i ha de ser posterior, perquè hi fa referència a la mort del marquès.

12. *Epistolari de Jacint Verdaguer, volum IV (1883-1885)*, carta 337, pàg. 31.

13. *En defensa pròpia* dins *Obres completes* (1974), pàg. 1206: «La salut de D. Claudi doná una forta baxada, arribant a fer temer, a les persones que l'estimavem, que la mort del pare podía ser ocasió remota ò próxima de la mort del fill. Per reposar una temporada de sos treballs i de la feixuga cárrega que pesava sobre ell, llogá un yacht anglés anomenat Vanadis...».

14. *Epistolari de Jacint Verdaguer, volum VI (1887-1888)*, Barcelona: Barcino, 1981, carta 707, pàg. 181.

15. *Epistolari de Jacint Verdaguer, volum VII (1889-1891)*, Barcelona: Barcino, 1983, carta 859, pàg. 205.

Verdaguer i Argentona

El 1889, probablement va fer una estada de tres setmanes a Argentona, acompanyant la marquesa vídua Lluïsa Bru i Llassús.[16] Diem probablement perquè no ens consta en cap document, tret de la possibilitat que la prosa «Lo Corpus en Argentona» fos escrita el 1889. Sobre la idoneïtat de la data d'aquest text, ja en vaig parlar en un altre escrit,[17]demostrant que la data incompleta que consta manuscrita al final amb el número de les unitats sense posar no podia ser de cap altre estiu que un de la darreria de la dècada dels vuitanta. A Argentona, hi havia estat en altres ocasions ja que afirma: «Tres setmanes ha que hi só i no és pas aquesta la primera ni la segona vegada que el visito.» Tenint en compte el que diu sobre les excursions per la comarca Joaquim Maria de Nadal, és molt probable que hi hagués vingut de Caldes estant sol o acompanyant algun membre de la família López: «algunes visites a famílies amigues i, de tant en tant, alguna excursió a Mataró, a Argentona, a la Misericòrdia de Canet...»[18]

Tenim documentada una altra estada a Argentona el 1892, gràcies a una carta datada en aquesta vila el 16 de juny, dia de Corpus, adreçada a l'amic Collell. Hi pren les aigües per necessitat i acompanyant alguns membres de la família López: «Pot ser per haverte dit mal de les aygues minerals, jo ara n tinch de pendre, vullas no vullas, assí á Argentona, ó a lo menos tinch d acompanyar á Maria Lluisa, que n pren juntament á sa germana Maria y ab la Marquesa».[19]

Casacuberta i Torrents, segurament sense haver vist el manuscrit on consta 188..., sense indicar les unitats, dedueixen erròniament que fou en l'estada de 1892 quan escriví la prosa sobre el Corpus d'Argentona.[20] I els estudiosos locals l'erren encara més perquè relacionen la data de publicació de l'article amb una hipotètica estada de Verdaguer a la vila, i així posaren 1899 en la làpida commemorativa que presideix l'entrada del carrer que porta el nom del poeta. Va fer estada a la vila en aquesta data? Segurament que no.

16. Nadal 1951, pàg. 15, ens ha deixat una descripció detallada del físic de la marquesa: «Cuando ciero los ojos, veo aún a la marquesa viuda de Comillas, "Doña Luisita", según la llamaban sus íntimos, –bajita, regordeta, con el cabello cano peinado liso a los lados de una crencha que le nacía en mitad de la frente– paseando por la vereda de la vía del ferrocarril que, a pesar de todas las prohibiciones, era el paseo aristocrático de Caldetas cuando el de los Ingleses no había nacido aún, acompañada por alguna persona amiga (cuando no por una negra de color de ébano que le era muy fiel) y seguida a distancia por una pareja de mozos de escuadra.»

17. «Les estades de Verdaguer a la vila d'Argentona», dins *Lo Corpus en Argentona*, Argentona: Ajuntament d'Argentona / L'Aixernador Edicions, 1995, pàg. 8-11.

18. Nadal, *supra*, pàg. 42.

19. *Epistolari de Jacint Verdaguer, volum VIII (1892-1894)*, Barcelona: Barcino, 1984, carta 904, pàg. 33.

20. Cf. nota 4 a *Epistolari de Jacint Verdaguer, volum VIII (1892-1894)*, carta 904, pàg. 34.

Ara bé, per què els redactors de *La Creu del Montseny*, quan van decidir publicar la prosa sobre Argentona el 4 de juny de 1899, no van fer constar la data manuscrita inacabada? Potser perquè no van tenir accés al manuscrit. El que sí és cert és que el manuscrit il·lustra unes intervencions posteriors de Verdaguer amb correccions amb tinta i amb llapis. Quan volgué datar-lo va afegir-hi al final, amb un traç de lletra sensiblement diferent a la resta del text l'incomplet 188... Si aquesta datació la féu el 1892 sembla gairebé impossible que s'equivoqués. Si, en canvi, la realitzà el 1899, poc abans de la publicació podia ser més fàcil que li fallés la memòria i, doncs, confongués 1889 amb 1899.

En les diverses estades a Argentona, on s'hostatjà Verdaguer? Les d'abans de 1892, sol o acompanyant la marquesa de Comillas, segur que tingueren com a marc els Establiments Prats, l'únic lloc que, almenys fins al 1889, oferia prendre les aigües i un allotjament confortable.[21] Una altra possibilitat, sobretot a partir d'aquest any, és que s'hostatgessin a la fonda que Josep Solé i Maynou tenia al carrer Gran i a l'Hotel Solé, en funcionament com a mínim a partir de 1889.[22]

També, Casacuberta i Torrent parlen que Verdaguer passà una setmana a Vilassar de Mar, relacionant-la amb una estada més llarga a Argentona i fent una lectura errònia d'un article publicat el 1953.[23]

A Argentona, segurament hi tornà només una altra vegada i aquesta fou l'última ocasió en què dormí fora de Barcelona abans de caure malalt. Hi arribà el dia 3 de gener de 1902 per oficiar l'endemà el casament de Josefa Gallemí i Rigola, cabalera de can Guardià, casa situada al carrer Gran, avui amb el número 45,[24] amb l'advocat, llibreter i publicista barceloní Lluís Viola i Vergés, copropietari de la revista *L'Atlàntida*.[25] Per tradició familiar dels Gallemí, sabem que sopà i dormí aquella nit a cal Guardià i els regalà un volum de poesia. L'endemà, el casament s'oficià a l'església de Sant Julià i el dinar de noces se celebrà a l'Hotel Solé. Se sol·licità que

21. Els Establiments Prats, propietat de Josep Prats i Tarrech, van ser construïts a partir de 1860 a la banda de sobre del que després va ser el famós manantial de Burriac. Per a més informació, cf. SOLDEVILA 1995, pàg. 9.

22. Situada al costat de la font de Sant Domènec, en el solar que avui ocupa una plaça tocant a la paret de les Mentides o el cap de Creus, noms populars amb què és conegut indistintament l'indret. Era propietat de Josep Solé i l'únic punt de parada entre Mataró i Granollers per l'antiga carretera de Parpers. Solé, pels volts de 1890, construí algun tipus d'instal·lació balneària al veïnat de Lladó perquè els clients de la fonda poguessin prendre les aigües del manantial d'Antoni Ballot de Gallifa. El 1891, essent alcalde Solé, s'iniciaren les obres d'obertura del nou passeig del Baró de Viver.

23. Un anònim articulista que signava G deia: «Estas visitas de Mossèn Cinto a sus amigos de Vilasar menudearon precisamente cuando su permanencia de unas semanas en Argentona en la primavera de 1899». *Mataró*, suplement al número 517, abril de 1953.

24. A SOLDEVILA 1995, per error, hi consta el número 47.

25. Esteve Albert (1990) afirma que vingué per casar-los l'1 de gener, devia escriure-ho de memòria i s'equivocà perquè l'acta de casament data del dia 4 i avui es troba arxivada en el tom 6, pàgina 15, secció 2a del Registre Civil del Jutjat d'Argentona.

Verdaguer parlés: «L'home s'alçà i esperà que fessin atenció. Llavors els digué: –Us agraeixo molt les mostres d'afecte que em doneu, però és que jo de fer discursos no en sé. Ja ho sap tothom. És un do que Déu no m'ha donat. Moltes gràcies!»[26]

Verdaguer i Canet de Mar

Els contactes de Verdaguer amb Canet poden tenir diferents orígens. Una primera possibilitat podria ser alguna de les excursions que Nadal descriu que feien els estiuejants de Caldetes al santuari de la Misericòrdia. Sabem amb certesa que Verdaguer hi anà almenys una vegada gràcies al testimoni de Josep Rovira, de Canet de Mar. D'infant, el 1939, va portar a casa un llibre mig cremat de signatures del santuari entre les quals recorda que hi havia la de Verdaguer. La inscripció me l'ha recitada de memòria: «Sortint de vostra ermita / un do us demanaré / que em torneu la visita / l'instant que moriré», seguida de la signatura de Verdaguer.

Una segona possibilitat seria l'estada en la casa que Gil Bonemaisson, sogre de Narcís Verdaguer i Callís, cosí de Verdaguer, que adquirí al frare menor pare Joan el 1882.[27] El lloc conegut com el mas de la Roca del Ram avui encara és identificat popularment com a can Parejoan. El matrimoni Verdaguer-Bonemaisson hi residí habitualment a partir de 1896;[28] per tant, devia ser lògic que abans de l'enemistat entre els dos cosins, el 1893, Verdaguer hi fes cap més d'una vegada.

Una tercera i última possibilitat seria les connexions que Verdaguer tenia amb Lluís Domènech i Montaner. De fet, Domènech li dissenya la coberta de la primera edició de *L'Atlàntida*, pagada pel marquès de Comillas. Aquesta relació o la possible assistència a les trobades que feien al castell els redactors i col·laboradors del *Diccionario Enciclopédico Hispanoamericano*, entre els quals hi havia Jaume Collell, devien motivar alguna estada al castell i, doncs, la coneixença de Florentina Malatto,[29] muller de Ramon de Montaner, oncle de l'arquitecte.

26. Testimoni de Josep Maria Fontcuberta, que hi tenia convidats els seus pares. Cf. Albert 1990, pàg. 175. Tenim, a més, un report complet dels actes a *Diario de Mataró y la comarca*, 7 de gener de 1902. Hi assistiren uns setanta comensals, entre d'altres els escriptors Albert Llanas, Ferran Agulló i Anton Ferrer i Codina. Diu la crònica que Verdaguer, a banda de beneir la taula, quan s'acabà l'àpat «s'alsá mossen Cinto y tots els comensals, y ab lo *Benedicamus domino*, y lo *cant dels Segadors* acabà lo delicat i abundós ápat que doná una prova més de la delicadesa y bon gust en lo servir del Hotel Soler d'Argentona».

27. Aquest frare va ser exclaustrat de Canet. Primer visqué a Itàlia i, després, a Cuba, d'on tornà amb diners per poder comprar la propietat. Hi muntà una mena d'escola-alberg per a infants pobres on els ensenyava de lletra i algun ofici. Quan ell morí, la propietat fou venuda als Bonemaisson. En el bosc proper a la casa encara es conserva una capelleta dedicada a sant Gil.

28. Carles Sàiz i Xiqués, *Imatges retrospectives de Canet*, Canet de Mar: Edicions Els 2 pins, 1994, pàg. 78.

29. Corregim l'error de Sàiz i Xiqués (1994) que la designa amb el nom de Florentina Morató. El seu cognom era Malatto i tenia ascendència italiana.

Tenim constància que s'hi feien aquestes i altres trobades intel·lectuals, sobretot de la corda dels assidus a la redacció de *La Renaixença* o propers als sectors ideològics que anys després coincidiran en la Lliga. Així, per exemple, l'estrena de *Judit de Welp*, de Guimerà al Teatre Principal de Canet, el 20 d'octubre de 1883.[30] Si bé és cert que Verdaguer no freqüentava els sectors d'aquesta corda, sí que ho feia en les tertúlies que es realitzaven a l'Associació Catalana d'Excursionisme, on probablement conegué i tractà algun dels germans Domènech o afins. El castell que conegué Verdaguer fou la casa forta d'origen medieval que existia en la contrada, ja que la restauració[31] modernista no s'enllestí fins poc abans que el rei Alfons XIII hi fos convidat el 3 de novembre de 1908. Les estades que Verdaguer hi féu, totes d'alguns dies, degueren establir una relació de prou confiança sobretot amb la senyora Florentina, a qui el poeta dedicà dos breus poemes, els manuscrits dels quals es conserven en els arxius del castell. El primer, referit a la font del castell, cisellat a la pedra i datat el 1900, fa així: «Naix una font cristal·lina / de vostra capella al peu, / símbol de l'aigua divina / de què Vós sou dolça deu. // Oh, font dolça i regalada, / d'aquestes aigües del cel / doneu-me'n una tirada / que les del món són de fel.» L'altre, gravat a la tomba, fou escrit arran de la mort de la senyora Florentina,[32] escaiguda el 1900: «Serví a Santa Florentina / aquesta Verge divina / volgué-la, en premi a son zel, / en cel i terra a prop d'ella; / en la terra en sa Capella, / i al seu costat en el Cel.»[33] Prova també d'aquesta confiança és el fet que el 1899, Verdaguer va batejar en Ramon de Capmany i Montaner, nét de la senyora Florentina Malatto, a la capella del castell, segons testimoni del mateix Capmany i de mossèn Raimon Fors i Vidal, que hi va fer d'escolanet.[34]

Quan al desembre de 1900, després d'una curta malaltia, mor Florentina Malatto de Montaner, a 66 anys, les despulles són traslladades a Canet, on s'organit-

30. Dies després van celebrar l'estrena amb una tradicional fontada a l'horta de can Roca Pagès, entre els termes de Sant Pol i Canet. En l'obra, hi actuaren intel·lectuals destacats com Josep Yxart, Eduard Toda, Joaquim Riera i Bertran i Artur Masriera. Entre els assistents a l'estrena i a la fontada esmentem: Frederic Soler, Pere Aldavert, Lluís, Enric i Eduard Domènech i Montaner, Melcior de Palau, Joan Sardà, Narcís Oller, Francesc Matheu i Ramon Picó i Campamar. Hi ha una fotografia de la celebració a Sàiz i Xiqués 1994, pàg. 33.

31. Nadal, *op. cit.*, pàg. 150, testimonia com Verdaguer degué veure també el castell: «La visita a aquel piadoso templo [santuari de la Misericordia] se completaba casi siempre con la del castillo de Santa Florentina situado en sus cercanías. No había sido restaurado todavía y sus grandes muros pavorosos y ennegrecidos por el tiempo, ofreciendo apenas, a largos trechos, la sonrisa de una ventana.»

32. El marquesat de Canet no fou concedit a de Montaner fins al 1909.

33. Tots dos poemes reproduïts a Sàiz i Xiqués 1994, pàg. 72 i 73. Del de la font, n'hi ha una altra versió a *Llibre sobre l'exposició de la història religiosa de Canet de Mar*, Canet de Mar, 1980, pàg. 12: «Naix una font cristallina, / de vostra capella al peu... / Oh, font dolça y regalada, / de vostres aygues del Cel / donaumen una tirada, / que la del mon es de fel».

Nadal 1951, pàg. 151, en canvi, transcriu així el segon: «Serví a Santa Florentina, / i aquesta Verge divina / volgue-li, en premi a son zel, / tenir-la sempre prop d'ella: / en la terra, en sa capella, / i al seu costat en lo cel.»

34. Referència de mossèn Fors, tradició familiar de Josep Rovira i entrevista a Capmany en una revista de Canet de Mar (Sisquella).

za un espectacular enterrament: «Lo cadáver arriba ab tren exprés a les dúes de la tarda, y s'organisa la comitiva del sepeli, anant al davant gran número de noyes ab ciri, segueixen més de cent dones ab atxa, el clero parroquial, el féretre carregat de corones y'l dol, que es nombrossíssim, essent presidit pel fill de la difunta en Joaquim de Montaner, el gendre Ricart de Capmany y'ls préberes Dr. Francisco de Pol, canonge de la Seu de Barcelona, el celebrat poeta Mossén Jacinto Verdaguer y'l Dr. Ferran Roig, aquest de Canet.»[35]

La sepultura fou provisional fins que el 1906 s'inaugurà la cripta projectada per Lluís Domènech i Montaner, presidida per una estàtua jacent de Florentina Malatto, obra de Bequini, que seguí l'esbós original de l'olotí Miquel Blay.

Verdaguer i Vilassar de Mar

Tenim dues estades documentades a Vilassar. La primera, probablement lligada amb una anada a Argentona, la de 1889 o de 1892 i no la de 1899 com afirmava el cronista del suplement de *Mataró*, de 1953. La segona, del 1901, va ser deguda a la visita a la família Arumí, que estiuejava a Vilassar en una casa avui desapareguda del carrer del Rosari que feia xamfrà amb la Riera. El 2 de febrer d'aquell mateix any, havia batejat la nena Rosa Arumí a l'església de Betlem, de Barcelona. Li dedicà una dècima que feia així: «Rosa en poncella, / rosa o rosella, / floreix per Déu.»[36]

La relacions amb la família Arumí venien de temps enrere. Possiblement, el 1889, els Arumí convidaren Verdaguer a sortir en barca: «La família Arumí organizó un día para Mossén Cinto una salida al mar a pescar en barca. Como esto aconteció, precisamente, durante el período de su permanencia en Argentona, en primavera, no es difícil establecer que se dedicarían a la caza del calamar, que es la más senzilla y apta para los que no están iniciados [...]. Carecemos de noticias sobre si la pesca fue buena o nula aunque en aquellas épocas se cobraba por la abundancia que había. En cambio sabemos que el patrón de la barca fue don Miguel Espinet, antiguo capitán de la marina mercante y que la barca era propiedad del viejo Nadal...»[37]

De la segona estada documentada, el 1901, en conservem una foto[38] amb dos dels fills de Joaquim Arumí, feta al jardí de la casa d'estiueig o bé al santuari de la

35. *Dietari* del Dr. Marià Serra. Inèdit. Fons local de la Biblioteca Popular de Canet.

36. Publicats conjuntament amb la fotografia per Antoni Boada, «Verdaguer y los niños», *Revista Jorba*, núm. 51, 1959.

37. Crònica signada per G. *Mataró*, suplement al número 517, abril de 1953, pàg. 14.

38. Esteve Albert 1983, pàg. 23. Al peu de la foto diu «cap als anys 1898-1900», quan de fet correspon a 1901.

Cisa i la redacció de *Los guitarrers de la Cisa*. Hi anaren el diumenge 4 d'agost i l'escriví l'endemà de l'excursió, és a dir, el 5, i fou publicada a *Lo Pensament Català* el diumenge sobre, l'11 d'agost. La memòria d'aquesta estada l'he trobada ben viva a Vilassar de Mar, perquè n'he pogut parlar amb una senyora de més de noranta anys, la filla del tartaner que va pujar Verdaguer al santuari de la Cisa.[39]

Una nota anònima apareguda a *La Costa de Llevant* resava així: «Visita. –Diumenge passat tinguérem l'honor de veurer en aquest poble a l'eminentíssim poeta mossèn Jascinto Verdaguer, glòria de nostra terra i considerat per propis i estranys com una de les figures més sobressortints de la nostra literatura regional. S'hostatjà a casa del nostre distingit amic Dr. Joaquim Arumí, amb el que l'uneix gran amistat.» Més endavant seguia referint-se a l'excursió a la Cisa: «puix mai més oblidarem aquella anada a tan pintoresca ermita, amb la simpàtica i honorable companyia de nostre tan gran com modest poeta.»[40]

Arran de la mort de Verdaguer, un articulista que signava amb les inicials J. F. i V. ens detallava encara altres emocions d'aquella diada: «No és possible que fugi de la nostra pensa aquella sentida escena en que ens trobàvem, al mig del bosc, en una racó apacible, en què els amics que acompanyàvem al gran poeta, de peu dret i descoberts entonàvem les melangioses notes de l'*Emigrant*, hermosa i sentida cançó inspirada en la mateixa lletra que anys enrera escrigué el gran Verdaguer; encara em sembla veure'l al gran poeta escoltant les nostres pobres veus, humitejant-li els ulls de greu emoció al sentir les tendreses d'aquella hermosa i trista poesia que tans sublims pensaments enclou, cantada en plena naturalesa, al mig de la muntanya i amb la vista de l'ample i tranquil mar per davant...» [41]

Verdaguer i Sant Andreu de Llavaneres

Verdaguer es desplaçà a aquesta vila del Maresme el 29 de juny de 1899, arran de participar en una festa per celebrar l'elevació al cardenalat del llavanerenc Josep de Calassanç Vives i Tutó.[42] Posteriorment a la celebració, el 15 de juliol, el poeta escriví «Al cardenal Vives», poema datat el dia de Sant Bonaventura de

39. Llorenç SOLDEVILA, «Les estades de Jacint Verdaguer a Vilassar de Mar», *Zerovuittresquaranta*, núm. 63, desembre de 1995, pàg. 15-18.

40. *La Costa de Llevant*, núm. 2, 11 d'agost de 1901, pàg. 6.

41. *La Costa de Llevant*, núm. 25, 22 de juny de 1902, pàg. 4-5.

42. *La Costa de Llevant*, núm. 27, 2 de juliol de 1899, pàg. 4. Per a més informació, veg. M. Roser TRILLA, «Mn. Cinto Verdaguer a Llavaneres», *Pal de paller*, núm. 108, juliol-agost de 1995, pàg. 6-7. És sorprenent que, tot i confirmar-nos el mateix poeta la seva estada a Llavaneres (veg. *Epistolari de Jacint Verdaguer* XI, Barcelona: Edicions Barcino, 1993, carta núm. 1386, pàg. 17, nota 2) la nota periodística de *La Costa de Llevant* no l'esmenti.

1899.[43] No es pot descartar del tot, però, que anant-ne o venint-ne fes una parada a Mataró o a Vilassar per a visitar els amics i coneguts que hi tenia.

Verdaguer i les coneixences maresmenques

La relació amb Terenci Thos i Codina (Mataró, 1841-1903) va ser molt primerenca. És de suposar que hi va entrar en contacte gràcies als elements vigatans de la seva generació que intervenien en l'organització dels Jocs Florals. Verdaguer hi havia guanyat tres premis en la convocatòria de 1865. Molt probablement la persona que els posà en contacte va ser Marià Aguiló, amb qui Verdaguer es cartejava, almenys des de 1865, i a qui enviava rondalles d'Osona i les Guilleries,[44] o bé per mitjà del mateix Milà i Fontanals, que amb data de 1865 li corregia originals.[45] L'abundor de cartes amb Aguiló ens fa decantar per la primera possibilitat. De tota manera, ens consta que Terenci Thos i el seu germà Silví foren dels primers escriptors renaixentistes que entraren en contacte amb el grup vigatà de l'Esbart de Vic. Ja el 1862, Silví col·laborava al periòdic *El Ausonense*, de Vic. De la relació amb Thos i Codina i Verdaguer, en conservem una carta[46] molt primerenca, on el darrer fa un elogi abrandat del *Llibre de la infantesa* (1866) i se'n declara fervent seguidor, alhora que es compromet algun dia de retornar a Thos amb un llibre de rondalles el bé preuat que li acaba de descobrir. El llibre *Rondalles* (1905) aparegué pòstumament amb «Lo boig de Mataró», un dels pocs escrits temàticament o cronològicament lligat amb el Maresme. És molt probable que també el visités a Mataró ja que Thos, tot i que tenia càrrecs importants i feina a Barcelona, sempre residí a la casa de la Riera, 53 on va néixer. És segur que la relació es va enfortir gràcies a la coneixença de Melcior de Palau perquè Thos es casà en primeres núpcies amb la cosina, Maria de Bofarull i de Palau. D'una relació més o menys assídua, en són prova les dedicatòries de dos llibres de Verdaguer provinents de la biblioteca de Thos.[47]

43. *Epistolari de Jacint Verdaguer* XI (1993), carta núm. 1386, pàg. 17, nota 2. El pare Rupert de Manresa sol·licità el poema a Verdaguer per carta, veg. *Epistolari de Jacint Verdaguer* X, Barcelona: Barcino, 1987, carta núm. 1382, pàg. 262-263. Si ens refiem de la resposta de Verdaguer datada l'11 de juliol, i que hi diu literalment: «Avuy he escrit...», hem de suposar que és errònia, perquè no coincideix amb la del poema, 15 de juliol, que consta en les *Obres completes* va ser escrit el 15 de juliol. Remarquem que, a més, Casacuberta i Torrent lliguen sense documentació aquesta estada a Llavaneres amb la suposada a Vilassar, i aquesta alhora lligada amb la més que improbable d'Argentona.

44. *Epistolari de Jacint Verdaguer I* (1957), carta 4, pàg. 18-19.

45. *Epistolari de Jacint Verdaguer I* (1959), carta 1, pàg. 11.

46. *Epistolari de Jacint Verdaguer I* (1959), carta 11, pàg. 39-40.

47. Es tracta de *La Atlántida* (1878), la dedicatòria de la qual fa: «Al inspirat autor de Rondallari Terenci Thos y Codina sos amichs Jacinto Verdaguer Pbre Melchor de Palau.» I la de *Pàtria* (1888): «A mon nou i distingit company en Gaya Ciencia Terenci Thos y Codina Jacinto Verdaguer Pbre.» Thos fou proclamat Mestre en Gai Saber pel Dr. Jaume Collell, president del Consistori, el 1886. Tots dos exemplars es conserven a la Biblioteca de la Caixa Laietana de Mataró (secció d'autors locals).

Amb el jesuïta Fidel Fita i Colomer (Arenys de Mar, 1835-Madrid, 1917) la coneixença possiblement s'establí a través del pare Josep Maria Mon, també jesuïta, predicador eloqüent, i del pare Joaquim Carles, que predicaren uns exercicis espirituals a Vic la tardor de 1877 als quals assistiren mossèn Collell i mossèn Verdaguer.[48] Ens consten tres cartes de Fita adreçades a Verdaguer, les dues primeres de 1878 i, la tercera, del 1881. En la primera, datada el 3 de desembre, hi tracta de la dedicatòria que Verdaguer volia inscriure en l'exemplar de *L'Atlàntida* que volia regalar al Sant Pare Lleó XIII.[49] A la segona, del 10 de desembre de 1878, li regracia la dedicatòria d'un exemplar que li tramet de *L'Atlàntida.*[50] I, finalment, en la tercera, datada el 4 d'agost de 1881, li fa un llarg elogi del *Discurs dels Jochs Florals* d'aquell any.[51]

La relació amb Melcior de Palau (Mataró, 1843-Madrid, 1910), traductor de *L'Atlàntida* al castellà, tal com ja he indicat, degué travar-se gràcies a Thos i Codina. Segurament que quan el mataroní passava alguna temporada al Maresme, perquè habitualment ho feia a Barcelona o Madrid, el degué anar a veure al casal de la Riera, 34, actual número 63, si s'esqueia que Verdaguer també hi era (a Caldetes, a Argentona...). Hem trobat una carta que així ho ratifica, tot i que també es podria referir al domicili de Palau a Barcelona. En la carta, datada a Vic el 3 d'octubre de 1877, exposava: «Dies passats vaix passar per casa seva per demanar de V. y de la traducció de mon poema, y tinguí la mala sort de no trovarli.»[52]

També sabem per tradició familiar oral de la relació amb el farmacèutic Spa, comunicada per Esteve Albert. Verdaguer freqüentà la farmàcia situada a la plaça de Santa Maria de Mataró, on visitava Joaquima Salarich i Jiménez, filla del seu cosí germà Joaquim Salarich i Verdaguer.

La coneixença de la senyora Anna Masdexexart[53] amb Verdaguer va provenir de ser l'esposa de Josep Balari Jovany.[54] L'amistat entre aquest polígraf i el poeta datava com a mínim dels volts de 1877 quan en una breu carta Verdaguer li notifica

48. *Epistolari de Jacint Verdaguer III* (1971), carta 271, nota 1, pàg. 142-143.

49. *Epistolari de Jacint Verdaguer II* (1967), carta 151, pàg. 100-101.

50. *Epistolari de Jacint Verdaguer II* (1967), carta 154, pàg. 105-106.

51. *Epistolari de Jacint Verdaguer III* (1971, carta 271, pàg. 139-142.

52. *Epistolari de Jacint Verdaguer II* (1967), carta 115, pàg. 39. La carta mecanografiada es conserva a l'arxiu de la família Palau de Mataró.

53. Segons testimoni de Joaquima Ximènes Masdexexart (juny de 2000), Anna Masdexexart es casà cinc vegades i només va tenir un fill que morí ofegat en el brollador del jardí. Era cosina de Joaquim Masdexexart i Castellà, cosí germà alhora de Josep Ximènes i Castellà, pare de la comunicant. Aquesta recorda haver anat a fer visita a la casa que Anna Masdexexart ocupava al carrer Nou, 38 (actual numeració), de Mataró. L'anomenaven Sra. Agneta. Segons documenta TORRENTS I FÀBREGAS, *Mossèn Cinto a la Gleva* (1965), pàg. 139, nota 17, el domicili familiar a Barcelona era a Gran Via, 362, 2n 2a. La mateixa comunicant ens documenta que la Sra. Masdexexart morí just acabada la guerra civil de 1936-39.

54. La notícia del casament prové d'*Epistolari Jacint Verdaguer, XI* (1993), carta 1448, nota 1, pàg. 126.

que li tramet *L'Atlàntida* perquè hi faci correccions. La petició, després, es repetí per a altres llibres com *Canigó*.[55] La relació amb la família Balari-Masdexexart degué ser prou sòlida com perquè Verdaguer els demanés el préstec per a comprar la capella de la Santa Creu de Vallcarca. I, especialment, amb la senyora Masdexexart, a qui dedicà un breu poema, «Santa Anna», inèdit fins al 1953: «Santa Anna del cel escollida, / seca branca que Déu reverdí / d'on naixia la mística rosa / per ésser Mare del verb Diví».[56]

Quan, a la tardor de 1892, Verdaguer comprà en subhasta la capella i els terrenys adjacents de Vallcarca, per la quantitat de 21.000 pessetes, va haver de trobar creditors. Un d'aquests fou Anna Masdexexart. En un pagaré amb data de 7 de desembre de 1892, subscrit pel poeta davant el notari Rafael Vilaclara Gibert de Barcelona, onze mil d'aquestes pessetes li són deixades per la mataronina, i es compromet a tornar-les abans d'un any.[57] No en va tenir prou i el 31 d'agost de 1893, quan només feia tres mesos que era a la Gleva, obtingué d'Anna Masdexexart un segon préstec, ara de mil cinc-centes pessetes, quantitat que fou afegida al pagaré que vencia el 7 de desembre.[58] Així, doncs, li devia un total de 12.500 pessetes. Les coses anaren de mal borràs i Verdaguer no va poder retornar els diners. Quinze dies abans del venciment, el poeta ja veia difícil de poder complir i en una carta amb data del 24 de novembre deia: «[...] Aquí visc i penso viure fins la mort. La Verge Maria no deixarà a qui ho ha deixat tot per a Ella. Ella donarà la paga a qui m'ha fet de Cirineu en la Santa Creu de Vallcarca...»[59]

55. Per a *L'Atlàntida*, *Epistolari de Jacint Verdaguer II* (1967), pàg. 23, carta 104, no datada però presumiblement del maig de 1877. Per a *Canigó*, *Epistolari de Jacint Verdaguer V* (1977), carta 492 datada a Barcelona el 20 de novembre de 1885, pàg. 62.

56. Suplement publicat arran de commemorar el cinquantenari de la mort de Verdaguer al número 517 del periòdic *Mataró*, d'abril de 1953, pàg. 5.

57. Esteve ALBERT, «Una família mataronesa ayuda económicamente al poeta», suplement al número 517 del periòdic *Mataró*, d'abril de 1953, pàg. 7. Esteve Albert hi parla i hi cita fragments d'unes cartes en poder de la família Masdexexart que fins al moment present no he pogut consultar. Així, doncs, les citacions provenen de la notícia que en dóna Albert. D'altra banda, entre el moment de fer efectiu el préstec i la carta de 1901, en trobem d'altres publicades a *Epistolari de Jacint Verdaguer IX*, que també, tal com s'indica en nota, consten en poder de la família Masdexexart, que es refereixen a l'assumpte: carta 1066 del 6 de novembre de 1894, pàg. 26; carta 1162 del novembre de 1895, pàg. 176 i carta 1191, del 28 de gener de 1896 (?), pàg. 207.

58. Esteve ALBERT, *ibid.* i Joan TORRENT I FÀBREGUES, *Mossèn Cinto a la Gleva* (1965), pàg. 139.

59. Citada per Esteve ALBERT al suplement al número 517 del periòdic *Mataró*, d'abril de 1953, pàg. 7. També hi reprodueix amb foto una carta manuscrita que no he trobat publicada enlloc més. Porta en la capçalera esquerra un dibuix de la figura de santa Teresa i els versos: «Vivo sin vivir en mi. / Vida que vida espera. / Que muero porque no muero.» El text de la carta diu: «Visca Jesús en nostres cors y Ell arregle nostre assumpta, com li demano cada dia, mes per vostès que per mi.

Dintre tres o quatre dies vexaré, si a Deu plau, à Barcelona y pendre'l pols à aqueix assumpto y li escriuré mes clar y millor. Ajudenme V. Y sa bona mare (que saludo afectuosament) a encomanarho à Deu y no tingan por: despres de la nit ve l sol y despres de la tempesta la serena y despres de la mort del Calvari ve la pasqua de Ressurrecció.

La Mare de Deu ho arreglara tot y (m sembla a mi) gens a no trigar.

Arribats al 1901, adreçava una breu carta a Masdexexart en aquests termes: «Lo plan que tenía y que vaig explicar à V. No s ha realisat tan promte com jo pensava. Mes espero que no trigaré à donarli millors noves. / Sant Joseph benesca mos bons desitjos, à V. Y a aquest s. s.»[60]

A propòsit de la mort de Verdaguer, els coneguts mataronins i maresmencs li dedicaren un sentit record en els diversos periòdics de l'època. Arran de l'òbit, el *Diario de Mataró y la comarca* amb data de l'11 de juny, li dedica un article necrològic que ocupa part de la portada i part de la segona pàgina. També se'n fa ressò el setmanari catalanista *La Costa de Llevant*, amb data de 16 de juny.[61] Una mateixa esquela aparegué a les pàgines de totes dues publicacions.[62] Pocs dies després, *La Costa de Llevant* ressenya detalladament l'assistència d'entitats i persones maresmenques en l'excursió organitzada per la Unió Catalanista a Folgueroles per tal d'homenatjar el poeta.[63]

Textos verdaguerians datats al Maresme

La producció verdagueriana lligada temàticament i/o cronològicament amb el Maresme és més aviat escassa, però no per això en algun cas deixa de ser especial-

Fins à ultims de setmana, donhcs. Mentrestant y sempre, Jesus, Joseph y Maria seran nostra companyia.

Jacinto Verdaguer Pre
9 juliol 94
La Gleva.»

El fet que en aquesta carta i en la núm. 1162 (volum IX de l'*Epistolari*) es refereixi a «sa bona mare» va fer pensar a Torrents i Fàbregues que les dues cartes podien anar dirigides a la filla d'Anna Masdexexart, percepció totalment errònia car no va tenir cap filla i el fill, un infant encara, morí ofegat en un brollador del jardí de la casa familiar a Mataró. En tots dos casos es devia referir a la mare de la Sra. Masdexexart.

60. *Epistolari de Jacint Verdaguer XI* (1993), carta núm. 1477, datada el 4 de febrer de 1901, pàg. 125-126.

61. En el suplement de la *Fulla catalanista*, que havia fundat i dirigit Thos i Codina, hi apareix un article necrològic signat per Mestre Jordi; la reproducció del poema «Al cardenal Vives» i un *Record de mossen Cinto Verdaguer*, de Salvador Llanas, director del *Diario de Mataró*.

62. *Diario de Mataró y de la comarca*, 21 de juny de 1902 i *La Costa de Llevant*, 22 de juny de 1902: «Per bé de l'ánima de Mossen Jascinto Verdaguer y Santaló, Pbre Q.A.C.S. será aplicada una missa ab oferta que'ls admiradors del gran místich poeta farán dir demá diumenge, a las deu, en l'altar major de l'Esglesia de Sancta Agna de Pares Escolapis, per lo que's prega á totas las personas de piadosos sentiments se servescan assistir á tan fervorós acte á fi de que sia meritoria la ofrena devant de Deu.»

63. La crònica era signada per Jaume Vinardell i Palau. De Mataró, hi havia representacions del Centre Catalanista, l'Agrupació Excursionista, la Lliga Regionalista y el *Diario de Mataró y de la comarca*. Del Maresme, l'Agrupació Catalanista de Vilassar de Mar, els Catalanistes de Cabrils, el Centre Catalanista i *La Rierada*, d'Arenys de Mar, l'Associació Catalanista de la *Costa de Llevant* i representants del setmanari del mateix nom.

ment significativa. Deixant a banda la rondalla «Lo boig de Mataró», que Verdaguer degué recollir per via de la relació que establí amb Terenci Thos i Codina o bé de viva veu en una de les seves estades al Maresme, hem de parlar de tres proses més, aparegudes en forma d'article.

L'article cronològicament més antic és «Lo Corpus en Argentona», publicat a *La Creu del Montseny*, del 4 de juny de 1899.[64] Segurament, va ser escrit en la primavera de 1889 o, amb moltes menys probabilitats, en la de 1891.

Després el segueix «Lo Gafarró», escrit a Caldes d'Estrac, a la torre de les Orenetes dels marquesos de Comillas, i publicat a *L'Atlàntida*, el 15 de setembre de 1896. L'escriví en dues tongades. La primera part, al juny de 1891, data que ens consta com una de les darreres en què hi va residir, segons deduïm del mateix text: «Escriguí aquestes ratlles a Caldetes, una de les últimes tardes que he passades en lo jardí de la torre –palau que nosaltres anomenàvem de les Orenetes...». La segona, redactada poc abans de la publicació, li serveix per fer una comparació entre el gafarró indefens i la situació personal per la qual passava en aquells moments.

Finalment, «Los guitarrers de la Cisa» (Vilassar de Dalt), publicat a *Lo Pensament Català* de l'11 d'agost de 1901.

Pel que fa a la poesia, deixant de banda les breus mostres dedicades a les senyores Florentina Malatto i Anna Masdexexart, hem de destacar l'únic poema que hi tenim datat, la qual cosa no vol dir que no n'hi escrigués d'altres, «Vora la mar», escrit a Caldetes el 10 de gener de 1883, quan hi feia una estada amb l'hereu dels Comillas.

Conclusions

1. Convé constatar que, deixant de banda per raons òbvies les comarques d'Osona, el Vallespir i Barcelona, la relació de Verdaguer amb les diferents comarques catalanes va ser especialment intensa i continuada amb la del Maresme.

2. Si bé pot ser que es desplacés a Mataró abans de 1880 per a conèixer personalment Terenci Thos i Codina, les relacions de Verdaguer amb la comarca abracen uns trenta anys i les tenim de moment documentades entre 1881, amb les visites que fa al seu cosí Joaquim Salarich a Caldes d'Estrac, i 1901, a Argentona, oficiant el casament de Josefa Gallemí amb Lluís Viola.

64. El manuscrit es conserva a l'Ajuntament d'Argentona. Sobre de com hi pervingué, cf. Soldevila 1995.

La producció literària verdagueriana lligada amb el Maresme és més aviat escassa. Ara bé, en alguns aspectes és prou significativa pel fet d'estar relacionada amb alguns dels trets i fets més remarcables de la seva vida i obra: «Vora la mar», la més reculada cronològicament, per la reflexió esteticovital i el valor germinal que s'hi planteja;[65] «Lo gafarró», pel paral·lelisme que s'estableix amb el desgavell de l'etapa final de la seva vida; la rondalla «Lo boig de Mataró», perquè incideix en una de les grans afeccions confessades de la seva prosa, la rondallística i, finalment, els articles més periodístics, «Lo Corpus en Argentona» i «Los guitarrers de la Cisa», una bona mostra del seu estil en prosa, lligats a dues experiències vitals en dos moments molt diferents de la seva vida, el primer de puixança i el segon de franca davallada.

A Mataró o de Mataró tractà dues personalitats que en diferents sentits obriran horitzons nous i prometedors a la seva obra. Thos, en el conreu de la prosa rondallística, i Palau, en donar-lo a conèixer a l'àmbit hispànic gràcies a la traducció de *L'Atlàntida*.

Tant en els casos de Caldes com de Canet, i més subsidiàriament Argentona, van ser famílies riques i influents les que possibilitaren les relacions de Verdaguer amb el Maresme, després del primer contacte familiar amb Joaquim Salarich, establert a Caldetes.

65. Veg. Ricard TORRENTS, «Vora la mar. Un microcosmos verdaguerià» dins *Verdaguer. Estudis i aproximacions*, Vic: Eumo, 1995, pàg. 143-162.

MENCÍA DE MENDOZA: LA CREACIÓ D'UNA IMATGE HUMANÍSTICA

Josep Solervicens

Universitat de Barcelona

La marquesa del Cenete Mencía de Mendoza (1508-1554), deixebla d'humanistes com Juan Maldonado, Joan Andreu Estrany o Joan Lluís Vives, que va conversar a París amb Guillaume Budé, va intentar fer-ho amb Erasme de Rotterdam i trià com a secretari l'humanista Martín Laso de Oropesa, tingué un paper rellevant en la vida intel·lectual valenciana del segon terç del segle XVI.[1] En aquesta ocasió, però, no pretenc centrar-me en la dama ni en la seva esplèndida biblioteca sinó en la imatge que un conjunt d'humanistes va difondre de Mencía de Mendoza durant el segle XVI. Joan Lluís Vives, Joan Àngel González, Joan Baptista Anyés, Miquel Jeroni Ledesma, Francesc Deci, Martín Laso de Oropesa, Girolamo Britonio, Juan Maldonado, Juan Ginés de Sepúlveda o Alfonso García Matamoros, els més cèlebres panegiristes de Mencía, compartien unes predileccions intel·lectuals inequívocament renaixentistes –filològicament humanístiques i socialment i eclesiàsticament reformistes– i difongueren la imatge d'una dama sàvia, intel·ligent i protectora de les lletres.

Analitzo, doncs, vint-i-cinc textos literaris de formes ben diverses –poemes, comèdies, diàlegs, discursos acadèmics, epístoles, facècies, tractats humanístics...– que durant el segle XVI divulgaren les virtuts intel·lectuals de Mencía de Mendoza i, a través d'aquests panegírics, en proposo reconstruir els cercles intel·lectuals que es movien al voltant de la marquesa. Crec que el material aplegat permet començar a valorar en quina mesura la presència de Mencía de Mendoza a València de manera permanent entre 1539 i 1554 va contribuir a la difusió i consolidació de l'humanisme; això no obstant, caldrà precisar-ne la valoració amb altres elements que objectivin la base real d'aquesta imatge, com ara: *a*) un estudi detingut de la seva rica i selecta biblioteca, fins fa ben poc desconeguda, entorn de la qual recentment he localitzat diversos llibres de comptes, justificants de despeses i inventaris de béns que permeten reconstruir-la amb una certa precisió[2] i *b*) un estudi dels models litera-

1. No existeix encara cap monografia sobre aquesta dama, si exceptuem les referències de March 1941-42, el discurs de Lasso de la Vega 1942, la trilogia de Steppe 1969, l'opuscle de Vosters 1987 i l'estudi de Solervicens 2000.

2. És una biblioteca selecta, sòlida i coherent, integrada per 932 volums, la majoria de literatura clàssica grecollatina o de literatura humanística, que delaten el mestratge efectiu de Joan Lluís Vives. Sobre els

ris dels escriptors valencians que directament o indirectament estaven relacionats amb aquest entorn, per tal d'esbrinar si les seves creacions literàries i especulacions intel·lectuals són fruit del clima que la marquesa afavorí. Les pàgines que segueixen són, per tant, l'esbós d'una part d'aquest projecte més ampli, en curs d'elaboració.

Joan Lluís Vives i el cercle humanístic de Breda: Laso de Oropesa, Zovitius, Díez de Frías

Mencía de Mendoza va contraure matrimoni amb Enric II de Nassau, comte de Nassau i senyor de Breda, el 1524 i va residir al Brabant de 1530 a 1531 i de 1535 fins pocs mesos després de la mort del comte, l'11 de setembre de 1538. Aquesta segona estada a Breda va ser fonamental per a la maduresa intel·lectual de Mencía que, ja formada a València amb Joan Andreu Estrany i a Guadalajara amb Juan Maldonado, va atreure a la ciutat Joan Lluís Vives perquè esdevingués el seu preceptor privat, va seleccionar l'humanista Martín Laso de Oropesa com a secretari i va establir contactes amb professors i estudiants de l'estudi d'humanitats de Breda.

És durant aquests anys que Vives va començar a construir la imatge humanística de la seva il·lustre deixebla. A l'humanista valencià, tot i haver-se format i residir al nord d'Europa, li agradava esmentar a les seves obres alguns dels seus més cultes compatricis, de manera que al comte d'Oliva Serafí de Centelles dedicà el *De tempore quo natus est Christus* i el *Clypei Christi descriptio* als *Opuscula varia* de 1519, al duc de Gandia Joan de Borja el *De officio mariti* de 1529, diversos membres de la noblesa valenciana esdevingueren personatges de ficció als seus diàlegs i d'altres hi són esmentats elogiosament. La seva deixebla Mencía és citada en tres ocasions: al primer llibre del *De institutione foeminae christianae* (1538), al llibre primer del *De anima et vita* (1538) i al microdiàleg vint-i-dos del *Linguae latinae exercitatio* (1539).

No apareix cap referència a Mencía en la primera redacció del *De institutione* impresa per Hooch a Anvers el 1524 i base de la versió castellana a cura de Justinianus,[3] la *Instrucción de la muger christiana* [...] *traduzido ahora nuevamente de latín en romance por Juan Justiniano criado del excelentíssimo señor duque de Calabria, derigido a la sereníssima reyna Hermana, mi señora*, impresa a València el 1528 i dedicada a Germana de Foix, i de la traducció anglesa, a cura de Richard Hyrde, publicada entre 1528 i 1530. La referència a Mencía s'incorpora a la segona

volums humanístics, i les relacions dels humanistes valencians amb la biblioteca de la marquesa, vegeu Solervicens 2000.

3. Un personatge que hem considerat tradicionalment italià tot i que, en realitat era cretenc. Com a *Joannis Justiniani Cretensis* signava les seves *Epistolae familiares, scholasticae sive morales* impreses a Basilea el 1554.

edició llatina, impresa per Robert Winter a Basilea el 1538, tot i que enllestida força anys abans.[4]

Vives l'esmenta en defensar el seu model de noia instruïda –«mulierem non facile invenias malam nisi quae ignorat aut certe non considerat quantum sit bonum pudicitia»– al capítol quart, «De doctrina puellarum», del primer llibre.[5] Diverses dames clàssiques demostren la compatibilitat de saviesa i virtut, però també un selecte grup de joves coetànies. Vives fa referència a les quatre filles d'Isabel de Castella, especialment Joana i Caterina d'Aragó, reines d'Espanya i d'Anglaterra, i tot seguit:

> «Crescentem Valentiae meae video Menciam Mendozam, marchionis Zeneti filiam, quae olim (ut spero) celebrabitur. Si reginae post se de privatis feminis mentionem fieri paterentur, adderem huic numero Angelam Zabatam, civem meam, incredibili ad omnis generis litteras ingenii celeritate ac dexteritate, pudicitia ac prudentia singulari. Tum Thomae Mori filias: Margaritam, Elizabetham, Caeciliam atque earum consanguineam Margaritam Gigiam; quas pater non contentus esse castissimas, etiam doctissimae ut essent curavit, sic fore iudicans ut verius firmiusque essent castae.»[6]

La gradació no és gratuïta. Després de dues reines és esmentada Mencía de Mendoza i a continuació considera que, si fos lícit ampliar el ventall a d'altres noies, caldria incloure-hi cinc joves més: Àngela Mercader Sabata i les filles de More, inclosa la filla adoptiva, Margaret Gigie. Mencía, doncs, no solament hi és esmentada com a noia culta, és situada entre les reines. Tanmateix, en la primera redacció (1524), Vives passava de les dames sàvies de l'antiguitat a les filles de More sense esmentar ni Mencía ni Àngela Sabata.[7]

4. Actualment, consultem l'obra a partir de l'*opera* pòstuma de 1552, de l'*opera omnia* mayansiana de 1782-90 o de la traducció castellana de Llorenç Riber de 1947, totes tres basades en una segona edició del *De institutione*, impresa a Basilea al setembre de 1538; tanmateix, datem l'obra el 1524, ignorant que els canvis que Vives introduí en aquesta segona redacció impresa el 1538 són considerables. Per a una descripció d'aquests impresos, vegeu González González-Albiñana-Gutiérrez 1992, pàg.154-157.

5. Sobre el seu model de noia cristiana, vegeu la introducció de Charles Fantazzi, «Prelude to the other Voice in Vives» a Vives 2000, pàg. 1-42 i els treballs de George 1996 i Pabel 1999.

6. Cito de l'edició crítica de Charles Fantazzi i Constant Matheeussen apareguda en dos volums als *Selected Works on J. L. Vives*: Vives 1996-98, I, pàg. 38. Podeu contrastar l'original amb la traducció que n'ofereix Llorenç Riber: «En mi Valencia yo veo cómo va creciendo en discreción y años doña Mencía de Mendoza, hija del marqués de Zenete, que si no me engaña la esperanza, será loada en su día» (Vives 1947, I, pàg. 99-1000). Charles Fantazzi tradueix «In my own Valencia I see that Mencia de Mendoza, daughter of the marquis of Zenete, is growing up and it is my hope that one day she will achieve renown» (Vives 1996-98, I, pàg. 39).

7. Això permet reconsiderar la datació usual d'aquests fragments i revisar la intencionalitat d'alguns canvis atribuïts a la traducció castellana de Justinianus. L'editora d'aquesta traducció, E. T. Howe, afirmava: «Hay varias diferencias interesantes entre la versión de Justiniano y la que aparece en las obras completas [...] es evidente que Justiniano editó la obra al traducirla, ampliando los ejemplos en algunos casos o borrando unas secciones en otros. Por ejemplo, la versión de Justiniano no incluye el ejemplo de doña Mencía de Mendoza como mujer docta aunque sí está en la latina (lib. I, cap. 4)» (Vives 1995, pàg. 22). No és que Justinianus hagués eliminat aquesta referència, és que el 1528, quan s'imprimí la versió castellana, aquesta referència encara no s'havia difós, no aparegué fins a l'edició de 1538.

Sembla evident que entre l'elogi del *De institutione* i el de l'*Exercitatio* ha transcorregut un lapse temporal clau en la formació de Mencía, el que va de les promeses de virtut i de saber d'una noia instruïda, la Mencía del *De institutione,* a la solidesa intel·lectual d'una dama erudita, la Mencía del *Linguae latinae exercitatio.* Per tant no és versemblant que Vives hagués corregit el *De institutione* aquell mateix 1538 perquè Mencía hi apareix com una noia en procés de formació i només un any després, el 1539, a l'*Exercitatio* esdevé ja una dama erudita. Més aviat, cal pensar que va anar introduint paulatinament correccions i amplificacions a la primera edició i que aquests canvis no van poder difondre's efectivament fins a l'edició del 1538.[8]

Vives tornà a esmentar la marquesa del Cenete al tractat psicològic *De anima et vita,* imprès també per Robert Winter a Basilea el setembre de 1538. La referència apareix en parlar de l'oïda, al capítol cinquè del llibre primer, i fa tot l'efecte que l'important en aquest cas no era tant magnificar la imatge de Mencía com augmentar el crèdit social de l'humanista, que implícitament exhibia un tracte familiar amb la dama.[9]

Finalment, el març de 1539 el mateix taller de Robert Winter posà en circulació el text que més va difondre's de l'humanista valencià, un conjunt de diàlegs per a la «primam loquendi exercitationem» en un llatí acolorit, ple de modismes, el *Linguae latinae exercitatio.* Vives hi va fer constar que l'obra s'havia acabat a Breda el dia de la Visitació de 1538, al·ludint, doncs, indirectament als senyors de la ciutat, Enric de Nassau i Mencía de Mendoza, però la marquesa hi apareix també explícitament al microdiàleg vint-i-dos, *Leges ludi,* ambientat a València. Els interlocutors són un mesurat Jeroni de Cabanyelles, un sofisticat comte d'Oliva, que acaba d'arribar de França i mira de cua d'ull la noblesa poc viatjada, homenatge, per tant, a Francesc Gilabert de Centelles, i un duc de Gandia, Joan de Borja, una mica més reaccionari. Són, recordem-ho, tres personatges de ficció, identificables en la vida quotidiana però

8. Constant Matheeussen analitza algunes de les revisions impreses el 1538 a VIVES 1996-98, I, pàg. xix-xxiii; posteriorment, a MATHEEUSSEN 2000, un text encara inèdit, dóna arguments sòlids per a datar el 1528 un conjunt de revisions del *De institutione,* com ara les al·lusions a Blanca March, i planteja fins a quin punt el cúmul d'obres que Vives publicà a Basilea els anys 1538 i 1539 no responen també a redaccions i correccions introduïdes força anys abans i quin paper tingué Erasme, que morí precisament a Basilea el juliol de 1536, en la paralització d'aquestes edicions. Vegeu el catàleg de GILLY 1985. En cap dels dos treballs no esmenta el passatge que ara ens interessa, amb l'al·lusió a la marquesa del Cenete, però el fet que Vives consideri Mencía una donzella ens permetria aventurar que feia aquests canvis pensant en la data de la primera redacció, no en el moment de la reescriptura, perquè Mencía no podia considerar-se donzella després del matrimoni amb el duc de Nassau (l'11 de maig de 1524).

9. «Vidi tamen in cemeliarchio Menciae, principis Zeneticae, globum aureum absque ulla rima operis temis titanici, qui intrinsecus edebat sonum ab scrupulis, vel auri bracteolis, sed auri lamina exterior erat praetenuis, quae ab scrupulis internis icta, ipsa aerem verberabat, unde existebat sonus». Cito de l'edició prínceps, f. 20. Exemplar Z-2/140 de la Biblioteca Universitària de València. Llorenç Riber tradueix: «Con todo, yo vi en el tesoro eclesiástico de doña Mencía, marquesa del Cenete, un globo de oro, sin abolladura alguna, que producía un sonido interior por las partículas u hojas de oro que lo formaban. Pero ese extraño fenómeno porque la lámina exterior de oro era muy delgada y, sacudida por las partículas interiores, agitaba el aire y producíase el sonido»: VIVES 1947, pàg. 1162.

en cap cas transposicions fidedignes d'aquests personatges reals.[10] Tots tres passegen per la ciutat de València i plantegen diversos recorreguts possibles:

«BORJA: Omitte nunc quaeso mulieres visitationes si mulierem vis alloqui, eamus potius ad Angelam Zabatam, cum qua erunt confabulationes litteratae.

CABANYELLES: Utiam, si id cupitis, adesset marchiona Zeneti.

CENTELLES: Si vera sunt quae de illa, quum essem in Gallia, audivi, maius est id argumentum, quam ut de illo tractari leviter, et ad aliud agentibus vel possit, vel debeat».[11]

La Mencía de Mendoza de l'*Exercitatio* és ja una dama intel·ligent amb qui personatges cultes podien mantenir converses literàries rigoroses i interessants, però alhora sembla espantar els nobles poc cultivats, de conversa més lleugera, o no habituats a tractar d'aquests temes amb una dama. Aquesta imatge de Mencía es propagà arreu d'Europa a través de les dues-centes edicions cinccentistes del *Linguae latinae exercitatio.*

Quan Vives escrigué el diàleg, ambientat a València, Mencía no hi havia establert encara la seva residència: l'al·lusió s'havia de fonamentar en el petit cercle intel·lectual que la marquesa va aconseguir formar a Breda, la ciutat des d'on Vives redactà l'*Exercitatio*. Formaven aquest cercle el preceptor de Mencía, Vives, entre 1536 i 1543 el rector de l'escola humanística de Breda entre 1536 i 1543; Jacobus Zovitius; un deixeble d'aquest, protegit («paniaguado») per Mencía, Fernando Díez de Frías; el secretari de la marquesa, l'humanista Martín Laso de Oropesa, i òbviament la pròpia Mencía.

D'aquest entorn sorgí la traducció al castellà de les *Contemplationes idiotae* del frare agustí Raymond Jordan, a cura de Fernando Díez de Frías, impresa per Vosterman a Anvers el 1536 i dedicada a Mencía. En la *Carta a la muy illustre y magnífica señora doña Mencía de Mendoça, marquesa de Cenete*, Díez de Frías es presenta com a «su menor apaniguado» i considera Mencía l'afavoridora d'aquesta versió, clar indici d'un cert mecenatge.[12] Aquells mateixos anys, un altre integrant

10. Sobre els personatges extrets del real als diàlegs, vegeu COX 1992 i SOLERVICENS 1997. Jeroni CABANYELLES és també interlocutor d'un altre diàleg valencià del XVI: *El cortesano* de Lluís del Milà. Mencía havia de valorar també molt positivament l'al·lusió a Juan de Zúñiga, el preceptor del futur Felip II, que VIVES inclogué al microdiàleg 20, *Princeps puer*, de l'*Exercitatio,* perquè la marquesa l'admirava profundament.

11. Cito de la transcripció de Josep Pin i Soler a VIVES 1915, pàg. 394. Pin i Soler tradueix: «BORJA: deixa't avuy d'eixes visites femenines. Si vols parlar ab una senyora anem de primer a casa l'Àngela Zabata ab qui podrem enrahonar de matèries literàries. CABANILLES: Tant de bo, si ho desitjas, que la marquesa del Zenete hi fos. CENTELLES: Si és veritat lo que he ohit contar, trobant-me a França, sembla que és una senyora molt entesa y ab qui s'ha de tractar de certes matèries ab gran cura». Una descripció minuciosa de les 200 edicions cinccentistes del *Lingua latinae exercitatio* a GONZÁLEZ GONZÁLEZ-GUTIÉRREZ RODRÍGUEZ 1999.

12. Conec aquesta versió només per la referència de VOSTERS 1987, pàg. 45, que reprodueix la portada i el primer foli de l'imprès, sense precisar-ne la seva ubicació. La portada n'indica els temes: «La primera

d'aquest cercle, el secretari de Mencía, l'humanista Martín Laso de Oropesa, emprengué una traducció més sòlida i ambiciosa, la de la *Pharsalia* de Lucà: *La hystoria que escrivió en latín el poeta Lucano trasladada en castellano por Martín Lasso de Oropesa, secretario de la excellente señora marquesa del Zenete, condessa de Nassou*, editada a Anvers el 1540 i reimpresa a Lisboa per Luis Rodrigues «librero del rey» el 1541. Laso adreça el volum a Pedro de Guevara i hi esmenta Mencía com a instigadora de la traducció en aquests termes:

> «Y si después mudé parecer fue porque supe que la marquesa mi señora en tiempo que su señoría tenía tanto descanso y plazer como *agora* cuydado y tristeza avía holgado de leerle y tenido por no mal empleado el trabajo que en él tomé. Porque el parecer de su señoría vale aquí por muchos no tanto por ser una tan gran princesa quanto por la excellencia que su señoría tiene en la lengua castellana en que se lee esta traducción y en la latina de que yo trasladé. De la primera muy muchos y ninguno mejor que vuestra merced sabe que digo verdad y de la segunda es nos muy autorizado testimonio aver muchas vezes oydo dezir al insigne doctor Juan Loys Vives, maestro de su señoría, que conoce muy pocos en nuestros tiempos, aun entre los varones afamados, que tan propriamente la sientan y la escrivan. Juntose con esto, muy magnífico señor, aver yo sabido de cierto que el marqués del Zenete, conde de Nassou, mi señor, que esté en gloria, quería hazer una tapicería rica de esta historia y era, cierto, argumento harto galanamente hallado para ello si Nuestro Señor no fuera servido de llevar a su señoría tan presto para sí y atajar con su fallecimiento esta pequeña obra y otras muy grandes que con su largueza emprendía y con su industria y prudencia acabava.»[13]

[contemplación] tracta del amor divino; la segunda, de la verdadera paciencia; la III, de la contina guerra de la carne y del alma; la IV, de la ynocencia perdida; la V, de la muerte; la VI de la Virgen María». La Biblioteca de la Universitat de Barcelona conserva un exemplar de l'original llatí, imprès a París per Gervais Chevallon i Jean Bignon el 1538, amb un ordre diferent dels apartats: *de amore divino, de Virgine Maria, de vera patientia, de continuo conflictu carnis et animae, de innocentia perdita, de morte* (exemplar XVI-1864). En cap dels dos impresos no hi consta el nom de l'autor.

13. Cito de l'edició portuguesa de 1541, f. A2r-v. (exemplar de la Biblioteca Universitària de Barcelona, CM-2570). Aquesta edició (L) corregeix alguns errors d'impremta de la d'Anvers (A) –al fragment *muchas veces* de L per *muchos veces* d'A– i opta per grafies i lèxic més arcaïtzants –al fragment *agora* de L per *ahora* d'A. El 1578, ja traspassat Laso de Oropesa, se'n va fer una tercera edició, que inclou una revisió més profunda de la traducció i una continuació de la història de Lucà fins al període del triumvirat: *Lucano traduzido de verso latino en prosa castellana por Martín Laso de Oropesa, secretario del illustrissimo cardenal don Francisco de Mendoça, obispo de Burgos, nuevamente corregido y acabado con la historia del triunvirato, dirigido al illustre señor Antonio Pérez, secretario de estado de la magestad cathólica del rey don Phelippe Segundo*, Burgos: Felipe DE JUNTA, 1588 (però 1578 a la contraportada i als prolegòmens de ff. 1v. i 3v.). Tot i que Laso tingué cura de la revisió, ja no pogué veure-la impresa. El pròleg de Juan Baptista Bonello, adreçat a Antonio Pérez, substitueix el de les dues primeres edicions i, doncs, desapareix l'al·lusió a la primera impulsora de la traducció, Mencía de Mendoza. Segons Bonello, era intenció de Laso dedicar aquesta nova *Farsàlia* a Gonzalo Pérez; per això, mort el secretari d'Estat, Bonello les dedica al seu fill Antonio, que a part del pròleg també heretà el càrrec del pare (la Biblioteca Universitària de Barcelona conserva dos exemplars d'aquesta versió, XVI-101, XVI-3761).

La docta i munificent Minerva retorna a València: la silva de Joan Àngel González

L'11 de setembre de 1538 morí el duc de Nassau i el 1539 Mencía fixà permanentment la seva residència a la capital del Túria, on ben aviat cridà l'atenció dels escriptors valencians per la seva saviesa, pels seus recursos econòmics i per la seva esplèndida biblioteca humanística, entorn de la qual s'articulà un cenacle erudit molt més sòlid que el petit cercle gairebé privat de Breda. Crec que fou aleshores que l'humanista valencià Joan Àngel González, o Gonzálvez (c. 1480-1548),[14] professor de poesia a la Universitat de València des de 1516, li oferí una silva poètica de 368 versos destinada a enaltir-la per llinatge i per saviesa, és l'*Ad illustrissimam iuxta ac munificentissimam dominam D. Menciam Mendoziam, Zeneti clarissimam marchionam Ioanne Angelo Gonsale autore silva* impresa a València possiblement per Francisco Díaz Romano o Juan Navarro aquell mateix 1539, tot i que l'opuscle no duu ni lloc ni data d'impressió.[15]

Àngel ja havia estat vinculat a la família Mendoza. En morir el pare de Mencía, publicà una elegia fúnebre de 142 versos llatins, *De Roderico Mendozio Zenetano marchione illustrissimo elegia,* adreçada a Diego Hurtado de Mendoza, I comte de Mélito, germà del marquès (València, 1523), i un any després, quan Àngel encara s'anomenava «bachiller en artes valenciano», en féu una versió castellana considerablement ampliada, *El Tragitriumpho del illustrísimo señor el señor don Rodrigo de Mendoça y de Bivar, marqués primero de Zenete, conde del Cid* (València, febrer de 1524), que dedicà a una joveníssima Mencía en un solemne

14. Àngel estigué ben relacionat amb l'alta noblesa valenciana, fou preceptor d'Àngela Sabata i dedicà les seves obres a l'aristocràcia valenciana: a Diego Hurtado de Mendoza, I comte de Mélito, el *De Roderico Mendozio Zenetano marchione illustrissimo elegia*, 1523; a Joan de Borja, duc de Gandia, la *Sylva de laudibus poeseos,* 1525; a Ferran d'Aragó, duc de Calàbria, el *Colloquium in agendam Publii Terentii latinissimam Eunuchum,* 1527. Sobre aquest humanista, vegeu Alcina 1978, que n'edita *la Sylva de laudibus poeseos.*

15. Es tracta d'un opuscle de 10 folis (*recto* i *verso*), en quart, sense paginar, imprès en caràcters gòtics i sense lloc, ni data, ni marca d'impressió. Tanmateix, a la part inferior de la portada hi apareix una cinta ondulant amb el nom de Joan Jofré (s'hi pot llegir *Ioannes Ioffredus*), tot i que no va acompanyada de la tradicional marca de l'impressor, la sirena de dues cues. SERRANO MORALES, 1898-99 pàg. 241, situa les impressions de Jofré a València entre 1502 i 1530 i també la recent pàgina web d'impressors que ofereix la secció de reserva de la Biblioteca de la Universitat de Barcelona http://lluna.bib.ub.es/impressors/impr.htm. Ha de ser necessàriament una impressió dels que llogaren i després adquiriren part del material tipogràfic de Jofré, Francisco Díaz Romano i Juan Navarro, però no del mateix Jofré, que morí a València entre l'11 d'abril de 1530 i el 15 de febrer de 1531. BERGER 1987 pàg. 504-510, publica els documents de compra-venda de peces del cèlebre taller instal·lat al molí de la Rovella. La datació que proposo per a l'opuscle, coincident amb ALCINA 1978, es basa en les afirmacions del mateix poema: per exemple, enlloc no s'esmenta el duc de Calàbria (amb qui va casar-se el desembre de 1540) i, en canvi, el duc de Nassau és esmentat en passat (va morir l'11 de setembre de 1538). Cito del volum factici d'opuscles d'Àngel i de Francesc Deci conservat a la Biblioteca Nacional de Madrid R/27.032.

Prohemio epistolar en prosa, el primer text que se li adreça. En la invocació inicial les virtuts del marquès s'associen a personatges clàssics:

> «Era un Apolo en el arte
> de sus músicas y galas;
> en guerra amigo de Marte
> por el real estandarte,
> y en paz amigo de Palas.
> César, en el perdonar;
> Pompeyo, en hazer honor;
> Trajano, en justificar;
> Marco Tulio, en el hablar;
> Octavio, en mostrar amor [...]
> Mecenas, en liberal»[16]

La referència al mecenatge es pot entendre com una subtil insinuació a la nova marquesa. En qualsevol cas, quinze anys després, la Mencía que el 1539 tornava a València havia esdevingut una dama culta –i rica– i Àngel, amb l'aval d'haver estat el primer en dedicar una obra a la dama, va voler cridar novament l'atenció de Mencía amb un poema de benvinguda. Aleshores ja no calia traduir-li al castellà un poema adreçat al pare, ella tenia prou mèrits per protagonitzar un nou poema, i un poema redactat en llatí. Diguem-ho amb ell:

> «Talia fert calamus versu celebrare Latino
> gaudia qui Hesperios scripserat ante modos.
> Namque tunc, Hispano cantavimus ore parentem,
> duximus atque tuum saecla per alta genus.
> Carmine tum claros equites praestabat Hibero,
> parque erat antiquos sic cecinisse duces.
> Nunc, quia te Latio constat sermone locutam,
> fas est ut tecum colloquar ore alio.
> Hispanos Hispana movent, Romana Latinos.
> Ergo tuas aures Romula verba decent» (vv., 215-224, f. 7 v.)

Àngel hi traça un perfil biogràfic i intel·lectual de Mencía. D'antuvi, evoca els seus pares, Rodrigo de Mendoza i María de Fonseca, tot confiant que la seva filla els superi en munificència, i el seu primer marit, el duc de Nassau, que li afegí virtuts amb el tàlem. A continuació, ressegueix el perfil acadèmic de la dama, tot jugant amb la similitud entre el seu nom i la ment: «Quare ego virtutem veram, sanctosque recessus / mentis, ingenii, lumina laudo tui» (vv. 23-24, f. 3 v.). En remarca la seva saviesa, el seu domini del grec i del llatí, les lectures erudites amb què s'amarava els llavis i els seus coneixements en el camp de la retòrica, tot confiant que com a dama sàvia sabrà afavorir els savis: «ut doctis faveas tu quoque docta viris» (v. 36). Àngel i González evoca també els dos preceptors valencians de Mencía, Estrany i Vives. Vegem en quins termes parla del segon:

16. Citat per SÁNCHEZ CANTÓN 1942: 22.

«Ingenuos quorum sic essolata labores:
Ut doctis faveas tu quoque docta viris.
Quos inter doctos Vives, tua rara voluptas,
Occurrit, vostri fama, decusque soli
Hic est, qui eximiis complevit laudibus orbem
Obscuraturus nomen Erasme tuum.
Hic est qui illustres aures sermone moratur
Socraticaque animos pascere fruge solet.
Hic est pro meritis quem saecula nulla tacebunt
Dum solio stabit lingua latina suo.
Hunc tibi legisti, digno erudienda magistro,
Non sine delectu, non sine honore virum.
Duxit ad Ausonias hic te, Graecasque sorores
Tingere sub quarum forte labella soles.
Hic te dum Latiae docet ampla volumina linguae,
Atque tui captus maxima signa videt,
Dumque animi dotes secum dum robora mentis,
Miratur tacitus dum grave iudicium
Argutas reddis dum tu pro tempore voces,
Dumque ultra humana dogmata discis opem
Rhetoricos dum docta locos, dum docta colores,
Eruis e libris sensa profunda sacris:
Divinum ingenium, divinique oris honorem,
Fecundum pectus sensit in esse tibi
Mox ait "o merito divorum munere felix
Prospera cui genium fata dedere bonum".
[...]
Quo latias vises sub duce Vive deas
Os tibi formabit casto sermone, tuumque
Romanum instituet pectus ad eloquium» (vv. 35-60, 98-100, ff. 3 v.-4r, 5r)

Per a Àngel, al costat de Vives Mencía perfeccionà el llatí i el grec, esdevingué eloqüent, conegué els llocs i els colors retòrics, però no tota la seva formació es reduí a pura erudició: amb Vives s'avesà també a apreciar la lectura dels clàssics i començà a forjar-se un criteri propi més enllà dels dogmes humans: «ultra humana dogmata discis opem». En la base de l'elogi, doncs, hi ha un concepte clar de la utilitat de les humanitats en la formació de l'ésser humà.

L'apreciació que Vives havia aconseguit eclipsar Erasme podia tenir sentit el 1539, amb l'eclosió de publicacions vivistes tant de caire teòric com creacions literàries i manuals d'alta divulgació. En tot cas, els elogis a Vives proliferaren aquells anys a València i coincidiren sospitosament amb l'arribada de Mencía a la ciutat.[17]

17. ALCINA 1996 ja constatava que: «Hacia 1539, el valenciano Juan Ángel González parece estar mucho mejor informado sobre Vives a raíz de la llegada a Valencia de doña Mencía de Mendoza [...]. Efectivamente con la llegada de doña Mencía a Valencia la fama de Vives parece indiscutible y se inicia todo un concierto de elogios al docto coterráneo». I no solament elogis, també l'evidència que aquests humanistes en llegien i n'assimilaven la seva obra.

Tot i així, l'humanista neerlandès és l'autor modern amb més presència a la biblioteca de Mencía, en tenia quaranta-sis exemplars.[18] I és molt possible que Àngel González tingués accés a aquesta rica biblioteca, si més no, l'elogia en aquests termes:

«Publica namque tuas academia possidet aedes
casta ubi librorum bibliotheca patet
non ergo privata domus tua creditur esse,
sed doctis sedes semper aperta viris» (vv. 247-250, f. 8r)

Una biblioteca de les proporcions de la de Mencía, amb 932 volums intel·ligentment seleccionats, i a més a més accessible als estudiosos valencians havia d'influir necessàriament en la cultura local. Àngel, però, va encara més enllà en la voluntat que Mencía revitalitzi la cultura valenciana:

«Si primam Aeonii te decet esse chori
hic honor ex meritis animum bene si decet istum
nomine Poegasidum si dare iure venis,
constitue exulibus collegia certa amoenis,
assere germanas iam dea facta tuas,
pasce famescente per inhospita litora Phoebum,
fac misera opibus promereare deas.
Namque Valentinis fama est non vana sub oris
Te proprias musis velle sacrare domos.
Quod te per superos oro, per utrumque parentem,
perque tuum genium coniugis et cineres,
per Christum obtestor, numen tibi qui dedit istud,
tam rarum hoc praesta tamque perenne decus.
Hoc opus in numeros surgat feliciter omnes.
Ad partes spectant talia facta tuas.
Se tuus effundat talem thesaurus in usum,
post cinerem illesas qui bene servat opes.
Tum nostris sordet linguae si cultus in oris,
si nemo e puris fontibus haurit aquam,
arva Latinorum raris si cultibus horrent,
si segetes laetas nemo dissertus arat.
Respice Pieridum steriles sine frugibus agros,
Nulla ubi sunt doctis emolumenta» (vv., 310-332, ff. 9 v-10r)

Curiosament, Àngel havia traçat un panorama exultant de la Universitat de València el 1527, per tal d'acontentar Joan de Celaya;[19] tanmateix, ara calia convèncer Mencía del contrari i requerir la seva intervenció en l'afer. Biblioteca i estudi general humanístic eren raons de pes per donar la benvinguda a València a la il·lus-

18. Vegeu SOLERVICENS 2000.
19. Cf. SOLERVICENS 1997, pàg. 74-75 i pàg. 94-95.

tre marquesa i, confiant que «ut doctis faveas tu quoque docta viris» (v. 36), contribuir que «immortale tuum nomen in orbe sonet» (v. 104).

Una comèdia, un poema i dos tractats per al casament amb Ferran d'Aragó: Ferrandis d'Herèdia, Britonio, Nanning i Maldonado

El desembre de 1540 Mencía de Mendoza es casà amb el lloctinent del Regne de València, el duc de Calàbria Ferran d'Aragó, hereu del destronat Frederic II de Nàpols. Les noces se celebraren al palau dels Cenete a Aiora i el matrimoni entrà a València el 13 de gener de 1541. Durant aquests dies de celebració,[20] es representà al Palau Reial de la ciutat una peça còmica bilingüe, redactada en català i castellà, *La vesita,* que el noble Joan Ferrandis d'Herèdia havia escrit força anys abans, el 1524, i que havia estat representada al Palau Arxiepiscopal de València davant de Germana de Foix i el marquès de Brandenburg. El poeta Joan Ferrandis d'Herèdia (1480/85-1549) estava més vinculat al duc que no a Mencía; tanmateix, fou la nova duquessa de Calàbria qui trià aquesta comèdia per commemorar l'enllaç. El colofó a l'edició pòstuma de les obres de Ferrandis és ben explícit:

> «La duquesa de Calabria quiso ver representar este coloquio y huvo de hazer otro principio en el qual don Joan Fernández y su muger van al duque de Calabria a pedirle la casa prestada para representar la visita y en su coloquio remedan a un cavallero y una señora muy vezinos suyos».[21]

Ferrandis, doncs, adaptà la peça per a la nova ocasió i hi inclogué un altre pròleg en el qual escenifica la picabaralla entre la protagonista de l'obra, anomenada Senyora, i el seu marit, anomenat Joan Fernández. Era un recurs habitual de les comèdies que es representaven en unes noces presentar l'antimodel, val a dir, una parella en convivència poc estable que il·lustrava en què no s'havia de convertir el nou matrimoni.[22] En aquest pròleg, el còmic matrimoni esmenta diverses vegades Mencía de Mendoza, el seu prestigi (que augmenta la categoria del duc, tot i que ja és més rei que no duc), la seva bellesa i el seu caràcter coratjós:

20. Succintament narrat pel dietarista Jeroni Sòria: vegeu Sòria 1960, pàg. 203.

21. La comèdia romangué inèdita fins a l'edició pòstuma de les seves obres, *Las obras de don Juan Fernández de Heredia así temporales como espirituales*, València: Joan Mey, 1562. Copien *La vesita* el manuscrit 2621 de la Biblioteca Nacional de Madrid, que, tanmateix, no conté el nou pròleg de 1541, i el manuscrit 2050 de la Biblioteca de Catalunya, copiat el 1555, on la peça s'inicia amb aquest pròleg de 1541. Cito de l'imprès (V), però tinc en compte el manuscrit (B). El fragment ocupa els ff. 129 v.-130 r. Aquest segon pròleg ha estat modernament editat a Fernández de Heredia 1955. Sobre *La vesita*, vegeu Molas 1963 i Solervicens 1999.

22. Vegeu Solervicens 1999, pàg. 64-67 i nota 17.

«SEÑORA: Per sert, gran muller ha pres,
per tot i en tot *tan* complida.
FERRANDIS: Ya veys que hinche la medida
del duque siendo quien es.
El mundo ande y trabuque
que, aunque no tuviesse nada,
con una capa y espada
Más rey que duque es el duque» (vv. 29-36)
«SEÑORA: O gran Déu, què fa lo món?
En poch temps, que coses vem,
tan estranyes que·ns perdem
quant més pensam quines són.
Qui veu est Real tan trist
y el duch tan engramallat,
ara vestit recamat,
més content que may s'*és* vist?
Que festes, que maravelles
de diversitats estranyes!
Que justes, que jochs de canyes!» (vv. 81-91).
«FERNANDEZ: Cierto es de maravillarse
una persona tan sabia
como el duque de Calabria
osar dos vezes casarse.
Después de un acertamiento
de haverse visto embiudado,
no es nada verse casado,
más casado y tan contento.
Muero por dezille y callo
"Señor, muy contento estays,
estadlo y no lo digays
ya que no os correys de estallo".
SEÑORA: Content té rahó d'estar-ho.
qu·és molt casar y acertar
FERNANDEZ: ¿Do se atraviessa casar
que bien no le cuesta caro?
SEÑORA: Què hi ha car ab tant plaer?
Déu lo y conserve y prospere.
FERNANDEZ: Téngase lo que quisiere
porque, en fin, es su mujer.
SEÑORA: Muller y muller tan bella,
en gran estrem valerosa,
tan disposta, qu·és gran cosa
per a tenir fills en ella.
En fi, que res no li manca.
FERNANDEZ: Verdad es, mas, voto a Dios,
si le riñe como vos,
querría más una blanca.
SEÑORA: Ella·l vol tant y és tan cuerda,
que·n res no l'enujarà.
FERNANDEZ: Pues por él seguro está,
aosadas que no se pierda» (vv. 121-152)[23]

23. Vegeu ff. 136 v.-137, 138 r-v., 139 r-140 r de V. Al vers 30 B llegeix *molt complida*, V *tan complida*; al vers 128 B: s'*és vista*, V: l'*è vista*.

La peça havia de fer les delícies d'una dama elegant i sofisticada com Mencía, acostumada a assistir a actes protocolaris al costat d'Enric de Nassau, president del consell d'Hisenda i cambrer major de Carles V. Ferrandis d'Herèdia hi recrea i accentua les escletxes i els excessos del món cortesà i la dosi d'hipocresia que aquest ritual comporta. L'argument gira entorn d'un dels fonaments de les bones maneres, les *vesites*, que tot i ser inoportunes, excessivament freqüents i desplaents, la cortesia obligava a considerar en públic d'allò més escaients. La víctima de la visita és una dama aristocràtica preocupada només per les bones maneres, però que en la vida privada es comportava de manera molt més espontània. Una mostra d'aquest «teatre» que la vida social obliga a fer apareix en el ritual de cedir-se el pas quan arriben les visites:

«SENYORA:	Ay senyores, tant de bé!
	Quin dia és aquest tan bo?
BEATRIU:	A nosaltres toca axò.
SENYORA:	Sus, vaja vostra mercè.
BEATRIU:	Vostra mercè ha de passar.
SENYORA:	Millor me perdone Déu,
	que passe.
BEATRIU:	Vós passareu.
SENYORA:	Que·n ma casa·m vol forçar?
	Tan malcriada ha de ser?
BEATRIU:	Ans és fer lo qu·és rahó.
SENYORA:	Sus, vaja!
BEATRIU:	Que passe jo?
	Tostemps restarà per fer.
	Mal goig ne veja de mi,
	si yo passe.
SENYORA:	Axò és millor,
	si Déu me prest al senyor:
	que yo no passe d'ací.
BEATRIU:	Axí vol que·ns estigam?
MARIA:	Ara sus, senyores mies,
	dexem-nos de cortesies.
	Anem-nos com nós estam.»[24]

Aquell mateix any l'humanista napolità Girolamo Britonio escrigué un epitalami en llatí dedicat al casament dels ducs de Calàbria. Britonio, *sodalis* de l'Academia pontaniana, es mogué en cercles aristocràtics napolitans –al servei de Roberto Sanseverino, príncep de Salern; d'Elionor d'Aragó, muller del príncep de Bisignano, Bernardino Sanseverino; de Costanza de Ávalos i de la poetessa Vittoria Colonna, muller de Francesco Ferrante de Ávalos– però també estigué en contacte amb influents personatges de la Corona d'Aragó, com el vicecanceller Miquel Mai, a qui dedica el *Triompho* en l'edició napolitana de 1525, i el duc de Calàbria, a qui en

24. Vegeu ff. 121v.-122r (numerat erròniament com a 121).

aquest poema de 1525 considera «lo illustrissimo segnore mio». L'epitalami que oferí arran del casament del duc amb Mencía és el *Carmen nuptiale ad Ferdinandum Aragonium, regis Federici filium, Calabriae ducem, et Mensiam Mendociam ducissam, eius coniugem, musis et forma praestantissimam* que Juan Navarro imprimí a València el 1541.[25] Un deixeble de Vives, Petrus Nannius, Peter Nanning van Alkmaar, estudiant del col·legi trilingüe de Lovaina, la inclogué als seus *Dialogismi heroinarum,* impresos a París *apud* Christianum Wechelum, el 1541, al primer capítol, dedicat a la *Clarissimae heroinae Menziae Mendozae, marchionissae Zenetesi,* car «in recentibus nuptiis oportuna sunt epithalamica».[26]

També arran d'aquest casament l'humanista i erasmista castellà Juan Maldonado (c. 1485-1554) li adreçà el *De felicitate christiana,*[27] un opuscle sobre les relacions entre virtut i felicitat escrit força anys abans, com explica al prefaci, *Ioannis Maldonati praefatiuncula ad divam Mencíam Mendozam Calabriae ducem excellentissimam*: «libellum olim composui De felicitate christiana et obiter in eo vitae tuae cursum ab obitu parentis ad annum quae tunc agebas aetatis vicesimum quintum exempli gratia percurri», «aestate illa qua te Guadalajarae [...] docembam et simul libellum. De felicitate componebam, ad virum in Belgicam Galliam contendisti», és a dir, entre 1534 i 1535, quan actuava com a preceptor de Mencía i pogué admirar-ne de prop les seves dots intel·lectuals, «quantum esses non modo foeminis tuae conditiones ac ordinis omnibus, sed viris etiam praestatura». Aquest opuscle inèdit l'imprimí el 1541 conjuntament amb la *Praxis siue de lectione Erasmi*, el *Somnium*, el *Ludus chartarum triumphus* i el diàleg *Desponsa cauta*, en un volum amb el títol genèric *Quaedam opuscula nunc primum in lucem edita,* Juan de Junta a Burgos el 1541 i tant el conjunt d'opuscles com específicament el *De felicitate* que encapçala l'imprès es presenten com un regal de noces per a la nova duquessa de Calàbria.

25. Citat per ALCINA 1978, pàg. 20, que creu versemblant que Britonio hagués assistit a l'enllaç, car el 1539 era a la península Ibèrica. No apareix cap obra de Britonio a la biblioteca del duc i sí a la de la marquesa del Cenete (que contenia aquest *Carmen nuptiale*, la *Gelosia del sole* i un manuscrit del qual no es precisa el títol: són els exemplars 9/25, 7/39 i 9/31 del meu estudi de la biblioteca). No he estat capaç de localitzar cap exemplar d'aquesta obra. VOSTERS 1987, que sembla haver pogut llegir-la, tot i que no en precisa la font, li dedica aquest comentari tan genèric: «Het is vermoedelijk een poëem waarin een hang naar roem en naar contact met society-figuren zich verenigt met verlangens begunstigd te worden door het mecenaat van de bezongene». Sobre Britonio, vegeu PETROCCHI 1967 pàg. 325, SICA 1991, pàg. 95-136; GIRARDI 1999, pàg. 46-58.

26. No n'he pogut localitzar cap exemplar, en reprodueix facsimilarment el primer foli VOSTERS 1987, pàg. 69.

27. Exemplar de la Biblioteca Nacional de Madrid. Sobre Maldonado, vegeu ASENSIO-ALCINA 1980.

Atena, la de les doctes paraules; Mnemòsine, mare de les muses; la sàvia i bonica Psique; la docta Minerva: les Mencies de Joan Baptista Anyés

El teòleg valencià Joan Baptista Anyés (1480-1553), preceptor de Francesc Gilabert de Centelles, comte d'Oliva, dedicà molts dels seus opuscles a Mencía de Mendoza i la convertí en personatge literari d'un dels seus poemes.[28] El 5 de febrer de 1543 els impressors Joan Baldoví i Joan Mey, «socios, natione germanos», li imprimiren en un sol volum, dedicat a Mencía, les tres apologies en lloança de la noblesa valenciana arran de les Germanies.[29] Anyés en el poema laudatori prologal, de 44 versos, *Ad excellentissimam dominam Mentiam Mendociam, Calabriae ducem, geminum virtutum, musarumque specimen*, precisa que li ofereix «non flores legisse decoros, vernulus uno / quos fert momento volvolus occiduos, / sed documenta palam prosint quae in tempora cunctis / urbibus et populis nobilibusque viris», bon indici que Anyés coneixia les predileccions de Mencía, més inclinada a la literatura instructiva i als tractats humanístics «que puguin ésser útils durant molt temps a ciutats, pobles i homes nobles» que no a la literatura de circumstàncies o a la purament evasiva, «flors gracioses que porta la canviant primavera, per marcir-se a l'instant» una propensió que avala el contingut de la seva biblioteca. Anyés es dol també que el públic valori més els llibres que vénen de lluny que no els que es publiquen a València i es queixa de ser rebutjat només pel fet de ser bètic; tanmateix, sap que no serà menyspreat pels qui apreciïn la riquesa de l'eloqüència llatina i s'acontenta, almenys així ho manifesta retòricament, tenint només un lector digne, la «cultissima» Mencía, que es vincula al marit i al pare –«praecelsi coniunx Calabri castissima Phoebi», «patris [...] defendet honorem»–, personatges amb qui probablement Anyés tingué més relació que no amb Mencía.[30]

Entre el final de la primera apologia, l'*Apologia in defensionem virorum illustrium equestrium bonorumque civium Valentinorum in civilem Valentini populi seditionem, quam vulgo Germaniam appellarunt*, i l'inici de la *Secunda Apologia in*

28. Sobre Anyés, vegeu Asenjo 1996. Està en premsa una edició i traducció al català de les seves *Apologies,* a cura d'Eulàlia Duran i Martí Duran, que ha de publicar l'Acadèmia de Bones Lletres de Barcelona (ara Anyés 2001, vegeu el pròleg d'Eulàlia Duran a aquesta edició, pàg. 9-42). L'obra en català d'Anyés és publicada a Anyés 1987. Francesc Gilabert de Centelles, comte d'Oliva, encarregà a Joan de Joanes la taula *Les noces místiques del venerable Anyés*, una *sacra conversazione* presidida per la Verge, en la qual al marge esquerre apareix Joan Baptista Anyés, ja gran, col·locant l'anell de les esposalles místiques a santa Agnés: vegeu Benito 1996 i Benito 2000, pàg. 114-115.

29. Imprès en 4t de 62 ff., exemplar de la Biblioteca Serrano Morales de València, 9-VI-29. Aquest primer pròleg ocupa el f. 2r-v. (En una altra numeració l'a 4.)

30. El malaurat Sebastià Garcia Martínez arrenglerava Anyés entre els escriptors més tradicionalistes, enfront de Ledesma i de la mateixa Mencía, clarament adscrits a l'humanisme. Els elogis a Mencía, segons el doctor Garcia, devien estar motivats pels seus contactes amb els Mendoza, «sin duda más por afección a los Mendoza que por otro tipo de afinidades» i possiblement també per les relacions d'Anyés amb els Centelles i amb el duc de Calàbria. Vegeu García Martínez 1986, pàg. 260, nota 201.

laudem illustrissimi magnanimique domini Rhoderici Zeneti quondam marquionis, in que laudem omnium equitum Valentinatum, apareixen uns nous prolegòmens en els quals la segona apologia, a favor de Rodrigo de Mendoza, és adreçada primàriament al comte d'Oliva Francesc Gilabert de Centelles, de qui Anyés fou preceptor. El sofisticat comte, que quatre anys abans Vives havia convertit en protagonista del microdiàleg vint-i-dos del *Linguae latinae exercitatio,*[31] respon a l'autor que aprecia molt Mencía de Mendoza, la filla de Rodrigo, i que la millor manera d'obsequiar-lo a ell, el comte d'Oliva, és adreçant el volum a Mencía, malgrat la por que fa enviar coses mal conreades a Atena, la de les doctes paraules. És aleshores quan Anyés dedica aquesta segona apologia *Ad excellentissimam dominam Mentiam Mendociam, Calabriae ducem, geminum virtutum, atque musarum specimen* en un nou poema de 26 versos. Malgrat la reiteració d'elogis genèrics, Anyés adverteix que no és la seva intenció obtenir el mecenatge de Mencía, perquè ja té el suport del comte d'Oliva: «non tua dona colo, Comitis ditatus Olivae / donis nullius muneris indigeo».[32]

A la part final de l'imprès, després de les tres apologies, Anyés publica un conjunt de poemes de circumstàncies, en dos dels quals reapareix Mencía. D'una banda, una composició elegíaca dedicada a la mort de Júlia, la marquesa de Monferrato, germana del duc de Calàbria, és adreçada al duc per mediació de Mencía, per tal que la poleixi abans de trametre-li. Anyés la fa arribar a Mencía en una epístola *Excellentissimae dominae Mentia Calabriae duci*, datada a Cullera el set de març de 1542, «quam tibi, cultissima musarum princeps, dispungendam mitto, ut si dignam prudens iudicaveris cui praecipue destinatur legendam tradas».[33]

D'altra banda, una composició poètica de to només aparentment satíric té a Mencía com a coprotagonista, és el *Colloquium Paschini et Gonnari,*[34] un diàleg de 170 versos entre la cèlebre estàtua parlant romana de Pasquino i l'Engonari o Gonari, un atlant situat a la Llotja de l'Oli de València, a qui Anyés afirma conèixer molt bé.[35] L'arribada de l'il·lustre visitant romà, atret per la fama de l'estàtua valenciana, permet comparar València i Roma. Engonari adopta afectadament una postura crítica envers València i els seus ciutadans, en canvi, el sarcàstic Pasquí es permet

31. Vegeu *supra*, pàg. 1020-1021.

32. Aquesta segona dedicatòria ocupa el f. 31 v. (e 5v. en una altra numeració) de l'imprès descrit *supra,* nota 29.

33. L'elegia ocupa els ff. 53-54 de l'imprès descrit *supra*, nota 29.

34. El poema ocupa els ff. 55 r-56 v. de l'imprès descrit *supra*, nota 29. És traduït al català i contextualitzat per Eulàlia DURAN en aquest mateix volum. Agraeixo a Eulàlia Duran que m'hagi permès consultar la seva versió al català d'aquest poema i els seus comentaris.

35. «*Baptista*: Omnibus est notus [Gonnarus], neque non notissimus unus, / est simul atque arcto vinctus amore mihi» (vv. 25-26); «*Gonnarus*: Gloria? Quae, mea? Sum nam fama inglorius, uni/ vix notus [...]» (vv. 35-36). Sembla que Anyés es consideri responsable d'haver fet parlar Engonari, és a dir, que s'atribueixi altres escrits relacionats amb aquesta estàtua. Engonari accentuà la seva càrrega crítica en l'activa campanya universitària en contra de l'arquebisbe Joan de Ribera, aleshores sí plenament equiparable a la contundent crítica papal que emergia del Pasquino romà, vegeu ROBRES LLUCH 1960, però en aquesta operació Anyés no hi tingué ja res a veure.

elogiar València, la seva cèlebre i instruïda Minerva, de qui no especifica la identitat, i els seus triomfants aristòcrates. L'elogi de València, així, esdevé una manera indirecta de criticar Roma.

El diàleg no té la mordacitat de la sàtira humanística i, si Anyés el considera un joc, és purament perquè els lectors hauran d'esbrinar a quins personatges valencians està al·ludint i segurament només uns pocs *connaisseurs* arribaran a treure'n del tot l'entrellat. L'autor pretén afalagar la noblesa valenciana: el duc de Gandia, el comte d'Oliva i, especialment, el duc de Calàbria, la marquesa del Cenete i el príncep de Salern. Mencía, seguint la paranomàsia amb *ment* que ja havia propagat Àngel, esdevindrà Mnemòsine:

«GONNARUS: Ecquae Mnemosyne?
PASCHINUS: Mentia haec inclita princeps
(mentis nomen habet) Pieridumque iubar» (vv. 115-116)

I, posteriorment, esdevé la bellíssima Psique («formosissima Psiche», v. 139), a qui entre bromes Engonari, l'encarregat de fer-li un retret, acusa de tenir capturat amb estranyes cadenes Filarc, el duc:

«GONNARUS: Quam credas diva magnum formosa Philarchum
forma quae praedam fecit honesta suum?
PASCHINUS: Si Laedam dicis, praestat. Si dixeris Hersen,
Si Danaen, vincit pulchrior una tribus.
GONNARUS: Est Cytherea?
PASCHINUS: Immo quin formosissima Psiche.
Pulchra suo Paphium nam premit ecce iugo.
Conquerit Procris raptum viduata maritum,
Quod teneas pedicis aurea dia tuis.
GONNARUS: Solve tuo capto nodos, dea, solve cathenas,
ipsum redde suis, quin, age, redde sibi» (vv. 135-144)

Finalment, Engonari i Pasquí contraposen dos conceptes d'amor, sempre recorrent a la paranomàsia amb la síl·laba *men* de Mencía:

«GONNARUS: Nostra hoc lingua Valens et amanteis dicit in hamo
Amanteis captos.
PASCHINUS: Hoc ne Latina magis?
Id, quod amans, **amens**. Dos est **amentia** amantum» (vv. 151-153)
«GONNARUS: **Amentum** domus est quur, ergo, Valentia dicta?
Amentes omnes nam sine **mente** sumus
PASCHINUS: Nostrae hoc arquauit se vestra Valentia Romae.
Induit, effinxit nostra ita cuncta sibi,
Inter utramque ut nil morum discriminis insit.
Sed nostros praestat vestra Minerva. Vale» (vv. 165-170).

A l'inici de la controvèrsia, Pasquí plantejava «ubi regnat docta Minerva magis?» (v. 89); al final, ell mateix ho ha descobert. La Minerva que fa decantar la balança a favor de València és, lògicament, Mencía.

Anyés adreçà també a Mencía els seus *Duo epistolarum libelli, Agnesii* [...] *et Nicolai Biesij alias Scirpi* [...] *inter quos quaestio ventilatur*, amb el joc de cartes que creuà amb el metge i humanista neerlandès Nicolas Biese (Biesius), impresos per Joan Mey a València el 1546.[36] En l'endreça, Anyés segueix jugant amb *mens* i amb Mnemòsine per referir-se a Mencía i n'especifica el sentit:

> «Mentiae [...] cui praecedentem libellum dicauit Mnemosynem appellat, a mente Mentiam quasi dictam intelligit, matrem scilicet musarum, studio atque officio [...]Non mentis frustra denique nomen habes./ Frustra a Mnemosyne nec idem tibi nomen, alumna es, / Nataque musarum, quin eademque parens./ Magnatum quis te musas, si demis Olivae/ Franciscum comitem, plus colit, ornat, amat?/ Quis magis et musis cultos fouet, ambit, honestat, / excipit, et pascit ditius, atque colit?» (f. 14r).

Finalment, diversos llibres del *Phantalia*, el darrer dels quals datat el 20 de juny de 1553, un mes i mig abans de la mort de l'autor, també són dedicats a la marquesa del Cenete en l'únic manuscrit que els conté.[37] El llibre segon és un cant a la Creació i a la Mare de Déu; el tercer, un tractat de plantes oloroses, medicinals i fructíferes, que Anyés relaciona amb les virtuts de Maria, i el vint-i-setè sobre sant Agustí.

Mencía, protectora de les lletres: La *laudatio* dels professors Miquel Jeroni Ledesma i Francesc Deci

Malgrat els esforços d'Àngel i d'Anyés, tot sembla indicar que les predileccions de Mencía es dirigien cap a un altre professor de la Universitat de València, l'hel·lenista Miquel Jeroni Ledesma, deixeble d'Estrany i Vergara, catedràtic de grec, peça clau en la consolidació dels estudis hel·lenístics i en el prestigi que aquest centre docent assolí el segon terç del segle XVI. El 1545 Ledesma publicà el seu *Graecarum institutionum compendium a Michaele Hieronymo Ledesma valentino medico conscriptum*. El volum, imprès per Joan Mey en la pulcríssima tipografia humanística que el caracteritza,[38] és encapçalat per una extensa epístola adreçada a Mencía de

36. Volum en octau de 36 ff. Cito de l'exemplar conservat a la Biblioteca Universitària de València, Z-2/221.

37. Manuscrit de 506 folis conservat a l'Arxiu de la Catedral de València. El descriu HIJARRUBIA 1960.

38. Cito de l'exemplar conservat a la Biblioteca Universitària de Barcelona, XVI-716. Sobre Ledesma, vegeu GARCÍA MARTÍNEZ 1986 i GRAU 1999.

Mendoza, on l'hel·lenista exposa el seu programa docent humanístic, presentat com l'intent d'alliberar els estudiants de bàrbars sofistes criats entre inhumanes lletres.

Després de catorze anys d'exercir la docència del grec «totos hos quatordecim superiores annos publica conditione in Graeca lingua profitenda exercuerim» (f. 2r), finalment Ledesma es decideix a oferir-ne un mètode racional, basat en preceptes clars i ordenats, però denuncia els obstacles i el menyspreu que durant aquests catorze anys ha rebut dels docents ancorats en l'escolàstica i com ha hagut d'esquivar i superar les seves traves. Tanmateix, ha rebut el suport constant d'una singular dama erudita, la marquesa. La gramàtica, diu Ledesma, neix no solament de l'estima i l'alè de Mencía, sinó també del seu patrocini: «cui primogeniti huius mei patrocinium cominendarem, ut sub favore tuo nasceretur vagorique munitus posset. Sunt enim in te cum eruditione ipsa, quod in foemina rarissimum est, veluti per manus literarum tradita patrocinia» (f. 3r). És evident que el patrocini podria ser encara més efectiu i l'hel·lenista es fa ressò de la intenció de Mencía d'alliberar els estudiants dels sofismes que els tiranitzen amb la creació d'una escola destinada a conrear les bones lletres: «atque ut id certius sit, ac firmius Gymnasium celeberrimum in nostra hac urbe construere machinaris, in quo politiores litterae floreant, exulantibus scilicet nugis ac sophismatibus in hoc usque tempus cuncta tyrannide sua opprimentibus» (ff. 3r-v.).

En aquesta formació humanista no hi hauria de mancar el grec. Ledesma defensa la necessitat d'estudiar-lo des d'una òptica clarament humanística: la llengua grega serveix per cultivar l'esperit dels estudiants, per millorar el nivell cultural de València, però també és l'instrument imprescindible per al coneixement de la filosofia peripatètica i de la medicina galènica. La filologia, doncs, esdevé un mètode per formar l'ésser humà, la paraula és l'instrument idoni per a la transmissió i recepció de qualsevol mena de coneixements i aquest aprenentatge té clares repercussions socials: forma ciutadans intel·ligents i responsables i els capacita per a participar en la vida política, social i econòmica de la seva comunitat. Ledesma seguí tenint present Mencía en aplicar el seu bon domini del grec al coneixement directe de les fonts mèdiques, Hipòcrates i Galè, al *De pleuritide commentariolus*, imprès per Joan Mey a València el 1546.[39]

La marquesa sentí realment la necessitat de donar suport efectiu a les iniciatives de Ledesma i es plantejà seriosament la creació d'un estudi general sota el seu patronatge;[40] tanmateix, Jeroni Ledesma morí dos anys després, el 1547, i Mencía va perdre interès en l'operació. No és estrany que en el discurs inaugural del curs 1547-48 l'humanista Francesc Deci, catedràtic d'oratòria, es fes ressò de la desaparició de Ledesma i implícitament considerés que estava en condicions de suplantar-lo en el cor, i en el patrocini, de la marquesa. Deci era col·lega de Joan Àngel (que morí

39. Exemplar conservat a la Biblioteca de la Universidad Complutense de Madrid, FA 61A v. 6 (2).

40. El 6 de novembre de 1544 Mencía i els magistrats municipals havien signat una capitulació en què la dama es comprometia a finançar les càtedres amb 2.500 lliures anuals i a ésser l'encarregada de regular-ne els programes docents, és a dir, les «liçons e authors e número de càthedres». El 18 de maig de 1548, mort Ledesma, les dues parts renunciaren als drets que els atorgava aquella capitulació.

el 1548) a la Universitat de València i va ser, com Anyés, preceptor del comte d'Oliva, Francesc Gilabert de Centelles, bon amic de Mencía. Al seu *De scientiarum et academiae valentinae laudibus ad patres iuratos senatumque literarium oratio*, imprès per Joan Mey a València l'octubre de 1547,[41] esmenta quatre valencians il·lustres, Joan Lluís Vives, Ferran d'Aragó duc de Calàbria, Mencía de Mendoza i Miquel Jeroni Ledesma. Vives i Ledesma en tant que conreadors del saber, Ferran i Mencía en tant que promotors. Tot i així, Deci era ben conscient que el prestigi intel·lectual de la dama anava més enllà del simple mecenatge:

> «Cuius sane beneficii quanque aetati resipienti bonam partem debeamus, uni tamen Mencíae tibi principi clarissimae laus omnis est ascribenda. Tu enim bonarum literarum patrocinium invicta suscipiens, signum primo Valentiae exexisti, ad quod se linguarum studiosi, oppressi quidem antea tyrannide barbarorum, reciperent. Tuis auspiciis acies nostrae instructae, illorum quoque dissipatae sunt. Tu nostris mentem pugnandi, tu animos in praelio, tu victoriae gloriam contulisti. Per te igitur eloquentia regnat, studia florent, disciplinae vigent, naeniae exulant, balbuties exploditur, nebulae evanuerunt, serenitas tandem studiorum reddita est. Haec et alia multa beneficia a te accepimus, speramus tamen maiora, nam partuire magnum quiddam diceris, quo civitatem hanc ex illustrissima beatissimam efficias. Quod parias obsecro Iunone Lucina propitia. Proles erit profecto te digna, quae tuam prudentiam, ingenuitatem, munificentiam, tum alias sexcentas animi tui dotes perpetuo repraesentet. In qua te praesentem habere, colere, venerari, pro tantis tuis in nos beneficiis, tam splendidis muneribus, omni loco, omnique tempore valeamus. O me felicem, si eum diem videre contingat, in quo musae omnes, theatra, aulae, pulpita, Mencíam suam ore rotundo resonent, ubi pueri, adolescentes, professores, benignitatis tuae fructus certatim extollant, te in ore habeant, in oculis observent, in animo revereantur. Memoriam tui, carminibus, orationibus, encomiis perpetuo celebrantes.»

La fama pòstuma: García Matamoros, Ginés de Sepúlveda, Palmireno

La imatge literària de Mencía va continuar articulant-se després del seu traspàs, el 4 de gener de 1554.[42] Alonso García de Matamoros, catedràtic de retòrica a la Universitat d'Alcalá, en evocar els *viris illustribus* del seu temps a *De adseren-*

41. Opuscle en 4t, lletra humanística, 56 pàg., de les quals l'*Oratio* ocupa les 33 primeres pàgines. Cito del volum factici d'edicions d'Àngel i Deci conservat a la Biblioteca Nacional de Madrid, R/27.032. A continuació de l'*Oratio*, en el mateix imprès de 1547, es publicaren quatre discursos pronunciats en un certamen acadèmic per sengles deixebles de Deci: un *Pro Tabellione* a cura de Gaspar Tudor, un *Pro Medico* a cura de Joan Vic, *un Pro Iurisperito* a cura de Jeroni Deci i un *Pro Theologo* a cura de Joan Martí Cordero. No eren deixebles qualsevol: Joan Vic i Manrique esdevingué bisbe de Mallorca i arquebisbe de Tarragona, Joan Martí Cordero i Olivar, nebot de l'humanista Pere Joan Olivar, continuà els seus estudis humanístics a París i a Lovaina. Deci acabà judicant a favor de la teologia, que en aquesta competició defensava Cordero. Molts anys després Cordero es graduà en teologia a la Universitat de València.

42. Les seves restes són a la capella reial del convent de frares predicadors de València, sota una llosa de marbre blanc al peu del bellíssim sepulcre renaixentista dels seus pares, dissenyat per Gian Battista Castello, *el Bergamasc*, per encàrrec de Mencía.

da hispanorum eruditione sive de varis Hispaniae doctis narratio apologetica (Alcalá, Juan Brocar, 1555), afegí un colofó sobre sis dames il·lustres i cultivades: en primer lloc, Mencía de Mendoza i a continuació «Isabella Ioensis, nobilis femina Barcinonensis» –que hem d'identificar amb Isabel de Josa–, la valenciana Àngela Sabata, la toledana Luisa Sigea, la burgalesa Ana Osorio i Catalina de Badajoz. Vegem en quins terme recorda Mencía:

> «Quod si tot doctorum hominum millibus Hispaniae eruditionis vituperatoribus non satisfacimus, prodeat etiam in aciem lectissimus feminarum chorus, qui de ingenio & doctrinae laude cum graecis & latinis generose admodum certet. An non ego iure opponam excellentem Calabriae ducem, Zeneti marchionam Aspasiae Xenophontis, quae quondam in conventu eruditorum ausa fuerit cum Socrate inductionibus disputare? Cuius, obsecro, principis viraginis ingenium uberius cultum graeca & latina eruditione fuit? Cuius animus in studiis magis aestuavit? Quis tam occultos eruditionis thesauros ex Belgis umquam in Hispaniam reportavit, quam quum haec, defuncto priore viro Nasao, ad suos reverit?»[43]

L'humanista andalús García Matamoros escrigué el *De adserenda* essent catedràtic de retòrica a Alcalá, però possiblement estudià a la Universitat de València en temps d'Àngel i de Dassió, va ser professor de gramàtica a Xàtiva de 1537 a 1540 i és possible que ho fos també de la Universitat de València entre 1540 i 1542. Fou testimoni, doncs, del retorn de Mencía a València i degué conèixer personalment alguns dels qui freqüentaven aquell cercle. La seva evocació palesa l'impacte que li produí aquella dama: Mencía esdevé una nova Aspàsia, capaç de disputar, és a dir, de conversar, de temes erudits amb savis i hàbil en el conreu de la literatura llatina i grega, constatacions que aquí no poden ser ja afalacs per aconseguir res a canvi. La referència als ocults tresors d'erudició que la marquesa transferí de Bèlgica a Espanya és una al·lusió implícita al mestratge de Joan Lluís Vives, gràcies al qual adquirí les bases del bagatge intel·lectual que impressionava el catedràtic de retòrica d'Alcalá.

Un altre humanista andalús, Juan Ginés de Sepúlveda, «cordubensis artium et sacrae theologiae doctoris, historici caesarei», inclogué una epístola adreçada a Mencía, datada el 30 d'abril de 1541, als seus *Epistolarum libri septem* (Juan María de Terranova i Jacobo Archario, Salamanca, 1557).[44]

43. García Matamoros, 1769, a cura de Cerdà i Rico; reed. García Matamoros, 1943, pàg. 226-228, a cura de López de Toro. José López de Toro tradueix: «Si con tantos miles de hombres doctos no satisfacemos a los vituperadores de la erudición española, salga el escogido coro de mujeres que pueden competir en ingenio y doctrina con los griegos y latinos. ¿No opondré yo con justicia la excelente duquesa de Calabria y marquesa del Zenete, a la Aspasia de Jenofonte, que se atrevió ante un auditorio de sabios a discutir con Sócrates sobre cuestiones de filosofía? ¿Qué princesa cultivó con más fruto la literatura griega y latina? ¿En quién despertaron más fervor los estudios? ¿Quién trajo a España los recónditos tesoros de la cultura belga, sino ella, cuando volvió de allí, una vez difunto su primer marido, Nassau?». López de Toro identificava *Isabella Ioensis* amb Isabel Joya. Sobre García Matamoros, vegeu Galán Vioque 1996, Bosch 2000.

44. És l'epístola XXXII. Exemplar de la Biblioteca Nacional de Madrid.

També evocà la figura de Mencía l'humanista alcanyissar Joan Lorenzo, conegut com a Palmireno. Palmireno, que culminà els seus estudis d'humanitats a la Universitat de València el curs 1546-47 i esdevingué catedràtic de poesia el 1551, es mogué en l'entorn de Deci i Ledesma, dos panegiristes de Mencía, i era company d'Andreu Sempere i Pere Joan Nunyes. Del triumvirat retòric que formaven Nunyes, Sempere i Palmireno és possible que la marquesa no n'arribés a conèixer cap obra, però no es pot negar que els seus delers intel·lectuals eren del tot coincidents i que els contactes personals pogueren existir, més encara en el cas del substitut a la càtedra de Ledesma, el seu prestigiós deixeble Pere Joan Nunyes.[45] Fins i tot, no es pot descartar que Nunyes i Sempere haguessin consultat la biblioteca de la marquesa. Qui sí que ho va fer és Palmireno i, tot i que cap dels llibres de l'alcanyissar no va arribar a la biblioteca de Mencía,[46] Palmireno la tenia ben present; en parla a *El estudioso cortesano,* imprès a València el 1573 i també hi reporta una facècia que degué sentir explicar a la universitat:

> «Conoscí dos muy excellentes médicos de la duquesa de Calabria, pero el uno, además de sus letras, tenía desta prudencia in agibilibus. Como era mujer gruessa y criada en los manjares de Flandes, cargávasele demasiado el pecho. Estos dos médicos ordenáronle xaraves para que se purgasse. Dixo ella: "Quitaos de ay, que no sabéys sino purgar y xaraves y essas suziedades". Mi maestro dixo: "Será a costa de vuestra Excellencia, yo no soy más obligado". Pero el otro, muy callado, fuese al arçobispo don Thomás de Villanueva y le dio a entender el peligro de la duquesa y la forma que avía de hacer. Passados tres días vino el doctor muy dissimulado y dize: "Ya no venía por acá, pensando que quien no está bien con las medicinas, haviéndolas menester, ya no estaría en este mundo". Dixo ella: "¡Como he acertado! Haveys de saber que si yo os siguiera ya fuera muerta y el arçobispo me ha contado como se halló bien con una medicina, teniendo la misma enfermedad en Valladolid. Yo la he tomado y tal sea mi vida! Passeaos vosotros con vuestros embaraços". Dixo el médico: "En fin, señora, pues para los xaraves havemos tenido necessidad del arçobispo, para la purga venga el Papa". Quedó ella pasmada y al fin, viendo que con los xaraves estava movido el humor, tomó la purga.»[47]

La imatge d'una malalta grassa, rebeca i geniüda, es podia acostar a la Mencía que conegué Palmireno, la dels últims anys, sobre el físic de la qual no estalvia detalls.[48]

45. Sobre aquest triumvirat retòric, vegeu ATIENZA 1999, GÓMEZ 1997, ALCINA 1998, GRAU 1999, BARBEITO 2000.

46. Haurien pogut ser-hi els *Progymnasmata*, publicats per Joan Mey a València el 1552, i els *Escolios al epítome que Erasmo hizo a las Elegancias de Lorenzo Valla*, que Mey imprimí aquell mateix any.

47. Cito de la segona edició, impresa a Alcalá de Henares per Juan Íñiguez de Lequerica el 1587, pàg. 21-22. Exemplar de la Biblioteca Nacional de Madrid. Sobre Palmireno, vegeu GALLEGO 1982.

48. Detalls que recorden, molt atemperats, l'única antiimatge de Mencía que he aconseguit detectar, la del bufó de la cort de Carles V que es feia anomenar Francesillo de Zúñiga. El bufó en la crònica rosa d'aquella cort que redactà entre 1524 i 1529, amb la seva acidesa habitual, la descrivia així: «tobo una hija [Rodrigo de Mendoza] que sucedió en su estado, más redonda que tierra firme y más ancha que el campo de Josafat (adonde ha de perecer en carnes vivas Rodrigo de la Serna, contador menor por Antonio de Fonseca)» i, més endavant, afegia: «asimismo la marquesa de Cenete, quiriendose sentar bien, estando en mis casas de Burgos, se quebró el estrado y derribó un entresuelo; y no me fue fecha justicia; y yo

Menys divertida, però més interessant, és l'evocació del seu accés a la biblioteca de la marquesa del Cenete:

> «Porque a tan gran librería como ésta que se sigue no basta mi bolsa, me paresció que tenía obligación a declarar con qué favor llegaron estos libros a mi mano. Al tiempo que vivía la duquesa de Calabria, tuve favor con mossén Vayo, maestro de sus pajes, para que de aquella gran librería me prestase cada semana algunos de historia.»[49]

El record de Palmireno esdevé un testimoni dels contactes que Mencía va establir amb aquests joveníssims professors de la Universitat de València i un bon indici de la relació que mantingué amb la intel·lectualitat valenciana, del clima intel·lectual que afavorí, de la utilització que tingué la seva biblioteca i dels fruits que en pogueren sorgir.

El conjunt d'imatges literàries de Mencía que durant el segle XVI van posar en circulació els humanistes compon un paisatge harmònic que dóna vida a les dues imatges pictòriques que ens n'han arribat: el disseny de Bernard van Orley per a un tapís sobre la genealogia de la casa de Nassau i la miniatura del pintor flamenc Bernard van Orley. Ens indica també l'alta consideració que aquesta dama mereixia a l'època i ens permet conèixer el conjunt d'escriptors que van entrar en contacte amb Mencía a València i els models literaris que imperaven en aquells cercles. Finalment, les imatges de Mencía difoses en vida representen, si més no, la imatge que els escriptors s'havien fet de la imatge que Mencía tenia d'ella mateixa, però crec que aquesta imatge literària no diferia gaire de la real: les imatges difoses en vida de Mencía coincideixen amb les evocacions pòstumes i amb les indicacions privades d'intel·lectuals tan poc impressionables com Guillaume Budé o Erasme de Rotterdam.[50] És coherent amb aquesta imatge la selecta i sòlida biblioteca que aplegà, un cas excepcional a la València de l'època, tant pel volum com per la coherència, fins i tot si la comparem amb la biblioteca paterna (de Rodrigo de Mendoza, hereu del cardenal Pedro González de Mendoza) i amb la del seu segon marit (el duc de Calàbria Ferran d'Aragó, hereu d'Alfons el Magnànim), fins fa poc considerades les dues biblioteques més importants de la València del Renaixement. Si, com hem vist, era una biblioteca oberta als intel·lectuals de l'època i a Mencía li

apelé para ante el licenciado Briviesca, con las mil y quinientas arrobas de caderas del dicho licenciado si la susodicha me pagará el daño». Més cruel és el sarcasme que li dedicà al·ludint als seus avortaments: «Vi la marquesa de Cenete sentada pro tribubali non sedendo, sino riendo en tanta manera que movía tres niñas de un parto», vegeu ZÚÑIGA 1981.

49. *Ibid.*, pàg. 240. El complet estudi de GALLEGO 1982, pàg. 161 indica que Palmireno podia accedir a la biblioteca de la duquessa, però sense esmentar-ne la font.

50. Guillaume Budé deixà constància al seu diari de les dues converses que tingué amb Mencía de Mendoza a París el 5 i el 7 d'agost de 1535, a la segona visita Budé anotà que obsequià Mencía amb un exemplar manuscrit en pergamí del *De officiis* ciceronià; Erasme de Rotterdam en l'última carta que ens ha pervingut del neerlandès, datada el 28 de juny de 1536, expressà el seu desig de conversar amb la dama.

agradava comentar i discutir les seves lectures, és difícil negar que dama i biblioteca no siguin un dels fonaments del període de plenitud del Renaixement a València.

Bibliografia citada abreujadament

ALCINA ROVIRA, Juan F. *Juan Ángel González y la «Silva de laudibus poeseos» (1525)*. Bellaterra: Publicaciones del Seminario de literatura medieval y humanística/Universitat Autònoma de Barcelona, 1978.

ALCINA ROVIRA, Juan F. «Notas sobre la pervivencia de Vives en España», *Studia Philologica Valentina*, núm. 1, 1996, pàg. 111-123.

ALCINA ROVIRA, Juan F. «Los inicios del ramismo en España», dins J. Pérez DURÀ i J. M. ESTELLÉS (ed.), *Los humanistas valencianos y sus relaciones con Europa: De Vives a Mayans*, Ajuntament de València, 1998, pàg. 117-136.

ANYÉS, Joan Baptista. *Obra catalana*, a cura de M.Cahner. Barcelona: Curial, 1987.

–*Obra profana. Apologies, València 1545*, introducció d'Eulàlia Duran, ed. de Martí Duran. Barcelona: Reial Acadèmia de Bones Lletres-Universidad Nacional de Educación a Distancia, 2001.

ASENJO, Julio Alonso. «*Optimates laetificare*: la *Egloga in Nativitate Christi* de Joan Baptista Anyés o Agnesio», *Criticón,* núm. 66-67, 1996, pàg. 307-368.

ASENSIO, Eugenio-ALCINA ROVIRA, Juan. *Paraenesis ad litteras. Juan Maldonado y el humanismo español en tiempos de Carlos V*. Madrid: Fundación Universitaria Española, 1980.

BARBEITO DÍEZ, PILAR. *Pedro Juan Núñez humanista valenciano*. València: Generalitat Valenciana, "Biblioteca Valenciana", 2000.

BENITO DOMÉNECH, Fernando. *Joan de Joanes. Las bodas místicas del venerable Agnesio*. València: Museu Sant Pius V, 1996.

BENITO DOMÉNECH, Fernando. *Joan de Joanes. Una nueva visión del artista y su obra*. València: Consorci de Museus de la Generalitat Valenciana, 2000.

BERGER, Philippe. *Libro y lectura en la Valencia del Renacimiento*. València: Edicions Alfons el Magnànim, 1987, 2 vols.

BOSCH, M. del Carmen. «Espigueo en De adserenda Hispaniorum eruditione de Alfonso G. Matamoros», dins Jordi PÉREZ DURÀ (dir.), *La Universitat de València y el humanismo: Studia humanitatis y renovación cultural en Europa y el nuevo mundo*. València: Universitat de València, 2000.

COX, Virginia. *The Renaissance dialogue. Literary dialogue in its social and political contexts. Castiglione to Galileo*. Cambridge: Cambridge University Press, 1992.

FERNÁNDEZ DE HEREDIA, Juan. *Obras*, edición, prólogo y notas de Rafael Ferreres. Madrid: Espasa-Calpe, Clásicos Castellanos, 1955.

GALÁN VIOQUE, Guillermo. «Erasmo en España: Ecclesiastes y De ratione dicendi de Alfonso García Matamoros», *Humanistica Lovaniensia,* núm. 45, 1996, pàg. 372-384.

GALLEGO BARNES, Andrés. *Juan Lorenzo Palmireno (1524-1579). Un humanista aragonés en el Studi General de Valencia.* Saragossa: Institución Fernando el Católico, 1982.

GARCÍA MARTÍNEZ, Sebastián. «El erasmismo en la Corona de Aragón en el siglo XVI» dins J. IJSEWIJN i A. LOSADA (ed.), *Erasmus in Hispania. Vives in Belgio. Acta Colloquii brugensis, 23/26, IX, 1985.* Lovaina: Peters, 1986, pàg. 215-290.

GARCÍA MATAMOROS, Alfonso. *Opera omnia*, ed. de Francisco Cerdá Rico. Madrid: Andrés Ramírez impr., 1769.

– *Pro adserenda hispanorum eruditione*, ed., estudio y notas de José López de Toro. Madrid: Consejo Superior de Investigaciones Científicas/*Revista de filología española. Anejo* núm. 28, 1943.

GEORGE, Edward V. «Persuading a Feminine Audience? Gratuitous Invective Apostrophe in Juan Luis Vives *On the Education of a Christian Woman*», *Scholia. Natal Studies in Classical Antiquity*, núm. 5, 1996, pàg. 94-111.

GILLY, Carlos. *Spanien und der Basler Buchdruck bis 1600. Ein Querschnitt durch die spanische Geistesgeschichte aus der Sicht einer europäischen Buchdruckerstadt.* Basilea-Frankfurt: Verlag Helbing & Lichtenhahn, 1985.

GIRARDI Raffaele. *Modelli e Maniere. Esperienze poetiche del Cinquecento meridionale.* Bari: Palomar Edizione, 1999.

GÓMEZ i FONT, Xavier. *Andreu Sempere (1510-1572) i la seua Prima grammaticae latinae institutio.* Alcoi: Ajuntament d'Alcoi/Institut de Cultura Juan Gil-Albert, 1997.

GONZÁLEZ GONZÁLEZ, Enrique-ALBIÑANA, Salvador-GUTIÉRREZ, Víctor. *Vives. Edicions prínceps.* València: Universitat de València, 1992.

GONZÁLEZ GONZÁLEZ, Enrique GUTIÉRREZ RODRÍGUEZ, Víctor. *Los diálogos de Vives y la imprenta. Fortuna de un manual escolar renacentista (1539-1994).* València: Institució Alfons el Magnànim, Arxius i documents, 24, 1999.

GRAU CODINA, Ferran. «The Teaching of the Progymnasmata of Pedro Juan Núñez (Valencia 1529-1602)», dins Richard LEO ENOS (ed.), *Advances in The History of Rhetoric. Disputed & Neglected Texts in the History of Rhetoric.* Texas Christian University, I, 1999a, pàg. 25-32.

– «Miguel Jerónimo Ledesma y Pedro Juan Núñez, dos helenistas», dins *Historia de la Universidad de Valencia,* vol. I: *El estudio general*, Universitat de València, 1996, pàg. 321-328.

HIJARRUBIA LODARES, G. *El códice Panthalia del venerable Juan B. Agnesio*. València, 1960.

LASSO DE LA VEGA y LÓPEZ DE TEJADA. M., Marqués del Saltillo. *Doña Mencía de Mendoza, marquesa de Cenete (1508-1554)*, discurs d'ingrés a l'Academia de la Historia el 4 de novembre de 1942. Madrid: Real Academia de la Historia, 1942.

LUJÁN ATIENZA, Ángel L. *Retóricas españolas del siglo XVI. El foco de Valencia*. Madrid: Consejo Superior de Investigaciones Científicas, 1999.

MARCH, Josep M. *Niñez y juventud de Felipe II. Documentos inéditos sobre su educación civil, literaria y religiosa y su iniciación al gobierno (1527-1547)*. Madrid: Ministerio de Asuntos Exteriores, 1941-42, 2 vols.

MATHEEUSSEN, Constant. «J. L. Vives and Erasmus on the education of women: a controversy between humanists», dins Jordi PÉREZ DURÀ (dir.), *La Universitat de València y el humanismo: Studia humanitatis y renovación cultural en Europa y el nuevo mundo*. València: Universitat de València, 2000.

MOLAS, Joaquim. «Teatre català del segle XVI», *Serra d'Or*, núm. 5, 1963, pàg. 42-44.

NADER, H. *The Mendoza Family in the Spanish Renaissance 1350 to 1550,* New Brunswick: Rutgers University Press, 1979 (trad. castellana: *Los Mendoza y el Renacimiento español*, Guadalajara, 1986).

PABEL, Hilmar M. «"Feminae unica est cura pudicitiae": Rhetoric and the inculcation of Chastity in book I of Vives, *De institutione feminae christrianae*», *Humanistica Lovaniensia*, núm. 48, 1999, pàg. 70-102.

PETROCCHI, Giorgio. "La Letteratura napoletana del Rinascimento", dins *Storia di Napoli*. Nàpols: Società editrice Storia di Napoli, 1967, vol. V, pàg. 281-336.

ROBRES LLUCH, Ramon. *San Juan de Ribera, patriarca de Antioquía, arzobispo y virrey de Valencia, 1532-1611*. València, 1960.

SÁNCHEZ CANTÓN, F. J. *La biblioteca del marqués del Cenete iniciada por el cardenal Mendoza (1470-1523)*. Madrid: Consejo Superior de Investigaciones Científicas, 1942.

SERRANO MORALES, José Enrique. *Reseña histórica en forma de diccionario de las imprentas que han existido en Valencia desde la introducción del arte tipográfico en España hasta el año 1868*. València: Imprenta F. Domènech, 1898-99.

SICA, Francesco (ed.). *Poesia volgare a Napoli tra Quattro e Cinquecento*. Salerno: Edisud, 1991.

SOLERVICENS, Josep. *El diàleg renaixentista: Joan Lluís Vives, Cristòfor Despuig, Lluís del Milà, Antoni Agustí*. Barcelona: Publicacions de l'Abadia de Montserrat, Biblioteca Serra d'Or, 175, 1997.

– «Civilitzats, tanmateix: *La vesita* (1524-25) de Joan Ferrandis d'Herèdia i la comèdia renaixentista», *Estudis de llengua i literatura catalanes,* núm. 38, 1999, pàg. 57-84.

– «La literatura humanística a la selecta biblioteca de Mencía de Mendoza, marquesa del Cenete, duquessa de Calàbria i deixebla de Joan Lluís Vives» dins Jordi PÉREZ DURÀ (dir.), *La Universitat de València y el humanismo: Studia humanitatis y renovación cultural en Europa y el nuevo mundo*. València: Universitat de València, 2000.

SÒRIA, Jeroni. *Dietari,* pròleg de Francisco de P. Momblanch Gonzálbez. València: Acción Bibliográfica Valenciana, 1960.

STEPPE, J. K. «Mencia de Mendoza et ses relations avec Erasme, Giles de BusLeiden et Jean-Louis Vives», *Scrinium Erasmianum*, núm. 2 (Leiden), 1969, pàg. 449-506.

TOSCANO, Gennaro. «La librairie des rois d'Aragon à Naples», *Bulletin du bibliophile*, núm. 2, 1993, pàg. 265-283.

TOSCANO, Gennaro. *La biblioteca reale di Napoli al tempo della dinastia aragonese.* València: Generalitat Valenciana/Comune di Napoli/Bancaixa, 1998.

VIVES, Lluís. *Diàlechs,* pròleg i traducció de Josep Pin i Soler. Barcelona: S. Babra, 1915.

– *Obras completas*, trad. de L. Riber. Madrid: Aguilar, 1947, 2 vols.

– *Instrucción de la mujer cristiana, trad. de Juan Justiniano,* introd., revisión y anotación de Elizabeth Teresa Howe. Madrid-Salamanca: Fundación Universitaria Española/Universidad Pontificia de Salamanca, Espirituales españoles, 43, 1995.

– *De institutione feminae christianae*, introduction, critical edition, translation and notes by C. Fantazzi and C. Matheeussen, «Selected Works of J. L.Vives», 6-7. Leiden: Brill, 1996-1998, 2 vol.

– *The education of a Christian Woman: A Sixteenth-Century Manual,* edited and translated by Charles Fantazzi. Chicago-Londres: The University of Chicago Press, 2000.

VOSTERS, Simon A. *Mencía de Mendoza Vrouwe van Breda en Onderkoningin van Valencia*. Delft: Eburon, 1987.

ZÚÑIGA, Francesillo de. *Crónica burlesca del emperador Carlos V*, (ed.), introd. y notas de Diane Pamp de Avalle-Arce. Barcelona: Crítica, 1981.

MITOLOGIA ROMÀNTICA: ELS ALMOGÀVERS EN LA POESIA DEL SEGLE XIX[1]

Magí Sunyer

Universitat Rovira i Virgili

La lectura que els romàntics fan de la història i de la llegenda proporciona la major part de la mitologia i els símbols nacionals catalans, extrets de l'edat mitjana amb preferència sobre èpoques anteriors com la clàssica grecollatina. Al costat dels altres grans mites de significació diversa –Otger Cataló, Guifre el Pilós i l'origen de les quatre barres, el rei En Jaume, Fiveller, Pau Claris, Rafel Casanova, etc.–, el dels almogàvers demostra durant el segle XIX una potencialitat en l'evocació i una vitalitat en l'actualització singulars. Per sobre dels altres aspectes que el componen, associat a l'expansió per la Mediterrània, a «la imperialitat catalana»,[2] en paraules d'Eugeni d'Ors, per a un nacionalisme optimista, resulta molt més atractiu que, posem per cas, la Guerra dels Segadors o la de Successió. Segons qui, l'identifica amb la Renaixença, i no és exagerat relacionar el crit «Desperta ferro!», repetit amb tanta satisfacció pels romàntics, amb el símbol de la Morta-viva.[3] La persistència del mite abans del romanticisme és la millor garantia que no ens trobem davant una tradició inventada, encara que fos per oblit dels esdeveniments històrics, sinó que es tracta de l'ordenació de la història pròpia de la legitimació de l'univers simbòlic català.[4] Recordem que el procés de mitificació literària és iniciat per Muntaner, actor i cronista, que el mite aconsegueix una il·lustre pàtina de ficció al *Tirant lo Blanc*[5] i que en el segle XVII és revitalitzat per la publicació de l'*Expedición de los catalanes y aragoneses contra turcos y griegos,* de Francesc de Montcada.[6] Després, afegits al

1. Aquest article, escrit en homenatge al doctor Joaquim Molas, s'inclou en el projecte BHA2001-1187 del Ministeri d'Educació i Cultura. Vull agrair l'ajuda que m'han proporcionat Pere Anguera, Manuel Jorba i Joan Josep Pujadas.

2. Eugeni D'ORS, «Catalunya... Orient», dins *Glosari 1906-1910*, Barcelona: Selecta, 1950, pàg. 271.

3. Àngel Carmona titula «Simfonia almogàver» el capítol sobre els Jocs Florals de *Dues Catalunyes. Jocfloralescos i xarons*, Barcelona: Ariel, 1967, pàg. 63-68. Vicent W. Querol utilitza un revelador «Desperta, ànima, desperta» al discurs presidencial dels Jocs Florals de 1885.

4. Peter L. BERGER i Thomas LUCKMANN, *La construcció social de la realitat*, Barcelona: Herder, 1996, pàg. 147-148.

5. Martí DE RIQUER, *Aproximació al Tirant lo Blanc*, Barcelona: Quaderns Crema, 1990, pàg. 168-169.

6. Reeditada amb pròleg i notes de Jaume Tió el 1842, Barcelona: Juan Oliveres, editor. El volum publica també «Las armas de Aragón en Oriente», de Calisto Fernández Campo-redondo, el mateix any que l'Acadèmia.

lloc que ocupen als treballs d'historiadors com Zurita o Capmany, en podem constatar indicis de la persistència: en temps de la Guerra dels Segadors es ressuscita la denominació Companyia Catalana, la literatura austracista de la Guerra de Successió «recorda contínuament les antigues gestes catalanoaragoneses»,[7] als miquelets de la Guerra Gran se'ls recorda la campanya de Grècia en les cançons populars de l'època,[8] quan el general Augerau vol guanyar la voluntat dels catalans els anomena «vencedors d'Atenes i Neopàtria»,[9] en una apologia de Ferran VII publicada en un periòdic reusenc del 1814, els catalans són identificats amb els antics almogàvers.[10] Són només alguns exemples. La barreja d'almogàvers amb el rei En Jaume, Ausiàs March i altres il·lustres catalans pretèrits en poesies de commemoració, d'elogi d'un personatge, de repassada històrica, és un lloc comú que arriba a «Les comunitats de Castella», d'Antoni Puigblanch,[11] i multiplica la presència amb el romanticisme.

Els cappares de la historiografia romàntica, Víctor Balaguer i Antoni de Bofarull, inspirats per Piferrer, van quedar seduïts per aquests episodis medievals i hi van dedicar moltes pàgines, en castellà i en català, no sols en les respectives històries de Catalunya sinó sobretot en llibres divulgadors de base historicollegendària i en drames, poesies i proses de dimensió diversa que «van ensenyar història a més gent que els historiadors professionals».[12]

Efectivament, en la literatura romàntica les referències a fets i personatges de la història catalana s'incrementen molt. Com a simple recreació històrica, buscant-hi antecedents patriòtics o amb una projecció cap al present o cap al futur, en to elegíac, reivindicatiu o triomfant, la identificació de la pàtria catalana amb una història representada pels «Berenguers i els Jaumes», o sigui, pels comtes-reis, els escriptors i els herois i personatges destacats, esdevé habitual, fins a convertir-se, ben aviat, en motiu de paròdia, que, si en Pitarra és constatació de popularitat, en Rusiñol presenta el tòpic en plena oxidació. Sorgeix, a més, com a novetat específica, una literatura històrica que s'ocupa d'episodis cèlebres, reals o llegendaris, preferentment medievals, sovint amanits per una trama sentimental i recursos d'embolic i anagnòrisi, que

7. Antoni COMAS, *Història de la literatura catalana*, Barcelona: Ariel, 1981, pàg. 35.

8. Max CAHNER, *Literatura de la revolució i la contrarevolució (1789-1849)*, Barcelona: Curial, 1998, pàg. 164.

9. Lluís M. DE PUIG I OLIVER, *Tomàs de Puig: catalanisme i afrancesament*, Barcelona: IEC, 1985, pàg. 61.

10. *El centinela de la patria en Reus*, núm. 3, 8 d'abril del 1814, pàg. 18. Diu que el rei va veure en els catalans les virtuts d'aquells «que pelearon por su Rey, y por la ley; eternizando el nombre catalan, fixandolo en el Asia menor, y haciendo resonar en la Armenia el riudoso valor de sus armas». Facsímil de l'Associació d'Estudis Reusencs, Reus, 1997.

11. Antoni PUIGBLANCH, «Les comunitats de Castella», a Joaquim MOLAS, *Poesia neoclàssica i preromàntica*, Barcelona: Edicions 62, 1968, pàg. 109: «i els destres catalans amb ell se gloriaren / que del Jònic solcant, i de l'Egeu los flots, / *duenyos* foren d'Atenes».

12. Josep FONTANA, «El Romanticisme i la formació d'una història nacional catalana», a *Actes del Col·loqui sobre el Romanticisme,* Vilanova i la Geltrú: Biblioteca Museu Víctor Balaguer, 1997, pàg. 539. Bofarull, l'any 1869, va publicar a *Lo Gay Saber* una "Història dels almugàvers."

si en un principi, per mimetisme o per voluntat espanyolista, es tendeix a extreure del passat castellà, ben aviat seran pouats en la història pròpia. Ja a les novel·les de Cortada dels anys 30, però sobretot a partir de començaments de la dècada següent. Quan es generalitza l'escriptura poètica en català, pocs poetes deixen de pagar tribut a la moda, que sembla que tingui la intenció de proveir el país d'una història rimada construïda a partir dels seus episodis més destacats. El cas més paradigmàtic és el de Francesc Ubach i Vinyeta, que en els tres aplecs del *Romancer català,* sobretot en els dos primers, repassa la història catalana a partir dels fets que en considera més notables, amb la condícia d'indicar l'any a què fa referència cada romanç. La primera fita en l'atenció sobre el tema almogàver en concret és el concurs poètic de la Reial Acadèmia de Bones Lletres de Barcelona de l'any 1841. Perquè el tema era obligat, perquè l'extensió requerida per als poemes obligava a desenvolupar històries extenses i perquè s'hi van presentar quatre composicions, tres d'autor català, Joaquim Rubió i Ors, Tomàs Aguiló i Antoni Camps i Fabrés, de les quals només la del mallorquí estava escrita en espanyol. De fet, aquests poemes en català constituïen excepció. Durant dues dècades més, tal com s'havia esdevingut en l'anterior, la història i la llegenda catalanes tractades literàriament amb una certa extensió i ambició continuaran escrivint-se en castellà, tant si els autors són monolingües, com Jaume Tió amb *El espejo de las venganzas* –sobre les vespres sicilianes, precedent immediat de la intervenció catalana a l'illa–,[13] com si alternen la llengua literària. Un poema del mateix 41, d'Antoni de Bofarull, i alguns de Víctor Balaguer de finals dels 50, són molt més breus i menys ambiciosos que la seva producció en castellà sobre el mateix tema d'aquests vint anys: els drames *Roger de Flor o el manto del templario* i *Urg el almogávar*, de Bofarull, o la narració *La gusla del cedro*, de Balaguer, després recollida a *Cuentos de mi tierra.*[14] La situació varia a finals dels anys cinquanta, moment que, en bona part per l'abundància de poesia sobre la guerra d'Àfrica, pot ser considerat d'or per a la vitalitat d'un mite que, com a tòpic, manté la presència fins al temps del modernisme, bàsicament reelaborat per poetes de la generació dels Jocs o per romàntics persistents com Ubach i Vinyeta.[15] Aquí ens ocuparem –de manera molt sintètica i sense utilitzar bona part del material existent, per raons d'espai– de la poesia escrita en català, amb les referències que convinguin a la literatura en castellà, en quatre apartats: un per a la continuïtat de les al·lusions en contextos generals, un altre per a la caracterització, el tercer per a les recreacions històriques i l'últim per a les actualitzacions en relació amb esdeveniments vuitcentistes, que en demostren la vigència. S'hi inclouen figures històriques, com Roger de Llúria, que no són almogàvers però s'imbriquen amb el mite, i esdeveniments en els quals el protagonisme d'aquests guerrers no és exclusiu.

13. No imprès. Vegeu Francesc MESTRE I NOÉ, *Temps, vida i obres del polígraf D. Jaume Tió i Noé (1816-1844),* Tortosa: Lluís Mestre, 1982, pàg. 305-312.

14. Traduïda al català amb el títol *Los almogàvers al Orient* i publicada a les *Novelas catalanas y extrangeras publicadas en lo Folletí de la Renaixensa*. Barcelona: Imp. de la Renaixensa, 1898.

15. Xavier VALL, «La poesia històrica d'Àngel Guimerà», a *Actes del Col·loqui sobre Àngel Guimerà*, Diputació de Tarragona, 2000, comenta l'«escàs atractiu» que ja tenen poemes com «Berenguer de Rocafort». Tanmateix, encara en els Jocs de 1884 la Diputació de Tarragona oferia una "lira de plata" a la millor poesia sobre Roger de Llúria.

Repassades històriques

Els discursos més o menys patriòtics dels romàntics catalans acostumen a contenir una part d'evocació històrica que recorda a l'auditori la pertinença a una nissaga il·lustre, que pot ostentar títols de prestigi antic. Abans m'hi he referit per indicar que el recurs retòric no neix amb el romanticisme però que s'hi intensifica. L'any 1831, Vicent Salvà l'utilitza en el poema «Lo somni» per caracteritzar la ciutat de València, en boca de les nimfes del Túria, a través dels il·lustres religiosos, militars, literats i jurats i, tot seguit, desacreditar-lo, per boca de la superior autoritat del riu personificat, a favor de «millorar la condició / de quants vihuen del món en la regió».[16] A «La Pàtria», d'Aribau, ja es pot deduir una al·lusió als almogàvers que es concreta amb claredat en l'*ubi sunt* amb què Rubió i Ors pretén incitar a la recuperació de «Barcelona» a partir de la constatació de la decadència: «Pus no tens Rogers de Lluria / Per dar lleys á las onadas, / Ni Erills, Entenças, Montcadas / Per dar lleys als pobles tens».[17] Rubió insistirà en la fórmula, amb argumentació gairebé idèntica, a «A Catalunya», de l'any 1858.[18] A partir de finals dels anys 50, Víctor Balaguer desplega, amb diferents pretextos –la lloança «A la Verge de Montserrat», l'oda marítima «Los héroes del mar. Al Mediterráneo», el menyspreu que es té al cantor de les glòries de la pàtria «Ahi y avuy», la burla que pateixen els que prefereixen els símbols i mites catalans als castellans, «A D. Mariano Fonts», una «Endressa als trovadors de Provensa» i un cant de desterrat «Á Catalunya»–[19] la rècula de blasons medievals, amb una preferència molt marcada per la mitologia almogàver. Teodor Llorente desenvolupa reiteradament el clixé, sobretot en les abundants «endreces, homenatges, dedicatòries i commemoracions patriòtiques», que no constitueixen la part més anecdòtica de la seva obra, amb plena ortodòxia renaixentista quan es tracta d'evocar «la grandesa antiga» però deixant ben clar que el reviscolament és purament literari «puix morts estan per sempre los Jaumes i els Borrells»[20] i que, si convé, els almogàvers defensaran Espanya.[21] La llista de poesies que desenvolupen

16. Vicent SIMBOR, *Els orígens de la Renaixença Valenciana*, València: Universitat de València: 1980, pàg. 97.

17. «Barcelona», dins *Lo gayté del Llobregat*, Barcelona: Estampa de Joseph Rubió, 1841, pàg. 15. També Pau Piferrer en un dels «Romances en lenguaje antiguo», més indigeribles que els catalans de la modalitat, dedicat a glossar la visita de Cristina i Isabel de Borbó a Barcelona reclama que s'alcin les glòries medievals, Roger de Llúria inclòs, de les tombes per aclamar-les. A *Composiciones poéticas de D. Pablo Piferrer, D. Juan Francisco Carbó y D. José Semís Mensa*, Barcelona: Imprenta de Pons y C.ª, 1851.

18. «A Catalunya», dins *Lo gayter del Llobregat*, 2a edició. Barcelona: Llibreria de Joseph Rubió, 1858.

19. «A la Verge de Montserrat» i «Al Mediterráneo» es publiquen a la secció «Lo trovador de Montserrat» d'*Amor a la patria*. Barcelona: Imprenta de Jaime Jepús i Ramon Villegas, 1858. «Ahí y avuy» i «A D. Mariano Fonts» a *Lo trovador de Montserrat*. Barcelona: Llibreria de Salvador Manero, 1861. «Endressa als trovadors de Provensa» i «Á Catalunya» a «Lluny de ma terra», dins *Poesias catalanas*. Barcelona: Espasa y comp., 1892.

20. «Als poetes de Catalunya», a *Poesia valenciana completa*, València: Tres i Quatre, 1983, pàg. 303.

21. «Als bons valencians fundadors de "La Senyera", societat valenciana en Madrid», a *op. cit.* Les altres poesies de Llorente que corresponen a aquest apartat són «Al poeta Adolf Blanch», «A la memòria

aquest tòpic és extensa i no crec que pagui la pena entretenir-s'hi. Només vull destacar que en formen part mostres tan emblemàtiques de la nostra poesia romàntica com «Lo treball de Catalunya», de Josep Lluís Pons i Gallarza, «La veu de les ruïnes», d'Adolf Blanch o «A Barcelona», de Jacint Verdaguer.[22]

L'almogàver

Més enllà de la caracterització que n'ofereixen les cròniques medievals i de constituir-se en punt de referència del passat gloriós de la Catalunya sobirana, l'almogàver esdevé un mite delimitat per la literatura romàntica. Almogàver s'arriba a convertir en sinònim de patriota, de defensor o lluitador per la terra, i no és estrany que, en l'imaginari romàntic, derivi en la força rebel d'un país que reapareix amb formes diferents –bandolers, miquelets– al llarg de la història. Les cròniques medievals els descriuen com a guerrers de la més baixa condició, cruels, austers, frugals, eficaços, que tenen la guerra com a forma única de vida i que viuen del botí. Amb Desclot i Muntaner com a documentació de base,[23] Antoni de Bofarull, a «Los almogàvers», el primer poema que se'ls dedica com a col·lectiu, independentment d'accions guerreres concretes en què intervinguessin, els descriu minuciosament en vestits, armes i comportament. Aquí se'ls considera només com a homes de guerra, que no poden gaudir d'allò que pertany als «homes de pau» i el panegíric, tal com indica Xavier Vall,[24] no s'atura ni davant els aspectes més repulsius de l'acció bèl·lica: «Correu, sense menjar i sense beure, / fins que la sang vos brindi amb tolls vermells, / fins que les carns dels moros se vos mostrin, / a l'estripar la llança sos

de Vicent Boix», «València i Barcelona», «Lo rat-penat», «A la senyera» i «Salutació a en Belenguer», totes a *op. cit.*

22. Algunes més: «L'Empordà», «Lo Farell», «Davant d'un mapa», «A la Verge de Montserrat» i «A Catalunya», de Verdaguer, «Lo saló dels Jochs Florals», de Marià Fonts, «Los catalans», «Los fills de Catalunya» i «Nits de lluna», de Frederic Soler, «A la Verge de Montserrat», de Tomàs Fortesa, «Les dues corones», de Josep Lluís Pons i Gallarza i «L'anada a Montserrat», de Josep Franquesa i Gomis.

23. El passatge clàssic és a Desclot, *Crònica,* cap. LXXIX: «Aquestes gents qui han nom "almogàvers" són unes gents qui no viuen sinó d'armes, e no estan en ciutats ne en viles, sinó en muntanyes e en boscs, e guerregen tots jorns ab sarraïns e entren dins la terra dels sarraïns una jornada o dues, enlladroint e apresent, e en traen molts sarraïns preses e molt d'altre haver. E d'aquell gasany viuen, e soferen de grans malanences que altre hom no podria sofrir; que ben estaran dos jorns sens menjar, si mester llur és, o menjaran les herbes dels camps, que sol no s'ho preen res. E los adalils són cells qui els guien, qui saben les terres e els camins. E no porten mas una gonella o una camisa, sia estiu o hivern, molt curta, e en les cames unes calces ben estretes de cuir e e'ls peus bones avarques de cuir; e porten bon coltell, e bona correja e un foguer a la centura, e porta cascú una bona llança, e dos dards e un sarró de cuir a l'esquena en què porta son pa a dos o a tres jorns. E són molt forts gents e lleuger per fugir o per encalçar; e són catalans, e aragoneses e serrans.»

24. Xavier VALL, *Antoni de Bofarull. Poemes*, Reus: Associació d'Estudis Reusencs, 1996, pàg. 27. La mateixa concepció apareix a *Urg el almogavar o El noble y el villano*, Barcelona: Imprenta de I Estivill, 1844, pàg. 46-47.

mantells. / Llavors sí, acampats entre calabres, / que us serviran a un temps de taula i banc, / mengeu del camp les herbes que tallades / haureu amb vostres sabres bruts de sang».[25] Al seu crit, «Desperta, ferro!», Bofarull hi afegeix la inversió del propi del sometent, «Via dins!».[26] De manera similar els presenta Víctor Balaguer al «Cant del almogavar», accentuant encara més el caràcter bestial de la pràctica militar pura. Renuncien a l'amor, amb grans proclames d'essència guerrera –«La ascona és la muller del bon almogavar», «Un tros de ferro té lo almogavar per cor»–,[27] fins a l'extrem que la poesia s'orienta cap a un idil·li conjugal entre almogàver i ascona, en les glosses dels quatre versos terribles de la tornada: «Desperta, ferro! Anem! depressa com lo llam / anem, almogavars, al camp del enemich: / qui arribe lo primer, será lo primer rich. / Anem allí á fer carn! Las feras tenen fam!»[28] En relació estretíssima amb aquesta poesia, Balaguer va escriure «En lo Muradal»,[29] un diàleg, a l'indret de pau, entre l'almogàver que es deleix per la guerra i la seva dona, que el vol retenir. S'hi repeteixen les imatges més sagnants i els quatre versos suara reproduïts del poema anterior que en aquest funcionen com a conclusió. Dècades després, Pompeu Gener aprofitava aquesta connotació per demolir els romàntics catalans: «En sus cantos evocan unos almogávares casi antropófagos, sedientos de carnaje, sucios, semicubiertos de pieles, buscando las matanzas cual los chacales, y de esos soldados carniceros hacen el prototipo del defensor de Cataluña».[30]

Sense que es desmenteixi aquesta caracterització com a animal de guerra, en un fragment de «¡Son ells...!! Desembarch dels almogavers en Orient», de Damas Calvet, s'introdueixen unes variants que paga la pena d'examinar. La descripció s'ajusta amb ortodòxia que ja hem vist, però ja varia l'actitud de les dones i dels fills: «Llurs donas, com ells bravas, segueixen llurs petjadas, / y als crits de la embestida alletan á llurs fills; / lo foch y valor beuhen en estas mamelladas, / y encara noys, l'exércit dels pares van seguint»[31] i, sobretot, els atribueix un origen que permetrà la mitificació positiva –difícil entre tants esquitxos de sang– basant-se en una rebel·lia congènita i mantinguda. Per a Calvet, els almogàvers són els que mai no han renunciat a la llibertat: «restos d'aquellas hordas, que'l glas abandonaren, / com á un monarca adoran al que los dú al combat: / Nascuts en mitx las selvas, jamay los subjugaren; / que noys ja'ls adormian ab cant de llibertat.»[32]

25. VALL, *op. cit.*, pàg. 123.

26. Rubió, a «Roudor de Llobregat», dins *Lo gayter del Llobregat*, 2a edició, pàg. 362, fa una curiosa barreja de lemes: «via ferro». Serafí Pitarra ridiculitza el crit ferotge amb el «Desperta, pixa! Fotem! Fotem!»: *Don Jaume el Conqueridor*, Barcelona: Millà, 1992, pàg. 25.

27. *Los trovadors moderns*, Barcelona: Salvador Manero, 1859, pàg. 195.

28. *Op cit.*, pàg. 194.

29. *Lo Trovador de Montserrat*, pàg. 129-131. VALL, *op. cit.*, pàg. 125, nota, aclareix la confusió romàntica, per una mala lectura, sobre el topònim Muradal, que correspon al lloc d'origen dels golfins, i no dels almogàvers.

30. *Cosas de España*, Barcelona, 1903, pàg. 162-163.

31. *Jochs Florals de Barcelona en 1959*, Barcelona: Salvador Manero, 1859, pàg. 98.

32. *Op. cit.*, pàg. 98-99.

La porta oberta per Damas Calvet permetia moltes més possibilitats que aquelles apologies de criminals professionals i Víctor Balaguer, que l'any 1847 havia publicat un poema en castellà en el qual els amogàvers eren l'exemple per a la lluita per la llibertat dels catalans,[33] no podia deixar d'aprofitar-les. Una altra poesia, «Lo cant de la terra», després d'una introducció que permetia l'enllaç amb els poemes en què els presentava només com a guerrers, completa la mitificació. Aquella força inaturable destinada només a la destrucció i al saqueig, s'encamina a un fi superior: «á defensar ne corren las patrias llibertats».[34] Aquells bàrbars s'han convertit en símbol dels patriotes que, sense témer els perills, complint amb el deure, han defensat una pàtria on la falta de llibertat no és possible: «Honor als que algun dia, fills nobles de la terra, / sas vidas menyspreaban cumplint ab son deber, / y'ls veyen sempre promptes á defensar al poble / lo camp de la batalla, lo temple de las lleis. / Ho contan las llegendas, ho diuhen las historias, / fou sempre Catalunya la mare carinyosa, / la patria de las nobles y santas llibertats».[35] D'aquesta manera ingressa el mite en la intemporalitat. Els almogàvers ja poden representar la llibertat de la terra, i un jove patriota ja es pot anomenar almogàver sense que la paraula signifiqui només militar desbocat. Frederic Soler ho recollirà més tard en el poema «Los catalans», en el qual els almogàvers són els hereus dels laletans i del rei En Jaume i els precedents dels consellers medievals, en una successió que presenta les baules de l'esperit català que s'adapta als temps. Mor el rei En Jaume «mes resta al món Roger; / Y viu en ell la patria, car lluyta ab sa senyera / lo laletà indomable, vestit d'almogavér. / Mes l'espichnet no sona, l'almogavér ja calla. / ¿Ha mort s'ánima fera? / ¡May! No. Encara altanera / Espanta al món y vetlla pe'l poble catalá. / L'almogavér va á vila, vestit ab la gramalla; / Es conceller y jura que'l dret defençará».[36] La dignificació semàntica del terme és constatada per Ferran Soldevila quan recorda que Menéndez Pelayo «va anomenar "almogàver de la filosofia" el nostre Ramon Llull, "almogàver de la història" el nostre Ramon Muntaner, i "almogàver coronat" el nostre heroic Frederic de Sicília.»[37]

Recreacions històriques

La guerra contra els francesos

Ni que les cròniques enregistrin la intervenció d'almogàvers amb protagonisme destacat ja en les escaramusses frontereres del sud del Regne de València durant

33. Reproduït fragmentàriament com a poesia liminar a BALAGUER, *Amor a la patria*.
34. *Esperansas y recorts*, Barcelona: Jaume Jepús, 1866, pàg. 137.
35. *Ibidem*. A. Ferrer i Fernàndez, a "Mon pare i Catalunya", *Los trovadors moderns,* pàg. 89, escriu: "los miquelets, moderns almogavars". J. Manel Casademunt, a «Lluny de ma terra», anomena Catalunya «mare dels Almogávers»: *Certamen Catalanista de la Joventut Catòlica de Barcelona*, Barcelona, 1884, pàg. 52.
36. «Los catalans», a *Poesias catalanas*, Barcelona: Espasa germans / Salvat, 1875, pàg. 99.
37. «Els almogàvers», a *Revista de Catalunya*, any II, juny de 1925, pàg. 550.

el regnat de Jaume I, la seva aparició en la literatura romàntica de recreació històrica s'inicia amb la intervenció en la guerra de Pere el Gran contra els francesos que ocupaven l'Empordà. Sembla que la font bàsica consultada per a aquest episodi va ser la *Crònica* de Bernat Desclot, preferida a la de Muntaner pel major deteniment amb què se n'ocupa –ell mateix explica que en va ser protagonista, a diferència de Muntaner, molt jove llavors, que en parla per referències. Víctor Balaguer fa un gran elogi de Muntaner «que si no fué un verídico historiador, fué por lo menos un excelente poeta»[38] a la *Historia de Cataluña*, on reprodueix en gravat un quadre de Fortuny que pertanyia a Claudi Lorenzale, *Els almogàvers incendiant les naus de Carles d'Anjou,* sobre un episodi d'aquesta guerra, però s'hi indigna a propòsit de la famosa discrepància amb Desclot sobre la intervenció dels almogàvers en l'incendi de Peralada –si només van obeir ordres o el van provocar per desproveir els habitants de les pertinences–, fins al punt d'acusar-lo d'haver escrit amb poc patriotisme en aquesta ocasió.[39] «La crema de Peralada. 1285», d'Ubach i Vinyeta, segueix la versió de Desclot, i el mateix autor va publicar dos romanços que hem d'incloure en aquest apartat, «Lo senyor de Castelló. 1285», sobre la traïció de Castelló d'Empúries i la fidelitat del comte i «Lo combat de Cadaqués. 1285», sobre la batalla pintada per Fortuny en el quadre esmentat.[40] Damas Calvet, en canvi, a «La mercadera», recrea una anècdota del setge de Peralada narrada per Muntaner.[41] En un poema premiat amb accèssit a l'englantina als Jocs de 1861, «Rey i poble ó En Pere, lo dels francesos», Antoni de Bofarull descriu els esforços del rei En Pere per, en compliment de la paraula donada, contenir la tropa, amb els almogàvers al capdavant, mentre l'exèrcit francès, amb el rei mort, es retira passant el coll de Panissars.[42] Tomàs Aguiló, que s'havia ocupat de l'avortada croada de Jaume I a Palestina, amb esment explícit dels nostres personatges, en un poema en castellà, «La cruz de esmeraldas. 1269», tanca les referències als almogàvers que lluiten en terra amb el romanç «La mort d'en Pere Terç. 1285».[43]

A la Mediterrània occidental. Roger de Llúria

L'acció més famosa en què intervenen els almogàvers durant el regnat de Pere el Gran i el molt breu de son fill Alfons és la primera fase de l'expansió catala-

38. *Historia de Cataluña y de la corona de Aragón*, Barcelona: Salvador Manero, 1861, tom II, pàg. 480.

39. *Op. cit.*, pàg. 622, nota.

40. Ubach va publicar «La crema de Peralada» i «Lo combat de Cadaqués» a la primera sèrie: *Romancer catalá,* Barcelona: La Renaixensa, 1877, i «Lo senyor de Castelló» a la segona, Barcelona: Estampa La Catalana, 1894.

41. «La mercadera», a *Vidrims*, Barcelona: Pujadas, Salvat y Comp., 1880.

42. VALL, *Antoni de Bofarull. Poemes*. Víctor Balaguer va dedicar a aquesta retirada el quadre tercer de *Los Pirineus*, «La Jornada de Panissars», a *Trajedias*, Barcelona: Biblioteca Popular Catalana, 1893, i Josep Franquesa i Gomis la poesia «Lo coll de Panissars», a *Lectura Popular*, III, pàg. 294-297.

43. «La cruz d'esmeraldas. 1269» es publica a *Obras en prosa y en verso. Tomo IX. Rimas varias*. Palma: Tipografía católica-balear, 1885. De «La mort d'en Pere Terç. 1285», en tenim una edició actual a *Obra poètica*, Barcelona: Barcino, 1993.

na per la Mediterrània, o sigui, la incursió al nord d'Àfrica, les batalles de Sicília, de Calàbria fins a Nàpols i de Malta. Aquesta sèrie d'esdeveniments tenen el pròleg en l'ocupació de Sicília per Carles d'Anjou, la decapitació de Conradí –evocada per Víctor Balaguer a la «tragèdia» *El guant del degollat*– i les vespres sicilianes. Els cronistes relaten gestes destacades d'almogàvers en aquests passatges que són recreades, o fabulades, pels escriptors romàntics.[44] La venjança de la reina Constança per la mort de son pare i son germà és imaginada per Tomàs Aguiló a «Constança d'Aragó. 1284» i la batalla de Messina per Francesc Ubach i Vinyeta a «Cardenals y almogavers. 1282» i Frederic Soler a «La matança de Messina».[45]

Amb una força molt superior a la de qualsevol altre, despunta l'almirall de la flota catalana, Roger de Llúria, que també intervé, amb una sèrie brillant d'accions navals, en l'anteriorment tractada guerra contra els francesos. Roger de Llúria esdevé exemple de valentia, senyoriu, elegància i destresa en la guerra marítima. Ni que el seu comandament no sigui exclusivament sobre almogàvers, aquests són una part fonamental de l'exèrcit. Roger de Llúria és presentat en la seva relació constant amb el rei a «Rey y vassall», de Frederic Soler i la reina a «La regina y l'almirall. 1284», de Francesc Ubach i Vinyeta.[46] Ubach li aplica tractament de mite a «Roger de Lluria. 1280-1302»: «D'homes com éll cada segle / que'n té un, es prou sortat. / Li diuhen Roger de Lluria: / ¡diguessen Gegant dels Mars!... / De ferro y cordell te'ls muscles, / de lava ardenta la sanch, / de roca'l pit, la mirada / com una fornal de llamps. / La terra que'l vegé naixe / molt més que las altras val, / y es més Rey que quants governan / aquell que'l té per vassall», amb recurs continuat a la hipèrbole de rondalla: «Ficat de peus dintre l'aygua, / á genoll li arriba'l mar; / quan vol allargar los brassos / ¡válgam Deu y quin espant! / L'una má als Gerbes arriba, / a Provensa l'altra má; / y'ls navilis á grapadas / fa córrehi d'assí d'allá».[47] Víctor Balaguer se n'ocupa a «Lo rey del mar», una de les seves evocacions per constatar que Barcelona ja no és el que havia estat. Aquí descriu la cèlebre batalla de Malta, en què el de Llúria no accepta la sorpresa com a aliada, i n'escriu el panegíric carregant les tintes sobre el seu patriotisme projectat cap al futur: «Heróica sa vida, / homérica sa historia, / eternament viurá com viu encara: / del esdevinidor sagrat exêmple, / sempre será de patria amor un' ara, / de honor, valor y llealtat un temple».[48] Una fantasia llorentina, «Tempesta», ens serveix per cloure l'apartat. Llorente imagina els cadàvers de Pere el Gran i Roger de Llúria, a Santes Creus, despertats pel rebombori de la Guerra del Francès, que s'encaminen a Poblet i estableixen diàleg, indignats, amb el rei En Jaume, que endevina en els nous temps signes de renaixença.[49]

44. Antoni de Bofarull reproduí a *Urg el almogavar* la victòria en combat desigual d'un almogàver a peu sobre un cavaller francès a cavall i amb llança narrada al capítol CIII de la crònica de Desclot.

45. Respectivament, a *Obra poètica*, *Romancer catalá. Segon aplech* i *Poesies catalanes*.

46. Respectivament, a *Nits de lluna* i *Romancer catalá. Segon aplech*.

47. *Romancer catalá*, pàg. 146.

48. *Lo Trovador de Montserrat*, pàg. 126.

49. *Poesia valenciana completa*, pàg. 361-366.

L'expedició a Orient. Roger de Flor

L'expedició a Orient o a Romania és la que té un caràcter èpic més acusat i aquella en què els almogàvers adquireixen un protagonisme absolut, des del moment que és la seva inadaptació a la pau signada per Jaume II la que origina la necessitat de buscar nous fronts de guerra i l'acceptació de la demanda procedent de Constantinoble.[50] Els excepcionals esdeveniments –les victòries ràpides, els honors aconseguits, el magnicidi i la terrible revenja– ajuntats amb l'existència d'un cabdill que per l'actuació –arriba com a alliberador, aconsegueix vèncer i fer recular els turcs, és nomenat megaduc i cèsar i es casa amb la neboda de l'emperador– i la mort violenta amb conseqüències abassegadores adquireix totes les característiques de l'heroi, i la participació en els fets d'un gran escriptor que després els narra amb passió, proporcionen l'epopeia servida en safata. La va escriure Muntaner i Joanot Martorell la va convertir en novel·la, poc temps després de la definitiva, durant gairebé quatre segles, victòria otomana. Ja ens hem referit a com se'n va mantenir el record i a com els historiadors romàntics van quedar seduïts per la crònica de Muntaner, ni que la seva declarada parcialitat els obligués, segons com, a marcar distàncies. Els estudis científics d'Antoni Rubió i Lluch i Lluís Nicolau d'Olwer vindran després, però Antoni de Bofarull i Víctor Balaguer van escriure una bona quantitat de pàgines sobre l'expedició a Orient. Bofarull, a la seva *Historia de Cataluña* expressa dubtes sobre la conveniència d'incloure-la en la seva síntesi, però acaba resumint Muntaner, més o menys com ho feia tothom, ho confessessin o no amb la sinceritat de Víctor Balaguer: «No debe importarnos mucho que un estudio detenido y analítico de su crónica nos dé por resultado la desaparición del historiador. Nos queda el poeta. Y, francamente, lo uno vale lo otro».[51]

L'any 1841, l'Acadèmia de Bones Lletres convocava el premi: «Por asunto de *poesía*, una composición de género épico, y que conste al menos de seiscientos versos, relativa a la famosa *Expedición de los catalanes y aragoneses contra turcos y griegos*, que en bello estilo escribió nuestro célebre Moncada, quedando al gusto del autor la elección del metro y del idioma castellano o catalán en que quiera escribir-lo».[52] Dels quatre poemes que s'hi van presentar, només tres van ser publicats en el llibre del certamen.[53] Sabem que el quart l'havia escrit Antoni Camps i Fabrés. Això ens proporciona, afegint-hi *La orientada,* de Francesc Pelai Briz, un total de cinc poemes molt extensos sobre el tema, tres dels quals estan escrits en català i un en castellà per un mallorquí,

50. MUNTANER, *Crònica*, cap. CXCIX. L. NICOLAU d'OLWER, *L'expansió de Catalunya en la Mediterrània oriental*, Barcelona: Barcino, 1926, pàg. 50-51. Per a la fama posterior de l'expedició, vegeu Antoni RUBIÓ I LLUCH, *El record dels catalans en la tradició popular, històrica i literària de Grècia*, Curial Edicions Catalanes– Publicacions de l'Abadia de Montserrat, 2001.

51. *Historia de Catalunya*, pàg. 480.

52. Josep MIRACLE, *La restauració dels Jocs Florals*, Barcelona: Aymà, 1960, pàg. 284.

53. *Academia de Buenas Letras de Barcelona. Sesión pública del dia 2 de julio de 1842...*, Barcelona: Imprenta de A. Brusi, 1842. A més dels poemes de Rubió i d'Aguiló, hi figura el de Calisto Fernandez de Campo-redondo.

també poeta en català.[54] Hi hem de sumar romanços i altres composicions més breus que qualsevol poeta actual consideraria quilomètriques. Només hi podré dedicar una atenció molt sintètica.

Els principals episodis de la gesta hi són glossats. La rebuda entusiasta que els grecs dispensen a l'exèrcit de Roger de Flor a «Són ells!», de Damas Calvet. Les proeses dels herois: Entença, Rocafort, Muntaner, Roudor i, per sobre de tots, Roger de Flor. «Rugero de Flor», de Tomàs Aguiló segueix l'itinerari des de l'arribada a Grècia fins a l'assassinat, amb l'anunci de la venjança i un deteniment superior en els fets bèl·lics que no rebutja del tot la nota sentimental, la qual acaba essent el veritable mòbil de la mort de Roger. A «Roudor de Llobregat», de Joaquim Rubió i Ors, les proporcions s'inverteixen i, sense deixar de banda les accions guerreres, la trama amorosa que domina les accions de Roudor se situa en primer pla, fins al punt que l'assassí de Roger arriba a ser el pare de l'estimada de Roudor, que així venja la mort del seu fill en mans dels catalans. Tot i que no és l'heroi del poema, Roger de Flor hi rep una hiperbòlica lloança: «Ell, sols Ell es lo fort; lo tro que brama, / lo vent que'ls roures romp com débils canyas; / Lo riu qu'escabellat pel pla's derrama, / Com fullas arrastrantne las cabanyas; / Lo volcá abrasador qu'en rius de flama / Converteix y vomita las montanyas, / Las tempestats, las onas, Ell las doma / Y li son dócils com al vent la ploma»,[55] tant pel valor com per l'astúcia: «Mes Roger, si be té la fortalesa / Del lleó, es cautelós com la rabosa, / Y ni tem de la serp la vil destresa, / Ni del aspit la baba verinosa».[56] L'assassinat de Roger de Flor inspira un poema en «llenguatge antic» de Ramon Picó i Campamar, en el qual la mort de l'heroi és un anunci de la de Grècia: «E fou de Grecia l'esglay / Tant, al veure's trepitjada, / Que de mort caygué nafrada / per no axercarse jamai. / E entremitx de sa pahor / Encara diu avuy dia: / "Va anunciar la mort mia / la mort d'en Roger de Flor!"».[57] La revenja és justificada per Rubió: «Mes no'ls culpau de cruels: en llurs entranyas / Sentiments de perdó pot sé abrigavan, / Y ¡Qui sap quantas voltas llurs pestanyas / Al dar un colp de mort se humitejavan! / Versaren sanch, es cert; mès llurs hassanyas / Y'ls agravis rebuts los disculpavan; / Y si's pot que'l venjarse sia noble, / Fou noble la venjansa de aquell poble»[58] i per Francesc Pelai Briz: «cástich just de ingratitut inica»,[59] que la converteix en fil conductor de *La orientada*, amb una trama sentimental similar a la del poema de Rubió però de desenvolupament molt més complex per la inclusió de

54. Hi ha un article d'Agustí Alemany sobre els poemes de Rubió i de Briz: «L'epopeia dels almogàvers: èpica catalana i èpica clàssica», a *Annals de l'Institut d'Estudis Gironins*, núm. 31, 1990-91, pàg. 157-168.

55. *Lo Gayter del Llobregat*, segona edició, pàg. 370.

56. *Ibidem*, pàg. 366.

57. «La mort d'en Roger de Flor», a *Obra poètica*. Universitat de Palma / PAM, 1983.

58. *Ibidem*, pàg. 386. La famosa revenja, esdevinguda proverbial, forní el tema de *Venganza catalana*, d'Antonio García Gutiérrez, amb prou impacte per assolir sis edicions en un any i per ser parodiada per Pitarra a *La venjança de la Tana*.

59. *La orientada*, Barcelona: Joan Roca y Bros, 1881, pàg. 7. N'havia publicat un fragment, «La espasa del mort», a *Baladas*, Barcelona: Joan Roca y Bros, 1878.

cançons i de narracions de joglar, de referències a la guerra de Troia o, fins i tot, la intervenció de la bíblica Herodias convertida en ànima en pena.

Era inevitable que Muntaner, expedicionari i cronista, hi adquirís un protagonisme. L'escriptor és invocat a «Rugero de Flor», de Tomàs Aguiló, actua com a savi conseller i conciliador a *La orientada* i esdevé personatge central a «Muntaner en Orient. 1303-1311», de Francesc Ubach i Vinyeta. Del domini sobre el ducat s'ocupa «Atenas catalana, 1310», d'Ubach. A «Sa derrera besada. 1315», de Tomàs Aguiló,[60] l'infant Ferran de Mallorca, quan embarca cap a Grècia, s'acomiada del seu fill nadó, futur Jaume III de Mallorca.

Referències posteriors

Amb la gesta grega gairebé acaba l'interès de la poesia romàntica a recrear episodis historicollegendaris sobre el mite. Encara, a «Neguit de rey», de F. Soler, Pere el Cerimoniós utilitza els almogàvers per matar l'infant En Jaume de Mallorca a la batalla de Llucmajor, i a «L'ombra de Muntaner», de Tomàs Forteza, el cronista retreu al Cerimoniós les malifetes comeses i li contraposa l'exemple de l'expedició a orient.[61] Molt més lateral resulta l'al·lusió que apareix al poema «A Catalunya», de Rubió i Ors, on el Magnànim confia en els almogàvers per conquerir Nàpols: «Mes que als sospirs de amor Nápols la bella / De via fora s rendirá a les veus. / Jo ab mos almogavérs vindré sobre ella, / Y la inconstant ciutat caurá á mos peus.»[62]

Actualització del mite

Aquestes recreacions històriques en romanços i poemes èpics de factura diversa són habituals en la literatura romàntica historicista de qualsevol país. La vitalitat d'un mite s'acaba de demostrar quan s'adapta a la realitat del moment. El mite almogàver es reutilitza amb freqüència aplicat als esdeveniments vuitcentistes. L'exemple més evident, però no l'únic, és el de la guerra d'Àfrica del 1859-60.

60. Les d'Ubach a *Romancer catalá. Segon aplech*. La d'Aguiló, a *Obra poètica*. Afegim-hi el drama d'Antoni Ferrer i Codina *Catalans a Orient*.

61. «Neguit de rey» és a *Poesias catalanas*. «L'ombra de Muntaner», a *Poesies*. Palma: Estampa den Jusep Mir, 1902. De l'època del mateix rei és el drama de Damas Calvet *La campana de la Unió*, en què s'explica la gesta d'Orient.

62. *Lo Gayter del Llobregat*, 2a edició, pàg. 25.

1. La guerra d'Àfrica del 1859-60

La guerra contra el Marroc va promoure una quantitat considerable de literatura patriòtica espanyola abrandadament racista. La participació catalana, tant en la lluita al camp de batalla com en la propaganda interna, no va ser menor. El batalló dels anomenats «voluntaris»,[63] amb indumentària característica de barretina, faixa i espardenyes de vetes, va ser acomiadat, encoratjat i rebut amb un seguit de poemes, revistes i peces teatrals escrits per literats de bona part de l'arc ideològic, des de Rubió i Ors fins a Altadill o Clavé. Durant els mesos de guerra es va publicar el periòdic *El cañón rayado,* Antoni Ferrer i Fernàndez va estrenar i publicar quatre peces curtes d'exaltació,[64] Barcelona va dedicar festes a la batalla de Tetuan, els esdeveniments bèl·lics i el retorn i rebuda triomfals –també dispensats en altres ciutats i viles– van ser àmpliament glossats per Víctor Balaguer a *Jornadas de gloria ó los españoles en África* i *Reseña de los festejos celebrados en Barcelona en los primeros días de mayo de 1860*[65] i els Jocs Florals de Barcelona del 1860 van premiar amb englantines d'or extraordinàries sengles poesies dedicades als voluntaris per Víctor Balaguer –que obtingué la que oferia Pascual Madoz per a composicions que contessin aquest assumpte– i Joaquim Rubió i Ors. Arriba a sorprendre la unanimitat amb què els components d'aquest batalló van ser anomenats «néts dels almogàvers». No resulta estrany que Balaguer, essent qui era, en la repassada de regions que aporten soldats a la causa comuna, cadascuna amb la seva mitologia –Jaume I i el Cid per a València, l'arbre de Guernica per al País Basc–, escrigui que «Cataluña, palpitante de entusiasmo y estremeciéndose bajo su manto de montañas, ofrecia sus hijos reclamando la gloria de que fuesen los primeros en el combate, como un día havian sido sus antepasados los primeros en pisar las abrasadas arenas del Oriente y en clavar la federal bandera de las gules barras sobre las vencidas cúpulas de Atenas»,[66] però sí, fins al punt que no és gaire agosarada la sospita que al darrere hi podia haver la ploma de Balaguer, que el general Prim, en un discurs en català de benvinguda al Marroc, desenvolupi el mite: «Imitáu lo exêmple de vostres gloriosos antepassats dels qui ab admiració consigna la historia los heroics fets: no sols en eixa terra, sino en altres més apartadas encara ressonaren sas hassanyas, fins á atravessar las Termópilas que semblan posadas per ser lo teatro de grans accions. Feu com ho feren ells, y sereu dignes de aquest valent exêrcit que vos reb com amichs, y conquistareu un nou llorer per la corona que teixiren en altre temps las invencibles

63. Pere Anguera, *Història de la cultura catalana*, IV, Barcelona: Edicions 62, 1995, pàg. 56, comenta: «la majoria s'enrolaren forçats per la crisi industrial que els empenyia a l'atur i en realitat els col·locava en la disjuntiva d'escollir entre morir-se de gana a casa o anar a l'escorxador marroquí».

64. *¡Al África minyons!, Ja hi van al África, ¡Minyons, ja hi som!* i *¡Ja tornan!,* totes amb referències a almogàvers, de la mateixa manera que *Desperta-ferro*, de Francesc Altimira i *Lágrimas y laureles*, d'Antoni Altadill. Pitarra va escriure les sàtires *La butifarra de la llibertat* i *Las píldoras d'Holloway o la pau d'Espanya.*

65. Víctor Balaguer, *Jornadas de gloria ó los españoles en África. Reseña de los festejos celebrados en Barcelona en los primeros días de mayo de 1860*. Madrid-Barcelona-Habana, 1860.

66. *Jornadas de gloria*, pàg. 11.

armas catalanas»[67] i que la *Gazeta Militar* del 7 de març s'hi refereixi com a «dignos descendientes de aquellos catalanes que bajo las órdenes de Roger de Flor, Berenguer de Entenza, Jiménez de Arenós y Rocafort, llevaron á cabo hechos tan notables»,[68] i tot seguit inclogui una cita de Montcada. Encara, la comunicació dels comandants primer i segon accidentals del cos de voluntaris a la Diputació de Barcelona, comentant la batalla de Tetuan, no pot ser més explícita: «el grito que hace siglos resonó en los confines de Grecia, retumbando por los valles i montañas de Tetuan trasmitirá al mundo entero el valor de este puñado de valientes, dignos descendientes de los que, lo mismo en el Peloponeso que en Sicilia, en Lepanto que en Bruch, asombraron al mundo entero con la fama de sus hechos. / ¡Sombras de Rojer y Entenza... regocijaos! ¡todavía los catalanes son los mismos que tantas veces conducísteis á la victoria y á nuestro regreso al suelo patrio depositaremos los laureles salpicados todavía con la sangre de los valientes que los han conquistado al lado de los immarcesibles que ciñeron vuestras frentes!...».[69]

A *El cañón rayado*, que tenia Balaguer i Altadill entre els redactors, la identificació és freqüent. En un «breu» llegim: «Primer bautizo de sangre de los almogabares modernos»,[70] en un telegrama: «Un voluntario catalan fue el primero que entró en la Alcazaba de Tetuan. Lo esperabamos, los almogávares y nuestros padres en 1808 nos enseñaron que cuando se trata de hundir sultanes y engrandezer la patria, los primeros son los catalanes»[71] i en un diàleg imaginari entre un voluntari i un altre soldat: «VOLUNTARIO: –Probaremos que la merecimos: seremos los modernos almogabares. OTRO SOLDADO: –¿Que tropa era esta? VOLUNTARIO: –Eran lo que seremos nosotros; conquista imperios y estermina turbantes».[72]

En tota aquesta literatura s'hi barreja alegrement la mitologia catalana amb l'espanyola, com en la poesia propagandística que l'acompanyava, que es va aprofitar a plaer de la revitalització del mite. Al costat dels «Entences i els Rogers», o el rei En Jaume, s'invoquen el Cid, Joan d'Àustria, Isabel I, Don Pelayo i Cisneros, fins i tot en les composicions d'il·lustres renaixentistes. Però la que podríem anomenar mitologia pròpia dels soldats catalans és, sense disputa de qualitat, l'almogàver. A *El cañón rayado* s'arriba a explicar –en clara analogia amb la batalla de Malta, quan Roger de Llúria no va voler aprofitar la sorpresa per derrotar l'enemic– que a Tetuan els voluntaris van llançar els cartutxos per lluitar en igualtat de condicions.[73]

A la vista dels poetes, les poesies i el que diuen, potser s'hauria de revisar la teoria de Xavier Fàbregas respecte de les dues posicions, burgesa i popular, personi-

67. *Ibidem*, pàg. 348.
68. *Ibidem*, pàg. 348.
69. *Ibidem*, pàg. 385.
70. *El cañón rayado, Periódico metralla de la guerra de África*, núm. 16, 23-II-1860, pàg. 2.
71. *Ibidem*, pàg. 4.
72. *Ibidem*, núm. 18, 29-II-1860, pàg. 4
73. *Ibidem*, núm. 16, 23-II-1860, pàg. 4.

ficades, segons ell, en Ferrer i Fernàndez i Serafí Pitarra. Carme Morell ha fet unes precisions interessants al respecte.[74] Agrupats per la circumstància, escriptors prou diferents ideològicament desenvolupen en vers una mística del fervor patriòtic espanyol que, com acostuma a ser habitual en aquests casos, no s'atura davant consideracions cap a l'enemic, el qual, en llenguatge de campanya, incitador, laudatori, racista, és denigrat amb tots els recursos a l'abast. Les referències a la mitologia almogàver apareixen en algunes de les escrites en castellà –«Las dos Españas», de Manuel Angelon, «Al regreso de los voluntarios catalanes», de Maria Mendoza de Vives, «A los voluntarios catalanes, vencedores en África», de Francisco J. Orellana, «Barcelona á los voluntarios», de Roman de Lacunza i «A la esposa y al hijo del valiente. La flor de Asia y la flor de África. Fábula», d'Antoni de Bofarull–[75] i són generals en les redactades en català, amb uns plantejaments similars, tal com és lògic des del moment que alguns poetes van escriure més d'una composició en ambdues llengües. S'hi segueix tot el cerimonial, des del comiat al retorn, passant pels esdeveniments bèl·lics més notables, es rebaixa l'enemic a l'animalitat i es glorifica el general Prim, proclamat com el nou Roger de Flor.

Víctor Balaguer va relatar el curs de la guerra i la rebuda barcelonina en els llibres esmentats, formava part de la redacció d'*El cañón rayado* i esdevingué omnipresent en la rua victoriosa, amb discursos i poemes. D'aquest ingent material, destaquem tres poesies catalanes, «Los voluntaris catalans», «Un llor y una llagrima. Als voluntaris catalans» i «¡Ben vinguts sian!»,[76] ajustades al to i als tòpics habituals. La primera és la més interessant. Estructurada en tres cants, el de la partida, el del combat i el de la victòria, després de cadascun dels quals ve una reflexió del poeta, i tancada per la veu de Catalunya, constitueix una bona mostra de literatura de guerra: elogi de la mort: «¡Qué ben vinguda la mort ne sia! / ¡Salut, o mort! / Camp de batalla perdent la vida / tindrem per llit. / ¡Ditxós qui hi caigue, si la ferida / porta en lo pit!»,[77] associada al crit almogàver en el refrany: «¡Despertat, ferro! La patria'ns crida. / Ja á punt estem. / Morint per ella, la mort es vida. / ¡Marxém! Marxém!» i associació orgull patriòtic-guerra: «¡Enorgulleixte, patria!... Catalunya / tè encara almugavérs», «¡Patria, ja tornas á tenir historia!»[78] De manera similar, Rubió i Ors, a «Los catalans en Africa», gairebé versifica el discurs amb què Prim els va rebre, l'acció dels voluntaris, amb Prim al capdavant, i dissipa els dubtes de les ombres de Roger de Flor i un dels seus almogàvers sobre la vitalitat catalana: «Y en llurs humidas tombas de nou al recostarse / A llurs companys de gloria dormits

74. Xavier Fàbregas, *Teatre català d'agitació política*, Barcelona: Edicions 62, 1969, pàg. 61-81. Carme Morell, *El teatre de Serafí Pitarra*. Curial / PAM, 1995, pàg. 262, opina d'aquestes obres de Pitarra: «el propòsit és fer broma, com passava amb les paròdies, i no pas atemptar contra cap valor institut, almenys no de manera corrosiva.»

75. La d'Angelon a *El cañón rayado*, 14, pàg. 2-3; les de Mendoza, Orellana i Lacunza, a Balaguer, *Reseña*, pàg. 311-314, 317-319 i 324; la de Bofarull a Vall, *Antoni de Bofarull*, pàg. 225-228.

76. Publicades totes tres a *Lo Trovador de Montserrat*.

77. *Lo Trovador de Montserrat*, pàg. 74-75.

sobre llorers, / "Dormiu contents, los deyan, la sanch de nostra rassa / Bull encara en las venas dels nous almogavers!»[79]

Amb aquesta relació com a base es desenvolupen «¡Via fora, espanyols!», d'Adolf Blanch, «Als catalans en la guerra d'Àfrica», d'Antoni Camps i Fabrés i «La roja barretina catalana», de M. Josepa Massanés, que, com «Als voluntaris de Catalunya en sa tornada d'Àfrica», d'Antoni de Bofarull, incideix, a més, en el valor simbòlic d'aquest element de la indumentària dels voluntaris.[80] Potser el poema més radicalment racista és «Los nets dels almugavers», de Josep Anselm Clavé. També dividit en parts corresponents a l'allistament, la partida, el toc de diana, el combat i el retorn, d'aquests «rigodons catalans corejats» repugnen especialment les parts que més es repeteixen, perquè es recordin: «Aném! / Y en sanch de africans / Sabrém / Tenyir nostras dagas! / Aném! / Y ab sanch de africans / Sabrém / Rentar nostras mans!»,[81] i és que per al fundador dels cors, la guerra és una qüestió d'honor: «Ja may podrá jent estranya / Tacar d'ESPANYA l' bon nom! / Primer s'enfonse la ESPANYA!... / Primer que *muyra tothom*!!»[82] i els marroquins són d'una raça inferior i vil: «Lo extermini jurém / De eixa rassa d'esclaus / Que humillar volguè un jorn / Nostre orgull nacional! / Sens pietat, viva deu / Raije á dolls sa vil sanch! / Sens pietat fèr sembrém / De cadávers llur camp! / Hurra! som néts d'uns héroes / Hurra, al combat! / Los alarbs nos aguardan / ¡Ay dels alarbs!».[83] Allunyat de la foguerada bèl·lica, «Un quadro de Fortuny. 1861-1870», de Francesc Ubach i Vinyeta,[84] insisteix sobre els tòpics a partir de *La batalla de Tetuan*.

La relació Roger de Flor-general Prim es desprèn amb facilitat de la que s'estableix entre almogàvers i voluntaris. Prim esdevé el mite central de l'epopeia i a ell s'adrecen particularment les glorificacions. Damas Calvet, sense sortir de context, estableix una variant comparativa: «Salut modern Entensa, tu que en las africanas / platjas vengueres caras las vidas catalanas, / com èll vengué en la Grecia las dels Almugavers»,[85] però la figura i l'acció del reusenc s'aparella amb la del cèsar de Bizanci, remarcablement en poesies d'Antoni de Bofarull, Rubió i Ors i Ubach i Vinyeta ja esmentades i de manera central al poema èpic *Lo fill dels hèroes*, de Francesc Pelai Briz, dedicat a Prim «en mostra de afecte y admiració», en el qual intervenen Otger Cataló, Joan d'Àustria, Guzman el Bueno, Alfons VIII, el rei En Jaume i Roger de Flor, sobre l'eix de l'enfrontament entre Eblis, geni del mal, i sant Jaume, protector dels cristians, que fa una corona de centella per a l'heroi: «Y la fama per éll a Catalunya / De sa homérica historia / Una fulla demana, / Per contar á

78. *Ibidem*, pàg. 83.

79. *Jocs Florals de Barcelona en 1860*, Barcelona: Salvador Manero, 1860, pàg. 143.

80. La poesia de Blanch, a *Poesias catalanas*, Barcelona: La Renaixensa, 1888. La de Camps, a *Poesías*. Manresa: Est. tip. de Sant Joseph, 1894. Les de Massanés i Bofarull, a *Jornadas de gloria*.

81. *Flores de estío*, Barcelona: Narciso Ramírez, 1861, pàg. 114.

82. *Ibidem*, pàg. 114.

83. *Ibidem*, pàg. 118.

84. *Romancer catalá. Segon aplech*.

85. *Vidrims*, pàg. 138.

los sicles que vinguèren, / Que sos antepassats gloria guanyáren / Que llorèrs per alfombra ne tinguèren / Y un brau impéri ab son valor domáren!».[86]

Entre tanta literatura laudatòria, un oasi, «Al general Prim a sa arribada de la guerra d'Africa», de Francesc Camprodon. El to jocós que la domina descarrega de tant d'heroisme expressat en versos de tercera categoria. Després d'una introducció d'estil pitarresc, Roger de Flor envia una carta al comte de Reus, amb referències a l'expedició medieval: «Lo qu'es per fer disbarats / no hi hà com la nostra gent: / pàrlin los segles passats / quan vaig empaytar l'orient / ab una colla de gats»[87] i, amb la mateixa naturalitat, li transmet el llegat: «Joan, traslàdals la veu / d'un valent, que't recomana / la joya de més gran preu, / de Roger, que't dexa hereu / de la gloria catalana.»[88]

La guerra d'unificació italiana

Víctor Balaguer, que va fer de corresponsal a la guerra d'unificació italiana, va aplicar els tòpics de la mitologia almogàver a la causa garibaldina. És així que la guerra contra els ocupadors austríacs es tenyeix de simbologia catalana: s'hi parla de sagramental, s'aprofita el record de les vespres sicilianes i s'hi trasllada el crit de guerra de la tropa de xoc medieval. Tres poemes d'*Eridanies*, republicats a *Lo Trobador de Montserrat*, operen sobre la base d'aquesta reconversió: «Desperta, ferro!», «¡Alsat, Llatse!» i «Dies irae». El primer està escrit abans de començar la guerra, i és una incitació a la revolta contra l'opressor: «¡Desperta, ferro!... Rugiu / com lo lleó empresonat / ja que avuy esclaus moriu, / perque un poble tan sols viu / del aire de llibertat.»[89] «¡Alsat, Llatse!» anuncia la guerra, desplega una simbologia fonamental de la Renaixença, la de la Morta-viva, que Balaguer habitualment aplica a Catalunya, i reprèn la idea de la identificació de l'almogàver amb les forces rebels que en qualsevol país lluiten per la llibertat sense agemolir-se: «Zuavo u almugavér –un y altre de nom raro– / en Alger ó Aragó ve lo mateix á ser. / Ab diferent vestit, lo zuavo es, sens dubtarho, / germá del miquelet, net del almugavér».[90] «Dies irae» comença amb un cant a la llibertat i a la pàtria catalana, relacionat immediatament amb els fets dels almogàvers i personifica la lluita per la llibertat en el cabdill italià: «un jorn Dèu se fiu home / y los altars dels ídols s'estremiren / y pel fanch derrumbantse rodolaren. / Avuy la llibertat, santa deessa, / Garibaldi s'es fét».[91] Aquesta

86. *Lo fill dels hèroes. Cant de gloria*, Barcelona: Jaume Jepús, 1860, pàg. 24. En aquest assumpte va centrar Francesc Bartrina el seu primer llibre, únic en castellà: *La toma de Tetuán. Corona poética, dedicada a los valientes y bizarros generales O'Donnell y Prim*; Reus, 1860.

87. *Obres catalanes. Poesies y comedies*, Barcelona: Ilustració Catalana, pàg. 14.

88. *Ibidem*, pàg. 16.

89. *Lo Trovador de Montserrat*, pàg. 40.

90. *Ibidem*, pàg. 48.

91. *Ibidem*, pàg. 68.

exportació acaba de confirmar Balaguer com el més actiu dels revitalitzadors del mite enriquit amb interpretacions que tendeixen a la universalització.

El progrés

Possiblement, si la nostra literatura vuitcentista s'hagués desenvolupat sota un altre signe, el cant al progrés hi hauria aconseguit un protagonisme superior. Així i tot, s'aprofiten els grans esdeveniments que marcaven fites en l'avenç de la ciència i de la tecnologia per desplegar la poesia sobre els senyals del nou temps. En ocasions, aquesta projecció cap al futur va associada a les glòries del passat, sigui en forma de la tan retreta identificació patriòtica amb uns moments brillants de la història, «Poble dels Marquets y'ls Llurias»,[92] sigui per les possibilitats que al país obre una nova via de comunicació que permetrà a Catalunya recobrar la via d'Orient, origen de les empreses medievals, a «Al canal de Suez», de Damas Calvet.[93]

La poesia més important en aquesta línia és «Desperta, ferro!», de Josep Sol i Padrís. Sol hi desenvolupa una argumentació que farà fortuna a través de composicions com «Los quatre pals de sang», de Víctor Balaguer. Consisteix en la coneguda evocació de la grandesa antiga, a la qual, de bon o mal grat, es renuncia per actualitzar-la i substituir-la per l'element característic de la Catalunya del segle dinou, la indústria. Si algú, tant si són els que van malmetre els signes antics de la pàtria com uns altres, gosa atacar la nova essència pàtria, haurà de contemplar el renaixement del temible esperit col·lectiu de defensa identificat amb els almogàvers i el seu crit. És així que el passat queda en el record i no cal aspirar a recuperar-lo: «Lo temps d'heroiques empreses / per Catalunya ha passat, / i s'ha mustigat la glòria / de ses armes en la mar» i, en canvi, en el present el castell ha estat substituït per la fàbrica que, si s'esdevingués que fos amenaçada per un perill semblant al que va enderrocar els castells medievals, «de l'almogàver les armes / tornarien a brillar, / i el crit de "Desperta ferro!", / per cent mil boques llançat, / les més fortes i altes torres / faria bambolejar!».[94]

Altres

El tòpic demostra la seva adaptabilitat a les circumstàncies a què s'aplica. L'actualització del mite afecta, des del record, un conflicte bèl·lic que els catalans del segle dinou tenien molt present com a contemporani, la Guerra del Francès. En una de les seves fabulacions fantàstiques, Víctor Balaguer narra una història escoltada del temps de la Guerra del Francès, ja cremat Poblet pels soldats de Napoleó, en què un escamot de miquelets juga a bitlles amb els ossos profanats dels reis catalans

92. UBACH I VINYETA, «L'Ictini. 1859», a *Romancer catalá. Segon aplech.*
93. A *Vidrims.*
94. A Joaquim MOLAS, *Poesia catalana romàntica*, Barcelona: Edicions 62, 1974, pàg. 24.

i comenta: «Y así fue como durante la siesta de una calurosa tarde de verano, se concertaron para matar tranquilamente sus ocios los descendientes y legítimos herederos de aquellos almogávares, que también se entretenían en matar los suyos conquistando reinos, como los de Sicilia y Cerdeña y Constantinopla y Atenas, para los reyes de Aragón».[95] Les poesies distingides en el premi extraordinari que els Jocs Florals del 1866 van instituir per recordar la figura de Josep Manso, «¡Manso!», d'Antoni de Bofarull, «Al tità de la Guerra de la Independencia», de Francesc Ubach i Vinyeta i «Al héroe montanyés Josep Manso», de Jacint Verdaguer,[96] utilitzen la mitologia almogàver. Afegim-hi que, des de Cuba, Francesc Camprodon saludava uns altres voluntaris catalans arribats per combatre contra els independentistes reciclant el paral·lisme utilitzat en la guerra del Marroc i que el Víctor Balaguer desterrat l'aplicava a l'acció naval de Méndez Núñez, amb «Los héroes del Callao».[97] Teodor Llorente arribava a un extrem en la perversió del mite quan convertia els antics guerrers en uns defensors de la unitat d'Espanya, en un agermanament de crits: «Los nostres almogàvers, que la gloria acompanya, / deixant per lo nou Màuser lo coltell rovellat, / i al vell *Desperta ferro* unint lo *Viva Espanya*, / correran a defendre sa augusta integritat».[98] Encara, Adolf Blanch utilitza el record de la gesta medieval en un poema en benefici dels soldats de la quinta del 1870.[99]

Un paral·lel desaprofitat

Hem comprovat que l'aprofitament de la mitologia almogàver en el vuit-cents català és ampli i divers. Tanquem el tema amb una especulació. No deixa de causar una sorpresa, relativa, la inexistència d'una altra relació actualitzadora que hauria pogut proporcionar resultats brillants. Poc o molt hi deuen tenir a veure les giragonses i les preferències del nostre romanticisme. Perquè, si en el segle quinze Joanot Martorell enviava el cavaller Tirant a expulsar els otomans de la Grècia bizantina i els catalans del dinou expressen aquesta preferència pels herois d'Atenes i Neopàtria, com és que van desaprofitar l'ocasió propícia de cantar, relacionant-l'hi, el gran poeta romàntic que va dedicar la fortuna i la vida a expulsar dels paratges de la Grècia clàssica els descendents dels turcs que ja hi campaven a pler quan Tirant els en foragitava amb bellíssima prosa? Els nostres romàntics s'haurien pogut preguntar si el poeta maleït, com el seu contemporani Lewis, havia llegit el *Tirant lo*

95. *Epistolario. Memorial de cosas que pasaron*, Madrid: El Progreso Editorial, 1893, pàg. 113-114.

96. *Jocs Florals de Barcelona en 1866.*

97. «Als voluntaris catalans», a *Obres catalanes*. «Los héroes del Callao», a «Lluny de ma terra», dins *Poesías catalanas*. Durant els anys 1885-88 es va publicar a L'Havana *L'almogavar: Periódico Democratico Independiente. Consagrado a los intereses de Cataluña.*

98. «Als bon valencians fundadors de "la Senyera", societat valenciana en Madrid», a *Poesia valenciana completa,* pàg. 263.

99. «Almoyna pel soldat», a *Poesias catalanas*. «L'exposició de Barcelona en 1888», a *Poesies*.

Blanc i havia acudit a Grècia per emular-lo o cercar-hi una nova Plaerdemavida. Val a dir que van estar a un pas de fer-ho. Víctor Balaguer va apuntar el camí d'un paral·lel que hauria pogut fer fortuna quan, en una poesia de la guerra italiana, cridava Víctor Hugo a emular el poeta anglès: «A tu també, també la Italia t' crida. / Ab lo cor ulcerat, / passejarás ta vista dolorida / per las ruínas de aquèll sol sagrat, / y veurás que ha perdut mès que la vida / lo poble que ha perdut la llibertat / [...] Y si al anar á darli ton auxili, / trobas tan sols la mort ab semblant fiero, / sufréixla en la patria de Virgili, / com Byron vá morir en la de Homero».[100] Llàstima! Per estrany que pugui semblar en un devot del mite com Balaguer, hi falten, precisament, els almogàvers i Roger de Flor.

100. *Los trobadors nous*, pàg. 318.

LO TRABUCAIRE DE MARIÀ VAYREDA, A L'ORIGEN DE *LA PUNYALADA*. ESTUDI I EDICIÓ

Antònia Tayadella

Universitat de Barcelona

A jutjar pels documents coneguts fins ara, l'existència de manuscrits corresponents a les novel·les del nostre Vuit-cents resulta, més aviat, escassa. D'aquí que *La punyalada* (1904), novel·la pòstuma de Marià Vayreda, constitueixi un cas excepcional, perquè no únicament se n'ha conservat el manuscrit definitiu, sinó també un conjunt d'esborranys diversos que il·luminen certs aspectes de la gènesi de l'obra. D'entre aquests, destaca *Lo trabucaire*.

Lo trabucaire. Projecte de novel·la de costums. Anys del 40 al 45,[1] manuscrit autògraf de trenta-tres fulls,[2] que comprèn un prefaci i onze capítols sinòptics, més detallats al principi que no pas al final, constitueix un document d'importància cabdal pel fet de tractar-se, pròpiament, de l'*Urtext* (text primigeni) de *La punyalada*. Veurem seguidament, a base d'encarar tots dos textos i observar-ne tant les coincidències com les divergències, com *Lo trabucaire* dóna lloc a *La punyalada*.

Per començar, el prefaci o pròleg d'un i altre text són resultat de dos enfocaments que no presenten cap punt de coincidència. Així, mentre que el de *Lo trabucaire* posa de relleu la voluntat històrica de l'autor i, més concretament, està concebut com una introducció al bandolerisme català, en especial el de l'endemà de la Primera Guerra Carlina, en l'etapa compresa entre 1840 i 1845, els pròlegs dels dos manuscrits conservats de *La punyalada*, diferents entre si, passen a centrar-se, per vies diverses, en la figura de l'Albert. Ben mirat, un prefaci com el previst inicialment deixava de tenir sentit a partir del moment en què el protagonisme de l'obra es decantava de l'Ibo a l'Albert i, doncs, el tema dels trabucaires passava de primer pla a un nivell més secundari.

* A la part de l'*Estudi*, els títols són normalitzats; no així a la part de l'*Edició*, atesos els criteris seguits, de fidelitat a l'original prefabrià.

1. Ms. CV 9/7 de la Biblioteca Marià Vayreda, d'Olot.

2. Es tracta de fulls de 234 mm x 136 mm, numerats de manera correlativa, que comprenen, de fet, trenta-quatre pàgines de text, havent-hi un full que també està escrit pel revers. Sense canvis de lletra, semble n escrits d'una tongada, però han estat objecte de revisió per part de l'autor.

El capítol I de *Lo trabucaire*, intitulat *L'aplec de St. Aniol*, donarà lloc als sis primers capítols de *La punyalada*. Comprèn el plantejament de les coordenades espacials i històriques de l'obra i la descripció de l'aplec de St. Aniol. Un altre dels aspectes rellevants d'aquest capítol és el de la presentació de personatges. Alguns, com el rector o els mossos d'Esquadra, són previstos explícitament com a tipus; en canvi, se suposa que han d'assolir entitat de personatges l'Ibo, l'Albert, la Núria –futura Coralí–, el Bilot, l'Aniol –que passarà a dir-se Rafel en la versió definitiva– i l'Arbós. Finalment, inclou també la trobada de l'Ibo i l'Albert al molí de l'Alou i la presentació del moliner i de dos trabucaires que hi fan cap –els que a *La punyalada* prendran els noms de l'Avi i el Roig. Tot aquest material narratiu serà organitzat a *La punyalada* en tres blocs: l'integrat pels capítols I i III, corresponents a l'aplec; el capítol II, que constitueix un *flash-back* centrat en la presentació del passat dels protagonistes i, finalment, els capítols V-VI, localitzats al molí de la Frau –observeu el canvi de nom–, essent el IV un capítol d'enllaç.

Deixant de banda les diferències puntuals consistents en el canvi de certs noms de personatges, cal assenyalar que se n'insinuen també d'altres de més substancials. Així, és destacable la descompensació existent entre la presentació de l'Ibo i la de l'Albert, que desapareixerà a *La punyalada*. A *Lo trabucaire*, queda molt clar que l'Ibo és el protagonista, en consonància amb el títol de l'obra. D'altra banda, el personatge de la Núria fa l'efecte de molt pla, en funció només de la relació Ibo-Albert, on res no suggereix la complexitat del vincle d'amor-odi del segon respecte del primer existent a *La punyalada*. A *Lo trabucaire*, sembla talment que l'oposició entre l'Albert i l'Ibo, afavorida per l'actitud de la Núria, es produeixi, únicament, per rivalitat amorosa. A *La punyalada*, en canvi, es matisen molt més les coses: al capítol II es plantegen els antecedents de les relacions Albert-Ibo i Albert-Coralí i, d'altra banda, es mira d'aprofundir en les causes socials i històriques que expliquen el fenomen dels trabucaires –a *Lo trabucaire*, en tot cas, haurien anat al prefaci. A més, a *La punyalada* s'amplia el ventall de personatges –en aquest sentit, convé destacar especialment la creació del Pep, probablement sorgit de la voluntat d'aprofundir psicològicament el personatge de l'Albert–, i, sobretot, són treballats amb molta més minuciositat aquells ja concebuts des de bon començament, tret, potser, del cas del Bilot que, presentat a partir d'uns paràmetres entre fulletonescs i naturalistes, sembla tenir prevista més entitat a *Lo trabucaire* que la que acabarà tenint a *La punyalada*.

A un altre nivell, a *Lo trabucaire* no sembla encara pensat en absolut el llarg i contundent sermó que Mn. Jeroni, rector de St. Aniol, adreça als feligresos el dia de l'aplec, així com tampoc la descripció de l'interior de l'ermita com un lloc pobre, rònec, esvinçat i fúnebre, del capítol I de *La punyalada* –elements, tots ells, que Marià Vayreda hauria pogut obtenir perfectament inspirant-se en *Els sots feréstecs* de Raimon Casellas, una novel·la que, apareguda primerament a *La Veu de Catalunya* entre 1899 i 1901, ho fa en volum el març de 1901, en ple moment d'elaboració de *La punyalada*.

El capítol II de *Lo trabucaire*, mancat de títol, correspon als capítols VII i VIII de *La punyalada*, que giren al voltant de l'escena de l'Alzinar Vell. En aquesta ocasió, el grau de correspondència de les dues versions és molt elevat, amb l'única diferència que en l'esborrany queda més subratllat el component sentimental.

Reacció, el capítol III de *Lo trabucaire*, es correspon als capítols IX, X i, en part, XI de *La punyalada* i se centra en les relacions Albert-Núria, que acaben en prometatge. Per altra part, arriben notícies que l'Ibo se n'ha anat amb els trabucaires.

És de destacar, sobretot, que a *Lo trabucaire*, pel fet de tractar-se d'un esbós inacabat, no hi apareix cap de les motivacions compositives que a *La punyalada* tenen relació amb el seu final: ni l'"escena de cura" de l'Albert per part de la Núria –present al capítol X de *La punyalada* i que ofereix un clar paral·lelisme amb una escena similar del capítol XXV–, ni tampoc res de relacionat amb la punyalada final. Així, no apareix el vessant familiar francès de la Núria/Coralí ni l'anada a l'aplec del Coral, on la noia compra el punyal –capítol XI de *La punyalada*–, element decisiu en el desenllaç de la novel·la.

Els capítols IV i V de *Lo trabucaire*, intitulats, respectivament, *Los camps se parteixen* i *Plans de campanya*, no tenen equivalent a *La punyalada*. Tots dos estan escrits des de la perspectiva d'un Ibo protagonista i ressegueixen l'evolució d'aquest personatge des de la topada a l'Alzinar Vell fins que passa a ocupar un lloc clau entre els trabucaires.

A *Lo trabucaire* es planteja clarament una relació de causa a efecte –que a *La punyalada* no es compleix en grau similar– entre el rebuig sofert per l'Ibo per part de la Núria i la baralla d'aquest amb l'Albert, d'una banda, i, de l'altra, la decisió de l'Ibo, cada cop més desficiós per la Núria, de decantar-se cap al bandolerisme, per tal de dur a terme els seus plans de venjança.

És molt probable que els capítols IV i V de *Lo trabucaire* siguin suprimits a *La punyalada* per la raó tècnica del punt de vista narratiu finalment emprat, el d'un jo testimoni corresponent a l'Albert ja vell, així com també pel fet que l'Ibo deixi de ser el protagonista de l'obra. A la versió definitiva de la novel·la, la informació sobre l'Ibo i els trabucaires serà vehiculada, sobretot, mitjançant l'Arbós, i la personalitat moral del personatge, prevista inicialment en el capítol IV de *Lo trabucaire*, acabarà essent dibuixada, preferentment, al capítol II de *La punyalada*.

El capítol VI, primerament encapçalat per l'epígraf *A foc i a sang* i corregit posteriorment amb el de *L'Esparver*, conjuntament amb el capítol VII, que duu per títol *La llegenda*, donen lloc a la primera part del capítol XII de *La punyalada* i tenen, en el marc de *Lo trabucaire*, la funció de completar la caracterització de l'Ibo convertit en trabucaire. A l'esborrany de la novel·la està previst que el lector rebi informació de les accions dels trabucaires a través d'un marxant de vetesifils; en canvi, a la versió definitiva, aquest es transformarà, encertadament, en una anònima veu popular, l'única capaç de crear mites a base de transformar la història en llegenda.

Primer plaço, capítol VIII de *Lo trabucaire*, generarà la segona meitat del capítol XII i la primera part del XIII de *La punyalada*. Es tracta d'un capítol que remarca de nou l'eix sentimental de la trama, ja que correspon a l'assalt del molí per part de l'Ibo i els trabucaires, com a conseqüència directa dels fets de l'Alzinar Vell, que té com a resultat principal el rapte de la Núria.

El capítol IX, intitulat *Plans de boig i plans de s[ang?]*, equival a la resta del capítol XIII de *La punyalada*. S'ocupa dels projectes de persecució dels trabucaires, concebuts per l'Albert i l'Arbós amb mètodes certament diferents.

El més important del capítol X de *Lo trabucaire*, mancat de títol, és l'exposició de l'estat psicològic de l'Albert. Dit, però, d'una altra manera: la dimensió psicològica, que serà fonamental a *La punyalada*, en l'esborrany previ només apunta en aquest capítol, en uns termes que, molt més desenvolupats, donaran lloc als capítols XIV, XVII i XIX de *La punyalada*. La part d'acció que també conté aquest capítol va a parar als capítols XV i XVIII de *La punyalada*, amb la supressió de l'episodi de la mort d'un trabucaire per part de l'Albert que, tanmateix, es manté encara en el manuscrit més antic de *La punyalada*. En canvi, el capítol XVI de *La punyalada* no estava previst a *Lo trabucaire*, com tampoc no ho estava tota la part corresponent al desenllaç.

En efecte, *Lo trabucaire* està mancat de final o, per ser més exactes, caldria dir que només hi és apuntat parcialment. Així, en el capítol XI s'insinua a través de quins plans serà vençut l'Esparver: la seva delació per part d'en Bilot, ofès, a l'Arbós. Del personatge de la Núria, en canvi, no se'n tornarà a parlar més a partir del rapte. Tot això es correspon, en sentit estricte, a les tres primeres pàgines del capítol XX de *La punyalada*. A partir d'aquí, i fins al final del capítol XXV de la novel·la, no hi ha res ni tan sols esbossat.

Acabem de veure, doncs, com *Lo trabucaire* constitueix l'*Urtext* de *La punyalada*, però és fonamental de remarcar que entre esbós i novel·la té lloc un salt conceptual i qualitatiu grandiós. Podríem dir que tots els elements de *Lo trabucaire* prefiguren *La punyalada*, però que *La punyalada* és tota una altra cosa, perquè allò que es produeix no és res més que un canvi en el model de novel·la, que troba també el seu reflex tant en el canvi de subtítol –de *novel·la de costums* es passa a *novel·la muntanyenca*– com de títol. El de *Lo trabucaire* remet a una realitat històrica. És un títol que designa, que situa la matèria de què es tractarà dins uns límits històrics precisos. *La punyalada*, en canvi, no designa una realitat inequívoca, sinó que suggereix vagament i situa la novel·la dins uns paràmetres simbòlics que l'obren cap a noves i més complexes dimensions. Sense haver de renunciar a cap realitat històrica, s'hi afegirà una nova dimensió simbòlica donada per la inclusió de la complexa interioritat humana.

Lo trabucaire, un projecte de novel·la de gran simplicitat argumental i temàtica, esquematitza una barreja de novel·la històrica, d'aventures i sentimental que segueix unes pautes fressades al llarg del segle XIX que, en el tombant cap al segle

XX, resulten del tot anacròniques, fins i tot en el marc de la novel·la en llengua catalana que, havent-se decantat cap al realisme-naturalisme amb Narcís Oller a principis dels anys vuitanta, havia patit ja la crisi d'aquest model literari i començava a donar lloc, a partir de 1901, a les diverses opcions estètiques que comportaria el Modernisme en novel·la.

Lo trabucaire, en efecte, constitueix un projecte de novel·la històrica en la mesura que l'autor vol escriure una obra sobre el bandolerisme immediatament posterior a la Primera Guerra Carlina, des d'un biaix ideològic molt concret, que es manté a *La punyalada* per més que aquesta qüestió passi a un nivell més secundari, i que no és altre que una voluntat rotunda de desmitificar tant els trabucaires com el bandolerisme en general. Sembla talment que Marià Vayreda se senti com un altre Cervantes davant les novel·les de cavalleries, un Flaubert davant les sentimentals, un Galdós davant les fulletonesques i, amb *Lo trabucaire/La punyalada*, doni el cop mortal a la literatura –i a allò que la sustenta– que mitificava el món del bandolerisme.

D'altra banda, resulta del tot evident que, per tal de construir la carcassa argumental de *Lo trabucaire*, Vayreda pren, a part d'elements propis de novel·la d'aventures, tota una sèrie d'ingredients de la novel·la sentimental, com és ara l'estructura melodramàtica triangular tan summament freqüent a la novel·la fulletonesca, un esquema de relació de personatges que funciona de forma mecanicista i que, a *Lo trabucaire*, s'acaba revelant del tot ineficaç, ja que la Núria no passa de ser una pura comparsa que serveix només per materialitzar la rivalitat i l'afany de venjança Ibo/Albert. De tal manera que tota la novel·la condueix a això. El seu final –significativament no previst a *Lo trabucaire*– només pot ser l'anul·lació d'un dels dos rivals. I res més.

Encara que Vayreda, a *Lo trabucaire*, consideri la necessitat d'aprofundir psicològicament els personatges de l'Ibo i de l'Albert –aprofundiment puntual, concret, dins unes circumstàncies precises–, no hi ha viatge personal per a cap d'ells. Que *La punyalada* no acabi amb la mort física de l'Ibo sinó amb el segon naixement de l'Albert, l'autèntic primer naixement com a persona, evidencia que aquesta no és la novel·la que Vayreda havia pensat amb *Lo trabucaire*, per més que en pugui aprofitar la bastida argumental.

Podríem dir, a tall de conclusió, que, en la mesura que *La punyalada* és també una novel·la històrica, d'aventures i sentimental pot aprofitar *Lo trabucaire*; ara bé, allò que fa, sobretot, que *La punyalada* sigui *La punyalada* i l'acosta més a la novel·la del segle XX –la seva dimensió de novel·la psicològica i simbòlica– no prové pas de *Lo trabucaire*. *La punyalada* de Marià Vayreda va acabar essent, sens dubte, una obra d'una densitat literària i humana que *Lo trabucaire* ni tan sols permetia de sospitar.

* * *

Com a document que és, transcric el manuscrit seguint criteris paleogràfics, seguint en això les pautes de la Societat Verdaguer: intervinc, tan sols, en l'adequació de la puntuació a criteris estàndards i en la regularització de minúscules i majúscules. Unifico l'accentuació gràfica del text, sovint confusa en el manuscrit, en la forma aguda. Sistematitzo l'ús de la cursiva en els títols de capítol.

LO TRABUCAIRE. PROJECTE DE NOVELA DE COSTUMS. ANYS DEL 40 ÁL 45

Prefacci

Lleugera escursio historica sobre l bandolerisme á las montanyas de Catalunya, en especial als Pirineus. Mosos de la Escuadra. Fusillers. Guardia Civil. Etc. Aspecte especial del bandolerisme en los anys del 40 ál 45. Etc.

Capitol I
L'aplech de St. Aniol

Descripció de las clotaradas de St. Aniol a la sortida del sol. Situacio de la comarca mit[g] atemoritsada per las fetas diarias dels trabucaires. Molts propietaris s'han vist obligats a abandonar sas masias, sobre tot aquells que tenen fama d'adinerats ó viuhen en lloch[s] masa despoblats. Altres s'han fortificat en sas casas.

No obstant, lo poble, que ni en lo mes calamitos dels temps desperdicia ocasio de divertirse, acut al aplech de St. Aniol, animant per un dia ab son bullici aquella ferestega raconada. Descripcio de tipos, del rectó, mossos de la Escuadra, etc.

Presentacio de personatges. L'Ibo y l'Albert arriban junts. Son dos antichs camaradas, fills, respectivament, dels masos Roquer y Bardal, del poble d'Albanyá.[1] Havian fet junts la darrera carlinada y junts havian tornat a casa despres de acabada la guerra, sostinguent[2] sa antiga amistat malgrat que existia una evident disparitat de caracter. L'Ibo tenia tres anys mes que l'Albert y era alt y sapat, de cara grossa y nas tombat sobre la boca,[3] de caracter fret y calmos, mes ple d'ambicio y de vicis y[4] bastant[5] faltat de sentiments generosos, com ho havia demostrat en la guerra, en que mes d'un cop habia practicat actes que havian merescut la reprobació de sos propis company[s]. Despres del foch d'Albanya s'entretingué en rematar a cops de bayoneta[6] dos ferits que l'Estartus havia manat respectar, abandonantlos a sa sort per tot castich. Aixo li valgue perdrer los galons de cabo, si be ell se preocupa tan poch del castich com de la salvatjada qu'havia fet, burlantse cinicament de son quefe y

1. *poble d'Albanyá*: var. ant. "terme de Bassegoda".
2. *sostinguent*: ms. "sonstinguent".
3. *tombat sobre la boca*: var. ant. "xafat". Lliçó confusa.
4. *ple d'ambicio y de vicis y*: afegit.
5. *bastant*: var. ant. "sense".
6. *a cops de bayoneta*: afegit.

de sos companys que'l reptaban, inclos l'Albert, sens que li fessin may perdrer la calma. Mes tart reconquista son grau y lo de sargento y fins com á oficial arriba á prestar [ser]veis manant rondas, distingintse per son caracter autoritari. Era tingut per un tenorio y noya a qui feya l'aleta, ja la donaban per perduda. Per aixo lo motejavan ab lo nom de l'Esparver.[7]

L'Albert era tambe alt, pero esprimatxat, de color d'oliva, y tot era un nervi. Son temperament impetuos l'inclinaba[8] á la barbarie, mes, passat l'impetu, era rahonable y demostraba bons sentiments. Los dos se dedicaban al conrreu de sas propias terras y al contrabando.

La Nuria, filla del moliner[9] de Ribelles, bona mossa y estampa montanyenca, alegre y un chich lleugera de cascos, li agradaba fer cara á molts y aceptaba los parlaments de quants li feyan l'aleta. Entre aquestos si[10] contaban en primer terme l'[11]Ibo y l'Albert.

En Bilot, bouher del mas Rieral, era un infelis (en apariencia), benehit, ab un goll de dos pams y mes murri que gollut. Ab son aire d'imbecil, ningu s'en malfiaba y era un de'ls espias mes fins dels trabucaires, sabia disimular y treurer partit de la situació.

L'Aniol, hereu del mas Rieral, bon xicot y desidit solter, un xich gravat[12] y mes amich de l'Albert que de l Ibo, quals bromas lo carregan un poch.[13]

L'Arbos, mosso d'Escuadra (sub cabo). Era un gat vell. De patillas blancas, cutis casi negre y ulls de guineu. Sabia totas las tasqueras de la montanya y havia posat cabells blanchs perseguint als trabucaires, de quins era molt temut, dons n'havia despachat mes de cuatre.

Descripcio del aplech. Los perssonatges [...].[14] La molinera fa cara als dos joves, l'un despres de l'altre ó als dos al plegat. Aquestos comensan á estar molestats l'un de l'altre. En Ibo, ab son tó calmós y satirich no mancat de gracia, fa esclafir grans riallas a la molinera y acaba per aburrir[15] al pobre Albert, qui's retira ab l'Arbós, ab qui congenia molt,[16] a contar quentos de trabucaires. L'Ibo, quant esta tip de garlar ab la noya, la deixa, despres de obtenir una cita pel dijous vinent al Alsinar Vell, hon deu anar alla a cullir aglans, y s'en va á jugar a cartas ab altres company[s] sens cuidarse de l'Albert. Aquest, a la tarda, torna á empendrer a la noya reptantla per sa preferencia per l'Ibo. Ella s'en defensa alegrament y al solicitarli[17] una cita li diu: «vina dijous a la tarde al Alsinar Vell, que hi sere a cullir aglans». Lo bouher, fent lo ximple, sotja tot lo que pot, rondant sempre als mossos de la Escuadra.

S'acaba l'aplech y la gent se retira. A entrada de fosch, l'Ibo y l'Albert, que han surtit separats de St. Aniol ab altres companys, se tornan á trobar. Jugan a cartas al moli del Alou, cami de llurs casas... Descripcio d'aquesta casa, moli y hostal a la vegada, que no gosa de gaire bon nom per suposarsel[a] la lloca dels trabucaires.

Descripcio del moliner, especie de sagrista ab veu de femella. Entrada la nit, se troba molta gent reunida, entre ells dos trabucaires que entran donant la bona nit, sens que ls presents ne fassin gran estat ni ells se preocupin tampoch gran cosa. Sa descripció: no deixan may los trabuchs. Se veu que son coneixensas vellas, tan ab lo moliner com ab l'Ibo y altres. La conversa se fa general; los trabucaires demanan noticias de l'aplech y de ls mossos de la Escuadra (ab to fes-

7. *Mes tart reconquista... ab lo nom de l'Esparver*: afegit.
8. *l'inclinaba*: var. ant. "lo portaba".
9. *La Nuria, filla del moliner*: var ant. "La molinera".
10. Llegiu-hi "s'hi".
11. *l'*: var. ant. "en".
12. *gravat*: lliçó confusa.
13. *L'Aniol... un poch*: afegit.
14. Mot il·legible.
15. *aburrir*: var. ant. "aclaparar".
16. *ab qui congenia molt*: afegit.
17. Segueix, ratllat, "aquest".

tiu). L'Ibo los hi presenta al Albert com un gran amich de l'Arbós y tambe ab sorna com lo promés de la molinera de Ribelles, renovant las pullas del mati. L'Albert s'exalta y repta al Ibo, que recrudeix sas befas. Aquell pert la pasiencia, insulta al Ibo y va per tirarseli a sobre com foll; los voltants ho impedeixen. Los trabucaires, actuant d'agents d'ordre publich, procuran posar la pau y fan que l'Alber se retiri acompanyat d'alguns amichs. L'Ibo, que no ha perdut ni un moment son bon humor ni serenitat, se queda ab los facinerosos y altres compan[y]s jugant y beven[18] fins nit enlla.

Capitol II

Descripcio del moli de Ribelles. La pubilla, tota polsosa,[19] esta enfeinada ab lo rem de la casa. Se troba un poch capficada per la doble cita[20] y de la[21] que s'arrepenteig tement un mal desenllás ó quant menos un compromis. Esta mitg temptada de no anar á collir aglans, envianthi al escarrás, quant la veu de son pare recordantli que es hora d'anarhi la fa variar de pensament y surt ab un cova sota l bras dient: «que diantre sera!».

Descripcio del ferestech alsinar a sota ls singles de Barral a las duas de la tarde y ab un sol esplendit qu'apenas logra disipar las tenebras qu'alli regnan. La noya fa feina[22] y canta fins que s interrompuda[23] per la veu sarcastica del Ibo que se troba de sobte alli com si hi hagues arribat avan[s] qu'ella. La molinera se corpren per que tem las malas intencions de l'Ibo. No obstant, se refá y se posa en guardia responent despechada a las paraulas de sorna d'aquell que li fa l'amor ab intensions perversas. Cada vegada s'atansa mes y se va tornant atrevit. La molinera se quadra y deixa veurer una podadora que du amagada sota l davantal. Converssacio viva.

De prompte se sent un que canta: es l'Albert. L'Ibo se sorpren y s'indigna, mes recobra luego son posat calmos y sarcastich al arribar l'Albert, que s sorpren aixis mateig[24] y s disgusta. Los dos rivals se medeixen y s'interrogan. L'Ibo, ab son desvergonyiment, vol suposar lo que no es, ofenent a la noya, que s'indigna. L'Albert dubte, pero s convens per lo posat ingenuo de aquella[25] y comensa a manifestar son odi contra l'Ibo,[26] á qui increpa e insulta. Aquest comensa a perdrer sa calma habitual. La topada es imminent y amenasa ser terrible, malgrat los esforssos de l'anguniada mosa per acabarho. Arriban, per fi, a las mans y s'entaula una lluita terrible com entre gossos. La molinera no sap que fer y va y ve cridant y desesperantse. Descripcio de la lluita, que s prolonga indessisa, per que ls dos son forts y braus. Rudolan bosch avall: l'Albert[27] se troba en mala posicio y apunt de ser vensut, quant la molinera se desideig a ajudarlo restablint l'equilibri. Perfi, l'Alvert fa un esfors y subjecta á son contrari a punt d'escanyarlo. Se sent la veu del moliner, que acut atret pels crits de sa filla. L'Albert deixa a l'Ibo empenyentlo rostos avall; aquest, mal parat, vol revengarse, mes no s'atreveig perque aquell te ja la podadora á la má. S'allunya esgalabrat, maleint y jurant vengarse.[28]

18. *beven*: lliçó confusa.
19. *tota polsosa*: afegit.
20. Segueix, ratllat, "que te donada".
21. *de la*: afegit.
22. *feina*: lliçó confusa.
23. *interrompuda*: var. ant. il·legible.
24. *aixis mateig*: ms. "aixismateig".
25. *aquella*: var. ant. "la noya".
26. *Ibo*: var. ant. "Albert". Es tractava d'una confusió de personatges que Vayreda va esmenar.
27. *l'Albert*: var. ant. "perfi".
28. Segueix, ratllat, «L'Albert, esgalabrat, també va a referse al moli en companyia dels moliners. La mosa, ab gran arrepentiment, jura desentendrers d'aquell mal home, fer bondat, y quedan promesos ab l'Albert.

Los ecos dels singles repeteixen las ultimas paraulas dels dos rivals com volguent pendrer nota de tan terribles juraments de venjansa.

Fi del capitol 2º.

Capitol III
Reacció

Al estinguirse las darreras paraulas dels dos rivals, succeeig una escena muda entre la noya, sentada a terra y trastornada, l'Alber, dret y mitg alelat de fatiga y de rabia, y lo moliner, que no sap lo que pasa ni ningu li respon. L'Albert se refá e indueig a la noya á seguir lo consell de son pare d'anar al moli y empren la marcha apoyat en lo bras d'aquest. L'Albert va seguint maquinalment. Marcha silenciosa. Un cop al moli, se van refent y entran las esplicacions y comentaris. La noya se desfá en plors y demana perdo al Albert per haverlo posat en tan gran compromis. Aquest sent reviscolarse son amor y una oportuna retirada del pare li permet esplatjarse, tenint lloch una escena amorosa que termina en formal prometatge y proposits de la noya de tenir mes seny. Lo pare, enterat a mitjes, demostra que li plau, mes ó[29] tira llarch y diu que encara ha de plourer y nevar molt entremitg. Despedida afectuosa del jove, a qui la noya fa pendrer lo puday per un si acas. Va tot cambiat é inclinat a bons proposits, fins al estrem de esperar desagraviar á son amich á la primera ocasio (influencias del amor correspost). Arriba a sa casa, dorm com un benehit de Deu y al dia seguent deixa la traballada, no puguent resistir al[30] desitj d'anar á casa del seu amich, ple de'ls millors proposits. Sols troba l'avi, qui l'entera de que no havia vist al Ibo desde'l disapte passat,[31] fins que aquella matinada hi comparague fentse obrir y, mes sorrut que may, havia pres alguns estris y una manta nova y se n'havia tornat sens dir ase ni bestia. Ple de desesperació, manifestaba l'infelis sos temors de que se'n havia anat ab los trabucaires. L'Albert l'anima y procura treurerli del cap y se retira; mes, lligant caps, va confirmant las sospitas del avi fins a traduhirlas en casi seguritats. Comensa a alarmarse per los del moli y se proposa pendrer precaucions, comenssant per enviarloshi un recado pera que estiguin sobre avis.

Passan algun[s] dias, creixan las sospitas, que acaban per confirmarse. Mes alarmat cada dia, l'Albert s'envista ab son amich l'Arbos, lo sub cabo dels mossos de la Escuadra, qui sab ja confidencialment la noticia de que l'Ibo es ab los trabucaires y que la colla d'en Briquet la[32] nombrat son capitost. Lo vell mosso manifesta sos temors de que lo nou trabucaire donara que sentir si no l poden estocinar aviat. Mes tart, per lo mateig conducto, sap[33] que la nova partida s'ha corregut[34] cap á las montanyas de Finestres y Collsacabra. Mesos de calma relativa; segueixen bon cami[35] los amors de l'Albert y la molinera.

«En la major part d'aquest capitol deu tenir gran importancia la conversa, sobre tot la darrera part, ó sia la despedida, deu ser viva y solemne, com precursora del cumul d'odis que tindrant son desenrrotllo durant la novela».

29. Llegiu-hi "ho".
30. *al*: lliçó confusa.
31. *passat*: ms. "passats".
32. Llegiu-hi "l'ha".
33. *sap*: afegit.
34. *corregut*: lliçó confusa.
35. *bon cami*: afegit.

Capitol IV
Los camps se parteixen

L[36]'Ibo, ab la rabia y la desesperacio al cos, despres de llensadas sas darreras malediccions a son antich amich, se dirigeig bosch á traves gesticulant, fins que, per fi, s'asseu en lloch amagat y procurant recobrar son habitual domini de si mateig y passa balans de sa situacio. Desde l dissabpte anterior, en que surti de llur casa, no hi ha posat mes los peus, tenint durant aquestos dias frequents sentadas ab lo moliner de l'Alou y ab en Briquet,[37] lo trabucaire ab qui[38] fa temps esta lligat, sino materialment, moralment; es á dir, sino de fet, per inclinació. Aixis es que la feta d'aquella tarda es lo punt de partida que l desideig á tirarse de cap al bandolerisme com á medi segur de donar pabul á sos vicis y assegurar la realisacio de sos terribles plans de vengansa. Deu ferse ressaltar que aquella escena ha aumentat horrorosament sos desitjos sobre la Nuria, qual esperit e intrepidesa l'ha com encisat.[39]

Presa la resolució, s'aixeca, se renta las esgarrapadas y nyanyos en lo proper torrent y emprent la marcha cap a son domicili. Aquestas escenas y situacions seran desenrotlladas ab un soliloqui.

Describcio dels horroros[os] singles de Bassagoda y Talaixá[40] en nit de lluna. A altas horas de la matinada arriba á sa casa, se fa obrir y sols respon ab monosilabs á son pare, que l'interroga. Als pochs moments, pren algunas einas y una manta y torna á sortir sens dir paraula. Antes de punta de dia es al moli de l'Alou y parla llarga estona secretament ab lo moliner, qui s'entera ab satisfaccio de sa resolució y l dirigeig ab lo bouher en Bilot, que li donara lo modo de trobarse prompte ab en Briquet y la seuha colla. Li dona lo sant y senya per no esser sospitós. Surt l'Ibo y passa lo dia en un raco de bosch esperant la caiguda de la tarde pera dirigirse vers lo mas Rieral[41] a fi de veurers ab en Bilot, a qui topa, ja negre nit,[42] als voltants de la casa. L'interroga y aquest fá lo ximple fins estar segur que va de veras. Allavors li diu que la partida d'en Briquet aquella nit deu jaurer[43] á la cova..., que vagi al planell [...][44] y faci la senya tal y esperi. Aixis ho fa l'Ibo y algunas horas mes tar fa la senya en lo punt indicat. Al cap d'una hora se presenta un individuo que l reconeig y l'acompanya ab la partida. Al arribar los trabucaires, se sorprenen de veurel y ell, per tota resposta, los diu: «es que soch dels vostres».

Aquest capitol, molta part d'ell, deu ser desenrotllat ab monolechs intercalats ab comentaris del narrador. D'ell deu surtirne ben dibuixada la perssonalitat moral de l'Ibo.[45]

Fi del capitol 4t.

36. *L'*: var. ant . "En".
37. *Briquet*: var. ant. "Periquet".
38. *qui*: ms. "quins".
39. *Deu ferse... com encisat*: afegit.
40. y Talaixá: afegit.
41. *lo mas Rieral*: var. ant. "en Bilot".
42. *negre nit*: var. ant. "fosch".
43. *deu jaurer*: var. ant. "jau" (interromput).
44. Lletra sola, difícil de precisar, seguida de punts suspensius.
45. *Aquest capitol... de l'Ibo*: aquest paràgraf està escrit en un tros de paper enganxat damunt d'un fragment ratllat de la quartilla original, il·legible.

Capitol V
Plans de campanya[46]

L'Ibo fou ben rebut per la partida[47] perque coneixia sos antecedents. Tenia fama de valent, conquistada tan a la carlinada com en las campanyas del contrabando. Tenia tambe fama de mes ó menos lletrat y son caracter, en apariencia calmos y al propi temps cinich y satirich, li donaba sens dupte certa notorietat,[48] que apreciaban los de la colla y que tal vegada[49] pressentian, ja que havia de traduhirse mes endevant en superioritat, cosa que no podian pas veurer ab disgust, ja que estaban tots ells convensut[s] de que desde la mort d'en Planademont, de qual famosa partida no eran ells sino miserables restos, estaban poch menos que sense quefe, ja que al pobra Briquet lo toleraban sols a falta de cosa millor, respectantli sols l'antiguitat. Ademes, l'Ibo te'l precedent d'haver servit en filas ab grau y tenir, per lo tant, mes o menos costum de comando.

Lo mateig Briquet ho regoneixia aixis y no li venia mal aquest refors. Necesitaba, deya ell, un segon cabo, home de pit y de cap, perque aixis, posanthi ell la experiencia y l'astucia y l'altre lo valor y l'intelligencia, podrian empendrer obras de mes profit, ja que al present[50] no podien fer mes que anar[51] *descambiant* (com deya ell en son argot) y esperar que al millor dia los hi fessin lo tupi nou, sense esperance[s] de poguer traurer may lo ventre de mal any.

L'Ibo escolta y calla, prenent lo que li donan. Queda tacitament nombrat segon d'en Briquet, si be en son interior se riu de tal distinció, donchs no ha pas ell anat a la montanya pera ser segon de ningú.

En Briquet esposa sos plans, que no son altres que reunir alguns disperssos y fer una travessia per las montanyas de Finestres, Sta. Pau y Coll sa Cabra, hont diu que hi ha mes la vida.

En Ibo[52] aproba, perque no li va pas malament tal plan, donchs ell tambe te l seu. Vol desapareixer una temporada de son pahís, que aprofitara pera tantejar lo terreno, provehirse de recursos, ferse l'amo de la partida, aumentarla en lo posible, ferse fort en los truchs del ofici, adquirir prestigi y fama y, passada una temporada y rodeijat d'aquesta aureola,[53] presentarse inopinadament en la comarca y realisar sos diabolichs plans de ferse seba, en[c] que sia per la forsa, a la Nuria, per la qual está á cada moment mes boitg, y de venjansa envers l'Albert; pero [no] una venjansa vulgar, sino gran y digne del sucssassor de'l Bacaina, Pau Gibert, Ramon Felip y Planademon.

Nota: Aquest capitol deu ser desenrotllat part per la narracio, par ab dialechs y altra part ab monolechs.

46. *Plans de campanya*: var. ant. "Els trabucaires".
47. Segueix, ratllat, "d'en Briquet".
48. *notorietat*: var. ant. "superiori" (interromput).
49. *tal vegada*: ms. "talvegada".
50. *al present*: var. ant. "aixis".
51. *anar*: afegit.
52. *Ibo*: ms. "Iibo".
53. *y rodeijat d'aquesta aureola*: afegit.

Capitol VI
L'Esparver.
A foch y á sanch[54]

Aqui comensa la campanya de foch y sanch de la partida del nou capitost. May com allavors li havia quadrat lo sobrenom d' Esparver, que ell accepta com a son nom de guerra.[55] Entra per la comarca de Mieras y recull alguns disperssos que merodeijavan a la menuda. Assalt de la rectoria de Brions y mort del rector. S'alssa lo somatent y la partida los tiroteja, desarma alguns guardaboscos pera provehirse d'armas. Al mateig objecte ataca y assessina la parella de la Guardia Civil del lloch de Santa Pau. S'alssa la comarca en massa, apoyada per forssas sortidas de Olot. La partida es sorpresa y batuda, deixant alguns morts y presonés, que son executats a Olot.

La partida se disol pera reorganisarse novament a Collssacabra. S'accentua lo dualisme entre l Ibo y en Briquet, ja que aquest no es partidari de mourer tant rebombori, que exita[56] massa al pahis y a las autoritats. L'Ibo ho reconeig interiorment y se proposa modificar son plan, mes no vol cedir ostenciblement a los concells de n Briquet, cual tutela l'importuna. Resol desfersen. Assalt del[s] firataires al Grau. Lleuger tiroteig ab los mossos de la Escuadra, en que hi mor en Briquet. Se murmura entre la partida que l'Ibo l'ha fet perdre. Aquest castiga als murmuradors penjantne á dos de'ls mes discols. Son prestigi creix. Segrest de'n Bach de Collsacabra. Assalt del Caballer de Vidrá. Eclipse temporal de la partida.

Notas: Lo talent del autor deu salvar los evidents esculls que presenta aquest capitol, que facilment pot convertirse en un romanso de cego per las moltas escenas[57] de foch y de sanch que conté. Deu evitarse que aquestas produeixin un efecte massa[58] repugnant y antipatich, per lo qual seran tractadas a modo de digressió,[59] lleugerament y de correguda, evitant[60] rabeijarsi, ja que son objecte es sols anar ficssant y donar relleu a la perssonalitat del terrible facinerós, perque se presenti ab tota sa importancia en los capitols seguents, en que se reanusa la trama de la novela.

Capitol VII
La llegenda

En lo dia tants de octubre de 18..., se notaba á Albanyá algun moviment. Havia arribat lo marchant y aixó, a mes de que per las donas significaba l'aprovisionament de cintas, fil, agullas,[61] de una porció de futesas, de quincalla menuda, amen d'alguna novetat que sempre hi havia en l'article, representava ademés la satisfaccio de la curiositat publica, ja que lo tal marchan era bon garlaire y feya l'ofici de gaseta, escampant á la montanya las noticias racullidas al plá. Mes aquell dia revestia una importancia escepcional la vinguda del marchant. Per conductes irregulars y a intermitencias, havian arrivat sovint noticias de la campanya del Esparvé per las comarcas de la baixa montanya y Collsacabra, per lo que la curiositat publica estava ensesa pera saber detalls.

54. *L'Esparver* està escrit a la ratlla de sobre d'*A foch y á sanch*, probablement amb la intenció de substituir un títol per l'altre, però el teòricament rebutjat no està ratllat.
55. *May com... de guerra*: afegit.
56. *exita*: ms. "exitar".
57. *escenas*: lliçó confusa.
58. *massa*: afegit.
59. *a modo de digressió*: afegit.
60. *evitant*: lliçó confusa.
61. *de cintas, fil, agullas*: afegit.

Donchs lo marchant venia justament de[62] recorrer aquells pahissos. Mes lo marchant havia vist y parlat al Esparver y aquest li havia encarregat recados pera sos paisans d'Albanyá.

No'n vulguin mes de preguntas al marchant qui, com á bon mercader, se'ls esquiva com pot fins á tenir assegurat lo negoci, donchs, com diu ell, lo primer es lo primer. Descripcio del tipo *marchant de fils y betas*.

Per fi, ve la relacio que conté lo que sap y lo que no sap, o millor dit, la historia convertida en fabula per la exaltacio del cant popular. En sintessis, l'Esparver es un altre Serrallonga, es lo rey de la montanya, tenint a son comando partidas de cincuanta y mes homas. Ab ellas resisteig als mossos, als civils y fins als soldats de la guarnicio d'Olot que surtan per companyias á combatirlo. Ell cobra fortas contribucions de'ls propietaris que volen ser respectats. Los que s resisteixen son[63] assaltats y segrestats. En Bach de Collsacabra degue pagar pera son rescat deu mil unsas. Del Caballer de Vidrá ne tragué un macho carregat d'or. De son valor[64] personal no cal parlarne. Sembla embruixat, donchs no l'han pogut ni ferir may, per mes que en diversas ocasions li han tirat a cents tiros a boca de cano.[65] Los minyons del seu comando son uns malas animas que no desdiuhen per res. Mes los te tots[66] al puny y, al mes petit mancament, los penja del arbre mes proper. Fa caritat als pobres y proteigeig als desvalguts, etc.

De tan en tan, desapareig com si se'l dragues la terra y allavor[s] viu disfrutan de sas inmensas riquesas en palaus que te en llochs ignorats, cavats sota terra, hont hi fa vida de rey, tenint donas y tot lo menester.

Lo marchan seguia dihent que un dia en lloch molt desert se topá ab dos mals[67] carats[68] que li encararen los trabuchs, obligantlo á seguir ell y burro a un bosch proper, hont lo presentaren al Esparver. Se reconegueren y l'interroga llargament. Li pregunta tambe quant aniria á Albanyá y, contestan que dintre poch, li encarrega recados pera varias perssonas que anomená, anyadint que pensaba, hans de gaire, ferlos una visita y que contaba que l rebrian be. Entre las perssonas anomenadas, si[69] contaban l'Arbós y l'Albert. D'aquest digue que tenian un compte pendent, etc.

Segueig relatan que, al despedirlo, se trobá ab que los de la partida li havian saquejat los arganells, deixantlo sense res. Torna á queixarse ab l'Esparver y aquest li contesta, mofantssen, que ara esta fabricant una gran partida de moneda falssa[70] y que, en[71] quant se tornessin á veurer, li pagaria tot ab escreig.[72] Per anyadidura, sa inutil denuncia li valgué un fart de bofetadas per part de ls de la colla (visible contradicció entre la realitat y las contadas grandesas).

L'Alvert, que era present á la relació, ne resta tot capficat y va á contarho á l'Arbós. Aquest li diu que de lo que conta lo marchan ne cregui sols[73] la meitat de la meitat y lo demes son tot falornias, mes que, aixis y tot, considera la situacio prou seria pera judicar que se'ls prepara un mal hivern, donchs te avis de que l'Esparver se dirigeig ab sa partida cap á la montanya y que

62. *de*: var. ant. "pera".
63. *son*: ms. "son son".
64. *valor*: ms. "vallor".
65. *a boca de cano*: ms., subratllat.
66. *tots*: afegit.
67. *mals*: ms. "malas".
68. *carats*: var. ant. "fatxas".
69. Llegiu-hi "s'hi".
70. *esta fabricant una gran partida de moneda falssa*: var. ant. "a la seca li estavan encunyant una partida de moneda".
71. *en*: afegit.
72. *ab escreig*: afegit.
73. *ne cregui sols*: afegit.

fins[74] tem que hagi embocat[75] ja pel rieral del Llierca. Que son lloch será aumentat per quatre numeros mes que arriban l'endemá y, en fi, que se va preparan pera tot lo que pugui sucsehir. Tocant a la situació perssonal de l'Alvert, no li oculta que la considera bastant compromesa, dat lo caracter vengatiu y sanguinari de l'Ibo[76] y li[77] aconcella que s[78] guardi. Li aconcella, ademes, que faci retirar la familia del moli de Ribelles o quant menos a la noya, ja que te motius pera suposar que es objecte de la cobdicia de l'Esparver.

Capitol VIII
Primer plasso

Molt avans de punta de dia, ja estava l'Alvert en cami de Rivelles, no havent dormit a la nit de tant preocupat. Camina capbaig[79] y pensatiu, com portan clavada al cor l'espina d'un mal pressentiment. Al ser al coll tal..., apuntava lo sol y, mirant en direccio al moli (que no s veya), veigé aixecarse una fumareda que li feu fer un sal al cor. Emprengué la marcha precipitadament; al arrivar al pun tal, vege correr un home a tot correr en direccio als masos de Ribelles. Li feu grans crits pera interrogarlo, mes no's feu sentir. No obstant aixo, acaba de convencer[80] á l'Albert de que quelcom extraordinari aconteixia y apreta a correr. Al arrivar al coll..., que domina al moli, ho comprengue tot: lo moli cremava. Llensá un crit de desesperació y corre com un boig.

Descripcio del terrible[81] espectacle: lo moliner jau mort á l'era, haventlo retirat alguns vehins que han arribat primer de la cuina per a evitar que s cremi, donchs no hi ha elements ni esma[82] pera apagar lo foch, encara que d'aigua en sobra. Los vehins tambe havian trobat lligats a la criada [i el] mosso.[83] La arribada de l'Albert carrega mes las tintas tragicas[84] del quadro. Per relacions incoherents de la criada y noy se ve en coneixement de que la casa ha sigut assaltada a la nit per la gent de l'Esparver, que han entrat per la teulada subjectan primer al mosso. Lo moliner s'ha volgut resistir desesperadament y ha sigut mort. La Nuria, despres d'una resistencia desesperada, ha sigut fortament garrotada y, montantla en la mula, se l'han enduta. A l'Esparver ningu l'ha vist mes; ha deixat sa tarjeta de visita en forma d'un paper clavat á la porta de la cabanya, que diu ab lletras grossas y esgarrapadas: «Qui tingui memoria que's recordi del dia 3 de septbre.[85] de 18...». Aquest rotul, obsservat ab terror dels vehins, es un geroglifich per [a] tots, uns perque no saben de llegir y los que'n saben perque no comprenen lo sentit. Lo fan observar al desesperat Albert, que lo compren prou, donchs es la fecha de la agarrada. L'arrenca ab furia y se'l fica ál sarró.[86]

74. *fins*: var. ant. "afins".
75. *embocat*: var. ant. "desembocat". Lliçó confusa.
76. *Ibo*: ms. "Albert". Es tracta d'una confusió evident de personatges que, en aquest cas, passa per alt a l'autor.
77. *li*: var. ant. "que".
78. *s*: var. ant. il·legible.
79. *capbaig*: ms. "cap baig".
80. *convencer*: var. ant. "fer".
81. *terrible*: afegit.
82. *ni esma*: afegit.
83. Segueix, ratllat, "y noy gran. Las criaturas correen plorant y desesperanse. L'Albert".
84. *tragicas*: afegit.
85. *septbre.*: lliçó confusa.
86. *ál sarró*: var. ant. "á la butxaca".

L'arrivada de l'hereu del Rieral posa un poch d'ordre a la cosa (ja que l'Albert, ple de desesperacio, no s cuida de rés), organisant l'atach de l'incendi y lo salvament de lo poch o molt que's puga. Se domina l'incendi.

Escena tragica de l'Albert y de l'hereu Rieral devan lo cadabre del moliner. Aquell jura venjarlo ab sanch y aquest promet ajudarlo en tot y per tot.

A la tarda, arriva l'Arbós acompanyant a l'autoritat judicial. L'hereu Rieral s'emporta á l'Albert a sa casa.[87]

Capitol IX
Plans de boig y plans de[88]

Febrós per la desesperació, l'Albert seg[u]eig a l'Aniol cap a casa[89] d'aquest qui, ple de compassio, lo recull ab carinyo de germá. Proba en va de ferlo sopar y l'instala ab ell en sa propia cambra. A la nit, l'[90] Albert no dorm y fa mil progectes fantastichs de perssecussio de'ls trabucaires, á quins se proposa fer pasadas a la nit, á mes de recociar totas las covas d'aquellas cingleras. L'Aniol promet ajudarlo, mes com aquell á cada moment vol saltar del llit pera posarlos en practica, aquest lo rete ab grandisimas dificultats, fentli veurer lo descabellat de sos plans portats á cap sens lo valuosissim concurs y concell de l'Arbós. Aquest deu venir al mas al mati, despres d'evacuadas las diligencias judicials inherents al crim de la nit anterior.

Arriba l'Arbos, escolta als joves y desaproba los plans de l'Albert ab rahons que exposa; parla de ls seus sens desenrrotllarlos. L'Albert manifesta que, respectant las ideyas de l'Arbós, ell no pot aguantarse mes y que surtirá y, sol ó acompanyat, regirará singleras de dia y de nit y, en sa exaltacio, declara que no vol dormir ab llit ni mengar á taula fins qu'haura trobat a l'Esparve y recuperat, viva o morta, a la seba promesa.

En vista d'aixo, l'Arbos cedeix y se proposa travallar en altre terreno per son compte; deixa als joves que vagin per las sebas, no sens recomanarloshi exessiva prudencia, comensan sens resultat l'escorcollament de covas y relleixos, si be en alguns indrets troban indicis del passatje dels lladres, reconeguent algun objecte pertanyent al moli. Se descriuhen varias covas y balmas, la dels Encantats, la del Mal lladre, etc.

Capitol X

L'Albert, ple de desesperació, vaga, sol unas vegadas y acompanyat de l'Aniol altras, per valls y serras, de nits y de dias, fent paradas per los collets, sense nort, ab l'esperansa sempre de topar un dia ab l'Esparvé, ab lo qual desoieig los concells de tothom. Lo narrador exposa l'estat pssicologich de l'Albert.[91] Una nit, estan de parada,[92] senti aproximarse un bulto, que resulta ser un trabucaire de la partida de l'Esparvé. Se reconeixen y s fan foch; lo trabucaire es mortalment ferit, si be l'Albert no pot seguirlo per ser nit. Desideig esperar al dia y s'assenta en un estat de exitació y postracio extraordinaris. Al poch rato se sent lo planteig agonich del ferit

87. Segueix, ratllat, "Plans".
88. Lliçó il·legible per una taca de tinta. Es tracta d'un mot breu, començat per *s*; tal vegada, pel context, "sanch"?
89. *a casa*: var. ant. "aqu" (interromput).
90. *l'*: ms. "en l'".
91. *Lo narrador... de l'Albert*: afegit.
92. *parada*: lliçó confusa.

que s va morint uns quants metres mes avall, qual estertor repercuteig per los penyals. L'Albert, mitg malalt per la febre y per la postracio, somia ab sa promesa, á qui li semble veurer morir entre torments, semblantli que es ella la qui planteixa. Per fi, arriva la llum del dia y ja no se sent l'estertor, mes l'Albert renuncia[93] al reconeixement progectat y se dirigeig al mas del Rieral, hont arriba mitg defallit e inspirant compacio á tothom, vegentse de nou recriminat per sa imprudent conducta.

Arriba l'Arbós y, al enterarse,[94] s'enfada de debó y proiveig terminantment al jove prosseguir per aquell cami que, si no l'ha portat a una catastrofe, diu que es sens dupte per un miracle del cel. Envia á dos minyons a regoneixer lo cadaver. Dona esperansas de que prompte podrá donar alguna noticia bona y promet[95] que contara ab ells pera realisar un cop que va preparant.

Als pochs dias, reb l'Aniol avis de l'Arbós de trobarse ell y l'Albert[96] a tal indret, á tal hora de la nit, ben armats y si pot fer seguir un ó dos mossos de la masia millor. S'efectua la cita y l'Arbós los entera de que te una parada feta en virtut de confidencias rebudas de que aquella nit debia l'Esparver robar lo mas tal, dins del qual hi te ja l'Arbós tancats dos mossos. Distribueig convenientment las demes forssas al voltan del mas senyalat. Passa l'hora y l'Arbós comensa a impacientarse, tement haver sigut victima d'un engany. En aquell moment, arriba precipitadament un confident y confirma sas sospitas, manifestantli que en aquells moments la partida de l'Esparvé está saquejant al Rieral. Esplosio de rabia per part de l'Arbós, qui dona ordre de desfer la parada y sortir tothom corrents cap al Rieral, hont arriban á punta de dia. Lo sentinella dels trabucaires dona avis y la partida surt en retirada, escopetegada per los mossos. L'Esparver y l'Albert se veuhen, provocantse mutuament. L'Albert, desesperat, se llensa contra aquell qui procura atraurel en sa perssecucio pera separarlo de las demés forssas, lo que hauria lograt á no ser per l'Arbós que l dete.

Espectacle de la masia saquejada. Los pares de l'Aniol jauhen lligats de peus y mans, mes sense ulterior percans, ja que afluixaren de seguida sos diners. Los mossos y criadas se troban aixis mateig lligats, inclus lo bouher Bilot. L'Arbós se convens de que ha estat victima d'una jugada de l'Esparver y que la confidencia del robo del mas tal era falssa y tenia sols per objecte fer que lo mas Rieral quedes desamparat de sos millors defensors. L'Arbos comensa a sospitar de n Bilot.

Capitol XI

L'Esparvé se gaudeig del saqueig del mas Rieral fent una gran chefla ab tots los seus. Al sortirne nit enllá, se topa ab en Bilot, qui demana lo preu de sa pillada. L'Esparver, completament borratjo, se'n mofa y lo maltracta, alssantlo de terra agafat pel goll. En Bilot cau mitg esvahit y es abandonat. Jura venjarse.

L'Arbos, apurat pera contenir las esplossions d'odi de'ls dos joves, se mostra energich y los prohiveig fer res per son compte, asseguarantloshi que ab pasiencia y serenitat lograrà son objecte.

Als pochs dias, en una de sas acostumadas rondas, se troba ab en Bilot, que s'ha fet encontradis. S'entaula una conversa en la que l cabo brilla per sa astucia. Adquireig lo convenciment de que l bouher es lo confident de l'Esparver, mes disimula perque entreveu que han romput y respira vengansa. Per fi, en Bilot jura portar á l'Esparver alla hont l'Arbos vulgui

93. *renuncia*: var. ant. "sense voler esbrina".
94. Llegiu-hi: *enterar-se'n*.
95. *promet*: afegit.
96. *ell y l'Albert*: afegit.

mijansant una combinació. Per exemple, diu que fa temps que l'Esparver esta a la mira d'una rica expedicio de contrabando que l'Aniol tenia preparada a la [...][97] Sn. Llorens. Si l'expedicio s'efectuaba, seria una bona basa pera reunir en un punt determinat á tota la partida de l'Esparvé y exterminarla. Se separan.

L'Arbos comunica son plan á l'Aniol y queda esbossat lo projecte. Aquest parteig cap a la Menera á activar l'expedició que havia quedat detinguda per los aconteixements y circunstancias descrits.

97. Mot il·legible, ratllat.

L'AVANTGUARDA CATALANA DELS ANYS 20

Arthur Terry

University of Essex

Presentació d'una exposició del primer Dalí

Per entendre l'avantguarda catalana dels anys 20 –allò que representava i per què va assumir una forma determinada– cal retrocedir, en efecte, uns trenta o quaranta anys, fins a la penúltima dècada del segle XIX –més concretament, fins a l'Exposició Universal de Barcelona de l'any 1888.

Com ha observat Marilyn McCully, aquesta exposició volia «presentar la imatge de la ciutat de Barcelona al món com a centre urbà independent, pròsper i fortament industrialitzat que mirava el futur». De fet, l'exposició va coincidir amb un moment clau dins l'evolució de la cultura catalana: el restabliment nacional anterior –la Renaixença– s'havia centrat en la literatura, i més que res en un tipus de poesia que mirava enrere, cap a una versió molt romantitzada del passat nacional, i que era essencialment local i introspectiva. Ara, en canvi, els escriptors i artistes catalans començaven a mirar fora, cap a la resta d'Europa; no sembla una coincidència que alguns dels arquitectes que van contribuir a l'exposició aviat arribessin a figurar entre els capdavanters del modernisme, ni que llurs edificis mostressin la influència de la *gothic revival* o del moviment *arts and crafts*. A més, la situació cultural reflectia fins a un cert punt la política de l'època, i això, en termes generals, vol dir una separació progressiva de l'autoritat central de Madrid, procés que va confirmar el desastre colonial de 1898. Així, amb la fi del segle, els fronts artístics i polítics comencen a convergir dins el moviment general cap a l'autonomia; i, amb les eleccions de 1901, la Lliga Regionalista conservadora arriba al poder sota la direcció de Prat de la Riba, que més tard serà el primer president d'un govern català semiindependent.

D'aquesta manera, els anys 1890 presencien l'aparició del modernisme: més un procés que un moviment conscient, una qüestió de reptes i readaptacions constants, molts dels quals tenen a veure amb uns conceptes canviants del nacionalisme català.

En el fons, es tracta d'una versió del romanticisme tardà, segons la qual unes qüestions d'estètica encaixen en tots els sentits amb les condicions de la societat contemporània. Així, malgrat unes diferències personals, es manifesta un cert consens, el qual depèn de les relacions entre l'artista i la societat. Més concretament, hom veia la necessitat d'un altre tipus d'artista, sobretot més professional: no en un sentit comercial, sinó com a algú totalment dedicat al servei del seu art. I això va acompanyat d'una confiança nova en el valor de la intuïció artística: l'escriptor o el pintor ara es considera com a algú que transmet la seva pròpia visió del món, algú que intervé en la realitat per ultrapassar les simples aparences superficials.

Quant a allò que els modernistes consideraven «modern», tan sols cal enumerar els escriptors i artistes estrangers que els interessaven: Carlyle, Nietzsche, Ruskin, Ibsen, Maeterlinck i Wagner. (Com era d'esperar, aquestes influències no solament afectaven la literatura: la voga de Maeterlinck i Wagner s'utilitzava per justificar l'associació de poesia i teatre amb les altres arts, i la pintura i l'arquitectura de l'època reflecteixen igualment el medievalisme *sui generis* del prerafaelitisme.)

Al mateix temps, una de les virtuts del modernisme és que, lluny de voler imposar un cosmopolitisme superficial sobre un país culturalment endarrerit, vol crear una cultura autènticament catalana, una cultura que serà moderna en un sentit europeu, però que també tindrà en compte les tradicions i les tensions de la seva pròpia societat.

Naturalment, el valor de qualsevol fase artística tan sols es pot calcular en termes dels seus productes concrets. Deixaré de banda els aspectes literaris del modernisme, on l'èxit, en poesia i ficció, és considerable. Tanmateix, cenyint-nos al nostre tema, cal recordar que en aquests anys –1895-1904– Picasso treballa a Barcelona, i que els quadres de l'època blava, amb llur tractament de temes humils, no són tan diferents de les obres produïdes per més d'un dels artistes catalans d'aquests anys. Encara més, hi ha els edificis de Gaudí –de cap manera, l'únic arquitecte modernista notable, però el que ha deixat l'empremta més forta sobre la Barcelona actual– les formes i els ritmes del qual, uns anys més tard, havien de fascinar el primer Miró.

L'eclipsi del modernisme en els primers anys del segle XX va ocórrer, irònicament, mitjançant el moviment cap a l'autonomia que ell mateix havia subscrit. No hi ha cap dubte que el modernisme, malgrat uns èxits molt positius, es veia perjudicat per unes contradiccions internes i per una manca de cohesió general –més concretament, per una manca d'institucions. Un cop Prat de la Riba va arribar al poder, tot això va canviar, i una mena de front cultural comú i oficialment patrocinat va sorgir. L'any crucial és 1906: no solament la data del manifest del mateix Prat sobre la nacionalitat catalana, sinó la del Primer Congrés Internacional de la Llengua Catalana, (seguida un any més tard per la fundació de l'Institut d'Estudis Catalans), i dels primers escrits importants d'Eugeni d'Ors i Josep Carner, els capdavanters del moviment que vingué a ésser el noucentisme.

Nou-cents vol dir segle XX, però el mot noucentisme portava unes implicacions culturals, per analogia amb l'italià *cinquecento*, etc. Així, el mateix Ors –en molts sentits, el teòric del moviment– inventa la frase *art arbitrari*; la idea segons la qual l'art hauria d'ésser *arbitrari* pel fet de rompre completament amb la tradició existent, amb allò que en diu la *rusticitat* de la literatura catalana del vuit-cents. I això implica la possibilitat de restaurar una tradició alternativa, és a dir, la que, en termes de la literatura catalana, havia estat interrompuda al Renaixement. Allò que es necessita, en altres mots, és un nou tipus d'humanisme que complirà una funció semblant en termes moderns; en el sentit més ample, la societat i les arts, totes dues, han de participar en el mateix concepte d'*urbanitat* –un altre mot clau de l'època– i això serà possible precisament perquè ha d'ésser el principi central del patrocini oficial.

Naturalment, és probable que qualsevol moviment nou dins la literatura o les arts tan sols tingui èxit pel fet de fer una certa injustícia a allò que l'ha precedit, en part per guanyar energia per als seus propis fins. En el cas del noucentisme, amb el seu èmfasi en l'ordre i el refinament, això significava produir una versió polèmica del modernisme, simplificant excessivament la seva dimensió romàntica a fi de contrastar-lo amb un nou classicisme. Així, una sèrie d'antítesis vingueren a formar-se: classicisme contra romanticisme, el mediterrani contra el nord, els valors urbans contra la suposada rusticitat de la literatura existent, i, resumint la majoria d'aquests contrasts, objectivitat contra subjectivitat. No és difícil mostrar que en bona part aquestes comparacions queden exagerades: el que és més important, tot i que gran part del programa noucentista fos admirable, com sol passar amb molts programes oficials, aquest implicava certs sacrificis. Abans de tot, hi ha un cert conservadorisme que determina el crit a l'ordre noucentista i que explica algunes de les seves exclusions més notòries, com ho fou el rebuig de la novel·la modernista. I, tornant a la idea segons la qual l'artista és un creador que ha d'«intervenir» en la realitat, hom pot veure fins a quin punt, en refusar la subjectivitat com a valor estètic, i en excloure l'aspecte individual i rebel del modernisme, el noucentisme surt perdent.

Tot i que l'art noucentista demostri aquest conservadorisme, no és de cap manera negligible. Certs pintors, com Sunyer, mostren la influència de Cézanne, vist ara com a artista supremament mediterrani. Si les formes plenes i arrodonides de l'escultura noucentista a vegades fan pensar en el pitjor art soviètic, podem notar també que no són alienes a l'anomenada època clàssica de Picasso. De fet, Picasso va tornar a Barcelona l'any 1917 per una representació del ballet *Parade,* per al qual havia fet els vestits i el decorat, i s'hi va quedar uns sis mesos, tot absorbint la pintura i escultura que trobava allí, i incorporant-ne una part en la seva pròpia visió personal de l'època. I Dalí va admirar un pintor noucentista en especial: Feliu Elias. Elias, que també era un crític d'art excel·lent, havia editat una de les revistes en llengua catalana més remarcables de l'època, *Papitu* (1908-11), a la qual diversos artistes joves, entre ells Juan Gris, havien contribuït. Tot i que sigui conegut principalment com a brillant caricaturista polític, era la seva pintura, que va cultivar fins als anys 30, la que es pot dir que va influir Dalí. Malgrat el seu èmfasi noucentista en el realisme i en l'estructura harmoniosa de la composició, li agraden els interiors rigorosament il·luminats que exageren lleugerament els diversos elements del quadre d'una manera vagament torbadora. I el mateix es podria dir del retrat que Dalí va fer del seu pare, l'any 1925, on utilitza un tipus semblant d'il·luminació d'alta intensitat que subratlla els plecs de la jaqueta i les línies fortament gravades del rostre.

A partir de la mort de Prat de la Riba el 1917, la influència noucentista tendeix a declinar o a diversificar-se, tot i que no desapareix del tot fins a la Guerra Civil, i als anys 30 encara té prou força per enfrontar-se a una avantguarda ja establerta. Quant a l'aparició de la mateixa avantguarda, hom la pot seguir fins a cert punt, tot enumerant les exposicions importants de l'època i considerant el nombre d'artistes estrangers que es van instal·lar a Barcelona, en molts casos com a resultat de la Primera Guerra Mundial.

El 1912, per exemple, Josep Dalmau, que amb el temps havia d'esdevenir el comerciant d'art modern més important a Catalunya, va organitzar una exposició d'art cubista que va incloure una bona selecció d'obres de Cézanne, però també el *Nu baixant una escala* de Duchamp. Tot i que Ors va denunciar l'obra de Duchamp, no sembla haver suscitat la controvèrsia que més tard havia de causar a París i Nova York, i la pintura de Cézanne ja exercia una influència forta, encara que bastant diluïda, sobre alguns dels millors artistes noucentistes.

Cal esperar fins al 1920 per tenir una altra exposició d'aquestes proporcions, la col·lecció d'art avantguardista francès, presentada un cop més per Dalmau, que incloïa obres cubistes de Braque i Léger, quelcom de Matisse, i una selecció no gaire representativa de Picasso. (L'obra més important seva a aquella exposició datava del 1903.) Llavors, el 1922, va tenir lloc una exposició bastant diferent: una presentació de l'obra de Picabia, que havia vingut a Barcelona el 1916, i havia fundat la revista *391*, que ja s'estava separant del cubisme i aproximant-se al Dadà. L'exposició mateixa no va afectar gaire el públic barceloní, però fou acompanyada d'una conferència d'André Breton, que aviat seria el capdavanter del surrealisme francès. La conferència de Breton tampoc va tenir gaire efecte, puix que parlava d'artistes com Max Ernst i Man Ray, els noms dels quals no significaven res al públic barceloní. Malgrat això, va insistir en un punt central que es deixava entendre fàcilment: la idea segons la qual els artistes visuals i els escriptors es pertanyen els uns als altres com a parts d'una sola empresa cultural.

Aquesta idea, com ja hem vist, resultava molt congenial als artistes i escriptors a partir del modernisme, i seguia funcionant durant els primers anys del segle. Així, trobem Miró, la primera exposició individual del qual tingué lloc el 1918, tot absorbit en l'obra d'Apollinaire, així com Dalí, uns anys més tard, havia d'ésser amic íntim de Lorca i Buñuel. De fet, hom pot argumentar que els orígens immediats de l'avantguarda catalana dels anys 20 corresponen al futurisme d'Apollinaire i Marinetti. Més concretament, l'impacte del futurisme a Catalunya –el culte de la màquina i de les *parole in libertà*– coincideix més o menys amb l'època de malestar polític entre la mort de Prat de la Riba el 1917 i l'establiment de la dictadura de Primo de la Rivera l'any 1923. Dins aquest context, la figura més rellevant és Joan

Salvat-Papasseit, l'únic poeta important de l'època que pertany a la classe obrera i amb una reputació subversiva que li venia, en part, dels seus manifests i, en part, de la seva primera poesia experimental, que fa servir uns trucs tipogràfics a la manera d'Apollinaire i Marinetti. De fet, fou Salvat qui va descobrir per primera vegada la potència revolucionària de l'avantguarda, quelcom que queda expressat amb molta força al seu «Primer manifest català futurista» (1920) i a la seva revista de curta duració, *Un enemic del poble*.

Salvat va morir jove, el 1924, i un any més tard Dalí va pintar un quadre –*Venus i mariner*– a la seva memòria. Ell pertany a una nova generació postnoucentista –a vegades anomenada la Generació de 1917– que constitueix la veritable avantguarda catalana, i que inclou Miró i Foix, que més tard seria un dels poetes més notables del segle. També és una època de manifests –forma molt típica del futurisme– i de revistes efímeres: *391* de Picabia, *Un enemic del poble* de Salvat, i, la més important de totes, *Trossos*, els dos últims números de la qual van sortir el 1918, editats per Foix.

De fet, Foix representa el vincle principal entre les diverses manifestacions de l'avantguarda catalana. En aquesta etapa, ell és més conscient que qualsevol altre escriptor català de les tendències més recents a França i Itàlia; els números de *Trossos* que va editar contenien traduccions de Reverdy, Tzara i Soupault, i també van presentar per primera vegada l'obra de Miró al públic català. Com a poeta, difereix de qualsevol altre de la seva generació: tot i que el seu primer concepte de la poesia sembli confirmar els propòsits fonamentals del noucentisme, i en especial la necessitat de restaurar la tradició interrompuda de l'humanisme català, és evident que interpreta aquesta preocupació general més literalment i també més amplament que qualsevol dels seus contemporanis. Pel que fa a la literatura catalana més antiga, Foix, significativament, és l'únic poeta de la seva generació disposat a retrocedir fins a l'edat mitjana, a Ramon Llull i als poemes dels trobadors. Tanmateix, és en el seu concepte del «nou» que divergeix més notablement dels altres poetes de la seva generació, que tendeixen a cultivar el simbolisme que Foix rebutja. Així, al límit modern de l'escala, queda més a prop d'Apollinaire i els futuristes que no pas de Baudelaire i Mallarmé, tot i que això necessita alguna qualificació. Encara hi ha una tendència a descriure Foix com a surrealista, malgrat que això estigui en conflicte amb la seva visió de la realitat. Ell mateix insisteix que la poesia representa una «realitat objectiva», una realitat que queda sempre present, separada del poeta, però sempre disposta a ésser explorada. Així, descriu els seus poemes en prosa com a «semblances», i, molt característicament, el seu ús del mot correspon directament a una frase de Ramon Llull: «De les semblances reals davallen les fantàstiques en així com accidents qui ixen de substància».

Qualsevol que sigui la seva relació amb el surrealisme, no hi ha cap dubte que Foix comprenia molt bé el clima variable de les arts, en un sentit nacional i internacional alhora. L'any 1925, per exemple, rebutja tant el futurisme com el cubisme, descrivint-los com a «anacrònics», i afirma que el futur de l'avantguarda depèn del Dadà i del surrealisme. I el mateix any, presenta l'exposició de Dalí a les Galeries Dalmau en un escrit molt típic de l'època:

«En entrar a la sala d'exposicions, En Dalí amoixava un ocellàs multicolor que reposava damunt la seva espatlla esquerra.

–Superrealisme?

–No, no.

–Cubisme?

–No, tampoc: pintura, pintura, si us plau.

I em mostrà els finestrals del palau meravellós que havia bastit a can Dalmau. Vaig tenir consciència exacta de trobar-me als moments precisos de la naixença d'un pintor. L'aula de vivisecció mostrava, descarnats, il·limitats paisatges fisiològics: belles arbredes sagnants ombrejaven els breus estanys on els peixos pugnen del matí al vespre per deseixir-se de llurs ombres. I en el fons de les pupil·les del pintor, de l'arlequí i de la manequí, estels negres fugaços en un cel d'argent. Pensava romandre-hi, quan del fons de cada tela sortiren, en tocar les set, els famosos fantasmes.

És un bell espectacle; subtils, us cobreixen amb llurs vels i us encomanen llur immaterialitat. Si molts de barcelonins ho sabessin, l'espectacle dels fantasmes que omplen cada vespre les sales de can Dalmau, seria per a ells l'obertura de l'"altre" món.»

I el passatge acaba:

«En abandonar les Galeries, el Passeig de Gràcia, desert, sense arbres, sense fanals, era una immensa avinguda alineada per centenars de *Shell*, amb la testa lluminosa reflectida dolçament damunt l'asfalt...»

La col·laboració entre Dalí i Foix ve a ésser més intensa amb la fundació de *L'Amic de les Arts*, que es publicava entre 1926 i 1929, el número final del qual fou editat pel mateix Dalí. Dalí havia arribat darrerament de Madrid, on havia estudiat esporàdicament a l'Academia de Bellas Artes des de 1921, i el que és més important, on havia vingut a ésser amic íntim de poetes castellans d'avantguarda com Lorca i Alberti. A aquestes altures, l'avantguarda catalana era més aviat precària: tot i que certs artistes noucentistes haguessin experimentat amb tècniques cubistes arran del 1918, a la fi, tots havien tornat a llurs arrels i l'únic pintor de categoria que restava fidel a l'avantguarda va ésser Miró. Tanmateix, a partir de 1919, Miró s'instal·la definitivament a París, on havia d'ésser un capdavanter del surrealisme. A diferència de Miró, la pintura del qual demostra des del primer moment una originalitat molt forta, Dalí, als primers anys 20, malgrat una tècnica immensament fluida, demostra una varietat d'influències molt desconcertant, que va des del cubisme fins a Chirico i als quadres més recents, anomenats «clàssics», de Picasso. Aquest viratge entre diversos estils degué ésser molt conscient, encara que un cert aspecte de la seva obra demostra una preferència notable pels temes mediterranis que correspon als propòsits, si no a les tècniques, del noucentisme. En un nivell teòric, va ésser molt influït per la revista francesa *L'Esprit Nouveau*, que en aquella època recomanava un «retorn a l'ordre» sota el règim del classicisme i d'un èmfasi en la pura forma geomètrica. Podem tenir una imatge de la seva obra d'aquesta època en unes paraules de Rafael Alberti, quan recorda el període 1925-26:

> «Dibujaba como quería, real o imaginado: una línea clásica, pura, una caligrafía perfecta, que aun recordando al Picasso de la etapa helenística, no era menos admirable; o enmarañados trazos como lunares peludos, tachones y salpicaduras de tinta, ligeramente acuarelados, que presagiaban con fuerza al gran Dalí surrealista de sus primeros años parisienses.»

Tanmateix, l'aproximació de Dalí al surrealisme era més cautelosa. Tot i que, a partir de 1926, la seva pintura reflectia artistes com Max Ernst i Tanguy, fou tan sols el 1929, o sigui després del segon manifest de Breton, que es va afiliar al moviment surrealista, i fins i tot després d'això, les seves relacions amb els altres surrealistes són bastant equívoques. És probable que va començar amb una visió massa limitada del moviment, tot recalcant excessivament la importància que donava a l'escriptura automàtica, i que tan sols després descobrís la seva flexibilitat relativa. I, com ha observat Dawn Ades, hi havia una discrepància fonamental en tant que Dalí volia «mantenir» l'oposició entre la realitat i la surrealitat, mentre que Breton, en canvi, volia crear una resolució futura.

Aquestes posicions i altres queden exposades en la sèrie remarcable d'articles i manifests que Dalí va publicar entre 1927 i 1930. Molts d'aquests van sortir a *L'Amic de les Arts* junt amb unes contribucions de Foix i d'altres escriptors ara implicats en l'avantguarda catalana. Durant els quatre anys de la seva existència, *L'Amic de les Arts* va formar una mena de plataforma definitiva per a l'expressió de les tendències més recents, alhora a Catalunya i a l'estranger. Més que res, podia comptar amb un grup de crítics i escriptors de talent, capaços de seguir amb intel·ligència l'evolució del surrealisme francès, i acostumats a l'obra més recent de Miró i del mateix Dalí. Pel que fa a aquest últim, com va escriure el juny de 1928, l'associació de Miró i Breton era ja completa:

> «Les pintures de Joan Miró ens acondueixen, per un camí d'automatisme i superrealitat, a apreciar i constatar aproximadament la realitat mateixa, tot i corroborant així el pensament d'André Breton, segons el qual la superrealitat estaria continguda en la realitat i viceversa.»

D'aquesta manera, *L'Amic de les Arts* representa el punt més alt de l'avantguarda catalana, tot i que, irònicament, va desaparèixer just quan el surrealisme començava a arrelar-se a Catalunya. I a partir de 1929, quan va ingressar oficialment al moviment surrealista, Dalí s'identificà plenament amb l'escena parisenca, i va tornar a Barcelona rares vegades. Tanmateix, això no significava la fi de l'avantguarda catalana, encara que, de llavors ençà, les seves activitats gairebé s'emmudissin. El 1932, per exemple, es va crear una nova organització: ADLAN –els Amics de l'Art Nou–, que incloïa la majoria dels antics col·laboradors de *L'Amic de les Arts*, junt amb altres com el compositor Robert Gerhard i l'arquitecte Josep Lluís Sert. Tot i que els seus propòsits fossin una mica incerts –volia fomentar «l'art modern» en general, sense cap referència a artistes o teories determinats– va organitzar conferències, col·loquis i concerts, i, el que és més important, va muntar exposicions d'algunes de les figures més notables de l'art contemporani del moment, com Miró, Calder i Man Ray. I un dels seus primers actes consistia a publicar un número especial de la revista *D'ací i d'allà* dedicat a l'art del segle XX, que incloïa reproduccions de la majoria dels grans pintors moderns, junt amb una sèrie de manifests, traduccions i assaigs crítics.

Al cap i a la fi, aquesta va ésser l'última gran manifestació de l'avantguarda catalana abans de la Guerra Civil. Però ja abans de la guerra, s'inaugurava una certa reacció. La pintura noucentista convencional, que havia constituït l'art oficial de tot aquest període, per fi prenia la seva revenja, un procés que va resumir el 1935 Sebastià Gasch, un dels antics col·laboradors de *L'Amic de les Arts*:

> «Al temps present presenciem la resurrecció de la presentació del contingut. El retorn al realisme és l'única cosa que es discuteix, i la majoria dels artistes professen un culte fanàtic, una veneració extrema i religiosa pel contingut. En el present, hi ha un fetitxe del realisme i de la presentació del contingut.»

La història de l'avantguarda catalana, segons sembla, podria terminar aquí. Tanmateix, no voldria acabar amb una nota tan negativa. Una de les tendències més encoratjadores de l'últim quart de segle ha estat la reinvenció d'una autèntica avantguarda que prolonga de moltes maneres la tradició dels anys 20. Hom pot assenyalar, per exemple, la redescoberta de Foix i la descoberta del poeta i dramaturg Joan Brossa, ambdós exponents notables de l'avantguarda, i ambdós meravellosament sensibles a les possibilitats dramàtiques de la parla comuna. O bé, hom pot considerar la trajectòria sencera de l'obra de Miró i veure com una gran part de la seva pintura posterior ja queda anticipada als anys 20. I, finalment, hi ha l'exposició actual del primer Dalí, que el mostra, no solament a una etapa crucial de la seva evolució, sinó com a creador d'alguns dels quadres més notables, i més sorprenents, de l'època. Però voldria terminar amb una cita del millor pintor català actual, Antoni Tàpies. Tàpies ha recordat com es va adonar per primera vegada de la pintura moderna gràcies a aquell número especial de *D'ací i d'allà* al qual m'he referit abans, i en un dels seus assaigs parla de «l'irracionalisme i l'exaltació de la nostra raça, des de Ramon Llull fins a Joan Miró, passant per Gaudí i tota l'exuberància modernista de la nostra ciutat». L'observació és memorable, sobretot venint d'un pintor, l'art del qual ha fet tant per estendre la cultura catalana de la qual deriva. I subratlla quelcom que espero hagi estat implícit en allò que he escrit: que la cultura catalana, tot sovint, és qüestió d'unes connexions sorprenents entre el vell i el nou, i que cap període, ni que el modernisme ni l'avantguarda del anys 20, es deixa copsar, una vegada per sempre, dins els patrons fixos de la història de l'art, sinó que segueix essent un repte constant, fins i tot avui en dia.

Obres consultades

ADES, Dawn, *Dalí*. Londres, 1982.

ALBERTI, Rafael, *La arboleda perdida (Libros I i II de memorias)*. Buenos Aires, 1959.

FOIX, J. V. *Obres completes 2: Prosa*. Barcelona, 1979.

ILIE, Paul (ed.), *Documents of the Spanish Vanguard*. Chapel Hill, 1969.

McCULLY, Marilyn, «Introduction» dins *Homage to Barcelona: the City and its Art (1888-1936)*, Londres, 1985, pàg. 9-74.

MOLAS, Joaquim, *La literatura catalana d'avantguarda, 1916-1938*. Barcelona, 1983.

TÀPIES, Antoni. *La pràctica de l'art*. Barcelona, 1970.

CARTA EN VERS QUE ESCRIGUÉ SANTALÓ A JOSEP SERRA, DE RIUDEPERES. 1863. POESIA INÈDITA DE JACINT VERDAGUER

Ricard Torrents

Universitat de Vic

La vena jocosa del Verdaguer principiant[1] que, mentre estudiava al seminari de Vic, s'iniciava al món de la poesia provant tots els gèneres en vers i en prosa, ha estat ponderada per damunt de la realitat. Si al costat de la seva extensa producció juvenil de tema amorós, religiós i patriòtic, s'hi posa l'exigu nombre de composicions que s'emmarquen en el món de la tabola estudiantesca –encara que s'admeti com a molt probable que el poeta n'escrivís d'altres que no ens han arribat-, res no permet de conjecturar que s'hi dediqués amb intensitat ni que en cap moment corregués el perill d'extraviar-s'hi. Si en alguns moments vacil·là, no trigà a apartar-se de l'èxit fàcil que li proporcionava el gènere satiricofaceciós i, amb ell, de tot el que representava en la tradició de la poesia catalana, quan el jove poeta i els seus companys de Vic s'hi incorporaven amb els pulmons plens de l'aire nou del romanticisme i apuntant cap als clàssics universals més severs.

Encara que poc extensa, la poesia dita vallfogonesca de Verdaguer porta la marca del seu geni. Ho confirma aquesta composició, fins ara desconeguda, *Carta en vers que escrigué Santaló a Josep Serra, de Riudeperes. 1863,* que es troba al «Quadern de Serrabou», un manuscrit –segurament no autògraf del poeta– que porta el nom de la masia de Serrabou, del terme de Tavèrnoles, on es guardà fins a 1961, i que conté una col·lecció de poesies de Verdaguer, anteriors a 1865, unes poques de les quals són inèdites. Escrita en forma de carta de poeta a poeta, la poesia consta de cent versos de set síl·labes, estrofats en vint quintets de rima a b a a b en alternança amb a a b b a.

La carta en vers, gènere practicat pels escriptors antics i moderns, també la practicaven els estudiants de Vic del s. XIX.[2] De l'any 1870 és una *Carta diatriba y*

1. M'he ocupat de les poesies jocoses de Verdaguer a «Les opcions estètiques de Verdaguer» i «Verdaguer i l'Esbart de Vic», dins R. T., *Verdaguer. Estudis i aproximacions.* Pròleg de Joaquim Molas. Vic: Eumo Editorial, 1995, pàg. 37-98 i 115-139 respectivament.

2. L'obra de Francesc Vicenç Garcia, que Verdaguer coneixia en l'edició de *Poesías jocosas y serias del célebre Dr. Vicens Garcia, Rector de Vallfogona* (Barcelona: Estampa de Joseph Torner, 1856), conté diverses poesies en forma de carta. L'any 1879 Verdaguer adreçà a Milà i Fontanals, en ocasió de dedi-

en vers dirigida al Ministre d'Hisenda Figuerola per haverse atrevit a defensar la llegitimitat del Bonaparte (Pep Botella) com a rey d'Espanya, composta i publicada per Jaume Collell.[3] A la carta de Verdaguer l'estil epistolar i l'aire «vallfogonesc» hi són aconseguits, amb uns pocs castellanismes lèxics, tan flagrants que semblen intencionats, com ho semblen moltes grafies aberrants, les quals potser no s'han d'atribuir al mateix Verdaguer sinó a la intenció del copiador, d'augmentar l'excentricitat del document, a la base del qual, d'altra banda, hi apunta l'*ars dictandi* dels tractats de retòrica epistolar, que prescrivien la *salutatio*, l'*arenga* o preàmbul i l'*elocutio* o contingut de la missiva.

La Carta en vers que escrigué Santaló confirma el fet que Verdaguer creà un personatge literari, contrafigura de si mateix, anomenat «Santaló». L'origen de l'heteronomia, l'única que es presenta en l'obra del poeta, és reportat pels biògrafs. Un professor del seminari de Vic l'anomenava pel cognom matern, Santaló, però separant el mot, sant Taló, i hi afegia que aquell sant, atesos els escassos mèrits escolars, seria un sant que no faria miracles. El jove estudiant, que les biografies presenten d'una sensibilitat a flor de pell per tot el que es referia als seus orígens modestos i a la manca de desimboltura en societat, girà la burla component uns *Goigs d'en Santaló que per falta de cantors se'ls canta ell mateix en la parròquia de Folgueroles.* Aquell sant esdevenia un sant a l'inrevés, com un personatge de la literatura de follia, aquella que presenta el món girat, de cap per avall.

El sant a l'inrevés dels *Goigs d'en Santaló,* o sigui de sant Taló, potser de sant Talò[s], esdevé a la *Carta en vers* un poeta que s'autoretrata davant d'un amic poeta. Després d'una salutació implícita i de l'acusa d'una petició de l'amic en què li demana que li conti la vida, es lamenta que la seva musa no pugui estar a l'altura de la d'ell. No hi ha res d'invocacions líriques a la inspiració, ni d'arpes ni d'harmonies. L'instrument líric de Santaló és *una trompa de ceba*, amb la qual no s'aconsegueixen sinó sons plebeus i ridículs. Tot i això, Santaló accedeix a la petició de Josep Serra i es disposa a contar-li la vida.

L'autoretrat que ve a continuació consta de deu quintets. A la primera sèrie, estrofes 6-10, s'autodescriu tant en l'aspecte físic, *magre, sec, negre i fumat*, com en la indumentària, de la qual destaca el *tricot*, que li serveix de *cuirassa/ per entrar en la batalla*. En efecte, en els cinc quintets següents, 11-15, sinecdòquics, Santaló, que pressuposa que l'amic ja sap que fa de pagès, descriu l'ofici per l'eina que el caracteritza, l'aixada, presentant-la, però, no com a tal sinó com a arma. *La*

car-li un exemplar de *La Garba Montanyesa. Recull de poesies del Esbart de Vich* (Vic: Estampa i Llibreria de Ramon Anglada, 1879), un missatge epistolar en vers en aquests termes: *Un pagès de Riudeperes, / pel correu de Vilafranca, / de les messes d'aquest any / li'n remet aquesta garba; / de camps d'altres és lo gra / mes del camp seu és la palla.* Ho reporta Valeri SERRA I BOLDÚ, *Biografia de mossèn Jacinto Verdaguer.* Barcelona: Edició de l'Associació Protectora de l'Ensenyança Catalana, 1924, pàg. 99.

3. Cf. Jaume COLLELL, *Del meu fadrinatge*, Vic: Gazeta de Vich, 1920, pàg. 122 i s.

meva arma és una aixada, diu al vers 51. A continuació la feina del pagès, Santaló no la descriu com una feina pacífica, d'acord amb el tòpic de la pau del camp, sinó al contrari, en termes extremament bel·licosos. Santaló pagès es veu a si mateix com un guerrer que batalla contra les plantes, totes sense distinció, les bones com les dolentes. No hi ha res de benèfic ni de clement en la seva relació amb la natura vegetal. Són enemics i estan en guerra. El quintet quinzè, acumulant tretze verbs d'acció destructora, fa ostensió del recurs retòric de l'acumulació, tan familiar a Verdaguer, i anuncia la capacitat de descriure escenes de violència que més tard el distingiria.

Els cinc quintets de l'última part, 16-20, donen un gir a la composició. Santaló retorna a la condició de poeta i, agafant-s'hi, adverteix l'amic que tot el que acaba de dir és mentida, puix que mentir, fingir i crear faules és inherent a la feina de poeta. Ell mateix, *poeta de borralló*, insignificant, vol imitar els poetes, els quals, com més grans, amb més grandesa fabulen. L'última estrofa tanca l'autoretrat amb un acabament anacolútic. La urgència de *fermar l'ase* és el pretext per a posar punt a la carta, deixant oberta la sospita que, si menteix, com diu que fan els poetes, també menteix quan s'autoretrata com a poeta mentider i menteix ara que vol acabar com sigui la carta.

Tot i que no s'hagin de buscar dades realístiques en una caricatura que fabula i fingeix, alguna cosa del Verdaguer estudiant del seminari de Vic i mestre mosso a la masia de can Tona traspua en aquest autoretrat d'en Santaló. Si darrere els *Goigs d'en Santaló que per falta de cantors se'ls canta ell mateix en la parròquia de Folgueroles* s'hi endevinen les humiliacions a les aules del seminari i l'íntim enuig i fins i tot el refús que li produïen les matèries que s'hi ensenyaven, a la *Carta en vers que escrigué Santaló a Josep Serra de Riudeperes. 1863* s'hi agita un jove estudiant poeta que, condemnat a guanyar-se la vida treballant la terra, no troba res d'idíl·lic en la feina de pagès, sinó que s'hi rebel·la. Com el sant a l'inrevés dels *Goigs*, que no fa miracles, el pagès a l'inrevés que encarna el Santaló de la carta, en comptes de viure en comunió amb la terra, la combat com es combat un enemic. Sense cap dubte, Verdaguer, que l'any 1863, quan tenia divuit anys, residia a can Tona com a estudiant, però ajudant en les feines de pagès com a mosso, coneixia per coneixement propi els aspectes més durs i ingrats de la condició de l'aixafaterrossos.

D'altra banda els tons violents d'aquesta descripció de l'ofici de pagès contrasten amb l'extensa producció juvenil en què idealitzà la vida camperola i el temps que passà a can Tona, bressant-se en paratges d'ensomni i d'èxtasi, i deixen constància, ni que sigui en una composició jocosa, de la banda fosca, d'arran de terra, de l'etapa d'estudiant pagès.

És igualment interessant la concepció que Santaló té dels poetes. Fingeixen, menteixen, fabulen. És la mateixa que Verdaguer, seguint una idea antiga, present en la tradició dels clàssics, sostingué en una de les seves composicions de maduresa més aconseguides, *Vora la mar*, on, en temps de plenitud creadora de *Canigó*, el

1883, personificava la poesia i la increpava en aquests termes: *¿Per què, per què, enganyosa* [mentidera] *poesia, / m'ensenyes de fer mons?.*[4]

És veritat que la *Carta en vers* presenta un autoretrat de Santaló a l'inrevés, però això no en fa pas un pur joc ni en desvirtua la intenció corrosiva de presentar la feina de pagès com una batalla contra les plantes i la de poeta com una competició de mentides. Potser era l'única manera, aquesta del joc i de la inversió, de treure's de dins el que pensava, si més no en moments de crisi, sobre aquelles feines que alternava durant els anys d'estudi al seminari de Vic. Tampoc no és d'excloure una lectura al·legòrica. Verdaguer es veu lluitant per ser poeta com Santaló lluita contra les plantes del conreu. Vol emular els millors poetes, però veu que maneja l'eina d'escriptor com el pagès més matusser l'aixada. L'alternança de la ploma, instrument del poeta, i l'aixada, eina/arma del pagès, que a la prosa de *Dos màrtirs de ma pàtria* és evocada en aquests termes, *¡Quantes voltes [...] havia de tornar la ploma al tinter, per a engrapar lo mànec de l'aixada [...]* ,[5] trobà inspirada formulació en la coneguda quarteta que diu: *Poeta i fangador só / i en tot faig feina tan neta, / que fango com un poeta / i escric com un fangador.*

f 16r *Carta en vers que escrigué Santaló*
à Juseph Serra de Riudeperas 1863.

1
Amich Joseph ba de bo
Que ma musa ba mitg folla
Y sens calsas ni jipó
Perque per an Santaló
Abuy has tret fabas d'olla.

2
Y á fe que ab molta rahó ella
Rabia y se descabella
Puig no te los versos que vols
Yt pot oferir tan sols
De versas una cistell[a.]

f. 16v. *3*
Tu has regalat à ma folla
Cantilesas de vellesa
Y ella no te mes que brolla
Mes si no treu fabas d'olla
Treurà forsas de flaqueza.

4
Si no sab la musa meba
Tocar lira com la teva
Una gaita tocarà
Y si tampoch no li ba
Pendrà una trompa de seba.

4. Vegeu el meu estudi «*Vora la mar.* Un microcosmos verdaguerià» a R. T.,*Verdaguer. Estudis i aproximacions*, *op. cit.*, pàg. 143-162.

5. Vegeu *Jacint Verdaguer. Dos màrtirs de ma pàtria, o siga Llucià i Marcià. Poema en dos cants.* A cura de Ricard Torrents. Vic: Eumo Editorial / Societat Verdaguer, 1995, pàg. 194.

5 Y pues en tos cuatre mots
Me dius que escriga ma vida
Aqui van cuatre gargots
Que pel foch pasarlos pots
Sils bols limpiar à ta mida.

6 Baig ab uns grans esclopassos
Quem gansolà ab dos pedazos
f. 17r Un malograt escloper
Mes dos pasos no puch fer
Sens caurer ben pla de nassos.

7 Porto mes pels al clatell
Que Filosofia al cap
Y ni ha tan vell restell
Que podriu sobre de ell
Sembrari grana de nap.

8 So magre ni cap cistella
So negre com la paella
En que cuia blat de moro
Lo pobre pelat [pelat] Medoro
Per dar à Angelica bella.

9 Calcula, Joseph, amat
Quina figura dech fer
Magre, sech, negre, y fumat
Y ademes empolsinat
f. 17v Pitjor que un burro guixer.

10 Baig ab un barret de palla
Estes com una sanalla
Y ab un tricot de filassa
Que m' serveix de una corassa
Per entrar en la batalla.

11 La meva arma es una axada
Y que es axada de be
Sino perque una vegada
Per poch de una mosegada
La cama se men duguè.

12 Es tan temuda y furienta
Que cuan al cam se presenta
Ve a as plantas tremolor
Y gronxan totas de por
Sil ven bufa à la valenta.

13 Y es de temer si se enfada
f. 18r Perque ella à ningu perdona
Pues si à la herva mes malvada
Li dona una arrabasada
A la bona tres ni dona.

14 Desgraciada realment
Es la planta que sa dent
Ha arribat ella aplantarli
Que ja no hi ha temps per darli
Ni lo reder sagrament.

15 Las plantas capolla y ralla
Parteix trincha y atorrolla
Esmenusa y atenalla
Puñy à terra sega y dalla
Mata escuartera y degolla.

16 La vida veus que passam
En la soledat del cam
Si be que cap mot he escrit
f. 18v Que no hi haja perbullit
Una mentida de un pam.

17 Ya sabs tu quel bon poeta
Sens gastar embuts ni taps
Fingeix lo que li apreta
Y las faulas empaqueta
Lo mateix que un feig de naps.

18 Tambe per semblarho jo
Poeta de borrallò
Tantas ni he embolicadas
Que à haberlas ben mesuradas
Ni hauria un cuartaró.

19 Als poetas vull seguir
Quel mentir mol poch los costa
Mes no m'agrada l'mentir
Si la faula que he de dir
No es al menos com la ambosta.

f. 19 r. *20* Poso punt sens ser al port
Perque ma malehida sort
Fa que la vella de cassa
Me crida per fermar l'assa
Que sa escapat de la cort. Fin.

Títol. El nom del destinatari podria correspondre a Josep Serra i Campdelacreu (Vic 1848-1901), condeixeble de Verdaguer al Seminari, poeta i company de l'Esbart de Vic. L'any 1863 Serra i Campdelacreu, que tot just tenia quinze anys, ja hauria iniciat una relació de poeta a poeta amb Verdaguer, que en tenia divuit. D'altra banda Serra era de Vic i no pas de Riudeperes. Però també es pot suposar un punt o una coma després de *Juseph Serra,* de manera que l'expressió *de Riudeperas* signifiqui «des de Riudeperas», lloc del remitent, habitual a la correspondència de Verdaguer quan residia a la masia de can Tona, on Verdaguer havia ingressat aquell any. A l'últim, no és d'excloure que un altre company d'estudis de Verdaguer portés un nom i un cognom tan comuns com els de Josep Serra, i que fos de Riudeperes o hi residís, com tampoc no és d'excloure que el destinatari sigui un poeta de ficció.

6. Al ms. hi ha ratllat el mot «ella», escrit abans de *rahó*. Es deu tractar d'una inadvertència.

8. A causa de la forma de l'article *los*, el vers resulta sobrat d'una síl·laba.

10. *versas*, del castellà «berzas», usat com si fos la forma femenina de «versos». El mateix joc de mots es troba al v. 5 d'una altra poesia jocosa, *Disbarats*. La darrera lletra de *cistella* no es llegeix a causa d'una taca de tinta.

12. *Cantilesas* al ms., probablement és una forma acatalanada i jocosa de «gentilezas», més que no un error per *cantilenas*, com *vellesa* per *bellesa*.

15. El copiador repetí «fabas», que ratllà, abans de *forsas*.

20. De la trompa o tija de la ceba se'n fa una llengüeta que serveix d'instrument musical jocós.

21. L'ús del castellanisme flagrant *pues* sembla deliberat, igual com ho deuen ser altres formes i grafies aberrants de la carta.

25. *limpiar*, un altre castellanisme forçat.

26. Calçar esclops era signe de pobresa i rusticitat. És la primera característica del retrat caricaturesc que Santaló fa de si mateix.

32. L'esment de la Filosofia denota la condició d'estudiant de Santaló. Verdaguer estudià tres cursos de Filosofia entre 1860 i 1863. La llana o els pèls del clatell signifiquen ignorància, imatge que també es troba als vv. 21-28 dels *Goigs d'en Santaló*.

36. L'asíndeton «só [tan] magre [que] ni cap cistella [ho és tant]» comprimeix el vers. El *tertium comparationis* entre «magre» i «cistella» deu estar en la manca de greix, en la incapacitat d'«engreixar-se» del recipient de vímets.

38. *coïa, cuia* al ms., val per dues síl·labes.

39-40 Els personatges són els protagonistes d'un melodrama en vers, *Angélica y Medoro*, popular a l'època, obra de l'escriptor madrileny José de Cañizares (1676-1750). Verdaguer juga amb *blat de moro* i l'origen «moro» del personatge Medoro. Al ms. hi ha repetició inadvertida del mot *pelat.*

43-45 La descripció física del personatge Santaló correspon només parcialment a la de Verdaguer. Collell descriu el Verdaguer estudiant d'aquesta època com «un jove magrentí, vestit pobrement», però que «sempre anava ben endreçat», al pròleg de *Dos màrtirs de ma pàtria*, reproduït a l'edició esmentada *supra* nota 5. El *burro guixer* era el que treballava en una guixera i anava cobert de pols de guix.

46. Al pròleg citat, Collell diu que Verdaguer «no portá may, fins que s'ordená, altra gorra al cap que la barretina, llevat de les hores d'*uniforme escolar* ». Tanmateix, per a treballar la terra, devia portar *barret de palla.* Vegeu «Les excel·lències del tricorni».

49-50 La introducció aquí de la indumentària guerrera en el personatge Santaló troba explicació en els versos següents.

51 ss. La carta concedeix una extensió inesperada a *l'aixada*, eina convertida en arma per a Santaló. Tot i que en sentit directe s'entengui que descriu el personatge com un aixafaterrossos matusser, no és d'excloure la lectura que veu en «l'aixada», eina del pagès, una metàfora de «l'arma» del poeta, i.e. la ploma d'escriure.

66. *De desgraciada*; probable inadvertència al ms.

71-75 Al v. 71, *Capolla,* de «capollar», treure capolls, podria tractar-se d'una inadvertència, per «capola», de «capolar», tallar a trossets, macar. En quatre versos s'acumulen tretze verbs de violència contra *les plantes.* Si val el sentit metafòric, apuntat en els versos precedents, Santaló seria un poeta matusser i violent, que brega amb els versos com en una batalla.

76. El verb en plural, *passam,* s'entén referit a Santaló i a la seva arma, més que no a la gent de la masia.

81-95 A la fi el personatge, després de confessar que fins ara ha mentit, es presenta com a poeta. Un poeta que entén la poesia com a ficció i els versos com a faules. A la *Crida a les festes de Sant Miquel*, v. 30, retorna la imatge de dir grosses mentides *com l'embosta*. L'assimilació de «faules» amb «naps» reforça la interpretació figurada de la feina del pagès, que treballa amb l'aixada, com a figuració de la del poeta, que ho fa amb la ploma.

98. El ms. diu «Ya», sens dubte per *Fa*. La carta acaba amb un estirabot d'excusa per a tancar-la, estirabot que subratllen les grafies aberrants de *cassa*, per «casa» *assa* per «ase», *sa* per «s'ha». El mot *Fin,* amb punt, pot ésser abreviació del llatí *Finis*.

L'ESCEPTICISME DE JOAQUIM M. BARTRINA A TRAVÉS D'"EPÍSTOLA"

F. Xavier Vall i Solaz

Universitat Autònoma de Barcelona

Amb motiu del 150è aniversari del naixement de Joaquim M. Bartrina (nascut a Reus el 26 d'abril de 1850), voldria mirar d'aprofundir la interpretació d'"Epístola", una de les obres que en plasma millor el pensament. Aquest poema va obtenir un premi extraordinari, ofert a una composició d'aquest gènere i de caràcter específicament satiricomoral, en els Jocs Florals de 1876, als quals va ser enviat abans del 15 d'abril.[1] A més de recollir-se dins l'anuari del certamen, tal com correspon a les obres premiades, i d'avançar-se'n una edició solta per les publicacions de *La Renaixensa*, com es feia a vegades, es va aplegar dins el *Llibre d'Or de la moderna poesia catalana*.[2] Una versió castellana de Josep Martí i Folguera, bon amic de Bartrina que va obtenir un accèssit al premi amb "Epístola á una dona", va ser afegida a la segona edició d'*Algo* i s'ha traduït també a l'alemany per Johanes Fastenrath.[3]

1. *La Renaixensa*, any VI, t. I, núm. 5 i 6 (15-4-1876), pàg. 227, registrada amb el núm. 59. En el fons dels Jocs Florals conservat a l'Arxiu Històric Municipal de Barcelona, se'n guarda el manuscrit, que és autògraf i presenta algunes esmenes escassament rellevants: ultra les correccions ortogràfiques, al v. 24, es ratlla "si fan las" per escriure tot seguit "hi ha las"; al v. 84, se substitueix "sense que de fugir l' hi vingan ganas" per "sens' que tinga desitjos de apartarse' n" (anotat a sobre) i, al v. 100, s'esborra la preposició "en" davant de "l' or". Ja n'havia donat notícia José Antonio Zabalbeascoa Bilbao en la seva tesi doctoral "La vida y las obras de Joaquín María Bartrina" (dirigida per José Manuel Blecua Teijeiro), UB, 1968, pàg. 409-410, una investigació lloable en molts aspectes, tot i que es pugui complementar o matisar, i que és de doldre que no s'hagi publicat.

2. *Jochs Florals de Barcelona any 18 de llur restauració. MDCCCLXXVI*, Barcelona, Estampa de La Renaixensa, 1876, pàg. 178-181, llibre aparegut l'octubre (*La Renaxensa*, any VI, t. II, núm. 5 i 6, 18-10-1876, pàg. 229); *Epístola premiada ab la joya oferta per la societat "La Misteriosa" en los Jochs Florals d'enguany*, Barcelona, Tallers de La Renaixensa, juliol de 1876 (a la Biblioteca de Catalunya n'hi ha un exemplar amb una dedicatòria autògrafa a Joan Sardà i Lloret, qualificant-lo de "distingit crític" i, molt en consonància amb el poema, de "persona decent"), i *Llibre d'Or de la moderna poesia catalana*, Barcelona, La Renaixensa, 1878, pàg. 39-43. Entre aquestes edicions, així com respecte al manuscrit, fora de la substitució del castellanisme "bailarinas" per "ballarinas" en la darrera (v. 59), tan sols he detectat variants ortogràfiques. Citaré els textos de Bartrina per l'última versió publicada en vida que en conec i, per tant, en el cas d'"Epístola", optaré per la de l'antologia (si bé esmenaré l'accentuació, que no figura al manuscrit ni en la primera edició, de la conjunció italiana "e" en l'epígraf de Leopardi).

3. *Algo. Coleccion de poesias originales*, Barcelona, Librería Española, 1877, pàg. 49-55, i Johanes FASTENRATH, *Catalanische Troubadoure der Gegenwart*, Leipzig, Verlag von Carl Reissner, 1890, pàg.

A la nota que acompanya la traducció castellana, Bartrina assevera sense pal·liatius: "Escribí esta poesía en catalan". De tota manera, mentre és conegut que havia redactat en castellà un poema homònim, però força diferent (en què es donen a "Fabio", amb irònic cinisme, "consejos [...] / que sirvan para guiarte / en las mundanales lides"),[4] ha restat oblidada una poesia castellana que, amb el títol de "Fragmentos de una epístola", va publicar al diari reusenc *Las Circunstancias* el 13 de juny de 1875. Com que se'n troben clares i abundants ressonàncies en l'obra a comentar, la reprodueixo íntegrament:

¡Quién pudiera olvidar su suerte airada
y á la infancia volver, que cual las naves
sin dejar huellas, fuese á la morada

donde van al perderse los suaves
perfumes de la flor, la luz del dia
y el eco de los cantos de las aves!

El corazon y la cabeza mia
viven en torpe y sempiterna guerra,
de furor ciegos luchan á porfía.

¡Más que la lucha la victoria aterra!...
que al fin dentro mi ser, su Circo inmundo
el verdugo y la víctima se encierra.

Huyo á veces de mi, busco en el mundo
un consuelo á mi mal , y me entristece
lo que en él miro, y tórname iracundo.

Irrisorio espectáculo el que ofrece
la sociedad humana: crece el vicio
y á la virtud purísima escarnece.

Torpe vive del éxito al servicio
y no juiciosa, loca es fuerza sea,
¡cuando venga el Final tendrá Juicio!

91-95. Sobre la relació amb Martí i Folguera –que em plau recordar també en l'aniversari del seu naixement– em remeto a les actes, en curs d'edició, del Simposi Joaquim M. Bartrina (Reus, 2-2-2001), particularment a les intervencions de Montserrat Corretger (sobre els seus "inicis literaris reusencs" "1868-1874") i Xavier Ferré (sobre l'autor "i el regeneracionisme possibilista reusenc" recollids; a parcialment en els seus articles de *Revista del Centre de Lectura de Reus*, núm. 71 (maig 2001), pàg. 7-9 i 4-6 així com a la meva ("À. Guimerà i J. M. Bartrina").

4. *Algo*, 2a, pàg. 27-30, i *Algo. Coleccion de poesías originales*, Barcelona, La Imprenta de la Renaxensa, 1874, 1a (cal corregir la data de 1876, que sovinteja en la bibliografia), pàg. 14-16. Com ja va suggerir Zabalbeascoa en la tesi citada (pàg. 123-124), deu correspondre a l'"epístola humorística" que Bartrina va llegir en una vetllada del *Centro de Lectura* de Reus (*Diario de Reus*, 12-3-1872, pàg. 1).

Quien por la sola fuerza de la idea
nunca alcanza á subir, logra lo mismo
rebajando el nivel que le rodea.

A los hombres iguala el egoismo,
impune queda el mal, cunde el ejemplo
y duplica los vicios el cinismo.

El Olimpo en la tierra lo contemplo:
Marte ensaya anhelante de Vulcano
las invenciones en su mismo templo.

Proteo es el modelo soberano
que el político audaz celoso invoca
cansado ya del consecuente Jano.

Minerva á los espíritus evoca.
El arte niega á Venus la belleza
y en las monstruosas Furias la coloca.

Momo á Talia á suceder empieza,
y el buen Mercurio, de este siglo padre
que tienen el corazon en la cabeza,

vé, no sin que la envidia le taladre,
á Cupido, sin venda ya en los ojos,
que enseña la aritmética á su madre.[5]

Segons remarca el títol, es tracta tan sols d'uns "Fragmentos", bé perquè el poema fos encara per acabar o bé ja que s'hagués cregut convenient, per voluntat pròpia o aliena, editar-ne tan sols una selecció d'estrofes. Potser n'apareixerà una versió més completa. Ara per ara, aquests passatges, malgrat les marcades coincidències, mostren una obra diferent en diversos aspectes d'"Epístola". Ja pel que fa a la mètrica, mentre els "Fragmentos" són escrits en *endecasílabos* plans agrupats en tercets encadenats, estrofa freqüent en el gènere (si bé Bartrina la usa força autònomament, a vegades gairebé com si es tractés dels seus cantars, pensaments o *arabescos*), "Epístola" empra el mateix metre (decasíl·labs, escandint a la catalana), però, com és habitual també en les cartes poètiques i de manera més acostada a la prosa, amb versos estramps, tot i que es produeixi esporàdicament alguna rima. En conjunt, la versió catalana resulta clarament superior. No és aquest l'únic cas en què Bartrina s'autotradueix o es versiona del castellà al català o a l'inrevés.[6]

5. P. 2. Esmeno "la" per "lo" al v. 15. Cal destacar també que aquest diari, del qual Bartrina havia estat redactor, va publicar aquell mateix any un poema seu en castellà sobre Fortuny (23-3-1875), pàg. 2, no recollit dins l'aplec pòstum *Obras en prosa y verso*, Barcelona, L. Obradors, 1881.

6. Per exemple, el poema XI de l'apartat "Íntimas" de la segona edició d'*Algo* (p. 182) tradueix l'enviat en català a Francesc Matheu (ms. 2209-II-249 de la BC, f. 1 v.) i publicat en aquesta llengua dins l'antolo-

No entraré a fons en la qüestió de l'actitud lingüística de Bartrina*, però sí que voldria aportar nova documentació que la matisa. Una carta en vers de Josep Martí i Folguera a Josep Güell i Mercader, elogiant-lo com a literat i convidant-lo a donar prestigi amb les seves col·laboracions a una revista que pensava fundar amb els seus amics Casimir Prieto [i Valdés] i Bartrina, documenta ja una vocació literària prou definida d'aquest el 30 d'agost de 1864, és a dir, als 14 anys:

> Y como le dijimos á V. allende,
> queriamos hacer un semanario
> con Bartrina; aquel qué el verso aprende,
>
> qué se distingue en ramo literario;
> tan aplicado y docto y entendido,
> escribiendo un asunto siempre vario.[7]

Tanmateix, els primers textos de Bartrina citats per la bibliografia són els poemes recollits dins *Páginas de amor* (ja de 1866).[8] Puc afegir, però, que aquell mateix any en publica al *Diario de Reus* (en què feia temps que col·laborava el seu germà, Francesc, el qual l'influeix sobretot en els inicis). El primer que hi he trobat és en català i respon a un ús elevat, per bé que popularitzant i encara maldestre, de la llengua: "¡Esperansas! (Traducció)".[9] Pocs mesos després, hi editarà un recull de "Pensaments" en vers, que havien de formar part d'una "colecció inédita de cantars", els quals, a més de manifestar el patiment i el desengany amorós, plantegen ja temes epistemològics i morals de caràcter més genèric i encara presents en "Epístola":

gia *Flors de Maig. A las noyas catalanas*, Barcelona, Estampa de la Renaxensa, 1877, p. [5]; els pensaments editats en català, sota el títol "De mon infern", a *La Renaxença*, any IV, núm. 14 (20-5-1874), p. 175, i a *El Eco del Centro de Lectura*, núm. 15 (30-5-1877), p. 8, s'apleguen, pòstumament, en castellà dins *Obras en prosa y verso*, p. 280-281 (el cinquè coincideix a més amb l'antepenúltima estrofa del poema castellà "Epístola", recollit ja en la primera edició d'*Algo*, p. 16); la poesia castellana "Delirium", aplegada dins la segona edició d'*Algo* (p. 39-42), recorda la narració catalana "Delirium tremens", publicada a La *Renaxensa*, any V, núm. 8 (6-3-1875), p. 285-287, i dins *Obras en prosa y verso,* p. 173-176.

* Veg. Jordi GINEBRA, "Joaquim M. Bartrina en el context lingüístic de la seva època", *Revista del Centre de Lectura de Reus*, núm. 71 (maig 2001), pàg. 12-13.

7. Fons Josep Güell i Mercader de l'Arxiu Històric Comarcal de Reus, capsa II.

8. Poemari reproduït dins Jaume SARDA i FERRAN, *Noves biogràfiques del poeta Joaquím Mª Bartrina i de Ayxemús,* Reus, Tip. Rabassa, 1925, pàg. 63-71.

9. Pàg. 3. Per bé que Andreu de Bofarull ja indicava en els seus *Anales históricos de Reus desde su fundación hasta nuestros días (1867),* t. II, Reus, Asociación de Estudios Reusenses, 1961, pàg. 207, que Bartrina havia publicat diverses "poesias sueltas" en aquest diari, no em consta que hagin estat preses en consideració. Hi afegia també que "en 1867" va ser "iniciador y colaborador del periódico festivo semanal, EL CREPUSCULO". Malauradament, no he pogut consultar sinó la publicació homònima subtitulada *Periódico Liberal de Coalición,* editada entre 1868 y 1869 (veg. Pere ANGUERA, *La burgesia reformista a Reus,* Reus, Associació d'Estudis Reusencs, 1980, pàg. 160-161). Una biografia sobre Casimir Prieto i Valdés, de Moisés Numa Castellanos, corrobora, però, que el 1867 va fundar amb Bartina aquella revista, finançada per Martí i Folguera i il·lustrada per Josep Llovera, i en destaca les rèpliques satíriques a un "médico setentón" que els va criticar i l'edició –referida també pels *Anales*, pàg. 222– de la novel·la cas-

III

Aqueix mon n' es un gran llibre
y yo tinch tan poch talent
que tan com mes l' estudio
tant també menos l' entench.

X

La virtut n' es una flor
que s' seca tan tost se toca
y una altre flor es la ignosensia
qui si s' pert may mes se troba.[10]

Entre la data en què va publicar aquests poemes i quan va enviar "Epístola" als Jocs Florals, transcorrerà, però, una dècada. Dels setze als vint-i-sis anys, Bartrina va anar madurant la seva proposta poètica i difonent els seus poemes: a banda dels que, per diverses circumstàncies, devien restar inèdits,[11] en va dispersar

tellana *Pilar*, de Prieto, si bé, en partir a Buenos Aires, la va acabar Bartrina, (*In memoriam Casimiro Prieto Valdés*, Buenos Aires, Imprenta Didot, 1907, pàg. XIII i XVII-XVIII). El *Diario de Reus* ressalta del primer número "una Revista dramática por Orestes, un estudio filològico de la lengua baska por J. M. Bartrina, varias poesias y una Miscelanea de chistes y asuntos locales" (9-8-1867), pàg. 1.

10. 5-9-1866, pàg. 3. Hi publica, almenys; també "Imitacion de Goethe" (16-9-1866), pàg. 3; "Cantares" (7-10-1866), pàg. 3; "Alborada", (25-1-1867), pàg. 2; "Suspiros" (13-7-1867), pàg. 3, i "¡Amor!" (27-7-1867), pàg. 3. La poesia inspirada en l'escriptor alemany es va aplegar dins *Páginas de amor* (potser posterior, ja que no s'indica que el text hi pertanyi) i "Alborada" s'editarà a *El Eco del Centro de Lectura*, núm. 24 (25-12-1870), pàg. 4. Sobre el tòpic del "llibre de la naturalesa", veg. Ernst Robert CURTIUS, *Literatura europea y edad media latina*, t. I, Madrid, FCE, 1981, pàg. 448-457.

11. No es té notícia de la publicació –cosa que no cal dir que no implica que no es produís– de "Las de Reus y los de Reus", el manuscrit del qual, descrit i transcrit ja per J. Sardá i Ferrán (*Noves biogràfiques*, pàg. 71-74), es reprodueix en edició facsímil al setmanari reusenc *Foment*, núm. 14 (2-8-1930), pàg. 4. Eduard Toda en recorda un poema monosil·làbic "La joventut d'en Bartrina", *Revista del Centre de Lectura*, núm. 19 (I-II-1920), pàg. 349. Apel·les Mestres recull un "epigrama inèdit –i tan inèdit!– d'en Bartrina" dins *Vist i sentit*, Barcelona, Millà, 1987, pàg. 123 (veg. també l'anècdota que li atribueix a la pàg. 141). Sobre la relació de Bartrina amb Mestres, veig el treball de recerca sobre aquest escriptor de Marta Robles, dirigit par Margarida Casacuberta i presentat a la UdG el 2001, així com la seva tesi en curs. Tampoc no consta que s'hagi editat un poema que va llegir en un banquet celebrat a Barcelona en homenatge als artistes premiats a l'exposició de Madrid (*Las Circunstancias*, 24-5-1876, pàg. 3)...

en publicacions periòdiques,[12] en va estampar solts,[13] o els va aplegar en poemaris (encara que només va arribar a editar *Páginas de amor* i *Algo* –ampliat substancialment en la segona versió, per bé que alguns dels poemes eren escrits ja abans de la primera–,[14] n'havia projectat altres: a més del recull de cantars citat o d'un aplec de traduccions llatines a què ja em referiré, l'"inédito *a jamai*" –tot i que alguns poemes es publicaran– *¡Povreta!*, inspirat en la seva relació amb Rosa Pallejà).[15] El conreu de la poesia per Bartrina va continuar durant els quatre anys més que va viure, però ens deturarem en la data del poema a comentar.[16]

El 1876 podien atreure Bartrina a participar en els Jocs Florals, tot i la distància ideològica respecte al certamen i també envers l'entitat que patrocinava el guardó (La Misteriosa), l'interès pel gènere proposat, la circumstància que el premi havia quedat desert en les dues edicions anteriors (en la darrera s'havia concedit tan sols un accèssit a Joaquim Riera i Bertran per "Epístola á Guillém"),[17] l'èxit de Frederic Soler l'any abans,[18] la composició del jurat...

12. Puc afegir algunes altres notícies al respecte. A més de publicar al *Calendari Catalá* de 1869, al de 1876, pàg. 45-46, hi va donar a conèixer "Tres faulas" (datades "Málaga 15 de Mars", fet que corrobora la datació el 1875, proposada ja en la tesi de Zabalbeascoa, pàg. 226 i 460, d'una carta a Francesc Matheu enviada des d'aquella ciutat, ms. 2209-II-250 de la BC). Abans de les edicions ja conegudes, es difondran també a l'*Eco de Euterpe*, núm. 445 (7-1-1877), pàg. 235-236. Així mateix, va publicar poemes a l'"almanaque" *El Tiburon* (1872 i 1873-1874), alguns dels quals havia avançat a *El Eco del Centro de Lectura* o, en el cas dels "Pensamientos" signats amb les inicials "J. M. B.", a *La Redención del Pueblo* (20-2-1872), pàg. 3, i (10-8-1873), pàg. 2-3. Pel que fa a aquest diari, cal destacar, juntament amb altres escrits atribuïbles, –per exemple, Pere Anguera conjectura que podria ser autor d'uns "Pronósticos" (23-8-1872) (*Propaganda política i processos electorals al Baix Camp: 1869-1873)*, Reus, Associació d'estudis Reusencs, 1985, pàg. 234)– l'edició, censurant-li tres estrofes, de la poesia "A una muerta" (14 de juny de 1873), encapçalada per una citació de Lamartine (1-11-1873), pàg. 3. Caldria una recerca més a fons dels escrits esparsos de Bartrina, alguns dels quals no es recullen ni dins *Algo* ni en *Obras en prosa y verso*.

13. Així, Enric Aguadé i Parés transcriu un poema de Bartrina imprès en lletres blanques sobre un drap negre amb motiu de la mort de tisi, "a mitjans de 1872", de Rosa Pallejà, la seva promesa ("Biografia d'En Joaquim Mª Bartrina i de Aixemús", *Revista del Centre de Lectura*, núm. 111-112, 1/15-9-1924, pàg. 199). Agraeixo a Enric Aguadé Bruix, nét seu, les infructuoses gestions per mirar de localitzar-lo.

14. Es conserva un full amb poemes d'aquest llibre enganxat a l'"Album de autógrafos y dibujos dedicados a don Rómulo Muro" (ms. 2.165 de la BC).

15. La citació correspon a una carta a Francesc Matheu (ms. 2209-II-249 de la BC), en què li copia diverses composicions d'aquest poemari, la qual ja va ser editada en la tesi de Zabalbeascoa (pàg. 447-452) quan era encara a mans de la família. Alguns dels poemes de *¡Povreta!* seran publicats per la revista *La Renaixensa* o les seves edicions (veg. la meva intervenció en el Simposi).

16. Pel que fa al llibre *Las mujeres i sus nombres–Ellas*, sembla que s'edita posteriorment, ja que *La Renaixensa* n'informa de la publicació, any VI, t. II, núm. 9 i 10 (10-12-1876), pàg. 386, indicant que en són autors Salvador Carrera i J. de Aragon. A les *Obras en prosa y verso*, es recull l'apartat "Ellas" i s'informa que "J. de Aragon" és un pseudònim de Bartrina (pàg. 332-349).

17. *Jochs Florals de Barcelona any 17 de llur restauració. MDCCCLXXV*, Barcelona, Estampa de La Renaxensa, 1875, pàg. 40 i 111-114.

18. Conrad Roure ha recalcat ja que el 1875 va marcar una fita en la participació i el reconeixement de F. Soler en els Jocs (*Recuerdos de mi larga vida*, vol. II, Barcelona, Biblioteca de EL DILUVIO, 1926,

Formaven el consistori: Lluís Cutchet, president, Josep Blanch i Piera, secretari, Antoni de Bofarull, Damas Calvet, Pere de Rosselló, Enric Claudi Girbal i Josep Roca i Roca, que serà l'encarregat de llegir el poema en la festa. No em detindré a especular sobre les possibles afinitats o divergències d'aquests mantenidors envers "Epístola" o sobre fins a quin punt la devien apreciar prou bé. Destaca, però, la gran amistat de Bartrina, a més de la proximitat ideològica, amb aquest últim (a qui havia qualificat d'"extimadíssim amich" en la dedicatòria d'*Algo*).[19] Val a afegir que Damas Calvet contribuirà a la vetllada amb motiu de la mort de Bartrina del *Centro de Lectura* amb una "concepció bartriniana" ("La guitarra del diable")[20] i que, en el cas del també reusenc Bofarull, tot i la diferència d'edat i de concepcions, disposo de diverses notícies sobre l'amistat entre les famílies respectives.[21] El veredicte va ser unànime, considerant que "entre las 10 presentades la fan mereixedora del premi la alta novetat de las imatges, lo moviment de la versificació, la gran brillantor dels conceptes y 'l felís encadenament dels períodos sembrats de transicions que l' omplen d' encisador relleu".[22]

Anecdòticament, el guardó consistia en un buc de plata amb una abella d'or i, segons evoca Francesc Gras i Elias, Bartrina "va anar a Reus per depositar-lo en el fornet que tanca les cendres de la seva estimada; i degut als precs del seu gran amic Jaume Cort, conserge que era del *Centre de Lectura*, va desistir de la seva pretensió,

pàg. 237-240). Cal afegir, però, que en aquella edició li va ser carabassejada, tan valorada després una versió de *Batalla de reines* (conservada en el fons esmentat de l'AHMB, núm. 288).

19. La segona edició es reiterarà l'encomi, per bé que en castellà i perdent l'adjectiu el grau superlatiu, i li havia dedicat també "Tres faulas", una de les quals li va trametre des de Màlaga (veg. l'*Almanach de la Campana de Gracia* de 1881). Roca i Roca li va editar en les publicacions que dirigia (d'algunes de les quals Bartrina va ser redactor) diversos escrits originals i traduccions de poesies d'*Algo* al català per "C. Gumá" (Juli Francesc Guibernau), li va dedicar elogis (veg., per exemple, a més d'altres articles sense signar atribuïbles, el firmat amb les inicials J. R. R., "Joaquim Maria Bartrina", *La Esquella de la Torratxa*, 14-8-1880, pàg. 1-2; el poema "A Bartrina", *Eco del Centro de Lectura*, núm. 33, 29-8-1880, pàg. 6-7; la *Memoria biogràfica de Joaquim María Bartrina y d'Aixemús escrita y llegida per J. Roca y Roca en la solemne sessió que tingué lloch en la Gran Sala de Cent de la Casa Conssistorial de Barcelona, la nit del 24 de maig de l'any 1916, al ésser col·locat son retrat en la Galería de Catalans Ilustres*, Barcelona, Ajuntament Constitucional, s.a., en què, a la pàg. 11, remunta l'amistat a 1868); va fer de portaveu de la família en l'enterrament...

20 El Eco del Centro de Lectura, núm. 33 (29-8-1880), pàg. 29; reproduïda a La Campana de Gracia núm. 585 (5-9-1880), pàg. 2, i aplegada dins Vidrims, Barcelona, Tipografía Espanyola, 1880, pàg. CLXXII-CLXXIV. Carola Duran s'ha ocupat de "Les idees de Bartrina recollides pels seus amics" en el Simposi.

21. Francesc Bartrina va dedicar a Antoni de Bofarull *Los cants del laletà* (Reus, Imprenta de Joan Muñoa, 1860) i *Lays del Juglar* (Reus, el mateix editor, 1863) i, "en els últims anys", aquest freqüentava la seva casa (segons Francisco Gras i Elias, *Siluetes de escriptors catalans del sigle XIX*, Barcelona, L'Avenç, 1909, pàg. 64); Andreu de Bofarull va ajudar a publicar Joaquim M. Bartrina en els seus inicis (Joseph Marti i Folguera, "Lo quimet Bartrina", *Revista del Centre de Lectura*, núm. 18, 15-10-1920, pàg. 317) i aquest, en una carta sense datar a Joaquim Botet i Sisó, parla de "mi amigo [Francesc de] Bofarull [i Sans]" (ms. 1880 de la BC, epistolari editat ja en la tesi de Zabalbeascoa, pàg. 453-455)...

22. *Jochs Florals de Barcelona*, pàg. 75.

tornant a Barcelona i regalant la joia a la seva mare, per la qual sentia una verdadera devoció".[23]

Atenint-nos al testimoni de Rossend Arús, Bartrina va concórrer als Jocs Florals tan sols amb el poema premiat.[24] Si bé això no es pot corroborar amb certesa, entre els manuscrits enviats al certamen que es conserven –no pas tots– a l'Arxiu Històric Municipal de Barcelona (en els quals no s'indica l'autor, ja que, segons era preceptiu, figurava dins les pliques que, després de descobrir-se els premiats, havien de ser cremades), no he sabut distingir cap obra més de Bartrina i resultaria aventurat atribuir-li'n merament per la lletra (a vegades fins no correspon a l'autor o es deforma per no ser identificat), l'estil o similituds ideològiques o biogràfiques. A més de concórrer al certamen, Bartrina en va ser adjunt numerari, des del 1875 fins a la mort (la matinada del 4 d'agost de 1880), i sembla, per diverses raons, que és ell i no el seu germà qui participa en dos banquets d'homenatge amb motiu dels Jocs: un celebrat el 1873 per obsequiar els premiats i un altre el 1877 en honor a Ros de Olano per haver estat president del consistori, en el transcurs del qual va brindar pels autors guardonats i va llegir alguna composició.[25] Així i tot, va formar part també –una cosa no treu l'altra– del jurat del certamen humorístic del Niu Guerrer (entitat en part paròdica del floralisme) que, amb motiu de la festivitat de la patrona de Barcelona, premiava "la mellor poesía catalana-lírica-festiva, 'cantán las costums típicas d' una festa major ó aplech de Catalunya'".[26]

23. F. GRAS, *Siluetes de escriptors catalans del sigle XIX*, pàg. 104. Per a la data del trasllat a Barcelona, veg. la meva intervenció en el Simposi.

24. "En Joachim Ma. Bartrina", *La Llumanera de Nova York*, núm. 66 (octubre 1880), pàg. 5. Se'n guarda un ms. autògraf a la Biblioteca Arús, juntament amb el de la crònica de l'enterrament publicada en aquesta mateixa revista, núm. 65 (setembre 1880), pàg. 3.

25. *La Renaxensa*, any III, núm. 8 (10-5-1873), pàg. 108, i any VII, t. I, núm. 5 (31-5-1877), pàg. 395. En els *Índexs de "La Renaixensa" (Barcelona, 1871-1880)*, de Carola Duran i Tort, Barcelona, Barcino, 1998, s'identifiquen també aquestes referències a Bartrina amb Joaquim M. En canvi, encara que Joan Vernet i Borràs, en l'estudi "Les actituds enfront dels Jocs Florals: el cas de Tarragona de 1868", *Revista de Catalunya*, núm. 86, juny 1994, pàg. 35, enumeri "Joaquim Bartrina" –i no Francesc– entre "els representats" als actes del certamen d'aquell any, és més lògic que el "Bartrina laureado en públicos certámenes" al·ludit per Pere Antoni Torres en les "Impresiones de viage" (*Diario de Tarragona*, 29-5-1868, pàg. 144) sigui el germà gran (autor ja de nombrosos poemaris i premiat almenys en els certàmens de l'Acadèmia Bibliogràfico-Mariana de Lleida). Ultra això, Francesc data a la Ciutat Comtal i el dia de la festa una "Improvisació dirigida als poetas provensals y castellans ab motiu de sa vinguda á Barcelona", publicada al *Diario de Reus* (12-5-1868), pàg. 3. Aquest test no exclou que l'acompanyés el seu germà, però no n'he trobat testimonis. Veg. també Jaume MASSÓ CARBALLIDO, "Hernández Sanahuja, la llengua catalana, Bonaparte-Wyse i els Jocs Florals de Barcelona de 1868. Un document inèdit i algunes dades poc conegudes", *Treballs de la Secció de Filologia i Història Literària*, de Institut d'Estudis Tarraconenenses, VII (1994), pàg. 7-18, i Francesc ROIG I QUERALT, "La Renaixença del Camp de Tarragona als Jocs Florals", *ibid.*, IV (1985), pàg. 37-71. Aquest autor s'havia ocupat ja d'"Epístola" en l'article "Joaquim Mª Bartrina. Un català excèptic', *ALS*, any V, núm. 22 (maig-juny 1973), pàg. 13.

26. *La Renaixensa*, any. VII, t. II, núm. 8 (31-8-1877), pàg. 153, i *Jochs Florals*, núm. 16 (19-8-1877), pàg. 64, i núm. 18 (2-9-1877), pàg. 71. Com no sigui amb pseudònim, no figura, però, en els anuaris del Niu Guerrer corresponents als certàmens del 17 de juny de 1877 i del 8 de setembre de 1878.

El tarannà notablement progressista de Bartrina i la seva proposta poètica modernitzadora contrastava amb la tradició ideològica i estilística dominant en els Jocs, de manera que el poema hi suposa una considerable renovació. Així, L. Nicolau d'Olwer remarca que "La irrupció" "amb Joaquim Bartrina, Francesc Matheu, i Apel·les Mestres, d'una joventut tocada del *mal du siècle*, devota de Leopardi, Heine i Musset, oreja l'atmosfera enrarida de l'optimisme floralesc (1874-1876)' i Joaquim Molas assenyala també que aquests autors "incorporaven" al certamen "l'espiritualitat" d'aquesta tríade d'escriptors estrangers de manera que "el realisme i el dubte metafísic minaven les grans catedrals gòtiques del Romanticisme".[27] Josep Iglésies considera també que aquest poema "obrí una nova temàtica a la nostra lírica en introduir-hi l'home de carn i ossos, ésser social contemporani".[28] Cal recordar que Bartrina no va rebre l'homenatge que li pertocava en els Jocs immediatament posteriors a la mort, que presidia Verdaguer (si bé Oller el va elogiar extensament en la memòria del secretari), escamoteig atribuït a raons ideològiques que va ocasionar gran polèmica.[29]

Com s'ha repetit, Bartrina s'emmarca en una època de crisi del romanticisme i de penetració del positivisme. Maragall afirmava que "representa entre nosaltres la topada, de moment anguniosa, del romanticisme, que va perdent ideals vells, i el positivisme, que acaba d'enderrocar-los, oferint-ne de nous als poetes".[30] Joaquim Molas en precisa la definició: "Fou un romàntic sense fe en l'absolut i, a la vegada, un positivista per a qui la ciència resultava insuficient".[31] Marta Palenque, sense

27. L. Nicolau d'Olwer, *Resum de literatura catalana*, Barcelona, Barcino, 1927, pàg. 101, i Joaquim Molas, dins *Un segle de vida catalana*, Barcelona, Editorial Alcides, 1961, pàg. 571.

28. "Una visió de la pintura catalana a la segona meitat del segle XIX (Dues cartes de Joaquim Ma. Bartrina)", *Boletín Interior Informativo del Centro Comarcal Leridano*, núm. 95 (gener 1966), pàg. 21.

29. *Jochs Florals de Barcelona*, pàg. 43-45. Veg. *Epistolari de Jacint Verdaguer*, vol. III (transcripció i notes de Josep Maria de Casacuberta i Joan Torrent i Fàbregas), Barcelona, Barcino, 1971, pàg. 64-66, 102-112 i 261-263; els articles del *Diari Catalá* i de *Lo Gay Saber* que s'hi citen; *La Esquella de la Torratxa*, núm. 120 (7-5-1881), pàg. 3... En una altra ocasió, ja vaig donar notícia del fet que Jaume Collell va escriure al secretari dels Jocs Florals de 1887 pressionant-lo perquè no s'hi homenatgés els suspectes ideològicament (capsa 20 del fons d'aquest certamen de l'AHMB). Francesc Bartrina va escriure a [Valentí] Almirall el 9 de maig [de 1881] demanant-li que insertés al *Diari [Catalá]*, que ja havia atiat la controvèrsia, la carta que li adjuntava –cosa que va fer l'endemà mateix–, bo i confessant tenir "ganas de fer enfadar una mica á Mossen Verdaguer y sobre toto de ferlo parlar" (ms. 2218, núm. 46, de la BC). Encara que em consta que Francesc Bartrina va haver de demanar diners a Rossend Arús el 7 d'agost de 1880, dies després només de la mort de Joaquim M., i que aquest li'n va deixar generosament (fons Arús-VI-18 de la Biblioteca que porta el nom d'aquest mecenes), no seré jo qui, com agradava fer als de *La Veu del Montserrat*, vinculi la justa reivindicació de la memòria del seu germà amb complots maçònics, tot i que la pugna ideològica a l'entorn de la figura de Bartrina, més enllà dels afectes personals, és evident. Rosa Cabré se n'ha ocupat en la seva intervenció en el Simposi.

30 "Joan Sardà", discurs necrològic llegit a l'*Ateneo Barcelonés* el 15 de desembre de 1899, *Obres completes*, vol. I, Barcelona, Selecta, 1981, pàg. 876. Uns anys abans, en una carta a Josep Aladern del 17 de novembre de 1894, s'havia mostrat molt dur amb Bartrina (*ibid.*, pàg. 1.160-1.161), mentre posteriorment en ponderarà "la intensa sobriedad" ("'Jochs Florals' de 1902", *ibid.*, vol. II, pàg. 201).

31. *Història de la literatura catalana*, vol. VII, Barcelona, Ariel, 1986, pàg. 495. Veg. també la seva conferència del Simposi ("Bartrina, un poeta en crisi") i el seu recull *Poesia catalana de la Restauració*,

desatendre'n la "visión personal de la realidad" y el "intento de hermanar prosa y verso, espíritu y materia, y la subsiguiente crisis", considera que *Algo* "es una de la obras clave en realismo español".[32] Ricardo Navas Ruiz, bo i remarcant en Bartrina "la lucha entre el corazón y la cabeza, que Bécquer había enunciado magistralmente", y que, "obligado por la ciencia a aceptar verdades que no satisfacían sus aspiraciones íntimas, ese desgarramiento se revela en insatisfacción", recalca que, en el pròleg a la segona edició d'*Algo*, "defiende su actitud positivista y justifica su escepticismo como fruto del tiempo", que li recorda el "positivista peruano Manuel González Prada" i que l'estil "oscila entre el realismo descarnado del científico y la sencillez emotiva de la copla popular".[33] Segons matisa José-Carlos Mainer "El realismo (no es casual que la palabra se haya podido fechar en 1826) es un fruto de la sensibilidad romántica, y Balzac, Espronceda o Heine nos han enseñado como existe en oposición dialéctica a un ideal que ha desaparecido de todo otro lugar que no sea la imaginación del poeta. La realidad es, en cierto modo, el turbio pero inapelable resultado de un desengaño".[34] Amb tot, l'auge del positivisme l'accentuarà i li donarà un altre abast. Com afirmava ja José María en Cossío a *Cincuenta años de poesía española (1850-1900)*, en què estudia Bartrina a l'apartat "Poetas pesimistas" (junt amb diversos autors castellans i posant com a exemple de la presència en altres literatures la "'generación de Coimbra'"), "el positivismo había de ser el colaborador más eficaz del pesimismo poético".[35]

Sense negar la persistència d'elements romàntics, evidents en els primers escrits, i, en particular, un idealisme desenganyat, l'escepticisme de Bartrina es troba molt lligat al cientisme i, en contra del caràcter negatiu que se li ha volgut donar, respon al progressisme, de manera que, si, com s'ha dit, va projectar un poemari titulat *Afirmaciones*, no va ser contradient el seu pensament anterior, ja que, tot i el dubte, no hi mancaven certeses. Ell mateix ho manifestava ben palesament:

Barcelona, Edicions 62, 1966, aplegat dins *Antologia de la poesia romàntica*, Barcelona, Edicions 62, 1994, en què, entre altres poemes de Bartrina, figura el que comentem.

32. *Auras, gritos y consejos. Poesía española (1850-1900). Antología*, [Badajoz], Universidad de Extremadura, 1991, pàg. 259.

33. *Poesía española. 6. El siglo XIX* , Barcelona, Crítica, 2000, pàg. 691. La dicotomia entre el cap i el cor l'havia plantejat també, entre altres autors i amb un enfocament diferent del de Bartrina, Pascal.

34. José-Carlos MAINER, "Del corazón y la cabeza: sobre la poesía de Joaquín M. Bartrina", *Pensamiento y literatura en España en el siglo XIX*, Toulouse, Presses Universitaires du Mirail, 1998, pàg. 111. Veg. també la intervenció d'Adolfo Sotelo en el Simposi.

35. *Cincuenta años de poesía española (1850-1900)*, vol. I, Madrid, Espasa-Calpe, 1960, pàg. 593-629. Pel que fa als referents filosòfics del pessimisme, cal afegir que Martí i Folguera recorda, en una patètica evocació dels últims dies de Bartrina, que aleshores parlaven de Schopenhauer i Hartmann ("Don Sancho Panza", *La Ilustración Ibérica*, any III, núm. 154, 12-12-1885, pàg. 795, en què es recrea a més un projecte de narració sobre el *Quixot*, llibre que havia suscitat ja diversos comentaris de Bartrina). Pompeu Gener el qualifica d'"un Juvenal que lleva oculto un Schopenhauer" ("J. M. Bartrina", *ibid*, núm. 30-32, juliol-agost 1883, recollit dins *Amigos y maestros*, Madrid – Barcelona, Fernando Fé – Juan Llordachs, 1897, pàg. 11-27). Caldria estudiar aquestes i altres possibles influències.

> Y nosotros dudamos, es verdad. Pero el progreso es sencillamente la obra de la duda, origen de toda ciencia, y á este progreso debe la vida civilizada su inmensa superioridad á la vida salvaje.[36]

L. Pons Dalmau havia desenvolupat ja el deute de la ciència amb el dubte a *El Porvenir*, una revista de signe positivista en què va col·laborar Bartrina:

> La única verdad positiva que el hombre puede llegar á poseer, es que todo el poder de su razon, sea el que fuere, termina siempre en la duda.
> [...] á ella debe el hombre, en gran parte, el grado de perfeccion y bien estar á que ha llegado, porque á la energía de su excitacion, debe los admirables progresos de la civilizacion y los sorprendentes adelantos de las ciencias.[37]

J[osep]. Miró Folguera, en un article necrològic que sintetitza molt bé el pensament bartrinià, remarca també el component cientista de l'escepticisme:

> Bartrina era la encarnación de la duda, porque la duda es la realización de la ciencia. Si en el mundo todo cambia, todo evoluciona incesantemente, es posible todo; la duda es un derecho; es un deber.[38]

Güell i Mercader, antic mentor de Bartrina, en remarca el seu caràcter "racionalista unas veces, materialista otras, dudando siempre" i el considera un "poeta reflexivo", que "ensalza la razon y la libertad, en su *Epístola*, composición que por sí sola basta para conquistar un nombre envidiable".[39] Més vagament, F[rancesc]. Miquel i Badia, ressenyant la primera edició d'*Algo*, assenyala que "la cabeza predomina sobre el sentimiento y con fria reflexion el señor Bartrina dirige sus acerados dardos contra gran número de cosas y con frecuencia da en el blanco".[40] Si bé Joaquim Santasusagna creu, en canvi, que el dubte d'"Epístola" obeeix més al "cor" que no al "cervell", reconeix que hi apareix "com a conseqüència i per deducció".[41]

36. "Memoria", *Ateneo Libre de Cataluña. Discurso y memoria leidos por su presidente y secretario en la sesion inaugural celebrada el 6 de Octubre de 1878*, Barcelona, Establecimiento Tipográfico de los sucesores de N. Ramírez y C.a, 1878, pàg. 9.

37. "La duda", *El Porvenir*, any II, t. II (1877), pàg. 75-81.

38. "Bartrina", *Las Circunstancias* (8-8-1880), pàg. 1.

39. *El Eco del Centro de Lectura*, núm. 33 (29-8-1880), pàg. 12.

40. "Versos", *Diario de Barcelona* (5-12-1874), pàg. 11.871. Sobre la crítica poètica de l'autor de la ressenya, veg. Enric CASSANY i Antònia TAYADELLA, "Francesc Miquel i Badia, crític literari al *Diario de Barcelona* (1866-1899)", *Actes del Col·loqui sobre Josep Yxart i el seu temps*, Tarragona, Diputació, 2000, pàg. 357-363 i ja, *Francesc Miquel i Badia, crític literari al Diario de Barcelona (1866-1899),* Barcelona, Curial/Abadia de Montserrat, 2001.

41. *Reus i els reusencs en el Renaixement de Catalunya fins al 1900*, Reus, Associació d'Estudis Reusencs, 1982, pàg. 174.

En tot cas, la incidència del positivisme en Bartrina es manifesta prompte. Ja en l'article "La ciencia de los antiguos pueblos", publicat al *Diario de Reus* el 17 de febrer de 1867, és a dir, quan encara no havia fet disset anys, mostra interès per la ciència i cita Auguste Comte, malgrat que sigui qualificant-lo d'alemany (potser es tracta d'un lapsus, ja que esmenta el seu llibre més cèlebre en francès) i per bé que discrepant-ne:

> Discordes andan los eruditos sobre esta cuestion; mientras unos remontan hasta las nubes sus inmensos y profundos conocimientos, otros, y entre ellos el malogrado [m. 1857] filósofo aleman Augusto Comte [nota: *Cours de philosophie positive*], sientan la opinion de que los descubrimientos que hicieron en artes y ciencias, fueron en sus totalidad debidos mas á la casualidad que al estudio.
>
> Pero ¿dében atribuirse á la casualidad la edificacion de las Pirámides de Egipto y del faro de Alejandria, y no á la ciencia de los que dirigen esas gigantes obras?[42]

¡Guerra á Dios!, que s'afegeix a la polèmica iniciada per Francesc Suñer i Capdevila, del qual pren el títol, evidencia que Bartrina va assumir ben aviat el materialisme i l'evolucionisme.[43] Cal recordar que va traduir i prologar, *El origen del hombre* (versió publicada el mateix any en què va ser premiada "Epístola"[44], de Darwin), i que va aplicar el mètode darwinista a diversos camps, amb estudis antro-

42. Pàg. 1. L'article avança en part les concepcions de l'estudi *La meterología popular*, publicat en castellà dins *Obras en prosa y verso*, pàg. 193-218, de la qual s'ha fet recentment una edició fascímil amb una introducció de Salvador Palomar, Montserrat Flores i Ferran Sugranyes (Reus, Carrutxa, 2001) i en català a *La Renaixensa*, any XI, núm. 11 (30-11-1881), ppag. 414-434.

43. Joaquin Maria B..., *¡Guerra á Dios! Folleto en apoyo del de Suñer y Capdevila,* Barcelona, Imprenta Popular, 1869. Cal destacar que hi cita ja Darwin (p. [2]). Alguns capítols es van publicar també a *El Eco del Centro de Lectura*, núm. 40 (16-4-1871), pàg. 3-4, i núm. 41 (23-4-1871), pàg. 1-2, i després van ser recollits dins *Obras en prosa y verso*, pàg. 3-12. Veg. Guillermo SÁNCHEZ MARTÍNEZ, *Guerra a Dios, a la tisis y a los reyes. Francisco Suñer Capdevila, una propuesta materialista para la segunda mitad del siglo XIX español*, Madrid, Ediciones de la Universidad Autónoma de Madrid, 1987, particularment pàg. 122-123, i Pere ANGUERA, "Anticlericalisme i irreligió a Reus. Notes per a la seva història durant la revolució liberal", *Menjacapellans, conservadors i revolucionaris*, Reus, Centre de Lectura, 1991, pàg. 48-51. A les rèpliques conegudes, cal afegir José CABRERA Y RODRÍGUEZ, *¡¡Dios!! Impugnación a los folletos* Dios y Guerra a Dios *de los Sres. Suñer y Capedevila y Joaquin Maria B.*, Ronda, Imp. de la V. de Gutierrez, 1870, que se centra sobretot, però, en el primer (se'n conserva un exemplar a la Biblioteca Nacional de Madrid).

44. *El origen del hombre. La seleccion natural y la sexual por Carlos R. Darwin (primera version española)*, Barcelona, Imprenta de la Renaixensa, 1876. La *Gaceta de Barcelona* (8-3-1876), p. 1.115, anuncia ja la intenció de publicar el llibre dins "La Ciencia Moderna", col·lecció de les edicions de *La Renaixensa* en què va aparèixer. Encara que no hi figura el nom de Bartrina, se li atribueixen la traducció i el proemi en *Obras en prosa y verso.* Sobre aquesta traducció, veg. J. A. ZABALBEASCOA, tesi citada, p. 255-261, i "El primer traductor de Charles R. Darwin en España", *Filología Moderna,* any VIII, núms. 31-32 (abril-agost 1968), p. 269-275. En l'abundant bibliografia sobre la recepció hispànica i catalana de Darwin, es reitera que es tracta de la primera versió espanyola. Cal precisar, però, que l'any 1872 s'havia publicat ja a Madrid una traducció castellana d'*On the origen of Species*, interrompuda en el dotzè lliurament (Jaume JOSA I LLORCA, "Introducción" a *El origen de las especies,* Madrid, Espasa Calpe-Planeta-De Agostini, 2002, p. 28).

pològics (com "La América precolombina"),[45] lingüístics (com "Francés antiguo y catalan moderno")[46] o socials (així, en la conferència "La Sociedad Coperativa Mataronense", parteix de "la lucha por la vida", "lucha terrible porque es de cada uno contra todos y de todos contra uno", però confia que, "si bien nunca cesará por completo", se'n mitigaran els "dolorosos" "efectos" amb el progrés).[47] Això no treu que, en el poema de la segona edició d'*Algo* "Contra Darwin", s'ironitzi sobre l'evolució humana fingint dubtar de la semblança de l'home al mico amb una anècdota que mostra l'altruisme d'un babuí,[48] com, entre altres, ja havia fet, si bé de manera diferent i des d'una actitud envers l'evolucionisme distinta, Núñez de Arce a la poesia "A Darwin" (del 24 de desembre de 1872).[49] Sembla que el cientisme de Bartrina es va mantenir els darrers anys i, si donéssim crèdit a un comentari necrològic anònim de la *Revista Catalana*, "las últimas paraulas que va pronunciar" haurien estat "per" "las ciencias", les quals, particularment "la física y la geologia", "eran" "los seus ídols".[50]

L'impacte positivista estimula l'actitud escèptica que, força ben configurada des de la filosofia classica[51], es trobava en altres corrents (també en el romanticisme). Josep Maria Miquel i Vergés ha aportat un bon mostrari de la presència en les lletres catalanes del XIX d'un "escepticisme" –en una accepció àmplia– que qualifica de "romàntic", malgrat que no sempre ho sigui merament, i ha dedicat una especial atenció al de Bartrina.[52] Encara, però, es poden afegir altres

45. *Obras en prosa y verso*, pàg. 127-168. Cal corregir-hi (com ha fet ja Zabalbeascoa en la seva tesi, pàg. 283) que Bartrina va començar les dissertacions sobre aquest tema a l'Ateneu Barcelonès no el 22 d'abril de 1878, sinó de 1877 (*Ateneo Barcelonés. Acta de la sesion publica celebrada en el Salon de Cátedras del mismo el dia 3 de Diciembre de 1877*, Barcelona Establecimiento Tipográfico de N. Ramirez y C.a, 1877, pàg. 20) i cal remarcar que, com les de Pere Estasén sobre el positivisme, no van poder continuar per la prohibició de la junta de l'entitat (se'n queixa *El Porvenir*, any II, t. II, 1877, pàg. 96), circumstància que afavorirà la fundació de l'*Ateneo Libre*.

46. Datat 1878, *Obras en prosa y verso*, pàg. 35-39, i avançat en traducció catalana al *Diari Catalá* (18-12-1880), pàg. 622-623, la qual reprodueix *El Eco del Centro de Lectura*, núm. 50 (26-12-1880), pàg. 3-5.

47. *Obras en prosa y verso*, pàg. 220-221. Veg. Jordi Pomés i Vives i María Rodríguez Calleja, *L'Obrera Mataronense: un bell i efímer somni (1864-1890)*, Mataró, Caixa d'Estalvis Layetana, 1997.

48. Pàg. 75-77.

49. *Gritos del combate*, Madrid, Est. Tip. de Ricardo Fé, 1885 (3a ed; 1a 1875), pàg. 84-93.

50. Núm. 3 (15-8-1880), pàg. 24. Martí i Folguera evoca també que, "como si la enfermedad le diese nuevos alientos, el espíritu de Bartrina se aguzaba más y más; se fijaba con curiosidad insaciable en los fenómenos inexplicados de la naturaleza, inventaba teorías y planteaba sistemas" ("Don Sancho Panza", pàg. 795).

51. Sobre la seva persistència, veg. *Le scepticisme au XVIe et au XVIIe siècle*, Paris, Albin Michel, 2001.

52. J. M. Miquel i Vergés, "L'escepticisme romàntic a Catalunya" (I-X), *La Publicitat* (10-3-1935)-(23-6-1935). Veg. també l'article "La influència de Heine", *Mirador*, núm. 291 (30-8-1934), el seu pròleg a l'antologia de la sèrie *Els nostres poetes* dedicada a *J. Mª Bartrina*, Barcelona, Catalonia, 1935, pàg. 9-17, i l'estudi de Josep M. Balaguer; la iantroducció de Mila Segarra a Josep M. Miguel i Vergés, *La filologia catalana en el període de la Decadència*, Barcelona, Crítica, 1989, pàg. 7-49. (a qui, així com a Jordi Castellanos, agraeixo les referències dels articles citats i d'altres de *La Publicitat* sobre Bartrina), "Josep M. Miquel i Vergés, una revisió del XIX català en els anys 30", *Quaderns d'Estudis Arenyencs*, núm. 6 (setembre 1998), pàg. 30-36. L'article sobre la recepció de Heine va ser matisat per Joan de

notes ben específiques sobre el tema. Proliferen els retrats patètics de "L'escèptic", per no remuntar-nos a escrits com el conte 'El escéptico', de Pere Mara, l'article "Moral literaria. Contraste entre la escuela escéptica y Walter Scott", de Manuel Milà i Fontanals, o les *Cartas a un escéptico en materia de religión*, de Jaume Balmes, com els dels poemes intitulats així d'Antoni Aulèstia i Pijoan (datat l'octubre de 1867) i de R[afael]. Solanes (publicat a *La Renaxensa* el 1875).[53] Josep Yxart, a "tantos de julio de 1876" –poc després, doncs, de ser premiada "Epístola"–, declara a Oller el seu propòsit d'escriure una novel·la titulada *Los escépticos*, "combatiéndolos".[54] J[osep]. Miró Folguera, considerant l'escepticisme com una "gran plaga del espíritu que parece encarnada con la juventud de nuestro siglo", producte de la "lucha" "entre el principio de la fé y el principio de la razon", proposa "inculcar en el ánimo de nuestros hijos las semillas imperecederas de la ciencia".[55] "Filoteo" situa, irònicament, "la siniestra y asquerosa duda" entre "las plagas que el falso liberalismo ha derramado á manos llenas sobre la sociedad".[56] Isidoro Frias Fontanilles, en una necrologia de Bartrina, creu que "el escepticismo merodea por nuestros pueblos, como la hiena hambrienta que le acaban de abrir de par en par las puertas de dilatadísimos cementerios".[57] O Valentí Almirall, en un article sobre els Jocs Florals publicat a l'*Avens* el 1884, bromeja posant en boca d'un "pesssimista" –que podria estar inspirat en part en el seu bon amic Bartrina (mort feia uns quatre anys i de qui s'ocupa en diversos escrits)– sengles idees per concórrer als tres premis ordinaris del certamen plasmant "nostra época excéptica y utilitaria" i, pel que fa en concret a la Viola, imagina el cas d'un escèptic obsessionat per la qüestió religiosa que, agonitzant pel turment del dubte,

Garganta a *La Publicitat* (6 i 20-8-1935). Martí de Riquer s'hi va ocupar també d'"Els poemes escèptics en la nostra literatura medieval" (26-4 i 26-5-1935). Daniel G. SAMUELS, en l'estudi "Some Byronic Influences in Spanish Poetry (1870-1880)", *Hispanic Review*, vol. XVII, núm. 4 (octubre 1949), p. 296-298, entre altres aspectes de Bartrina que relaciona amb Byron, remarca l'afany per conèixer "the eternal truths" i considera que "Epístola" és un bon exemple d'aquesta actitud present ja en el protagonista de *Manfred*.

53. Ms. 129-III-192 de la BC i *La Renaxensa*, any V, t. I, núm. 14 (30-4-1875), pàg. 521-522.

54. Rosa CABRÉ MONNÉ, "Epistolari Josep Yxart-Narcís Oller" (tesi dirigida per Joaquim Molas), UB, 1985, vol. IV, pàg. 531.

55. "El excepticismo", *El Eco del Centro de Lectura*, núm. 22 (10-8-1878), pàg. 1-2.

56. "El escepticismo moderno", *Arsenal de la Devocion*, any I, núm. 2 (12-4-1878), pàg. 2-3. J. Sardá i Ferrán dubta si aquest setmanari paròdic correspon a l'època d'"Epístola" i si va ser creat i dirigit per Bartrina (*Noves biogràfiques*, pàg. 25). Això lligaria amb el record d'Adolfo Pons segons el qual Bartrina "fundó un periódico destinado á ridiculizar el clero" ("Cartas catalanas", *Revista Contemporánea*, t. LXXXVIII, núm. 407, 15-11-1892, pàg. 300). Els exemplars que n'he localitzat són, però, de 1878 i s'hi encobreix el nom dels redactors (veg. també Joan GIVANEL I MAS, *Bibliografia catalana. Premsa*, vol. I, Barcelona, Institució Patxot, 1931, pàg. 176). A més dels antecedents anticlericals, pot fer pensar en l'autoria de Bartrina algun aspecte, com la referència a la Mare de Déu de Misericòrdia de Reus (12-4-1878), pàg. 4. Podria al·ludir-lo, jugant amb el títol del seu poemari més cèlebre, una diatriba d'*El Correo Catalán* contra l'*Arsenal*: "Deja entrever en sus líneas algo y aun algos que recuerdan que muchas veces tras la cruz está el diablo" (6-4-1878), pàg. 3. El pseudònim "Filoteo" és antònim d'un dels que, com veurem, va utilitzar Bartrina: A.T.O. De tota manera, caldria estudiar la qüestió amb més deteniment.

57. "Oración fúnebre", *El Eco del Centro de Lectura*, núm. 33 (29-8-1880), pàg. 23.

s'adona que "si l' home hagués de ser creyent, sa voluntat s' imposaria á sa conciencia..." i mor "realment incrédul".[58]

El desengany de Bartrina s'ha associat, en concret, a la mort de la seva estimada de tisi i a la contracció d'aquesta malaltia. A més, cal remarcar la situació econòmica familiar i el fet que la seva activitat política li va costar dures crítiques personals i fins alguna agressió. Així, per haver impulsat la revista satírica *El Mosquito*, va ser colpejat el 29 de juny de 1869 i, en l'article "Un mamífero, un chupóptero y un cuadrúpedo" (datat el 4 de juliol de 1869) del pamflet *El Canta-claro*, es relaciona, cruelment, la fallida del seu pare amb l'ociositat del fill. Bartrina va contestar aquest libel amb una octaveta en què, entre altres coses, retreia l'amistat interessada de la gent, contra la qual arremetrà encara en "Epístola".[59] Francisco Blanco García, amb els seus característics exabruptes dogmàtics, relaciona Bartrina –amb raó– amb l'ambient de Reus, "centro de la actividad industrial y las agitaciones de la vida moderna", però també –ben extravagantment– amb el tarannà català:

> Nacido presisamente en Cataluña, el país de los caracteres radicales é indisciplinados, amigos de la afirmación o la negación, y opuestos á las atenuaciones y medias tintas.[60]

Si bé Bartrina, que creia en el determinisme, no negaria la influència, més o menys decisiva, de la fisiologia i del medi, és curiós que es tendeixi a buscar explicacions psicològiques de formes de pensament prou lúcides, considerades com a patològiques, mentre es fa menys amb altres de ben il·luses.

El diari reusenc *Las Circunstancias* (del qual, com he avançat, havia estat redactor Bartrina i que continua considerant-lo amic), quan es va editar solta "Epístola", va publicar un comentari –força en la línia de Güell i Mercader– en què, després d'arremetre contra el predomini "no ha mucho tiempo" de la tendència retrògrada en la literatura catalana, celebra el poema de Bartrina, "poeta de corazon y de cabeza" "nutrido de la savia de la época presente", com a exemple dels "celosos é inteligentes cultivadores" de la "lírica catalana en su expresion moral y filosófica, desnuda de misticismo, no amanerada y enfática [...], sino sencilla, llena de vida y realidad", però acaba aconsellant-li que no "se abandone á la desesperacion acerca los males", perquè, si és "cierto que el señor Bartrina al lamentarse de la mezquindad de los tiempos presentes, no echa de menos las grandezas pasadas", "el

58. Valentí ALMIRALL, "Patria, fe y amor. Divagacions d' un pessimista", *L'Avens*, any III, núm. 26 i 27 (15 i 31-3-1884), pàg. 193-196 i 213-216.

59. Sobre l'agressió, veg. *La Redencion del Pueblo* (1, 4 i 8-7-1869). A l'AHCR, es troba un exemplar de l'octaveta (Reus, Imp. de Tosquellas y Zamora, s. a.) enquadernat amb el *Canta-claro.* Per a la descripció d'aquesta revista, així com d'*El Mosquito*, veg. Marc FERRAN, *Humor i sàtira a Reus. La premsa satírica (1868-1936)*, Reus, Edicions del Centre de Lectura, 1992, pàg. 32-35.

60. *La literatura española en el siglo XIX*, Madrid, Sáenz de Jubera, part III, 1912, pàg. 142, i part II, pàg. 315.

pesimismo sistemático conduce á ello": "Los poetas llorones, si no acaban por mostrarse indiferentes á todo, acaban por ser tétricos y reaccionarios".[61] A propòsit d'un comentari del diari valencià *Las Provincias* també sobre "Epístola" en què, "en medio del entusiasmo que dicho suelto respira por el señor Bartrina como poeta, se conduele amargamente de que su ingenio enriquecido por sus estudios y conocimiento no vulgares se vea combatido por la duda",[61] *Las Circunstancias* insisteix que es "triste, muy triste" "ver que el poeta" –el qual coneixen des de la "niñez" i han "apreciado su trato", "sentido sus dichos agudos", "admirado su aplicacion"– "malogre en flor sus mas relevantes disposiciones para brillar en el mundo literario, sin una luz que le alumbre ni una creencia que le aliente" i que se n'apoderi la "larva" que "corroe" la seva "potencia intuitiva de estensos horizontes", però confien que s'acabi imposant la "resurreccion", "con mayor motivo en el señor Bartrina que atendida su juventud no es de creer haya gustado mucho en esta sociedad la copa del desengaño":

> Escúchenos nuestro querido amigo y créanos. Porque unos cuantos escépticos hayan hecho alardes de escuela, la incredulidad no llegará á entronizarse por que el reinado de esa Diosa seria el del vacío y la desolacion. A los pesimistas del mundo, á esos que lo niegan todo por el hastio de todo, contésteles con la ley de las armonias. Al escepticismo de Pirron y Carnéades, á la duda de Cartesio [Descartes], al terrible dilema de Malthus, opóngales la constancia de Guillermo Penn, y la fé de Galileo y Flammarion, reavivada por la luz de las miriadas de antorchas que pueblan el universo.

Aquests textos il·lustren com l'escepticisme de Bartrina és incomprès fins pels seus correligionaris.

En part responent a aquesta mena de crítiques, en les "Cuatro palabras" a la segona edició d'*Algo*, mira d'explicar el "tinte de escepticismo" dels poemes pel "malestar moral que, á mi modo de ver, produce en nosotros la lucha sin tregua que sostienen dentro de nuestro sér el sentimiento" ("peregrina herencia" d'èpoques primitives) "y la razon" (que, apareguda després "en la série zoológica" de la qual l'home "es el último eslabon", haurà d'acabar imposant-se –tant de bo!–). Fins arriba a pronosticar que "tal estado de intranquilidad moral se considerará como un caso patológico digno de estudio", si bé ell pretén més escriure "para el presente que haber preparado piezas anatómicas para el porvenir".[63]

61. 3-8-1876, pàg. 1. No he pogut localitzar aquest article entre l'abundant documentació de Güell conservada a l'AHMB i a l'AHCR. Aquest escriptor, havia criticat ja "El escepticismo" n un article d'*El Eco del Centro de Lectura*, núm. 3 (20-11-1859), pàg. 5-6, i havia plantejat el tema del cubte en la seva poesia (veg., per exemple, "Desencanto", *Eco de Euterpe*, any V, núm. 188 (7-6-1863), pàg. 5-6; "Meditación", *ibid.*, núm. 202 (26-7-1863), pàg. 91-92, i "¡Tras l'ilusió 'l desencant!", *Diario de Reus, 15-11-1863, pàg. 1).*

62. Per a les relacions de Bartrina amb València, d'on provenia la família paterna, veg. la carta a Matheu des de Màlaga ja citada.

63. "Cuatro palabras" (pròleg datat a Reus el gener de 1877), Algo, 2a, pàg. VIII-IX. Veg. també l'*arabesco* XXVIII (*ibid.*, pàg. 164-166).

Ressenyant aquest llibre al diari madrileny *El Globo*, José Nakens reconeix que, "si como dijo Lamartine, la poesía del porvenir ha de ser la razón cantada, el señor Bartrina es uno de los primeros poetas españoles que entran con paso firme en la senda del porvenir" i en redueix l'escepticisme a una ironia "mas desoladora que punzante, por lo mismo que se apoya en razon y en la verdad científica", però li reclama –no sense raó– que, en la línia del poema "De omni re scibili"[64] i en consonància amb la seva tendència a "*humanizar*" els sentiments allunyant-los de la metafísica, gosi entrar "de lleno en el terreno filosófico y científico sin vacilaciones, sin temores, sin importarle nada herir susceptibilidades de gentes que, despues de todo no han de agradecerle lo mucho bueno que calla", en lloc de rebaixar-se a donar "explicaciones que sus impugnadores no comprenden".[65] Interpreta, doncs, no sense fonament, que Bartrina encara té unes concepcions més decididament positivistes que no manifesta en la seva poesia.

Centrant-nos en el poema, el parc títol en remarca l'adscripció al gènere epistolar, que, després de ser revalorat pel Renaixement i del nou auge setcentista, continua gaudint de força fortuna al segle XIX. Un dels màxims models n'és Horaci, que Bartrina, bon coneixedor dels clàssics, cita, tradueix o imita en diverses ocasions, tot i que l'horacianisme pugna amb elements del seu pensament ben antagònics.[66] Bartrina, que considera que "lo sublime es sencillo", tendeix, com remarca Josep Yxart, a la "sencillez clásica" i, com especifica Pompeu Gener, a un estil "concreto, preciso, sobrio", ben adient al gènere.[67] Fins recorre sovint al llen-

64. *Algo*, 2a, pàg. 11-13, i 1a, 5-6; publicat abans a *El Eco del Centro de Lectura*, núm. 52 (9-7-1871), pàg. 2-3. Ricardo Navas Ruiz ha relacionat ja el títol del poema amb la divisa de Pico della Mirandola, així com amb l'afegitó humorístic atribuït a Voltaire "et quibusdam aliis" (*Poesía española. 6. El siglo XIX* , pàg. 691). Recorda també la *dolora* de Campoamor "El peor de los mundos" (*Poesías*, pàg. 175-176). Nakens, tot i proposar com a model aquest poema, en desaprova la cèlebre última estrofa, en què apareix la paraula que acabarà intitulant el poemari, que de primer s'havia de denominar, simplement, *Versos*: "siento aquí, en mi interior, dentro de mi pecho / un algo... un no sé qué!..".

65. Art. reproduït a *Las Circunstancias* (15-8-1877), pàg. 1. Per a algunes notes sobre la immediata recepció madrilenya de Bartrina, em remeto a la meva intervenció en el Simposi, per bé que caldria estudiar la qüestió a fons.

66. Sobre la recepció d'aquest escriptor llatí a Catalunya, veg. Eduard VALENTI I FIOL, *Els clàssics i la literatura catalana moderna*, Barcelona, Curial, 1973, i Jaume MEDINA, "Horaci en la literatura catalana", *Els Marges*, núm. 7 (juny 1976), pàg. 93-106, i ID., "La Renaixença i els clàssics", *Actes del Col·loqui Internacional sobre la Renaixença*, Barcelona, Curial, 1992, pàg. 317-333. Puc afegir que la versió de l'oda 14 del llibre II va ser publicada a *Las Circunstancias* (1-1-1875), pàg. 3, amb una indicació que revela que Bartrina projectava un aplec de poesies llatines: "Del libro inédito 'Ecos del Lacio'". Cal destacar també el seu oblidat article sobre "Aristófanes" (*Diario de Reus*, 16-2-1867, pàg. 3). Entre molta altra bibliografia sobre el gènere epistolar, veg. particularment Elias L. RIVERS, "The Horatian Epistle and its Introduction into Spanish Literature", *Hispanic Review*, vol. XXII, núm. 3 (juliol 1954), pàg. 175-194.

67. "Poema titulat "Estética", *El Eco del Centro de Lectura*, núm. 2 (20-1-1878), pàg. 2, i recollit, sense títol, dins *Obras en prosa y verso*, pàg. 315; Josep YXART, *Obra completa*, vol. I (a cura de Rosa Cabré), Barcelona, Proa, 1995, pàg. 385, –veg. també la ressenya de les *Obras en prosa y verso* atribuïble a a quest autor, signada amb les inicials "J. Y.", "Bibliografia", *La Renaixensa. Diari de Catalunya* (10-3-1882), p. 1540-1541– i P. GENER, "J. M. Bartrina".

guatge científic, encara més perceptible en altres poemes. Com conclou Frederic Rahola, però, "en todas sus poesías dá Bartrina un predominio señalado á la idea, aunque por otra parte poseia la forma, sin ser esclavo de ella".[68] La seva inclinació a la ironia s'adequa també al caràcter específicament satíric del poema.

Per posar tan sols un exemple de l'abundant conreu vuitcentista de l'epístola, Gaspar Núñez de Arce (autor que s'ha comparat sovint amb Bartrina per la seva propensió a l'escepticisme, tot i que el seu monarquisme, la fe, el centralisme... el n'allunyen) avança, en "La duda. A mi querido amigo el distinguido poeta don Antonio Hurtado", diversos aspectes plantejats també pel poema a comentar: la caracterització del segle pel dubte (que es contraposa, igualment, a la certesa de la religió), pel sarcasme i per l'anhel de coneixement (la "Musa del análisis"), la interrogació sobre el sentit de l'home i sobre el declivi de la seva evolució, l'aspiració –decebuda– a l'ideal, els impediments de l'art, la vanitat del món, l'interès, la "ciega muchedumbre", el *beatus ille*, la desolació, algunes imatges crues (com les de l'arbre corcat, la inundació o el rèptil, si bé amb referents distints)...[69]

L'"Epístola" de Bartrina porta com a lema (que, alhora que encobreix el nom de l'autor tal com era preceptiu en el certamen, actua d'epígraf) uns pessimistes versos d'"A se estesso", de Leopardi: "Amaro e noia / la vita, altro mai nulla; e fango é il mondo", que anuncien ja el to de la carta poètica, qualificada de "plany" –més desolat i sarcàstic que no malenconiós. No entraré a comentar la influència del poeta italià, autor també de poemes epistolars, de la qual s'ha ocupat monogràficament Rossend Arqués.[70]

Només començar s'introdueix el tema del dubte aprofitant l'artifici del destinatari (en aquest cas anònim): tot i qualificar-lo, com és tòpic, d'"amich", se'n qüestiona, sorprenentment, l'amistat. Així com aquest vincle ha estat molt lloat d'antic, no és menys remota, per raons òbvies, la desconfiança envers els amics. Bartrina mateix, en un dels seus pensaments, afirma: "No cerqueu com únich company un amic fidel, perque 'us esposariau á caminar tota vostra vida sols".[71] O es lamenta en el poema "Íntima":

68. Federico RAHOLA, discurs de la vetllada en homenatge a Bartrina de l'*Ateneo Barcelonés* (2-11-1881), publicat a *La Publicidad* (3-12-1881), pàg. 1-2; a *Las Circunstancias* (6 i 7-12-1881) i a *El Eco del Centro de Lectura*, núm. 50 (11-12-1881), pàg. 4.

69. *Gritos del combate, pàg.* 41-54. El poema, datat a Sant Gervasi de Cassoles el 20 d'abril de 1868, va ser llegit a l'*Ateneo Catalán* aquell mateix any "con motivo de los Juegos Florales", es va editar a *La Época*, de Madrid, i, solt, a Barcelona (*ibid.*, pàg. VII i 250-252). Sobre l'autor, veg. Josefina ROMO ARREGUI, *Vida, poesía y estilo de D. Gaspar Núñez de Arce*, Madrid, CSIC, 1946. Per posar tan sols un exemple més d'una altra literatura, veg. "*Ad amicos*", d'Antero de Quental (*Poesías y prosas selectas*, amb el text en portuguès i una traducció de José Antonio Llardent, Madrid, Alfaguara, 1986, pàg. 452-453).

70. "El 'leopardisme' de J. M. Bartrina. ¿Mite o realitat?", *Rassegna Iberistica*, núm. 25 (maig 1986), pàg. 19-30. No és la primera vegada que Leopardi figura entre els lemes dels Jocs.

71. "De mon infern", pensaments publicats a *La Renaxensa*, any IV, t. I, núm. 14 (20-5-1874), pàg. 175, i a *El Eco del Centro de Lectura*, núm. 15 (30-5-1877), pàg. 8, i recollits, en castellà, en *Obras en prosa y verso*, pàg. 280. Veg. també el desengany de l'amistat en el poema d'*Algo* "Mis cuatro muertes" (1a, pàg. 18-19, i 2a, pàg. 32-33).

Cansado de farsa y dolo,
en aislamiento profundo,
camino llorando solo,
¡solo!
sin un amigo en el mundo.[72]

Això no suposa pas que Bartrina fos poc sociable. Ben al contrari, s'acumulen multitud de testimonis sobre la seva afabilitat, el seu do de gents, la seva fama de *causeur*... Apuntant la possibilitat que l'amic, si ha esdevingut egoista, refusi la carta pel sol fet de ser poètica, s'avança també el tema de la insensibilitat dels filisteus.

A la segona estrofa, es generalitza la incertesa: "Dupto, y no m' sento / ni ab voluntat ni ab forsa pera créurer". La causa n'és la incapacitat de "comprendre bé" "lo ser íntim" "del que aquí 'm volta", atesa la falsedat de les aparences ("tot lo que miro es fals") i les restriccions de la ciència:

Del infinit jo puch llegí 'ls prodigis
analisant la llum de las estrellas
que allà d' allà, en lo cel, brillan perdudas,...
y analisar la llum d' una mirada
y llegir en lo cor ¡m' es imposible!

Al poema "Mis cuatro muertes", havia utilitzat també la imatge astronòmica per representar la decepció de l'afany de coneixement científic:

Mi estraña suerte
quiso que nueva vida recobrase
y á la ciencia con fé la consagrase.
Midió mi inteligencia
la inmensidad del cielo de la ciencia,
y allí me hizo encontrar mi suerte ruda
tras de un *porqué* la duda.

Igualment, en "De omni re scibili", després d'enumenar diversos coneixements científics, havia confessat la insatisfacció als versos ja citats i, en "Ciencia imposible", havia ponderat "el misterio profundo / del *microcosmos*, del ser".[73]

Albert Savine arriba a concloure:

Ce gran admirateur de la science moderne ne fut point un poète scientifique. Pour lui, la science n'avait été qu'une déception. Ce qu'il appelait de ce nom avait pièce a pièce sapé ses croyances,

72. *Obras en prosa y verso*, pàg. 324. Publicat a *El Eco del Centro de Lectura*, núm. 12 (25-6-1872), pàg. 5.
73. *Algo*, 2a, pàg. 81-82. En "Reflejo", es planyia també de la impenetrabilitat de l'"essència" (*ibid.*, pàg. 64-65).

et restant seul avec cet instrument de ruines auquel il n'ajoutait même plus ni foi ni confiance, il s'était réduit à un scepticisme [...].[74]

Certament Bartrina es lamenta del fet que el cientisme, mentre el porta a abandonar l'idealisme, no li ofereixi encara totes les solucions, però, com han il·lustrat ja altres textos, cal matisar que creu en la ciència com a única via de coneixement i de progrés i valora molt positivament les seves aportacions, que serien molt superiors si comptés amb una acceptació social més àmplia i es trobés més desenvolupada (fins, com hem vist, pronostica el triomf definitiu de la raó). Una altra cosa és que en sigui conscient de les limitacions, que han estat assenyalades d'antic per molts cientistes. Així, durant la Il·lustració, en què sovinteja el tema, Jovellanos, en dues epístoles escrites amb el mateix metre que la de Bartrina i que presenten altres analogies més vagues, s'exclamava amb termes força similars:

Que es dado al ojo ver el alto cielo,
pero verse a sí, en sí, no le fue dado
[...]
Mas ¿por ventura tan adverso influjo
nunca su fuerza perderá? ¡Qué!, ¿el hombre
nunca mejorará?... Si perfectible
nació; si pudo a la mayor cultura
de la salvaje estúpida ignorancia
salir; si supo las augustas leyes
del universo columbrar, y alzado
sobre los astros, su brillante giro,
su luz, su ardor, su número y su peso,
infalible midió; si, más osado,
[...]
dio al rayo leyes, y a los distantes puntos,
como él veloz, por la tendida esfera
sus secretos envió; por fin, si pudo
perfeccionarse su razón, ¿tan sólo
será a su tierno corazón negada
la perfección? [...]
¿No vendrá el día en que la humana estirpe,
de tanto duelo y lágrimas cansada,
en santa paz, en mutua unión fraterna,
viva tranquila? [...]
Caerán en pos la negra hipocresía,
la atroz envidia, el dolo, la nunca harta
codicia [...].[75]

74. Albert Savine, *L'Atlantide. Poème traduit du catalan. De mossen Jacinto Verdaguer*, Paris, Librairie Léopold Cerf, 1884, pàg. CXXXI.

75. Gaspar Melchor de Jovellanos, "Epístola décima. A Bermudo, sobre los vanos deseos y estudios de los hombres" i "Respuesta de Jovellanos a Moratín", *Obras completas,* t. I (a cura de José Miguel Caso González), Oviedo, Centro de Estudios del siglo XVIII – Ayuntamiento de Gijón, 1984, pàg. 319, v. 219-

Aquest darrer passatge recorda força també la represa de la qüestió a l'antepenúltima estrofa d'"Epístola", en què Bartrina reiterarà la dicotomia entre el sentiment i l'intel·lecte. Ell mateix situa, però, aquest conflicte ja al segle XIX, considerant característic de l'època portar "el corazon en la cabeza",[76] que, omnívora, el devora.[77]

A les estrofes següents, el dubte se centra en la falsedat de la societat, en què molts es guien per les aparences, mentre els valors autèntics són ignorats (resten al fons, igual que les perles dins del mar). Com tants altres moralistes –en el millor sentit de l'expressió–, Bartrina arremet contra la hipocresia, la fama injusta, l'"atrevida" "ignorancia" (que contrasta amb la paradoxal humilitat del mereixement), els ambiciosos sense escrúpols, que, en lloc d'ascendir per mèrits propis, ho fan rebaixant els altres i arrossegant-se (la comparació amb el rèptil, contraposada a l'àliga, un animal amb no menys tradició simbòlica, connota la gran repugnància que inspiren al poeta)... Ja sentenciava Ausiàs March:

> Diners, honor, no s'han per bones vies,
> tants són los mals qui per aquells treballen.
> Qui bonament en aquest món pratica,
> no pot muntar per los mals qui l'empachen;
> qui regiment vol, de ben fer no s'alta,
> o és grosser, no saben què s'i husa.[78]

Més pròxim a Bartrina i més similarment, el també reusenc E[usebi]. C[ort]. havia publicat el 1871 a *El Eco del Centro de Lectura* de Reus un poema epistolar en què, entre altres, satiritza el cobdiciós, utilitzant també la imatge, pròu òbvia, del rèptil:

> Y adula y finge y miente el ambicioso
> Para obtener lo que posee el hermano;
> Y para conseguir su plan insano
> Se arrastra cual reptil el envidioso.[79]

220, i pàg.. 286-287, v. 51-103. La dificultat de conèixer-se a si mateix (tal com demanava la inscripció dèlfica que pren com a lema Sòcrates) i específicament la creença que és més fàcil entendre el món exterior han estat, però, repetides per diversos autors.

76. *Algo*, 2a, pàg. 132, i 1a, pàg. 23. S'havia publicat a *El Eco del Centro de Lectura*, núm. 7 (25-3-1872), pàg. 5. Claude R. Owen, en *Heine im spanischen Sprachgebiet. Eine kritische Bibliographie*, cita aquest poema com a exemple de les ressonàncies heineanes de Bartrina (Münster, Aschendorffsche Verlagsbuchhandlung, 1968, pàg. 233). L'expressió transcrita reapareix en els "Fragmentos de una epístola" citats.

77. "Indigestión", *Algo*, 1a, pàg. 7, i 2a, pàg. 15-16. Publicat a *El Eco del Centro de Lectura*, núm. 55 (30-7-1871), pàg. .3. Una cèlebre antologia pòstuma de l'obra de Bartrina es titula, significativament, *Del cap i del cor (Idees i pensaments d'un escèptic)*, Barcelona, Antoni López. 1931.

78. Ausiàs MARCH, *Poesies* (a cura de Pere Bohigas, revisada per Amadeu-J. Soberanas i Noemí Espinàs), Barcelona, Barcino, 2000, núm. CIV, v. 161-166.

79. E. C. (la inicial del cognom ha estat completada a mà a l'exemplar del Centre de Lectura): "Fragmento de una epístola. Á J. N.", *El Eco del Centro de Lectura*, any II, núm. 28 (22-1-1871), pàg. 3. El títol gairebé coincideix amb el del poema de Bartrina transcrit.

Encara en la "Fábula" publicada uns mesos abans de morir a *El Parthenon*, Bartrina arremetia contra els que "renombre obtienen / no por la voz, que no tienen, / sino porque desafinan", és a dir no per la qualitat, sinó pel sol fet de cridar l'atenció.[80] Un cop han triomfat, ningú no els critica, perquè, gaudint ja del poder, inspiren temor ("Y may ningú ls' censura / ¡prou ells tindrian por, si por no fessin!").

Expliquen la inversió de valors la "malicia" d'uns, però també la "indolencia y apatía" d'altres, que els converteixen en "cómplices" inconscients (fet que il·lustra una imatge de sensibilitat ecològica: la de l'erosió conseqüent a la tala de boscos). Davant d'això, el poeta, cercant "veritat y virtut" i en concret algun sector que pugui canviar la societat, apel·la a la joventut, per la vitalitat, i al poble, per l'apartament de la corrupció del poder. Tanmateix, no hi troba sinó irracionalitat.

El jove de classe alta, que atenent a "sos titols ó fortuna" hauria de "donar" "exemple", respon a una ridícula caricatura –força tòpica– que nega l'adjectiu amb què "Linneo" (Linné) va caracteritzar la nostra espècie ("*homo sapiens*"): més preocupat per la voluble i esclavitzadora "librea" (l'uniforme dels criats) de la moda que per la saviesa ("De son cap cuida / mólt més lo perruquer que 'l catedrátich") i evasiu i ociós ("amich de ballarinas y toreros", donjuanesc misogin, dedicat a "visitas, jochs, passeigs y teatres"...).[81] Si bé Linné es troba encara lluny del darwinisme, ofereix una taxonomia sistemàtica (citada també en el "Madrigal (?) futuro")[82] que n'assenta les bases, per la qual cosa aquest esment cal situar-lo en la mateixa línia que la ironia de referent darwinià sobre l'evolució humana ja citada.[83]

80. Núm. 5 (1-1-1880), pàg. 79. Al núm. 8 (15-2-1880), pàg. 128, es dóna notícia d'una certa recuperació passatgera de la salut de l'autor. Segons Francesc Gras i Elias, que explica que va fer de mitjancer per a la publicació del poema a petició de Josefa Pujol, es tractaria de la darrera poesia editada per Bartrina (*Siluetes de escriptors catalans del sigle* XIX, pàg. 106-107). Es recull dins *Obras en prosa y verso* (pàg. 321-322). La moralitat recorda l'última de les "Tres faulas".

81. Joan Lluís Estelrich en l'*Antologia de poetas líricos italianos. Traducidos en verso castellano (1200-1889)*, Palma de Mallorca, Escuela Tipográfica Provincial, 1889, pàg. 533, va suggerir que "Toda esta parte más que á Leopardi recuerda eficazmente á Parini. ¿Quién desde el primer verso, no trae á la memoria aquella donosa invocación *Alla moda* y sigue luego por el *Giovin signore, o a te scenda per lungo?... etc. etc.*", al·ludint, respectivament, a la dedicatòria i al primer vers d'"Il Mattino. Poemetto" (1763), sàtira de l'ociosa joventut aristocràtica milanesa (*Il Giorgno e le Odi*, Milano, Mursia, 1984, pàg. 43 i 45). Aquesta referència ha estat recollida ja en la tesi de Zabaldescoa (pàg. 264). Com a mostra del possible creuament d'influències, s'ha apuntat la de Parini en Jovellanos (veg. Antonio PRIETO, "Hacia la intimidad poética de Parini", dins *Maestros italianos*, I, Barcelona, Planeta, 1961, pàg. 1.235). Bartrina havia caricaturat la frivolitat dels joves també en el poema "*Beati illi...*" (*El Eco del Centro de Lectura*, núm. 12, 25-6-1872, pàg. 4, recollit dins *Obras en prosa y verso*, pàg. 301). No cal dir que la figura l'estudiant ha fet fortuna en la literatura, a vegades amb un tractament caricaturesc. Potser Bartrina hi projecta el fet que, segurament afavorit per la situació econòmica de la família, només va arribar a matricular-se a la Facultat de Filosofia i Lletres de la Universitat de Barcelona el 1871 (veg. l'expedient). El tema de la moda compta, igualment, amb una llarga tradició satírica. Per posar només un exemple del mateix any que "Epístola", veg. *Certámens de La Misteriosa. Composicions premiades en lo del any 1876*, Barcelona, Estampa de La Renaixensa, 1876, pàg. 121-136.

82. *Algo*, 1a, pàg. 29, i 2a, pàg. 105-106.

83. Evidentment, el fàcil joc de paraules"¡Si tots com aqueix fossin, fins al dia / del Final, no hi hauria al mon judici", utilitzat ja en els "Fragmentos de una epístola", no suposa que Bartrina cregui en l'escatologia.

L'alternativa del poble no resulta menys decebedora: com se sol caricaturar també, es mostra igualment alienable al modern circ de la tauromàquia –espectacle molt satiritzat per altres autors (val a recordar, per exemple, "Lluides de braus", de Pons i Gallarza)– i, per més que invoca la llibertat, és captiu de la "ignorancia", de les "passions" i de la idolatria capriciosa. En el poema "Rojos y blancos", condemna els "escesos" de la multitud "ciega", que "puede no ser perversa, sí ignorante", si bé tenint bona cura de remarcar que eren pitjors els abusos de la inquisició.[84]

Si no es troba la virtut en el *mundus inversus* de la societat, tan sols n'és possible la definició negativa: "Jo crec que hi ha virtut, perque hi ha vici".[85] Aquest se satiritza en diversos àmbits, recorrent a la mitologia clàssica: en l'art s'han relegat la subtilesa i la bellesa ("Momo", la grotesca encarnació de la burla, "ha tret á Talia dels teatres / las Musas han plantat quincallería, / Vénus de cap artista es la modelo / qu' are las grans bellesas son las Fúrias"); la tècnica, en lloc de contribuir al benestar, fomenta, amb la indústria bèl·lica, la conflagració ("Vulcano fá contentas á las Parcas / treballant dia y nit enginys de guerra"); els diners ho regeixen tot, fins concertant matrimonis de conveniències ("y Mercuri en la Bolsa, qu' es son temple, / embadalit aguayta com Cupido, / ja sense vena als ulls, treu sempre comptes. / Y Cupido fa bé que sols los hómens / ab interés los interessos miran").[86] La gent es regeix pel guany, comportament criticat també d'antic i d'actualitat amb l'auge del capitalisme. Manuel Bretón de los Herreros, en l'"Epístola moral sobre las costumbres del siglo" (premiada amb la Rosa de Oro en els Jocs Florals del *Liceo de Madrid* el 1842), ironitzava ja:

> ¿y qué importa que gima el pueblo entero
> mientras, jugando al *alza* y a la *baja*,
> la *bursátil* legión nada en dinero?
> [...]

84. *Algo*, 2a, pàg. 97-103. Val a afegir que Bartrina té un interessant article sobre "La inquisicion en Cataluña", en què remarca les desavinences dels catalans amb aquesta institució i posa com a exemple textos de l'Arxiu Municipal de Reus, "una ciudad [...], cuya historia local abunda más en hechos que prueban el espíritu de independencia que forma el carácter distintivo del pueblo catalan" (*Gaceta de Barcelona*, 5-2-1876, pàg. 1.180-1.183, i publicat també a *Las Circunstancias*, 20-8-1876, pàg. 1). Sobre el tema de la revolució, veg. també "Cansó nihilista", *Diari Catalá* (29-5-1879), pàg. 3, i *La Campana de Gracia* núm. 518 (15-6-1879), pàg. 2. En la "Memoria del secretario" del Certament Socialista celebrat a Reus el 1885, Eudald Canibell arriba a qualificar Bartrina de "socialista y revolucionario como nosotros" *(Primer Certámen Socialista*, Reus, Centro de Amigos, 1885, p. LVII).

85. En el poema "Ojalá" (*Algo* 2a, pàg. 57-59), imagina un món en què triomfés la virtut, no sense afegir, sarcàsticament, que encara fóra millor sense l'home.

86. L'oda "La poesía y la ciencia", de Melchor de Palau (cantor del progrés científic afí en part a Bartrina, encara que més optimista), contraposa també la mitologia clàssica a la realitat –com ja havien fet els romàntics, però convidant la literatura a inspirar-se en la visió científica del món– i, en concret, afirma similarment: "Cupido alado, sin vendar los ojos, / con oro trata de llenar su aljaba, / para rendir el corazón humano / única flecha", *Verdades poéticas*, Madrid, Librería de Fernando Fé – Librería de D. A. de Sanmartín, 1881, pàg. 7. Zabalbeascoa ha remarcat ja en la seva tesi, si bé genèricament, la possible incidència de Bartrina en aquest autor (pàg. 408).

Pero, aunque esta verdad nos cause grima,
el maldito interés es una plaga
que nunca el hombre se echará de encima.[87]

Vist tot això, el poeta es pregunta si el progrés és lineal o, per contra, cíclic (com el procés d'evaporació i condensació de l'aigua): un retorn, "després de haver passat segles gloriosos, / al primé' estat salvatje d' aont sortirem". En el primer cas –que és la possibilitat en què voldria creure Bartrina–, l'home, que ha progressat ja molt tècnicament (per exemple "per a unir als llunyans pobles / ha fet esclau al llamp"),[88] ho hauria de fer també moralment, estrenyent "la distancia, avuy inmensa, / que hi ha entre 'l cap y 'l cor" i extraient "del egoisme" l'"amor" ("com del carbó l' diamant", un símil i unes dicotomies recurrents en Bartrina).

Si es realitzés aquesta aspiració, "llavors serian / los hómens hómens y las donas ángels", és a dir, l'espècie humana arribaria a la plena realització. Aquest versos, tot i que la imatge de la dona angelical és ben tòpica, i actua d'hipèrbole galant, recorden uns de Campoamor, aleshores tan admirat (també en català es troben diverses imitacions, sobretot de las *doloras*). Bartrina hi té punts de contacte (com el racionalisme o cert escepticisme, tot i que molt atenuat i fins negat pel poeta asturià), si bé també en discrepa en diversos aspectes (com el conservadorisme o l'antipositivisme), i el cita i recrea, amb més o menys ironia.[89] En el cèlebre poema "Las dos linternas" (aquell que té per refrany "Y es que en el mundo traidor / nada hay verdad ni mentira: / *todo es según el color / del cristal con que se mira*"), Campoamor contraposa la visió de Diògenes de Sínope, que cercava infructuosament un home autèntic, a la del poeta, el qual considera:

Que, con sufrir el nacer,
es un héroe cualquier hombre
y un ángel toda mujer.[90]

87. *Poesía española. 6. El siglo XIX*, pàg. 409, v. 168-170 i 177-179. Un arabesco d'*Algo* arremet també contra l'especulació borsària (1a, pàg. 26-27, i 2a, pàg. 143).

88. La imatge, que hem trobat ja en Jovellanos, és prou òbvia i apareix també en el poema "Electricidad" (*Obras en prosa y verso*, pàg. 325) o es reitera en "La América precolombina": "[El hombre] arranca el temido atributo de Júpiter tonante, y estiende sobre el mundo los hilos telegráficos, cuerdas sonoras de una lira inmensa que pulsa el rayo, esclavo ya del hombre, proclamando la grandiosidad de su progreso" (*ibid.*, pàg. 161). Veg. també "El rayo", de Melchor de Palau (*Verdades poéticas*, pàg. 29-35).

89. Ja amb data del 31 de desembre de 1870, va subtitular "Dolora" "Un viaje fantástico", publicat a *El Eco del Centro de Lectura*, núm. 27 (15-1-1871), pàg. 2-4, i recollit dins *Obras en prosa y verso*, pàg. 315-320, i, en el poema "Episodio de viage", remet a "El tren expreso", de Campoamor (*Algo*, 2ª, pàg. 108). Segons Francesc Gras i Elias, Bartrina va enviar aquest poemari al poeta asturià, que va considerar que es tractava d'un llibre humorístic (*Bartrina (Recorts íntims)*, Barcelona, Llibrería Millá, 1911, pàg. 27-33, en què també insinua la possible inspiració de las *Humoradas* de Campoamor en els *Arabescos* de Bartrina). Veg., a més, la tesi de Zabalbeascoa, *passim*.

90. Ramón de CAMPOAMOR, *Poesías* (a cura de Cipriano Rivas Cherif), Madrid, Espasa-Calpe, 1966, pàg. 138. Sobre l'autor, veg. particularment Vicente GAOS, *La poética de Campoamor*, Madrid, Gredos, 1969, i l'estudi de Víctor Montolí que prologa l'*Antología poètica* de la qual és curador (Madrid, Cátedra, 1996).

Bartrina, però, s'acosta més al parer del filòsof cínic grec, perquè no troba "l'home" i ja que considera "vana ilusión la grandeza, / y una necedad la gloria". Lluny del conformisme de Campoamor, es dol del fet que falta molt per a l'acompliment de l'evolució ideal de l'espècie humana. Ara per ara, l'egoisme ho crema o ho emmascara tot (una nova imatge crua que lliga amb la del carbó).

D'existir la virtut, deu haver fugit de "las grans vilas" (paradoxalment "petitas" per a ella, "acostumada / á víure' dintre 'l cor dels hómens justos!"). Aquesta deducció propicia la recreació del tòpic del *beatus ille*, com és freqüent en el gènere. Bartrina, bo i essent un autor urbà, mitifica el camp com un paradís de virtut, seguint el lloc comú i potser també perquè el toc ruralista podia agradar al floralisme. Ho fa fins emmarcant el destinatari, idíl·licament, en una família que viu, aparentment satisfeta, sense qüestionar les creences ancestrals: mentre la mare bressa el nadó amb "dolsas cansons", el pare inculca el respecte patriarcal i la fe a l'altre fill, aplegats a les nits d'hivern –per al poeta "tan tristas"– al voltant de la llar de tions encesos que donen claror i llum (efectes contraposats a la imatge de la mascara), si bé el vent, que penetra per les escletxes "rutllant" els "cabells rossos" dels fills, pot connotar certa agitació i el "perfum aspre" "dels rehinosos pins de la montanya" que porta –aspror remarcada per les al·literacions–, encara que agradable com per ser enyorat pel poeta, pot suggerir una realitat més feréstega. Així es clou el poema amb un contrast líric de força efecte i fins amb un final enganyosament feliç. Encara que el recurs és freqüent, val a recordar que se'n fa ús similar en una epístola de Josep Roca i Roca, el qual, com hem vist, era bon amic de Bartrina i mantenidor dels Jocs de 1876:

> Ditxós tú que al entorn tens la ventura
> reflectint en ta cara sa rialla!
> Tú pots seure en l'ascó de los tèus avis;
> tu respiras l'oreig que respiravas
> quan lo bressol ton cos ne sostenia,
> quan ignocncia havias dins de l'ánima.
> Ditxós tú que los ulls al Cel no giras
> y l'ull encés de Déu al Cel no guaytas,
> y son raig ardorós fa que n'acluques
> la vista de ton cos enlluernada[91]

Cal evitar, però, interpretar malament l'actitud religiosa de Joaquim M. Bartrina, ja que no falten intents de diluir-ne l'escepticisme en aquesta qüestió i fins de negar-lo. Encara que prové d'una família força devota –fins podria ser que la pròpia infantesa inspirés aquest quadre familiar–,[92] no en conec cap manifestació que

91. "A mon amich Pere A. Ventalló, parlantl'hi de ma terra y amors" (datat a el 28 de setembre de 1868), *Lo Gay Saber*, any I, núm. 22 (15-1-1869), pàg. 172. Per cert, aquell any Joaquim M. Bartrina figura en la llista de col·laboradors d'aquesta revista a partir del núm. 21. (1-1-1869) fins al 27 (1-4-1869)

92. Ho va apuntar ja I. FRÍAS, "Oración fúnebre", pàg. 27-28. Francesc Bartrina, en el discurs a l'*Academia Bibliográfico-Mariana* "al recibir el título de socio de mérito literario por haber sido premia-

provi que fos creient i ben segur que una abjuració seva hauria estat utilitzada propagandísticament. No es pot considerar com a tal l'ús poètic d'imatges religioses –a vegades irreverentment– ni proven la conversió l'interès pels místics o pel Kempis, autors que depassen el caràcter religiós (per exemple, les reflexions morals d'aquest darrer llibre figuren encara com a epígraf en Campoamor).[93] En canvi, abunden els comentaris sobre la incredulitat de Bartrina, bé la valorin positivament o bé se'n dolguin, i declaracions seves clarament descregudes, fins fent apologia de l'ateisme. Així, ja a *¡Guerra á Dios!*, contrastant força amb "Epístola", havia adoptat una actitud ben crítica envers els creients:

> Hombres sencillos que creeis en Dios por comodidad; que acostumbrados á vivir entre las tinieblas de la ignorancia temeis que la deslumbrante luz de la verdad os ciegue; que careciendo hasta del valor de pensar os convertís en torpes autómatas que para sus criminales fines mueve la asquerosa mano del poder negro; estas páginas no están escritas para vosotros; no las leais porque á través de la túpida venda de la fé que cubre vuestros ojos no veríais nada en ellas.
> [...] Este humilde folleto solo va destinado á aquellos que careciendo de conocimientos no carecen de voluntad, á aquellos que convencidos de que la ley de la humanidad es el progreso, no quieren tener que retroceder para creer en Dios.
> [...] Cuando el hombre ha llegado á la altura de la ciencia, Dios ha caído en el abismo de la nada.[94]

Bartrina mateix desenvolupa el lligam entre l'actitud escèptica i l'atea en la contrarèplica d'una resposta al poema "La Duda":

> Que hay una vida es probado
> mas no lo es el que haya dos;
> y es ridículo ambicioso,
> y sobrado caviloso,

do en el certámen de 1865", no tan sols va proclamar la seva fe, sinó que arremeté contra la tendència a l'escepticisme de la filosofia contemporània (*Academia bibliográfico-mariana. Discursos académicos*, Barcelona, Imprenta de Magriñá y Subirana, 1867, p. 107-110). De tota manera, en la biografia de Casimir Prieto citada, s'informa que l'avi patern, "oriundo de Valencia", mantuvo, durante luengos años, larga y nutrida correspondencia" amb Voltaire, la qual "era, sin equívoco ni paradoja, *religiosamente* conservada por la familia" (p. XVI), per bé que no he pogut trobar rastre d'aquestes cartes en l'ampli epistolari de l'escriptor francès.

93. Donen notícia d'aquestes lectures, respectivament, *Obras en prosa y verso*, pàg. 281-282, i la "Necrología" de F. Rahola citada, pàg. 6. En el poema "Reflejo" (pàg. 63), Bartrina contraposa, però, "el Cristo de Teresa de Jesús", "todo fuego", a "la frialdad" seva. Emili Vilanova, en "L'idili de la mort. Á la memoria de Joaquim Maria Bartrina" (recollit dins *Pobrets y alegrets. Colecció de cuadros, tipos y articles*, Barcelona, Imprempta LA RENAIXENSA, 1887, pàg. 175-179), imagina un diàleg entre el "poeta" i la mort en què aquesta mira de convèncer-lo de l'existència de Déu.

94. P. [2]-[3]. Veg. també Joaquin M. BARTRINA, *El clero. Su origen, sus vicios y sus crímenes*, Barcelona, La Revista Blanca, 1932 (opuscle editat el 1870 per Luis Fiol y Cros, segons notícia d'Antonio PALAU Y DULCET, s.v. "Bartrina y de Aixemús (Joaquín María)", *Manual del librero hispanoamericano*, Barcelona, 1949, alguns capítols del qual es van publicar a *El Eco del Centro de Lectura*, núm. 43, 7-5-1871, pàg. 3-4, i núm. 45, 21-5-1871, pàg. 1-3, i dins *Obras en prosa y verso*, pàg. 13-19), i P. ANGUERA, "Anticlericalisme i irreligió a Reus".

y de muy crédulo peca
aquel que, hipócrita, trueca
lo cierto por lo dudoso.[95]

L'any següent de la redacció d'"Epístola", signa amb el provocador pseudònim d'"A.T.O." diverses col·laboracions a *La Campana de Gracia* i proclama a l'Ateneo Libre:

> Convencidos profundamente de que este es el único mundo en que hemos de vivir y de que en él fenece y totalmente se acaba nuestra vida, á arreglarnos esta definitiva vivienda y á regenerarnos á nosotros mismos han de tender todos nuestros esfuerzos. Este es el doble objetivo real de toda ciencia positiva.[96]

Si cal un text més pròxim a "Epístola", encara puc adduir un poema oblidat de Bartrina a la mort de Clavé, editat tan sols cinc mesos després:

Nó, no existes; en vano en tus despojos,
que hoy remueve entusiasta un puro celo,
tu espíritu inmortal buscan mis ojos,
búscanlo en vano en el desierto cielo.
Dentro del corazon vives de cuantos
conservan indeleble tu memoria,
y mientras dure el eco de tus cantos
vivirás en el templo de la gloria.[97]

95. B., "Diálogo análogo", *El Eco del Centro de Lectura*, núm. 51 (2-7-1871), pàg. 3. E. Cort y Mestres, "¡Bartrina!", *ibid*, núm. 33 (29-8-1880), pàg. 8, informa que es tracta d'una contrarèplica a "un periódich teocrátich barceloní". "La duda" havia estat publicat en aquesta mateixa revista, núm. 49 (18-6-1871), pàg. 3, i a *El Tiburon* (1873-1874) i es recollirà dins *Algo*, 2a, pàg. 89-90. Veg. també el poema "Lógica extraña", editat, pòstumament, a *El Eco del Centro de Lectura*, núm. 17 (24-4-1881), pàg. 3, en què s'anuncia ja la imminent aparició dins *Obras en prosa y verso*, pàg. 305: s'hi afirma que, si calgués creure en Déu perquè no s'ha provat que no existeixi, també s'hauria d'admetre que tot creix quaranta metres per segon.

96. "Memoria", pàg. 8. El pseudònim ja ha estat detectat per Zabalbeascoa. A més de les col·laboracions a *La Campana de Gracia* que esmenta, si més no, porten aquesta signatura també el poema "Dihuen qu' anirém tan bè" (7-4-1878), pàg. 2-3, i l'article "L'inventor del fonógrafo" (15-9-1878), pàg. 1, en què es refereix, complaent-se en bromes anticlericals, l'exhibició de l'aparell a l'*Ateneo Libre*, en la qual Bartrina va participar (*Memoria y discurso leidos en la sesion inaugural del Ateneo Libre de Cataluña celebrada el 22 de noviembre de 1879*, Barcelona, Tipografía La Academia de E. Ullastres, 1880, pàg. 11). Posteriorment, se'n farà també una presentació al *Centro de Lectura*, en què s'homenatjarà Bartrina (*El Eco del Centro de Lectura*, núm. 1, 1-1-1881, pàg. 7-8). Val a ressaltar l'anècdota, significativa, que aquest acte es desenvolupà en català, però al moment d'enrigistrar unes paraules en aquest –aleshores– prodigiós aparell es va optar pel castellà. Va signar també amb el pseudònim "A.T.O." una nota humorística de l'*Almanach de la Campana de Gracia*, any III (1879), s.p.

97. "Á Clavè", *Eco de Euterpe*, any XVIII, núm. 433 (8-10-1876), pàg. 222. En el context del poema, resulta evident que "el templo de la gloria" no correspon al cel, sinó a la fama.

Era Bartrina pròpiament escèptic, agnòstic, ateu pràctic o teòric? No crec que pagui la pena entrar a especular sobre aquestes subtils i discutibles distincions teològiques. En tot cas, tots els indicis fan pensar que Bartrina no era creient. Una altra qüestió és que senti l'"aspiracion" –decebuda– d'"infinito" (com manifesta en la *íntima* que clou la segona edició *Algo*).[98]

Com interpretar, doncs, les referències religioses del poema si res dóna peu a pensar que Bartrina fos creient? Segons s'apuntava ja en "¡Ecce homo!" recorrent a la mitologia del Gènesi, "una ansia de saber loca" que va portar al poeta a provar l'arbre del bé i del mal (també dit de la ciència) va ser la causant de la seva expulsió de l'Edèn.[99] Això mateix recalca la cèlebre moralitat de la "Fabulita" sobre un noi que s'adona que el diamant no és sinó carboni:

Si quieres ser feliz, como me dices,
no analices, muchacho, ¡no analices!..[100]

En canvi, com s'exclamava en l'"Epístola" castellana: "¡Es tan cómodo el creer!". Entre altres, ya Salvador Bermúdez de Castro, en un poema titulat "La duda" (de 1836), havia contraposat la satisfacció de les creences religioses al dubte:

No amargaban mis plácidos sueños
de la triste razón los pesares,
que en el aire, en la tierra, en los mares,
contemplaba la imagen de Dios.
Su semblante de amor en el templo
a mi infancia feliz sonreía;
de su trono de luz bendecía
mi existencia dichosa y en paz.
Y ahora sólo mi frente rodean
negras sombras de horrible tristeza,
que mi vida de calma y pureza
disipóse cual niebla fugaz.[101]

De tota manera, encara que el capellà del "Viaje fantástico" afirma que "Feliz" "tan solo lo es quien cree en Dios", ell no ho és. Com conclou aquest poema, la felicitat no es troba mai "en lo que tenemos", sinó que és "lo que tiene el otro", per la qual cosa resulta inabastable.[102]

98. Publicada també a *El Eco del Centro de Lectura*, núm. 2 (20-1-1877), pàg. 4.

99. *Algo*, 2a, pàg. 37, i 1a, pàg. 21.

100. *Ibid.*, 2a, pàg. 18 i 1a, pàg. 8. Havia estat publicat amb variants, *El Eco del Centro de Lectura*, núm. 75 (24-12-1871), pàg. 4. Veg. també "Porqué no puedo ser feliz", *ibid.*, núm. 54 (23-7-1871), pàg. 3, recollit dins *Algo* (1a, pàg. 37, i 2a, pàg. 119-120), i l'*arabesco* XXVI (*ibid.*, pàg. 198-199).

101. *Poesia española. 6. El siglo XIX*, pàg. 621.

102. "Casos comunes", *El Eco del Centro de Lectura* núm. 66 (22-11-1871), pàg. 4, i recollit dins *Obras en prosa i verso,* pàg. 302. Aquesta definició es repetirà en un dels pensaments de "De mon infern".

En síntesi, Bartrina en "Epístola", tot i recrear diversos tòpics i recollir vàries influències, aconsegueix de plasmar, innovadorament –Sardà, ressenyant la primera edició d'*Algo*, en remarca com a "qualitat dominant" "la novedat en la espressió d' ideas vellas"–,[103] la seva visió del món, reflex en part de l'època: un escepticisme (epistemològic, metafísic, social...), que no exclou el progressisme ans el fonamenta, producte en bona part de la crisi del romanticisme i de l'auge del positivisme. A vegades s'ha compadit Bartrina o s'ha ironitzat sobre la seva pretesa candidesa (m'abstinc d'il·lustrar-ho), freqüentment des de concepcions més dignes de compassió o més innocents. En part, com conclou Juan López Núñez, "Esta desesperación tan sincera y honda hizo que todos procurasen ahogar su voz, ya que no conviene a nadie que en la farsa humana haya quien descubra los burdos hilos de la tramoya y abra nuestros ojos a la triste y angustiosa luz de la realidad"[104], encara que, com sol passar, molta gent satiritzada per Bartrina no s'ha donat o es donarà per al·ludida. La seva obra, com prova aquest poema, és molt lúcida, d'una gran sensibilitat moral i continua fent una "franca impressió d'actualitat" –per dir-ho amb les mateixes paraules amb què la reivindicava ja el 1908 Manuel de Montoliu–,[105] molt més no tan sols que la de la majoria d'escriptors vuitcentistes, sinó també que la de bona part dels d'avui en dia.[106]

103. "Bibliografía", *La Renaxensa*, any IV, t. I, núm. 2 (31-10-1874), pàg. 84. En la recensió de l'anuari dels Jocs Florals per a aquesta mateixa publicació, descriurà l'obra que ens ocupa com a "dislocada, brincant sense direcció fixa de concepte en concepte fins á parar en la banalitat del lloch comú horaciá per entre una série de figuras retóricas en que sobrixen la ingeniosa originalitat y la precisió gráfica" (*ibid.*, any VI, t. II, núm. 9-10, 10-11-1876, pàg. 382). Veg. també les consideracions d'aquest crític sobre "Plagis y coincidencias", a propòsit de Campoamor (*ibid.*, any V, t. II, núm. 28, 1-12-1875, pàg. 473-477). L'opinió de Sardà se situa entre aquells que consideren Bartrina un autor originalíssim i els que li neguen la creativitat, posicions extremes freqüents en la crítica de la seva obra, si bé aquesta última és minoritària.

104. "El extraño poeta de la desesperación", *Románticos y bohemios*, Madrid, Compañía Ibero-Americana de Publicaciones, 1929, pàg. 18.

105. "Lletres catalanes. Record", *El Poble Català* (17-2-1908), pàg. [3].

106. Voldria fer constar que l'article sobre Joaquim M. Bartrina del *Nou diccionari 62 de la literatura catalana* (Barcelona, Edicions 62, 2000), així com la resta que se m'hi han atribuït, responen tan sols a l'encàrrec d'una revisió, mentre que no m'han estat assignats altres que també vaig reelaborar ni hi figuro com a redactor.

APEL·LES MESTRES, ACADÈMIC DE BELLES ARTS[1]

Pilar Vélez

Reial Acadèmia Catalana de Belles Arts de Sant Jordi

Apel·les Mestres (1854-1936) és el primer dibuixant modern de Catalunya. Què significa això? Vol dir que per primera vegada un artista del paper i la ploma té consciència del valor de la seva obra com a producció plàstica autònoma, més enllà del fet d'haver-la de traduir mitjançant un sistema de gravat o altre per tal que arribi al seu públic.

Fins aleshores els dibuixants, especialment quan feien d'il·lustradors de llibres o revistes, arran sobretot de la mecanització de les arts gràfiques que tingué lloc des del primer terç del segle XIX, o bé eren traduïts per xilògrafs –gravadors de la fusta– o bé per calcògrafs –gravadors del metall-. Només la litografia, divulgada a Catalunya des del 1820, permetia que dibuixant i litògraf fossin una mateixa mà amb la desaparició conseqüent del gravador intermediari.

Mestres fou un gran conreador del dibuix a la ploma que il·lustrava, decorava o simplement dibuixava com si fes anar el pinzell sobre la tela i sense amoïnar-se en cap cas per haver d'adaptar el seu traç al del gravador traductor conseqüent. Ni la fusta, ni el metall, ni tan sols la pedra litogràfica de traç directe per als qui –no era tampoc el seu cas– dominaven el llapis gras, no el coaccionaren pas com a sistemes bàsics de traducció.

1. Atès que aquest article forma part d'una miscel·lània dedicada al professor Joaquim Molas, em plau dedicar-la a l'il·lustrador Apel·les Mestres, coneixedora de l'estima que ell sent pel món del dibuix i la il·lustració catalana dels segles XIX i XX. Aquest interès comú ens ha aplegat en diverses ocasions i fins i tot va accedir a fer un *Apunt per a un pròleg* en un llibre que vaig compartir amb Josep M. Cadena i Montserrat Castillo, dedicat al també il·lustrador D'Ivori. Com que el Dr. Molas ha estat fidel, tal com ell mateix ha reconegut més d'un cop, a tota una sèrie de dibuixants que ja coneixia d'adolescent, i entre ells Apel·les Mestres, aquest article vol ser una petita aportació a la trajectòria d'aquest artista, des de l'òptica acadèmica, fins ara mai no analitzada. Joaquim Molas coneix a fons els vessants literari –que li pertoca més de prop com a filòleg i historiador de la literatura–, però també l'artístic de Mestres, el qual, a més –i penso que l'encerto–, admira i reconeix.

Si considerem que fins aleshores Eusebi Planas[2] havia estat el primer il·lustrador català modern, l'il·lustrador vuitcentista romàntic per excel·lència, professional sempre al servei del món editorial, gràcies sobretot a la fidelitat, rapidesa i economia que li atorgava la tècnica litogràfica, les novetats fotomecàniques del darrer quart del segle XIX permeten atorgar a Mestres la denominació de primer dibuixant modern, en el sentit nonellià, si se'm permet el símil, de *"jo dibuixo i prou"*.

A tall d'exemple, val la pena també de recordar el fet que Apel·les Mestres des d'un bon començament havia valorat el treball de dibuixant del seu col·lega Josep Lluís Pellicer (1842-1901) molt per sobre que el de pintor[3]. Pellicer volia ser pintor i s'hi esforçava –fins i tot havia anat a Roma com molts col·legues seus-, mentre dibuixava només per fer-se un sou com a il·lustrador o corresponsal de premsa. Mai, però, no va ser considerat com a pintor, i restà molt decebut fins que Apel·les Mestres, bon company i amic tot i ser dotze anys més jove que ell, en veure les seves il·lustracions d'una versió del *Poema del Cid* de José Zorrilla, va elogiarles de tal manera tot dient-li que aquell era realment el seu camí, que va fer entendre Pellicer, de moment a desgrat seu, que dibuixant es podia ser tan artista com pintant. Pellicer des d'aquell moment renuncià a ser pintor i va auto assumir-se com el gran il·lustrador que tant d'èxit i fama havia de tenir. L'anècdota és plenament il·lustradora de la seva concepció de l'art del dibuix.

Apel·les Mestres, que sempre militià en pro del dibuix, havia iniciat aquest camí feia ja uns quants anys i sort n'havia tingut, com apuntava més amunt, d'haver començat la seva carrera coincidint amb les beceroles de la reproducció fotomecànica que havia de comportar una gran revolució en el món de les arts gràfiques. Per primera vegada, la reproducció d'imatges no depenia d'un gravador sobre fusta o sobre acer, és a dir, d'unes altres mans, sinó d'una matriu fotomecànica, mitjançant l'adopció de la nova imatge fotogràfica en la indústria gràfica.

Mestres fou bon amic de Joarizti, un dels introductors del fotogravat a Catalunya[4]. El 1875 l'enginyer Miquel Joarizti conjuntament amb el fotògraf Heribert Mariezcurrena, el dibuixant Josep Serra Pausas i l'aleshores estudiant d'arquitectura Josep Thomas van ser els fundadors de la Sociedad Heliográfica Española, la qual va introduir definitivament el fotogravat a Barcelona després d'una sèrie de provatures i experiments previs[5]. Quatre anys després la raó social original desaparegué i en realitat n'esdevingueren dues: Joarizti i Mariezcurrena seguiren plegats i Josep Thomas el 1880 fundà un nou taller que havia de convertir-se en una

2. Tal com vaig demostrar a Pilar VÉLEZ, *Eusebi Planas (1833-1897), il·lustrador de la Barcelona vuitcentista*, Curial – Publicacions de l'Abadia de Montserrat, Barcelona, 1999.

3. Ho recull amb detall Salvador BORI, *Tres maestros del lápiz de la Barcelona ochocentista. Padró, Planas, Pellicer*, "Monografías históricas de Barcelona", Llibreria Millà, Barcelona, 1945, pàg. 57-91.

4. Com a tal, entre alguns altres, l'esmenta Joaquim RENART a *Biografía del dibujante barcelonés Apeles Mestres y Oñós*, Publicaciones de la Real Academia de Bellas Artes de San Jorge, Barcelona, 1955, pàg. 26.

de les empreses de fotomecànica més importants del país. Molts dibuixos d'Apel·les Mestres van ser reproduïts per la casa Thomas, en diverses publicacions.

El dibuix d'Apel·les Mestres sempre fou viu, fresc, del tot personal, inconfusible. El seu domini tècnic de la ploma i la seva gran i singular capacitat creadora expliquen la seva oposició a les traduccions gràfiques, sempre encarcarades, i la seva exaltació del fotogravat[6], que, sens dubte, contribuí a que la seva obra fos reconeguda de seguida. A més, en conrear no sols el dibuix, sinó també la poesia i atesa la seva relació alhora amb el món de la cançó popular, tot plegat contribuí a que Mestres esdevingués un símbol molt representatiu de l'artista del tombant de segle, de l'home polifacètic i global del premodernisme i el modernisme, i alhora un personatge molt popular.

En definitiva, Mestres amb tota probabilitat va ser l'artista del seu temps que va ser més homenatjat en vida per tots els seus vessants, de vegades coincidents. Això significa que se li reconegueren les seves diverses facetes artístiques com també la seva especial qualitat humana. Un bon amic seu, el joier, pintor i dramaturg Lluís Masriera, ho resumia així: "*Pocos artistas he conocido que fueran objeto de tantos homenajes como lo fué Apeles Mestres. Especialmente durante su larga vejez, no hubo en Cataluña sociedad cultural, entidad dramática, casino o casinito que se preciara de intelectualidad, o grupo de rapsodas que no organizara una fiesta en honor del gran artista poeta, dibujante y músico, venerable por su edad, por su amor a la tierra y por su indiscutible talento*[7]." També el seu amic i després marmessor Joaquim Renart, en dóna testimoni sovint, fins i tot quan explica en el seu diari "a la tarda he anat a Terrassa a l'homenatge que es dedicava a l'Apel·les

5. Tot aquest procés i la bibliografia corresponent ja vaig recollir-los a Pilar Vélez, *El llibre com a obra d'art a la Catalunya vuitcentista (1850-1910)*, Biblioteca de Catalunya, Barcelona, 1989, pàg. 66-70.

6. En aquest sentit són del tot significatives unes paraules del propi Mestres que resumeixen aquesta convicció: "*...la mort del gravat en fusta no es cap vergonya per Barcelona. El gravat en fusta ha mort perque havia de morir...Axís com la diligència va matar la galera y el tren va matar la diligència; axís com tota nova invenció que representa –si no sempre perfecció– almenys economia de temps y de diner –factors importantíssims en la nostra època – (...), axís mateix els moderns procediments de fotogravat –ràpids i econòmichs– han mort fatalment aquell procediment llarch y costós (...) Lo que deguí lluitar per fer acceptar als editors el fotogravat ningú pot imaginar-sho. Enamorats de la dolçor del llapis den Planas, el dibuix a la ploma els esborronava; no vegeu més que reixes, com deyen. En cambi jo, que havia posat sempre molt malament el llapis –sobre tot, damunt de la pedra-, havia sentit desde criatura una gran predilecció pert la ploma, que puc dir sense exagerar, que pochs llapiç he gastat en una vida. Tant era axís, que en Tomàs Padró m'ho havia reprotxat no poques vegades ab aquestes paraules: "Sí, és molt artístich, però no es un procediment"; no pot reproduirse. Per axò quan en Mariezcurrena, en Joarizti y en Thomas, fundadors de la Societat Heliogràfica, van fer els primers fotogravats, me vaig veure'l cel obert*". Vegeu Apel·les Mestres, "Gravadors al boix", *La Veu de Catalunya*, pàgina artística, Barcelona, 18 de maig del 1911.

7. Luis Masriera, *Una biografía de Apeles Mestres*, Real Academia Catalana de Bellas Artes de San Jorge, Barcelona, 1946, pàg. 5.

Mestres, un d'aquells innombrables homenatges als quals el nostre artista està acostumat i que, a vegades, no deixen de ser un xic massa...casolans...[8]

No obstant això, el dibuixant català més representatiu de tota una època[9] no era aleshores acadèmic de belles arts. Sí, en canvi, havia ingressat a l'Acadèmia de Bones Lletres el 20 d'abril del 1918, amb un discurs intitulat *El Color en el Quijote.*

L'any 1923 Apel·les Mestres estava al frec de la setantena. Era, doncs, una persona que vivia ja la seva vellesa, que com recordava Masriera estigué plena d'homenatges. L'Acadèmia de Belles Arts, l'entitat artística més antiga de Catalunya, l'origen de la qual es remuntava al 1775, no comptava entre els seus membres numeraris amb cap artista dedicat específicament al dibuix. De fet, l'Acadèmia comptava fonamentalment amb pintors, escultors i arquitectes, tot i que també en formaven part intel·lectuals com Josep Torras i Bages (1846-1916) –des del 1894– o Antoni Rubió i Lluch (1856-1937) –també des del 1894–. El pare d'Apel·les Mestres, l'arquitecte Josep Oriol Mestres (1815-1895), arquitecte de la catedral i del primer Gran Teatre del Liceu com també de la restauració de la façana després de l'incendi del 1861, també n'havia estat membre des del 1880. En canvi, entre els artistes plàstics només Josep Lluís Pellicer (1842-1901), el gran il·lustrador bon amic de Mestres, ja esmentat, va ocupar una plaça d'acadèmic numerari des del 1894. Però Pellicer morí l'any 1901 i per tant, no va poder participar en la decisió de l'any 1923.

El 2 de maig del 1923 Apel·les Mestres és presentat com a candidat per a una plaça de pintura per Lluís Masriera, August Font, Bonaventura Bassegoda, Fèlix Mestres, Artur Masriera, Carles Pirozzini, Joan Llimona i Manuel Rodríguez Codolà que, a més, n'era el secretari. Alhora també es presentava la candidatura de Vicenç Artigas per a una plaça d'Arquitectura[10].

El 15 de juny d'aquell mateix any, és a dir un mes i mig després, és elegit acadèmic, però una malaltia fa que no pugui anar a l'Acadèmia i sigui una comissió qui vagi aquell dia a casa seva a fer-li lliurament de la medalla i a felicitar-lo[11]. No és fins al 23 de novembre quan Mestres pot assistir per primera vegada a una sessió acadèmica. Com recull l'aleshores president, Pere Grau Maristany i Oliver, comte de Lavern, l'artista rebé una salutació cordial en un acte on es recordà la seva trajectò-

8. Joaquim RENART, *Diari 1918-1961. Volum segon (1921-1923)*, Curial Edicions Catalanes, Barcelona, 1996, pàg. 351.

9. Sobre la seva obra i la seva persona és encara obligada la consulta del recull *Apel·les Mestres (1854-1936). En el cinquantenari de la seva mort*, Fundació Jaume I, Barcelona, Nadal del 1985, amb articles de Josep M. Ainaud de Lasarte, Francesc Fontbona, Xosé Aviñoa i Joaquim Molas.

10. Segons l'acta de la Junta General del 2 de maig del 1923, conservada en el llibre d'actes corresponent a l'Arxiu de la Reial Acadèmia Catalana de Belles Arts de Sant Jordi (RACBASJ). Barcelona.

11. Cal recordar, a més, que Mestres, des del 1914 en què va perdre la visió pràcticament total de l'ull esquerre –el dret l'havia perdut sobtadament el 1900–, patia una ceguesa que el féu abandonar el dibuix i dedicar-se profusament al teatre i les cançons.

ria com a dibuixant i poeta, mentre alhora Joan Llimona, responent al prec del president, li imposà el distintiu de la corporació.

Tot seguit, en prendre la paraula, Mestres recordà que feia cinquanta anys que no havia pujat l'escala noble de la Casa Llotja i que això l'havia transportat de sobte a l'adolescència, i a reviure el temps que havia estat alumne de la casa com a deixeble de Lluís Rigalt, Claudi Lorenzale, Pau Milà i Fontanals i Jeroni Faraudo. L'acta recollida pel secretari fa dir a Mestres sobre aquest fet: "*La transición ha sido tan violenta al encontrarme en la Academia* [...], *que tiene algo de sueño.*[12]

De fet, Mestres havia estat alumne de l'Escola de Llotja quan aquesta ja restava sota la tutela de l'Acadèmia. L'hi trobem matriculat dins de l'Ensenyament professional de Dibuix, Pintura, Escultura i Gravat des del curs 1869-1870 fins al curs 1873-1874, on havia fet les assignatures de Dibuix de l'antic, Anatomia pictòrica, Perspectiva, Color i Composició, Dibuix del natural i Teoria i Història de les Belles Arts[13].

Però retornem a l'artista ja acadèmic. Un cop membre numerari, Mestres, amb el seu característic esperit col·laborador, participa en la vida acadèmica no sols amb la seva assistència regular a les sessions generals, sinó també incorporant-se a les files dels seus teòrics i historiadors dels quals l'entitat en publicava els treballs. Cal recordar que l'Acadèmia l'any 1923 havia decidit d'editar periòdicament monografies o estudis sobre artistes catalans a càrrec dels seus membres, per tal que l'entitat contribuís de manera més activa al món artístic del seu temps, també des de l'òptica bibliogràfica.

La primera monografia fou obra del reconegut medievalista Mossèn Josep Gudiol, membre corresponent per Vic, que la dedicà a *El pintor Lluís Borrassà* (1925). Editada aquesta, l'any 1926 diversos acadèmics consideraren interessant que es publiqués un treball que havia escrit Apel·les Mestres. Es tractava de les notes que l'artista havia redactat sobre la història d'una de les pintures més cèlebres de Fortuny, *La Vicaria* (1870), de manera que editant-les "*la corporación daría a conocer datos muy curiosos relacionados con la mentada obra de su antiguo pensionado*[14] ". Assabentat Mestres d'aquest encàrrec, en la sessió acadèmica del 19 de novembre del mateix any fou presentat el seu treball i tot el material gràfic que havia d'acompanyar-lo, amb la felicitació consegüent dels seus col·legues. Una altra

12. Vegeu l'acta de la Junta General del 23 de novembre del 1923. Arxiu RACBASJ. Barcelona.

13. Segons el *Llibre de matrícules dels cursos 1869-70 al 1879-80*, concretament el curs 1869-70, amb número de matrícula 57, féu *Dibuix de l'antic*, *Anatomia pictòrica*; (núm. 38), *Perspectiva* (núm. 36); el curs 1870-1871, *Dibuix de l'antic* (núm.12), *Color i Composició* (núm.16), *Anatomia pictòrica* (núm. 9) i *Perspectiva* (núm. 13); el curs 1871-1872, *Dibuix del natural* (núm. 2), *Color i Composició* (núm. 4) i *Teoria i Història de les Belles Arts*; el curs 1872-1873, *Dibuix del natural* (núm. 23) i *Color i Composició* (núm. 22); el curs 1873-1874, *Dibuix del natural* (núm. 4), *Color i Composició* (núm. 4), *Anatomia pictòrica* (núm. 5) i *Teoria i Història de les Belles Arts* (núm. 2). Arxiu RACBASJ. Barcelona.

14. Acta de la Junta General del 15 de juny del 1926. Arxiu RACBASJ. Barcelona.

col·laboració paral·lela, si bé d'ordre molt distint, fou l'encàrrec que va rebre conjuntament amb Bonaventura Bassegoda, Carles Pirozzini i Fèlix Mestres de dissenyar un nou diploma per reflectir els nomenaments dels acadèmics electes, labor que aquesta comissió atribuí a Josep Triadó i que presentà en aquella mateixa sessió.

Finalment, el 30 de desembre del 1927 fou presentat a l'Acadèmia per Bonaventura Bassegoda un exemplar de la monografia intitulada *La Vicaría de Fortuny. Notas históricas* (1927), d'Apel·les Mestres, a qui felicità en nom de la Corporació. Mestres reconegué la col·laboració molt positiva de Manuel Rodríguez Codolà, secretari de l'entitat, que havia dirigit l'edició[15]. També Mariano Fortuny Madrazo, fill de Marià Fortuny, agraí la tramesa de la publicació que li féu l'Acadèmia.[16]

Però la vida acadèmica de l'artista no acaba aquí. Mestres assisteix periòdicament a les sessions i intervé en les discussions de la ja Reial Acadèmia Catalana de Belles Arts de Sant Jordi[17]. Entre els actes en què va tenir un cert protagonisme, cal recordar la sessió necrològica que l'entitat dedicà a Artur Masriera (1860-1929) el 28 de novembre del 1931. Lluís Masriera, fill de Josep Masriera Manovens, cosí d'Artur, llegí una semblança de l'homenatjat, però Apel·les Mestres fou l'encarregat de fer les gestions oportunes amb la soprano Mercè Plantada perquè aquesta pogués llegir en el mateix acte el poema amb què Masriera havia estat proclamat Mestre en gai saber el 1905. Mestres era bon amic de Mercè Plantada, que tantes vegades havia interpretat les cançons del Mestres poeta, i amb ella entrà de bracet al saló de l'Acadèmia el dia de l'homenatge a Artur Masriera.

El juny del 1932 per exemple, manifestava el seu desacord amb l'arquitecte Antoni Puig Gairalt, pel que feia a la seva proposta que l'Acadèmia pogués editar monografies d'artistes en actiu, i no necessàriament traspassats. Mestres no ho veia factible perquè segons ell, mentre un artista viu va fent la seva obra i per tant l'estudi només n'aplegaria una part, corrent el risc, afegia, de no recollir el més rellevant[18]. Una opinió, sens dubte, d'home en plenitud, malgrat els seus gairebé vuitanta anys.

L'any 1935 en una junta general Feliu Elias "*manifesta haver vist les il·lustracions que per a les "Faules d'Esop" i "Rondalles populars catalanes" té dibuixades l'il·lustre artista i membre de l'Acadèmia senyor Apeles Mestres, ponderant la seva importància i sentint que hagin de restar inèdites, per lo que es de*

15. Acta de la Junta General del 30 de desembre del 1927. Arxiu RACBASJ. Barcelona.

16. Acta de la Junta General del 13 de març del 1928. Arxiu RACBASJ. Barcelona.

17. Des del 28 d'agost del 1928 l'Acadèmia Provincial de Belles Arts va passar a ser Reial Acadèmia de Belles Arts de Sant Jordi. Un nou decret del 22 d'octubre del 1930 la convertí aleshores en Reial Acadèmia Catalana de Belles Arts de Sant Jordi, tal com segueix denominant-se avui.

18. Acta de la Junta General del 30 de juny del 1932. Arxiu RACBASJ. Barcelona.

parer que l'Acadèmia es constitueixi en editora de abdues obres i per subscripció directa prèvia fer edicions de bibliòfil.

Per la Presidència i tots els assistents a la sessió es acollit amb entusiasme semblant iniciativa...[19] En aquest cas, desconeixem què va passar amb aquesta proposta car a les actes de les següents juntes –les set que van tenir lloc abans de començar la guerra– no n'hi ha cap menció més. A més, un any després moria Mestres alhora que esclatava la guerra, la qual cosa fa suposar que el projecte no va dur-se a terme. Però, quines eren aquestes il·lustracions que Elias elogiava tant i que eren inèdites l'any 1935 quan Mestres feia més de vint anys que ja no dibuixava a causa de la seva ceguesa?

Entre l'obra que avui figura a les col·leccions barcelonines, tant a l'Arxiu Històric de la Ciutat com a la Biblioteca de Catalunya, o al Gabinet de Dibuixos i Gravats del Museu Nacional d'Art de Catalunya, sembla que aquests dibuixos no hi consten. Podria ser que formessin part de l'herència familiar, avui difícilment localitzable i recognoscible. El cert és que no ha estat possible identificar-los, i a l'Acadèmia no només no hi són, sinó que no n'hi ha, com deia, cap altra referència.

En canvi, aquell mateix any 1935 Mestres va rebre una sèrie d'homenatges dins de l'any de celebració del seu vuitantè aniversari, promoguda per una sèrie d'entitats i amics i sota l'aixopluc del govern de la Generalitat. Entre altres coses, el 10 de novembre va rebre la Medalla de la Ciutat al Saló de Cent de l'Ajuntament i el bust que l'escultor Víctor Moré li féu –per subscripció popular– fou lliurat aquell mateix dia a la Junta de Museus.[20]

Però els actes no van acabar aquí, car Mestres encara va rebre un nou homenatge. En aquest cas la proposta havia nascut a petició d'una sèrie d'entitats artístiques catalanes. La primera signatura de la proposta era la de Frederic Marès, ja aleshores escultor reconegut, que la firmava com a president del Saló de Barcelona. Es volia col·locar una placa commemorativa del naixement del dibuixant i poeta a la placeta del carrer del Bisbe, que havia de portar el nom de placeta Llimona, on havia existit la casa on va néixer l'artista. La placa es col·locà finalment al carrer de la Pietat cantonada carrer del Bisbe i l'Ajuntament s'adherí a l'homenatge contribuint-hi amb 4.500 pessetes, fet que fou comunicat a Marès el 5 d'abril del 1935.

El relleu, en bronze,[21] fou obra de Frederic Marès (1893-1991), que aleshores era professor de Llotja i que després havia de ser no sols acadèmic, sinó president de l'entitat durant vora trenta anys. La inauguració va ser el dia 1 de desembre del

19. Acta de la Junta General de l'11 d'abril del 1935. Arxiu RACBASJ. Barcelona.

20. Avui es conserva al Museu d'Art Modern del Museu Nacional d'Art de Catalunya (24183).

21. Al *Catàleg d'escultura i medalles de Frederic Marès*, Fons del Museu·Frederic Marès / 4, Barcelona 2002, hi consta el guix corresponent a aquest bronze, signat "F. MARÈS", a l'angle inferior dret. (MFM 3094). A la Plaça del Pilar de Saragossa n'hi ha una altra versió, en bronze (1960).

1935[22] i en l'acte de lliurament de la placa commemorativa a la Ciutat de Barcelona pronuncià un discurs grandiloqüent Joan Antoni Güell López, Comte de Güell i Marquès de Comillas, llavors president de l'Acadèmia, que acabà amb aquests mots: "... *Il·lustre i vell artista: Tú que per la vista fruïes tant de les beutats de la nostra terra, tant, que, a més d'admirar-les, les perpetuaves amb els teus llapis i els teus pinzells, Déu t'ha tancat els ulls abans d'endurse'n la teva ànima. Potser ho ha fet per espiritualitzar el capvespre de la teva vida, més Catalunya condolida per ta dissort i agraïda a lo que tú l'has admirada i estimada, t'ha dit "Mentre visquis, jo prendré cura del teu cor". I d'ençà que has perdut la vista, ella el cura omplinte'l d'afecte, de reconeixement i d'afalacs amb aquesta sèrie d'homenatges que t'està constantment dedicant i que culminen avui gravant el teu nom al cor de Catalunya.*

Això significa aquest acte. Jo tinc l'honor de dir al poble de Barcelona en nom dels artistes catalans, que aquest acte significa això: significa que el teu nom, Apel·les Mestres, queda des d'avui gravat al cor de Catalunya agraïda".[23] Aquest acte era la cloenda de tot un any de festes mestrianes.

Aquesta fou, doncs, la vinculació d'Apel·les Mestres amb l'Acadèmia. De fet, l'any 1935, Mestres només va assistir-hi dos cops, l'11 d'abril, quan Elias féu la proposta comentada, probablement influït per tots els actes dedicats a l'artista, i l'11 de novembre. En realitat, no tan sols eren els seus últims contactes amb l'entitat, sinó amb el seu estimat entorn, car havia de morir a la matinada del 19 de juliol del 1936, en una nit *de llamps i trons*, tal com ell havia predit, profèticament, alguna vegada. Per aquest motiu, l'artista català que ben segur hagués rebut el més multitudinari homenatge darrer que es podia haver retut a cap altre artista del seu temps, atesa l'estimació i consideració envers la seva persona i la seva obra, va haver de ser enterrat sense seguici, sense flors, amb risc de perdre les seves despulles al cementiri, que només van ser acompanyades pel seu amic Joaquim Renart.

Deu anys després, el 1946, en la sessió del 30 de març l'Acadèmia va voler recordar l'artista. El responsable de confegir el discurs necrològic fou Lluís Masriera, que havia estat, com hem vist, bon amic seu, i aleshores n'era el president[24]. Masriera, partint de l'amistat que havia existit entre quatre generacions Masriera i Mestres, féu un discurs amical on recollí els seus records dels nombrosos vessants de l'artista.[25] Aquest homenatge pòstum obeïa també al fet que els marmessors de Mestres, en compliment del que ell havia disposat, el mes de novembre del 1944 havien lliurat a l'Acadèmia alguns dibuixos i pintures del dibuixant mateix o d'altres artistes, com també una col·lecció notable de llibres d'arquitectura –probable-

22. Dades extretes de l'Arxiu de Correspondència de Frederic Marès (capses verdes). Museu Frederic Marès. Barcelona.

23. Vegeu Arxiu de Correspondència Frederic Marès (capses verdes). Museu Frederic Marès. Barcelona.

24. Les actes, però, d'aquestes dates no recullen la proposta del fet ni la seva realització.

25. Vegeu L. MASRIERA, *Una biografía de Apeles Mestres, op. cit.*

ment del seu pare– per a la biblioteca de l'entitat. Entre les primeres obres, "*un cuadro con apuntes del mismo*[26] *y otro con un dibujo de Simón Gómez; de una pintura, al óleo, de Claudio Lorenzale*[27]*, de otra, en igual procedimiento, de autor desconocido*[28]*, y de otra, al pastel, representativa de un desnudo de muchacho, original de E. Llorens...*[29].

Avui al museu de l'Acadèmia es conserven aquestes obres i alguna altra més, tres dibuixos de Marià Fortuny, dos d'Antoni Fabrés, un de Claudi Lorenzale, tres de Simó Gómez, un de Vicenç Oms i un d'A. Chalot?, que havien format part de la col·lecció personal de l'artista i que potser van arribar també amb les anteriorment esmentades[30]. A més, hi ha set dibuixos més de Mestres, la majoria esbossos de figurins, un camp que l'artista conreà sovint[31].

L'any 1954, Joaquim Renart feia el seu ingrés a l'Acadèmia. En el seu discurs del 22 de maig del 1954 dedicava un record homenatge a tres artistes que foren els seus mestres, un d'ells, Apel·les Mestres, de qui a més, Renart fou el marmessor testamentari[32]. Tanmateix, l'acció impulsada novament des de l'Acadèmia per retre un homenatge més complet i rigorós a Mestres tingué lloc amb motiu de la celebració del centenari del seu naixement l'any 1955. S'encarregà a Renart un text sobre l'artista i la seva obra, que aquest intitulà *Biografía del dibujante barcelonés Apeles Mestres y Oñós*[33], i que acompanyà amb molta documentació gràfica que reproduïa un tast dels dibuixos més representatius del dibuixant.

Amb aquest mateix motiu, Renart, el 24 d'octubre del 1954, quan faltaven cinc dies per a la celebració del centenari, escrivia a Frederic Marès, aleshores ja acadèmic i director de l'Escola de Llotja, conscient de l'admiració que l'escultor havia sentit sempre per Mestres, i li demanava si estava a les seves mans poder fer netejar la placa commemorativa del carrer de la Pietat, obra seva, en recordança de tal acte. Li proposava la possibilitat que una representació d'alumnes de Llotja hi fessin una ofrena floral aquell mateix dia[34]. Sembla que tot això es portà a cap.

26. Inventari general núm. 2.992 D. De fet, es tracta de 21 dibuixos a la ploma fonamentalment, bona representació del seu fer: animalons, caplletres, flors, insectes...

27. Inventari general núm. 97 P.

28. Podria tractar-se potser de la que F. Fontbona i V. Durá atribuïren al mateix Mestres en el *Catàleg del Museu de la Reial Acadèmia Catalana de Belles Arts de Sant Jordi. (I– Pintura)*, Barcelona, 1999, pàg. 242-243, Inventari general 849 P, un cap masculí de perfil.

29. Vegeu l'acta de la Junta General del 22 de novembre del 1944. Arxiu RACBASJ. Barcelona.

30. Es conserven dins de la col·lecció de dibuixos formant part del denominat Llegat A. Mestres.

31. Inventari general núm. 2.960-2.966 D.

32. Joaquim Renart García, *Confesiones y evocaciones. Discurso del académico electo D. Joaquín Renart García*, Real Academia de Bellas Artes de San Jorge, Barcelona, 1954, pàg. 11.

33. Publicaciones de la Real Academia de Bellas Artes de San Jorge, Barcelona, 1955.

34. Arxiu Correspondència Frederic Marès/Joaquim Renart (capses verdes). Museu Frederic Marès. Barcelona.

En resum, Apel·les Mestres ingressà a l'Acadèmia ja molt gran, quan feia molts anys que no podia fer córrer la ploma sobre el paper i estava acostumat a rebre mostres d'afecte i reconeixement d'arreu de Catalunya. La veritat és que des del 1923 pocs artistes han ingressat a l'Acadèmia per la seva condició de dibuixants, tal com Mestres reivindicava el valor d'aquest art equiparant-lo a les altres arts plàstiques. Hem de fer esment de Xavier Nogués, fonamentalment dibuixant, per bé que també pintor, de Feliu Elias, conreador igualment d'ambdues arts –tots dos acadèmics des del 1931– i Josep Obiols, dibuixant, pintor i muralista –des del 1962-, però de fet fins que recentment ha ingressat Francesc Vila Rufas, *Cesc*, reconegut sobretot pels seus dibuixos,[35] cap altre artista d'aquesta branca ha estat nomenat acadèmic.

Així doncs, malgrat que el nostre país pot vantar-se de tenir una nòmina notable de dibuixants i il·lustradors, sobretot des del darrer terç del segle XIX i especialment al llarg de tot el segle XX, que sovint solen remuntar-se a Apel·les Mestres per cercar el seu origen gràfic, per contra, encara no reconeix plenament la vàlua d'aquest art.

Personatges tan singulars i artistes reconeguts com Apel·les Mestres o *Cesc* han acompanyat diverses generacions i els han delectat amb la seva obra, producte del traç àgil de llurs plomes. Mestres fa més de cent anys ja estava convençut que el dibuix era un art major, un art autònom, i no només un art al servei d'altres com la pintura, l'escultura o l'arquitectura. Tan artístic és el dibuix com la pintura. Apel·les Mestres ja ho sabia, alguns de nosaltres també. Ens cal, però, seguir sent tan reivindicadors com ell, i l'Acadèmia pot contribuir-hi.

35. Llegí el seu discurs d'entrada el 20 d'octubre del 1999. La il·lustradora Mercè Llimona (1914-1997) havia estat també acadèmica honorífica des del 15 de juny del 1994.

SOBRE UNA ANTOLOGIA DE LA LITERATURA AVANTGUARDISTA, PUBLICADA A FIGUERES EN 1920

Pep Vila

Girona

Som molts els lectors i els estudiosos de la literatura catalana que de la mà de Joaquim Molas, ja sigui a través del seu magisteri universitari o bé en els seus articles, llibres i conferències vam descobrir durant els anys setanta i vuitanta bona part d'aquells moviments literaris i artístics que convergeixen sota el nom de l'avantguardisme, una història de fets literaris i artístics que era més discutida que coneguda. És per això que en aquesta avinentesa, vull donar a conèixer en aquesta nota de lectura una petita antologia, de la literatura avantguardista catalana i francesa, que ha passat del tot desapercebuda, i que espero que sigui del seu interès. Els textos van aparèixer amb voluntat divulgativa, com a representació de l'entrada en escena d'un nou "isme", abans que per un repte o un exabrupte pel seu anticonvencionalisme del moment, a les pàgines del suplement literari de l'*Alt Empordà*, publicació que sortia a la ciutat de Figueres, propícia per ser la pàtria de Salvador Dalí. Per aquesta data, articular des de Figueres, una antologia sobre els noms més prestigiosos de la literatura avantguardista del moment, no deixava de tenir un cert mèrit i de ser un gest perquè els poemes i els textos programàtics que publiquen són inspirats per aquesta nova poètica en la qual s'aixopluguen molts noms contradictoris. 1920 és un any important per a la difusió de les avantguardes literàries a Catalunya. Josep Maria Junoy (Barcelona, 1887-1955), un dels precursors, publicava *Poemes & cal·ligrames. Contra els poetes en minúscula. Primer manifest català futurista* és una altra obra important de Joan Salvat-Papasseit. Pel que fa a l'interès pel món cultural francès, el crític i activista cultural Joan Pérez-Jorba publicava un llibre sobre un dels poetes més importants del moment, *Pierre Albert Birot* (Barcelona, "Bibliothèque de l'Instant").

El crític i poeta Marià Manent, quan va comentar el llibre

"Poemes en ondes hertzianes", de Joan Salvat-Papasseit a *La Veu de Catalunya* (27 de febrer de 1920), inclòs dins el llibre *Crítica, personatges, confidències* (Columna, Barcelona, 1999, pàg. 41-44), saludava aquest volum fent-se ressò de les innovacions formals que proposava aquest nou moviment, com si volgués advertir de les polèmiques que sorgien en aquell moment: "Cal esguardar els llibres d'avantguarda sense la por que inspira a alguns aquesta basílica nova, alçada amb una divina febre de puresa i amb velles pedres que una llei inexorable ha ordenat a la fi per damunt de certes iniciacions vacil·lants i confusionàries... "Els documents d'aquesta nova etapa de la lluita per la Forma no han, doncs, d'esverar ningú..".

L'avantguarda més clàssica que apareix entre 1914 i 1936 va ser doncs una aventura individual, intermitent en les motivacions extremes, poc coherent i estructurada pel que feia a la difusió cultural d'alguns productes que només arribaven a un públic restringit i minoritari. En aquest sentit, s'han de fer, encara, recerques a la premsa més allunyada de Barcelona, perquè sovint, sota la influència de Marinetti i altres futuristes italians, Pierre Reverdy i d'Apollinaire, entre d'altres, trobem articles, notes, referències per garbellar en els llocs més inversemblants. En aquest sentit puc dir que el *Butlletí del Col·legi de Metges de Girona* (núm. 219 de març de 1914, any XIX, núm. 3) va publicar una de les primeres recensions que coneixem d'un llibre alemany, del pare de la psicoanàlisi, que tanta influència va tenir per alimentar les teories surrealistes: *Lo que opina el Sr. Freud de la sexualidad.* Una publicació[1] de La Bisbal, aquesta vegada de caire comercial, imprimia en 1928 el novedós manifest groc de Salvador Dalí, amb la reproducció de dues pintures seves, una de les quals no es troba catalogada. A la revista *Ciutat, 'ideari d'art i cultura'*, de Manresa (núm. 10 de febrer de 1927), Sebastià Gasch hi publicava un novedós article sobre Salvador Dalí que ha estat poc divulgat.

Josep Ganiguer i Ros, un periodista de Palafrugell, que pels anys vint enviava cròniques internacionals des d'Itàlia i del centre d'Europa, i que després sortien publicades al periòdic *Baix Empordà* de Palafrugell, n'envià una sobre "Romania mare (la gran Romania)", en la qual s'aprofita d'un text que qualifica d'"ultradelirant" del jove periodista italià del moment Mariano Mariani[2], que ell mateix tradueix, per bastir la seva visió sobre la ciutat de Bucarest. En aquell moment l'estil electritzant de Mariani el podia subscriure qualsevol escriptor nostrat, enamorat de les avantguardes, a qui li agradés la voluntat de ruptura en l'estil i en les imatges. En reprodueixo un fragment:

> Era al ball, emperò, i calia ballar.
> Ballar el cake-walk.
> Palau de dansa! Làmpares elèctriques
> i *champagne, champagne, champagne.*
> Dansarins russos. Clows anglesos.

1. Llegiu Pep VILA, *"Emporion"*, "una revista de La Bisbal, divulgadora de l'avantguarda daliniana", *Publicacions de l'Institut d'Estudis del Baix Empordà*, núm.17, 1998, pàg. 221-234.

2. Llegim en una enciclopèdia italiana que Mario Marini (Roma 1883 – San Paolo, Brasil, 1951) era un escriptor republicà i antifeixista, autor de cròniques de viatge, de novel·les antiburgeses, corresponsal de guerra, memorialista.

Dones franceses. Tenors italians
Burgogna per les ostres. Sauterne
per la llagosta.
Pòquer, brigde, ruleta, écarté.
Ruleta, ruleta, ruleta.
Two-step. Foox-Trot. Cake-walk
Zíngars de Bohèmia amb violins
sanglotants.
Masurca de salon de Tschaikowsky:
Zíngara, zíngara
balla comme.
Si tu mi baci
io son piu d'un re.[3]

Alt Empordà, subtitulat *Periòdic nacionalista*, era un setmanari proper als ideals de la Lliga Regionalista, que va sortir a Figueres des del 15 de febrer de 1917 fins al 22 de setembre de 1923, data en la qual fou clausurat pel Govern del general Primo de Rivera. Tenia quatre pàgines a quatre columnes. El seu director era Jaume Maurici i Soler (20-6-1898 – 19-11-1981), home compromès amb el país, activista cultural, poeta adscrit al moviment noucentista simbolista, que va saber infondre a la publicació un marcat accent cultural. Fou autor de *Les cançons de l'instant* (1921); *Estrelles caigudes* (1954), *Poemes amb ocells* (1965) i *Un mateix fang* (1972), traductor del llibre de Leon-Paul-Fargue *Per la música* (1921), que havia d'anar il·lustrat per Salvador Dalí.[4] Jaume Maurici, profund coneixedor de la literatura francesa, ja que després de patir presó pel tancament del setmanari *Alt Empordà*, es va exiliar a París, té escampades per algunes publicacions empordaneses molts articles literaris i d'opinió, que pel seu interès potser caldria aplegar en un volum.

Alt Empordà, publicava dos suplements: una *Fulla artística* (primer número vist de 3 de març de 1918), i una *Fulla literària* (el primer és de 12-10-1918), de caràcter mensual, d'indubtable interès, i que mai ningú no ha inventariat, en els quals hi col·laboraven bona part dels artistes i escriptors del moment, molts dels quals eren amics i coneguts de Jaume Maurici.[5] No vull dir amb això que tot el material que hi

3. El text sencer d'aquesta crònica ha estat publicat per Xavier Xargay i Oliva a *Escriptors de Palafrugell o ruta planera per les seves vides, obres i miracles, de 1880 a 1926*, Quaderns de Palafrugell, Ajuntament de Palafrugell-Diputació de Girona, 1999, pàg. 167-168. L'article de Josep Ganiguer i Ros va sortir publicat a Secció "Cròniques de tot el món", *Baix Empordà*, Palafrugell, núm. 551, 16-05-9120) En aquesta mateixa antologia de textos Xargay transcriu, també d'aquesta època, un text inèdit sobre Charlot d'un altre malaguanyat periodista palafrugellenc, amic de Josep Pla, de nom Joan Granés i Noguer, pàg. 168-170. Recordem aquell vers del poema de Joan Salvat-Papasseit: *Marxa Nupcial de Salvat*: "Més m'estimo l'Edisson i en Charlot...".

4. Josep Playà i Maset, "Les relacions del jove Dalí amb els intel·lectuals del seu temps", *Revista de Girona*, núm. 153, juliol-agost de 1992, pàg.63.

5. Pep Vila, "La correspondència del poeta empordanès Jaume Maurici. Una tria.", *Annals de l'Institut d'Estudis Empordanesos*, núm. 28, Figueres, 1995, pàg. 323-334.

sortia publicat fos de primerà mà i inèdit. Moltes d'aquestes publicacions comarcals reprodueixen textos i articles d'opinió apareguts, abans, en algun diari o revista barcelonina com els que provenen de la famosa publicació quinzenal *La Revista*[6], *Trossos*, *Quaderns d'Estudi*, etc. També són freqüents les reproduccions de poemes, discursos, pàgines de prosa amb les novetats que sortien al mercat. Per a molts lectors de Girona, Reus, Olot, Figueres, Manresa, etc., els grans escriptors de Barcelona representaven també una innovació. Pel que fa a la *Fulla literària*, en el núm.1 (12-10-1918) publiquen el poema "El dia revolt" de Josep Carner, juntament amb altres col·laboracions de López Picó i de Josep Maria de Sagarra. En el núm.3 (14-12-1918) figura la traducció del poema "Saltar a la corda", de Paul Dermée, a cura de J. Folguera. El número de maig de 1919 és consagrat a la poesia catalana. Es tracta d'un extraordinari dedicat a la poesia, amb motiu de la celebració de les Fires i Festes de la Santa Creu. En altres fulls hi hem comptabilitzat traduccions de "Les Cançons de Bilitis", dels *Sonets* de J. Keats, segons versió de Marià Manent; articles de Víctor Català, Josep Pla, Clementina Arderiu, Ventura Gassol, etc. Com que als responsables del setmanari els preocupava la problemàtica de la novel·la catalana, publiquen un extret del pròleg amb el qual Josep Carner encapçalava *L'abrandament*, la novel·la curta de Carles Soldevila, apareguda en 1917. L'*Alt Empordà*, en el número 145, de 17-1-1920, consagrava el full, la pàgina literària, a l'avantguadisme.

Ja en un número anterior, de 23 de novembre de 1918, *Alt Empordà* publicava un poema de Josep A. Vandellós: "Cant del vespre en la ciutat i en m"i, que mostra un cert trencament formal. Hi figura també una nota enquadrada sota la rúbrica "Noticiari", que diu així: "Una aportació literària moderníssima s'acompleix avui en aquesta pàgina amb la poesia "Cant..." Més endavant procurarem parlar als nostres lectors d'aquest nou gènere poètic que en la nostra terra s'ha nodrit fins avui gairebé únicament de traduccions, i sobretot, de Pierre Reverdy, el misteriós realista, i de Paul Dermée, el gran líric frenètic. De Guillaume Apollinaire, mort[7] recentment a París a causa de la grip, també se n'ha sentit molt la influència".

Aquest "més endavant" de la nota precedent es traduïa en l'edició en el núm. 145 (17-1-1920) d'aquesta antologia de literatura avantguardista que selecciona textos de poetes catalans, juntament amb traduccions de textos teòrics d'autors francesos i de l'italià Marinetti. La nòmina és aquesta: Joan Salvat-Papasseit, Guillaume Apollinaire, Pierre Reverdy en traducció de Joaquim Folguera; Pierre-Albert Birot, Paul Dermée, Rafel Tobella, Josep Antoni Vandellós i Solà

6. Així per exemple *La Revista* va publicar molts textos sobre l'avantguardisme: G. Apollinaire (núm.77); P. Dermée (núm. 59), P. Reverdy (núm.65). F. T. Marinetti (núm.73). En el núm.4 (1918) de la revista *Trossos*, dirigida per J.V. Foix. Traduccions de Reverdy, Soupault. En 1919 s'obre la segona època de *L'Instant. Revista quinzenal*, dirigida per Joaquim Horta. Entre els col◊laboradors estrangers trobem Reverdy, Albert Birot, Soupault.

7. J. M. Junoy, "Guillaume Apollinaire", *La Publicidad*, 17 de novembre de 1918.

8. Josep Playà Maset, "Reivindicació d'un empordanès oblidat Josep Antoni Vandellós", *Hora Nova* de Figueres (1990), núm. 683, pàg. 16.

(1899-1950)[8], Philippe Soupault i el futurista Marinetti[9] que ja havia publicat el primer manifest futurista en un llunyà 1909.

Pel que fa als textos teòrics tots són de procedència forana, tret indicatiu de la manca de consistència doctrinal dels autors del país. El més important, el de Guillaume Apollinaire, defensa el valor de l'acte poètic com el d'una aventura que hom pot cercar a través de la visió d'un objecte quotidià. Es tracta del fragment de l'article *L'Esperit nouveau et les Poètes*, que es pot llegir sencer a l'edició de les seves *Oeuvres en prose complètes.*[10] Desconec qui fou el traductor d'aquest fragment. Trobem també transcrits dos textos breus que funcionen com a reflexions incisives i suggerents. La primera, de Pierre Reverdy, exalta el misteri de la creació poètica; la segona recull el programa del futurisme, potser el moviment amb més embranzida teòrica i el més assimilat a Catalunya que fomentava i exalçava el valor, l'audàcia, la velocitat, la rebel·lia, etc.

De Joaquim Folguera[11], uns dels divulgadors més importants de l'avantguarda a Catalunya, són les traduccions dels poemes de Pierre Reverdy i Paul Dermée. Philippe Soupault és traduït per J. V.Foix. En el número d'1 de gener/ 15 de febrer de 1919 de la revista *Sic*, dirigida per Albert Birot, hi trobem textos poètics de J.M. Junoy i J. V. Foix, en un número dedicat a Guillaume Apollinaire (núm. 37-39). Possiblement fou a través del divulgador i articulista Joan Pérez-Jorba que Jaume Maurici va conèixer els dos grans representants de l'avantguarda literària del moment: Guillaume Apollinaire i Pierre Albert Birot, del qual l'Oferent tradueix: "Dels poemes de jardins". De Marinetti publiquen un poema: "La mort de la lluna". Miquel Batllori narra en els seus *Records de quasi un segle* (Quaderns Crema, 2000), la impressió que li va fer, durant el darrer curs universitari (1927-28), la conferència que Marinetti va dictar a l'Ateneu de Barcelona.

L'obra dels dos poetes catalans persegueix l'ús de noves formes, força mal digerides, amb la introducció d'unes imatges i d'un discurs literari molt influenciat pel món del cinema. Més que poesia avantguardista, representen la crisi de les formes poètiques tradicionals. Malauradament no disposo de gaire informació sobre la personalitat i l'obra de Rafel Tobella, impressor de la Societat Catalana d'Edicions, col·laborador del número 2 de *L'Instant*, amb un poema de factura avantguardista. Josep A. Vandellós (Figueres, 1899– Ithaca, 1950) era economista, demògraf, escriptor, col·laborava al *Diari Mercantil* i a *Mirador*.

9. F. T. Marinetti, *Teoria e invenzione futurista*. A cura de Luciano de Maria, Arnoldo Mondadori, editore, Milà, 1968.

10. vol. II, textes établis, presentés et annotés par Pierre Caizergues et Michel Décaudin, Paris, Gallimard, 1991, pàg. 950 i ss.

11. Folguera publicava en 1917 "Poesia futurista", selecció de poemes d'avantguarda: Apollinaire, Albert Birot. *La Revista*, núm. 36.

Aquesta antologia, encara que modesta, mostra l'interès dels responsables de la publicació per posar-se al dia, per divulgar aquest moviment polèmic que evidenciava la crisi dels esquemes tradicionals. Aquest avantguardisme local, molt sincopat, apareix en un moment d'eclosió noucentista, de conservadorisme social. Encara que bona part del mapa avantguardista estigui per dibuixar, de la ciutat de Girona no hem pogut escriure ni un capítol en aquesta línia. Sembla com si aquest moviment no hi hagués trobat acollida en aquell ambient de conformisme dretà, a mesura que s'acostava la dictadura de Primo de Rivera. Aquest full dedicat a les avantguardes feia, però, de contrapès en aquell panorama cultural de la ciutat de Figueres, massa dominat pels escriptors afectes a l'estètica dominant del moment, que es complementava amb la ploma poc afilada dels escriptors locals, desproveïts d'interès. L'oasi local només mostrava signes d'inquietud quan el Salvador Dalí jove escenificava els seus exabruptes per tal de subvertir aquell ordre; també hi col·laboraven, de prop o de lluny, en aquest revulsiu Àngel Planells (Cadaqués, 1901), Àngel Santos (Portbou 1912), Joan Massanet (l'Armentera, 1899), etc.

Textos

ELS TRES REIS DE L'ORIENT[12]

Mai no he sabut sencera la més bella cançó:
                    una pluja d'estrelles
Només l'estrella nua que
                                        en sortir
                                                    cau al mar
un vaixell se l'emporta
                        amarrada a la proa
              i serveix de fanal

a uns corsaris d'avui   si l'ocasió fa el lladre
i un anglès qui era al Caire
just arribat a temps
              per a que li merquessin
i l'estrella es fongués
                        enyorada
                        en el piltre de la seva butxaca

Me'n entorno al divagar:

12. Poema del llibre *L'Irradiador del port i les gavines*

Tres soldadets dels reis amb baioneta calada
i cadascú en el ros un gallaret taronja
qui diria que els tres els tinc d'ahir vesprada
tancats en el rebost per fer-los vida flonja

J. Salvat-Papasseit.

La poesia actual[13]

Poesia i creació no són més que una sola cosa. No es deu nomenar poeta més que a aquell que inventa, aquell que crea en la mesura que l'home pot crear. El poeta és el que descobreix joies noves, encara que siguin penoses a suportar. Es pot ésser poeta en tots els dominis: cal només ésser aventurer i que es vagi a la descoberta.

Essent l'imaginació el camp més ric, el menys conegut, aquell del qual l'extensió és infinita, no és sorprenent que s'hagi reservat més familiarment el nom de poeta als que cerquen les joies noves, als que limiten els enormes espais imaginatius.

El fet mínim per un poeta és el punt de partida d'una immensitat inconeguda on flamegen els focs de joia de les significacions múltiples. No és pas necessari, per a anar a la descoberta, d'escollir, a gran reforç, de regles dictades fins pel bon gust, un fet classificat com a sublim. Pot partir-se d'un fet quotidià; un mocador que cau pot ésser pel poeta la palanca amb la qual ell aixecarà tot un univers. Tots sabem ço que la caiguda d'una poma obirada per Newton, fou per aquell savi que pot apel·lar-se un poeta. És per això que el poeta d'avui no menysprea cap moviment de la Natura, i son esperit persegueix la descoberta, així mateix en les síntesis més vastes, i, a voltes, més inesperades (multituds, nebuloses, oceans, nacions, etc.), que en els fets en aparïència més simples: una mà que furga la butxaca, una cerilla, que s'encén al fregadís, uns crits d'animals, l'olor dels jardins després de la pluja, una flama que neix en una llar, etc. Els poetes no són solament els homes del bell, són encara i, per sobre de tot, els homes del ver, en tant que aquest permet penetrar en l'inconegut. Tant és així que la sorpresa, l'inesperat, és un dels principals ressorts de la poesia d'avui. ¿ I qui gosaria dir que, per aquells que són dignes de la joia, que ço que és nou no sigui bonic? Els altres s'encarregaran prompte d'envilir aquesta novetat sublim; després del qual ella podrà entrar en el domeny de la raó, però únicament dins els límits on el poeta, sol prodigador del bell i del ver, n'haurà fet la proposició.

13. Publicat a *Mercure de France*, desembre de 1918. Llegiu-ne una traducció al català dins *Manifestos d'avantguarda. Antologia*. A cura de Joaquim Molas, Barcelona, Edicions 62, 1995, pàg. 83-93.

El poeta, per la natura mateixa de les seves exploracions, està aïllat en el món nou on ell entra el primer. I la sola consolació que li resta és que, no vivint els homes, a la fi, que de veritats a pesar de les mentides que encolxen la vida, ell es troba que nodreix la vida on l'humanitat troba aquesta veritat. Es per això que els poetes moderns són, abans que tot, els poetes de la veritat sempre nova.

Llur missió és infinida. Ells us han sorprès i us sorprendran més encara. Imagineu ja designis més profunds que aquells que maquiavèlicament han fet néixer el signe útil i espaventable del diner, que aquells que han imaginat la Faula d'Ícar tan meravellosament realitzada avui. Us arrastraran tot vivents i desperts al món nocturn i clos dels somnis, als universos que bateguen inefablement per damunt de les nostres testes, a aquells universos més pròxims i més llunyans de nosaltres que graviten al mateix punt de l'infinit que el que en nosaltres portem. Cap altra meravella que aquelles que són nades des de la naixença dels més ancians d'entre vosaltres farà palidir i semblar puerils les invencions contemporànies de les quals som tan orgullosos. Els poetes, en fi, estaran encarregats de donar, per les teologies líriques i les alquímies arxilíriques, un sentit sempre pur a l'idea divina que és en vosaltres tan vivent i tan vera, que és aquest perpetual renovellament de vosaltres mateixos, aquella creació eternal, aquella poesia sense treva renaixent de la qual viviu.

Guillaume Apollinaire.

Cel estrellat

Un arbre punxant cap al cel
Processó ombrívola
S'il·lumina el món amb espelmes
Però és massa lluny
Un soroll de passos ressona en la nit
El mur es destaca
L'ombra fa una gran taca
I la terra baixa
Cap al riu on se sent
Llàgrimes a través de les roques
Un raig blanc s'agafa endalt
La nit es balanceja un instant
Alguna cosa cau a l'aigua
Una pluja d'estrelles

Pierre Reverdy.
Joaquim Folguera, trad.

Dels poemes de jardins

I
Els jardins són poemes
en els quals hom s'hi passeja amb les mans dins les butxaques

II
És un home greixós i de mans negres
Que m'ha dit
Jo passo per aquí tots els dies
Per a esguardar aqueixes roses

III
Algú ha vingut a asseure's al meu banc
I el jardí ha desaparegut
No ha romàs més que el guardià

Pierre Albert Birot[14]
Trad. L'Oferent.

Poema

Es un avió en el cel
                una abella
O record tu cantes en mon pensament
Rosa blanca
        ton riure
                l'ombrel·la verda
Un papelló saqueja l'herba
La carpa salta al rierol d'acer

Ma cigarreta dins els arbres
                aires de flauta
Sol
        ma testa bruny
Aquest baix etern a l'horitzó
        és el salt d'aigua
                o el canó

Paul Dermée.[15]
J[oaquim] F[olguera], trad.

14. L'1 de gener/ 15 de febrer de 1919: A la revista *Sic*, dirigida per Albert Birot, hi trobem textos poètics de J. M. Junoy i J. V. Foix, en un número dedicat a Guillaume Apollinaire (núm. 37-39). Possiblement fou a través del divulgador i articulista Joan Pérez-Jorba que Jaume Maurici va conèixer els dos grans representants de l'Avantguarda literària del moment: Guillaume Apollinaire i Pierre Albert-Birot.

15. L'*Alt Empordà*, núm. 3 de 14-12-1918, publicava la traducció de "Salta a la corda", de Paul Dermée, feta per Joaquim Folguera.

[Pierre Reverdy]

"El misteri que s'exhala d'una obra per la qual el llegidor és emocionat sense explicar-se com ha estat composta, és la més alta emoció que jamai s'hagi pogut conseguir en art".

Pierre Reverdy.

Dos moments

A l'amic Jaume Maurici

I

Lizzie, ara que el sol ganduleja en la plana
com aquest senyor del costat
i el mar es boteix com un *niño bien*
que va en auto amb una cupletera
i passa una fragata a tota vela
com una donzella les fandilles alçades pel vent
Besa'm!
No. Així, no.
El teu bes és massa film americà.
Així, sí. Molt Bertini.
I ara, Lizzie, el bes de la lloba
i el del combat dels coloms,
Fort! Que el bon burgès se'n va
tapant-se les orelles.
Ara que les nostres boques
són dugues roselles.

II

Esguarda, Molly, el sol dansant
la dansa dels vels d'or i porpra
abans d'anar-se'n.
Talment qualsevol Wska en el cafe-concert.
Escolta la xerinola dels rei-tits
com fulles que salten entre l'olivera.
Semblen modistetes en sortir del taller.
I aquells pícarols al lluny.
La plana és com una sala de cinema.
No em besis ara, Molly, no em besis ara.
Dona'm només la teva mà
que és el micròfon del teu petit cor
i esguarda els estels rera la celistia
com la teva cama rera la mitja calada.

Josep A. Vandellós.

Poema futurista[16]

Tremoloses gotes
gotes que regalimen
del balcó
de sobre el pis meu
i del meu balcó
Constant i persistent
murmurar de gotes regalimants
e e e
c c c
. . .
. . .

Ara un raig de sol esporuguit
i fi
Plou i fa sol
les bruixes se pentinen
t t t
e e e
c c c
. . .
. . .
. . .

Raig de sol
i gotes de pluja
dansant vestides de l'or del sol
Visions kaleidoscòpiques
t t t
e e e
c c c
. . .
. . .
. . .

La claror i el vent de garbí han
espargit l pluja
que cau del cel
Llàgrimes del sol!
t t t
e e e
c c c
. . .
. . .
. . .

16. "Poema Futurista", de Rafael TOBELLA, fou publicat per primera vegada a *El Dia* (Terrassa), núm. 459, 8 de novembre de 1919. Vegeu Josep Maria JUNOY, *Obra Poètica*. Estudi i edició per Jaume VallcorbaPlana, Barcelona, Quaderns Crema, xcij.

Serenor en tot
En l'esperit, en el cel i en el sol
Placidessa en el mirar
aquest cel
que és de tothom
La última gota s'ha desprès
del balcó de dalt
t
e
c
he sentit al cor

Rafel Tobella.

Poema cinematogràfic[17]

Indiferència

Pujo un camí vertical. Al cim s'estén un pla on bufa un vent violent. Davant meu unes roques s'inflen i esdevenen enormes. Inclin el cap i pas a través. Sóc en un jardí de flors i d'herbes monstruosament grans. M'assec sobre un banc. Compareix un home que es canvia en dona, després un vell. Tot aviat i poc a poc una colla d'homes i de dones, etc...... gesticula mentre jo rest immòbil. En aixecar-me tots desapareixen, m'instal·la la terrassa d'un cafè, però tots els objectes, les cadires, les taules, els arbrissos en els barralons, s'agrupen al voltant meu i me emugen, mentre el mosso gira entorn del grup amb una rapidesa uniformement accelerada; els arbres abaixen llurs branques, els tramvies, els autos passen a tota velocitat, jo d'un bot salt per damunt les cases. Estic sobre una teulada davant per davant d'un rellotge que creix, creix mentre les agulles giren cada cop més depressa. Em llenç de la teulada i sobre l'empedrat encenc una cigarreta.

Philippe Soupault.
trad. j.-v. f.

LA MORT DE LA LLUNA

En la pregonesa de la nit, els mariners
coberts amb llurs abrics d'amarga enyorança
dormien sota la negror
quan comparegué la Lluna, en equilibri,
sobre l'onejar dels empavesats, vibrant,
com una lira al vent ample de la mar!
Tot se transfigura en son fulgor carnal ....
Son àgil cos de llevantina
rellúu anacarat i mig nuu, sota les veles gonflades
teixides de perles i de berilles
ornant gracioses
la seva figura lassa i subtil.

17. Philippe Soupault, "Poema cinematogràfic: Indiferència" *Trossos*, núm. 4 (març 1918). En aquesta revista dirigida per J. V. Foix hi trobem traduccions, entre d'altres, de Reverdy, Soupault i Tzara. Aquest poema fou altra volta publicat a *El Dia* (Terrassa), núm. 459, 8 de novembre de 1919. Vegeu Josep Maria Junoy, *Obra poètica...*, *op. cit.*, pàg. xcij.

La Lluna, blanca, mou els flancs
damunt el va-i-ve de la mar
amb la indolència d'una dansatriu enervada
pel pessigolleig vaporós de les musiques.
La seva folla cabellera escintillant,
com un rierol damunt l'or de l'arena,
escampa lluny els seus perfums tebis
sobre les ones......
La Lluna d'un cop, com un infant
entrebanca amb les drisses
i caigué amb el cap al dessota
entre un nuar i un desnuar de cordes.
Son cos macat i en bell destrós romangué sobre la proa negra

i la sang sua degotà, roja, en la penombra
lliscant sobre el bouprés, mullant les ones.
Els mariners sòpits remaven al ritme de l'arpei
i les ones joguinejaven davant la quilla, divertint-se en mil infantileries

I ningú, ningú no consolava la Lluna
feixuga de llàgrimes, extenuada
quan el vent enfurismà els corcers
famèlics dels núvols,
amb les pupil·les de lava
i bavejant llamps a l'infinit.
El vent negre, amb un gran gest,
amarrà pels cabells el veler
i el baté com bat hom un esclau
i féu caure la Lluna a l'abís de la mar.
La Lluna, després, trescant saltà de corda en corda

i a la cofa del trinquet cantà
i àdhuc dansa entre les veles,
davantals immensos que els seus peuets nus
semblaven recosir amb una agulla veloç.
Canta i dansa, dolça minyona, en les veles
remoroses d'un aplaudiment joiós.
Els estels, van acórrer, tot d'una
tremolosos d'angúnia, en veure-la tan gràcil
i colorits d'amor em veure-la tan bella
sota els besos furtius de l'oreig lasciu.
Ella seguia dansant
escampant llunyana sa veu d'atzur
xopa del silenci
i de l'efecte humà de la nit.
En els tombs de la dansa
ses fresques sandàlies de turquesa desfloraven
de llangor i delícia les temples abronzades
dels vells marins.
en èxtasi, ensopits a la cofa
sota el somni amplificat per les veles desitjoses.

D'aleshores ençà, cada nit sangloten les veles
per haver vist, una vegada, la Lluna
diurna dansatriu llevantina,
caure de dalt de tot de la proa negra
a l'abís de la mar.

F. T. Marinetti
Trad. [en blanc].

DIUEN ELS FUTURISTES ITALIANS

" Els elements essencials de la poesia futurista, seran el valor, l'audàcia i la rebeldia. La literatura ha afirmat fins avui la immortalitat pensativa, l'èxtasi i somni; nosaltres volem exaltar el moviment agressiu, l'insomni febriscitant, pas gimnàstic, el salt perillós, el cop de puny".

BIBLIOGRAFIA DE JOAQUIM MOLAS

Maria Capdevila

Barcelona

Aquesta bibliografia recull els materials elaborats per Joaquim Molas durant quasi mig segle, publicats en forma de llibre, contribució a documents monogràfics o miscel·lanis, i parts de documents en sèrie, fins a un total de 373 referències. Seguint les seves indicacions, no hem tingut en compte els treballs de joventut, algun text esporàdic i les transcripcions de conferències no controlades directament per ell, les respostes a enquestes i les notes publicades en programes de mà, malgrat que en alguna ocasió hagin estat incorporades en els reculls miscel·lanis. I només hem seleccionat aquells articles de diari, ressenyes i veus de diccionari o d'enciclopèdia que, per alguna raó, han semblat prou significatius. Per a completar la informació, ens ha semblat útil d'incloure una mostra d'algunes de les col·leccions de llibres i de revistes que ha dirigit o d'exposicions de les quals ha estat comissari.

Hem anotat les referències bibliogràfiques seguint el sistema recomanat per la UB, tant en l'ordre de disposició dels elements, adaptat de la norma ISO 690, com en la tipografia de cada una de les parts. Tanmateix, la poca especificació en certs extrems i la llibertat que deixa la norma a l'hora de fer-ne l'aplicació concreta, ens ha obligat a complementar-la buscant un model que determinés aspectes no contemplats pel que fa al sistema de puntuació, i per a l'establiment de l'ordre de certs tipus d'elements. Així mateix, la norma ISO és aplicable a documents publicats, però no preveu la descripció dels materials no-llibres (com els enregistaments sonors). Per això, ha resultat de gran ajut la proposta rigorosa i coherent d'Assumpció Estivill i Cristòbal Urbano, "Citacions i referències de fonts bibliogràfiques i no bibliogràfiques: una proposta per a la revista *Item*" (*Item*, 15, 1994, p. 4-59). Tanmateix, ens hem vist obligats a divergir d'aquests autors en l'ordre de citació de la designació numèrica i la cronològica en les publicacions periòdiques, per no contradir les indicacions donades per la UB, que prefereix posar la data cronològica abans que la numèrica.

Després de força dubtes i vacil·lacions hem ordenat les referències bibliogràfiques seguint l'ordre cronològic, per any de publicació, posant, primer, els treballs d'història i crítica literària, i després, els pròpiament literaris; i dins de cada secció, els hem agrupat pel format o suport: llibres, opuscles, contribucions a obres miscel·lànies, congressos, discursos i conferències, pròlegs, catàlegs, articles de revista, articles periodístics, ressenyes, entrades de diccionari o d'enciclopèdia, i enregistraments sonors. Si en algun cas s'ha alterat aquest ordre, ha estat per remarcar la importància d'un text determinat. Al principi de cada any, precedint les referències bibliogràfiques, citem, quan cal, la direcció de llibres o revistes, i el comissariat d'exposicions, que anotem sense numerar.

De cada referència bibliogràfica donem l'any de la primera edició i afegim, entre claudàtors, l'any de la darrera. Si alguna edició observa una variant (de títol, llargada o col·lecció), també l'assenyalem. I fem constar, així mateix, els fragments reproduïts a d'altres publicacions i les seves traduccions. Si els volums d'una publicació abracen més d'un any, els ordenem segons el primer any consignat; però si a un número de revista hi figuren dos anys, l'entrem pel darrer, que considerem el veritable any d'edició (i si cal, indiquem entre parèntesis l'any real d'impressió). Totes les informacions afegides o obtingudes fora de la publicació. figuren entre clàudators; si el document no és paginat, posem el nombre de pàgines amb aquest signe. Amb el parèntesi fem constar, a més de la col·lecció, les addicions a elements de responsabilitat principal, com la indicació d'editor científic. Transcrivim les dades bibliogràfiques de les obres ressenyades tal com surten esmentades a les publicacions periòdiques, tant pel que fa al nombre d'elements, com a l'ordre de la citació. Si, com passa sovint, manca alguna dada, no la completem. No considerem aquesta informació com a títol d'article, i, per tant, no la consignem entre cometes, llevat dels casos en què l'autor hi hagi incorporat un títol propi. Remetem els articles recollits en volum al número del recull, després del signe = i entre parèntesis; i en aquests reculls especifiquem els números de les referències contingudes, també entre parèntesis. Finalment, davant de certes entrades, i per fer-les més explícites, utilitzem les convencions "tria i ed.", "ed." i "res." (ressenya).

Per a facilitar la consulta de la bibliografia hem inclòs, al final, un índex de matèries, que hem procurat que fos el més general possible i que, a la vegada, indiqués els camps específics de treball de l'autor. Així, hem dividit el conjunt en cinc grans apartats: "Història i crítica literària", "Literatura catalana", "Altres literatures", "Vària", i "Prosa literària". El primer consta de tres seccions, precedides d'una sense títol, amb les seves reflexions metodològiques personals. El segon, òbviament el més complex, conté sis seccions, subdividides en diverses subseccions: obres generals, segles XIII-XVIII, segles XIX-XX en conjunt, el segle XIX en particular, i el segle XX. Aquest, pel seu volum, l'hem ordenat en dues parts: des del 1898 al 1939, i del 1939 fins avui (tenint en compte que els autors que el 1939 ja havien realitzat una obra important figuren, sencers, en el primer apartat, i els que van desenrotllar la part més important després del 1939, a la segona). I fem constar, per últim, els estudis sobre altres literatures, una secció de vària, i l'apartat "Prosa literària", on hem dedicat una subsecció específica al "Dietari".

1955

1. "La poesia de Ramon Llull i l'amor cortès". A: *Studia Monographica et Recensiones*, XIV, 1955, p. 43-55.

2. "Sobre la composición X de Gilabert de Próxita". A: *Revista de Literatura*, VIII, 1955, p. 90-97.

3. "Record de nou escriptors catalans desapareguts". A: *Butlletí de la Societat Catalana d'Estudis Històrics",* III-IV, 1955 (D.l. 1963), p. 105-110.

4. Res.: Ramon LLULL. *Libre de Evast e Blanquerna*, a cura de Mn. S. Galmés, anotació per Mn. A. Caimari, aparat crític, bibliografia, apèndix i glossari per R. Guilleumas. A: *Revista de Filología Española,* XXXIX, 1955, p. 373-380.

1956

5. "Nómina incompleta de la joven poesía catalana". A: *Bages*, 1956, núm. 41, p. 10-11; 1957, núm. 51-52, p. 12-13; 1958, núm. 68, p. 8-9 [Sense signar].

6. Res.: J. V. FOIX. *Del 'Diari 1918'* . Prólogo de Josep Romeu. Barcelona, 1956. A: *Índice de Artes y Letras*, 1956, núm. 92, p. 21.

7. Res.: Marià MANENT. *Obra poètica.* Prólogo de Jaume Bofill i Ferro. Biblioteca Selecta, núm. 196. Barcelona, 1956. A: *Índice de Artes y Letras*, 1956, núm. 95-96, p. 28.

1957

8. Ed.: *Obras poéticas de Juan Boscán.* [En col. amb:] M. de Riquer i A. Comas. Vol. I. Barcelona: Universidad de Barcelona. Facultad de Filosofía y Letras, 1957.

9. "Aproximació a la poesia de Joaquim Horta". A: HORTA, Joaquim. *Home que espera.* Il·lustració: F. Todó García. Barcelona: [s.n.], 1957, p. 9-19 (=298).

10. Res.: Joan PERUCHO. *El país de les meravelles*. Barcelona, 1956. A: *Índice de Artes y Letras,* 1957, núm. 97, p. 25.

11. Res.: *Miscel·lània del club dels Novel·listes 1956*. Aymà, Barcelona, 1956. A: *Ínsula. Revista bibliográfica de artes y letras,* 1957, núm. 133, p. 7.

1958

12. "La poesía catalana en el medio siglo". A: *Cuadernos de Agora,* 1958, núm. 19-20, p. 5-55.

13. Res.: Luis S. GRANJEL. *Retrato de Baroja.* Barcelona: Barna, 1953. *Retrato de Unamuno.* Madrid: Guadarrama, 1957. *Retrato de Azorín.* Madrid: Guadarrama, 1958. *A.*: *Estudis Romànics*, VI, 1957-58 (Colofó, 1964), p. 190-193.

1959

14. Ed.: Manuel MILÁ Y FONTANALS. *De la poesía heroico-popular castellana.* [En col. amb:] Martín de Riquer. Barcelona: Consejo Superior de Investigaciones Científicas, 1959 (Obras de Manuel Milá y Fontanals ; 1).

15. "Joan Oliver, comediògraf". A: *Cap d'any Raixa 1959.* Palma de Mallorca: Moll, 1959, p. 158-167 (Biblioteca Raixa).

16. "Pròleg". A: VERGÉS, Joan. *Soledat de paisatges.* Barcelona: Joaquim Horta, 1959, p. 9-14 (Col·lecció Signe ; 6) (=298).

17. "Les idees crítiques de Carles Riba". A: *Germinabit*, 1959, núm. 65, p. 50-52.
17.1. Reprod. A: *Guia de literatura catalana contemporània.* A cura de Jordi Castellanos. Barcelona: Edicions 62, 1973, p. 209-213.
17.2. Trad. espanyola: "Ideario crítico de Carles Riba". A: *Papeles de Son Armadans*, 1961, LXVIII, p. 206-215.

18. "Rosselló-Pòrcel, avui" [Text llegit a la Facultat de Lletres de la Universitat de Barcelona, el 24-1-1958, en l'homenatge organitzat per "Lectures poètiques"]. A: *El Pont*, 1959, núm. 13, p. 93-101 (=298).

19. *Diccionario literario de obras y personajes de todos los tiempos y de todos los países* (Ed.:) González Porto, Bompiani. Barcelona: Montaner y Simón, 1959-1960, 12 vols. [Principals articles: "Jaŷras mozárabes", vol. VI, p. 301-302; "Libro de contemplación, de R. Llull", vol. VI, p. 584-586; "Poesías de Dámaso Alonso", vol. VIII, p. 269-270; "Poesías de Salvat-Papasseit", vol. VIII, p. 405-407; "Teatro de Brecht", vol. X, p. 44-51].

20. "Blanquerna". A: *Diccionario literario de obras y personajes de todos los tiempos y de todos los países* (Ed.:) Gónzalez Porto, Bompiani. Barcelona: Montaner y Simón, 1959, vol. II, p. 642-43.
20.1. Reprod. amb retocs editorials i amb el títol: "Introducción al Blanquerna." A: LLULL, Ramón. *Blanquerna*, [precedido de:] *El Doctor Iluminado*, por Joaquín Xirau. México: Porrúa, 1990, p. 31-32 (Sepan cuantos...; 595).

21. "Diàleg amb Pere Quart a la manera de Monsieur Beckett". A: *El Pont*, 1959, núm. 16, p. 15-21 (=328).
21.1. Reprod. A: *El Món*, 1986, núm. 218, p. 32-33.

1960

22. "Introducció al teatre de Joan Oliver". A: OLIVER, Joan. *Tres comèdies: Primera representació. Ball robat. Una drecera.* Barcelona: Selecta, 1960, p. 5-15.

23. "Pròleg". A: BECKETT, Samuel. *Tot esperant Godot.* Traducció de Joan Oliver. Palma de Mallorca: Moll, 1960, p. 7-19 (Biblioteca Raixa ; 43) .
    23.1. Ed. revisada: Barcelona: Aymà, 1970, p. 5-10 (Quaderns de Teatre ; 22) (=135, 298).
    23.2. Barcelona: Proa, 1989, p. 5-10 (Club de butxaca ; 72).
    23.3. Barcelona: Proa, 1999, p. 5-10 (Óssa Major. Teatre ; 5).

24. "Pròleg". A: HORTA, Joaquim. *Paraules per a no dormir.* Dibuix d'Ismael Balanyà. Barcelona: Óssa Menor, 1960, p. 9-13 (Els llibres de l'Óssa Menor ; 41) (=298).

25. "Panorama fan de hjoeddeiske Katalaenske literatuer". Trad. de G. N. Visser. A: *De Tsjerne*, 1960, núm. 11, p. 322-327.

26. Res.: Enric JARDÍ. *Antoni Puigblanch. Els precedents de la Renaixença.* Pròleg de J. Rubió i Balaguer. Barcelona: Aedos, 1960. A: *Estudis Romànics*, VII, 1959-1960 (Colofó, 1964) p. 189-193 (=135, 336).

1961

27. *Literatura catalana antiga.* Vol. I, *El segle XIII.* Barcelona: Barcino, 1961 (Col·lecció Popular Barcino ; 193).

28. "Els corrents literaris". A: [SOLDEVILA, Ferran, dir.]. *Un segle de vida catalana. 1814-1930.* Barcelona: Alcides, 1961, 2 vols., p. 245-270, 561-584, 1360-1361, 1363-1369, 1375-1377, 1380-1383.

29. "Els 'Quaderns de teatre' de l'Agrupació Dramàtica de Barcelona". A: *Serra d'Or*, III, 1961, núm. 1, p. 22-23 (=298).

30. "Joan Maragall i 'La jove generació d'escriptors castellans' ". A: *Serra d'Or*, III, 1961, núm. 11-12, p. 48-51.

31. "Sobre la idealización de lo gitano en Cervantes". A: *El Clarín* (Liverpool), 1961, núm. 31, p. 6-10.

32. Res.: Margherita MORREALE. *Castiglione y Boscán: el ideal cortesano en el Renacimiento español (Estudio léxico-semántico).* Madrid, 1959, 2 vols. A: *Bulletin of Hispanic Studies*, XXXVIII, 1961, p. 246-247.

33. Res.: C. Blanco Aguinaga, *Emilio Prados. (Vida y obra. Bibliografía. Antología)*. N. York: Hispanic Institute, 1960. A: *Bulletin of Hispanic Studies*, XXXVIII, 1961, p. 304-305.

34. Res.: "L'hora negra i les altres (S. Juan Arbó: *L'hora negra*. Concepció G. Maluquer: *Dues cases*. J. Roig i Raventós: *El quillat foraster*. Soleriestruc: *De la ingènua veritat)*". A: *Serra d'Or*, III, 1961, núm. 11-12, p. 77-78.

1962

35. "L'obra lírica de Lluís Icart". A: *Estudis Romànics*, X, 1962 (Colofó, 1967), p. 227-254. A la sobrecoberta: *Estudis de literatura catalana oferts a Jordi Rubió i Balaguer en el seu setanta-cinquè aniversari*, vol. I, 1962-1967.

36. "Sobre la poesía española de la segunda mitad del siglo XIX". A: *Bulletin of Hispanic Studies*, XXXIX, 1962, p. 96-101.

37. "Tres commemoracions". A: Oliver, J. (dir.). *El llibre de tothom*. Barcelona: Alcides, 1962, p. 226-232.

38. "Pròleg". A: Amorós, Xavier. *Guardeu-me la paraula*. Barcelona: Joaquim Horta, 1962, p. 7-11 (Col·lecció Signe ; 8).

39. "La poesia d'Aribau". A: *Serra d'Or*, IV, 1962, núm. 8-9, p. 52-56.

40. Res.: "Dos novel·listes del nostre temps (Ricard Salvat: *Animals destructors de lleis*. Joan Vila-Casas: *Matèria definitiva*)". A: *Serra d'Or*, IV, 1962, núm. 6, p. 37.

41. Res.: " 'Aurora de l'Aragall' de Joan Llacuna". A: *Ínsula. Revista bibliográfica de ciencias y letras*, 1962, núm. 185, p. 10.

1963

42. *Literatura catalana antiga*. Vol. III, *El segle XV (Primera part)*. Barcelona: Barcino, 1963 (Col·lecció Popular Barcino ; 203).

43. *Poesia catalana del segle XX*. [En col. amb:] J. M. Castellet. Barcelona: Edicions 62, 1963 [5a ed., 1981].

   43.1.Trad. francesa de les parts III-IV (fragmentària) per Émile Foxonet: "Poésie catalane du XXe siècle". A: *Europe*, XLV, 1967, núm. 464, p. 49-66.

44. "La literatura". A: *Llibre de l'any 1962*. Barcelona: Alcides, 1963, p. 167-185 (=135, 298).

45. "Ignasi González-Llubera". A: *Llibre de l'any 1962*. Barcelona: Alcides, 1963, p. 46-47.

46. "Centenari de la mort de B. C. Aribau". A: *Llibre de l'any 1962*. Barcelona: Alcides, 1963, p. 54-55.

47. "Esquema de la nova poesia catalana ". A: OLIVER, J. (dir.). *El llibre de tothom*, Barcelona: Alcides, 1963, p. 75-79.

48. "De moderne Katalaenske dichtkunst". A: *De Tsjerne*, 1963, núm. 2-3, p. 67-72.

49. "Lluís Nicolau d'Olwer, historiador de la literatura catalana". A: *Serra d'Or*, V, 1963, núm. 1, p. 37-39 (=135).

50. "Teatre català del segle XVI". A: *Serra d'Or*, V, 1963, núm. 2, p. 42-44 (=135, 336).

51. "Presentació de Bertolt Brecht." A: *Serra d'Or*, V, 1963, núm. 4, p. 46-48.

52. Res.: Joan SALVAT-PAPASSEIT. *Poesies*. A: *Poemes*, 1963, núm. 2, p. 12-13 (=298).

53. Res.: N. OLLER. *Memòries literàries. Història dels meus llibres*. Barcelona, Aedos, 1962. A: *Serra d'Or*, V, 1963, núm. 6, p. 35-36.

54. "Gairebé un conte bíblic". A: *Cap d'any 1963*. Palma de Mallorca: Moll, 1963, p. 132-136 (Biblioteca Raixa).

1964

55. "La literatura". A: *Llibre de l'any 1963*. Barcelona: Alcides, 1964, p. 219-250 (=135, 298).

56. "Josep Pijoan". A: *Llibre de l'any 1963*. Barcelona: Alcides, 1964, p. 55-57.

57. "Vint-i-cinquè aniversari de la mort de Francesc Matheu". A: *Llibre de l'any 1963*. Barcelona: Alcides, 1964, p. 95-98.

58. "Vint-i-cinquè aniversari de la mort de Plàcid Vidal". A: *Llibre de l'any 1963*. Barcelona: Alcides, 1964, p. 101-102.

59. "La poesia de Salvador Espriu". A: *Serra d'Or*, VI, 1964, núm. 4, p. 227-230 (=298).
   59.1. Trad. espanyola de José Batlló. A: *Aulas. Educación y cultura,* 1965, núm. 28-29, p. 10-11.
   59.1.1. Reprod. com a "Prólogo". A: ESPRIU, Salvador. *Antología*. Texto catalán-castellano, traducción de José Batlló. Madrid: Ciencia Nueva, 1968, p 7-21 (El Bardo. Serie especial ; 1) [2a ed., 1969].

60. "Un panorama del pensament català contemporani". A: *Serra d'Or*, VI, 1964, núm. 6, p. 356.

61. "Els escrits catalans de Josep Pijoan". A: *Serra d'Or*, VI, 1964, núm. 10, p. 675-76 (=135, 336).

61.1. Reprod. A: *Xaloc*, 1964, núm. 4, p. 85-87.

62. "Dos anys de poesia catalana en d'altres llengües". A: *Poemes*, 1964, núm. 5, p. 39-42.

1965

Direcció: *Antologia catalana*. 100 vols. [A partir del núm. 73 amb la col. de Jordi Castellanos]. Barcelona : Edicions 62, 1965-1984.

Direcció: *Diccionari de literatura catalana* (núm. 175).

63. *Poesia catalana romàntica*. Barcelona: Edicions 62, 1965 (Antologia Catalana ; 7) [2a ed. revisada: 1974].

64. Tria i ed: Carles RIBA. *Llengua i literatura*. Barcelona: Edicions 62, 1965 (Antologia Catalana ; 6) [2a ed., 1977].

65. "Situación y nómina de veinticinco años de teatro catalán". A: OLIVER, Joan. *Bodas de cobre*. Con textos de J. Molas y J. Carbonell [Trad. de M. Julió]. Barcelona: Aymà, 1965, p. 9-29.

65.1. Versió catalana: "Vint-i-cinc anys de teatre". A: núm. 72.

65.2. Trad. italiana per Ubaldo Bardi: "Venticinque anni di teatro catalano". A: *Colletivo R*, 1973, núm. 8, p. 13-22.

66. "Pròleg". A: PORCEL, Baltasar. *Teatre*. Ciutat de Mallorca: Daedalus, 1965, p. 9-25 (Col·lecció Europa ; 2) (=298).

66.1. Reprod. A: *Baltasar Porcel, de la realitat al mite: antologia critica.* Edició a càrrec de Rosa Cabré [Palma de Mallorca]: Govern Balear. Conselleria de Cultura, Educació i Esports, 1994, p. 107-120.

67. "Pròleg". A: CORTADA, Joan. *Catalunya i els catalans.* Traducció de Carme Vilaginés. Barcelona: Edicions 62, 1965, p. 7-17 (Antologia Catalana ; 15).

68. "La poesia de Josep Carner". A: *Serra d'Or*, VII, 1965, núm. 2, p. 98-105 (=298).

69. "La cultura catalana a l'Europa Cinccentista". A: *Serra d'Or,* VII, 1965, núm. 4, p. 289-291 (=135, 336)

70. "Llompart i la literatura de les Illes". A: *Serra d'Or*, VII, 1965, núm. 10, p. 755-758 (=135, 336).

1966

71. *Poesia catalana de la Restauració*. Barcelona: Edicions 62, 1966 (Antologia Catalana ; 19).

72. *La literatura de postguerra*. Barcelona: R. Dalmau, 1966 (Episodis de la història ; 78) [2a ed., 1987] (=65, 82, 298).

73. "El mite de Bearn en l'obra de Villalonga". A: VILLALONGA, Llorenç. *Obres completes*. Vol. I, *El mite de Bearn*. Barcelona: Edicions 62, 1966, p. 7-29 (Clàssics catalans del segle XX) (=299).
   73.1. Reprod. fragmentàriament. A: *Guia de la literatura catalana contemporània*. A cura de Jordi Castellanos. Barcelona: Edicions 62, 1973, p. 391-402.

74. "Pròleg". A: ESPRIU, Salvador. *Primera història d'Esther*. Apèndix de Jordi Sarsanedas i Ricard Salvat. Barcelona: Edicions 62, 1966, p. 5-12 (Antologia Catalana ; 27) [4a ed. 1969].
   74.1. Reprod. fragmentàriament. A: *Guia de la literatura catalana contemporània*. A cura de Jordi Castellanos. Barcelona: Edicions 62, 1973, p. 335-343.

75. "La poesía de Pere Quart". Trad. espanyola per J. Batlló. A: *La Trinchera*, 2a època, 1966, núm. 1, p. 38-44.
   75.1. Versió original catalana: *Serra d'Or*, XI, 1969, núm. 121, p. 727-730 (=298).

76. "Josep M. Capdevila, crític literari". A: *Serra d'Or*, VIII, 1966, núm. 2, p. 137-139 (=135).

77. "Algunes característiques de la novel·la catalana moderna". A: *Serra d'Or*, VIII, 1966, núm. 3, p. 215-217 (=135, 336).

78. "Les obres completes de Josep Pla". A. *Serra d'Or,* VIII, 1966, núm. 10, p. 801-804 (=336).

79. "La 'Història de la premsa catalana' ". A: *Serra d'Or*, VIII, 1966, núm. 12, p. 981-983 (=135, 336).

80. Res.: Giuseppe E. SANSONE. *Studi di filologia catalana.* Bari: Adriatica, 1963. A: *Convivium* (Bologna), XXXIV, 1966, núm. 6, p. 639-644.

1967

81. BATLLORI, J. M. [pseud.]. Ed.: Joan TIMONEDA, *L'Església militant. El castell d'Emaús*. Barcelona: Edicions 62, 1967 (Antologia catalana ; 29).

82. "Literatura en lengua catalana". A: *Las literaturas contemporáneas en el mundo*. Traducción de J.-Ll. Marfany, prólogo de Guillermo de Torre. Barcelona: Vicens-Vives, 1967, p. 72-83.
82.1. Versió catalana: "La literatura de postguerra". A: núm. 72.

83. "Pròleg". A: FUSTER, Joan. *L'home, mesura de totes les coses*. Barcelona: Edicions 62, 1967, p. 5-14 (Antologia Catalana ; 39) (=135 [reelaborat]).
83.1. Trad. espanyola per Isabel Mirete: "Prólogo". A: FUSTER, J. *El hombre, medida de todas las cosas*. Madrid: Seminarios y Ediciones, 1970, p. 7-16 (Hora H. Ensayos y Documentos ; 3).

84. "Pròleg". A: ALPERA, Lluís. *Dades de la història civil d'un valencià*. París: Edició dels Jocs [Florals], 1967, p. 7-10 [Edició numerada, no venal] (=298).
84.1. 2a ed. València: Tres i Quatre, 1980, p.164-168.

85. "Notícia de la literatura catalana relativa a la guerra civil espanyola". A: *Revista de Catalunya* (Mèxic), 1967, núm. 106, p. 63-69.
85.1. Trad. francesa per Hélène Cayrol : "La littérature catalane et la guerre civile". A: *Europe*, XLV, 1967, núm. 464, p. 26-30.

86. "El darrer teatre de Josep M. de Sagarra". A: *Serra d'Or*, IX, 1967, núm. 2, p. 155-156 (=135, 336).

87. "Homenatge a Jordi Rubió: un investigador honest i eficient". A: *Serra d'Or*, IX, 1967, núm. 4, p. 263-265 (=135, 336).

88. "Josep Pla y la realidad". A: *Destino*, 1967, núm. 1.545, p. 54-57.
88.1. Versió catalana: "Josep Pla i la realitat". A: núm. 135 (=298).

89. Res.: "[TASIS, R.] *La Renaixença catalana*". A: *Serra d'Or*, IX, 1967, núm. 11, p. 923.

90. [Tria dels poemes i presentació]. A: ESPERT, Núria. *Els poetes expliquen la Catalunya moderna* [Enregistrement sonor]. Barcelona: Edigsa, D.l., 1967. 1 disc sonor: 33 r.p.m. ; 30 cm.

1968

91. *Poesia neoclàssica i pre-romàntica*. Barcelona: Edicions 62, 1968 (Antologia Catalana ; 41).

92. *Lectures de poesia catalana*. Il·lustracions de Francesc Todó. Barcelona: Edicions 62, 1968 [9a ed., 1992; 3a ed. amb trad. espanyola de J.B., 1973].
92.1. Barcelona: Edicions 62, 1995 (El Cangur ; 174). [3a ed., 2001].

93. "Pròleg". A: ROVIRA I VIRGILI, Antoni. *Viatge a la URSS*. Barcelona: Edicions 62, 1968, p. 5-13 (Antologia catalana ; 43).

94. "Maragall y Azorín". A: *La Torre*, XVI, 1968, núm 60, p. 217-240.

95. "Francesc Pujols o l'anècdota". A: *Serra d'Or*, X, 1968, núm. 100, p. 63-64 (=135, 336).

96. "La cultura catalana y sus problemas". A: *Destino*, 1968, núm. 1616, p. 9.

96.1. Versió catalana: "La cultura catalana i els seus problemes". A: núm. 316 (=336).

97. "Literatura catalana [1963-1964]". A: *Enciclopedia universal ilustrada europeo-americana. Suplemento anual, 1963-1964*. Madrid: Espasa-Calpe, 1968, p. 1.209-1.211.

98. "Literatura catalana" [Resum històric]. A: *Salvat català, diccionari enciclopèdic*. Barcelona: Salvat, 1968. Vol. 1, p. 705-710 [Sense signar].

99."La littérature catalane" [Resum històric]. A: *Encyclopaedia Universalis*. Paris: Encyclopaedia Universalis France, 1968. Vol. 3, p. 1.046-1.049.

100. [Tria dels poemes i text de presentació]. A: MOTTA, Guillermina. *Visca l'amor!* [Enregistrament sonor]. Poemes musicats per G. Motta ; arranjaments i direcció musical: Francesc Burrull. Barcelona: Concèntric, D.l., 1968. 1 disc sonor: 33 r.p.m.; 30 cm. [A la funda, text dels poemes originals i versions espanyoles per J. M. Rodríguez Méndez ; il·lustracions: Enric Sió] (= 121, 337).

100.1. 2a ed., 1969. 1 disc sonor: 45 r.p.m. ; 18 cm. + 1 full amb els poemes en original català i traducció espanyola.

100.2. 1a ed. en casset, Barcelona: Concèntric, D. l. 1969. 1 casset sonora + 1 full amb els poemes.

1969

101. *Ocho siglos de poesía catalana. Antología bilingüe*. [En col amb:] J. M. Castellet. [Trad. de los poemas: José Batlló y José Corredor Matheos]. Madrid: Alianza Editorial, 1969 (El libro de Bolsillo ; 216) [2a ed., 1976].

102. CARTWRIGHT, Stephen. [pseud.]. *Poesia catalana de la guerra d'Espanya (1936-1939) i de la resistència*. Paris: Edicions Catalanes, 1969 (Col·lecció Frontera Oberta ; 1).

103. "La prosa narrativa". A: *De Joan Oliver a Pere Quart*. Barcelona: Edicions 62, 1969, p. 73-80 (L'escorpí ; 13).

104. "Pròleg". A: ARDERIU, Clementina. *L'esperança, encara*. Barcelona: Edicions 62, 1969, p. 5-16 (Antologia Catalana ; 55) (=135).

105. "Pròleg a l'edició catalana". A: VARGAS LLOSA, Mario. *Lletra de batalla per «Tirant lo Blanc».* [Trad. de Ramon Barnils]. Barcelona: Edicions 62, 1969, p. 7-17 (L'Escorpí ; 7) (=121, 337).

106. "Justificació i rèplica al doctor Rubió". A: *Serra d'Or*, XI, 1969, núm. 122, p. 789-792 (=135).

107. *Gran Enciclopèdia Catalana.* Barcelona: Edicions 62 : l'Enciclopèdia, 1969-1980, 15 vols. [Principals articles: "B. C. Aribau", vol. 2, p. 438-39; "Literatura catalana : Del Renaixement al Romanticisme", vol. 4, p. 666-667; "J. M. de Sagarra", vol. 13, p. 39-40; "Jacint Verdaguer", vol. 15, p. 361-63].

1970

108. "La literatura contemporánea". A: BADIA I MARGARIT, A., MASSOT I MUNTANER, J., MOLAS, J. *Situación actual de los estudios de lengua y literatura catalanas*. Amsterdam: Cuaderno de *Norte* dedicado a la lengua y literatura catalanas. XI, 1970, núm.1-2, p. 93-116.

108.1. Edició facsímil: Barcelona: Argos, 1977.

109. "El Modernisme i les seves tensions". A: *Serra d'Or,* XII, 1970, núm 135, p. 877-884.

109.1. Reprod. A: *Santiago Rusiñol. Exposició antològica commemorativa del cinquantenari de la seva mort.* Barcelona: Generalitat de Catalunya. Dep. de Cultura i Mitjans de Comunicació, 1981, p. 19-24 (=298 [reelaborat]).

109.2. Trad. espanyola: "El modernismo y sus tensiones". A: *Santiago Rusiñol. Libro editado con motivo de la Exposición Santiago Rusiñol.* Aranjuez, octubre-noviembre 1981. Barcelona: Generalitat de Catalunya. Dep. de Cultura i Mitjans de Comunicació, 1981, p. 19-24.

110. "La literatura catalana y los movimientos de vanguardia". A: *Cuadernos de Arquitectura*, 1970, núm. 79, p. 36-42.

110.1. Versió catalana [revisada]: "La literatura catalana i els moviments d'Avantguarda". A: *L'Avenç*, 1979, núm. 19, p. 18-26.

111. "Pròleg". A: BENET I JORNET, Josep M. *Marc i Jofre o Els alquimistes de la fortuna*. Barcelona: Edicions 62, 1970, p. 5-12 (Els llibres de l'Escorpí. Teatre) (=135, 298).

112. "*Onades sobre una roca deserta.* La novel·la oberta de Terenci Moix". A: *Serra d'Or*, XII, 1970, núm. 132, p. 655-656 (=135, 336).

113. "El drama de leer". A: *Destino*, 1970, núm. 1.684, p. 15.

113.1. Versió catalana: "El drama de llegir". A: núm. 121, 337.

114. "La guerra civil española, George Orwell y Cataluña". A: *Destino*, 1970, núm. 1.697, p. 45.

115. "El mito Carner". A: *Destino*, 1970, núm. 1.707, p. 48.

116. "Ferran Soldevila, escritor". A: *Destino,* 1970, núm. 1.712, p. 25.
116.1. Versió catalana: "Ferran Soldevila, memorialista". A: núm. 336.

117. "Francesc Moner o un romántico del siglo XV". A: *Destino,* 1970, núm. 1.734, p. 40.
117.1. Versió catalana: "Francesc Moner o un romàntic del segle XV". A: núm. 336.

118. "Literatura catalana [1965-1966]". A: *Enciclopedia universal ilustrada europeo-americana. Suplemento anual, 1965-1966*. Madrid: Espasa-Calpe, 1970, p. 1.082-1.084.

119. "Literatura catalana" [Resum històric]. A: *Salvat Universal. Gran diccionario enciclopédico*. Barcelona: Salvat, 1970. Vol. 6, p. 337-340. [Signat J. Mol.].

120. "Marta, o la nit i els seus signes". A: *El Pont*, 1970, núm. 41, p. 27-29 [Amb el títol "Nocturn per a guitarra" =328].

1971

121. *Una cultura en crisi. Notes d'aproximació*. Barcelona: Edicions 62, 1971 (L'Escorpí ; 21) (Conté: núm. 100, 105, 113) (=337).

122. "Pròleg". A: SERRAHIMA, Maurici. *Marcel Proust.* Barcelona: Edicions 62, 1971, p. 5-14 (Antologia Catalana ; 63).

123. "Proust a Catalunya". A: *Serra d'Or*, XIII, 1971, núm. 139, p. 277-278. (=135).

124. "Ferran Soldevila y su mito". A: *Destino*, 1971, núm. 1.760, p. 48-49.

1972

125. "Pròleg". A: GIMFERRER, Pere. *Hora foscant*. Barcelona: Edicions 62, 1972, p. 5-13 (Els llibres de l'Escorpí. Poesia ; 9) (=135, 336).

126. "Els assaigs de Gabriel Ferrater". A: *Serra d'Or*, XIV, 1972, núm. 158, p. 741-742; núm. 159, p. 845-847.
126.1. Trad. espanyola per S. Thomas: "Los ensayos de Gabriel Ferrater". A: *Gaceta literaria*, 1973, núm. 1, p. 123-139 [Amb un nou capítol].

1973

127. Ed.: VALENTÍ FIOL, Eduard. *El primer modernismo literario catalán y sus fundamentos ideológicos*. Barcelona: Ariel, 1973 (Horas de España).

128. "El caso Turmeda". A: *La Vanguardia española*, 19-1-1973.

1974

Direcció: *Els Marges*. 42 núm. Barcelona: Curial, 1974-1990 (en curs de publicació).

129. "Notes sobre la prehistòria poètica de Carles Riba". A: *Els Marges*, 1974, núm. 1, p. 9-28 (=299).

130. "Salvador Dalí, entre el surrealismo y el marxismo". A: *El Urogallo*, V, 1974, núm. 29-30, p. 117-121.
130.1. Reprod. A: *El surrealismo*. Edición de Víctor García de la Concha. Madrid: Taurus, 1982, p. 140-145 (El escritor y la crítica).
130.2. Versió original catalana: "Salvador Dalí: entre el surrealisme i el marxisme". A: *L'Avenç*, 1980, núm. 32, p. 59-63 (=336).
130.2.1. Reprod. versió catalana. A: *Dalí i els llibres*. Barcelona: Generalitat de Catalunya. Dep. de Cultura i Mitjans de Comunicació, 1982, p. 26.
130.3. Trad. italiana. A: *Dalí e i libri*. Barcelona: Generalitat di Catalogna. Dipartimento di Cultura, 1982, p. 15-16.

131. "Pròleg". A: RODOREDA, Mercè. *La meva Cristina i altres contes*. Barcelona: Edicions 62, 1974, p. 5-13 (El Cangur ; 6) [24a ed. , 2001].

132. "Joan Salvat-Papasseit y el regeneracionismo". A: *Destino*, 1974, núm. 1.927, p.13.
132.1. Versió catalana: "Salvat-Papasseit i el Regeneracionisme". A: núm. 135.

133. "Lord Byron y la poesia catalana". A: *La Vanguardia española*, 19-4-1974.

134. "Joan Salvat-Papasseit, teórico de la literatura de vanguardia". A: *La Vanguardia española*, 6-8-1974.

1975

135. *Lectures crítiques*. Barcelona: Edicions 62, 1975 (Llibres a l'abast ; 121) (Conté: núm. 23.1, 26, 44, 49, 50, 55, 61, 69, 70, 76, 77, 79, 83, 86, 87, 88.1, 95, 104, 106, 111, 112, 123, 125, 132.1).

136. “Die Katalanische Literatur”. A: *Handbücher der Auslandskunde Spanien*. Vol. II: *Sprache und Literatur*. Herausgegeben von Günther Haensch und Paul Hartig. Frankfurt am Main: Moritz Diesterweg, 1975, p. 159-172.

136.1. Reprod. fragmentària i traducció catalana : “Die katalanische Literatur von 1800 bis heute = La literatura catalana des del 1800 fins avui”. A: *Katalanische Kunst des 20. Jahrhunderts. Art i modernitat als Països Catalans*. Staatliche Kunsthalle Berlin, Internazionalen Sommerfestspiele 1978. Berlin: Staatliche Kunsthalle Berlin, 1978, p. 333-336.

137. “Un dels sentiments més universals...”. A: FORMIGUERA, Pere. *La meva amiga com un vaixell blanc. Homenatge a Joan Salvat-Papasseit*. Deu fotografies de P.F. Textos de J. Molas i Albert R. Guspí. Barcelona: Spectrum Group Portfolio Edition, 1975, [2] p. Estoig de cartró.

138. “Record de Josep Solsona”. A: *Serra d'Or*, XVII, 1975, núm. 186, p. 157 (=337).

139. “Ridruejo y el diálogo con Cataluña”. A: *Destino*, 1975, núm. 1.970, p. 32.

1976

140. SAGUÉS, Emili. [pseud.]. *Antologia de la Poesia Patriòtica Catalana*. Paris: Edicions Catalanes, 1976. 2 vol. (Col·lecció Frontera Oberta ; 20, 21).

141. “El Surrealisme a Catalunya. Notes per a la seva història (1924-1934)”. A: *Actes del tercer Col·loqui internacional de llengua i literatura catalanes*, celebrat a Cambridge del 9 al 14 d'abril de 1973. A cura de R. B. Tate i Alan Yates. Oxford: The Dolphin Book, 1976, p. 283-299.

142. “Pròleg”. A: SARSANEDAS, Jordi. *Mites*. Barcelona: Edicions 62, 1976, p. 5-17 (El Balancí ; 98) (=336).

142.1. Barcelona: Edicions 62, 1981, p. 5-17 (El Cangur ; 60) [3a ed., 1994].

142.2. Versió resumida. A: núm. 307.

143. “Pròleg”. A: FULCARÀ I TORROELLA, M. Dolors. *Girona i el Modernisme. Contribució a la història dels ambients político-culturals del començament de segle*. Girona: Instituto de Estudios Gerundenses, 1976, p. 5-8 (Colección de monografías del Instituto de Estudios Gerundenses ; 5).

144. “Sobre un cuarto de siglo de literatura catalana”. A: *Artes plásticas*, 1976, núm. 11, p. 26-30.

144.1. Versió catalana: “Sobre un quart de segle de literatura catalana”. A: núm. 316.

145. “Francesc Vicenç Garcia *vs*. Rector de Vallfogona”. A: *Serra d'Or*, XVIII, 1976, núm. 196, p. 34-39

146. "Sobre la cultura en Cataluña bajo el régimen franquista". A: *Cataluña en la época franquista (1939-75).* Barcelona: Destino, 1976, p. 28-30 (Fascicle semanal núm. 4).

147. "Martí de Riquer i els trobadors". A: *Avui*, 30-5-1976.

148. [Text de presentació] A: MOTTA, Guillermina. *Canticel* [Enregistrament sonor]. Poemes de Josep Carner musicats per Guillermina Motta; arranjaments: Joan Albert Amargós. Barcelona: Edigsa, D.l., 1976. 1 disc sonor (*ca* 37 min.): 33 r.p.m. + 1 full amb els poemes en original català i traducció espanyola (=337).

149. "Fragments del diari (Sobre la creació i altres coses)". A: *Destino*, 1976, núm. 1.997, p. 44 (=328).

1977

150. "Retòrics i terroristes en la poesia catalana de postguerra" [Ponència llegida en el Convegno sulla Poesia spagnola, Biennale di Venezia, Università di Venezia, 7 i 8, oct.,1976]. A: *Els Marges*, 1977, núm. 9, p. 3-6 (=336).

151. "Una nova investigació de Joan Brossa". A: BROSSA, Joan. *Sextines 76.* Barcelona: Llibres del Mall, 1977, p. 5-13 (=336).

152. "Pròleg". A: ARIMANY, Miquel. *Cançons per a no cantar.* Barcelona: Miquel Arimany, 1977, p. 9-12 (Col·lecció La Roda ; 5).
   151.1. Reprod. A: ARIMANY, Miquel. *Poesia 1938-1983*. Barcelona: M. Arimany, 1985, p. 101-104.

153. "Sobre la 'Cançó futura', de Joan Salvat-Papasseit". A: *Els Marges*, 1977, núm. 10, p. 105-107 (=336 [reelaborat]).

154. "La literatura catalana sota el franquisme (1939-1953). Presentació". A: *L'Avenç*, 1977, núm. 6, p. 20-21.

155. "La Selecta : Una editorial significativa". A: *L'Avenç*, 1977, núm. 6, p. 39-43 (=336).

156. "Por los caminos del mito". A: *El Correo catalán,* 16-10-1977.

157. Res.: Montserrat ROIG, *El temps de les cireres.* Barcelona: Edicions 62, 1977 (Col·lecció El Balancí ; 105). A: *Els Marges*, 1977, núm.11, p. 123-125 (=336).

158. "Diari 1962-1976. Fragments". A: *Serra d'Or*, XIX, 1977, núm. 212, p. 321-322 (=328).

1978

Direcció: *Les millors obres de la literatura catalana (MOLC).* 125 vols. Barcelona: Edicions 62, 1978-1983, 1994-1996.

159. Ed. : Joan SALVAT-PAPASSEIT. *Poesies*. Barcelona: Ariel, 1978 (Clàssics Catalans Ariel ; 2) [A partir de la 4a ed.: *Poesies completes*, 1983. ; 9a ed., 1999] (=299).

160. "Francesc Calça: Poemes". A: *Els Marges*, 1978, núm. 14, p. 77-95.

161. "Sobre la literatura catalana de postguerra : Notas para un informe crítico". A: *Dau al Set*. Madrid: Rayuela, 1978, p. 7-17 (Cuadernos Guadalimar ; 7).

162. "Introducció = Introducción". A: MARCH, Ausias. *Obra poètica*. Selección y traducción de Pere Gimferrer. Madrid: Alfaguara, 1978, p. 10-83 (Clásicos Alfaguara) [2a ed., 1981].

163. "Pròleg". A: MIRÓ, Maria-Mercè. *La prosa narrativa de Martí Genís i Aguilar.* Vic: Patronat d'Estudis Ausonencs, 1978, p. 13-16 (Publicacions del Patronat d'Estudis Ausonencs ; 9) (=336).

164. "Pròleg". A: BACH, Miquel. *Guillaguí.* Barcelona: Edicions 62, 1978, p. 5-9 (Els llibres de l'Escorpí. Poesia ; 449) (=336).

165. "J. M. Castellet o la raó crítica". A: *Serra d'Or*, XX, 1978, núm. 230, p. 719-720.

166. "Escriure, llegir, ensenyar. (Fragments del 'Diari')". A: *Tele/expres*, 20-4-1978 (=328).

1979

167. *Antologia general de la poesia catalana.* [En col. amb:] J. M. Castellet. Barcelona: Edicions 62, 1979 (Les millors obres de la literatura catalana ; 23) [10a ed., 2000].

168. Tria i ed.: Carles RIBA. *Clàssics i moderns.* Barcelona: Edicions 62, 1979 (Les millors obres de la literatura catalana ; 10) [2a ed., 1987].

169. "La cultura catalana durant el segle XIX". A: SALVAT, J., SALRACH, J. M., dir. *Història de Catalunya.* Vol. V Barcelona: Salvat , 1979, p. 177-191.

170. "J. V. Foix i l'Avantguarda". A: FOIX, J. V. *Obres completes.* Vol. II, *Prosa.* Barcelona: Edicions 62, 1979, p. 7-16 (Clàssics catalans del segle XX).

171. “Carta a l’editor”. A: SERRALLONGA, Segimon. *Poemes 1950-1975*. Barcelona: Crítica, 1979, p. 7-11 (Col·lecció Sarrià ; 6).

172. “Una nació sense Estat, un poble sense llengua?”. [En col. amb:] Joan A. Argente, Jordi Castellanos, Manuel Jorba, Josep Murgades, Josep M. Nadal i Enric Sullà. A: *Els Marges*, 1979, núm. 15, p. 3-13.
172.1. Reprod. A: *Serra d’Or*, XXII, 1980, núm. 244, p. 11-17.
172.2. Reprod. A: *Presència*, XVI, 1980, núm. 532, p. 26-31.
172.3. Reprod. A: *Omnium Cultural* [de Sabadell] : Butlletí d’informació, 1980, núm. 3, p. 1-4.
172.4. Reprod. A: *València semanal*, 1980, núm. 113, p. 29-35.
172.5. Reprod. A: *Mallorca socialista*, 1980, núm. 21, p. 13-14 ; núm. 22, p. 11; núm. 23, p. 14.
172.6. Reprod. A: *Pissarra. Butlletí sindical del Stei*, 1980, núm. 25, p. 10-12.
172.7. Reprod. A: *Quaderns d’alliberament*, 1984, núms. 8-9, p. 251-264.
172.8. Reprod. facsímil pels Consells populars de cultura catalana, [s. a.].
172.9. Reprod. facsímil per les Publicacions de BEAN, [s. a.].
172.10. Reprod. A: *El català: mirades al futur.* M. Carme Junyent i Virginia Unamuno (eds.). Barcelona: EUB-Octaedro, 2002, p. 109-124
172.11. Trad. anglesa per Max Wheeler. A: *Polyglot* (Cambridge), [Microfitxa], vol. 3, 1981, fiche 1.
172.12. Trad. italiana. A: *Spagna tuttifrutti. Dalla morte di Franco al golpe dell’81*. A cura di Giuseppe Grilli. Napoli: T. Pironti Editore, 1981, p. 141-161.

173. “Sobre les relacions entre dues cultures: la russa i la catalana”. A: *Serra d’Or*, XXI, 1979, núm. 238-39, p. 450-452.

174. “Los navíos de Pantagruel”. A: *La Vanguardia*, 24-10-1979.
174.1. Reprod. amb el títol: “1913: Del modernismo al noucentisme [*sic*]. Los navíos de Pantagruel.” A: *Cien años de la vida del mundo. Literatura española (1)*. Barcelona: La Vanguardia, 1981, fasc. 34, p. 15.

175. *Diccionari de la literatura catalana*. Sota la direcció de J. Molas (de 1965 a 1971) i J. Massot i Muntaner (de 1977 a 1979). Barcelona: Edicions 62, 1979 [Principals articles: “B. C. Aribau”, p. 52-53; “Literatura catalana”, p. 353-358; “Joan Oliver”, p. 516-518; “Romanticisme”, p. 629-631; “Traduccions”, p. 710-712; “Voltaire als Països Catalans”, p. 753-755].

1980

Comissió responsable: *Cien años de cultura catalana. 1880-1980.* Madrid, Palacio de Velázquez, Parque del Retiro, junio-octubre 1980.

176. “Notes sobre la cançó popular moderna. El cuplet”. A: *Actes del cinquè Col·loqui internacional de llengua i literatura catalanes.* Andorra, 1-6 d’octu

bre de 1979. A cura de J. Bruguera i J. Massot i Muntaner. Barcelona: Abadia de Montserrat, 1980, p. 325-347 (Biblioteca Abat Oliba ; 19).

177. "La literatura catalana" [Resum històric]. A: *Què és Catalunya*. Pròleg d'Edmon Vallès. Barcelona: Edicions 62 , 1980, p. 95-107.
   177.1. 2a ed. especial per a la Caixa de Pensions, 1980, p. 95-107.

178. "Pròleg". A: HORTA, Joaquim. *La finestra de la vuitena planta*. Il·lustracions [de] J. M. Rovira Brull ; dibuix d'E. Donato. Barcelona: Galba, 1980, p. 7-12 (Veles e Vents ; 5) (=298).

179. "Pròleg". A: GUARDIOLA, Carles-Jordi. *Per la llengua. Llengua i cultura als Països Catalans. 1939-1977*. Barcelona: La Magrana, 1980, p. 7-8 (La Magrana ; 20).

180. "Pròleg". A: LLULL, Ramon. *Llibre de meravelles*. A cura de Marina Gustà. Barcelona: Edicions 62, 1980, p. 9-15 (Les millors obres de la literatura catalana ; 36) [4a ed., 1993].

181. "Cultura escrita, I: 1880-1939". A: *Cien años de cultura catalana. 1880-1980*. Palacio de Velázquez, Parque del Retiro, junio-octubre 1980. Madrid: Ministerio de Cultura, 1980, p. 17-20.

1981

Direcció: *Les millors obres de la literatura universal (MOLU)*. 50 vols. Barcelona: Edicions 62, 1981-1986.

182. Ed.: Joan SALVAT-PAPASSEIT. *El poema de la rosa als llavis*. Barcelona: Ariel, 1981 (Clàssics Catalans Ariel) [25a edició, 2001].

183. "Els estudis de literatura. L'escola històrica". A: *L'aportació de la Universitat catalana a la ciència i a la cultura*. Barcelona: L'Avenç, 1981, p. 155-159.

184. "Poesia barroca i poesia neoclàssica el 1802". A: *Estudis de llengua i literatura catalanes /II : Homenatge a Josep M. de Casacuberta /2*. Barcelona: Abadia de Montserrat, 1981, p. 271-306.

185. "Les Millors Obres de la Literatura Catalana : Notes al marge d'una col·lecció". A: *Quaderns de l'Obra Social. Caixa de Pensions per a la Vellesa i d'Estalvi*, 1981, núm. 8, p. 2-5.

186. "Sobre res". A: *La Vanguardia*, 10-4-1981 (=316, 337).

187. "Una amistat de trenta anys. Record d'Antoni Comas". A: *Avui. Art i Lletres*, 12-4-1981.

1982

188. *Antologia de contes catalans*. Barcelona: Edicions 62, 1982-1983. 2 vols. (Les millors obres de la literatura catalana ; 93-94) [Vol. 1: 3a ed., 1995 ; vol. 2: 4a ed., 1998]

189. *Viatge poètic per Catalunya*. Il·lustracions de Roser Capdevila. Barcelona: Teide, 1982 (Col·lecció Joglar ; 1).

190. "Notes per a un comentari de 'La pàtria' de Bonaventura Carles Aribau". A: *Anàlisis i comentaris de textos literaris catalans*. A cura de Narcís Garolera i Carbonell. Barcelona: Curial, 1982, vol. I, p. 209-225 (Manuals Curial ; 5).

191. "Pròleg". A: NADAL, Josep M., PRATS, Modest. *Història de la llengua catalana*. Vol. I, *Dels inicis al segle XV*. Barcelona: Edicions 62, 1982, p. 5-8 (Estudis i documents ; 33).

192. "Pròleg". A: AMORÓS, Xavier. *Poemes. 1959-1964*. Barcelona: Edicions 62, 1982, p. 7-12 (Cara i creu ; 35) [2a ed., 1983] (=336).

193. "Notes per a un pòrtic". A: *Faig*, 1982, núm. 19, p. 7-12.

1983

194. *La literatura catalana d'Avantguarda, 1916-1938*. Barcelona: Antoni Bosch, 1983.
    194.1. Trad. anglesa del cap. IV per Louis J. Rodrigues: "J. V. Foix or total investigation". A: *Catalan Review*, 1986, núm.1, p. 107-122.

195. "La literatura". A: *Història de Catalunya*. Dirigida per Joaquim Nadal i Farreras i Philippe Wolff. Barcelona: Oikos-Tau, 1983, p. 127-141.
    195.1. Trad. francesa per Michel Camprubí: "Une riche littérature". A: *Histoire de la Catalogne*. Sous la direction de Joaquim Nadal Farreras et Philippe Wolff. Toulouse: Privat, 1982, p. 121-136.
    195.2. Trad. espanyola per la redacció: "La literatura". A: *Historia de Catalunya.* Dirigida per Joaquim Nadal i Farreras i Philippe Wolff. Barcelona: Oikos-Tau, 1992, p. 111-123.

196. "La cultura catalana i la seva estratificació". A: *Reflexions crítiques sobre la cultura catalana.* Barcelona: Generalitat de Catalunya. Dep. de Cultura, 1983, p. 131-155.

197. "La cultura castellana y la cultura catalana: historia de una relación". A: *Relaciones de las culturas castellana y catalana. Encuentro de intelectuales.* Sitges, 20-22 diciembre 1981. Barcelona: Generalitat de Catalunya, 1983, p. 95-106.

198. "Mis lecturas". A: *La Vanguardia, domingo,* 21-8-1983.
198.1. Versió catalana: "Les meves lectures". A: núm. 337.

1984

Direcció: *L'Alzina*. 28 vols. Barcelona: Edicions 62, 1984-1992.

199. *La Renaixença. Fonts per al seu estudi. 1815-1877.* [En col. amb:] M. Jorba i A. Tayadella. Barcelona: Universitat de Barcelona. Dep. de Literatura Catalana; Universitat Autònoma. Dep. de Filologia Hispànica, 1984.

200. Tria i ed.: *Apel·les Mestres.* Barcelona: Destino, 1984 (Llibre de lectura ; 9).

201. "Un poema inèdit de Lluís Icart". A: *Estudis Universitaris Catalans.* XXVI, 1984,p. 131-147. A la sobrecoberta: *Miscel·lània Aramon i Serra: Estudis de llengua i literatura catalanes oferts a R. Aramon i Serra en el seu setantè aniversari*, IV.

202. "Notes sobre el 'Quadern gris', de Josep Pla". A: *Miscel·lània Sanchis Guarner.* Vol. I. *Estudis en memòria del professor Manuel Sanchis Guarner: Estudis de llengua i literatura catalanes.* València: Universitat de València, 1984, p. 225-232 (=299).
202.1. Reprod. A: *Miscel·lània Sanchis Guarner*, a cura d'Antoni Ferrando. València: Universitat de València. Dep. de Filologia Catalana; Barcelona: Abadia de Montserrat, 1992, vol. II, p. 389-410 (Biblioteca Abat Oliba ; 106).

203. "Parlament del Dr. Joaquim Molas". A: *Actes del I Congrés de llengua i literatura catalanes al segon ensenyament* (Tarragona, 4-7, maig, 1983). A cura de Jordi Grifoll. Barcelona: Generalitat de Catalunya. Dep. d'Ensenyament, 1984, p. 15-16 (=337).

204. "Nota de lectura". A: *Subirachs. Obres de 1974 a 1984.* Barcelona: Daedalus, 1984, p. 71-74 (=336).

205. "Fragments del diari d'un desterrat". A: *Serra d'Or*, XXVI, 1984, núm. 301, p. 719 (=328).

1985

206. "Milà i la Renaixença". A: *Acte inaugural del curs 1985-1986. Celebració del centenari de Manuel Milà i Fontanals (1818-1884).* Discursos commemoratius per J. Molas i Martí de Riquer. Barcelona: Universitat de Barcelona, 1985, p. 7-27.

207. " 'Aspàsia' ", primer recull d'estances de Carles Riba". A: *Homenatge a Antoni Comas. In memoriam.* Barcelona: Universitat de Barcelona, 1985, p. 305-321 (=299).

208. "La poesia catalana e la visita di Carlo IV a Barcellona (1802)". A: *I Borboni di Napoli e i Borboni di Spagna. Un bilancio storiografico.* Convegno internazionale organizzato dal Centro di studi italo-spagnoli, Napoli, 4-7 aprile 1981. A cura di Mario Di Pinto. Napoli: Università degli Studi, 1985, vol. I, p. 375-386.

209. "Nota de lectura". A: CESC. *No és broma.* Barcelona: Planeta, 1985, [2] p. (=336).

210. "Casacuberta, un savi 'heterodox' ". A: *Serra d'Or*, XXVII, 1985, núm. 307, p. 241-243 (=328, 337).

211. "Salvador Espriu: una obral total". A: *La Vanguardia,* 19-3-1985.

1986

Direcció: *Les millors obres de la literatura universal. Segle XX (MOLU).* 100 vols. Barcelona: Edicions 62, 1986-1995.

Direcció: RIQUER, M. de, COMAS, A., MOLAS, J. *Història de la literatura catalana. Part Moderna.* Vols. VII-XI. Barcelona: Ariel, 1986-1988.

212. *Passió i mite de l'esport. Un viatge artístic i literari per la Catalunya contemporània.* Barcelona: Diputació de Barcelona, 1986.

213. "Pròleg". A: RIQUER, M. de, COMAS, A., MOLAS, J. *Història de la literatura catalana.* Vol. VII. Barcelona: Ariel, 1986, p. 7-8.

214. "Jacint Verdaguer". A: RIQUER, M. de, COMAS, A., MOLAS, J. *Història de la literatura catalana.* Vol. VII. Barcelona: Ariel, 1986, p. 223-289.

215. "La crisi del Romanticisme: la poesia". A: RIQUER, M. de, COMAS, A., MOLAS, J. *Història de la literatura catalana.* Vol. VII. Barcelona: Ariel, 1986, p. 459-504.

215.1. Reprod. fragmentàriament. A: *Apel·les Mestres (1854-1936).* En el cinquantenari de la seva mort : 1936-1986. Barcelona: Fundació Jaume I, 1985, p. 74-88 (Nadales de la Fundació Jaume I ; 19).

216. "La nova literatura popular: tradició i modernitat" [Amb la col·laboració de Xavier Fàbregas i Josep Massot]. A: RIQUER, M. de, COMAS, A., MOLAS, J. *Història de la literatura catalana.* Vol. VIII. Barcelona: Ariel, 1986, p. 9-74.

217. "Sobre la periodització en les històries generals de la literatura catalana". A: *Symposium in honorem Prof. M. de Riquer.* Barcelona: Universitat de Barcelona, 1986, p. 257-276.

218. "Carles Riba i els clàssics: les primeres traduccions (1911-1917)". [En col. amb:] J. Medina. A: *Actes del Simposi Carles Riba, Barcelona, 17-19 d'octubre de 1984.* A cura de Jaume Medina i Enric Sullà. Barcelona: Institut d'Estudis Catalans, 1986, p. 139-174 = Barcelona: Abadia de Montserrat, 1986, p.139-174.

219. "Pròleg". A: ARIBAU, Bonaventura Carles. *La pàtria. Trobes.* Edició facsímil. Barcelona: Biblioteca de Catalunya, 1986, p. 5-16 (=299).

220. "Pròleg". A: *Antologia poètica universitària. 1985.* Barcelona: Proa, 1986, p. 7-9 (Els llibres de l'Óssa Menor ; 139) (=337).

221. "Cesc: una història d'un país". [Sala Sant Jaume, de la Caixa de Barcelona, juny 1986]. Barcelona: Fundació Caixa de Barcelona, 1986, p. 9-13.

222. "Centenari de la publicació de 'Canigó'. El poema més personal i representatiu". A: *Avui* [setmanal], 19-12-1986, p.19-21.

1987

223. "Els moviments d'Avantguarda: Joan Salvat-Papasseit". A: RIQUER, M. de, COMAS, A., MOLAS, J. *Història de la literatura catalana.* Vol. IX. Barcelona: Ariel, 1987, p. 328-376.

224. "El 'Canigó', poema ideològic" [discurs llegit a ...]. A: *Jocs Florals de Barcelona. Any CXXVIII de la seva restauració. MCMLXXXVI.* Barcelona: Ajuntament de Barcelona, 1987, p. 65-70 (=336).

225. "Pròleg". A: *«La Llumanera de Nova York» (Nova York, 1874-1881).* Edició facsímil. Barcelona: Edicions Anglo-Catalanes, 1987, p. 15-18 (=336).

226. "La novel·la popular: del fulletó a la novel·la de quiosc". A: *L'Avenç*, 1987, núm. 104, p. 14-23.

227. "Homenatge a J. V. Foix". A: *Revista de Catalunya*, Nova etapa, 1987, núm. 5, p. 3-7.

1988

228. *Miquel Carreras: Una aproximació.* Sabadell: Fundació Bosch i Cardellach, 1988 (Publicacions de la Fundació ; 9).

229. "La literatura popular i de consum". [En col. amb:] Enric Gallén. A: RIQUER, M. de, COMAS, A., MOLAS, J. *Història de la literatura catalana.* Vol. XI. Barcelona: Ariel, 1988, p. 301-353.

230. "Els poemes llargs de Verdaguer: ideologia i forma. Notes per a una primera aproximació" [conferència de clausura del primer Col·loqui sobre Verdaguer, llegida el 5-IV-1986 a la Sala Prat de la Riba, de l'Institut d'Estudis Catalans]. A: *Anuari Verdaguer 1987*. Vic: Eumo ; Barcelona: Ajuntament, 1988, p. 19-31 (=299).

231. "Per a una edició crítica de les obres completes de Jacint Verdaguer". [En col. amb:] P. Farrés, R. Pinyol i R. Torrents. A: *Anuari Verdaguer 1987*. Vic: Eumo; Barcelona: Ajuntament, 1988, p. 187-203.

232. "Rubió, historiador de la literatura". A: *Festa acadèmica en homenatge a Jordi Rubió i Balaguer en el centenari del seu naixement*. Barcelona: Universitat de Barcelona. Fac. de Filologia, 1988, p. 11-17 (=328).

233. "Paraules en l'acte de clausura". A: *Actes del Simposi Agustí Bartra* [Terrassa i Barcelona, 5-7 novembre de 1987]. A cura de Llorenç Soldevila. *Faig*, 1988, núm. 30, p. 141-143 (=337).

234. "Pròleg". A: FONTANELLA, Francesc. *Tragicomèdia pastoral d'amor, firmesa i porfia. Lo desengany, poema dramàtic*. Edició crítica a cura de M. Mercè Miró. Barcelona: Institut del Teatre, 1988, p. 5-7 (Col·lecció Estudis ; 3).

235. "Pròleg". A: PLA, Josep. *Obra completa*. Vol. 46, *Índexs a l'Obra completa*. A cura de Cristina Badosa. Barcelona: Destino, 1988, p. 7-9.

236. "Pròleg". A: SALA-CORNADÓ, A. *I finalment el silenci (1950-1986)*. Barcelona: Edicions 62, 1988, p. 5-6 (Els llibres de l'Escorpí ; 116).

234.1. Reprod. com a "Epíleg". A: SALA-CORNADÓ, A. *Obra poètica*. Vol. I. *Obra publicada*. Lleida: Institut d'Estudis Ilerdencs, 1999, p. 573-574.

237. "Propòsit i sentit de dues col·leccions literàries". A: *Una aproximació a la literatura catalana i universal. Curs*. Barcelona: Fundació Caixa de Pensions, 1988, p. 7-9 (De set a nou ; 25).

238. "Les col·leccions de novel·la curta". A: *Serra d'Or*, XXX, 1988, núm. 342, p. 300-305.

239. "En la mort de Marià Manent: La displicència per la pròpia obra". A: *El País. Quadern*, 1988, núm. 322, 1 des. (=336).

240. "El vaig conèixer ...". A: *Memòria de Salvador Espriu*. Amb un retrat del poeta, original de Subirachs. Arenys de Mar: Centre de Documentació i Estudi «Salvador Espriu» ; Barcelona: Edicions 62, 1988, p. 119-12 (=328).

240.1. Reprod. A: MÓRA, Carles. *Salvador Espriu i Sinera*. Argentona: L'Aixernador, 1992, p. 111-113.

1989

241. "Pròleg". A: Rubió i Balaguer, Jordi. *Obres.* Vol. 7, *Il·lustració i Renaixença.* Barcelona: Abadia de Montserrat, 1989, p. 5-19 (Biblioteca Abat Oliba ; 70).

242. "Pròleg". A: Pas, Annemieke van de. *Salvador Dalí. L'obra literària. Una visió de conjunt.* Barcelona: Ed. Mediterrània, 1989, p. 5-6 (Col·lecció Portlligat ; 2) (=337).

243. "La literatura catalana del Barroc". A: *El Barroc català.* Actes de les jornades celebrades a Girona els dies 17, 18 i 19 de desembre de 1987. A cura d'Albert Rossich i August Rafanell. Barcelona: Quaderns Crema, 1989, p. 507-511 (=337).

244. "Avenç i modernitat". A: *L'Avenç,* 1989, núm. 125, p. 10.

245. "Imatges successives" [Clementina Arderiu]. A: *La Vanguardia,* 4-7-1989 (=328, 337).

1990

246. *Paisatges de Catalunya = Landschaften Kataloniens.* Trad. per Til Stegmann [et al.] Barcelona: Generalitat de Catalunya. Dep. de Comerç, Consum i Turisme, 1990.
 246.1. *Paisatges de Catalunya = Landscapes of Catalonia.* Trad. per Alan Yates. Barcelona: Generalitat de Catalunya. Dep. de Comerç, Consum i Turisme, 1990.
 246.2. *Paisatges de Catalunya = Paisajes de Cataluña.* Trad. espanyola per Enric Badosa. Barcelona: Generalitat de Catalunya. Dep. de Comerç, Consum i Turisme, 1990.
 246.3. *Paisatges de Catalunya = Paysages de Catalogne.* Trad. per Eloi-Jaume Garcia. Barcelona: Generalitat de Catalunya. Dep. de Comerç, Consum i Turisme, 1990.

247. "La recerca en història de la literatura catalana". A: *La recerca científica i tecnològica a Catalunya, 1990.* Barcelona: Generalitat de Catalunya. Comissió interdepartamental de recerca i innovació tecnològica (CIRIT) : Institut d'Estudis Catalans, 1990, vol. 1, p. 277-282 (=336).

248. "Segona història del Modernisme". A: *El Modernisme,* Museu d'Art Modern, Parc de la Ciutadella, Barcelona, 10 octubre 1990-13 gener 1991. Barcelona: Olimpíada Cultural : Lunwerg, 1990, vol. 1, p. 27-31.
 248.1. Trad. espanyola per Marta Fontanals: "Segunda historia del Modernismo". A: *El Modernismo,* Museu d'Art Modern, Parc de la Ciutadella, Barcelona, 10 octubre 1990-13 enero 1991. Barcelona: Olimpíada Cultural : Lunwerg, 1990, vol. 1, p. 27-32.

249. "Pròleg". A: CAPDEVILA, Maria; ILLA, Maria Carme. *Índexs de la revista «L'Avenç»*. Barcelona: Barcino, 1990, p. 5-8 (Biblioteca Renaixença; 5) (=336).

250. "Una veu que ens venia del Sud" [Joan Valls Jordà]. A: *Canelobre*, 1990, núm. 17-18, p. 54-55 (=337).

251. "Carta oberta a R. Arqués". A: *El País. Quadern,* 1990, núm. 417, 27 set.

252. Res.: "Una positiva aportación sobre la España romántica. 'Historia de España.Tomo XXXV: La época del Romanticismo (1808-1874)' ". A: *La Vanguardia*, 30-3-1990.

253. "Catalunya: Literatura". A: *Gran Larousse Català*. Barcelona: Edicions 62, 1990, vol. 2, p. 1005-1008 [Sense signar].

254. "Un revulsiu per als anys 40" [Dámaso Alonso]. A: *Avui*, 26-1-1990 (=328, 337).

255. "Dels *Quaderns de Tueda*". A: *Revista de Girona*, 1990, núm. 142, p. 22-25 (=328).

1991

256. *Sobre la mitologia d'una ciutat (Barcelona, 1883-1975)*. Signatura autògrafa de l'autor i una il·lustració al linogravat de Miquel Plana. Olot: M. P., ed., 1991. Edició numerada. Estoig de cartró (=289, 337).

257. "Die Schiffe Pantagruels". A: *Spanische Literatur*. Herausgegeben von Michi Strausfeld. Aus dem Spanischen übersetzt von Viktor von Ow. Frankfurt am Main: Suhrkamp, 1991, p. 288-302 (Suhrkamp taschenbuch ; 2108).

258. "Literatura 'provincial' i literatura 'nacional'. Introducció a la literatura catalana del tombant dels segles XVIII-XIX". A: *Catalunya a l'època de Carles III*. Barcelona: Generalitat de Catalunya, 1991, p. 149-169 (Col·lecció Som i Serem; 4).

259. "Cultura i literatura obrera (1894-1920)". A: *1res Jornades sobre moviment obrer a l'Arús*. Octubre 1988. Organitzades per l'Associació d'Amics de la Biblioteca Pública Arús. Barcelona: l'Associació, 1991, p. 67-73.

260. "Moll, un editor de combat". A: *Homenatge a Francesc de B. Moll*. Barcelona : Universitat de Barcelona, 1991, p. 13-20 (Col·lecció Actes Universitaris ; 6) (=336).

261. "Dalí i els morts". A: DALÍ, Salvador. *Les morts et moi*. Fotografies: Carles Fontserè. Barcelona: Ed. Mediterrània, 1991, p. 8-9 [Amb trad. espanyola, francesa, anglesa, alemanya i japonesa, p. 10-19] (=336).

262. "Notes per a una introducció". A: PORCEL, Baltasar. *Obres completes.* Vol. I, *L'alba i la terra.* Barcelona: Proa, 1991, p. 15-41.
262. 1. Reprod. A: *Baltasar Porcel, de la realitat al mite: antología critica.* Edició a càrrec de Rosa Cabré [Palma de Mallorca]: Govern Balear. Conselleria de Cultura, Educació i Esports, 1984, p. 17-40.

263. Pròleg". A: GALLOFRÉ I VIRGILI, M. Josepa. *L'edició catalana i la censura franquista (1939-1951).* Barcelona: Abadia de Montserrat, 1991, p. v-ix (Biblioteca Abat Oliba ; 99) (=336).

264 "Viladot o la rebel·lió contra el llenguatge". A: VILADOT, Guillem. *Poesia completa.* Vol. I, *1952-1965.* Barcelona: Columna, 1991, p. i-x (=336).

265. "Vida y literatura: un mismo designio de amor y libertad" [Montserrat Roig]. A: *La Vanguardia*, 11-11-1991.

1992

Comissariat: *Les Avantguardes a Catalunya. 1906-1939.* [En col. amb:] J. Corredor-Matheos i D. Giralt-Miracle. Barcelona, La Pedrera, 10 juliol-30 setembre 1992.

266. *Les metamorfosis de Barcelona.* Fotografies: Pilar Aymerich. Barcelona: Ajuntament : Enciclopèdia Catalana, 1992 (Col·lecció Imatges. Barcelona).

267. "Les Avantguardes literàries: imitació i originalitat". A: *Avantguardes a Catalunya. 1906-1939.* La Pedrera, 16 juliol - 30 setembre 1992. Barcelona: Fundació Caixa de Catalunya : Olimpíada Cultural, 1992, p. 42-59.
267.1. Trad. espanyola per M. Serrat Crespo: "Las Vanguardias literarias: imitación y originalidad". A: *Las Vanguardias en Cataluña. 1906-1939.* La Pedrera, 16 julio - 30 setiembre 1992. Barcelona: Fundació Caixa de Catalunya : Olimpíada Cultural, 1992, p. 42-59.
267.2. Trad. alemanya per Sabine Sattel: "Die literarische Avantgarde: Imitation und Originalität". A: *Zeitschrift für Katalanistik.* Frankfurt am Main: Katalanisches Kulturbüro, 1993, vol. VI, p. 9-36.

268. "La 'Vida secreta' de Dalí, un poema d'amor". A: *Actes del sisè Col·loqui d'estudis catalans a Nord-Amèrica.* Vancouver 1990. A cura de K. I. Kobbervig, A. Pacheco i J. Massot i Muntaner. Barcelona: Abadia de Montserrat, 1992, p. 311-331 (Biblioteca Abat Oliba ; 115) (=299).

269. "Ramon Llull i la literatura contemporània". A: *Atti del Convegno Internazionale Ramon Llull, il lullismo internazionale, l'Italia.* Napoli, Castel dell'Ovo, 30 e 31 marzo, 1 aprile 1989. A cura di Giuseppe Grilli. Napoli: Istituto Universitario Orientale, 1992, p. 399-412 (Annali dell' Istituto. Sezione Romanza; XXXIV,1).

270. “Sobre el Pedrolo dels anys 50”. A: *Rellegir Pedrolo*. A cura de Xavier Garcia. Actes del «Col·loqui Rellegir Pedrolo», Lleida, 17-19, des.,1990. Barcelona: Edicions 62, 1992, p. 31-46.

271. “Les Jornades sobre Antoni Febrer i Cardona i el procés de recuperació del Grup Il·lustrat Menorquí” [discurs de clausura de les Jornades Antoni Febrer i Cardona i la cultura de la Il·lustració, Ciutadella-Maó, 11-13, set., 1991]. A: *Randa*, 1992, núm. 31, p. 143-151 (=336).

272. “Pròleg”. A: *IV Jornades d'Estudis Catalano-Americans : octubre 1990*. Barcelona: Generalitat de Catalunya. Comissió Amèrica i Catalunya 1992, 1992, p. 5-7.

273. “La Roma clàssica i les lletres catalanes”. A: *Roma a Catalunya*. Barcelona: Institut Català d'Estudis Mediterranis, 1992, p. 196-200 [3a ed., 1992].

274. “Pròleg”. A: SOLDEVILA, Llorenç. *Jacint Verdaguer*. Argentona: L'Aixernador, 1992, p. 9-10 (Els escriptors i el país ; 1).

275. “Justificació”. A: *1893, una collita prodigiosa: J. V. Foix, Frederic Mompou, Joan Miró, Carles Riba*. Barcelona: Ajuntament de Barcelona, 1992, p. 6-8.
275.1. “Justificación”. A: *1893, una cosecha prodigiosa: J. V. Foix, Frederic Mompou, Joan Miró, Carles Riba*. Barcelona: Ajuntament de Barcelona, 1992, p. 6-8.

276. “Petita història d'una gran aventura”. A: *Homenatge a Joan Torrent i Fàbregas*. Sant Feliu de Guíxols: Ajuntament de Sant Feliu de Guíxols, 1992, p. 9-10 (=337).

1993

277. “El retrat d'un poeta adolescent. Notes per a una lectura de ‘Gertrudis’, de J. V. Foix” . Discurs llegit el dia 25 de febrer de 1993 en l'acte de recepció pública a la Reial Acadèmia de Bones Lletres de Barcelona. Barcelona : l'Acadèmia, 1993 (=299).

278. Joan Maragall. *Poesía*. Selección e introducción. Trad. de los poemas: Ángel Crespo. Barcelona: Planeta, 1993 (Clásicos universales Planeta ; 228).

279 “Sis cartes inèdites de Jacint Verdaguer”. A: *Anuari Verdaguer 1992*. Vic: Eumo; Barcelona: Ajuntament de Barcelona, 1993, p. 107-115.

280.“Pròleg”. A: *La Cònsola*. Edició facsímil. Sabadell: Ausa, 1993, p. 5-16 (=299).

281. “Pròleg”. A: RAIMON. *Les paraules del meu cant*. Barcelona: Empúries, 1993, p. 7-10 (=336).
281.1. Ed. del Cercle de Lectors, 1993.

282. "Joan Fuster, escriptor d'idees". A: *Homenatge a Joan Fuster*. Universitat de Barcelona, 18 maig, 1993. Barcelona: la Universitat, 1993, p. 51-58 (Col·lecció Actes Universitaris ; 13) (=336).

283. "Baltasar Porcel, entre la reflexió moral i la mitificació". A: *Creació i crítica en la literatura catalana*. Intervencions de les comunicacions celebrades a l'Aula Magna de la Universitat de Barcelona els dies 5 al 15 de març de 1991. Coordinadors: Enric Bou, Ramon Pla. Barcelona: Universitat de Barcelona, 1993, p. 81-90 (=336).

284. "Cent anys de tres doctors 'Honoris causa' ". A: *Cent anys de Miró, Mompou i Foix, doctors "Honoris causa" [de la] Universitat de Barcelona*. Barcelona: la Universitat, 1993, p. 7-8 (Col·lecció Actes Universitaris ; 16).

285. "Gertrudis, entre otras". A: *La Vanguardia*, 28-1-1993.

286. "Fragment del Diari". A: *Urc*, 1993, núm. 7, p. 93-96 (=328).

1994

287. *Antologia de la poesia romàntica*. A cura de Ramon Pinyol i Torrents. Barcelona: Edicions 62, 1994 (El Garbell ; 46).

287.1. Ed. revisada: Barcelona: Edicions 62, 1997 (El Cangur ; 243).

288. Jacint Verdaguer. *Barcelona fi de segle*. Selecció de textos i presentació. Pintures de Ramon Casas i de Ramon Martí i Alsina, il·lustracions d'Apel·les Mestres i d'Alexandre de Riquer del fons del Museu Nacional d'Art de Catalunya i del Museu d'Història de la Ciutat. Barcelona: Ajuntament de Barcelona, 1994.

288.1. Jacint Verdaguer. *Barcelona fin de siglo*. Selección de textos. Pinturas de Ramon Casas y Ramon Martí Alsina e ilustraciones de Apel·les Mestres y Alexandre de Riquer de los fondos del Museu Nacional d'Art de Catalunya y del Museu d'Història de la Ciutat. Barcelona: Ajuntament de Barcelona, 1994.

289. "Sobre la mitologia d'una ciutat". A: [PLANA, Miquel, ed.] *Barcelona 1888-1992, vista per vuit escriptors, i il·lustrada amb aiguaforts per vint artistes*. Olot: (Impremta Aubert), 1991-1994, p. 75-101. Edició numerada. Estoig de cartró (=257, 337).

290. "Otra literatura iberoamericana. Notas sobre la aventura de la literatura catalana en tierras de América". A: *Actas del XXIX Congreso del Instituto Internacional de literatura iberoamericana*. Barcelona, 15-19 de junio de 1992. Publicadas por Joaquín Marco. Barcelona: Promociones y Publicaciones Universitarias, 1994, vol. I, p. 49-66.

291. "Pròleg". A: GARCIA-SEDAS, Pilar. *Joaquim Torres-Garcia i Rafael Barradas. Un diàleg escrit: 1918-1928*. Barcelona: Abadia de Montserrat, 1994, p. 7-13 (Biblioteca Serra d'Or ; 135) (=336).
291.1. Trad. espanyola de P. G. S.: "Prólogo". A: GARCIA-SEDAS, P. *J. Torres-García y Rafael Barradas. Un diálogo escrito: 1918-1928*. Barcelona: Parsifal ; Montevideo: Libertad Libros, 2001, p. 9-15.

292. "Foix, investigador en poesia". A: *J. V. Foix, investigador en poesia i amic de les arts*. Exposició organitzada per la Fundació «la Caixa» i el Departament de Cultura de la Generalitat de Catalunya, juntament amb la Fundació J. V. Foix en commemoració del centenari del naixement de J. V. Foix. 4 febrer - 3 abril 1994. Sala Sant Jaume de la Fundació «la Caixa». Barcelona: la Fundació, 1994, p. 128-131 (=336).

293. "'L'Aplech', una revista oblidada". A: *paper groc*, 1994, núm. 18, p.180-181 (=336).

294. "Pere Quart, entre el crit i la raó poètica". A: *Els Marges*, 1994, núm. 50, p. 5-9 (=336).

295. "Masoliver i les Avantguardes" [Ponència llegida en el seminari "Juan Ramón Masoliver: 60 años de creación, crítica y traducción literarias (Col·legi de Periodistes de Catalunya, 16-12-1993)"]. A: *Cuadernos de Estudio y Cultura*, 1994, núm. 4, p. 27-31 (=336).

296. "Fulls del 'Dietari' ". A: *Avui*, 3-7-1994 (=328).

297. "Fulls del 'Dietari' ". A: *Avui. Cultura i espectacles,* 4-12-1994 (=328).

1995

298. *Materials i propostes*. A: *Obra crítica*. Vol. I. Barcelona: Edicions 62, 1995 (Clàssics catalans del segle XX) (Conté: núm. 9, 16, 18, 23.1, 24, 29, 44, 52, 55, 59, 66, 68, 72, 75.1, 84, 88.1, 109.1, 111, 178).

299. *Usos de la realitat*. A: *Obra crítica*. Vol. I. Barcelona: Edicions 62, 1995 (Clàssics catalans del segle XX) (Conté: 73, 129, 159, 202, 207, 219, 230, 268, 277, 280, 302).

300. *Manifestos d'Avantguarda. Antologia*. Traducció de Xavier Riu. Barcelona: Edicions 62, 1995 (Les millors obres de la literatura universal. Segle XX ; 99).

301. "1939, any-límit de la literatura catalana". A: *Actes del desè Col·loqui internacional de llengua i literatura catalanes*. Frankfurt am Main, 18-25 de setembre de 1994. A cura d'A. Schönberger i T. D. Stegmann. Associació Internacional de Llengua i Literatura Catalanes. Barcelona : Abadia de Montserrat, 1995, vol. I, p. 47-73.

302. "Notes sobre els dietaris de J. V. Foix". A: *Cinc aproximacions a la cultura catalana del segle XX. Miró, Picasso, Mompou, Riba, Foix* [A cura de Ramon Salvo]. Barcelona: Diputació de Barcelona, 1995, p. 87-110 (=299).

303. "Inauguració de l'Any Guimerà : Parlament del Dr. Joaquim Molas". A: *1995: Any Guimerà*. El Vendrell: Comissió Any Guimerà, 1995, p. [5]-[11] (=337).

304. "Literatura d'avantguarda i cinema. Conferència pronunciada el 6 de juny de 1991 al Casal Pere Quart". A: *Literatura i cinema occidentals. Segle XX*. Coordinadors: Pere Cornellas, Jordi Graset. Sabadell: Ajuntament de Sabadell : Cine Club Sabadell, 1995. vol. 2, p. 17-29.

305. "Ricard Torrents i els estudis sobre Verdaguer: una aproximació". A: TORRENTS, Ricard. *Verdaguer. Estudis i aproximacions*. Vic: Eumo, 1995, p. xi-xvi (Estudis verdaguerians ; 2) (=336).

306. "Pròleg". A: FÀBREGAS, Xavier. *Els orígens del drama contemporani*. Barcelona: Edicions 62, 1995, p. 7-10 (Els llibres de l'Escorpí. Idees ; 83) (=337).

307. "Pròleg". A: FAULÍ, Josep. *Les revistes culturals en català*. Barcelona: Generalitat de Catalunya. Centre d'Investigació de la Comunicació, 1995, p. 7-9 (Col·lecció Informes ; 10) (=337).

308. "Nota per a una cloenda". A: *El Price dels poetes. 25 anys*. Barcelona: Ajuntament de Barcelona, 1995, p. 129-130 (=337).

309. "Pròleg" ; "Punt i final". A: SARSANEDAS, Jordi. *Mites*. Il·lustracions litogràfiques de Miquel Plana. Olot: M. Plana, 1995, p. 13-17 i 83 ["Pròleg": versió resumida del núm. 142].

310. "Els meus anys d'institut". A: *Institut Jaume Balmes. Cent cinquanta anys d'història (1845-1995)*. Barcelona: l'Institut, 1995, p. 177-182 (=328).

311. "Fulls del Dietari". A: *Avui. Cultura i espectacles,* 5-3-1995 (=328).

312. "Fulls del 'Dietari' ". A: *Avui. Cultura i espectacles,* 21-5-1995 (=328).

313. "Fulls del Dietari". A: *Avui. Cultura i espectacles,* 12-11-1995 (=328).

1996

314. Tria i ed.: Ferran SOLDEVILA. *Cronistes, joglars i poetes* [En col. amb:] J. Massot i Muntaner. Barcelona: Abadia de Montserrat, 1996.

315. Tria i ed.: Jordi RUBIÓ I BALAGUER. *Estudis literaris. Trames culturals i individualitats creadores*. Barcelona: Edicions 62, 1996 (Les millors obres de la literatura catalana ; 122).

316. *Joaquim Molas, escriptor del mes*. Octubre, 1996. Barcelona: Institució de les Lletres Catalanes, 1996 (Conté: "El meu tòpic dels orígens") [=337] i núm. 96.1, 144.1, 186).

317. "Pròleg". A: CREXELLS, Joan. *Obra completa*. Vol. I., *De Plató a Carles Riba.* Barcelona: La Magrana, 1996, p. 9-13.

318. "Josep Franquesa i Gomis, poeta i activista oblidat". A: *L'Avenç*, 1996, núm. 200, p. 84-87.

319. "Una suma de quaranta anys" A: *Homenatge a J. M. Castellet.* Barcelona: Edicions 62, 1996, p. 141-149 (=328).

319.1. Trad. espanyola per Enric Sullà: "Memoria de cuarenta años". A: *De sombras y de sueños. Homenaje a J. M. Castellet.* Edición de Eduardo A. Salas Romo. Barcelona: Península, 2001, p. 35-44 (Península. Ficciones ; 41).

1997

320. Ed.: Joan SALVAT-PAPASSEIT. *La gesta dels estels*. Barcelona: Ariel, 1997 [3a edició, 1999].

321. "Sobre les Avantguardes". A: *Història de la cultura catalana* [Direcció general de Pere Gabriel]. Vol. VIII, *Primeres Avantguardes. 1918-1930.* Barcelona: Edicions 62, 1997, p. 15-30.

322. "Apunt per a un pròleg". A: *Epistolari de Manuel de Pedrolo.* A cura de Xavier García. Vol. I. Lleida: Universitat de Lleida, 1997, p. 7-10 (Biblioteca literària de Ponent ; 4) (=337).

323. "Apunt per a un pròleg". A: CADENA, J. M.; CASTILLO, M.; VÉLEZ, P. *D'Ivori. La màgia de la il·lustració*. Barcelona: Ajuntament de Barcelona, 1997, p. 7-9.

324. "Apunt per a un pròleg". A: ESPINÀS, Josep M. *Un racó de paraigua*. Barcelona: La Campana, 1997, p. 9-14 (Col·lecció Toc de Ficció ; 15) (=337).

325. "Apunt per a un pròleg". A: MESEGUER, Lluís. *Literatura oberta.* Barcelona: Abadia de Montserrat, 1997, p. 5-7 (=337).

326. "La literatura: ahir, avui, demà" [Parlament en l'acte de concessió dels Premis Serra d'Or]. A: *Serra d'Or*, XXXIX, 1997, núm. 451-452, p. 583-584 (=337).

327. "Els 'Dos màrtirs de ma pàtria' de Verdaguer". A: *Serra d'Or*, XXXIX, 1997, núm. 454, p. 747-749 (=336).

328. *Fragments de memòria*. Lleida: Pagès, 1997 (Biblioteca de la Suda. Sèrie Transvària ; 5) (Conté: núm. 21, 120, 149, 158, 166, 205, 210, 232, 240, 245, 254, 255, 286, 296, 297, 310, 311, 312, 313, 316 ["El meu tòpic dels orígens"], 319, 335).

329. "Pròleg : Crònica (amb colofó) de les quartes jornades. Fulls del dietari". A: *Brufera d'estiu*. IV Trobada d'escriptors a les valls d'Àneu, 1997. Lleida: Pagès, 1998, p. 7-16.
329.1. Reprod. amb el títol "Fulls de dietari". A: *Cua de bou. Literatura a les Valls d'Àneu*. Barcelona: Proa, 1999, p. 121-127 (Beta ; 13).

1998

330. "Necessitat i raons d'una proposta". A: *Cànon literari: ordre i subversió*. Actes del Col·loqui internacional (Institut d'Estudis Ilerdencs, 19-22 març 1996). A cura de Jaume Pont i Josep M. Sala-Valldaura. Lleida: Institut d'Estudis Ilerdencs, 1998, p. 129-138.

331. "Miquel Batllori: notes sobre (o per a) una imatge". A: *Jornades sobre l'obra de Miquel Batllori*. Barcelona, 3 i 4 de març de 1997. Barcelona: Institut d'Estudis Catalans. Secció Històrico-Arqueològica, 1998, pàgs. 23-32 (Sèrie Jornades Científiques ; 3).

332. "Miquel dels Sants Oliver". A: *Institut d'Estudis Catalans : Memòria [del] curs 1996-1997*. Barcelona : Institut d'Estudis Catalans, 1998, p. 103-108.

333. "Apunt sobre la fi de segle". A: *'Escolta Espanya'. Catalunya i la crisi del 98*, Museu d'Història de Catalunya. 19 de març - 13 de setembre de 1998. Barcelona: Generalitat de Catalunya. Dep. de Cultura : Proa, 1998, p. 152-153 (=337).

334. "La literatura catalana y el fin de siglo". A: *Residencia [de Estudiantes]*, 1998, núm. 6, p. 22-23.
334.1. Versió catalana. A.: *Nexus,* 1998, núm. 21, p. 24-28.

335. "D'aquell temps, d'aquell Sanchis Guarner". A: *Manuel Sanchis Guarner. El compromís cívic d'un filòleg*. Edició a cura d'Antoni Ferrando i de Francesc Pérez i Moragon. València: Universitat de València, 1998, p. 94-96 (=328).

336. *L'ofici de llegir*. A: *Obra crítica*. Vol. II. Barcelona: Edicions 62, 1999 (Clàssics catalans del segle XX) (Conté: núm. 26, 50, 61, 69, 70, 77, 78, 79, 86, 87, 95, 96.1, 112, 116.1, 117.1, 125, 130.2, 142, 150, 151, 153, 155, 157, 163, 164, 192, 204, 209, 224, 225, 239, 247, 249, 260, 261, 263, 264, 271, 281, 282, 283, 291, 292, 293, 294, 295, 305, 327).

337. *Subjectes i complements*. A: *Obra crítica*. Vol. II. Barcelona: Edicions 62, 1999 (Clàssics catalans del segle XX) (Conté: núm. 100, 105, 113.1, 121, 138, 148, 186, 198.1, 203, 210, 220, 233, 242, 243, 245, 250, 254, 256, 276, 303, 306, 307, 308, 322, 324, 325, 326, 333, 342, 343).

338. "La poesia catalana i els inicis de la modernitat". Lliçó inaugural. Inauguració del curs acadèmic 1999-2000. 1 d'octubre de 1999. Barcelona : Universitat de Barcelona, 1999.

339. "Jacint Verdaguer: un poeta en crisi. Notes per a una primera lectura dels 'Aires del Montseny' ". A: *Actes del IV Col·loqui sobre Verdaguer. "L'obra literària dels deu darrers anys de Jacint Verdaguer"*. A cura de Pere Farrés. Vic: Eumo, 1999, p. 11-26 (Anuari Verdaguer 1995-1996).

340. "Per a una lectura de Llorenç Villalonga". A: *Actes del Col·loqui Llorenç Villalonga.* Celebrat a Palma del 20-22 de novembre de 1997. A cura de Pere Rosselló Bover. Universitat de les Illes Balears. Dep. de Filologia Catalana i Lingüística General. Barcelona: Abadia de Montserrat, 1999, p. 7-26 (Biblioteca Miquel dels Sants Oliver ; 10).

341 "Els estudis sobre literatura catalana: passat, present i futur". A: *Ciència i cultura al llindar del segle XXI* : cicle de conferències. A cura de Mercè Durfort i Coll. Barcelona: Institut d'Estudis Catalans, 1999, p. 147-154.

342. "Amb blau sofert i amb grana intens". A: *Barça, centenari d'emocions. Llibre oficial del centenari del FC Barcelona.* Barcelona: Lunwerg, 1999, p. 203-209. [Reelaborat amb el títol: " 'Amb roig de sang i blau de mar'. Fitxes per a un (possible) inventari". A: núm. 337].

343. "Sobre Joan Brossa i la seva poesia". A: *Serra d'Or*, XLI, 1999, núm. 472, p. 287 (=337).

344. "Apunt sobre Isidre Molas i Font, amb motiu del centenari". A: *Serra d'Or,* XLI, 1999, núm. 480, p. 953-959.

2000

345. "Discurs del president del Comitè Científic". A: *1898: Entre la crisi d'identitat i la modernització.* Actes del Congrés Internacional celebrat a Barcelona, 20-24 d'abril de 1998. Barcelona: Abadia de Montserrat, 2000, vol. 1, p. 11-14 (Biblioteca Abat Oliba ; 225).

346. "Taula rodona: Barcelona, capital de cultura. Introducció". A: *1898: Entre la crisi d'identitat i la modernització.* Actes del Congrés Internacional celebrat a Barcelona, 20-24 d'abril de 1998. Barcelona: Abadia de Montserrat, 2000, vol. 2, p. 411-414 (Biblioteca Abat Oliba ; 226).

347. "Ensems sentia la vocació literària". A: ROVIRA I VIRGILI, Antoni. *Teatre de la Natura. Teatre de la Ciutat* [*Teatre de la Ciutat*: tria i organització per J. Molas]. A cura de Montserrat Corretger. Barcelona: Proa, 2000, p. 9-15 (Beta ; 38).

348. "Pròleg". A: NADAL, Marta. *De foc i de seda. Àlbum biogràfic de Mercè Rodoreda.* Barcelona: Fundació Mercè Rodoreda : Institut d'Estudis Catalans : Edicions 62, 2000, p. 11-12.

349. *Nou Diccionari 62 de la Literatura Catalana.* Director: Enric Bou. Barcelona: Edicions 62, 2000. [Articles: "B. C. Aribau", p. 46-47; "Romanticisme", p. 648-651].

2001

350. "Sobre la literatura i l'ofici d'estudiar-la". A: *Premis de la Fundació Catalana per a la Recerca. Convocatòria 2001.* Barcelona: la Fundació, 2001, p. 21-25.

351. "Presentació". A: Manuel MILÀ I FONTANALS (1818-1884). *Acerca del carácter general de la literatura española* : 1865. A: *21 Discursos inaugurals : 1836-1931.* Barcelona: Universitat de Barcelona, 2001, vol. 5, p.V-VII [Edició facsímil].

352. "Presentació". A: Antoni RUBIÓ I LLUCH (1856-1937). *Algunos de los caracteres que distinguen a la antigua literatura catalana : 1901.* A: *21 Discursos inaugurals : 1836-1931.* Barcelona: Universitat de Barcelona, 2001, vol. 13, p. V-VII [Edició facsímil].

353. "Albert Manent. Cronista de la resistència". A: *Records d'ahir i d'avui. Homenatge a Albert Manent i Segimon amb motiu dels 70 anys.* Barcelona: Abadia de Montserrat, 2001, p. 74-79.

354. "La cultura catalana, entre el orden y la aventura". A: *Cataluña, tierra de acogida.* Barcelona: Generalitat de Catalunya. Dep. de la Presidència, 2001, p. 77-93.

355. "Miquel Plana i la literatura". A: *Miquel Plana. Llibres de Bibliòfil (1972-2001).* Girona: Fundació Caixa de Girona, 2001, p. 112-113.

356. "Serrallonga o la passió de llegir". A: *Reduccions*, 2001, núm. 73-74, p. 209-220.

357. "Tomàs Garcés i la cançó" = "Tomàs Garcés y la canción". [Fullet adjunt, p. 2-5]. A: GARCÈS, Tomàs. *A l'ombra del lladoner* [Enregistrament sonor]. Anna Ibarra, soprano ; Rubén Fernández, piano. Barcelona : RBA Música, 2001. 1 disc compacte (43 min.) + 1 fullet (12 p.).

358. *Fulls de dietari.* Gravats de Miquel Plana. Girona, 2001 (Senhal ; 64)

2002

Comissariat: *Mercè Rodoreda, la poética de la memoria.* [Amb la col. de:] C. Arnau i M. Nadal. Madrid, Círculo de Bellas Artes, 22 abril-5 mayo 2002.

359. "El temps de Gaudí. La cultura catalana entre dues exposicions". *A: Gaudí 2002. Miscel·lania.* Edició commemorativa de l'Any Internacional Gaudí. Barcelona: Ajuntament de Barcelona ; Planeta, 2002, p. 70-83.

360. "Sobre els orígens d'una generació sense papers". A: *Estudiants de Vic, 1951.* Vic: Patronat d'Estudis Osonencs, 2002, p. 7-14.

361. "Notes per a una lectura". A: Carles MIRALLES. *D'aspra dolcesa. Poesia (1963-2001).* Barcelona: Proa, 2002, p. 11-15 (Col·lecció Óssa Menor, sèrie gran; 8).

362. "La Rodoreda que conocí". A: Mercè RODOREDA. *Cuentos completos. Veintidós cuentos. Mi Cristina y otros cuentos. Parecía de seda y otros cuentos.* Prólogos, por... y Carme Arnau. Bibliografía, por E. Miret i Raspall. Madrid: Fundación Santander Central Hispano, 2002, p. IX-XI (Colección Obra fundamental).

363. "Pròleg". A: Damià PONS i PONS. *Entre l'afirmació individualista i la desfeta col·lectiva. Escriptors i idees a la Mallorca del primer terç del segle XX.* Palma de Mallorca: Universitat de les Illes Balears. Dep. de Filologia Catalana i Lingüística General; Barcelona: Abadia de Montserrat, 2002, p. 5-8 (Biblioteca Miquel dels Sants Oliver; 17).

364. "Presentación". A: *Mercè Rodoreda, una poética de la memoria.* Madrid, Circulo de Bellas Artes, 22 abril-5 mayo 2002. Barcelona: Institut d'Estudis Catalans. Fundació Mercè Rodoreda ; Generalitat de Catalunya. Cataluña Hoy ; Circulo de Bellas Artes, 2002, p. 11.

365. "Discurs de contestació". A: Josep MASSOT I MUNTANER. *Els viatges folklòrics de Marià Aguiló.* Discurs llegit el dia 6 de juny de 2002 en l'acte de recepció

pública de... a la Reial Acadèmia de Bones Lletres de Barcelona. Barcelona: l'Acadèmia, 2002, p. 47-52.

366. "Sobre les raons d'un mite". A: *L'Avenç,* 2002, núm. 270, p. 26-27.

367. "Tu Marcellus eris!". A: *Serra d'Or*, XLIV, 2002, núm. 506, p. 89-90.

En premsa

La crisi de la paraula. La poesia visual: un discurs poètic alternatiu [En col. amb:] Enric Bou. Barcelona: Edicions 62.
Trad. espanyola. Barcelona: Península.

Tradició i originalitat de les Avantguardes literàries. Barcelona: Edicions 62.
Trad. espanyola per Xavier Garcia. Barcelona: Península.

Les Avantguardes literàries catalanes. Bibliografia i antologia de textos crítics. [Amb la col·laboració de Pilar Garcia-Sedas i Til Stegmann]. Frankfurt am Main: Vervuert ; Madrid: Iberoamericana.

Tria i ed.: Víctor BALAGUER. *Poesia.* Vilanova i la Geltrú: El Cep i la Nansa (Biblioteca Antina).

Ed.: Jacint VERDAGUER. *Totes les obres.* Vol. I: *Prosa.* [En col. amb:] Isidor Cònsul. Barcelona; Proa.

"Sobre la recepció de Baudelaire en terres catalanes". A: *Actes del 12è Col·loqui Internacional de Llengua i Literatura catalana*, Universitat de Paris IV-Sorbonne, setembre 2000. Barcelona: Abadia de Montserrat.

Índex de matèries